Daniel Gagnon Fraser
3-C

DICTIONNAIRE FRANÇAIS · ESPAGNOL ESPAGNOL · FRANÇAIS

DICCIONARIO FRANCÉS · ESPAÑOL ESPAÑOL · FRANCÉS

COLLINS
GEM
DICTIONARY

FRANÇAIS · ESPAGNOL
ESPAGNOL · FRANÇAIS

FRANCÉS · ESPAÑOL
ESPAÑOL · FRANCÉS

Carlos Giordano
Saul Yurkievich

HarperCollins*Publishers*

first published 1980

latest reprint 1995

ISBN 0 00 458686 7

---

sous la direction de
bajo la dirección de
Pierre-Henri Cousin

avec la collaboration de
en colaboración con
Gérard et Sylvie de Cortanze, Mike Gonzalez,
Eleanor Londero, Angela Rosso,
Gladys Yurkievich

secrétariat de rédaction
redacción
Pat Feehan, Claude Nimmo

DICTIONNAIRES LE ROBERT
27, rue de la Glacière
75013 PARIS

ISBN : 2-85036-138-0
Dépôt légal : novembre 1995

Printed in Great Britain by
HarperCollins Manufacturing, Glasgow

INTRODUCTION

L'usager qui désire comprendre l'espagnol - qui déchiffre - trouvera dans ce dictionnaire un vocabulaire moderne et très complet, comprenant de nombreux composés et locutions appartenant à la langue contemporaine. Il trouvera aussi dans l'ordre alphabétique les principales formes irrégulières, avec un renvoi à la forme de base où figure la traduction, ainsi qu'abréviations, sigles et noms géographiques choisis parmi les plus courants.

L'usager qui veut s'exprimer - communiquer - dans la langue étrangère trouvera un traitement détaillé du vocabulaire fondamental, avec de nombreuses indications le guidant vers la traduction juste, et lui montrant comment l'utiliser correctement.

INTRODUCCIÓN

Quien desee leer y entender el francés encontrará en este diccionario un extenso léxico moderno que abarca una amplia gama de locuciones de uso corriente. Igualmente encontrará, en su debido orden alfabético, las abreviaturas, las siglas, los nombres geográficos más conocidos y, además, las principales formas de verbo irregulares, donde se le referirá a las respectivas formas de base, hallándose allí la traducción.

Quien aspire comunicarse y expresarse en lengua extranjera, hallará aquí una clara y detallada explicación de las palabras básicas, empleándose un sistema de indicadores que le remitirán a la traducción más apta y le señalarán su correcto uso.

ABRÉVIATIONS		ABREVIATURAS
adjectif, locution adjective	**a**	adjetivo, locución adjetiva
abréviation	**abrév, abr**	abreviatura
adverbe, locution adverbiale	**ad**	adverbio, locución adverbial
administration, langue administrative	**ADMIN**	administración, lengua administrativa
agriculture	**AGR**	agricultura
Amérique Latine	**AM**	América Latina
anatomie	**ANAT**	anatomía
architecture	**ARCHIT**	arquitectura
architecture	**ARQ**	arquitectura
astrologie, astronomie	**ASTRO**	astrología, astronomía
l'automobile: circulation, mécanique, sport	**AUTO**	el automóvil: circulación, mecánica, deporte
aviation, voyages aériens	**AVIAT**	aviación, viajes aéreos
biologie	**BIO**	biología
botanique	**BOT**	botánica, flores
conjonction	**conj**	conjunción
commerce, finance, banque	**COM(M)**	comercio, finanzas, banca
cuisine	**CULIN**	cocina
déterminant: article, adjectif démonstratif, indéfini, possessif	**dét, det**	determinante: artículo, adjetivo demonstrativo, indefinido, posesivo
économie	**ÉCON, ECON**	economía
électricité, électronique	**ÉLEC, ELEC**	electricidad, electrónica
enseignement, système scolaire et universitaire	**ESCOL**	enseñanza, sistema escolar y universitario
exclamation, interjection	**excl**	exclamación, interjección
féminin	**f**	feminino
langue familière	**fam**	lengua familiar
emploi figuré	**fig**	uso figurado
photographie	**FOTO**	fotografía
dans la plupart des sens; sens courant et non spécialisé	**gén, gen**	en la mayoría de los sentidos; sentido corriente y no especializado
géographie, géologie	**GÉO, GEO**	geografía, geología
invariable	**inv**	invariable

domaine juridique	**JUR**	lo jurídico
grammaire, linguistique	**LING**	gramática, lingüística
masculin	**m**	masculino
mathématiques, algèbre	**MAT(H)**	matemáticas, álgebra
médecine	**MÉD, MED**	medicina
masculin ou féminin, suivant le sexe	**m/f**	masculino o femenino, según el sexo
domaine militaire, armée	**MIL**	lo militar, ejército
musique	**MUS**	música
nom	**n**	nombre
navigation, nautisme	**NAUT**	navegación, náutica
adjectif ou nom numérique	**num**	adjetivo o nombre numérico
péjoratif	**péj, pey**	peyorativo
photographie	**PHOTO**	fotografía
pluriel	**pl**	plural
politique	**POL**	política
participe passé	**pp**	participio de pasado
préfixe	**préf, pref**	prefijo
préposition	**prép, prep**	preposición
pronom	**pron**	pronombre
psychologie, psychiatrie	**PSICO**	psicología, psiquiatría
psychologie, psychiatrie	**PSYCH**	psicología, psiquiatría
quelque chose	**qch**	algo
quelqu'un	**qn**	alguien
religions, domaine ecclésiastique	**REL**	religiones, lo eclesiástico
enseignement, système scolaire et universitaire	**SCOL**	enseñanza, sistema escolar y universitario
sujet	**suj**	sujeto
tauromachie	**TAUR**	tauromaquia
techniques, technologie	**TEC(H)**	técnica, tecnología
télécommunications	**TÉLÉC, TELEC**	telecomunicaciones
télévision	**TV**	televisión
verbe	**vb**	verbo
verbe intransitif	**vi**	verbo intransitivo
verbe pronominal	**vr**	verbo pronominal
verbe transitif	**vt**	verbo transitivo
vulgaire	**vulg**	vulgar
zoologie, animaux	**ZOOL**	zoología, animales
marque déposée	®	marca registrada
indique une équivalence culturelle	≈	indica un equivalente cultural

LA PRONONCIATION DE L'ESPAGNOL

La prononciation de l'espagnol pose peu de problèmes au francophone, du moins lorsqu'il s'agit de se faire comprendre sans essayer de passer pour un hispanophone. Nous ne montrerons donc ici pour mémoire que la dizaine de lettres ou groupes de lettres qui correspondent à une prononciation très différente de celle à laquelle le francophone pourrait s'attendre.

CONSONNES

ci, ce	le **c** se prononce comme le *th* anglais dans *thin*: on appelle ce son une dentale fricative sourde
ch	se prononcent *tch*
gi, ge, j	le son représenté ici par le **g** ou le **j** se prononce approximativement comme le *ch* de *nach* en allemand: on l'appelle une vélaire fricative sourde
ll	se prononcent approximativement comme le *lli* de *million*
ñ	se prononce comme le *gn* de *agneau*
r, rr	le **r** espagnol est roulé, le **rr** doublement roulé
v	se prononce approximativement comme *b* (un b prononcé de façon douce): on appelle ce son une bilabiale fricative sonore
z	se prononce comme le *th* anglais dans *thin*: on appelle ce son une dentale fricative sourde

VOYELLES

e	n'est jamais muet, mais se prononce toujours, comme un *é* ou *è*
u	se prononce comme le *ou* de *cou* (mais reste muet dans les groupes **gue, gui)**
an, en etc	il n'y a pas de nasales en espagnol: **tanto** se prononce *tann-to*, **viento** *bienn-to* etc

DIPHTONGUES

ai, ay	se prononcent *aille* comme dans *bataille*
ei, ey	se prononcent *eille* comme dans *bouteille*
oi, oy	se prononcent comme on prononcerait *oille*
eu	se prononcent *é-ou*: **deuda** *dé-ouda*
au	se prononcent *ao* : **causa** *kao-sa*

L'ACCENT TONIQUE

Il est très important pour être compris de placer correctement l'accent tonique. Voici les règles à observer:

a) mot se terminant par une voyelle (sauf *y*), par *n* ou *s* :
accent sur l'avant-dernière syllabe
aparta**men**to, ha**bla**mos, **co**men, **ma**dre

b) mot se terminant par *y*, par une consonne (sauf *n* ou *s*):
accent sur la dernière syllabe
ca**rey**, ciu**dad**, ha**blar**, des**leal**

c) Les exceptions sont signalées dans l'orthographe espagnole par un accent (aigu) marquant la syllabe accentuée :
inte**rés**, co**mún**, dacti**ló**grafo, **glán**dula

TRANSCRIPCIÓN FONÉTICA DEL FRANCÉS

CONSONANTES

poupée poupe	p	f	*fer phare gaffe paraphe*
bombe	b	v	*valve*
tente thermal	t	l	*lent salle sol*
dinde	d	R	*rare venir rentrer*
coq qui képi sac pastèque	k	m	*maman femme*
gag gare bague gringalet	g	n	*non nonne*
sale ce ça dessous nation pouce tous	s	ɲ	*gnôle agneau vigne*
		h	*hop! (avec h aspiré)*
zéro maison rose	z	j	*yeux paille pied hier*
chat tache	ʃ	w	*nouer oui*
gilet juge	ʒ	ɥ	*huile lui*

VOCALES

ici vie lyre	i	œ	*beurre peur*
jouer été fermée	e	ø	*peu deux*
lait jouet merci	ɛ	ɔ	*mort or homme*
patte plat amour	a	o	*geôle mot dôme eau gauche chevaux*
bas pâte	ɑ	u	*genou roue*
le premier	ə	y	*rue vêtu urne*
matin plein brin	ɛ̃	ɑ̃	*vent sang an dans*
brun	œ̃	ɔ̃	*bon ombre*

DIVERSOS

en el léxico francés: no hay enlace	*	‚	en la transcripción francesa: no hay enlace

FRANÇAIS - ESPAGNOL
FRANCÉS - ESPAÑOL

A

a *vb voir* **avoir.**

à [a] *prép* (*situation*) en; (*direction, attribution*) a; (*provenance*) de; (*moyen*) con, en, a; **au, à la, aux** al *m*, a la *f*, a los *mpl*, a las *fpl*; **payé au mois/à l'heure** pagado por mes/por hora; **cent km à l'heure** cien km por hora; **à 3 heures** a las tres (horas); **à minuit** a medianoche; **à la radio/télévision** por la radio/televisión; **au départ/mois de juin** en la partida/el mes de junio; **se chauffer au gaz** calentarse con gas; **aller à bicyclette/à pied** ir en bicicleta/a pie; **l'homme aux yeux bleus** el hombre de ojos azules; **à demain/lundi!** ¡hasta mañana/el lunes!

abaisser [abese] *vt* bajar; (*dénigrer, humilier*) rebajar; **s'~** *vi* descender; **s'~** à rebajarse a.

abandon [abɑ̃dɔ̃] *nm* abandono; renuncia; (*SPORT*) abandono; (*relâchement*) naturalidad *f*; **être à l'~** estar abandonado(a) *o* descuidado(a).

abandonné, e [abɑ̃dɔne] *a* abandonado(a); desamparado(a); natural, relajado(a).

abandonner [abɑ̃dɔne] *vt* (*ami, femme, possessions*) abandonar, dejar; (*lieu, projet, activité*) abandonar, renunciar a; (*céder*): **~ qch à qn** dejar algo a alguien // *vi* (*SPORT*) abandonar; **s'~ à** (*paresse, plaisirs*) abandonarse a, dejarse llevar por.

abasourdir [abazuʀdiʀ] *vt* aturdir, aturrullar.

abat-jour [abaʒuʀ] *nm inv* pantalla.

abats [aba] *nmpl* achuras.

abattage [abataʒ] *nm* (*du bois*) tala; (*d'un animal*) matanza; (*entrain*) decisión *f*, empuje *m*.

abattement [abatmɑ̃] *nm* abatimiento; (*déduction*) exoneración *f*, descuento.

abattis [abati] *nmpl* menudillos.

abattoir [abatwaʀ] *nm* matadero.

abattre [abatʀ(ə)] *vt* (*arbre, maison, avion*) derribar; (*tuer*: *animal*) matar, sacrificar; (: *personne*) matar; (*fig*) abatir, agotar, deprimir; **~ ses cartes** jugar sus cartas, mostrar sus cartas; **~ du travail** darle duro al trabajo; **s'~** *vi* caer.

abbaye [abei] *nf* abadía.

abbé [abe] *nm* (*d'une abbaye*) abad *m*; (*de paroisse*) párroco.

abc, ABC [abese] *nm* abecé *m*.

abcès [apsɛ] *nm* abceso.

abdication [abdikɑsjɔ̃] *nf* abdicación *f*.

abdiquer [abdike] *vi* abdicar // *vt* renunciar a.

abdomen [abdɔmɛn] *nm* abdómen *m*; **abdominal, e, aux** *a* abdominal // *mpl*: **faire des abdominaux** ejercitar los abdominales.

abeille [abɛj] *nf* abeja.

aberrant, e [abɛʀɑ̃, ɑ̃t] *a* aberrante, absurdo(a).

abêtir [abetiʀ] *vt* embrutecer, entontecer.

abhorrer [abɔʀe] *vt* aborrecer, abominar.

abîme [abim] *nm* abismo, precipicio.

abîmer [abime] *vt* estropear, deteriorar; **s'~** *vi* estropearse, deteriorarse.

abject, e [abʒɛkt] *a* abyecto(a), vil.

abjurer [abʒyʀe] *vt* abjurar, renegar.

ablation [ablɑsjɔ̃] *nf* extirpación *f*, ablación *f*.

ablutions [ablysjɔ̃] *nfpl*: **faire ses ~** hacer sus abluciones *fpl.*
abnégation [abnegɑsjɔ̃] *nf* abnegación *f*, altruismo.
aboiement [abwamɑ̃] *nm* ladrido.
abois [abwa] *nmpl*: **être aux ~** estar acorralado(a).
abolir [abɔliʀ] *vt* abolir; **abolition** *nf* abolición *f.*
abominable [abɔminabl(ə)] *a* abominable.
abondance [abɔ̃dɑ̃s] *nf* abundancia; **en ~** en abundancia.
abondant, e [abɔ̃dɑ̃, ɑ̃t] *a* abundante.
abonder [abɔ̃de] *vi* abundar; **~ en** abundar en.
abonné, e [abɔne] *nm/f* (*du téléphone*) abonado/a; (*à un journal*) suscriptor/ora.
abonnement [abɔnmɑ̃] *nm* suscripción *f*; (*de bus etc*) abono.
abonner [abɔne] *vt*: **~ qn à** (*journal etc*) suscribir a alguien a; **s'~ à** suscribirse a, abonarse a.
abord [abɔʀ] *nm*: **être d'un ~ facile** ser de fácil acceso; **~s** *mpl* (*d'un lieu*) accesos, alrededores *mpl*; **au premier ~** en principio, a primera vista; **d'~** *ad* primero, en primer lugar.
abordage [abɔʀdaʒ] *nm* abordaje *m.*
aborder [abɔʀde] *vi* abordar, arribar // *vt* (NAUT) abordar; (*fig: sujet*) abordar, plantear; (*: personne*) abordar, interpelar; (*: virage*) tomar, abordar.
aborigène [abɔʀiʒɛn] *nm* aborigen *m.*
aboutir [abutiʀ] *vi* (*projet*) dar resultado, tener éxito; **~ à/dans/sur** desembocar en, conducir a; (*fig*) llevar a, conducir a.
aboyer [abwaje] *vi* ladrar.
abracadabrant, e [abʀakadabʀɑ̃, ɑ̃t] *a* estrambótico(a), extravagante.
abrasif, ive [abʀazif, iv] *a* abrasivo(a).
abrégé [abʀeʒe] *nm* resumen *m*; (*livre*) compendio.
abréger [abʀeʒe] *vt* (*texte*) abreviar, resumir; (*mot*) abreviar; (*réunion, voyage*) acortar, abreviar.
abreuver [abʀœve] *vt* abreviar; **s'~** beber.
abreuvoir [abʀœvwaʀ] *nm* abrevadero, bebedero.
abréviation [abʀevjɑsjɔ̃] *nf* abreviatura.
abri [abʀi] *nm* abrigo, refugio; **être/se mettre à l'~** estar/ponerse a cubierto; **à l'~ de** al abrigo de, protegido(a) contra; (*fig*) a salvo *o* fuera del alcance de.
abricot [abʀiko] *nm* albaricoque *m*; **~ier** *nm* albaricoquero.
abriter [abʀite] *vt* (*lieu*) proteger, resguardar; (*personne*) proteger, albergar; (*recevoir, loger*) albergar, alojar; **s'~** protegerse.
abroger [abʀɔʒe] *vt* abrogar, revocar.
abrupt, e [abʀypt, ypt(ə)] *a* abrupto(a), escarpado(a); (*fig*) brusco(a), rudo(a).
abruti, e [abʀyti] *nm/f* (*fam*) estúpido/a, idiota *m/f.*
abrutir [abʀytiʀ] *vt* agobiar, agotar.
abscisse [apsis] *nf* abscisa.
absence [apsɑ̃s] *nf* ausencia; (MÉD) falla; **en l'~ de** en ausencia de.
absent, e [apsɑ̃, ɑ̃t] *a* ausente; (*inexistant*) ausente, inexistente; (*fig: air, attitude*) ausente, distraído(a) // *nm/f* ausente *nm/f.*
absentéisme [apsɑ̃teism(ə)] *nm* absentismo.
absenter [apsɑ̃te]: **s'~** *vi* (*pour maladie etc*) ausentarse, faltar; (*momentanément: sortir*) ausentarse, salir.
absinthe [apsɛt] *nf* ajenjo.
absolu, e [apsɔly] *a* absoluto(a), total; (POL) absoluto(a); (*personne*) terminante, intransigente.
absolument [apsɔlymɑ̃] *ad* absolutamente, completamente.

absolution [apsɔlysjɔ̃] *nf* absolución *f*.
absolutisme [apsɔlytism(ə)] *nm* absolutismo.
absolve *etc vb voir* **absoudre.**
absorber [apsɔʀbe] *vt* absorber; **tissu absorbant** tejido absorbente.
absoudre [apsudʀ(ə)] *vt* absolver.
abstenir [apstəniʀ]: **s'~** *vi* abstenerse; **s'~ de** privarse de; **abstention** [apstɑ̃sjɔ̃] *nf* abstención *f*; **abstentionnisme** *nm* abstencionismo.
abstinence [apstinɑ̃s] *nf* abstinencia.
abstraction [apstʀaksjɔ̃] *nf* abstracción *f*; **faire ~ de** hacer abstracción de, no tener en cuenta; **~ faite de** dejando de lado, a excepción de.
abstraire [apstʀɛʀ] *vt* abstraer; **s'~ de** abstraerse de, aislarse de.
abstrait, e [apstʀɛ, ɛt] *a* abstracto(a) // *nm*: **dans l'~** en la abstracción.
absurde [apsyʀd(ə)] *a* absurdo(a), ilógico(a).
absurdité [apsyʀdite] *nf* absurdidad *f*; absurdo; desatino.
abus [aby] *nm* (*d'alcool etc*) abuso, exceso; (*injustice*) abuso, atropello; **~ de confiance** abuso de confianza.
abuser [abyze] *vi* abusar, excederse // *vt* (*tromper*) engañar; **~ de** *vt* abusar de; (*femme*) abusar de, violar; **s'~** (*se méprendre*) engañarse, equivocarse.
abusif, ive [abyzif, iv] *a* (*prix, usage*) abusivo(a), excesivo(a).
acabit [akabi] *nm*: **de cet ~, du même ~** de semejante ralea, de la misma estofa.
acacia [akasja] *nm* acacia.
académicien, ne [akademisjɛ̃, jɛn] *nm/f* académico/a.
académie [akademi] *nf* academia; (*ART*) academia, desnudo; (*SCOL*) distrito universitario; **académique** *a* académico(a); (*ART, péj*) académico(a), retórico(a); (*SCOL*) universitario(a).
acajou [akaʒu] *nm* (*bois*) caoba.
acariâtre [akaʀjɑtʀ(ə)] *a* gruñón(ona).
accablant, e [akɑblɑ̃, ɑ̃t] *a* (*témoignage, preuve*) demoledor(ora), abrumador(ora); (*chaleur, poids*) agobiante, insoportable.
accablement [akɑbləmɑ̃] *nm* abatimiento, desaliento.
accabler [akɑble] *vt* (*physiquement*) agotar, agobiar; (*moralement*) abatir, desanimar; (*suj: preuve, témoignage*) inculpar o delatar a; **~ qn d'injures/de travail** colmar a alguien de injurias/de trabajo; **accablé de dettes/soucis** cargado de deudas/preocupaciones.
accalmie [akalmi] *nf* sosiego, tregua.
accaparer [akapaʀe] *vt* acaparar, monopolizar; (*suj: travail, client etc*) acaparar, retener.
accéder [aksede]: **~ à** *vt* dar a, llegar a; (*fig*) llegar a, acceder a; (*requête, désirs*) acceder o consentir a.
accélérateur [akseleʀatœʀ] *nm* acelerador *m*.
accélération [akseleʀɑsjɔ̃] *nf* aceleración *f*.
accélérer [akseleʀe] *vt* acelerar, apresurar // *vi* (*AUTO*) acelerar.
accent [aksɑ̃] *nm* (*régional etc*) acento, pronunciación *f*; (*inflexions expressives*) acento, inflexión *f*; (*LING: intonation*) acento, entonación *f*; (*: signe*) acento; **mettre l'~ sur** (*fig*) acentuar, recalcar; **~ aigu/grave** acento agudo/grave.
accentuation [aksɑ̃tɥɑsjɔ̃] *nf* acentuación *f*.
accentuer [aksɑ̃tɥe] *vt* (*LING*) acentuar; (*marquer, augmenter*) acentuar, hacer resaltar; **s'~** *vi* acentuarse, aumentar.
acceptable [aksɛptabl(ə)] *a* aceptable.
acceptation [aksɛptɑsjɔ̃] *nf* aceptación *f*.
accepter [aksɛpte] *vt* (*gén*) aceptar; (*personne*: tolérer,

intégrer) aceptar, acoger; (: *candidat*) admitir; ~ **de faire** aceptar hacer.

acception [aksepsjɔ̃] *nf* (*LING*) acepción *f*, sentido; **dans toute l'~ du terme** en toda la acepción de la palabra.

accès [aksɛ] *nm* acceso // *mpl* (*routes, entrées etc*) accesos, entradas; **d'~ facile** de fácil acceso; ~ **de colère** arranque *m* de cólera; **donner ~ à** (*lieu*) dar acceso a; (*situation, carrière*) dar acceso *o* derecho a; **avoir ~ auprès de qn** tener familiaridad con alguien.

accessible [aksesibl(ə)] *a* (*à portée*) accesible, asequible; (*facile*): ~ **(à qn)** accesible (a alguien), inteligible (para alguien); **être ~ à la pitié** ser propenso(a) a la piedad.

accession [aksɛsjɔ̃] *nf* accesión *f*, acceso.

accessit [aksesit] *nm* accésit *m*.

accessoire [akseswaʀ] *a* accesorio(a) // *nm* accesorio; **~ment** *ad* accesoriamente, secundariamente; **accessoiriste** *nm/f* accesorista *m/f*.

accident [aksidɑ̃] *nm* (*de voiture, d'avion*) accidente *m*, catástrofe *f*; (*événement fortuit*) accidente, peripecia; **par ~** por accidente *o* casualidad; **~é, e** *a* (*terrain*) accidentado(a), abrupto(a); (*voiture*) dañado(a), estropeado(a); (*personne*) accidentado(a); **~el, le** *a* accidental; (*fortuit*) casual, fortuito(a).

acclamation [aklamɑsjɔ̃] *nf*: **par ~** (*vote*) por aclamación; **~s** *fpl* ovaciones *fpl*, aplausos.

acclamer [aklame] *vt* aclamar, vitorear.

acclimatation [aklimatɑsjɔ̃] *nf* aclimatación *f*.

acclimater [aklimate] *vt* aclimatar, adaptar; (*personne*) adaptar, acostumbrar; **s'~** *vi* adaptarse, acostumbrarse.

accointances [akwɛ̃tɑ̃s] *nfpl* relaciones *fpl*.

accolade [akɔlad] *nf* (*amicale*) abrazo; (*signe*) llave *f*; **donner l'~ à qn** dar el espaldarazo a alguien.

accoler [akɔle] *vt* juntar, agregar.

accommodant, e [akɔmɔdɑ̃, ɑ̃t] *a* condescendiente, deferente.

accommodement [akɔmɔdmɑ̃] *nm* arreglo, acuerdo.

accommoder [akɔmɔde] *vt* (*CULIN*) aderezar, preparar; (*fig*) arreglar, adaptar; ~ **qch à** (*adapter*) adaptar algo a; **s'~ de** (*accepter*) aceptar, contentarse con.

accompagnateur, trice [akɔ̃paɲatœʀ, tʀis] *nm/f* acompañante/a.

accompagnement [akɔ̃paɲmɑ̃] *nm* (*MUS*) acompañamiento; (*CULIN*) guarnición *f*, aderezo.

accompagner [akɔ̃paɲe] *vt* acompañar; **s'~ de** seguirse de.

accompli, e [akɔ̃pli] *a*: **musicien/talent ~** músico/talento consumado.

accomplir [akɔ̃pliʀ] *vt* (*tâche*) realizar, llevar a cabo; (*souhait*) cumplir, satisfacer; **s'~** *vi* (*souhait*) cumplirse, realizarse; **accomplissement** *nm* realización *f*, cumplimiento.

accord [akɔʀ] *nm* (*entente*) acuerdo, entendimiento; (*harmonie*) concordancia, armonía; (*contrat*) acuerdo, tratado; (*autorisation*) consentimiento, conformidad *f*; (*MUS*) acorde *m*; (*LING*) concordancia; **mettre d'~** (*adversaires etc*) poner de acuerdo, conciliar; **se mettre d'~** ponerse de acuerdo; **être d'~** estar de acuerdo; **être d'~ de faire/que** estar de acuerdo en hacer/en que; ~ **en genre et en nombre** (*LING*) concordancia en género y en número; ~ **parfait** (*MUS*) acorde perfecto.

accordéon [akɔʀdeɔ̃] *nm* (*MUS*) acordeón *m*; **~iste** [-ɔnist(ə)] *nm/f* acordeonista *m/f*.

accorder [akɔʀde] *vt* (*faveur, délai*) acordar, otorgar; (*harmoniser*) armonizar; (*MUS*) afinar; (*LING*) concordar; **je vous accorde que...** reconozco *o* admito que...; **s'~** ponerse d'acuerdo; (*LING*) concordar; **accordeur** *nm* afinador *m*.
accoster [akɔste] *vt* abordar // *vi* (*NAUT*) atracar.
accotement [akɔtmɑ̃] *nm* banquina, arcén *m*.
accoter [akɔte] *vt*: **~ qch contre/à** apoyar algo contra/a.
accouchement [akuʃmɑ̃] *nm* parto.
accoucher [akuʃe] *vi* parir, dar a luz // *vt* asistir al parto de; **~ d'un enfant** parir un niño; **accoucheur, euse** *nm/f* partero/a.
accouder [akude]: **s'~** *vi*: **s'~ à/contre** acodarse en; **accoudoir** [akudwaʀ] *nm* brazo.
accouplement [akupləmɑ̃] *nm* (*copulation*) apareamiento.
accoupler [akuple] *vt* (*moteurs, idées*) acoplar; (*animaux*: *attacher*) uncir; **s'~** aparearse, cruzarse.
accourir [akuʀiʀ] *vi* precipitarse, acudir apresuradamente.
accoutrement [akutʀəmɑ̃] *nm* (*péj*) traje ridículo, disfraz *m*.
accoutumance [akutymɑ̃s] *nf* hábito.
accoutumé, e [akutyme] *a* acostumbrado(a), habitual; **comme à l'~e** como de costumbre.
accoutumer [akutyme] *vt*: **~ qn à** habituar a alguien a; **s'~ à** acostumbrarse *o* habituarse a.
accréditer [akʀedite] *vt* (*personne*) acreditar; (*nouvelle*) dar crédito a.
accroc [akʀo] *nm* (*déchirure*) siete *m*, desgarrón *m*; (*fig*) contratiempo, tacha.
accrochage [akʀɔʃaʒ] *nm* colgamiento; enganche *m*; (*AUTO*) choque *m*, roce *m*; (*MIL*) encuentro, escaramuza; (*dispute*) riña, agarrada.
accroche-cœur [akʀɔʃkœʀ] *nm* rizo (*en la sien*).
accrocher [akʀɔʃe] *vt* (*suspendre*) colgar; (*wagon, remorque*) enganchar; (*heurter*) chocar, rozar; (*déchirer*) rasgar; (*MIL*) chocar con, entrar en combate con; (*regard, client*) atraer, atrapar; **s'~** (*se disputer, MIL*) pelearse; **s'~ à** (*rester pris*) engancharse en, quedarse colgado(a) de; (*agripper*) agarrarse *o* aferrarse a; (: *fig*: *personne*) pegarse a; (: *espoir, idée*) aferrarse *o* asirse a.
accroissement [akʀwasmɑ̃] *nm* acrecentamiento; incremento.
accroître [akʀwatʀ(ə)] *vt* acrecentar, aumentar; **s'~** *vi* acrecentarse.
accroupi, e [akʀupi] *a* acuclillado(a).
accroupir [akʀupiʀ]: **s'~** *vi* acuclillarse.
accru, e [akʀy] *a* acrecentado(a).
accu [aky] *nm abrév de* **accumulateur.**
accueil [akœj] *nm* recibimiento, acogida; **centre/comité d'~** centro/comité *m* de ayuda.
accueillant, e [akœjɑ̃, ɑ̃t] *a* acogedor(ora).
accueillir [akœjiʀ] *vt* acoger, recibir; (*loger*) acoger, alojar.
acculer [akyle] *vt*: **~ qn dans/contre** acorralar a alguien en/contra; (*fig*): **~ qn à** arrastrar a alguien a.
accumulateur [akymylatœʀ] *nm* acumulador *m*.
accumulation [akymylɑsjɔ̃] *nf* acumulación *f*; **chauffage/radiateur à ~** calefacción *f*/radiador *m* a termosifón.
accumuler [akymyle] *vt* acumular, reunir; **s'~** *vi* acumularse.
accusateur, trice [akyzatœʀ, tʀis] *a, nm/f* acusador(ora).
accusatif [akyzatif] *nm* acusativo.
accusation [akyzɑsjɔ̃] *nf* (*gén*) acusación *f*; (*JUR*: *action*) acusación,

imputación *f*; (:*partie*) acusación; **mettre en** ~ iniciar causa en contra de.

accusé, e [akyze] *nm/f* acusado/a; ~ **de réception** acuse *m* de recibo.

accuser [akyze] *vt* (*gén*) acusar; (JUR) acusar, inculpar; (*différence, fatigue*) poner de relieve, resaltar; ~ **qn de qch** acusar a alguien de algo; ~ **qch de qch** culpar a algo de algo; ~ **réception de** acusar recibo de.

acerbe [asɛʀb(ə)] *a* acerbo(a), ofensivo(a).

acéré, e [aseʀe] *a* acerado(a), agudo(a).

acétone [asetɔn] *nf* acetona.

acétylène [asetilɛn] *nm* acetileno.

achalandé, e [aʃalɑ̃de] *a*: **bien/mal** ~ bien/mal provisto *o* surtido; (*fréquenté*) frecuentado/poco frecuentado.

acharné, e [aʃaʀne] *a* encarnizado(a), implacable; (*travail*) tesonero(a).

acharnement [aʃaʀnəmɑ̃] *nm* encarnizamiento.

acharner [aʃaʀne]: **s'**~ *vi*: **s'**~ **contre/sur** ensañarse con, perseguir con saña a; **s'**~ **à** obstinarse en.

achat [aʃa] *nm* compra, adquisición *f*; **faire l'**~ **de** comprar; **faire des** ~**s** hacer compras.

acheminer [aʃmine] *vt* (*courrier, troupes*) despachar; (*train*) circular; **s'**~ **vers** encaminarse hacia.

acheter [aʃte] *vt* comprar, adquirir; (*corrompre*) sobornar, comprar; ~ **qch à** (*marchand*) comprar algo a; (*ami etc*: *offrir*) comprar algo para; **acheteur, euse** *nm/f* comprador/ora.

achevé, e [aʃve] *a*: **d'un ridicule** ~ de una ridiculez rematada.

achèvement [aʃɛvmɑ̃] *nm* terminación *f*, finalización *f*.

achever [aʃve] *vt* (*terminer*) acabar, finalizar; (*tuer*) acabar, rematar; **s'**~ *vi* acabarse, terminarse.

achoppement [aʃɔpmɑ̃] *nm*: **pierre d'**~ traba, escollo.

acide [asid] *a* ácido(a), agrio(a); (CHIMIE) ácido(a)// *nm* (CHIMIE) ácido; **acidifier** *vt* acidular; **acidité** *nf* acidez *f*; **acidulé, e** *a* acidulado(a), ácido(a); **bonbons acidulés** caramelos ácidos.

acier [asje] *nm* acero.

aciérie [asjeʀi] *nf* acería.

acné [akne] *nm* acné *m*.

acolyte [akɔlit] *nm* (*péj*) acólito.

acompte [akɔ̃t] *nm* adelanto, anticipo.

acoquiner [akɔkine]: **s'**~ **avec** *vt* (*péj*) juntarse *o* conchabarse con.

à-côté [akote] *nm* detalle *m*, menudencia; (*argent*) extra *m*.

à-coup [aku] *nm* altibajo, sacudida; **sans/par** ~**s** suavemente/a rachas, a empujones.

acoustique [akustik] *nf* acústica // *a* acústico(a).

acquéreur [akeʀœʀ] *nm* adquiridor/ora.

acquérir [akeʀiʀ] *vt* (*biens*) adquirir; (*droit, certitude*) adquirir, lograr; **ce que ses efforts lui ont acquis** lo que sus esfuerzos le han reportado.

acquiers *etc vb voir* **acquérir**.

acquiescer [akjese] *vi* asentir; ~ **à qch** consentir en algo, aceptar algo.

acquis, e [aki, iz] *pp de* **acquérir** // *a* adquirido(a) // *nm* experiencia, saber *m*; **être** ~ **à** (*personne*) ser adicto de; (*plan, idée*) ser partidario de.

acquisition [akizisjɔ̃] *nf* adquisición *f*; **faire l'**~ **de** adquirir, comprar.

acquit [aki] *vb voir* **acquérir** // *nm* recibo; **pour** ~ recibí, recibimos; **par** ~ **de conscience** para tranquilidad de conciencia.

acquittement [akitmɑ̃] *nm* absolución *f*; pago.

acquitter [akite] *vt* absolver; (*dette, facture*) liquidar, pagar; **s'**~

de (*devoir, engagement*) cumplir con, llevar a cabo.
âcre [akʀ(ə)] *a* acre, áspero(a).
acrobate [akʀɔbat] *nm/f* acróbata *m/f*.
acrobatie [akʀɔbasi] *nf* acrobacia; (*fig*) ardid *m*, artimaña; **acrobatique** [-tik] *a* acrobático(a), de acrobacia.
acte [akt(ə)] *nm* acto, hecho; (*document*) acta, escritura; (*THÉÂTRE*) acto; **~s** *mpl* (*compte-rendu*) actas; **prendre ~ de** tomar nota de; **faire ~ de candidature** presentarse a la candidatura; **~ d'accusation** acta de acusación; **~ de naissance** partida de nacimiento.
acteur, trice [aktœʀ, tʀis] *nm/f* actor/triz, artista *m/f*.
actif, ive [aktif, iv] *a* (*dynamique*) activo(a), diligente; (*rôle, remède*) activo(a), eficaz; (*service, population*) activo(a); (*armée*) permanente // *nm* (*COMM*) activo, haber *m*; (*fig*): **mettre/avoir qch à son ~** poner/tener algo en su haber.
action [aksjɔ̃] *nf* acción *f*, acto; (*activité, déploiement d'énergie*) acción, actividad *f*; (*influence*) acción, efecto; (*THÉÂTRE, CINÉMA etc*) acción; (*COMM*) acción; (*JUR*) acción, demanda; **une bonne ~** una buena acción; **passer à l'~** pasar a la acción; **un homme d'~** un hombre de acción; **un film d'~** una película de acción; **~ en diffamation** demanda por difamación; **~naire** *nm/f* accionista *m/f*; **~ner** *vt* accionar, poner en marcha.
active [aktiv] *a voir* **actif.**
activement [aktivmɑ̃] *ad* activamente.
activer [aktive] *vt* activar, acelerar; **s'~** *vi* apresurarse, agitarse.
activisme [aktivism(ə)] *nm* activismo; **activiste** *nm/f* activista *m/f*.
activité [aktivite] *nf* (*énergie*) actividad *f*, pujanza; (*agitation*) actividad, movimiento; (*d'un organe, organisme etc*) actividad, funcionamiento; (*occupation*) oficio, actividad; **cesser toute ~** abandonar toda actividad; **volcan en ~** volcán en actividad.
actrice [aktʀis] *nf voir* **acteur.**
actualiser [aktɥalize] *vt* actualizar.
actualité [aktɥalite] *nf* actualidad *f*; **~s** *fpl* (*CINÉMA, TV*) actualidades *fpl*; **l'~ politique** la actualidad política; **d'~** de actualidad.
actuel, le [aktɥɛl] *a* (*présent*) actual, presente; (*d'actualité*) actual; (*non virtuel*) actual; **~lement** *ad* actualmente.
acuité [akɥite] *nf* (*des sens*) agudeza, penetración *f*; (*d'une crise, douleur*) agudeza, vivacidad *f*.
acuponcteur, acupuncteur [akypɔ̃ktœʀ] *nm* especialista *m/f* en acupuntura.
acuponcture, acupuncture [akypɔ̃ktyʀ] *nf* acupuntura.
adage [adaʒ] *nm* adagio, máxima.
adagio [adadʒjo] *nm* adagio.
adaptateur, trice [adaptatœʀ, tʀis] *nm* (*ÉLEC*) transformador *m* // *nm/f* (*THÉÂTRE etc*) adaptador/ora.
adaptation [adaptɑsjɔ̃] *nf* adaptación *f*.
adapter [adapte] *vt* (*MUS, CINÉMA*) adaptar; (*approprier*): **~ qch à** adaptar algo a *o* con; (*fixer*): **~ qch sur/dans/à** ajustar algo sobre/en/a; **s'~ (à)** (*suj*: *personne*) adaptarse (a).
addenda [adɛ̃da] *nm* apéndice *m*.
addendum [adɛ̃dɔm] *nm* addendum *m*, agregado.
additif [aditif] *nm* cláusula.
addition [adisjɔ̃] *nf* agregado, adición *f*; (*MATH*) adición, suma; (*note, ajout*) añadido; (*au café etc*) cuenta; **~nel, le** *a* adicional; **~ner** *vt* (*MATH*) adicionar, sumar; **~ner un produit/vin d'eau** *etc* agregar agua *etc* a un producto/un vino.

adduction [adyksjɔ̃] *nf* canalización *f.*
adepte [adɛpt(ə)] *nm/f* adepto/a, partidario/a.
adéquat, e [adekwa, at] *a* adecuado(a), apropiado(a).
adhérence [adeʀɑ̃s] *nf* adherencia.
adhérent, e [adeʀɑ̃, ɑ̃t] *nm/f* adherente *m/f*, afiliado/a.
adhérer [adeʀe] *vi* adherir, pegarse; ~ **à** *vt* (*coller*) adherir a, fijarse a; (*parti, club*) adherir a, afiliarse a; (*opinion*) adherir a; **adhésif, ive** [adezif, iv] *a* adhesivo(a) // *nm* adhesivo; **adhésion** [adezjɔ̃] *nf* adhesión *f.*
ad hoc [adɔk] *a* ad hoc.
adieu, x [adjø] *excl* adiós // *nm* adiós *m*; ~**x** *mpl* despedida; **dire ~ à qn** decir adiós a alguien, despedirse de alguien; **dire ~ à qch** decir adiós a algo, renunciar a algo.
adipeux, euse [adipø, øz] *a* adiposo(a).
adjacent, e [adʒasɑ̃, ɑ̃t] *a* adyacente.
adjectif, ive [adʒɛktif, iv] *a* adjetivo(a) // *nm* adjetivo; ~ **démonstratif/indéfini/numéral** adjetivo demostrativo/indefinido/numeral; ~ **possessif/qualificatif** adjetivo posesivo/calificativo; ~ **verbal** adjetivo verbal; ~ **attribut** atributo; ~ **épithète** epiteto; **adjectival, e, aux** *a* adjetival.
adjoindre [adʒwɛ̃dʀ(ə)] *vt*: ~ **qch à qch** añadir *o* agregar algo a algo; ~ **qn à qn/un groupe** asociar alguien a alguien/a un grupo; **s'~ un collaborateur** *etc* tomar un colaborador *etc*; **adjoint, e** [adʒwɛ̃, wɛ̃t] *nm/f* adjunto/a, asociado/a; **directeur adjoint** director adjunto; **adjoint au maire** teniente *m* de alcalde; **adjonction** [adʒɔ̃ksjɔ̃] *nf* agregado, asociación *f.*
adjudant [adʒydɑ̃] *nm* ayuda de campo; ~ **chef** ayudante *m* jefe.
adjudicataire [adʒydikatɛʀ] *nm/f* adjudicatario/a.
adjudication [adʒydikɑsjɔ̃] *nf* adjudicación *f.*
adjuger [adʒyʒe] *vt* adjudicar; **s'~** *vt* adjudicarse, apropiarse; **adjugé!** ¡adjudicado!, ¡vendido!
adjurer [adʒyʀe] *vt*: ~ **qn de faire** implorar *o* rogar a alguien que haga.
adjuvant [adʒyvɑ̃] *nm* coadyuvante *m.*
admettre [admɛtʀ(ə)] *vt* (*visiteur, client*) admitir, aceptar; (*candidat*) admitir, aprobar; (*gaz, air*) admitir; (*comportement, erreur*) admitir, tolerar; (*point de vue, explication*) admitir, reconocer; ~ **que** admitir que.
administrateur, trice [administʀatœʀ, tʀis] *nm/f* administrador/ora.
administratif, ive [administʀatif, iv] *a* administrativo(a).
administration [administʀɑsjɔ̃] *nf* administración *f*; **l'A~** el Estado, la Administración Pública.
administré, e [administʀe] *nm/f* administrado/a.
administrer [administʀe] *vt* administrar; (*remède, sacrement*) suministrar, dar.
admirable [admiʀabl(ə)] *a* admirable, asombroso(a).
admirateur, trice [admiʀatœʀ, tʀis] *nm/f* admirador/ora.
admiratif, ive [admiʀatif, iv] *a* admirativo(a).
admiration [admiʀɑsjɔ̃] *nf* admiración *f*, asombro.
admirer [admiʀe] *vt* admirar.
admis, e *pp de* **admettre.**
admissible [admisibl(ə)] *a* (*candidat*) admisible; (*comportement*) admisible, aceptable.
admission [admisjɔ̃] *nf* admisión *f*; aprobación *f*; **tuyau** *etc* **d'~** tubo *etc* de admisión; **demande d'~** pedido de admisión *o* ingreso.
admonester [admɔnɛste] *vt* amonestar.
adolescence [adɔlesɑ̃s] *nf* adoles-

cencia; **adolescent, e** *nm/f* adolescente *m/f.*

adonner [adɔne]: **s'~ à** *vt* entregarse *o* consagrarse a.

adopter [adɔpte] *vt* adoptar; (*projet de loi etc*) adoptar, aprobar; **adoptif, ive** *a* adoptivo(a); **adoption** [adɔpsjɔ̃] *nf* adopción *f.*

adorable [adɔʀabl(ə)] *a* adorable, encantador(ora).

adoration [adɔʀɑsjɔ̃] *nf* (REL) adoración *f*; (*gén*) adoración, pasión *f.*

adorer [adɔʀe] *vt* (REL) adorar; (*gén*) adorar, idolatrar.

adosser [adose] *vt*: **~ qch à** *ou* **contre** adosar algo a *o* contra; **s'~ à** *ou* **contre** respaldarse en *o* contra; **être adossé à** *ou* **contre** estar apoyado en *o* adosado a *o* contra.

adoucir [adusiʀ] *vt* suavizar; (*fig*: *mœurs, personne*) atemperar, suavizar; (: *peine, douleur*) suavizar, mitigar; **s'~** *vi* suavizarse, atenuarse; **adoucissement** *nm* suavizamiento, atenuación *f.*

adresse [adʀɛs] *nf* destreza, astucia; (*domicile*) dirección *f*, señas; **à l'~ de** (*pour*) dirigido(a) a.

adresser [adʀese] *vt* dirigir, enviar; (*injure, compliments*) dirigir, destinar; **~ qn à un docteur** enviar a uno a un médico; **~ la parole à qn** dirigir la palabra a alguien; **s'~ à** (*parler à*) dirigirse a; (*suj*: *livre, conseil*) dedicarse *o* dirigirse a.

Adriatique [adʀiatik] *nf*: **l'~** el Adriático.

adroit, e [adʀwa, wat] *a* diestro(a), hábil; (*rusé*) astuto(a), sagaz; **~ement** *ad* hàbilmente, sagazmente.

aduler [adyle] *vt* adular, halagar.

adulte [adylt(ə)] *nm/f* adulto/a // *a* adulto(a); (*attitude*) adulto(a), maduro(a); **l'âge ~** la edad adulta, la madurez.

adultère [adyltɛʀ] *a, nm/f* adúltero(a) // *nm* (*acte*) adulterio; **adultérin, e** [-teʀɛ̃, in] *a* adulterino(a).

advenir [advəniʀ] *vi* sobrevenir, ocurrir; **qu'adviendra-t-il de...** qué ocurrirá con...; **quoiqu'il advienne** pase lo que pase.

adverbe [advɛʀb(ə)] *nm* adverbio; **adverbial, e, aux** *a* adverbial.

adversaire [advɛʀsɛʀ] *nm/f* adversario/a; (*non partisan*): **~ de qch** adversario/a *o* antagonista *m/f* de algo.

adverse [advɛʀs(ə)] *a* adverso(a), opuesto(a); **la partie ~** (JUR) la parte contraria.

adversité [advɛʀsite] *nf* adversidad *f*, infortunio.

aérateur [aeʀatœʀ] *nm* ventilador *m.*

aération [aeʀɑsjɔ̃] *nf* ventilación *f*, aeración *f*; **conduit/bouche d'~** conducto/boca de ventilación.

aéré, e [aeʀe] *a* aireado(a), ventilado(a); (*tissu*) *de trama no apretada.*

aérer [aeʀe] *vt* airear, ventilar; (*fig*) airear; **s'~** tomar aire, airearse.

aérien, ne [aeʀjɛ̃, jɛn] *a* aéreo(a); (*fig*) etéreo(a).

aéro-club [aeʀɔklœb] *nm* aeroclub *m.*

aérodrome [aeʀɔdʀom] *nm* aeródromo.

aérodynamique [aeʀɔdinamik] *a* aerodinámico(a).

aérogare [aeʀɔgaʀ] *nf* (*à l'aéroport*) terminal *f* del aeropuerto; (*en ville*) aeroestación *f.*

aéroglisseur [aeʀɔglisœʀ] *nm* hidroala aerodeslizador *m.*

aéronautique [aeʀɔnotik] *a* aeronáutico(a) // *nf* aeronáutica.

aéronaval, e [aeʀɔnaval] *a* aeronaval // *nf organización aeronaval de la marina.*

aérophagie [aeʀɔfaʒi] *nf* aerofagia.

aéroport [aeʀɔpɔʀ] *nm* aeropuerto.

aéroporté, e [aeʀɔpɔʀte] *a* aerotransportado(a).

aéroportuaire [aeRɔpɔRtɥɛR] *a* del aeropuerto.
aérosol [aeRɔsɔl] *nm* (*MÉD*) atomizador *m*, vaporizador *m*; (*bombe*) aerosol *m*.
aérospatial, e, aux [aeRɔspasjal,)o] *a* aeroespacial.
aérostat [aeRɔsta] *nm* aeróstato.
aérostatique [aeRɔstatik] *a* aerostático(a).
aérotrain [aeRɔtRɛ̃] *nm* tren aerodeslizador *m*.
affable [afabl(ə)] *a* afable, cordial.
affabulation [afabylɑsjɔ̃] *nf* trama, argumento.
affaiblir [afeblir] *vt* (*malade*) debilitar, extenuar; (*poutre, câble*) aflojar; (*position, parti etc*) debilitar; **s'~** *vi* debilitarse; aflojarse; **affaiblissement** *nm* debilitamiento.
affaire [afɛR] *nf* (*problème, question*) asunto, cuestión *f*; (*JUR*) causa, caso; (*entreprise, magasin*) negocio, empresa; (*transaction*) trato, negocio; (: *occasion intéressante*) ganga; **~s** *fpl* (*intérêts privés ou publics*) asuntos; (*COMM*) negocios; (*effets personnels*) efectos, trastos; **ce sont mes/tes ~s** (*cela me/te concerne*) es asunto mío/tuyo; **ceci fera l'~** esto bastará; **avoir ~ à qn/qch** tener que ver con alguien/algo; **les A~s étrangères** los Asuntos exteriores.
affairer [afeRe]: **s'~** *vi* afanarse, atarearse.
affairisme [afeRism(ə)] *nm* mercantilismo.
affaisser [afese]: **s'~** *vi* hundirse; (*personne*) desplomarse.
affaler [afale]: **s'~** *vi*: **s'~ dans/sur** dejarse caer en/sobre.
affamer [afame] *vt* hambrear, hacer sufrir hambre.
affectation [afɛktɑsjɔ̃] *nf* (*voir* **affecter**) afectación *f*; destinación *f*; (*voir* **affecté**) afectación.
affecté, e [afɛkte] *a* (*prétentieux*) rebuscado(a), afectado(a).
affecter [afɛkte] *vt* (*toucher, émouvoir*) afectar, conmover; (*sentiment*) fingir, simular; (*crédits, main d'œuvre*) destinar; (*employé, diplomate*) afectar, destinar; (*présenter, avoir*) poseer, presentar; **~ qch d'un coefficient** asignar a algo un coeficiente.
affectif, ive [afɛktif, iv] *a* afectivo(a).
affection [afɛksjɔ̃] *nf* afecto, aprecio; (*MÉD*) afección *f*.
affectionner [afɛksjɔne] *vt* apreciar, estimar.
affectueux, euse [afɛktɥø, øz] *a* afectuoso(a); **affectueusement** *ad* afectuosamente.
afférent, e [afeRɑ̃, ɑ̃t] *a*: **~ à** inherente a.
affermir [afɛRmiR] *vt* (*sol, liquide*) consolidar, solidificar; (*fig*) asegurar, consolidar.
affichage [afiʃaʒ] *nm* anuncio, fijación *f* (de carteles).
affiche [afiʃ] *nf* anuncio, cartel *m*; (*THÉÂTRE, CINÉMA*): **être à l'~** estar en cartelera; **tenir l'~** mantenerse en cartelera.
afficher [afiʃe] *vt* anunciar (por medio de carteles); (*fig*: *attitude*) ostentar, jactarse de.
affilée [afile]: **d'~** *ad* de corrido.
affiler [afile] *vt* afilar.
affilier [afilje]: **s'~ à** *vt* (*club, société*) afiliarse a.
affiner [afine] *vt* (*fromage*) madurar; (*métal*) afinar; (*goût, manières*) refinar, perfeccionar.
affinité [afinite] *nf* afinidad *f*.
affirmatif, ive [afiRmatif, iv] *a* afirmativo(a), terminante // *nf*: **répondre par l'affirmative** responder por la afirmativa; **dans l'affirmative** en caso afirmativo.
affirmation [afiRmɑsjɔ̃] *nf* afirmación *f*.
affirmer [afiRme] *vt* sostener, afirmar; (*autorité, désir*) afirmar, manifestar; **~ (à qn) que** afirmar (a alguien) que.
affleurer [aflœRe] *vi* aflorar, emerger.

affliction [afliksjɔ̃] *nf* aflicción *f*, pena.
affligé, e [afliʒe] *a* afligido(a), apenado(a); ~ **d'une maladie/tare** aquejado de una enfermedad/un defecto.
affliger [afliʒe] *vt* afligir, apenar.
affluence [aflyɑ̃s] *nf* afluencia, concurrencia; **heure/jour d'~** hora/día *m* de afluencia.
affluent [aflyɑ̃] *nm* afluente *m*.
affluer [aflye] *vi* confluir, afluir; (*sang*) afluir; **afflux** [afly] *nm* afluencia, confluencia; aflujo.
affoler [afɔle] *vt* enloquecer, aterrorizar; **s'~** enloquecerse.
affranchir [afʀɑ̃ʃiʀ] *vt* franquear; (*esclave*) libertar; (*d'une contrainte, menace*) liberar; **affranchissement** *nm* franqueo; liberación *f*.
affréter [afʀete] *vt* fletar.
affreux, euse [afʀø, øz] *a* repugnante, horrible; (*accident, douleur, temps*) horrible, espantoso(a).
affriolant, e [afʀijɔlɑ̃, ɑ̃t] *a* atractivo(a), seductor(ora).
affront [afʀɔ̃] *nm* afrenta, ultraje *m*.
affronter [afʀɔ̃te] *vt* afrontar, enfrentar; (*fig*) afrontar, desafiar; **s'~** enfrentarse.
affubler [afyble] *vt* (*péj*): ~ **qn de** disfrazar a alguien con; (*surnom*) motejar a alguien de.
affût [afy] *nm* (*de canon*) cureña; **à l'~ (de)** al acecho (de).
affûter [afyte] *vt* afilar.
afin [afɛ̃]: ~ **que** *conj* a fin de que; ~ **de faire** a fin de hacer.
a fortiori [afɔʀsjɔʀi] *ad* a fortiori.
AFP *sigle f* = *Agence France Presse*.
africain, e [afʀikɛ̃, ɛn] *a, nm/f* africano(a).
Afrique [afʀik(ə)] *nf* África; ~ **du Sud** África del Sur.
agacer [agase] *vt* fastidiar, enervar; molestar, exasperar; provocar.
âge [ɑʒ] *nm* edad *f*; **quel ~ as-tu?** ¿qué edad tienes?, ¿cuántos años tienes?; **prendre de l'~** envejecer; **limite/dispense d'~** límite *m*/dispensa de edad; **l'~ ingrat** edad del pavo; ~ **mental** edad mental; **l'~ mûr** la edad madura, la madurez; ~ **de raison** edad de la razón *o* del juicio.
âgé, e [ɑʒe] *a* de edad; ~ **de 10 ans** de 10 años de edad.
agence [aʒɑ̃s] *nf* agencia; ~ **immobilière/matrimoniale/de voyages** agencia inmobiliara/matrimonial/de viajes; ~ **de presse** agencia de prensa; ~ **de publicité** agencia de publicidad.
agencer [aʒɑ̃se] *vt* (*éléments, texte*) disponer, componer; (*appartement*) distribuir, disponer.
agenda [aʒɛ̃da] *nm* agenda.
agenouiller [aʒnuje]: **s'~** *vi* arrodillarse, prosternarse.
agent [aʒɑ̃] *nm* (ADMIN) agente *m*, funcionario; (*fig*) agente, factor *m*; ~ **d'assurances/de change** agente de seguros/de cambios; ~ (**de police**) agente (de policía); ~ (**secret**) agente (secreto).
agglomération [aglɔmeʀɑsjɔ̃] *nf* zona poblada, poblado; **l'~ parisienne** París y sus suburbios.
aggloméré [aglɔmeʀe] *nm* aglomerado.
agglomérer [aglɔmeʀe] *vt* aglomerar.
agglutiner [aglytine] *vt* aglutinar; **s'~** *vi* aglutinarse, adherirse.
aggravant, e [agʀavɑ̃, ɑ̃t] *a*: **circonstance ~e** circunstancia agravante.
aggraver [agʀave] *vt* agravar, empeorar; (JUR: *peine*) agravar; **s'~** *vi* agravarse, empeorar; ~ **son cas** agravar su caso.
agile [aʒil] *a* ágil, ligero(a); **agilité** *nf* agilidad *f*, ligereza.
agir [aʒiʀ] *vi* (*se comporter*) actuar, proceder; (*faire quelque chose*) actuar, intervenir; (*suj*: *chose*) actuar, operar; **il s'agit de** (*il est question de*) se trata de; (*il importe

que): **il s'agit de faire** es preciso hacer; **de quoi s'agit-il?** ¿de qué se trata?
agitateur, trice [aʒitatœʀ, tʀis] *nm/f* agitador/ora.
agitation [aʒitɑsjɔ̃] *nf* agitación *f*, ajetreo; (*état d'excitation, d'inquiétude*) agitación, inquietud *f*; (*politique, syndicale*) agitación, perturbación *f*.
agité, e [aʒite] *a* (*turbulent*) inquieto(a), excitado(a); (*troublé, excité*) agitado(a), desasosegado(a); (*vie, journée*) agitado(a); **une mer ~e** un mar revuelto *o* agitado; **un sommeil ~** un sueño intranquilo *o* turbado.
agiter [aʒite] *vt* (*objet*) agitar, sacudir; (*question, problème*) examinar, discutir; (*personne*: *préoccuper, exciter*) inquietar, turbar; **s'~** *vi* agitarse, inquietarse.
agneau, x [aɲo] *nm* cordero.
agnostique [agnɔstik] *a* agnóstico(a).
agonie [agɔni] *nf* agonía; **agoniser** [-ze] *vi* agonizar.
agrafe [agʀaf] *nf* corchete *m*, broche *m*; (*de bureau*) grapa; **agrafer** *vt* abrochar, sujetar; engrapar; **agrafeuse** *nf* cosepapeles *m*.
agraire [agʀɛʀ] *a* agrario(a).
agrandir [agʀɑ̃diʀ] *vt* agrandar, ampliar; (PHOTO) ampliar; **s'~** *vi* agrandarse, extenderse; **agrandissement** *nm* ampliación *f*; **agrandisseur** *nm* ampliadora.
agréable [agʀeabl(ə)] *a* (*sensation, expérience*) agradable, placentero(a); (*personne*) agradable, afable.
agréé, e [agʀee] *a*: **concessionnaire ~** concesionario autorizado.
agréer [agʀee] *vt* admitir; **~ à** *vt* agradar a.
agrégat [agʀega] *nm* conglomerado.
agrégation [agʀegɑsjɔ̃] *nf concurso por oposición que otorga la habilitación para la enseñanza secundaria y universitaria*; **agrégé, e** [agʀeʒ... *nm/f* catedrático/a por oposición.
agréger [agʀeʒe]: **s'~** asociarse, unirse.
agrément [agʀemɑ̃] *nm* (*accor...*) consentimiento, aprobación; (*attraits*) atractivo; (*plaisir*) agrad... placer *m*; **jardin d'~** jardín *m* ... recreación *f*; **~er** *vt* (*conversatio... texte*) amenizar; (*suj*: *personne...*) **~er qch de** ornar *o* embellec... algo con.
agrès [agʀɛ] *nmpl* aparatos (... gimnasia).
agresser [agʀese] *vt* agred... atacar; **agresseur** *nm* agresor ... **agressif, ive** *a* agresivo(a)... provocativo(a); **agression** agresión *f*, ataque *m*; (POL, MI...) agresión.
agreste [agʀɛst(ə)] *a* agres... silvestre.
agricole [agʀikɔl] *a* agrícola.
agriculteur [agʀikyltœʀ] ... agricultor *m*, labrador *m*.
agriculture [agʀikyltyʀ] ... agricultura.
agripper [agʀipe] *vt* aferrar, as... **s'~ à** aferrarse *o* asirse a.
agronome [agʀɔnɔm] ... agrónomo.
agronomie [agʀɔnɔmi] ... agronomía.
agrumes [agʀym] *nmpl* citrus *m*... agrios.
aguerrir [ageʀiʀ] *vt* aguerr... foguear.
aguets [agɛ]: **aux ~** *ad*: **être a... ~** estar al acecho *o* a ... expectativa.
aguicher [agiʃe] *vt* excit... provocar.
ahurir [ayʀiʀ] *vt* pasmar, espant... **ahurissement** *nm* estupor ... asombro.
ai *vb voir* **avoir**.
aide [ɛd] *nf* ayuda, apoyo // *nm*... ayudante *m/f*, asistente *m/f*; **à l'... de** (*outil, moyen*) con la ayuda ... **appeler à l'~** pedir auxilio; ... **comptable/électricien** *nm* auxili...

m de contabilidad/electricista; ~ **familiale** auxiliar *f* de la casa; ~ **de laboratoire** *nm/f* auxiliar *m/f* de laboratorio; ~**-mémoire** *nm inv* memorándum *m*, resumen *m*; ~ **sociale** (*assistance*) asistencia social; ~ **soignant, e** *nm/f* auxiliar *m/f* de enfermería.

aider [ede] *vt* ayudar a; (*suj*: *chose*) favorecer, contribuir a; ~ **qn à faire qch** ayudar a alguien a hacer algo; ~ **à** (*faciliter, favoriser*) favorecer, contribuir a; **s'~ de** (*se servir de*) servirse *o* valerse de.

aie *etc vb voir* **avoir**.

aïeul, e [ajœl] *nm/f* abuelo/a; **aïeux** *mpl* antepasados.

aïe [aj] *excl* ¡ay!

aigle [ɛgl(ə)] *nm* águila.

aigre [ɛgʀ(ə)] *a* agrio(a), ácido(a); (*fig*) agrio(a), caústico(a); ~**-doux, ouce** *a* agridulce; ~**let, te** *a* agrete, agridulce.

aigreur [ɛgʀœʀ] *nf* acidez *f*, acritud *f*; ~**s d'estomac** acedia.

aigrir [egʀiʀ] *vt* (*fig*) agriar, avinagrar; **s'~** *vi* agriarse; (*fig*) agriarse, avinagrarse.

aigu, ë [egy] *a* agudo(a); (*objet, arête*) agudo(a), afilado(a).

aigue-marine [ɛgmaʀin] *nf* aguamarina.

aiguillage [egɥijaʒ] *nm aparato de cambio de vía.*

aiguille [egɥij] *nf* (*de réveil etc*) aguja, manecilla; (*à coudre, de sapin*) aguja; (*montagne*) pico, cumbre *f*; ~ **à tricoter** aguja de hacer punto.

aiguiller [egɥije] *vt* encauzar, encarrilar; (*RAIL*) maniobrar; **aiguilleur** *nm* guardaagujas *m*.

aiguillon [egɥijɔ̃] *nm* (*d'abeille*) aguijón *m*; (*fig*) aguijón, incentivo; ~**ner** *vt* aguijonear, incentivar.

aiguiser [egize] *vt* afilar; (*fig*) aguzar.

ail [aj] *nm* ajo.

aile [ɛl] *nf* ala; (*de voiture*) aleta, guardabarros *m*; (*MIL, POL, SPORT*) flanco, ala; **ailé, e** *a* alado(a); ~**ron** *nm* (*de requin*) aleta; (*d'avion, de voiture*) alerón *m*; **ailette** *nf* aleta; **ailier** [elje] *nm* extremo; **ailier droit/gauche** extremo derecha/izquierda.

aille *etc vb voir* **aller**.

ailleurs [ajœʀ] *ad* en otra parte; **partout/nulle part** ~ en cualquier/en ninguna otra parte; **d'~** *ad* por otra parte, además; **par** ~ *ad* por lo demás, por otro lado.

ailloli [ajɔli] *nm* alioli *m*.

aimable [ɛmabl(ə)] *a* amable, cordial; ~**ment** *ad* amablemente.

aimant, e [ɛmɑ̃, ɑ̃t] *a* afectuoso(a), cariñoso(a) // *nm* imán *m*; ~**ation** *nf* imantación *f*; ~**er** *vt* imantar.

aimer [eme] *vt* (*d'amour*) amar; (*d'amitié, affection*) amar, querer; (*chose, activité*) gustarle (a uno); ~ **faire qch** gustarle (a uno) hacer algo; ~ **que...** gustarle que...; **bien** ~ **qn** querer mucho a alguien; **bien** ~ **qch** gustarle (a uno) mucho algo; **j'aime mieux** *ou* **autant faire...** prefiero hacer..., me gustaría más hacer... .

aine [ɛn] *nf* ingle *f*.

aîné, e [ene] *a, nm/f* mayor (*m/f*), primogénito(a); ~**s** *mpl* (*fig*) mayores *mpl*, predecesores *mpl*.

ainsi [ɛ̃si] *ad* (*de cette façon*) así, de este modo; (*ce faisant*) así, de esta manera // *conj* como consecuencia, entonces; ~ **que** (*comme*) como, tal que; (*et aussi*) tanto como, así como; **pour** ~ **dire** por decirlo así; ~ **donc** así pues, entonces; ~ **soit-il** (*REL*) así sea; **et** ~ **de suite** y así sucesivamente.

air [ɛʀ] *nm* aire *m*; (*vent*) aire, brisa; (*expression, attitude*) aire, aspecto; **regarder en l'~** mirar hacia arriba; **tirer en l'~** disparar al aire; **parole/menace en l'~** palabra/amenaza vana; **prendre l'~** tomar aire; (*avion*) emprender el vuelo; **avoir l'~** tener aspecto, parecer; **avoir l'~ de dormir** parecer dormir; **avoir l'~ d'un clown** parecer un payaso.

aire [ɛʀ] *nf* pista; (*fig*) área, dominio; (*MATH*) área, superficie *f*; (*nid*) aguilera.
aisance [ɛzɑ̃s] *nf* (*facilité*) facilidad *f*, comodidad *f*; (*grâce, adresse*) desenvoltura, soltura; (*richesse*) bienestar *m*, desahogo.
aise [ɛz] *nf* (*confort*) comodidad *f*; (*financière*) holgura, desahogo // *a*: **être bien ~ de/que** estar encantado(a) de/de que; **~s** *fpl*: **prendre/aimer ses ~s** instalarse con/gustar de la comodidad; **soupirer d'~** suspirar de gozo; **être à l'~** *ou* **à son ~** estar a gusto *o* a sus anchas; (*financièrement*) estar acomodado(a), vivir con desahogo; **se mettre à l'~** ponerse cómodo(a); **être mal à l'~** *ou* **à son ~** estar incómodo(a) *o* molesto(a); **mettre qn à l'~/mal à l'~** hacer que alguien se sienta cómodo(a)/ incómodo(a); **à votre ~** como usted guste; **en faire à son ~** hacer lo que le plazca; **aisé, e** *a* fácil, sencillo(a); (*naturel*) desenvuelto(a), suelto(a); (*assez riche*) acomodado(a), pudiente.
aisselle [ɛsɛl] *nf* axila.
ait *vb voir* **avoir**.
ajonc [aʒɔ̃] *nm* aulaga.
ajouré, e [aʒuʀe] *a* calado(a).
ajournement [aʒuʀnəmɑ̃] *nm* aplazamiento; suspensión *f*.
ajourner [aʒuʀne] *vt* diferir, aplazar; (*candidat, conscrit*) suspender.
ajout [aʒu] *nm* agregado, añadido.
ajouter [aʒute] *vt* agregar, añadir; **~ que** agregar que; **~ à** *vt* aumentar, acrecentar; **s'~ à** sumarse a; **~ foi à** dar fe a.
ajustage [aʒystaʒ] *nm* ajuste *m*, regulación *f*.
ajustement [aʒystəmɑ̃] *nm* apuntamiento, ajuste *m* de puntería.
ajuster [aʒyste] *vt* (*TECH: régler*) ajustar, regular; (: *coup de fusil, cible*) apuntar; (*adapter*) adaptar, adecuar; (: *pièces d'assemblage*) adaptar, ajustar; **ajusteur** *nm* ajustador *m*.
alambic [alɑ̃bik] *nm* alambique *m*.
alanguir [alɑ̃giʀ] *vt* extenuar, debilitar; **s'~** *vi* languidecer.
alarme [alaʀm(ə)] *nf* (*signal*) alarma; (*inquiétude*) alarma, inquietud *f*; **donner l'~** dar la alarma.
alarmer [alaʀme] *vt* alarmar, inquietar; **s'~** *vi* preocuparse, alarmarse.
albâtre [albɑtʀ(ə)] *nm* alabastro.
albatros [albatʀos] *nm* albatros *m*.
albinos [albinos] *nm/f* albino/a.
album [albɔm] *nm* (*gén*) álbum *m*.
albumen [albymɛn] *nm* albumen *m*.
albumine [albymin] *nf* albúmina; **avoir** *ou* **faire de l'~** padecer albuminuria.
alcalin, e [alkalɛ̃, in] *a* alcalino(a).
alchimie [alʃimi] *nf* alquimia; **alchimiste** *nm* alquimista *m*.
alcool [alkɔl] *nm* alcohol *m*; **~ à brûler** alcohol de quemar; **~ à 90°** alcohol de 90°; **~ique** *a*, *nm/f* alcohólico(a); **~isé, e** *a* alcohólico(a); **~isme** *nm* alcoholismo.
alcotest [alkɔtɛst] ® *nm* alcohómetro.
alcôve [alkov] *nf* alcoba.
aléas [alea] *nmpl* contingencias, riesgos.
aléatoire [aleatwaʀ] *a* aleatorio(a); azaroso(a).
alentour [alɑ̃tuʀ] *ad* alrededor; **~s** *nmpl* alrededores *mpl*, cercanías; **aux ~s de** (*espace*) en las cercanías de; (*temps*) alrededor de las, cerca de las.
alerte [alɛʀt(ə)] *a* alerta, ágil // *nf* (*menace*) alarma, amenaza; (*signal*) alarma, alerta; **donner l'~** dar la alarma.
alerter [alɛʀte] *vt* alertar.
alèse [alɛz] *nf* sábana bajera de goma.
aléser [aleze] *vt* calibrar, fresar.
alevin [alvɛ̃] *nm* alevin *m*.

alexandrin [alɛksɑ̃dʀɛ̃] *nm* alejandrino.
algarade [algaʀad] *nf* altercado, reyerta.
algèbre [alʒɛbʀ(ə)] *nf* álgebra; **algébrique** *a* algebraico(a).
Alger [alʒe] *n* Argel.
Algérie [alʒeʀi] *nf* Argelia; **algérien, ne** *a, nm/f* argelino(a).
Algérois, e [alʒeʀwa, waz] *nm/f* argelino/a // *nm* (*région*) región *f* de Argel.
algorithme [algɔʀitm(ə)] *nm* algoritmo.
algue [alg(ə)] *nf* alga.
alias [aljɑs] *ad* alias.
alibi [alibi] *nm* coartada.
aliéné, e [aljene] *nm/f* alienado/a.
aliéner [aljene] *vt* (*bien, liberté*) alienar, enajenar; (*partisans, support*) apartar, perder.
alignement [aliɲmɑ̃] *nm* alineación *f*; (*file*) alineación, fila; **à l'~** en fila.
aligner [aliɲe] *vt* (*points, arbres, soldats*) alinear, poner en fila; (*point de vue, monnaie*) alinear, ajustar; (*équipe, idée, chiffres*) ordenar; **s'~** (*concurrents*) enfrentarse; (POL) alinearse.
aliment [alimɑ̃] *nm* alimento; (*fig*) alimento, sustento; **~aire** *a* alimenticio(a); (*péj*) lucrativo(a).
alimentation [alimɑ̃tɑsjɔ̃] *nf* alimentación *f*, provisión *f*; (*aliments*) alimentación.
alimenter [alimɑ̃te] *vt* alimentar, nutrir; (*en eau, électricité*) proveer, abastecer; (*fig*) sostener, alimentar.
alinéa [alinea] *nm* sangrado, párrafo.
aliter [alite]: **s'~** *vi* guardar cama.
alizé [alize] *a, nm*: **(vent) ~** (viento) alisio.
allaiter [alete] *vt* amamantar, criar.
allant [alɑ̃] *nm* energía, resolución *f*.
allécher [aleʃe] *vt* atraer, engatusar.
allée [ale] *nf* sendero, alameda; **~s et venues** idas y venidas.
allégation [alegɑsjɔ̃] *nf* declaración *f*, afirmación *f*.
alléger [aleʒe] *vt* aligerar; (*dette, souffrance*) disminuir, aliviar; (*impôt*) desgravar.
allégorie [alegɔʀi] *nf* alegoría.
allègre [alɛgʀ(ə)] *a* (*vif*) ágil, resuelto(a); (*joyeux*) alegre, jovial; **allégresse** [alegʀɛs] *nf* alegría, regocijo.
alléguer [alege] *vt* (*fait, texte*) alegar, invocar; (*prétexte*) alegar, aducir.
Allemagne [almaɲ] *nf* Alemania; **~ de l'est/l'ouest** Alemania oriental/federal; **allemand, e** [almɑ̃, ɑ̃d] *a, nm/f* alemán(ana) // *nm* (LING) alemán *m*.
aller [ale] *nm* ida // *vi* ir, marchar; (*être, se comporter*) andar, estar; (*être adapté, ajusté*): **~ à** *vt* andar en, adaptarse a; **~ avec** *vt* ir con, andar *o* pegar con; **je vais y ~/me fâcher** voy a ir/enojarme; **j'y vais** (ahí) voy; **~ voir/chercher qch** ir a ver/buscar algo; **comment allez-vous/va-t-il?** ¿cómo está usted/él?; **je vais bien/mal** estoy bien/mal; **ça va?** ¿qué tal?; **cela me va** (*couleur, vêtement*) (esto) me sienta; (*projet, dispositions*) (esto) me conviene *o* gusta; **cela va bien avec le tapis** (esto) queda bien *o* pega con la alfombra; **cela ne va pas sans difficultés** esto ocasionará dificultades; **il y va de leur vie** están en juego sus vidas; **s'en ~** (*partir*) irse, marcharse; (*disparaître*) irse, desparecer; **~ et retour** ida y vuelta; **~ simple** ida.
allergie [alɛʀʒi] *nf* alergia; **allergique** *a* alérgico(a).
alliage [aljaʒ] *nm* aleación *f*.
alliance [aljɑ̃s] *nf* (MIL, POL) alianza, acuerdo; (JUR: *mariage*) matrimonio, alianza; (*bague*) alianza; **neveu par ~** sobrino político.
allié, e [alje] *nm/f* aliado/a;

parents et ~s parientes *mpl* y allegados.
allier [alje] *vt* (*métaux*) alear; (*pays, personne*) alear, ligar; (*éléments, qualités*) unir, asociar; **s'~** (*pays, personnes*) aliarse, ligarse; (*éléments, caractéristiques*) unirse, asociarse; **s'~ à** unirse a, emparentarse con.
allitération [aliteʀasjɔ̃] *nf* aliteración *f*.
allô [alo] *excl* ¡alo!
allocataire [alɔkatɛʀ] *nm/f* beneficiario/a.
allocation [alɔkasjɔ̃] *nf* asignación *f*; (*subside*) asignación, subsidio; **~ (de) logement/chômage** prestación *f o* subsidio para alojamiento/por desempleo; **~s familiales** subsidios familiares.
allocution [alɔkysjɔ̃] *nf* alocución *f*.
allonger [alɔ̃ʒe] *vt* alargar, prolongar; (*bras, jambe*) estirar, alargar; **s'~** alargarse, prolongarse; (*personne*) tenderse, echarse; **~ le pas** alargar *o* apresurar el paso.
allouer [alwe] *vt* asignar, otorgar.
allumage [alymaʒ] *nm* (AUTO) encendido.
allume-cigare [alymsigaʀ] *nm* encendedor *m*.
allume-gaz [alymgɑz] *nm* encendedor *m*.
allumer [alyme] *vt* encender; (*pièce*) alumbrar, iluminar; **~ (la lumière** *ou* **l'électricité)** encender (la luz); **s'~** *vi* encenderse; iluminarse.
allumette [alymɛt] *nf* fósforo, cerilla.
allumeuse [alymøz] *nf* coqueta, provocadora.
allure [alyʀ] *nf* (*vitesse*) velocidad *f*, marcha; (*démarche, maintien*) porte *m*, presencia; (*aspect, air*) aspecto, semblante *m*; **avoir de l'~** tener buena presencia; **à toute ~** a toda velocidad.
allusion [alyzjɔ̃] *nf* alusión *f*, insinuación *f*; **faire ~ à** hacer referencia a.
alluvions [alyvjɔ̃] *nfpl* aluviones *mpl*.
almanach [almana] *nm* almanaque *m*.
aloès [alɔɛs] *nm* áloe *m*.
aloi [alwa] *nm*: **de bon/mauvais ~** de buen/mal gusto.
alors [alɔʀ] *ad, conj* entonces; **et ~?** ¿y con eso?; **~ que** *conj* (*au moment où*) cuando; (*pendant que*) cuando, mientras; (*tandis que*) mientras que.
alouette [alwɛt] *nf* alondra.
alourdir [aluʀdiʀ] *vt* volver pesado(a), gravar; (*fig: style*) abarrotar, sobrecargar; (*: démarche*) entorpecer.
aloyau [alwajo] *nm* solomillo.
alpage [alpaʒ] *nm* pradera en la montaña.
Alpes [alp(ə)] *nfpl* Alpes *mpl*;
alpestre [alpɛstʀ(ə)] *a* alpino(a).
alphabet [alfabɛ] *nm* alfabeto; (*livre*) alfabeto, abecedario;
alphabétique *a* alfabetico(a);
alphabétiser *vt* alfabetizar.
alpin, e [alpɛ̃, in] *a* alpino(a).
alpinisme [alpinism(ə)] *nm* alpinismo; **alpiniste** *nm/f* alpinista *m/f*.
Alsace [alzas] *nf* Alsacia; **alsacien, ne** *a, nm/f* alsaciano(a).
altercation [altɛʀkɑsjɔ̃] *nf* altercado, disputa.
altérer [alteʀe] *vt* (*texte, document*) alterar, modificar; (*matériau*) alterar, afectar; (*sentiment*) modificar, cambiar; (*donner soif à*) provocar sed a; **s'~** *vi* alterarse; modificarse.
alternance [altɛʀnɑ̃s] *nf* sucesión *f*, alternación *f*; **en ~** alternativamente.
alternateur [altɛʀnatœʀ] *nm* alternador *m*, generador *m*.
alternatif, ive [altɛʀnatif, iv] *a* sucesivo(a), alternativo(a) // *nf* (*choix*) alternativa, opción *f*.
alterner [altɛʀne] *vt, vi* alternar; **(faire) ~ qch avec qch** alternar algo con algo.

altesse [altɛs] *nf*: **son ~ le...** Su Alteza, el... .
altier, ière [altje, jɛʀ] *a* altivo(a), arrogant(e).
altimètre [altimɛtʀ(ə)] *nm* altímetro.
altiste [altist(ə)] *nm/f* ejecutante *m/f* de viola.
altitude [altityd] *nf* altitud *f*, altura; **en ~** muy alto, en las alturas.
alto [alto] *nm* viola // *nf* contralto *f*.
altruisme [altʀɥism(ə)] *nm* altruismo, filantropía; **altruiste** *a* altruista.
aluminium [alyminjɔm] *nm* aluminio.
alun [alœ̃] *nm* alumbre *m*.
alunir [alyniʀ] *vi* alunizar.
alvéole [alveɔl] *nf* celdilla, alvéolo.
amabilité [amabilite] *nf* amabilidad *f*, cortesía; **il a eu l'~ de...** tuvo la amabilidad de... .
amadou [amadu] *nm* yesca.
amadouer [amadwe] *vt* embelecar, granjearse.
amaigrir [amegʀiʀ] *vt* adelgazar, enflaquecer; **amaigrissant, e** *a*: **régime amaigrissant** régimen *m* para adelgazar.
amalgame [amalgam] *nm* amalgama, mezcla; (*fig*) amalgama, combinación *f*; **amalgamer** *vt* amalgamar; mezclar.
amande [amɑ̃d] *nf* almendra; (*de noyau de fruit*) hueso; **en ~** (*yeux*) almendrado(a).
amandier [amɑ̃dje] *nm* almendra.
amant, e [amɑ̃, ɑ̃t] *nm/f* amante *m/f*.
amarre [amaʀ] *nf* amarra; **~s** *fpl* amarras; **amarrer** *vt* (NAUT) amarrar; (*gén*) amarrar, sujetar.
amas [amɑ] *nm* montón *m*, pila; **amasser** *vt* amontonar, acumular; **s'amasser** *vi* amontonarse.
amateur [amatœʀ] *nm* aficionado/a; (*péj*) aficionado/a, diletante *m/f*; **~ de musique** *etc* aficionado a la música *etc*; **musicien/sportif ~** músico/deportista aficionado; **en ~** (*péj*) como aficionado *o* diletante; **~isme** *nm* diletantismo.
amazone [amazon] *nf*: **en ~** a asentadillas, a la inglesa.
Amazone [amazon] *nm* Amazonas *m*.
ambages [ɑ̃baʒ]: **sans ~** *ad* sin ambages, sin rodeos.
ambassade [ɑ̃basad] *nf* embajada; **ambassadeur, drice** *nm/f* (POL) embajador/ora; (*fig*) embajador/ora, representante *m/f*.
ambiance [ɑ̃bjɑ̃s] *nf* ambiente *m*, atmósfera; **il y a de l'~** hay animación.
ambiant, e [ɑ̃bjɑ̃, ɑ̃t] *a* ambiente.
ambidextre [ɑ̃bidɛkstʀ(ə)] *a* ambidextro(a).
ambigu, ë [ɑ̃bigy] *a* ambiguo(a), equívoco(a); **~ïté** *nf* ambigüedad *f*.
ambitieux, euse [ɑ̃bisjø, øz] *a* ambicioso(a), pretencioso(a); (*personne*) ambicioso(a) // *nm/f* ambicioso/a.
ambition [ɑ̃bisjɔ̃] *nf* ambición *f*; (*but, visée*) ambición, aspiración *f*.
ambitionner [ɑ̃bisjɔne] *vt* ambicionar, ansiar.
ambivalent, e [ɑ̃bivalɑ̃, ɑ̃t] *a* ambivalente.
ambre [ɑ̃bʀ(ə)] *nm*: **~ jaune/gris** ámbar amarillo/gris.
ambulance [ɑ̃bylɑ̃s] *nf* ambulancia; **ambulancier, ière** *nm/f* conductor/ora de una ambulancia.
ambulant, e [ɑ̃bylɑ̃, ɑ̃t] *a* ambulante.
âme [ɑm] *nf* alma, espíritu *m*; (*habitant*) alma; **rendre l'~** entregar el alma, pasar a mejor vida; **~ sœur** alma gemela, espíritu gemelo.
améliorer [ameljɔʀe] *vt* mejorar, perfeccionar; **s'~** *vi* mejorarse.
aménagement [amenaʒmɑ̃] *nm* acondicionamiento; disposición *f*; (*installation*) habilitación *f*; **l'~ du territoire** el fomento de los recursos de un país; **~s fiscaux** desgravaciones impositivas.

aménager [amenaʒe] *vt* arreglar, acondicionar; (*coin-cuisine etc*: *dans un local*) disponer, habilitar.
amende [amɑ̃d] *nf* multa; **mettre à l'~** reprender, amonestar; **faire ~ honorable** retractarse.
amendement [amɑ̃dmɑ̃] *nm* (*JUR*) enmienda.
amender [amɑ̃de] *vt* (*JUR*) enmendar, rectificar; (*AGR*) abonar, fertilizar; **s'~** *vi* (*coupable*) enmendarse, corregirse.
amène [amɛn] *a* ameno(a), grato(a).
amener [amne] *vt* llevar, conducir; (*causer*) provocar, ocasionar; (*baisser*) arriar, bajar; **~ qn à qch/faire** incitar a alguien a algo/hacer; **s'~** *vi* (*fam*) llegar, venir.
amenuiser [amənɥize]: **s'~** *vi* disminuir, reducirse.
amer, ère [amɛʀ] *a* amargo(a), acerbo(a); (*fig*) amargo(a), doloroso(a); (: *personne*) amargado(a), amargo(a).
américain, e [ameʀikɛ̃, ɛn] *a, nm/f* americano(a).
Amérique [ameʀik] *nf* América; **l'~ centrale/latine** la América Central/Latina; **l'~ du Nord/Sud** la América del Norte/Sur.
amerrir [ameʀiʀ] *vi* amarar.
amertume [amɛʀtym] *nf* amargor *m*, amargura.
améthyste [ametist(ə)] *nf* amatista.
ameublement [amœbləmɑ̃] *nm* moblaje *m*; (*meubles*) mobiliario; **tissu d'~** género de tapicería; **papier d'~** papel pintado.
ameuter [amøte] *vt* amotinar, alborotar.
ami, e [ami] *nm/f* amigo/a; (*amant, maîtresse*) amigo/a, amante *m/f* // *a*: **famille ~e** familia amiga; **pays/groupe ~** país/grupo aliado; **être (très) ~ avec qn** ser (muy) amigo de alguien; **être ~ de l'ordre** ser amigo del orden; **un ~ des arts** un amigo de las artes; **petit ~/petite ~e** (*fam*) querido/a, amante *m/f*.
amiable [amjabl(ə)] *a* amistoso(a); **à l'~** *ad* amigablemente.
amiante [amjɑ̃t] *nf* amianto.
amibe [amib] *nf* ameba.
amical, e, aux [amikal, o] *a* amistoso(a), cordial // *nf* (*club*) círculo, asociación *f*.
amidon [amidɔ̃] *nm* almidón *m*; **~ner** *vt* almidonar.
amincir [amɛ̃siʀ] *vt* rebajar, afinar; (*personne*) adelgazar; (*suj*: *robe, style*) adelgazar, afinar; **s'~** *vi* adelgazarse, volverse delgado(a); (*personne*) adelgazar.
amiral, aux [amiʀal, o] *nm* almirante *m*.
amirauté [amiʀote] *nf* almirantazgo.
amitié [amitje] *nf* amistad *f*; **prendre en ~** aficionarse (a), cobrar cariño (a); **faire ou présenter ses ~s à qn** dar *o* enviar sus recuerdos a alguien.
ammoniac [amɔnjak] *nm*: **(gaz) ~** amoníaco.
ammoniaque [amɔnjak] *nf* amoníaco.
amnésie [amnezi] *nf* amnesia; **amnésique** *a* amnésico(a).
amnistie [amnisti] *nf* amnistía; **amnistier** *vt* amnistiar.
amoindrir [amwɛ̃dʀiʀ] *vt* menguar, reducir.
amollir [amɔliʀ] *vt* ablandar, debilitar.
amonceler [amɔ̃sle] *vt* amontonar, acumular.
amont [amɔ̃]: **en ~** *ad* río arriba; **en ~ de** *prép* más arriba de.
amorce [amɔʀs(ə)] *nf* cebo, carnada; (*explosif*) fulminante *m*; (*fig*: *début*) principio; **amorcer** *vt* cebar; (*munition*) colocar el fulminante a, cargar; (*fig*) iniciar, emprender; (*geste*) esbozar.
amorphe [amɔʀf(ə)] *a* amorfo(a), apático(a).
amortir [amɔʀtiʀ] *vt* amortiguar, atenuar; (*COMM*) amortizar;

amortisseur *nm* (*AUTO*) amortiguador *m*.
amour [amuʀ] *nm* amor *m*; (*statuette etc*) amorcillo; **faire l'~** hacer el amor; **l'~ libre** el amor libre; **~ platonique** amor platónico; **s'~acher de** *vt* (*péj*) enamoriscarse de, encamotarse de; **~ette** *nf* amorío; **~eux, euse** *a* (*regard, tempérament*) amoroso(a), ardiente; (*vie, passions*) amoroso(a) // *nm/f* enamorado/a, amante *m/f*; **être ~eux (de qn)** estar enamorado (de alguien); **être ~eux de qch** estar enamorado de algo, ser amante de algo; **un ~eux des bêtes** un amante de los animales; **~-propre** *nm* amor propio.
amovible [amɔvibl(ə)] *a* amovible.
ampère [ɑ̃pɛʀ] *nm* amperio; **~mètre** *nm* amperímetro.
amphétamine [ɑ̃fetamin] *nf* anfetamina.
amphibie [ɑ̃fibi] *a* anfibio(a).
amphithéâtre [ɑ̃fiteatʀ(ə)] *nm* anfiteatro; (*SCOL*) aula, anfiteatro.
amphore [ɑ̃fɔʀ] *nf* ánfora.
ample [ɑ̃pl(ə)] *a* amplio(a); (*ressources*) vasto(a), abundante; **jusqu'à plus ~ informé** hasta mayor información; **~ment** *ad* ampliamente; **ampleur** *nf* amplitud *f*; (*importance*) magnitud *f*.
amplificateur [ɑ̃plifikatœʀ] *nm* amplificador *m*.
amplifier [ɑ̃plifje] *vt* (*son, oscillation*) amplificar; (*fig*) acrecentar, incrementar.
amplitude [ɑ̃plityd] *nf* amplitud *f*; (*des températures*) variación *f*.
ampoule [ɑ̃pul] *nf* ampolla; (*électrique*) bombilla.
ampoulé, e [ɑ̃pule] *a* ampuloso(a).
amputation [ɑ̃pytɑsjɔ̃] *nf* amputación *f*.
amputer [ɑ̃pyte] *vt* (*MÉD*) amputar; (*fig*) reducir; **~ qn (d'un bras/pied)** amputar a alguien (un brazo/pie).
amulette [amylɛt] *nf* amuleto.
amusant, e [amyzɑ̃, ɑ̃t] *a* divertido(a).
amusé, e [amyze] *a* divertido(a).
amuse-gueules [amyzgœl] *nmpl* tapas.
amusement [amyzmɑ̃] *nm* diversión *f*; (*jeu, divertissement*) diversión, entretenimiento.
amuser [amyze] *vt* (*divertir*) divertir, entretener; (*égayer, faire rire*) divertir; (*détourner l'attention*) distraer; **s'~** *vi* divertirse; (*péj*) entretenerse, holgar; **s'~ de qch** (*trouver comique*) divertirse con algo; **s'~ avec** *ou* **de qn** (*duper*) burlarse de alguien; **amusette** *nf* pasatiempo, distracción *f*; **amuseur** *nm* (*péj*) bufón *m*.
amygdale [amidal] *nf* amígdala.
an [ɑ̃] *nm* año; **être âgé de** *ou* **avoir 3 ~s** tener tres años de edad; **en l'~ 1980** en el año 1980; **le jour de l'~, le premier de l'~, le nouvel ~** el día de año nuevo, año nuevo.
anachronique [anakʀɔnik] *a* (*péj*) anacrónico(a).
anachronisme [anakʀɔnism(ə)] *nm* anacronismo.
anagramme [anagʀam] *nf* anagrama *m*.
anal, e, aux [anal, o] *a* anal.
analgésique [analʒezik] *nm* analgésico.
analogie [analɔʒi] *nf* analogía; **analogue** [-lɔg] *a* análogo(a).
analphabète [analfabɛt] *nm/f* analfabeto/a.
analyse [analiz] *nf* análisis *m*; **en dernière ~** en ultimo análisis, al fin de cuentas; **analyser** *vt* analizar; **analyste** [analist(ə)] *nm/f* analista *m/f*; **analytique** *a* analítico(a).
ananas [anana] *nm* piña.
anarchie [anaʀʃi] *nf* anarquía; **anarchisme** *nm* anarquismo; **anarchiste** *a, nm/f* anarquista (*m/f*).
anathème [anatɛm] *nm*: **jeter l'~ sur** echar la maldición sobre.
anatomie [anatɔmi] *nf* anatomía; **anatomique** *a* anatómico(a).
ancestral, e, aux [ɑ̃sɛstʀal, o] *a* ancestral.

ancêtre [ɑ̃sɛtʀ(ə)] *nm/f* antepasado/a; ~**s** *mpl* antepasados; **l'~ de** (*fig*) el precursor de, el antecesor de.
anche [ɑ̃ʃ] *nf* lengüeta.
anchois [ɑ̃ʃwa] *nm* anchoa.
ancien, ne [ɑ̃sjɛ̃, ɛn] *a* viejo(a), antiguo(a); (*de jadis, de l'antiquité*) antiguo(a); (*précédent, ex-*) ex- // *nm/f* (*dans un groupe, une tribu*) anciano/a; **un ~ ministre** un ex-ministro; **mon ~ne voiture** mi viejo coche; **être plus ~ que qn** (*dans une fonction*) tener más antigüedad que alguien; ~**s élèves** (*SCOL*) ex-estudiantes; ~**nement** [-jɛnmɑ̃] *ad* antiguamente; ~**neté** [-jɛnte] *nf* antigüedad *f*.
ancrage [ɑ̃kʀaʒ] *nm* fijación *f*; (*NAUT*: *mouillage*) fondeadero.
ancre [ɑ̃kʀ(ə)] *nf* (*NAUT*) ancla; **jeter l'~** echar el ancla; **lever l'~** levar anclas; **à l'~** anclado(a); **ancrer** *vt* (*CONSTRUCTION*) fijar, sujetar; (*fig*) afianzar; **s'ancrer** *vi* (*NAUT*) anclar.
Andalousie [ɑ̃daluzi] *nf* Andalucía.
Andes [ɑ̃d] *nfpl*: **les ~** los Andes.
Andorre [ɑ̃dɔʀ] *n* Andorra.
andouille [ɑ̃duj] *nf* (*CULIN*) *especie de embutido*; (*fam*) imbécil *m/f*, idiota *m/f*.
âne [ɑn] *nm* asno, burro.
anéantir [aneɑ̃tiʀ] *vt* aniquilar: (*personne*) aniquilar, anonadar.
anecdote [anɛkdɔt] *nf* anécdota; **anecdotique** *a* anecdótico(a).
anémie [anemi] *nf* anemia; **anémié, e** *a* anémico(a); **anémique** *a* anémico(a).
anémone [anemɔn] *nf* anémona; (*ZOOL*): **~ de mer** anémona de mar.
ânerie [ɑnʀi] *nf* burrada.
ânesse [ɑnɛs] *nf* asna, burra.
anesthésie [anɛstezi] *nf* (*MÉD*) anestesia; **~ générale/locale** anestesia general/local; **anesthésier** [-zje] *vt* anestesiar; (*fig*) adormecer, aplacar; **anesthésique** *nm* anestésico; **anesthésiste** *nm/f* anestesista *m/f*.
anfractuosité [ɑ̃fʀaktɥozite] *nf* anfractuosidad *f*; cavidad *f*.
ange [ɑ̃ʒ] *nm* ángel *m*; **être aux ~s** estar en la gloria; **~ gardien** ángel de la guarda; **angélique** [ɑ̃ʒelik] *a* angelical, angélico(a).
angélus [ɑ̃ʒelys] *nm* angelus *m*.
angine [ɑ̃ʒin] *nf* angina; **~ de poitrine** angina de pecho.
anglais, e [ɑ̃glɛ, ɛz] *a, nm/f* inglés(esa) // *nm* (*LING*) inglés *m*; ~**es** *fpl* (*cheveux*) bucles *mpl*; **filer à l'~e** tomar las de Villadiego.
angle [ɑ̃gl(ə)] *nm* ángulo, esquina; (*GÉOMÉTRIE, de tir, prise de vue*) ángulo; (*fig*: *point de vue*) punto de vista; **~ droit/obtus/aigu** ángulo recto/obtuso/agudo.
Angleterre [ɑ̃glətɛʀ] *nf*: **l'~** la Inglaterra.
anglican, e [ɑ̃glikɑ̃, an] *a, nm/f* anglicano(a).
anglicisme [ɑ̃glisism(ə)] *nm* anglicismo.
angliciste [ɑ̃glisist(ə)] *nm/f* anglicista *m/f*.
anglo... [ɑ̃glɔ] *préf* anglo; **~-normand, e** *a* anglonormando(a); **les îles ~-normandes** las islas anglonormandas; **~phile** [-fil] *a* anglófilo(a); **~phobe** [-fɔb] *a* anglófobo(a); **~phone** [-fɔn] *a* anglopar-lante; **~-saxon, ne** [-saksɔ̃, ɔn] *a* anglosajón(ona).
angoisse [ɑ̃gwas] *nf*: **l'~** la angustia; **avoir des ~s** estar angustiado(a); **angoisser** *vt* angustiar.
angora [ɑ̃gɔʀa] *a* de angora.
anguille [ɑ̃gij] *nf* anguila; **~ de mer** congrio.
angulaire [ɑ̃gylɛʀ] *a* angular.
anguleux, euse [ɑ̃gylø, øz] *a* anguloso(a).
anicroche [anikʀɔʃ] *nf* inconveniente *m*, engorro.
animal, e, aux [animal, o] *a* animal // *nm* animal *m*; (*fam*) animal, bestia; **~ domestique/sauvage** animal domestico/salvaje; **~ier** *a*: **peintre**

~**ier** pintor *m* de animales.
animateur, trice [animatœR, tRis] *nm/f* animador/ora.
animation [animɑsjɔ̃] *nf* animación *f.*
animé, e [anime] *a* animado(a).
animer [anime] *vt* animar; **s'~** *vi* animarse.
animosité [animozite] *nf* animosidad *f.*
anis [ani] *nm* anís *m.*
anisette [anizɛt] *nf* anisete *m.*
ankylose [ɑ̃kiloz] *nf* anquilosis *f*; **s'ankyloser** *vi* anquilosarse.
annales [anal] *nfpl* anales *mpl.*
anneau, x [ano] *nm* (*de rideau*) anilla, argolla; (*de chaîne*) eslabón *m*; (*bague*) anillo.
année [ane] *nf* año; ~ **fiscale** año fiscal; ~**-lumière** año luz; ~ **scolaire** curso escolar.
annelé, e [anle] *a* anillado(a).
annexe [anɛks(ə)] *a* anexo(a) // *nf* (*bâtiment*) anexo; (*document*) adjunto.
annexer [anɛkse] *vt* (*pays, biens*) anexar; (*texte, document*) adjuntar; **s'~** *vt* anexarse; **annexion** *nf* anexión *f.*
annihiler [aniile] *vt* aniquilar.
anniversaire [anivɛRsɛR] *a*: **fête/jour** ~ fiesta/día aniversario // *nm* (*d'une personne*) cumpleaños *m*; (*d'un événement, bâtiment*) aniversario.
annonce [anɔ̃s] *nf* anuncio; (CARTES) declaración *f*; **les petites ~s** avisos, anuncios.
annoncer [anɔ̃se] *vt* (*nouvelle, décision*) anunciar, informar; (*être le signe de*) anunciar, indicar; (*visiteur*) anunciar; **s'~**: **s'~ bien/difficile** presentarse bien/difícil; **annonceur, euse** *nm/f* (TV, RADIO) locutor/ora; (*qui fait insérer une annonce publicitaire*) anunciador/ora.
annonciation [anɔ̃sjɑsjɔ̃] *nf*: **l'A~** la Anunciación.
annoter [anɔte] *vt* comentar, anotar.
annuaire [anɥɛR] *nm* anuario; ~ **téléphonique** guía telefónica.
annuel, le [anɥɛl] *a* anual; ~**lement** *ad* anualmente.
annuité [anɥite] *nf* anualidad *f.*
annulaire [anylɛR] *nm* anular *m.*
annulation [anylɑsjɔ̃] *nf* anulación *f.*
annuler [anyle] *vt* anular; **s'~** anularse.
anoblir [anɔbliR] *vt* ennoblecer.
anode [anod] *nf* ánodo.
anodin, e [anɔdɛ̃, in] *a* anodino(a).
anomalie [anɔmali] *nf* anomalía.
ânonner [ɑnɔne] *vi, vt* farfullar, balbucir.
anonymat [anɔnima] *nm* anonimato.
anonyme [anɔnim] *a* anónimo(a); (*fig*) impersonal; ~**ment** *ad* anónimamente.
anorak [anɔRak] *nm* anorac *m.*
anormal, e, aux [anɔRmal, o] *a* anormal; (*injuste*) ilógico(a) // *nm/f* anormal *m/f.*
anse [ɑ̃s] *nf* (*de panier, tasse*) asa; (GÉO) ensenada.
antagonisme [ɑ̃tagɔnism(ə)] *nm* antagonismo; **antagoniste** *a*: **force/parti antagoniste** fuerza/partido antagonista // *nm/f* antagonista *m/f*, adversario/a.
antan [ɑ̃tɑ̃]: **d'~** *a* de antaño.
antarctique [ɑ̃taRktik] *a* antártico(a) // *nm*: **l'A~** la Antártida.
antécédent [ɑ̃tesedɑ̃] *nm* antecedente *m*; ~**s** *mpl* antecedentes *mpl.*
antédiluvien, ne [ɑ̃tedilyvjɛ̃, ɛn] *a* antediluviano(a).
antenne [ɑ̃tɛn] *nf* antena; (*poste avancé, petite succursale ou agence*) emisora; **avoir l'~** estar en conexión; **adapter pour l'~** adaptar para la emisión; **passer à l'~** hablar por radio; **prendre l'~** sintonizar; **deux heures d'~** un espacio de dos horas.
antépénultième [ɑ̃tepenyltjɛm] *a* antepenúltimo(a).

antérieur, e [ɑ̃teʀjœʀ] *a* anterior; ~ **à** anterior a; **~ement** *ad* anteriormente, precedentemente; **~ement à** antes de; **antériorité** [-jɔʀite] *nf* anterioridad *f.*
anthologie [ɑ̃tɔlɔʒi] *nf* antología.
anthracite [ɑ̃tʀasit] *nm* antracita.
anthropocentrisme [ɑ̃tʀɔpɔsɑ̃tʀism(ə)] *nm* antropocentrismo.
anthropologie [ɑ̃tʀɔpɔlɔʒi] *nf* antropología; **anthropologue** [ɑ̃tʀɔpɔlɔg] *nm/f* antropólogo/a.
anthropométrie [ɑ̃tʀɔpɔmetʀi] *nf* antropometría; **anthropométrique** *a*: **fiche/signalement anthropométrique** ficha/descripción antropométrica.
anthropomorphisme [ɑ̃tʀɔpɔmɔʀfism(ə)] *nm* antropomorfismo.
anthropophage [ɑ̃tʀɔpɔfaʒ] *a, nm/f* antropófago(a).
anthropophagie [ɑ̃tʀɔpɔfaʒi] *nf* antropofagia.
anti... [ɑ̃ti] *préf* anti... .
antiaérien, ne [ɑ̃tiaeʀjɛ̃, ɛn] *a* antiaéreo(a).
antialcoolique [ɑ̃tialkɔlik] *a* antialcohólico(a).
antiatomique [ɑ̃tiatɔmik] *a* antiatómico(a).
antibiotique [ɑ̃tibjɔtik] *nm* antibiotico.
antibrouillard [ɑ̃tibʀujaʀ] *a* antiniebla.
anticancéreux, euse [ɑ̃tikɑ̃seʀø, øz] *a* anticanceroso(a).
antichambre [ɑ̃tiʃɑ̃bʀ(ə)] *nf* antecamara; **faire** ~ hacer antecamara *o* antesala.
antichar [ɑ̃tiʃaʀ] *a* antitanque.
anticipation [ɑ̃tisipɑsjɔ̃] *nf* anticipación *f*; anticipo; **par** ~ por adelantado; **livre/film d'**~ libro/película sobre el futuro.
anticipé, e [ɑ̃tisipe] *a* anticipado(a); por adelantado; **avec mes remerciements ~s** agradeciendo desde ya.
anticiper [ɑ̃tisipe] *vt* (*prévoir*) anticipar; (*paiement*) anticipar, adelantar // *vi* anticiparse; ~ **sur** *vt* anticiparse a.
anticlérical, e, aux [ɑ̃tikleʀikal, o] *a* anticlerical.
anticonceptionnel, le [ɑ̃tikɔ̃sɛpsjɔnɛl] *a* anticonceptivo(a).
anticorps [ɑ̃tikɔʀ] *nm* anticuerpo.
anticyclone [ɑ̃tisiklon] *nm* anticiclón *m.*
antidater [ɑ̃tidate] *vt* antedatar.
antidérapant, e [ɑ̃tideʀapɑ̃, ɑ̃t] *a* antidelizante, antiderrapante.
antidote [ɑ̃tidɔt] *nm* antídoto.
antienne [ɑ̃tjɛn] *nf* (REL) antífona; (*fig*) estribillo, adagio.
antigel [ɑ̃tiʒɛl] *nm* anticongelante *m.*
Antilles [ɑ̃tij] *nfpl*: **les** ~ las Antillas.
antilope [ɑ̃tilɔp] *nf* antílope *m.*
antimilitariste [ɑ̃timilitaʀist(ə)] *a* antimilitarista.
antimite(s) [ɑ̃timit] *a, nm*: **(produit)** ~ (producto) antipolilla.
antiparasite [ɑ̃tipaʀazit] *a* antiparásito(a).
antipathie [ɑ̃tipati] *nf* antipatía; **antipathique** *a* antipatico(a).
antiphrase [ɑ̃tifʀaz] *nf*: **par** ~ por antífrasis.
antipodes [ɑ̃tipɔd] *nmpl* antípodas; (*fig*): **être aux** ~ **de** estar en las antípodas de.
antiquaire [ɑ̃tikɛʀ] *nm/f* anticuario *m.*
antique [ɑ̃tik] *a* antiguo(a); (*très vieux*) anticuado(a); **antiquité** [-ite] *nf* antigüedad *f*; **l'Antiquité** la Antigüedad; **magasin d'antiquités** tienda de antigüedades.
antirabique [ɑ̃tiʀabik] *a* antirábico(a).
antiraciste [ɑ̃tiʀasist(ə)] *a* antiracista.
antirides [ɑ̃tiʀid] *a inv* antiarrugas.
antirouille [ɑ̃tiʀuj] *a inv*: **peinture** ~ pintura antioxidante.
antisémite [ɑ̃tisemit] *a* antisemita.
antisémitisme [ɑ̃tisemitism(ə)] *nm* antisemitismo.

antiseptique [ɑ̃tisɛptik] *a* antiséptico(a) // *nm* antiséptico.
antitétanique [ɑ̃titetanik] *a* antitetánico(a).
antithèse [ɑ̃titɛz] *nf* antítesis *f*.
antituberculeux, euse [ɑ̃titybɛʀkylø, øz] *a* antituberculoso(a).
antivol [ɑ̃tivɔl] *a*, *nm*: (**dispositif**) ~ (dispositivo) antirrobo.
antre [ɑ̃tʀ(ə)] *nm* antro, cueva; (*fig*) antro.
anus [anys] *nm* ano.
anxiété [ɑ̃ksjete] *nf* ansiedad *f*.
anxieux, euse [ɑ̃ksjø, øz] *a* ansioso(a); (*impatient*): **être** ~ **de faire** estar ansioso por hacer.
aorte [aɔʀt(ə)] *nf* aorta.
août [u] *nm* agosto.
apaisement [apɛzmɑ̃] *nm* sosiego; calma; ~**s** *mpl* seguridades *fpl*.
apaiser [apeze] *vt* apaciguar, mitigar; (*personne*) apaciguar, calmar; **s'**~ *vi* aplacarse, apaciguarse.
apanage [apanaʒ] *nm*: **être l'**~ **de** ser el privilegio *o* la prerrogativa de.
aparté [apaʀte] *nm* aparte *m*; **en** ~ *ad* confidencialmente.
apathie [apati] *nf* apatía; **apathique** *a* apático(a).
apatride [apatʀid] *nm/f* apátrida *m/f*.
apercevoir [apɛʀsəvwaʀ] *vt* (*voir*) distinguir, avistar; (*constater, percevoir*) percibir; **s'**~ **de** darse cuenta de, notar; **s'**~ **que** notar que, darse cuenta de que.
aperçu [apɛʀsy] *nm* imagen *f*, apreciación *f*; (*intuition*) percepción *f*, idea.
apéritif [apeʀitif] *nm* aperitivo.
à-peu-près [apøpʀɛ] *nm inv* aproximación *f*, imprecisión *f*.
apeuré, e [apœʀe] *a* atemorizado(a), asustado(a).
aphone [afɔn] *a* afónico(a).
aphrodisiaque [afʀɔdizjak] *a* afrodisíaco(a) // *nm* afrodisíaco.
aphte [aft(ə)] *nm* afta; **aphteuse** *a*: **fièvre aphteuse** fiebre aftosa.
apiculteur [apikyltœʀ] *nm* apicultor *m*.
apiculture [apikyltyʀ] *nf* apicultura.
apitoyer [apitwaje] *vt* apiadar, hacer compadecer; ~ **qn sur** apiadar a alguien por; **s'**~ **(sur)** apiadarse *o* compadecerse de.
aplanir [aplaniʀ] *vt* (*surface*) aplanar, nivelar; (*fig*) allanar.
aplati, e [aplati] *a* achatado(a).
aplatir [aplatiʀ] *vt* aplanar, aplastar; (*vaincre, écraser*) aplastar; **s'**~ *vi* (*s'allonger par terre*) echarse; (*s'humilier*) rebajarse.
aplomb [aplɔ̃] *nm* (*équilibre*) equilibrio; (*fig*) aplomo, serenidad *f*; **d'**~ *ad* (*en équilibre*) derecho.
apocalypse [apɔkalips(ə)] *nf* apocalipsis *m*.
apogée [apɔʒe] *nm* apogeo.
apolitique [apɔlitik] *a* apolítico(a).
apologie [apɔlɔʒi] *nf* apología, alabanza.
apoplexie [apɔplɛksi] *nf* apoplejía.
a posteriori [apɔsteʀjɔʀi] *ad* a posteriori.
apostolat [apɔstɔla] *nm* apostolado.
apostolique [apɔstɔlik] *a* apostólico(a).
apostrophe [apɔstʀɔf] *nf* (*signe*) apóstrofo; (*interpellation*) apóstrofe *m*, improperio; **apostropher** *vt* apostrofar, increpar.
apothéose [apɔteoz] *nf* apoteosis *f*.
apôtre [apotʀ(ə)] *nm* apóstol *m*.
apparaître [apaʀɛtʀ(ə)] *vi* aparecer, surgir; (*difficultés, symptômes*) surgir, manifestarse // *vb avec attribut* parecer; **il apparaît que** parece que.
apparat [apaʀa] *nm*: **tenue d'**~ traje *m* de etiqueta; ~ **critique** aparato crítico.
appareil [apaʀɛj] *nm* aparato; (*politique, syndical*) aparato, maquinaria; (*dentaire*) aparato (de ortodoncia); ~ **digestif/reproducteur** aparato digestivo/

reproductor; **qui est à l'~?** ¿quién habla?; **dans le plus simple ~** en cueros; **~ de photographie, ~(-photo)** cámara fotográfica.
appareillage [apaʀɛjaʒ] *nm* (*appareils*) equipo; (*NAUT*) partida.
appareiller [apaʀeje] *vi* (*NAUT*) zarpar // *vt* (*assortir*) emparejar.
apparemment [apaʀamɑ̃] *ad* aparentemente.
apparence [apaʀɑ̃s] *nf* apariencia.
apparent, e [apaʀɑ̃, ɑ̃t] *a* (*visible*) aparente, palpable; (*ostensible*) manifiesto(a), ostensible; (*illusoire, superficiel*) aparente, ilusorio(a); **coutures ~es** costuras falsas.
apparenté, e [apaʀɑ̃te] *a*: **~ à** emparentado con.
appariteur [apaʀitœʀ] *nm* bedel *m*.
apparition [apaʀisjɔ̃] *nf* aparición *f*.
appartement [apaʀtəmɑ̃] *nm* apartamento.
appartenance [apaʀtənɑ̃s] *nf* pertenencia.
appartenir [apaʀtəniʀ]: **~ à** *vt* pertenecer a; (*fig*) corresponder a.
apparu, e *pp de* **apparaître.**
appas [apɑ] *nmpl* atractivos, seducción *f*.
appât [apɑ] *nm* cebo, carnada; (*fig*) incentivo, aliciente *m*; **~er** *vt* colocar el cebo a; (*gibier, poisson*) cebar, atraer; (*fig*) atraer, cautivar.
appauvrir [apovʀiʀ] *vt* empobrecer; (*sol*) empobrecer, esterilizar; (*fig*) empobrecer, debilitar; **s'~** *vi* empobrecerse.
appel [apɛl] *nm* llamamiento; (*incitation*) llamada, llamamiento; (*attirance*) reclamo, llamada; (*nominal*) lista; (*JUR*) apelación *f*; **faire ~ à** recurrir *o* apelar a; **faire ~** (*JUR*) interponer apelación; **faire l'~** pasar lista; **sans ~** sin apelación; **~ d'air** aspiración *f* de aire; **~ d'offres** llamado a licitación; **~ (téléphonique)** llamada (telefónica).
appelé [aple] *nm* (*MIL*) recluta.
appeler [aple] *vt* llamar; (*en faisant l'appel*) nombrar, llamar; (*fig*) reclamar, exigir; **~ qn à un poste** nombrar a alguien para un destino; **~ qn à comparaître** citar a alguien a comparecer; **en ~ à qn** *ou* **qch** apelar a alguien *o* algo; **s'~** llamarse.
appellation [apelɑsjɔ̃] *nf* (*d'un produit*) denominación *f*; **vin d'~ contrôlée** vino de denominación de origen.
appendice [apɛ̃dis] *nm* apéndice *m*; **appendicite** [-it] *nf* apendicitis *f*.
appentis [apɑ̃ti] *nm* cobertizo, tinglado.
appesantir [apəzɑ̃tiʀ]: **s'~** *vi* volverse pesado(a), entorpecerse; **s'~ sur** persistir *o* insistir en.
appétissant, e [apetisɑ̃, ɑ̃t] *a* apetitoso(a).
appétit [apeti] *nm* apetito; **avoir un gros/petit ~** tener mucho/poco apetito; **couper l'~ (de qn)** quitarle las ganas (a uno); **bon ~!** ¡buen provecho!
applaudir [aplodiʀ] *vt*, *vi* aplaudir; **~ à** *vt* aplaudir, aprobar; **applaudissements** *nmpl* aplausos.
applicable [aplikabl(ə)] *a* aplicable.
application [aplikɑsjɔ̃] *nf* aplicación *f*.
applique [aplik] *nf* aplique *m*, lámpara de pared.
appliqué, e [aplike] *a* aplicado(a), esmerado(a).
appliquer [aplike] *vt* (*fig*) aplicar; (*poser*) aplicar, colocar; **s'~** *vi* (*élève, ouvrier*) aplicarse; **s'~ à faire qch** esmerarse en hacer algo.
appoint [apwɛ̃] *nm* (*fig*) contribución *f*, aporte *m*; **avoir/faire l'~** tener/dar suelto; **chauffage d'~** calefacción suplementaria.
appointements [apwɛ̃tmɑ̃] *nmpl* honorarios.
appontement [apɔ̃tmɑ̃] *nm* muelle *m*.
apport [apɔʀ] *nm* (*fig*: *soutien*)

aporte *m*, contribución *f*.
apporter [apɔʀte] *vt* traer; (*soutien, preuve*) aportar, procurar; (*produire*) producir, procurar.
apposer [apoze] *vt* colocar, aplicar;
apposition *nf* colocación *f*, aplicación *f*; (LING): **en apposition** en aposición.
appréciable [apʀesjabl(ə)] *a* (*important*) apreciable.
appréciation [apʀesjɑsjɔ̃] *nf* apreciación *f*, evaluación *f*; **~s** *fpl* (*avis*) apreciaciones.
apprécier [apʀesje] *vt* (*gentillesse, personne*) apreciar, estimar; (*distance, importance*) evaluar, estimar.
appréhender [apʀeɑ̃de] *vt* temer; (JUR) arrestar, detener; **~ que/de faire** temer que/hacer;
appréhension *nf* aprensión *f*, temor *m*.
apprendre [apʀɑ̃dʀ(ə)] *vt* (*nouvelle, résultat*) conocer, enterarse de; (*leçon, texte*) aprender; (*métier, la patience, la vie*) aprender, conocer; **~ qch à qn** (*informer*) enterar de algo a alguien; (*enseigner*) enseñar algo a alguien; **~ à faire qch** aprender a hacer algo; **~ à qn à faire qch** enseñar a alguien a hacer algo.
apprenti, e [apʀɑ̃ti] *nm/f* aprendiz/iza; (*fig*) principiante *m/f*, novato/a.
apprentissage [apʀɑ̃tisaʒ] *nm* aprendizaje *m*.
apprêt [apʀɛ] *nm* (*sur un cuir*) adobo; (*sur un mur*) enduido; (*sur un papier, une étoffe*) apresto.
apprêté, e [apʀete] *a* (*fig*) amanerado(a), rebuscado(a).
apprêter [apʀete] *vt* adobar; aprestar.
appris, e *pp de* **apprendre**.
apprivoiser [apʀivwaze] *vt* domesticar, amansar.
approbateur, trice [apʀɔbatœʀ, tʀis] *a* de aprobación *f*.
approbation [apʀɔbɑsjɔ̃] *nf* (*autorisation*) autorización *f*, conformidad *f*; (*jugement favorable*) aprobación *f*, asentimiento.
approche [apʀɔʃ] *nf* acercamiento; (*fig*) aproximación *f*; enfoque *m*; **~s** *fpl* (*abords*) acceso, cercanías; **à l'~ du train/de Paris** al acercarse el tren/a París.
approché, e [apʀɔʃe] *a* (*approximatif*) aproximativo(a), aproximado(a).
approcher [apʀɔʃe] *vi* aproximarse, acercarse // *vt* (*vedette, artiste*) relacionarse con, acercarse a; (*objet*) acercar, aproximar; **~ de** *vt* aproximarse *o* acercarse a.
approfondi, e [apʀɔfɔ̃di] *a* profundo(a).
approfondir [apʀɔfɔ̃diʀ] *vt* ahondar, hacer más profundo(a); (*fig*) profundizar, intensificar.
approprié, e [apʀɔpʀije] *a* (*adéquat*) apropiado(a), adecuado(a); **~ à** adecuado a, conforme a.
approprier [apʀɔpʀije]: **s'~** *vt* apropiarse.
approuver [apʀuve] *vt* aprobar.
approvisionnement [apʀɔvizjɔnmɑ̃] *nm* aprovisionamiento; (*provisions*) provisión *f*.
approvisionner [apʀɔvizjɔne] *vt* proveer, aprovisionar; (*compte bancaire*) cubrir; **s'~ dans un magasin** proveerse en una tienda.
approximatif, ive [apʀɔksimatif, iv] *a* aproximativo(a).
approximativement [apʀɔksimativmɑ̃] *ad* aproximadamente.
Appt *abrév de* **appartement**.
appui [apɥi] *nm* apoyo; (*de fenêtre*) antepecho; (*d'escalier etc*) soporte *m*; (*fig: aide*) apoyo, sostén *m*; **prendre ~ sur** apoyarse en; **point d'~** punto de apoyo; **à l'~ de** en prueba de; **à l'~** *ad* como prueba; **~-tête** *nm*, **~e-tête** *nm inv* cabezal *m*.
appuyer [apɥije] *vt* (*personne, demande*) apoyar, respaldar; **~ qch sur/contre/à** apoyar algo sobre *o* en/contra *o* en/en; **~ sur** *vt*

(*bouton, frein*) oprimir, apretar; (*fig*: *mot, détail*) recalcar, insistir en *o* sobre; (*suj*: *chose*: *peser sur*) afirmarse contra; ~ **contre** *vt* (*mur, porte*) apoyarse contra; ~ **à droite** *ou* **sur sa droite** (*se diriger*) tomar hacia la derecha *o* a su derecha; **s'~ sur** *vt* (*s'accouder à*) apoyarse en; (*fig*: *se baser sur*) apoyarse *o* fundarse en; **s'~ sur qn** (*fig*) apoyarse en alguien.

âpre [ɑpʀ(ə)] *a* áspero(a); (*voix*) áspero(a), duro(a); (*hiver, froid*) desapacible, riguroso(a); (*lutte, bataille*) encarnizado(a), arduo(a); ~ **au gain** ávido(a) de lucro.

après [apʀɛ] *nm*: **l'~** el después // *prép* (*temporel*) después de, luego de; (*spatial, dans une série*) después de, tras // *ad* después; ~ **avoir fait/qu'il soit parti** después de haber hecho/de que él haya partido; **d'~** *prép* (*selon*) según; ~ **coup** *ad* a destiempo, posteriormente; ~ **tout** *ad* (*au fond*) después de todo; **et (puis) ~!** ¡y con eso!, (¡bueno!) ¿y qué?; **~-demain** *ad* pasado mañana; **~-guerre** *nm* postguerra; **~-midi** *nm inv ou nf inv* tarde *f*; **~-ski** *nm* calzado "après-ski".

a priori [apʀijɔʀi] *ad* a priori.

à-propos [apʀɔpo] *nm* ocurrencia, ingenio.

apte [apt(ə)] *a* apto(a), capacitado(a); ~ **à** apto(a) para; **aptitude** *nf* aptitud *f*; capacidad *f*.

aquarelle [akwaʀɛl] *nf* acuarela.

aquarium [akwaʀjɔm] *nm* acuario.

aquatique [akwatik] *a* acuático(a).

aqueduc [akdyk] *nm* acueducto.

aqueux, euse [akø, øz] *a* acuoso(a).

arabe [aʀab] *a, nm/f* árabe (*m/f*) // *nm* (LING) árabe *m*.

arabesque [aʀabɛsk(ə)] *nf* arabesco.

Arabie [aʀabi] *nf* Arabia; ~ **Saoudite** Arabia Saudita.

arable [aʀabl(ə)] *a* arable.

arachide [aʀaʃid] *nf* cacahuete *m*, maní *m*.

araignée [aʀeɲe] *nf* araña; ~ **de mer** araña de mar.

aratoire [aʀatwaʀ] *a*: **instrument ~** instrumento de labranza.

arbitrage [aʀbitʀaʒ] *nm* arbitraje *m*.

arbitraire [aʀbitʀɛʀ] *a* arbitrario(a).

arbitre [aʀbitʀ(ə)] *nm* árbitro.

arbitrer [aʀbitʀe] *vt* arbitrar.

arborer [aʀbɔʀe] *vt* (*drapeau, enseigne*) enarbolar, izar; (*vêtement*) lucir, ostentar; (*fig*) ostentar, mostrar.

arboriculture [aʀbɔʀikyltyʀ] *nf* arboricultura.

arbre [aʀbʀ(ə)] *nm* árbol *m*; ~ **à cames/de transmission** árbol de levas/de transmisión; ~ **généalogique** árbol genealógico; ~ **de Noël** árbol de Navidad.

arbrisseau, x [aʀbʀiso] *nm* arbolito, arbusto.

arbuste [aʀbyst(ə)] *nm* arbusto.

arc [aʀk] *nm* arco; ~ **de cercle** arco de círculo; **A~ de triomphe** Arco de triunfo.

arcade [aʀkad] *nf* arcada; ~ **sourcilière** arco superciliar.

arcanes [aʀkan] *nmpl* arcanos, misterios.

arc-boutant [aʀkbutɑ̃] *nm* arbotante *m*.

arc-bouter [aʀkbute] : **s'~** *vi* apuntalarse, afianzarse.

arceau, x [aʀso] *nm* (*de voûte*) arco; (*métallique etc*) aro, arco.

arc-en-ciel [aʀkɑ̃sjɛl] *nm* arco iris *m*.

archaïque [aʀkaik] *a* arcaico(a), perimido(a).

archaïsme [aʀkaism(ə)] *nm* arcaísmo.

archange [aʀkɑ̃ʒ] *nm* arcángel *m*.

arche [aʀʃ(ə)] *nf* arca; ~ **de Noé** arca de Noé.

archéologie [aʀkeɔlɔʒi] *nf* arqueología; **archéologique** *a* arqueológico(a); **archéologue** [-lɔg] *nm/f* arqueólogo/a.

archer [aʀʃe] *nm* arquero.

archet [aʀʃɛ] *nm* arco.
archevêché [aʀʃəveʃe] *nm* arzobispado.
archevêque [aʀʃəvɛk] *nm* arzobispo.
archipel [aʀʃipɛl] *nm* archipiélago.
architecte [aʀʃitɛkt(ə)] *nm* arquitecto; (*fig*) artífice *m*.
architecture [aʀʃitɛktyʀ] *nf* (*art*) arquitectura; (*structure, agencement*) arquitectura, estructura.
archives [aʀʃiv] *nfpl* archivo; **archiviste** *nm/f* archivero/a, archivista *m/f*.
arçon [aʀsɔ̃] *nm voir* **cheval**.
arctique [aʀktik] *a* ártico(a) // *nm*: **l'A~** el Artico; **l'océan A~** el Océano Glacial Artico.
ardemment [aʀdamɑ̃] *ad* ardientemente.
ardent, e [aʀdɑ̃, ɑ̃t] *a* (*feu, soleil*) ardiente, abrasador(ora); (*fièvre, soif*) ardiente; (*amour, lutte, prière*) ardiente, fervoroso(a); **ardeur** [aʀdœʀ] *nf* (*du soleil, feu*) ardor *m*, calor *m*; (*fig: ferveur*) ardor, vehemencia.
ardoise [aʀdwaz] *nf* pizarra.
Ardt *abrév de* **arrondissement**.
ardu, e [aʀdy] *a* (*travail, problème*) arduo(a), difícil.
are [aʀ] *nm* área.
arène [aʀɛn] *nf* (*antique*) arena; (*fig*): **l'~ politique** la palestra política; **~s** *fpl* (*de corrida*) plaza de toros, ruedo.
arête [aʀɛt] *nf* espina; (*d'une montagne*) cresta; (*GÉOMÉTRIE*) arista; (*d'une poutre, d'un toit*) cumbrera.
argent [aʀʒɑ̃] *nm* (*métal*) plata; (*monnaie*) dinero; **~ liquide** dinero líquido; **~ de poche** dinero para gastos menudos; **argenté, e** *a* plateado(a); **~er** *vt* platear; **~erie** *nf* platería.
argentin, e [aʀʒɑ̃tɛ̃, in] *a, nm/f* argentino(a).
Argentine [aʀʒɑ̃tin] *nf* Argentina.
argile [aʀʒil] *nf* arcilla; **argileux, euse** *a* arcilloso(a).
argot [aʀgo] *nm* jerga, germanía; **~ique** *a* de jerga, jergal.
arguer [aʀgɥe]: **~ de** *vt* argüir, pretextar; **~ que** argüir que.
argument [aʀgymɑ̃] *nm* argumento, pretexto; (*d'un ouvrage*) argumento; **~ation** *nf* argumentación *f*, razonamiento; **~er** *vi* argumentar, discutir.
argus [aʀgys] *nm publicación con las cotizaciones de coches de ocasión.*
aride [aʀid] *a* árido(a), yermo(a); (*fig: cœur*) insensible, duro(a); (*texte*) árido(a), aburrido(a); **aridité** *nf* aridez *f*.
aristocrate [aʀistɔkʀat] *nm/f* aristócrata *m/f*; **aristocratie** [-kʀasi] *nf* aristocracia; **aristocratique** *a* aristocrático(a).
arithmétique [aʀitmetik] *a* aritmético(a) // *nf* aritmética.
armateur [aʀmatœʀ] *nm* armador *m*.
armature [aʀmatyʀ] *nf* armazón *f*, base *f*; (*de soutien-gorge*) armazón.
arme [aʀm(ə)] *nf* arma; **~s** *fpl* (*blason*) armas, escudo; (*MIL: profession*): **les ~s** las armas; **~ blanche** arma blanca; **~ à feu** arma de fuego.
armée [aʀme] *nf* ejército; **~ de l'air/de terre** ejército del aire/de tierra; **~ du Salut** ejército de Salvación.
armement [aʀməmɑ̃] *nm* armamento; **~s nucléaires** armamentos nucleares; **course aux ~s** carrera armamentista *o* de armamentos.
armer [aʀme] *vt* armar; (*d'une pointe, d'un blindage*) munir, proveer; (*de pouvoirs etc*) dotar, proveer; (*arme à feu, appareil-photo*) armar, montar; **s'~ de** armarse con; (*fig*) armarse de.
armistice [aʀmistis] *nm* armisticio.
armoire [aʀmwaʀ] *nf* armario.
armoiries [aʀmwaʀi] *nfpl* escudo de armas.
armure [aʀmyʀ] *nf* armadura.

armurier [aʀmyʀje] *nm* armero.
arnica [aʀnika] *nm*: **(teinture d')~** (tintura de) árnica.
aromate [aʀɔmat] *nm* planta aromática.
aromatique [aʀɔmatik] *a* aromático(a).
aromatisé, e [aʀɔmatize] *a* aromatizado(a).
arôme [aʀom] *nm* aroma *m*, perfume *m*.
arpège [aʀpɛʒ] *nm* arpegio.
arpentage [aʀpɑ̃taʒ] *nm* agrimensura.
arpenter [aʀpɑ̃te] *vt* recorrer a grandes pasos.
arpenteur [aʀpɑ̃tœʀ] *nm* agrimensor/ora.
arqué, e [aʀke] *a* arqueado(a), curvado(a).
arrachage [aʀaʃaʒ] *nm* recolección *f*, cosecha.
arraché [aʀaʃe] *nm* arrancada; **à l'~** con gran esfuerzo.
arrache-pied [aʀaʃpje]: **d'~** *ad* a brazo partido.
arracher [aʀaʃe] *vt* (*pomme de terre etc*) cosechar, recoger; (*herbe, clou, dent*) arrancar, extraer; (*page, fil*) arrancar, cortar; (*accidentellement: joue, bras*) desgarrar; (*fig: augmentation, promesse*) sacar, arrancar; **~ qch à qn** arrebatar algo a alguien; **~ qn à** (*solitude, rêverie*) sacar *o* arrancar a alguien de; **s'~ de/à** alejarse *o* separarse de; **s'~** *vt* (*personne, article recherché*) disputarse, quitarse.
arraisonner [aʀɛzɔne] *vt* inspeccionar, registrar.
arrangeant, e [aʀɑ̃ʒɑ̃, ɑ̃t] *a* conciliable, complaciente.
arrangement [aʀɑ̃ʒmɑ̃] *nm* arreglo, disposición *f*; (*compromis*) acuerdo; (*MUS*) adaptación *f*, arreglo.
arranger [aʀɑ̃ʒe] *vt* (*agencer*) arreglar, disponer; (*voyage, rendez-vous*) organizar, concertar; (*réparer*) arreglar, componer; (*problème, difficulté*) solucionar, arreglar; (*personne*) convenir; (*MUS*) adaptar; **s'~** (*se mettre d'accord*) arreglarse, convenir; **s'~ pour que** arreglárselas para que; **arrangeur** *nm* adaptador *m*, arreglador *m*.
arrestation [aʀɛstɑsjɔ̃] *nf* arresto, detención *f*.
arrêt [aʀɛ] *nm* detención *f*; interrupción *f*; (*de bus etc*) parada; (*JUR*) fallo, sentencia; **~s** *mpl* (*MIL*) arresto; **être à l'~** estar detenido(a); **rester** *ou* **tomber en ~ devant...** quedarse atónito(a) ante...; **sans ~** sin parar; **~ de travail** paro, huelga.
arrêté [aʀete] *nm* disposición *f*, decreto.
arrêter [aʀete] *vt* (*projet, maladie*) detener, interrumpir; (*voiture, personne*) detener, parar; (*date, choix*) fijar, decidir; (*suspect*) detener, arrestar; **~ de faire qch** dejar de hacer algo; **s'~** *vi* detenerse, pararse; (*pluie, bruit*) detenerse, interrumpirse.
arrhes [aʀ] *nfpl* arras.
arrière [aʀjɛʀ] *a inv*: **feu/siège/roue ~** luz *f*/asiento/rueda trasero(a) // *nm* (*d'une voiture, maison*) parte trasera; (*SPORT*) defensa *m*, zaguero; **~s** *mpl*: **protéger ses ~s** (*fig*) proteger sus espaldas *o* su retaguardia; **à l'~** *ad* detrás, en la parte de atrás; **en ~** *ad* hacia atrás; **en ~ de** *prép* detrás de; **arriéré, e** [aʀjeʀe] *a* (*péj*) retrasado(a) // *nm* atraso; **~-boutique** *nf* trastienda; **~-garde** *nf* retaguardia; **~-goût** *nm* dejo; **~-grand-mère** *nf* bisabuela; **~-grand-père** *nm* bisabuelo; **~-pays** *nm inv* interior *m*, tierra adentro; **~-pensée** *nf* segunda intención; **~-petits-enfants** *nmpl* bisnietos; **~-plan** *nm* segundo plano; **à l'~-plan** en segundo plano; **arriérer** [aʀjeʀe]: **s'arriérer** *vi* atrasarse, retrasarse; **~-saison** *nf* final *m* del otoño; **~-train** *nm* (*d'un animal*) cuarto trasero.
arrimer [aʀime] *vt* estibar, calzar.

arrivage [aʀivaʒ] *nm* arribo.
arrivée [aʀive] *nf* llegada, arribo; (*ligne d'arrivée*) llegada, meta; ~ **d'air/de gaz** entrada de aire/de gas.
arriver [aʀive] *vi* (*événement, fait*) ocurrir, suceder; (*dans un lieu*) llegar; ~ **à qch/faire qch** (*réussir*) lograr algo/hacer algo; ~ **à qch** (*atteindre: limite etc*) llegar a, alcanzar; **il arrive que** suele ocurrir que, ocurre que; **il lui arrive de...** suele, suele ocurrirle... .
arriviste [aʀivist(ə)] *nm/f* arribista *m/f*.
arrogance [aʀɔgɑ̃s] *nf* arrogancia, altivez *f*.
arrogant, e [aʀɔgɑ̃, ɑ̃t] *a* arrogante, altivo(a).
arroger [aʀɔʒe] : **s'~** *vt* arrogarse, atribuirse.
arrondi, e [aʀɔ̃di] *a* redondeado(a) // *nm* redondeo.
arrondir [aʀɔ̃diʀ] *vt* redondear; **s'~** *vi* (*dos, ventre*) redondearse, engordar.
arrondissement [aʀɔ̃dismɑ̃] *nm* (*ADMIN*) distrito.
arrosage [aʀozaʒ] *nm* riego.
arroser [aʀoze] *vt* regar; (*fig: fête, victoire*) aguar, mojar; (*CULIN: rôti*) rociar; (*suj: fleuve, rivière*) bañar; **arroseuse** *nf* camión *m* de riego; **arrosoir** [-zwaʀ] *nm* regadera.
arsenal, aux [aʀsənal, o] *nm* (*gén*) arsenal *m*.
arsenic [aʀsənik] *nm* arsénico.
art [aʀ] *nm* (*méthode, technique*) arte *f*; (*expression artistique*): **l'~** el arte; (*fig*): **avoir l'~ de faire qch** tener la habilidad de hacer algo; **les ~s** las artes; **livre d'~** libro de arte; ~ **dramatique** arte dramática; **~s ménagers** artes domésticas; **les ~s et métiers** (las) artes y oficios; **~s plastiques** artes plásticas.
artère [aʀtɛʀ] *nf* arteria; **artériel, le** *a* arterial; **artériosclérose** [aʀteʀjɔskleʀoz] *nf* arteriosclerosis *f*.
arthrite [aʀtʀit] *nf* artritis *f*.
arthrose [aʀtʀoz] *nf* artrosis *f*.
artichaut [aʀtiʃo] *nm* alcachofa.
article [aʀtikl(ə)] *nm* artículo; **faire l'~** hacer el cartel, ponderar la mercadería; ~ **défini/indéfini** artículo definido/indefinido; ~ **de fond** artículo de fondo, editorial *m*.
articulaire [aʀtikylɛʀ] *a* articular.
articulation [aʀtikylɑsjɔ̃] *nf* (*gén*) articulación *f*; (*TECH*) articulación, junta; (*fig: d'un texte*) ilación *f*.
articuler [aʀtikyle] *vt* (*mot, phrase*) articular, pronunciar; (*TECH*) articular, juntar; **s'~ (sur)** articularse (con).
artifice [aʀtifis] *nm* artificio, truco.
artificiel, le [aʀtifisjɛl] *a* artificial; (*péj*) fingido(a), simulado(a); **~lement** *ad* artificialmente.
artificier [aʀtifisje] *nm* pirotécnico.
artificieux, euse [aʀtifisjø, øz] *a* falso(a), engañoso(a).
artillerie [aʀtijʀi] *nf* artillería; **artilleur** [aʀtijœʀ] *nm* artillero.
artisan [aʀtizɑ̃] *nm* artesano; **l'~ de la victoire** el artífice de la victoria; **~at** [aʀtizana] *nm* artesanado, artesanía.
artiste [aʀtist(ə)] *nm/f* artista *m/f*; **artistique** *a* artístico(a).
aryen, ne [aʀjɛ̃, jɛn] *a* ario(a).
as *vb voir* **avoir** // *nm* [ɑs] as *m*.
ascendance [asɑ̃dɑ̃s] *nf* ascendencia.
ascendant, e [asɑ̃dɑ̃, ɑ̃t] *a* ascendente // *nm* ascendiente *m*; **~s** *mpl* (*parents*) ascendientes *mpl*.
ascenseur [asɑ̃sœʀ] *nm* ascensor *m*.
ascension [asɑ̃sjɔ̃] *nf* ascensión *f*; (*ALPINISME*) escalada, alpinismo; **l'A~** la Ascensión.
ascète [asɛt] *nm/f* asceta *m/f*; **ascétique** *a* ascético(a).
asepsie [asɛpsi] *nf* asepsia; **aseptique** [asɛptik] *a* aséptico(a); **aseptiser** [asɛptize] *vt* esterilizar.
asiatique [azjatik] *a, nm/f* asiático(a).
Asie [azi] *nf* Asia.

asile [azil] *nm* asilo, refugio; (*psychiatrique*) manicomio; (*de vieillards*) asilo.
aspect [aspɛ] *nm* aspecto, apariencia; (*point de vue*, LING) aspecto; **à l'~ de...** a la vista de..., frente a... .
asperge [aspɛʒ(ə)] *nf* espárrago.
asperger [aspɛʒe] *vt* rociar, salpicar.
aspérité [aspeʀite] *nf* aspereza, rugosidad *f*.
aspersion [aspɛʀsjɔ̃] *nf* aspersión *f*.
asphalte [asfalt(ə)] *nm* asfalto; **asphalter** *vt* asfaltar.
asphyxie [asfiksi] *nf* asfixia, ahogo; **asphyxier** *vt* asfixiar; (*fig*) asfixiar, paralizar.
aspic [aspik] *nm* áspid *m*; (CULIN) aspic *m*, *fiambre con gelatina*.
aspirant, e [aspiʀɑ̃, ɑ̃t] *a*: **pompe ~e** bomba aspirante // *nm* (NAUT) guardiamarina *m*.
aspirateur [aspiʀatœʀ] *nm* aspirador *m*.
aspiration [aspiʀɑsjɔ̃] *nf* aspiración *f*.
aspirer [aspiʀe] *vt* (*air, liquide*) aspirar, absorber; (*suj*: *appareil*) aspirar; **~ à** *vt* aspirar a.
aspirine [aspiʀin] *nf* aspirina.
assagir [asaʒiʀ] *vt* atemperar, sosegar; **s'~** *vi* aplacarse, sosegarse.
assaillant, e [asajɑ̃, ɑ̃t] *nm/f* agresor/ora, asaltante *m/f*.
assaillir [asajiʀ] *vt* atacar, asaltar; (*fig*) atosigar, acosar.
assainir [aseniʀ] *vt* sanear.
assaisonnement [asɛzɔnmɑ̃] *nm* condimento, aliño.
assaisonner [asɛzɔne] *vt* condimentar, sazonar.
assassin [asasɛ̃] *nm* asesino/a, criminal *m/f*.
assassinat [asasina] *nm* asesinato, homicidio.
assassiner [asasine] *vt* asesinar, matar.
assaut [aso] *nm* (MIL) asalto, carga; (*fig*) torneo, rivalidad *f*; **prendre d'~** tomar por asalto; **donner l'~** dar el asalto; **faire ~ de** rivalizar *o* competir en.
assécher [aseʃe] *vt* desecar, desaguar.
assemblage [asɑ̃blaʒ] *nm* ensamblaje *m*; trabazón *f*.
assemblée [asɑ̃ble] *nf* asamblea; (*public, assistance*) concurrencia, espectadores *mpl*; **l'A~ Nationale** Cortes *fpl*.
assembler [asɑ̃ble] *vt* ensamblar; (*mots, idées*) reunir, estructurar; **s'~** *vi* (*personnes*) reunirse, congregarse.
assener, asséner [asene] *vt*: **~ un coup à qn** asestar un golpe a alguien.
assentiment [asɑ̃timɑ̃] *nm* asentimiento.
asseoir [aswaʀ] *vt* sentar; (*fig*) asentar, fundar; (: *objet, fondations*) asentar, afirmar; **s'~** *vi* (*personne*) sentarse.
assermenté, e [asɛʀmɑ̃te] *a* (JUR) juramentado(a), jurado(a).
assertion [asɛʀsjɔ̃] *nf* aserción *f*, afirmación *f*.
asservir [asɛʀviʀ] *vt* someter, dominar.
assesseur [asesœʀ] *nm* (JUR) asesor *m*.
asseye *etc vb voir* **asseoir**.
assez [ase] *ad* bastante; **est-il ~ fort?** ¿es suficientemente fuerte?; **il est passé ~ vite** ha pasado bastante rápido; **~ de pain** bastante pan; **~ de livres** bastantes libros; **en avoir ~ de qch** estar harto(a) de algo.
assidu, e [asidy] *a* (*zélé*) aplicado(a), perseverante; (*régulier, ponctuel*) asiduo(a), cumplidor(ora); (*soins, travail*) constante, asiduo(a); **~ auprès de qn** solícito con alguien; **~ité** *nf* asiduidad *f*, constancia; **~ités** *fpl* atenciones *fpl*, cortesías; **assidûment** *ad* asiduamente, regularmente.
assieds *etc vb voir* **asseoir**.

assiéger [asjeʒe] *vt* (*MIL*) sitiar; (*fig*) asediar.
assiérai *etc vb voir* **asseoir**.
assiette [asjɛt] *nf* (*gén*) plato; (*stabilité*) equilibrio, base *f*; ~ **plate/creuse/à dessert** plato llano/hondo/de postre; ~ **anglaise** plato de fiambres surtidos.
assigner [asiɲe] *vt* asignar, otorgar; (*cause, effet*) asignar, imputar; (*limite*) imponer, establecer; (*personne*) asignar, destinar.
assimiler [asimile] *vt* asimilar; (*fig*) asimilar, adquirir; (: *immigrants, nouveaux-venus*) integrar, incorporar; ~ **qch/qn à** comparar algo/alguien con; **ils sont assimilés aux infirmiers** (*ADMIN*) están asimilados a los enfermeros; **s'**~ *vi* (*s'intégrer*) asimilarse, integrarse.
assis, e [asi, iz] *pp de* **asseoir** // *a* sentado(a) // *nf* hilada, capa; (*fig*) cimientos, base *f*; ~**es** *fpl* (*JUR*) audiencia; (*congrès*) sesión *f*, congreso.
assistance [asistɑ̃s] *nf* (*public*) asistencia, concurrencia; (*aide*) asistencia, auxilio; **l'A**~ **publique** la Beneficencia (pública).
assistant, e [asistɑ̃, ɑ̃t] *nm/f* (*UNIVERSITÉ*) adjunto/a, ayudante/a; (*de lycée*) ayudante/a; (*d'un professeur, médecin etc*) asistente/a, ayudante/a; ~**s** *mpl* (*auditeurs etc*) asistentes *mpl*, concurrentes *mpl*; ~**(e) social(e)** asistente/a social.
assisté, e [asiste] *a* (*AUTO*) controlado(a), asistido(a).
assister [asiste] *vt* asistir; ~ **à** *vt* asistir a, presenciar; (*conférence, séminaire*) asistir a, concurrir a.
association [asɔsjɑsjɔ̃] *nf* asociación *f*; ~ **d'idées/d'images** asociación de ideas/imágenes.
associé, e [asɔsje] *a* socio(a), asociado(a) // *nm/f* socio/a.
associer [asɔsje] *vt* asociar; **s'**~ **à** asociarse a, armonizar con; (*fig: opinions, sentiment*) asociarse a, adherirse a.
assoiffé, e [aswafe] *a* sediento(a).
assolement [asɔlmɑ̃] *nm* rotación *f* de cultivos.
assombrir [asɔ̃bʀiʀ] *vt* oscurecer; (*fig*) entristecer, ensombrecer; **s'**~ *vi* oscurecerse, ensombrecerse.
assommer [asɔme] *vt* abatir, tumbar; (*suj: médicament etc*) aturdir, atontar; (*fam*) aburrir, fastidiar.
Assomption [asɔ̃psjɔ̃] *nf*: **l'**~ la Asunción *f*.
assorti, e [asɔʀti] *a* (*en harmonie*) combinado(a), armonizado(a); **fromages** ~**s** quesos surtidos; ~ **à** que hace juego con.
assortiment [asɔʀtimɑ̃] *nm* (*choix*) variedad *f*, surtido.
assortir [asɔʀtiʀ] *vt* combinar, armonizar; ~ **qch à** armonizar algo con; **s'**~ **de** combinarse con, estar acompañado(a) de.
assoupir [asupiʀ]: **s'**~ *vi* adormecerse, amodorrarse.
assouplir [asupliʀ] *vt* flexibilizar, ablandar; (*fig*) hacer más flexible, ablandar.
assourdir [asuʀdiʀ] *vt* (*bruit*) atenuar, amortiguar; (*suj: bruit*) ensordecer.
assouvir [asuviʀ] *vt* satisfacer, saciar.
assujettir [asyʒetiʀ] *vt* (*peuple, pays*) someter, sojuzgar; ~ **qn à** someter *o* obligar a alguien a.
assumer [asyme] *vt* asumir.
assurance [asyʀɑ̃s] *nf* (*certitude*) seguridad *f*, certeza; (*fig: confiance*) seguridad, confianza; (*contrat*) seguro; **compagnie d'**~**s** compañía de seguros; ~ **contre l'incendie/le vol** seguro contra incendio/robo; ~ **maladie** seguro de enfermedad; ~ **tous risques** seguro contra todo riesgo; ~ **vie** seguro de vida; ~**s sociales** seguros sociales.
assuré, e [asyʀe] *a* seguro(a), asegurado(a); (*démarche, voix*) seguro(a), resuelto(a) // *nm/f* asegurado/a; ~ **de** seguro de; ~ **social** asegurado social.
assurément [asyʀemɑ̃] *ad* segura-

mente, indudablemente.

assurer [asyʀe] *vt* (*gén*) asegurar; (*démarche, construction, victoire*) asegurar, garantizar; (*frontières, pouvoir*) resguardar, proteger; ~ **qn de** asegurar a alguien de, dar a alguien la seguridad de; **s'~ (contre)** (COMM) asegurarse (contra); **s'~ de/que** (*vérifier*) cerciorarse de/de que; **s'~ le concours/la collaboration de qn** asegurarse la ayuda/colaboración de alguien; **assureur** *nm* asegurador *m*.

astérisque [asteʀisk(ə)] *nm* asterisco.

asthmatique [asmatik] *a* asmático(a).

asthme [asm(ə)] *nm* asma.

asticot [astiko] *nm* cresa.

astigmate [astigmat] *a* astigmático(a).

astiquer [astike] *vt* lustrar, bruñir.

astrakan [astʀakɑ̃] *nm* astracán *m*.

astre [astʀ(ə)] *nm* astro.

astreignant, e [astʀɛɲɑ̃, ɑ̃t] *a* esclavizante.

astreindre [astʀɛ̃dʀ(ə)] *vt*: ~ **qn à** forzar a alguien a; **s'~ à** constrenirse *o* forzarse a.

astringent, e [astʀɛ̃ʒɑ̃, ɑ̃t] *a* astringente.

astrologie [astʀɔlɔʒi] *nf* astrología; **astrologue** [-lɔg] *nm/f* astrólogo/a.

astronaute [astʀɔnot] *nm/f* astronauta *m/f*.

astronautique [astʀɔnotik] *nf* astronáutica.

astronome [astʀɔnɔm] *nm/f* astrónomo/a.

astronomie [astʀɔnɔmi] *nf* astronomía.

astronomique [astʀɔnɔmik] *a* astronómico(a).

astuce [astys] *nf* astucia, sagacidad *f*; (*plaisanterie*) picardia, broma; **astucieux, euse** *a* astuto(a), ingenioso(a).

asymétrique [asimetʀik] *a* asimétrico(a).

atelier [atəlje] *nm* taller *m*; (*de peintre*) taller, estudio.

athée [ate] *a, nm/f* ateo(a).

Athènes [atɛn] *n* Atenas.

athlète [atlɛt] *nm/f* atleta *m/f*; **athlétique** *a* atlético(a); (*fort, puissant*) atlético(a), fornido(a).

athlétisme [atletism(ə)] *nm* atletismo.

atlantique [atlɑ̃tik] *a* atlántico(a) // *nm*: **l'(océan) A~** el (Océano) Atlántico.

atlas [atlɑs] *nm* atlas *m*.

atmosphère [atmɔsfɛʀ] *nf* atmósfera; (*fig*) atmósfera, ambiente *m*; **atmosphérique** *a* atmosférico(a).

atoll [atɔl] *nm* atolón *m*.

atome [atom] *nm* átomo; **atomique** *a* atómico(a).

atomiseur [atɔmizœʀ] *nm* atomizador *m*.

atone [atɔn] *a* inexpresivo(a), taciturno(a); (LING) átono(a).

atours [atuʀ] *nmpl* atuendos.

atout [atu] *nm* triunfo; (*fig*) triunfo, ventaja; ~ **pique/trèfle** triunfo de pica/trébol.

âtre [ɑtʀ(ə)] *nm* hogar *m*.

atroce [atʀɔs] *a* atroz, horrible; **atrocité** *nf* atrocidad *f*; barbaridad *f*; (*calomnie*) barbaridad *f*, disparate *m*.

atrophie [atʀɔfi] *nf* atrofia.

atrophier [atʀɔfje]: **s'~** *vi* atrofiarse.

attabler [atable]: **s'~** *vi* sentarse a la mesa.

attachant, e [ataʃɑ̃, ɑ̃t] *a* atrayente, encantador(ora).

attache [ataʃ] *nf* (*agrafe*) grapa; (*fig: lien*) lazo, atadura; **~s** *fpl* (*relations*) conexiones *fpl*; **à l'~** (*chien*) atado(a), encadenado(a).

attaché, e [ataʃe] *a*: **être ~ à** (*aimer*) estar apegado *o* encariñado con // *nm* (ADMIN) agregado.

attaché-case [ataʃekes] *nm* maletín *m* portadocumentos.

attachement [ataʃmɑ̃] *nm* apego, cariño.

attacher [ataʃe] *vt* atar, sujetar;

(*bateau*) amarrar; (*étiquette etc*) fijar, pegar; (*colis, prisonnier*) atar, ligar // *vi* (CULIN) pegarse; ~ **qch à** (*fixer*) atar algo a; ~ **du prix à** atribuir valor a; **s'~ à** (*par affection*) apegarse a, encariñarse con; **s'~ à faire qch** consagrarse a hacer algo.
attaquant [atakɑ̃] *nm* (MIL) agresor *m*; (SPORT) atacante *m*.
attaque [atak] *nf* (*gén*) ataque *m*; (SPORT: *joueurs*) ofensiva; **être d'~** estar en forma; ~ **à main armée** ataque a mano armada.
attaquer [atake] *vt* (*gén*) atacar; (JUR) entablar acción judicial contra; (*suj*: *rouille, acide*) atacar, deteriorar; (*entreprendre*: *travail*) emprender, acometer // *vi* (SPORT) atacar; **s'~ à** enfrentarse a, atacar; (*fig*) atacar, combatir.
attardé, e [ataʀde] *a* (*gén*) retrasado(a); (*péj*) retrogado(a).
attarder [ataʀde]: **s'~** *vi* retrasarse, demorarse.
atteindre [atɛ̃dʀ(ə)] *vt* (*endroit*) llegar a, alcanzar; (*cible, fig*) alcanzar, conseguir; (*personne*: *blesser*) alcanzar, herir; (: *contacter*) contactar, comunicarse con; (: *émouvoir*) turbar, alterar; (*suj*: *projectile*) alcanzar.
atteint, e [atɛ̃, ɛ̃t] *a*: **être ~ de** estar aquejado de // *nf* ofensa, lesión *f*; (*d'un mal*) ataque *m*; **hors d'~e** fuera de alcance; **porter ~e à** lesionar, atentar contra.
attelage [atlaʒ] *nm* enganche *m*.
atteler [atle] *vt* enganchar; (*bœufs*) uncir; **s'~ à** (*fig*) dedicarse a.
attelle [atɛl] *nf* (MÉD) tablilla.
attenant, e [atnɑ̃, ɑ̃t] *a* lindante; ~ **à** lindante con.
attendant [atɑ̃dɑ̃]: **en ~** *ad* (*dans l'intervalle*) mientras tanto, entretanto; (*quoi qu'il en soit*) de todos modos.
attendre [atɑ̃dʀ(ə)] *vt* esperar; (*suj*: *sort, succès etc*) esperar, aguardar; ~ **qch de qn** *ou* **qch** esperar algo de alguien *o* algo // *vi* esperar; (*suj*: *travail etc*) esperar, durar; ~ **un enfant** (*grossesse*) esperar un niño; ~ **de voir** esperar a ver; ~ **que** esperar que; **s'~ à** *vt* contar con.
attendrir [atɑ̃dʀiʀ] *vt* (*personne*) enternecer; (*viande*) ablandar; **s'~ (sur)** enternecerse *o* conmoverse con; **attendrissant, e** *a* enternecedor(ora), conmovedor(ora).
attendu [atɑ̃dy] *nm* considerando; ~ **que** *conj* visto que, considerando que.
attentat [atɑ̃ta] *nm* atentado; ~ **à la bombe** atentado con bomba; ~ **aux mœurs** atentado contra las buenas costumbres; ~ **à la pudeur** atentado al pudor.
attente [atɑ̃t] *nf* espera; (*espérance*) esperanza, expectativa.
attenter [atɑ̃te]: ~ **à** *vt* atentar contra.
attentif, ive [atɑ̃tif, iv] *a* atento(a); (*soins, travail*) deferente, cuidadoso(a); ~ **à** atento a; cuidadoso de.
attention [atɑ̃sjɔ̃] *nf* atención *f*; (*prévenance*) atención, miramiento; **à l'~ de** (ADMIN) al, a la; **porter qch à l'~ de qn** presentar algo a la consideración de alguien; **faire ~ à/que/à ce que** tener cuidado con/que/de que; **~!** ¡cuidado!; **~né, e** *a* atento(a), solícito(a).
attentisme [atɑ̃tism(ə)] *nm* política de espera.
attentivement [atɑ̃tivmɑ̃] *ad* atentamente.
atténuer [atenɥe] *vt* atenuar, disminuir; **s'~** *vi* atenuarse.
atterrer [ateʀe] *vt* desolar, desconsolar.
atterrir [ateʀiʀ] *vi* (*avion*) aterrizar; **atterrissage** *nm* aterrizaje *m*; **atterrissage sur le ventre** aterrizaje de panza.
attestation [atɛstɑsjɔ̃] *nf* (*document*) atestado, certificado.
attester [atɛste] *vt* testimoniar, atestiguar; (*suj*: *chose*) atestiguar,

confirmar; ~ **que** atestiguar que, demostrar que.

attirail [atiʀaj] *nm* pertrechos; (*péj*) bártulos, cachivaches *mpl*.

attirance [atiʀɑ̃s] *nf* (*pouvoir de séduction*) atractivo, hechizo; (*attrait, attraction*) atracción *f*, inclinación *f*; **l'~ du vide** la atracción del abismo *o* vacío.

attirant, e [atiʀɑ̃, ɑ̃t] *a* atractivo(a), cautivante.

attirer [atiʀe] *vt* (*gén*) atraer, cautivar; (*magnétiquement*) atraer; **~ qn dans un coin/vers soi** atraer a alguien a un rincón/hacia sí; **~ l'attention de qn (sur qch)** llamar la atención de alguien (sobre algo); **~ des ennuis à qn** provocar dificultades a alguien; **s'~ des ennuis** buscarse dificultades.

attiser [atize] *vt* atizar; (*fig*) fomentar, atizar.

attitré, e [atitʀe] *a* titular.

attitude [atityd] *nf* (*comportement*) actitud *f*, conducta; (*position du corps*) actitud, postura; (*état d'esprit*) actitud, disposición *f*.

attouchements [atuʃmɑ̃] *nmpl* toques *mpl*, caricias.

attraction [atʀaksjɔ̃] *nf* atracción *f*.

attrait [atʀɛ] *nm* (*fascination*) atractivo, encanto; (: *de l'argent, la gloire*) incentivo, acicate *m*; (*attirance, penchant*) interés *m*, afición *f*; **~s** *mpl* (*d'une femme*) atractivos, encantos.

attrape [atʀap] *nf voir* **farce** // *préf*: **~-nigaud** *nm* engañabobos *m inv*.

attraper [atʀape] *vt* atrapar, asir; (*voleur, animal*) atrapar, agarrar; (*fig*: *train, autobus*) pillar, pescar; (:*maladie, habitude, amende*) pescarse, pillarse; (*fam*) regañar, reprender; (:*duper*) embaucar, camelar.

attrayant, e [atʀɛjɑ̃, ɑ̃t] *a* atrayente, interesante.

attribuer [atʀibɥe] *vt* (*prix, tâche*) asignar, otorgar; (*conséquence, fait*) atribuir, achacar; (*qualité, importance*) atribuir, asignar; **s'~** *vt* atribuirse, apropiarse de.

attribut [atʀiby] *nm* atributo, símbolo; (LING) atributo.

attribution [atʀibysjɔ̃] *nf* asignación *f*; atribución *f*; **~s** *fpl* (*pouvoirs*) atribuciones *fpl*; **complément d'~** (LING) atributo.

attrister [atʀiste] *vt* entristecer, afligir.

attroupement [atʀupmɑ̃] *nm* (*groupe*) concentración *f*, aglomeración *f*.

attrouper [atʀupe]: **s'~** *vi* aglomerarse, agolparse.

au [o] *prép* + *dét voir* **à**.

aubade [obad] *nf* alborada, serenata.

aubaine [obɛn] *nf* fortuna, suerte *f*.

aube [ob] *nf* alba, madrugada; (*fig*): **l'~ de** el origen de, el comienzo de; **à l'~** al alba, de madrugada.

aubépine [obepin] *nf* espino.

auberge [obɛʀʒ(ə)] *nf* hostería, posada; **~ de jeunesse** albergue *m* de la juventud.

aubergine [obɛʀʒin] *nf* berenjena.

aubergiste [obɛʀʒist(ə)] *nm/f* posadero/a.

aucun, e [okœ̃, yn] *dét* ningún *m*, ninguna *f* // *pron* ninguno *m*, ninguna *f*, nadie *m/f*; **sans ~e hésitation** sin ninguna vacilación, sin vacilación alguna; **plus qu'~ autre/qu'~ de ceux qui...** más que ninguno/que alguno de los que...; **~ des deux/participants** ninguno de los dos/participantes; **d'~s** algunos.

aucunement [okynmɑ̃] *ad* de ninguna manera.

audace [odas] *nf* audacia, intrepidez *f*; (*péj*) atrevimiento, descaro; **payer d'~** demostrar arrojo; **audacieux, euse** [-sjø, jøz] *a* audaz, intrépido(a); (*entreprise, solution*) audaz, arriesgado(a).

au-delà [odla] *ad* más allá // *nm*: **l'~** el más allá; **~ de** *prép* más allá de.

au-dessous [odsu] *ad* abajo; **~ de**

prép debajo de; (*limite, somme etc*) por debajo de; (*dignité, condition*) por debajo de, inferior a.

au-dessus [odsy] *ad* arriba; ~ **de** *prép* arriba de, encima de, sobre; (*limite, somme etc*) por encima de.

au-devant [odvɑ̃]: ~ **de** *prép* al encuentro de; **aller** ~ **des désirs de** adelantarse a los deseos de.

audible [odibl(ə)] *a* audible.

audience [odjɑ̃s] *nf* (*attention*) atención *f*, interés *m*; (*auditeurs etc*) auditorio, público; (*entrevue,* JUR) audiencia.

audio-visuel, le [odjɔvizɥɛl] *a* audiovisual.

auditeur, trice [oditœʀ, tʀis] *nm/f* (*à la radio*) radioescucha *m/f*, oyente *m/f*; (*à une conférence*) oyente; ~ **libre** oyente libre.

audition [odisjɔ̃] *nf* (*gén*) audición *f*; (*de témoins*) audiencia; (MUS, THÉÂTRE) prueba, audición; ~**ner** *vt* probar // *vi* presentarse a una prueba.

auditoire [oditwaʀ] *nm* auditorio.

auditorium [oditɔʀjɔm] *nm* auditorium *m*.

auge [oʒ] *nf* comedero, artesa.

augmentation [ɔgmɑ̃tɑsjɔ̃] *nf* aumento.

augmenter [ɔgmɑ̃te] *vt* (*gén*) aumentar; (*salaire, prix*) aumentar, incrementar // *vi* aumentar, crecer.

augure [ɔgyʀ] *nm* agorero, adivino; **de bon** ~ de buen agüero.

augurer [ɔgyʀe] *vt*: ~ **qch de qch** conjeturar *o* presumir algo por algo; ~ **bien de qch** tener un buen presentimiento de algo.

auguste [ɔgyst(ə)] *a* augusto(a).

aujourd'hui [oʒuʀdɥi] *ad* hoy; (*de nos jours*) hoy en día, ahora.

aumône [ɔmon] *nf* limosna; **faire l'**~ **(à qn)** dar limosna (a alguien); **faire l'**~ **de qch à qn** conceder la gracia de algo a alguien.

aumônerie [ɔmonʀi] *nf* capellanía.

aumônier [ɔmonje] *nm* capellán *m*.

auparavant [opaʀavɑ̃] *ad* antes.

auprès [opʀɛ]: ~ **de** *prép* al lado de, cerca de; (ADMIN) ante; (*en comparaison de*) al lado de, comparado(a) con.

auquel [okɛl] *prép* + *pron voir* **lequel**.

aurai *etc vb voir* **avoir**.

auréole [ɔʀeɔl] *nf* aureola.

auriculaire [ɔʀikylɛʀ] *nm* meñique *m*.

aurons *etc vb voir* **avoir**.

aurore [ɔʀɔʀ] *nf* aurora; ~ **boréale** aurora boreal.

ausculter [ɔskylte] *vt* auscultar.

auspices [ɔspis] *nmpl*: **sous les** ~ **de** bajo los auspicios de; **sous de bons** ~ con buenos auspicios.

aussi [osi] *ad* también; (*de comparaison*) tan, tanto // *conj* por lo tanto, por eso; ~ **fort que...** tan fuerte que...; **il va y aller—moi** ~ él irá—yo también; ~ **bien que** (*ainsi que*) lo mismo que, tanto como.

aussitôt [osito] *ad* inmediatamente, en seguida; ~ **que** tan pronto como; ~ **pris/fait** ni bien tomado/hecho.

austère [ɔstɛʀ] *a* austero(a); **austérité** *nf* austeridad *f*.

austral, e [ɔstʀal] *a* austral.

Australie [ɔstʀali] *nf* Australia; **australien, ne** *a, nm/f* australiano(a).

autant [otɑ̃] *ad* tanto; ~ **(que)** tanto (como), tan (como); ~ **de** tanto(a); tantos(as); ~ **ne rien dire** más vale no decir nada; **pourquoi en prendre** ~**?** ¿por qué tomar otro tanto?; **il y a** ~ **de garçons que de filles** hay tantos varones como niñas; **y en a-t-il** ~ **(qu'avant)?** ¿hay tanto (como antes)?; **fort** ~ **que courageux** tan fuerte como valeroso; **ce sont** ~ **d'erreurs** son otros tantos errores; **il n'est pas découragé/ce n'est pas réussi pour** ~ no se ha acobardado/no se ha logrado sin embargo; **pour** ~ **que** *conj* por lo que, en la medida en que; **d'**~ **plus/moins/mieux (que)** tanto más/menos/mejor (cuanto que).

autarcie [otaʀsi] *nf* autarcía.

autel [ɔtɛl] *nm* altar *m*.
auteur [otœʀ] *nm* autor/ora.
authentifier [ɔtɑ̃tifje] *vt* autentificar.
authentique [ɔtɑ̃tik] *a* auténtico(a), genuino(a); (*récit, histoire*) auténtico(a), cierto(a); (*peur, expérience*) auténtico(a), verdadero(a).
auto [ɔto] *nf* auto, coche *m* // *préf*: ~... auto... .
autobiographie [ɔtɔbjɔgʀafi] *nf* autobiografía.
autobus [ɔtɔbys] *nm* autobús *m*.
autocar [ɔtɔkaʀ] *nm* autocar *m*.
autochtone [ɔtɔktɔn] *nm/f* autóctono/a, aborigen *m*.
auto-collant, e [ɔtɔkɔlɑ̃, ɑ̃t] *a* autoadhesivo(a) // *nm* autoadhesivo.
autocratique [ɔtɔkʀatik] *a* autocrático(a).
autocritique [ɔtɔkʀitik] *nf* autocrítica.
autocuiseur [ɔtɔkɥizœʀ] *nm* olla a presión.
autodidacte [ɔtɔdidakt(ə)] *nm/f* autodidacto/a.
auto-école [ɔtɔekɔl] *nf* autoescuela.
autofinancement [ɔtɔfinɑ̃smɑ̃] *nm* autofinanciamiento.
autogestion [ɔtɔʒɛstjɔ̃] *nf* autogestión *f*.
autographe [ɔtɔgʀaf] *nm* autógrafo.
automate [ɔtɔmat] *nm* autómata *m*.
automatique [ɔtɔmatik] *a* automático(a); (*machinal*) automático(a), mecánico(a); (*d'office*) automático(a), regular; **~ment** *ad* automáticamente.
automatiser [ɔtɔmatize] *vt* automatizar.
automatisme [ɔtɔmatism(ə)] *nm* automatismo.
automne [ɔtɔn] *nm* otoño.
automobile [ɔtɔmɔbil] *nf, a* automóvil (*m*); **automobiliste** *nm/f* automovilista *m/f*.
autonome [ɔtɔnɔm] *a* autónomo(a).
autonomie [ɔtɔnɔmi] *nf* autonomía.
autopsie [ɔtɔpsi] *nf* autopsia.
autorisation [ɔtɔʀizɑsjɔ̃] *nf* autorización *f*; permiso.
autorisé, e [ɔtɔʀize] *a* autorizado(a), acreditado(a).
autoriser [ɔtɔʀize] *vt* autorizar, permitir; ~ **qn à faire** permitir a alguien hacer.
autoritaire [ɔtɔʀitɛʀ] *a* autoritario(a), despótico(a).
autorité [ɔtɔʀite] *nf* (*JUR, gén*: *du président, chef etc*) poder *m*, autoridad *f*; (*ascendant, influence*) ascendiente *m*, autoridad; (*prestige, réputation*) autoridad, fama; **les ~s** (*MIL, POL etc*) las autoridades; **faire** ~ ser (una) autoridad.
autoroute [ɔtɔʀut] *nf* autopista.
auto-stop [ɔtɔstɔp] *nm*: **l'~** el autostop; **faire de l'~** hacer autostop; **prendre qn en ~** recoger a alguien que hace autostop; **~peur, euse** *nm/f* autostopista *m/f*.
autour [otuʀ] *ad* alrededor; en torno; **~ de** *prép* (*en cercle*) alrededor de, en torno a; (*près de*) alrededor de, cerca de; (*à peu près*) alrededor de, casi; **tout ~** *ad* por todas partes, en derredor.
autre [otʀ(ə)] *a* otro(a) // *pron* otro(a); **un ~, d'~s** otro, otros(as); **l'~, les ~s** el otro, los otros (la(s) otra(s)); **l'un et l'~** uno y otro, ambos; (*se détester etc*): **l'un l'~/les uns les ~s** uno a otro/unos a otros, mutuamente; **d'une minute à l'~** de un minuto al otro; **~ chose** otra cosa; **d'~ part** (*en outre*) por otra parte; **entre ~s** entre otros(as); **nous/vous ~s** nosotros/vosotros; **les ~s** (*autrui*) los otros, los demás.
autrefois [otʀəfwa] *ad* antes, antaño.
autrement [otʀəmɑ̃] *ad* de otra manera *o* otro modo; **~ dit** dicho de otra manera.

Autriche [otʀiʃ] *nf* Austria; **autrichien, ne** *a, nm/f* austríaco(a).
autruche [otʀyʃ] *nf* avestruz *m.*
autrui [otʀɥi] *pron* otro(a), el prójimo, los demás.
auvent [ovɑ̃] *nm* alero, tejadillo.
aux [o] *prép + dét voir* **à**.
auxiliaire [ɔksiljɛʀ] *a, nm/f, nm* auxiliar (*m,f*); **se faire l'~ de** convertirse en el ayudante de.
auxquels, auxquelles [okɛl] *prép + pron voir* **lequel**.
av. *abrév de* **avenue**.
aval [aval] *nm*: **en ~** río abajo; **en ~ de** más abajo de.
avalanche [avalɑ̃ʃ] *nf* avalancha, alud *m*; (*fig*) avalancha, lluvia; **~ poudreuse** alud de polvo de nieve.
avaler [avale] *vt* tragar, devorar; (*fig*) devorar, tragarse.
avance [avɑ̃s] *nf* avance *m*, adelanto; (*d'argent*) adelanto, anticipo; (*opposé à retard*) adelanto; **~s** *fpl* solicitud *f*, acercamiento; (*amoureuses*) petición *f*, proposiciones *fpl*; **une ~ de 300 m/4h** una ventaja de 300 m/4h; **(être) en ~** (estar) adelantado(a); **payer/réserver d'~** pagar/reservar por anticipado; **à l'~** de antemano.
avancé, e [avɑ̃se] *a* avanzado(a), adelantado(a); (*technique, civilisation*) avanzado(a) // *nf* (*de maison, falaise*) saliente *m*.
avancement [avɑ̃smɑ̃] *nm* progreso, adelanto.
avancer [avɑ̃se] *vi* (*objet, personne*) avanzar; (*projet, travail*) avanzar, adelantar; (*être en saillie, surplomb*) avanzar, sobresalir; (*montre, réveil*) adelantar // *vt* (*objet, pion*) acercar, adelantar; (*troupes*) hacer avanzar; (*date, rencontre*) adelantar; (*proposer*) sugerir, presentar; (*argent*) adelantar, facilitar; **s'~** *vi* (*personne*) adelantarse, acercarse; (: *fig*: *se hasarder*) aventurarse, comprometerse.
avanies [avani] *nfpl* agravios, ofensas.
avant [avɑ̃] *prép* antes de // *ad*: **trop/plus ~** (*loin*) demasiado/más lejos // *nm* (*d'un véhicule, bâtiment*) delantera, frente *m*; (*SPORT*: *joueur*) delantero; **~ qu'il parte/de faire** antes de que parta/de hacer; **~ tout** (*surtout*) ante todo; **à l'~** (*dans un véhicule*) en la delantera; **en ~** *ad* adelante, por delante; **en ~ de** *prép* ante, delante de.
avantage [avɑ̃taʒ] *nm* (*supériorité*) ventaja, supremacía; (*intérêt, bénéfice*) ventaja, beneficio; (*TENNIS*): **~ service/dehors** ventaja de servicio/de fondo; **à l'~ de qn** en beneficio de alguien; **~s sociaux** beneficios sociales.
avantager [avɑ̃taʒe] *vt* favorecer, beneficiar; (*embellir*) favorecer.
avantageux, euse [avɑ̃taʒø, øz] *a* ventajoso(a), conveniente.
avant-bras [avɑ̃bʀa] *nm inv* antebrazo.
avant-centre [avɑ̃sɑ̃tʀ(ə)] *nm* delantero centro.
avant-coureur [avɑ̃kuʀœʀ] *a* presagiador(ora), precursor(ora).
avant-dernier, ère [avɑ̃dɛʀnje, jɛʀ] *nm/f* penúltimo/a.
avant-garde [avɑ̃gaʀd(ə)] *nf* vanguardia; **d'~** de vanguardia.
avant-goût [avɑ̃gu] *nm* sensación previa, prefiguración *f.*
avant-hier [avɑ̃tjɛʀ] *ad* anteayer.
avant-poste [avɑ̃pɔst(ə)] *nm* (*MIL*) puesto avanzado.
avant-première [avɑ̃pʀəmjɛʀ] *nf* función anticipada para la crítica; **en ~** antes de presentarlo(a) al público.
avant-projet [avɑ̃pʀɔʒɛ] *nm* anteproyecto.
avant-propos [avɑ̃pʀɔpo] *nm* prólogo.
avant-veille [avɑ̃vɛj] *nf*: **l'~** la antevíspera.
avare [avaʀ] *a* avaro(a); (*fig*): **~ de compliments** mezquino(a) en cumplidos // *nm/f* avaro/a; **avarice** *nf* avaricia.

avarié, e [avaʀje] *a* pasado(a), descompuesto(a).
avaries [avaʀi] *nfpl* (NAUT) averías.
avatar [avataʀ] *nm* (*malheur*) avatar *m*, vicisitud *f*; (*métamorphose*) transformación *f*, avatar.
avec [avɛk] *prép* (*gén*) con; (*contre*: *lutter etc*) con, contra; (*en plus de*) además; ~ **habileté** con habilidad; ~ **eux/ces maladies** (*en ce qui concerne*) con ellos/estas enfermedades; ~ **ça/ces qualités** (*en dépit de*) a pesar de eso/esas cualidades; ~ **cela que...** como si... .
avenant, e [avnɑ̃, ɑ̃t] *a* afable, cordial; **à l'**~ *ad*: **le reste à l'**~ el resto otro tanto, el resto por el estilo.
avènement [avɛnmɑ̃] *nm* advenimiento, llegada.
avenir [avniʀ] *nm*: **l'**~ el porvenir, el futuro; **l'**~ **de l'automobile** el porvenir del automóvil; **à l'**~ en el futuro, en adelante; **carrière d'**~ carrera de porvenir.
Avent [avɑ̃] *nm*: **l'**~ el Adviento.
aventure [avɑ̃tyʀ] *nf* aventura; **roman/film d'**~ novela/película de aventuras; **aventurer: s'aventurer** *vi* aventurarse, arriesgarse; **aventureux, euse** *a* aventurado(a), arriesgado(a).
aventurier, ère [avɑ̃tyʀje, jɛʀ] *nm/f* aventurero/a.
avenu, e [avny] *a*: **nul et non** ~ nulo y sin efecto.
avenue [avny] *nf* avenida.
avérer [aveʀe]: **s'**~ *vb avec attribut* revelarse.
averse [avɛʀs(ə)] *nf* chaparrón *m*, aguacero; (*fig*) lluvia, diluvio.
aversion [avɛʀsjɔ̃] *nf* aversión *f*, repugnancia.
averti, e [avɛʀti] *a* conocedor(ora), entendido(a).
avertir [avɛʀtiʀ] *vt* advertir, prevenir; ~ **qn de qch/que** prevenir a alguien de algo/que; ~ **qn de faire qch** advertir a alguien (de) que debe hacer algo; **avertissement** *nm* advertencia; (*blâme*) notificación *f*; (*d'un livre*) advertencia, introducción *f*; **avertisseur** *nm* (AUTO) bocina.
aveu, x [avø] *nm* confesión *f*; declaración *f*.
aveugle [avœgl(ə)] *a* ciego(a); ~**ment** *nm* ofuscamiento, cegura; **aveuglément** [avœglemɑ̃] *ad* ciegamente.
aveugler [avœgle] *vt* (*suj*: *lumière, soleil*) deslumbrar; (*:amour, colère*) enceguecer, ofuscar.
aveuglette [avœglɛt]: **à l'**~ *ad* a tientas; (*fig*) a tientas, al tuntún.
avez *vb voir* **avoir**.
aviateur, trice [avjatœʀ, tʀis] *nm/f* aviador/ora.
aviation [avjɑsjɔ̃] *nf* aviación *f*.
avide [avid] *a* ávido(a), ansioso(a); **avidité** *nf* avidez *f*.
avilir [aviliʀ] *vt* desvalorizar, envilecer.
aviné, e [avine] *a* avinado(a), aguardentoso(a).
avion [avjɔ̃] *nm* avión *m*; ~ **supersonique/à réaction** avión supersónico/de reacción.
aviron [aviʀɔ̃] *nm* remo.
avis [avi] *nm* opinión *f*, criterio; (*notification*) aviso, advertencia; **être d'**~ **que** ser de la opinión que; **changer d'**~ cambiar de opinión; **sauf** ~ **contraire** salvo aviso en contrario; **jusqu'à nouvel** ~ hasta nuevo aviso; ~ **mortuaires** necrológicas.
avisé, e [avize] *a* perspicaz, sensato(a); **être bien/mal** ~ **de faire** ser muy/poco sensato hacer.
aviser [avize] *vt* (*voir*) divisar, advertir // *vi* (*réfléchir*) prever, reflexionar; ~ **qn de qch/que** avisar a alguien (de) algo/que; **s'**~ **de qch/que** darse cuenta de algo/(de) que; **s'**~ **de faire qch** ocurrírsele hacer algo.
avocat, e [avɔka, at] *nm/f* abogado/a; (*fig*) abogado/a, defensor/ora // *nm* (BOT) aguacate *m*; ~ **général** fiscal *m*; ~**-stagiaire** *nm* pasante *m* de abogado.

avoine [avwan] *nf* avena.

avoir [avwaʀ] *nm* tener // *vt* (*gén, posséder*) tener, poseer; (*fam*) pegársela, embaucar // *vb auxiliaire* haber; ~ **à faire qch** tener que *o* deber hacer algo; **il a 3 ans** tiene 3 años; *voir* **faim, peur** *etc*; ~ **3 m de haut** tener 3 m de alto; ~ **du courage** tener coraje; ~ **les cheveux blancs** tener los cabellos blancos; **il y a**: **il y a du sable/un homme/des hommes** hay arena/un hombre/hombres; (*temporel*): **il y a 10 ans** hace 10 años; **il y a 10 ans/longtemps que je le sais** hace 10 años/mucho tiempo que lo sé; **il ne peut y en ~ qu'un** no puede haber más que uno; **il n'y a qu'à faire...** sólo hay que hacer...; **qu'est-ce qu'il y a?** ¿qué tiene?, ¿qué le ocurre?; **en ~ à** *ou* **contre qn** estar enojado(a) con alguien.

avoisinant, e [avwazinɑ̃, ɑ̃t] *a* próximo(a), cercano(a).

avoisiner [avwazine] *vt* (*lieu*) estar cerca de; (*limite, nombre*) acercarse *o* aproximarse a; (*l'indifférence, l'insolence*) lindar con, rayar en.

avons *vb voir* **avoir**.

avortement [avɔʀtmɑ̃] *nm* (*MÉD*) aborto.

avorter [avɔʀte] *vi* (*MÉD*) abortar; (*fig*) abortar, malograr; **faire ~** hacer abortar.

avorton [avɔʀtɔ̃] *nm* feto, aborto.

avoué, e [avwe] *a* reconocido(a), admitido(a) // *nm* (*JUR*) procurador *m* judicial.

avouer [avwe] *vt* confesar, declarar; ~ **avoir fait/être/que** confesar haber hecho/ser/que; **s'~ vaincu** declararse vencido.

avril [avʀil] *nm* abril *m*.

axe [aks(ə)] *nm* (*gén*) eje *m*; (*fig*) línea, orientación *f*; ~ **de symétrie** eje de simetría.

axer [akse] *vt* (*fig*): ~ **qch sur** centrar algo sobre.

ayant droit [ɛjɑ̃dʀwa] *nm* derechohabiente *m*.

ayons *etc vb voir* **avoir**.

azalée [azale] *nf* azalea.

azimut [azimyt] *nm* acimut *m*; **tous ~s** *a* (*fig*) en todas las direcciones.

azote [azɔt] *nm* nitrógeno; **azoté, e** *a* nitrogenado(a).

azur [azyʀ] *nm* (*couleur*) azul *m*.

azyme [azim] *a*: **pain ~** pan ácimo.

B

baba [baba] *a*: **en être ~** estar pasmado(a) *o* atontado(a) // *nm*: ~ **au rhum** bizcocho borracho.

babil [babi] *nm* parloteo.

babiller [babije] *vi* parlotear.

babines [babin] *nfpl* morros.

babiole [babjɔl] *nf* (*bibelot*) chuchería; (*vétille*) bagatela.

bâbord [babɔʀ] *nm*: **à** *ou* **par ~** a babor.

babouin [babwɛ̃] *nm* babuino, mandril *m*.

bac [bak] *nm* (*SCOL*) *abrév de* **baccalauréat**; (*bateau*) balsa; (*récipient*) cubeta; ~ **à glace** cubeta para hielo.

baccalauréat [bakalɔʀea] *nm* bachillerato.

bâche [bɑʃ] *nf* toldo; **bâcher** *vt* entoldar.

bachot [baʃo] *nm abrév de* **baccalauréat.**

bacille [basil] *nm* bacilo.

bâcler [bɑkle] *vt* atrancar.

bactérie [bakteʀi] *nf* bacteria; **bactériologie** *nf* bacteriología.

badaud, e [bado, od] *nm/f* paseante *m/f*, mirón/ona.

baderne [badɛʀn(ə)] *nf* (*péj*): **(vieille) ~** vejestorio.

badigeon [badiʒɔ̃] *nm* lechada; **~ner** *vt* blanquear, encalar; (*péj*) pintarrajear; (*MÉD*) untar.

badin, e [badɛ̃, in] *a* jocoso(a), bromista.

badine [badin] *nf* bastoncillo.

badiner [badine] *vi* bromear, chancear; **ne pas ~ avec** *ou* **sur qch** no bromear con algo.
baffe [baf] *nf* (*fam*) bofetada, sopapo.
bafoué, e [bafwe] *a* engañado(a); ultrajado(a).
bafouer [bafwe] *vt* escarnecer, mofarse de.
bafouiller [bafuje] *vt, vi* farfullar, tartajear.
bâfrer [bɑfʀe] (*fam*) *vt* engullir, devorar // *vi* glotonear.
bagage [bagaʒ] *nm* (*gén*: **~s**) equipaje *m*; (*fig*): **~ littéraire** bagaje literario; **~s à main** equipaje de mano.
bagarre [bagaʀ] *nf* pelea, camorra; **bagarrer: se bagarrer** *vi* pelearse.
bagatelle [bagatɛl] *nf* bagatela; baratija.
bagnard [baɲaʀ] *nm* presidario, penado.
bagne [baɲ] *nm* penal *m*, presidio.
bagnole [baɲɔl] *nf* (*fam*) automóvil *m*; (*péj*) chacharro.
bagout, bagou [bagu] *nm* labia.
bague [bag] *nf* anillo, sortija; (*d'identification*) anilla; (*TECH*): **~ de serrage** casquillo; **~ de fiançailles** anillo de boda.
baguenauder [bagnode]: **se ~** *vi* callejear.
baguer [bage] *vt* (*oiseau*) anillar.
baguette [bagɛt] *nf* varilla; (*chinoise*) palillo; (*de chef d'orchestre*) batuta; (*pain*) barra; **mener qn à la ~** llevar a alguien a la baqueta; **~ magique** varita mágica; **~ de tambour** palillo.
bahut [bay] *nm* (*coffre*) baúl *m*, arca.
baie [bɛ] *nf* (*GÉO*) bahía; (*fruit*) baya; **~ (vitrée)** ventanal *m*.
baignade [bɛɲad] *nf* baño.
baigner [beɲe] *vt* (*bébé*) bañar; **se ~** *vi* bañarse; **baigneur, euse** *nm/f* bañero/a, bañista *m/f*.
baignoire [bɛɲwaʀ] *nf* bañera; (*THÉÂTRE*) palco de platea.
bail, baux [baj, bo] *nm* contrato de arriendo.
bâillement [bɑjmɑ̃] *nm* bostezo.
bâiller [bɑje] *vi* bostezar; (*être ouvert*) entornar.
bailleur [bajœʀ] *nm*: **~ de fonds** socio comanditario; garante *m/f*, caballo blanco.
bâillon [bɑjɔ̃] *nm* mordaza; **~ner** *vt* amordazar; (*fig*) amordazar; cohibir.
bain [bɛ̃] *nm* baño; **prendre un ~** tomar un baño; **prendre un ~ de soleil** tomar un baño de sol; **costume** *ou* **maillot de ~** traje *m* de baño; **~ de foule** paseo público; **~-marie** baño de maria; **~ de mousse** baño de espuma; **~ de pieds** baño de pies; **~s(-douches) municipaux** baños públicos; **~s de mer** baños de mar.
baïonnette [bajɔnɛt] *nf* bayoneta.
baisemain [bɛzmɛ̃] *nm* besamanos *m inv*.
baiser [beze] *nm* beso // *vt* besar; (*fam!*) tirarse a (!).
baisse [bɛs] *nf* baja; disminución *f*, descenso; decaimiento; (*COMM*): **~ sur la viande** abaratamiento de la carne.
baisser [bese] *vt* bajar; (*tête, yeux*) inclinar, bajar; (*voix, radio, chauffage*) bajar, disminuir; (*prix*) rebajar // *vi* (*niveau, température*) bajar; (*facultés, santé, vue*) disminuir, decaer; (*jour, lumière*) declinar; (*cours, prix*) bajar, disminuir; **se ~** *vi* inclinarse, agacharse.
bajoues [baʒu] *nfpl* carrillos; (*péj*) mofletes *mpl*.
bal [bal] *nm* baile *m*; **~ masqué** baile de máscaras; **~ musette** baile popular.
balade [balad] *nf* (*à pied*) paseo, vuelta; caminata; (*en voiture*) recorrido, paseo.
balader [balade] *vt* pasear; **se ~** *vi* pasearse.
baladeuse [baladøz] *nf* bombilla portátil.

baladin [baladɛ̃] *nm* bufón *m*, payaso.
balafre [balafʀ(ə)] *nf* tajo, cuchillada (*en la cara*); (*cicatrice*) cicatriz *f*, costurón *m* (*en la cara*); **balafrer** *vt* tajar (*la cara*).
balai [balɛ] *nm* escoba; **~-brosse** *nm* cepillo.
balance [balɑ̃s] *nf* (*à plateaux*) balanza; (*de précision*) balanza de precisión; (ASTRO): **la B~** Libra; **être de la B~** ser de Libra; **~ des comptes** (ÉCON) balance *m* de cuentas; **~ des forces** (POL) equilibrio político *o* de fuerzas; **~ des paiements** (ÉCON) balanza *o* balance de pagos; **~ romaine** (balanza) romana.
balancer [balɑ̃se] *vt* balancear; (*lancer*) arrojar; (*renvoyer, jeter*) despedir // *vi* (*lustre etc*) oscilar; **se ~** *vi* balancearse, mecerse; (*sur une balançoire*) hamacarse, columpiarse; **se ~ de** mofarse de, no hacer caso de; **je m'en balance** me importa un pito.
balancier [balɑ̃sje] *nm* (*de pendule*) péndulo; (*de montre, d'équilibriste*) balancín *m*.
balançoire [balɑ̃swaʀ] *nf* hamaca, columpio; (*sur pivot*) balancín *m*.
balayer [baleje] *vt* barrer; **balayeur, euse** *nm/f* barrendero/a // *nf* barredera; **balayures** [-jyʀ] *nfpl* barreduras.
balbutier [balbysje] *vi* balbucear // *vt* balbucear, musitar.
balcon [balkɔ̃] *nm* balcón *m*; (THÉÂTRE) principal *m*.
baldaquin [baldakɛ̃] *nm* baldaquín *m*, dosel *m*.
Bâle [bɑl] *n* Basilea.
Baléares [baleaʀ] *nfpl*: **les ~** las Baleares.
baleine [balɛn] *nf* ballena; (*de parapluie*) varilla; **baleinière** *nf* ballenero.
balise [baliz] *nf* baliza; (NAUT) baliza, boya; **baliser** *vt* balizar, abalizar.
balistique [balistik] *nf* balística.
balivernes [balivɛʀn(ə)] *nfpl* pamplinas.
Balkans [balkɑ̃] *nmpl*: **les ~** los Balcanes.
ballade [balad] *nf* balada.
ballant, e [balɑ̃, ɑ̃t] *a*: **les bras ~s** los brazos colgando.
ballast [balast] *nm* balasto.
balle [bal] *nf* (*de fusil*) bala; (*de tennis, golf, ping-pong*) pelota; (*du blé*) cascarilla; (*paquet*) fardo, paca; **~ perdue** bala perdida.
ballerine [balʀin] *nf* bailarina.
ballet [balɛ] *nm* ballet *m*.
ballon [balɔ̃] *nm* (SPORT) balón *m*, pelota; (*jouet*) globo; (AVIAT) globo, aeróstato; (*de vin*) balón; **~ de football** balón de fútbol.
ballonné, e [balɔne] *a* hinchado(a).
ballon-sonde [balɔ̃sɔ̃d] *nm* globo sonda.
ballot [balo] *nm* hato, bulto; (*péj*) bodoque *m*, alcornoque *m*.
ballottage [balɔtaʒ] *nm* (POL) *escrutinio repetido para lograr la mayoría*.
ballotter [balɔte] *vi* traquetear, bambolearse // *vt* bambolear, pelotear; **être ballotté entre...** dudar entre... .
bal(l)uchon [balyʃɔ̃] *nm* hatillo.
balnéaire [balneɛʀ] *a* balneario(a).
balourd, e [baluʀ, uʀd(ə)] *a* chambón(ona), torpe.
balte [balt] *a, nm/f* báltico(a).
balustrade [balystʀad] *nf* balaustrada.
bambin [bɑ̃bɛ̃] *nm* niño, chiquillo.
bambou [bɑ̃bu] *nm* bambú *m*.
ban [bɑ̃] *nm* aplauso; **~s** *mpl* (*mariage*) amonestaciones *fpl* matrimoniales; **mettre au ~ de...** poner al margen de...; **le ~ et l'arrière-~ de la famille** todos los miembros de la familia.
banal, e [banal] *a* trivial; (*péj*) baladí; **moulin ~** (*pl* **aux**) molino comunal; **~ité** *nf* trivialidad *f*.
banane [banan] *nf* plátano; **~raie**

[-RƐ] *nf* platanar *m*; **bananier** *nm* plátano; (*cargo*) barco transportador de plátanos.
banc [bɑ̃] *nm* banco; **le ~ des témoins/accusés** el banquillo de los testigos/acusados; **~ d'essai** banco de prueba; **~ de poissons** banco de peces; **~ de sable** banco de arena.
bancaire [bɑ̃kɛʀ] *a* bancario(a).
bancal, e [bɑ̃kal] *a* cojo(a).
bandage [bɑ̃daʒ] *nm* vendaje *m*; **~ herniaire** braguero.
bande [bɑ̃d] *nf* (*de tissu etc*) faja; (*pour panser*) venda; (*motif, dessin*) banda, franja; (*groupe*) banda; **faire ~ à part** hacer rancho aparte; **par la ~** por la banda; **donner de la ~** (*NAUT*) dar a la banda, escorar; **~ dessinée** tira, historieta; **~ magnétique** cinta magnetofónica; **~ perforée** banda perforada; **~ sonore** banda sonora.
bandeau, x [bɑ̃do] *nm* (*autour du front*) cinta; (*sur les yeux*) venda.
bander [bɑ̃de] *vt* vendar; (*muscle*) tensar; **~ les yeux à qn** vendar los ojos a alguien.
banderille [bɑ̃dʀij] *nf* banderilla.
banderole [bɑ̃dʀɔl] *nf* banderola.
bandit [bɑ̃di] *nm* bandido, bandolero; (*fig*: *escroc*) estafador *m*; **~isme** *nm* bandidaje *m*, bandolerismo.
bandoulière [bɑ̃duljɛʀ] *nf*: **en ~** en bandolera, terciado(a).
banjo [bɑ̃dʒo] *nm* banjo.
banlieue [bɑ̃ljø] *nf* suburbio, barrio (exterior); **la ~** las afueras; **quartier de ~** barrio suburbano; **lignes de ~** líneas suburbanas; **trains de ~** trenes suburbanos; **banlieusard, e** [-zaʀ, aʀd(ə)] *nm/f* suburbano/a.
bannière [banjɛʀ] *nf* estandarte *m*, bandera.
bannir [baniʀ] *vt* expulsar, desterrar.
banque [bɑ̃k] *nf* banca; **~ du sang** banco de sangre.
banqueroute [bɑ̃kʀut] *nf* bancarrota, quiebra.
banquet [bɑ̃kɛ] *nm* (*de club, de noces*) banquete *m*; (*fastueux*) festín *m*.
banquette [bɑ̃kɛt] *nf* banqueta, taburete *m*; (*d'auto*) asiento.
banquier [bɑ̃kje] *nm* banquero.
banquise [bɑ̃kiz] *nf* banco de hielo, témpano.
baptême [batɛm] *nm* bautismo; **~ de l'air** bautismo del aire.
baptiser [batize] *vt* bautizar.
baptismal, e, aux [batismal, o] *a*: **eau ~e** agua bautismal.
baquet [bakɛ] *nm* cubeta.
bar [baʀ] *nm* bar *m*; (*comptoir*) barra, mostrador *m*.
baragouin [baʀagwɛ̃] *nm* jerigonza.
baragouiner [baʀagwine] *vt, vi* chapurrear.
baraque [baʀak] *nf* barraca; (*fam*) casucha; **~ foraine** barraca de feria.
baraqué, e [baʀake] *a* (*fam*) formado(a), plantado(a).
baraquements [baʀakmɑ̃] *nmpl* campamento de barracas.
baratiner [baʀatine] *vt* (*fam*) camelar.
Barbade [baʀbad] *nf*: **la ~** la Barbada, las Barbadas.
barbare [baʀbaʀ] *a, nm/f* bárbaro(a); **barbarie** *nf* barbarie *f*.
barbarisme [baʀbaʀism(ə)] *nm* barbarismo.
barbe [baʀb(ə)] *nf* barba; **quelle ~!** (*fam*) ¡qué lata!; **~ à papa** algodón *m* de azúcar.
barbelé [baʀbəle] *nm* dentado.
barber [baʀbe] *vt* (*fam*) dar la lata a, aburrir.
barbiche [baʀbiʃ] *nf* perilla.
barbiturique [baʀbityʀik] *nm* barbitúrico.
barboter [baʀbɔte] *vi* chapotear // *vt* (*fam*) afanar, birlar.
barboteuse [baʀbɔtøz] *nf* pelele *m*.
barbouiller [baʀbuje] *vt* embadurnar; **avoir l'estomac barbouillé** tener el estómago revuelto.

barbu, e [barby] *a* barbudo(a).
Barcelone [barsəlɔn] *n* Barcelona.
barda [barda] *nm* (*fam*) bártulos.
barde [bard(ə)] *nf* (*CULIN*) lonja *o* tajada de tocino // *nm* bardo.
bardé, e [barde] *a*: ~ **de médailles** *etc* abarrotado de medallas.
bardeaux [bardo] *nmpl* ripias.
barder [barde] *vi*: **ça va ~** (*fam*) arderá Troya.
barème [barɛm] *nm* baremo, tabla; **~ des salaires** tabla de salarios.
barguigner [bargiɲe] *vi*: **sans ~** sin titubear *o* vacilar.
baril [baril] *nm* barril *m*.
barillet [barijɛ] *nm* (*de revolver*) tambor *m*.
bariolé, e [barjɔle] *a* abigarrado(a).
barman [barman] *nm* barman *m*.
baromètre [barɔmɛtr(ə)] *nm* barómetro.
baron, ne [barɔ̃, ɔn] *nm/f* barón(onesa).
baroque [barɔk] *a* barroco(a); (*fig*) barroco(a), extravagante.
baroud [barud] *nm*: ~ **d'honneur** último combate.
barque [bark(ə)] *nf* barca.
barrage [baraʒ] *nm* barrera; ~ **de police** cordón *m* policial.
barre [bar] *nf* barra; (*NAUT*) caña del timón; (*JUR*): **la ~** la barra; **comparaître à la ~** comparecer ante el juez; **être à** *ou* **tenir la ~** (*NAUT*) estar en *o* llevar el timón; **~ fixe** (*SPORT*) barra fija; **~ à mine** barrena; **~s parallèles** (*SPORT*) barras paralelas.
barreau, x [baro] *nm* barrote *m*; (*JUR*): **le ~** el foro.
barrer [bare] *vt* obstruir, interceptar; (*mot*) tachar; (*chèque*) cruzar; (*NAUT*) timonear; **se ~** *vi* (*fam*) pirarse.
barrette [barɛt] *nf* (*pince à cheveux*) pasador *m*, broche *m*.
barreur [barœr] *nm* timonel *m*.
barricade [barikad] *nf* barricada; **barricader** *vt* barrear, cerrar con barricadas; **se barricader chez soi** encerrarse en su casa.
barrière [barjɛr] *nf* barrera; (*obstacle*) barrera, traba; **~s douanières** barreras aduaneras.
barrique [barik] *nf* barrica, tonel *m*.
baryton [baritɔ̃] *nm* barítono.
bas, basse [bɑ, bɑs] *a* bajo(a); (*vue*) corto(a) // *nm* (*chaussette*) media; (*partie inférieure*): **le ~ de...** (*montagne, page*) el pie de...; (*jambes, corps*) la parte inferior de... // *nf* (*MUS*) bajo; (*instrument*) contrabajo // *ad* bajo; **plus ~** más bajo; (*dans un texte*) pie; más abajo; **la tête basse** la cabeza baja, cabizbajo(a); **au ~ mot** por lo menos, por lo bajo; **enfant en ~ âge** niño de corta edad; **en ~** abajo; **en ~ de** en lo bajo de, en la parte baja de; **de ~ en haut** de abajo hacia arriba; **mettre ~** *vi* parir (*animales*) // *vt* (*chargement*) depositar; **à ~ la dictature!** ¡Abajo la dictadura!; **~ morceaux** *nmpl* *carne de bajo precio y calidad.*
basalte [bazalt(ə)] *nm* basalto.
basané, e [bazane] *a* curtido(a), bronceado(a).
bas-côté [bɑkote] *nm* (*de route*) borde *m*, andén *m*; (*d'église*) nave *f* lateral.
bascule [baskyl] *nf*: **(jeu de) ~** balancín *m*, subibaja; **(balance à) ~** báscula; **fauteuil à ~** mecedora; **système à ~** sistema *m* a báscula.
basculer [baskyle] *vi, vt* (*gén*: **faire ~**) volcar.
base [bɑz] *nf* base *f*; **à la ~ de** (*fig*) en el origen de; **à ~ de café** *etc* a base de café *etc*; **principe/produit de ~** principio/producto básico.
baser [bɑze] *vt*: **~ qch sur** basar algo en; **se ~ sur** basarse en.
bas-fond [bɑfɔ̃] *nm* (*NAUT*) bajío; (*fig*): **~s** bajos fondos, hampa *m*.
basilic [bazilik] *nm* albahaca.
basilique [bazilik] *nf* basílica.
basket(-ball) [baskɛt(bol)] *nm* baloncesto.

basque [bask(ə)] *a, nm/f* vasco(a) // *nm* (LING) vasco, vascuence *m*.
basques [bask(ə)] *nfpl* faldones *mpl*; **pendu aux ~ de qn** cosido a las faldas de alguien.
bas-relief [baRəljɛf] *nm* bajorrelieve *m*.
basse [bas] *a, nf voir* **bas**.
basse-cour [baskuR] *nf* corral *m*, gallinero.
bassin [basɛ̃] *nm* (*cuvette*) cubeta, palangana; (*pièce d'eau*) estanque *m*; (*de fontaine*) pila; (GÉO) cuenca; (ANAT) pelvis *f*; (*portuaire*) dársena; **~ houiller** cuenca hullera.
bassiste [basist(ə)] *nm abrév de* **contre-bassiste**.
bastingage [bastɛ̃gaʒ] *nm* borda.
bastion [bastjɔ̃] *nm* bastión *m*; (*fig*) bastión, baluarte *m*.
bas-ventre [bavɑ̃tR(ə)] *nm* bajo vientre.
bat *etc vb voir* **battre**.
Bat. *nm abrév de* **bâtiment**.
bât [ba] *nm* albarda, angarilla.
bataille [bataj] *nf* batalla; **~ rangée** batalla campal.
bataillon [batajɔ̃] *nm* (MIL) batallón *m*.
bâtard, e [batar, aRd(ə)] *a* (*solution*) espurio(a) // *nm/f* bastardo/a.
bateau, x [bato] *nm* barco.
batelier, ière [batəlje, jɛR] *nm/f* barquero/a, batelero/a.
bat-flanc [baflɑ̃] *nm inv* cama de tablas; (*d'écurie*) *tabla de separación en los establos.*
bâti, e [bati] *a*: **bien ~** (*personne*) formido // *nm* armazón *f*.
batifoler [batifɔle] *vi* retozar, loquear.
bâtiment [batimɑ̃] *nm* edificio, construcción *f*; (NAUT) navío; (*industrie*): **le ~** la construcción.
bâtir [batiR] *vt* construir, edificar; (*fig*) edificar, forjar.
bâtisse [batis] *nf* obra, construcción *f*.
bâton [batɔ̃] *nm* palo, vara; (*d'agent de police*) porra; **mettre des ~s dans les roues à qn** chafar la guitarra a alguien; **à ~s rompus** sin orden ni concierto; **~ de rouge (à lèvres)** barra de labios.
batracien [batRasjɛ̃] *nm* batracio.
battage [bataʒ] *nm* (*publicité*) publicidad *f* de bombo.
battant [batɑ̃] *nm* (*de cloche*) badajo; (*de volet, porte*) hoja, batiente *m*; **porte à double ~** puerta de doble batiente.
battement [batmɑ̃] *nm* (*de cœur*) latido, palpitación *f*; (*intervalle*) intervalo; **~ de paupières** parpadeo.
batterie [batRi] *nf* batería; **~ de cuisine** batería de cocina.
batteur [batœR] *nm* (MUS) baterista *m/f*; (*appareil*) batidor *m*, batidora.
batteuse [batøz] *nf* trilladora.
battre [batR(ə)] *vt* golpear; (*suj*: *pluie, vagues*) azotar, golpear; (*vaincre*) derrotar, vencer; (*œufs etc, aussi fer*) batir; (*blé*) trillar; (*tapis*) sacudir; (*explorer, parcourir*) registrar minuciosamente // *vi* (*cœur*) latir, palpitar; (*volets etc*) golpear; **se ~** *vi* batirse, combatir; (*fig*) esforzarse, empeñarse; **~ des mains** aplaudir, batir palmas; **~ des ailes** aletear; **~ la mesure** llevar el compás; **~ qn aux points** ganar a alguien por puntos; **~ en brèche** batir en brecha; **~ son plein** estar en su apogeo; **~ pavillon britannique** enarbolar bandera británica; **~ la semelle** *golpear el suelo con los pies* (*para calentarlos*); **~ en retraite** batirse en retirada.
battue [baty] *nf* batida.
baume [bom] *nm* bálsamo.
bauxite [boksit] *nf* bauxita.
bavard, e [bavar, aRd(ə)] *a* parlanchín(ina); **~age** *nm* charla; **~er** *vi* charlar; (*indiscrètement*) charlatanear.
bave [bav] *nf* baba; **baver** *vi* babear; (*fam*): **en ~** pasar las de Caín; **bavette** *nf* babero; **baveux, euse** *a* baboso(a); **omelette baveuse** tortilla babosa.

bavure [bavyʀ] *nf* rebaba; (*fig*) borrón *m*.
bayer [baje] *vi*: ~ **aux corneilles** estar en babia.
bazar [bazaʀ] *nm* bazar *m*; (*fam*) leonera.
bazarder [bazaʀde] *vt* (*fam*) liquidar, malbaratar.
BCG *sigle m voir* **vaccin**.
bd. *abrév de* **boulevard**.
béant, e [beɑ̃, ɑ̃t] *a* muy abierto(a).
béat, e [bea, at] *a* beato(a); ~**itude** [-tityd] *nf* beatitud *f*.
beau (bel), belle, beaux [bo, bɛl, bo] *a* hermoso(a); (*visuellement*) bello(a); (*homme*) guapo; (*femme*) hermosa; (*voyage, histoire*) encantador(ora), agradable; (*moralement*) magnífico(a), admirable; **un ~ geste** (*fig*) un bello gesto, un gesto noble; **un ~ salaire** un buen salario; **un ~ rhume** un buen resfriado // *nf* (*SPORT*): **la belle** el desempate; **en faire de belles** hacerlas buenas // *nm*: **avoir le sens du ~** tener sentido estético; **le temps est au ~** el tiempo se promete bueno // *ad*: **il fait ~** hace buen tiempo; **un ~ jour** un buen día, cierto día; **de plus belle** a más y mejor; **bel et bien** absolutamente, sin duda; **le plus ~ c'est que...** lo mejor es que...; **c'est du ~!** ¡qué bonito!; **on a ~ essayer...** por más que se intente...; **il a ~ jeu de...** le ha de ser bastante fácil...; **faire le ~** (*chien*) ponerse en dos patas; **porter ~** conservarse apuesto; ~ **parleur** charlatán *m*.
beaucoup [boku] *ad* mucho; **pas ~** no demasiado(a), no mucho(a); no demasiados(as), no muchos(as); ~ **de** mucho(a); muchos(as) ~ **plus/trop** *etc* mucho más/demasiado; **de ~** con mucho.
beau-fils [bofis] *nm* yerno; (*d'un remariage*) hijastro.
beau-frère [bofʀɛʀ] *nm* cuñado.
beau-père [bopɛʀ] *nm* suegro; (*d'un remariage*) padrastro.
beauté [bote] *nf* belleza; **de toute ~** de maravilla; **en ~** elegantemente.
beaux-arts [bozaʀ] *nmpl* bellas artes.
beaux-parents [bopaʀɑ̃] *nmpl* suegros.
bébé [bebe] *nm* nene/a, bebé *m*.
bec [bɛk] *nm* (*d'oiseau*) pico; (*de plume*) punta; ~ **de gaz** pico de gas; ~ **verseur** pico vertedor.
bécane [bekan] *nf* (*fam*) bicicleta, bici *f*.
bécasse [bekas] *nf* (*ZOOL*) becada; (*fam*) tonta.
bec-de-lièvre [bɛkdəljɛvʀ(ə)] *nm* labio leporino.
bêche [bɛʃ] *nf* laya; **bêcher** *vt* layar.
bécoter [bekɔte] *vt* besuquear.
becquée [beke] *nf*: **donner la ~ à** dar de comer a.
becqueter [bɛkte] *vt* picotear.
bedaine [bədɛn] *nf* barriga.
bedeau, x [bədo] *nm* sacristán *m*.
bedonnant, e [bədɔnɑ̃, ɑ̃t] *a* barrigón(ona).
bée [be] *a*: **bouche ~** con la boca abierta, boquiabierto(a).
beffroi [befʀwa] *nm* campanario; atalaya.
bégayer [begeje] *vi* tartamudear, tartajear // *vt* farfullar.
bègue [bɛg] *a, nm/f* tartamudo(a).
bégueule [begœl] *a*: **pas ~** nada mojigato(a).
béguin [begɛ̃] *nm* capricho.
beige [bɛʒ] *a, nm* beige (*m*).
beignet [bɛɲɛ] *nm* buñuelo.
bel [bɛl] *am voir* **beau**.
bêler [bele] *vi* balar.
belette [bəlɛt] *nf* comadreja.
belge [bɛlʒ(ə)] *a, nm/f* belga (*m/f*).
Belgique [bɛlʒik] *nf* Bélgica.
bélier [belje] *nm* (*ZOOL*) carnero; (*ASTRO*): **le B~** Aries; (*engin*) ariete *m*; **être du B~** ser de Aries.
belle [bɛl] *a, nf voir* **beau**.
belle-fille [bɛlfij] *nf* nuera; (*d'un remariage*) hijastra.
belle-mère [bɛlmɛʀ] *nf* suegra; (*d'un remariage*) madrastra.
belle-sœur [bɛlsœʀ] *nf* cuñada.

belligérant, e [beliʒerɑ̃, ɑ̃t] *a* beligerante.
belliqueux, euse [belikø, øz] *a* belicoso(a).
belote [bəlɔt] *nf un juego de naipes.*
belvédère [bɛlvedɛʀ] *nm* mirador *m.*
bémol [bemɔl] *nm* bemol *m.*
bénédictin [benediktɛ̃] *nm* benedictino; **travail de ~** trabajo paciente y minucioso.
bénédiction [benediksjɔ̃] *nf* bendición *f.*
bénéfice [benefis] *nm* (COMM) beneficio; (*avantage*) beneficio, provecho; **au ~ de** para bien de, para el provecho de.
bénéficiaire [benefisjɛʀ] *nm/f* beneficiario/a.
bénéficier [benefisje] *vi*: **~ de** gozar de, disfrutar de; (*tirer profit de*) beneficiarse de, aprovecharse de; (*obtenir*) disfrutar de.
bénéfique [benefik] *a* benéfico(a), beneficioso(a).
Bénélux [benelyks] *nm*: **le ~** el Benelux.
benêt [bənɛ] *am* ingenuo, pánfilo.
bénévole [benevɔl] *a* benévolo(a); voluntario(a); **~ment** *ad* benévolamente.
bénin, igne [benɛ̃, iɲ] *a* benigno(a), benévolo(a); (*tumeur, mal*) benigno(a).
bénir [beniʀ] *vt* bendecir; **bénit, e** *a* bendito(a); **eau bénite** agua bendita.
bénitier [benitje] *nm* pila de agua bendita.
benjamin, e [bɛ̃ʒamɛ̃, in] *nm/f* benjamín/ina.
benne [bɛn] *nf* volquete *m*; **~ basculante** volquete.
benzine [bɛ̃zin] *nf* bencina.
béotien, ne [beɔsjɛ̃, jɛn] *nm/f* tosco/a, bruto/a.
BEPC *sigle m voir* **brevet**.
béquille [bekij] *nf* muleta; (*de bicyclette*) puntal *m.*
bercail [bɛʀkaj] *nm* redil *m.*
berceau, x [bɛʀso] *nm* cuna.
bercer [bɛʀse] *vt* acunar, mecer; (*suj*: *musique etc*) mecer, arrullar; **~ qn de** ilusionar a alguien con;
berceur, euse *a* arrullador(ora) // *nf* canción *f* de cuna; (*siège*) mecedora.
béret [beʀɛ] *nm* (*basque*) boina.
berge [bɛʀʒ(ə)] *nf* ribera.
berger, ère [bɛʀʒe, ɛʀ] *nm/f* pastor/a // *nf* poltrona.
bergerie [bɛʀʒəʀi] *nf* redil *m*, aprisco.
béribéri [beʀibeʀi] *nm* beriberi *m.*
Berlin [bɛʀlɛ̃] *n* Berlín.
berline [bɛʀlin] *nf* berlina.
berlingot [bɛʀlɛ̃go] *nm* (*emballage*) *envase de cartón.*
berlue [bɛʀly] *nf*: **avoir la ~** tener telarañas en los ojos.
berne [bɛʀn(ə)]: **en ~** *a, ad* a media asta.
Berne [bɛʀn(ə)] *n* Berna.
berner [bɛʀne] *vt* mantear.
besogne [bəzɔɲ] *nf* tarea, faena.
besogneux, euse [bəzɔɲø, øz] *a* menesteroso(a).
besoin [bəzwɛ̃] *nm* necesidad *f*; **le ~ d'argent** la sed de dinero; **faire ses ~s** hacer sus necesidades; **avoir ~ de qch/de faire qch** tener necesidad de algo/de hacer algo; **au ~** si es menester; **pour les ~s de la cause** por exigencias de la causa.
bestiaux [bɛstjo] *nmpl* ganado, reses *fpl.*
bestiole [bɛstjɔl] *nf* bicho.
bétail [betaj] *nm* ganado; **~ humain** recua humana (*esclavos*).
bête [bɛt] *nf* animal *m*; (*insecte, bestiole*) bicho // *a* bestia; **chercher la petite ~** buscarle pelos al huevo; **les ~s** (*bétail*) el ganado; **~ noire** pesadilla; **~ de somme** bestia de carga; **~s sauvages** animales salvajes, fieras.
bêtise [betiz] *nf* estupidez *f*, necedad *f*, tontería.
béton [betɔ̃] *nm* hormigón *m*; **~ armé** hormigón armado; **~ner** *vt* construir con hormigón; **~nière** *nf* hormigonera.
betterave [bɛtʀav] *nf* remolacha;

~ **fourragère/sucrière** remolacha forrajera/azucarera.
beugler [bøgle] *vi* mugir; bramar; (*péj*) berrear, bramar.
beurre [bœʀ] *nm* mantequilla; **beurrer** *vt* untar con mantequilla; **beurrier** *nm* mantequera.
beuverie [bœvʀi] *nf* francachela; borrachera.
bévue [bevy] *nf* error *m*, coladura.
bi... [bi] *préf* bi... .
biais [bjɛ] *nm* (*d'un tissu*) sesgo; (*fig*) oblicuo; **en ~, de ~** al sesgo; (*fig*) indirectamente; **~er** [bjeze] *vi* (*fig*) desviarse, dar rodeos.
bibelot [biblo] *nm* chuchería.
biberon [bibʀɔ̃] *nm* biberón *m*; **nourrir au ~** alimentar con biberón.
bible [bibl(ə)] *nf* biblia.
bibliobus [biblijɔbys] *nm* biblioteca ambulante.
bibliographie [biblijɔgʀafi] *nf* bibliografía.
bibliophile [biblijɔfil] *nm/f* bibliófilo/a.
bibliothécaire [biblijɔtekɛʀ] *nm/f* bibliotecario/a.
bibliothèque [biblijɔtɛk] *nf* biblioteca.
biblique [biblik] *a* bíblico(a).
bicarbonate [bikaʀbɔnat] *nm*: ~ (**de soude**) bicarbonato (sódico).
biceps [bisɛps] *nm* bíceps *m inv*.
biche [biʃ] *nf* cierva.
bichonner [biʃɔne] *vt* acicalar.
bicolore [bikɔlɔʀ] *a* bicolor.
bicoque [bikɔk] *nf* (*péj*) casucha.
bicorne [bikɔʀn(ə)] *nm* bicornio.
bicyclette [bisiklɛt] *nf* bicicleta.
bidasse [bidas] *nm* recluta.
bide [bid] *nm* (*fam*) panza; (*THÉÂTRE*) fracaso.
bidet [bidɛ] *nm* bidé *m*.
bidon [bidɔ̃] *nm* bidón *m*; (*fam*): **c'est du ~** es un camelo // *a inv* (*fam*) simulado(a).
bielle [bjɛl] *nf* biela; **couler une ~** (*AUTO*) fundir una biela.
bien [bjɛ̃] *nm* bien *m*; (*patrimoine, possession*) bien, bienes; **faire du ~ à qn** hacer bien a alguien, aprovechar a alguien; **dire du ~ de** hablar bien de; **changer en ~** cambiar para bien; **mener à ~** llevar a cabo; **le ~ public** el bien público; **~s de consommation** bienes *mpl* de consumo // *ad* bien; **~ jeune/souvent** muy joven/a menudo; **~ assez** demasiado(a); demasiados(as); **~ mieux** mucho mejor; **~ du temps/des gens** mucho tiempo/mucha gente; **j'espère ~ y aller** sí espero poder ir allá; **je veux ~ y aller** (*concession*) estoy contento(a) de ir allá; **il faut ~ le faire** es necesario hacerlo; **~ sûr** *ad* de seguro; **c'est ~ fait** (*mérité*) está bien hecho // *a inv* bien; **cette maison/secrétaire est ~** esta es una buena casa/secretaria; **elle est ~** (*jolie*) es bien parecida; **des gens ~** (*parfois péj*) gente bien; **être ~ avec qn** estar en buenos términos con alguien; **~ que** *conj* aunque; **~-aimé, e** [bjɛ̃neme] *a* querido(a), bienamado(a) // *nm/f* querido/a; **~-être** [bjɛ̃nɛtʀ(ə)] *nm* bienestar *m*; **~faisance** [-fəzɑ̃s] *nf* caridad *f*; **~faisant, e** [-fəzɑ̃, ɑ̃t] *a* (*chose*) beneficioso(a); **~fait** [-fɛ] *nm* (*faveur, générosité*) favor *m*; (*avantage, conséquence heureuse*) ventaja; **~faiteur, trice** [-fɛtœʀ, tʀis] *nm/f* bienhechor/a; **~-fondé** *nm* legitimidad *f*; **~-fonds** *nm* bienes *mpl* raíces; **~heureux, euse** [bjɛ̃nœʀø, øz] *a* bienaventurado(a).
biennal, e, aux [bjenal, o] *a* bienal.
bienséant, e [bjɛ̃seɑ̃, ɑ̃t] *a* decoroso(a), decente.
bientôt [bjɛ̃to] *ad* pronto; luego; **à ~** ¡hasta pronto!, ¡hasta luego!
bienveillance [bjɛ̃vɛjɑ̃s] *nf* benevolencia.
bienveillant, e [bjɛ̃vɛjɑ̃, ɑ̃t] *a* benévolo(a).
bienvenu, e [bjɛ̃vny] *a* bienvenido(a) // *nm/f*: **être le ~/la ~e** ser bienvenido/a // *nf*:

souhaiter la ~e à desear la bienvenida a; **~e à...** bienvenida a... .
bière [bjɛʀ] *nf* cerveza; (*cercueil*) ataúd *m*, féretro; ~ **blonde/brune** cerveza dorada/negra; ~ **(à la) pression** cerveza de barril.
biffer [bife] *vt* tachar, rayar.
bifide [bifid] *a* bífido(a).
bifteck [biftɛk] *nm* bistec *m*, bisté *m*.
bifurcation [bifyʀkasjɔ̃] *nf* bifurcación *f*.
bifurquer [bifyʀke] *vi* bifurcarse; (*véhicule, personne*) desviarse.
bigame [bigam] *a* bígamo(a).
bigamie [bigami] *nf* bigamia.
bigarré, e [bigaʀe] *a* abigarrado(a).
bigorneau, x [bigɔʀno] *nm* bígaro.
bigot, e [bigo, ɔt] (*péj*) *a* santurrón(ona) // *nm/f* santurrón/ona, beato/a.
bigoudi [bigudi] *nm* bigudí *m*.
bijou, x [biʒu] *nm* alhaja, joya; **~terie** *nf* joyería; **~tier, ière** *nm/f* joyero/a.
bikini [bikini] *nm* biquini *m*, bikini *m*.
bilan [bilɑ̃] *nm* balance *m*; (*d'une catastrophe*) balance, número de víctimas; **déposer son** ~ (COMM) declararse en quiebra.
bilatéral, e, aux [bilateʀal, o] *a* bilateral.
Bilbao [bilbao] *n* Bilbao.
bile [bil] *nf* bilis *f*; **se faire de la** ~ (*fam*) hacerse mala sangre; **biliaire** *a* biliar; **bilieux, euse** *a* bilioso(a).
bilingue [bilɛ̃g] *a* bilingüe.
billard [bijaʀ] *nm* billar *m*; (*fam*) hule *m*.
bille [bij] *nf* (*gén*) bola; (*du jeu de billes*) canica.
billet [bijɛ] *nm* billete *m*; (*courte lettre*) billete, esquela; ~ **(de banque)** billete (de banco); ~ **circulaire** circular *f*; ~ **de commerce** letra de cambio; ~ **doux** carta de amor; ~ **de loterie** billete de lotería; ~ **de quai** billete de andén.
billion [biljɔ̃] *nm* billón *m*.
billot [bijo] *nm* tajo.
bimensuel, le [bimɑ̃sɥɛl] *a* quincenal.
bimoteur [bimɔtœʀ] *a* bimotor.
binaire [binɛʀ] *a* binario(a).
binette [binɛt] *nf* escardillo.
binocle [binɔkl(ə)] *nm* quevedos.
binoculaire [binɔkylɛʀ] *a* binocular.
binôme [binom] *nm* binomio.
bio... [bjɔ] *préf* bio...; **biodégradable** [-degʀadabl(ə)] *a* biodegradable; **biographe** *nm/f* biógrafo/a; **biographie** [bjɔgʀafi] *nf* biografía; **biographique** *a* biográfico(a); **biologie** [bjɔlɔʒi] *nf* biología; **biologique** *a* biológico(a); **biologiste** *nm/f* biólogo/a.
bipède [bipɛd] *nm* bípedo.
biplan [biplɑ̃] *nm* biplano.
biréacteur [biʀeaktœʀ] *nm* birreactor *m*.
bis, e [bi, biz] *a* moreno(a), trigueño(a) // *ad* [bis] (*après un chiffre*) bis // *excl, nm* [bis] ¡otra! // *nf* (*baiser*) beso; (*vent*) cierzo.
bisannuel, le [bizanɥɛl] *a* bienal.
bisbille [bisbij] *nf*: **être en** ~ **avec qn** estar de pique con alguien.
Biscaye [biskɛ] *n*: **le golfe de** ~ el golfo de Vizcaya.
biscornu, e [biskɔʀny] *a* (*aussi péj*) estrafalario(a), extravagante.
biscotte [biskɔt] *nf* tostada al horno.
biscuit [biskɥi] *nm* bizcocho, galleta; (*porcelaine*) porcelana bizcocho *f*, biscuit *m*.
bise [biz] *af, nf voir* **bis**.
biseau, x [bizo] *nm* bisel *m*; **en** ~ biselado(a); **~ter** *vt* biselar.
bison [bizɔ̃] *nm* bisonte *m*.
bisque [bisk(ə)] *nf*: ~ **d'écrevisses** sopa de cangrejos.
bissectrice [bisɛktʀis] *nf* bisectriz *f*.
bisser [bise] *vt* repetir; hacer repetir.
bissextile [bisɛkstil] *a*: **année** ~ año bisiesto.

bissexué, e [bisɛksɥe] *a* bisexual.
bistouri [bistuʀi] *nm* bisturí *m*.
bistre [bistʀ(ə)] *a* oscuro(a), moreno(a).
bistro(t) [bistʀo] *nm* bar *m*, café *m*.
bitte [bit] *nf*: ~ **d'amarrage** noray *m*.
bitume [bitym] *nm* asfalto.
bivouac [bivwak] *nm* vivac *m*, vivaque *m*; **bivouaquer** *vi* vivaquear.
bizarre [bizaʀ] *a* raro(a), extravagante.
blafard, e [blafaʀ, aʀd(ə)] *a* pálido(a).
blague [blag] *nf* chiste *m*; (*farce*) broma; **sans ~!** ¡no me digas!; ~ **à tabac** petaca; **blaguer** *vi* bromear // *vt* embromar.
blaireau, x [blɛʀo] *nm* (*ZOOL*) tejón *m*; (*brosse*) brocha.
blâme [blɑm] *nm* (*jugement*) reprobación *f*; (*sanction*) censura; **blâmer** *vt* reprobar, censurar.
blanc, blanche [blɑ̃, blɑ̃ʃ] *a* blanco(a); (*innocent*) puro(a) // *nm/f* blanco/a // *nm* blanco; (*linge*): **le** ~ la ropa blanca // *nf* (*MUS*) blanca; **d'une voix blanche** con una voz opaca; **les B~s** los blancos; **du (vin)** ~ (vino) blanco; **laisser en** ~ dejar en blanco; **à** ~ *ad* (*chauffer*) al rojo blanco; (*tirer, charger*) blanco; **le** ~ **de l'œil** el blanco del ojo; ~ **(d'œuf)** clara (de huevo); ~ **(de poulet)** pechuga; **~-bec** *nm* mocoso; **blancheur** *nf* blancura.
blanchir [blɑ̃ʃiʀ] *vt* blanquear; (*linge*) lavar; (*CULIN*) escaldar; (*fig*) rehabilitar // *vi* blanquear; (*cheveux*) encanecer, blanquear; **blanchi à la chaux** encalado, enjalbegado; **blanchissage** *nm* lavado.
blanchisserie [blɑ̃ʃisʀi] *nf* lavadero.
blanchisseur, euse [blɑ̃ʃisœʀ, øz] *nm/f* lavandero/a.
blanc-seing [blɑ̃sɛ̃] *nm* firma en blanco.
blanquette [blɑ̃kɛt] *nf*: ~ **de veau** estofado de ternera.
blasé, e [blaze] *a* hastiado(a).
blason [blɑzɔ̃] *nm* blasón *m*.
blasphème [blasfɛm] *nm* blasfemia; **blasphémer** *vi* blasfemar // *vt* maldecir de, blasfemar contra.
blatte [blat] *nf* cucaracha.
blazer [blazœʀ] *nm* blazer *m*.
blé [ble] *nm* trigo; ~ **en herbe** trigo tierno.
bled [blɛd] *nm* (*péj*) poblacho perdido; (*en Afrique du Nord*): **le** ~ el interior.
blême [blɛm] *a* pálido(a).
blennorragie [blenɔʀaʒi] *nf* blenorragia.
blessant, e [blɛsɑ̃, ɑ̃t] *a* hiriente, ofensivo(a).
blessé, e [blese] *a, nm/f* herido(a); ~ **léger/grave** herido leve/grave.
blesser [blese] *vt* agraviar, herir; (*suj*: *chaussures, couleurs, sons etc*) hacer daño; (*offenser*) herir; **se** ~ herirse, lastimarse; **se** ~ **au pied** *etc* lastimarse el pie *etc*.
blessure [blesyʀ] *nf* herida.
blet, te [blɛ, blɛt] *a* pasado(a).
bleu [blø] *a* azul; (*bifteck etc*) poco(a) cocido(a) // *nm* azul *m*; (*novice*) bisoño; (*contusion*) cardenal *m*, moretón *m*; (*vêtement*: *aussi*: **~s**) mono; (*CULIN*): **au** ~ *forma de cocer el pescado*; ~ **marine** azul marino *inv*; **une peur** ~**e** un miedo cerval; **une colère** ~**e** una furia loca.
bleuet [bløɛ] *nm* azulejo.
bleuir [bløiʀ] *vt* azular // *vi* ponerse azul.
bleuté, e [bløte] *a* azulado(a).
blindage [blɛ̃daʒ] *nm* blindaje *m*.
blindé, e [blɛ̃de] *a* blindado(a) // *nm* (*MIL*) tanque *m*, carro de combate.
blinder [blɛ̃de] *vt* blindar; (*fig*) acorazar.
blizzard [blizaʀ] *nm* ventisca.
bloc [blɔk] *nm* bloque *m*; (*de papier à lettres*) bloc *m*; **à** ~ a fondo; **en** ~

en bloque; **faire ~** aliarse; **~ opératoire** quirófano.
blocage [blɔkaʒ] *nm* bloqueo.
bloc-moteur [blɔkmɔtœʀ] *nm* bloque *m* del motor.
bloc-notes [blɔknɔt] *nm* bloc *m*.
blocus [blɔkys] *nm* bloqueo.
blond, e [blɔ̃, ɔ̃d] *a* rubio(a); (*sable, blés*) dorado(a) // *nm/f* rubio/a // *nm* rubio; **~ cendré** rubio ceniciento.
bloquer [blɔke] *vt* bloquear; (*regrouper*) agrupar, poner juntos; **~ les freins** (*AUTO*) frenar bruscamente.
blottir [blɔtiʀ]: **se ~** *vi* acurrucarse.
blouse [bluz] *nf* bata, guardapolvo.
blouson [bluzɔ̃] *nm* cazadora; **~ noir** (*fig*) gamberro.
blues [bluz] *nm* blues *m*.
bluet [blyɛ] *nm* = **bleuet**.
bluffer [blœfe] *vi* engañar, exagerar // *vt* embaucar.
boa [bɔa] *nm* boa.
bobard [bɔbaʀ] *nm* (*fam*) patraña.
bobèche [bɔbɛʃ] *nf* arandela (*de una vela*).
bobine [bɔbin] *nf* carrete *m*, bobina; (*de film*) carrete; (*ÉLEC*) bobina.
bobo [bobo] *nm* (*langage enfantin*) pupa.
bocage [bɔkaʒ] *nm* boscaje *m*.
bocal, aux [bɔkal, o] *nm* bote *m* de vidrio.
bock [bɔk] *nm tarro de cerveza.*
bœuf [bœf] *nm* buey *m*; (*CULIN*) carne *f* de vaca.
bohème [bɔɛm] *nf* bohemia // *a* bohemio(a).
bohémien, ne [bɔemjɛ̃, jɛn] *a, nm/f* bohemio(a).
boire [bwaʀ] *vt* beber; (*suj*: *éponge, terre, buvard*) chupar // *vi* beber.
bois [bwa] *nm* madera; (*de chauffage*) leña; (*forêt*) bosque *m*; **de ~, en ~** de madera; **~ vert/mort** leña verde/seca; **~ de lit** armazón *f* de la cama.
boiser [bwaze] *vt* (*chambre*) enmaderar, revestir de madera; (*galerie de mine*) entibar; (*terrain*) cubrir de árboles.
boiseries [bwazʀi] *nfpl* artesonado.
boisson [bwasɔ̃] *nf* bebida; **pris de ~** bebido; **~s alcoolisées/gazeuses** bebidas alcohólicas/gaseosas.
boîte [bwat] *nf* caja, lata; **aliments en ~** alimentos envasados *o* en lata; **~ de conserves/de sardines** lata de conservas/de sardinas; **une ~ d'allumettes** una caja de cerillas; **~ crânienne** caja craneana; **~ à gants** guantera; **~ aux lettres** buzón *m*; **~ à musique** cajita de música; **~ de nuit** club *m* de noche, boîte *f*; **~ à outils** caja de herramientas; **~ postale, BP** apartado postal, AP; **~ de vitesses** caja de cambios.
boiter [bwate] *vi* cojear, renquear; (*fig*) cojear.
boîtier [bwatje] *nm* caja.
boivent *vb voir* **boire**.
bol [bɔl] *nm* tazón *m*, escudilla; **un ~ de café** *etc* un tazón de café *etc*; **un ~ d'air** una bocanada de aire.
bolet [bɔlɛ] *nm* boleto (*champiñón*).
bolide [bɔlid] *nm* (*véhicule*) bólido.
bombance [bɔ̃bɑ̃s] *nf*: **faire ~** ir *o* estar de parranda.
bombardement [bɔ̃baʀdəmɑ̃] *nm* bombardeo.
bombarder [bɔ̃baʀde] *vt* bombardear; **~ qn directeur** *etc* nombrar director *etc* a alguien de sopetón.
bombardier [bɔ̃baʀdje] *nm* bombardero.
bombe [bɔ̃b] *nf* bomba; (*atomiseur*) atomizador *m*; **~ atomique** bomba atómica; **~ à retardement** bomba de efecto retardado.
bombé, e [bɔ̃be] *a* combado(a), abombado(a).
bomber [bɔ̃be] *vt*: **~ le torse** sacar el pecho.
bon, bonne [bɔ̃, bɔn] *a* bueno(a), buen(a); (*juste*): **c'est le ~ numéro/moment** es el número correcto/el buen momento // *ad* bien // *excl*: **~!** ¡bueno!, ¡bien! // *nm*

bono; (*aussi*: ~ **cadeau**) bono obsequio // *nf* muchacha, criada; **bonne année!** ¡feliz año nuevo!; ~ **anniversaire!** ¡feliz cumpleaños!; **bonne chance!** ¡buena suerte!; **bonne nuit!** ¡buenas noches!; ~ **voyage!** ¡buen viaje!; **de bonne heure** temprano; **faire ~ poids** dar peso corrido; **avoir ~ dos** tener buenas espaldas; **il fait ~** hace buen tiempo; es agradable; **tenir ~** resistir; **pour de ~** de veras; **juger ~ de faire...** juzgar oportuno hacer...; **il y a du ~ dans cela** hay algo bueno en esto; ~ **de caisse** vale *m* de caja; ~ **d'essence** cupo de gasolina; **(à) ~ marché** *a inv, ad* barato(a); ~ **sens** sentido común; ~ **à tirer** *nm* listo para imprimir; ~ **du trésor** bono del tesoro; ~ **vivant** bon vivant *m*, hombre *m* jovial; **bonne d'enfant** niñera; **bonne femme** *nf* (*péj*) mujerzuela; **bonne à tout faire** *nf* criada.

bonasse [bɔnas] *a* buenazo(a), bonachón(ona).

bonbon [bɔ̃bɔ̃] *nm* caramelo.

bonbonne [bɔ̃bɔn] *nf* demajuana, bombona.

bonbonnière [bɔ̃bɔnjɛʀ] *nf* bombonera.

bond [bɔ̃] *nm* salto, brinco; (*fig*) salto; **faire un ~** dar un salto; **d'un seul ~** de un salto.

bonde [bɔ̃d] *nf* (*d'évier etc*) desagüe *m*; (*de tonneau*) agujero; (*bouchon*) tapón *m*.

bondé, e [bɔ̃de] *a* abarrotado(a).

bondir [bɔ̃diʀ] *vi* saltar, brincar; ~ **de joie** (*fig*) saltar de alegría; ~ **de colère** (*fig*) montar en cólera.

bonheur [bɔnœʀ] *nm* felicidad *f*; **au petit ~** a la buena de Dios; **par ~** por fortuna.

bonhomie [bɔnɔmi] *nf* bondad *f*, sencillez *f*.

bonhomme [bɔnɔm] *nm* (*pl* **bonshommes**) buen hombre // *a* bonachón; **un vieux ~** un pobre viejo; **aller son ~ de chemin** ir paso a paso; ~ **de neige** muñeco de nieve.

boni [bɔni] *nm* resto.

bonification [bɔnifikɑsjɔ̃] *nf* (*somme*) bonificación *f*.

bonifier [bɔnifje] *vt* bonificar, mejorar.

boniment [bɔnimɑ̃] *nm* cameleo, charlatanería.

bonjour [bɔ̃ʒuʀ] *nm* buenos días; ~ **Monsieur** buenos días, señor; **dire ~ à qn** dar los buenos días a alguien.

bonne [bɔn] *a, nf voir* **bon.**

Bonne-Espérance [bɔnɛspeʀɑ̃s] *n*: **cap de ~** cabo de Buena Esperanza.

bonnement [bɔnmɑ̃] *ad*: **tout ~** lisa y llanamente.

bonnet [bɔnɛ] *nm* gorro; ~ **d'âne** bonete *m* de asno; ~ **de bain** gorra de baño; ~ **de nuit** gorro de dormir.

bonneterie [bɔnɛtʀi] *nf* industria/tienda de artículos de punto.

bon-papa [bɔ̃papa] *nm* abuelito.

bonsoir [bɔ̃swaʀ] *nm* buenas tardes/noches.

bonté [bɔ̃te] *nf* bondad *f*.

bonze [bɔ̃z] *nm* (*REL*) bonzo.

bord [bɔʀ] *nm* (*de table, verre*) borde *m*; (*de rivière, falaise, route*) orilla; **à ~** (*NAUT*) a bordo; **monter à ~** subir a bordo; **jeter par-dessus ~** arrojar por la borda; **les hommes du ~** los hombres de a bordo; **du même ~** (*fig*) de la misma opinión; **au ~ de la mer/route** a orillas de la mar/ruta.

bordage [bɔʀdaʒ] *nm* tablazón *f*.

bordeaux [bɔʀdo] *nm* (*vin*) burdeos *m* // *a inv* rojo violáceo.

bordée [bɔʀde] *nf* andanada.

bordel [bɔʀdɛl] *nm* (*fam*) burdel *m*.

border [bɔʀde] *vt* orillar, bordear; (*garnir*) bordear, ribetear; (*personne, lit*) arropar; **bordé de** bordeado de; ribeteado de.

bordereau, x [bɔʀdəʀo] *nm* memoria; factura.

bordure [bɔʀdyʀ] *nf* borde *m*;

bordura; (*sur un vêtement*) ribete *m*; **en ~ de** a orillas de.
boréal, e, aux [bɔreal, o] *a voir* **aurore**.
borgne [bɔrɲ(ə)] *a* tuerto(a); (*fenêtre*) *que permite la entrada de luz pero no la visión*; **hôtel ~** hotel *m* de mala reputación.
borne [bɔrn(ə)] *nf* (*pour délimiter*) mojón *m*; (*gén*: **~ kilométrique**) poste *m* de kilometraje; **~s** *fpl* límites *mpl*; **sans ~(s)** sin límites; **borner** *vt* limitar; **se borner à** limitarse a.
bosquet [bɔskɛ] *nm* bosquecillo.
bosse [bɔs] *nf* (*de terrain*) montículo; (*sur un objet etc*) protuberancia; (*enflure*) chichón *m*, bulto; (*du bossu*) joroba, giba; (*du chameau etc*) joroba; **avoir la ~ des maths** *etc* tener disposición para las matemáticas *etc*; **rouler sa ~** rodar por el mundo.
bosseler [bɔsle] *vt* (*travailler*) repujar; (*abîmer*) abollar.
bosser [bɔse] *vi* (*fam*) reventarse.
bossu, e [bɔsy] *a, nm/f* jorobado(a).
bot [bo] *am*: **pied ~** zopo(a) de un pie.
botanique [bɔtanik] *nf* botánica // *a* botánico(a); **botaniste** *nm/f* botánico/a.
botte [bɔt] *nf* bota; (ESCRIME) estocada; **~ de radis** manojo de rábanos; **~ de paille** haz *m* de paja; **~s de caoutchouc** botas de goma.
botter [bɔte] *vt* dar un puntapié a.
bottier [bɔtje] *nm* zapatero a la medida.
bottin [bɔtɛ̃] *nm* anuario del comercio.
bottine [bɔtin] *nf* botina.
bouc [buk] *nm* macho cabrío; (*barbe*) perilla; **~ émissaire** cabeza de turco.
boucan [bukɑ̃] *nm* jaleo, alboroto.
boucanier [bukanje] *nm* bucanero.
bouche [buʃ] *nf* boca; (*fig*): **une ~ inutile/à nourrir** una boca para mantener; **~ cousue!** ¡punto en boca!; **~ à ~** *nm* boca a boca; **~ de chaleur** entrada de aire; **~ d'égout** sumidero, alcantarilla; **~ d'incendie** boca de incendio; **~ de métro** boca de subterráneo.
bouché, e [buʃe] *a* tapado(a); (*vin, cidre*) embotellado(a); (*temps, ciel*) encapotado(a); (*péj*) cerrado(a) // *nf* bocado; (*fig*): **pour une ~e de pain** por una bicoca; (CULIN): **~es à la reine** *cierto tipo de pastelillo.*
boucher [buʃe] *vt* tapar, obstruir // *nm* carnicero; **se ~ le nez** taparse la nariz; **se ~** *vi* taparse, cubrirse.
bouchère [buʃɛr] *nf* carnicera.
boucherie [buʃri] *nf* carnicería.
bouche-trou [buʃtru] *nm* (*fig*) comodín *m*.
bouchon [buʃɔ̃] *nm* (*en liège*) corcho; (*autre matière*) tapón *m*; (*fig*: AUTO) taponamiento; (*de ligne de pêche*) flotador *m*.
bouchonner [buʃɔne] *vt* restregar; arrugar.
boucle [bukl(ə)] *nf* curva; (*d'un fleuve*) meandro; (*objet*) argolla; (: *de ceinture*) hebilla; **~ (de cheveux)** bucle *m*; **~ d'oreille** zarcillo, pendiente *m*; **bouclé, e** *a* (*cheveux*) ensortijado(a); **boucler** *vt* (*fermer*) ajustar, cerrar; (*enfermer*) encerrar // *vi* (*cheveux*) rizar; **boucler son budget** equilibrar su presupuesto.
bouclier [buklije] *nm* escudo.
bouddhiste [budist(ə)] *a* budista.
bouder [bude] *vi* enfurruñarse // *vt* poner mala cara.
boudeur, euse [budœr, øz] *a* enfurruñado(a), enojadizo(a).
boudin [budɛ̃] *nm* morcilla; (TECH) resorte *m* en espiral.
boudoir [budwar] *nm* tocador *m*.
boue [bu] *nf* lodo, barro.
bouée [bwe] *nf* (*balise*) boya; **~ (de sauvetage)** salvavidas *m inv*.
boueux, euse [bwø, øz] *a* fangoso(a), enlodado(a) // *nm* basurero.
bouffant, e [bufɑ̃, ɑ̃t] *a* abullonado(a).
bouffe [buf] *nf* (*fam*) comilona.

bouffée [bufe] *nf* (*de fumée, d'air*) tufarada, bocanada; (*de pipe*) bocanada; ~ **d'orgueil** arrebato de orgullo; ~ **de fièvre** fiebre pasajera.
bouffer [bufe] *vt* (*fam*) jamar.
bouffi, e [bufi] *a* hinchado(a).
bouffon, ne [bufɔ̃, ɔn] *a* bufón(ona).
bouge [buʒ] *nm* tugurio.
bougeoir [buʒwaʀ] *nm* palmatoria.
bougeotte [buʒɔt] *nf* hormiguillo.
bouger [buʒe] *vi* moverse; (*agir*) moverse, agitarse // *vt* cambiar de sitio, mover; **se** ~ (*fam*) moverse.
bougie [buʒi] *nf* bujía.
bougonner [bugɔne] *vi* gruñir, refunfuñar.
bougre [bugʀ(ə)] *nm* tipo; **ce** ~ **de...** este bribón de... .
bouillabaisse [bujabɛs] *nf* sopa de pescado.
bouillant, e [bujɑ̃, ɑ̃t] *a* hirviente, hirviendo *inv*.
bouille [buj] *nf* (*fam*) cara.
bouilleur de cru [bujœʀdkʀy] *nm* destilador *m* de su propia cosecha.
bouilli, e [buji] *a* hervido(a) // *nm* carne hervida // *nf* papilla.
bouillir [bujiʀ] *vi* hervir; (*fig*) hervir, arder // *vt* (*gén*: **faire** ~) hervir.
bouilloire [bujwaʀ] *nf* hervidor *m*.
bouillon [bujɔ̃] *nm* (CULIN) caldo; (*bulles, écume*) borbotón *m*, burbuja; ~ **de culture** caldo de cultivo.
bouillonnement [bujɔnmɑ̃] *nm* hervor *m*, burbujeo; (*fig*) efervescencia.
bouillonner [bujɔne] *vi* borbotear.
bouillotte [bujɔt] *nf* hervidor pequeño; calentador *m* para cama.
boulanger, ère [bulɑ̃ʒe, ɛʀ] *nm/f* panadero/a.
boulangerie [bulɑ̃ʒʀi] *nf* panadería; ~**-pâtisserie** *nf* panadería-confitería.
boule [bul] *nf* (*gén*) bola; (*pour jouer*) bocha, bola; **roulé en** ~ hecho un ovillo; **taillé en** ~ cortado en redondo; **se mettre en** ~ (*fig*) enfurecerse; **perdre la** ~ (*fig fam*) perder la chaveta; ~ **de neige** bola de nieve; **faire** ~ **de neige** (*fig*) agrandarse, extenderse.
bouleau, x [bulo] *nm* abedul *m*.
bouledogue [buldɔg] *nm* buldog *m*.
boulet [bulɛ] *nm* (*aussi*: ~ **de canon**) bala de cañón; (*de bagnard*) bola de hierro; (*charbon*) aglomerado esférico.
boulette [bulɛt] *nf* bolita; ~ **de viande** albóndiga.
boulevard [bulvaʀ] *nm* bulevar *m*.
bouleversé, e [bulvɛʀse] *a* (*ému*) conmovido(a).
bouleversement [bulvɛʀsəmɑ̃] *nm* conmoción *f*.
bouleverser [bulvɛʀse] *vt* trastornar, conturbar; (*pays, vie*) trastonar; (*papiers, objets*) desordenar.
boulier [bulje] *nm* ábaco.
boulimie [bulimi] *nf* bulimia.
boulon [bulɔ̃] *nm* perno; ~**ner** *vt* empernar.
boulot, te [bulo, ɔt] *a* rechoncho(a) // *nm* trabajo, tarea.
bouquet [bukɛ] *nm* ramo, ramillete *m*; (*parfum*) aroma *m*; **c'est le** ~**!** ¡es el colmo!
bouquetin [buktɛ̃] *nm* cabra montés *f*.
bouquin [bukɛ̃] *nm* librito; ~**er** [-kine] *vi* leer; ~**iste** [-kinist(ə)] *nm/f* librero de lance.
bourbeux, euse [burbø, øz] *a* cenagoso(a).
bourbier [buʀbje] *nm* lodazal *m*; (*fig*) atolladero.
bourde [buʀd(ə)] *nf* patraña; sandez *f*; pifia.
bourdon [buʀdɔ̃] *nm* (ZOOL) abejorro.
bourdonner [buʀdɔne] *vi* zumbar.
bourg [buʀ] *nm* ciudad pequeña.
bourgade [buʀgad] *nf* aldea.
bourgeois, e [buʀʒwa, waz] *a* burgués(esa); (*péj*) burgués(esa), aburgesado(a) // *nm/f* (*aussi péj*) burgués/esa; ~**ie** [-zi] *nf* burguesía;

haute/petite ~ie alta/pequeña burguesía.
bourgeon [buʀʒɔ̃] *nm* brote *m*, yema; **~ner** *vi* brotar.
Bourgogne [buʀgɔɲ] *nf* Borgoña // *nm*: **b~** (*vin*) borgoña; **bourguignon, ne** [buʀgiɲɔ̃, ɔn] *a* borgoñón(ona); **(bœuf) bourguignon** *nm* encebollado de vaca.
bourlinguer [buʀlɛ̃ge] *vi* correr mundo.
bourrade [buʀad] *nf* empellón *m*.
bourrage [buʀaʒ] *nm*: **~ de crâne** camelo, propaganda falsa.
bourrasque [buʀask(ə)] *nf* borrasca.
bourratif, ive [buʀatif, iv] *a* pesado(a).
bourreau, x [buʀo] *nm* verdugo; **un ~ de travail** una fiera para el trabajo.
bourreler [buʀle] *vt*: **être bourrelé de remords** estar torturado por los remordimientos.
bourrelet [buʀlɛ] *nm* (*bande de feutre etc*) burlete *m*; (*de chair*) rollo.
bourrer [buʀe] *vt* atiborrar; (*pipe*) cargar; **~ qn de coups** moler a golpes a alguien; **~ le crâne à qn** hinchar la cabeza a alguien.
bourrique [buʀik] *nf* (*âne*) borrico.
bourru, e [buʀy] *a* rudo(a).
bourse [buʀs(ə)] *nf* (SCOL) beca; (*porte-monnaie*) bolsa; **la B~** la Bolsa; **sans ~ délier** sin soltar un céntimo; **boursier, ière** *a* (COMM) bolsista // *nm/f* (SCOL) becario/a.
boursouflé, e [buʀsufle] *a* (*visage*) abotagado(a); (*fig*) ampuloso(a).
boursoufler [buʀsufle] *vt* hinchar; **se ~** *vi* (*visage*) abotagarse; (*peinture etc*) ampollarse.
bousculade [buskylad] *nf* atropello.
bousculer [buskyle] *vt* atropellar; (*presser, inciter*) empujar; **être bousculé** (*pressé*) estar apremiado o ajetreado.
bouse [buz] *nf*: **~ (de vache)** bosta.
bousiller [buzije] *vt* (*moteur*) destruir.
boussole [busɔl] *nf* brújula.
bout [bu] *vb voir* **bouillir** // *nm* (*morceau*) trozo; (*extrémité*) punta; (: *de table, rue*) extremo; (*de période, vie*) final *m*; **à ~ filtre** a emboquillado(a); **à ~ portant** a quemarropa; **au ~ de** (*après*) al cabo de, al final de; **être à ~** estar agotado(a); **pousser qn à ~** sacar a alguien de sus casillas; **venir à ~ de qch** llevar a cabo algo; **venir à ~ de qn** acabar con alguien; **~ à ~** uno tras otro; **d'un ~ à l'autre, de ~ en ~** de cabo a rabo.
boutade [butad] *nf* ocurrencia, salida.
boute-en-train [butɑ̃tʀɛ̃] *nm inv* animador/a.
bouteille [butɛj] *nf* botella; (*de gaz butane*) bombona.
boutique [butik] *nf* tienda; **boutiquier, ière** *nm/f* (*péj*) mercachifle *m*.
bouton [butɔ̃] *nm* botón *m*; (*pustule*) grano; (*d'une porte, sonnette, radio*) pomo, botón; **~ d'or** botón de oro; **~s de manchette** gemelos; **~ner** *vt* abotonar, abrochar; **~nière** *nf* ojal *m*; **~-pression** *nm* automático.
bouture [butyʀ] *nf* esqueje *m*, gajo.
bouvreuil [buvʀœj] *nm* pinzón *m*.
bovidé [bɔvide] *nm* bóvido.
bovin, e [bɔvɛ̃, in] *a* bovino(a).
bowling [bɔliŋ] *nm* bolos.
box, es [bɔks] *nm* (*d'un accusé*) *celda para acusados en la sala de tribunales*; (*d'un cheval*) *cada compartimiento en una caballeriza*.
boxe [bɔks(ə)] *nf* boxeo; **boxeur** *nm* boxeador *m*.
boyau, x [bwajo] *nm* tripa; (*corde de raquette etc*) cuerda de tripa; (*galerie*) pasadizo; (*tuyau*) manga.
boycotter [bɔjkɔte] *vt* boicotear.
BP *nf voir* **boîte**.
bracelet [bʀaslɛ] *nm* pulsera, brazalete *m*; **~-montre** *nm* reloj *m* de pulsera.

braconner [bʀakɔne] *vt* cazar/pescar furtivamente; **braconnier** *nm* cazador/pescador furtivo.
brader [bʀade] *vt* vender *de segunda mano a bajo precio.*
braguette [bʀagɛt] *nf* bragueta.
brailler [bʀɑje] *vi, vt* gritar, chillar.
braire [bʀɛʀ] *vi* rebuznar.
braise [bʀɛz] *nf* brasas, ascuas.
braiser [bʀeze] *vt* estofar; **bœuf braisé** carne *f* de vaca estofada.
bramer [bʀɑme] *vi* (*cerf*) bramar.
brancard [bʀɑ̃kaʀ] *nm* camilla; (*de charrue etc*) varal *m*; **~ier** *nm* camillero.
branchages [bʀɑ̃ʃaʒ] *nmpl* ramajes *mpl.*
branche [bʀɑ̃ʃ] *nf* rama; (*de lunettes*) patilla.
branchement [bʀɑ̃ʃmɑ̃] *nm* empalme *m*; conexión *f.*
brancher [bʀɑ̃ʃe] *vt* empalmar; (*lampe, appareil électrique, téléphone*) conectar.
branchies [bʀɑ̃ʃi] *nfpl* branquias.
brandir [bʀɑ̃diʀ] *vt* blandir, esgrimir.
brandon [bʀɑ̃dɔ̃] *nm* tea.
branlant, e [bʀɑ̃lɑ̃, ɑ̃t] *a* (*mur, meuble*) oscilante, vacilante.
branle [bʀɑ̃l] *nm*: **mettre en ~** poner en movimiento; **donner le ~ à** poner en marcha; **~-bas** *nm inv* zafarrancho.
branler [bʀɑ̃le] *vi* bambolear, moverse // *vt*: **~ la tête** menear la cabeza.
braquer [bʀake] *vi* torcer // *vt* (*revolver*) apuntar; (*yeux*) fijar, clavar; (*mettre en colère*) predisponer; **se ~** *vi* oponerse.
bras [bʀa] *nm* brazo // *mpl* (*fig*) brazos; **avoir le ~ long** tener mucha influencia; **à ~ raccourcis** a brazo partido; **~ droit** (*fig*) brazo derecho; **~ de levier** brazo de palanca; **~ de mer** brazo de mar.
brasero [bʀɑzeʀo] *nm* brasero.
brasier [bʀɑzje] *nm* hoguera.
bras-le-corps [bʀalkɔʀ]: **à ~** *ad* por la cintura.
brassage [bʀasaʒ] *nm* (*fig*) mezcla.
brassard [bʀasaʀ] *nm* brazalete *m*; **~ noir** *ou* **de deuil** brazalete de luto.
brasse [bʀas] *nf* brazada; (*mesure*) braza; **~ papillon** brazada mariposa.
brassée [bʀase] *nf* brazada.
brasser [bʀase] *vt* mezclar; (*argent, affaires*) manejar.
brasserie [bʀasʀi] *nf* cervecería.
brasseur [bʀasœʀ] *nm* (*de bière*) cervecero; **~ d'affaires** hombre *m* de negocios.
brassière [bʀasjɛʀ] *nf* (*de bébé*) camisita, juboncito.
bravache [bʀavaʃ] *a* bravucón(ona).
bravade [bʀavad] *nf*: **par ~** por fanfarronería.
brave [bʀav] *a* bravo(a), valiente; (*bon, gentil*) bueno(a); (*péj*) valiente.
braver [bʀave] *vt* (*ordre*) desafiar; (*danger*) afrontar, desafiar.
bravo [bʀavo] *excl, nm* bravo.
bravoure [bʀavuʀ] *nf* bravura.
brayait *etc vb voir* **braire**.
break [bʀɛk] *nm* (AUTO) break *m*, furgoneta.
brebis [bʀəbi] *nf* oveja; **~ galeuse** oveja negra, manzana podrida.
brèche [bʀɛʃ] *nf* brecha, boquete *m.*
bredouille [bʀəduj] *a* con las manos vacías.
bredouiller [bʀəduje] *vi, vt* farfullar.
bref, brève [bʀɛf, ɛv] *a* breve // *ad* total, en pocas palabras; **d'un ton ~** con un tono tajante; **(voyelle) brève** (vocal) breve *f*; **en ~** en resumen.
brelan [bʀəlɑ̃] *nm* berlanga; trío.
breloque [bʀəlɔk] *nf* dije *m.*
brème [bʀɛm] *nf tipo de carpa.*
Brésil [bʀezil] *nm* Brasil *m*; **b~ien, ne** *a, nm/f* brasileño(a).
Bretagne [bʀətaɲ] *nf* Bretaña.

bretelle [bʀətɛl] *nf* hombrera; (*de fusil etc*) correa; (*autoroute*) empalme *m*; **~s** *fpl* (*pour pantalon*) tirantes *mpl*.
breton, ne [bʀətɔ̃, ɔn] *a, nm/f* bretón(ona) // *nm* (LING) bretón *m*.
breuvage [bʀœvaʒ] *nm* bebida, brebaje *m*.
brève [bʀɛv] *a, nf voir* **bref**.
brevet [bʀəvɛ] *nm* certificado; **~ (d'invention)** patente *f*; **~ d'apprentissage** certificado de idoneidad; **~ d'études du premier cycle, BEPC** ≈ bachillerato elemental.
breveté, e [bʀəvte] *a* patentado(a); (*diplômé*) diplomado(a).
breveter [bʀəvte] *vt* (*invention*) patentar.
bréviaire [bʀevjɛʀ] *nm* breviario.
bribes [bʀib] *nfpl* (*de conversation*) fragmentos; (*de fortune etc*) migajas; **par ~** por retazos.
bric-à-brac [bʀikabʀak] *nm inv* baratillo.
bricolage [bʀikɔlaʒ] *nm* bricolaje *m*; (*péj*) chapuza.
bricole [bʀikɔl] *nf* nadería.
bricoler [bʀikɔle] *vi* hacer chapuzas // *vt* amañar, componer mañosamente; **bricoleur, euse** *nm/f* aficionado/a // *a* aficionado(a), mañoso(a).
bride [bʀid] *nf* brida; (*d'un bonnet*) barboquejo; **à ~ abattue** a rienda suelta; **tenir en ~** contener; **lâcher la ~ à, laisser la ~ sur le cou à** dar rienda suelta a, dejar libertad de acción a.
bridé, e [bʀide] *a*: **yeux ~s** ojos oblicuos.
brider [bʀide] *vt* refrenar; (*cheval*) embridar; (CULIN) atar.
bridge [bʀidʒ(ə)] *nm* (*jeu*) bridge *m*; (*dentaire*) puente *m*.
brièvement [bʀijɛvmɑ̃] *ad* brevemente, en breve.
brièveté [bʀijɛvte] *nf* brevedad *f*.
brigade [bʀigad] *nf* (MIL) brigada; (*d'ouvriers etc*) brigada, cuadrilla.
brigadier [bʀigadje] *nm* cabo; brigadier *m*.
brigand [bʀigɑ̃] *nm* salteador *m*, bandolero; **~age** *nm* bandolerismo.
briguer [bʀige] *vt* pretender, aspirar a.
brillamment [bʀijamɑ̃] *ad* brillantemente.
brillant, e [bʀijɑ̃, ɑ̃t] *a* brillante // *nm* (*diamant*) brillante *m*.
briller [bʀije] *vi* brillar.
brimade [bʀimad] *nf* novatada, vejación *f*.
brimbaler [bʀɛ̃bale] = **bringuebaler**.
brimer [bʀime] *vt* vejar, molestar.
brin [bʀɛ̃] *nm* hebra; (*fig*): **un ~ de** una pizca de; **~ d'herbe/de paille** brizna de hierba/de paja; **~ de muguet** ramita de muguete.
brindille [bʀɛ̃dij] *nf* ramilla.
bringuebaler [bʀɛ̃gbale] *vi* bambolearse.
brio [bʀijo] *nm* brío.
brioche [bʀijɔʃ] *nf* bollo; (*fam*) panza.
brique [bʀik] *nf* ladrillo // *a inv* rojo(a) ladrillo.
briquer [bʀike] *vt* frotar.
briquet [bʀikɛ] *nm* encendedor *m*.
brisant [bʀizɑ̃] *nm* rompiente *m*.
brise [bʀiz] *nf* brisa.
brisé, e [bʀize] *a* quebrado(a).
brisées [bʀize] *nfpl*: **marcher sur les ~ de qn** pisar el terreno a alguien; **suivre les ~ de qn** seguir las huellas de alguien.
brise-glace(s) [bʀizglas] *nm inv* rompehielos *m inv*.
brise-jet [bʀizʒɛ] *nm inv tubo amortiguador para grifo*.
brise-lames [bʀizlam] *nm inv* rompeolas *m inv*, escollera.
briser [bʀize] *vt* quebrar, hacer añicos; (*carrière, vie, amitié*) destrozar, destruir; (*volonté, grève, personne*) quebrar; (*fatiguer*) destrozar, moler; **se ~** *vi* estrellarse, hacerse añicos; (*fig*) destrozarse.
briseur, euse [bʀizœʀ, øz] *nm/f*: **~ de grève** esquirol *m*.

britannique [bʀitanik] *a, nm/f* británico(a).
broc [bʀo] *nm* jarra.
brocante [bʀɔkɑ̃t] *nf* baratillo; **brocanteur, euse** *nm/f* prendero/a.
broche [bʀɔʃ] *nf* (*bijou*) broche *m*; (CULIN) espetón *m*; (CULIN): **à la ~** al asador.
broché, e [bʀɔʃe] *a* en rústica.
brochet [bʀɔʃɛ] *nm* lucio.
brochette [bʀɔʃɛt] *nf* (CULIN) brocheta; **~ de décorations** pasador *m* de condecoraciones.
brochure [bʀɔʃyʀ] *nf* folleto.
brodequins [bʀɔdkɛ̃] *nmpl* borceguíes *mpl*.
broder [bʀɔde] *vt* bordar // *vi* (*inventer, embellir*) adornar; **~ie** [bʀɔdʀi] *nf* bordado.
bromure [bʀɔmyʀ] *nm* bromuro.
broncher [bʀɔ̃ʃe] *vi* vacilar.
bronches [bʀɔ̃ʃ] *nfpl* bronquios.
bronchite [bʀɔ̃ʃit] *nf* bronquitis *f*.
broncho-pneumonie [bʀɔ̃kɔpnømɔni] *nf* bronconeumonía.
bronze [bʀɔ̃z] *nm* bronce *m*.
bronzé, e [bʀɔ̃ze] *a* bronceado(a).
bronzer [bʀɔ̃ze] *vi*: **se ~** broncearse.
brosse [bʀɔs] *nf* cepillo; **donner un coup de ~ à** dar una cepilladura a; **en ~** al cepillo; **~ à cheveux/à dents/à habits** cepillo para cabellos/de dientes/de ropa; **~ à ongles** cepillo de uñas; **brosser** *vt* cepillar; (*fig*) bosquejar; **se brosser** *vt* cepillarse; (*fam*) privarse.
brou de noix [bʀudnwa] *nm* nogalina.
brouette [bʀuɛt] *nf* carretilla.
brouhaha [bʀuaa] *nm* batahola, alboroto.
brouillage [bʀujaʒ] *nm* interferencia.
brouillard [bʀujaʀ] *nm* niebla.
brouille [bʀuj] *nf* desavenencia.
brouillé, e [bʀuje] *a* (*fâché*) desavenido(a); (*teint*) alterado(a).
brouiller [bʀuje] *vt* embarullar; (RADIO: *émission*) interferir; (*personnes, amis*) disgustar; desavenir; **~ les pistes** enredar las pistas; **se ~** (*ciel, temps*) nublarse; (*vitres, vue*) nublarse, empañarse; (*détails*) confundirse; (*amis*) disgustarse.
brouillon, ne [bʀujɔ̃, ɔn] *a* desordenado(a) // *nm* borrador *m*.
broussailles [bʀusɑj] *nfpl* zarzal *m*, maleza.
brousse [bʀus] *nf* monte *m*; (*péj*) monte, campo.
brouter [bʀute] *vt* pastar, ramonear // *vi* (*mécanisme*) engranar mal, vibrar.
broutille [bʀutij] *nf* fruslería.
broyer [bʀwaje] *vt* moler, triturar; **~ du noir** verlo todo negro.
bru [bʀy] *nf* nuera.
brucelles [bʀysɛl] *nfpl*: **(pinces) ~** pinzas finas.
bruine [bʀɥin] *nf* llovizna.
bruiner [bʀɥine] *vb impersonnel*: **il bruine** llovizna.
bruire [bʀɥiʀ] *vi* murmurar; zumbar; **bruissement** *nm* murmullo.
bruit [bʀɥi] *nm* ruido; (*fig*) rumor *m*; **sans ~** sin ruido, silenciosamente; (*fig*): **faire grand ~** dar resonancia; **~ de fond** ruido de fondo.
bruitage [bʀɥitaʒ] *nm* efectos sonoros; **bruiteur, euse** *nm/f* especialista *m/f* en efectos sonoros.
brûlant, e [bʀylɑ̃, ɑ̃t] *a* ardiente, que quema; (*regard*) ardiente; (*sujet*) candente.
brûlé, e [bʀyle] *a* (*fig*) desenmascarado(a) // *nm*: **odeur de ~** olor *m* a quemado.
brûle-pourpoint [bʀylpuʀpwɛ̃]: **à ~** *ad* a quemarropa.
brûler [bʀyle] *vt* quemar; (*suj: eau bouillante*) escaldar; (*consommer*) consumir; (*fig*) arder; (*feu rouge, signal*) pasar de largo // *vi* arder; (*se consumer*) arder, consumirse; (: *combustible*) consumirse; (*jeu*): **tu brûles** te quemas; **se ~** (*accidentellement*) quemarse; escaldarse; **se ~ la cervelle** levantarse la tapa de los sesos.
brûleur [bʀylœʀ] *nm* quemador *m*.
brûlure [bʀylyʀ] *nf* quemadura,

escaldadura; (*sensation*) quemazón *f*; **~s d'estomac** ardor *m* de estómago.
brume [bʀym] *nf* bruma; **brumeux, euse** *a* brumoso(a); (*fig*) confuso(a).
brun, e [bʀœ̃, yn] *a*, *nm/f* moreno(a) // *nm* (*couleur*) pardo; **~ir** [bʀyniʀ] *vi* tostarse // *vt* tostar.
brusque [bʀysk(ə)] *a* brusco(a); **~ment** *ad* bruscamente.
brusquer [bʀyske] *vt* tratar bruscamente; (*fig*) precipitar; **ne rien ~** no precipitarse.
brut, e [bʀyt] *a* bruto(a) // *nm*: **(champagne) ~** champán muy seco // *nf* bruto/a.
brutal, e, aux [bʀytal, o] *a* brutal; **~iser** *vt* maltratar; **~ité** *nf* brutalidad *f*.
brute [bʀyt] *af*, *nf voir* **brut**.
Bruxelles [bʀysɛl] *n* Bruselas.
bruyamment [bʀɥijamɑ̃] *ad* ruidosamente.
bruyant, e [bʀɥijɑ̃, ɑ̃t] *a* ruidoso(a).
bruyère [bʀyjɛʀ] *nf* brezo.
bu, e *pp de* **boire**.
buanderie [bɥɑ̃dʀi] *nf* lavadero.
Bucarest [bykaʀɛst] *n* Bucarest.
buccal, e, aux [bykal, o] *a*: **par voie ~e** por vía bucal.
bûche [byʃ] *nf* leño; (*fig*): **prendre une ~** darse un porrazo; **~ de Noël** *tipo de bizcocho navideño*.
bûcher [byʃe] *nm* hoguera // *vi*, *vt* (*fam*) empollar, dar duro.
bûcheron [byʃʀɔ̃] *nm* leñador *m*.
bucolique [bykɔlik] *a* bucólico(a).
Budapest [bydapɛst] *n* Budapest.
budget [bydʒɛ] *nm* presupuesto; **budgétaire** *a* presupuestario(a).
buée [bɥe] *nf* vapor *m*; (*de l'haleine*) vaho.
buffet [byfɛ] *nm* aparador *m*; (*de réception*) bufet *m*; (*de gare*) bar *m*.
buffle [byfl(ə)] *nm* búfalo.
buis [bɥi] *nm* boj *m*.
buisson [bɥisɔ̃] *nm* matorral *m*.
buissonnière [bɥisɔnjɛʀ] *af*: **faire l'école ~** hacer rabona.
bulbe [bylb(ə)] *nm* bulbo; (*coupole*) cúpula de bulbo.
bulgare [bylgaʀ] *a*, *nm/f* búlgaro(a) // *nm* (LING) búlgaro.
Bulgarie [bylgaʀi] *nf* Bulgaria.
bulldozer [buldozœʀ] *nm* máquina topadora.
bulle [byl] *nf* burbuja; (*papale*) bula; **~ de savon** pompa de jabón.
bulletin [byltɛ̃] *nm* boletín *m*, parte *m*; (SCOL) boletín; **~ d'informations** boletín de informaciones; **~ météorologique** boletín meteorológico; **~ de santé** parte médico; **~ (de vote)** papeleta.
buraliste [byʀalist(ə)] *nm/f* estanquero/a.
bure [byʀ] *nf* sayal *m*.
bureau, x [byʀo] *nm* escritorio; (*d'une entreprise*) administración *f*; (*service administratif*) oficinas; **~ de change** oficina de cambio; **~ de location** taquilla; **~ de poste** oficina de correos; **~ de tabac** estanco; **~ de vote** colegio electoral.
bureaucrate [byʀokʀat] *nm/f* burócrata *m/f*.
bureaucratie [byʀokʀasi] *nf* burocracia; **bureaucratique** [-tik] *a* burocrático(a).
burette [byʀɛt] *nf* (*de mécanicien*) aceitera; (*de chimiste*) bureta.
burin [byʀɛ̃] *nm* buril *m*.
buriné, e [byʀine] *a* (*fig*) marcado(a) profundamente.
burlesque [byʀlɛsk(ə)] *a* burlesco(a).
burnous [byʀnu] *nm* albornoz *m*.
bus [bys] *nm* autobús *m*.
buse [byz] *nf* cernícalo.
busqué, e [byske] *a*: **nez ~** nariz aguileña.
buste [byst(ə)] *nm* busto.
but [by] *nm* (*cible*) blanco; (*fig*: *d'un voyage*) meta; (: *d'une entreprise, action*) objetivo; (SPORT) portería; (: *point*) tanto; **de ~ en blanc** de buenas a primeras; **avoir pour ~ de faire** tener como objetivo hacer; **dans le ~ de...** con el propósito de...;

gagner par 3 ~s à 2 ganar por 3 tantos a 2.
butane [bytan] *nm* butano.
buté, e [byte] *a* terco(a).
butée [byte] *nf* tope *m* de retención.
buter [byte] *vi*: ~ **contre** *ou* **sur qch** tropezar con *o* en *o* contra algo; chocar con algo; (*fig*) tropezar con algo // *vt* (*braquer*) llevar a obstinarse; **se** ~ *vi* tropezarse; obstinarse.
buteur [bytœʀ] *nm* goleador *m*.
butin [bytɛ̃] *nm* botín *m*.
butiner [bytine] *vi* libar.
butor [bytɔʀ] *nm* (*fig*) cernícalo, bruto.
butte [byt] *nf* loma; **être en ~ à** ser el blanco de.
buvable [byvabl(ə)] *a* bebible; pasable.
buvais *etc vb voir* **boire**.
buvard [byvaʀ] *nm* secante *m*.
buvette [byvɛt] *nf* cantina.
buveur, euse [byvœʀ, øz] *nm/f* (*péj*) borracho/a; (*consommateur*) bebedor/a.
byzantin, e [bizɑ̃tɛ̃, in] *a* bizantino(a).

C

c' [s] *dét voir* **ce**.
ça [sa] *pron* (*pour désigner*: *proximité*) esto; (:*non proximité*) eso; (*plus loin*) aquello; (*comme sujet indéfini*) esto; eso *o* aquello; ~ **m'étonne que** me asombra que; ~ **va?** ¿qué tal?; **c'est** ~ muy bien, eso es.
çà [sa] *ad*: ~ **et là** aquí y allá.
caban [kabɑ̃] *nm* gabán *m*, chaquetón *m*.
cabane [kaban] *nf* cabaña; **cabanon** *nm* (*hutte*) cabañuela; (*en Provence*) casa de campo.
cabaret [kabaʀɛ] *nm* cabaret *m*.
cabas [kabɑ] *nm* cesto, canasta.
cabestan [kabɛstɑ̃] *nm* cabrestante *m*.
cabillaud [kabijo] *nm* bacalao fresco.
cabine [kabin] *nf* (*de bateau*) camarote *m*; (*de plage*) caseta; (*de camion, train, avion*) cabina; ~ **(d'ascenseur)** caja (del ascensor); ~ **spatiale** cabina de cápsula espacial; ~ **(téléphonique)** cabina (telefónica).
cabinet [kabinɛ] *nm* gabinete *m*; (*de médecin*) gabinete de consulta; (*d'avocat*) bufete *m*; (*clientèle*) clientela; **~s** *mpl* (*w.c.*) retretes *mpl*, excusados; ~ **de toilette** cuarto de aseo, tocador *m*.
câble [kɑbl(ə)] *nm* cable *m*; (*télégramme*) cable, cablegrama *m*; **câbler** *vt* telegrafiar, cablegrafiar.
cabosser [kabɔse] *vt* abollar.
cabotage [kabɔtaʒ] *nm* cabotaje *m*.
caboteur [kabɔtœʀ] *nm* motonave *f*.
cabotin, e [kabɔtɛ̃, in] *nm/f* comediante/a, comicastro/a; **~age** [-tinaʒ] *nm* fanfarronada.
cabrer [kɑbʀe] *vt* (*personne*) irritar, encolerizar; (*cheval, avion*) encabritar; **se** ~ *vi* (*cheval*) encabritarse.
cabri [kabʀi] *nm* cabrito.
cabriole [kabʀijɔl] *nf*: **faire des ~s** hacer cabriolas, dar volteretas.
cabriolet [kabʀijɔlɛ] *nm* (*aussi*: **voiture** ~) cabriolé *m*.
cacahuète [kakawɛt] *nf* maní *m*, cacahuete *m*.
cacao [kakao] *nm* cacao.
cachalot [kaʃalo] *nm* cachalote *m*.
cache [kaʃ] *nm* ocultador *m*; (*pour protéger l'objectif*) tapa protectora // *nf* escondite *m*.
cache-cache [kaʃkaʃ] *nm*: **jouer à** ~ jugar al escondite *m*.
cache-col [kaʃkɔl] *nm* bufanda.
cachemire [kaʃmiʀ] *nm* cachemira.
cache-nez [kaʃne] *nm inv* bufanda.
cache-pot [kaʃpo] *nm inv* cubretiesto, cubremaceta *m*.

cacher [kaʃe] *vt* ocultar, esconder; **je ne vous cache pas que** no le oculto que; **se ~** ocultarse, esconderse; (*être caché*) esconderse, disimularse; **se ~ de qn pour faire qch** ocultarse de alguien para hacer algo.
cachet [kaʃɛ] *nm* sello; (*d'artiste*) cachet *m*, retribución *f.*
cacheter [kaʃte] *vt* cerrar, pegar.
cachette [kaʃɛt] *nf* escondrijo; **en ~** a escondidas.
cachot [kaʃo] *nm* calabozo.
cachotterie [kaʃɔtʀi] *nf* secreteo, sigilo; **cachottier, ière** *a* sigiloso(a).
cachou [kaʃu] *nm* cachunde *m.*
cactus [kaktys] *nm* cactus *m.*
cadastre [kadastʀ(ə)] *nm* catastro; **cadastral, e, aux** *a* catastral.
cadavérique [kadɑveʀik] *a* cadavérico(a).
cadavre [kadɑvʀ(ə)] *nm* cadáver *m.*
cadeau, x [kado] *nm* regalo; (*fig*) ventaja; **faire un ~ à qn** hacer un regalo a alguien; **faire ~ de qch à qn** regalar algo a alguien.
cadenas [kadnɑ] *nm* candado; **~ser** [kadnase] *vt* poner candado a, cerrar con candado.
cadence [kadɑ̃s] *nf* cadencia, ritmo; (*de travail*) ritmo; **en ~** rítmicamente, cadenciosamente; **à la ~ de 10 par jour** a un ritmo de 10 por día; **cadencé, e** *a* cadencioso(a); (*MIL*): **pas cadencé** paso acompasado.
cadet, te [kadɛ, ɛt] *a*: **sœur/frère ~(te)** hermana/hermano menor // *nm/f* (*de la famille*) menor *m/f*; **les ~s** (*SPORT*) los menores, los cadetes.
Cadix [kadiks] *n* Cádiz.
cadran [kadʀɑ̃] *nm* esfera; (*du téléphone*) disco; **~ solaire** reloj *m* de sol.
cadre [kɑdʀ(ə)] *nm* marco; (*de vélo*) cuadro; (*milieu, entourage*) medio, ambiente *m*; (*ADMIN*) directivo, ejecutivo; **~ moyen/supérieur** (*ADMIN*) directivo medio/superior; **rayer qn des ~s** dar de baja a alguien; **dans le ~ de** (*fig*) en el marco de.
cadrer [kɑdʀe] *vi*: **~ avec qch** cuadrar con algo // *vt* encuadrar.
caduc, uque [kadyk] *a* (*théorie, loi*) caduco(a), perimido(a).
cafard [kafaʀ] *nm* (*ZOOL*) cucaracha; **avoir le ~** estar triste *o* melancólico(a).
café [kafe] *nm* (*plante*) cafeto; (*grains, boisson*) café *m*; (*bistro*) café, cafeteria // *a inv* café; **~ au lait/noir** café con leche/negro *o* solo; **~ bar** bar *m* cafetería; **~ tabac** café tabaquería; **~ine** [kafein] *nf* cafeína; **cafetier, ière** [kaftje, jɛʀ] *nm/f* dueño/a de un café // *nf* cafetera.
cafouiller [kafuje] *vi* (*personne*) confundirse, equivocarse; (*appareil, projet*) fallar.
cage [kaʒ] *nf* jaula; (*FOOTBALL*): **~ (des buts)** área (de meta), portería; **en ~** en jaula; **~ (d'escalier)** caja (de la escalera); **~ thoracique** caja toráxica.
cageot [kaʒo] *nm* caja.
cagibi [kaʒibi] *nm* cobertizo.
cagneux, euse [kaɲø, øz] *a* patizambo(a), chueco(a).
cagnotte [kaɲɔt] *nf* (*tire-lire*) hucha; (*argent*) baza, pozo.
cagoule [kagul] *nf* cogulla, capirote *m.*
cahier [kaje] *nm* cuaderno; (*TYPOGRAPHIE*) cuadernillo, pliego; (*revue*): **~s** cuadernos; **~ d'exercices/de brouillon** cuaderno de ejercicios/de borrador; **~ de revendications** pliego de reivindicaciones; **~ de doléances** libro de quejas *o* reclamaciones; **~ des charges** pliego de condiciones.
cahin-caha [kaɛ̃kaa] *ad* danda tumbos.
cahot [kao] *nm* traqueteo; **~er** *vi* sacudir // *vt* traquetear; **~eux, euse** *a* con baches.
cahute [kayt] *nf* pocilga.
caïd [kaid] *nm* cabecilla.

caille [kɑj] *nf* codorniz *f*.
caillé, e [kɑje] *a*: **lait ~** leche cuajada.
cailler [kɑje] *vi* cuajar, coagular.
caillot [kajo] *nm* coágulo.
caillou, x [kaju] *nm* piedra, guijarro; **~ter** *vt* empedrar, enguijarrar; **~teux, euse** *a* pedregoso(a); **~tis** *nm* pedregullo, grava.
caisse [kɛs] *nf* caja; **grosse ~** (*MUS*) bombo; **~ d'épargne/de retraite** caja de ahorros/de jubilaciones; **~ claire** (*MUS*) caja clara, tambor *m*; **~ enregistreuse** caja registradora; **caissier, ière** [kesje, jɛʀ] *nm/f* cajero/a; **caisson** [kɛsɔ̃] *nm* caja; (*de décompression*) campana.
cajoler [kaʒɔle] *vt* mimar; **~ies** [kaʒɔlʀi] *nfpl* mimos, arrumacos.
cake [kɛk] *nm* pan *m* de especias, bizcocho.
calaminé, e [kalamine] *a* empastado(a).
calamité [kalamite] *nf* calamidad *f*, catástrofe *f*.
calandre [kalɑ̃dʀ(ə)] *nf* rejilla, coraza.
calanque [kalɑ̃k] *nf* cala, bahía.
calcaire [kalkɛʀ] *nm* caliza // *a* calcáreo(a).
calciné, e [kalsine] *a* calcinado(a), carbonizado(a).
calcium [kalsjɔm] *nm* calcio.
calcul [kalkyl] *nm* cálculo; (*MÉD*): **~ (biliaire/rénal)** cálculo (biliar/renal); **~ mental** cálculo mental; **~ateur, trice** [-atœʀ, tʀis] *nm/f* calculador/ora // *nm* calculador *m* // *nf* calculadora.
calculer [kalkyle] *vt* calcular, estimar; (*combiner, arranger*) premeditar, calcular // *vi* calcular; (*péj*) premeditar, maquinar.
cale [kal] *nf* (*de bateau*) bodega; (*en bois*) cuña; **~ sèche** (*NAUT*) dique seco.
calé, e [kale] *a* (*fam*) calzado(a); (*personne*) sabihondo(a); (*problème*) difícil, arduo(a).
calebasse [kalbɑs] *nf* calabaza.
caleçon [kalsɔ̃] *nm* calzoncillos; **~ de bain** calzón *m* o pantalón *m* de baño.
calembour [kalɑ̃buʀ] *nm* retruécano.
calendrier [kalɑ̃dʀije] *nm* (*système*) calendario; (*objet*) calendario, almanaque *m*; (*fig*) calendario, programa *m*.
cale-pied [kalpje] *nm inv* calzapiés *m*.
calepin [kalpɛ̃] *nm* libreta, agenda.
caler [kale] *vt* (*fixer*) calzar; **~ (son moteur/véhicule)** parar (su motor/vehículo).
calfeutrer [kalføtʀe] *vt* colocar burletes a.
calibre [kalibʀ(ə)] *nm* (*d'un fruit*) diámetro; (*d'une arme*) calibre *m*; (*fig*) calibre, envergadura; **calibrer** *vt* (*fruits*) clasificar.
calice [kalis] *nm* cáliz *m*.
califourchon [kalifuʀʃɔ̃]: **à ~** *ad* a horcajadas.
câlin, e [kɑlɛ̃, in] *a* mimoso(a).
câliner [kɑline] *vt* mimar, acariciar.
calleux, euse [kalø, øz] *a* calloso(a).
calligraphie [kaligʀafi] *nf* caligrafía.
calmant, e [kalmɑ̃, ɑ̃t] *a* calmante, tranquilizador(ora) // *nm* (*MÉD*) calmante *m*.
calme [kalm(ə)] *a* calmo(a), tranquilo(a); (*décontracté*) sosegado(a), tranquilo(a) // *nm* calma, tranquilidad *f*; (*d'une personne*) calma, sosiego.
calmer [kalme] *vt* calmar, tranquilizar; (*douleur, jalousie, colère*) calmar, sosegar; **se ~** calmarse, tranquilizarse; (*vent, mer*) calmarse, apaciguarse; (*colère etc*) calmarse, sosegarse.
calomnie [kalɔmni] *nf* calumnia, difamación *f*; **calomnier** *vt* calumniar, difamar; **calomnieux, euse** *a* calumnioso(a), infamante.
calorie [kalɔʀi] *nf* caloría.
calorifère [kalɔʀifɛʀ] *nm* estufa.

calorifique [kalɔʀifik] *a* calorífico(a).
calorifuge [kalɔʀifyʒ] *a* calorífugo(a) // *nm* calorífugo, aislante *m*.
calot [kalo] *nm* (*MIL*) gorra.
calotte [kalɔt] *nf* (*coiffure*) birreta; (*gifle*) bofetada; (*GÉO*): ~ **glaciaire** casquete *m* glaciar.
calque [kalk(ə)] *nm* (*aussi*: **papier** ~) calco, papel *m* de calco; (*dessin, fig*) calco, imitación *f*.
calquer [kalke] *vt* calcar; (*fig*) copiar, imitar.
calvaire [kalvɛʀ] *nm* calvario, vía crucis *m*.
calvitie [kalvisi] *nf* calvicie *f*.
camaïeu [kamajø] *nm*: **(motif en)** ~ (motivo en) monocromo.
camarade [kamaʀad] *nm/f* camarada *m*, compañero/a.
camaraderie [kamaʀadʀi] *nf* (*amitié*) camaradería, compañerismo.
cambouis [kɑ̃bwi] *nm* grasa.
cambrer [kɑ̃bʀe] *vt* arquear; **se** ~ arquearse.
cambriolage [kɑ̃bʀijɔlaʒ] *nm* atraco, asalto.
cambrioler [kɑ̃bʀijɔle] *vt* atracar, asaltar; **cambrioleur, euse** *nm/f* asaltante *m/f*, ladrón/ona.
cambrure [kɑ̃bʀyʀ] *nf* arco, combadura.
cambuse [kɑ̃byz] *nf* (*NAUT*) gambuza, pañol *m*.
came [kam] *nf voir* **arbre**.
camée [kame] *nm* camafeo.
caméléon [kameleɔ̃] *nm* (*ZOOL*) camaleón *m*.
camelot [kamlo] *nm* vendedor ambulante *o* callejero.
camelote [kamlɔt] *nf* porquería.
caméra [kameʀa] *nf* cámara; ~**man** [-man] *nm* cameraman *m*, operador *m*.
camion [kamjɔ̃] *nm* camión *m*; (*charge*): ~ **de sable** *etc* camión de arena *etc*; ~**-citerne** *nm* camión *m* cisterna; ~**nage** *nm*: **frais/entreprise de** ~**nage** gastos/empresa de camionaje; ~**nette** *nf* camioneta; ~**neur** *nm* transportista *m*; (*chauffeur*) camionero.
camisole [kamizɔl] *nf*: ~ **(de force)** camisa (de fuerza).
camomille [kamɔmij] *nf* manzanilla.
camouflage [kamuflaʒ] *nm* camuflaje *m*.
camoufler [kamufle] *vt* camuflar; (*fig*) disimular, enmascarar.
camp [kɑ̃] *nm* campamento; (*POL, SPORT*) campo; ~ **de concentration** campo de concentración; ~ **de nudistes** campo *o* colonia nudista; ~ **de vacances** colonia de vacaciones.
campagnard, e [kɑ̃paɲaʀ, aʀd(ə)] *a* campestre, rustico(a) // *nm/f* campesino/a.
campagne [kɑ̃paɲ] *nf* (*nature*) campo; (*province*) pueblo; (*opposé à*: *mer, montagne*) campo, campiña; (*MIL, POL, COMM*) campaña; **en** ~ (*MIL*) en campaña; **à la** ~ en el campo.
campanile [kɑ̃panil] *nm* campanario.
campement [kɑ̃pmɑ̃] *nm* campamento.
camper [kɑ̃pe] *vi* acampar // *vt* (*chapeau etc*) plantarse, meterse; (*dessin, tableau, personnage*) trazar; **se** ~ **devant qn/qch** plantarse frente a alguien/algo; **campeur, euse** *nm/f* campista *m/f*.
camphre [kɑ̃fʀ(ə)] *nm* alcanfor *m*; **camphré, e** *a* alcanforado(a).
camping [kɑ̃piŋ] *nm* camping *m*; **(terrain de)** ~ camping; **faire du** ~ practicar camping.
camus, e [kamy, yz] *a*: **nez** ~ nariz chata *o* aplastada.
Canada [kanada] *nm* Canadá *m*; **canadien, ne** *a, nm/f* canadiense (*m/f*) // *nf gaban forrado en piel*.
canaille [kanɑj] *nf* (*péj*) (*crapule*) canalla *m*, vil *m/f*.
canal, aux [kanal, o] *nm* canal *m*; (*ANAT*) canal, conducto; (*ADMIN*): **par le** ~ **de** por medio *o* conducto de.

canalisation [kanalizɑsjɔ̃] *nf* canalización *f*; cañería.
canaliser [kanalize] *vt* (*eau*) canalizar; (*fig*) orientar, canalizar.
canapé [kanape] *nm* (*fauteuil*) sofá *m*; (CULIN) canapé *m*.
canard [kanaʀ] *nm* (ZOOL) pato.
canari [kanaʀi] *nm* canario.
Canaries [kanaʀi] *nfpl*: **les** ~ las Islas Canarias.
cancans [kɑ̃kɑ̃] *nmpl* habladurías, murmuraciones.
cancer [kɑ̃sɛʀ] *nm* cáncer *m*; (ASTRO): **le C**~ Cáncer; **être du C**~ ser de Cáncer; **cancéreux, euse** *a, nm/f* canceroso(a); **cancérigène** [kɑ̃seʀiʒɛn] *a* cancerígeno(a) // *nm* cancerígeno.
cancre [kɑ̃kʀ(ə)] *nm* zángano, holgazán(ana).
cancrelat [kɑ̃kʀəla] *nm* cucaracha.
candélabre [kɑ̃delɑbʀ(ə)] *nm* candelabro.
candeur [kɑ̃dœʀ] *nf* candor *m*, candidez *f*.
candi [kɑ̃di] *a inv*: **sucre** ~ azúcar cristalizado *o* cande.
candidat, e [kɑ̃dida, at] *nm/f* candidato/a; ~**ure** *nf* candidatura.
candide [kɑ̃did] *a* candido(a), ingenuo(a).
cane [kan] *nf* pata.
caneton [kantɔ̃] *nm* patito.
canette [kanɛt] *nf* (*de bière*) botella; (COUTURE) canilla, bobina.
canevas [kanva] *nm* cañamazo; (*fig*) bosquejo, esbozo.
caniche [kaniʃ] *nm* caniche *m*.
canicule [kanikyl] *nf* canícula, bochorno.
canif [kanif] *nm* navaja, cortaplumas *m inv*.
canin, e [kanɛ̃, in] *a* canino(a) // *nf* canino.
caniveau, x [kanivo] *nm* arroyo.
canne [kan] *nf* bastón *m*; ~ **à pêche** caña de pescar; ~ **à sucre** caña de azúcar.
cannelle [kanɛl] *nf* (BOT) canela.
cannelure [kanlyʀ] *nf* estría.
cannibale [kanibal] *a, nm/f* caníbal (*m/f*).
canoë [kanɔe] *nm* bote *m*, canoa; ~ **(kayac)** (SPORT) kayac *m*, bote de canalete.
canon [kanɔ̃] *nm* cañon *m*; (*fig*: *type*) canon *m*, modelo; (*règles, code*) canon.
cañon [kaɲɔ̃] *nm* (GÉO) cañón *m*.
canoniser [kanɔnize] *vt* canonizar.
canonnade [kanɔnad] *nf* cañoneo.
canonnier [kanɔnje] *nm* artillero.
canonnière [kanɔnjɛʀ] *nf* cañonera.
canot [kano] *nm* bote *m*; ~ **pneumatique** bote inflable *o* neumático; ~ **de sauvetage** bote salvavidas; ~**er** *vi* remar, andar en bote.
canotier [kanɔtje] *nm* sombrero de paja.
cantate [kɑ̃tat] *nf* cantata.
cantatrice [kɑ̃tatʀis] *nf* cantante *f*.
cantine [kɑ̃tin] *nf* (*malle*) baúl *m*; (*restaurant*) cantina.
cantique [kɑ̃tik] *nm* (REL) cántico.
canton [kɑ̃tɔ̃] *nm* (*en France*) partido; (*en Suisse*) cantón *m*.
cantonade [kɑ̃tɔnad]: **à la** ~ *ad* a los cuatro vientos.
cantonner [kɑ̃tɔne] *vt* (*troupes*) acantonar; (*personne*) encasillar, limitar; **se** ~ **dans** aislarse en, limitarse a.
cantonnier [kɑ̃tɔnje] *nm* obrero caminero.
canular [kanylaʀ] *nm* broma, jugarreta.
canule [kanyl] *nf* (MÉD) cánula.
caoutchouc [kautʃu] *nm* caucho, goma; (*élastique*) elástico; **en** ~ de caucho *o* goma; ~**-mousse** *nm* goma espuma; **caoutchouté, e** *a* impermeabilizado(a); **caoutchouteux, euse** *a* correoso(a), gomoso(a).
cap [kap] *nm* (GÉO) cabo; (NAUT) proa; (*fig*) límite *m*, barrera; **mettre le** ~ **sur** hacer rumbo a.
CAP *sigle m voir* **certificat**.
capable [kapabl(ə)] *a* (*compétent*)

capacitado(a), competente; ~ **de faire** capaz de *o* apto(a) para hacer; ~ **d'un effort** capaz de un esfuerzo; **il est** ~ **d'échouer** es capaz de fracasar; **livre** ~ **d'intéresser** libro susceptible de interés; **capacité** [kapasite] *nf* capacidad *f*, competencia; (*d'un récipient*) capacidad *f*; (*diplôme*): ~ **(en droit)** *idoneidad en derecho*.
cape [kap] *nf* capa.
CAPES *sigle m voir* **certificat**.
capharnaüm [kafaRnaɔm] *nm* leonera, cuchitril *m*.
capillaire [kapilɛR] *a* capilar; **artiste** ~ peinador/ora.
capillarité [kapilaRite] *nf* capilaridad *f*.
capilotade [kapilɔtad]: **en** ~ *ad* hecho añicos *o* papilla.
capitaine [kapitɛn] *nm* capitán *m*.
capital, e, aux [kapital, o] *a* capital; (*JUR*): **peine** ~**e** pena capital // *nm* capital *m*; (*fig*) capital, caudal *m* // *nf* (*ville*) capital *f*; (*lettre*) mayúscula; **capitaux** *mpl* capitales *mpl*, fondos; ~ **(social)** capital *m*, patrimonio; ~**iser** *vt* capitalizar.
capitalisme [kapitalism(ə)] *nm* capitalismo; **capitaliste** *a*, *nm/f* capitalista (*m/f*).
capiteux, euse [kapitø, øz] *a* embriagador(ora); (*femme*) sensual.
capitonner [kapitɔne] *vt* acolchar.
capitulation [kapitylɑsjɔ̃] *nf* capitulación *f*.
capituler [kapityle] *vi* capitular.
caporal, aux [kapɔRal, o] *nm* cabo.
capot [kapo] *nm* capó // *a inv* capote.
capote [kapɔt] *nf* (*de voiture*) capota; (*de soldat*) capote *m*.
capoter [kapɔte] *vi* volcar, darse vuelta.
câpre [kɑpR(ə)] *nf* alcaparra.
caprice [kapRis] *nm* capricho, antojo; ~**s** *mpl* (*de la mode etc*) caprichos; **capricieux, euse** *a* (*enfant, femme*) caprichoso(a); (*vent, moteur*) variable, inconstante.
Capricorne [kapRikɔRn(ə)] *nm* (*ASTRO*): **le** ~ Capricornio; **être du** ~ ser de Capricornio.
capsule [kapsyl] *nf* cápsula; (*de bouteille*) cápsula, tapa.
capter [kapte] *vt* (*eau*) canalizar; (*RADIO*) captar; (*attention, intérêt*) captar, atraer.
captieux, euse [kapsjø, øz] *a* capcioso(a), falso(a).
captif, ive [kaptif, iv] *a*, *nm/f* cautivo(a), prisionero(a).
captiver [kaptive] *vt* cautivar, atraer.
captivité [kaptivite] *nf* cautiverio, prisión *f*; **en** ~ prisionero(a), en cautiverio.
capture [kaptyR] *nf* captura.
capturer [kaptyRe] *vt* capturar, apresar.
capuche [kapyʃ] *nf* (*de manteau*) capucha.
capuchon [kapyʃɔ̃] *nm* capuchón *m*.
capucine [kapysin] *nf* (*BOT*) capuchina, espuela de galán.
caquet [kakɛ] *nm*: **rabattre le** ~ **à qn** bajarle el copete a alguien.
caqueter [kakte] *vi* cacarear.
car [kaR] *nm* autobús *m* de turismo, microbús *m* // *conj* pues, porque.
carabine [kaRabin] *nf* carabina.
caracoler [kaRakɔle] *vi* (*cheval*) caracolear.
caractère [kaRaktɛR] *nm* carácter *m*, temperamento; (*fermeté*) carácter, firmeza; (*de choses: nature*) carácter; (*cachet*) carácter, personalidad *f*; (*lettre, signe*) letra, carácter; ~ **(d'imprimerie)** letra (de imprenta); **en** ~**s gras** en negrita; **prière d'écrire en** ~**s d'imprimerie** se ruega escribir en letra de imprenta; **avoir du** ~ (*personne*) tener carácter; (*paysage, musique*) tener personalidad *o* originalidad; **avoir bon/mauvais** ~ tener buen/mal carácter.
caractériel, le [kaRakteRjɛl] *a* del

carácter // *nm/f* inadaptado/a.
caractérisé, e [kaʀakteʀize] *a* característico(a), peculiar.
caractériser [kaʀakteʀize] *vt* (*définir*) caracterizar, definir; **se ~ par** caracterizarse por; **caractéristique** *a* característico(a), típico(a) // *nf* característica, rasgo.
carafe [kaʀaf] *nf* jarra.
carambolage [kaʀɑ̃bɔlaʒ] *nm* choques *mpl* en serie.
caramel [kaʀamɛl] *nm*, *a inv* caramelo; **caraméliser** *vt* (*sucre*) acaramelar.
carapace [kaʀapas] *nf* caparazón *m*, concha; (*fig*) capa, caparazón.
carat [kaʀa] *nm* quilate *m*; **or à 18 ~s** oro de 18 quilates.
caravane [kaʀavan] *nf* (*de chameaux*) caravana; (*camping*) autovivienda, roulotte *f*.
caravaning [kaʀavaniŋ] *nm* (*camping*) *camping practicado con roulotte.*
carbone [kaʀbɔn] *nm* carbono; (*aussi*: **papier ~**) papel *m* carbón; (*double*) copia, duplicado; **carbonique** *a*: **gaz carbonique** anhidrio carbónico; **neige carbonique** nieve carbónica.
carboniser [kaʀbɔnize] *vt* carbonizar.
carburant [kaʀbyʀɑ̃] *nm* carburante *m*.
carburateur [kaʀbyʀatœʀ] *nm* carburador *m*.
carburation [kaʀbyʀɑsjɔ̃] *nf* carburación *f*.
carcan [kaʀkɑ̃] *nm* (*fig*) yugo.
carcasse [kaʀkas] *nf* armazón *m*, esqueleto; (*de voiture*) armazón.
carder [kaʀde] *vt* cardar.
cardiaque [kaʀdjak] *a*, *nm/f* cardíaco(a).
cardigan [kaʀdigɑ̃] *nm* cardigan *m*, chaqueta de punto.
cardinal, e, aux [kaʀdinal, o] *a* cardinal // *nm* (REL) cardenal *m*.
cardiologie [kaʀdjɔlɔʒi] *nf* cardiología; **cardiologue** [-lɔg] *nm/f* cardiólogo/a.
carême [kaʀɛm] *nm* (*fête*) cuaresma.
carence [kaʀɑ̃s] *nf* incapacidad *f*, ineptitud *f*; (*manque*) carencia, insuficiencia; **~ vitaminique** carencia vitamínica.
carène [kaʀɛn] *nf* obra viva.
caréner [kaʀene] *vt* (NAUT) carenar; (AUTO) dar forma aerodinámica a.
caressant, e [kaʀɛsɑ̃, ɑ̃t] *a* afectuoso(a), cariñoso(a); (*voix, regard*) acariciador(ora), aterciopelado(a).
caresse [kaʀɛs] *nf* caricia.
caresser [kaʀese] *vt* acariciar; (*projet, espoir*) acariciar, abrigar.
cargaison [kaʀgɛzɔ̃] *nf* carga, cargamento.
cargo [kaʀgo] *nm* carguero, buque *m* de carga.
caricatural, e, aux [kaʀikatyʀal, o] *a* caricaturesco(a).
caricature [kaʀikatyʀ] *nf* (*dessin*) caricatura; **caricaturiste** *nm/f* caricaturista *m/f*.
carie [kaʀi] *nf*: **~ (dentaire)** caries *f* (dental); **carié, e** [kaʀje] *a*: **dent cariée** diente cariado.
carillon [kaʀijɔ̃] *nm* (*d'église*) carillón *m*; (*pendule*) carillón, *reloj de pared con carillón*; (*sonnette*): **~ (électrique)** timbre *m*.
carillonner [kaʀijɔne] *vi* repicar, tañer.
carlingue [kaʀlɛ̃g] *nf* carlinga.
carnage [kaʀnaʒ] *nm* degollina, carnicería.
carnassier, ière [kaʀnasje, jɛʀ] *a* carnicero(a), carnívoro(a) // *nm/f* carnívoro/a.
carnation [kaʀnɑsjɔ̃] *nf color de la tez.*
carnaval [kaʀnaval] *nm* carnaval *m*.
carnet [kaʀnɛ] *nm* libreta; (*de tickets etc*) cuadernillo, taco; (*journal intime*) diario íntimo; **~ de chèques** talonario de cheques; **~ de commandes** talonario *o* libreta de pedidos.

carnier [karnje] *nm* morral *m*.
carnivore [karnivɔr] *a, nm/f* carnívoro(a).
carotide [karɔtid] *nf* carótida.
carotte [karɔt] *nf* (*BOT*) zanahoria.
carpe [karp(ə)] *nf* (*ZOOL*) carpa.
carpette [karpɛt] *nf* alfombrilla.
carquois [karkwa] *nm* carcaj *m*.
carré, e [kare] *a* cuadrado(a); (*direct, franc*) franco(a), directo(a) // *nm* cuadrado; (*de terrain, jardin*) arriate *m*; (*NAUT*) sala, cámara; **élever un nombre au ~** elevar un número al cuadrado; **mètre ~** metro cuadrado; **~ d'as** póker *m* de ases.
carreau, x [karo] *nm* baldosa, azulejo; (*de fenêtre*) vidrio, cristal *m*; (*dessin*) cuadro; (*CARTES*) diamantes *mpl*, ≈ oros; (:*carte*) diamante *m*, ≈ oro; **papier à ~x** papel *m* de cuadros.
carrefour [karfur] *nm* cruce *m*; (*fig*) punto de reunión *o* de encuentro.
carrelage [karlaʒ] *nm* embaldosado; solado.
carreler [karle] *vt* embaldosar, solar; **carreleur** *nm* embaldosador *m*, solador *m*.
carrelet [karlɛ] *nm* (*filet*) nasa; (*poisson*) platija.
carrément [karemɑ̃] *ad* francamente, directamente.
carrer [kare] : **se ~** *vi*: **se ~ dans un fauteuil** arrellanarse en un sillón.
carrier [karje] *nm*: (**ouvrier**) **~** cantero, picapedrero.
carrière [karjɛr] *nf* cantera; (*métier*) carrera; **militaire de ~** militar *m* de carrera; **faire ~ dans** hacer carrera en.
carriole [karjɔl] *nf* carricoche *m*.
carrossable [karɔsabl(ə)] *a* transitable.
carrosse [karɔs] *nm* carroza.
carrosserie [karɔsri] *nf* carrocería; **carrossier** *nm* carrocero; (*dessinateur*) diseñador *m* de carrocerías.
carrousel [karuzɛl] *nm* carrusel *m*.
carrure [karyr] *nf* anchura del torso; **de ~ athlétique** de torso atlético.
cartable [kartabl(ə)] *nm* cartera.
carte [kart(ə)] *nf* (*GÉO*) mapa; (*de fichier*) ficha; (*de jeu*) naipe *m*, carta; (*d'électeur, d'abonnement etc*) tarjeta, carnet *m*; (*au restaurant*) carta, menú *m*; (*aussi*: **~ postale**) (tarjeta) postal *f*; (*aussi*: **~ de visite**) tarjeta (de visita); **à la ~** (*au restaurant*) a la carta; **donner ~ blanche** dar carta blanca; **~ grise** *título de propiedad de un coche*; **~ d'identité** cédula de identidad; **~ perforée** ficha perforada.
cartel [kartɛl] *nm* frente *m*.
carte-lettre [kartəlɛtr(ə)] *nf* billete *m* postal.
carter [kartɛr] *nm* (*AUTO*) cárter *m*.
cartilage [kartilaʒ] *nm* cartílago.
cartographe [kartɔgraf] *nm/f* cartógrafo/a.
cartographie [kartɔgrafi] *nf* cartografía.
cartomancie [kartɔmɑ̃si] *nf* cartomancia; **cartomancien, ne** *nm/f* cartomántico/a.
carton [kartɔ̃] *nm* cartón *m*; (*boîte*) caja; (*carte, ticket*) tarjeta, ficha; **en ~** de cartón; **faire un ~** (*au tir*) tirar al blanco; **~ (à dessin)** cartapacio.
cartonnage [kartɔnaʒ] *nm* (*emballage*) embalaje *m*.
cartonné, e [kartɔne] *a* en cartoné.
carton-pâte [kartɔ̃pɑt] *nm* cartón *m* piedra.
cartouche [kartuʃ] *nf* (*de fusil*) cartucho; (*de stylo*) carga; (*de film, de ruban encreur*) carrete *m*; **cartouchière** *nf* canana.
cas [kɑ] *nm* caso; **faire grand ~ de** dar gran importancia a; **en aucun ~** en ningún caso, de ninguna manera; **au ~ où** en caso de que, en

el caso que; **en** ~ **de** en caso de; **en tout** ~ en todo caso, de todos modos; ~ **de conscience** caso de conciencia; ~ **limite** caso límite *o* extremo.
casanier, ière [kazanje, jɛʀ] *a* casero(a).
casaque [kazak] *nf* casaca.
cascade [kaskad] *nf* cascada; (*fig*) lluvia, andanada.
cascadeur [kaskadœʀ] *nm* doble *m*.
case [kɑz] *nf* (*hutte*) choza; (*compartiment*) casilla, compartimiento; (*sur une surface*) casilla; **cochez la** ~ **réservée à cet effet** señale la casilla reservada a tal efecto.
caséine [kazein] *nf* caseína.
casemate [kazmat] *nf* casamata.
caser [kaze] *vt* colocar, meter; (*personne*) colocar.
caserne [kazɛʀn(ə)] *nf* cuartel *m*.
casernement [kazɛʀnəmɑ̃] *nm* acuartelamiento; (*caserne*) cuartel *m*.
cash [kaʃ] *ad*: **payer** ~ pagar al contado.
casier [kɑzje] *nm* casillero; (*à poisson*) nasa; ~ **judiciaire** registro de antecedentes, prontuario.
casino [kazino] *nm* casino.
casque [kask(ə)] *nm* casco; (*chez le coiffeur*) secador *m*; (*pour audition*) auriculares *mpl*.
casquette [kaskɛt] *nf* gorra.
cassant, e [kɑsɑ̃, ɑ̃t] *a* quebradizo(a); tajante.
cassate [kasat] *nf*: (**glace**) ~ postre helado.
cassation [kɑsɑsjɔ̃] *nf* (*JUR*): **se pourvoir en** ~ apelar al Tribunal Supremo; **recours en** ~ recurso de casación; **cour de** ~ Tribunal Supremo.
casse [kɑs] *nf*: **mettre à la** ~ dar *o* vender como chatarra; **il y a eu de la** ~ hubo daños *o* pérdidas.
casse... [kɑs] *préf*: ~**-cou** *a inv* peligroso(a), riesgoso(a); (*imprudent*) arriesgado(a), alocado(a) // *nm inv* imprudente *m/f*, temerario/a; **crier** ~**-cou** prevenir del peligro; ~**-croûte** *nm inv* merienda, refrigerio; ~**-noisette(s)**, ~**-noix** *nm inv* cascanueces *m*; ~**-pieds** (*fam*) *a* fastidioso(a), insufrible // *nm/f* pesado/a.
casser [kɑse] *vt* romper, quebrar; (*montre, moteur*) romper, deteriorar; (*gradé*) dejar cesante; (*arrêt, décision*) anular, casar // *vi* romperse, cortarse; **se** ~ *vi* quebrarse, romperse; (*être fragile*) quebrarse.
casserole [kasʀɔl] *nf* cacerola; **à la** ~ (*CULIN*) a la cacerola.
casse-tête [kɑstɛt] *nm inv* (*aussi*: ~ **chinois**) quebradero de cabeza.
cassette [kasɛt] *nf* bobina de cinta magnetofónica, cassette *m*; (*coffret*) joyero, cofrecito.
casseur [kɑsœʀ] *nm* depredador *m*.
cassis [kasis] *nm* (*BOT*) grosellero negro; (*liqueur*) casis *m*; (*de la route*) badén *m*.
cassonade [kasɔnad] *nf* azúcar semirrefinado.
cassoulet [kasulɛ] *nm guiso de judías*.
cassure [kɑsyʀ] *nf* (*fissure*) rotura, grieta.
castagnettes [kastaɲɛt] *nfpl* castañuelas.
caste [kast(ə)] *nf* casta.
Castille [kastij] *nf*: **la** ~ Castilla.
castor [kastɔʀ] *nm* (*ZOOL*) castor *m*.
castrer [kastʀe] *vt* castrar.
cataclysme [kataklism(ə)] *nm* cataclismo.
catacombes [katakɔ̃b] *nfpl* catacumbas.
catadioptre [katadjɔptʀ(ə)] *nm* = **cataphote.**
catafalque [katafalk(ə)] *nm* catafalco, túmulo.
catalepsie [katalɛpsi] *nf* catalepsia.
catalogue [katalɔg] *nm* catálogo; **cataloguer** *vt* catalogar.
Catalogne [katalɔɲ] *nf* Cataluña.
catalyse [kataliz] *nf* catálisis *f*;

catalyseur *nm* catalizador/ora.
cataphote [katafɔt] *nm* reflectante *m.*
cataplasme [kataplasm(ə)] *nm* cataplasma *m.*
catapulte [katapylt(ə)] *nf* catapulta; **catapulter** *vt* catapultar.
cataracte [kataʀakt(ə)] *nf* catarata; **opérer qn de la ~** operar a alguien de catarata.
catarrhe [kataʀ] *nm* catarro.
catastrophe [katastʀɔf] *nf* catástrofe *f*, desastre *m*; **catastrophique** *a* catastrófico(a), desastroso(a).
catch [katʃ] *nm* (SPORT) catch *m*, lucha libre; **~eur, euse** *nm/f* luchador/ora de catch.
catéchiser [kateʃize] *vt* (*endoctriner*) adoctrinar, aleccionar.
catéchisme [kateʃism(ə)] *nm* catecismo.
catéchumène [katekymɛn] *nm/f* catecúmeno/a.
catégorie [kategɔʀi] *nf* categoría.
catégorique [kategɔʀik] *a* categórico(a).
cathédrale [katedʀal] *nf* catedral *f.*
cathode [katɔd] *nf* cátodo.
catholicisme [katɔlisism(ə)] *nm* catolicismo.
catholique [katɔlik] *a, nm/f* católico(a); **pas très ~** no muy católico(a) *o* limpio(a).
catimini [katimini] : **en ~** *ad* a escondidas.
cauchemar [koʃmaʀ] *nm* pesadilla; **~desque** *a* de pesadilla.
caudal, e, aux [kodal, o] *a* caudal.
causal, e [kozal] *a* causal.
causalité [kozalite] *nf* causalidad *f.*
cause [koz] *nf* causa, motivo; (JUR) causa; **être ~ de** ser causa *o* motivo de; **à ~ de** (*gén*) a causa *o* en razón de; (*par la faute de*) a causa *o* por culpa de; **pour ~ de décès** *etc* por deceso *etc*; **(et) pour ~** (y) con causa *o* razón; **être/mettre en ~** estar/poner en juego; **être hors de ~** estar fuera de cuestión; **en tout état de ~** en todo caso, sea como fuere.
causer [koze] *vt* causar, provocar // *vi* charlar, conversar.
causerie [kozʀi] *nf* charla.
caustique [kostik] *a* caústico(a).
cauteleux, euse [kotlø, øz] *a* taimado(a), ladino(a).
cautériser [kɔteʀize] *vt* cauterizar.
caution [kosjɔ̃] *nf* (*argent*) garantía, fianza; (JUR) caución *f*; (*soutien, appui*) apoyo, aval *m*; **libéré sous ~** (JUR) liberado baja fianza; **sujet à ~** dudoso, inseguro; **~nement** *nm* aval *m*; fianza; **~ner** *vt* avalar, apoyar.
cavalcade [kavalkad] *nf* cabalgata.
cavalerie [kavalʀi] *nf* caballería.
cavalier, ière [kavalje, jɛʀ] *a* desconsiderado(a), impertinente // *nm/f* jinete/a; (*au bal*) pareja *m/f*, acompañante/a // *nm* (ÉCHECS) caballo; **faire ~ seul** hacer rancho aparte.
cave [kav] *nf* sótano; (*réserve de vins*) bodega; (*cabaret*) cabaret *m* en el subsuelo // *a*: **yeux ~s** ojos hundidos.
caveau, x [kavo] *nm* sepulcro.
caverne [kavɛʀn(ə)] *nf* caverna.
caverneux, euse [kavɛʀnø, øz] *a*: **voix caverneuse** voz cavernosa.
caviar [kavjaʀ] *nm* caviar *m.*
cavité [kavite] *nf* cavidad *f*, hueco.
CC *abrév de* **corps consulaire**.
CCP *sigle m voir* **compte**.
CD *abrév de* **corps diplomatique**.
ce(c'), cet, cette, ces [sə, sɛt, se] *dét* (*proximité*) este *m*, esta *f*, estos *mpl*, estas *fpl*; (*non proximité*) ese *m*, esa *f*, esos *mpl*, esas *fpl*; (: *plus loin*) aquel *m*, aquella *f*, aquellos *mpl*, aquellas *fpl*; **~ chapeau-ci/là** este/ese *o* aquel sombrero; **cette nuit** (*qui vient*) esta noche; (*passée*) anoche // *pron*: **~ qui, que** lo que; **tout ~ qui/que** todo cuanto *o* lo

que; **il n'avait pas d'enfants ~ qui le chagrinait** no tenía niños lo que *o* lo cual le apenaba; **~ dont j'ai parlé** lo *o* eso de que hablé; **s'attendre à ~ que** esperar a que; **~ que c'est grand!** ¡qué grande (es)!; **c'est: c'est petit/grand** es pequeño/grande; **c'est un peintre, ~ sont des peintres** es un pintor, son pintores; **c'est le plombier** *etc* (*à la porte*) es el fontanero *etc*; soy el fontanero *etc*; **c'est une voiture** es un coche; **qui est-~?** ¿quién es?; (*en désignant*) ¿quién es éste/ésta?; **qu'est-~?** ¿qué es?; ...: **c'est qu'il est lent** ...es que es lento; *voir aussi* **-ci, est-ce que, n'est-ce pas, c'est-à-dire**.

ceci [səsi] *pron* esto.

cécité [sesite] *nf* ceguera.

céder [sede] *vt* ceder, traspasar // *vi* ceder; (*personne*) ceder, someterse; **~ à** ceder a.

cédille [sedij] *nf* cedilla.

cèdre [sɛdʀ(ə)] *nm* cedro.

CEE *sigle f voir* **communauté**.

ceindre [sɛ̃dʀ(ə)] *vt* ceñir.

ceinture [sɛ̃tyʀ] *nf* cinturón *m*, correa; (*fig*) cintura; **jusqu'à la ~** hasta la cintura; **~ de sécurité** cinturón de seguridad.

ceinturer [sɛ̃tyʀe] *vt* atrapar por la cintura a; (*entourer*) rodear.

ceinturon [sɛ̃tyʀɔ̃] *nm* cinto, cinturón *m*.

cela [səla] *pron* eso; (*plus loin*) aquello; (*comme sujet indéfini*) eso; aquello; **~ m'étonne que...** me asombra que...; **quand/où ~?** ¿cuándo/dónde?

célèbre [selɛbʀ(ə)] *a* célebre, famoso(a).

célébrer [selebʀe] *vt* celebrar, festejar; (*messe*) celebrar; (*personne*) encomiar, celebrar.

célébrité [selebʀite] *nf* celebridad *f*, renombre *m*; (*star*) celebridad.

céleri [sɛlʀi] *nm*: **~(-rave)** apio nabo; **~ en branche** apio.

célérité [seleʀite] *nf* celeridad *f*, rapidez *f*.

céleste [selɛst(ə)] *a* celeste, celestial.

célibat [seliba] *nm* celibato.

célibataire [selibatɛʀ] *a* célibe, soltero(a); (*ADMIN*) soltero(a) // *nm/f* soltero/a.

celle, celles [sɛl] *pron voir* **celui**.

cellier [selje] *nm* bodega.

cellophane [selɔfan] *nf* celofán *m*.

cellulaire [selylɛʀ] *a* (*BIO*) celular; **voiture** *ou* **fourgon ~** coche *m o* furgón *m* celular.

cellule [selyl] *nf* célula; (*de prisonnier, moine*) celda; **~ photo-électrique** célula fotoeléctrica.

cellulite [selylit] *nf* celulitis *f*.

celluloïd [selylɔid] *nm* celuloide *m*.

cellulose [selyloz] *nf* celulosa.

celui, celle, ceux, celles [səlɥi, sɛl, sø] *pron* el *m*, la *f*, los *mpl*, las *fpl*; **~ qui/que** el que; **~ dont je parle** el de que hablo; **~ qui veut** (*valeur indéfinie*) quien *o* el que quiera; **~ du salon/de mon frère** el del salon/de mi hermano; **~-ci/- là, celle-ci/-là** éste/ése *o* aquél, ésta/ésa *o* aquélla; **ceux-ci, celles-ci** éstos, éstas; **ceux-là, celles-là** ésos *o* aquéllos, ésas *o* aquéllas.

cénacle [senakl(ə)] *nm* cenáculo.

cendre [sɑ̃dʀ(ə)] *nf* ceniza; **~s** *fpl* cenizas; (*d'un défunt*) cenizas, restos; **sous la ~** (*CULIN*) en las cenizas; **cendré, e** *a* ceniciento(a); **piste cendrée** pista de ceniza; **cendrier** [sɑ̃dʀije] *nm* cenicero.

cène [sɛn] *nf* (*REL*) (última) cena.

censé, e [sɑ̃se] *a* supuesto(a); **être ~ faire** suponerse que hace.

censeur [sɑ̃sœʀ] *nm* (*ADMIN*) celador *m*; (*qui censure*) censor *m*.

censure [sɑ̃syʀ] *nf* censura.

censurer [sɑ̃syʀe] *vt* censurar; (*POL*) censurar, reprobar.

cent [sɑ̃] *num* cien; **pour ~ ()** por ciento.

centaine [sɑ̃tɛn] *nf* centena.

centenaire [sɑ̃tnɛʀ] *a* centenario(a), secular // *nm/f* centenario/a // *nm* centenario.

centième [sɑ̃tjɛm] *num* centésimo(a).
centigrade [sɑ̃tigʀad] *nm* centígrado.
centigramme [sɑ̃tigʀam] *nm* centigramo.
centilitre [sɑ̃tilitʀ(ə)] *nm* centilitro.
centime [sɑ̃tim] *nm* centavo, céntimo.
centimètre [sɑ̃timɛtʀ(ə)] *nm* centímetro; (*ruban*) cinta métrica.
central, e, aux [sɑ̃tʀal, o] *a* central // *nf* (*prison*) central *f* // *nm*: ~ **(téléphonique)** central (telefónica); ~**e électrique/nucléaire** central eléctrica/nuclear; ~**e syndicale** centralsindical.
centraliser [sɑ̃tʀalize] *vt* centralizar.
centre [sɑ̃tʀ(ə)] *nm* centro; ~ **de gravité** centro de gravedad; ~ **national de la recherche scientifique, CNRS** centro nacional de la investigación científica; ~ **de tri** (*POSTES*) centro de clasificación, sala de batalla; **le ~-ville** el centro (de la ciudad).
centrer [sɑ̃tʀe] *vt, vi* centrar.
centrifuge [sɑ̃tʀifyʒ] *a*: **force ~** fuerza centrífuga; **centrifuger** *vt* centrifugar.
centripète [sɑ̃tʀipɛt] *a*: **force ~** fuerza centrípeta.
centuple [sɑ̃typl(ə)] *nm* céntuplo.
centupler [sɑ̃typle] *vi, vt* centuplicar.
cep [sɛp] *nm* cepa.
cépage [sepaʒ] *nm* cepa.
cèpe [sɛp] *nm* seta.
cependant [səpɑ̃dɑ̃] *ad* sin embargo, pero.
céramique [seʀamik] *nf* cerámica.
cercle [sɛʀkl(ə)] *nm* círculo; ~ **polaire** círculo polar; ~ **vicieux** círculo vicioso.
cercueil [sɛʀkœj] *nm* féretro, ataúd *m*.
céréale [seʀeal] *nf* cereal *m*.
cérébral, e, aux [seʀebʀal, o] *a* cerebral; (*fig*) cerebral, mental.
cérémonial [seʀemɔnjal] *nm* ceremonial *m*.
cérémonie [seʀemɔni] *nf* ceremonia; (*façons*) ceremonia, cumplido; **cérémonieux, euse** *a* ceremonioso(a).
cerf [sɛʀ] *nm* ciervo.
cerfeuil [sɛʀfœj] *nm* perifolio.
cerf-volant [sɛʀvɔlɑ̃] *nm* cometa.
cerise [səʀiz] *nf* cereza.
cerisier [səʀizje] *nm* cerezo.
cerne [sɛʀn(ə)] *nm* (*des yeux*) ojera.
cerné, e [sɛʀne] *a* rodeado(a), cerrado(a); **avoir les yeux ~s** estar ojeroso(a).
cerner [sɛʀne] *vt* (*armée, ville*) rodear, cercar; (*problème, question*) circunscribir, delimitar; (*suj: chose*) rodear, contornear.
certain, e [sɛʀtɛ̃, ɛn] *a* (*indéniable*) cierto(a), evidente; (*sûr*) seguro(a), convencido(a) // *dét* cierto(a); **un ~ Georges/dimanche** cierto Jorge/domingo; **un ~ courage** cierto coraje; **d'un ~ âge** de cierta edad; **un ~ temps** cierto tiempo; ~**s individus** ciertos individuos; ~**s** *pron* ciertos, algunos; ~ **de/que** seguro de/(de) que; **sûr et ~** completamente seguro; ~**ement** [sɛʀtɛnmɑ̃] *ad* (*probablement*) posiblemente, indudablemente; (*bien sûr*) ciertamente, sin duda.
certes [sɛʀt(ə)] *ad* (*bien sûr*) desde luego, evidentemente; (*en réponse*) ciertamente, por cierto.
certificat [sɛʀtifika] *nm* certificado, diploma *m*; ~ **d'aptitude professionnelle, CAP** certificado de aptitud profesional; ~ **d'aptitude au professorat de l'enseignement du second degré, CAPES** *concurso por oposición que otorga la habilitación para la enseñanza secundaria*; **le ~ d'études** el diploma de estudios; ~ **médical** certificado médico; ~ **de scolarité** certificado de escolaridad; ~ **de vaccination** certificado de vacuna.

certifié, e [sɛʀtifje] *a*: **professeur ~** profesor/ora, diplomado/a; **~ conforme à l'original** (*ADMIN*) legalizado, fiel del original.

certifier [sɛʀtifje] *vt* atestiguar, certificar; **~ que** certificar que, asegurar que.

certitude [sɛʀtityd] *nf* certidumbre *f*, seguridad *f*; (*chose certaine*) certeza, realidad *f*.

cerveau, x [sɛʀvo] *nm* cerebro.

cervelas [sɛʀvəla] *nm tipo de salchicha.*

cervelle [sɛʀvɛl] *nf* cerebro; (*CULIN*) seso.

cervical, e, aux [sɛʀvikal, o] *a* cervical.

ces [se] *dét voir* **ce.**

césarienne [sezaʀjɛn] *nf* cesárea.

cessantes [sɛsɑ̃t] *afpl*: **toutes affaires ~** con prioridad, con exclusión de lo demás.

cessation [sɛsɑsjɔ̃] *nf*: **~ des hostilités** cese *m* de las hostilidades.

cesse [sɛs] : **sans ~** *ad* sin cesar, continuamente; **n'avoir de ~ que** no descansar *o* darse tregua hasta que.

cesser [sese] *vt* cesar, suspender // *vi* cesar, parar; **~ de faire** cesar *o* dejar de hacer.

cessez-le-feu [seselfø] *nm inv* alto el fuego.

cession [sɛsjɔ̃] *nf* cesión *f*.

c'est-à-dire [setadiʀ] *ad* es decir, mejor dicho.

cet [sɛt] *dét voir* **ce.**

cétacé [setase] *nm* cetáceo.

cette [sɛt] *dét voir* **ce.**

ceux [sø] *pron voir* **celui.**

CFDT *sigle f* = *Confédération française et démocratique du travail.*

CGC *sigle f* = *Confédération générale des cadres.*

CGT *sigle f* = *Confédération générale du travail.*

chacal [ʃakal] *nm* chacal *m*.

chacun, e [ʃakœ̃, yn] *pron* cada uno(a), todos(as).

chagrin, e [ʃagʀɛ̃, in] *a* triste, taciturno(a) // *nm* pena, tristeza; **~er** [-ine] *vt* apenar, entristecer.

chahut [ʃay] *nm* batahola, bulla; (*SCOL: organisé*) alboroto, jaleo; **~er** [ʃayte] *vt* abuchear // *vi* alborotar; **~eur, euse** [ʃaytœʀ, øz] *nm/f* alborotador/ora.

chai [ʃɛ] *nm* cantina, bodega.

chaîne [ʃɛn] *nf* (*gén*) cadena; (*RADIO, TV*) cadena, red *f*; **~s** *fpl* (*fig*) cadenas, yugo; **travail à la ~** trabajo en cadena; **réaction en ~** reacción *f* en cadena; **faire la ~** hacer cadena; **~ (haute-fidélité** *ou* **hi-fi)** equipo (de alta fidelidad); **~ (de montage** *ou* **de fabrication)** cadena (de montaje *o* de fabricación); **~ (de montagnes)** cadena (de montañas).

chaînette [ʃɛnɛt] *nf* (*bijou*) cadenita, cadeneta.

chaînon [ʃɛnɔ̃] *nm* (*fig*) eslabón *m*.

chair [ʃɛʀ] *nf* (*ANAT, REL*) carne *f*; (*de fruit, tomate*) carne, pulpa // *a* (color) carne; **avoir la ~ de poule** tener carne *o* piel de gallina; **être bien en ~** ser entrado(a) en carnes; **en ~ et en os** en carne y hueso; **~ à saucisses** carne picada.

chaire [ʃɛʀ] *nf* (*d'église*) púlpito; (*SCOL: poste*) cátedra.

chaise [ʃɛz] *nf* silla; **~ électrique** silla eléctrica; **~ longue** silla de extensión.

chaland [ʃalɑ̃] *nm* chalana, gabarra.

châle [ʃɑl] *nm* chal *m*.

chalet [ʃalɛ] *nm* (*de montagne*) cabaña.

chaleur [ʃalœʀ] *nf* calor *m*; (*de l'accueil*) calor, calidez *f*; (*ardeur, emportement*) calor, fervor *m*; **~eux, euse** *a* cálido(a), caluroso(a).

challenge [ʃalɑ̃ʒ] *nm* copa, trofeo, campeonato.

chaloupe [ʃalup] *nf* (*de sauvetage*) chalupa, bote *m* salvavidas.

chalumeau, x [ʃalymo] *nm* (*outil*) soplete *m*.

chalut [ʃaly] *nm* red *f* barredera.

chalutier [ʃalytje] *nm* (*bateau*) bou *m*.

chamailler [ʃamɑje] : **se ~** *vi* altercar, reñir.
chamarré, e [ʃamaʀe] *a* (*étoffe*) recargado(a).
chambarder [ʃɑ̃baʀde] *vt* desordenar, desbarajustar.
chambranle [ʃɑ̃bʀɑ̃l] *nm* (*de porte*) marco.
chambre [ʃɑ̃bʀ(ə)] *nf* habitación *f*, cuarto; (*JUR, POL*) cámara, sala; **faire ~ à part** dormir en habitaciones separadas; **stratège en ~** estratega *m* de café; **~ à un lit/deux lits** habitación de una cama/dos camas; **~ de commerce/de l'industrie** cámara de comercio/de la industria; **~ à air** cámara de aire; **~ à coucher** dormitorio; **la C~ des députés** la cámara de diputados; **~ noire** cuarto oscuro.
chambrée [ʃɑ̃bʀe] *nf* (*à l'armée*) dormitorio de tropa.
chambrer [ʃɑ̃bʀe] *vt* (*vin*) poner a temperatura ambiente.
chameau, x [ʃamo] *nm* camello.
chamois [ʃamwa] *nm* gamuza.
champ [ʃɑ̃] *nm* campo; **les ~s** (*la campagne*) el campo; **~ de bataille** campo de batalla; **~ de courses** pista para carreras, hipódromo.
champagne [ʃɑ̃paɲ] *nm* champaña *m*.
champêtre [ʃɑ̃pɛtʀ(ə)] *a* campestre.
champignon [ʃɑ̃piɲɔ̃] *nm* hongo; **~ de couche** *ou* **de Paris** champiñón *m*.
champion, ne [ʃɑ̃pjɔ̃, ɔn] *a* campeón(ona) // *nm/f* campeón/ona; (*d'une cause*) campeón(ona), adalid *m*; **~nat** *nm* campeonato.
chance [ʃɑ̃s] *nf* suerte *f*, fortuna; **~s** *fpl* (*probabilités*) posibilidades *fpl*.
chanceler [ʃɑ̃sle] *vi* vacilar, tambalear.
chancelier [ʃɑ̃səlje] *nm* canciller *m*.
chanceux, euse [ʃɑ̃sø, øz] *a* afortunado(a).
chancre [ʃɑ̃kʀ(ə)] *nm* (*MÉD*) chancro.
chandail [ʃɑ̃daj] *nm* pulóver *m*, jersey *m*.
Chandeleur [ʃɑ̃dlœʀ] *nf* Candelaria.
chandelier [ʃɑ̃dəlje] *nm* candelabro, candelero.
chandelle [ʃɑ̃dɛl] *nf* candela, vela.
change [ʃɑ̃ʒ] *nm* (*COMM*) cambio; **le cours du ~** la cotización; **le contrôle des ~s** el control de cambio.
changeant, e [ʃɑ̃ʒɑ̃, ɑ̃t] *a* inconstante, variable.
changement [ʃɑ̃ʒmɑ̃] *nm* cambio; **~ de vitesses** cambio de velocidades.
changer [ʃɑ̃ʒe] *vt* cambiar; (*remplacer, échanger*) cambiar, reemplazar; (*:argent*) cambiar; (*rhabiller*) cambiar, mudar // *vi* cambiar, variar; **se ~** cambiarse, mudarse; **~ de** cambiar (de); **~ d'idée/de train** cambiar de idea/de tren; **~ de place avec qn** cambiar de ubicación con alguien; **~ qch en** transformar algo en; **il faut ~ à Lyon** hay que transbordar en Lyon; **cela me change** esto me cambia, es un cambio para mí; **changeur** *nm* cambista *m*; (*appareil*): **changeur automatique** *máquina automática para cambio*.
chanoine [ʃanwan] *nm* canónigo.
chanson [ʃɑ̃sɔ̃] *nf* canción *f*.
chansonnier [ʃɑ̃sɔnje] *nm* canzonetista *m*, tonadillero.
chant [ʃɑ̃] *nm* canto.
chantage [ʃɑ̃taʒ] *nm* chantaje *m*; **faire du ~** hacer chantaje.
chanter [ʃɑ̃te] *vt* cantar; (*vanter, louer*) cantar, alabrar // *vi* cantar; **si cela lui chante** (*fam*) si le apetece.
chanterelle [ʃɑ̃tʀɛl] *nf* (*BOT*) rovellón *m*, mízcalo.
chanteur, euse [ʃɑ̃tœʀ, øz] *nm/f* cantante *m/f*.
chantier [ʃɑ̃tje] *nm* (*de construction*) obra; **mettre en ~**

poner en ejecución; ~ **naval** astillero.
chantonner [ʃɑ̃tɔne] *vi* canturrear.
chanvre [ʃɑ̃vʀ(ə)] *nm* cañamo.
chaos [kao] *nm* caos *m*; **chaotique** [-tik] *a* caótico(a).
chaparder [ʃapaʀde] *vt* birlar, afanar.
chapeau, x [ʃapo] *nm* sombrero; ~ **mou/de soleil** sombrero flexible/para sol.
chapeauter [ʃapote] *vt* (*ADMIN*) mandar, dirigir.
chapelet [ʃaplɛ] *nm* (*REL*) rosario; (*d'îles*) serie *f*, rosario; (*d'ail*) ristra; **dire son** ~ rezar su rosario.
chapelle [ʃapɛl] *nf* (*église*) capilla; ~ **ardente** capilla ardiente.
chapelure [ʃaplyʀ] *nf* pan *m* rallado.
chaperon [ʃapʀɔ̃] *nm* acompañante/a; ~**ner** *vt* acompañar.
chapiteau, x [ʃapito] *nm* (*ARCHIT*) capitel *m*; (*de cirque*) tienda.
chapitre [ʃapitʀ(ə)] *nm* capítulo; (*fig*: *sujet*) capítulo, tema *m*; **avoir voix au** ~ tener peso *o* voz.
chapitrer [ʃapitʀe] *vt* reprender, regañar.
chaque [ʃak] *dét* cada, cada uno(a).
char [ʃaʀ] *nm* (*à foin etc*) carreta, carro; (*MIL*: *aussi*: ~ **d'assaut**) carro (de asalto); (*de carnaval*) carroza.
charabia [ʃaʀabja] *nm* galimatías *m*.
charade [ʃaʀad] *nf* charada.
charbon [ʃaʀbɔ̃] *nm* carbón *m*; ~ **de bois** carbón de leña; ~**nage** *nm*: ~**nages de France** minas hulleras de Francia; ~**nier** *nm* carbonero.
charcuterie [ʃaʀkytʀi] *nf* tienda de embutidos; (*CULIN*) embutidos; **charcutier, ière** *nm/f* salchichero/a.
chardon [ʃaʀdɔ̃] *nm* cardo.
charge [ʃaʀʒ(ə)] *nf* carga; (*rôle, mission, JUR*) cargo; ~**s** *fpl* (*du loyer*) cargas, gastos de mantenimiento; ~**s sociales/familiales** cargas sociales/familiares; **à la** ~ **de** a cargo de; **à** ~ **de revanche** a la recíproca; **prendre en** ~ **qch/qn** hacerse cargo de algo/alguien; ~ **utile** (*AUTO*) carga útil.
chargé, e [ʃaʀʒe] *a* cargado(a); (*estomac, langue*) cargado(a), pesado(a); ~ **de** (*responsable de*) encargado de; ~ **d'affaires** *nm* encargado de negocios; ~ **de cours** *nm* encargado de curso.
chargement [ʃaʀʒəmɑ̃] *nm* carga.
charger [ʃaʀʒe] *vt, vi* cargar; (*JUR*) culpar, acusar; (*portrait, description*) recargar, exagerar; (*fig*): ~ **qn de qch/faire qch** encargar a alguien algo/hacer algo; **se** ~ **de** encargarse de.
chariot [ʃaʀjo] *nm* carretilla; (*charrette, de machine à écrire*) carro.
charitable [ʃaʀitabl(ə)] *a* caritativo(a), bondadoso(a).
charité [ʃaʀite] *nf* (*REL*: *vertu*) caridad *f*; (*aumône*) caridad, limosna; **faire la** ~ hacer caridad, dar limosna.
charlatan [ʃaʀlatɑ̃] *nm* charlatán *m*, embaucador *m*.
charmant, e [ʃaʀmɑ̃, ɑ̃t] *a* encantador(ora), agradable.
charme [ʃaʀm(ə)] *nm* encanto, atractivo; (*envoûtement*) encanto, hechizo; ~**s** *mpl* (*appas*) encanto, atractivo.
charmer [ʃaʀme] *vt* encantar, seducir; (*envoûter*) encantar, hechizar; **je suis charmé de** estoy encantado de; **charmeur, euse** *nm/f* encantador/ora, hechicero/a; **charmeur de serpents** encantador de serpientes.
charnel, le [ʃaʀnɛl] *a* carnal, sensual.
charnier [ʃaʀnje] *nm* fosa común.
charnière [ʃaʀnjɛʀ] *nf* gozne *m*, bisagra; (*fig*) transición *f*.
charnu, e [ʃaʀny] *a* carnoso(a).
charogne [ʃaʀɔɲ] *nf* carroña.
charpente [ʃaʀpɑ̃t] *nf* armazón *f*; (*fig*) armazón, estructura.

charpentier [ʃaʀpɑ̃tje] *nm* carpintero de obra.
charpie [ʃaʀpi] *nf* (*MÉD*) hila; **mettre en ~** hacer trizas *o* picadillo.
charretier [ʃaʀtje] *nm* carretero.
charrette [ʃaʀɛt] *nf* carreta.
charrier [ʃaʀje] *vt* (*suj*: *torrent*) acarrear, arrastrar; (*suj*: *camion*) acarrear, transportar.
charrue [ʃaʀy] *nf* arado.
charte [ʃaʀt(ə)] *nf* carta.
chas [ʃa] *nm* ojo.
chasse [ʃas] *nf* caza; (*poursuite*) caceria, caza; **la ~ est ouverte** el período de caza está abierto; **prendre en ~** perseguir; **donner la ~ à** perseguir a, dar caza a; **tirer la ~ (d'eau)** tirar la cadena, hacer correr agua; **~ à l'homme** cacería humana; **~ sous-marine** caza submarina.
châsse [ʃɑs] *nf* relicario.
chassé-croisé [ʃasekʀwaze] *nm* desencuentro.
chasse-neige [ʃasnɛʒ] *nm inv* quitanieves *nm inv*.
chasser [ʃase] *vt* (*gibier, voleur*) cazar; (*employé, intrus, idée*) echar, expulsar; (*nuages, scrupules*) disipar // *vi* (*AUTO*) patinar; **chasseur, euse** *nm/f* cazador/ora // *nm* (*avion*) caza *m*; (*domestique*) botones *m*; (*MIL*): **chasseurs alpins** cazadores *mpl* de montaña; **chasseur d'images** reportero gráfico.
châssis [ʃɑsi] *nm* (*AUTO*) chasis *m*; (*cadre*) bastidor *m*; (*AGR*) bastidor para protección.
chaste [ʃast(ə)] *a* casto(a); **~té** *nf* castidad *f*.
chasuble [ʃazybl(ə)] *nf* casulla.
chat, chatte [ʃa, ʃat] *nm/f* gato/a.
châtaigne [ʃɑtɛɲ] *nf* (*BOT*) castaña.
châtaignier [ʃɑteɲe] *nm* castaño.
châtain [ʃɑtɛ̃] *a inv* castaño(a).
château, x [ʃɑto] *nm* (*forteresse*) castillo; (*palais*) castillo, palacio; **~ d'eau** arca de agua; **~ (fort)** castillo (fortificado), alcázar *m*; **~ de sable** castillo de arena.
châtier [ʃɑtje] *vt* castigar; (*fig*) pulir; **châtiment** [ʃɑtimɑ̃] *nm* castigo.
chatoiement [ʃatwamɑ̃] *nm* tornasol *m*.
chaton [ʃatɔ̃] *nm* (*ZOOL*) gatito; (*de bague*) engaste *m*.
chatouiller [ʃatuje] *vt* cosquillear hacer cosquillas; (*fig*) excitar (agradablemente).
chatouilleux, euse [ʃatujø, øz] *a* cosquilloso(a); (*susceptible*) quisquilloso(a).
chatoyer [ʃatwaje] *vi* tornasolar.
châtrer [ʃɑtʀe] *vt* castrar.
chatte [ʃat] *nf voir* **chat.**
chatterton [ʃatɛʀtɔn] *nm* cinta aisladora.
chaud, e [ʃo, od] *a* (*gén*) caliente (*vêtement*) abrigado(a); (*couleur*) cálido(a); (*fig*) ardiente, apasionado(a); **il fait ~** hace calor; **manger ~** comer cosas calientes; **avoir ~** tener calor; **rester au ~** permanecer abrigado(a); **un ~ et froid** un enfriamiento; **~ement** [ʃodmɑ̃] *ad* calurosamente (*fig*), con mucho abrigo.
chaudière [ʃodjɛʀ] *nf* caldera.
chaudron [ʃodʀɔ̃] *nm* caldero.
chaudronnerie [ʃodʀɔnʀi] *nf* (*usine*) calderería.
chauffage [ʃofaʒ] *nm* calentamiento; (*appareils*) calefacción *f* **arrêter le ~** cerrar la calefacción **~ central** calefacción central; **~ au gaz** calefacción a gas.
chauffant, e [ʃofɑ̃, ɑ̃t] *a*: **couverture ~e** manta térmica.
chauffard [ʃofaʀ] *nm* (*péj*) mal chófer *m*.
chauffe-bain [ʃofbɛ̃] *nm* calentador *m* de baño.
chauffe-eau [ʃofo] *nm inv* calentador *m* de agua.
chauffer [ʃofe] *vt, vi* calentar; **se ~** (*se mettre en train*) animarse; (*au soleil*) calentarse.
chaufferie [ʃofʀi] *nf* forja, fragua (*d'un bateau*) cuarto de calderas.
chauffeur [ʃofœʀ] *nm* chófer *m*.

chaume [ʃom] *nm* (*du toit*) caña, paja; (*AGR*) rastrojo.
chaumière [ʃomjɛʀ] *nf* choza.
chaussée [ʃose] *nf* calzada.
chausse-pied [ʃospje] *nm* calzador *m*.
chausser [ʃose] *vt* calzar; ~ **du 38/42** calzar el 38/42; ~ **grand/bien** (*suj*: *soulier*) quedar grande/bien; **se** ~ calzarse.
chaussette [ʃosɛt] *nf* calcetín *m*.
chausseur [ʃosœʀ] *nm* zapatero.
chausson [ʃosɔ̃] *nm* (*pantoufle*) zapatilla; ~ (**aux pommes**) empanadilla (de manzanas).
chaussure [ʃosyʀ] *nf* zapato; (*industrie*): **la** ~ el calzado; ~**s basses** zapatos; ~**s montantes** botas.
chauve [ʃov] *a* calvo(a).
chauve-souris [ʃovsuʀi] *nf* murciélago.
chauvin, e [ʃovɛ̃, in] *a* chauvinista, patriotero(a); ~**isme** [ʃovinism(ə)] *nm* chauvinismo, patriotería.
chaux [ʃo] *nf* cal *f*.
chavirer [ʃaviʀe] *vi* (*bateau*) zozobrar.
chef [ʃɛf] *nm* jefe *m*; **au premier** ~ en el más alto grado, ante todo; **général en** ~ general *m* en jefe; ~ **d'accusation** (*JUR*) base *f* de acusación; ~ **de cabinet** jefe de gabinete; ~ **d'entreprise** jefe de empresa; ~ **de l'Etat** Jefe de estado; ~ **de famille** cabeza de familia; ~ **de file** (*de parti etc*) dirigente *m*; ~ **d'orchestre** director *m* de orquesta; ~ **de service** jefe de servicio.
chef-d'œuvre [ʃɛdœvʀ(ə)] *nm* obra maestra.
chef-lieu [ʃɛfljø] *nm* capital *f*, cabecera.
cheftaine [ʃɛftɛn] *nf* jefa de exploradores.
cheik [ʃɛk] *nm* jeque *m*.
chemin [ʃəmɛ̃] *nm* camino; **en** ~ de paso, en camino; ~ **de fer** ferrocarril *m*.
cheminée [ʃəmine] *nf* chimenea; (*d'intérieur*) hogar *m*, chimenea.
cheminement [ʃəminmɑ̃] *nm* marcha, evolución *f*.
cheminer [ʃəmine] *vi* caminar, marchar; (*fig*) marchar, progresar.
cheminot [ʃəmino] *nm* ferroviario.
chemise [ʃəmiz] *nf* (*vêtement*) camisa; (*dossier*) carpeta; ~ **de nuit** camisón *m*; ~**rie** [ʃəmizʀi] *nf* (*magasin*) camisería.
chemisette [ʃəmizɛt] *nf* camiseta.
chemisier [ʃəmizje] *nm* (*vêtement*) blusa.
chenal, aux [ʃənal, o] *nm* canal *m*.
chêne [ʃɛn] *nm* roble *m*.
chenil [ʃəni] *nm* (*cage*) perrera; (*élevage*) criadero de perros.
chenille [ʃənij] *nf* oruga.
chenillette [ʃənijɛt] *nf* coche *m* oruga.
cheptel [ʃɛptɛl] *nm* cabaña, riqueza ganadera.
chèque [ʃɛk] *nm* cheque *m*; ~ **barré/sans provision/au porteur** cheque cruzado/sin fondos/al portador.
chéquier [ʃekje] *nm* talonario de cheques.
cher, ère [ʃɛʀ] *a* querido(a); (*coûteux*) caro(a) // *ad*: **coûter/payer** ~ costar/pagar caro // *nf*: **la bonne chère** la buena mesa *o* comida.
chercher [ʃɛʀʃe] *vt* buscar; **aller** ~ ir a buscar *o* traer, ir por.
chercheur, euse [ʃɛʀʃœʀ, øz] *nm/f* investigador/ora; ~ **d'or** buscador de oro.
chère [ʃɛʀ] *af, nf voir* **cher**.
chéri, e [ʃeʀi] *a* (*aimé*) querido(a); **(mon)** ~**!** ¡(mi) querido!
chérir [ʃeʀiʀ] *vt* querer.
cherté [ʃɛʀte] *nf* carestía.
chérubin [ʃeʀybɛ̃] *nm* querubín *m*.
chétif, ive [ʃetif, iv] *a* (*personne*) enclenque, raquítico(a).
cheval, aux [ʃəval, o] *nm* caballo; (*AUTO*: ~ **vapeur**) caballo (de vapor); **faire du** ~ practicar equitación; **être à** ~ estar a caballo; **à** ~ **sur** (*mur etc*) a caballo sobre, a

horcajadas sobre; (*périodes, domaines*) entre; ~ **d'arçons** potro; ~ **de bataille** (*fig*) caballo de batalla.

chevaleresque [ʃəvalʀɛsk(ə)] *a* caballeresco(a).

chevalerie [ʃəvalʀi] *nf* caballería.

chevalet [ʃəvalɛ] *nm* (*du peintre*) caballete *m*.

chevalier [ʃəvalje] *nm* caballero; ~ **servant** rendido caballero.

chevalière [ʃəvaljɛʀ] *nf* anillo de sello.

chevalin, e [ʃəvalɛ̃, in] *a* caballuno(a); (*race*) caballar, equino(a); **boucherie** ~**e** *carnicería que vende carne de caballo.*

cheval-vapeur [ʃəvalvapœʀ] *nm* caballo de vapor.

chevauchée [ʃəvoʃe] *nf* cabalgata.

chevaucher [ʃəvoʃe] *vi* (*aussi*: **se** ~) superponerse // *vt* cabalgar.

chevelu, e [ʃəvly] *a* melenudo(a), cabelludo(a); **cuir** ~ cuero cabelludo.

chevelure [ʃəvlyʀ] *nf* caballera.

chevet [ʃəvɛ] *nm*: **au** ~ **de qn** a la cabecera de alguien; **lampe de** ~ lámpara de cabecera.

cheveu, x [ʃəvø] *nm* pelo, cabello; ~**x** *mpl* cabellos, pelo; **avoir les** ~**x courts/en brosse** tener el pelo corto/al cepillo.

cheville [ʃəvij] *nf* (ANAT) tobillo; (*de bois*) tarugo; ~ **ouvrière** (*fig*) alma.

chèvre [ʃɛvʀ(ə)] *nf* cabra.

chevreau, x [ʃəvʀo] *nm* cabrito.

chèvrefeuille [ʃɛvʀəfœj] *nm* madreselva.

chevreuil [ʃəvʀœj] *nm* corzo; (CULIN) *comida hecha con carne de corzo.*

chevron [ʃəvʀɔ̃] *nm* (*poutre*) cabrío; (*motif*) espiguilla; **à** ~**s** de espiguillas.

chevronné, e [ʃəvʀɔne] *a* veterano(a).

chevrotant, e [ʃəvʀɔtɑ̃, ɑ̃t] *a* trémulo(a), tembloroso(a).

chevrotine [ʃəvʀɔtin] *nf* posta.

chewing-gum [ʃwiŋgɔm] *nm* chicle *m*.

chez [ʃe] *prép* en lo de, en casa de; (*parmi, dans le caractère de*) entre; ~ **moi/nous** (*à la maison*) en mi/nuestra casa; ~ **le boulanger** (*à la boulangerie*) en la panadería, en lo del panadero; ~ **les Français** (*dans leur caractère*) entre los franceses; ~ **ce musicien** (*dans ses œuvres*) en este músico; ~-**soi** *nm inv* casa propia, domicilio.

chic [ʃik] *a inv* distinguido(a), elegante; (*généreux*) generoso(a) // *nm*: **avoir le** ~ **de** tener la habilidad de; **de** ~ *ad*: **faire qch de** ~ hacer algo espontáneamente; ~! ¡estupendo!

chicane [ʃikan] *nf* (*obstacle*) *obstáculos colocados en zigzag*; (*querelle*) enredo, lío.

chiche [ʃiʃ] *a* tacaño(a), mezquino(a); ~! ¡a que si!

chicorée [ʃikɔʀe] *nf* achicoria.

chicot [ʃiko] *nm* raigón *m*.

chien, ne [ʃjɛ̃, ɛn] *nm/f* perro/a // *nm* (*de pistolet*) gatillo; **couché en** ~ **de fusil** acostado hecho un ovillo, acurrucado; ~ **de garde** perro de guardia.

chiendent [ʃjɛ̃dɑ̃] *nm* grama.

chien-loup [ʃjɛ̃lu] *nm* perro lobo.

chienne [ʃjɛn] *nf voir* **chien**.

chiffon [ʃifɔ̃] *nm* trapo.

chiffonner [ʃifɔne] *vt* arrugar.

chiffonnier, ière [ʃifɔnje, jɛʀ] *nm/f* trapero/a // *nm* (*meuble*) chiffonnier *m*.

chiffre [ʃifʀ(ə)] *nm* cifra; (*montant total*) importe *m*, monto; **en** ~**s ronds** en números redondos; **écrire un nombre en** ~**s** escribir un número en cifras; ~**s romains/arabes** numeración romana/arábiga; ~ **d'affaires** volumen *m o* monto de ventas.

chiffrer [ʃifʀe] *vt* (*dépense*) evaluar; (*message*) cifrar.

chignole [ʃiɲɔl] *nf* (*outil*) taladro.

chignon [ʃiɲɔ̃] *nm* rodete *m*.

Chili [ʃili] *nm* Chile *m*; **chilien, ne** *a, nm/f* chileno(a).
chimère [ʃimɛʀ] *nf* quimera.
chimie [ʃimi] *nf* química.
chimique [ʃimik] *a* químico(a).
chimiste [ʃimist(ə)] *nm/f* químico/a.
Chine [ʃin] *nf* China.
chiné, e [ʃine] *a* de mezcla.
chinois, e [ʃinwa, waz] *a* chino(a); (*pointilleux*) chinchoso(a), fastidioso(a) // *nm/f* chino/a // *nm* chino.
chiot [ʃjo] *nm* cachorro.
chips [ʃip(s)] *nfpl* (*aussi*: **pommes ~**) patatas fritas.
chique [ʃik] *nf* tabaco de mascar.
chiquenaude [ʃiknod] *nf* (*coup*) tincazo, papirotazo.
chiquer [ʃike] *vi* mascar tabaco // *vt* mascar.
chiromancie [kiʀɔmɑ̃si] *nf* quiromancia; **chiromancien, ne** *nm/f* quiromántico/a.
chirurgical, e, aux [ʃiʀyʀʒikal, o] *a* quirúrgico(a).
chirurgie [ʃiʀyʀʒi] *nf* cirugía; **~ esthétique** cirugía estética; **chirurgien, ne** *nm/f* cirujano/a.
chistera [ʃisteʀa] *nf* cesta.
chlore [klɔʀ] *nm* cloro.
chloroforme [klɔʀɔfɔʀm(ə)] *nm* cloroformo.
chlorophylle [klɔʀɔfil] *nf* clorofila.
choc [ʃɔk] *nm* choque *m* // *a*: **prix ~** precio de choque; **~ opératoire** choque operatorio.
chocolat [ʃɔkɔla] *nm* chocolate *m*; (*bonbon*) bombón *m*; **~ au lait/à croquer** chocolate con leche/para crudo.
chœur [kœʀ] *nm* coro; **en ~** a coro.
choir [ʃwaʀ] *vi* caer.
choisi, e [ʃwazi] *a* escogido(a), selecto(a); **textes/morceaux ~s** textos/trozos escogidos.
choisir [ʃwaziʀ] *vt* escoger, elegir; (*candidat, représentant*) elegir.
choix [ʃwa] *nm* elección *f*; (*assortiment*) surtido; **avoir le ~** tener la opción; **premier/second ~** (*COMM*) primera/segunda calidad; **de ~** de calidad, escogido(a); **au ~** a elección, a gusto; **de mon/son ~** de mi/su preferencia *o* elección.
choléra [kɔleʀa] *nm* cólera *m*.
chômage [ʃomaʒ] *nm* desempleo, paro; **être au ~** estar sin trabajo; **~ technique** paro técnico.
chômé, e [ʃome] *a*: **jour ~** día *m* no laborable.
chômer [ʃome] *vi* estar en paro forzoso // *vt* suspender, tener libre.
chômeur, euse [ʃomœʀ, øz] *nm/f* desocupado/a.
chope [ʃɔp] *nf* bock *m*.
choquer [ʃɔke] *vt* chocar, ofender; (*commotionner*) chocar, impresionar.
choral, e [kɔʀal] *a, nm* coral (*m*) // *nf* agrupación *f* coral.
chorégraphe [kɔʀegʀaf] *nm/f* coreógrafo/a.
chorégraphie [kɔʀegʀafi] *nf* coreografía.
choriste [kɔʀist(e)] *nm/f* corista *m/f*.
chorus [kɔʀys] *nm*: **faire ~ (avec)** hacer coro (a).
chose [ʃoz] *nf* cosa; **c'est peu de ~** es poca cosa.
chou, x [ʃu] *nm* repollo, col *m*; **~ (à la crème)** *especie de pastelillo*; **mon petit** *ou* **gros ~** mi tesoro, querido mío.
choucas [ʃukɑ] *nm* chova.
chouchou, te [ʃuʃu, ut] *nm/f* (*SCOL*) preferido/a, favorito/a.
choucroute [ʃukʀut] *nf* chucrut *m*.
chouette [ʃwɛt] *nf* lechuza // *a*: **c'est ~!** ¡macanudo!, ¡estupendo!
chou-fleur [ʃuflœʀ] *nm* coliflor *f*.
chou-rave [ʃuʀav] *nm* colinabo.
choyer [ʃwaje] *vt* mimar.
chrétien, ne [kʀetjɛ̃, jɛn] *a, nm/f* cristiano(a); **~nement** [-tjɛnmɑ̃] *ad* cristianamente; **~té** [-tjɛ̃te] *nf* cristiandad *f*.
Christ [kʀist] *nm*: **le ~** Cristo; (*crucifix, peinture*): **c~** cristo; **Jésus-~** Jesucristo; **c~ianiser** [-janize] *vt* cristianizar; **c~ianisme**

[-janism(ə)] *nm* cristianismo.
chromatique [kRɔmatik] *a* cromático(a).
chrome [kRom] *nm* cromo; **chromé, e** *a* cromado(a).
chromosome [kRɔmozom] *nm* cromosoma *m*.
chronique [kRɔnik] *a* crónico(a) // *nf* crónica; ~ **sportive/théâtrale** crónica deportiva/teatral; **la ~ locale** la crónica local; **chroniqueur** *nm* cronista *m*.
chronologie [kRɔnɔlɔʒi] *nf* cronología; **chronologique** *a* cronológico(a).
chrono(mètre) [kRɔnɔ(mɛtR(ə))] *nm* cronómetro; **chronométrer** *vt* cronometrar.
chrysalide [kRizalid] *nf* crisálida.
chrysanthème [kRizɑ̃tɛm] *nm* crisantemo.
chu, e [ʃy] *pp de* **choir**.
chuchoter [ʃyʃɔte] *vt* cuchichear.
chuinter [ʃɥɛ̃te] *vi* silbar.
chut [ʃyt] *excl* ¡chito!
chute [ʃyt] *nf* caída; (*de bois, papier*) recorte *m*; (*CARTES*): **trois de ~** tres de menos; ~ **(d'eau)** salto de agua; **chuter** *vi* fracasar; (*CARTES*) hacer de menos.
Chypre [ʃipR(ə)] *n* Chipre.
ci- [si] *ad voir* **par, comme, ci-contre, ci-joint** *etc.*
-ci [si] *dét*: **cet homme-ci** este hombre; **cette femme-ci** esta mujer; **ces hommes-ci** estos hombres; **ces femmes-ci** estas mujeres; **cet homme-là** ese *o* aquel hombre; **cette femme-là** esa *o* aquella mujer; **ces hommes-là** esos *o* aquellos hombres; **ces femmes-là** esas *o* aquellas mujeres.
ci-après [siapRɛ] *ad* a continuación.
cible [sibl(ə)] *nf* blanco.
ciboire [sibwaR] *nm* copón *m*.
ciboule [sibul] *nf* cebollino.
ciboulette [sibulɛt] *nf* ajo cebollino.
cicatrice [sikatRis] *nf* cicatriz *f*.
cicatriser [sikatRize] *vt* cicatrizar; **se ~** *vi* cicatrizarse.
ci-contre [sikɔ̃tR(ə)] *ad* al lado.
ci-dessous [sidsu] *ad* más abajo.
ci-dessus [sidsy] *ad* arriba, antes.
cidre [sidR(ə)] *nm* sidra.
Cie *abrév de* **compagnie**.
ciel, *pl* **cieux** [sjɛl, sjø] *nm* cielo; (*REL*: *aussi* **cieux**) cielos.
cierge [sjɛRʒ(ə)] *nm* cirio.
cigale [sigal] *nf* cigarra, chicharra.
cigare [sigaR] *nm* cigarro.
cigarette [sigaRɛt] *nf* cigarrillo.
ci-gît [siʒi] *ad + vb* aquí yace.
cigogne [sigɔɲ] *nf* cigüeña.
ciguë [sigy] *nf* cicuta.
ci-inclus, e [siɛ̃kly, yz] *a, ad* incluso(a).
ci-joint, e [siʒwɛ̃, ʒwɛ̃t] *a, ad* adjunto(a); **veuillez trouver ~...** encontrará adjunto... .
cil [sil] *nm* pestaña.
ciller [sije] *vi* pestañear.
cime [sim] *nf* cima.
ciment [simɑ̃] *nm* cemento; ~ **armé** cemento armado; **~er** *vt* unir *o* cubrir con cemento; (*fig*) cimentar, consolidar; **~erie** [-tRi] *nf* fábrica de cemento.
cimetière [simtjɛR] *nm* cementerio; ~ **de voitures** cementerio de automóviles.
cinéaste [sineast(ə)] *nm/f* cineasta *m/f*.
ciné-club [sineklœb] *nm* cine-club *m*.
cinéma [sinema] *nm* cinematografía, cine *m*; (*local*) cinematógrafo, cine; **~scope** *nm* cinemascope *m*; **~thèque** *nf* cinemateca; **~tographique** *a* cinematográfico(a).
cinéphile [sinefil] *nm/f* amante *m/f* del cine.
cinétique [sinetik] *a* cinético(a).
cingler [sɛ̃gle] *vt* (*suj*: *fouet, vent*) azotar; (*suj*: *insulte*) fustigar // *vi* (*NAUT*) singlar.
cinq [sɛ̃k] *num* cinco.
cinquantaine [sɛ̃kɑ̃tɛn] *nf* cincuentena.
cinquante [sɛ̃kɑ̃t] *num* cincuenta; **~naire** *a, nm/f* cincuentón(ona).

cincuentenario(a); **cinquantième** *num* cincuagésimo(a).
cinquième [sɛ̃kjɛm] *num* quinto(a).
cintre [sɛ̃tʀ(ə)] *nm* percha; (CONSTRUCTION) cimbra, cintra; **~s** *mpl* (THÉÂTRE) telar *m*.
cintré, e [sɛ̃tʀe] *a* (*chemise*) ceñido(a); (*bois*) cimbrado(a), combado(a).
cirage [siʀaʒ] *nm* betún *m*.
circoncire [siʀkɔ̃siʀ] *vt* circuncidar; **circoncis, e** *a* circunciso(a); **circoncision** [-sizjɔ̃] *nf* circuncisión *f*.
circonférence [siʀkɔ̃feʀɑ̃s] *nf* circunferencia.
circonflexe [siʀkɔ̃flɛks(ə)] *a*: **accent ~** acento circunflejo.
circonscription [siʀkɔ̃skʀipsjɔ̃] *nf*: **~ électorale/militaire** circunscripción *f* electoral/militar.
circonscrire [siʀkɔ̃skʀiʀ] *vt* delimitar, circunscribir.
circonspect, e [siʀkɔ̃spɛ, ɛkt(ə)] circunspecto(a), prudente.
circonstance [siʀkɔ̃stɑ̃s] *nf* circunstancia; **~s** *fpl* (*situation, contexte*) circunstancias; **~s atténuantes** circunstancias atenuantes.
circonstancié, e [siʀkɔ̃stɑ̃sje] *a* circunstanciado(a), detallado(a).
circonstanciel, le [siʀkɔ̃stɑ̃sjɛl] *a*: **complément/proposition ~(le)** complemento/proposición *f* circunstancial.
circonvenir [siʀkɔ̃vniʀ] *vt* embaucar.
circonvolution [siʀkɔ̃vɔlysjɔ̃] *nf* circonvolución *f*.
circuit [siʀkɥi] *nm* circuito; **~ automobile** (SPORT) circuito automovilístico; **~ de distribution** (COMM) circuito de distribución.
circulaire [siʀkylɛʀ] *a* circular; (*regard*) abarcándolo todo // *nf* circular *f*.
circulation [siʀkylɑsjɔ̃] *nf* circulación *f*; (AUTO): **la ~** la circulación, el tránsito; **il y a beaucoup de ~** hay mucha circulación; **mettre en ~** poner en circulación.
circuler [siʀkyle] *vi* circular, transitar; (*devises, sang, électricité etc*) circular; (*fig*) circular, difundirse; **faire ~** (*nouvelle*) hacer circular, difundir; (*badauds*) hacer circular.
cire [siʀ] *nf* cera.
ciré, e [siʀe] *a* (*parquet*) encerado(a), lustrado(a) // *nm* (*vêtement*) impermeable *m* de hule.
cirer [siʀe] *vt* (*parquet*) encerar; (*chaussures*) embetunar, sacar brillo a.
cireur [siʀœʀ] *nm* (*de chaussures*) limpiabotas *m*.
cireuse [siʀøz] *nf* (*appareil*) enceradora.
cirque [siʀk(ə)] *nm* circo; (GÉO) anfiteatro; (*fig*) desbarajuste *m*.
cirrhose [siʀoz] *nf*: **~ du foie** cirrosis *f*.
cisaille(s) [sizɑj] *nf(pl)* (*de jardin*) tijeras para podar.
cisailler [sizɑje] *vt* podar, cortar.
ciseau, x [sizo] *nm*: **~ (à bois)** escoplo; **~ à froid** cortafrío; **~x** *mpl* tijeras; **sauter en ~x** (SPORT) saltar en tijereta.
ciseler [sizle] *vt* (*bijou*) cincelar.
citadelle [sitadɛl] *nf* ciudadela.
citadin, e [sitadɛ̃, in] *nm/f*, *a* ciudadano(a).
citation [sitɑsjɔ̃] *nf* cita; (JUR) citación *f*; (MIL) mención *f*.
cité [site] *nf* ciudad *f*; **~ ouvrière/universitaire** ciudad obera/universitaria.
citer [site] *vt* citar; (*nommer*) citar, mencionar.
citerne [sitɛʀn(ə)] *nf* cisterna.
cithare [sitaʀ] *nf* cítara.
citoyen, ne [sitwajɛ̃, ɛn] *nm/f* ciudadano/a; **~neté** [-jɛnte] *nf* ciudadanía.
citron [sitʀɔ̃] *nm* limón *m*; **~ vert** limón verde; **~nade** [-ɔnad] *nf* limonada.
citronnelle [sitʀɔnɛl] *nf* (BOT) cidronela, toronjil *m*.

citronnier [sitʀɔnje] *nm* limonero.
citrouille [sitʀuj] *nf* calabaza.
civet [sivɛ] *nm* encebollado.
civette [sivɛt] *nf* (*BOT*) cebolleta; (*ZOOL*) civeta.
civière [sivjɛʀ] *nf* camilla, parihuelas.
civil, e [sivil] *a* civil; (*poli*) cortés // *nm* (*MIL*) civil *m*; **habillé en ~** vestido de civil; **dans le ~** en la vida civil.
civilisation [sivilizɑsjɔ̃] *nf* civilización *f*.
civiliser [sivilize] *vt* civilizar.
civique [sivik] *a* cívico(a).
civisme [sivism(ə)] *nm* civismo.
claie [klɛ] *nf* enrejado, encañizado.
clair, e [klɛʀ] *a* claro(a); (*eau*) claro(a), transparente; (*son*) claro(a), argentino(a) // *ad*: **voir ~** ver claro *o* claramente // *nm*: **~ de lune** claro de luna; **bleu ~** azul claro; **tirer qch au ~** sacar algo en claro; **mettre au ~** (*notes etc*) poner en limpio; **le plus ~ de son temps** la mayor parte de su tiempo; **en ~** (*non codé*) no cifrado(a); **~ement** *ad* claramente.
claire-voie [klɛʀvwa] : **à ~** *ad* separadamente (*para dejar pasar la luz*).
clairière [klɛʀjɛʀ] *nf* claro.
clairon [klɛʀɔ̃] *nm* (*MUS*) clarín *m*.
claironner [klɛʀɔne] *vt* (*fig*) pregonar, vocear.
clairsemé, e [klɛʀsəme] *a* (*cheveux, herbe*) ralo(a), escaso(a).
clairvoyant, e [klɛʀvwajɑ̃, ɑ̃t] *a* clarividente, perspicaz // *nm/f* vidente *m/f*.
clameur [klamœʀ] *nf* clamor *m*.
clandestin, e [klɑ̃dɛstɛ̃, in] *a* clandestino(a).
clapier [klapje] *nm* conejera.
clapoter [klapɔte] *vi* chapotear; **clapotis** [-ti] *nm* chapoteo.
claquage [klakaʒ] *nm* distensión *f*.
claque [klak] *nf* bofetada, cachetada.
claquer [klake] *vi* (*drapeau*) flamear (*produciendo ruido*); (*coup de feu*) estallar, sonar // *vt* (*porte*) golpear, batir; (*doigts*) castañetear; **se ~ un muscle** distenderse un músculo.
claquettes [klakɛt] *nfpl* zapateo.
clarifier [klaʀifje] *vt* (*fig*) clarificar, aclarar.
clarinette [klaʀinɛt] *nf* clarinete *m*.
clarté [klaʀte] *nf* claridad *f*.
classe [klɑs] *nf* clase *f*; (*SCOL*: *local*) aula, clase *f*; (:*leçon*) clase, lección *f*; (:*élèves*) clase, curso; **faire ses ~s** (*MIL*) recibir instrucción militar; **faire la ~** (*SCOL*) dar *o* dictar clase; **aller/travailler en ~** (*SCOL*) ir a/trabajar en clase; **~ grammaticale** categoria gramatical.
classement [klɑsmɑ̃] *nm* clasificación *f*; (*liste*) clasificación, ordenación *f*; **premier au ~ général** (*SPORT*) primero en la clasificación general.
classer [klɑse] *vt* clasificar; (*JUR*: *affaire*) archivar, cerrar; **se ~ premier/dernier** clasificarse primero/último.
classeur [klɑsœʀ] *nm* (*cahier*) carpeta; (*meuble*) archivo.
classification [klasifikɑsjɔ̃] *nf* clasificación *f*.
classifier [klasifje] *vt* clasificar.
classique [klasik] *a* clásico(a); (*habituel*) clásico(a), corriente // *nm* clásico.
claudication [klodikɑsjɔ̃] *nf* renguera, cojera.
clause [kloz] *nf* claúsula.
claustrer [klostʀe] *vt* enclaustrar.
claustrophobie [klostʀɔfɔbi] *nf* claustrofobia.
clavecin [klavsɛ̃] *nm* clavicordio, clave *m*.
clavicule [klavikyl] *nf* clavícula.
clavier [klavje] *nm* teclado.
clé *ou* **clef** [kle] *nf* llave *f*; (*MUS, fig*) clave *f* // *a*: **position ~** posición *f* clave; **~ de sol/de fa/d'ut** (*MUS*) clave de sol/de fa/de do; **~ anglaise/à tubes** llave inglesa/de

tubo; ~ **à molette/universelle** llave inglesa/universal; ~ **de contact** (AUTO) llave de arranque *o* encendido; ~ **de voûte** piedra angular.
clémence [klemɑ̃s] *nf* clemencia.
clément, e [klemɑ̃, ɑ̃t] *a* (*temps*) benigno(a); (*juge, peine*) clemente, indulgente.
clémentine [klemɑ̃tin] *nf variedad de mandarina.*
cleptomane [klɛptɔman] *nm/f* = **kleptomane**.
clerc [klɛʀ] *nm*: ~ **de notaire/d'avoué** pasante *m*, escribiente *m*.
clergé [klɛʀʒe] *nm* clero.
clergyman [klɛʀʒiman] *nm* pastor *m* protestante.
clérical, e, aux [kleʀikal, o] *a* clerical.
cliché [kliʃe] *nm* (PHOTO) clisé *m*; (LING) lugar *m* común.
client, e [klijɑ̃, ɑ̃t] *nm/f* cliente *m/f*.
clientèle [klijɑ̃tɛl] *nf* clientela; **accorder/retirer sa** ~ **à** hacerse/dejar de ser cliente de.
cligner [kliɲe] *vi*: ~ **des yeux** entornar los ojos, parpadear; ~ **de l'œil** guiñar el ojo.
clignotant, e [kliɲɔtɑ̃, ɑ̃t] *a* (*lumière*) intermitente // *nm* (AUTO) indicador *m* de dirección.
clignoter [kliɲɔte] *vi* parpadear, pestañear.
climat [klima] *nm* clima *m*; (*politique, social*) clima, atmósfera; ~**ique** *a* climático(a).
climatisation [klimatizɑsjɔ̃] *nf* acondicionamiento de aire.
climatisé, e [klimatize] *a* con aire acondicionado.
clin d'œil [klɛ̃dœj] *nm* guiño.
clinique [klinik] *a* clínico(a) // *nf* clínica.
clinquant, e [klɛ̃kɑ̃, ɑ̃t] *a* de oropel, chillón(ona).
cliqueter [klikte] *vi* sonar, tintinear; **cliquetis** [-ti] *nm* ruido, tintineo.
clitoris [klitɔʀis] *nm* clítoris *m*.
clivage [klivaʒ] *nm* (GÉO) crucero; (*fig*) diferencia.
clochard, e [klɔʃaʀ, aʀd(ə)] *nm/f* vagabundo/a, mendigo/a.
cloche [klɔʃ] *nf* campana; (*fam*) tonto/a; ~ **à fromage** quesera.
cloche-pied [klɔʃpje] : **à** ~ *ad* a la pata coja.
clocher [klɔʃe] *nm* campanario // *vi* (*fam*) fallar, no andar bien.
clocheton [klɔʃtɔ̃] *nm* pináculo.
clochette [klɔʃɛt] *nf* campanilla, cencerro; (*de fleur*) campanilla.
cloison [klwazɔ̃] *nf* tabique *m*; ~**ner** *vt* tabicar, dividir en compartimientos.
cloître [klwatʀ(ə)] *nm* claustro.
cloîtrer [klwatʀe] *vt* enclaustrar, recluir.
clopin-clopant [klɔpɛ̃klɔpɑ̃] *ad* cojeando, así así.
cloporte [klɔpɔʀt(ə)] *nm* cochinilla.
cloque [klɔk] *nf* ampolla.
clore [klɔʀ] *vt* cerrar, clausurar; **clos, e** [klo, oz] *a* cerrado(a); (*liste*) concluido(a), cerrado(a) // *nm* cercado; **la séance est close** la sesión ha terminado *o* concluido.
clôture [klotyʀ] *nf* clausura, cierre *m*; (*d'un festival, d'une manifestation*) clausura, término; (*barrière*) valla; **clôturer** *vt* (*terrain*) cercar, cerrar; (*festival, débats*) clausurar, cerrar.
clou [klu] *nm* clavo; (*furoncle*) divieso; (*fam*: *gén*: **vieux** ~) trasto; ~**s** *mpl* = **passage clouté**; **pneus à** ~**s** *neumáticos para nieve o montaña*; **le** ~ **du spectacle** (*fig*) la principal atracción del espectáculo; ~**er** [klue] *vt* clavar; (*fig*): ~**er qch/qn sur/contre** inmovilizar algo/a alguien en/contra; ~**té, e** *a* claveteado(a), tachonado(a).
clown [klun] *nm* payaso, clown *m*; **faire le** ~ (*fig*) hacer el payaso.
club [klœb] *nm* club *m*.
CNRS *sigle m voir* **centre**.
coaguler [kɔagyle] *vi* (*aussi*: **se** ~) coagular, coagularse // *vt* coagular.
coaliser [kɔalize]: **se** ~ *vi*

coligarse, agruparse; **coalition** *nf* coalición *f*, alianza.
coasser [kɔase] *vi* croar.
cobaye [kɔbaj] *nm* (ZOOL) cobayo; (*fig*) conejillo de Indias (*fig*).
cobra [kɔbʀa] *nm* cobra.
cocagne [kɔkaɲ] *nf*: **pays de ~** Jauja; **mât de ~** cucaña.
cocaïne [kɔkain] *nf* cocaína.
cocarde [kɔkaʀd(ə)] *nf* escarapela, curcarda.
cocardier, ère [kɔkaʀdje, ɛʀ] *a* patriotero(a).
cocasse [kɔkas] *a* chusco(a), chistoso(a).
coccinelle [kɔksinɛl] *nf* mariquita.
coccyx [kɔksis] *nm* coxis *m*.
cocher [kɔʃe] *nm* cochero // *vt* marcar, subrayar.
cochère [kɔʃɛʀ] *af*: **porte ~** puerta cochera.
cochon, ne [kɔʃɔ̃, ɔn] *nm* (ZOOL) cerdo, marrano // *nm/f* puerco/a, cochino/a; (*méchant*) malvado/a, malo/a // *a* puerco(a), cochino(a).
cochonnaille [kɔʃɔnɑj] *nf* (*péj*) embutidos.
cochonnerie [kɔʃɔnʀi] *nf* (*fam*) porquería; cochinada.
cochonnet [kɔʃɔnɛ] *nm* (BOULES) bolín *m*.
cocktail [kɔktɛl] *nm* cóctel *m*.
coco [kɔko] *nm voir* **noix**; (*fam*) tío, tipo.
cocon [kɔkɔ̃] *nm* capullo.
cocorico [kɔkɔʀiko] *excl, nm* quiquiriquí (*m*).
cocotier [kɔkɔtje] *nm* cocotero.
cocotte [kɔkɔt] *nf* (*en fonte*) olla, cacerola; **ma ~** (*fam*) mi niñita, mi pollita; **~ (minute)** olla de presión; **~ en papier** pajarita de papel.
cocu [kɔky] *nm* cornudo.
code [kɔd] *nm* código; (AUTO): **se mettre en ~(s)** poner la luz de cruce; **~ civil/pénal** código civil/penal; **~ postal** código postal; **~ de la route** código de la circulación; **~ secret** código secreto; **coder** *vt* poner en código.
codifier [kɔdifje] *vt* codificar.
coefficient [kɔefisjɑ̃] *nm* coeficiente *m*.
coercition [kɔɛʀsisjɔ̃] *nf* coerción *f*.
cœur [kœʀ] *nm* corazón *m*; (*milieu*): **~ du débat** centro *o* punto álgido del debate; (CARTES: *couleur*) corazones *mpl*, ≈ copas; (:*carte*) corazón *m*, ≈ copa; **avoir bon ~** *ou* **du ~** tener buen corazón; **avoir mal au ~** tener náuseas; **contre son ~** contra su pecho; **souhaiter qch de tout son ~** desear algo de todo corazón; **en avoir le ~ net** saber a qué atenerse; **apprendre/savoir par ~** aprender/saber de memoria; **de bon ~** de buena gana; **de grand ~** con toda el alma; **avoir à ~ de faire** empeñarse en hacer; **cela lui tient à ~** esto le interesa mucho; **~ de laitue** cogollo de lechuga; **~ d'artichaut** corazón de alcachofa.
coexister [kɔɛgziste] *vi* coexistir.
coffrage [kɔfʀaʒ] *nm* encofrado.
coffre [kɔfʀ(ə)] *nm* cofre *m*, arca; (*d'auto*) portaequipaje *m*; (*fam*) pecho; **~(-fort)** caja de caudales.
coffrer [kɔfʀe] *vt* (*fam*) meter en chirona *o* a la sombra.
coffret [kɔfʀɛ] *nm* cofrecillo.
cognac [kɔɲak] *nm* coñac *m*.
cogner [kɔɲe] *vi* golpear; **~ à la porte/fenêtre** llamar *o* golpear a la puerta/ventana; **se ~** *vi* golpearse.
cohabiter [kɔabite] *vi* cohabitar.
cohérent, e [kɔeʀɑ̃, ɑ̃t] *a* coherente.
cohésion [kɔezjɔ̃] *nf* cohesión *f*.
cohorte [kɔɔʀt(ə)] *nf* cohorte *f*.
cohue [kɔy] *nf* tropel *m*, tumulto.
coi, te [kwa, at] *a*: **rester ~** no decir esta boca es mía.
coiffe [kwaf] *nf* toca, cofia.
coiffé, e [kwafe] a: **bien/mal ~** bien/mal peinado; **~ d'un béret** cubierto con una boina; **~ en arrière/en brosse** peinado hacia atrás/al cepillo.
coiffer [kwafe] *vt* peinar; (*d'un chapeau*) cubrir la cabeza a; (*colline, sommet*) coronar;

(*sections, organismes*) dirigir, supervisar; (*fig: dépasser*) ganar, sobrepasar; **se ~** peinarse; (*se couvrir*) ponerse el sombrero, cubrirse; **coiffeur, euse** *nm/f* peluquero/a // *nf* tocador *m*.
coiffure [kwafyʀ] *nf* peinado; (*chapeau*) tocado; (*art*): **la ~** el arte del peinado.
coin [kwɛ̃] *nm* (*gén*) ángulo; (*gén d'une pièce*) rincón *m*; (*gén de la rue*) esquina; (*outil*) cuña; (*endroit*) barrio; lugar *m*; **l'épicerie du ~** la tienda de comestibles de la esquina; **dans le ~** (*dans les alentours*) en los alrededores; **au ~ du feu** al amor de la lumbre, junto al hogar; **du ~ de l'œil** con el rabillo del ojo, de reojo; **regard en ~** mirada de soslayo.
coincer [kwɛ̃se] *vt* atascar, calzar; (*fam*) arrinconar, acorralar.
coïncidence [kɔɛ̃sidɑ̃s] *nf* coincidencia.
coïncider [kɔɛ̃side] *vi*: **~ (avec)** coincidir (con).
coing [kwɛ̃] *nm* membrillo.
coït [kɔit] *nm* coito.
coite [kwat] *af voir* **coi**.
coke [kɔk] *nm* coque *m*.
col [kɔl] *nm* cuello; (*de montagne*) paso; (*de verre, bouteille*) cuello, gollete *m*; (*MÉD*): **~ du fémur** cuello del fémur; **~ roulé** polo; **~ de l'utérus** cerviz *f*.
coléoptère [kɔleɔptɛʀ] *nm* coleóptero.
colère [kɔlɛʀ] *nf*: **la ~** la cólera; la ira; **une ~** una cólera; **coléreux, euse, colérique** *a* colérico(a), irascible.
colifichet [kɔlifiʃɛ] *nm* baratija.
colimaçon [kɔlimasɔ̃]: **en ~** *ad* en espiral, en caracol.
colin [kɔlɛ̃] *nm* merluza.
colin-maillard [kɔlɛ̃majaʀ] *nm* gallina ciega.
colique [kɔlik] *nf* (*MÉD*) cólico.
colis [kɔli] *nm* paquete *m*; **~ postal** paquete postal.
collaborateur, trice [kɔlabɔʀatœʀ, tʀis] *nm/f* colaborador/ora; (*POL*) colaboracionista *m/f*.
collaboration [kɔlabɔʀɑsjɔ̃] *nf* colaboración *f*.
collaborer [kɔlabɔʀe] *vi* colaborar; **~ à** colaborar en.
collant, e [kɔlɑ̃, ɑ̃t] *a* adherente, pegajoso(a); (*péj: personne*) pesado(a) // *nm* (*bas*) pantimedia; (*de danseur*) malla de danza.
collation [kɔlɑsjɔ̃] *nf* colación *f*, merienda.
colle [kɔl] *nf* cola, goma; (*devinette*) pega, problema *m* difícil; (*SCOL*) castigo; **~ de bureau** goma de pegar (de oficina); **~ forte** cola fuerte.
collecte [kɔlɛkt(ə)] *nf* colecta; **collecter** *vt* recolectar.
collecteur [kɔlɛktœʀ] *nm* (*égout*) colector *m*, cloaca.
collectif, ive [kɔlɛktif, iv] *a* colectivo(a).
collection [kɔlɛksjɔ̃] *nf* colección *f*; **faire ~ de** coleccionar; **~ner** *vt* coleccionar; **~neur, euse** *nm/f* coleccionista *m/f*.
collectivité [kɔlɛktivite] *nf* colectividad *f*; **~s locales** (*ADMIN*) colectividades locales.
collège [kɔlɛʒ] *nm* colegio; (*assemblée*) colegio, cuerpo.
collégial, e, aux [kɔleʒjal, o] *a* colegiado(a).
collégien, ne [kɔleʒjɛ̃, ɛn] *nm/f* colegial/a.
collègue [kɔlɛg] *nm/f* colega *m/f*.
coller [kɔle] *vt* pegar, adherir; (*morceaux*) pegar, encolar; (*fam: mettre*) largar, arrojar; (*par une devinette*) dar una pega a; (*SCOL*) castigar; suspender (*en un exámen*) // *vi* (*être collant*) pegarse, adherirse; (*adhérer*) adherir; **~ à** adherirse a, cuadrar con (*fig*).
collerette [kɔlʀɛt] *nf* cuello, gorguera.
collet [kɔlɛ] *nm* (*piège*) lazo; **prendre qn au ~** echarle a uno la garra *o* el guante; **~ monté** *a inv* encopetado(a), presumido(a).

collier [kɔlje] *nm* collar *m*; (*de tuyau*) collar, abrazadera.
colline [kɔlin] *nf* colina.
collision [kɔlizjɔ̃] *nf* (AUTO) colisión *f*, choque *m*; **entrer en ~ (avec)** (*fig*) entrar en conflicto (con), enfrentarse (con).
colloque [kɔlɔk] *nm* coloquio.
colmater [kɔlmate] *vt* obstruir, tapar.
colombe [kɔlɔ̃b] *nf* paloma.
colon [kolɔ̃] *nm* colono; (*enfant*: *en vacances*) *integrante de una colonia de vacaciones.*
colonel [kɔlɔnɛl] *nm* coronel *m*.
colonial, e, aux [kɔlɔnjal, o] *a* colonial.
colonialisme [kɔlɔnjalism(ə)] *nm* colonialismo; **colonialiste** *a, nm/f* colonialista (*m/f*).
colonie [kɔlɔni] *nf* colonia; **~ (de vacances)** colonia de vacaciones; **colonisation** [-zasjɔ̃] *nf* colonización *f*; **coloniser** [-ze] *vt* colonizar.
colonne [kɔlɔn] *nf* columna; (*de soldats, camions*) columna, hilera; (ANAT): **~ (vertébrale)** columna (vertebral); **se mettre en ~ par 2/4** formar hilera de a 2/4; **~ de secours** columna de socorro.
colophane [kɔlɔfan] *nf* colofonia.
colorant [kɔlɔʀɑ̃] *nm* colorante *m*.
coloration [kɔlɔʀɑsjɔ̃] *nf* coloración *f*.
colorer [kɔlɔʀe] *vt* colorear; **se ~** *vi* colorearse.
colorier [kɔlɔʀje] *vt* colorear, pintar.
coloris [kɔlɔʀi] *nm* colorido, tonalidad *f*.
colossal, e, aux [kɔlɔsal, o] *a* colosal.
colporter [kɔlpɔʀte] *vt* vender de puerta en puerta; (*fig*) divulgar, propagar; **colporteur, euse** *nm/f* vendedor/ora ambulante.
colza [kɔlza] *nm* colza.
coma [kɔma] *nm* coma *m*; **être dans le ~** estar en coma; **~teux, euse** *a* comatoso(a).
combat [kɔ̃ba] *nm* (MIL) combate *m*, lucha; (*fig*) combate; **~ de boxe** combate de box; **~ de rues** combate en las calles.
combatif, ive [kɔ̃batif, iv] *a* combativo(a).
combattant, e [kɔ̃batɑ̃, ɑ̃t] *a, nm/f* combatiente (*m*); **ancien ~** ex combatiente.
combattre [kɔ̃batʀ(ə)] *vt* combatir.
combien [kɔ̃bjɛ̃] *ad* cuánto; (*exclamatif*) ¡cómo!, ¡cuán!, ¡qué!; **~ coûte/pèse ceci?** ¿cuánto cuesta/pesa esto?; **~ de personnes?** ¿cuántas personas?; **~ d'eau?** ¿cuánta agua?; **~ de temps?** ¿cuánto tiempo?
combinaison [kɔ̃binɛzɔ̃] *nf* (*gén*) combinación *f*; (*spatiale, de scaphandrier*) traje *m*; (*bleu de travail*) mono.
combiné [kɔ̃bine] *nm* (*aussi*: **~ téléphonique**) microteléfono; (SKI) prueba mixta.
combiner [kɔ̃bine] *vt* (*éléments, couleurs*) combinar; (*plan, horaire, rencontre*) combinar, organizar.
comble [kɔ̃bl(ə)] *a* lleno(a), repleto(a) // *nm* colmo; **~s** *mpl* armazón *f* del techo; **c'est le ~!** ¡es el colmo!
combler [kɔ̃ble] *vt* (*trou*) colmar, llenar; (*lacune, déficit*) cubrir; (*désirs, personne*) colmar, cumplir; **~ qn de joie** colmar a uno de alegría.
combustible [kɔ̃bystibl(ə)] *a, nm* combustible (*m*).
combustion [kɔ̃bystjɔ̃] *nf* combustión *f*.
comédie [kɔmedi] *nf* comedia; **jouer la ~** (*fig*) hacer la comedia; **~ musicale** comedia musical.
comédien, ne [kɔmedjɛ̃, jɛn] *nm/f* comediante/a; (*simulateur*) farsante *m*, comediante/a.
comestible [kɔmɛstibl(ə)] *a* comestible.
comète [kɔmɛt] *nf* cometa *m*.
comique [kɔmik] *a, nm/f* cómico(a) // *nm*: **le ~ de qch** lo cómico *o* gracioso de algo.

comité [kɔmite] *nm* comité *m*; ~ **d'entreprise** jurado de empresa.
commandant [kɔmɑ̃dɑ̃] *nm* (*MIL*) comandante *m*; (*NAUT*) comandante, capitán *m*; (*AVIAT*): ~ **(de bord)** comandante (de a bordo).
commande [kɔmɑ̃d] *nf* (*COMM*) pedido, encargo; ~**s** *fpl* (*de voiture, d'avion*) mandos; **en doubles** ~**s** de dobles mandos; **sur** ~ a pedido, de encargo.
commandement [kɔmɑ̃dmɑ̃] *nm* mando; (*ordre*) mandato, orden *f*; (*REL*) mandamiento.
commander [kɔmɑ̃de] *vt* (*COMM*) encargar, pedir; (*armée, bateau, avion*) mandar, comandar; (*fig: agir sur, contrôler*) regular, controlar; (*nécessiter*) exigir, demandar; ~ **à qn** mandar *o* dominar a alguien; ~ **à qn de faire qch** ordenar a alguien que haga algo; ~ **à qch** (*maîtriser*) dominar *o* refrenar algo.
commanditaire [kɔmɑ̃ditɛʀ] *nm* socio comanditario.
commando [kɔmɑ̃do] *nm* comando.
comme [kɔm] *prép* como; **donner** ~ **prix/heure** dar como precio/hora // *conj* como; (*au moment où*) cuando // *ad* (*exclamatif*): ~ **il est fort/c'est bon!** ¡qué fuerte/bueno es!; **faites-le** ~ **cela** *ou* **ça** hágalo así; **comment ça va?** — ~ **ça** ¿cómo está? *o* ¿qué tal? — así, así, regular; ~ **ça** *ou* **cela on n'aura pas d'ennuis** así *o* de este modo no tendremos dificultades; ~ **ci** ~ **ça** así así; **joli** ~ **tout** muy bonito.
commémoration [kɔmemɔʀɑsjɔ̃] *nf* conmemoración *f*.
commémorer [kɔmemɔʀe] *vt* conmemorar.
commencement [kɔmɑ̃smɑ̃] *nm* comienzo; principio.
commencer [kɔmɑ̃se] *vt* comenzar, iniciar; (*être placé au début de*) comenzar, empezar // *vi* comenzar, iniciarse; ~ **à faire** comenzar *o* empezar a hacer.
commensal, e, aux [kɔmɑ̃sal, o] *nm/f* comensal *m/f*.
comment [kɔmɑ̃] *ad* cómo; **et** ~, ~ **donc** ¡y cómo!, ¡ya lo creo!
commentaire [kɔmɑ̃tɛʀ] *nm* comentario; ~ **(de texte)** comentario (de texto).
commentateur, trice [kɔmɑ̃tatœʀ, tʀis] *nm/f* comentarista *m/f*.
commenter [kɔmɑ̃te] *vt* comentar.
commérages [kɔmeʀaʒ] *nmpl* comadreos, chismes *mpl*.
commerçant, e [kɔmɛʀsɑ̃, ɑ̃t] *a* comercial; (*personne*) comerciante // *nm/f* comerciante *m/f*.
commerce [kɔmɛʀs(ə)] *nm* comercio; (*boutique*) comercio, tienda; (*fig*) relación *f*, trato; **faire** ~ **de** comerciar con; **vendu dans le** ~ en venta en los comercios; **vendu hors-**~ en venta fuera de comercio; **commercial, e, aux** *a* comercial; **commercialiser** *vt* comercializar.
commère [kɔmɛʀ] *nf* comadre *f*.
commettre [kɔmɛtʀ(ə)] *vt* cometer.
commis [kɔmi] *nm* dependiente *m*, empleado; ~ **voyageur** viajante *m* de comercio.
commisération [kɔmizeʀɑsjɔ̃] *nf* conmiseración *f*, piedad *f*.
commissaire [kɔmisɛʀ] *nm* (*de police*) comisario; (*de course, compétition*) juez *m*; ~ **aux comptes** (*ADMIN*) interventor *m* de cuentas; ~**-priseur** [-pʀizœʀ] *nm* rematador *m*, subastador *m*; **commissariat** [kɔmisaʀja] *nm* (*de police*) comisaría; (*ministère*) intervención *f*.
commission [kɔmisjɔ̃] *nf* comisión *f*; (*message*) recado; ~**s** *fpl* (*achats*) mandados; ~**naire** *nm/f* mandadero/a.
commissure [kɔmisyʀ] *nf*: ~ **des lèvres** comisura de los labios.
commode [kɔmɔd] *a* comodo(a), apropiado(a); (*facile, aisé*) fácil, accesible; (*aimable*) accesible, tolerante // *nf* cómoda; **commodité**

nf comodidad *f*, practicidad *f*.
commotion [kɔmosjɔ̃] *nf* (*MÉD*): ~ **(cérébrale)** conmoción *f* (cerebral).
commotionné, e [kɔmosjɔne] *a* conmocionado(a), turbado(a).
commuer [kɔmɥe] *vt* conmutar.
commun, e [kɔmœ̃, yn] *a* común; (*identique*) común, igual; (*ordinaire*) común, corriente // *nm*: **cela sort du** ~ esto sale de lo común, es una cosa fuera de lo común; **le** ~ **des mortels** la generalidad *o* la mayoria de los mortales // *nf* (*ADMIN*) municipio; ~**s** *mpl* dependencias; **en** ~ en común, juntos; **peu** ~ poco común, extraordinario; **d'un** ~ **accord** de común acuerdo; ~**al, e, aux** [kɔmynal, o] *a* municipal.
communauté [kɔmynote] *nf* comunidad *f*; (*REL*) comunidad, congregación *f*; **régime de la** ~ régimen *m* de bienes gananciales; ~ **économique européenne, CEE** comunidad económica europea, CEE.
commune [kɔmyn] *af, nf voir* **commun.**
communiant, e [kɔmynjɑ̃, ɑ̃t] *nm/f* comulgante *m/f*; **premier (première)** ~**(e)** *persona que hace la primera comunión*.
communicatif, ive [kɔmynikatif, iv] *a* comunicativo(a).
communication [kɔmynikɑsjɔ̃] *nf* comunicación *f*; **en** ~ **avec** en comunicación con; **avoir/donner la** ~ (*TÉLÉC*) obtener/dar comunicación; ~ **en PCV** comunicación a cargo del destinatario.
communier [kɔmynje] *vi* (*REL*) comulgar.
communion [kɔmynjɔ̃] *nf* comunión *f*; **première** ~, ~ **privée** primera comunión; ~ **solennelle** comunión solemne.
communiqué [kɔmynike] *nm* comunicado.
communiquer [kɔmynike] *vt* comunicar, trasmitir; (*demande, dossier*) dirigir, enviar; (*maladie, chaleur*) trasmitir, propagar // *vi* comunicar; ~ **avec** (*suj*: *pièce*) comunicar con; **se** ~ **à** propagarse *o* difundirse a.
communisme [kɔmynism(ə)] *nm* comunismo; **communiste** *a, nm/f* comunista (*m/f*).
commutateur [kɔmytatœʀ] *nm* conmutador *m*.
compact, e [kɔ̃pakt, akt(ə)] *a* compacto(a), denso(a).
compagne [kɔ̃paɲ] *nf voir* **compagnon.**
compagnie [kɔ̃paɲi] *nf* compañía; (*COMM*): **Dupont et** ~ Dupont y compañía; ~ **républicaine de sécurité, CRS** ≈ Guardia Civil; **tenir** ~ **à** hacer compañía a; **fausser** ~ **à** plantar a; **en** ~ **de** en compañía de.
compagnon, compagne [kɔ̃paɲɔ̃, kɔ̃paɲ] *nm/f* compañero/a // *nm* (*ouvrier*) obrero.•
comparable [kɔ̃paʀabl(ə)] *a*: ~ **(à)** comparable (a).
comparaison [kɔ̃paʀɛzɔ̃] *nf* comparación *f*.
comparaître [kɔ̃paʀɛtʀ(ə)] *vi*: ~ **(devant)** comparecer (ante).
comparatif, ive [kɔ̃paʀatif, iv] *a* comparativo(a) // *nm* (*LING*) comparativo.
comparé, e [kɔ̃paʀe] *a*: **littérature** ~**e** literatura comparada.
comparer [kɔ̃paʀe] *vt* comparar, cotejar; ~ **qch/qn à** *ou* **et qch/qn** comparar algo/a alguien con algo/alguien.
comparse [kɔ̃paʀs(ə)] *nm/f* pelele *m*, nulidad *f*.
compartiment [kɔ̃paʀtimɑ̃] *nm* (*de train*) compartimiento; (*case*) compartimiento, casilla; ~ **étanche** compartimiento estanco; **compartimenté, e** *a* compartimentado(a).
comparution [kɔ̃paʀysjɔ̃] *nf* comparición *f*, comparecencia.
compas [kɔ̃pa] *nm* (*MATH*) compás *m*; (*NAUT*) compás, brújula.

compassé, e [kɔ̃pɑse] *a* afectado(a).
compassion [kɔ̃pɑsjɔ̃] *nf* compasión *f*, piedad *f*.
compatible [kɔ̃patibl(ə)] *a*: ~ **(avec)** compatible (con).
compatir [kɔ̃patiʀ] *vi*: ~ **à** compadecer, compadecerse de *o* con.
compatriote [kɔ̃patʀijɔt] *nm/f* compatriota *m/f*.
compensation [kɔ̃pɑ̃sɑsjɔ̃] *nf* compensación *f*.
compenser [kɔ̃pɑ̃se] *vt* compensar, equilibrar.
compère [kɔ̃pɛʀ] *nm* cómplice *m*, compinche *f*.
compétence [kɔ̃petɑ̃s] *nf* competencia, capacidad *f*; (*JUR*) competencia.
compétent, e [kɔ̃petɑ̃, ɑ̃t] *a* competente, capaz; (*JUR*) competente.
compétitif, ive [kɔ̃petitif, iv] *a* competitivo(a).
compétition [kɔ̃petisjɔ̃] *nf* competencia; (*SPORT*): **la/une** ~ la/una competición; **être en** ~ **avec** estar en competencia con.
compiler [kɔ̃pile] *vt* compilar.
complainte [kɔ̃plɛ̃t] *nf* endecha.
complaire [kɔ̃plɛʀ] : **se** ~ *vi*: **se** ~ **dans** complacerse en.
complaisance [kɔ̃plɛzɑ̃s] *nf* amabilidad *f*, deferencia; (*péj*) complacencia; **certificat de** ~ certificado de favor.
complaisant, e [kɔ̃plɛzɑ̃, ɑ̃t] *a* deferente, solícito(a); (*péj*) complaciente.
complément [kɔ̃plemɑ̃] *nm* (*gén*) complemento, suplemento; (*LING*) complemento; ~ **d'objet direct/indirect** complemento directo/indirecto; ~ **(circonstanciel) de lieu/temps** complemento (circunstancial) de lugar/tiempo; ~ **d'agent/de moyen** complemento agente/de modo; ~ **d'information** suplemento de información; ~**aire** *a* complementario(a).
complet, ète [kɔ̃plɛ, ɛt] *a* completo(a), lleno(a); (*obscurité, échec*) completo(a), total; (*entier*) completo(a), integro(a) // *nm* (*aussi*: ~**-veston**) traje *m*; **compléter** *vt* completar, acabar; (*fig*: *partenaire etc*) completar, complementar; **se compléter** *vt réciproque* complementarse // *vi* (*collection etc*) completarse.
complexe [kɔ̃plɛks(ə)] *a* complejo(a), complicado(a); (*BIO, BOT etc*) complejo(a) // *nm* complejo; ~ **portuaire/hospitalier** complejo portuario/hospitalario; **complexé, e** *a* acomplejado(a); **complexité** *nf* complejidad *f*.
complication [kɔ̃plikɑsjɔ̃] *nf* complicación *f*; (*difficulté, ennui*) complicación, contratiempo; ~**s** *fpl* (*MÉD*) complicaciones *fpl*.
complice [kɔ̃plis] *nm/f* cómplice *m/f*; **complicité** *nf* complicidad *f*.
compliment [kɔ̃plimɑ̃] *nm* cumplido, felicitaciones *fpl*; ~**er** *vt* cumplimentar, felicitar.
compliqué, e [kɔ̃plike] *a* complicado(a).
compliquer [kɔ̃plike] *vt* complicar; **se** ~ complicarse.
complot [kɔ̃plo] *nm* complot *m*, conspiración *f*; ~**er** *vi* complotar, conspirar // *vt* tramar.
comportement [kɔ̃pɔʀtəmɑ̃] *nm* comportamiento, actitud *f*; (*TECH*) funcionamiento.
comporter [kɔ̃pɔʀte] *vt* constar de; **se** ~ *vi* comportarse; (*TECH*) funcionar.
composant [kɔ̃pozɑ̃] *nm* componente *m*.
composante [kɔ̃pozɑ̃t] *nf* componente *m*, factor *m*.
composé, e [kɔ̃poze] *a* compuesto(a); (*visage, air*) de circunstancias, afectado(a) // *nm* compuesto; ~ **de** compuesto de.
composer [kɔ̃poze] *vt* (*musique*) componer; (*mélange, équipe, texte*) armar, estructurar; (*suj*: *choses*) componer, constituir // *vi* (*SCOL*) hacer un ejercicio; (*transiger*)

contemporizar, ceder; ~ **un numéro** (*au téléphone*) discar *o* marcar un número; **se** ~ **de** componerse de.

composite [kɔ̃pozit] *a* variado(a), heterogéneo(a).

compositeur, trice [kɔ̃pozitœʀ, tʀis] *nm/f* (*MUS*) compositor/ora; (*TYPOGRAPHIE*) cajista *m*.

composition [kɔ̃pozisjɔ̃] *nf* composición *f*; (*SCOL*) disertación *f*, prueba; **de bonne** ~ contemporizador(ora), tratable; **amener qn à** ~ llegar a un acuerdo con alguien; ~ **française** redacción *f o* composición de francés.

compote [kɔ̃pɔt] *nf* compota; **compotier** *nm* compotera, frutera.

compréhensible [kɔ̃pʀeɑ̃sibl(ə)] *a* comprensible, inteligible; (*fig*) comprensible.

compréhensif, ive [kɔ̃pʀeɑ̃sif, iv] *a* comprensivo(a).

compréhension [kɔ̃pʀeɑ̃sjɔ̃] *nf* comprensión *f*.

comprendre [kɔ̃pʀɑ̃dʀ(ə)] *vt* (*suj: chose*) comprender, incluir; (*sens, problème etc*) comprender, entender; (*fig*) comprender.

compresse [kɔ̃pʀɛs] *nf* compresa.

compresseur [kɔ̃pʀɛsœʀ] *am voir* **rouleau** // *nm* compresor *m*.

compressible [kɔ̃pʀesibl(ə)] *a* compresible, comprimible.

compression [kɔ̃pʀɛsjɔ̃] *nf* compresión *f*; reducción *f*.

comprimé, e [kɔ̃pʀime] *a*: **air** ~ aire comprimido // *nm* (*MÉD*) pastilla, comprimido.

comprimer [kɔ̃pʀime] *vt* comprimir; (*fig*) reducir, disminuir.

compris, e [kɔ̃pʀi, iz] *pp de* **comprendre** // *a* (*inclus*) incluso(a); (: *COMM*) incluido(a); ~ **entre** (*situé*) comprendido entre; ~**?** ¿entendido?; ¿está claro?; **la maison** ~**e, y** ~ **la maison** la casa inclusiva, incluida la casa; **la maison non** ~**e, non** ~ **la maison** sin incluir la casa; **service** ~ servicio incluido; **100 F tout** ~ 100 F en total *o* todo incluido; **la formule du tout** ~ *fórmula que incluye todo.*

compromettant, e [kɔ̃pʀɔmɛtɑ̃, ɑ̃t] *a* comprometedor(ora).

compromettre [kɔ̃pʀɔmɛtʀ(ə)] *vt* comprometer.

compromis [kɔ̃pʀɔmi] *nm* compromiso, convenio.

comptabilité [kɔ̃tabilite] *nf* contabilidad *f*; (*service*) contaduría; **comptable** [kɔ̃tabl(ə)] *nm/f* tenedor *m* de libros, contable *m* // *a* contable.

comptant [kɔ̃tɑ̃] *ad*: **payer/acheter** ~ pagar/comprar al contado.

compte [kɔ̃t] *nm* cuenta; (*total, montant*) cuenta, suma; **faire le** ~ **de** hacer la cuenta de; **en fin de** ~ (*fig*) en resumidas cuentas; **à bon** ~ barato(a), a buen precio; **avoir son** ~ (*fig*) tener su merecido; **pour le** ~ **de qn** por cuenta de alguien; **travailler à son** ~ trabajar por su cuenta *o* por cuenta propia; **prendre qch à son** ~ tomar algo por su cuenta, hacerse cargo de algo; ~ **chèques postaux, CCP** cuenta de cheques postales; ~ **courant** cuenta corriente; ~ **de dépôt** cuenta de depósitos; ~ **à rebours** cuenta regresiva.

compte-gouttes [kɔ̃tgut] *nm inv* (*MÉD*) cuentagotas *m inv*.

compter [kɔ̃te] *vt* contar, enumerar; (*facturer*) facturar, cobrar; (*victoire, condamnations*) contar; (*comporter*) contar, constar de; (*espérer*): ~ **réussir** contar con *o* esperar lograr // *vi* contar; (*être économe*) contar los céntimos; (*être non négligeable*) contar, tener poca importancia; (*valoir*): ~ **pour** valer por, contar para; (*figurer*): ~ **parmi** contarse *o* figurar entre; ~ **sur** contar con; ~ **avec/sans qch/qn** contar/no contar con algo/alguien, tener/no tener en cuenta algo/a alguien; **sans** ~ **que** sin contar (con) que, sin tener en cuenta que; **à** ~ **du 10 janvier** (*COMM*) a partir del 10 enero.

compte-rendu [kɔ̃tʀɑ̃dy] *nm* informe *m*, acta.
compte-tours [kɔ̃ttuʀ] *nm inv* cuentarrevoluciones *m inv*.
compteur [kɔ̃tœʀ] *nm* contador *m*; ~ **de vitesse** contador de velocidad.
comptine [kɔ̃tin] *nf canción infantil* (*en los juegos*).
comptoir [kɔ̃twaʀ] *nm* (*de magasin*) mostrador *m*; (*de café*) barra; (*ville coloniale*) factoría.
compulser [kɔ̃pylse] *vt* consultar, examinar.
comte, comtesse [kɔ̃t, kɔ̃tɛs] *nm/f* conde/condesa.
concave [kɔ̃kav] *a* cóncavo(a).
concéder [kɔ̃sede] *vt* reconocer, admitir; (*avantage, droit à qn*) conceder.
concentration [kɔ̃sɑ̃tʀɑsjɔ̃] *nf* concentración *f*; (*d'esprit*) reconcentración *f*, ensimismamiento.
concentrationnaire [kɔ̃sɑ̃tʀɑsjɔnɛʀ] *a* de campo de concentración.
concentré, e [kɔ̃sɑ̃tʀe] *a* condensado(a), concentrado(a); (*personne*) concentrado(a), absorto(a) // *nm* (*de tomate, d'orange*) jugo concentrado.
concentrer [kɔ̃sɑ̃tʀe] *vt* concentrar; (*population, pouvoirs*) concentrar, reunir; **se** ~ *vi* concentrarse, reconcentrarse.
concentrique [kɔ̃sɑ̃tʀik] *a* concéntrico(a).
concept [kɔ̃sɛpt] *nm* concepto.
conception [kɔ̃sɛpsjɔ̃] *nf* concepción *f*.
concerner [kɔ̃sɛʀne] *vt* concernir a, referirse a; **en ce qui concerne** en lo que concierne a.
concert [kɔ̃sɛʀ] *nm* concierto; (*fig*) coro; **de** ~ *ad* de común acuerdo.
concerter [kɔ̃sɛʀte] *vt* concertar, acordar; **se** ~ ponerse de acuerdo.
concerto [kɔ̃sɛʀto] *nm* concierto.
concession [kɔ̃sesjɔ̃] *nf* concesión *f*.
concessionnaire [kɔ̃sesjɔnɛʀ] *nm/f* concesionario/a.
concevable [kɔ̃svabl(ə)] *a* concebible.
concevoir [kɔ̃svwaʀ] *vt* concebir.
concierge [kɔ̃sjɛʀʒ(ə)] *nm/f* portero/a; ~**rie** [-ʒəʀi] *nf* portería.
concile [kɔ̃sil] *nm* concilio.
conciliabules [kɔ̃siljabyl] *nmpl* conciliábulos.
conciliation [kɔ̃siljɑsjɔ̃] *nf* conciliación *f*, acuerdo.
concilier [kɔ̃silje] *vt* conciliar, conjugar; **se** ~ **qn** ganarse a alguien.
concis, e [kɔ̃si, iz] *a* conciso(a); ~**ion** [-zjɔ̃] *nf* concisión *f*.
concitoyen, ne [kɔ̃sitwajɛ̃, jɛn] *nm/f* conciudadano/a.
conclave [kɔ̃klav] *nm* cónclave *m*.
concluant, e [kɔ̃klyɑ̃, ɑ̃t] *a* concluyente, determinante.
conclure [kɔ̃klyʀ] *vt* concertar, firmar; (*terminer*) concluir, terminar; ~ **qch de qch** deducir o inferir algo de algo; ~ **à** pronunciarse por; **j'en conclus que** deduzco que; **conclusion** [kɔ̃klyzjɔ̃] *nf* concertación *f*, término; (*d'un raisonnement*) conclusión *f*.
conçois *etc vb voir* **concevoir.**
concombre [kɔ̃kɔ̃bʀ(ə)] *nm* pepino.
concordance [kɔ̃kɔʀdɑ̃s] *nf*: **la** ~ **des temps** la concordancia de los tiempos.
concorde [kɔ̃kɔʀd(ə)] *nf* concordia.
concorder [kɔ̃kɔʀde] *vi* concordar, estar de acuerdo.
concourir [kɔ̃kuʀiʀ] *vi* competir; ~ **à** *vt* contribuir a.
concours [kɔ̃kuʀ] *nm* competición *f*; (*examen*) examen *m*, prueba; (*aide*) cooperación *f*, participación *f*; **recrutement par voie de** ~ se harán oposiciones; **apporter son** ~ **à** dar su ayuda a; ~ **de circonstances** cúmulo de circunstancias; ~ **hippique** concurso hípico.
concret, ète [kɔ̃kʀɛ, ɛt] *a* concreto(a); **concrétiser** [-tize] *vt*

concretar; **se concrétiser** *vi* concretarse.
conçu, e *pp de* **concevoir.**
concubin, e [kɔ̃kybɛ̃, in] *nm/f* concubino/a; **~age** [-binaʒ] *nm* concubinato.
concurremment [kɔ̃kyʀamɑ̃] *ad* simultáneamente, a la vez.
concurrence [kɔ̃kyʀɑ̃s] *nf* competencia; **en ~ avec** en competencia con; **jusqu'à ~ de** hasta un monto de; **~ déloyale** competencia desleal.
concurrent, e [kɔ̃kyʀɑ̃, ɑ̃t] *a* opositor(ora), rival // *nm/f* competidor/ora; (*SCOL*) concursante *m/f*; opositor/ora.
condamnation [kɔ̃dɑnɑsjɔ̃] *nf* reprobación *f*; condenación *f*.
condamné, e [kɔdɑne] *nm/f* (*JUR*) condenado/a.
condamner [kɔ̃dɑne] *vt* reprobar, condenar; (*coupable, aussi ouverture*) condenar; (*malade*) desahuciar; **~ qn à qch/faire** condenar a uno a algo/hacer; **~ qn à 2 ans de prison** condenar a uno a 2 años de prisión.
condensateur [kɔ̃dɑ̃satœʀ] *nm* (*ÉLEC*) condensador *m*.
condensation [kɔ̃dɑ̃sɑsjɔ̃] *nf* condensación *f*.
condensé, e [kɔ̃dɑ̃se] *a* (*lait*) condensado(a) // *nm* resumen *m*, compendio.
condenser [kɔ̃dɑ̃se] *vt* condensar; **se ~** *vi* condensarse.
condescendant, e [kɔ̃desɑ̃dɑ̃, ɑ̃t] *a* condesciente.
condescendre [kɔ̃desɑ̃dʀ(ə)] *vi*: **~ à qch/faire qch** condescender a algo/en hacer algo.
condiment [kɔ̃dimɑ̃] *nm* condimento.
condisciple [kɔ̃disipl(ə)] *nm/f* condiscípulo/a.
condition [kɔ̃disjɔ̃] *nf* condición *f*; (*rang social*) condición, clase *f*; **~s** *fpl* (*tarif, prix*) condiciones *fpl*, tarifas; (*circonstances*) condiciones; **sans ~** sin condición, incondicionalmente; **sous ~ de/que** con la condición de/que; **à ~ de/que** a condición de que, siempre que; **~ physique** condición física; **~s atmosphériques** condiciones atmosféricas; **~s de vie** condiciones de vida.
conditionné, e [kɔ̃disjɔne] *a*: **air ~** aire acondicionado.
conditionnel, le [kɔ̃disjɔnɛl] *a* condicional // *nm* condicional *m*, potencial *m*.
conditionnement [kɔ̃disjɔ̃nmɑ̃] *nm* (*emballage*) acondicionamiento, embalaje *m*.
conditionner [kɔ̃disjɔne] *vt* condicionar, determinar; (*COMM*) acondicionar; (*fig*) condicionar, predisponer.
condoléances [kɔ̃dɔleɑ̃s] *nfpl* condolencias, pésame *m*.
conducteur, trice [kɔ̃dyktœʀ, tʀis] *a* conductor(ora) // *nm* conductor *m* // *nm/f* (*AUTO*) conductor/ora, chófer *m*.
conduire [kɔ̃dɥiʀ] *vt* (*véhicule*) conducir; (*délégation, troupeau, société*) guiar, dirigir; (*personne*: *quelque part*) conducir, llevar; (*suj*: *route, sentier*): **~ vers/à** llevar o conducir hacia/a; (*suj*: *attitude, erreur, études*): **~ à** llevar a; **se ~** portarse, comportarse.
conduit [kɔ̃dɥi] *nm* conducto.
conduite [kɔ̃dɥit] *nf* conducción *f*; (*comportement*) conducta, comportamiento; (*d'eau, de gaz*) conducto, cañeria; **~ à gauche** (*AUTO*) volante *m* a la izquierda; **~ d'échec** conducta de fracaso; **~ intérieure** coche cerrado.
cône [kon] *nm* cono; **~ d'avalanche** (*GÉO*) cono de avalancha.
confection [kɔ̃fɛksjɔ̃] *nf* confección *f*, ejecución *f*; (*COUTURE*): **la ~** la confección.
confectionner [kɔ̃fɛksjɔne] *vt* confeccionar, fabricar.
confédération [kɔ̃fedeʀɑsjɔ̃] *nf* confederación *f*.
conférence [kɔ̃feʀɑ̃s] *nf* con-

ferencia; (*pourparlers*) conferencia, entrevista; ~ **de presse** conferencia de prensa; **conférencier, ière** [-sje, jɛʀ] *nm/f* conferenciante *m/f.*

conférer [kɔ̃feʀe] *vt*: ~ **à qn** conferir *o* otorgar a alguien; ~ **à qn/qch** (*suj*: *chose*) otorgar *o* dar a alguien/a algo.

confesser [kɔ̃fese] *vt* confesar, reconocer; (REL) confesar; **se** ~ confesarse; **confesseur** *nm* confesor *m*; **confession** *nf* confesión *f*; **confessionnal, aux** *nm* confesionario; **confessionnel, le** *a* confesional, religioso(a).

confetti [kɔ̃feti] *nm* confeti *m.*

confiance [kɔ̃fjɑ̃s] *nf* confianza, seguridad *f*; **avoir** ~ **en** tener confianza en; **en toute** ~ con toda confianza; **question/vote de** ~ (POL) voto de confianza; **confiant, e** [kɔ̃fjɑ̃, ɑ̃t] *a* confiado(a).

confidence [kɔ̃fidɑ̃s] *nf*: **une** ~ una confidencia; **dire qch en** ~ decir algo en confidencia; **confident, e** [kɔ̃fidɑ̃, ɑ̃t] *nm/f* confidente/a.

confidentiel, le [kɔ̃fidɑ̃sjɛl] *a* confidencial.

confier [kɔ̃fje] *vt*: ~ **à qn** confiar a alguien; **se** ~ **à qn** confiarse a alguien.

configuration [kɔ̃figyʀɑsjɔ̃] *nf* configuración *f.*

confiné, e [kɔ̃fine] *a* viciado(a).

confiner [kɔ̃fine]: ~ **à** *vt* lindar con, rayar en; **se** ~ **dans** confinarse *o* encerrarse en; **se** ~ **à** limitarse a.

confins [kɔ̃fɛ̃] *nmpl*: **aux** ~ **de** en los confines de.

confirmation [kɔ̃fiʀmɑsjɔ̃] *nf* confirmación *f.*

confirmer [kɔ̃fiʀme] *vt* confirmar.

confiscation [kɔ̃fiskɑsjɔ̃] *nf* confiscación *f.*

confiserie [kɔ̃fizʀi] *nf* confitería; (*bonbon*) golosina, dulce *m*; **confiseur, euse** *nm/f* confitero/a.

confisquer [kɔ̃fiske] *vt* confiscar, decomisar.

confit, e [kɔ̃fi, it] *a*: **fruits** ~**s** frutas confitadas // *nm*: ~ **d'oie** conserva *o* escabeche *m* de ganso.

confiture [kɔ̃fityʀ] *nf* confitura, mermelada.

conflagration [kɔ̃flagʀɑsjɔ̃] *nf* conflagracíon *f.*

conflit [kɔ̃fli] *nm* conflicto; (*fig*) conflicto, choque *m*; ~ **armé** conflicto armado.

confluent [kɔ̃flyɑ̃] *nm* confluencia.

confondre [kɔ̃fɔ̃dʀ(ə)] *vt* confundir; (*témoin, menteur*) confundir, desorientar; **se** ~ **en excuses** deshacerse en disculpas.

confondu, e [kɔ̃fɔ̃dy] *a* confuso(a), perplejo(a).

conformation [kɔ̃fɔʀmɑsjɔ̃] *nf* conformación *f.*

conforme [kɔ̃fɔʀm(ə)] *a*: ~ **à** conforme a *o* con, adecuado(a) a; **copie certifiée** ~ copia autenticada *o* legalizada; **conformément** *ad*: **conformément à qch/à ce que** de acuerdo a *o* con algo/a *o* con lo que; **conformer** *vt*: **conformer qch à** adaptar *o* adecuar algo a; **se conformer à** adaptarse *o* adecuarse a.

conformisme [kɔ̃fɔʀmism(ə)] *nm* conformismo; **conformiste** *a, nm/f* conformista (*m/f*).

conformité [kɔ̃fɔʀmite] *nf* conformidad *f*, concordancia.

confort [kɔ̃fɔʀ] *nm* confort *m*, comodidad *f*; **tout** ~ con todas las comodidades; ~**able** [-tabl(ə)] *a* confortable, cómodo(a); (*fig*) considerable, decoroso(a).

confrère [kɔ̃fʀɛʀ] *nm* colega *m.*

confrérie [kɔ̃fʀeʀi] *nf* cofradía.

confrontation [kɔ̃fʀɔ̃tɑsjɔ̃] *nf* confrontación *f*; careo.

confronté, e [kɔ̃fʀɔ̃te] *a*: ~ **à** (*problème, situation*) confrontado a.

confronter [kɔ̃fʀɔ̃te] *vt* confrontar, cotejar; (JUR) carear.

confus, e [kɔ̃fy, yz] *a* confuso(a), oscuro(a); (*bataille, situation*) desordenado(a), confuso(a); (*personne*: *embarrassé*) confuso(a), turbado(a).

confusion [kɔ̃fyzjɔ̃] *nf* confusión *f.*

congé [kɔ̃ʒe] *nm* licencia, vacaciones *fpl*; (*avis de départ*) despedida; **en** ~ de licencia, de vacaciones; **semaine/jour de** ~ semana/día *m* de asueto; **prendre** ~ **de qn** despedirse de alguien; **donner son** ~ **à** despedir a; ~ **de maladie** licencia por enfermedad; ~**s payés** licencia pagada, vacaciones pagadas; ~**dier** [-dje] *vt* despedir.

congélateur [kɔ̃ʒelatœʀ] *nm* congelador *m*.

congeler [kɔ̃ʒle] *vt* congelar.

congénère [kɔ̃ʒenɛʀ] *nm/f* congénere *m*.

congénital, e, aux [kɔ̃ʒenital, o] *a* congénito(a).

congère [kɔ̃ʒɛʀ] *nf* ventisquero.

congestion [kɔ̃ʒɛstjɔ̃] *nf* congestión *f*; ~ **pulmonaire/cérébrale** congestión pulmonar/cerebral.

congestionné, e [kɔ̃ʒɛstjɔne] *a* congestionado(a).

congestionner [kɔ̃ʒɛstjɔne] *vt* congestionar.

conglomérat [kɔ̃glɔmeʀa] *nm* conglomerado.

congratuler [kɔ̃gʀatyle] *vt* congratular, felicitar.

congre [kɔ̃gʀ(ə)] *nm* congrio.

congrégation [kɔ̃gʀegɑsjɔ̃] *nf* congregación *f*.

congrès [kɔ̃gʀɛ] *nm* congreso.

congru, e [kɔ̃gʀy] *a*: **portion** ~**e** porción exigua.

conifère [kɔnifɛʀ] *nm* conífera.

conique [kɔnik] *a* cónico(a).

conjecturer [kɔ̃ʒɛktyʀe] *vt, vi* conjeturar, presumir.

conjoint, e [kɔ̃ʒwɛ̃, wɛ̃t] *a* conjunto(a) // *nm/f* cónyuge *m/f*; ~**ement** [-ɛ̃tmɑ̃] *ad* conjuntamente, simultáneamente.

conjonctif, ive [kɔ̃ʒɔ̃ktif, iv] *a*: **tissu** ~ tejido conjuntivo.

conjonction [kɔ̃ʒɔ̃ksjɔ̃] *nf* conjunción *f*.

conjonctivite [kɔ̃ʒɔ̃ktivit] *nf* conjuntivitis *f*.

conjoncture [kɔ̃ʒɔ̃ktyʀ] *nf* coyuntura, circunstancias; **conjoncturel, le** *a* coyuntural.

conjugaison [kɔ̃ʒygɛzɔ̃] *nf* (LING) conjugación *f*.

conjugal, e, aux [kɔ̃ʒygal, o] *a* conyugal.

conjuguer [kɔ̃ʒyge] *vt* conjugar; (*fig*) conjugar, aunar.

conjuration [kɔ̃ʒyʀɑsjɔ̃] *nf* conjura, conspiración *f*; **conjuré, e** *nm/f* conjurado/a, conspirador/ora.

conjurer [kɔ̃ʒyʀe] *vt* conjurar; ~ **qn de faire qch** rogar *o* suplicar a alguien que haga algo.

connaissance [kɔnɛsɑ̃s] *nf* conocimiento; (*personne connue*) conocido/a; ~**s** *fpl* (*savoir*) conocimientos; **être sans/perdre** ~ estar sin/perder el conocimiento; **à ma/sa** ~ por lo que se/sabe; **prendre** ~ **de** tomar conocimiento de; **donner** ~ **de** dar a conocer, informar; **en** ~ **de cause** con conocimiento de causa.

connaisseur, euse [kɔnɛsœʀ, øz] *nm/f* conocedor/ora.

connaître [kɔnɛtʀ(ə)] *vt* (*gén*) conocer; (*date, fait, adresse*) conocer, saber; (*avoir l'expérience de*) conocer, dominar; ~ **qn de nom/vue** conocer a alguien de nombre/vista; **se** ~ *vt réfléchi* conocerse.

connecter [kɔnɛkte] *vt* conectar.

connexe [kɔnɛks(ə)] *a* conexo(a), afín.

connexion [kɔnɛksjɔ̃] *nf* conexión *f*.

connivence [kɔnivɑ̃s] *nf* connivencia.

connotation [kɔnɔtɑsjɔ̃] *nf* connotación *f*.

connu, e [kɔny] *pp de* **connaître** // *a* conocido(a); (*célèbre*) conocido(a), reputado(a).

conquérant, e [kɔ̃keʀɑ̃, ɑ̃t] *nm/f* conquistador/ora.

conquérir [kɔ̃keʀiʀ] *vt* conquistar.

conquête [kɔ̃kɛt] *nf* conquista.

consacré, e [kɔ̃sakʀe] *a*: ~ **à** (REL) consagrado a; (*employé à*)

consagrado a, destinado a; (*traitant de*) consagrado a, dedicado a.
consacrer [kɔ̃sakʀe] *vt* consagrar; ~ **qch à/à faire** consagrar *o* destinar algo a/a hacer; **se ~ à qch/faire** consagrarse *o* dedicarse a algo/a hacer.
consanguin, e [kɔ̃sɑ̃gɛ̃, in] *a* consanguíneo(a).
conscience [kɔ̃sjɑ̃s] *nf* conciencia; **avoir/prendre ~ de** tener/tomar conciencia de; **perdre ~** perder el conocimiento; **avoir bonne/mauvaise ~** tener la conciencia limpia/sucia; ~ **professionnelle** conciencia profesional.
consciencieux, euse [kɔ̃sjɑ̃sjø, øz] *a* concienzudo(a), escrupuloso(a).
conscient, e [kɔ̃sjɑ̃, ɑ̃t] *a* (*MÉD*) consciente; (*délibéré*) consciente, deliberado(a); ~ **de** consciente de.
conscription [kɔ̃skʀipsjɔ̃] *nf* reclutamiento *m*.
conscrit [kɔ̃skʀi] *nm* recluta *m*.
consécration [kɔ̃sekʀɑsjɔ̃] *nf* consagración *f*.
consécutif, ive [kɔ̃sekytif, iv] *a* consecutivo(a); ~ **à** causado por, debido a.
conseil [kɔ̃sɛj] *nm* consejo; **tenir ~** celebrar consejo; **prendre ~ auprès de qn** pedir consejo a alguien; **ingénieur/médecin-~** ingeniero/médico asesor; ~ **d'administration/des ministres** consejo de administración/de ministros; ~ **de discipline** consejo *o* junta de disciplina; ~ **municipal** ayuntamiento, concejo; ~ **de révision** junta de revisión.
conseiller [kɔ̃seje] *vt* aconsejar; **conseiller, ère** *nm/f* consejero/a; ~ **municipal** concejal *m*.
consentement [kɔ̃sɑ̃tmɑ̃] *nm* consentimiento, aprobación *f*.
consentir [kɔ̃sɑ̃tiʀ] *vt*: ~ **qch à qn** consentir *o* acordar algo a alguien; ~ **à qch/faire** aceptar algo/hacer.
conséquence [kɔ̃sekɑ̃s] *nf* consecuencia; **en ~** consecuentemente, conforme a esto; **en ~** (*donc*) en consecuencia, por consiguiente; **tirer à ~** traer consecuencias, tener importancia; **sans ~** sin consecuencia *o* importancia.
conséquent, e [kɔ̃sekɑ̃, ɑ̃t] *a* consecuente; **par ~** por consiguiente.
conservateur, trice [kɔ̃sɛʀvatœʀ, tʀis] *a, nm/f* conservador(ora) // *nm* (*de musée*) conservador *m*.
conservation [kɔ̃sɛʀvɑsjɔ̃] *nf* conservación *f*.
conserve [kɔ̃sɛʀv(ə)] *nf* conserva; **en ~** en conserva; **de ~** conjuntamente, en compañía.
conserver [kɔ̃sɛʀve] *vt* conservar; (*faculté, amis, livres*) conservar, mantener.
conserverie [kɔ̃sɛʀvəʀi] *nf* fábrica de conservas.
considérable [kɔ̃sideʀabl(ə)] *a* considerable, importante.
considération [kɔ̃sideʀɑsjɔ̃] *nf* consideración *f*; (*estime*) consideración, estima; (*raison*) razonamiento; ~**s** *fpl* (*remarques*) consideraciones *fpl*; **prendre en ~** tomar en consideración; **en ~ de** en razón de, teniendo en cuenta.
considéré, e [kɔ̃sideʀe] *a* (*respecté*) considerado(a).
considérer [kɔ̃sideʀe] *vt* (*étudier*) considerar; (*tenir compte de*) considerar, tener en cuenta; (*regarder*) examinar, observar; (*estimer*): ~ **que** considerar *o* estimar que; ~ **qch comme** considerar algo como.
consigne [kɔ̃siɲ] *nf* consigna; (*COMM*) *importe* (*reembolsable*) *de un envase etc*; (*SCOL, MIL*) castigo.
consigner [kɔ̃siɲe] *vt* consignar, anotar; (*soldat, élève*) castigar; (*COMM*) *cobrar el importe del envase.*
consistance [kɔ̃sistɑ̃s] *nf* consistencia; (*fig*) consistencia, solidez *f*.
consistant, e [kɔ̃sistɑ̃, ɑ̃t] *a* consistente, firme.
consister [kɔ̃siste] *vi*: ~ **en**

consistir en, componerse de; ~ **dans** consistir *o* residir en; ~ **à faire** consistir en hacer.

consœur [kɔ̃sœʀ] *nf* colega *m*.

consolation [kɔ̃sɔlɑsjɔ̃] *nf*: **avoir la ~ de** tener el consuelo de; **lot/prix de ~** premio consuelo *o* de consolación.

console [kɔ̃sɔl] *nf* (CONSTRUCTION) ménsula; (*d'ordinateur*) tablero.

consoler [kɔ̃sɔle] *vt* consolar, calmar; **se ~ (de qch)** consolar (de algo).

consolider [kɔ̃sɔlide] *vt* consolidar, reforzar; (*fig*) consolidar, afirmar.

consommateur, trice [kɔ̃sɔmatœʀ, tʀis] *nm/f* consumidor/ora; (*dans un café*) consumidor/ora, cliente *m/f*.

consommation [kɔ̃sɔmɑsjɔ̃] *nf* consumo; (*boisson*) consumición *f*; **~ de 10 litres aux 100 km** (AUTO) consumo de 10 litros cada *o* en 100 km.

consommé, e [kɔ̃sɔme] *a* consumado(a) // *nm* caldo, consomé *m*.

consommer [kɔ̃sɔme] *vt* consumir; (*suj*: *voiture, usine, poêle*) consumir, gastar // *vi* (*dans un café*) consumir.

consonance [kɔ̃sɔnɑ̃s] *nf* consonancia; **nom à ~ étrangère** nombre *m* de resonancia extranjera.

consonne [kɔ̃sɔn] *nf* consonante *f*.

consort [kɔ̃sɔʀ]: **~s** *nmpl* (*péj*): **et ~s** y compañía, y secuaces.

consortium [kɔ̃sɔʀsjɔm] *nm* consorcio.

conspiration [kɔ̃spiʀɑsjɔ̃] *nf* conspiración *f*.

conspirer [kɔ̃spiʀe] *vi* conspirar, complotar.

conspuer [kɔ̃spɥe] *vt* abuchear.

constamment [kɔ̃stamɑ̃] *ad* constantemente.

constant, e [kɔ̃stɑ̃, ɑ̃t] *a* (*personne*) constante, perseverante; (*température, augmentation*) constante.

constat [kɔ̃sta] *nm* (*d'huissier*) acta; (*après un accident*) atestado; **~ (à l'amiable)** acta (de conciliación).

constatation [kɔ̃statɑsjɔ̃] *nf* comprobación *f*.

constater [kɔ̃state] *vt* comprobar; (*remarquer*) comprobar, notar; **~ que** notar *o* comprobar que; (*faire observer, dire*) advertir que.

constellation [kɔ̃stelɑsjɔ̃] *nf* constelación *f*.

constellé, e [kɔ̃stele] *a*: **~ de** salpicado *o* cuajado de.

consterner [kɔ̃stɛʀne] *vt* consternar, afligir.

constipation [kɔ̃stipɑsjɔ̃] *nf* estreñimiento, constipación *f*.

constipé, e [kɔ̃stipe] *a* estreñido(a), constipado(a); (*fig*) fruncido(a), antipático(a).

constitué, e [kɔ̃stitɥe] *a*: **~ de** constituido *o* formado por; **bien/mal ~** bien/mal conformado.

constituer [kɔ̃stitɥe] *vt* (*former*) constituir, organizar; (*dossier, collection*) formar, armar; (*suj*: *éléments, parties*) constituir, formar; (*représenter, être*) constituir, representar; **se ~ prisonnier** constituirse prisionero.

constitution [kɔ̃stitysjɔ̃] *nf* formación *f*; (*composition*) composición *f*, constitución *f*; (*santé*, POL) constitución; **~nel, le** *a* constitucional.

constructeur [kɔ̃stʀyktœʀ] *nm* (*de voitures*) constructor *m*, fabricante *m*; (*de bateaux*) armador *m*.

construction [kɔ̃stʀyksjɔ̃] *nf* construcción *f*; (*de phrase, roman*) estructura; (*bâtiment*) construcción, edificio.

construire [kɔ̃stʀɥiʀ] *vt* construir, levantar; (*histoire, phrase, théorie*) construir, armar; **se ~** (*immeuble, quartier*) construirse, edificarse.

consul [kɔ̃syl] *nm* cónsul *m*; **~aire** *a* consular; **~at** *nm* consulado.

consultation [kɔ̃syltɑsjɔ̃] *nf* consulta; **~s** *fpl* (POL) deliberaciones *fpl*; **être en ~** (*délibé-*

ration) estar en deliberación; **aller à la ~** (*MÉD*) ir a la consulta, ir a lo del médico; **heures de ~** (*MÉD*) horas de consulta *o* de atención.

consulter [kɔ̃sylte] *vt* consultar; (*baromètre, montre*) consultar, observar // *vi* examinar; **se ~** *vt réciproque* consultarse.

consumer [kɔ̃syme] *vt* consumir; **se ~** *vi* consumirse.

contact [kɔ̃takt] *nm* contacto; (*rencontres, rapports*) contacto, frecuentación *f*; **au ~ de l'air** en contacto con el aire; **mettre/couper le ~** (*AUTO*) poner/cortar *o* interrumpir el encendido; **entrer en ~ (avec)** entrar en contacto *o* relación (con); **prendre ~ avec qn** tomar contacto con alguien; **au ~ de ces gens** en (*o* por) la frecuentación de esta gente.

contacter [kɔ̃takte] *vt* relacionarse con.

contagieux, euse [kɔ̃taʒjø, øz] *a* contagioso(a).

contagion [kɔ̃taʒjɔ̃] *nf* (*MÉD*) contagio.

container [kɔ̃tɛnɛʀ] *nm* empaque *m*, caja.

contamination [kɔ̃taminɑsjɔ̃] *nf* contaminación *f*.

contaminer [kɔ̃tamine] *vt* (*MÉD*) contaminar.

conte [kɔ̃t] *nm* cuento, narración *f*; **~ de fées** cuento de hadas.

contemplatif, ive [kɔ̃tɑ̃platif, iv] *a* (*REL*) contemplativo(a).

contemplation [kɔ̃tɑ̃plɑsjɔ̃] *nf* contemplación *f*.

contempler [kɔ̃tɑ̃ple] *vt* contemplar.

contemporain, e [kɔ̃tɑ̃pɔʀɛ̃, ɛn] *a, nm/f* contemporáneo(a).

contenance [kɔ̃tnɑ̃s] *nf* contenido, capacidad *f*; (*attitude*) prestancia, aplomo; **perdre ~** perder la serenidad *o* el aplomo; **se donner une ~** ocultar su turbación, disimular.

contenir [kɔ̃tniʀ] *vt* contener; (*foule, colère*) contener, refrenar; **se ~** contenerse, dominarse.

content, e [kɔ̃tɑ̃, ɑ̃t] *a* contento(a); **~ de qn/qch** contento con alguien/algo; **~ de soi** satisfecho de sí mismo; **~ement** *nm* contento, alegría; **~er** *vt* contentar; (*envie, caprice*) contentar, satisfacer; **se ~er de** contentarse con.

contentieux [kɔ̃tɑ̃sjø] *nm* recurso contencioso administrativo.

contenu [kɔ̃tny] *nm* contenido.

conter [kɔ̃te] *vt* contar, relatar.

contestation [kɔ̃tɛstɑsjɔ̃] *nf* discusión *f*, polémica; (*POL*): **la ~** la polémica.

conteste [kɔ̃tɛst(ə)]: **sans ~** *ad* sin discusión, sin ninguna duda.

contester [kɔ̃tɛste] *vt* discutir, cuestionar // *vi* impugnar, discutir.

conteur, euse [kɔ̃tœʀ, øz] *nm/f* narrador/ora.

contexte [kɔ̃tɛkst(ə)] *nm* contexto.

contigu, ë [kɔ̃tigy] *a*: **~ (à)** contiguo (a).

continence [kɔ̃tinɑ̃s] *nf* continencia.

continent [kɔ̃tinɑ̃] *nm* continente *m*; **~al, e, aux** *a* continental.

contingences [kɔ̃tɛ̃ʒɑ̃s] *nfpl* contingencias, eventualidades *fpl*.

contingent, e [kɔ̃tɛ̃ʒɑ̃, ɑ̃t] *a* contingente, eventual // *nm* (*MIL*) contingente *m*; (*COMM*) provisión *f*, abastecimiento.

contingenter [kɔ̃tɛ̃ʒɑ̃te] *vt* racionar.

continu, e [kɔ̃tiny] *a* continuo(a), ininterrumpido(a) // *nm*: **(courant) ~** corriente continua.

continuation [kɔ̃tinɥɑsjɔ̃] *nf* continuación *f*, prosecución *f*.

continuel, le [kɔ̃tinɥɛl] *a* continuo(a), constante.

continuer [kɔ̃tinɥe] *vt* continuar, proseguir; (*alignement, rue*) prolongarse, continuar // *vi* continuar, seguir; **~ à** *ou* **de faire** continuar *o* seguir haciendo; **se ~ par** prolongarse en.

continuité [kɔ̃tinɥite] *nf* continuidad *f*, prolongación *f*.

contorsion [kɔ̃tɔʀsjɔ̃] *nf* contorsión *f*, gesticulación *f*; **se ~ner** *vi* contorsionarse.
contour [kɔ̃tuʀ] *nm* contorno, perímetro; (*virage*) meandro, recodo.
contourner [kɔ̃tuʀne] *vt* rodear, evitar.
contraceptif, ive [kɔ̃tʀasɛptif, iv] *a* contraceptivo(a) // *nm* contraceptivo.
contraception [kɔ̃tʀasɛpsjɔ̃] *nf* contracepción *f*.
contracté, e [kɔ̃tʀakte] *a* contraído(a); (*personne*) tenso(a), crispado(a).
contracter [kɔ̃tʀakte] *vt* contraer; **se ~** *vi* contraerse; **contraction** *nf* contracción *f*.
contractuel, le [kɔ̃tʀaktɥɛl] *a* contractual // *nm/f agente contratado por el estado.*
contradiction [kɔ̃tʀadiksjɔ̃] *nf* contradicción *f*; (*dans un texte, argument*) contradicción, discordancia.
contradictoire [kɔ̃tʀadiktwaʀ] *a* contradictorio(a), incompatible; (*débat*) contradictorio(a).
contraignant, e [kɔ̃tʀɛɲɑ̃, ɑ̃t] *a* imperioso(a), apremiante.
contraindre [kɔ̃tʀɛ̃dʀ(ə)] *vt*: **~ qn à** obligar *o* forzar a alguien a; **contraint, e** [kɔ̃tʀɛ̃, ɛ̃t] *a* forzado(a) // *nf* presión *f*, obligación *f*; **sans contrainte** sin coerción, libremente.
contraire [kɔ̃tʀɛʀ] *a* contrario(a), opuesto(a); **~ à** contrario(a) a, opuesto(a) a // *nm*: **le ~** lo contrario, lo opuesto; **au ~** *ad* por lo contrario; **le ~ de** lo contrario de, lo opuesto a.
contrarier [kɔ̃tʀaʀje] *vt* contrariar, molestar; (*mouvement, action*) dificultar, entorpecer; **contrariété** *nf* contrariedad *f*, contratiempo.
contraste [kɔ̃tʀast(ə)] *nm* contraste *m*; **contraster** *vi*: **contraster (avec)** contrastar (con).
contrat [kɔ̃tʀa] *nm* (COMM) contrato; **~ de mariage** contrato de matrimonio.
contravention [kɔ̃tʀavɑ̃sjɔ̃] *nf* contravención *f*, infracción *f*; (*amende*) multa; (*procès-verbal*) atestado; **en ~ à** en contravención con.
contre [kɔ̃tʀ(ə)] *prép* contra, por, junto a.
contre-amiral [kɔ̃tʀamiʀal] *nm* contraalmirante *m*.
contre-attaque [kɔ̃tʀatak] *nf* contraataque *m*; **contre-attaquer** *vi* contraatacar.
contrebalancer [kɔ̃tʀəbalɑ̃se] *vt* contrapesar, equilibrar.
contrebande [kɔ̃tʀəbɑ̃d] *nf* contrabando; **faire la ~ de** hacer contrabando de; **contrebandier** *nm* contrabandista *m*.
contrebas [kɔ̃tʀəbɑ] : **en ~** *ad* más abajo.
contrebasse [kɔ̃tʀəbɑs] *nf* contrabajo; **contrebassiste** *nm* contrabajo.
contrecarrer [kɔ̃tʀəkaʀe] *vt* contrarrestar, contrariar.
contrechamp [kɔ̃tʀəʃɑ̃] *nm toma desde el ángulo opuesto.*
contrecœur [kɔ̃tʀəkœʀ] : **à ~** *ad* a desgano, contra la voluntad.
contrecoup [kɔ̃tʀəku] *nm* consecuencia, rebote *m*.
contre-courant [kɔ̃tʀəkuʀɑ̃] : **à ~** *ad* contra la corriente.
contredire [kɔ̃tʀədiʀ] *vt* contradecir, rebatir; (: *témoignage, assertion*) contradecir, refutar; (*suj: chose*) contradecir, desmentir; **se ~** (*personne*) contradecirse.
contrée [kɔ̃tʀe] *nf* comarca, región *f*.
contre-écrou [kɔ̃tʀekʀu] *nm* contratuerca.
contre-espionnage [kɔ̃tʀɛspjɔnaʒ] *nm* contraespionaje *m*.
contre-expertise [kɔ̃tʀɛkspɛʀtiz] *nf peritaje para verificar otro anterior.*
contrefaçon [kɔ̃tʀəfasɔ̃] *nf* falsificación *f*.
contrefaire [kɔ̃tʀəfɛʀ] *vt* falsifi-

car; (*personne, démarche*) imitar, remedar; (*sa voix, son écriture*) alterar, desfigurar.

contrefait, e [kɔ̃tʀəfɛ, ɛt] *a* (*difforme*) contrahecho(a), deforme.

contreforts [kɔ̃tʀəfɔʀ] *nmpl* (GÉO) estribaciones *fpl*.

contre-haut [kɔ̃tʀəo]: **en ~** *ad* más arriba, encima.

contre-indication [kɔ̃tʀɛ̃dikɑsjɔ̃] *nf* contraindicación *f*.

contre-jour [kɔ̃tʀəʒuʀ]: **à ~** *ad* a contraluz.

contremaître [kɔ̃tʀəmɛtʀ(ə)] *nm* capataz *m*.

contre-manifestation [kɔ̃tʀəmanifɛstɑsjɔ̃] *nf* contramanifestación *f*.

contremarque [kɔ̃tʀəmaʀk(ə)] *nf* (*ticket*) contraseña.

contre-offensive [kɔ̃tʀɔfɑ̃siv] *nf* contraofensiva.

contre-ordre [kɔ̃tʀɔʀdʀ(ə)] *nm* = **contrordre.**

contrepartie [kɔ̃tʀəpaʀti] *nf* contrapartida, compensación *f*; **en ~** en compensación, en cambio.

contre-performance [kɔ̃tʀəpɛʀfɔʀmɑ̃s] *nf* marca desfavorable.

contrepèterie [kɔ̃tʀəpetʀi] *nf* *inversión de sílabas que hacen una frase burlesca.*

contre-pied [kɔ̃tʀəpje] *nm*: **le ~ de** lo contrario *o* la contrapartida de; **à ~** (SPORT) de revés; **prendre qn à ~** (*fig*) despistar a alguien.

contre-plaqué [kɔ̃tʀəplake] *nm* enchapado, madera contrachapeada.

contre-plongée [kɔ̃tʀəplɔ̃ʒe] *nf* *secuencia filmada de abajo hacia arriba.*

contrepoids [kɔ̃tʀəpwa] *nm* contrapeso; **faire ~** hacer contrapeso.

contrepoint [kɔ̃tʀəpwɛ̃] *nm* contrapunto.

contrepoison [kɔ̃tʀəpwazɔ̃] *nm* contraveneno, antídoto.

contrer [kɔ̃tʀe] *vt* oponerse a, desafiar.

contre-révolution [kɔ̃tʀəʀevɔlysjɔ̃] *nf* contrarrevolución *f*.

contre-sens [kɔ̃tʀəsɑ̃s] *nm* contrasentido; **à ~** *ad* en sentido contrario.

contresigner [kɔ̃tʀəsiɲe] *vt* refrendar.

contretemps [kɔ̃tʀətɑ̃] *nm* contratiempo; **à ~** *ad* a destiempo.

contre-terrorisme [kɔ̃tʀətɛʀɔʀism(ə)] *nm* contraterrorismo.

contre-torpilleur [kɔ̃tʀətɔʀpijœʀ] *nm* cazatorpedero.

contrevenir [kɔ̃tʀəvniʀ]: **~ à** *vt* contravenir, transgredir.

contribuable [kɔ̃tʀibɥabl(ə)] *nm/f* contribuyente *m/f*.

contribuer [kɔ̃tʀibɥe]: **~ à** *vt* contribuir a, participar en; (*dépense, frais*) contribuir a; **contribution** *nf* contribución *f*; (*concours, apport*) contribución; **les contributions** (ADMIN: *bureaux*) la oficina de impuestos; **contributions directes/indirectes** (*impôts*) contribuciones directas/indirectas; **mettre à contribution** utilizar los servicios de.

contrit, e [kɔ̃tʀi, it] *a* contrito(a), compungido(a).

contrôle [kɔ̃tʀol] *nm* control *m*; (*surveillance*) control, vigilancia; (*maîtrise*) control, dominio; **perdre/garder le ~ de son véhicule** perder/conservar el control de su vehículo; **~ des naissances/d'identité** control de la natalidad/de identidad.

contrôler [kɔ̃tʀole] *vt* verificar, controlar; (*surveiller*) controlar, vigilar; (*fig*) dominar, controlar; (COMM) controlar; **se ~** (*personne*) controlarse, dominarse; **contrôleur, euse** *nm/f* (*de train, bus*) revisor/ora; **contrôleur des finances/postes** inspector *m* de finanzas/correos.

contrordre [kɔ̃tʀɔʀdʀ(ə)] *nm*

contraorden *f*; **sauf ~** salvo contraorden.
controverse [kɔ̃tʀɔvɛʀs(ə)] *nf* controversia, polémica; **controversé, e** *a* controvertido(a), discutido(a).
contumace [kɔ̃tymas]: **par ~** *ad* en rebeldía, en contumacia.
contusion [kɔ̃tyzjɔ̃] *nf* contusión *f*; **~né, e** *a* magullado(a), contuso(a).
conurbation [kɔnyʀbɑsjɔ̃] *nf* aglomeración urbana.
convaincant, e [kɔ̃vɛ̃kɑ̃, ɑ̃t] *a* convincente, persuasivo(a).
convaincre [kɔ̃vɛ̃kʀ(ə)] *vt*: **~ qn de qch** convencer a alguien de algo; **~ qn de** (*JUR*) inculpar a alguien de; **convaincu, e** [kɔ̃vɛ̃ky] *a* convencido(a).
convalescence [kɔ̃valesɑ̃s] *nf* convalescencia; **maison de ~** casa de reposo; **convalescent, e** *a, nm/f* convaleciente (*m/f*).
convenable [kɔ̃vnabl(ə)] *a* conveniente, decoroso(a); (*salaire, travail*) conveniente, provechoso(a).
convenance [kɔ̃vnɑ̃s] *nf*: **à votre ~** a su conveniencia *o* comodidad; **~s** *fpl* conveniencias.
convenir [kɔ̃vniʀ] *vi* convenir; **~ à** convenir a, ser apropiado(a) para; (*arranger, plaire à*) convenir a; **il convient de faire/que** es conveniente hacer/que; **~ de** *vt* (*admettre*) reconocer, admitir; (*fixer*) convenir, acordar; **~ de faire qch** decidir hacer algo; **comme convenu** como se ha decidido, como estaba convenido.
convention [kɔ̃vɑ̃sjɔ̃] *nf* convenio, acuerdo; (*ART, THÉÂTRE*) reglas *fpl*, convención *f*; (*POL*) convención; **de ~** convencional; **~s** *fpl* (*règles, convenances*) convenciones; **~ collective** convenio colectivo; **~né, e** *a* adherido(a) por un convenio; **~nel, le** *a* convencional.
convenu, e [kɔ̃vny] *pp de* **convenir** // *a* convenido(a), acordado(a).
converger [kɔ̃vɛʀʒe] *vi* converger; (*efforts, idées*) converger, coincidir; **~ vers** converger hacia.
conversation [kɔ̃vɛʀsɑsjɔ̃] *nf* conversación *f*; **avoir de la ~** tener conversación.
converser [kɔ̃vɛʀse] *vi* conversar.
conversion [kɔ̃vɛʀsjɔ̃] *nf* conversión *f*; transformación *f*; (*SKI*) viraje *m*.
convertible [kɔ̃vɛʀtibl(ə)] *a* (*ÉCON*) canjeable.
convertir [kɔ̃vɛʀtiʀ] *vt*: **~ qn (à)** convertir a alguien (a); **~ qch en** convertir *o* transformar algo en; **se ~ (à)** convertirse (a).
convertisseur [kɔ̃vɛʀtisœʀ] *nm* (*ÉLEC*) transformador *m*.
convexe [kɔ̃vɛks(ə)] *a* convexo(a).
conviction [kɔ̃viksjɔ̃] *nf* convicción *f*, certidumbre *f*; (*opinion, croyance*) convicción, creencia; **sans ~** sin convicción.
conviendrai, conviens *etc vb voir* **convenir.**
convier [kɔ̃vje] *vt*: **~ qn à** convidar *o* invitar a alguien a.
convive [kɔ̃viv] *nm/f* convidado/a, invitado/a.
convocation [kɔ̃vɔkɑsjɔ̃] *nf* convocatoria, llamado; (*papier, document*) convocatoria, citación *f*.
convoi [kɔ̃vwa] *nm* convoy *m*; (*train*) tren *m*; **~ (funèbre)** cortejo (fúnebre).
convoiter [kɔ̃vwate] *vt* codiciar, ansiar; **convoitise** *nf* codicia, avidez *f*.
convoler [kɔ̃vɔle] *vi*: **~ en justes noces** llevar al altar, casarse nuevamente.
convoquer [kɔ̃vɔke] *vt* convocar, llamar; (*assemblée, comité*) convocar.
convoyer [kɔ̃vwaje] *vt* escoltar.
convoyeur [kɔ̃vwajœʀ] *nm* (*NAUT*) buque *m* de escolta; **~ de fonds** escolta de caudales.
convulsif, ive [kɔ̃vylsif, iv] *a* convulsivo(a).
convulsions [kɔ̃vylsjɔ̃] *nfpl* (*MÉD*) convulsiones *fpl*.
coopératif, ive [kɔɔpeʀatif, iv] *a* cooperativo(a), cooperador(ora).

coopération [kɔɔpeʀɑsjɔ̃] *nf* cooperación *f*; **la C~ militaire/technique** la Cooperación militar/técnica.
coop(érative) [kɔɔpeʀativ] *nf* cooperativa.
coopérer [kɔɔpeʀe] *vi* cooperar; ~ à cooperar en.
coordination [kɔɔʀdinɑsjɔ̃] *nf* coordinación *f*.
coordonnées [kɔɔʀdɔne] *nfpl* coordenadas.
coordonner [kɔɔʀdɔne] *vt* coordinar.
copain, copine [kɔpɛ̃, kɔpin] *nm/f* compañero/a.
copeau, x [kɔpo] *nm* viruta.
Copenhague [kɔpənag] *n* Copenhague.
copie [kɔpi] *nf* copia; reproducción *f*; (*double*) copia, duplicado; (*contrefaçon*) imitación *f*, copia; (*SCOL: feuille d'examen*) hoja; (: *devoir*) ejercicio; (*TYPOGRAPHIE*) copia; (*JOURNALISME*) artículo.
copier [kɔpje] *vt* copiar, reproducir; (*œuvre d'art*) reproducir; (*contrefaire, mimer*) imitar, remedar // *vi* (*SCOL*) copiar.
copieux, euse [kɔpjø, øz] *a* copioso(a), abundante.
copilote [kɔpilɔt] *nm* copiloto.
copine [kɔpin] *nf voir* **copain.**
copiste [kɔpist(ə)] *nm/f* copista *m/f*.
coproduction [kɔpʀɔdyksjɔ̃] *nf* coproducción *f*.
copropriété [kɔpʀɔpʀijete] *nf* copropiedad *f*.
copulation [kɔpylɑsjɔ̃] *nf* cópula.
coq [kɔk] *a inv* (*BOXE*): **poids ~** peso gallo // *nm* gallo; **~-à-l'âne** [kɔkalɑn] *nm inv* dislate *m*, despropósito; **~ de bruyère** urogallo, gallo montés *o* silvestre; **~ du village** (*fig péj*) galán *m* de pueblo, tenorio; **~ au vin** pollo al vino.
coque [kɔk] *nf* (*de noix*) cáscara; (*de bateau*) casco; (*d'auto*) carrocería; (*d'avion*) fuselaje *m*, casco; (*mollusque*) berberecho; **à la ~** (*CULIN*) pasado(a) por agua.
coquelicot [kɔkliko] *nm* (*BOT*) amapola.
coqueluche [kɔklyʃ] *nf* (*MÉD*) tos ferina.
coquet, te [kɔkɛ, ɛt] *a* pinturero(a), presumido(a); (*robe, village*) gracioso(a), bonito(a); (*somme, salaire*) lindo(a), gracioso(a).
coquetier [kɔktje] *nm* huevera.
coquette [kɔkɛt] *af voir* **coquet.**
coquetterie [kɔkɛtʀi] *nf* coquetería, vanidad *f*.
coquillage [kɔkijaʒ] *nm* (*mollusque*) marisco; (*coquille*) concha.
coquille [kɔkij] *nf* (*de mollusque*) concha; (*de noix, d'œuf*) cáscara, cascarón *m*; (*TYPOGRAPHIE*) errata; **~ de beurre** mantequilla rosqueada; **~ St Jacques** vernera, vieira.
coquin, e [kɔkɛ̃, in] *a* pícaro(a), travieso(a) // *nm/f* (*fripon*) pícaro/a, pillo/a.
cor [kɔʀ] *nm* corneta, tuba; (*MÉD*): **~ au pied** callo; **à ~ et à cri** (*fig*) a grito limpio; **~ anglais/de chasse** corno inglés/de caza.
corail, aux [kɔʀaj, o] *nm* coral *m*.
Coran [kɔʀɑ̃] *nm*: **le ~** el Corán.
corbeau, x [kɔʀbo] *nm* cuervo.
corbeille [kɔʀbɛj] *nf* cesto, canasta; (*à la Bourse*) *mostrador para los corredores*, corro; **~ de mariage** ajuar *m*, canastilla de boda; **~ à ouvrage** cestilla de labor; **~ à pain** cestillo del pan; **~ à papier** cesto de los papeles, papelera.
corbillard [kɔʀbijaʀ] *nm* coche *m* fúnebre.
cordage [kɔʀdaʒ] *nm* jarcias, cordaje *m*.
corde [kɔʀd(ə)] *nf* cuerda, soga; (*de violon, raquette, d'arc*) cuerda; **la ~** (*d'un tissu*) la trama; (*ATHLÉTISME, AUTO*) el borde de la pista; **les ~s** (*BOXE, MUS*) las cuerdas; **tapis/semelles de ~** alfombra/suelas de esparto; **~ lisse/à nœuds** cuerda lisa/de nudos; **~ à linge** cuerda del tendedero; ~

à sauter cuerda para saltar, comba; **la ~ sensible** la fibra sensible, el punto débil; **~s vocales** cuerdas vocales.

cordeau, x [kɔʀdo] *nm* cordel *m*; **tracé au ~** trazado a la perfección.

cordée [kɔʀde] *nf* cordada.

cordial, e, aux [kɔʀdjal, o] *a* cordial, afable; **~ité** *nf* cordialidad *f*, afabilidad *f*.

cordon [kɔʀdɔ̃] *nm* cordón *m*; **~ de police/sanitaire** cordón policial/sanitario; **~ bleu** cocinero de categoría; **~ ombilical** cordón ombilical.

cordonnerie [kɔʀdɔnʀi] *nf* zapatería.

cordonnier [kɔʀdɔnje] *nm* zapatero.

Cordoue [kɔʀdu] *n* Córdoba.

Corée [kɔʀe] *nf*: **~ du Nord/Sud** Corea del Norte/del Sur.

coreligionnaire [kɔʀeliʒjɔnɛʀ] *nm/f* correligionario/a.

coriace [kɔʀjas] *a* correoso(a), duro(a); obstinado(a), tenaz.

cormoran [kɔʀmɔʀɑ̃] *nm* cormorán *m*, cuervo marino.

cornac [kɔʀnak] *nm* cornaca *m*.

corne [kɔʀn(ə)] *nf* cuerno; (*matière*) asta *m*; **~ de brume** sirena de bruma.

cornée [kɔʀne] *nf* cornea.

corneille [kɔʀnɛj] *nf* corneja.

cornélien, ne [kɔʀneljɛ̃, jɛn] *a* conflictivo(a).

cornemuse [kɔʀnəmyz] *nf* cornamusa, gaita.

corner [kɔʀnɛʀ] *nm* córner *m* // *vb* [kɔʀne] *vt* plegar // *vi* tocar bocina.

cornet [kɔʀnɛ] *nm* cucurucho.

cornette [kɔʀnɛt] *nf* toca.

corniaud [kɔʀnjo] *nm* bastardo.

corniche [kɔʀniʃ] *nf* cornisa.

cornichon [kɔʀniʃɔ̃] *nm* pepinillo.

Cornouailles [kɔʀnwaj] *nf* Cornualles *m*.

corollaire [kɔʀɔlɛʀ] *nm* corolario.

corolle [kɔʀɔl] *nf* corola.

coron [kɔʀɔ̃] *nm* caserío minero.

coronaire [kɔʀɔnɛʀ] *a* coronario(a).

corporation [kɔʀpɔʀɑsjɔ̃] *nf* corporación *f*, colectividad *f*.

corporel, le [kɔʀpɔʀɛl] *a* corporal.

corps [kɔʀ] *nm* cuerpo; **à son ~ défendant** a su pesar, contra su voluntad; **perdu ~ et biens** hundido con bienes y personas; **faire ~ avec** formar bloque con; **~ à ~** *ad* cuerpo a cuerpo; **à ~ perdu** *ad* con toda el alma, sin reservas; **les ~ constitués** (*POL*) los cuerpos constituídos; **le ~ diplomatique/électoral/enseignant** el cuerpo diplomático/electoral/docente; **~ d'armée** cuerpo de ejército; **~ de ballet** cuerpo de ballet *o* baile; **~ consulaire** cuerpo consular; **~ étranger** (*MÉD, BIO*) cuerpo extraño.

corpulent, e [kɔ̃ʀpylɑ̃, ɑ̃t] *a* corpulento(a).

corpusculaire [kɔʀpyskylɛʀ] *a* corpuscular.

correct, e [kɔʀɛkt, ɛkt(ə)] *a* (*exact*) correcto(a), exacto(a); (*bienséant*) correcto(a), decoroso(a); (*honnête*) correcto(a), honesto(a); (*passable*) regular, razonable; **~ement** *ad* correctamente.

correcteur, trice [kɔʀɛktœʀ, tʀis] *nm/f* (*d'examen*) examinador/ora; (*TYPOGRAPHIE*) corrector/ora.

correction [kɔʀɛksjɔ̃] *nf* corrección *f*; (*rature, surcharge*) corrección, enmienda; (*coups*) corrección, reprimenda.

correctionnel, le [kɔʀɛksjɔnɛl] *a* correccional // *nf* (*JUR*) tribunal *m* correccional.

corrélation [kɔʀelɑsjɔ̃] *nf* correlación *f*, relación *f*.

correspondance [kɔʀɛspɔ̃dɑ̃s] *nf* correspondencia; (*de train, d'avion*) empalme *m*; **ce train assure la ~ avec l'avion de 10h** este tren asegura el empalme con el vuelo de las 10h; **correspondancier, ère** *nm/f* *encargadc/a de la correspondencia en una empresa.*

correspondant, e [kɔʀɛspɔ̃dɑ̃, ɑ̃t] *nm/f* (*épistolaire*) corresponsal *m*; (*au téléphone*) interlocutor/ora; (*journaliste*) corresponsal; (*COMM*) responsable.

correspondre [kɔʀɛspɔ̃dʀ(ə)] *vi* (*données, témoignages*) corresponder; (*chambres*) comunicar; ~ à corresponder a, ser apropiado(a) a; (*se rapporter à*) corresponder a; ~ **avec qn** (*écrire*) mantener correspondencia con alguien, cartearse con alguien.

corrida [kɔrida] *nf* corrida.

corridor [kɔʀidɔʀ] *nm* corredor *m*, pasillo.

corrigé [kɔʀiʒe] *nm* modelo.

corriger [kɔʀiʒe] *vt* (*devoir, texte*) corregir; (*erreur, défaut*) corregir, rectificar; (*idée, trajectoire*) corregir, modificar; (*punir*) castigar.

corroborer [kɔʀɔbɔʀe] *vt* corroborar, confirmar.

corroder [kɔʀɔde] *vt* corroer, carcomer.

corrompre [kɔʀɔ̃pʀ(ə)] *vt* (*soudoyer*) corromper, sobornar; (*dépraver*) corromper, pervertir.

corrosif, ive [kɔʀozif, iv] *a* corrosivo(a).

corrosion [kɔʀozjɔ̃] *nf* corrosión *f*, desgaste *m*.

corruption [kɔʀypsjɔ̃] *nf* corrupción *f*; soborno.

corsage [kɔʀsaʒ] *nm* blusa.

corsaire [kɔʀsɛʀ] *nm* corsario.

Corse [kɔʀs(ə)] *nf*: **la** ~ la Córcega; **c**~ *a, nm/f* corso(a).

corsé, e [kɔʀse] *a* fuerte; (*fig*) escabroso(a).

corset [kɔʀsɛ] *nm* corsé *m*.

corso [kɔʀso] *nm*: ~ **fleuri** desfile *m* de carrozas.

cortège [kɔʀtɛʒ] *nm* cortejo.

cortisone [kɔʀtizɔn] *nf* cortisona.

corvée [kɔʀve] *nf* fastidio; (*MIL*) faena, fajina.

cosaque [kɔzak] *nm* cosaco.

cosinus [kɔsinys] *nm* coseno.

cosmétique [kɔsmetik] *nm* pomada para cabellos, fijador *m*.

cosmique [kɔsmik] *a* cósmico(a).

cosmonaute [kɔsmɔnot] *nm/f* cosmonauta *m/f*.

cosmopolite [kɔsmɔpɔlit] *a* cosmopolita.

cosmos [kɔsmɔs] *nm* cosmos *m*, universo.

cosse [kɔs] *nf* (*BOT*) vaina; (*ÉLEC*) terminal *m*.

cossu, e [kɔsy] *a* fastuoso(a), señorial.

costaud, e [kɔsto, od] *a* fuerte, robusto(a).

costume [kɔstym] *nm* traje *m*.

costumé, e [kɔstyme] *a* disfrazado(a).

cotangente [kɔtɑ̃ʒɑ̃t] *nf* cotangente *f*.

cote [kɔt] *nf* (*en Bourse*) cotización *f*; (*d'un cheval, candidat*) clasificación *f*; (*mesure*) nivel *m*; ~ **d'alerte** nivel de alarma.

côte [kot] *nf* cuesta, pendiente *f*; (*rivage*) costa; (*ANAT*) costilla; (*d'un tricot, tissu*) bastoncillos; ~ **à** ~ *ad* uno/a al lado de otro/a; **C**~ **d'Azur** Costa Azul; **C**~ **d'Ivoire** Costa de Marfil.

côté [kote] *nm* (*du corps*) lado, costado; (*gén: d'une boîte, feuille etc*) costado, cara; (*: de la route, rivière etc*) lado, orilla; (*GÉOMÉTRIE*) lado; (*direction*) lado, dirección *f*; (*fig*) lado, aspecto; **de 10 m de** ~ de 10 m de lado; **des 2** ~**s de la route** ambos lados de la ruta; **de tous les** ~**s** por todos lados, de todas partes; **de quel** ~ **est-il parti?** ¿para qué lado ha partido?; **de ce/de l'autre** ~ de este/del otro lado *o* costado; **du** ~ **de** por el lado de, en dirección a; (*fig*) en cuanto a, en lo que concierne a; **de** ~ *ad* de lado, de costado; (*être, se tenir*) a un lado, aparte; **laisser de** ~ dejar de lado; **mettre de** ~ poner a un lado, economizar; **à** ~ *ad* al lado, cerca; (*d'autre part*) por otra parte, por otro lado; **à** ~ **de** al lado de, cerca de; (*fig*) al lado de, en comparación con; **être aux** ~**s de** estar al lado *o*

cerca de; (*fig*) estar del lado de *o* de la parte de.
coteau, x [kɔto] *nm* colina, ladera.
côtelé, e [kotle] *a*: **velours** ~ pana.
côtelette [kotlɛt] *nf* chuleta.
coter [kɔte] *vt* (*en Bourse*) cotizar.
coterie [kɔtʀi] *nf* clan *m*, camarilla.
côtier, ière [kotje, jɛʀ] *a* costero(a).
cotisation [kɔtizɑsjɔ̃] *nf* (*argent*) cuota.
cotiser [kɔtize] *vi* pagar la cuota; **se** ~ contribuir con una suma.
coton [kɔtɔ̃] *nm* algodón *m*; ~ **hydrophile** algodón hidrófilo.
côtoyer [kotwaje] *vt* (*personne*) codearse con, frecuentar; (*précipice, rivière*) bordear, costear; (*misère, indécence*) rayar en, lindar con.
cou [ku] *nm* (ANAT) cuello.
couard, e [kwaʀ, aʀd(ə)] *a* cobarde, pusilánime.
couchage [kuʃaʒ] *nm voir* **sac.**
couchant [kuʃɑ̃] *a*: **soleil** ~ sol *m* poniente.
couche [kuʃ] *nf* capa; (*de bébé*) pañal *m*; (GÉO) capa, estrato; ~**s** *fpl* (MÉD) parto; ~**s sociales** capas sociales; ~**-culotte** *nf pantalón de goma* (*para bebé*).
coucher [kuʃe] *nm*: ~ **(de soleil)** puesta (de sol); **à prendre avant le** ~ (MÉD) para tomar antes de acostarse // *vt* acostar; (*objet*) tumbar, acostar; (*idées*) registrar, anotar // *vi* (*dormir*) acostarse, dormir; (*fam*): ~ **avec qn** acostarse con alguien; **se** ~ *vi* (*personne*) acostarse; (: *pour se reposer*) recostarse, echarse; (*soleil*) ponerse.
couchette [kuʃɛt] *nf* litera.
coucou [kuku] *nm* (ZOOL) cuclillo, cuco // *excl* ¡hola!
coude [kud] *nm* codo; (*de la route*) recodo.
cou-de-pied [kudpje] *nm* empeine *m*.
coudre [kudʀ(ə)] *vt, vi* coser.
couenne [kwan] *nf* cuero de cerdo.
coulant, e [kulɑ̃, ɑ̃t] *a* (*indulgent*) tolerante, condescendiente.
coulée [kule] *nf* corriente *f*; (*de métal en fusion*) colada.
couler [kule] *vi* correr, fluir; (*stylo, récipient*) perder, gotear; (*bateau*) hundirse, zozobrar // *vt* (*cloche, sculpture*) colar, vaciar; (*bateau*) hundir; (*fig*) hundir, arruinar; **se** ~ **dans** deslizarse *o* colarse en.
couleur [kulœʀ] *nf* color *m*; (*fig: aspect*) color, aspecto; (CARTES) palo; ~**s** *fpl* (*du teint*) colores *mpl*; **les** ~**s** (MIL) la bandera, el pabellón; **film/télévision en** ~**s** película/televisión *f* en colores.
couleuvre [kulœvʀ(ə)] *nf* culebra.
coulisse [kulis] *nf* (TECH) ranura, corredera; ~**s** *fpl* (THÉÂTRE) bastidores *mpl*; (*fig*) entretelones *mpl*; **fenêtre à** ~ ventana de corredera.
coulisser [kulise] *vi* correr, deslizarse.
couloir [kulwaʀ] *nm* pasillo, corredor *m*; (*de train, bus*) pasillo; (SPORT: *de piste*) calle *f*, banda; (GÉO) garganta, barranco; ~ **aérien** corredor aéreo.
coulpe [kulp(ə)] *nf*: **battre sa** ~ llorar con lágrimas de sangre.
coup [ku] *nm* golpe *m*; (*de fusil*) disparo, tiro; (*d'horloge*) campanada, toque *m*; (*fois*) vez *f*, vuelta; (ÉCHECS) movimiento, jugada; **à** ~**s de hache/marteau** a hachazos/martillazos; **avoir le** ~ tener la habilidad, darse maña; **boire un** ~ beber un trago; **d'un seul** ~ *ad* de repente; (*à la fois*) de un solo golpe; **du** *ou* **au premier** ~ al primer intento; **du même** ~ al mismo tiempo; **à** ~ **sûr** sobre seguro, seguramente; ~ **sur** ~ sucesivamente, uno/a detrás de otro/a; **sur le** ~ instantáneamente, de golpe; **sous le** ~ **de** bajo el efecto *o* la acción de; (JUR) bajo efecto de; **donner un** ~ **de balai** dar un barrido; ~ **de chance** golpe de suerte; ~ **de chiffon** sacudida, limpiadura; ~ **de coude** codazo; ~ **de couteau** cuchillada, puñalada; ~

de crayon trazo; ~ **dur** desgracia, golpe duro; ~ **d'essai** ensayo; ~ **d'état** golpe de estado; ~ **de feu** disparo; ~ **de filet** (POLICE) redada; ~ **de foudre** flechazo; ~ **de frein** frenada; ~ **de genou** rodillazo; ~ **de grâce** golpe de gracia; ~ **d'œil** ojeada; ~ **de main** (*aide*) mano, ayuda; (*raid*) incursión *f*, raid *m*; ~ **de pied** puntapié *m*; ~ **de pinceau** pincelada; ~ **de poing** puñetazo, trompada; ~ **de soleil** insolación *f*; ~ **de sonnette** llamada, timbrazo; ~ **de téléphone** golpe de teléfono, llamada; ~ **de tête** (*fig*) cabezonada; ~ **de théâtre** (*fig*) giro *o* cambio imprevisto; ~ **de tonnerre** trueno; ~ **de vent** (NAUT *etc*) ráfaga de viento; **en** ~ **de vent** como una ráfaga, como un relámpago.

coupable [kupabl(ə)] *a* culpable, responsable; (*pensée, passion*) culpable, condenable // *nm/f* reo *m/f*, culpable *m/f*; ~ **de** culpable *o* responsable de.

coupe [kup] *nf* (*verre, dans une compétition*) copa; (*à fruits*) compotera, frutero; (*de cheveux, de vêtement, graphique*) corte *m*; **vu en** ~ visto en sección; **être sous la** ~ **de** estar bajo la férula de; **faire des** ~**s sombres dans** talar parcialmente, hacer tala parcial en.

coupé [kupe] *nm* cupé *m*, berlina.

coupe-circuit [kupsiʀkɥi] *nm inv* cortacircuito.

coupe-papier [kuppapje] *nm* plegadero, abrecartas *m*.

couper [kupe] *vt* cortar; (*tranche, morceau*) cortar, rebanar; (*scinder, croiser*) cortar, atravesar; (*route, retraite*) cortar, interceptar; (*communication, eau, courant*) cortar, interrumpir; (*vin, cidre*) mezclar; (TENNIS *etc*) volear // *vi* cortar; (*prendre un raccourci*) cortar, atajar; (CARTES) cortar; (*avec de l'atout*) fallar; **se** ~ (*se blesser*) cortarse; (*en témoignant etc*) contradecirse, traicionarse; ~ **la parole à qn** cortar la palabra a alguien; ~ **les vivres à qn** suprimir los subsidios a alguien.

couperet [kupʀɛ] *nm* (*de boucher*) cuchilla.

couperosé, e [kupʀoze] *a* congestionado(a).

couple [kupl(ə)] *nm* (*époux*) pareja; (TECH) par *m*.

coupler [kuple] *vt* acoplar.

couplet [kuplɛ] *nm* (MUS) copla.

coupole [kupɔl] *nf* bóveda, cúpula.

coupon [kupɔ̃] *nm* (*ticket*) cupón *m*; (*de tissu*) retazo; ~**-réponse international** cupón de respuesta internacional.

coupure [kupyʀ] *nf* corte *m*; (*fig*) corte, ruptura; (*billet de banque*) billete *m* de banco; (*de journal*) recorte *m*.

cour [kuʀ] *nf* (*de ferme, jardin*) patio; (JUR) tribunal *m*, corte *f*; (*royale*) corte; **faire la** ~ **à qn** hacer la corte a alguien; ~ **d'assises** Audiencia; **la** ~ **des comptes** el Tribunal de Cuentas; ~ **martiale** Tribunal militar.

courage [kuʀaʒ] *nm* valor *m*, coraje *m*; **courageux, euse** *a* valiente, valeroso(a).

couramment [kuʀamɑ̃] *ad* frecuentemente; (*parler*) con soltura.

courant, e [kuʀɑ̃, ɑ̃t] *a* (*usuel*) corriente, común; (*en cours*) en curso // *nm* (*gén*) corriente *f*; (*fig*) corriente, tendencia; **être/se tenir au** ~ **(de)** estar/mantenerse al corriente (de); **dans le** ~ **de** durante el transcurso de; **le 10** ~ el 10 del corriente; ~ **(d'air)** corriente (de aire); ~ **(électrique)** corriente (eléctrica).

courbature [kuʀbatyʀ] *nf* agotamiento, derrengamiento; **courbaturé, e** *a* derrengado(a).

courbe [kuʀb(ə)] *a* curvo(a), arqueado(a) // *nf* curva; ~ **de niveau** curva de nivel.

courber [kuʀbe] *vt* doblar, curvar; ~ **la tête** inclinar la cabeza; **se** ~ inclinarse.

coureur, euse [kuRœR, øz] *a* vagabundo(a) // *nm* (*péj*) mariposón *m*; (*SPORT*) corredor *m* // *nf* (*péj*) callejera, buscona; ~ **cycliste/automobile** corredor ciclístico/automovilístico.
courge [kuRʒ(ə)] *nf* calabaza.
courgette [kuRʒɛt] *nf* calabacín *m*.
courir [kuRiR] *vi* correr; (*se dépêcher*) correr, apurarse; (*fig*: *rumeur*) correr, propagarse // *vt* (*SPORT*) correr; (*danger, risque*) correr, exponerse a; ~ **les cafés** frecuentar los cafés ~ **après qn** correr detrás de alguien; (*péj*) perseguir a alguien.
couronne [kuRɔn] *nf* (*gén*) corona; (*fig*: *cercle*) corona, aureola.
couronnement [kuRɔnmɑ̃] *nm* coronación *f*; (*fig*: *apogée*) coronación, apogeo.
couronner [kuRɔne] *vt* coronar.
courrai *etc vb voir* **courir.**
courrier [kuRje] *nm* correo; ~ **du cœur** correo sentimental.
courroie [kuRwɑ] *nf* correa.
courroucé, e [kuRuse] *a* encolerizado(a), iracundo(a).
cours [kuR] *vb voir* **courir** // *nm* (*gén*) curso; (*leçon*: *heure*) clase *f*; (*avenue*) avenida, paseo; (*ÉCON*) valor *m*, cotización *f*; **donner libre ~ à** dar rienda suelta a; **avoir ~** tener valor, estar en circulación; **en ~** en curso; **en ~ de route** en el camino; **au ~ de** en el curso de; ~ **par correspondance** curso por correspondencia; ~ **d'eau** curso de agua, río; ~ **préparatoire** (*SCOL*) curso preparatorio; ~ **du soir** (*SCOL*) *enseñanza postescolar facultativa*.
course [kuRs(ə)] *nf* carrera; (*du soleil*) curso; (*d'un piston*) recorrido; (*d'un projectile*) trayectoria; (*excursion en montagne*) recorrida, trayecto; (*d'un taxi, autocar*) carrera, recorrido; (*petite mission*) recado; ~**s** *fpl* (*achats*) compras, recados; (*HIPPISME*) carreras; **faire les/ses ~s** hacer los/sus recados.
court *vb voir* **courir.**
court, e [kuR, kuRt(ə)] *a* (*nuit, voyage, délai*) corto(a), breve; (*en longueur, distance*) corto(a); (*en hauteur*) bajo(a), corto(a) // *ad*: **s'arrêter ~** pararse en seco; **tourner ~** cambiar *o* cesar bruscamente; **couper ~ à** acabar con // *nm* (*de tennis*) pista de tennis; **à ~ de** escaso(a) de; **prendre qn de ~** tomar a alguien de imprevisto; **avoir la vue ~e** ser corto(a) de vista; **avoir le souffle ~** perder rápidamente el aliento; **tirer à la ~e paille** tirar suerte.
court-bouillon [kuRbujɔ̃] *nm caldo para cocer pescado.*
court-circuit [kuRsiRkɥi] *nm* cortocircuito.
courtepointe [kuRtəpwɛ̃t] *nf* sobrecama, colcha.
courtier, ère [kuRtje, jɛR] *nm/f* (*COMM*) corredor/ora.
courtisan, e [kuRtizɑ̃, an] *nm/f* cortesano/a.
courtiser [kuRtize] *vt* (*femme*) cortejar, requebrar.
courtois, e [kuRtwa, waz] *a* cortés, atento(a); ~**ie** *nf* cortesía, amabilidad *f*.
couscous [kuskus] *nm* alcuzcuz *m*.
cousin, e [kuzɛ̃, in] *nm/f* primo/a; ~**(e) germain(e)** primo/a carnal.
cousons *etc vb voir* **coudre.**
coussin [kusɛ̃] *nm* cojín *m*; (*TECH*) almohadilla; ~ **d'air** (*TECH*) colchón *m* de aire.
cousu, e [kuzy] *pp de* **coudre** // *a voir* **bouche**; ~ **d'or** forrado de oro.
coût [ku] *nm* costo, precio; **le ~ de la vie** el costo de la vida.
coûtant [kutɑ̃] *a*: **au prix ~** a precio de costo.
couteau, x [kuto] *nm* cuchillo; ~ **à cran d'arrêt** navaja de resorte; ~ **de poche** navaja de bolsillo; ~**-scie** *nm* cuchillo dentado.
coutellerie [kutɛlRi] *nf* cuchillería.
coûter [kute] *vt* costar, valer; (*fig*: *effort, place, vie*) costar // *vi*: ~ **à qn** (*suj*: *décision etc*) costarle a

alguien; ~ **cher** costar caro; **combien ça coûte?** ¿cuánto cuesta esto?; **coûte que coûte** cueste lo que cueste, a toda costa; **coûteux, euse** *a* costoso(a), caro(a).

coutume [kutym] *nf* costumbre *f*, hábito; (JUR): **la** ~ el derecho consuetudinario; **coutumier, ère** *a* habitual, acostumbrado(a).

couture [kutyʀ] *nf* costura; **couturier, ière** *nm/f* costurera *f*, modisto/a.

couvée [kuve] *nf* (*de poussins*) nidada, pollada.

couvent [kuvɑ̃] *nm* convento; (*établissement scolaire*) colegio de monjas.

couver [kuve] *vt* (*œufs*) empollar; (*maladie*) incubar // *vi* estar latente; ~ **qn** llenar a alguien de atenciones; ~ **qch des yeux** devorar algo con los ojos.

couvercle [kuvɛʀkl(ə)] *nm* tapa.

couvert, e [kuvɛʀ, ɛʀt(ə)] *pp de* **couvrir** // *nm* cubierto // *a* (*ciel, temps*) encapotado(a), nublado(a); (*coiffé d'un chapeau*) cubierto(a); ~ **de** cubierto de; **bien/pas assez** ~ (*habillé*) bien/no muy abrigado *o* arropado; **mettre le** ~ poner la mesa; ~ **compris/10** (*au restaurant*) cubierto incluido/10; **service de 12 ~s en argent** juego *o* servicio de 12 cubiertos de plata; **à** ~ **(de)** a cubierto (de), al abrigo (de); **sous le** ~ **de** bajo la cobertura *o* apariencia de.

couverture [kuvɛʀtyʀ] *nf* (*de lit*) manta, cobertor *m*; (*de bâtiment*) techo, techumbre *f*; (*de livre, cahier*) tapa, cubierta; (*fig*) cobertura, pretexto.

couveuse [kuvøz] *nf* incubadora.

couvre-chef [kuvʀəʃɛf] *nm* sombrero.

couvre-feu [kuvʀəfø] *nm* queda.

couvre-lit [kuvʀəli] *nm* colcha, cubrecama *m*.

couvre-pied [kuvʀəpje] *nm* cubrepiés *m*.

couvreur [kuvʀœʀ] *nm* techador *m*.

couvrir [kuvʀiʀ] *vt* (*habiller, recouvrir*) abrigar, cubrir; (*fig*) cubrir, colmar; (*suj*: *assurance, attestation*) cubrir, proteger; (*frais*) cubrir, compensar; (*distance*) cubrir, recorrer; **se** ~ (*temps, ciel*) encapotarse, nublarse; (*s'habiller*) abrigarse; (*se coiffer*) cubrirse, ponerse el sombrero; (*par une assurance*) cubrirse, asegurarse; **se** ~ **de fleurs** cubrirse de flores.

cover-girl [kɔvœʀgœʀl] *nf* cover-girl *f*, modelo *f*.

cow-boy [kobɔj] *nm* cow-boy *m*, vaquero.

crabe [kʀɑb] *nm* cangrejo.

crachat [kʀaʃa] *nm* escupitajo.

cracher [kʀaʃe] *vi* escupir // *vt* escupir; (*fig*) escupir, arrojar.

crachin [kʀaʃɛ̃] *nm* llovizna.

crachoir [kʀaʃwaʀ] *nm* (*de dentiste*) fuente *f* para escupir, escupidera.

craie [kʀɛ] *nf* (*substance*) creta; (*morceau*) tiza.

craindre [kʀɛ̃dʀ(ə)] *vt* temer; (*chaleur, froid*) no tolerar, padecer; **crainte** [kʀɛ̃t] *nf* miedo, temor *m*; **crainte de/que** temor de/de que; **de crainte de/que** por temor a *o* de/a *o* de que; **craintif, ive** *a* temeroso(a), miedoso(a).

cramoisi, e [kʀamwazi] *a* carmesí.

crampe [kʀɑ̃p] *nf* calambre *m*; ~ **d'estomac** dolor *m* de estómago.

crampon [kʀɑ̃pɔ̃] *nm* crampón *m*.

cramponner [kʀɑ̃pɔne] : **se** ~ *vi* aferrarse.

cran [kʀɑ̃] *nm* (*entaille*) muesca; (*trou*) agujero; (*courage*) coraje *m*, arrojo; **à** ~ **d'arrêt** de resorte.

crâne [kʀɑn] *nm* cráneo; **crânien, ne** *a* craneano(a).

crâner [kʀɑne] *vi* (*fam*) farolear, fanfarronear.

crapaud [kʀapo] *nm* sapo, escuerzo.

crapule [kʀapyl] *nf* crápula *m*;

crapuleux, euse *a*: **crime crapuleux** crimen depravado.
craquelure [kRaklyR] *nf* (*fissure*) resquebrajadura, grieta.
craquement [kRakmɑ̃] *nm* crujido.
craquer [kRake] *vi* (*bruit: bois, bateau*) crujir; (*se briser*) desgarrarse, abrirse; (*fig*) quebrantarse // *vt*: ~ **une allumette** frotar un fósforo.
crasse [kRas] *nf* mugre *f*, roña; **crasseux, euse** *a* mugriento(a), roñoso(a).
crassier [kRasje] *nm* escorial *m*.
cratère [kRatɛR] *nm* cráter *m*.
cravache [kRavaʃ] *nf* fusta.
cravate [kRavat] *nf* corbata.
crawl [kRol] *nm* crawl *m*; **dos crawlé** crawl de espaldas.
crayeux, euse [kRɛjø, øz] *a* gredoso(a).
crayon [kRɛjɔ̃] *nm* lápiz *m*; (*de rouge à lèvres etc*) lápiz *o* barra de labios; ~ **à bille** bolígrafo; ~ **de couleur** lápiz de color.
créancier, ière [kReɑ̃sje, jɛR] *nm/f* acreedor/ora.
créateur, trice [kReatœR, tRis] *a, nm/f* creador(ora); **le C~** el Creador.
création [kReɑsjɔ̃] *nf* creación *f*.
créature [kReatyR] *nf* criatura.
crécelle [kResɛl] *nf* matraca.
crèche [kRɛʃ] *nf* (*de Noël*) nacimiento; (*garderie*) guardería.
crédibilité [kRedibilite] *nf* credibilidad *f*, veracidad *f*.
crédit [kRedi] *nm* crédito, influencia; (*ÉCON*) crédito, préstamo; (*d'un compte bancaire*) crédito, haber *m*; ~**s** *mpl* (*fonds*) fondos, presupuesto; **payer/acheter à** ~ pagar/comprar a crédito *o* plazos; **faire** ~ **à qn** tener confianza en alguien; ~**er** *vt* (*compte*) acreditar; ~**eur, trice** *a, nm/f* acreedor(ora).
credo [kRedo] *nm* credo.
crédule [kRedyl] *a* crédulo(a), ingenuo(a).
créer [kRee] *vt* crear; (*COMM*) crear, fabricar; (*occasionner*) crear, causar; (*spectacle*) crear, concebir.
crémaillère [kRemajɛR] *nf* cremallera; **pendre la** ~ estrenar la casa.
crémation [kRemɑsjɔ̃] *nf* cremación *f*; **crématoire** *a*: **four crématoire** horno crematorio.
crème [kRɛm] *nf* (*du lait*) crema, nata; (*de beauté*) crema; (*entremets*) natilla // *a inv* crema; **un (café)** ~ un café con crema *o* leche; ~ **fouettée** crema batida; ~ **à raser** crema de afeitar.
crémerie [kRɛmRi] *nf* lechería.
crémeux, euse [kRemø, øz] *a* cremoso(a).
crémier, ière [kRemje, jɛR] *nm/f* lechero/a.
créneau, x [kReno] *nm* almena; (*fig*) espacio disponible; (*AUTO*): **faire un** ~ *estacionar entre dos autos*.
créole [kReɔl] *a, nm/f* criollo(a) // *nm* (*LING*) lengua criolla.
crêpe [kRɛp] *nf* tortita hojuela // *nm* crespón *m*; **semelle (de)** ~ suela (de) crepé.
crêpé, e [kRɛpe] *a* (*cheveux*) cardado(a).
crêperie [kRɛpRi] *nf lugar en donde se hacen y se consumen tortitas hojuelas.*
crépi [kRepi] *nm* revoque *m*; **crépir** *vt* revocar.
crépiter [kRepite] *vi* crepitar, restallar.
crépon [kRepɔ̃] *nm* crespón *m*.
crépu, e [kRepy] *a* crespo(a).
crépuscule [kRepyskyl] *nm* crepúsculo, ocaso.
crescendo [kReʃɛndo] *nm* (*MUS*) crescendo; (*fig*) crescendo, aumento // *ad* (*MUS*) en crescendo; (*fig*) en aumento.
cresson [kResɔ̃] *nm* berro.
crête [kRɛt] *nf* cresta.
Crête [kRɛt] *nf* Creta.
crétin, e [kRetɛ̃, in] *nm/f* cretino/a; (*péj*) cretino/a, imbécil.
cretonne [kRətɔn] *nf* cretona.
creuser [kRøze] *vt* (*trou, tunnel*)

cavar; (*bois, sol*) ahuecar, excavar; (*fig*: *approfondir*) profundizar, ahondar; **cela creuse (l'estomac)** esto abre el apetito.

creuset [kRøzɛ] *nm* (*TECH*) crisol *m*.

creux, euse [kRø, øz] *a* (*évidé*) hueco(a); (*concave*) cóncavo(a); (*son, voix*) cavernoso(a) // *nm* hueco; (*fig*: *dans statistique*) bajo; **heures creuses** (*circulation*) horas de poca actividad; **mois/jours ~** meses/días de poca actividad; **le ~ de l'estomac** la boca del estómago.

crevaison [kRəvɛzɔ̃] *nf* pinchazo.

crevasse [kRəvas] *nf* grieta.

crève-cœur [kRɛvkœR] *nm* desconsuelo.

crever [kRəve] *vt* (*papier, tambour, ballon*) reventar // *vi* (*pneu, automobiliste*) pincharse; (*abcès, outre, nuage*) reventar, reventarse; (*fam*) estirar la pata.

crevette [kRəvɛt] *nf* (*ZOOL*): **~ rose** gamba; **~ grise** quisquilla.

cri [kRi] *nm* grito; (*d'animal*: *spécifique*) voz *f*; **~s de protestation/d'enthousiasme** gritos de protesta/de entusiasmo; **pull dernier ~** jersey *m* (de) última moda.

criant, e [kRijɑ̃, ɑ̃t] *a* (*injustice*) manifiesto(a).

criard, e [kRijaR, aRd(ə)] *a* llamativo(a); (*voix*) chillón(ona), agudo(a).

crible [kRibl(ə)] *nm* tamiz *m*; **passer qch au ~** pasar algo por el tamiz; (*fig*) analizar minuciosamente.

criblé, e [kRible] *a* acribillado(a).

cric [kRik] *nm* (*AUTO*) gato.

crier [kRije] *vi, vt* gritar; **~ famine** llorar de hambre; **~ grâce** pedir merced; **~ au scandale** poner el grito en el cielo; **crieur** *nm*: **crieur de journaux** vendedor *m* de periódicos.

crime [kRim] *nm* (*JUR*) crimen *m*; (*meurtre*) crimen, homicidio; (*fig*) crimen, maldad *f*; **criminalité** *nf* criminalidad *f*; **criminel, le** *a* criminal // *nm/f* criminal *m/f*, homicida *m/f*; **criminel de guerre** criminal de guerra; **criminologiste** *nm/f* criminólogo/a.

crin [kRɛ̃] *nm* crin *f*; (*comme fibre*) crin, cerda.

crinière [kRinjɛR] *nf* crin *f*, melena.

crique [kRik] *nf* caleta.

criquet [kRikɛ] *nm* (*ZOOL*) langosta, saltamontes *m*.

crise [kRiz] *nf* crisis *f*; **~ cardiaque/de foie** ataque cardíaco/al hígado; **~ de nerfs** crisis nerviosa, ataque de nervios.

crisper [kRispe] *vt* crispar, contraer; **se ~** *vi* crisparse, contraerse.

crisser [kRise] *vi* (*neige*) crujir; (*pneu*) chirriar.

cristal, aux [kRistal, o] *nm* cristal *m*; **cristaux** *mpl* (*objets de verre*) cristalería.

cristallin, e [kRistalɛ̃, in] *a* cristalino(a), claro(a) // *nm* (*ANAT*) cristalino.

cristalliser [kRistalize] *vi* (*aussi*: **se ~**) cristalizar, cristalizarse // *vt* cristalizar.

critère [kRitɛR] *nm* criterio.

critérium [kRiteRjɔm] *nm* prueba de clasificación, selección *f*.

critique [kRitik] *a* crítico(a); (*dangereux*) crítico(a), riesgoso(a); (*crucial*) crítico(a), crucial // *nf* censura, crítica; (*reproche*) crítica, reproche *m*; (*THÉÂTRE, ART*) crítica // *nm* crítico.

critiquer [kRitike] *vt* (*dénigrer*) criticar, censurar; (*évaluer, juger*) criticar, juzgar.

croasser [kRɔase] *vi* graznar.

croc [kRo] *nm* (*dent*) colmillo; (*de boucher*) gancho, garabato.

croc-en-jambe [kRɔkɑ̃ʒɑ̃b] *nm* zancadilla.

croche [kRɔʃ] *nf* (*MUS*) corchea; **double ~** semicorchea; **triple ~** fusa.

croche-pied [kRɔʃpje] *nm* zancadilla.

crochet [kRɔʃɛ] *nm* (*gén*) gancho;

(*tige, clef*) ganzúa; (*détour*) desvío, rodeo; (*TRICOT*) ganchillo; **~s** *mpl* (*TYPOGRAPHIE*) corchetes *mpl*; **vivre aux ~s de qn** vivir a expensas de alguien; **~er** [kʀɔʃte] *vt* abrir con ganzúa.

crochu, e [kʀɔʃy] *a* ganchudo(a), curvo(a).

crocodile [kʀɔkɔdil] *nm* cocodrilo.

crocus [kʀɔkys] *nm* azafrán *m*.

croire [kʀwaʀ] *vt* creer; **~ qn honnête** tomar honesto(a) a alguien; **~ que** creer que; **~ être/faire** creer que uno es/hace; **~ à** creer en; **~ en** tener confianza en, creer en; **~ (en Dieu)** creer (en Dios).

croîs *etc vb voir* **croître.**

croisade [kʀwazad] *nf* cruzada.

croisé, e [kʀwaze] *a* cruzado(a) // *nm* cruzado // *nf* ventana; **~e d'ogives** bóveda de crucería; **à la ~e des chemins** en el cruce de los caminos, en la encrucijada.

croisement [kʀwazmɑ̃] *nm* cruce *m*, intersección *f*; (*carrefour*) cruce.

croiser [kʀwaze] *vt* cruzar // *vi* (*NAUT*) patrullar; **se ~** cruzarse; **se ~ les bras** (*fig*) cruzarse de brazos.

croiseur [kʀwazœʀ] *nm* crucero.

croisière [kʀwazjɛʀ] *nf* crucero; **vitesse de ~** velocidad *f* de crucero.

croisillon [kʀwazijɔ̃] *nm*: **motif/fenêtre à ~s** motivo/ventana en cruceros.

croissance [kʀwasɑ̃s] *nf* crecimiento, desarrollo; **troubles de la/maladie de ~** (*MÉD*) perturbaciones *fpl*/enfermedad *f* del crecimiento; **~ économique** desarrollo económico.

croissant, e [kʀwasɑ̃, ɑ̃t] *a* creciente // *nm* medialuna; (*motif*) medialuna, semicírculo; **~ de lune** media luna.

croit *vb voir* **croire.**

croître [kʀwatʀ(ə)] *vi* crecer, desarrollarse; (*fig*) crecer, aumentar; (*lune*) crecer; (*jours*) alargarse.

croix [kʀwa] *nf* cruz *f*; **en ~** *a, ad* en cruz; **la C~ Rouge** la Cruz Roja.

croquant, e [kʀɔkɑ̃, ɑ̃t] *a* crujiente.

croque-au-sel [kʀɔkosɛl] : **à la ~** *ad* en sal.

croque-mitaine [kʀɔkmitɛn] *nm* coco.

croque-monsieur [kʀɔkməsjø] *nm emparedado caliente de jamón y queso.*

croque-mort [kʀɔkmɔʀ] *nm* enterrador *m*, sepulturero.

croquer [kʀɔke] *vt* mascar, comer; (*dessiner*) bosquejar, hacer un croquis de // *vi* crujir.

croquet [kʀɔkɛ] *nm* croquet *m*.

croquis [kʀɔki] *nm* croquis *m*, boceto; (*description*) reseña, croquis.

cross(-country) [kʀɔskuntʀi] *nm* cross *m*, *carrera a campo traviesa.*

crosse [kʀɔs] *nf* (*de fusil*) culata; (*d'évêque*) báculo.

crotale [kʀɔtal] *nm* serpiente *f* de cascabel.

crotte [kʀɔt] *nf* caca, boñiga.

crotté, e [kʀɔte] *a* embarrado(a), enlodado(a).

crottin [kʀɔtɛ̃] *nm*: **~ (de cheval)** bosta.

crouler [kʀule] *vi* derrumbarse, desplomarse; (*être délabré*) venirse abajo, hundirse; **~ sous (le poids de) qch** hundirse bajo (el peso de) algo.

croupe [kʀup] *nf* grupa; **en ~** a la grupa.

croupier [kʀupje] *nm* crupier *m*.

croupion [kʀupjɔ̃] *nm* rabadilla.

croupir [kʀupiʀ] *vi* podrirse, estancarse; (*fig*) corromperse, sumirse.

croustillant, e [kʀustijɑ̃, ɑ̃t] *a* crujiente; (*fig*) sabroso(a), picaresco(a).

croustiller [kʀustije] *vi* crujir.

croûte [kʀut] *nf* costra, corteza; (*sur un liquide*) capa; (*MÉD*) costra; (*sur un solide*) costra, capa; **en ~** (*CULIN*) en pastel; **~ au fromage/aux champignons** (*CULIN*) pastel *m* de queso/de hongos; **~ de**

pain (*morceau*) mendrugo; ~ **terrestre** corteza terrestre.
croûton [kʀutɔ̃] *nm* pico; (CULIN) pan frito.
croyable [kʀwajabl(ə)] *a* creíble.
croyais *etc vb voir* **croire.**
croyance [kʀwajɑ̃s] *nf* creencia, fe *f.*
croyant, e [kʀwajɑ̃, ɑ̃t] *a, nm/f* (REL) creyente (*m/f*).
CRS *sigle m = membre d'une compagnie républicaine de sécurité // sigle f voir* **compagnie.**
cru, e [kʀy] *pp de* **croire** // *a* crudo(a); (*lumière, couleur*) crudo(a), violento(a); (*paroles, langage*) crudo(a), brutal // *nm* viñedo; (*vin*) caldo, vino // *nf* creciente *f*; **en ~e** en creciente.
crû *pp de* **croître.**
cruauté [kʀyote] *nf* crueldad *f.*
cruche [kʀyʃ] *nf* cántaro.
crucial, e, aux [kʀysjal, o] *a* crucial.
crucifier [kʀysifje] *vt* crucificar.
crucifix [kʀysifi] *nm* crucifijo.
cruciforme [kʀysifɔʀm(ə)] *a* cruciforme.
cruciverbiste [kʀysivɛʀbist(ə)] *nm/f aficionado/a a los crucigramas.*
crudité [kʀydite] *nf*: **~s** *fpl* frutas y legumbres crudas.
crue [kʀy] *af, nf voir* **cru.**
cruel, le [kʀyɛl] *a* cruel, despiadado(a); **~lement** *ad* cruelmente.
crûment [kʀymɑ̃] *ad* crudamente.
crustacés [kʀystase] *nmpl* crustáceos.
crypte [kʀipt(ə)] *nf* cripta.
Cuba [kybɑ] *n* Cuba.
cubage [kybaʒ] *nm* volúmen *m*, capacidad *f.*
cube [kyb] *nm* cubo; **élever au ~** (MATH) elevar al cubo; **mètre ~** metro cúbico; **cubique** *a* cúbico(a).
cubisme [kybism(ə)] *nm* cubismo.
cubitus [kybitys] *nm* cubito.
cueillette [kœjɛt] *nf* recolección *f*, cosecha.
cueillir [kœjiʀ] *vt* recoger; (*fig*) atrapar, agarrar.
cuiller, cuillère [kɥijɛʀ] *nf* cuchara; **~ à soupe** cuchara de sopa; **~ à café** cucharilla de café; **cuillerée** *nf* cucharada.
cuir [kɥiʀ] *nm* cuero.
cuirasse [kɥiʀas] *nf* coraza.
cuirassé [kɥiʀase] *nm* acorazado.
cuire [kɥiʀ] *vt* cocer // *vi* cocerse; (*picoter*) arder, escocer.
cuisant, e [kɥizɑ̃, ɑ̃t] *a* denigrante, humillante; (*sensation*) punzante, agudo(a).
cuisine [kɥizin] *nf* (*pièce, art*) cocina; (*nourriture*) comida, cocina; **faire la ~** hacer la comida, cocinar.
cuisiné [kɥizine] *a*: **plat ~** plato cocido.
cuisiner [kɥizine] *vt* cocinar; (*fam*) cocinar, acribillar a preguntas // *vi* cocinar; **cuisinier, ière** *nm/f* cocinero/a // *nf* cocina.
cuisse [kɥis] *nf* muslo; (*de poulet, mouton*) pierna.
cuisson [kɥisɔ̃] *nf* cocción *f*; cochura.
cuistre [kɥistʀ(ə)] *nm* sabihondo.
cuit, e [kɥi, it] *pp de* **cuire** // *a* cocido(a).
cuivre [kɥivʀ(ə)] *nm* cobre *m*; **les ~s** (MUS) los cobres; **cuivré, e** *a* cobrizo(a).
cul [ky] *nm* (*fam*) culo; **~ de bouteille** culo de botella.
culasse [kylas] *nf* (AUTO) culata; (*de fusil*) cerrojo.
culbute [kylbyt] *nf* vuelta de campana; (*accidentelle*) tumbo, vuelco; **culbuter** *vi* tumbar, volcar.
culbuteur [kylbytœʀ] *nm* (AUTO) balancín *m.*
cul-de-jatte [kydʒat] *nm/f* inválido/a, lisiado/a.
cul-de-sac [kydsak] *nm* (*rue*) callejón *m* sin salida.
culinaire [kylinɛʀ] *a* culinario(a).
culminant, e [kylminɑ̃, ɑ̃t] *a*: **point ~** punto culminante.
culminer [kylmine] *vi* culminar.
culot [kylo] *nm* (*d'ampoule*)

casquillo; (*effronterie*) desfachatez *f*, descaro.
culotte [kylɔt] *nf* pantalón corto; (*de femme*): **(petite) ~** bragas; **~ de cheval** pantalón de montar.
culotté, e [kylɔte] *a* (*pipe, cuir*) curado(a), usado(a).
culpabilité [kylpabilite] *nf* culpabilidad *f*.
culte [kylt(ə)] *nm* culto, fe *f*; (*hommage, vénération*) culto, veneración *f*; (*protestant: service*) culto.
cultivateur, trice [kyltivatœʀ, tʀis] *nm/f* cultivador/ora, labrador/ora.
cultivé, e [kyltive] *a* cultivado(a), labrado(a); (*personne*) cultivado(a), ilustrado(a).
cultiver [kyltive] *vt* cultivar, labrar; (*légumes*) cultivar; (*fig*) cultivar, ejercitar.
culture [kyltyʀ] *nf* cultivo; labranza; (*connaissances etc*) cultura; **(champs de) ~s** (campos de) cultivo, cultivos; **~ physique** cultura física; **culturel, le** *a* cultural.
cumin [kymɛ̃] *nm* comino.
cumuler [kymyle] *vt* acumular, acaparar.
cupide [kypid] *a* codicioso(a), ambicioso(a); **cupidité** *nf* codicia, ambición *f*.
curable [kyʀabl(ə)] *a* curable.
curatif, ive [kyʀatif, iv] *a* curativo(a).
cure [kyʀ] *nf* (*MÉD*) cura, curación *f*; (*REL*) curato; **faire une ~ de fruits** hacer una cura de frutas; **n'avoir ~ de** no preocuparse por *o* de; **~ thermale** cura termal.
curé [kyʀe] *nm* cura *m*, párroco.
cure-dents [kyʀdɑ̃] *nm* mondadientes *m inv*.
cure-pipe [kyʀpip] *nm* limpiapipa *m*.
curer [kyʀe] *vt* curar, limpiar.
curieux, euse [kyʀjø, øz] *a* (*étrange*) curioso(a), raro(a); (*indiscret*) curioso(a), indiscreto(a) // *nmpl* (*badauds*) curiosos, mirones *mpl*.
curiosité [kyʀjozite] *nf* curiosidad *f*, indiscreción *f*; (*objet, lieu*) singularidad *f*, rareza.
curiste [kyʀist(ə)] *nm/f* agüista *m/f*.
curriculum vitae [kyʀikylɔmvite] *nm inv* curriculum vitae *m*.
curseur [kyʀsœʀ] *nm* cursor *m*.
cursif, ive [kyʀsif, iv] *a*: **écriture cursive** escritura cursiva.
curviligne [kyʀviliɲ] *a* curvilíneo(a).
cutané, e [kytane] *a* cutáneo(a).
cuticule [kytikyl] *nf* cutícula.
cuti-réaction [kytiʀeaksjɔ̃] *nf* dermorreacción *f*.
cuve [kyv] *nf* depósito, tanque *m*.
cuvée [kyve] *nf* (*de vin*) cuba, cosecha.
cuvette [kyvɛt] *nf* jofaina, palangana; (*GÉO*) hondonada.
CV *abrév de* **cheval-vapeur**; **curriculum vitae**.
cyanure [sjanyʀ] *nm* cianuro.
cybernétique [sibɛʀnetik] *nf* cibernética.
cyclable [siklabl(ə)] *a*: **piste ~** pista para ciclistas.
cyclamen [siklamɛn] *nm* ciclamino.
cycle [sikl(ə)] *nm* ciclo; **cyclique** *a* cíclico(a).
cyclisme [siklism(ə)] *nm* ciclismo; **cycliste** *nm/f* ciclista *m/f*.
cyclomoteur [siklɔmɔtœʀ] *nm* ciclomoto, ciclomotor *m*; **cyclomotoriste** *nm/f* ciclomotorista *m/f*.
cyclone [siklon] *nm* ciclón *m*.
cygne [siɲ] *nm* cisne *m*.
cylindre [silɛ̃dʀ(ə)] *nm* cilindro.
cylindrée [silɛ̃dʀe] *nf* cilindrada.
cylindrique [silɛ̃dʀik] *a* cilíndrico(a).
cymbale [sɛ̃bal] *nf* platillo.
cynique [sinik] *a* cínico(a).
cynisme [sinism(ə)] *nm* cinismo.
cyprès [sipʀɛ] *nm* ciprés *m*.
cyrillique [siʀilik] *a* cirílico(a).
cystite [sistit] *nf* cistitis *f*.
cytise [sitiz] *nm* lluvia de oro, cítiso.

D

d' *prép, dét voir* **de**.
dactylo [daktilo] *nf* (*aussi*: **~graphe**) dactilógrafa; (*aussi*: **~graphie**) dactilografía; **~graphier** *vt* dactilografiar.
dague [dag] *nf* daga.
daigner [deɲe] *vt* dignarse.
daim [dɛ̃] *nm* gamo; (*peau*) gamuza.
dais [dɛ] *nm* dosel *m*, palio.
dallage [dalaʒ] *nm* embaldosado.
dalle [dal] *nf* baldosa.
daltonien, ne [daltɔnjɛ̃, jɛn] *a* daltoniano(a).
daltonisme [daltɔnism(ə)] *nm* daltonismo.
damas [dama] *nm* damasco.
dame [dam] *nf* dama; **~s** *fpl* (*jeu*) damas; **les (toilettes des) ~s** los servicios para damas.
damer [dame] *vt* apisonar.
damier [damje] *nm* damero; (*dessin*) ajedrezado; **en ~** ajedrezado(a).
damner [dɑne] *vt* condenar.
dancing [dɑ̃siŋ] *nm* sala de baile.
dandiner [dɑ̃dine]: **se ~** *vi* bambolearse, contonearse.
Danemark [danmark] *nm* Dinamarca.
danger [dɑ̃ʒe] *nm* peligro; **~eux, euse** [dɑ̃ʒʀø, øz] *a* peligroso(a).
danois, e [danwa, waz] *a, nm/f* danés(esa) // *nm* danés *m*.
dans [dɑ̃] *prép* en; (*à l'intérieur de*) dentro de, en; **je l'ai pris ~ le tiroir/le salon** lo tomé del cajón/salón; **boire ~ un verre** beber dentro de un vaso; **~ 2 mois** en 2 meses; dentro de 2 meses; **~ les 20F/4 mois** unos 20F/4 meses; **monter ~ une voiture** subir a un coche.
dansant, e [dɑ̃sɑ̃, ɑ̃t] *a*: **soirée ~e** velada danzante.
danse [dɑ̃s] *nf* danza.
danser [dɑ̃se] *vt, vi* danzar, bailar; **danseur, euse** *nm/f* (*professionnel*) bailarín/ina; (*cyclisme*): **en danseuse** *de pie sobre los pedales*; **~ de corde** volatinero.
dard [daʀ] *nm* (*ZOOL*) aguijón *m*.
darder [daʀde] *vt* lanzar, clavar.
date [dat] *nf* fecha; **de longue** *ou* **vieille/fraîche ~** de larga *o* vieja/reciente data; **premier en ~** más antiguo; **dernier en ~** más reciente; **prendre ~ (avec qn)** fijar fecha (con alguien); **faire ~** hacer época; **~ de naissance** fecha de nacimiento.
dater [date] *vt* fechar // *vi* ser anticuado(a); **~ de** datar de; **à ~ de** a partir de.
datif [datif] *nm* dativo.
datte [dat] *nf* dátil *m*; **dattier** *nm* palmera.
daube [dob] *nf*: **en ~** estofado(a), adobado(a).
dauphin [dofɛ̃] *nm* delfín *m*.
davantage [davɑ̃taʒ] *ad* más; **~ de** más; **~ que** más que.
de [də] *prép* de; (*moyen*) con; de; **du, de la, des** del *m*, de la *f*, de los *mpl*, de las *fpl* // *dét*: **du vin, de l'eau, des pommes** vino, agua, (unas) manzanas; **des enfants sont venus** unos niños vinieron; **a-t-il du vin/des enfants?** ¿tiene vino/niños?; **il ne veut pas de vin/de pommes** no quiere vino/manzanas; **pendant des mois** durante (varios) meses.
dé [de] *nm* (*aussi*: **~ à coudre**) dedal *m*; (*à jouer*) dado; **~s** *mpl* (*jeu*) dados.
débâcle [debɑkl(ə)] *nf* (*dégel*) deshielo; (*armée*) desbandada.
déballer [debale] *vt* desembalar, desempacar; (*fam*) desembuchar.
débarbouiller [debaʀbuje] *vt* lavar la cara a, asear.
débarcadère [debaʀkadɛʀ] *nm* desembarcadero, muelle *m*.
débardeur [debaʀdœʀ] *nm* estibador *m*; (*maillot*) *camiseta sin mangas*.
débarquer [debaʀke] *vt, vi* desembarcar.

débarras [debaʀa] *nm* trastero; **bon ~** ¡buen viaje!
débarrasser [debaʀase] *vt* quitar, desembarazar; **~ la table** quitar la mesa; **~ qn/qch de** liberar a alguien/algo de; **se ~ de** *vt* desembarazarse *o* liberarse de.
débat [deba] *nm* debate *m*.
débattre [debatʀ(ə)] *vt* debatir, discutir; **se ~** *vi* debatirse.
débauche [deboʃ] *nf* desenfreno; (*profusion*) derroche *m*.
débauché, e [deboʃe] *a* libertino(a).
débaucher [deboʃe] *vt* despedir; (*entraîner*) corromper.
débile [debil] *a, nm/f* débil (*m/f*).
débit [debi] *nm* caudal *m*; (*d'un magasin*) venta; (*d'un moyen de transport*) capacidad *f*; (*élocution*) habla, palabra; (*à la banque*) débito; **~ de boisson** despacho de bebidas; **~ de tabac** estanco.
débiter [debite] *vt* (*compte*) cargar en cuenta de; (*liquide, gaz*) suministrar; (*bois, viande*) cortar; (*péj*) recitar, soltar.
débiteur, trice [debitœʀ, tʀis] *a* deudora // *nm/f* deudor/ora.
déblai [deblɛ] *nm* escombro.
déblaiement [deblɛmɑ̃] *nm* despeje *m*.
déblayer [debleje] *vt* despejar; (*fig*) allanar.
débloquer [deblɔke] *vt* (*frein, prix, salaires*) liberar; (*crédit*) desbloquear.
déboires [debwaʀ] *nmpl* sinsabores *mpl*.
déboiser [debwaze] *vt* talar, desmontar.
déboîter [debwate] *vi* (AUTO) salirse de la fila, adelantarse // *vt*: **se ~ le genou** dislocarse *o* desencajarse la rodilla.
débonnaire [debɔnɛʀ] *a* bonachón(ona).
débordant, e [debɔʀdɑ̃, ɑ̃t] *a* desbordante.
débordé, e [debɔʀde] *a*: **être ~** estar agobiado *o* abrumado.
débordement [debɔʀdəmɑ̃] *nm* desbordamiento; **~ d'enthousiasme** profusión *f* de entusiasmo.
déborder [debɔʀde] *vi* desbordarse; (*eau, lait*) derramarse, desbordarse // *vt* (MIL, SPORT) flanquear, desbordar; (*dépasser*): **~ (de)** desbordar (de), rebasar; (*fig*): **~ de** rebosar de.
débouché [debuʃe] *nm* desembocadura; (COMM) salida, mercado; (*perspectives d'emploi*) posibilidades *fpl*.
déboucher [debuʃe] *vt* destapar; (*bouteille*) descorchar, destapar // *vi* desembocar; **~ de** salir de; **~ sur** desembocar en.
déboulonner [debulɔne] *vt* desmontar.
débourser [debuʀse] *vt* desembolsar.
debout [dəbu] *ad*: **être ~** estar de pie; (*chose*) estar en pie; **être encore ~** (*fig*) estar todavía en pie; **se mettre ~** ponerse de pie; **~!** ¡en pie!, ¡arriba!; **ça ne tient pas ~** (*fig*) esto no se tiene en pie.
déboutonner [debutɔne] *vt* desabrochar, desabotonar; **se ~** desabrocharse, desabotonarse.
débraillé, e [debʀaje] *a* descuidado(a), desaliñado(a).
débrayage [debʀɛjaʒ] *nm* (AUTO) desembrague *m*; (*grève*) paro; **double ~** doble desembrague.
débrayer [debʀeje] *vi* (AUTO) desembragar; (*cesser le travail*) hacer paro.
débridé, e [debʀide] *a* desenfrenado(a).
débris [debʀi] *nm* resto, pedazo; (*déchet*) resto, residuo.
débrouiller [debʀuje] *vt* (*fig*) aclarar, desenredar; (*écheveau*) desenredar; **se ~** *vi* arreglárse(las), ingeniárse(las).
débroussailler [debʀusɑje] *vt* desbrozar.
débusquer [debyske] *vt hacer salir de su refugio a.*
début [deby] *nm* comienzo, princi-

pio; **~s** *mpl* (CINÉMA, SPORT *etc*) debuts *mpl*; **faire ses ~s** hacer sus primeras armas; **au ~** al principio.
débutant, e [debytɑ̃, ɑ̃t] *a* principiante, novel // *nm/f* principiante *m*.
débuter [debyte] *vi* comenzar, principiar; (*personne*) comenzar, debutar.
deçà [dəsa] : **en ~ de** *prép* de este lado de, sin llegar a.
décacheter [dekaʃte] *vt* abrir.
décade [dekad] *nf* década.
décadent, e [dekadɑ̃, ɑ̃t] *a* decadente.
décaféiné, e [dekafeine] *a* sin cafeína.
décalage [dekalaʒ] *nm* desnivelación *f*; variación *f*; (*de position*) desplazamiento, desnivelación; (*temporel*) diferencia, variación *f*; (*fig*) desacuerdo; **~ horaire** diferencia horaria.
décaler [dekale] *vt* desplazar, desnivelar; (*dans le temps*) variar; **~ de 10 cm** desplazar 10 cm; **~ de 2 h** variar en 2 hs.
décalquer [dekalke] *vt* calcar.
décanter [dekɑ̃te] *vt* decantar; **se ~** *vi* decantarse; (*fig*) aclararse.
décapant [dekapɑ̃] *nm* disolvente *m*, abrasivo.
décaper [dekape] *vt* raspar, limpiar.
décapiter [dekapite] *vt* decapitar; (*fig*) tronchar.
décapotable [dekapɔtabl(ə)] *a* descapotable.
décapoter [dekapɔte] *vt* descapotar.
décapsuler [dekapsyle] *vt* destapar; **décapsuleur** *nm* abrebotellas *mpl*.
décathlon [dekatlɔ̃] *nm* decatlón *m*.
décéder [desede] *vi* fallecer.
déceler [desle] *vt* descubrir; (*suj: indice etc*) revelar.
décélération [deseleʀasjɔ̃] *nf* aminoración *f*.
décembre [desɑ̃bʀ(ə)] *nm* diciembre *m*.
décemment [desamɑ̃] *ad* decentemente; (*raisonnablement*) razonablemente.
décence [desɑ̃s] *nf* decencia.
décent, e [desɑ̃, ɑ̃t] *a* decente.
décentraliser [desɑ̃tʀalize] *vt* descentralizar.
décentrer [desɑ̃tʀe] *vt* descentrar; **se ~** descentrarse.
déception [desɛpsjɔ̃] *nf* decepción *f*.
décerner [desɛʀne] *vt* otorgar.
décès [desɛ] *nm* fallecimiento.
décevant, e [desvɑ̃, ɑ̃t] *a* decepcionante.
décevoir [desvwaʀ] *vt* decepcionar; (*espérances etc*) defraudar.
déchaîner [deʃene] *vt* desencadenar, desatar.
déchanter [deʃɑ̃te] *vi* desencantarse.
décharge [deʃaʀʒ(ə)] *nf* (*dépôt d'ordures*) vertedero; (JUR) descargo; (*aussi*: **~ électrique**) descarga; **à la ~ de** en descargo de.
décharger [deʃaʀʒe] *vt* descargar; **~ qn** (*fig*) dispensar a alguien.
décharné, e [deʃaʀne] *a* descarnado(a).
déchausser [deʃose] *vt* descalzar; **se ~** (*personne*) descalzarse; (*dent*) descarnarse.
déchéance [deʃeɑ̃s] *nf* degradación *f*.
déchet [deʃɛ] *nm* resto, residuo; **il y a beaucoup de ~** hay mucha pérdida.
déchiffrer [deʃifʀe] *vt* descifrar; (*musique, partition*) repentizar.
déchiqueter [deʃikte] *vt* despedazar.
déchirant, e [deʃiʀɑ̃, ɑ̃t] *a* desgarrador(ora).
déchirement [deʃiʀmɑ̃] *nm* (*chagrin*) desgarramiento; (*conflit*) divisiones *fpl*, discordias.
déchirer [deʃiʀe] *vt* rasgar, romper; (*fig*) destrozar; (: *pays, peuple*) dividir, destrozar; **se ~** *vi*

desgarrarse, desollarse; **se ~ un muscle** desgarrarse un músculo; **ça se déchire facilement** esto se rompe fácilmente.

déchirure [deʃiʀyʀ] *nf* desgarrón *m*.

déchoir [deʃwaʀ] *vi* rebajarse, decaer; **~ de** perder; **déchu, e** *a* caído(a), desposeído(a).

décibel [desibɛl] *nm* decibel *m*, decibelio.

décidé, e [deside] *a* decidido(a), resuelto(a); **c'est ~** está decidido; **être ~ à** estar resuelto a.

décider [deside] *vt* decidir; **~ de faire** decidir hacer; **~ de qch** decidir *o* resolver algo; (*suj*: *chose*) decidir, determinar; **se ~** decidirse.

décilitre [desilitʀ(ə)] *nm* decilitro.

décimal, e, aux [desimal, o] *a*, *nf* decimal (*m*).

décimer [desime] *vt* diezmar.

décimètre [desimɛtʀ(ə)] *nm* decímetro; **double ~** doble decímetro.

décisif, ive [desizif, iv] *a* decisivo(a).

décision [desizjɔ̃] *nf* decisión *f*; (ADMIN, JUR) resolución *f*; **emporter** *ou* **faire la ~** adoptar la decisión.

déclamatoire [deklamatwaʀ] *a* declamatorio(a).

déclamer [deklame] *vt*, *vi* declamar.

déclaration [deklaʀɑsjɔ̃] *nf* declaración *f*.

déclarer [deklaʀe] *vt* declarar; **~ qch/qn inutile** *etc* declarar inútil algo/a alguien *etc*; **se ~** *vi* declararse; **se ~ favorable/prêt à** declararse favorable a/listo para.

déclassé, e [deklɑse] *a* venido(a) a menos.

déclasser [deklɑse] *vt* (*sportif*, *cheval*) descalificar; (*hôtel*) rebajar de categoría a.

déclencher [deklɑ̃ʃe] *vt* disparar; (*fig*) iniciar, desencadenar; **se ~** *vi* desencadenarse; **déclencheur** *nm* disparador *m*.

déclic [deklik] *nm* disparador *m*; (*bruit*) chasquido.

déclin [deklɛ̃] *nm* decadencia, ocaso.

déclinaison [deklinɛzɔ̃] *nf* (LING) declinación *f*.

décliner [dekline] *vi* decaer; (*santé*) declinar, decaer; (*jour*, *soleil*) declinar // *vt* (*gén*) declinar; (*nom*, *adresse*) dar a conocer; **se ~** (LING) declinarse.

déclivité [deklivite] *nf* declive *m*; **en ~** en declive.

décocher [dekɔʃe] *vt* (*coup*) soltar; (*fig*) lanzar.

décoction [dekɔksjɔ̃] *nf* decocción *f*.

décoder [dekɔde] *vt* descifrar.

décoiffer [dekwafe] *vt* despeinar; (*enlever le chapeau*) quitar el sombrero a; **se ~** *vt* despeinarse.

décoincer [dekwɛ̃se] *vt* (*débloquer*) desencajar, descalzar.

décollage [dekɔlaʒ] *nm* (*avion*) despegue *m*.

décollement [dekɔlmɑ̃] *nm*: **~ de la rétine** desprendimiento de la retina.

décoller [dekɔle] *vt*, *vi* despegar; **se ~** *vi* despegarse.

décolleté, e [dekɔlte] *a*, *nm* escote (*m*).

décolleter [dekɔlte] *vt* escotar; (TECH) aterrajar; **se ~** (*femme*) escotarse.

décoloniser [dekɔlɔnize] *vt* descolonizar.

décolorant, e [dekɔlɔʀɑ̃, ɑ̃t] *a* descolorante (*m*).

décoloration [dekɔlɔʀɑsjɔ̃] *nf* decoloración *f*.

décolorer [dekɔlɔʀe] *vt* descolorar; (*cheveux*) decolorar; **se ~** *vi* decolorarse.

décombres [dekɔ̃bʀ(ə)] *nmpl* escombros.

décommander [dekɔmɑ̃de] *vt* cancelar un pedido de; (*réception*) cancelar; (*invités*) cancelar la invitación a; **se ~** excusarse.

décomposer [dekɔ̃poze] *vt* descomponer; **se ~** descomponerse; (*fig*: *société*) disgregarse, descom-

ponerse; **décomposition** *nf* descomposición *f.*
décompression [dekɔ̃pʀesjɔ̃] *nf* descompresión *f.*
décomprimer [dekɔ̃pʀime] *vt* descomprimer.
décompte [dekɔ̃t] *nm* descuento; (*facture détaillée*) detalle *m.*
décompter [dekɔ̃te] *vt* descontar.
déconcentration [dekɔ̃sɑ̃tʀɑsjɔ̃] *nf* (ADMIN) descentralización *f.*
déconcerter [dekɔ̃sɛʀte] *vt* desconcertar.
déconfit, e [dekɔ̃fi, it] *a* abatido(a), aplastado(a).
déconfiture [dekɔ̃fityʀ] *nf* derrota; ruina.
décongeler [dekɔ̃ʒle] *vt* deshelar.
décongestionner [dekɔ̃ʒɛstjɔne] *vt* descongestionar.
déconseiller [dekɔ̃seje] *vt*: ~ **à qn qch** desaconsejar algo a alguien; ~ **de faire** aconsejar no hacer; **c'est déconseillé** no es aconsejable.
déconsigner [dekɔ̃siɲe] *vt* (*valise*) retirar de la consigna; (COMM) *devolver reembolsando su costo.*
décontenancer [dekɔ̃tnɑ̃se] *vt* desconcertar.
décontracter [dekɔ̃tʀakte] *vt* relajar; **se** ~ relajarse.
déconvenue [dekɔvny] *nf* decepción *f*, chasco.
décor [dekɔʀ] *nm* decoración *f*; (THÉÂTRE, CINÉMA) decorado; (*paysage*) panorama *m.*
décorateur [dekɔʀatœʀ] *nm* decorador *m*; (CINÉMA) decorador, escenógrafo.
décoratif, ive [dekɔʀatif, iv] *a* decorativo(a).
décoration [dekɔʀɑsjɔ̃] *nf* decoración *f*; condecoración *f*; (*guirlande*) decoración; (*médaille*) condecoración.
décorer [dekɔʀe] *vt* decorar; (*médailler*) condecorar.
décortiquer [dekɔʀtike] *vt* descortezar, descascarar.
découdre [dekudʀ(ə)] *vt* descoser; **se** ~ *vi* descoserse.
découler [dekule] *vi*: ~ **de** desprenderse de.
découpage [dekupaʒ] *nm* recorte *m*; trinchado; desglose *m*; (*image*) recortables *mpl*, recortes *mpl*; ~ **électoral** *establecimiento de las circunscripciones electorales.*
découper [dekupe] *vt* recortar; (*volaille, viande*) trinchar; (*fig*) desglosar, fragmentar; **se** ~ **sur** recortarse contra.
découpure [dekupyʀ] *nf* festón *m*; (*d'une côte etc*) quebradura, hendidura.
décourageant, e [dekuʀaʒɑ̃, ɑ̃t] *a* desalentador(ora).
décourager [dekuʀaʒe] *vt* desalentar; (*dissuader*) desanimar; **se** ~ desanimarse, desalentarse; ~ **qn de** desalentar a alguien de.
décousu, e [dekuzy] *a* descosido(a); (*fig*) deshilvanado(a).
découvert, e [dekuvɛʀ, ɛʀt(ə)] *a* descubierto(a) // *nm* descubierto; **à** ~ (MIL) al descubierto; (*fig*) abiertamente; (*banque*) en descubierto // *nf* descubrimiento; **aller à la** ~**e de** ir en busca de.
découvrir [dekuvʀiʀ] *vt* descubrir; (*voiture*) descubrir, descapotar; **se** ~ descubrirse; (*au lit*) destaparse.
décrasser [dekʀase] *vt* quitar la mugre a.
décrépit, e [dekʀepi, it] *a* decrépito(a); ~**ude** *nf* (*d'une institution, d'un quartier*) decrepitud *f*, decadencia.
decrescendo [dekʀeʃɛndo] *nm* (MUS) decrescendo; **aller** ~ (*fig*) ir decreciendo.
décret [dekʀɛ] *nm* (JUR) decreto.
décréter [dekʀete] *vt* (JUR) decretar; (*imposer*) decretar, ordenar.
décrié, e [dekʀije] *a* desprestigiado(a).
décrire [dekʀiʀ] *vt* describir.
décrocher [dekʀɔʃe] *vt* descolgar; (*fig*) obtener // *vi* retirarse.
décroissant, e [dekʀwasɑ̃, ɑ̃t] *a*: **par ordre** ~ en orden decreciente.

décroître [dekʀwatʀ(ə)] *vi* decrecer.
décrue [dekʀy] *nf* descenso.
décrypter [dekʀipte] *vt* descifrar.
déçu, e [desy] *a* decepcionado(a), frustrado(a).
déculotter [dekylɔte] *vt* quitar los calzones *o* pantalones a.
décuple [dekypl(ə)] *nm* décuplo; **décupler** *vt* decuplicar // *vi* decuplicarse.
dédaigner [dedeɲe] *vt* desdeñar; **~ de faire** despreciar hacer.
dédain [dedɛ̃] *nm* desdén *m*, desprecio.
dedans [dədɑ̃] *ad* adentro, dentro // *nm* interior *m*; **au ~** dentro; por dentro; **en ~** por dentro, hacia dentro; **là-~** ahí dentro.
dédicacer [dedikase] *vt* dedicar.
dédier [dedje] *vt* dedicar.
dédire [dediʀ] : **se ~** *vi* desdecirse.
dédit [dedi] *nm* (*JUR*) indemnización *f*.
dédommagement [dedɔmaʒmɑ̃] *nm* (*indemnité*) resarcimiento, indemnización *f*.
dédommager [dedɔmaʒe] *vt* (*payer*) resarcir, indemnizar; (*remercier*) recompensar.
dédouaner [dedwane] *vt* retirar de la aduana.
dédoublement [dedubləmɑ̃] *nm*: **~ de la personnalité** desdoblamiento de la personalidad.
dédoubler [deduble] *vt* (*classe, effectifs*) desdoblar, subdividir; (*manteau*) quitar el forro a.
déduction [dedyksjɔ̃] *nf* deducción *f*.
déduire [dedɥiʀ] *vt* deducir.
déesse [deɛs] *nf* diosa.
défaillance [defajɑ̃s] *nf* fallo; (*syncope*) desmayo.
défaillant, e [defajɑ̃, ɑ̃t] *a* que falla; (*personne*) desfalleciente; (*JUR*) que no comparece, contumaz.
défaire [defɛʀ] *vt* deshacer; **se ~** *vi* deshacerse; **se ~ de** *vt* deshacerse de.
défait, e [defɛ, ɛt] *a* (*visage*) descompuesto(a) // *nf* (*MIL*) derrota; (*gén*) derrota, fracaso.
défaitiste [defetist(ə)] *a, nm/f* derrotista *m/f*, pesimista *m/f*.
défausser [defose] *vt* descartar; **se ~** *vi* descartarse.
défaut [defo] *nm* defecto; (*d'étoffe etc*) falla; (*manque*) falta, falla; (*JUR*): **par ~** en rebeldía, en contumacia; **à ~ de** a falta de, en defecto de; **en ~** en falta; **faire ~** faltar.
défaveur [defavœʀ] *nf* disfavor *m*.
défavorable [defavɔʀabl(ə)] *a* desfavorable.
défavoriser [defavɔʀize] *vt* desfavorecer.
défectif, ive [defɛktif, iv] *a*: **verbe ~** verbo defectivo.
défection [defɛksjɔ̃] *nf* defección *f*; (*absence*) ausencia; **faire ~** desertar.
défectueux, euse [defɛktɥø, øz] *a* defectuoso(a).
défendre [defɑ̃dʀ(ə)] *vt* defender; (*interdire*) prohibir; **~ à qn qch/de faire** prohibir algo a alguien/hacer; **se ~** *vi* defenderse; **se ~ de/contre** defenderse de/contra; **se ~ de** (*éviter*) defenderse de, evitar; (*nier*) negar.
défense [defɑ̃s] *nf* defensa; (*corne*) colmillo; **ministre de la D~** ministro del Ejército *o* de la Guerra; **la ~ nationale/contre avions** la defensa nacional/antiaérea.
défenseur [defɑ̃sœʀ] *nm* (*gén*) defensor *m*.
défensif, ive [defɑ̃sif, iv] *a* defensivo(a) // *nf*: **être sur la défensive** estar/ponerse a la defensiva.
déféquer [defeke] *vi* defecar.
déférent, e [defeʀɑ̃, ɑ̃t] *a* (*poli*) deferente.
déférer [defeʀe] *vt* deferir; **~ à** deferir a; **~ qn à la justice** hacer comparecer a alguien ante la justicia.
déferler [defɛʀle] *vi* (*vagues*)

romper, estrellarse; (*joie, enfants*) desencadenarse, afluir.
défi [defi] *nm* desafío, reto; (*refus*) desafío.
défiance [defjɑ̃s] *nf* desconfianza.
déficience [defisjɑ̃s] *nf* deficiencia.
déficit [defisit] *nm* déficit *m*; (PSYCH *etc*) déficit, deficiencia; ~ **budgétaire** déficit presupuestario; ~**aire** *a* deficitario(a); (*année, récolte*) deficitario(a), insuficiente.
défier [defje] *vt* desafiar, retar; (*fig*) desafiar; ~ **qn de faire qch** desafiar a alguien a hacer algo; ~ **qn à** desafiar a alguien a; **se** ~ **de** desconfiar de.
défigurer [defigyʀe] *vt* desfigurar.
défilé [defile] *nm* desfiladero; (*soldats etc*) desfile *m*; (*grand nombre*): **un** ~ **de** un desfile de.
défiler [defile] *vi* desfilar.
défini, e [defini] *a* definido(a).
définir [definiʀ] *vt* definir.
définitif, ive [definitif, iv] *a* definitivo(a) // *nf*: **en définitive** en definitiva, al fin y al cabo.
définition [definisjɔ̃] *nf* definición *f*.
définitivement [definitivmɑ̃] *ad* definitivamente.
déflagration [deflagʀɑsjɔ̃] *nf* (*explosion*) deflagración *f*.
déflation [deflɑsjɔ̃] *nf* (ÉCON) deflación *f*; ~**niste** *a* deflacionista.
défoncer [defɔ̃se] *vt* (*boîte*) desfondar; (*lit, fauteuil*) hundir, desfondar; (*route*) desfondar; (*terrain*) bachear.
déformation [defɔʀmɑsjɔ̃] *nf* deformación *f*.
déformer [defɔʀme] *vt* deformar; **se** ~ *vi* deformarse.
défouler [defule]: **se** ~ *vi* liberarse.
défraîchir [defʀeʃiʀ]: **se** ~ *vi* deslucirse.
défrayer [defʀeje] *vt*: ~ **qn (de)** resarcir a alguien (de); (*fig*): ~ **la chronique** acaparar la crónica.
défricher [defʀiʃe] *vt* desmontar, desbrozar; (*fig*) desbrozar.
défriser [defʀize] *vt* desrizar.
défroquer [defʀɔke] *vi* (*gén*: **se** ~) colgar los hábitos.
défunt, e [defœ̃, œ̃t] *a, nm/f* difunto(a).
dégagé, e [degaʒe] *a* despejado(a); (*ton, air*) desenvuelto(a).
dégagement [degaʒmɑ̃] *nm* (*espace libre*) espacio despejado; (FOOTBALL) saque *m*; (MIL) levantamiento del cerco; **voie de** ~ vía muerta.
dégager [degaʒe] *vt* despedir, emanar; (*délivrer*) liberar, sacar; (*responsabilité, parole*) liberar, retirar; (*désencombrer*) despejar; (*idée, aspect*) extraer, separar; ~ **qn de** (*parole etc*) liberar a alguien de; **se** ~ *vt réfléchi* liberarse, desprenderse; (*fig*) liberarse // *vi* desprenderse; (*passage bloqué, ciel*) despejarse.
dégainer [degene] *vt* desenfundar, desenvainar.
dégarnir [degaʀniʀ] *vt* desguarnecer; **se** ~ *vi* vaciarse; (*tempe, crâne*) despoblarse, encalvecer.
dégâts [degɑ] *nmpl* daños, estragos.
degazer [degaze] *vi* (*pétrolier*) extraer el gas.
dégel [deʒɛl] *nm* deshielo.
dégeler [deʒle] *vt* deshelar; (*fig*) descongelar; (: *atmosphère*) romper el hielo de, animar // *vi* deshelarse; **se** ~ *vi* (*fig*) animarse.
dégénérer [deʒeneʀe] *vi* degenerar; **dégénérescence** *nf* degeneración *f*.
dégivrage [deʒivʀaʒ] *nm* descarchado.
dégivrer [deʒivʀe] *vt* deshelar, desescarchar; **dégivreur** *nm* aparato para quitar la escarcha.
déglutir [deglytiʀ] *vi* deglutir; **déglutition** *nf* deglución *f*.
dégonfler [degɔ̃fle] *vt* desinflar.
dégorger [degɔʀʒe] *vi* macerar; (*escargots*) purgar; (*aussi*: **se** ~): ~ **dans** desaguar en // *vt* (*déverser*) verter, desaguar.

dégouliner [deguline] *vi* gotear, chorrear.
dégourdir [deguRdiR] *vt* (*eau*) entibiar; (*personne*) despabilar; **se ~ (les jambes)** desentumecerse.
dégoût [degu] *nm* asco, repugnancia; (*fig*) repugnancia.
dégoûtant, e [degutɑ̃, ɑ̃t] *a* asqueroso(a); repugnante; inmundo(a).
dégoûté, e [degute] *a* delicado(a) melindroso(a).
dégoûter [degute] *vt* asquear, repugnar; **~ qn de qch** repugnar algo a uno; (*fig*): **~ qn de** quitar a uno las ganas de; **se ~ de** (*se lasser de*) hartarse *o* hastiarse de.
dégoutter [degute] *vi* gotear.
dégradation [degRadɑsjɔ̃] *nf* (*dégâts*) deterioro.
dégradé, e [degRade] *a* (*couleur*) desvanecido(a) // *nm* (*en peinture*) desvanecimiento, degradación *f*.
dégrader [degRade] *vt* degradar; (*abîmer*) deteriorar; **se ~** *vi* degradarse; (*roche*) erosionarse; (*relations*) deteriorarse.
dégrafer [degRafe] *vt* desabrochar; **se ~** desabrocharse.
dégraissant, e [degRɛsɑ̃, ɑ̃t] *a, nm* desengrasante (*m*), detergente (*m*).
dégraisser [degRese] *vt* (*soupe*) desengrasar; (*vêtement*) limpiar, quitar las manchas de grasa de.
degré [dəgRe] *nm* grado; (*escalier*) escalón *m*, peldaño; (*fig*) grado, peldaño; **brûlure au 1er/2ème ~** quemadura de 1º/2º grado; **par ~(s)** *ad* gradualmente.
dégressif, ive [degResif, iv] *a* decreciente.
dégrever [degRəve] *vt* desgravar.
dégringoler [degRɛ̃gɔle] *vi* rodar, caer rodando; (*fig*) venirse abajo; hundirse // *vt* bajar precipitadamente.
dégriser [degRize] *vt* quitar la borrachera a; desengañar.
dégrossir [degRosiR] *vt* desbastar; (*fig*) bosquejar.
déguenillé, e [degnije] *a* harapiento(a).
déguerpir [degɛRpiR] *vi* largarse.
déguisement [degizmɑ̃] *nm* disfraz *m*.
déguiser [degize] *vt* disfrazar; (*fig*) disfrazar, encubrir; **se ~** disfrazarse.
dégustation [degystɑsjɔ̃] *nf* degustación *f*; (*séance*) paladeo, degustación.
déguster [degyste] *vt* degustar; (*fig*) saborear, paladear.
déhancher [deɑ̃ʃe]: **se ~** *vi* contonearse.
dehors [dəɔR] *ad* fuera, afuera // *nm* exterior *m* // *nmpl* apariencias; **au ~** fuera, por fuera; **au ~ de** fuera de; **en ~** hacia afuera; **en ~ de** (*hormis*) fuera de, aparte de.
déjà [deʒa] *ad* ya; (*interrogatif*): **quel nom, ~?** entonces, ¿cuál era el nombre?
déjanter [deʒɑ̃te] *vt* sacar de la llanta.
déjeuner [deʒœne] *vi* desayunar; (*à midi*) almorzar // *nm* desayuno; (*à midi*) almuerzo.
déjouer [deʒwe] *vt* desbaratar.
delà [dəla] *ad*: **par ~** *prép* del otro lado de, más allá de; **au/en ~ (de)** *ad*, (*prép*) más allá (de).
délabrer [delɑbRe]: **se ~** *vi* deteriorarse, arruinarse.
délacer [delase] *vt* (*chaussures*) desatar.
délai [delɛ] *nm* (*attente*) plazo; (*sursis*) prórroga; **sans ~** sin demora; **à bref ~** en breve plazo; **dans les ~s** dentro de los plazos.
délaisser [delese] *vt* abandonar.
délasser [delɑse] *vt* recrear, distraer; **se ~** *vi* recrearse, distraerse.
délation [delɑsjɔ̃] *nf* delación *f*.
délavé, e [delave] *a* lavado(a), deslucido(a); (*pantalon*) descolorido(a).
délayer [deleje] *vt* desleír, diluir; (*fig*) diluir.
delco [dɛlko] *nm* (AUTO) *sistema de encendido.*

délecter [delɛkte]: **se ~** *vi* deleitarse.
délégation [delegɑsjɔ̃] *nf* (*groupe*) delegación *f*; **~ de pouvoir** (*document*) poder *m*.
délégué, e [delege] *a*, *nm/f* delegado(a).
déléguer [delege] *vt* delegar.
délester [delɛste] *vt* (*navire*) deslastrar; (*route*) descongestionar.
délibératif, ive [deliberatif, iv] *a* deliberativo(a).
délibération [deliberɑsjɔ̃] *nf* deliberación *f*; **~s** *fpl* (*décisions*) deliberaciones.
délibéré, e [delibere] *a* deliberado(a).
délibérer [delibere] *vi* deliberar; **~ de** deliberar sobre.
délicat, e [delika, at] *a* delicado(a); (*plein de tact, d'attention*) delicado(a), cuidadoso(a); **~esse** *nf* delicadeza.
délice [delis] *nm* deleite *m*, delicia.
délicieux, euse [delisjø, jøz] *a* delicioso(a).
délié, e [delje] *a* suelto(a), desligado(a); (*agile*) despierto(a), agudo(a) // *nm*: **les ~s** los perfiles.
délier [delje] *vt* (*paquet*) desatar, desligar; (*fig*): **~ qn de** desligar a alguien de.
délimitation [delimitɑsjɔ̃] *nf* delimitación *f*; (*d'un terrain*): **~s** límites *mpl*.
délimiter [delimite] *vt* delimitar, circunscribir; (*suj*: *chose*) delimitar.
délinquance [delɛ̃kɑ̃s] *nf* delincuencia; **~ juvénile** delincuencia juvenil.
délinquant, e [delɛ̃kɑ̃, ɑ̃t] *a*, *nm/f* delincuente (*m/f*).
déliquescent, e [delikesɑ̃, ɑ̃t] *a* (*fig*) decadente, delicuescente.
délire [deliʀ] *nm* delirio.
délirer [deliʀe] *vi* delirar.
délirium tremens [deliʀjɔmtʀemɛ̃s] *nm* delírium tremens *m*.
délit [deli] *nm* delito.
délivrance [delivʀɑ̃s] *nf* liberación *f*; expedición *f*.
délivrer [delivʀe] *vt* liberar; (*passeport, certificat*) librar, expedir.
déloger [delɔʒe] *vt* desalojar.
déloyal, e, aux [delwajal, o] *a* desleal.
delta [dɛlta] *nm* (GÉO) delta *m*.
déluge [delyʒ] *nm* diluvio.
démagogie [demagɔʒi] *nf* demagogia; **démagogue** [demagɔg] *a*, *nm/f* demagogo(a).
démaillé, e [demɑje] *a* (*bas*) desmallado(a).
demain [dəmɛ̃] *ad* mañana; **~ matin** mañana por la mañana; **~ soir** mañana por la tarde; mañana por la noche; **à ~** hasta mañana.
demande [dəmɑ̃d] *nf* pedido, petición *f*; (ADMIN) solicitud *f*; (ÉCON): **la ~** la demanda; **~ de poste/naturalisation** solicitud de puesto/ciudadanía; **faire sa ~** (*en mariage*) pedir la mano.
demandé, e [dəmɑ̃de] *a* solicitado(a).
demander [dəmɑ̃de] *vt* pedir; (*questionner, interroger*) preguntar; (*exiger*) requerir, exigir; **~ l'heure/son chemin** preguntar la hora/el camino; **~ à** *ou* **de voir/faire** solicitar ver/hacer; **~ à qn de faire** pedir *o* solicitar a alguien que haga; **~ que** pedir que, solicitar que; **~ si/pourquoi** preguntar si/por qué; **se ~ si/pourquoi** *etc* preguntarse si/por qué *etc*; **on vous demande au téléphone** le llaman por *o* al teléfono.
démanger [demɑ̃ʒe] *vi* picar.
démanteler [demɑ̃tle] *vt* desmantelar.
démaquillant, e [demakijɑ̃, ɑ̃t] *a* demaquillador(ora) // *nm* demaquillador *m*.
démaquiller [demakije] *vt* demaquillar; **se ~** *vt* demaquillarse.
démarcation [demaʀkɑsjɔ̃] *nf* demarcación *f*; (*fig*) límite *m*, separación *f*.
démarchage [demaʀʃaʒ] *nm*

(*COMM*) *búsqueda de clientes a domicilio.*

démarche [demaʀʃ(e)] *nf* paso, andar *m*; (*fig*) proceso; (*requête, tractation*) gestión *f*; **faire des ~s auprès de** hacer gestiones ante.

démarcheur, euse [demaʀʃœʀ, øz] *nm/f* vendedor/ora a domicilio.

démarqué, e [demaʀke] *a* (*SPORT*) desmarcado(a); **prix ~s** precios rebajados.

démarquer [demaʀke] *vt* (*prix*) bajar de precio; (*SPORT*) desmarcar a, quitar la marca a; **se ~** (*SPORT*) desmarcarse, quitarse la marca.

démarrer [demaʀe] *vi* arrancar; (*travaux*) ponerse en marcha // *vt* arrancar; (*travail*) poner en marcha; **démarreur** *nm* botón *m* de arranque.

démasquer [demaske] *vt* desenmascarar, descubrir.

démêler [demele] *vt* (*fil*) desenredar; (*fig*) desembrollar.

démêlés [demele] *nmpl* dificultades *fpl*, altercados.

démembrer [demɑ̃bʀe] *vt* (*fig*) desmembrar.

déménagement [demenaʒmɑ̃] *nm* mudanza.

déménager [demenaʒe] *vt* mudar, trasladar // *vi* mudarse; **déménageur** *nm persona encargada de hacer mudanzas.*

démence [demɑ̃s] *nf* demencia; (*fig*) locura.

démener [dɛmne]: **se ~** *vi* agitarse; (*fig*) moverse, ajetrearse.

démentir [demɑ̃tiʀ] *vt* desmentir.

démériter [demeʀite] *vi*: **~ (auprès de qn)** despreciarse ante alguien.

démettre [demɛtʀ(ə)] *vt*: **~ qn de** destituir a alguien de; **se ~** *vi* dimitir // *vt* dislocarse.

demeurant [dəmœʀɑ̃] : **au ~** *ad* después de todo, por lo demás.

demeure [dəmœʀ] *nf* residencia, morada; **mettre qn en ~ de faire** intimar a alguien a que haga; **à ~** *ad* de manera estable o permanente.

demeurer [dəmœʀe] *vi* residir, vivir; (*rester*) permanecer, quedarse.

demi, e [dəmi] *a*: **et ~: trois heures/bouteilles et ~e** tres horas/botellas y media; **il est 2 heures et demie/midi et demi ~** son las dos/doce y media // *nm* (*bière*) caña; (*FOOTBALL*) medio; **à ~** *ad* a medias; (*presque*) medio; **à la ~e** (*heure*) a la media; **~-cercle** *nm* semicírculo; **~-douzaine** *nf* media docena; **~-finale** *nf* semifinal *f*; **~-fond** *nm* medio fondo; **~-frère** *nm* medio hermano, hermanastro; **~- gros** *nm comercio entre mayorista y minorista*; **~-heure** *nf* media hora; **~-jour** *nm* media luz *f*; **~-journée** *nf* media jornada, medio día *m*; **~-litre** *nm* medio litro; **~-livre** *nf* media libra; **~-longueur** *nf* medio largo; **~-lune** *ad*: **en ~-lune** en media luna; **~-mesure** *nf* término medio, medida insuficiente; **~-mot: à ~-mot** *ad* a medias palabras.

déminer [demine] *vt* quitar las minas de.

demi-pension [dəmipɑ̃sjɔ̃] *nf* (*hôtel*) media pensión *f*.

demi-pensionnaire [dəmipɑ̃sjɔnɛʀ] *nm/f* (*lycée*) mediopensionista *m/f*.

démis, e [demi, iz] *a* dislocado(a).

demi-saison [dəmisɛzɔ̃] *nf*: **vêtements de ~** ropa de entretiempo.

demi-sel [dəmisɛl] *a* semisalado(a).

demi-sœur [dəmisœʀ] *nf* media hermana, hermanastra.

démission [demisjɔ̃] *nf* dimisión *f*; **~ner** *vi* dimitir.

demi-tarif [dəmitaʀif] *nm* media tarifa.

demi-tour [dəmituʀ] *nm* media vuelta; **faire ~** dar media vuelta.

démobiliser [demɔbilize] *vt* (*MIL*) desmovilizar.

démocrate [demɔkʀat] *a, nm/f* demócrata (*m/f*).
démocratie [demɔkʀasi] *nf* democracia; **démocratique** [demɔkʀatik] *a* democrático(a); **démocratiser** *vt* democratizar.
démodé, e [demɔde] *a* pasado(a) de moda, anticuado(a).
démographie [demɔgʀafi] *nf* demografía.
demoiselle [dəmwazɛl] *nf* señorita; (*célibataire*) soltera, señorita; ~ **d'honneur** dama de honor.
démolir [demɔliʀ] *vt* demoler; **démolition** *nf* demolición *f*.
démon [demɔ̃] *nm* demonio.
démonstrateur, trice [demɔ̃stʀatœʀ, tʀis] *nm/f* demostrador/ora.
démonstratif, ive [demɔ̃stʀatif, iv] *a* expansivo(a); (*LING*) demostrativo(a) // *nm* (*LING*) demostrativo.
démonstration [demɔ̃stʀɑsjɔ̃] *nf* demostración *f*; (*aérienne, navale*) demostración, exhibición *f*.
démonté, e [demɔ̃te] *a* (*mer*) revuelto(a), encrespado(a).
démonter [demɔ̃te] *vt* desmontar; (*fig*) deshacer, desmoronar; (: *personne*) desconcertar, turbar.
démontrer [demɔ̃tʀe] *vt* demostrar, probar; (*fig*) demostrar.
démoraliser [demɔʀalize] *vt* desmoralizar.
démordre [demɔʀdʀ(ə)] *vi*: **ne pas** ~ **de** no dar su brazo a torcer en, no ceder en.
démouler [demule] *vt* desmoldar, sacar del molde.
démuni, e [demyni] *a* desprovisto(a), pelado(a).
démunir [demyniʀ] *vt* desproveer, despojar; **se** ~ **de** despojarse de.
démystifier [demistifje] *vt* desengañar.
dénationaliser [denasjɔnalize] *vt* desnacionalizar.
dénaturer [denatyʀe] *vt* desnaturalizar.
dénégations [denegɑsjɔ̃] *nfpl* negativas.
denier [dənje] *nm* denario; **de ses (propres)** ~**s** de su (propio) bolsillo; ~ **du culte** ofrenda para el culto; ~**s publics** fondos públicos.
dénigrer [denigʀe] *vt* denigrar.
dénivellation [denivɛlɑsjɔ̃] *nf*, **dénivellement** [denivɛlmɑ̃] *nm* desnivel *m*; (*cassis*) depresión *f*; (*pente*) pendiente *f*.
dénombrer [denɔ̃bʀe] *vt* (*compter*) contar; (*énumérer*) enumerar.
dénominateur [denɔminatœʀ] *nm* denominador *m*.
dénommé, e [denɔme] *a*: **le** ~ **Dupont** el llamado Dupont, el tal Dupont.
dénommer [denɔme] *vt* denominar.
dénoncer [denɔ̃se] *vt* denunciar; **se** ~ denunciarse; **dénonciation** *nf* denuncia.
dénoter [denɔte] *vt* denotar.
dénouement [denumɑ̃] *nm* desenlace *m*.
dénouer [denwe] *vt* (*ficelle*) desatar, desanudar.
dénoyauter [denwajote] *vt* despepitar, deshuesar.
denrée [dɑ̃ʀe] *nf* producto, mercancía; ~**s alimentaires** productos alimenticios.
dense [dɑ̃s] *a* denso(a); **densité** *nf* densidad *f*.
dent [dɑ̃] *nf* diente *m*; ~ **de lait** diente de leche; ~ **de sagesse** muela del juicio; **en** ~**s de scie** dentado(a); ~**aire** *a* dental, dentario(a); **cabinet** ~**aire** consultorio odontológico; **école** ~**aire** escuela de odontología; ~**é, e** *a* dentado(a); ~**elé, e** *a* dentado(a).
dentelle [dɑ̃tɛl] *nf* encaje *m*, puntilla.
dentelure [dɑ̃tlyʀ] *nf* festón *m*.
dentier [dɑ̃tje] *nm* dentadura postiza.
dentifrice [dɑ̃tifʀis] *a*: **pâte/eau** ~ pasta/agua dentífrica // *nm* dentífrico.

dentiste [dɑ̃tist(ə)] *nm/f* dentista *m/f.*
dentition [dɑ̃tisjɔ̃] *nf* dentadura; (*formation*) dentición *f.*
dénuder [denyde] *vt* desnudar; (*sol, fil électrique*) pelar.
dénué, e [denɥe] *a*: ~ **de** desprovisto de.
dénuement [denymɑ̃] *nm* indigencia.
déodorant [deɔdɔʀɑ̃] *nm* desodorante *m.*
dépanner [depane] *vt* reparar; (*fig*) sacar de apuros a; **dépanneuse** *nf* auxilio mecánico.
dépareillé, e [depaʀeje] *a* descabalado(a).
déparer [depaʀe] *vt* afear, estropear.
départ [depaʀ] *nm* partida; (*d'un employé*) partida, marcha; **au** ~ (*au début*) en un principio, al comienzo.
départager [depaʀtaʒe] *vt* desempatar.
département [depaʀtəmɑ̃] *nm* ≈ provincia; (*de ministère*) ≈ ministerio; (*d'université, de magasin*) sección *f.*
départir [depaʀtiʀ]: **se** ~ **de** *vt* abandonar, desistir de.
dépassement [depɑsmɑ̃] *nm* rebasamiento; (AUTO) adelantamiento.
dépasser [depɑse] *vt* adelantarse a, aventajar; (*endroit*) dejar atrás; (*somme, limite fixée, prévisions*) superar; (*fig*) aventajar, superar; (*être en saillie sur*) sobrepasar, sobresalir // *vi* (AUTO) adelantarse; (*ourlet, jupon*) sobresalir.
dépayser [depeize] *vt* despistar.
dépecer [depəse] *vt* despedazar, parcelar.
dépêche [depɛʃ] *nf* despacho.
dépêcher [depeʃe] *vt* despachar; **se** ~ **(de)** apresurarse (a).
dépeindre [depɛ̃dʀ(ə)] *vt* pintar, describir.
dépendance [depɑ̃dɑ̃s] *nf* dependencia.
dépendre [depɑ̃dʀ(ə)] *vt* descolgar; ~ **de** *vt* depender de.
dépens [depɑ̃] *nmpl*: **aux** ~ **de** a expensas de, en detrimento de.
dépense [depɑ̃s] *nf* gasto; (COMPTABILITÉ) debe *m*; ~ **physique/de temps** consumo físico/de tiempo.
dépenser [depɑ̃se] *vt* gastar; (*gaz, eau*) consumir; (*fig*) prodigar, gastar; **se** ~ prodigarse; **dépensier, ière** *a* derrochador(ora), pródigo(a).
déperdition [depɛʀdisjɔ̃] *nf* pérdida.
dépérir [depeʀiʀ] *vi* debilitarse.
dépeupler [depœple] *vt* despoblar; **se** ~ *vi* despoblarse.
déphasage [defɑzaʒ] *nm* desfasaje *m.*
déphasé, e [defaze] *a* desfasado(a).
dépilatoire [depilatwaʀ] *a*: **crème/lait** ~ crema/leche depilatoria.
dépister [depiste] *vt* detectar; (*voleur*) descubrir el rastro de; (*poursuivants*) despistar.
dépit [depi] *nm* despecho; **en** ~ **de** *prép* a pesar de; **en** ~ **du bon sens** sin sentido común; **~é, e** *a* contrariado(a).
déplacé, e [deplase] *a* (*propos*) fuera de lugar, impropio(a).
déplacement [deplasmɑ̃] *nm* (*voyage*) desplazamiento, viaje *m*; ~ **de vertèbre** desviación *f* de vértebra.
déplacer [deplase] *vt* desplazar; (*employé*) trasladar; (*fig*) cambiar; **se** ~ *vi* desplazarse // *vt* (*vertèbre etc*) dislocarse, desencajarse.
déplaire [deplɛʀ] *vi*: ~ **à qn** desagradar *o* disgustar a alguien; (*indisposer*) disgustar a alguien; **se** ~ *vi* (*quelque part*) hallarse a disgusto; **déplaisant, e** *a* desagradable.
dépliant [deplijɑ̃] *nm* desplegable *m.*
déplier [deplije] *vt* desplegar, desdoblar; **se** ~ *vi* desplegarse, abrirse.
déplisser [deplise] *vt* desarrugar.

déploiement [deplwamɑ̃] *nm* despliegue *m.*
déplomber [deplɔ̃be] *vt* (*caisse, compteur*) quitar el precinto a.
déplorer [deplɔʀe] *vt* deplorar.
déployer [deplwaje] *vt* desplegar.
dépoli, e [depɔli] *a*: **verre ~** vidrio esmerilado.
déponent, e [depɔnɑ̃, ɑ̃t] *a* (LING) deponente.
déportation [depɔʀtɑsjɔ̃] *nf* *reclusión en un campo de concentración.*
déporter [depɔʀte] *vt* (POL) deportar; (*voiture*) desviar; **se ~** *vi* (*voiture*) desviarse.
déposé, e [depoze] *a voir* **marque.**
déposer [depoze] *vt* depositar; (*passager*) dejar; (*serrure, rideau, moteur*) desmontar; (*roi*) deponer; (*réclamation*) presentar // *vi* (*vin etc*) sedimentar; (JUR): **~ (contre)** deponer *o* declarar (contra); **se ~** *vi* depositarse.
dépositaire [depozitɛʀ] *nm/f* (COMM) consignatario, concesionario; **~ agréé** consignatario autorizado.
déposition [depozisjɔ̃] *nf* (JUR) deposición *f*, declaración *f.*
dépôt [depo] *nm* depósito; (ADMIN: *de candidature*) presentación *f.*
dépoter [depɔte] *vt* sacar del tiesto.
dépotoir [depɔtwaʀ] *nm* vertedero.
dépouille [depuj] *nf* piel *f*; **~ (mortelle)** restos.
dépouillement [depujmɑ̃] *nm* (*du scrutin*) escrutinio.
dépouiller [depuje] *vt* (*animal*) desollar; (*fig*: *personne*) despojar; (*résultats, documents*) analizar, examinar.
dépourvu, e [depuʀvy] *a*: **~ de** desprovisto de; **au ~** *ad* de improviso, desprevenido(a).
dépraver [depʀave] *vt* depravar, corromper; (*goût*) estropear, corromper.
déprécier [depʀesje] *vt* menospreciar, despreciar; (*chose*) despreciar; **se ~** *vi* desvalorizarse, depreciarse.
déprédation [depʀedɑsjɔ̃] *nf* depredación *f.*
dépression [depʀesjɔ̃] *nf* depresión *f*; **~ (nerveuse)** depresión.
déprimer [depʀime] *vt* deprimir, abatir.
dépuceler [depysle] *vt* (*fam*) desvirgar.
depuis [dəpɥi] *prép* desde // *ad* (*temps*) desde, después.
députation [depytɑsjɔ̃] *nf* delegación *f*; (*fonction*) diputación *f.*
député [depyte] *nm* (POL) diputado.
députer [depyte] *vt* delegar, diputar.
déraciner [deʀasine] *vt* desarraigar.
dérailler [deʀɑje] *vi* descarrilar.
dérailleur [deʀɑjœʀ] *nm* (*de vélo*) *cambio de velocidades en la bicicleta.*
déraisonner [deʀɛzɔne] *vi* disparatar, desatinar.
dérangement [deʀɑ̃ʒmɑ̃] *nm* (*gêne*) molestia, perturbación *f*; (*gastrique etc*) descomposición *f* (de vientre); (*mécanique*) desperfecto, perturbación; **en ~** descompuesto(a).
déranger [deʀɑ̃ʒe] *vt* desordenar, desarreglar; (*fig*) molestar, importunar; (: *projet*) perturbar, alterar; **se ~** (*se déplacer*) moverse, molestarse.
dérapage [deʀapaʒ] *nm* patinazo, derrapaje *m*; **~ contrôlé** derrapaje controlado.
déraper [deʀape] *vi* patinar, derrapar; (*personne*) resbalar; (*stylo, couteau etc*) resbalar(se).
dérégler [deʀegle] *vt* desajustar; (*estomac*) indisponer, descomponer; (*mœurs, vie*) desordenar, descarriar; **se ~** *vi* desajustarse; indisponerse; descarriarse.
dérider [deʀide] *vt* regocijar, hacer sonreír.
dérision [deʀizjɔ̃] *nf* escarnio, burla; **par ~** en broma, por burla.

dérisoire [deʀizwaʀ] *a* irrisorio(a).
dérivatif [deʀivatif] *nm* distracción *f*.
dérive [deʀiv] *nf* (*NAUT*) orza de deriva.
dérivé, e [deʀive] *a* derivado(a) // *nm* derivado // *nf* (*MATH*) derivada.
dériver [deʀive] *vt, vi* derivar.
dermatologie [dɛʀmatɔlɔʒi] *nf* dermatología; **dermatologue** [dɛʀmatɔlɔg] *nm/f* dermatólogo/a.
dernier, ière [dɛʀnje, jɛʀ] *a, nm, nf* último(a); **lundi/le mois ~** lunes/el mes pasado; **en ~** al final; **ce ~** este último; **dernièrement** *ad* últimamente; **~-né, dernière-née** *nm/f* hijo/a último(a); (*fig*) último modelo.
dérobé, e [deʀɔbe] *a* (*porte, escalier*) falso(a), secreto(a) // *nf*: **à la ~e** a hurtadillas.
dérober [deʀɔbe] *vt* hurtar; **~ qch à (la vue de) qn** ocultar algo a (la vista de) alguien; **se ~** *vi* escurrirse, sustraerse; **se ~ sous** aflojarse *o* ceder (bajo); **se ~ à** sustraerse a, eludir.
dérogation [deʀɔgɑsjɔ̃] *nf* excepción *f*.
dérouiller [deʀuje] *vt*: **se ~ les jambes** estirar las piernas.
dérouler [deʀule] *vt* desenrollar; **se ~** *vi* (*avoir lieu*) desarrollarse.
déroute [deʀut] *nf* desbandada; fracaso, derrota; **en ~** a la desbandada.
dérouter [deʀute] *vt* cambiar de ruta; (*fig*) despistar, asombrar.
derrick [dɛʀik] *nm* torre *f* (de perforación).
derrière [dɛʀjɛʀ] *prép* tras, detrás de; (*fig*) más allá de, tras // *ad* detrás, atrás // *nm* (*d'une maison*) trasera; (*ANAT*) asentaderas, trasero; **les pattes/roues de ~** las patas/ruedas traseras; **par ~** por detrás.
des [de] *dét, prép + dét voir* **de.**
dès [dɛ] *prép* desde; **~ que** *conj* tan pronto como, en cuanto; **~ son retour** (*passé*) tan pronto como volvió; (*futur*) tan pronto como vuelva; **~ lors** *ad* desde entonces; **~ lors que** *conj* ya que; en cuanto.
désabusé, e [dezabyze] *a* desengañado(a).
désaccord [dezakɔʀ] *nm* desacuerdo, discrepancia; (*contraste*) discordancia, desacuerdo.
désaccordé, e [dezakɔʀde] *a* desafinado(a).
désaffecté, e [dezafɛkte] *a* (*église*) secularizado(a); (*gare*) desafectado(a).
désagréable [dezagʀeabl(ə)] *a* desagradable.
désagréger [dezagʀeʒe] : **se ~** *vi* disgregarse.
désagrément [dezagʀemɑ̃] *nm* desagrado, disgusto.
désaltérer [dezalteʀe] *vt* quitar la sed a // *vi* quitar la sed; **se ~** *vi* beber.
désamorcer [dezamɔʀse] *vt* descebar.
désappointé, e [dezapwɛ̃te] *a* contrariado(a), decepcionado(a).
désapprouver [dezapʀuve] *vt* desaprobar.
désarçonner [dezaʀsɔne] *vt* desarzonar; (*fig*) desconcertar, confundir.
désarmement [dezarməmɑ̃] *nm* desarme *m*.
désarmer [dezaʀme] *vt* desarmar.
désarroi [dezaʀwa] *nm* desasosiego.
désarticuler [dezaʀtikyle] *vt*: **se ~** desarticularse.
désassorti, e [dezasɔʀti] *a* (*incomplet*) desemparejado(a).
désastre [dezastʀ(ə)] *nm* desastre *m*.
désavantage [dezavɑ̃taʒ] *nm* (*handicap*) inferioridad *f*, desventaja; (*inconvénient*) desventaja; **désavantager** *vt* perjudicar, desfavorecer; **désavantageux, euse** *a* desventajoso(a), desfavorable.
désaveu [dezavø] *nm* desaprobación *f*, rechazo.

désavouer [dezavwe] *vt* desaprobar.
désaxé, e [dezakse] *a, nm/f* (*personne*) desequilibrado(a).
désaxer [dezakse] *vt* (*roue*) descentrar.
desceller [desele] *vt* desempotrar, arrancar.
descendance [desɑ̃dɑ̃s] *nf* descendencia.
descendant, e [desɑ̃dɑ̃, ɑ̃t] *nm/f* descendiente *m/f* // *a voir* **marée.**
descendre [desɑ̃dʀ(ə)] *vt* descender, bajar; (*rivière*) ir río abajo; (*valise, paquet*) bajar; (*fam*) apiolar; (: *avion*) derribar // *vi* descender; (*passager, avion, voiture*) descender, bajar; (*niveau, température, voix*) bajar; (*nuit*) caer; ~ **de** (*famille*) descender de; ~ **du train/d'un arbre/de cheval** bajar del tren/de un árbol/del caballo; ~ **à l'hôtel** parar en un hotel; ~ **dans la rue** (*manifester*) marchar en manifestación.
descente [desɑ̃t] *nf* descenso, bajada; (*route*) pendiente *f*, bajada; (*SKI*) descenso; ~ **de lit** alfombrilla de cama; ~ **de police** operativo, allanamiento.
descriptif, ive [dɛskʀiptif, iv] *a* descriptivo(a).
description [dɛskʀipsjɔ̃] *nf* descripción *f*.
désembuer [dezɑ̃bɥe] *vt* desempañar.
désemparer [dezɑ̃paʀe] *vi*: **sans** ~ sin parar.
désemplir [dezɑ̃pliʀ] *vi*: **ne pas** ~ estar siempre lleno(a).
désenfler [dezɑ̃fle] *vi* deshinchar.
désengagement [dezɑ̃gaʒmɑ̃] *nm* (*POL*) rompimiento del compromiso.
désensibiliser [desɑ̃sibilize] *vt* insensibilizar.
désépaissir [dezepesiʀ] *vt* (*cheveux*) ralear, entresacar.
déséquilibre [dezekilibʀ(ə)] *nm* desequilibrio; **en** ~ desequilibrado(a).
déséquilibrer [dezekilibʀe] *vt* (*personne*) desequilibrar.
désert, e [dezɛʀ, ɛʀt(ə)] *a* desierto(a) // *nm* desierto.
déserter [dezɛʀte] *vi* (*MIL*) desertar // *vt* abandonar; **déserteur** *nm* desertor *m*.
désertique [dezɛʀtik] *a* desértico(a).
désescalade [dezɛskalad] *nf* (*MIL*) *disminución, en frecuencia y gravedad, de los operativos militares*; (*sociale*) descenso, caída.
désespéré, e [dezɛspeʀe] *a, nm/f* desesperado(a).
désespérer [dezɛspeʀe] *vi* desesperar; ~ **de qn** no confiar más en alguien.
désespoir [dezɛspwaʀ] *nm* desesperanza, desesperación *f*.
déshabillé, e [dezabije] *a* desvestido(a) // *nm* traje *m* de casa, deshabillé *m*.
déshabiller [dezabije] *vt* desvestir; **se** ~ desvestirse.
déshabituer [dezabitɥe] *vt*: **se** ~ **de** desacostumbrarse *o* deshabituarse de.
désherbant [dezɛʀbɑ̃] *nm* herbicida *m*.
désherber [dezɛʀbe] *vt* desherbar.
déshériter [dezeʀite] *vt* desheredar.
déshonneur [dezɔnœʀ] *nm* deshonor *m*, deshonra; **déshonorer** *vt* deshonrar.
déshydrater [dezidʀate] *vt* deshidratar.
déshypothéquer [dezipɔteke] *vt* deshipotecar.
design [dizajn] *nm* dibujo, diseño.
désignation [deziɲɑsjɔ̃] *nf* designación *f*.
désigner [deziɲe] *vt* señalar, indicar; (*suj*: *symbole, signe*) designar, representar; (*nommer*) designar, nombrar.
désillusion [dezilyzjɔ̃] *nf* desilusión *f*.
désinence [dezinɑ̃s] *nf* desinencia.
désinfectant, e [dezɛ̃fɛktɑ̃, ɑ̃t] *a, nm* desinfectante (*m*).

désinfecter [dezɛ̃fɛkte] *vt* desinfectar.
désintégrer [dezɛ̃tegʀe] *vt* desintegrar; **se ~** *vi* desintegrarse.
désintéressement [dezɛ̃teʀɛsmɑ̃] *nm* desinterés *m*.
désintéresser [dezɛ̃teʀese] *vt*: **se ~ (de)** desinteresarse (de).
désintérêt [dezɛ̃teʀɛ] *nm* desinterés *m*.
désintoxication [dezɛ̃tɔksikɑsjɔ̃] *nf*: **cure de ~** cura de desintoxicación.
désinvolte [dezɛ̃vɔlt(ə)] *a* desenvuelto(a).
désir [deziʀ] *nm* deseo, anhelo; (*politesse*): **exprimer le ~ de** expresar el deseo de.
désirer [deziʀe] *vt* desear, anhelar; (*femme*) desear; **~ que/faire qch** desear que/hacer algo.
désister [deziste] : **se ~** *vi* desistir (*a una candidatura*).
désobéir [dezɔbeiʀ] *vi*: **~ (à qn/qch)** desobedecer (a alguien/algo); **désobéissant, e** *a* desobediente.
désobligeant, e [dezɔbliʒɑ̃, ɑ̃t] *a* descortés, desagradable.
désodorisant, e [dezɔdɔʀizɑ̃, ɑ̃t] *a*, *nm* desodorante (*m*).
désœuvré, e [dezœvʀe] *a*, *nm/f* ocioso(a), desocupado(a).
désœuvrement [dezœvʀəmɑ̃] *nm* ocio.
désolant, e [dezɔlɑ̃, ɑ̃t] *a* desolador(ora), lamentable.
désolé, e [dezɔle] *a* desolado(a); **je suis ~, il n'y en a plus** lo siento mucho, no hay más.
désoler [dezɔle] *vt* afligir, desconsolar.
désolidariser [desɔlidaʀize] *vt*: **se ~ (de** *ou* **d'avec)** dejar de ser solidario(a) (con).
désopilant, e [dezɔpilɑ̃, ɑ̃t] *a* jocoso(a), hilarante.
désordonné, e [dezɔʀdɔne] *a* desordenado(a).
désordre [dezɔʀdʀ(ə)] *nm* desorden *m*; **~s** *mpl* desórdenes *mpl*; **en ~** en desorden; **dans le ~** (*tiercé*) sin dar el orden (*en una apuesta triple*).
désorganiser [dezɔʀganize] *vt* desorganizar.
désorienter [dezɔʀjɑ̃te] *vt* desorientar.
désormais [dezɔʀmɛ] *ad* en adelante, desde ahora.
désosser [dezɔse] *vt* deshuesar.
despote [dɛspɔt] *nm* déspota *m*; **despotisme** *nm* despotismo.
desquels, desquelles [dekɛl] *prép + pron voir* **lequel**.
dessaisir [deseziʀ]: **se ~ de** *vt* desprenderse de.
dessaler [desale] *vt* desalar // *vi* (*voilier*) dar una vuelta de campana.
desséché, e [deseʃe] *a* seco(a).
dessécher [deseʃe] *vt* secar, desecar; (*fig*) endurecer, insensibilizar; **se ~** (*plante*) secarse, agostarse.
dessein [desɛ̃] *nm* designio, intención *f*; **dans le ~ de** con el propósito de; **à ~** a propósito, adrede.
desserrer [deseʀe] *vt* aflojar; (ÉCON: *crédit*) reabrir.
dessert [desɛʀ] *nm* postre *m*.
desserte [desɛʀt(ə)] *nf* (*table*) mesa de servicio.
desservir [desɛʀviʀ] *vt* quitar; (*ville etc*) hacer el servicio de; (*nuire*) perjudicar.
dessiller [desije]: **se ~** *vi* desengañarse.
dessin [desɛ̃] *nm* (*tableau*) dibujo; (*plan, projet*) plano, diseño; (*motif*) veta; (*contour*) contorno; (*art*): **le ~** el dibujo; **le ~ industriel** el diseño industrial; **~ animé** dibujo animado; **~ humoristique** dibujo humorístico; **~ateur, trice** [desinatœʀ, tʀis] *nm/f* dibujante *m/f*; (*industriel*) diseñador/ora; **~er** [desine] *vt* dibujar; diseñar; **se ~er** *vi* dibujarse; (*fig*) esbozarse, precisarse.
dessoûler [desule] *vt* quitar la borrachera a.

dessous [dəsu] *ad* debajo, abajo // *nm* la parte inferior // *mpl* (*fig*) intríngulis *mpl*; (*sous-vêtements*) ropa interior; **l'appartement du ~** el apartamento de abajo; **en ~** abajo, por debajo; (*fig*) a hurtadillas, arteramente; **par ~** por debajo; **au ~** debajo, abajo; **de ~** de abajo; **au ~ de** *prép* por debajo de, bajo; (*fig*) por debajo de, inferior a; **avoir le ~** tener *o* llevar la peor parte; **~-de-plat** *nm* salvamantel *m*.

dessus [dəsy] *ad* arriba, encima // *nm* la parte superior; **en ~** encima, arriba; **par ~** (por) encima, (por) arriba; **au ~** arriba, encima; **l'appartement du ~** el apartamento de arriba; **de ~** de arriba, de encima; **au ~ de** *prép* por encima de, sobre; (*fig*) por encima de, superior a; **avoir/prendre le ~** tener/llevar la mejor parte; **reprendre le ~** rehacerse, recobrarse; **~-de-lit** *nm* cubrecama *m*.

destin [dɛstɛ̃] *nm* destino.

destinataire [dɛstinatɛʀ] *nm/f* destinatario/a.

destination [dɛstinɑsjɔ̃] *nf* destino; (*fig*) destino, empleo.

destinée [dɛstine] *nf* destino.

destiner [dɛstine] *vt* destinar.

destituer [dɛstitɥe] *vt* destituir.

destruction [dɛstʀyksjɔ̃] *nf* destrucción *f*.

désuet, uète [desɥɛ, ɛt] *a* desusado(a), anticuado(a).

désunir [dezyniʀ] *vt* (*brouiller*) desunir; **se ~** *vi* (*athlète*) perder el ritmo.

détachant [detaʃɑ̃] *nm* quitamanchas *m inv*.

détaché, e [detaʃe] *a* (*fig*) indiferente, despreocupado(a).

détachement [detaʃmɑ̃] *nm* desprendimiento; agregación *f*; (*MIL*) destacamento.

détacher [detaʃe] *vt* desprender, soltar; (*représentant, envoyé*) destacar, agregar; (*nettoyer*) desmanchar; (*MIL*) destacar; **se ~** (*SPORT*) separarse adelantándose; (*tomber*) desprenderse, caer; (*fig*) destacarse; (*se désintéresser*) desapegarse, desinteresarse.

détail [detaj] *nm* detalle *m*; (*COMM*): **le ~** el menudeo, la venta al por menor; (*COMM*): **au ~** al por menor.

détaillant [detajɑ̃] *nm* minorista *m*.

détaillé, e [detaje] *a* detallado(a).

détailler [detaje] *vt* (*denrée*) vender al por menor *o* menudeo.

détartrer [detaʀtʀe] *vt* (*radiateur*) desincrustar.

détaxer [detakse] *vt* desgravar.

détecter [detɛkte] *vt* detectar; **détecteur** *nm* (*TECH*) detector *m*; **détection** *nf* descubrimiento, detección *f*.

détective [detɛktiv] *nm* detective *m*; **~ (privé)** detective (privado).

déteindre [detɛ̃dʀ(ə)] *vi* desteñir; (*fig*): **~ sur** influir sobre, contagiar.

dételer [dɛtle] *vt* (*cheval*) desenganchar.

détendre [detɑ̃dʀ(ə)] *vt* (*fil, élastique*) aflojar; (*PHYSIQUE: gaz*) descomprimir; (*personne*) relajar; **se ~** *vi* aflojarse; (*se reposer*) relajarse, descansarse // *vt* relajarse; **détendu, e** *a* (*calme*) calmado(a); sin tensión *f*.

détenir [dɛtniʀ] *vt* guardar, poseer; (*otage, prisonnier*) detener; (*record*) tener, poseer; (*POL*): **~ le pouvoir** detentar el poder.

détente [detɑ̃t] *nf* (*relaxation*) calma, relajación *f*; (*fig*) calma, tranquilidad *f*; (*loisirs*) esparcimiento; (*d'une arme*) disparador *m*, gatillo; (*SPORT*) resorte *m*.

détenteur, trice [detɑ̃tœʀ, tʀis] *nm/f* poseedor/ora; detentor/ora.

détention [detɑ̃sjɔ̃] *nf*: **~ préventive** detención *o* prisión preventiva.

détenu, e [dɛtny] *nm/f* detenido/a.

détergent [detɛʀʒɑ̃] *nm* detergente *m*.

détériorer [deteʀjɔʀe] *vt* deteriorar, estropear; **se ~** *vi* deteriorarse.

déterminant, e [detɛʀminɑ̃, ɑ̃t] *a, nm* determinante (*m*).
déterminatif, ive [detɛʀminatif, iv] *a* determinativo(a) // *nm* determinativo.
déterminé, e [detɛʀmine] *a* decidido(a); (*fixé*) determinado(a).
déterminer [detɛʀmine] *vt* (*fixer*) determinar; (*fig*): ~ **qn (à)** decidir a alguien (a); **se** ~ **(à)** decidirse *o* determinarse (a).
déterminisme [detɛʀminism(ə)] *nm* determinismo.
déterrer [deteʀe] *vt* desenterrar.
détersif, ive [detɛʀsif, iv] *a* detersivo(a), detergente // *nm* detergente *m*.
détester [deteste] *vt* aborrecer, detestar; (*sens affaibli*) detestar, no poder ver.
détonateur [detɔnatœʀ] *nm* detonador *m*, fulminante *m*.
détonation [detɔnɑsjɔ̃] *nf* detonación *f*.
détoner [detɔne] *vt* detonar.
détonner [detɔne] *vi* desentonar.
détour [detuʀ] *nm* rodeo, vuelta; (*tournant, courbe*) curva, recodo; (*fig*) rodeo.
détourné, e [detuʀne] *a* (*moyen*) indirecto(a).
détournement [detuʀnəmɑ̃] *nm*: ~ **d'avion** desvío de un avión; ~ **(de fonds)** malversación *f* de fondos, desfalco; ~ **de mineur** corrupción *f* de menores.
détourner [detuʀne] *vt* desviar; (*yeux, tête*) desviar, volver; (*de l'argent*) desfalcar; **se** ~ *vi* volverse; ~ **qn de** (*fig*) apartar a alguien de.
détracteur, trice [detʀaktœʀ, tʀis] *nm/f* detractor/ora.
détraquer [detʀake] *vt* descomponer.
détrempe [detʀɑ̃p] *nf* (PEINTURE) temple *m*; (TECH) destemple *m*.
détrempé, e [detʀɑ̃pe] *a* (*sol*) empapado(a).
détresse [detʀɛs] *nf* (*désarroi*) angustia; (*misère*) desamparo; **en** ~ en peligro.
détriment [detʀimɑ̃] *nm*: **au** ~ **de** en detrimento de; **à mon/son** ~ en mi/su perjuicio.
détritus [detʀitys] *nmpl* detritus *m*, detrito.
détroit [detʀwa] *nm* estrecho.
détromper [detʀɔ̃pe] *vt* desengañar; **se** ~ desengañarse.
détrôner [detʀone] *vt* destronar.
détruire [detʀɥiʀ] *vt* destruir; (*population*) destruir, exterminar.
dette [dɛt] *nf* deuda.
deuil [dœj] *nm* duelo; **porter le** ~ llevar luto; **être en** ~ estar de duelo.
deux [dø] *num* dos; ~ **points** dos puntos; ~**ième** [døzjɛm] *a* segundo(a); ~**-temps** *a* (*moteur*) de dos tiempos.
dévaler [devale] *vt* bajar rápidamente.
dévaliser [devalize] *vt* desvalijar.
dévaluer [devalɥe] *vt* devaluar; **se** ~ *vi* devaluarse.
devancer [dəvɑ̃se] *vt* (*être devant*) preceder, adelantarse a; (*arriver avant, aussi fig*) adelantarse a; (*prévenir, anticiper*) adelantarse a, prevenir; (MIL): ~ **l'appel** alistarse como voluntario.
devant [dəvɑ̃] *ad* delante, adelante // *prép* delante de; (*fig*) ante // *nm* (*de maison*) fachada; (*d'un vêtement, d'une voiture*) delantera; **par** ~ ante, por delante; **pattes de** ~ patas delanteras; **aller au** ~ **de qn/qch** salir al paso *o* ir al encuentro de alguien/algo.
devanture [dəvɑ̃tyʀ] *nf* fachada; (*étalage*) escaparate *m*.
dévaster [devaste] *vt* devastar.
déveine [devɛn] *nf* mala suerte *f*.
développement [devlɔpmɑ̃] *nm* desarrollo; revelado; despliegue *m*; (*exposé*) desarrollo; (*rebondissement*) alternativa.
développer [devlɔpe] *vt* desarrollar; (*photo*) revelar; (*déplier*)

desenrollar, desplegar; **se** ~ *vi* desarrollarse.
devenir [dəvniʀ] *vb avec attribut* volverse.
devers [dəvɛʀ] *ad*: **par** ~ **soi** para sí, en su poder.
déverser [devɛʀse] *vt* verter, derramar; (*fig*) descargar, volcar; **se** ~ **dans** verterse en.
dévêtir [devetiʀ] *vt* desvestir, desnudar.
déviation [devjɑsjɔ̃] *nf* desviación *f*, desvío; (AUTO) desvío; (MÉD): ~ **de la colonne (vertébrale)** desviación de la columna (vertebral).
dévider [devide] *vt* devanar.
deviens *etc vb voir* **devenir.**
dévier [devje] *vt, vi* desviar.
devin [dəvɛ̃] *nm* adivino.
deviner [dəvine] *vt* adivinar; (*apercevoir*) adivinar, atisbar; **devinette** *nf* adivinanza.
devis [dəvi] *nm* presupuesto.
dévisager [devizaʒe] *vt* mirar de arriba abajo.
devise [dəviz] *nf* lema *m*, divisa; (ÉCON) divisa.
deviser [dəvize] *vi* platicar.
dévisser [devise] *vt* destornillar, desatornillar.
dévitaliser [devitalize] *vt* matar el nervio de.
dévoiler [devwale] *vt* (*statue*) descubrir; (*fig*) revelar, descubrir.
devoir [dəvwaʀ] *nm* deber *m*; (*scolaire*) deber, tarea // *vt* deber; (*obligation*): ~ **faire qch** tener que hacer algo.
dévolu, e [devɔly] *a*: ~ **à qn** destinado *o* atribuido a alguien.
dévorer [devɔʀe] *vt* devorar.
dévot, e [devo, ɔt] *a, nm/f* devoto(a).
dévoué, e [devwe] *a* adicto(a), fiel; **être** ~ **à qn** ser adicto a alguien.
dévouement [devumɑ̃] *nm* devoción *f*, adhesión *f*.
dévouer [devwe] : **se** ~ *vi*: **se** ~ **(pour)** sacrificarse (por); **se** ~ **à** dedicarse *o* consagrarse a.
dévoyé, e [devwaje] *a* descarriado(a), perdido(a) // *nm/f* perdido/a.
devrai *etc vb voir* **devoir.**
dextérité [dɛksteʀite] *nf* destreza.
diabète [djabɛt] *nm* diabetes *f*; **diabétique** *nm/f* diabético/a.
diable [djɑbl(ə)] *nm* diablo.
diabolique [djɑbɔlik] *a* diabólico(a).
diacre [djakʀ(ə)] *nm* diácono.
diadème [djadɛm] *nm* diadema.
diagnostic [djagnɔstik] *nm* diagnóstico; **diagnostiquer** *vt* diagnosticar.
diagonal, e, aux [djagɔnal, o] *a, nf* diagonal (*f*); **en** ~**e** en diagonal; (*fig*) a la ligera, superficialmente.
diagramme [djagʀam] *nm* diagrama *m*.
dialecte [djalɛkt(ə)] *nm* dialecto.
dialogue [djalɔg] *nm* diálogo; **dialoguer** *vi* (POL) dialogar.
diamant [djamɑ̃] *nm* diamante *m*.
diamétralement [djametʀalmɑ̃] *ad* diametralmente.
diamètre [djamɛtʀ(ə)] *nm* diámetro.
diapason [djapazɔ̃] *nm* (MUS: *instrument*) diapasón *m*.
diaphragme [djafʀagm(ə)] *nm* diafragma *m*.
diapositive [djapozitiv] *nf* diapositiva.
diarrhée [djaʀe] *nf* diarrea.
dictaphone [diktafɔn] *nm* dictáfono.
dictateur [diktatœʀ] *nm* dictador *m*; **dictatorial, e, aux** *a* dictatorial.
dictature [diktatyʀ] *nf* dictadura.
dictée [dikte] *nf* dictado.
dicter [dikte] *vt* dictar.
diction [diksjɔ̃] *nf* dicción *f*.
dictionnaire [diksjɔnɛʀ] *nm* diccionario.
didactique [didaktik] *a* didáctico(a).
dicton [diktɔ̃] *nm* dicho, refrán *m*.
dièse [djɛz] *nm* sostenido.
diesel [djezɛl] *nm* diesel *m*; **un (véhicule/moteur)** ~ un (vehículo/motor) diesel.

diète [djɛt] *nf* dieta; **être à la ~** estar a dieta.
diététicien, ienne [djetetisjɛ̃, jɛn] *nm/f* dietista *m/f*.
diététique [djetetik] *a* dietético(a) // *nf* dietética.
dieu, x [djø] *nm* dios *m*; (*fig*) dios, ídolo.
diffamation [difamɑsjɔ̃] *nf* difamación *f*; **attaquer qn en ~** atacar a alguien difamándole.
diffamer [difame] *vt* difamar.
différé [difeʀe] *nm* (*TV*): **en ~** diferido(a).
différence [difeʀɑ̃s] *nf* diferencia; **à la ~ de** a diferencia de; **différencier** *vt* diferenciar; **se différencier (de)** diferenciarse (de).
différend [difeʀɑ̃] *nm* discrepancia, diferencia.
différent, e [difeʀɑ̃, ɑ̃t] *a* diferente.
différentiel, le [difeʀɑ̃sjɛl] *a, nm* diferencial (*m*).
différer [difeʀe] *vt* diferir // *vi*: **~ (de)** diferir de; **~ (de faire qch)** demorar (en hacer algo).
difficile [difisil] *a* difícil; **~ment** *ad* difícilmente.
difficulté [difikylte] *nf* dificultad *f*; (*ennui*) dificultad, contratiempo; **faire des ~s (pour)** poner dificultades *o* trabas (para); **en ~** en apuros; **avoir de la ~ à faire qch** tener dificultad para hacer algo.
difforme [difɔʀm(ə)] *a* deforme.
diffus, e [dify, yz] *a* (*lumière, bruit*) difuso(a).
diffuser [difyze] *vt* difundir; **diffuseur** *nm* (*de lumière*) difusor *m*; **diffusion** *nf* difusión *f*; **journal à grande diffusion** diario de gran difusión.
digérer [diʒeʀe] *vt* digerir; (*suj*: *machine*) tragar, devorar; (*fig*) digerir; **digestible** *a* digerible.
digestif, ive [diʒɛstif, iv] *a* digestivo(a) // *nm* licor *m*.
digestion [diʒɛstjɔ̃] *nf* digestión *f*.
digital, e, aux [diʒital, o] *a* digital.
digne [diɲ] *a* digno(a); **~ de** digno(a) de; **être ~ que** ser digno(a) de que, ser digno(a) de.
dignitaire [diɲitɛʀ] *nm* dignitario.
dignité [diɲite] *nf* dignidad *f*.
digression [digʀesjɔ̃] *nf* digresión *f*.
digue [dig] *nf* dique *m*.
diktat [diktat] *nm* imposición *f*.
dilater [delate] *vt* dilatar; **se ~** *vi* dilatarse.
dilemme [dilɛm] *nm* dilema *m*.
diligence [diliʒɑ̃s] *nf* diligencia.
diligent, e [diliʒɑ̃, ɑ̃t] *a* diligente.
diluer [dilɥe] *vt* diluir.
diluvien, ne [dilyvjɛ̃, jɛn] *a*: **pluie ~ne** lluvia torrencial.
dimanche [dimɑ̃ʃ] *nm* domingo.
dimension [dimɑ̃sjɔ̃] *nf* dimensión *f*.
diminuer [diminɥe] *vt* disminuir; (*fig*) disminuir, menguar; (*personne*) disminuir, debilitar; (: *moralement*) disminuir, rebajar // *vi* disminuir, menguar; (*intensité*) disminuir, atenuar.
diminutif [diminytif] *nm* diminutivo.
diminution [diminysjɔ̃] *nf* disminución *f*; menguado; (*tricot*) menguado.
dinde [dɛ̃d] *nf* pava.
dindon [dɛ̃dɔ̃] *nm* pavo.
dîner [dine] *nm* cena // *vi* cenar.
dinosaure [dinozɔʀ] *nm* dinosaurio.
diocèse [djɔsɛz] *nm* diócesis *f*.
diphtérie [difteʀi] *nf* difteria.
diphtongue [diftɔ̃g] *nf* diptongo.
diplomate [diplɔmat] *a* diplomático(a) // *nm* diplomático; **diplomatie** [diplɔmasi] *nf* diplomacia; **diplomatique** *a* diplomático(a).
diplôme [diplom] *nm* diploma *m*; (*examen*) *examen para graduarse*; **diplômé, e** *a* diplomado(a).
dire [diʀ] *nm*: **au ~ de** al decir de, en la opinión de; **~s** *mpl* afirmaciones *fpl*, opiniones *fpl* // *vt* decir; (*réciter*) decir, recitar; (*suj*: *horloge etc*) indicar, marcar; **~ qch à qn** decir algo a alguien; **n'avoir**

rien à ~ à qch no tener nada que decir de algo; **vouloir ~ (que)** querer decir (que); **cela me/lui dit (de faire)** me/le atrae (hacer); **on dirait que** se diría que; **on dirait un chat** *etc* se diría que es un gato *etc*; **à vrai ~** a decir verdad; **pour ainsi ~** por así decir; **cela va sans ~** ¡ni qué decir tiene!; **tu peux le ~, à qui le dis-tu** bien puedes decirlo, tan luego a mí me lo dices.
direct, e [diʀɛkt, ɛkt(ə)] *a* directo(a) // *nm* (*BOXE*) directo; **~ement** *ad* directamente.
directeur, trice [diʀɛktœʀ, tʀis] *a* (*principe, fil*) conductor(ora) // *nm/f* director/ora; **comité ~** comité directivo; (*SCOL*): **~ de thèse** padrino de tesis.
direction [diʀɛksjɔ̃] *nf* dirección *f*; **~ de la surveillance du territoire, DST** servicio de seguridad interna.
directive [diʀɛktiv] *nf* orden *f*, disposición *f*.
directorial, e, aux [diʀɛktɔʀjal, jo] *a* del director.
dirigeable [diʀiʒabl(ə)] *a, nm*: (**ballon**) **~** (globo) dirigible.
diriger [diʀiʒe] *vt* dirigir; (*véhicule*) conducir; **se ~** dirigirse.
dirigisme [diʀiʒism(ə)] *nm* intervencionismo.
dis *vb voir* **dire**.
discerner [disɛʀne] *vt* discernir, distinguir; (*fig*) discernir.
disciple [disipl(ə)] *nm* (*REL*) discípulo; (*fig*) discípulo/a.
disciplinaire [disiplinɛʀ] *a* disciplinario(a).
discipline [disiplin] *nf* disciplina; **discipliner** *vt* disciplinar.
discontinu, e [diskɔ̃tiny] *a* (*bruit, effort*) discontinuo(a).
discontinuer [diskɔ̃tinɥe] *vi*: **sans ~** sin interrupción *f*.
disconvenir [diskɔ̃vniʀ] *vi*: **ne pas ~ de qch** no negar algo.
discophile [diskɔfil] *nm/f* discófilo/a, amante *m/f* de los discos.
discordant, e [diskɔʀdɑ̃, ɑ̃t] *a* discordante.
discorde [diskɔʀd(ə)] *nf* discordia.
discothèque [diskɔtɛk] *nf* discoteca.
discourir [diskuʀiʀ] *vi* disertar, perorar.
discours [diskuʀ] *nm* discurso; (*bavardages*) palabrería, charla; (*LING*) oración *f*.
discréditer [diskʀedite] *vt* desacreditar.
discret, ète [diskʀɛ, ɛt] *a* discreto(a); **un endroit ~** un lugar tranquilo *o* reservado; **discrètement** *ad* discretamente; **discrétion** *nf* discreción *f*; **être à la discrétion de qn** depender de la voluntad de alguien; **à discrétion** (*boisson etc*) a discreción.
discrimination [diskʀiminɑsjɔ̃] *nf* discriminación *f*.
discriminatoire [diskʀiminatwaʀ] *a* discriminatorio(a).
disculper [diskylpe] *vt* absolver; **se ~** disculparse, justificarse.
discussion [diskysjɔ̃] *nf* discusión *f*; **~s** *fpl* (*négociations*) negociaciones *fpl*.
discuter [diskyte] *vt* discutir; **~ de** discutir sobre.
disent *vb voir* **dire**.
disette [dizɛt] *nf* escasez *f*, hambre *f*.
diseuse [dizøz] *nf*: **~ de bonne aventure** echadora de buenaventura.
disgrâce [disgʀɑs] *nf* desgracia.
disgracieux, euse [disgʀasjø, jøz] *a* desagradable, falto(a) de gracia.
disjoindre [disʒwɛ̃dʀ(ə)] *vt* (*pierre, tuyau*) desunir; **se ~** *vi* desunirse.
disjoncteur [disʒɔ̃ktœʀ] *nm* disyuntor *m*.
disloquer [dislɔke] *vt* (*membre*) dislocar; (*chaise*) desvencijar, dislocar; (*troupe, manifestants*) dispersar; **se ~** *vi* (*parti, empire*) disgregarse, desmembrarse; **se ~ l'épaule** dislocarse el hombro.
disons *vb voir* **dire**.

disparaître [disparɛtʀ(ə)] *vi* desaparecer.
disparate [disparat] *a* contrastante, dispar.
disparité [disparite] *nf* disparidad *f*.
disparition [disparisjɔ̃] *nf* desaparición *f*.
disparu, e [dispary] *nm/f* desaparecido/a.
dispensaire [dispɑ̃sɛʀ] *nm* dispensario.
dispense [dispɑ̃s] *nf* dispensa.
dispenser [dispɑ̃se] *vt* dispensar; **se ~ de qch/faire qch** disculparse de algo/hacer algo.
disperser [dispɛʀse] *vt* dispersar; (*objets, bureaux*) desparramar, dispersar; **se ~** *vi* dispersarse, desparramarse; (*penseur, chercheur*) dispersarse.
disponibilité [dispɔnibilite] *nf* disponibilidad *f*.
disponible [dispɔnibl(ə)] *a* disponible.
dispos, e [dispo, oz] *a*: **(frais et) ~** pimpante.
disposé, e [dispoze] *a*: **bien** *ou* **mal ~** (*personne*) de buen *o* mal humor.
disposer [dispoze] *vt* disponer; **se ~ à** disponerse a // *vi*: **vous pouvez ~** puede usted retirarse.
dispositif [dispozitif] *nm* dispositivo; (*fig*) operativo.
disposition [dispozisjɔ̃] *nf* disposición *f*; (*tendance*) predisposición *f*; **~s** *fpl* (*aptitudes*) disposiciones *fpl*; (*intentions*) predisposiciones *fpl*, intenciones *fpl*.
disproportion [dispʀɔpɔʀsjɔ̃] *nf* desproporción *f*; **~né, e** *a* desproporcionado(a).
dispute [dispyt] *nf* disputa.
disputer [dispyte] *vt* disputar; **se ~** *vi* pelearse.
disquaire [diskɛʀ] *nm/f* vendedor/ora de discos.
disqualification [diskalifikɑsjɔ̃] *nf* descalificación *f*.
disqualifier [diskalifje] *vt* (SPORT) descalificar.
disque [disk(ə)] *nm* disco.
dissection [disɛksjɔ̃] *nf* disección *f*.
dissemblable [disɑ̃blabl(ə)] *a* desemejante, diferente.
disséminer [disemine] *vt* diseminar; (*chasser*) dispersar.
dissension [disɑ̃sjɔ̃] *nf* disensión *f*, desavenencia.
disséquer [diseke] *vt* disecar.
dissertation [disɛʀtɑsjɔ̃] *nf* (SCOL) redacción *f*.
disserter [disɛʀte] *vi* discutir; (*écrire*) redactar; **~ sur** disertar sobre.
dissident, e [disidɑ̃, ɑ̃t] *a, nm/f* disidente (*m/f*).
dissimulation [disimylɑsjɔ̃] *nf* disimulación *f*, disimulo.
dissimuler [disimyle] *vt* disimular; (*masquer à la vue*) disimular, ocultar; **se ~** ocultarse; (*être masqué, caché*) encubrirse, ocultarse.
dissipé, e [disipe] *a* indisciplinado(a), indócil.
dissiper [disipe] *vt* disipar; **se ~** *vi* disiparse; (*perdre sa concentration*) dispersarse.
dissolution [disɔlysjɔ̃] *nf* disolución *f*.
dissolvant [disɔlvɑ̃, ɑ̃t] *a* disolvente // *nm* (CHIMIE) solvente *m*; **~ (gras)** disolvente *m*, solvente.
dissonant, e [disɔnɑ̃, ɑ̃t] *a* disonante.
dissoudre [disudʀ(ə)] *vt* disolver; **se ~** *vi* disolverse.
dissuader [disɥade] *vt* disuadir; **dissuasion** [disɥazjɔ̃] *nf* disuasión *f*.
distance [distɑ̃s] *nf* distancia; **à ~** a distancia; **tenir qn à ~** mantener a distancia a alguien; **prendre/garder ses ~s** tomar/guardar las distancias; **tenir la ~** (SPORT) mantener la distancia.
distancer [distɑ̃se] *vt* (*concurrent*) distanciarse de.
distant, e [distɑ̃, ɑ̃t] *a* distante.
distendre [distɑ̃dʀ(ə)] *vt* distender, aflojar; **se ~** *vi* distenderse, aflojarse.

distillation [distilɑsjɔ̃] *nf* destilación *f.*
distillé, e [distile] *a*: **eau ~e** agua destilada.
distiller [distile] *vt* destilar; **~ie** [distilʀi] *nf* destilería.
distinct, e [distɛ̃, ɛ̃kt(ə)] *a* distinto(a), diverso(a); (*clair, net*) preciso(a), claro(a); **~if, ive** [distɛ̃ktif, iv] *a* distintivo(a).
distinction [distɛ̃ksjɔ̃] *nf* distinción *f*; (*distinguo*) distingo, distinción.
distingué, e [distɛ̃ge] *a* distinguido(a).
distinguer [distɛ̃ge] *vt* distinguir; **se ~** distinguirse.
distorsion [distɔʀsjɔ̃] *nf* (*fig*) distorsión *f*, desequilibrio.
distraction [distʀaksjɔ̃] *nf* distracción *f*; (*bévue, oubli*) distracción, descuido.
distraire [distʀɛʀ] *vt* distraer // *vi*, **se ~** distraerse.
distrait, e [distʀɛ, ɛt] *a* distraído(a).
distribuer [distʀibɥe] *vt* distribuir, repartir; (*rôles, film, livres*) distribuir; **distributeur, trice** *nm/f* distribuidor/ora // *nm*: **distributeur (automatique)** distribuidor (automático); **distribution** *nf* distribución *f*; (*choix d'acteurs*) reparto.
district [distʀikt] *nm* distrito.
dit, e *pp de* **dire** // *a*: **le jour ~** el día fijado; **X, ~ Pierrot** X, alias *o* llamado Pedrito.
diurétique [djyʀetik] *a* diurético(a).
diurne [djyʀn(ə)] *a* diurno(a).
divaguer [divage] *vi* divagar.
divan [divɑ̃] *nm* diván *m*; **~-lit** *nm* diván cama.
divergent, e [divɛʀʒɑ̃, ɑ̃t] *a* divergente; (*opinions etc*) divergente, discrepante.
diverger [divɛʀʒe] *vi* divergir, discrepar; (*rayons, lignes*) divergir.
divers, e [divɛʀ, ɛʀs(ə)] *a* diverso(a), vario(a) // *dét* varios(as), diversos(as); **(rubrique)** **"~"** (sección *f*) varios; **(frais) ~** (*COMM*) (gastos) varios.
diversion [divɛʀsjɔ̃] *nf* diversión *f*; **faire ~ (à)** entretener (a).
diversité [divɛʀsite] *nf* diversidad *f*, multiplicidad *f.*
divertir [divɛʀtiʀ] *vt* divertir; **se ~** divertirse; **divertissement** *nm* diversión *f*; (*MUS*) divertimento.
dividende [dividɑ̃d] *nm* dividendo.
divin, e [divɛ̃, in] *a* divino(a).
divination [divinɑsjɔ̃] *nf* adivinación *f.*
divinité [divinite] *nf* divinidad *f.*
diviser [divize] *vt* dividir; (*subdiviser*) dividir, subdividir; (*séparer, distinguer*) dividir, separar; (*brouiller, opposer*) dividir, escindir; **se ~ (en)** dividirse (en), subdividirse (en).
diviseur [divizœʀ] *nm* divisor *m.*
division [divizjɔ̃] *nf* división *f*; (*secteur, branche, graduation*) división, subdivisión *f*; (*désaccord*) división, escisión *f.*
divorce [divɔʀs(ə)] *nm* divorcio; **divorcé, e** *nm/f* divorciado/a; **divorcer** *vi* divorciarse; **divorcer de** *ou* **d'avec qn** divorciarse de alguien.
divulguer [divylge] *vt* divulgar.
dix [dis] *num* diez; **~ième** [dizjɛm] *num* décimo(a) // *nm* (*fraction*) décimo; **dizaine** [dizɛn] *nf* decena; **une dizaine de...** una decena de..., unos(as) diez... .
do [do] *nm* do.
docile [dɔsil] *a* dócil.
dock [dɔk] *nm* dock *m*; **~er** [dɔkɛʀ] *nm* cargador *m o* descargador *m* de puerto.
docteur [dɔktœʀ] *nm* (*MÉD*) doctor *m*, médico; (*SCOL*) doctor.
doctorat [dɔktɔʀa] *nm*: **~ d'Université** doctorado universitario; **~ d'Etat** doctorado.
doctoresse [dɔktɔʀɛs] *nf* doctora.
doctrine [dɔktʀin] *nf* doctrina.
document [dɔkymɑ̃] *nm* documento; **~aire** *a* documental // *nm*: **(film) ~aire** (película) documental *m*; **~aliste** *nm/f* archivero/a; **~ation** *nf* (*documents*) docu-

mentación *f*; ~**er** *vt* documentar; **se ~er (sur)** documentarse (sobre).

dodeliner [dɔdline] *vi*: ~ **de la tête** cabecear.

dodo [dɔdo] *nm*: **faire ~** hacer nana.

dodu, e [dɔdy] *a* rollizo(a), regordete.

dogme [dɔgm(ə)] *nm* dogma *m*.

dogue [dɔg] *nm* dogo.

doigt [dwa] *nm* dedo; **à deux ~s de** a dos pasos de, a punto de; **le petit ~** el meñique, el dedo pequeño; **~ de pied** dedo del pie.

doigté [dwate] *nm* (*MUS*) digitación *f*; (*fig*) tacto, tiento.

dois *etc vb voir* **devoir.**

doléances [dɔleɑ̃s] *nfpl* quejas.

dollar [dɔlaʀ] *nm* dólar *m*.

dolmen [dɔlmɛn] *nm* dolmen *m*.

DOM *sigle m* = *département d'outre-mer.*

domaine [dɔmɛn] *nm* dominio; (*fig*) dominio, ámbito.

domanial, e, aux [dɔmanjal, jo] *a* estatal, público(a).

dôme [dom] *nm* domo, cúpula.

domestique [dɔmɛstik] *a, nm/f* doméstico(a); **domestiquer** *vt* domesticar.

domicile [dɔmisil] *nm* domicilio; **à ~** a domicilio; **domicilié, e** *a*: **domicilié à** domiciliado en.

dominant, e [dɔminɑ̃, ɑ̃t] *a* dominante; (*fig*) dominante, preponderante // *nf* (*trait*) rasgo característico; (*couleur*) color *m* dominante.

domination [dɔminɑsjɔ̃] *nf* dominación *f*.

dominer [dɔmine] *vt* (*subjuguer, soumettre*) dominar, someter; (*passions etc*) dominar, reprimir; (*surpasser*) sobrepasar; (*surplomber*) dominar // *vi* (*SPORT*) dominar; (*être les plus nombreux*) predominar.

domino [dɔmino] *nm* (*pièce*) dominó; ~**s** *mpl* (*jeu*) dominó.

dommage [dɔmaʒ] *nm* daño, perjuicio; (*dégâts, pertes*) daños, pérdidas; **c'est ~ de faire/que...** es una lástima hacer/que...; ~**s-intérêts** *nmpl* daños y perjuicios.

dompter [dɔ̃te] *vt* domar, domesticar; (*fig*) dominar, domeñar; **dompteur, euse** *nm/f* domador/ora.

don [dɔ̃] *nm* don *m*, dádiva; (*aptitude*) don.

donateur, trice [dɔnatœʀ, tʀis] *nm/f* donador/ora, donante *m/f*.

donation [dɔnɑsjɔ̃] *nf* donación *f*.

donc [dɔ̃k] *conj* luego, por tanto; (*après une digression*) entonces.

donjon [dɔ̃ʒɔ̃] *nm* torre *f*.

don juan [dɔ̃ʒɥɑ̃] *nm* donjuán *m*.

donné, e [dɔne] *a*: **prix/jour ~** precio/día determinado; (*pas cher*): **c'est ~** es regalado *o* tirado // *nf* (*MATH*) dato; (*gén*) dato, enunciado; **étant ~ ceci/que..** dado esto/que... .

donner [dɔne] *vt* dar // *vi*: **~ sur** dar a *o* sobre; (*MIL*): **faire ~ l'infanterie** hacer cargar a la infantería; **se ~ à fond (à son travail)** entregarse de lleno (a su trabajo); **se ~ du mal (à faire qch)** molestarse (en) *o* tomarse el trabajo (de) (hacer algo); **donneur, euse** *nm/f* (*MÉD*) donante *m/f*; (*CARTES*) dador/ora.

dont *pron relatif*: **la maison ~ je vois le toit** la casa cuyo techo veo; **l'homme ~ je connais la sœur** el hombre cuya hermana conozco; **10 blessés, ~ 2 grièvement** 10 heridos, 2 de gravedad; **2 livres ~ l'un est...** 2 libros, uno de los cuales es...; **il y avait plusieurs personnes, ~ Barbara** había varias personas, entre ellas Bárbara; **le fils ~ il est si fier** el hijo de quien está tan orgulloso; **ce ~ je parle** eso de que hablo; *voir adjectifs et verbes à complément prépositionnel*: **responsable de, souffrir de** *etc.*

dorénavant [dɔʀenavɑ̃] *ad* en adelante, en lo sucesivo.

dorer [dɔʀe] *vt, vi* dorar.

dorloter [dɔʀlɔte] *vt* (*gâter*) mimar.

dormir [dɔʀmiʀ] *vi* dormir.

dorsal, e, aux [dɔRsal, o] *a* dorsal.
dortoir [dɔRtwaR] *nm* dormitorio común; **cité ~** (*fig*) barrio dormitorio.
dorure [doRyR] *nf* (*technique*) dorado; (*revêtement*) doradura.
dos [do] *nm* espalda, lomo; (*de vêtement*) espalda; (*de livre, cahier*) lomo; (*d'un papier, chèque*) dorso; **voir au ~** véase al dorso; **vu de ~** visto de espaldas; **à ~ de mulet/chameau** a lomo de mulo/camello.
dosage [dozaʒ] *nm* dosificación *f*.
dos-d'âne [dodan] *nm* badén *m*.
dose [doz] *nf* dosis *f*.
doser [doze] *vt* dosificar.
dossard [dosaR] *nm* dorsal *m* (*de los deportistas*).
dossier [dosje] *nm* expediente *m*, legajo; (*chemise, enveloppe*) carpeta; (*de chaise*) respaldo; (*fig*): **le ~ social** el asunto social.
dot [dɔt] *nf* dote *f*.
doter [dɔte] *vt*: **~ de** dotar de.
douane [dwan] *nf* aduana; (*taxes*) impuesto de aduana; **douanier, ière** *a, nm/f* aduanero(a).
double [dubl(ə)] *a* doble // *ad*: **voir ~** ver doble // *nm* doble *m*; (*autre exemplaire*) duplicado; **~ messieurs/mixte** doble caballeros/mixto; **en ~** (*exemplaire*) por duplicado; **faire ~ emploi** estar repetido(a).
doubler [duble] *vt* duplicar; (*vêtement*) forrar; (*dépasser*) adelantarse a; (*film, acteur*) doblar // *vi* duplicarse; (*SCOL*) repetir; **doublure** *nf* forro; (*CINÉMA*) doble *m/f*.
douce [dus] *af voir* **doux.**
douceâtre [dusɑtR(ə)] *a* dulzón(ona).
doucement [dusmɑ̃] *ad* (*délicatement*) dulcemente; (*lentement*) despacio, lentamente; (*graduellement*) suavemente, gradualmente.
doucereux, euse [dusRø, øz] *a* zalamero(a), empalagoso(a).
douceur [dusœR] *nf* dulzura; **~s** *fpl* (*friandises*) golosinas.
douche [duʃ] *nf* ducha; **~ écossaise** (*fig*) vicisitudes *fpl*; **doucher** *vt* duchar; (*fig*) chasquear; **se doucher** ducharse.
doué, e [dwe] *a* dotado(a).
douille [duj] *nf* casquillo.
douillet, te [dujɛ, ɛt] *a* delicado(a); (*lit, maison*) confortable.
douleur [dulœR] *nf* dolor *m*; **douloureux, euse** *a* doloroso(a); (*membre, endroit*) dolorido(a).
doute [dut] *nm* duda; **sans nul** *ou* **aucun ~** sin duda alguna; **nul ~ que** no hay duda que.
douter [dute] : **~ de** *vt* dudar de; **se ~ de/que** sospechar de/que; **douteux, euse** *a* dudoso(a).
douve [duv] *nf* (*fossé*) foso.
doux, douce [du, dus] *a* dulce, suave; (*climat, région*) templado(a), benigno(a).
douzaine [duzɛn] *nf* docena; **une ~ de...** unos(as) doce....
douze [duz] *num* doce; **douzième** *num* duodécimo(a) // *nm* (*fraction*) dozavo, duodécimo.
doyen, ne [dwajɛ̃, ɛn] *nm/f* decano/a.
dragée [dRaʒe] *nf* peladilla; (*MÉD*) gragea.
dragon [dRagɔ̃] *nm* dragón *m*.
drague [dRag] *nf* draga; **draguer** *vt* (*rivière*) dragar; (*fam*) mariposear, piñonear; **dragueur** *nm* (*aussi*: **~ de mines**) dragador *m*, dragaminas *m*.
drain [dRɛ̃] *nm* (*MÉD*) cánula.
drainer [dRene] *vt* (*sol*) drenar; (*fig*) absorber.
dramatique [dRamatik] *a* dramático(a) // *nf* (*TV*) teleteatro.
dramaturge [dRamatyRʒ(ə)] *nm* dramaturgo.
drame [dRam] *nm* drama *m*.
drap [dRa] *nm* (*de lit*) sábana; (*tissu*) paño.
drapeau, x [dRapo] *nm* bandera; (*en sport, de chef de gare etc*) estandarte *m*, bandera.
draper [dRape] *vt* (*personne, statue*) cubrir.

draperies [dʀapʀi] *nfpl* colgaduras.
drapier [dʀapje] *nm* pañero.
dresser [dʀese] *vt* enderezar; (*fig*) hacer, redactar; (*animal*) adiestrar, amaestrar; **se ~** *vi* erguirse, levantarse; (*personne*) levantarse, ponerse de pie; **~ l'oreille** aguzar las orejas; **~ la table** poner la mesa; **~ la tente** armar la tienda; **~ qn contre qn d'autre** rebelarse uno contra alguien; **dresseur, euse** *nm/f* domador/ora.
dressoir [dʀɛswaʀ] *nm* trinchero.
dribbler [dʀible] *vt* regatear.
drogue [dʀɔg] *nf* droga; **drogué, e** *nm/f* drogadicto/a; **droguer** *vt* drogar; **se droguer** drogarse.
droguerie [dʀɔgʀi] *nf* droguería; **droguiste** *nm/f* droguero/a.
droit, e [dʀwa, at] *a* derecho(a), recto(a); (*vertical, opposé à gauche*) derecho(a) // *ad* derecho // *nm* derecho // *nf* derecha; (MATH) recta; **~s** *mpl* (*taxes*) derechos, impuestos; **avoir ~ à** tener derecho a; **à qui de ~** a quien corresponda; **à ~e (de)** a la derecha (de); **venir de ~e** venir de la derecha; **~ de vote** derecho al voto; **droitier, ière** *nm/f* diestro/a.
drôle [dʀol] *a* gracioso(a); (*bizarre*) singular, curioso(a).
dromadaire [dʀɔmadɛʀ] *nm* dromedario.
dru, e [dʀy] *a* tupido(a), espeso(a).
drugstore [dʀœgstɔʀ] *nm tienda de artículos de farmacia, limpieza y comestibles.*
DST *sigle f voir* **direction**.
du [dy] *prép + dét, dét voir* **de**.
dû, e [dy] *pp de* **devoir** // *a* debido(a) // *nm* (*somme*) (lo) debido.
Dublin [dyblɛ̃] *n* Dublín.
duc [dyk] *nm* duque *m*; **duché** [dyʃe] *nm* ducado; **duchesse** [dyʃɛs] *nf* duquesa.
duel [duɛl] *nm* duelo.
dûment [dymɑ̃] *ad* debidamente.
dune [dyn] *nf* duna.
duo [duo] *nm* dúo.
duper [dype] *vt* embaucar, engañar.
duplex [dyplɛks] *nm* dúplex *m.*
duplicata [dyplikata] *nm inv* duplicado.
duplicateur [dyplikatœʀ] *nm* multicopista *m.*
duplicité [dyplisite] *nf* duplicidad *f,* doblez *m.*
duquel [dykɛl] *prép + pron voir* **lequel**.
dur, e [dyʀ] *a* duro(a); (*lumière, voix, climat*) crudo(a), duro(a); (*résistant*) duro(a), fuerte // *nm*: **en ~** de fábrica // *ad* duro, duramente; **~ d'oreille** duro de oídos.
duralumin, dural [dyʀalymɛ̃, dyʀal] *nm* duraluminio.
durant [dyʀɑ̃] *prép* durante; **~ des mois, des mois ~** durante meses.
durcir [dyʀsiʀ] *vt* endurecer // *vi*, **se ~** *vi* endurecerse.
durée [dyʀe] *nf* duración *f.*
durement [dyʀmɑ̃] *ad* duramente.
durent *vb voir* **devoir**.
durer [dyʀe] *vb avec attribut* durar, permanecer // *vi* (*se prolonger*) durar; (*résister à l'usure*) durar, conservarse.
durillon [dyʀijɔ̃] *nm* callosidad *f.*
dus, dut *vb voir* **devoir**.
duvet [dyvɛ] *nm* (*de poussin*) plumón *m*; (*poils*) vello; (**sac de couchage en**) **~** (bolsa *o* saco de dormir de) plumón.
dynamique [dinamik] *a* dinámico(a).
dynamite [dinamit] *nf* dinamita; **dynamiter** *vt* dinamitar.
dynamo [dinamo] *nf* dinamo *f.*
dynastie [dinasti] *nf* dinastía.
dysenterie [disɑ̃tʀi] *nf* disentería.
dyslexie [dislɛksi] *nf* dislexia.

E

E *abrév de* **est**.

eau, x [o] *nf* agua; **l'~** el agua; **~x** *fpl* (*thermales*) aguas, aguas termales; **prendre l'~** empaparse, mojarse; (*embarcation*) calarse; **~ douce/salée** agua dulce/salada; **~ de Cologne/de toilette** agua de Colonia/de olor; **~ gazeuse/minérale** agua gaseosa/mineral; **~ oxygénée/lourde** agua oxigenada/pesada; **~ courante** agua corriente; **~-de-vie** *nf* aguardiente *m*; **~-forte** *nf* aguafuerte *f*; **les E~x et Forêts** (ADMIN) la Administración de Montes; **~x territoriales** aguas jurisdiccionales.

ébahi, e [ebai] *a* pasmado(a), atónito(a).

ébats [eba] *nmpl* retozos.

ébattre [ebatʀ(ə)] **: s'~** *vi* retozar, brincar.

ébauche [eboʃ] *nf* esbozo, boceto.

ébaucher [eboʃe] *vt* esbozar, bosquejar.

ébène [ebɛn] *nm* ébano.

ébéniste [ebenist(ə)] *nm* ebanista *m*; **~rie** *nf* ebanistería; (*bâti*) caja, armazón *f*.

éberlué, e [ebɛʀlɥe] *a* asombrado(a), estupefacto(a).

éblouir [ebluiʀ] *vt* deslumbrar, encandilar; (*fig*) deslumbrar, fascinar; **éblouissement** *nm* deslumbramiento; (*faiblesse*) vahido.

ébonite [ebɔnit] *nf* ebonita.

éborgner [ebɔʀɲe] *vt* dejar tuerto(a).

éboueur [ebwœʀ] *nm* basurero.

ébouillanter [ebujɑ̃te] *vt* (*légumes*) escaldar; **s'~** escaldarse.

éboulement [ebulmɑ̃] *nm* desprendimiento, desmoronamiento.

ébouler [ebule]: **s'~** *vi* desmoronarse, desprenderse; **éboulis** [ebuli] *nm* escombros.

ébouriffé, e [ebuʀife] *a* desgreñado(a).

ébranler [ebʀɑ̃le] *vt* (*vitres, immeuble*) estremecer, hacer vibrar; (*poteau, mur*) desquiciar; (*fig*) quebrantar, hacer vacilar; **s'~** *vi* ponerse en movimiento.

ébrécher [ebʀeʃe] *vt* mellar.

ébriété [ebʀijete] *nf*: **en état d'~** en estado de ebriedad.

ébrouer [ebʀue] **: s'~** *vi* sacudirse.

ébruiter [ebʀɥite] *vt* propalar, divulgar.

ébullition [ebylisjɔ̃] *nf* ebullición *f*.

écaille [ekɑj] *nf* (*de poisson*) escama; (*de coquillage*) concha; (*matière*) carey *m*; (*de roc etc*) placa, escama; **écailler** *vt* escamar; (*huître*) desbullar; (*aussi*: **faire s'écailler**) desconchar, descascarar; **s'écailler** *vi* (*peinture*) desconcharse, descascararse.

écarlate [ekaʀlat] *a* escarlata *inv*.

écarquiller [ekaʀkije] *vt*: **~ les yeux** abrir desmesuradamente los ojos.

écart [ekaʀ] *nm* distancia, separación *f*; (*de prix etc*) margen *m*, diferencia; (*embardée, mouvement*) desviación *f*; (*de langage, de conduite*) digresión *f*; descarrío; **à l'~** *ad* aparte, a distancia; **à l'~ de** *prép* separado(a) de, apartado(a) de; (*fig*) alejado(a) de, apartado(a) de; **le grand ~** el spaccato.

écarté, e [ekaʀte] *a* alejado(a), apartado(a); **les jambes ~es** las piernas separadas *o* abiertas; **les bras ~s** los brazos abiertos.

écarteler [ekaʀtəle] *vt* descuartizar.

écartement [ekaʀtəmɑ̃] *nm* separación *f*; (*des rails*) ancho, separación.

écarter [ekaʀte] *vt* (*éloigner*) alejar; (*séparer*) separar, apartar; (*bras, jambes*) abrir, separar; (*rideaux*) abrir, correr; (*candidat, possibilité*) desechar, descartar; **s'~**

vi (*parois, jambes*) separarse, abrirse; (*personne*) alejarse; **s'~ de** alejarse de, apartarse de; (*fig*) alejarse de.
ecchymose [ekimoz] *nf* equimosis *f.*
ecclésiastique [eklezjastik] *a* eclesiástico(a) // *nm* eclesiástico.
écervelé, e [esɛʀvəle] *a* atolondrado(a), alocado(a).
échafaud [eʃafo] *nm* cadalso.
échafaudage [eʃafodaʒ] *nm* andamiaje *m*; (*amas*) montón *m.*
échafauder [eʃafode] *vt* (*fig*) organizar, trazar.
échalote [eʃalɔt] *nf* chalote *m.*
échancrer [eʃɑ̃kʀe] *vt* escotar; **échancrure** *nf* escote *m*; (*de côte etc*) escotadura.
échange [eʃɑ̃ʒ] *nm* intercambio; canje *m*; permuta; (PHYSIQUE) intercambio; **en ~** en cambio, en compensación; **en ~ de** a cambio de; **~s culturels/commerciaux** intercambios culturales/comerciales; **~ de lettres/de vues** intercambio de cartas/de opiniones.
échanger [eʃɑ̃ʒe] *vt* (*timbres etc*) canjear, permutar; (*lettres, cadeaux, propos*) intercambiar; **~ qch (contre)** permutar *o* canjear algo (por); **~ qch avec qn** intercambiar algo con alguien.
échangeur [eʃɑ̃ʒœʀ] *nm cruce de carreteras a diferentes niveles.*
échantillon [eʃɑ̃tijɔ̃] *nm* muestra.
échantillonnage [eʃɑ̃tijɔnaʒ] *nm* muestrario.
échappatoire [eʃapatwaʀ] *nf* escapatoria, subterfugio.
échappée [eʃape] *nf* (*vue*) vista; (CYCLISME) escapada, arrancada.
échappement [eʃapmɑ̃] *nm* escape *m.*
échapper [eʃape] : **~ à** *vt* escapar de; **~ à qn** (*suj*: *détail, objet, mot*) escapársele a alguien; **s'~** *vi* escaparse; **l'~ belle** salvarse por un pelo.
écharde [eʃaʀd(ə)] *nf* astilla.
écharpe [eʃaʀp(ə)] *nf* echarpe *m*, bufanda; (*de maire*) faja; **avoir un bras en ~** tener un brazo en cabestrillo; **prendre en ~** coger de refilón.
écharper [eʃaʀpe] *vt* linchar, despedazar.
échasse [eʃɑs] *nf* zanco.
échassier [eʃɑsje] *nm* zancuda.
échauffer [eʃofe] *vt* recalentar; (*corps, personne*) calentar; (*fig*) acalorar, inflamar; **s'~** (SPORT) calentarse; (*fig*) acalorarse, exaltarse.
échauffourée [eʃofuʀe] *nf* gresca, refriega.
échéance [eʃeɑ̃s] *nf* vencimiento; (*somme due*) deuda; (*d'engagements, promesses*) plazo; **à brève/longue ~** a corto/largo plazo.
échéant [eʃeɑ̃]: **le cas ~** *ad* llegado el caso.
échec [eʃɛk] *nm* fracaso, revés *m*; (ÉCHECS) jaque *m*; **~s** *mpl* (*jeu*) ajedrez *m*; **~ et mat/au roi** jaque mate/al rey.
échelle [eʃɛl] *nf* escalera; (*fig*) escala, jerarquía; (: *des prix, salaires, d'une carte etc*) escala; **à l'~ de** en proporción a; **sur une grande/petite ~** en gran/pequeña escala; **faire la courte ~** hacer estribo.
échelon [eʃlɔ̃] *nm* escalón *m*, peldaño; (ADMIN, SPORT) grado, categoría.
échelonner [eʃlɔne] *vt* escalonar, graduar.
écheveau, x [ɛʃvo] *nm* madejilla.
échevelé, e [eʃəvle] *a* desgreñado(a).
échine [eʃin] *nf* espinazo.
échiquier [eʃikje] *nm* tablero.
écho [eko] *nm* eco; (*fig*) eco, resonancia; **~s** *mpl* gacetilla.
échoir [eʃwaʀ] *vi* vencer; **~ à** *vt* tocar a, tocarle en suerte a.
échoppe [eʃɔp] *nf* tenderete *m.*
échouer [eʃwe] *vi* (*tentative*) fracasar; (*candidat*) ser suspendido // *vt* varar; **s'~** *vi* encallar.

échu, e [eʃy] *pp de* **échoir.**
éclabousser [eklabuse] *vt* salpicar; **éclaboussure** *nf* salpicadura, mancha.
éclair [eklɛʀ] *nm* relámpago; (*fig*) chispa; (*gâteau*) *pastelillo con crema* // *a inv* relámpago *inv*.
éclairage [eklɛʀaʒ] *nm* iluminación *f*, alumbrado; (*dispositif*) iluminación; (*lumière*) luz *f*, iluminación; (*fig*) luz *f*, punto de vista.
éclaircie [eklɛʀsi] *nf* clara, escampada.
éclaircir [eklɛʀsiʀ] *vt* aclarar; (*fig*) aclarar, clarificar; **s'~** *vi* (*ciel*) aclararse, despejarse; **s'~ la voix** aclararse la voz; **éclaircissement** *nm* aclaración *f*; esclarecimiento.
éclairer [ekleʀe] *vt* iluminar, alumbrar; (*personne*) alumbrar; (*fig*) aclarar, ilustrar // *vi* iluminar, alumbrar; **s'~** *vi* (*phare*) encenderse; (*rue*) iluminarse; **s'~ à la bougie** alumbrarse con velas.
éclaireur, euse [eklɛʀœʀ, øz] *nm* (MIL) explorador // *nm/f* (*scout*) explorador/ora; **en ~** como explorador, por delante.
éclat [ekla] *nm* fragmento; (*du soleil, d'une couleur etc*) resplandor *m*, brillo; (*d'une cérémonie*) brillo, esplendor *m*; **faire un ~** hacer *o* armar un escándalo; **~ de rire** estallido de risa, carcajada; **~ de voix** grito, gritería.
éclatant, e [eklatɑ̃, ɑ̃t] *a* resplandeciente, brillante; (*voix, son*) estrepitoso(a), estruendoso(a); (*fig*) palmario(a), notorio(a).
éclater [eklate] *vi* estallar, reventar; (*fig*) estallar; (: *groupe, parti*) fragmentarse; **~ de rire/en sanglots** romper en risa/en sollozos.
éclipse [eklips(ə)] *nf* eclipse *m*; **éclipser** *vt* eclipsar, ocultar; (*fig*) eclipsar, superar; **s'~** *vi* (*fig*) eclipsarse, largarse.
éclopé, e [eklɔpe] *a* tullido(a), contuso(a).
éclore [eklɔʀ] *vi* abrirse; (*fig*) surgir, nacer.
éclosion [eklozjɔ̃] *nf* abertura; eclosión *f*, aparición *f*.
écluse [eklyz] *nf* esclusa.
écœurer [ekœʀe] *vt* dar náuseas a, repugnar; (*fig*) desagradar, desazonar.
école [ekɔl] *nf* escuela; colegio; **faire ~** formar escuela, crear una escuela; **~ maternelle/primaire/secondaire** escuela de párvulos/primaria/secundaria; **~ de dessin/danse** academia de dibujo/danza; **~ hôtelière** escuela de hostelería; **~ d'interprétariat** escuela de intérpretes; **~ normale, EN** (*d'instituteurs*) escuela normal; **~ de secrétariat** escuela de secretariado; **écolier, ière** *nm/f* colegial/a; alumno/a.
écologie [ekɔlɔʒi] *nf* ecología.
éconduire [ekɔ̃dɥiʀ] *vt* despedir, no recibir.
économat [ekɔnɔma] *nm* economato.
économe [ekɔnɔm] *a* económico(a), ahorrativo(a) // *nm/f* ecónomo/a.
économie [ekɔnɔmi] *nf* economía; (*d'argent, de temps etc*) economía, ahorro; (*plan, arrangement d'ensemble*) estructura, organización *f*; **~s** *fpl* (*pécule*) ahorros; **une ~ de temps/d'argent** un ahorro de tiempo/de dinero; **économique** *a* económico(a), barato(a); (ÉCON) económico(a); **économiser** *vt* economizar, ahorrar // *vi* ahorrar; **économiste** *nm/f* economista *m/f*.
écoper [ekɔpe] *vt* achicar // *vi* achicarse; (*fig*) cobrar, pagar el pato; **~ (de)** cobrar.
écorce [ekɔʀs(ə)] *nf* corteza, cáscara; **écorcer** *vt* descortezar, pelar.
écorcher [ekɔʀʃe] *vt* desollar, despellejar; (*égratigner*) despellejar, arañar; **s'~** despellajarse, arañarse; **écorchure** *nf* rasguño, desolladura.

écossais, e [ekɔsɛ, ɛz] *a, nm/f* escocés(esa).
Écosse [ekɔs] *nf* Escocia.
écosser [ekɔse] *vt* desgranar.
écot [eko] *nm* cuota, parte *f.*
écoulement [ekulmɑ̃] *nm* venta; circulación *f*; flujo; transcurso.
écouler [ekule] *vt* (*stock*) vender, despachar; (*billets*) poner en circulación; **s'~** *vi* (*rivière, eau*) correr, fluir; (*jours, temps*) transcurrir, pasar.
écourter [ekuʀte] *vt* (*visite*) acortar, abreviar.
écoute [ekut] *nf* (RADIO, TV) audición *f*; **prendre l'~** sintonizar; **être/rester à l'~ de** estar/permanecer a la escucha de; **être aux ~s** estar atento(a).
écouter [ekute] *vt* escuchar; (*fig*) escuchar, atender.
écouteur [ekutœʀ] *nm* auricular *m.*
écoutille [ekutij] *nf* escotilla.
écran [ekʀɑ̃] *nm* pantalla; **~ de fumée** cortina de humo; **porter à l'~** llevar a la pantalla; **le petit ~** la pantalla chica.
écrasant, e [ekʀɑzɑ̃, ɑ̃t] *a* agobiador(ora), abrumador(ora); (*supériorité etc*) demoledor(ora), aplastante.
écraser [ekʀɑze] *vt* aplastar, triturar; (*suj*: *voiture, train etc*) atropellar, pisar; (*armée, adversaire*) aplastar, derrotar; (*suj*: *travail, impôts etc*) aplastar, agobiar; **~ qn d'impôts** *etc* agobiar a alguien con impuestos *etc*; **s'~ (au sol)** (*avion*) estrellarse; **s'~ contre/sur** estrellarse contra/en.
écrémer [ekʀeme] *vt* (*lait*) desnatar.
écrevisse [ekʀəvis] *nf* cangrejo.
écrier [ekʀije] : **s'~** *vi* gritar, exclamar.
écrin [ekʀɛ̃] *nm* joyero, estuche *m.*
écrire [ekʀiʀ] *vt, vi* escribir; **s'~** *vb réciproque* escribirse, cartearse // *vi* (*mot*) escribirse.
écrit, e [ekʀi, it] *a* escrito(a) // *nm* escrito; **par ~** por escrito.
écriteau, x [ekʀito] *nm* cartel *m,* letrero.
écriture [ekʀityʀ] *nf* escritura; (*style*) estilo; (COMM) asiento; **~s** *fpl* (COMM) libros; **l'É~, les É~s** la Escritura, las Escrituras.
écrivain [ekʀivɛ̃] *nm* escritor/ora.
écrivais *etc vb voir* **écrire.**
écrou [ekʀu] *nm* tuerca.
écrouer [ekʀue] *vt* encarcelar.
écrouler [ekʀule] : **s'~** *vi* derrumbarse; (*personne, animal*) desplomarse; (*fig*) venirse abajo.
écru, e [ekʀy] *a* crudo(a).
écu [eky] *nm* escudo.
écueil [ekœj] *nm* escollo.
écuelle [ekɥɛl] *nf* escudilla.
éculé, e [ekyle] *a* gastado(a); (*fig péj*) viejo(a), gastado(a).
écume [ekym] *nf* espuma.
écumer [ekyme] *vt* (CULIN) espumar; (*fig*: *région, bibliothèque*) asolar, devastar // *vi* (*mer*) espumar; (*fig*: *personne*) echar espuma por la boca, enfurecerse; **écumoire** *nf* espumadera.
écureuil [ekyʀœj] *nm* ardilla.
écurie [ekyʀi] *nf* caballeriza; (*de course hippique*) cuadra; (*de course automobile*) escudería.
écusson [ekysɔ̃] *nm* (*motif*) escudo.
écuyer, ère [ekɥije, ɛʀ] *nm/f* (*artiste*) artista *m/f* ecuestre.
eczéma [ɛgzema] *nm* eczema *m.*
edelweiss [edɛlvajs] *nm* rosa de los Alpes, edelweiss *m.*
édenté, e [edɑ̃te] *a* desdentado(a).
EDF *sigle f* = *Electricité de France.*
édifiant, e [edifjɑ̃, ɑ̃t] *a* edificante, instructivo(a); (*iro*) edificante.
édifice [edifis] *nm* edificio; (*fig*) estructura.
édifier [edifje] *vt* edificar, construir; (*fig*) estructurar; (*personne*) edificar, ilustrar; (: *iro*) informar.
édile [edil] *nm* concejal *m.*
Édimbourg [edɛ̃buʀ] *n* Edimburgo.
édit [edi] *nm* edicto.
éditer [edite] *vt* editar; (*auteur,*

musicien) editar, publicar; **éditeur, trice** *nm/f* editor/ora.

édition [edisjɔ̃] *nf* edición *f*; **l'~** la industria editorial.

éditorial, aux [editɔrjal, o] *nm* editorial *m*, artículo de fondo; **~iste** *nm/f* editorialista *m/f*.

édredon [edʀədɔ̃] *nm* edredón *m*.

éducation [edykasjɔ̃] *nf* educación *f*, instrucción *f*; (*théorie, système, formation, aussi manières*) educación; **~ physique** educación física; **l'É~ Nationale** la Instrucción Pública.

édulcorer [edylkɔʀe] *vt* edulcorar; (*fig*) suavizar.

éduquer [edyke] *vt* educar, instruir; (*inculquer les bonnes manières*) educar, formar; (*faculté*) disciplinar, formar; **bien/mal éduqué** bien/mal educado.

effacer [efase] *vt* borrar; **s'~** borrarse; (*pour laisser passer*) hacerse a un lado; (*souvenir, erreur*) borrarse, desvanecerse.

effarer [efaʀe] *vt* asombrar, pasmar.

effaroucher [efaʀuʃe] *vt* espantar, asustar.

effectif, ive [efɛktif, iv] *a* efectivo(a), real // *nm* contingente *m*, efectivo; **effectivement** *ad* efectivamente, realmente; (*comme réponse*) efectivamente.

effectuer [efɛktɥe] *vt* efectuar, realizar; **s'~** efectuarse, llevarse a cabo.

efféminé, e [efemine] *a* afeminado(a).

effervescence [efɛʀvesɑ̃s] *nf* (*fig*) agitación *f*, efervescencia.

effervescent, e [efɛʀvesɑ̃, ɑ̃t] *a* efervescente; (*fig*) exaltado(a), agitado(a).

effet [efɛ] *nm* efecto, resultado; (*impression*) efecto, impresión *f*; **~s** *mpl* (*vêtements*) prendas; **faire de l'~** hacer efecto; **sous l'~ de** bajo el efecto de; **en ~** *ad* en efecto; **~ de style/couleur/voix** efecto de estilo/color/voz; **~ de jambes** lucimiento de piernas.

effeuiller [efœje] *vt* deshojar.

efficace [efikas] *a* eficaz, efectivo(a); **efficacité** *nf* eficacia.

effigie [efiʒi] *nf* efigie *f*.

effilé, e [efile] *a* afilado(a), delgado(a).

effiler [efile] *vt* (*cheveux*) atusar; (*tissu*) deshilar.

effilocher [efilɔʃe]: **s'~** *vi* (*tissu*) deshilacharse.

efflanqué, e [eflɑ̃ke] *a* enjuto(a), enclenque.

effleurer [eflœʀe] *vt* rozar; (*fig*: *suj*: *idée, pensée*) pasar por la cabeza.

effluves [eflyv] *nmpl* efluvios, emanaciones *fpl*.

effondrement [efɔ̃dʀəmɑ̃] *nm* derrumbe *m*; caída.

effondrer [efɔ̃dʀe]: **s'~** *vi* derrumbarse, hundirse; (*prix, marché*) venirse abajo, caer; (*blessé, coureur etc*) desplomarse; (*accusé*) abatirse.

efforcer [efɔʀse]: **s'~** *vt*: **s'~ de faire** esforzarse por *o* en hacer.

effort [efɔʀ] *nm* esfuerzo.

effraction [efʀaksjɔ̃] *nf* efracción *f*, fractura.

effrangé, e [efʀɑ̃ʒe] *a* desflecado(a), deshilado(a).

effrayant, e [efʀɛjɑ̃, ɑ̃t] *a* aterrador(ora), espantoso(a); (*sens affaibli*) terrible, tremendo(a).

effrayer [efʀeje] *vt* aterrorizar, horrorizar; (*fig*) amilanar, desanimar; **s'~** aterrorizarse, horrorizarse.

effréné, e [efʀene] *a* desenfrenado(a).

effriter [efʀite]: **s'~** *vi* desmenuzarse, pulverizarse; (*prix, valeur*) desmoronarse.

effroi [efʀwa] *nm* terror *m*, pavor *m*.

effronté, e [efʀɔ̃te] *a* descarado(a), atrevido(a).

effroyable [efʀwajabl(ə)] *a* horroroso(a), terrible.

effusion [efyzjɔ̃] *nf* efusión *f*; **sans ~ de sang** sin derramamiento de sangre.

égailler [egaje]: **s'~** *vi* dispersarse, diseminarse.

égal, e, aux [egal, o] *a* (*chances, nombres*) igual, mismo(a); (*terrain, surface*) liso(a), parejo(a); (*vitesse, rythme*) uniforme, parejo(a); (*équitable*) equivalente, similar; (*personnes*) igual // *nm/f* semejante *m/f*; **être ~ à** (*prix, nombre*) ser igual a, equivaler; **ça lui/nous est ~** le/nos da igual *o* mismo; **c'est ~** poco importa, como sea; **sans ~** sin igual, incomparable; **à l'~ de** al igual que, lo mismo que; **d'~ à ~** de igual a igual; **~ement** *ad* igualmente, uniformemente; (*en outre, aussi*) igualmente, asimismo; **~er** *vt* igualar; **3 plus 3 égale 6** 3 más 3 es igual a 6; **~iser** *vt* nivelar, igualar // *vi* (SPORT) empatar.

égalitaire [egalitɛʀ] *a* igualitario(a); **égalitarisme** *nm* igualitarismo.

égalité [egalite] *nf* igualdad *f*, uniformidad *f*; (MATH) igualdad, equivalencia; (POL, PHILOSOPHIE): **l'~** la igualdad; **être à ~ (de points)** estar empatados (en tantos).

égard [egaʀ] *nm*: **à cet ~/certains ~s/tous ~s** desde este/cierto/todo punto de vista; **eu ~ à** teniendo en cuenta, en consideración de; **par ~ pour** por consideración a; **sans ~ pour** sin consideración para (con); **à l'~ de** *prép* respecto a, con respecto a; **~s** *mpl* miramientos, consideración *f*.

égarement [egaʀmɑ̃] *nm* confusión *f*, extravío; (*débauche*) perdición *f*, extravío.

égarer [egaʀe] *vt* extraviar, perder; (*fourvoyer*) confundir, despistar; **s'~** *vi* perderse, desorientarse; (*fig*) perderse, equivocarse; (*objet*) perderse, extraviarse.

égayer [egeje] *vt* alegrar, regocijar; (*récit, endroit*) alegrar.

égide [eʒid] *nf*: **sous l'~ de** bajo la égida de.

églantier [eglɑ̃tje] *nm* mosqueta silvestre, escaramujo.

églantine [eglɑ̃tin] *nf* zarzarrosa.

églefin [egləfɛ̃] *nm* abadejo.

église [egliz] *nf* iglesia; **l'É~ catholique/presbytérienne** la Iglesia católica/presbiteriana.

égocentrique [egɔsɑ̃tʀik] *a* egocéntrico(a).

égoïsme [egɔism(ə)] *nm* egoísmo; **égoïste** *a* egoísta.

égorger [egɔʀʒe] *vt* degollar.

égosiller [egozije]: **s'~** *vi* desgañitarse.

égout [egu] *nm* cloaca, sumidero; **égoutier** *nm* pocero.

égoutter [egute] *vt* escurrir // *vi*, **s'~** *vi* escurrirse; (*eau*) gotear, escurrirse.

égratigner [egʀatiɲe] *vt* rasguñar; (*fig*) picar, burlarse de; **s'~** rasguñarse; **égratignure** *nf* rasguñadura, rasguño.

égrener [egʀəne] *vt* desgranar; **s'~** *vi* (*fig*) desgranarse; (: *se disperser*) esparcirse, diseminarse.

Égypte [eʒipt(ə)] *nf* Egipto; **égyptien, ne** [eʒipsjɛ̃, ɛn] *a, nm/f* egipcio(a); **égyptologie** *nf* egiptología.

eh [e] *excl* ¡eh!; **~ bien** (*surprise etc*) ¡bueno!, ¡y bien!; **~ bien?** (*attente, doute etc*) ¿y bien?; **~ bien** (*donc*) pues bien.

éhonté, e [eɔ̃te] *a* desvergonzado(a).

éjaculer [eʒakyle] *vi* eyacular.

éjectable [eʒɛktabl(ə)] *a* voir **siège.**

éjecter [eʒɛkte] *vt* (TECH) eyectar, expulsar; (*fam*) echar, arrojar.

élaborer [elabɔʀe] *vt* elaborar; (BIO) asimilar.

élaguer [elage] *vt* (*arbre*) podar; (*fig*) podar, acortar.

élan [elɑ̃] *nm* (ZOOL) alce *m*; (SPORT, *d'un véhicule, objet*) impulso; (*fig*)

impulso, arrebato; **prendre de l'~** tomar impulso.
élancé, e [elɑ̃se] *a* espigado(a), esbelto(a).
élancement [elɑ̃smɑ̃] *nm* punzada.
élancer [elɑ̃se]: **s'~** *vi* abalanzarse, precipitarse; (*fig*) alargarse, elevarse.
élargir [elaʀʒiʀ] *vt* ensanchar, ampliar; (*vêtement*) agrandar, ensanchar; (*fig*) ampliar; (JUR) liberar, soltar; **s'~** *vi* ensancharse, ampliarse; (*vêtement*) ensancharse, agrandarse; **élargissement** *nm* ampliación *f*; ensanche *m*.
élasticité [elastisite] *nf* elasticidad *f*; **~ de l'offre/de la demande** variabilidad *f* de la oferta/de la demanda.
élastique [elastik] *a* elástico(a), flexible; (*fig*) flexible, maleable // *nm* (*lien*) goma; (*tissu*) elástico.
eldorado [ɛldɔʀado] *nm* Eldorado.
électeur, trice [elɛktœʀ, tʀis] *a, nm/f* elector(ora).
élection [elɛksjɔ̃] *nf* elección *f*; **~s** *fpl* (POL) elecciones *fpl*.
électoral, e, aux [elɛktɔʀal, o] *a* electoral.
électorat [elɛktɔʀa] *nm* electorado.
électricien, ne [elɛktʀisjɛ̃, ɛn] *nm/f* electricista *m/f*.
électricité [elɛktʀisite] *nf* electricidad *f*; (*fig*) tensión *f*; **avoir l'~** tener electricidad *o* corriente eléctrica; **allumer/éteindre l'~** encender/apagar la luz; **fonctionner à l'~** funcionar con electricidad; **~ statique** electricidad estática.
électrifier [elɛktʀifje] *vt* electrificar.
électrique [elɛktʀik] *a* eléctrico(a); (*fig*) tenso(a).
électriser [elɛktʀize] *vt* electrizar, exaltar.
électro-aimant [elɛktʀɔɛmɑ̃] *nm* electroimán *m*.
électrocardiogramme [elɛktʀɔkaʀdjɔgʀam] *nm* electrocardiograma *m*.
électrochoc [elɛktʀɔʃɔk] *nm* electrochoque *m*.
électrocuter [elɛktʀɔkyte] *vt* electrocutar; **électrocution** *nf* electrocución *f*.
électrode [elɛktʀɔd] *nf* electrodo.
électro-encéphalogramme [elɛktʀɔɑ̃sefalɔgʀam] *nm* electroencefalograma *m*.
électrogène [elɛktʀɔʒɛn] *a voir* **groupe.**
électrolyse [elɛktʀɔliz] *nf* electrólisis *f*.
électromagnétique [elɛktʀɔmaɲetik] *a* electromagnético(a).
électroménager [elɛktʀɔmenaʒe] *a*: **appareils ~s** aparatos electrodomésticos // *nm*: **l'~** el electrodoméstico.
électron [elɛktʀɔ̃] *nm* electrón *m*.
électronicien, ne [elɛktʀɔnisjɛ̃, ɛn] *nm/f* especialista *m/f* de electrónica.
électronique [elɛktʀɔnik] *a* electrónico(a).
électrophone [elɛktʀɔfɔn] *nm* tocadiscos *m*.
électrostatique [elɛktʀɔstatik] *a* electroestático(a).
élégance [elegɑ̃s] *nf* elegancia; distinción *f*; corrección *f*; **l'~** la elegancia.
élégant, e [elegɑ̃, ɑ̃t] *a* elegante, distinguido(a); (*style, forme*) elegante, gracioso(a); (*geste, procédé*) elegante, correcto(a).
élément [elemɑ̃] *nm* elemento; **~s** *mpl* (*eau, air etc*) elementos; (*rudiments*) elementos, rudimentos.
élémentaire [elemɑ̃tɛʀ] *a* elemental, rudimentario(a); (*fondamental, de base*) elemental, básico(a); (CHIM) elemental.
éléphant [elefɑ̃] *nm* elefante *m*.
élevage [ɛlvaʒ] *nm* cría; **l'~** la ganadería.
élévateur [elevatœʀ] *nm* elevador.
élévation [elevɑsjɔ̃] *nf* (*voir élever*) levantamiento; subida; (*voir*

s'élever) levantamiento, alzamiento; (*voir élevé*) nobleza, grandeza; (*monticule*) elevación *f*, altura; (*GÉOMÉTRIE, REL*) elevación.

élève [elɛv] *nm/f* (*SCOL*) alumno/a, discípulo/a; (*disciple*) discípulo/a; **~ infirmière** *nf* aspirante enfermera.

élevé, e [ɛlve] *a* elevado(a), alto(a); (*fig*) elevado(a), noble; **bien/mal ~** bien/mal educado.

élever [ɛlve] *vt* (*enfant, animaux*) criar; (*immeuble, monument*) elevar, levantar; (*taux, niveau etc*) alzar, subir; (*fig*) ennoblecer, formar; **s'~** *vi* elevarse; (*clocher, montagne*) elevarse, alzarse; (*cri, protestations*) alzarse, levantarse; (*niveau, température*) elevarse, subir; (*difficultés*) sobrevenir, aparecer; **~ une protestation** formular *o* elevar una protesta; **~ la voix** alzar la voz; **~ qn au grade de** elevar a alguien al grado de; **s'~ contre qch** levantarse *o* sublevarse contra algo; **s'~ à** (*suj: dégâts, frais*) elevarse a.

éleveur, euse [ɛlvœʀ, øz] *nm/f* ganadero/a.

élidé, e [elide] *a* elidido(a).

élider [elide] *vt*: **s'~** elidirse.

éligible [eliʒibl(ə)] *a* elegible.

élimé, e [elime] *a* raído(a), gastado(a).

élimination [eliminɑsjɔ̃] *nf* eliminación *f*.

éliminatoire [eliminatwaʀ] *a* eliminatorio(a) // *nf* (*SPORT*) eliminatoria.

éliminer [elimine] *vt* eliminar; (*fig*) eliminar, suprimir.

élire [eliʀ] *vt* elegir; **~ domicile à** fijar domicilio en.

élision [elizjɔ̃] *nf* elisión *f*.

élite [elit] *nf* elite *f*, minoría selecta; **tireur d'~** tirador de primera; **élitisme** *nm* elitismo.

élixir [eliksiʀ] *nm* elixir *m*.

elle [ɛl] *pron* ella; **~s** *pron pl* ellas; **avec ~** con ella; (*réfléchi*) consigo; **~-même** ella misma; (*après prép*) sí (misma); **~s- mêmes** ellas mismas; (*après prép*) sí (mismas).

ellipse [elips(ə)] *nf* elipse *m*; (*LING*) elipsis *f*; **elliptique** *a* elíptico(a).

élocution [elɔkysjɔ̃] *nf* elocución *f*, dicción *f*.

éloge [elɔʒ] *nm* elogio, ponderación *f*; (*discours*) elogio, apología; **élogieux, euse** *a* elogioso(a).

éloigné, e [elwaɲe] *a* alejado(a), lejano(a); (*date, échéance*) lejano(a), remoto(a); (*famille, parent*) lejano(a).

éloignement [elwaɲmɑ̃] *nm* (*voir éloigner*) alejamiento; (*voir éloigné*) lejanía.

éloigner [elwaɲe] *vt* alejar, apartar; (*échéance, but*) posponer, diferir; (*personne*) alejar; **s'~** *vi* alejarse; (*affectivement*) alejarse, apartarse; **s'~ de** alejarse de; (*fig*) alejarse de, apartarse de.

élongation [elɔ̃gɑsjɔ̃] *nf* (*MÉD*) elongación *f*.

éloquence [elɔkɑ̃s] *nf* elocuencia.

éloquent, e [elɔkɑ̃, t] *a* elocuente.

élu, e [ely] *pp de* **élire** // *nm/f* electo/a, elegido/a; (*REL*) elegido/a.

élucider [elyside] *vt* dilucidar, aclarar.

éluder [elyde] *vt* eludir, soslayar.

émacié, e [emasje] *a* demacrado(a), consumido(a).

émail, aux [emaj, o] *nm* esmalte *m*; **~lé, e** *a* esmaltado(a); **~ler** *vt* esmaltar.

émanation [emanɑsjɔ̃] *nf* emanación *f*, efluvio; **être l'~ de** ser la manifestación *o* expresión de.

émancipation [emɑ̃sipɑsjɔ̃] *nf* emancipación *f*.

émancipé, e [emɑ̃sipe] *a* emancipado(a), libre.

émanciper [emɑ̃sipe] *vt* (*JUR*) emancipar; (*gén*) emancipar, liberar; **s'~** emanciparse.

émaner [emane] : **~ de** *vt* emanar de.

émarger [emaʀʒe] *vt* firmar al margen; **~ à un budget** figurar como acreedor en un presupuesto.

émasculer [emaskyle] *vt* castrar, debilitar.
emballage [ɑ̃balaʒ] *nm* embalaje *m*; (*papier, boîte*) embalaje, envase *m*.
emballer [ɑ̃bale] *vt* empaquetar, embalar; (*fig*) embalar, entusiasmar; **s'~** *vi* (*moteur*) embalarse; (*cheval*) desbocarse; (*fig*) embalarse, arrebatarse.
embarcadère [ɑ̃baʀkadɛʀ] *nm* embarcadero.
embarcation [ɑ̃baʀkɑsjɔ̃] *nf* embarcación *f*.
embardée [ɑ̃baʀde] *nf* bandazo; **faire une ~** dar bandazo.
embargo [ɑ̃baʀgo] *nm* (*de marchandises*) embargo, confiscación *f*; **mettre l'~ sur** embargar, decomisar.
embarquement [ɑ̃baʀkəmɑ̃] *nm* embarco; embarque *m*.
embarquer [ɑ̃baʀke] *vt* embarcar; (*fam*) alzarse con // *vi* embarcar; (NAUT) estar encapillado(a) por las olas; **s'~** *vi* embarcarse; **s'~ dans** embarcarse en.
embarras [ɑ̃baʀa] *nm* obstáculo, traba; (*confusion, perplexité*) confusión *f*, embarazo.
embarrasser [ɑ̃baʀase] *vt* embarazar, dificultar; (*gêner, troubler*) perturbar, embarazar; **s'~ de** cargarse de; (*fig*) preocuparse por.
embauche [ɑ̃boʃ] *nf* contratación *f*, contrata; **bureau d'~** oficina de contratación.
embaucher [ɑ̃boʃe] *vt* tomar, dar trabajo a; **s'~** inscribirse, anotarse.
embaumer [ɑ̃bome] *vt* (*corps*) embalsamar; (*lieu*) embalsamar, perfumar // *vi* perfumar, aromar; **~ la lavande** tener perfume a lavanda.
embellir [ɑ̃beliʀ] *vt* embellecer, hermosear; (*personnage, histoire*) adornar, embellecer // *vi* mejorar, ponerse más bello(a).
embêtant, e [ɑ̃bɛtɑ̃, ɑ̃t] *a* molesto(a); fastidioso(a).
embêter [ɑ̃bete] *vt* molestar, fastidiar; (*assommer, raser*) fastidiar, aburrir; (*contrarier, ennuyer*) fastidiar, contrariar; **s'~** *vi* aburrirse; (*iro*): **il ne s'embête pas!** ¡se divierte!, ¡la pasa bien!
emblée [ɑ̃ble]: **d'~** *ad* de entrada.
emblème [ɑ̃blɛm] *nm* emblema *m*.
embobiner [ɑ̃bɔbine] *vt* bobinar.
emboîter [ɑ̃bwate] *vt* encajar; **~ le pas à qn** seguir los pasos de alguien; **s'~ (dans)** encajarse (en).
embolie [ɑ̃bɔli] *nf* embolia.
embouché, e [ɑ̃buʃe] *a*: **mal ~** malhablado, deslenguado.
embouchure [ɑ̃buʃyʀ] *nf* (GÉO) desembocadura; (MUS) boquilla.
embourber [ɑ̃buʀbe]: **s'~** *vi* empantanarse, atascarse.
embourgeoiser [ɑ̃buʀʒwaze]: **s'~** *vi* aburguesarse.
embout [ɑ̃bu] *nm* contera, regatón *m*.
embouteillage [ɑ̃butɛjaʒ] *nm* embotellamiento.
embouteiller [ɑ̃buteje] *vt* embotellar, atascar.
emboutir [ɑ̃butiʀ] *vt* chocar con; (TECH) forjar, moldear.
embranchement [ɑ̃bʀɑ̃ʃmɑ̃] *nm* (*routier*) bifurcación *f*; (SCIENCE) tipo.
embraser [ɑ̃bʀɑze]: **s'~** *vi* abrasarse, arder; (*fig*) inflamarse, anardecerse.
embrassade [ɑ̃bʀasad] *nf* abrazo.
embrasser [ɑ̃bʀase] *vt* besar; (*fig*) abarcar; **s'~** besarse; **~ une carrière** abrazar una carrera.
embrasure [ɑ̃bʀɑzyʀ] *nf* hueco, vano.
embrayage [ɑ̃bʀɛjaʒ] *nm* embrague *m*.
embrayer [ɑ̃bʀeje] *vi* (AUTO) embragar.
embrigader [ɑ̃bʀigade] *vt* reclutar.
embrocher [ɑ̃bʀɔʃe] *vt* ensartar; (*fig*) traspasar, atravesar.
embrouillamini [ɑ̃bʀujamini] *nm* batahola, barahunda.

embrouiller [ɑ̃bʀuje] *vt* (*fils*) enredar; (*fiches*) embarullar, embrollar; (*idées, questions*) enredar, embrollar; (*personne*) embrollar, confundir; **s'~** *vi* (*personne*) enredarse, embrollarse.

embroussaillé, e [ɑ̃bʀusaje] *a* cubierto(a) de maleza.

embruns [ɑ̃bʀœ̃] *nmpl* salpicaduras.

embryon [ɑ̃bʀijɔ̃] *nm* embrión *m*; (*fig*) embrión, germen *m*.

embûches [ɑ̃byʃ] *nfpl* obstáculos, tramoyas.

embué, e [ɑ̃bɥe] *a* empañado(a).

embuscade [ɑ̃byskad] *nf* emboscada.

embusquer [ɑ̃byske] *vt* emboscar; **s'~** *vi* emboscarse.

éméché, e [emeʃe] *a* achispado(a).

émeraude [ɛmʀod] *nf, a inv* esmeralda.

émerger [emɛʀʒe] *vi* (*de l'eau*) emerger, surgir; (*fig*) sobresalir.

émeri [ɛmʀi] *nm*: **toile/papier ~** tela/papel esmerilado(a) *o* de lija.

émérite [emeʀit] *a* emérito(a), consumado(a).

émerveiller [emɛʀveje] *vt* maravillar; **s'~ de qch** maravillarse de algo.

émetteur, trice [emɛtœʀ, tʀis] *a* emisor(ora) // *nm* emisora.

émettre [emɛtʀ(ə)] *vt* emitir, irradiar; (RADIO, TV) emitir, transmitir; (*billet, timbre*) emitir, poner en circulación; (*hypothèse, avis*) emitir // *vi* (RADIO, TV) emitir.

émeus *etc vb voir* **émouvoir.**

émeute [emøt] *nf* motín *m*, insurrección *f*; **émeutier, ère** *nm/f* amotinado/a, insurrecto/a.

émietter [emjete] *vt* desmigajar, desmenuzar.

émigrant, e [emigʀɑ̃, ɑ̃t] *nm/f* emigrante *m/f*.

émigré, e [emigʀe] *nm/f* emigrado/a.

émigrer [emigʀe] *vi* emigrar.

éminemment [eminamɑ̃] *ad* eminentemente.

éminence [eminɑ̃s] *nf* eminencia; (*colline*) elevación *f*, eminencia; **Son/Votre É~** Su/Vuestra Eminencia.

éminent, e [eminɑ̃, ɑ̃t] *a* (*illustre*) eminente, excelente.

émir [emiʀ] *nm* emir *m*; **~at** *nm* emirato.

émissaire [emisɛʀ] *nm* emisario.

émission [emisjɔ̃] *nf* emisión *f*.

emmagasiner [ɑ̃magazine] *vt* almacenar; (*fig*) acumular.

emmailloter [ɑ̃majɔte] *vt* envolver.

emmanchure [ɑ̃mɑ̃ʃyʀ] *nf* sisa.

emmêler [ɑ̃mele] *vt* enredar; (*fig*) enredar, embrollar; **s'~** enredarse.

emménager [ɑ̃menaʒe] *vi* mudarse, instalarse; **~ dans** mudarse a, instalarse en.

emmener [ɑ̃mne] *vt* llevar; (*comme otage, capture*) llevarse; (SPORT, MIL) conducir, dirigir.

emmerder [ɑ̃mɛʀde] *vt* (*fam!*) jeringar, jorobar.

emmitoufler [ɑ̃mitufle] *vt* arropar, abrigar; **s'~** arroparse, abrigarse.

emmurer [ɑ̃myʀe] *vt* encerrar, recluir; (*accidentellement*) sepultar.

émoi [emwa] *nm* inquietud *f*, exaltación *f*; **en ~** alterado(a), sobresaltado(a).

émoluments [emɔlymɑ̃] *nmpl* emolumentos, remuneración *f*.

émonder [emɔ̃de] *vt* podar.

émotif, ive [emɔtif, iv] *a* emocional; (*personne*) emotivo(a).

émotion [emosjɔ̃] *nf* emoción *f*; (*attendrissement*) emoción, enternecimiento; **donner des ~s** provocar emociones; **~nel, le** *a* emocional.

émotivité [emɔtivite] *nf* emotividad *f*.

émoulu, e [emuly] *a*: **frais ~ de** recién salido de.

émousser [emuse] *vt* desafilar; (*fig*) atenuar, debilitar.

émouvoir [emuvwaʀ] *vt* (*troubler*) emocionar, turbar; (*toucher,*

attendrir) conmover, enternecer; (*indigner*) alterar, indignar; (*effrayer*) perturbar, impresionar; **s'~** *vi* conmoverse; emocionarse.
empailler [ɑ̃pɑje] *vt* (*animal*) disecar, embalsamar.
empaler [ɑ̃pale] *vt* empalar; **s'~ sur** ensartarse en.
empaqueter [ɑ̃pakte] *vt* empaquetar.
emparer [ɑ̃paʀe]: **s'~ de** *vt* apoderarse de.
empâter [ɑ̃pɑte]: **s'~** *vi* engordar.
empattement [ɑ̃patmɑ̃] *nm* batalla.
empêché, e [ɑ̃peʃe] *a* impedido(a), ocupado(a).
empêcher [ɑ̃peʃe] *vt* empedir; **~ qn de faire qch** impedir a alguien que haga algo; **~ que** impedir que, evitar que; **il n'empêche que** no obstante esto, esto no impide que; **ne pas pouvoir s'~ de** no poder dejar de; **empêcheur** *nm*: **empêcheur de danser en rond** aguafiestas *m inv*.
empeigne [ɑ̃pɛɲ] *nf* empella, pala.
empennage [ɑ̃pɛnaʒ] *nm* (AVIAT) empenaje *m*.
empereur [ɑ̃pʀœʀ] *nm* emperador *m*.
empesé, e [ɑ̃pəze] *a* (*fig*) envarado(a), afectado(a).
empeser [ɑ̃pəze] *vt* almidonar.
empester [ɑ̃pɛste] *vt* apestar, infestar // *vi* apestar, heder; **~ le tabac** apestar a tabaco.
empêtrer [ɑ̃petʀe] *vt*: **s'~** *vt* enredarse.
emphase [ɑ̃fɑz] *nf* énfasis *m*, grandilocuencia; **emphatique** [ɑ̃fatik] *a* enfático(a), ampuloso(a).
empierrer [ɑ̃pjeʀe] *vt* empedrar.
empiéter [ɑ̃pjete]: **~ sur** *vt* invadir, usurpar.
empiffrer [ɑ̃pifʀe]: **s'~** *vi* (*péj*) atiborrarse, apiparse.
empiler [ɑ̃pile] *vt* apilar, amontonar; **s'~** *vi* apilarse, amontonarse.
empire [ɑ̃piʀ] *nm* imperio; (*influence*) imperio, dominio; **style E~** estilo Imperio; **sous l'~ de** bajo el efecto *o* dominio de.
empirer [ɑ̃piʀe] *vi* empeorar, agravar.
empirique [ɑ̃piʀik] *a* empírico(a).
empirisme [ɑ̃piʀism(ə)] *nm* empirismo.
emplacement [ɑ̃plasmɑ̃] *nm* emplazamiento.
emplâtre [ɑ̃plɑtʀ(ə)] *nm* (MÉD) emplasto, cataplasma.
emplette [ɑ̃plɛt] *nf*: **faire des ~s** hacer compras, ir de compras; **faire l'~ de** comprar, adquirir.
emplir [ɑ̃pliʀ] *vt* llenar, colmar; **s'~ (de)** llenarse *o* colmarse (de).
emploi [ɑ̃plwa] *nm* empleo, uso; (*poste*) empleo, puesto; (ÉCON): **l'~** el empleo; **offre/demande d'~** oferta/demanda de empleo *o* trabajo; **~ du temps** horario, ocupaciones *fpl*.
employé, e [ɑ̃plwaje] *nm/f* empleado/a.
employer [ɑ̃plwaje] *vt* emplear, utilizar; (*ouvrier, main d'œuvre*) emplear; **~ la force/les grands moyens** recurrir a la fuerza/a los medios decisivos; **s'~ à faire qch** ocuparse en *o* consagrarse a hacer algo; **employeur** *nm* empleador *m*.
empocher [ɑ̃pɔʃe] *vt* embolsar, meter en el bolsillo.
empoignade [ɑ̃pwaɲad] *nf* agarrada, gresca.
empoigner [ɑ̃pwaɲe] *vt* (*objet*) asir, empuñar; **s' ~** agarrarse, irse a las manos.
empoisonnement [ɑ̃pwazɔnmɑ̃] *nm* envenenamiento, intoxicación *f*.
empoisonner [ɑ̃pwazɔne] *vt* envenar; (*suj*: *nourriture, substance*) envenar, intoxicar; (*air, pièce*) contaminar, infestar; (*fam*) envenenar, amargar; **~ l'atmosphère** contaminar la atmósfera; **s'~** envenenarse; (*accidentellement*) envenenarse, intoxicarse.

emportement [ɑ̃pɔRtəmɑ̃] *nm* vehemencia, arrebato.

emporte-pièce [ɑ̃pɔRtəpjɛs] *nm*: **formule à l'~** fórmula categórica.

emporter [ɑ̃pɔRte] *vt* llevar; (*en dérobant, enlevant*) arrebatar, arrancar; (*blessés, voyageurs*) llevar, trasladar; (*suj: courant, vent, fig etc*) arrastrar; (*suj: avalanche, choc etc*) arrasar, arrancar; (*gagner*) ganar, lograr; **s'~** *vi* arrebatarse, enfurecerse; **la maladie qui l'a emporté** la enfermedad que se lo ha llevado; **l'~** vencer, ganar; **l'~ sur** prevalecer *o* predominar sobre; **boissons à ~** bebidas para llevar.

empourpré, e [ɑ̃puRpRe] *a* enrojecido(a).

empreint, e [ɑ̃pRɛ̃, ɛ̃t] *a*: **~ de** impregnado de // *nf* huella, marca; (*fig*) impronta; **~e (digitale)** huella *o* impresión *f* (digital).

empressé, e [ɑ̃pRese] *a* atento(a), diligente; (*péj*) obsecuente.

empressement [ɑ̃pRɛsmɑ̃] *nm* atención *f*, complacencia; (*hâte*) diligencia, prisa.

empresser [ɑ̃pRese]: **s'~** *vi* apresurarse, apurarse; **s'~ auprès de qn** mostrarse solícito(a) con alguien; **s'~ de** apresurarse a.

emprise [ɑ̃pRiz] *nf* influencia, ascendiente *m*; **sous l'~ de** bajo el dominio *o* la influencia de.

emprisonnement [ɑ̃pRizɔnmɑ̃] *nm* encarcelamiento.

emprisonner [ɑ̃pRizɔne] *vt* encarcelar; (*fig*) aprisionar, encerrar.

emprunt [ɑ̃pRœ̃] *nm* préstamo; (*gén*, COMM) préstamo, empréstito; (*littéraire*) imitación *f*.

emprunté, e [ɑ̃pRœ̃te] *a* (*fig*) confuso(a), embarazado(a).

emprunter [ɑ̃pRœ̃te] *vt* pedir prestado; (*route, itinéraire*) tomar, seguir; (*fig*) tomar, imitar; **emprunteur, euse** *nm/f* el/la que toma prestado, prestatario/a.

empuantir [ɑ̃pɥɑ̃tiR] *vt* infestar, contaminar.

ému, e [emy] *pp de* **émouvoir** // *a* emocionado(a); (*attendri*) conmovido(a).

émulation [emylasjɔ̃] *nf* emulación *f*, competencia.

émule [emyl] *nm/f* émulo/a, competidor/ora; (*péj*) émulo/a.

émulsion [emylsjɔ̃] *nf* emulsión *f*.

en [ɑ̃] *prép* en; (*avec direction*) a; **~ bois/verre** de madera/vidrio; **~ travaillant** trabajando; **~ dormant** durmiendo, al dormir; **~ apprenant la nouvelle/sortant** al conocer la noticia/salir; **~ bon diplomate, il n'a rien dit** como buen diplomático, no dijo nada; **le même ~ plus grand** el mismo en tamaño más grande // *pron*: **j'~ viens/sors** de allí vengo/salgo; **il ~ est mort/perd le sommeil** por eso murió/pierde el sueño; **il ~ est aimé** es amado por él(ella); **il l'~ a frappé** lo golpeó con él; **j'~ connais les défauts** conozco los defectos de eso; **j'~ ai/veux** (lo/la/los/las) tengo/quiero; **j'~ ai assez** estoy harto(a); **où ~ étais- je?** ¿donde estaba?, ¿en qué estaba?; **ne pas s'~ faire** no preocuparse; **j'~ viens à penser que** llego a pensar que.

EN *sigle f voir* **école.**

ENA [ena] *sigle f* = *École nationale d'administration.*

énamourer, enamourer [enamuRe]: **s'~ de** *vt* enamorarse de.

en-avant [ɑ̃navɑ̃] *nm* pase *m* adelante.

encablure [ɑ̃kablyR] *nf* cable *m*.

encadrement [ɑ̃kadRəmɑ̃] *nm* (*de porte*) marco, recuadro.

encadrer [ɑ̃kadRe] *vt* encuadrar, enmarcar; (*fig*) rodear, flanquear; (*personnel, soldats etc*) encuadrar, tener a su mando; (ÉCON) controlar; **encadreur** *nm* fabricante *m o* montador *m* de marcos.

encaisse [ɑ̃kɛs] *nf* caja,

recaudación *f*; ~ **or/métallique** respaldo oro/metálico.
encaissé, e [ɑ̃kese] *a* encajonado(a).
encaisser [ɑ̃kese] *vt* cobrar; (*fig*) cobrar, llevarse; **s'~** *vi* encajonarse; **encaisseur** *nm* cobrador *m*, recaudador *m*.
encan [ɑ̃kɑ̃]: **à l'~** *ad* en subasta.
encanailler [ɑ̃kanɑje]: **s'~** *vi* encanallarse, corromperse.
encart [ɑ̃kaʀ] *nm* (*publicitaire*) encarte *m*, volante *m*.
en-cas, encas [ɑ̃kɑ] *nm* colación *f*, refrigerio.
encastrer [ɑ̃kastʀe] *vt* encastrar, empotrar; **s'~ dans** embutirse *o* empotrarse en; (*fig*) estrellarse *o* chocar contra.
encaustique [ɑ̃kɔstik] *nf* cera; **encaustiquer** *vt* encerar.
enceinte [ɑ̃sɛ̃t] *af* encinta, embarazada; **~ de 6 mois** embarazada de 6 meses // *nf* muralla; (*espace, pièce*) recinto; ~ **(acoustique)** circuito (acústico).
encens [ɑ̃sɑ̃] *nm* incienso; **~er** *vt* incensar, quemar incienso; (*fig*) incensar, adular; **~oir** *nm* incensario.
encéphalite [ɑ̃sefalit] *nf* encefalitis *f*.
encercler [ɑ̃sɛʀkle] *vt* cercar.
enchaînement [ɑ̃ʃɛnmɑ̃] *nm* (*liaison*) coordinación *f*, ilación *f*; ~ **de circonstances** encadenamiento *o* concatenación *f* de circunstancias.
enchaîner [ɑ̃ʃene] *vt* encadenar; (*coordonner*) coordinar; encadenar.
enchanté, e [ɑ̃ʃɑ̃te] *a*: ~ **(de faire votre connaissance)** encantado de conocerle.
enchantement [ɑ̃ʃɑ̃tmɑ̃] *nm* (*magie*) encantamiento, hechizo; **comme par ~** como por encanto *o* arte de magia.
enchanter [ɑ̃ʃɑ̃te] *vt* encantar, embelesar; **enchanteur, eresse** *a* encantador(ora).
enchâsser [ɑ̃ʃɑse] *vt* engastar, engarzar; (*pièce, élément*) encastrar.
enchère [ɑ̃ʃɛʀ] *nf* puja, oferta; **faire une ~** hacer una oferta; **mettre/vendre aux ~s** sacar a/vender en subasta; **les ~s montent** las ofertas suben.
enchevêtrer [ɑ̃ʃəvɛtʀe] *vt* embrollar, enmarañar; **s'~** *vi* enmarañarse, embrollarse.
enclave [ɑ̃klav] *nf* enclave *m*; **enclaver** *vt* (*entourer*) enclavar.
enclencher [ɑ̃klɑ̃ʃe] *vt* engranar, acoplar; **s'~** *vi* engranarse.
enclin, e [ɑ̃klɛ̃, in] *a*: ~ **à** propenso a.
enclore [ɑ̃klɔʀ] *vt* cercar.
enclos [ɑ̃klo] *nm* cercado.
enclume [ɑ̃klym] *nf* yunque *m*.
encoche [ɑ̃kɔʃ] *nf* muesca.
encoignure [ɑ̃kwanyʀ] *nf* rincón *m*.
encoller [ɑ̃kɔle] *vt* encolar.
encolure [ɑ̃kɔlyʀ] *nf* cuello; (*COUTURE, décolleté*) escote *m*.
encombrant, e [ɑ̃kɔ̃bʀɑ̃, ɑ̃t] *a* molesto(a), fastidioso(a).
encombre [ɑ̃kɔ̃bʀ(ə)] : **sans ~** *ad* sin inconvenientes.
encombrement [ɑ̃kɔ̃bʀəmɑ̃] *nm* atascamiento, obstrucción *f*; (*de circulation*) embotellamiento; (*d'un objet*) volumen *m*, tamaño.
encombrer [ɑ̃kɔ̃bʀe] *vt* estorbar, obstruir; (*fig*) recargar, abarrotar; (*personne*) estorbar, fastidiar; **s'~ de** cargarse *o* abarrotarse de.
encontre [ɑ̃kɔ̃tʀ(ə)]: **à l'~ de** *prép* en contra de.
encorbellement [ɑ̃kɔʀbɛlmɑ̃] *nm* saledizo, saliente *f*; **en ~** en saliente.
encorder [ɑ̃kɔʀde] *vt*: **s'~** encordarse.
encore [ɑ̃kɔʀ] *ad* todavía, aún; (*de nouveau*) otra vez, otra vez más; (*restriction*) aún así, con todo; ~ **plus fort/mieux** aún más fuerte/mejor; **pas ~** todavía *o* aún no; ~ **que** a pesar de que, aunque; ~ **une fois/deux jours** una vez/dos

diás más; **non seulement... mais ~** no sólo... sino también.

encouragement [ãkuʀaʒmã] *nm* ánimo, aliento.

encourager [ãkuʀaʒe] *vt* animar, alentar; (*activité, tendance*) fomentar, alentar.

encourir [ãkuʀiʀ] *vt* arriesgarse *o* exponerse a.

encrasser [ãkʀase] *vt* ensuciar.

encre [ãkʀ(ə)] *nf* tinta; **~ de Chine** tinta china; **~ sympathique** tinta simpática *o* invisible; **encrer** *vt* entintar; **encreur** *am*: **rouleau encreur** rodillo entintador; **encrier** *nm* tintero.

encroûter [ãkʀute]: **s'~** *vi* embrutecerse, sumirse.

encyclique [ãsiklik] *nf* encíclica.

encyclopédie [ãsiklɔpedi] *nf* enciclopedia; **encyclopédique** *a* enciclopédico(a).

endémique [ãdemik] *a* (*MÉD*) endémico(a).

endetter [ãdete] *vt* llenar de deudas; **s'~** endeudarse.

endeuiller [ãdœje] *vt* enlutar.

endiablé, e [ãdjable] *a* endiablado(a); (*turbulent*) inquieto(a), revoltoso(a).

endiguer [ãdige] *vt* embalsar; (*fig*) poner dique a, refrenar.

endimancher [ãdimãʃe] *vt*: **s'~** endomingarse.

endive [ãdiv] *nf* endibia, escarola.

endocrine [ãdɔkʀin] *af*: **glande ~** glándula endocrina.

endoctriner [ãdɔktʀine] *vt* adoctrinar.

endommager [ãdɔmaʒe] *vt* dañar, perjudicar.

endormi, e [ãdɔʀmi] *a* (*indolent, lent*) haragán(ana), indolente.

endormir [ãdɔʀmiʀ] *vt* adormecer, dormir; (*fig*) engañar, distraer; (*ennuyer*) aburrir, dar sueño; (*MÉD*) dormir, anestesiar; **s'~** *vi* adormecerse, dormirse; (*fig*) dormirse, distraerse.

endosser [ãdose] *vt* asumir; (*chèque*) endosar; (*tenue*) endosar, vestir.

endroit [ãdʀwa] *nm* lugar *m*, sitio; (*d'un objet, d'une douleur*) parte *f*, sitio; (*opposé à l'envers*) derecho; **à l'~** al derecho; **à l'~ de** *prép* para con, con respecto a.

enduire [ãdɥiʀ] *vt* recubrir; **~ qch de** untar *o* recubrir algo con; **enduit** *nm* capa, mano *f*.

endurant, e [ãdyʀã, ãt] *a* resistente, fuerte.

endurci, e [ãdyʀsi] *a* inveterado(a).

endurcir [ãdyʀsiʀ] *vt* curtir, insensibilizar; **s'~** *vi* curtirse, endurecerse.

endurer [ãdyʀe] *vt* resistir, soportar.

énergétique [enɛʀʒetik] *a* energético(a).

énergie [enɛʀʒi] *nf* energía; **énergique** *a* enérgico(a).

énerver [enɛʀve] *vt* irritar, exasperar; **s'~** *vi* irritarse, ponerse nervioso(a).

enfance [ãfãs] *nf* infancia; **c'est l'~ de l'art** es un juego de niños, está tirado.

enfant [ãfã] *nm/f* niño/a, chico/a; (*fig*) niño/a, chiquillo/a; (*fils, fille, fig*) hijo/a; **bon ~** *a* bonachón(ona); **petit(e) ~** (*bambin*) niñito/a, nene/a; **~ de chœur** *nm* monaguillo; (*fig*) inocentón *m*, crédulo; **~ prodigue** hijo pródigo; **~er** *vi* parir, dar a luz // *vt* (*œuvre*) producir, crear; **~illage** *nm* (*péj*) chiquillada, simpleza; **~in, e** *a* infantil; (*simple*) pueril, infantil.

enfer [ãfɛʀ] *nm* infierno; **allure/bruit d'~** ritmo/ruido infernal.

enfermer [ãfɛʀme] *vt* encerrar; **s'~** encerrarse, recluirse.

enferrer [ãfeʀe]: **s'~** *vi* (*fig*) enredarse.

enfiévré, e [ãfjevʀe] *a* excitado(a), enardecido(a).

enfilade [ãfilad] *nf*: **~ de** hilera de; **en ~** en fila *o* hilera.

enfiler [ɑ̃file] *vt* enhebrar, ensartar; (*aiguille*) enhebrar; (*vêtement*) ponerse; (*rue, couloir*) tomar, coger; (*insérer*) meter, ensartar.
enfin [ɑ̃fɛ̃] *ad* (*pour finir, finalement*) finalmente, por fin; (*dans une énumération*) por último; (*de restriction, concession, de résignation, pour conclure*) en fin.
enflammer [ɑ̃flame] *vt* inflamar, encender; (*MÉD*) inflamar, irritar; (*fig*) inflamar, enardecer; **s'~** inflamarse.
enflé, e [ɑ̃fle] *a* hinchado(a); (*péj*) ampuloso(a).
enfler [ɑ̃fle] *vi* (*MÉD*) hincharse; **s'~** *vi* (*fig*) aumentar, hincharse.
enfoncé, e [ɑ̃fɔ̃se] *a* (*yeux*) hundido(a).
enfoncer [ɑ̃fɔ̃se] *vt* (*clou*) clavar, hundir; (*porte, plancher etc*) derribar; (*lignes ennemies*) abatir, arrollar; (*fam*) hundir, derrotar // *vi* hundirse; **s'~** *vi* hundirse; **~ qch dans** hundir algo en; **s'~ dans** (*forêt, ville*) adentrarse *o* penetrar en; (*mensonge, erreur*) hundirse *o* sumirse en.
enfouir [ɑ̃fwiʀ] *vt* ocultar, esconder; (*dans le sol*) enterrar; **s'~ dans/sous** sumergirse en/bajo.
enfourcher [ɑ̃fuʀʃe] *vt* montar a horcajadas en.
enfourner [ɑ̃fuʀne] *vt* poner al horno; (*mettre*) enfundar, meter.
enfreindre [ɑ̃fʀɛ̃dʀ(ə)] *vt* infringir, transgredir.
enfuir [ɑ̃fɥiʀ]: **s'~** *vi* huir, evadirse.
enfumer [ɑ̃fyme] *vt* ahumar.
engagé, e [ɑ̃gaʒe] *a* comprometido(a) // *nm* (*MIL*) voluntario.
engageant, e [ɑ̃gaʒɑ̃, ɑ̃t] *a* prometedor(ora), atractivo(a).
engagement [ɑ̃gaʒmɑ̃] *nm* contrata, iniciación *f*; compromiso; (*promesse*) compromiso, promesa; (*rendez-vous etc*) compromiso; (*MIL*) encuentro.
engager [ɑ̃gaʒe] *vt* (*embaucher*) tomar, contratar; (*commencer*) iniciar, entablar; (*suj: promesse etc*) comprometer; (*argent*) invertir, colocar; (*troupes*) hacer intervenir, hacer entrar en acción; (*inciter*) animar, inducir; (*faire pénétrer*) meter, introducir; **s'~** *vi* contratarse, alistarse; (*promettre*) comprometerse; **s'~ dans** internarse *o* entrar en; (*voie, carrière*) meterse *o* aventurarse en.
engoncé, e [ɑ̃gɔ̃se] *a*: **~ dans** embutido en.
engorger [ɑ̃gɔʀʒe] *vt* obstruir, atascar; **s'~** *vi* atascarse, obstruirse.
engouement [ɑ̃gumɑ̃] *nm* entusiasmo, deslumbramiento.
engouffrer [ɑ̃gufʀe] *vt* consumir, devorar; **s'~ dans** precipitarse en.
engourdi, e [ɑ̃guʀdi] *a* entumecido(a).
engourdir [ɑ̃guʀdiʀ] *vt* adormecer, entumecer; (*fig*) embotar; **s'~** *vi* embotarse; adormecerse.
engrais [ɑ̃gʀɛ] *nm* abono, fertilizante *m*; **~ chimique** abono químico *o* artificial.
engraisser [ɑ̃gʀese] *vt* engordar, cebar // *vi* (*péj*) engordar, enriquecerse.
engranger [ɑ̃gʀɑ̃ʒe] *vt* entrojar.
engrenage [ɑ̃gʀənaʒ] *nm* engranaje *m*; (*fig*) engranaje, encadenamiento.
engueuler [ɑ̃gœle] *vt* (*fam*) regañar, sermonear.
enhardir [ɑ̃aʀdiʀ]: **s'~** *vi* atreverse.
énigmatique [enigmatik] *a* enigmático(a).
énigme [enigm(ə)] *nf* (*jeu*) enigma *m*; (*fig*) enigma, misterio.
enivrer [ɑ̃nivʀe] *vt* embriagar, emborrachar; (*fig*) embriagar, marear.
enjambée [ɑ̃ʒɑ̃be] *nf* salto; zancada.
enjamber [ɑ̃ʒɑ̃be] *vt* saltar, franquear; (*suj: pont etc*) franquear.

enjeu, x [ɑ̃ʒø] *nm* apuesta, postura; (*d'une élection, d'un match*) lo que está en juego.
enjoindre [ɑ̃ʒwɛ̃dʀ(ə)] *vt*: ~ **à qn de faire** ordenar a alguien que haga.
enjôler [ɑ̃ʒole] *vt* camelar, engaitar.
enjoliver [ɑ̃ʒɔlive] *vt* adornar, aderezar.
enjoliveur [ɑ̃ʒɔlivœʀ] *nm* (AUTO) embellecedor *m*.
enjoué, e [ɑ̃ʒwe] *a* alegre, jovial.
enlacer [ɑ̃lɑse] *vt* abrazar, estrechar; (*suj*: *corde, liane*) liar, atar.
enlaidir [ɑ̃ledir] *vt* afear // *vi* ponerse feo(a).
enlèvement [ɑ̃lɛvmɑ̃] *nm* rapto, secuestro.
enlever [ɑ̃lve] *vt* quitarse, sacarse; (*meuble, objet qui traîne*) sacar, quitar; (*tache etc*) quitar; (MÉD: *organe*) sacar, extraer; (*ordures*) recoger; (*meubles à déménager*) retirar; (*kidnapper*) raptar, secuestrar; (*suj*: *maladie*) llevar; (*prix, victoire, contrat etc*) llevarse, lograr; (MIL: *position ennemie*) conquistar; (MUS) ejecutar brillantemente; ~ **qch à qn** quitar algo a alguien.
enliser [ɑ̃lize]: **s'~** *vi* empantanarse, atascarse.
enluminure [ɑ̃lyminyʀ] *nf* estampa.
enneigé, e [ɑ̃neʒe] *a* nevado(a), cubierto(a) de nieve.
enneigement [ɑ̃nɛʒmɑ̃] *nm* estado de la nieve.
ennemi, e [ɛnmi] *a* enemigo(a) // *nm/f* enemigo/a, adversario/a // *nm* enemigo; **être ~ de** ser enemigo de *o* contrario a.
ennoblir [ɑ̃nɔbliʀ] *vt* ennoblecer, enaltecer.
ennui [ɑ̃nɥi] *nm* aburrimiento, hastío; **un ~** una dificultad, un contratiempo; **avoir des ~s** tener dificultades *o* problemas.
ennuyer [ɑ̃nɥije] *vt* molestar, fastidiar; (*contrarier*) contrariar, fastidiar; (*lasser*) aburrir, cansar; **si cela ne vous ennuie pas** si no le molesta; **s'~** *vi* aburrirse; **s'~ de qn/qch** echar de menos a alguien/algo; **ennuyeux, euse** *a* aburrido(a), fastidioso(a); (*contrariant*) molesto(a), fastidioso(a).
énoncé [enɔ̃se] *nm* enunciado.
énoncer [enɔ̃se] *vt* enunciar, formular.
enorgueillir [ɑ̃nɔʀgœjiʀ] : **s'~ de** *vt* enorgullecerse de, jactarse de.
énorme [enɔʀm(ə)] *a* enorme, inmenso(a); (*important*) enorme, colosal; **énormément** *ad* muchísimo; **énormément de** muchísimo(a); **énormité** *nf* enormidad *f*, inmensidad *f*.
enquérir [ɑ̃keʀiʀ] : **s'~ de** *vt* informarse sobre, preguntar por.
enquête [ɑ̃kɛt] *nf* investigación *f*, sumario; (*de journaliste, sondage d'opinion*) encuesta; **enquêter** *vi* investigar; (*journaliste*) hacer una encuesta; **enquêter sur** investigar sobre; **enquêteur, euse** *ou* **trice** *nm/f* investigador/ora, encuestador/ora.
enquiers *etc vb voir* **enquérir.**
enraciné, e [ɑ̃ʀasine] *a* (*fig*) arraigado(a).
enragé, e [ɑ̃ʀaʒe] *a* rabioso(a); (*fig*) apasionado(a), empedernido(a); ~ **de** apasionado por, fanático de.
enrageant, e [ɑ̃ʀaʒɑ̃, ɑ̃t] *a* enojoso(a), irritante.
enrager [ɑ̃ʀaʒe] *vi* rabiar; **faire ~ qn** hacer rabiar a alguien.
enrayer [ɑ̃ʀeje] *vt* detener, cortar; **s'~** *vi* atascarse, encasquillarse.
enregistrement [ɑ̃ʀʒistʀəmɑ̃] *nm* grabación *f*; inscripción *f*; facturación *f*; (*bande, disque*) grabación.
enregistrer [ɑ̃ʀʒistʀe] *vt* grabar; (*amélioration, perte etc*) registrar, acusar; (*plainte, requête*) registrar, inscribir; (*mémoriser*) registrar,

grabar; (*aussi*: **faire** ~: *bagages*) facturar; **enregistreur, euse** *a* registrador(ora) // *nm* registrador *m*.

enrhumer [ɑ̃ʀyme]: **s'**~ *vi* resfriarse, constiparse.

enrichir [ɑ̃ʀiʃiʀ] *vt* enriquecer; **s'**~ enriquecerse.

enrober [ɑ̃ʀɔbe] *vt*: ~ **qch de** revestir *o* cubrir algo con.

enrôler [ɑ̃ʀole] *vt* enrolar, reclutar; **s'**~ **(dans)** enrolarse *o* alistarse (en).

enroué, e [ɑ̃ʀwe] *a* ronco(a).

enrouer [ɑ̃ʀwe] : **s'**~ *vi* ponerse ronco(a).

enrouler [ɑ̃ʀule] *vt* enrollar; ~ **qch autour de** enrollar *o* envolver algo alrededor de; **s'**~ enrollarse, envolverse; **enrouleur, euse** *a* enrollador(ora) // *nm*: **ceinture de sécurité à enrouleur** cinturón *m* de seguridad arrollable.

enrubanné, e [ɑ̃ʀybane] *a* adornado(a) con cintas.

ENS *sigle f* = *École normale supérieure*.

ensabler [ɑ̃sɑble] *vt* enarenar; (*embarcation*) varar en la arena; **s'**~ *vi* enarenarse; encallarse en la arena.

ensanglanté, e [ɑ̃sɑ̃glɑ̃te] *a* ensangrentado(a).

enseignant, e [ɑ̃sɛɲɑ̃, ɑ̃t] *a, nm/f* docente (*m/f*).

enseigne [ɑ̃sɛɲ] *nf* letrero; **à telle** ~ **que** a tal punto que, la prueba es que.

enseignement [ɑ̃sɛɲmɑ̃] *nm* enseñanza; (*leçon, conclusion*) enseñanza, lección *f*; (*profession*) enseñanza, docencia; (*administration*) enseñanza, instrucción *f*; ~ **primaire/secondaire** enseñanza primaria/secundaria; ~ **supérieur** *ou* **universitaire** enseñanza superior *o* universitaria.

enseigner [ɑ̃seɲe] *vt* enseñar; (*suj*: *choses*) enseñar, aleccionar // *vi* enseñar.

ensemble [ɑ̃sɑ̃bl(ə)] *ad* juntos(as); (*en même temps*) juntos(as), simultáneamente // *nm* conjunto; (*unité, harmonie*) armonía, unidad *f*; **l'**~ **de** la totalidad de, todo(a); **aller** ~ (*être assorti*) combinarse; **impression/mouvement d'**~ impresión *f*/movimiento general *o* de conjunto; **dans l'**~ en conjunto, en rasgos generales; ~ **vocal** conjunto vocal.

ensemblier [ɑ̃sɑ̃blije] *nm* decorador/ora.

ensemencer [ɑ̃smɑ̃se] *vt* sembrar.

enserrer [ɑ̃seʀe] *vt* apretar, ceñir.

ensevelir [ɑ̃səvliʀ] *vt* sepultar.

ensilage [ɑ̃silaʒ] *nm* ensilaje *m*.

ensoleillé, e [ɑ̃sɔleje] *a* soleado(a), luminoso(a).

ensoleillement [ɑ̃sɔlɛjmɑ̃] *nm* soleamiento.

ensommeillé, e [ɑ̃sɔmeje] *a* somnoliento(a), amodorrado(a).

ensorceler [ɑ̃sɔʀsəle] *vt* embrujar.

ensuite [ɑ̃sɥit] *ad* después; (*plus tard*) después, luego; ~ **de quoi** después de lo cual.

ensuivre [ɑ̃sɥivʀ(ə)]: **s'**~ *vi* derivarse, seguirse; **il s'ensuit que** como consecuencia, de esto resulta que.

entacher [ɑ̃taʃe] *vt* mancillar; **entaché de nullité** viciado de nulidad.

entaille [ɑ̃tɑj] *nf* muesca, ranura; (*blessure*) tajo, herida.

entailler [ɑ̃tɑje] *vt* cortar; **s'**~ **le doigt** *etc* lastimarse el dedo *etc*.

entamer [ɑ̃tame] *vt* comenzar, empezar; (*hostilités, pourparlers*) iniciar, entablar; (*fig*) menguar, debilitar.

entartrer [ɑ̃taʀtʀe]: **s'**~ *vi* cubrirse de sarro.

entasser [ɑ̃tɑse] *vt* amontonar, apilar; (*personnes, animaux*) amontonar, hacinar; **s'**~ *vi* amontonarse, apiñarse.

entendement [ɑ̃tɑ̃dmɑ̃] *nm* entendimiento, razón *f*.

entendre [ɑ̃tɑ̃dʀ(ə)] *vt* oír, escuchar; (*accusé, témoin*) escuchar, atender; (*comprendre*) entender, comprender; (*vouloir dire*) entender, querer decir; ~ **être obéi/que** exigir ser obedecido/que; **s'~** entenderse, comprenderse; (*se mettre d'accord*) entenderse, ponerse de acuerdo; **j'ai entendu dire que** quise decir que; ~ **raison** entrar en razones; **s'~ à qch** entender de algo; **s'~ à faire qch** ser entendido(a) *o* competente para hacer algo; **je m'entends** yo me entiendo, se lo que digo; **(cela) s'entend** (eso) se entiende, naturalmente.

entendu, e [ɑ̃tɑ̃dy] *a* (*affaire*) resuelto(a), decidido(a); (*air*) entendido(a), conocedor(ora); **c'est ~** de acuerdo; **bien ~!** ¡por supuesto!

entente [ɑ̃tɑ̃t] *nf* comprensión *f*, unión *f*; (*accord, traité*) acuerdo, tratado; **à double ~** de doble sentido.

entériner [ɑ̃teʀine] *vt* convalidar, ratificar.

entérite [ɑ̃teʀit] *nf* enteritis *f*.

enterrement [ɑ̃tɛʀmɑ̃] *nm* entierro, funeral *m*.

enterrer [ɑ̃teʀe] *vt* enterrar, sepultar; (*trésor etc*) enterrar; (*suj: avalanche etc*) sepultar; (*dispute, projet*) echar tierra sobre.

entêtant, e [ɑ̃tɛtɑ̃, ɑ̃t] *a* que aturde *o* marea.

en-tête [ɑ̃tɛt] *nm* membrete *m*; **à ~** *a* con membrete.

entêté, e [ɑ̃tete] *a* porfiado(a), tozudo(a).

entêter [ɑ̃tete]: **s'~** *vi* empecinarse, obstinarse; **s'~ à** empecinarse en.

enthousiasme [ɑ̃tuzjasm(ə)] *nm* entusiasmo, exaltación *f*; **enthousiasmer** *vt* entusiasmar, encantar; **s'enthousiasmer (pour qch)** entusiasmarse *o* apasionarse (con algo); **enthousiaste** *a* entusiasta, apasionado(a).

enticher [ɑ̃tiʃe] : **s'~ de** *vt* encapricharse con.

entier, ère [ɑ̃tje, jɛʀ] *a* (*non entamé*) entero(a); (*en totalité*) todo(a), completo(a); (*total, complet*) total, absoluto(a); (*personne, caractère*) íntegro(a), cabal // *nm* (MATH) entero; **en ~** por entero(a) *o* completo(a); **entièrement** *ad* totalmente, absolutamente.

entité [ɑ̃tite] *nf* entidad *f*, ente *m*.

entomologie [ɑ̃tɔmɔlɔʒi] *nf* entomología.

entonner [ɑ̃tɔne] *vt* entonar.

entonnoir [ɑ̃tɔnwaʀ] *nm* embudo; (*trou*) hoyo.

entorse [ɑ̃tɔʀs(ə)] *nf* esguince *m*; (*fig*): **~ à** violación *f* a.

entortiller [ɑ̃tɔʀtije] *vt* envolver; enrollar; (*fam*) envolver, enredar.

entourage [ɑ̃tuʀaʒ] *nm* allegados; (*ce qui enclôt*) cerco.

entourer [ɑ̃tuʀe] *vt* cercar, rodear; (*cerner*) cercar, sitiar; (*suj: choses*) rodear, bordear; (*apporter son soutien à*) reconfortar, agasajar; **~ qch de** cercar algo con; **~ qn de soins** prodigar cuidados a alguien; **s'~ de** rodearse de.

entournures [ɑ̃tuʀnyʀ] *nfpl*: **gêné aux ~** ajustado de hombros; (*fig*) molesto, apretado.

entracte [ɑ̃tʀakt(ə)] *nm* (*au cinéma, concert*) intermedio, entreacto.

entraide [ɑ̃tʀɛd] *nf* ayuda mutua.

entraider [ɑ̃tʀede]: **s'~** *vb réciproque* ayudarse mutuamente.

entrailles [ɑ̃tʀɑj] *nfpl* entrañas.

entrain [ɑ̃tʀɛ̃] *nm* animación *f*, vivacidad *f*; **avec/sans ~** con/sin resolución *o* entusiasmo.

entraînant, e [ɑ̃tʀɛnɑ̃, ɑ̃t] *a* excitante, irresistible.

entraînement [ɑ̃tʀɛnmɑ̃] *nm* entrenamiento, práctica; (TECH): **~ à chaîne/galet** tracción *f* a cadena/rodillo.

entraîner [ɑ̃tʀene] *vt* (*wagons etc*) arrastrar; (*objets arrachés*) acarrear, arrastrar; (TECH) accionar, poner en movimiento;

(*emmener*) llevarse; (*mener à l'assaut*) llevar a la ofensiva; (SPORT) entrenar; (*influencer*) arrastrar, influenciar; (*changement, dépenses etc*) acarrear, ocasionar; ~ **qn à** arrastrar a alguien a; **s'~** (SPORT) entrenarse; **s'~ à** habituarse a; **entraîneur, euse** *nm/f* entrenador/ora // *nm* (HIPPISME) picador *m* // *nf* tanguista, gancho.
entrave [ɑ̃tʀav] *nf* (*fig*) traba, obstáculo.
entraver [ɑ̃tʀave] *vt* (*fig*) obstaculizar, dificultar.
entre [ɑ̃tʀ(ə)] *prép* entre; (*à travers*) entre, en; **l'un d'~ eux/nous** uno de ellos/nosotros; **le meilleur d'~ eux/nous** el mejor de ellos/nosotros; **ils préfèrent rester ~ eux** prefieren permanecer entre ellos; **ils se battent ~ eux** se pelean entre sí.
entrebâiller [ɑ̃tʀəbɑje] *vt* entreabrir.
entrechat [ɑ̃tʀəʃa] *nm* entrechat *m*.
entrechoquer [ɑ̃tʀəʃɔke] : **s'~** *vi* entrechocarse.
entrecôte [ɑ̃tʀəkot] *nf* entrecote *m*, solomillo de vaca.
entrecouper [ɑ̃tʀəkupe] *vt*: ~ **qch de** interrumpir algo con.
entrecroiser [ɑ̃tʀəkʀwaze] *vt* entrecruzar; **s'~** *vi* entrecruzarse.
entrée [ɑ̃tʀe] *nf* entrada, ingreso; (*accès*) entrada, acceso; (*billet, voie d'accès, aussi* CULIN) entrada; ~**s** *fpl*: **avoir ses ~s chez/auprès de** tener libre acceso a; **d'~** *ad* de entrada, desde el comienzo; **faire son ~ dans** presentarse en; **'~ interdite/libre'** 'entrada prohibida/libre'; ~ **des artistes** entrada de los artistas; ~ **en matière** comienzo, introducción *f*.
entrefaites [ɑ̃tʀəfɛt] : **sur ces ~** *ad* en esto, en ese momento.
entrefilet [ɑ̃tʀəfilɛ] *nm* noticia breve, suelto.
entrejambes [ɑ̃tʀəʒɑ̃b] *nm* entrepierna.
entrelacer [ɑ̃tʀəlase] *vt* (*fils*) entrelazar.
entrelarder [ɑ̃tʀəlaʀde] *vt* (*viande*) mechar; (*fig*): **entrelardé de** salpicado de.
entremêler [ɑ̃tʀəmele] *vt* entremezclar; ~ **qch de** entremezclar algo con, entrecortar algo por.
entremets [ɑ̃tʀəmɛ] *nm plato dulce que se sirve antes de la fruta.*
entremettre [ɑ̃tʀəmɛtʀ(ə)] : **s'~** *vi* mediar, interceder; (*péj*) entremeterse; **entremise** *nf*: **par l'entremise de** por intermedio *o* mediación de.
entrepont [ɑ̃tʀəpɔ̃] *nm* cubierta intermedia, entrepuente *m*.
entreposer [ɑ̃tʀəpoze] *vt* depositar.
entrepôt [ɑ̃tʀəpo] *nm* depósito.
entreprenant, e [ɑ̃tʀəpʀənɑ̃, ɑ̃t] *a* emprendedor(ora), resuelto(a); (*trop galant*) audaz, atrevido.
entreprendre [ɑ̃tʀəpʀɑ̃dʀ(ə)] *vt* emprender, iniciar; (*personne*) abordar; ~ **de faire qch** tratar de hacer algo, intentar hacer algo.
entrepreneur [ɑ̃tʀəpʀənœʀ] *nm* (*en bâtiment*) contratista *m*; ~ **de pompes funèbres** empresario de pompas fúnebres.
entreprise [ɑ̃tʀəpʀiz] *nf* empresa; (*action, tentative*) empresa, tentativa.
entrer [ɑ̃tʀe] *vi* entrar; (*objet*) entrar, penetrar // *vt* (*aussi*: **faire ~**) introducir; ~ **dans** entrar en; (*fig*) entrar *o* ingresar en; (: *phase, période*) entrar en, iniciar; (*entrer en collision avec*) chocar; (*vues, craintes de qn*) compartir, estar de acuerdo con; (*être une composante de*) entrar en, formar parte de; ~ **au couvent** tomar los hábitos; ~ **à l'hôpital** ingresar en el hospital; **laisser ~** dejar pasar; (*lumière, air*) dejar pasar *o* entrar; **faire ~** (*visiteur*) hacer pasar, invitar a entrar.
entresol [ɑ̃tʀəsɔl] *nm* entresuelo.

entre-temps [ɑ̃tʀətɑ̃] *ad* entretanto, mientras tanto.
entretenir [ɑ̃tʀətniʀ] *vt* mantener, conservar; (*feu etc, famille, péj: maîtresse*) mantener; (*amitié, relations*) mantener, cultivar; ~ **qn (de qch)** hablar a alguien (de algo); **s'~ (de qch)** conversar (sobre algo); **entretien** *nm* conservación *f*; manutención *f*; (*discussion*) conversación *f*; (*audience*) entrevista, audiencia; **entretiens** *mpl* (*gén* POL) conferencia, coloquio; **frais d'entretien** gastos de mantenimiento.
entrevoir [ɑ̃tʀəvwaʀ] *vt* entrever; (*fig*) entrever, vislumbrar.
entrevue [ɑ̃tʀəvy] *nf* entrevista.
entrouvrir [ɑ̃tʀuvʀiʀ] *vt* entreabrir.
énumération [enymeʀɑsjɔ̃] *nf* enumeración *f*.
énumérer [enymeʀe] *vt* enumerar.
envahir [ɑ̃vaiʀ] *vt* invadir; (*fig*) invadir, apoderarse de; **envahissant, e** *a* (*péj*) entrometido(a); **envahisseur** *nm* invasor *m*.
envaser [ɑ̃vɑze]: **s'~** *vi* atascarse en el fango; (*lac, rivière*) cegarse.
enveloppe [ɑ̃vlɔp] *nf* sobre *m*; (*gén*, TECH) envoltura, funda; **mettre sous ~** poner en un sobre; **~ autocollante** sobre autoadhesivo.
envelopper [ɑ̃vlɔpe] *vt* envolver; (*fig*) envolver, rodear; **s'~ dans** envolverse en.
envenimer [ɑ̃vnime] *vt* (*fig*) empeorar, encizañar; **s'~** *vi* empeorarse; (*plaie*) enconarse.
envergure [ɑ̃vɛʀgyʀ] *nf* envergadura; (*fig*) envergadura, magnitud *f*; (: *d'une personne*) categoría, vuelo.
enverrai *etc vb voir* **envoyer.**
envers [ɑ̃vɛʀ] *prép* hacia, para con // *nm* (*d'une feuille*) envés *m*, cara dorsal; (*d'une étoffe, d'un vêtement*) revés *m*, contrahaz *f*; (*fig*) envés, contrario; **à l'~** al revés; **~ et contre tous** *ou* **tout** contra viento y marea.
envie [ɑ̃vi] *nf* envidia; **une ~** un deseo, unas ganas; (*sur la peau*) antojo; (*filet de peau*) padrastro; **avoir ~ de qch** tener ganas de algo; **avoir ~ de faire qch** tener ganas de hacer algo; (*envisager*) tener deseos de hacer algo; **avoir ~ que** desear que, querer que; **donner à qn l'~ de faire qch** dar ganas de hacer algo a alguien; **envier** *vt* envidiar; **envieux, euse** *a* envidioso(a), ávido(a) // *nm/f* (*péj*) envidioso/a.
environ [ɑ̃viʀɔ̃] *ad* aproximadamente, cerca de; **3 h/2 km ~** 3 h/2 km aproximadamente; **~ 3 h/2 km** alrededor de 3 h/2 km; **~s** *nmpl* alrededores *mpl*; **aux ~s de** en las cercanías de; (*fig*) alrededor de, aproximadamente a.
environnant, e [ɑ̃viʀɔnɑ̃, ɑ̃t] *a* cercano(a), circundante; (*fig*) que rodea, circundante.
environnement [ɑ̃viʀɔnmɑ̃] *nm* ambiente *m*, medio ambiente.
environner [ɑ̃viʀɔne] *vt* circundar, rodear; (*personne*) rodear; **s'~ de** rodearse de.
envisager [ɑ̃vizaʒe] *vt* considerar, tener en cuenta; (*projeter, songer à*) proyectar, tener en vista; **~ de faire** planear *o* proyectar hacer.
envoi [ɑ̃vwa] *nm* envío; (*paquet, colis*) paquete *m*.
envoie *etc vb voir* **envoyer.**
envol [ɑ̃vɔl] *nm* vuelo; despegue *m*.
envolée [ɑ̃vɔle] *nf* vuelo, ímpetu *m*.
envoler [ɑ̃vɔle]: **s'~** *vi* (*oiseau*) levantar vuelo; (*avion*) despegar; (*papier, feuille*) volarse; (*fig*) esfumarse, evaporarse.
envoûter [ɑ̃vute] *vt* hechizar; (*fig*) hechizar, embelesar.
envoyé, e [ɑ̃vwaje] *nm/f* enviado/a, delegado/a; (*de journal*): **~ spécial/permanent** corresponsal *m* especial/permanente.
envoyer [ɑ̃vwaje] *vt* enviar, mandar; (*projectile, ballon*) lanzar; (*gifle, critique*) propinar; **s'~** *vt*

(*fam*) zamparse; cargarse; **envoyeur, euse** *nm/f* emitente *m/f*.
enzyme [ɑ̃zim] *nm* enzima.
épagneul, e [epaɲœl] *nm/f* podenco/a.
épais, se [epɛ, ɛs] *a* grueso(a), espeso(a); (*sauce, liquide*) espeso(a), denso(a); (*fumée, brouillard, foule etc*) espeso(a), compacto(a); (*péj*) obtuso(a); **~seur** *nf* espesor *m*; densidad *f*; **~sir** *vt* espesar // *vi*, **s'~sir** *vi* espesarse.
épanchement [epɑ̃ʃmɑ̃] *nm* (*MÉD*): **~ de sinovie** derrame *m* sinovial.
épancher [epɑ̃ʃe] *vt* desahogar; **s'~** *vi* desahogarse; (*liquide*) derramarse.
épandage [epɑ̃daʒ] *nm* esparcimiento, diseminación *f*.
épanouir [epanwiʀ] *vt*: **s'~** *vi* (*fleur*) abrirse; (*visage*) despejarse, alegrarse; (*personne*) desarrollarse, alcanzar la plenitud; (*pays*) desarrollarse.
épargnant, e [epaʀɲɑ̃, ɑ̃t] *nm/f* ahorrador/ora.
épargne [epaʀɲ(ə)] *nf* ahorro; **l'~-logement** ahorro para la vivienda.
épargner [epaʀɲe] *vt* ahorrar; (*soucis*) evitar; (*ennemi, prisonnier*) perdonar la vida a; (*récolte, région*) salvar, exceptuar // *vi* ahorrar; **~ qch à qn** evitar algo a alguien, dispensar de algo a alguien.
éparpiller [epaʀpije] *vt* desparramar; (*guetteurs, postes*) diseminar; (*fig*) malgastar, derrochar; **s'~** *vi* desparramarse, dispersarse; (*manifestants etc*) dispersarse; (*fig*) dispersarse, desperdigarse.
épars, e [epaʀ, aʀs(ə)] *a* disperso(a), suelto(a).
épaté, e [epate] *a*: **nez ~** nariz achatada.
épater [epate] *vt* asombrar, sorprender.
épaule [epol] *nf* hombro; (*CULIN*) espaldilla.
épaulé-jeté [epoleʒəte] *nm* (*SPORT*) levantada y tierra.
épaulement [epolmɑ̃] *nm* (*MIL*) parapeto; (*GÉO*) rellano.
épauler [epole] *vt* respaldar, apoyar; (*arme*) encararse // *vi* apuntar.
épaulette [epolɛt] *nf* (*MIL*) charretera; (*bretelle*) tirante *m*.
épave [epav] *nf* restos; (*véhicule abandonné*) despojo; (*fig*) deshecho, ruina.
épée [epe] *nf* espada.
épeler [ɛple] *vt* deletrear; **s'~** deletrearse.
éperdu, e [epɛʀdy] *a* loco(a), extraviado(a); (*amour, gratitude*) eterno(a), infinito(a); (*fuite*) enloquecido(a); **~ment** *ad* desesperadamente; **~ment amoureux** perdidamente enamorado; **s'en ficher ~ment** desentenderse por completo.
éperon [epʀɔ̃] *nm* espuela; (*GÉO*) promontorio, espolón *m*; (*de navire*) espolón; **~ner** *vt* espolear; (*fig*) aguijonear; (*navire*) embestir con la roda.
épervier [epɛʀvje] *nm* gavilán *m*; (*PÊCHE*) esparavel *m*.
éphèbe [efɛb] *nm* efebo.
éphémère [efemɛʀ] *a* efímero(a).
éphéméride [efemeʀid] *nm* efemérides *f*.
épi [epi] *nm* espiga; **~ de cheveux** remolino; **se garer en ~** aparcar en batería.
épice [epis] *nf* especia; **épicé, e** *a* condimentado(a), picante; (*fig*) picante, picaresco(a).
épicéa [episea] *nm* pícea.
épicentre [episɑ̃tʀ(ə)] *nm* epicentro.
épicerie [episʀi] *nf* tienda de ultramarinos; (*produits*) comestibles *mpl*; **~ fine** comestibles selectos; **épicier, ière** *nm/f* tendero/a de ultramarinos.
épicurien, ne [epikyʀjɛ̃, ɛn] *a* epicúreo(a).
épidémie [epidemi] *nf* epidemia.

épiderme [epidɛʀm(ə)] *nm* epidermis *f*; **épidermique** *a* (MÉD) epidérmico(a); (*fig*) superficial, frívolo(a).
épier [epje] *vt* espiar, vigilar; (*arrivée, changement, occasion*) estar al acecho de.
épieu, x [epjø] *nm* venablo.
épigone [epigɔn] *nm* epígono.
épigramme [epigʀam] *nf* epigrama *m*.
épigraphe [epigʀaf] *nf* epígrafe *m*.
épilatoire [epilatwaʀ] *a* depilatorio(a).
épilepsie [epilɛpsi] *nf* epilepsia; **épileptique** *a, nm/f* epiléptico(a).
épiler [epile] *vt* depilar; **s'~ les jambes** depilarse las piernas; **se faire ~** hacerse depilar; **crème à ~** crema para depilar.
épilogue [epilɔg] *nm* epílogo; (*fig*) epílogo, desenlace *m*.
épiloguer [epilɔge] *vi*: **~ (sur)** comentar (sobre).
épinard [epinaʀ] *nm* (BOT) espinaca; (CULIN): **~s** espinacas.
épine [epin] *nf* espina; (*d'oursin*) púa; **épineux, euse** *a* espinoso(a); (*fig*) espinoso(a), enrevesado(a).
épingle [epɛ̃gl(ə)] *nf* alfiler *m*; **tirer son ~ du jeu** salir de apuros; **tiré à quatre ~s** de punta en blanco; **monter qch en ~** poner algo por las nubes, alardear de algo; **virage en ~ à cheveux** curva cerrada; **~ double** *ou* **de nourrice** *ou* **de sûreté** imperdible *m*; **~ de cravate** alfiler de corbata; **épingler** *vt* prender; (*fam*) atrapar, pescar.
épinière [epinjɛʀ] *a voir* **moelle**.
Épiphanie [epifani] *nf* Epifanía.
épique [epik] *a* épico(a); (*fig*) memorable.
épiscopal, e, aux [episkɔpal, o] *a* episcopal.
épiscopat [episkɔpa] *nm* episcopado.
épisode [epizɔd] *nm* episodio; **film à ~s** película en episodios; **épisodique** *a* episódico(a).
épistémologie [epistemɔlɔʒi] *nf* epistemología.
épistolaire [epistɔlɛʀ] *a* epistolar.
épitaphe [epitaf] *nf* epitafio.
épithète [epitɛt] *nf, a* epíteto.
épître [epitʀ(ə)] *nf* epístola.
éploré, e [eplɔʀe] *a* desconsolado(a), acongojado(a).
éplucher [eplyʃe] *vt* mondar, pelar; (*fig*) examinar con atención; **éplucheur** *nm* (*à légumes*) mondador *m*; **épluchures** *nfpl* mondaduras, cáscaras.
épointer [epwɛ̃te] *vt* despuntar, desmochar.
éponge [epɔ̃ʒ] *nf* esponja; **passer l'~ (sur)** (*fig*) hacer borrón y cuenta nueva (de); **éponger** *vt* absorber, enjugar; (*surface*) pasar una esponja por; **s'éponger le front** enjugarse la frente.
épopée [epɔpe] *nf* epopeya.
époque [epɔk] *nf* época, período; (*de l'année, la vie*) época, momento; **d'~** a de época; **à l'~ où/de** en la época en que/de.
épouiller [epuje] *vt* espulgar, despiojar.
époumoner [epumɔne]: **s'~** *vi* desgañitarse.
épouse [epuz] *nf voir* **époux**.
épouser [epuze] *vt* casarse con; (*fig*) adherir a; (:)*forme, mouvement*) adaptarse a.
épousseter [epuste] *vt* desempolvar, quitar el polvo a.
époustouflant, e [epustuflɑ̃, ɑ̃t] *a* sorprendente, asombroso(a).
épouvantable [epuvɑ̃tabl(ə)] *a* horroroso(a), pavoroso(a); (*sens affaibli*) espantoso(a), terrible.
épouvantail [epuvɑ̃taj] *nm* espantapájaros *m inv*; (*fig*) espectro, coco.
épouvante [epuvɑ̃t] *nf* espanto, terror *m*; **film d'~** película de terror; **épouvanter** *vt* aterrorizar, horrorizar; (*sens affaibli*) espantar.
époux, ouse [epu, uz] *nm/f* esposo/a // *nmpl* esposos.

éprendre [epʀɑ̃dʀ(ə)]: **s'~ de** *vt* enamorarse de.

épreuve [epʀœv] *nf* desventura, contrariedad *f*; (SCOL) prueba, examen *m*; (SPORT, PHOTO, IMPRIMERIE) prueba; **à l'~ de** a prueba de; **mettre à l'~** poner a prueba.

épris, e [epʀi, iz] *pp de* **éprendre.**

éprouvant, e [epʀuvɑ̃, ɑ̃t] *a* penoso(a).

éprouvé, e [epʀuve] *a* (*sûr*) a toda prueba.

éprouver [epʀuve] *vt* probar; (*personne*) probar, poner a prueba; (*faire souffrir*) afectar, hacer padecer; (*fatigue etc, sentiment*) experimentar, sentir; (*difficultés etc*) encontrar, tropezar con.

éprouvette [epʀuvɛt] *nf* probeta.

épuisé, e [epɥize] *a* agotado(a), exhausto(a); (*stock, livre*) agotado(a).

épuiser [epɥize] *vt* agotar, extenuar; (*stock, ressources etc*) agotar, consumir; (*fig*) agotar; **s'~** *vi* agotarse; (*stock*) agotarse, acabarse.

épuisette [epɥizɛt] *nf* manga.

épurer [epyʀe] *vt* depurar; (*fig*) depurar, purgar.

équarrir [ekaʀiʀ] *vt* escuadrar, labrar a escuadra; (*animal*) descuartizar.

équateur [ekwatœʀ] *nm* ecuador *m.*

Equateur [ekwatœʀ] *nm*: **l'~** el Ecuador.

équation [ekwasjɔ̃] *nf* ecuación *f*; **mettre en ~** convertir en ecuación.

équatorial, e, aux [ekwatɔʀjal, o] *a* ecuatorial.

équerre [ekɛʀ] *nf* escuadra; **d'~, à l'~** *a, ad* a escuadra, en ángulo recto; **les jambes en ~** (GYMNASTIQUE) las piernas a escuadra.

équestre [ekɛstʀ(ə)] *a* ecuestre.

équeuter [ekøte] *vt* quitar el rabillo.

équidistant, e [ekɥidistɑ̃, ɑ̃t] *a* equidistante.

équilatéral, e, aux [ekɥilateʀal, o] *a* equilátero(a).

équilibrage [ekilibʀaʒ] *nm* (*des roues*) nivelación *f.*

équilibre [ekilibʀ(ə)] *nm* equilibrio, estabilidad *f*; (*fig*, PSYCH) equilibrio; **être en ~** (*objet*) estar equilibrado(a); **perdre l'~** perder el equilibrio; **équilibré, e** *a* equilibrado(a); **équilibrer** *vt* equilibrar; **s'équilibrer** *vi* (*poids*) equilibrarse; (*fig*) equilibrarse, compensarse; **équilibriste** *nm/f* equilibrista *m/f.*

équinoxe [ekinɔks(ə)] *nm* equinoccio.

équipage [ekipaʒ] *nm* tripulación *f*, dotación *f*; (SPORT AUTOMOBILE) equipo; (*d'un roi*) séquito, cortejo.

équipe [ekip] *nf* equipo; (*de travailleurs*) cuadrilla; (*d'amis*) pandilla; **~ de sauveteurs** equipo de salvamento.

équipée [ekipe] *nf* calaverada, correría.

équipement [ekipmɑ̃] *nm* equipo; **~s sportifs** instalaciones deportivas.

équiper [ekipe] *vt* equipar; (*région*) proveer, abastecer; **~ qn de** proveer a alguien de; **~ qch de** equipar algo con *o* de; **s'~** equiparse; (*région, pays*) proveerse, abastecerse.

équipier, ière [ekipje, jɛʀ] *nm/f* compañero/a de equipo.

équitable [ekitabl(ə)] *a* equitativo(a), imparcial.

équitation [ekitasjɔ̃] *nf* equitación *f.*

équivalence [ekivalɑ̃s] *nf* equivalencia.

équivalent, e [ekivalɑ̃, ɑ̃t] *a* equivalente, igual // *nm*: **l'~** el equivalente.

équivaloir [ekivalwaʀ]: **~ à** *vt* equivaler a, ser igual a; (*refus etc*) equivaler a.

équivoque [ekivɔk] *a* equívoco(a),

ambiguo(a); (*louche*) equívoco(a), dudoso(a) // *nf* equívoco; (*expression*) equívoco, amfibología.
érable [eʀabl(ə)] *nm* arce *m.*
érafler [eʀafle] *vt* rasguñar, raspar; **s'~** rasguñarse; **éraflure** *nf* rasguño.
éraillé, e [eʀaje] *a* (*voix*) cascado(a).
ère [ɛʀ] *nf* era.
érection [eʀɛksjɔ̃] *nf* erección *f.*
éreinter [eʀɛ̃te] *vt* reventar, cansar; (*fig*) denigrar, poner por el suelo; **s'~ (à faire qch/à qch)** deslomarse (haciendo algo/con *o* por algo).
ergot [ɛʀgo] *nm* espolón *m*; (*TECH*) uña.
ériger [eʀiʒe] *vt* erigir, levantar; **~ qch en** convertir algo en; **s'~ en** constituirse en.
ermitage [ɛʀmitaʒ] *nm* ermita; (*fig*) retiro, refugio.
ermite [ɛʀmit] *nm* ermitaño, eremita *m*; (*fig*) ermitaño.
éroder [eʀɔde] *vt* desgastar.
érosion [eʀozjɔ̃] *nf* (*GÉO*) erosión *f.*
érotique [eʀɔtik] a erótico(a).
érotisme [eʀɔtism(ə)] *nm* erotismo.
errata [ɛʀata] *nm ou nmpl* fe *f* de erratas.
erratum, a [ɛʀatɔm, a] *nm* errata.
errer [ɛʀe] *vi* errar, deambular.
erreur [ɛʀœʀ] *nf* error *m*, equivocación *f*; **~s** *fpl* (*morales*) faltas, culpas; **tomber/être dans l'~** incurrir/estar en un error; **par ~** *ad* por error *o* equivocación; **~ de fait/jugement** error de hecho/juicio; **~ judiciaire** error judicial.
erroné, e [ɛʀone] *a* erróneo(a), errado(a).
ersatz [ɛʀzats] *nm* sucedáneo.
éructer [eʀykte] *vi* eructar.
érudit, e [eʀydi, it] *a, nm/f* erudito(a); **~ion** *nf* erudición *f.*
éruptif, ive [eʀyptif, iv] *a* eruptivo(a).
éruption [eʀypsjɔ̃] *nf* erupción *f.*
es *vb voir* **être.**
ès [ɛs] *prép*: **licencié ~ lettres** *etc* licenciado en letras *etc.*
escabeau, x [ɛskabo] *nm* escabel *m.*
escadre [ɛskadʀ(ə)] *nf* (*NAUT*) escuadra; (*AVIAT*) escuadrilla.
escadrille [ɛskadʀij] *nf* (*AVIAT*) escuadrilla.
escadron [ɛskadʀɔ̃] *nm* escuadrón *m.*
escalade [ɛskalad] *nf* escalada; **escalader** *vt* escalar, trepar.
escalator [ɛskalatɔʀ] *nm* escalera mecánica.
escale [ɛskal] *nf* escala; **faire ~ (à)** hacer escala (en).
escalier [ɛskalje] *nm* escalera; **~ à vis** *ou* **en colimaçon** escalera de caracol; **~ roulant** escalera automática.
escalope [ɛskalɔp] *nf* (*CULIN*) filete *m*, escalope *m.*
escamotable [ɛskamɔtabl(ə)] *a* (*TECH*) plegable.
escamoter [ɛskamɔte] *vt* escamotear, eludir; (*suj: illusionniste*) escamotear.
escapade [ɛskapad] *nf* escapada; **faire une ~** escurrirse, escabullirse.
escarbille [ɛskaʀbij] *nf* carbonilla.
escargot [ɛskaʀgo] *nm* caracol *m.*
escarmouche [ɛskaʀmuʃ] *nf* escaramuza.
escarpé, e [ɛskaʀpe] *a* escarpado(a).
escarpement [ɛskaʀpmɑ̃] *nm* declive *m.*
escarpin [ɛskaʀpɛ̃] *nm* escarpín *m.*
escarre [ɛskaʀ] *nf* (*MÉD*) escara.
escient [esjɑ̃] *nm*: **à bon ~** con fundamento, a propósito.
esclaffer [ɛsklafe]: **s'~** *vi* estallar en carcajadas.
esclandre [ɛsklɑ̃dʀ(ə)] *nm* escándalo.
esclavage [ɛsklavaʒ] *nm* esclavitud *f*; **esclavagiste** *nm/f* esclavista *m/f.*
esclave [ɛsklav] *nm/f* esclavo/a.

escogriffe [ɛskɔgʀif] *nm* (*péj*) zangón *m*, zanguango.
escompte [ɛskɔ̃t] *nm* descuento; (*COMM*) descuento, rebaja; **escompter** *vt* descontar; (*espérer*) contar con; **escompter que** contar con que.
escorte [ɛskɔʀt(ə)] *nf* escolta; **toute une** ~ **de** (*fig*) toda una serie de; **escorter** *vt* escoltar; **escorteur** *nm* escolta.
escouade [ɛskwad] *nf* (*MIL*) escuadra, pelotón *m*.
escrime [ɛskʀim] *nf*: **l'**~ la esgrima; **faire de l'**~ practicar esgrima.
escrimer [ɛskʀime]: **s'**~ *vi*: **s'**~ **à faire qch/sur qch** afanarse en hacer algo/sobre algo.
escrimeur, euse [ɛskʀimœʀ, øz] *nm/f* esgrimador/ora.
escroc [ɛskʀo] *nm* estafador *m*.
escroquer [ɛskʀɔke] *vt* estafar; ~**ie** [ɛskʀɔkʀi] *nf* estafa.
ésotérique [ezɔteʀik] *a* esotérico(a).
espace [ɛspas] *nm* espacio, extensión *f*; (*entre deux points, deux objets*) espacio; (*de temps*) espacio, lapso; ~**s verts** zonas verdes.
espacé, e [ɛspase] *a* espaciado(a); distanciado(a).
espacement [ɛspasmɑ̃] *nm* separación *f*; distancia; espaciamiento.
espacer [ɛspase] *vt* espaciar, separar; (*dans le temps*) espaciar, distanciar; **s'**~ *vi* espaciarse.
espadon [ɛspadɔ̃] *nm* pez espada *m*.
espadrille [ɛspadʀij] *nf* alpargata.
Espagne [ɛspaɲ] *nf* España; **espagnol, e** [ɛspaɲɔl] *a, nm/f* español(ola).
espagnolette [ɛspaɲɔlɛt] *nf* falleba.
espalier [ɛspalje] *nm* espaldera.
espèce [ɛspɛs] *nf* (*BIO, BOT, ZOOL*) especie *f*; (*gén*) especie, clase *f*; ~**s** *fpl* (*COMM*) efectivo; (*REL*) especies *fpl*; **une** ~ **de** una especie de; ~ **de** ...! ¡pedazo de...!; **en l'**~ *ad* en la circunstancia; **payer en** ~**s** pagar en efectivo *o* metálico.
espérance [ɛspeʀɑ̃s] *nf* esperanza; ~ **de vie** promedio de vida.
espéranto [ɛspeʀɑ̃to] *nm* esperanto.
espérer [ɛspeʀe] *vt, vi* esperar; ~ **que/faire qch** esperar que/hacer algo; ~ **en** confiar en.
espiègle [ɛspjɛgl(ə)] *a* pícaro(a), travieso(a).
espion, ne [ɛspjɔ̃, ɔn] *a, nm/f* espía (*m/f*).
espionnage [ɛspjɔnaʒ] *nm* espionaje *m*.
espionner [ɛspjɔne] *vt* espiar.
esplanade [ɛsplanad] *nf* explanada.
espoir [ɛspwaʀ] *nm* esperanza; **dans l'**~ **de/que** con la esperanza de/de que; **un** ~ **de la boxe** una promesa del box.
esprit [ɛspʀi] *nm* espíritu *m*, pensamiento; (*humour, ironie*) humor *m*, ingenio; (*fantôme etc*) espíritu; **paresse/vivacité d'**~ pereza/vivacidad mental; **faire de l'**~ dárselas de ingenioso(a); **reprendre ses** ~**s** volver en sí; **perdre l'**~ perder la razón; **l'**~ **d'une loi** el espíritu de una ley; **l'**~ **d'équipe/de parti/d'entreprise** el espíritu de equipo/de partido/de empresa; **l'**~ **de corps** el sentido de solidaridad; **l'**~ **critique** el sentido crítico; ~**s chagrins** espíritus sombríos.
esquif [ɛskif] *nm* esquife *m*.
esquimau, de, x [ɛskimo, ɔd] *a, nm, nf* esquimal (*m, f*).
esquinter [ɛskɛ̃te] *vt* (*fam*) estropear, deteriorar.
esquisse [ɛskis] *nf* bosquejo, boceto; **esquisser** *vt* bosquejar, esbozar; **esquisser un geste** esbozar un gesto; **s'esquisser** *vi* esbozarse.
esquive [ɛskiv] *nf*: **l'**~ la finta, la esquiva.
esquiver [ɛskive] *vt* esquivar; (*fig*) esquivar, eludir; **s'**~ *vi* zafarse.

essai [esɛ] *nm* prueba; (*RUGBY, LITTÉRATURE*) ensayo; **~s** *mpl* (*SPORT, AUTO*) pruebas; **à l'~** a prueba.

essaim [esɛ̃] *nm* enjambre *m*; **~er** [eseme] *vi* enjambrar; (*fig*) expandirse.

essayage [esɛjaʒ] *nm* prueba; **salon/cabine d'~** salón/cabina de pruebas.

essayer [eseje] *vt* probar; (*avant d'acheter*) probar, probarse; **~ de faire qch** tratar de hacer algo; **s'~ à** ejercitarse en.

essayiste [esejist(ə)] *nm/f* ensayista *m/f*.

essence [esɑ̃s] *nf* esencia; (*carburant*) gasolina; (*d'arbre*) especie *f*; **~ de lavande** esencia de lavanda; **~ de térébenthine** esencia de trementina.

essentiel, le [esɑ̃sjɛl] *a* esencial, imprescindible; (*de base, fondamental*) esencial, fundamental // *nm*: **l'~** lo esencial; **être ~ à** ser esencial *o* fundamental para; **l'~ d'un discours/d'une œuvre** lo fundamental de un discurso/una obra.

esseulé, e [esœle] *a* solo(a), desamparado(a).

essieu, x [esjø] *nm* eje *m*.

essor [esɔʀ] *nm* auge *m*, desarrollo.

essorer [esɔʀe] *vt* secar, escurrir; **essoreuse** *nf* escurridor *m*; (*à tambour*) secadora.

essoufler [esufle] *vt* sofocar, dejar sin aliento; **s'~** *vi* sofocarse, quedarse sin aliento; (*fig*) agotarse, perder la inspiración.

essuie-glace [esɥiglas] *nm* limpiaparabrisas *m inv*.

essuie-mains [esɥimɛ̃] *nm* toalla, paño de manos.

essuyer [esɥije] *vt* secar; (*épousseter*) limpiar; (*fig*) sufrir, soportar; **s'~** secarse.

est [ɛ] *vb voir* **être** // *nm, a inv* [ɛst] este (*m*); **l'E~** (*POL*) el Este; **à l'~** al este; (*direction*) hacia el este; **à l'~ de** al este de.

estafette [ɛstafɛt] *nf* (*MIL*) estafeta *f*, correo.

estafilade [ɛstafilad] *nf* tajo.

est-allemand, e [ɛstalmɑ̃, ɑ̃d] *a* de Alemania Oriental *o* del Este.

estampe [ɛstɑ̃p] *nf* estampa.

estampille [ɛstɑ̃pij] *nf* sello.

est-ce que [ɛskə] *ad*: **~ c'est cher?** ¿es caro?; **quand est-ce qu'il part?** ¿cuándo parte?; **où est-ce qu'il va?** ¿adónde va?; **qui est-ce qui a fait ça?** ¿quién hizo esto?

esthète [ɛstɛt] *nm/f* esteta *m/f*.

esthéticien, ne [ɛstetisjɛ̃, jɛn] *nm/f* esteta *m/f* // *nf* esteticista, especialista en belleza.

esthétique [ɛstetik] *a* estético(a) // *nf* estética.

estimation [ɛstimɑsjɔ̃] *nf* evaluación *f*, estimación *f*.

estime [ɛstim] *nf* estima, consideración *f*.

estimer [ɛstime] *vt* estimar, apreciar; (*expertiser*) estimar, evaluar; (*prix, importance, distance*) evaluar, calcular; **~ que/être...** creer que/ser...; **s'~ satisfait** considerarse satisfecho.

estival, e, aux [ɛstival, o] *a* estival.

estivant, e [ɛstivɑ̃, ɑ̃t] *nm/f* veraneante *m/f*.

estocade [ɛstɔkad] *nf* estocada; (*fig*) golpe *m* de gracia.

estomac [ɛstɔma] *nm* estómago.

estomaqué, e [ɛstɔmake] *a* alelado(a), atónito(a).

estompe [ɛstɔ̃p] *nf* esfumino, difumino; **estomper** *vt* esfumar, difuminar; (*suj*: *brume etc*) desdibujar, velar; (*fig*) desdibujar, borrar; **s'~** *vi* esfumarse; (*fig*) borrarse, desdibujarse.

estrade [ɛstʀad] *nf* tarima.

estragon [ɛstʀagɔ̃] *nm* estragón *m*.

estropier [ɛstʀɔpje] *vt* baldar, tullir; (*fig*) estropear, arruinar.

estuaire [ɛstɥɛʀ] *nm* estuario.

estudiantin, e [ɛstydjɑ̃tɛ̃, in] *a* estudiantil.

esturgeon [ɛstyʀʒɔ̃] *nm* esturión *m.*

et [e] *conj* y; (*avant i et hi prononcé* [i]) e; ~ **puis** y además; ~ **alors** *ou* **(puis) après?** (*qu'importe!*) ¿y qué?

étable [etabl(ə)] *nf* establo.

établi [etabli] *nm* banco.

établir [etabliʀ] *vt* (*papiers, facture*) establecer, hacer; (*liste, programme*) establecer, fijar; (*règlement, gouvernement*) establecer, instituir; (*entreprise, atelier, camp*) establecer, instalar; (*fig*) establecer, sentar; (*fait, culpabilité*) establecer, comprobar; (*personne*) colocar; **s'**~ *vb réfléchi* (*monter une entreprise etc*) instalarse, poner un negocio // *vi* establecerse; **s'**~ **(à son compte)** establecerse (por su cuenta); **s'**~ **quelque part** (*personne*) radicarse en alguna parte.

établissement [etablismɑ̃] *nm* establecimiento.

étage [etaʒ] *nm* piso, planta; (*de fusée*) cuerpo, sección *f*; (*de culture, végétation*) nivel *m*, estrato; **habiter à l'**~**/au deuxième** ~ vivir en el primer piso/en el segundo piso; **de bas** ~ *a* de baja estofa *o* categoría.

étager [etaʒe] *vt* (*fig*) escalonar; **s'**~ *vi* escalonarse.

étagère [etaʒɛʀ] *nf* estante *m*; (*meuble*) estantería.

étai [etɛ] *nm* puntal *m.*

étain [etɛ̃] *nm* estaño.

étais *etc vb voir* **être.**

étal [etal] *nm* puesto.

étalage [etalaʒ] *nm* ostentación *f*, exhibición *f*; (*de magasin*) escaparate *m*; **étalagiste** *nm/f* escaparatista *m/f.*

étale [etal] *a* estacionario(a).

étalement [etalmɑ̃] *nm* escalonamiento.

étaler [etale] *vt* (*carte, nappe*) extender, desplegar; (*peinture, liquide*) aplicar, desparramar; (*échelonner*) escalonar; (*marchandises*) exponer; (*richesses, connaissances*) ostentar; **s'**~ *vi* desparramarse; (*luxe etc*) ostentarse; (*travaux, paiements*) escalonarse; (*fam*) caerse a lo largo.

étalon [etalɔ̃] *nm* patrón *m*; (*cheval*) semental *m*; **l'**~**-or** el patrón oro.

étalonner [etalɔne] *vt* graduar.

étamer [etame] *vt* estañar, azogar.

étamine [etamin] *nf* (*de fleur*) estambre *m*; (*tissu*) estameña.

étanche [etɑ̃ʃ] *a* impermeable; (*récipient*) estanco(a); (*montre*) hermético(a).

étancher [etɑ̃ʃe] *vt* estancar; (*sang*) restañar.

étançon [etɑ̃sɔ̃] *nm* puntal *m.*

étang [etɑ̃] *nm* estanque *m.*

étant [etɑ̃] *vb voir* **être, donné.**

étape [etap] *nf* etapa; (*fig*) etapa, fase *f*; **faire** ~ **à** hacer etapa *o* alto en.

état [eta] *nm* estado; (*gouvernement*): **l'**~ el Estado; (*liste, inventaire*) registro, estado; (*condition professionnelle ou sociale*) condición *f*, profesión *f*; **en** ~ **de marche** en funcionamiento; **en** ~ en buen estado; **hors d'**~ fuera de uso, en mal estado; **être en** ~**/hors d'**~ **de faire qch** estar en condiciones/imposibilitado(a) de hacer algo; **remettre en** ~ volver a poner en condiciones; **être dans tous ses** ~**s** estar fuera de sí; **faire** ~ **de** hacer valer; **être en** ~ **d'arrestation** estar en arresto, estar detenido(a); ~ **civil** estado civil; ~ **d'esprit** mentalidad *f*; ~ **des lieux** estado del inmueble; ~**s de service** foja de servicios; **étatique** *a* estatal; **étatiser** *vt* nacionalizar; **étatisme** *nm* estatismo.

état-major [etamaʒɔʀ] *nm* estado mayor, plana mayor.

États-Unis [etazyni] *nmpl*: **les** ~ **(d'Amérique)** los Estados Unidos (de América).

étau, x [eto] *nm* torno; (*fig*) tenazas.

étayer [eteje] *vt* apuntalar; (*fig*) reforzar.

été [ete] *pp de* **être** // *nm* verano, estío.
éteignoir [etɛɲwaʀ] *nm* apagavelas *m inv*; (*péj*) aguafiestas *m/f inv*.
éteindre [etɛ̃dʀ(ə)] *vt* apagar; (*incendie, bougie*) extinguir, apagar; (*fig*) calmar, apagar; (*JUR*: *dette*) amortizar, saldar; **s'~** *vi* apagarse, borrarse; (*mourir*) extinguirse.
éteint, e [etɛ̃, ɛ̃t] *a* apagado(a).
étendard [etɑ̃daʀ] *nm* estandarte *m*.
étendre [etɑ̃dʀ(ə)] *vt* extender, aplicar; (*carte, tapis*) extender, desplegar; (*lessive, linge*) tender; (*bras, jambes*) extender; (*blessé, malade*) tender; (*vin, sauce*) diluir, aguar; (*fig*: *agrandir*) extender, ampliar; **s'~** *vi* propagarse, extenderse; (*terrain, forêt etc*) extenderse; (*personne*: *s'allonger*): **s'~ (sur)** tenderse (sobre, en); (: *se reposer*) tenderse; (*fig*): **s'~ (sur)** (*sujet, problème*) extenderse (sobre).
étendu, e [etɑ̃dy] *a* extenso(a); (*fig*) amplio(a) // *nf* amplitud *f*, alcance *m*; (*surface*) extensión *f*.
éternel, le [etɛʀnɛl] *a* eterno(a); (*habituel*) acostumbrado(a), perpetuo(a); **~lement** *ad* eternamente.
éterniser [etɛʀnize]: **s'~** *vi* eternizarse, hacerse interminable; (*visiteur*) eternizarse.
éternité [etɛʀnite] *nf* eternidad *f*; **de toute ~** desde siempre, de tiempo inmemorial.
éternuement [etɛʀnymɑ̃] *nm* estornudo.
éternuer [etɛʀnɥe] *vi* estornudar.
êtes *vb voir* **être**.
étêter [etete] *vt* (*arbre*) desmochar; (*clou, poisson*) descabezar.
éther [etɛʀ] *nm* éter *m*.
Éthiopie [etjɔpi] *nf* Etiopía; **éthiopien, ne** *a, nm/f* etíope (*m/f*).
éthique [etik] *a* ético(a) // *nf* ética.
ethnie [ɛtni] *nf* etnia; **ethnique** *a* étnico(a); **ethnographe** [ɛtnɔgʀaf] *nm/f* etnógrafo/a; **ethnographie** *nf* etnografía; **ethnographique** *a* etnográfico(a); **ethnologie** [ɛtnɔlɔʒi] *nf* etnología; **ethnologue** [ɛtnɔlɔg] *nm/f* etnólogo/a.
éthylisme [etilism(ə)] *nm* etilismo.
étiage [etjaʒ] *nm* estiaje *m*.
étincelant, e [etɛ̃slɑ̃, ɑ̃t] *a* brillante, resplandeciente.
étinceler [etɛ̃sle] *vt* destellar, brillar.
étincelle [etɛ̃sɛl] *nf* chispa; (*fig*) chispa, destello.
étioler [etjɔle] : **s'~** *vi* marchitarse.
étique [etik] *a* enteco(a), enclenque.
étiqueter [etikte] *vt* etiquetar; (*fig*) clasificar, etiquetar.
étiquette [etikɛt] *nf* etiqueta; (*fig*) etiqueta, rótulo; (*protocole*): **l'~** la etiqueta.
étirer [etiʀe] *vt* estirar; **s'~** *vi* estirarse; (*convoi, route*): **s'~ sur** extenderse por.
Etna [ɛtna] *nm*: **l'~** el monte Etna.
étoffe [etɔf] *nf* tela; **avoir l'~ d'un chef** *etc* tener pasta de jefe *etc*.
étoffer [etɔfe] *vt* dar cuerpo *o* amplitud a; **s'~** *vi* engrosar, robustecerse.
étoile [etwal] *nf* estrella; (*signe*) asterisco // *a*: **danseuse ~** primera bailarina; **danseur ~** primer bailarín; **à la belle ~** al aire libre, al sereno; **~ filante** estrella fugaz; **~ de mer** estrella de mar; **l'~ polaire** la estrella polar; **étoiler** *vt* constelar, salpicar; (*fêler, trouer*) estrellar.
étole [etɔl] *nf* estola.
étonnant, e [etɔnɑ̃, ɑ̃t] *a* asombroso(a), sorprendente; (*valeur intensive*) admirable, prodigioso(a).
étonnement [etɔnmɑ̃] *nm* asombro, sorpresa.
étonner [etɔne] *vt* asombrar, sorprender; **s'~ que/de** asombrarse de que/de; **cela m'étonnerait (que)** me sorprendería que.
étouffant, e [etufɑ̃, ɑ̃t] *a* asfixiante, sofocante.

étouffée [etufe]: **à l'~** *ad* al estofado, estofado(a).

étouffer [etufe] *vt* asfixiar, sofocar; (*fig*) sofocar, amortiguar; (: *nouvelle, scandale*) sofocar, silenciar // *vi* ahogarse, asfixiarse; (*avoir trop chaud*) sofocarse, ahogarse; **s'~** *vi* (*en mangeant, buvant*) ahogarse, atragantarse.

étoupe [etup] *nf* estopa.

étourderie [etuʀdəʀi] *nf* atolondramiento.

étourdi, e [etuʀdi] *a* atolondrado(a), distraído(a).

étourdir [etuʀdiʀ] *vt* aturdir, atontar; (*griser*) aturdir; **étourdissant, e** *a* impresionante, extraordinario(a); (*merveilleux*) sensacional, sorprendente; **étourdissement** *nm* mareo, aturdimiento.

étourneau, x [etuʀno] *nm* (ZOOL) estornino.

étrange [etʀɑ̃ʒ] *a* extraño(a), curioso(a); (*sens affaibli*) singular, insólito(a).

étranger, ère [etʀɑ̃ʒe, ɛʀ] *a* extranjero(a); (*pas de la famille*) extraño(a); (*non familier*) extraño(a), desconocido(a) // *nm/f* extranjero/a; extraño/a // *nm*: **l'~** el extranjero, el exterior; **à l'~** al extranjero; **~ à** ajeno a.

étranglé, e [etʀɑ̃gle] *a*: **d'une voix ~e** con una voz sofocada.

étranglement [etʀɑ̃gləmɑ̃] *nm* (*partie resserrée*) estrechamiento, angostura.

étrangler [etʀɑ̃gle] *vt* estrangular; (*accidentellement*) ahogar; **s'~** *vi* (*en mangeant etc*) ahogarse; (*se resserrer*) estrecharse, angostarse.

étrave [etʀav] *nf* roda.

être [ɛtʀ(ə)] *nm* ser *m* // *vb avec attribut* ser; (*temporel, sans idée de permanence*) estar // *vb auxiliaire* haber // *vi* existir, ser; **il est fort/instituteur** (él) es fuerte/maestro; **~ à qn** ser de alguien; **c'est à moi/eux** es mío(a)/suyo(a) *o* de ellos; **c'est à lui de le faire/de décider** le corresponde a él hacerlo/decidir; **il est à Paris/au salon** está en París/en el salón; **~ de Genève/de la même famille** ser de Ginebra/de la misma familia; **nous sommes le 10 janvier** (hoy) es 10 de enero, estamos a 10 de enero; **il est 10 heures, c'est 10 heures** son las 10 (horas); **c'est à faire/réparer** está por hacerse/para repararse; **il serait facile de/souhaitable que** sería fácil/deseable que; **~ humain** *nm* ser humano; **~ vivant** *nm* ser viviente; *voir aussi* **est-ce que, n'est-ce pas, c'est-à-dire, ce.**

étreindre [etʀɛ̃dʀ(ə)] *vt* estrechar, aferrarse a; (*amoureusement, amicalement*) abrazar, estrechar; (*suj*: *douleur, peur*) oprimir; **s'~** estrecharse, abrazarse; **étreinte** [etʀɛ̃t] *nf* abrazo; (*pour s'accrocher, retenir*) abrazo, aferramiento; (*fig*): **resserrer son étreinte autour de** cerrar su cerco en torno a.

étrenner [etʀene] *vt* estrenar.

étrennes [etʀɛn] *nfpl* presente *m*, aguinaldo.

étrier [etʀije] *nm* estribo.

étriller [etʀije] *vt* (*cheval*) almohazar; (*fam*: *battre*) sacudir, zurrar.

étriqué, e [etʀike] *a* estrecho(a), ajustado(a); (*fig*) mezquino(a).

étroit, e [etʀwa, wat] *a* angosto(a), estrecho(a); (*fig*: *péj*) obtuso(a), limitado(a); (*liens, amitié*) estrecho(a), íntimo(a); (*surveillance, subordination*) riguroso(a), estricto(a); **à l'~** *ad* hacinado(a), apretadamente; **~esse** *nf* estrechez *f*, angostura; **~esse d'esprit** mentalidad obtusa.

étude [etyd] *nf* estudio; (*recherche, rapport*) estudio, investigación *f*; (*de notaire*) bufete *m*, despacho; (SCOL: *salle*) sala de estudios; **~s** *fpl* (SCOL) estudios; **être à l'~** estar en estudio; **faire des ~s de droit** *etc* estudiar derecho *etc*; **hautes ~s commerciales, HEC** *escuela superior de comercio.*

étudiant, e [etydjɑ̃, ɑ̃t] *nm/f* estudiante *m/f*.

étudié, e [etydje] *a* estudiado(a), fingido(a); (*prix, système*) estudiado(a), pensado(a).
étudier [etydje] *vt* estudiar; (*problème, question*) estudiar, examinar; (*personne, caractère de qn*) estudiar, observar // *vi* (SCOL) estudiar.
étui [etɥi] *nm* (*à lunettes, cigarettes*) estuche *m*.
étuve [etyv] *nf* baño turco; (*appareil*) estufa.
étuvée [etyve] : **à l'~** *ad* (CULIN) estofado(a).
étymologie [etimɔlɔʒi] *nf* etimología; **étymologique** *a* etimológico(a).
eu, eue *pp de* **avoir**.
eucalyptus [økaliptys] *nm* eucalipto.
Eucharistie [økaʀisti] *nf*: **l'~** la Eucaristía.
euclidien, ne [øklidjɛ̃, jɛn] *a*: **géométrie ~ne** geometría euclidiana.
eugénique [øʒenik] *a* eugenésico(a) // *nf* eugenesia.
eugénisme [øʒenism(ə)] *nm* eugenesia.
eunuque [ønyk] *nm* eunuco.
euphémisme [øfemism(ə)] *nm* eufemismo.
euphonie [øfɔni] *nf* eufonía.
euphorie [øfɔʀi] *nf* euforia; **euphorique** *a* eufórico(a).
eurasiatique [øʀazjatik] *a* eurasiatico(a).
Eurasie [øʀazi] *nf* Eurasia; **eurasien, ne** *a, nm/f* eurasiano(a).
Europe [øʀɔp] *nf* Europa; **l'~ centrale** (la) Europa central; **européen, ne** *a, nm/f* europeo(a).
eurovision [øʀɔvizjɔ̃] *nf* eurovisión *f*.
euthanasie [øtanazi] *nf* eutanasia.
eux [ø] *pron* ellos; **~-mêmes** ellos mismos; (*après prép*) sí (mismos).
évacuation [evakɥasjɔ̃] *nf* evacuación *f*.
évacuer [evakɥe] *vt* (*sortir de*) evacuar, abandonar; (*lieu: d'occupants*) evacuar; (*population, occupants*) evacuar, desocupar; (*déchets*) evacuar, eliminar.
évadé, e [evade] *nm/f* evadido/a.
évader [evade] : **s'~** *vi* evadirse, escaparse; (*fig*) evadirse.
évaluation [evalɥasjɔ̃] *nf* cálculo, estimación *f*.
évaluer [evalɥe] *vt* calcular, estimar.
évangélique [evɑ̃ʒelik] *a* evangélico(a).
évangéliser [evɑ̃ʒelize] *vt* evangelizar.
évangéliste [evɑ̃ʒelist(ə)] *nm* evangelista *m*.
évangile [evɑ̃ʒil] *nm* (*enseignement*) evangelio; (*texte*): **É~** Evangelio.
évanouir [evanwiʀ]: **s'~** *vi* desvanecerse, desmayarse; (*fig*) desvanecerse, disiparse; **évanouissement** *nm* desmayo.
évaporation [evapɔʀasjɔ̃] *nf* evaporación *f*.
évaporé, e [evapɔʀe] *a* (*péj*) aturdido(a), botarate.
évaporer [evapɔʀe]: **s'~** *vi* evaporarse.
évaser [evɑze] *vt* ensanchar; **s'~** *vi* ensancharse.
évasif, ive [evazif, iv] *a* evasivo(a).
évasion [evazjɔ̃] *nf* evasión *f*, fuga; (*fig*) evasión; **littérature d'~** literatura de evasión.
évêché [eveʃe] *nm* obispado.
éveil [evɛj] *nm* despertar *m*; **mettre en ~** despertar, poner en guardia; **rester en ~** estar atento(a) *o* alerta; **donner l'~** llamar la atención, alertar.
éveillé, e [eveje] *a* (*vif*) despierto(a), listo(a).
éveiller [eveje] *vt* despertar; (*fig*) despertar, suscitar; **s'~** despertarse.
événement [evɛnmɑ̃] *nm* suceso, peripecia; (*fait important*) acontecimiento; **~s** *mpl* (POL etc) acontecimientos, sucesos.
éventail [evɑ̃taj] *nm* abanico; (*fig*) gama; **en ~** en abanico.

éventaire [evɑ̃tɛʀ] *nm* escaparate *m.*
éventer [evɑ̃te] *vt* divulgar, descubrir; (*avec un éventail*) abanicar; **s'~** *vi* alterarse, desvanecerse.
éventrer [evɑ̃tʀe] *vt* reventar, destripar; (*sac, maison etc*) despanzurrar, reventar.
éventualité [evɑ̃tɥalite] *nf* eventualidad *f.*
éventuel, le [evɑ̃tɥɛl] *a* eventual, posible; **~lement** *ad* eventualmente.
évêque [evɛk] *nm* obispo.
évertuer [evɛʀtɥe]: **s'~** *vi*: **s'~ à** afanarse por.
éviction [eviksjɔ̃] *nf* exclusión *f.*
évidemment [evidamɑ̃] *ad* evidentemente, por supuesto; (*de toute évidence*) indiscutiblemente, evidentemente.
évidence [evidɑ̃s] *nf* evidencia; **de toute ~** con certeza, sin duda alguna.
évident, e [evidɑ̃, ɑ̃t] *a* evidente.
évider [evide] *vt* ahuecar.
évier [evje] *nm* fregadero, pileta.
évincement [evɛ̃smɑ̃] *nm* = **éviction.**
evincer [evɛ̃se] *vt* excluir, descartar.
éviter [evite] *vt* evitar; (*fig*) evitar, eludir; (*importun, raseur*) evitar, rehuir; (*coup, projectile*) eludir, esquivar; (*ne pas heurter*) evitar, esquivar; (*catastrophe, malheur*) evitar, precaver; **~ de faire/que** evitar hacer/que.
évocateur, trice [evɔkatœʀ, tʀis] *a* significativo(a), sugestivo(a).
évocation [evɔkɑsjɔ̃] *nf* evocación *f;* mención *f.*
évoluer [evɔlɥe] *vi* evolucionar; (*fig*) evolucionar, adelantar; (*danseur, avion etc*) girar, evolucionar.
évolutif, ive [evɔlytif, iv] *a* evolutivo(a).
évolution [evɔlysjɔ̃] *nf* evolución *f;* adelanto; **~s** *fpl* giro, evoluciones *fpl;* **~nisme** *nm* evolucionismo.
évoquer [evɔke] *vt* evocar, mencionar; (*suj*: *chose*) evocar, recordar.
ex... [ɛks] *préf* ex.
exact, e [ɛgzakt] *a* (*précis*) exacto(a), preciso(a); (*correct*) exacto(a), justo(a); (*personne*) puntual, exacto(a); **l'heure ~e** la hora exacta; **~ement** *ad* exactamente.
exaction [ɛgzaksjɔ̃] *nf* abuso, extralimitación *f.*
exactitude [ɛgzaktityd] *nf* exactitud *f;* precisión *f.*
ex aequo [ɛgzeko] *ad* ex aequo.
exagération [ɛgzaʒeʀɑsjɔ̃] *nf* exageración, abuso.
exagérer [ɛgzaʒeʀe] *vt* exagerar // *vi* abusar, excederse; (*déformer les faits, la vérité*) exagerar.
exalté, e [ɛgzalte] *a* exaltado(a), entusiasta // *nm/f* (*péj*) exaltado/a, fanático/a.
exalter [ɛgzalte] *vt* exaltar, arrebatar; (*glorifier*) exaltar, enaltecer.
examen [ɛgzamɛ̃] *nm* examen *m;* análisis *m;* (*SCOL*) examen; (*MÉD*) examen, reconocimiento; **à l'~** (*COMM*) a prueba; **~ d'entrée/final** examen de ingreso/final; **~ blanc** prueba preliminar; **~ de la vue** examen de la vista.
examinateur, trice [ɛgzaminatœʀ, tʀis] *nm/f* (*SCOL*) examinador/ora.
examiner [ɛgzamine] *vt* examinar.
exaspérer [ɛgzaspeʀe] *vt* exasperar.
exaucer [ɛgzose] *vt* otorgar, satisfacer; **~ qn** satisfacer a alguien.
ex cathedra [ɛkskatedʀa] *ad, a* ex cathedra.
excavateur [ɛkskavatœʀ] *nm,* **excavatrice** [ɛkskavatʀis] *nf* excavadora.
excavation [ɛkskavɑsjɔ̃] *nf* excavación *f.*
excédent [ɛksedɑ̃] *nm* excedente *m,* superávit *m;* **en ~** en excedente; **~ de bagages** exceso de equipaje.
excéder [ɛksede] *vt* exceder,

sobrepasar; (*agacer*) crispar, irritar.

excellence [ɛksɛlɑ̃s] *nf* excelencia; **son E~** su Excelencia; **par ~** por excelencia.

excellent, e [ɛksɛlɑ̃, ɑ̃t] *a* excelente, exquisito(a); (*livre, résultat etc*) excelente, óptimo(a); (*élève etc*) excelente, notable.

exceller [ɛksele] *vi*: **~ (en)** descollar *o* distinguirse (en).

excentricité [ɛksɑ̃tʀisite] *nf* excentricidad *f*, extravagancia.

excentrique [ɛksɑ̃tʀik] *a* excéntrico(a), extravagante; (*GÉOMÉTRIE, quartier*) excéntrico(a).

excepté, e [ɛksɛpte] *a*: **les élèves ~s** los alumnos exceptuados, excepto los alumnos // *prép* a excepción de, salvo; **~ si/quand** salvo si/cuando; **~ que** salvo que.

excepter [ɛksɛpte] *vt* exceptuar.

exception [ɛksɛpsjɔ̃] *nf* excepción *f*; **faire ~** constituir una excepción; **à l'~ de** con excepción de; **mesure/loi d'~** medida/ley *f* de emergencia; **~nel, le** *a* excepcional, raro(a); (*excellent*) excepcional, extraordinario(a); **~lement** *ad* excepcionalmente.

excès [ɛksɛ] *nm* exceso // *mpl* excesos, abusos; **à l'~** en *o* con exceso; **~ de vitesse** exceso de velocidad; **excessif, ive** *a* excesivo(a), inmoderado(a); **excessivement** *ad* excesivamente.

exciper [ɛksipe] : **~ de** *vt* alegar, invocar.

excipient [ɛksipjɑ̃] *nm* excipiente *m*.

exciser [ɛksize] *vt* estirpar.

excitant [ɛksitɑ̃] *nm* excitante *m*.

excitation [ɛksitɑsjɔ̃] *nf* (*état*) excitación *f*.

exciter [ɛksite] *vt* excitar; (*fig*) provocar; **s'~** *vi* (*personne*) excitarse; **~ qn à** incitar a alguien a.

exclamation [ɛksklamɑsjɔ̃] *nf* exclamación *f*.

exclamer [ɛksklame]: **s'~** *vi* exclamar.

exclure [ɛksklyʀ] *vt* expulsar; (*ne pas compter, écarter*) excluir, descontar; (*rendre impossible*) excluir, impedir.

exclusif, ive [ɛksklyzif, iv] *a* exclusivo(a) // *nf* exclusiva; **exclusivement** *ad* exclusivamente, en exclusiva; (*gén COMM*) exclusive.

exclusion [ɛksklyzjɔ̃] *nf* expulsión *f*; exclusión *f*; **à l'~ de** con exclusión de.

exclusivité [ɛksklyzivite] *nf* (*COMM*) exclusividad *f*; **en ~** en exclusiva.

excommunier [ɛkskɔmynje] *vt* excomulgar.

excréments [ɛkskʀemɑ̃] *nmpl* excrementos.

excroissance [ɛkskʀwasɑ̃s] *nf* excrecencia.

excursion [ɛkskyʀsjɔ̃] *nf* excursión *f*; (*à pied*) excursión, caminata.

excuse [ɛkskyz] *nf* excusa, justificación *f*; (*prétexte*) excusa, pretexto; **~s** *fpl* disculpas; **lettre d'~s** carta de excusas; **mot d'~** (*SCOL*) nota de justificación.

excuser [ɛkskyze] *vt* disculpar, perdonar; (*justifier*) justificar; **excusez-moi** discúlpeme, dispénseme; **s'~** *vi* disculparse, excusarse.

exécrable [ɛgzekʀabl(ə)] *a* execrable, detestable.

exécrer [ɛgzekʀe] *vt* aborrecer, abominar.

exécutant, e [ɛgzekytɑ̃, ɑ̃t] *nm/f* ejecutante *m/f*.

exécuter [ɛgzekyte] *vt* ejecutar, ajusticiar; (*ordre, mission*) ejecutar, cumplir; (*travail, opération, mouvement*) ejecutar, efectuar; (*MUS*) ejecutar, tocar; **s'~** *vi* hacerlo, cumplir; **exécuteur, trice** *nm* ejecutor *m*, verdugo // *nm/f*: **exécuteur testamentaire** ejecutor/ora testamentario/a, albacea *m/f*.

exécutif, ive [ɛgzekytif, iv] *a* ejecutivo(a) // *nm*: **l'~** el Ejecutivo.

exécution [ɛgzekysjɔ̃] *nf* ejecución *f*; **mettre à ~** poner en ejecución, llevar a cabo.

exemplaire [ɛgzɑ̃plɛʀ] *a* ejemplar, irreprochable; (*châtiment*) ejemplar // *nm* ejemplar *m*.
exemple [ɛgzɑ̃pl(ə)] *nm* ejemplo; (*précédent*) ejemplo, precedente *m*; **par ~** por ejemplo; (*valeur intensive*) ¡no es posible!; **prendre ~ sur** tomar (el) ejemplo de; **à l'~ de** como, a imitación de; **pour l'~** (*punir*) para escarmiento, como ejemplo.
exempt, e [ɛgzɑ̃, ɑ̃t] *a*: **~ de** exento de.
exempter [ɛgzɑ̃te] *vt*: **~ de** eximir *o* exceptuar de.
exercé, e [ɛgzɛʀse] *a* ejercitado(a), adiestrado(a).
exercer [ɛgzɛʀse] *vt* ejercer, practicar; (*droit, prérogative*) ejercer, hacer valer; (*influence, contrôle, pression*) ejercer; (*personne, animal*) ejercitar, adiestrar; (*faculté, partie du corps*) ejercitar, poner a prueba; **s'~** *vb réfléchi* ejercitarse, practicar // *vi*: **s'~ (sur/contre)** ejercerse *o* manifestarse sobre/contra.
exercice [ɛgzɛʀsis] *nm* ejercicio; ejercitación *f*; (*SCOL, GYMNASTIQUE, aussi ADMIN, COMM*) ejercicio; **l'~** (*activité sportive, physique*) el ejercicio, la gimnasia; **à l'~** (*MIL*) al adiestramiento; **en ~** en ejercicio *o* actividad; **dans l'~ de ses fonctions** en el ejercicio de sus funciones.
exergue [ɛgzɛʀg(ə)] *nm*: **mettre/porter en ~** poner/llevar como epígrafe.
exhaler [ɛgzale] *vt* exhalar; **s'~** *vi* emanar, desprenderse.
exhaustif, ive [ɛgzostif, iv] *a* exhaustivo(a).
exhiber [ɛgzibe] *vt* exhibir, mostrar; (*péj*) ostentar; **s'~** exhibirse.
exhibitionnisme [ɛgzibisjɔnism(ə)] *nm* exhibicionismo.
exhorter [ɛgzɔʀte] *vt*: **~ qn à faire qch** exhortar a alguien a que haga algo.
exhumer [ɛgzyme] *vt* exhumar.
exigeant, e [ɛgziʒɑ̃, ɑ̃t] *a* exigente, severo(a); (*péj*) absorbente, exigente.
exigence [ɛgziʒɑ̃s] *nf* exigencia.
exiger [ɛgziʒe] *vt* exigir, reclamar; (*suj*: *chose*) requerir.
exigu, ë [ɛgzigy] *a* exiguo(a), reducido(a).
exil [ɛgzil] *nm* exilio; **en ~** en el exilio; **~é, e** *nm/f* exiliado/a; **~er** *vt* exiliar, desterrar; **s'~er** exiliarse.
existence [ɛgzistɑ̃s] *nf* existencia; **moyens d'~** medios de vida, recursos.
existentialisme [ɛgzistɑ̃sjalism(ə)] *nm* existencialismo.
exister [ɛgziste] *vi* existir, vivir; (*suj*: *chose, problème etc*) existir; **il existe...** (*il y a*) hay..., existe... .
exonérer [ɛgzɔneʀe] *vt*: **~ de** eximir *o* exceptuar de.
exorbitant, e [ɛgzɔʀbitɑ̃, ɑ̃t] *a* exorbitante, desmesurado(a).
exorbité, e [ɛgzɔʀbite] *a*: **yeux ~s** ojos desorbitados.
exorciser [ɛgzɔʀsize] *vt* (*REL*) exorcizar, conjurar.
exotique [ɛgzɔtik] *a* exótico(a).
exotisme [ɛgzɔtism(ə)] *nm* exotismo.
expansif, ive [ɛkspɑ̃sif, iv] *a* expansivo(a), comunicativo(a).
expansion [ɛkspɑ̃sjɔ̃] *nf* expansión *f*, desarrollo.
expatrier [ɛkspatʀije] *vt* (*argent*) *llevar al extranjero*; **s'~** expatriarse, emigrar.
expectative [ɛkspɛktativ] *nf*: **être dans l'~** estar a la expectativa.
expédient [ɛkspedjɑ̃] *nm* expediente *m*, recurso; **vivre d'~s** vivir de recursos desesperados.
expédier [ɛkspedje] *vt* expedir, mandar; (*troupes, renfort*) enviar, expedir; (*péj*) despachar; **expéditeur, trice** *nm/f* remitente *m/f*, expedidor/ora.
expéditif, ive [ɛkspeditif, iv] *a* expeditivo(a).
expédition [ɛkspedisjɔ̃] *nf*

expedición *f*; envío; (*scientifique, sportive*, MIL) expedición; **~naire** *a*: **corps ~naire** (MIL) cuerpo expedicionario.

expérience [ɛkspeʀjɑ̃s] *nf* experiencia; **une ~** (*scientifique*) un experimento; (*dans la vie*) una experiencia; **avoir l'~ de** tener experencia en.

expérimental, e, aux [ɛkspeʀimɑ̃tal, o] *a* experimental.

expérimenté, e [ɛkspeʀimɑ̃te] *a* experimentado(a).

expérimenter [ɛkspeʀimɑ̃te] *vt* experimentar, ensayar.

expert, e [ɛkspɛʀ, ɛʀt(ə)] *a*: **~ en** experto en // *nm* experto/a, perito/a; **~ en assurances** experto en seguros; **~-comptable** *nm* perito/a en contabilidad; **~ise** *nf* peritaje *m*; **~iser** *vt* hacer un peritaje de; (*sinistre*) someter a juicio pericial.

expier [ɛkspje] *vt* expiar, purgar.

expiration [ɛkspiʀɑsjɔ̃] *nf* expiración *f*; espiración *f*.

expirer [ɛkspiʀe] *vi* vencer, expirar; (*respiration*) espirar; (*mourir*) expirar, fallecer.

expletif, ive [ɛkspletif, iv] *a* expletivo(a).

explicatif, ive [ɛksplikatif, iv] *a* explicativo(a), aclaratorio(a).

explication [ɛksplikɑsjɔ̃] *nf* explicación *f*; (*discussion*) explicación, discusión *f*; **~ de texte** (SCOL) explicación textual.

explicite [ɛksplisit] *a* explícito(a), claro(a); **expliciter** *vt* aclarar.

expliquer [ɛksplike] *vt* explicar; (*justifier*) explicar, justificar; **s'~** (*erreur etc*) explicarse, comprenderse; (*personne*) explicarse, aclarar; (*discuter, aussi se quereller*) discutir, pelearse; **je m'explique son retard** entiendo *o* me explico su retraso.

exploit [ɛksplwa] *nm* hazaña.

exploitant [ɛksplwatɑ̃] *nm* agricultor *m*, labrador *m*.

exploitation [ɛksplwatɑsjɔ̃] *nf* explotación *f*; aprovechamiento; **~ agricole** explotación agrícola.

exploiter [ɛksplwate] *vt* explotar; (*fig*) aprovechar, explotar; (*péj*) aprovechar abusivamente de, explotar; (*erreur, faiblesse de qn*) aprovecharse de; **exploiteur, euse** *nm/f* (*péj*) explotador/ora, aprovechador/ora.

explorateur, trice [ɛksplɔʀatœʀ, tʀis] *nm/f* explorador/ora.

exploration [ɛksplɔʀɑsjɔ̃] *nf* exploración *f*.

explorer [ɛksplɔʀe] *vt* explorar; (*fig*) examinar.

exploser [ɛksploze] *vi* explotar, estallar; (*fig*) estallar.

explosif, ive [ɛksplozif, iv] *a* explosivo(a) // *nm* explosivo.

explosion [ɛksplozjɔ̃] *nf* explosión *f*, estallido.

exponentiel, le [ɛkspɔnɑ̃sjɛl] *a* exponencial.

exportateur, trice [ɛkspɔʀtatœʀ, tʀis] *a, nm/f* exportador(ora).

exportation [ɛkspɔʀtɑsjɔ̃] *nf* exportación *f*.

exporter [ɛkspɔʀte] *vt* (ÉCON) exportar; (*fig*) propagar en el extranjero.

exposant, e [ɛkspozɑ̃, ɑ̃t] *nm/f* expositor/ora // *nm* (MATH) exponente *m*.

exposé, e [ɛkspoze] *a* orientado(a) // *nm* exposición *f*, disertación *f*.

exposer [ɛkspoze] *vt* (*marchandise*) exponer, exhibir; (*peinture, statue*) exponer; (*parler de*) exponer, hablar de; **~ sa vie, s'~** exponer su vida, exponerse; **~ qn/qch à** exponer a alguien/algo a; **s'~ à** exponerse a; (*fig*) exponerse *o* arriesgarse a.

exposition [ɛkspozisjɔ̃] *nf* exposición *f*; (*foire*) exposición, feria.

exprès [ɛkspʀɛ] *ad* a propósito, expresamente; **faire ~ de faire qch** hacer algo deliberadamente; **il l'a fait ~** lo ha hecho adrede.

exprès, esse [ɛkspʀɛs] *a* expre-

so(a), formal // *a inv*: **lettre/colis** ~ carta/paquete *m* postal urgente // *ad* por expreso, con urgencia.
express [ɛkspʀɛs] *a*, *nm*: **(café)** ~ (café *m*) exprés *m*; **(train)** ~ (tren) expreso.
expressément [ɛkspʀesemɑ̃] *ad* expresamente, manifiestamente.
expressif, ive [ɛkspʀesif, iv] *a* expresivo(a), elocuente.
expression [ɛkspʀɛsjɔ̃] *nf* expresión *f*.
exprimer [ɛkspʀime] *vt* expresar, manifestar; (*jus, liquide*) exprimir; **s'**~ *vi* expresarse.
expropriation [ɛkspʀɔpʀijɑsjɔ̃] *nf* expropiación *f*.
exproprier [ɛkspʀɔpʀije] *vt* expropiar.
expulser [ɛkspylse] *vt* expulsar, echar; (*locataire*) desalojar, desahuciar.
expulsion [ɛkspylsjɔ̃] *nf* expulsión *f*; desalojo.
expurger [ɛkspyʀʒe] *vt* expurgar.
exquis, e [ɛkski, iz] *a* exquisito(a), delicioso(a).
exsangue [ɛgzɑ̃g] *a* exangüe.
exsuder [ɛksyde] *vt* exudar.
extase [ɛkstɑz] *nf* éxtasis *m*, embeleso; **s'extasier** *vi*: **s'extasier sur** extasiarse ante, embelesarse con.
extenseur [ɛkstɑ̃sœʀ] *nm* extensor *m*.
extensible [ɛkstɑ̃sibl(ə)] *a* extensible.
extensif, ive [ɛkstɑ̃sif, iv] *a* (AGR) extensivo(a).
extension [ɛkstɑ̃sjɔ̃] *nf* extensión *f*; (*fig*) expansión *f*, amplificación *f*.
exténuer [ɛkstenɥe] *vt* extenuar, agotar.
extérieur, e [ɛksteʀjœʀ] *a* externo(a); (*commerce, politique*) exterior; (*calme, gaieté etc*) aparente, exterior // *nm* exterior *m*; (*d'une personne*) apariencia, aspecto; **à l'**~ al exterior, fuera; (*fig*) en el exterior *o* extranjero; (SPORT) por el exterior; ~**ement** *ad* exteriormente, por fuera; (*en apparence*) aparentemente.
extérioriser [ɛksteʀjɔʀize] *vt* exteriorizar.
exterminer [ɛkstɛʀmine] *vt* aniquilar, exterminar.
externat [ɛkstɛʀna] *nm* (SCOL) externado.
externe [ɛkstɛʀn(ə)] *a* externo(a), exterior // *nm/f* (SCOL) externo/a; (MÉD) practicante *m/f*.
extincteur [ɛkstɛ̃ktœʀ] *nm* extintor *m*.
extinction [ɛkstɛ̃ksjɔ̃] *nf* extinción *f*; (JUR: *d'une dette*) extinción, liquidación *f*; ~ **de voix** (MÉD) afonía.
extirper [ɛkstiʀpe] *vt* extirpar, arrancar.
extorquer [ɛkstɔʀke] *vt* arrancar, extorsionar.
extra [ɛkstʀa] *a inv* extra, de primera // *nm inv* extra *m* // *préf* extra.
extraction [ɛkstʀaksjɔ̃] *nf* extracción *f*.
extradition [ɛkstʀadisjɔ̃] *nf* extradición *f*.
extraire [ɛkstʀɛʀ] *vt* extraer; (*balle, corps étranger, fig*): ~ **qch de** extraer *o* sacar algo de.
extrait [ɛkstʀɛ] *nm* extracto; (*de film, livre*) pasaje *m*, trozo.
extra-lucide [ɛkstʀalysid] *a*: **voyante** ~ clarividente *f*, vidente *f*.
extraordinaire [ɛkstʀaɔʀdinɛʀ] *a* extraordinario(a), sorprendente; (*sens affaibli*) extraordinario(a), excepcional; **mission/envoyé** ~ (ADMIN, POL) misión *f*/enviado especial; **assemblée** ~ (ADMIN) asamblea extraordinaria.
extrapoler [ɛkstʀapɔle] *vi* extrapolar.
extra-utérin, e [ɛkstʀayteʀɛ̃, in] *a* extrauterino(a).
extravagance [ɛkstʀavagɑ̃s] *nf* extravagancia, rareza.
extravagant, e [ɛkstʀavagɑ̃, ɑ̃t] *a* extravagante, ridículo(a).
extraverti, e [ɛkstʀavɛʀti] *a*

(*PSYCH*) extravertido(a).
extrême [ɛkstʀɛm] *a* extremo(a); (*chaleur*) extremado(a), excesivo(a) // *nm* extremo; **~ment** *ad* extremadamente, sumamente; **~-onction** [-ɔ̃ksjɔ̃] *nf* extremaunción *f*; **E~-Orient** *nm* (*GÉO*) Lejano Oriente *m*; **extrémiste** *a, nm/f* extremista (*m/f*).
extrémité [ɛkstʀemite] *nf* extremidad *f*; (*situation, geste désespéré*) desvarío, exceso; **~s** *fpl* extremidades *fpl*; **à la dernière ~** en las últimas.
exubérant, e [ɛgzybeʀɑ̃, ɑ̃t] *a* (*végétation*) exuberante, profuso(a).
exulter [ɛgzylte] *vi* exultar, alborozarse.
exutoire [ɛgzytwaʀ] *nm* derivativo.
ex-voto [ɛksvɔto] *nm* exvoto.

F

F [ef] *abrév de* **franc.**
fa [fɑ] *nm* fa *m*.
fable [fɑbl(ə)] *nf* fábula; (*mensonge*) cuento, fábula.
fabricant [fabʀikɑ̃] *nm* fabricante *m*.
fabrication [fabʀikɑsjɔ̃] *nf* fabricación *f*; construcción *f*.
fabrique [fabʀik] *nf* fábrica.
fabriquer [fabʀike] *vt* (*produire*) fabricar, producir; (*construire*) fabricar, construir; (*fig*) imaginar, inventar.
fabulation [fabylɑsjɔ̃] *nf* inventiva, imaginación *f*.
fabuliste [fabylist(ə)] *nm* fabulista *m*.
façade [fasad] *nf* fachada.
face [fas] *nf* cara, rostro; (*du soleil, d'un objet*) cara; (*fig*) aspecto, lado; **en ~ de** *prép* enfrente de, delante de; (*fig*) frente a; **de ~** *a, ad* de frente; **~ à** *prép* frente a; **faire ~ à qn/qch** hacer frente a alguien/algo; **~ à ~** *ad* frente a frente // *nm* (*débat*) debate *m*.
facéties [fasesi] *nfpl* chistes *mpl*, bromas.
facette [fasɛt] *nf* faceta.
fâcher [fɑʃe] *vt* enfurecer, enfadar; **se ~** *vi* enojarse, enfadarse; **se ~ avec qn** enojarse con alguien.
fâcheux, euse [fɑʃø, øz] *a* lamentable, fastidioso(a).
faciès [fasjɛs] *nm* fisonomía, pinta.
facile [fasil] *a* fácil, sencillo(a); (*accommodant*) complaciente, accesible; (*péj*) fácil, barato(a); (*léger*) fácil, liviano(a); **~ à faire** fácil de hacer; **~ment** *ad* fácilmente; (*au moins*) fácilmente, por lo menos; **facilité** *nf* facilidad *f*, sencillez *f*; (*dispositions, dons*) facilidad; **facilités** *fpl* facilidades *fpl*; **faciliter** *vt* facilitar, allanar.
façon [fasɔ̃] *nf* modo, manera; (*d'une robe, veste*) hechura; **~s** *fpl* (*péj*) remilgos, melindres *mpl*; **de quelle ~ l'a-t-il fait?** ¿de qué modo *o* cómo lo hizo?; **d'une autre ~** de otra manera; **de ~ agréable** *etc* de manera agradable *etc*; **de ~ à faire/à ce que** de modo que haga/que; **de telle ~ que** de manera que; **à la ~ de** como si fuera; **de toute ~** de todas maneras.
façonner [fasɔne] *vt* hacer, fabricar; (*travailler*) dar forma a, trabajar; (*fig*) modelar, formar.
facteur, trice [faktœʀ, tʀis] *nm/f* cartero // *nm* factor *m*; **~ de pianos** fabricante *m* de pianos.
factice [faktis] *a* artificial, falso(a).
faction [faksjɔ̃] *nf* facción *f*; (*MIL, gén*) guardia; **~aire** *nm* centinela *m*.
facture [faktyʀ] *nf* factura; (*façon de faire*) factura, ejecución *f*; **facturer** *vt* facturar.
facultatif, ive [fakyltatif, iv] *a* facultativo(a), optativo(a).
faculté [fakylte] *nf* facultad *f*, posibilidad *f*; (*SCOL*) facultad; **~s** *fpl* (*moyens intellectuels*) facultades *fpl*, capacidad *f*.

fade [fad] *a* soso(a); (*fig*) insulso(a), insípido(a).
fagot [fago] *nm* haz *m*, manojo (de leña).
faible [fɛbl(ə)] *a* débil; (*personne, membre*) débil, endeble; (*élève, copie*) flojo(a); (*rendement, intensité, revenu etc*) bajo(a), escaso(a) // *nm*: **le ~ de qn/qch** el (punto) flaco de alguien/algo; **avoir un ~ pour** tener una debilidad por; **faiblesse** *nf* debilidad *f*, escasez *f*; **faiblir** *vi* (*lumière*) debilitarse, bajar; (*vent etc*) amainar, ceder; (*ennemi*) debilitarse; (*résistance, intérêt*) debilitarse, decaer.
faïence [fajɑ̃s] *nf* loza.
faignant, e [fɛɲɑ̃, ɑ̃t] *nm/f* = **fainéant, e.**
faille [faj] *nf* falla; (*fig*) fallo, falta.
faim [fɛ̃] *nf* hambre *f*; **avoir ~** tener hambre.
fainéant, e [fɛneɑ̃, ɑ̃t] *nm/f* holgazán/ana, haragán/ana.
faire [fɛʀ] *vt* hacer; **~ du bruit** hacer ruido; **~ du ski/rugby** practicar esquí/rugby; **dimanche, il a fait du ski/rugby** el domingo, él esquió/jugó al rugby; **~ du violon** tocar el violín **~ le malade** hacerse el enfermo; **~ du diabète/de la tension/de la fièvre** tener diabetes/tensión/fiebre; **~ les magasins/l'Europe centrale** recorrer las tiendas/Europa central; **cela ne me fait rien** eso no me interesa; (*me laisse froid*) eso no me importa; **cela ne fait rien** eso no importa; **je vous le fais 10 F** se lo dejo *o* vendo por 10 F; **2 et 2 font 4** 2 y 2 son 4 // *vi* hacerse, hacer sus necesidades; **ça fait 10 m/15 kg/10 F** son 10 m/15 kg/10 F; **ne le casse pas comme je l'ai fait** no lo rompas como lo hice yo; **il fait jour/nuit** es de día/noche; **il fait beau/chaud** hace buen tiempo/calor; **ça fait 2 ans/heures que...** hace 2 años/horas que...; **vraiment? fit-il** ¿de veras? dijo; **faites!** ¡hágalo!; **il ne fait que critiquer** no hace más que criticar; **~ vieux** parecer viejo; **il m'a fait traverser la rue** (*aider*) me ayudó a atravesar la calle; **se ~ opérer (de)** hacerse operar (de); **se ~ faire un vêtement** mandarse hacer un vestido; **se ~** *vi* (*fromage, vin*) hacerse; **se ~ à qch** acostumbrarse *o* hacerse a algo; **cela se fait beaucoup/ne se fait pas** eso se usa mucho/no se usa; **comment se fait-il que...?** ¿cómo es...?; **il peut se ~ que...** puede ocurrir que...; **il ne s'en fait pas** no se preocupa.
fair-play [fɛʀplɛ] *a inv* que juega limpio, leal.
faisan, e [fəzɑ̃, an] *nm/f* faisán/ana.
faisandé, e [fəzɑ̃de] *a* corrompido(a), podrido(a).
faisceau, x [fɛso] *nm* haz *m*; (*de branches etc*) haz, gavilla.
fait, e [fɛ, ɛt] *pp de* **faire** // *a* (*fromage, melon*) fermentado(a), maduro(a) // *nm* hecho; **c'en est fait de lui** está perdido; **c'est bien fait pour lui** se lo tiene merecido; **le ~ de manger/que...** el hecho de comer/de que...; **être le ~ de** ser la característica de; (*causé par*) ser cosa *o* obra de; **être au ~ de** estar al tanto *o* al corriente de; **au ~** (*à propos*) a propósito; **en venir au ~** pasar a los hechos; **de ~** *a* de hecho // *ad* en efecto; **du ~ que** por el hecho de que; **du ~ de** debido a, a causa de; **de ce ~** por esto, por esta razón; **en ~** en realidad; **en ~ de repas** a guisa de comida; **~ accompli** hecho consumado; **~ divers** sucesos.
faîte [fɛt] *nm* (*d'arbre*) cima, copa; (*du toit*) remate *m*.
faites *vb voir* **faire.**
faîtière [fɛtjɛʀ] *nf* (*de tente*) cumbrera.
fait-tout, faitout [fɛtu] *nm* cacerola.
fakir [fakiʀ] *nm* faquir *m*.
falaise [falɛz] *nf* acantilado.
falloir [falwaʀ] *vb impersonnel*: **il**

va ~ **100 F/doit ~ du temps pour faire cela** para hacer eso se necesitarán 100 F/se necesitará tiempo; **il me faut/faudrait 100 F/de l'aide** necesito/necesitaré 100 F/ayuda; **nous avons ce qu'il (nous) faut** tenemos lo necesario; **il faut absolument le faire** hay que hacerlo necesariamente; **il faut absolument qu'il y aille** es preciso que él vaya; **il a fallu que je parte** tuve que irme; **il faut qu'il ait oublié/qu'il soit malade** tiene que *o* debe haberse olvidado/estar enfermo; **il s'en faut/s'en est fallu de 5 minutes/100 F (pour que)** faltan/faltaron 5 minutos/100 F (para que); **il s'en faut de beaucoup que...** está muy lejos de..., mucho falta para que; **il s'en est fallu de peu que...** faltó poco para que...; **ou peu s'en faut** o poco falta.

falsifier [falsifje] *vt* falsificar, alterar.

famé, e [fame] *a*: **mal ~** mal afamado, de mala fama.

fameux, euse [famø, øz] *a* (*illustre*) famoso(a), célebre; (*repas, plat etc*) memorable, excelente; (*intensif*) notable; (*parfois péj*) famoso(a), cacareado(a).

familial, e, aux [familjal, o] *a* familiar // *nf* (AUTO) furgoneta familiar.

familiariser [familjaʀize] *vt*: **~ qn avec** familiarizar a alguien con.

familiarité [familjaʀite] *nf* familiaridad *f*; confianza; (*connaissance*): **~ avec** familiaridad con; **~s** *fpl* familiaridad, libertades *fpl*.

familier, ière [familje, jɛʀ] *a* familiar; (*cavalier, impertinent*) confianzudo(a) // *nm* asiduo, cliente *m* habitual.

famille [famij] *nf* familia.

famine [famin] *nf* hambre *f*.

fan [fan] *nm/f* admirador/ora.

fana [fana] *nm/f abrév de* **fanatique**.

fanal, aux [fanal, o] *nm* fanal *m*.

fanatique [fanatik] *a* fanático(a), obcecado(a) // *nm/f* fanático/a, sectario/a; (*sens affaibli*): **~ de** entusiasta *m/f* de.

fané, e [fane] *a* (*couleur, tissu*) deslucido(a), ajado(a).

faner [fane]: **se ~** *vi* (*fleur*) marchitarse.

fanfare [fɑ̃faʀ] *nf* banda militar; (*morceau*) marcha militar.

fanion [fanjɔ̃] *nm* banderín *m*.

fanon [fanɔ̃] *nm* (*de baleine*) barba, barbilla; (*repli de peau*) marmella, papada.

fantaisie [fɑ̃tezi] *nf* fantasia // *a*: **bijou ~** alhaja de fantasía; **œuvre de ~** obra de fantasía *o* imaginación.

fantaisiste [fɑ̃tezist(ə)] *a* caprichoso(a), poco serio(a) // *nm* (*de music-hall*) fantasista *m*.

fantasme [fɑ̃tasm(ə)] *nm* fantasma *m*.

fantasque [fɑ̃task(ə)] *a* peregrino(a), singular.

fantassin [fɑ̃tasɛ̃] *nm* infante *m*.

fantastique [fɑ̃tastik] *a* fantástico(a).

fantôme [fɑ̃tom] *nm* fantasma *m*, espectro; **électeur/gouvernement ~** elector/gobierno fantasma.

faon [fɑ̃] *nm* cervatillo.

farandole [faʀɑ̃dɔl] *nf* farándula.

farce [faʀs(ə)] *nf* relleno; (THÉÂTRE) farsa; (*blague*) chiste *m*, broma; **~s et attrapes** bromas y engaños; **farcir** *vt* rellenar.

fard [faʀ] *nm* pintura, maquillaje *m*.

fardeau, x [faʀdo] *nm* carga, peso.

farder [faʀde] *vt* maquillar; **se ~** maquillarse, pintarse.

farine [faʀin] *nf* harina; **farineux, euse** *a* harinoso(a) // *nmpl* farináceos.

farniente [faʀnjɛ̃t] holganza, ocio.

farouche [faʀuʃ] *a* huraño(a), arisco(a); (*brutal, indompté*) salvaje, feroz; (*volonté, résistance*) implacable, feroz.

fart [faʀt] *nm* cera; **~er** *vt* encerar.

fascicule [fasikyl] *nm* fascículo.

fasciner [fasine] *vt* fascinar, seducir.
fascisme [faʃism(ə)] *nm* fascismo; **fasciste** *a, nm/f* fascista (*m/f*).
fasse *etc vb voir* **faire.**
faste [fast(ə)] *nm* fasto, pompa // *a*: **un jour** ~ un día de suerte.
fatal, e [fatal] *a* fatal.
fatalité [fatalite] *nf* fatalidad *f*, adversidad *f*.
fatigue [fatig] *nf* fatiga, cansancio.
fatiguer [fatige] *vt* fatigar, cansar; (*TECH*) forzar; (*fig*) fastidiarse, molestar // *vi* (*moteur*) esforzarse; **se** ~ *vi* (*personne*) fatigarse, cansarse; (*fig*): **se** ~ **de** cansarse de.
fatras [fatʀa] *nm* revoltijo, fárrago.
faubourg [fobuʀ] *nm* suburbio, arrabal *m*.
fauché, e [foʃe] *a* (*fam*) pelado(a).
faucher [foʃe] *vt* segar; (*fig*: *suj*: *mort*) segar, abatir; (: *véhicule*) atropellar, arrolar.
faucille [fosij] *nf* hoz *f*.
faucon [fokɔ̃] *nm* (*ZOOL*) halcón *m*.
faudra, faudrait *etc vb voir* **falloir.**
faufiler [fofile] *vt* hilvanar; **se** ~ **dans/parmi/entre** colarse en/entre.
faune [fon] *nf* fauna // *nm* fauno.
faussaire [fosɛʀ] *nm/f* falsificador/ora.
fausser [fose] *vt* torcer; (*fig*) falsear, desvirtuar.
fausseté [foste] *nf* falsedad *f*; inexactitud *f*; hipocresía.
faut *vb voir* **falloir.**
faute [fot] *nf* (*erreur*) falta, error *m*; (*REL*, *gén*) culpa, falta; (*responsabilité*): **par la** ~ **de** por culpa de; **c'est de sa** ~ es por su culpa; **prendre qn en** ~ pillar a alguien en falta; ~ **de temps** por falta de tiempo; **sans** ~ *ad* sin falta; ~ **d'orthographe/de frappe** error de ortografía/de máquina; ~ **professionnelle** negligencia profesional.
fauteuil [fotœj] *nm* sillón *m*; ~ **d'orchestre** butaca de platea; ~ **roulant** sillón de ruedas; ~ **à roulettes** sillón con ruedas.
fauteur [fotœʀ] *nm*: ~ **de troubles** promotor *m* de disturbios.
fautif, ive [fotif, iv] *a* defectuoso(a); (*responsable*) culpable, responsable.
fauve [fov] *nm* fiera // *a* leonado(a), rojizo(a).
fauvisme [fovism(ə)] *nm* fauvismo.
faux [fo] *nf* guadaña.
faux, fausse [fo, fos] *a* (*inexact*) falso(a), erróneo(a); (*falsifié*) falso(a), falsificado(a); (*sournois*) falso(a), hipócrita; (*postiche*) falso(a), postizo(a); (*MUS*) desentonado(a), desafinado(a); (*simulé*): **fausse modestie** falsa modestia; (*opposé à bon, correct*): **le** ~ **numéro** el número equivocado // *ad*: **jouer/chanter** ~ tocar/cantar desafinadamente // *nm* falsificación *f*; (*opposé au vrai*): **le** ~ lo falso; ~ **ami** (*LING*) falso parentesco; ~ **col** cuello postizo; ~**-filet** *nm* solomillo bajo; ~ **frais** gastos menudos; ~**-fuyant** [fofɥijɑ̃] *nm* subterfugio, evasiva; ~**-monnayeur** [fomɔnɛjœʀ] *nm* monedero falso; ~ **mouvement** falso movimiento; ~ **nez** naríz postiza; ~ **nom** seudónimo; ~ **papiers** documentos falsos; ~ **témoignage** falso testimonio; **fausse alerte** falsa alarma; **fausse clé** ganzúa; **fausse couche** (*MÉD*) aborto; **fausse note** nota falsa.
faveur [favœʀ] *nf* favor *m*, preferencia; (*ruban*) lacito, cintita; ~**s** *fpl* (*d'une femme, d'un haut personnage*) favores *mpl*; **traitement de** ~ tratamiento preferencial; **à la** ~ **de** aprovechando, gracias a; **en** ~ **de qn/qch** en favor de alguien/algo.
favorable [favɔʀabl(ə)] *a* favorable; ~ **à** partidario(a) de.
favori, te [favɔʀi, it] *a* favorito(a), preferido(a) // *nm* (*SPORT*) favorito // *nf* favorita; ~**s** *mpl* (*barbe*) patillas.
favoriser [favɔʀize] *vt* (*personne*)

favorecer, proteger; (*activité*) favorecer, amparar; (*suj*: *chance, événements*) favorecer.
FB *abrév de franc belge.*
fécond, e [fekɔ̃, ɔ̃d] *a* fecunda, fértil; (*fig*) abundante, prolífero(a).
féconder [fekɔ̃de] *vt* fecundar.
fécule [fekyl] *nf* fécula.
fédéral, e, aux [fedeʀal, o] *a* federal; **~isme** *nm* federalismo.
fédération [fedeʀɑsjɔ̃] *nf* federación *f*, asociación *f*; (POL) federación.
fée [fe] *nf* hada.
féerie [feeʀi] *nf* espectáculo fantástico.
feignant, e [fɛɲɑ̃, ɑ̃t] *nm/f* = **fainéant, e.**
feindre [fɛ̃dʀ(ə)] *vt* fingir, aparentar // *vi* simular, fingir.
feinte [fɛ̃t] *nf* finta, ficción *f.*
fêler [fele] *vt* cascar; (MÉD: *os*) astillar.
félicitations [felisitɑsjɔ̃] *nfpl* felicitaciones *fpl.*
féliciter [felisite] *vt* felicitar; **~ qn** de felicitar a alguien por.
félin, e [felɛ̃, in] *a* felino(a) // *nm* felino.
fêlure [felyʀ] *nf* resquebrajadura, raja; (*d'un os*) fisura.
femelle [fəmɛl] *a, nf* hembra.
féminin, e [feminɛ̃, in] *a* femenino(a); (*charmant*) femenino(a), femenil; (*parfois péj*) afeminado(a) // *nm* (LING) femenino.
féministe [feminist(ə)] *a* feminista.
femme [fam] *nf* mujer *f*; (*épouse*) mujer, esposa; **jeune ~** mujer joven; **~ mariée/célibataire** mujer casada/soltera; **~ de chambre** mucama, camarera; **~ de ménage** mujer de servicio.
fémur [femyʀ] *nm* fémur *m.*
fenaison [fənɛzɔ̃] *nf* siega del heno.
fendre [fɑ̃dʀ(ə)] *vt* partir, rajar; (*suj*: *gel, séisme etc*) agrietar, resquebrajar; (*fig*) hender, abrirse paso entre; **se ~** *vi* astillarse, partirse; **fendu, e** *a* resquebrajado(a), agrietado(a); (*jupe*) abierto(a).
fenêtre [fənɛtʀ(ə)] *nf* ventana.
fenouil [fənuj] *nm* hinojo.
fente [fɑ̃t] *nf* abertura, ranura; (*fissure*) grieta, hendidura.
féodalité [feɔdalite] *nf* feudalismo.
fer [fɛʀ] *nm* hierro; (*de cheval*) herradura; **au ~ rouge** con el hierro al rojo; **mettre aux ~s** encadenar, poner grilletes a; **~-blanc** *nm* hojalata; **(en) ~ à cheval** (en) herradura; **~ forgé** hierro forjado; **~ de lance** punta de lanza; **~ (à repasser)** plancha; **~ à souder** soldador *m.*
ferai, ferais *etc vb voir* **faire.**
ferblantier [fɛʀblɑ̃tje] *nm* hojalatero.
férié, e [feʀje] *a*: **jour ~** día feriado.
fermage [fɛʀmaʒ] *nm* arrendamiento.
ferme [fɛʀm(ə)] *a* (*sol, chair*) firme, consistente; (*voix, main*) firme, seguro(a); (*personne*) firme, enérgico(a); (BOURSE) firme // *ad* mucho; acaloradamente; **acheter/vendre ~** (BOURSE) comprar/vender en firme // *nf* granja, finca; (*maison seule*) granja, casa de campo; **~ment** *ad* firmemente; enérgicamente; **fermette** *nf* pequeña granja.
fermé, e [fɛʀme] *a* cerrado(a); (*fig*) impenetrable, hosco(a); (: *cercle, milieu*) cerrado(a), inaccesible.
ferment [fɛʀmɑ̃] *nm* fermento.
fermenter [fɛʀmɑ̃te] *vi* fermentar.
fermer [fɛʀme] *vt* cerrar; (*cesser d'exploiter*) cerrar, clausurar; (*eau, électricité*) cortar // *vi* cerrar; **~ la lumière/radio** apagar la luz/radio; **se ~** *vi* cerrarse; **se ~ à** ser inaccesible a.
fermeté [fɛʀməte] *nf* firmeza; consistencia; energía.
fermeture [fɛʀmətyʀ] *nf* cierre *m*; corte *m*; (*serrure, verrou etc*) cerradura, cierre; **jour de ~** (COMM)

día *m* de cierre; ~ **éclair** *ou* **à glissière** cierre relámpago *o* de cremallera.

fermier, ière [fɛRmje, jɛR] *a*: **beurre** ~ mantequilla de granja // *nm/f* granjero/a; (*locataire*) arrendatario/a, granjero/a.

fermoir [fɛRmwaR] *nm* broche *m*, cierre *m*.

féroce [feRɔs] *a* feroz.

ferons, ferions *vb voir* **faire.**

ferraille [fɛRɑj] *nf* chatarra.

ferrailler [fɛRɑje] *vi* batirse a sable *o* espada.

ferré, e [fɛRe] *a* guarnecido(a) de hierro; ~ **en** empollado en.

ferrer [fɛRe] *vt* herrar, guarnecer de hierro; (*poisson*) enganchar con el anzuelo.

ferronnerie [fɛRɔnRi] *nf* forja del hierro; ~ **d'art** artesanía de hierro forjado.

ferroviaire [fɛRɔvjɛR] *a* ferroviario(a).

ferrugineux, euse [fɛRyʒinø,.øz] *a* ferruginoso(a).

ferrure [fɛRyR] *nf* (*objet*) herraje *m*.

ferry-boat [fɛRibot] *nm* transbordador *m* de trenes.

fertile [fɛRtil] *a* fértil; **fertiliser** *vt* fertilizar.

féru, e [feRy] *a*: ~ **de** apasionado de.

fervent, e [fɛRvɑ̃, ɑ̃t] *a* ferviente, devoto(a).

fesse [fɛs] *nf* nalga; **les** ~**s** las nalgas, las asentaderas; **fessée** *nf* paliza, tunda.

festin [fɛstɛ̃] *nm* festín *m*, jarana.

festival [fɛstival] *nm* festival *m*.

festivités [fɛstivite] *nfpl* festividades *fpl*.

feston [fɛstɔ̃] *nm* festón *m*.

festoyer [fɛstwaje] *vi* juerguear, jaranear.

fête [fɛt] *nf* fiesta; (*d'une personne*) santo; **faire** ~ **à** festejar a; **F~-Dieu** Corpus Christi *m*; ~ **foraine** feria; ~ **mobile** fiesta móvil; **la F~ Nationale** la Fiesta Nacional.

fêter [fete] *vt* festejar a; (*événement*) festejar, celebrar.

fétiche [fetiʃ] *nm* fetiche *m*, amuleto; **objet** ~ objeto mascota; **fétichisme** *nm* fetichismo.

fétu [fety] *nm*: ~ **de paille** brizna de paja, pajilla.

feu [fø] *a inv*: ~ **son père** su difunto padre.

feu, x [fø] *nm* fuego; (*brasier, incendie*) fuego, incendio; (*signal lumineux*) luz *f*, señal luminosa; (*de cuisinière*) hornilla; (*fig*) ardor *m*, pasión *f*; (: *sensation de brûlure*) ardor, irritación *f*; ~**x** *mpl* (*éclat, lumière*) destellos, luces *fpl*; **tous** ~**x éteints** (NAUT, AUTO) con luces apagadas; **s'arrêter aux** ~**x** (AUTO) detenerse en el semáforo; **à** ~ **doux/vif** (CULIN) a fuego moderado/fuerte; **à petit** ~ (CULIN) a fuego lento; **tué au** ~ (MIL) muerto en combate; **prendre** ~ encenderse; **mettre à** ~ encender; **mettre le** ~ **à** dar fuego a; **faire du** ~ hacer fuego, encender el fuego; **avez-vous du** ~**?** ¿tiene Usted fuego?; ~ **nourri/roulant** (MIL) fuego intenso/graneado; ~ **rouge/vert** (AUTO) disco rojo/verde; ~ **de position/de route** (AUTO) luz de posición/larga *o* de carretera; ~ **arrière** (AUTO) luz trasera, piloto; ~ **d'artifice** fuego de artificio; ~ **de camp** fuego de campo; ~ **de cheminée** fuego de chimenea; ~ **de joie** fogata; ~ **de paille** (*fig*) entusiasmo pasajero; ~**x de brouillard** faros para niebla; ~**x de croisement** (AUTO) luces de cruce.

feuillage [fœjaʒ] *nm* follaje *m*, hojarasca.

feuille [fœj] *nf* hoja; ~ **d'impôts** cédula de impuestos; ~ **de métal** lámina de metal; ~ **morte** hoja seca; ~ **(de papier)** hoja (de papel); ~ **de paye** aviso de pago; ~ **de vigne** hoja de parra; ~ **volante** hoja suelta *o* volante.

feuillet [fœjɛ] *nm* pliego, página.

feuilleté, e [fœjte] *a* hojaldrado(a).

feuilleter [fœjte] *vt* hojear.

feuilleton [fœjtɔ̃] *nm* folletón *m*, serial *m*.

feutre [føtʀ(ə)] *nm* fieltro; (*chapeau*) sombrero de fieltro; **stylo ~** *pluma con punta de fieltro*, fibra; **feutré, e** *a* afelpado(a); (*pas, voix, sons*) amortiguado(a), tenue; **feutrer** *vi*, **se feutrer** *vi* apelmazarse; **feutrine** *nf* paño lenci, pañete *m*.

fève [fɛv] *nf* haba; (*dans le gâteau des Rois*) sorpresa.

février [fevʀije] *nm* febrero.

FF *abrév de franc français.*

fiacre [fjakʀ(ə)] *nm* simón *m*, fiacre *m*.

fiançailles [fjɑ̃sɑj] *nfpl* compromiso; (*période*) noviazgo.

fiancé, e [fjɑ̃se] *nm/f* novio/a // *a*: être **~ à** estar prometido con.

fiancer [fjɑ̃se]: **se ~** *vi* ponerse de novios, prometerse.

fibre [fibʀ(ə)] *nf* fibra; **~ de verre** lana de vidrio.

ficeler [fisle] *vt* atar.

ficelle [fisɛl] *nf*: **une ~** un cordón; **de la ~** bramante *m*.

fiche [fiʃ] *nf* ficha; (*ÉLEC*) enchufe *m*.

ficher [fiʃe] *vt* (*renseignement*) anotar en fichas; (*POLICE: suspect*) meter en gayola; (*planter*) clavar; (*fam*) hacer; dar; meter; **fiche(-moi) le camp!** (*fam*) ¡lárgate!; **se ~ de** *vt* (*fam*) importarle a uno un bledo de.

fichier [fiʃje] *nm* fichero; (*renseignements*) registro.

fichu, e [fiʃy] *pp de* **ficher** (*fam*) // *nm* pañoleta, pañuelo pico; **~ temps** tiempo pajolero; **être mal ~** (*fam*) sentirse mal.

fictif, ive [fiktif, iv] *a* ficticio(a), imaginario(a).

fiction [fiksjɔ̃] *nf* ficción *f*.

fidèle [fidɛl] *a* fiel; (*loyal*) fiel, leal // *nm/f* (*REL*) fiel *m/f*; (*fig*) devoto/a, fiel; **fidélité** *nf* fidelidad *f*.

fiduciaire [fidysjɛʀ] *a* fiduciario(a).

fief [fjɛf] *nm* feudo, dominio.

fiel [fjɛl] *nm* hiel *f*.

fiente [fjɑ̃t] *nf* excremento.

fier [fje]: **se ~ à** *vt* fiarse de, confiar en.

fier, fière [fjɛʀ] *a* orgulloso(a); (*hautain*) orgulloso(a), arrogante.

fierté [fjɛʀte] *nf* orgullo; arrogancia.

fièvre [fjɛvʀ(ə)] *nf* fiebre *f*; **~ typhoïde** fiebre tifoidea; **fiévreux, euse** *a* afiebrado(a), febril.

fifre [fifʀ(ə)] *nm* (*MUS*) pífano.

figer [fiʒe] *vt* coagular, cuajar; (*fixer, immobiliser*) paralizar, estancar; (*fig*) petrificar; **se ~** *vi* coagularse, cuajarse.

figue [fig] *nf* higo; **figuier** *nm* higuera.

figurant, e [figyʀɑ̃, ɑ̃t] *nm/f* figurante *m/f*.

figuratif, ive [figyʀatif, iv] *a* (*art*) figurativo(a).

figure [figyʀ] *nf* figura; (*ANAT*) cara; aspecto, apariencia; **faire ~ de** hacer papel de, pasar por; **~ de style/de rhétorique** figura estilística/retórica.

figuré, e [figyʀe] *a* figurado(a).

figurer [figyʀe] *vi* figurar, aparecer // *vt* representar; **se ~ qch/que** imaginarse algo/que.

figurine [figyʀin] *nf* estatuilla.

fil [fil] *nm* hilo; (*du téléphone*) cable *m*; (*tranchant*) filo; **au ~ des heures** con el correr de las horas; **au ~ de l'eau** a favor de la corriente; **de ~ en aiguille** poco a poco; **donner/recevoir un coup de ~** dar/recibir un telefonazo; **~ à coudre** hilo de coser; **~ électrique** cable eléctrico; **~ de fer** alambre *m*; **~ de fer barbelé** alambre de púas; **~ à pêche** sedal *m*; **~ à plomb** plomada.

filament [filamɑ̃] *nm* (*ÉLEC*) filamento; (*de sang, bave etc*) hilo, filamento.

filandreux, euse [filɑ̃dʀø, øz] *a* fibroso(a).

filature [filatyʀ] *nf* hilandería;

(*policière*) *seguimiento de uno para espiarle.*

file [fil] *nf* fila, cola; **en ~ indienne** en fila india; **se mettre à la ~** ponerse en la fila *o* cola; **à la ~** *ad* seguidos(as); (*l'un derrière l'autre*) en fila.

filer [file] *vt* (*tissu, toile*) hilar; (*câble etc*) largar, soltar; (*fig: note*) modular; (*personne*) seguir, vigilar // *vi* (*bas, maille*) correrse; (*liquide, pâte*) fluir; (*aller vite*) correr, volar.

filet [filɛ] *nm* red *f*; (*à cheveux*) redecilla; (*CULIN: de poisson*) filete *m*; (*: viande*) solomillo; **un ~ d'eau** un hilo de agua; **~ (à provisions)** redecilla (de provisiones).

filetage [filtaʒ] *nm* (*filet*) rosca, filete *m*.

fileter [filte] *vt* (*vis*) filetear, roscar.

filial, e, aux [filjal, o] *a, nf* filial (*f*).

filière [filjɛʀ] *nf*: **passer par la ~** seguir el orden jerárquico; **suivre la ~** seguir el escalafón.

filigrane [filigʀan] *nm* filigrana; **en ~** (*fig*) en relieve.

filin [filɛ̃] *nm* cabo.

fille [fij] *nf* muchacha, chica; (*opposé à fils*) hija; (*vieille fille*) soltera; (*péj*) mujerzuela; **petite ~** niña; **~ de joie** prostituta; **~ mère** (*péj*) madre soltera; **~ de salle** muchacha de servicio; **fillette** *nf* chiquilla.

filleul, e [fijœl] *nm/f* ahijado/a.

film [film] *nm* película; (*œuvre*) película, film *m*; **~ muet/parlant** película muda/sonora; **~ d'animation** película de dibujos animados; **~ policier** película policial; **filmer** *vt* rodar, filmar.

filon [filɔ̃] *nm* filón *m*, veta.

fils [fis] *nm* hijo; (*REL*): **le F~ (de Dieu)** el Hijo (de Dios); **~ de famille** hijo de buena familia.

filtre [filtʀ(ə)] *nm* filtro; **"avec ou sans ~?"** "¿con o sin filtro?"; **~ à air** (*AUTO*) filtro de aire; **filtrer** *vt* filtrar; (*fig*) controlar // *vi* filtrar, filtrarse; (*fig*) filtrarse.

fin [fɛ̃] *nf* fin *m*, final *m*; (*mort*) final, muerte *f*; (*but*) fin // *nm voir* **fin, e**; **~s** *fpl* (*desseins*) fines *mpl*; **à la ~ mai** a fines de mayo; **en ~ de journée** al fin del día; **prendre ~** terminar, finalizar; **toucher à sa ~** llegar a su fin; **à la ~** *ad* al fin, finalmente; **sans ~** *a, ad* infinito(a), sin fin; **~ de section** (*en autobus*) final de línea.

fin, e [fɛ̃, fin] *a* fino(a), delgado(a); (*poudre, sable*) fino(a); (*subtil*) sutil, sagaz // *ad* fino // *nm*: **vouloir jouer au plus ~** querer dárselas de listo(a) // *nf* (*alcool*) aguardiente fino; **c'est ~!** (*iro*) ¡que bonito!; **~ prêt** completamente listo; **un ~ gourmet** un buen paladar; **avoir l'ouïe ~e** tener oído fino *o* agudo; **le ~ fond de...** lo más recóndito de...; **le ~ mot de...** el porqué de...; **à seule ~ de** con el solo objeto de; **~es herbes** hierbas aromáticas; **or ~** oro puro; **linge ~** ropa fina.

final, e [final] *a* final, último(a) // *nm* (*MUS*) final *m* // *nf* (*SPORT*) final *f*; **quart/huitième de ~e** cuarta/octava de final.

finalement [finalmɑ̃] *ad* finalmente; (*après tout*) después de todo.

finaliste [finalist(ə)] *nm/f* finalista *m/f*.

finance [finɑ̃s] *nf*: **la ~** la banca, las finanzas; **~s** *fpl* (*situation financière*) fondos, erario; (*de l'État*) hacienda, presupuesto; **moyennant ~** con dinero.

financer [finɑ̃se] *vt* financiar.

financier, ière [finɑ̃sje, jɛʀ] *a* financiero(a) // *nm* financiero.

finasser [finase] *vi* (*péj*) trapacear.

finaud, e [fino, od] *a* ladino(a).

finesse [finɛs] *nf* delgadez *f*, finura; sutileza; **~s** *fpl* sutilezas; **~ de goût** delicadeza de gusto; **~ d'esprit** agudeza de espíritu.

fini, e [fini] *a* acabado(a); (*sans avenir*) perdido(a), acabado(a);

(*machine etc*) arruinado(a); (*MATH, PHILOSOPHIE*) finito(a); (*fait*) terminado(a); (*valeur intensive*) consumado(a) // *nm* perfección *f*.

finir [finiʀ] *vt* terminar, acabar; (*période*) acabar, finalizar // *vi* finalizar, terminar; ~ **de faire qch** terminar de hacer algo; (*cesser*) dejar de hacer algo; ~ **par faire qch** terminar *o* acabar por hacer algo; ~ **par qch** terminar en algo; ~ **en pointe/tragédie** acabar en punta/tragedia; **en** ~ **(avec qn/qch)** acabar (con alguien/algo); **cela/il va mal** ~ eso/él acabará mal.

finish [finiʃ] *nm* final *m*.

finissage [finisaʒ] *nm* acabado.

finisseur, euse [finisœʀ, øz] *nm/f* *competidor/ora que manifiesta cualidades especiales al final del recorrido.*

finition [finisjɔ̃] *nf* acabado, último toque.

finlandais, e [fɛ̃lɑ̃dɛ, ɛz] *a, nm/f* finlandés(esa) // *nm* finlandés *m*.

Finlande [fɛ̃lɑ̃d] *nf* Finlandia; **finnois** *nm* finlandés *m*.

fiole [fjɔl] *nf* frasco.

fiord [fjɔʀd] *nm* = **fjord**.

firme [fiʀm(ə)] *nf* firma.

fisc [fisk] *nm* fisco; **~al, e, aux** *a* fiscal; **~alité** *nf* régimen tributario; (*charges*) contribución *f*, tributación *f*.

fissible [fisibl(ə)] *a* fisionable, escindible.

fission [fisjɔ̃] *nf* fisión *f*, escisión *f*.

fissure [fisyʀ] *nf* grieta, fisura; **se fissurer** *vi* agrietarse.

fiston [fistɔ̃] *nm* (*fam*) hijito.

fixateur [fiksatœʀ] *nm* fijador *m*.

fixatif [fiksatif] *nm* fijador *m*.

fixation [fiksɑsjɔ̃] *nf* fijación *f*.

fixe [fiks(ə)] *a* fijo(a) // *nm* sueldo fijo; **à date** ~ en fecha fija *o* exacta.

fixé, e [fikse] *a*: **être** ~ **(sur)** (*fig*) saber a qué atenerse (con respecto a).

fixement [fiksəmɑ̃] *ad* fijamente.

fixer [fikse] *vt* fijar; (*stabiliser*: *personne*) estabilizar, asentar; (*poser son regard sur*) mirar con atención; ~ **qch à** fijar algo en; **se** ~ (*personne*) establecerse; **se** ~ **sur** (*suj*: *regard etc*) fijarse en.

fixité [fiksite] *nf* fijeza, firmeza.

fjord [fjɔʀd] *nm* fiordo.

flacon [flakɔ̃] *nm* frasco.

flageller [flaʒele] *vt* flagelar.

flageoler [flaʒɔle] *vi* flaquear.

flageolet [flaʒɔlɛ] *nm* (*MUS*) chirimía; (*CULIN*) frijol *m*.

flagrant, e [flagʀɑ̃, ɑ̃t] *a* flagrante; **prendre qn en** ~ **délit** coger a alguien en flagrante delito.

flair [flɛʀ] *nm* olfato.

flairer [fleʀe] *vt* olfatear, husmear; (*fig*) presentir.

flamand, e [flamɑ̃, ɑ̃d] *a, nm/f* flamenco(a) // *nm* flamenco.

flamant [flamɑ̃] *nm* flamenco.

flambant [flɑ̃bɑ̃] *ad*: ~ **neuf** nuevo flamante.

flambé, e [flɑ̃be] *a* flameado(a) // *nf* fogarada, fogata; **~e des prix** alza brusca de precios.

flambeau, x [flɑ̃bo] *nm* antorcha.

flamber [flɑ̃be] *vi* llamear // *vt* flamear.

flamboyer [flɑ̃bwaje] *vi* resplandecer.

flamenco [flamɛnko] *nm* flamenco.

flamme [flam] *nf* llama; (*fig*) fogosidad *f*, pasión *f*.

flammèche [flamɛʃ] *nf* pavesa.

flan [flɑ̃] *nm* (*CULIN*) flan *m*.

flanc [flɑ̃] *nm* flanco; (*d'une montagne*) ladera; **tirer au** ~ (*fam*) escurrir el bulto; **prêter le** ~ **à** (*fig*) dar lugar a.

flancher [flɑ̃ʃe] *vi* flaquear, ceder.

flanelle [flanɛl] *nf* franela.

flâner [flɑne] *vi* errar, vagar.

flanquer [flɑ̃ke] *vt* flanquear; (*fam*) arrojar; ~ **à la porte** (*fam*) echar a la calle; **être flanqué de** estar escoltado por *o* de.

flapi, e [flapi] *a* extenuado(a).

flaque [flak] *nf* charco.

flash, *pl* **flashes** [flaʃ] *nm* (*PHOTO*)

luz *f* relámpago, flash *m*; (: *lumière*) fogonazo, flash; ~ **d'information** flash de noticias.
flasque [flask(ə)] *a* fláccido(a), fofo(a).
flatter [flate] *vt* adular, halagar; (*suj*: *honneurs, amitié*) halagar, deleitar; **se ~ de** vanagloriarse de; **~ie** [flatʀi] *nf* adulación *f*; **une ~ie** una lisonja.
fléau, x [fleo] *nm* flagelo, azote *m*; (*de balance*) astil *m*; (AGR) mayal *m*, látigo de trillar.
flèche [flɛʃ] *nf* flecha; (*de clocher*) aguja; (*de grue*) aguilón *m*; **monter en ~** (*fig*) subir velozmente; **fléchette** *nf* flechita; **fléchettes** *fpl* (*jeu*) flechitas.
fléchir [fleʃiʀ] *vt* doblar, flexionar; (*fig*) doblegar, ablandar // *vi* (*poutre*) ceder, doblarse; (*fig*) ceder, claudicar.
flegmatique [flɛgmatik] *a* flemático(a).
flegme [flɛgm(ə)] *nm* flema, calma.
flemme [flɛm] *nf* (*fam*) pereza.
flétrir [fletʀiʀ] *vt* marchitar, ajar; (*fig*) desprestigiar, mancillar.
fleur [flœʀ] *nf* flor *f*; **tissu à ~s** tela estampada a flores; **être ~ bleue** ser sentimental; **~ de lis** flor de lis.
fleurer [flœʀe] *vt* oler a.
fleuret [flœʀɛ] *nm* florete *m*; (SPORT): **le ~** la esgrima.
fleurette [flœʀɛt] *nf*: **conter ~ à qn** piropear *o* requebrar a alguien.
fleuri, e [flœʀi] *a* florecido(a); (*style, propos*) florido(a); (*péj*) enrojecido(a), bermejo(a).
fleurir [flœʀiʀ] *vi* florecer // *vt* colocar flores en, adornar con flores; **se ~** llevar una flor, adornarse con flores.
fleuriste [flœʀist(ə)] *nm/f* florista *m/f*.
fleuve [flœv] *nm* río; **roman ~** novela río; **discours ~** discurso interminable.
flexible [flɛksibl(ə)] *a* flexible.
flexion [flɛksjɔ̃] *nf* flexión *f*.
flibustier [flibystje] *nm* filibustero.
flic [flik] *nm* (*fam, péj*) polizonte *m*.
flirt [flœʀt] *nm* flirteo; (*personne*) galán *m*, flirt *m*; **~er** *vi* flirtear.
flocon [flɔkɔ̃] *nm* copo; (*de laine*: *boulette*) vellón *m*; **~s d'avoine** copos de avena.
flonflons [flɔ̃flɔ̃] *nmpl* tachín tachín *m*.
floraison [flɔʀɛzɔ̃] *nf* florecimiento.
floral, e, aux [flɔʀal, o] *a* floral.
floralies [flɔʀali] *nfpl* floralias.
flore [flɔʀ] *nf* flora.
florissant, e [flɔʀisɑ̃, ɑ̃t] *a* floreciente.
flot [flo] *nm* (*fig*) oleada, multitud *f*; **~s** *mpl* oleaje *m*; **mettre/être à ~** poner/estar a flote; (*fig*) sacar/estar a flote; **à ~s** a raudales.
flottage [flɔtaʒ] *nm* armadía.
flottaison [flɔtɛzɔ̃] *nf*: **ligne de ~** línea de flotación.
flottant, e [flɔtɑ̃, ɑ̃t] *a* amplio(a), con vuelo; (*non fixe*) fluctuante.
flotte [flɔt] *nf* flota; (*fam*) agua, lluvia.
flottement [flɔtmɑ̃] *nm* vacilación *f*.
flotter [flɔte] *vi* flotar; (*drapeau, cheveux*) flamear, ondear; (*fig*) ondear; (ÉCON) fluctuar // *vt* (*bois*) transportar por la corriente; **flotteur** *nm* flotador *m*.
flotille [flɔtij] *nf* flotilla.
flou, e [flu] *a* borroso(a).
flouer [flue] *vt* embaucar, engatusar.
fluctuation [flyktɥɑsjɔ̃] *nf* fluctuación *f*.
fluet, te [flyɛ, ɛt] *a* endeble, débil.
fluide [flɥid] *a* fluido(a) // *nm* fluido.
fluor [flyɔʀ] *nm* flúor *m*.
fluorescent, e [flyɔʀesɑ̃, ɑ̃t] *a* fluorescente.
flûte [flyt] *nf* flauta; (*verre*) copa; (*pain*) *pan de forma alargada*; **~!** ¡caracoles!; **~ à bec** flauta dulce *o* de pico; **flûtiste** *nm/f* flautista *m/f*.
fluvial, e, aux [flyvjal, o] *a* fluvial.
flux [fly] *nm* flujo; **le ~ et le reflux** (*fig*) los altibajos.

fluxion [flyksjɔ̃] *nf*: ~ **de poitrine** pleuresía.
FM *sigle f voir* **fréquence.**
FMI *sigle m voir* **fonds.**
foc [fɔk] *nm* foque *m*.
focal, e, aux [fɔkal, o] *a* focal.
foehn [føn] *nm* viento seco y cálido.
fœtal, e, aux [fetal, o] *a* fetal.
fœtus [fetys] *nm* feto.
foi [fwa] *nf* fe *f*; (*engagement*) fidelidad *f*; **sous la ~ du serment** bajo juramento; **ajouter ~ à** dar fe a; **digne de ~** digno(a) de confianza, fidedigno(a); **sur la ~ de** creyendo a, en base al testimonio de; **ma ~!** ¡lo juro!
foie [fwa] *nm* hígado; ~ **gras** paté *m* de hígado de ganso.
foin [fwɛ̃] *nm* heno; **faire les ~s** segar el heno.
foire [fwaʀ] *nf* feria; ~ **(exposition)** feria (de muestras); **faire la ~** (*fig fam*) vivir de juerga.
fois [fwa] *nf* vez *f*; **2 ~ 2** dos por dos; **deux ~ plus grand (que)** el doble (de); **la ~ suivante** la próxima vez; **la ~ précédente** la vez anterior; **une ~ pour toutes** una vez para siempre; **une ~ parti, il...** una vez que hubo partido, él...; **à la ~** (*ensemble*) a la vez; **à la ~ grand et beau** grande y bello a la vez; **des ~** (*parfois*) a veces; **si des ~...** (*fam*) si por casualidad...; **non mais des ~!** (*fam*) ¡pero caramba!; **il était une ~...** habia una vez...; érase una vez... .
foison [fwazɔ̃] *nf*: **une ~ de** una profusión de; **~ner** *vi* abundar, pulular.
folâtre [fɔlɑtʀ(ə)] *a* travieso(a).
folie [fɔli] *nf* locura; **la ~ des grandeurs** la manía *o* el deliro de grandezas.
folklore [fɔlklɔʀ] *nm* folklore *m*; **folklorique** *a* folklórico(a).
folle [fɔl] *a, nf voir* **fou.**
follement [fɔlmɑ̃] *ad* locamente, muchísimo.
follet [fɔlɛ] *a*: **feu ~** fuego fatuo.
foncé, e [fɔ̃se] *a* oscuro(a).
foncer [fɔ̃se] *vt* oscurecer // *vi* oscurecerse; (*fam*) correr; ~ **sur** (*fam*) arremeter contra.
foncier, ière [fɔ̃sje, jɛʀ] *a* fundamental, básico(a); (*COMM*) hipotecario(a); **foncièrement** *ad* profundamente.
fonction [fɔ̃ksjɔ̃] *nf* función *f*; (*profession*) empleo, profesión *f*; (*poste*) cargo, empleo; **~s** *fpl* (*activités, BIO*) funciones *fpl*; **entrer en/reprendre ses ~s** tomar posesión de/reintegrarse a su cargo; **voiture de ~** coche *m* oficial *o* de servicio; **être ~ de** depender de; **faire ~ de** hacer las veces de; **la ~ publique** la función pública.
fonctionnaire [fɔ̃ksjɔnɛʀ] *nm/f* funcionario/a.
fonctionnariser [fɔ̃ksjɔnaʀize] *vt* asimilar a la función pública.
fonctionnel, le [fɔ̃ksjɔnɛl] *a* funcional.
fonctionnement [fɔ̃ksjɔnmɑ̃] *nm* funcionamiento.
fonctionner [fɔ̃ksjɔne] *vi* funcionar.
fond [fɔ̃] *nm* fondo; **course de ~** carrera de fondo; **envoyer par le ~** echar a pique; **à ~** *ad* a fondo; **à ~ (de train)** *ad* (*fam*) a todo correr; **dans le ~, au ~** *ad* en el fondo; **de ~ en comble** *ad* de arriba abajo ~ **sonore** fondo sonoro; ~ **de teint** crema base.
fondamental, e, aux [fɔ̃damɑ̃tal, o] *a* fundamental.
fondant, e [fɔ̃dɑ̃, ɑ̃t] *a* que se funde; (*au goût*) que se disuelve *o* deshace.
fondateur, trice [fɔ̃datœʀ, tʀis] *nm/f* fundador/ora; **membre ~** miembre fundador.
fondation [fɔ̃dasjɔ̃] *nf* fundación *f*; **travaux de ~** trabajos de cimentación; **~s** *fpl* (*CONSTRUCTION*) cimientos.
fondement [fɔ̃dmɑ̃] *nm* ano; **~s** *mpl* cimientos; **sans ~** a sin fundamento.
fondé, e [fɔ̃de] *a* fundado(a); **être**

~ **à** tener derecho a; ~ **de pouvoir** *nm* apoderado.
fonder [fɔ̃de] *vt* fundar; (*fig*): ~ **qch sur** basar algo en; **se** ~ **sur qch** basarse en algo.
fonderie [fɔ̃dRi] *nf* (*usine*) fundición *f*.
fondeur [fɔ̃dœR] *nm*: **(ouvrier)** ~ (obrero) fundidor *m*.
fondre [fɔ̃dR(ə)] *vt* fundir; (*dans l'eau*) disolver; (*fig*) fundir, mezclar; (*se précipiter*): ~ **sur** caer sobre // *vi* fundirse; (*dans l'eau*) disolverse; (*fig*) consumirse, disiparse; **faire** ~ derretir, disolver; (*dans l'eau*) deshacer, disolver; ~ **en larmes** deshacerse en lágrimas.
fondrière [fɔ̃dRijɛR] *nf* hoyo.
fonds [fɔ̃] *nm* capital *m*, caudal *m*; (COMM): ~ **(de commerce)** negocio; (*fig*) caudal // *mpl* (*argent*) fondos; **à** ~ **perdus** *ad* a fondo perdido; **le F**~ **monétaire international, FMI** el Fondo monetario internacional.
fondu, e [fɔ̃dy] *a* derretido(a), fundido(a); (*fig*) desvanecido(a) // *nm* (CINÉMA) fundido // *nf*: ~**e au fromage** *plato a base de queso fundido*; ~ **enchaîné** fundido encadenado.
font *vb voir* **faire.**
fontaine [fɔ̃tɛn] *nf* fuente *f*.
fonte [fɔ̃t] *nf* fundición *f*; **en** ~ **émaillée** de hierro esmaltado; **la** ~ **des neiges** el deshielo.
fonts baptismaux [fɔ̃batismo] *nmpl* pila, fuente *f* bautismal.
football [futbol] *nm* fútbol *m*; ~ **de table** fútbol de mesa; ~**eur** *nm* futbolista *m*.
footing [futiŋ] *nm*: **faire du** ~ trotar, hacer footing.
for [fɔR] *nm*: **dans mon** ~ **intérieur** en mi fuero interior.
forage [fɔRaʒ] *nm* perforación *f*.
forain, e [fɔRɛ̃, ɛn] *a, nm/f* feriante (*m/f*).
forban [fɔRbɑ̃] *nm* bandido, forajido.
forçat [fɔRsa] *nm* forzado.
force [fɔRs(ə)] *nf* fuerza; (*intellectuelle*) capacidad *f*; (ÉLEC): **la** ~ la energía, la corriente; ~**s** *fpl* (*physiques*, MIL) fuerzas; **de toutes mes** ~**s** con todas mis fuerzas; **à** ~ **de** a fuerza de; **arriver en** ~ llegar en cantidad; **de** ~ *ad* por la fuerza; **être de** ~ **à** ser capaz de; **de première** ~ de gran capacidad; **par la** ~ **des choses** inevitablemente, por fuerza; ~**s de police/de l'ordre** fuerzas de policia/del orden; ~ **de frappe** fuerza de choque, potencial bélico; ~ **d'inertie** fuerza de inercia; ~**s armées** fuerzas armadas.
forcé, e [fɔRse] *a* forzado(a); (*bain, atterrissage*) forzoso(a); ~**ment** *ad* forzosamente.
forcené, e [fɔRsəne] *a* encarnizado(a), frenético(a) // *nm/f* furioso/a.
forceps [fɔRsɛps] *nm* fórceps *m*.
forcer [fɔRse] *vt* forzar; (*plante*) activar el crecimiento de; ~ **qn à qch/à faire qch** constreñir a alguien a algo/a que haga algo; ~ **la dose/l'allure** aumentar excesivamente la dosis/la velocidad; ~ **l'attention/le respect** ganarse la consideración/el respeto // *vi* (SPORT, *gén*) esforzarse; **se** ~ **à** esforzarse en.
forcing [fɔRsiŋ] *nm*: **faire le** ~ redoblar el ataque.
forcir [fɔRsiR] *vi* engordar; (*vent*) arreciar.
forer [fɔRe] *vt* perforar, horadar; (*trou, puits*) perforar.
forestier, ière [fɔRɛstje, jɛR] *a* forestal.
foreuse [fɔRøz] *nf* perforadora.
forêt [fɔRɛ] *nf* bosque *m*.
forfait [fɔRfɛ] *nm* (COMM) ajuste *m*, convenio; (*crime*) crimen *m*; **déclarer** ~ retirarse, no competir; **travailler à** ~ trabajar a destajo; ~**aire** *a* convenido(a), concertado(a).
forge [fɔRʒ(ə)] *nf* herreria, forja.
forgé, e [fɔRʒe] *a*: ~ **de toutes pièces** inventado de punta a cabo.

forger [fɔʀʒe] *vt* forjar; (*fig*) forjar, formar; (: *prétexte, alibi*) fraguar; **~on** [fɔʀʒɔʀɔ̃] *nm* herrero.
formaliser [fɔʀmalize] : **se ~** *vi* escandalizarse, enfadarse; **se ~ de qch** molestarse por algo.
formalité [fɔʀmalite] *nf* requisito, formalidad *f.*
format [fɔʀma] *nm* formato; (*TYPOGRAPHIE, PHOTO*) formato, tamaño.
formation [fɔʀmɑsjɔ̃] *nf* formación *f*; concepción *f*; (*groupe*) grupo, conjunto; (*éducation, GÉO, MINÉRALOGIE etc*) formación; **la ~ professionnelle** la formación profesional; **en ~** (*MIL, AVIAT*) en formación.
forme [fɔʀm(ə)] *nf* forma; (*modalité, type*) tipo, forma; **les ~s** (*manières, d'une femme*) las formas; **être en (bonne) ~, avoir la ~** estar en buenas condiciones.
formel, le [fɔʀmɛl] *a* formal, categórico(a).
former [fɔʀme] *vt* (*constituer*) constituir, formar; (*rassembler*) formar, organizar; (*sédiment, croûte etc*) formar, producir; (*concevoir*) concebir, plasmar; (*travailleur, sportif*) formar, instruir; (*développer*) formar, desarrollar; (*lettre etc*) formar, componer; **se ~** *vi* formarse.
formidable [fɔʀmidabl(ə)] *a* formidable.
formol [fɔʀmɔl] *nm* formol *m.*
formulaire [fɔʀmylɛʀ] *nm* formulario.
formule [fɔʀmyl] *nf* fórmula; (*arrangement, système*) solución *f*, sistema *m*; **~ de politesse** fórmula de cortesía.
formuler [fɔʀmyle] *vt* formular; (*expliciter: sa pensée*) expresar.
fort, e [fɔʀ, ɔʀt(ə)] *a* fuerte; (*carton, papier*) resistente; (*élève, artiste*) capaz, talentoso(a); (*important*) importante, considerable; (*jambe, taille, personne*) grueso(a), robusto(a) // *ad* fuerte, con fuerza // *nm* fuerte *m*; **j'en doute ~** dudo mucho; **avoir ~ à faire pour...** darse mucho que hacer para...; **au plus ~ de la discussion** en lo mejor de la discusión.
forteresse [fɔʀtəʀɛs] *nf* fortaleza.
fortifiant [fɔʀtifjɑ̃] *nm* fortificante *m*, reconstituyente *m.*
fortifications [fɔʀtifikɑsjɔ̃] *nfpl* fortificaciones *fpl.*
fortifier [fɔʀtifje] *vt* fortalecer, reconfortar; (*ville, château*) fortificar.
fortuit, e [fɔʀtɥi, ɥit] *a* fortuito(a), casual.
fortune [fɔʀtyn] *nf* fortuna; (*sort*) suerte *f*; **de ~** *a* improvisado(a); **fortuné, e** *a* afortunado(a).
forum [fɔʀɔm] *nm* foro; (*débat*) debate *m.*
fosse [fos] *nf* fosa; (*tombe*) fosa, sepultura; **~ (d'orchestre)** foso de la orquesta; **~ à purin** depósito de aguas de estiércol; **~ septique** fosa séptica.
fossé [fose] *nm* zanja; (*fig*) abismo.
fossette [fosɛt] *nf* hoyuelo.
fossile [fosil] *a, nm* fósil (*m*).
fossoyeur [foswajœʀ] *nm* sepulturero.
fou(fol), folle [fu, fɔl] *a* loco(a); (*extrême, très grand*) enorme, extremado(a) // *nm/f* loco/a; chiflado/a // *nm* (*d'un roi*) bufón *m*; (*ÉCHECS*) alfil *m*; **avoir le ~ rire** tener un ataque de risa; **herbe folle** hierbajo.
foudre [fudʀ(ə)] *nf* rayo; **~s** *fpl* reprobación *f.*
foudroyer [fudʀwaje] *vt* fulminar.
fouet [fwɛ] *nm* látigo; (*CULIN*) batidor *m*; **de plein ~** *ad* de frente; **~ter** *vt* dar latigazos a; (*fig*) azotar; (*CULIN*) batir.
fougère [fuʒɛʀ] *nf* helecho.
fougue [fug] *nf* arrebato, ímpetu *m.*
fouille [fuj] *nf* cacheo, registro; **~s** *fpl* (*archéologiques*) excavaciones *fpl*; **passer à la ~** registrar.
fouiller [fuje] *vt* cachear, registrar; (*local, quartier*) registrar, explorar; (*sol*) cavar, excavar // *vi* registrar, hurgar.

fouillis [fuji] *nm* revoltijo, desbarajuste *m*.
fouine [fwin] *nf* fuina, garduña.
fouisseur, euse [fwisœʀ, øz] *a* excavador(ora).
foulard [fulaʀ] *nm* pañuelo.
foule [ful] *nf* muchedumbre *f*, pueblo; **une ~ de** una multitud de; **les ~s** las masas, las muchedumbres; **venir en ~** venir en masa *o* en tropel.
foulée [fule] *nf* (SPORT) zancada; **dans la ~ de** inmediatamente detrás de.
fouler [fule] *vt* triturar, prensar; **~ aux pieds** pisotear; **se ~** *vt* torcerse // *vi* (*fam*) fatigarse, esforzarse; **foulure** *nf* esguince *m*.
four [fuʀ] *nm* horno; (THÉÂTRE) fiasco, fracaso; **cuire au ~** cocinar al horno.
fourbe [fuʀb(ə)] *a* pícaro(a), astuto(a).
fourbu, e [fuʀby] *a* extenuado(a), rendido(a).
fourche [fuʀʃ(ə)] *nf* horca; (*de bicyclette*) horquilla; (*d'une route*) bifurcación *f*.
fourchette [fuʀʃɛt] *nf* tenedor *m*; (STATISTIQUE) gama.
fourchu, e [fuʀʃy] *a* (*cheveu*) *abierto en las puntas*; (*arbre etc*) ahorquillado(a), bifurcado(a).
fourgon [fuʀgɔ̃] *nm* furgón *m*; **~ mortuaire** coche *m* fúnebre.
fourgonnette [fuʀgɔnɛt] *nf* furgoneta.
fourmi [fuʀmi] *nf* hormiga; **~lière** *nf* hormiguero.
fourmillement [fuʀmijmɑ̃] *nm* (*démangeaison*) hormigueo.
fourmiller [fuʀmije] *vi* hormiguear, pulular; **~ de** estar lleno(a) de.
fournaise [fuʀnɛz] *nf* hoguera, horno.
fourneau, x [fuʀno] *nm* (*de cuisine*) horno.
fournée [fuʀne] *nf* hornada.
fourni, e [fuʀni] *a* (*barbe, cheveux*) tupido(a), espeso(a).
fournir [fuʀniʀ] *vt* proveer, dar; (*effort*) hacer, realizar; (*provisions, travail, main d'œuvre*) proveer, suministrar; (*suj*: *chose*) dar, proporcionar; (COMM): **~ en** proveer *o* abastecer de; **se ~ chez** proveerse en lo de; **fournisseur, euse** *nm/f* proveedor/ora, abastecedor/ora; **fourniture** *nf* abastecimiento, provisión *f*; **fournitures** *fpl* material *m*; **fournitures de bureau/scolaires** artículos de escritorio/escolares.
fourrage [fuʀaʒ] *nm* forraje *m*.
fourrager, ère [fuʀaʒe, ɛʀ] *a* forrajero(a) // *nf* forrajera.
fourré, e [fuʀe] *a* relleno(a); (*manteau, botte*) forrado(a) // *nm* espesura, maraña.
fourreau, x [fuʀo] *nm* funda, vaina.
fourrer [fuʀe] *vt* (*fam*) meter.
fourreur [fuʀœʀ] *nm* peletero.
fourrière [fuʀjɛʀ] *nf* perrera; (*pour voitures*) depósito de coches.
fourrure [fuʀyʀ] *nf* piel *f*.
foutre [futʀ(ə)] *vt* (*fam!*) = **ficher** (*fam*).
foyer [fwaje] *nm* (*d'une cheminée, d'un four*) hogar *m*, fogón *m*; (*fig*, OPTIQUE, PHOTO) foco; (*famille*) hogar, familia; (*domicile*) hogar; (THÉÂTRE) sala de descanso, foyer *m*; (*local de réunion*) hogar, centro; **lunettes à double ~** gafas bifocales.
fracas [fʀaka] *nm* estruendo, fragor *m*.
fracasser [fʀakase] *vt* destrozar, romper; **se ~ le bras** romperse el brazo.
fraction [fʀaksjɔ̃] *nf* (MATH) fracción *f*, quebrado; (*gén*) fracción; **~ner** *vt* fraccionar; **se ~ner** *vi* fraccionarse, dividirse.
fracture [fʀaktyʀ] *nf* fractura; **~ du crâne** fractura de cráneo; **fracturer** *vt* romper, forzar; (*os, membre*) fracturar; **se fracturer la jambe** fracturarse la pierna.
fragile [fʀaʒil] *a* frágil, quebradizo(a); (*estomac, santé, personne*) de-

licado(a), frágil; (*fig*) endeble, delicado(a).
fragment [fʀagmɑ̃] *nm* fragmento, pedazo; (*extrait*) fragmento, trozo; **~er** *vt* fragmentar; **se ~er** *vi* fragmentarse.
frai [fʀɛ] *nm* desove *m*.
fraîchement [fʀɛʃmɑ̃] *ad* fríamente; (*récemment*) recientemente.
fraîcheur [fʀɛʃœʀ] *nf* frescura; frialdad *f*.
frais, fraîche [fʀɛ, fʀɛʃ] *a* fresco(a); (*accueil, réception*) frío(a); (*souvenir*) vivo(a), claro(a); (*sportif, soldat*) reposado(a) // *ad*: **il fait ~** está *o* hace fresco // *nm*: **mettre au ~** poner *o* conservar al fresco // *mpl* gastos; **des troupes fraîches** tropas no fatigadas; **prendre le ~** tomar el fresco; **~ de déplacement** viáticos; **~ généraux** gastos generales.
fraise [fʀɛz] *nf* fresa; **~ des bois** fresa silvestre; **fraiser** *vt* fresar; **fraisier** *nm* fresa.
framboise [fʀɑ̃bwaz] *nf* frambuesa; **framboisier** *nm* frambueso.
franc, franche [fʀɑ̃, fʀɑ̃ʃ] *a* franco(a), sincero(a); (*net*) neto(a) // *ad*: **parler ~** hablar francamente // *nm* franco; **~ de port** franco de porte; **port ~** puerto franco; **zone franche** zona franca; **ancien ~, ~ léger** viejo franco; **nouveau ~, ~ lourd** nuevo franco.
français, e [fʀɑ̃sɛ, ɛz] *a, nm/f* francés(esa) // *nm* francés *m*.
France [fʀɑ̃s] *nf* Francia.
franche [fʀɑ̃ʃ] *a voir* **franc**.
franchement [fʀɑ̃ʃmɑ̃] *ad* francamente; netamente; (*tout à fait*) francamente, completamente.
franchir [fʀɑ̃ʃiʀ] *vt* franquear, superar.
franchise [fʀɑ̃ʃiz] *nf* franqueza, sinceridad *f*; (*exemption*, ASSURANCES) franquicia.
franciser [fʀɑ̃size] *vt* afrancesar.
franc-maçon [fʀɑ̃masɔ̃] *nm* francmasón *m*; **~nerie** *nf* francmasonería.
franco [fʀɑ̃ko] *ad* libre de gastos.
franco... [fʀɑ̃ko] *préf* franco; **francophone** [fʀɑ̃kɔfɔn] *a* de habla francesa; **francophonie** *nf comunidad de pueblos de habla francesa.*
franc-tireur [fʀɑ̃tiʀœʀ] *nm* francotirador *m*.
frange [fʀɑ̃ʒ] *nf* fleco; (*de cheveux*) flequillo; (*fig*) franja.
franquette [fʀɑ̃kɛt]: **à la bonne ~** *ad* a la buena de Dios, sin ceremonias.
frappe [fʀap] *nf* (*d'une dactylo*) tecleo; (BOXE) pegada, golpe *m*; (FOOTBALL) disparo, saque *m*.
frappé, e [fʀape] *a* helado(a).
frapper [fʀape] *vt* golpear; (*fig*) asombrar, impresionar; (*suj: malheur, impôt*) afectar; (*monnaie*) acuñar; **~ à la porte** llamar a la puerta; **~ dans ses mains** golpear con las manos.
fraternel, le [fʀatɛʀnɛl] *a* fraternal.
fraterniser [fʀatɛʀnize] *vi* fraternizar.
fraternité [fʀatɛʀnite] *nf* fraternidad *f*.
fratricide [fʀatʀisid] *a* fratricida.
fraude [fʀod] *nf* fraude *m*; **frauder** *vi* cometer un fraude; **frauduleux, euse** *a* fraudulento(a).
frayer [fʀeje] *vt* abrir // *vi* desovar, reproducirse; **~ avec** frecuentar, tratarse con.
frayeur [fʀɛjœʀ] *nf* terror *m*, espanto.
fredonner [fʀədɔne] *vt* tararear.
freezer [fʀizœʀ] *nm* congelador *m*.
frégate [fʀegat] *nf* fragata.
frein [fʀɛ̃] *nm* freno; **~ à main/moteur** freno de mano/motor; **~s à disques/à tambour** frenos de disco/de tambor.
freinage [fʀɛnaʒ] *nm* frenos, frenado; **distance de ~** distancia de frenado; **traces de ~** marcas de frenazo.
freiner [fʀene] *vi, vt* frenar.
frelaté, e [fʀəlate] *a* adulterado(a).

frêle [fʀɛl] *a* frágil, delicado(a).
frémir [fʀemiʀ] *vi* temblar, estremecerse.
frénésie [fʀenezi] *nf* frenesí *m*, enardecimiento; **frénétique** *a* frenético(a).
fréquemment [fʀekamɑ̃] *ad* frecuentemente, a menudo.
fréquence [fʀekɑ̃s] *nf* frecuencia; (*RADIO*): **haute/basse** ~ alta/baja frecuencia; ~ **modulée, FM** frecuencia modulada.
fréquent, e [fʀekɑ̃, ɑ̃t] *a* frecuente.
fréquentations [fʀekɑ̃tɑsjɔ̃] *nfpl* (*relations*) relaciones *fpl*, compañías.
fréquenter [fʀekɑ̃te] *vt* frecuentar; (*personne*) frecuentar, tratar; (: *courtiser*) cortejar, festejar.
frère [fʀɛʀ] *nm* hermano; (*fig*) compañero; (*REL*) hermano, fray *m* // *a*: **partis/pays** ~**s** partidos/países hermanos.
fresque [fʀɛsk(ə)] *nf* fresco.
fret [fʀɛ] *nm* flete *m*; **fréter** *vt* fletar, alquilar.
frétiller [fʀetije] *vi* menearse, agitarse.
fretin [fʀətɛ̃] *nm*: **le menu** ~ la morralla.
friable [fʀijabl(ə)] *a* desmenuzable, pulverizable.
friandise [fʀijɑ̃diz] *nf* golosina.
fric [fʀik] *nm* (*fam!*) guita, parné *m*.
fricassée [fʀikase] *nf* fricasé *m*, guiso.
friche [fʀiʃ]: **en** ~ *a, ad* inculto(a), sin cultivar.
friction [fʀiksjɔ̃] *nf* fricción *f*; (*fig*) fricción, roce *m*; ~**ner** *vt* friccionar.
frigidaire [fʀiʒidɛʀ] *nm* nevera, frigorífico.
frigide [fʀiʒid] *a* frígido(a).
frigo [fʀigo] *nm abrév de* **frigidaire**.
frigorifier [fʀigoʀifje] *vt* congelar; (*fig*) helar, congelar; intimidar, amilanar.
frigorifique [fʀigɔʀifik] *a* frigorífico(a).
frileux, euse [fʀilø, øz] *a* friolento(a).
frimousse [fʀimus] *nf* cara, palmito.
fringale [fʀɛ̃gal] *nf* gazuza.
fripé, e [fʀipe] *a* chafado(a), ajado(a).
fripier, ère [fʀipje, ɛʀ] *nm/f* ropavejero/a.
frire [fʀiʀ] *vi, vt* (*aussi*: **faire** ~) freir.
frise [fʀiz] *nf* friso.
frisé, e [fʀize] *a* rizado(a) // *nf*: (**chicorée**) ~**e** achicoria rizada.
friser [fʀize] *vt* rizar // *vi* ser rizado(a).
frisson [fʀisɔ̃] *nm* escalofrío, estremecimiento; ~**ner** *vi* estremecerse; (*fig*) temblar, estremecerse.
frit, e [fʀi, it] *pp de* **frire** // *a* frito(a) // *nf* patata frita.
friteuse [fʀitøz] *nf* freidor *m*.
friture [fʀityʀ] *nf* (*huile*) aceite *m*; (*RADIO*) ruido parásito; (*plat*): ~ (**de poissons**) fritura (de pescados), pescado frito.
frivole [fʀivɔl] *a* frívolo(a), baladí.
froid, e [fʀwa, ad] *a* frío(a) // *nm* frío; **il fait** ~ hace frío; **avoir** ~ tener frío; **prendre** ~ coger frío; **à** ~ *ad* en frío; ~**ement** *ad* fríamente.
froisser [fʀwase] *vt* arrugar; (*fig*) ofender; **se** ~ *vi* arrugarse; ofenderse, amoscarse; **se** ~ **un muscle** retorcerse un músculo.
frôler [fʀole] *vt* rozar.
fromage [fʀɔmaʒ] *nm* queso; ~ **blanc** requesón *m*; **fromager, ère** *nm/f* quesero/a; ~**rie** *nf* (*usine*) quesería.
froment [fʀɔmɑ̃] *nm* trigo.
fronce [fʀɔ̃s] *nf* frunce *m*; **froncer** *vt* fruncir; **fron er les sourcils** fruncir el ceño.
fronde [fʀɔ̃d] *nf* honda.
frondeur, euse [fʀɔ̃dœʀ, øz] *a* criticón(ona), motejador(ora).
front [fʀɔ̃] *nm* frente *f*; (*MIL, fig*) frente *m*; **avoir le** ~ **de** tener la

cara *o* desfachatez de; **de** ~ *ad* de frente; (*rouler*) juntos(as), al lado; (*simultanément*) al mismo tiempo; ~ **de mer** avenida marítima.

frontalier, ière [fRɔ̃talje, ɛR] *a, nm/f* fronterizo(a).

frontière [fRɔ̃tjɛR] *nf* frontera; **poste** ~ puesto fronterizo(a).

frontispice [fRɔ̃tispis] *nm* frontispicio.

fronton [fRɔ̃tɔ̃] *nm* frontón *m*.

frottement [fRɔtmɑ̃] *nm* frotamiento, roce *m*.

frotter [fRɔte] *vi* rozar // *vt* frotar, restregar; (*pour nettoyer*) frotar, estregar; ~ **une allumette** frotar *o* raspar un fósforo.

fructifier [fRyktifje] *vi* fructificar.

fructueux, euse [fRyktɥø, øz] *a* fructuoso(a), provechoso(a).

frugal, e, aux [fRygal, o] *a* frugal, austero(a).

fruit [fRɥi] *nm* fruto, fruta; (*fig*) fruto; ~**s de mer** mariscos; ~**s secs** frutas secas; ~**ier, ière** *a*: **arbre** ~**ier** árbol *m* frutal // *nm/f* frutero/a // *nf* (*coopérative*) consorcio de queseros.

fruste [fRyst(ə)] *a* rústico(a), tosco(a).

frustré, e [fRystRe] *a* frustrado(a), decepcionado(a).

frustrer [fRystRe] *vt* frustrar; ~ **qn de** privar a alguien de.

FS *abrév de franc suisse*.

fuel [fjul] *nm* fuel-oil *m*.

fugitif, ive [fyʒitif, iv] *a* pasajero(a), efímero(a); (*prisonnier etc*) fugitivo(a) // *nm/f* fugitivo/a.

fugue [fyg] *nf* (*MUS*) fuga; **faire une** ~ fugarse, escapar.

fuir [fɥiR] *vt* huir de, escapar a // *vi* huir, escapar; (*gaz, eau*) escapar, salirse; (*robinet, tuyau*) perder, salirse.

fuite [fɥit] *nf* huida, fuga; (*écoulement*) escape *m*, derrame *m*; (*divulgation*) indiscreción *f*, delación *f*; **être en** ~ ser prófugo(a); **mettre en** ~ ahuyentar; **prendre la** ~ escapar, huir.

fulminer [fylmine] *vi*: ~ **(contre)** imprecar *o* estallar contra.

fume-cigarette [fymsigaRɛt] *nm inv* boquilla.

fumée [fyme] *nf* humo.

fumer [fyme] *vi* humear; (*personne*) fumar // *vt* fumar; (*jambon etc*) ahumar; (*terre*) abonar; ~**ie** [fymRi] *nf* fumadero.

fumerolles [fymRɔl] *nfpl* fumarolas.

fumet [fyme] *nm* aroma.

fumeur, euse [fymœR, øz] *nm/f* fumador/ora.

fumeux, euse [fymø, øz] *a* (*péj*) ambiguo(a), confuso(a).

fumier [fymje] *nm* abono, estiércol *m*.

fumigation [fymigɑsjɔ̃] *nf* (*MÉD*) inhalación *f*, fumigación *f*.

fumigène [fymiʒɛn] *a* fumígeno(a), de humo.

fumiste [fymist(ə)] *nm* deshollinador *m* // *nm/f* (*péj*) camelista *m/f*.

fumoir [fymwaR] *nm* fumadero.

funambule [fynɑ̃byl] *nm* volatinero.

funèbre [fynɛbR(ə)] *a* fúnebre.

funérailles [fyneRɑj] *nfpl* funeral *m*.

funéraire [fyneRɛR] *a* funerario(a), mortuorio(a).

funiculaire [fynikylɛR] *nm* funicular *m*.

fur [fyR]: **au** ~ **et à mesure** *ad* paulatinamente, poco a poco; **au** ~ **et à mesure que** a medida que; **au** ~ **et à mesure de** de acuerdo *o* conforme a.

furet [fyRɛ] *nm* hurón *m*.

fureur [fyRœR] *nf* furor *m*, ira; (*passion*) pasión *f*.

furieux, euse [fyRjø, øz] *a* furioso(a), rabioso(a); (*fig*) terrible, violento(a).

furoncle [fyRɔ̃kl(ə)] *nm* forúnculo.

furtif, ive [fyRtif, iv] *a* furtivo(a).

fus *etc vb voir* **être**.

fusain [fyzɛ̃] *nm* (*BOT*) bonetero; (*pour dessiner*) carboncillo; (*dessin*) dibujo al carbón.

fuseau, x [fyzo] *nm* (*pantalon*) pantalón tubo; (*pour filer*) huso; ~ **horaire** huso horario.
fusée [fyze] *nf* cohete *m*; ~ **éclairante** bengala.
fuselage [fyzlaʒ] *nm* fuselaje *m*.
fuselé, e [fyzle] *a* torneado(a), ahusado(a).
fuser [fyze] *vi* estallar, surgir.
fusible [fyzibl(ə)] *nm* fusible *m*.
fusil [fyzi] *nm* fusil *m*; ~ **de chasse** escopeta; ~ **à 2 coups** escopeta de tiro doble *o* de dos cañones.
fusilier [fyzilje] *nm* fusilero.
fusillade [fyzijad] *nf* descarga de fusilería.
fusiller [fyzije] *vt* fusilar.
fusil-mitrailleur [fyzimitʀɑjœʀ] *nm* (MIL) fusil *m* ametralladora.
fusion [fyzjɔ̃] *nf* (COMM) fusión *f*; (*fig*) fusión *f*, unificación *f*; ~**ner** *vi* fusionar, unificar; (COMM) fusionar.
fut [fy] *etc vb voir* **être** // *nm* tonel *m*, barril *m*; (*de canon*) caña, caja; (*d'arbre*) tronco; (*de colonne*) fuste *m*.
futaie [fytɛ] *nf* bosque viejo, oquedal *m*.
futile [fytil] *a* fútil, vano(a).
futur, e [fytyʀ] *a* futuro(a) // *nm* (LING) futuro; (*avenir*) futuro, porvenir *m*; **au** ~ (LING) en futuro; ~ **antérieur** futuro perfecto; ~**iste** *a* futurista.
fuyais *etc vb voir* **fuir**.
fuyard, e [fɥijaʀ, aʀd(ə)] *nm/f* fugitivo/a.

G

gabardine [gabaʀdin] *nf* gabardina.
gabarit [gabari] *nm* tamaño; (*fig*) dimensión *f*.
gabegie [gabʒi] *nf* (*péj*) desbarajuste *m*, desorden *m*.
gâcher [gɑʃe] *vt* arruinar, estropear; (*gaspiller*) malgastar, despilfarrar; (*plâtre, mortier*) amasar.
gâchette [gɑʃɛt] *nf* gatillo, disparador *m*.
gâchis [gɑʃi] *nm* desperdicio, despilfarro.
gadget [gadʒɛt] *nm* artilugio, aparato.
gadoue [gadu] *nf* lodo, fango.
gaffe [gaf] *nf* bichero; (*erreur*) pifia, coladura; **faire** ~ (*fam*) andar con cuidado; **gaffer** *vi* meter la pata.
gag [gag] *nm* gag *m*.
gage [gaʒ] *nm* prenda; ~**s** *mpl* (*salaire*) sueldo; (*garantie*) garantía, prueba; **mettre en** ~ empeñar; **laisser en** ~ dejar en prenda.
gager [gaʒe] *vt*: ~ **que** apostar que.
gageure [gaʒyʀ] *nf*: **c'est une** ~ es casi un imposible.
gagnant, e [gaɲɑ̃, ɑ̃t] *a*: **billet/numéro** ~ billete/número premiado // *ad*: **jouer** ~ (*aux courses*) jugar a ganador // *nm/f* ganador/ora, vencedor/ora.
gagne-pain [gaɲpɛ̃] *nm inv* sostén *m*.
gagner [gaɲe] *vt* ganar; (*aller vers*) dirigirse hacia, alcanzar; (*atteindre*) propagarse, extenderse; (*se concilier*) granjearse // *vi* ganar, triunfar; ~ **du temps/de la place** ganar tiempo/espacio; ~ **sa vie** ganarse la vida; ~ **du terrain** ganar terreno; ~ **à faire** convenir hacer algo.
gai, e [ge] *a* alegre; **gaieté** *nf* alegría, regocijo; **de gaieté de cœur** con agrado, de todo corazón; **gaietés** *fpl* (*souvent ironique*) regocijos.
gaillard, e [gajaʀ, aʀd(ə)] *a* vigoroso(a), robusto(a); atrevido(a) // *nm/f* persona robusta; pícaro/a, pillo/a.
gain [gɛ̃] *nm* ganancia; (*avantage*) ventaja, provecho; **obtenir** ~ **de cause** ganar el pleito; (*fig*) salirse con la suya.

gaine [gɛn] *nf* (*corset*) faja; (*fourreau*) vaina; (*de fil électrique etc*) funda; **~-culotte** *nf* faja-braga.
gainer [gene] *vt* enfundar.
gala [gala] *nm* función *f* de gala; **soirée de ~** fiesta de gala.
galant, e [galɑ̃, ɑ̃t] *a* galante; (*entreprenant*) galanteador(ora).
galantine [galɑ̃tin] *nf* galantina.
galaxie [galaksi] *nf* galaxia.
galbe [galb(ə)] *nm* curva.
galbé, e [galbe] *a* forneado(a).
gale [gal] *nf* sarna.
galéjade [galeʒad] *nf* andaluzada.
galère [galɛʀ] *nf* infierno, galera.
galerie [galʀi] *nf* galería; (*de voiture*) portaequipajes *m*; (*au tribunal: du public*) auditorio, público; (*fig: spectateurs*) auditorio.
galérien [galeʀjɛ̃] *nm* galeote *m*.
galet [galɛ] *nm* guijarro, canto rodado; (TECH): **entraînement à ~** tracción *f* a rodillo; **~s** *mpl* guijas, guijarros.
galette [galɛt] *nf* galleta, torta; **la ~ des Rois** el roscón de Reyes.
galeux, euse [galø, øz] *a* sarnoso(a).
galipette [galipɛt] *nf*: **faire des ~s** dar piruetas *o* brincos.
Galles [gal] *n*: **le pays de ~** el país de Gales.
gallicisme [galisism(ə)] *nm* galicismo.
gallois, e [galwa, az] *a, nm/f* galés(esa) // *nm* galés *m*.
galon [galɔ̃] *nm* galón *m*.
galop [galo] *nm* galope *m*; **au ~** a galope.
galopade [galɔpad] *nf* galopada.
galoper [galɔpe] *vi* galopar.
galopin [galɔpɛ̃] *nm* (*péj*) galopín *m*, bribón *m*.
galvaniser [galvanize] *vt* galvanizar.
galvauder [galvode] *vt* prostituir, degradar.
gambader [gɑ̃bade] *vi* dar brincos.
gamelle [gamɛl] *nf* escudilla; (*fam*): **ramasser une ~** darse un porrazo.
gamin, e [gamɛ̃, in] *nm/f* rapazuelo/a, pilluelo/a // *a* retozón(ona).
gaminerie [gaminʀi] *nf* infantilismo; chiquillada.
gamme [gam] *nf* (MUS) gama, escala; (*fig*) gama, serie *f*.
gammé, e [game] *a*: **croix ~e** cruz gamada.
gang [gɑ̃g] *nm* banda, pandilla.
ganglion [gɑ̃glijɔ̃] *nm* ganglio.
gangrène [gɑ̃gʀɛn] *nf* gangrena; (*fig*) putrefacción *f*, corrupción *f*.
gangster [gɑ̃gstɛʀ] *nm* gánster *m*; **gangstérisme** *nm* gansterismo.
gangue [gɑ̃g] *nf* ganga, escoria.
ganse [gɑ̃s] *nf* trencilla.
gant [gɑ̃] *nm* guante *m*; **~ de toilette** manquito de baño, manopla; **~s de caoutchouc** guantes de goma; **~é, e** *a*: **~é de blanc** con guantes blancos; **~erie** *nf* guantería.
garage [gaʀaʒ] *nm* cochera, garage *m*; (*entreprise*) taller *m*, garage; **~ à vélos** depósito; **garagiste** *nm/f* garajista *m*; mecánico.
garant, e [gaʀɑ̃, ɑ̃t] *nm/f* garante *m/f* // *nm* garantía; **se porter ~ de qch** hacerse garante de algo; **se porter ~ de qn** salir garante de alguien.
garantie [gaʀɑ̃ti] *nf* garantía; **(bon de) ~** (cupón *m* de) garantía.
garantir [gaʀɑ̃tiʀ] *vt* garantizar; (JUR: *pacte*) garantir, garantizar; (*protéger*): **~ de** proteger de *o* contra; **je vous garantis que** le aséguro que; **garanti 2 ans/pure laine** garantido por 2 años/pura lana.
garçon [gaʀsɔ̃] *nm* muchacho, varón *m*; (*fils*) chico; (*célibataire*) soltero; (*jeune homme*): **gentil ~** buen mozo; **petit ~** niño, chico; **jeune ~** muchacho, mozo; **~ de courses** mandadero; **~ d'écurie** mozo de cuadra; **~net** *nm* muchachito, chico; **~nière** *nf* apartamento de soltero.

garde [gaʀd(ə)] *nm* guardia *m*; (*de domaine etc*) guarda *m*, guardián *m* // *nf* guardia; (*d'une arme*) guardamano, guarnición *f*; **de ~** (*médecin*) de guardia; (*pharmacie*) de turno; **page** *ou* **feuille de ~** página *u* hoja de guarda; **mettre en ~** poner en guardia; **prendre ~ (à)** tener cuidado (con), estar atento(a) (a); **être sur ses ~s** estar alerta *o* a la defensiva; **~ montante/descendante** guardia entrante/saliente; **~ champêtre** *nm* guarda rural; **~ du corps** *nm* guardaespaldas *m*; **~ d'enfants** *nf* guardiana de niños; **~ des enfants** *nf* (*après divorce*) tutela; **~ forestier** *nm* guardabosque *m*; **~ mobile** *nm*, *nf* guardia (*m*, *f*) móvil; **~ des Sceaux** *nm* guardasellos *m*, ≈ ministro de Justicia; **~ à vue** *nf* (*JUR*) guardia de vista; **~-à-vous** *nm*: **être/se mettre au ~-à-vous** estar/ponerse firmes; **~-à-vous fixe!** ¡atentos, firmes!

garde... [gaʀd(ə)] *préf*: **~-barrière** *nm/f* guardabarrera *m/f*; **~-boue** *nm inv* guardabarros *m inv*; **~-chasse** *nm* guarda *m* de caza; **~-fou** *nm inv* antepecho, barandilla; **~-malade** *nf* enfermera; **~-manger** *nm inv* fresquera; **~-meuble** *nm* guardamuebles *m inv*; **~-pêche** *nm inv* guarda *m* de pesca.

garder [gaʀde] *vt* conservar; (*surveiller*: *prisonnier, enfants*) vigilar, cuidar; (: *immeuble, lieu*) vigilar, custodiar; (*séquestrer*) retener, detener; (*place, part*) guardar, reservar; (*être à l'entrée de*) guardar, custodiar; **~ le lit** guardar cama; **~ la chambre** no salir de su cuarto; **~ à vue** (*JUR*) poner guardias de vista; **se ~** *vi* (*se conserver*) conservarse; **se ~ de faire** guardarse de hacer; **pêche/chasse gardée** reserva de pesca/caza.

garderie [gaʀdəʀi] *nf* guardería.

garde-robe [gaʀdəʀɔb] *nf* guardarropa *m*.

gardeur, euse [gaʀdœʀ, øz] *nm/f* (*d'animaux*) pastor/ora, guardador/ora.

gardien, ne [gaʀdjɛ̃, jɛn] *nm/f* guarda *m*; (*garde, de prison*) guardián/ana; (*de phare*) torrero/a; (*d'immeuble*) portero/a, conserje *m*; (*fig*) garante *m/f*, guardia *m/f*; **~ de but** portero, guardameta *m*; **~ de nuit** sereno; **~ de la paix** guardia *m* del orden público.

gare [gaʀ] *nf* estación *f* // *excl* ¡ojo!; **~ à ne pas...** ¡ten cuidado de no...!; **~ maritime** estación marítima; **~ routière** estación de autobuses; (*camions*) depósito de camiones; **~ de triage** apartadero.

garenne [gaʀɛn] *nf voir* **lapin**.

garer [gaʀe] *vt* estacionar; **se ~** *vi* estacionarse; (*pour laisser passer*) apartarse.

gargariser [gaʀgaʀize]: **se ~** *vi* hacer gárgaras; **gargarisme** *nm* gargarismo.

gargote [gaʀgɔt] *nf* bodegón *m*.

gargouille [gaʀguj] *nf* gárgola.

gargouiller [gaʀguje] *vi* hacer borborigmos *o* ruido; (*eau*) gorgotear.

garnement [gaʀnəmɑ̃] *nm* tunante *m*, bribón *m*.

garni, e [gaʀni] *a* (*plat*) con guarnición // *nm* piso amueblado.

garnir [gaʀniʀ] *vt*: **~ qch de** (*orner*) adornar algo con; (*approvisionner*) proveer *o* abastecer algo de; (*protéger*) reforzar algo con; (*CULIN*) guarnecer algo de.

garnison [gaʀnizɔ̃] *nf* guarnición *f*.

garniture [gaʀnityʀ] *nf* guarnición *f*; (*décoration*) adorno; (*AUTO*): **~ de frein** forro del freno; **~ intérieure** (*AUTO*) tapicería; **~ périodique** compresa.

garrot [gaʀo] *nm* (*MÉD*) torniquete *m*.

garrotter [gaʀɔte] *vt* agarrotar; (*fig*) oprimir, amordazar.

gars [ga] *nm* muchacho; hombre *m*.
gas-oil [gazɔjl] *nm* gasoil *m*.
gaspillage [gaspijaʒ] *nm* despilfarro.
gaspiller [gaspije] *vt* despilfarrar, malgastar.
gastrique [gastʀik] *a* gástrico(a).
gastronomie [gastʀɔnɔmi] *nf* gastronomía.
gastronomique [gastʀɔnɔmik] *a* gastronómico(a).
gâteau, x [gɑto] *nm* pastel *m*; **~ de riz** torta de arroz; **~ sec** galleta.
gâter [gɑte] *vt* mimar; (*gâcher*) estropear, malograr; **se ~** *vi* (*dent, fruit*) picarse; (*fig*) estropearse, echarse a perder.
gâterie [gɑtʀi] *nf* mimo; golosina.
gâteux, euse [gɑtø, øz] *a* chocho(a).
gauche [goʃ] *a* izquierdo(a); (*maladroit*) torpe // *nf* (POL) izquierda; **à ~** a la izquierda; **à ~ de, à la ~ de** a la izquierda de; **gaucher, ère** *a, nm/f* zurdo(a); **~rie** *nf* torpeza; **gauchir** *vt* torcer, alabear; **gauchisant, e** *a* izquierdista, simpatizante de izquierda; **gauchiste** *nm/f* izquierdista *m/f*, de izquierda.
gaufre [gofʀ(ə)] *nf* barquillo.
gaufrer [gofʀe] *vt* (*papier*) estampar en relieve; (*tissu*) encañonar.
gaufrette [gofʀɛt] *nf* barquillo.
gaule [gol] *nf* vara; (*canne à pêche*) caña.
gaulois, e [golwa, waz] *a* galo(a); (*grivois*) picante // *nm/f* galo/a.
gaver [gave] *vt* cebar; (*fig*): **~ de** atiborrar de.
gaz [gɑz] *nm inv* gas *m*; **mettre les ~** (AUTO) acelerar; **chambre à ~** cámara de gas; **~ butane/propane** gas butano/propano; **~ de ville/en bouteilles** gas de ciudad/en bombonas.
gaze [gɑz] *nf* gasa.
gazéifié, e [gazeifje] *a* gasificado(a).
gazelle [gazɛl] *nf* gacela.
gazer [gɑze] *vt* flamear // *vi* (*fam*) carburar, pitar.
gazette [gazɛt] *nf* gaceta.
gazeux, euse [gɑzø, øz] *a* gaseoso(a).
gazier [gɑzje] *nm* gasista *m*.
gazoduc [gɑzɔdyk] *nm* gasoducto.
gazomètre [gɑzɔmɛtʀ(ə)] *nm* gasómetro.
gazon [gɑzɔ̃] *nm* césped *m*; **motte de ~** cepellón *m*.
gazouiller [gazuje] *vi* gorjear; (*enfant*) balbucear.
geai [ʒɛ] *nm* gárrulo, arrendajo.
géant, e [ʒeɑ̃, ɑ̃t] *a* gigante(a); (COMM) enorme, gigantesco(a) // *nm/f* gigante/a.
geindre [ʒɛ̃dʀ(ə)] *vi* gemir, quejarse.
gel [ʒɛl] *nm* helada; (*de l'eau*) escarcha; (*fig*) congelación *f*.
gélatine [ʒelatin] *nf* gelatina; **gélatineux, euse** *a* gelatinoso(a).
gelé, e [ʒle] *a* helado(a); (*fig*) congelado(a), bloqueado(a) // *nf* (*de viande*) gelatina; (*confiture*) jalea; (*gel*) helada; **~e blanche** escarcha.
geler [ʒle] *vt* helar; (*aliment*) congelar, helar; (*fig*) congelar // *vi* helarse; **il gèle** hiela.
Gémeaux [ʒemo] *nmpl* (ASTRO): **les ~** Géminis *mpl*, Gemelos; **être des ~** ser de Géminis *o* Gemelos.
gémir [ʒemiʀ] *vi* gemir; **gémissement** *nm* gemido.
gemme [ʒɛm] *nf* gema.
gênant, e [ʒɛnɑ̃, ɑ̃t] *a* molesto(a).
gencive [ʒɑ̃siv] *nf* encía.
gendarme [ʒɑ̃daʀm(ə)] *nm* ≈ guardia *m* civil; gendarme *m*; **~rie** *nf* ≈ Guardia *f* Civil; gendarmería.
gendre [ʒɑ̃dʀ(ə)] *nm* yerno.
gêne [ʒɛn] *nf* (*physique*) molestia, dificultad *f*; (*dérangement*) malestar *m*; (*manque d'argent*) apuro, aprieto; (*confusion*) embarazo, incomodidad *f*.
gêné, e [ʒene] *a* incómodo(a), embarazado(a).
généalogie [ʒenealɔʒi] *nf*

genealogía; **généalogique** *a* genealógico(a).

gêner [ʒene] *vt* (*incommoder*) molestar, fastidiar; (*encombrer*) molestar, estorbar; (*déranger*) trastornar; (*embarrasser*): ~ **qn** molestar a alguien; **se** ~ molestarse.

général, e, aux [ʒeneʀal, o] *a, nm* general (*m*) // *nf*: **(répétition)** ~**e** ensayo general; **en** ~ en general; **à la satisfaction** ~**e** con la satisfacción general; ~**ement** *ad* generalmente.

généraliser [ʒeneʀalize] *vt, vi* generalizar; **se** ~ generalizarse.

généraliste [ʒeneʀalist] *nm/f* medico/a general.

généralités [ʒeneʀalite] *nfpl* generalidades *fpl*.

générateur, trice [ʒeneʀatœʀ, tʀis] *a*: ~ **de** generador de // *nf* generador *m*.

génération [ʒeneʀɑsjɔ̃] *nf* generación *f*.

généreusement [ʒeneʀøzmɑ̃] *ad* generosamente.

généreux, euse [ʒeneʀø, øz] *a* generoso(a).

générique [ʒeneʀik] *a* genérico(a) // *nm* (CINÉMA) ficha técnica.

générosité [ʒeneʀozite] *nf* generosidad *f*.

genèse [ʒənɛz] *nf* génesis *f*.

genêt [ʒnɛ] *nm* retama.

génétique [ʒenetik] *a* genético(a) // *nf* genética.

Genève [ʒənɛv] *n* Ginebra; **genevois, e** [ʒənvwa, az] *a, nm/f* ginebrino(a).

génial, e, aux [ʒenjal, o] *a* genial.

génie [ʒeni] *nm* genio; (MIL): **le** ~ el cuerpo de ingenieros; ~ **civil** ingeniería; **de** ~ *a* de talento, genial.

genièvre [ʒənjɛvʀ(ə)] *nm* enebro; (*boisson*) ginebra; **grain de** ~ enebrina.

génisse [ʒenis] *nf* novilla, ternera.

génital, e, aux [ʒenital, o] *a* genital.

génitif [ʒenitif] *nm* genitivo.

génocide [ʒenɔsid] *nm* genocidio.

génoise [ʒenwaz] *nf* pastelillo de almendras.

genou, x [ʒnu] *nm* rodilla; **à** ~**x** de rodillas; **genouillère** [-jɛʀ] *nf* (SPORT) rodillera.

genre [ʒɑ̃ʀ] *nm* género; (*allure*) clase, tono.

gens [ʒɑ̃] *nmpl* (*f en algunas frases*) gente *f*; **vieilles** ~ ancianos; **les** ~ **d'Eglise** los clérigos; ~ **de maison** domésticos, servidumbre *f*.

gentil, le [ʒɑ̃ti, ij] *a* gentil, amable; (*enfant*: *sage*) juicioso(a), bueno(a); (*endroit etc*) agradable, placentero(a); (*intensif*) bueno(a), considerable; ~**lesse** [-jɛs] *nf* gentileza; **gentiment** *ad* gentilmente, amablemente.

gentleman [dʒɛntləman], *pl* **gentlemen** [dʒɛntləmɛn] *nm* caballero.

génuflexion [ʒenyflɛksjɔ̃] *nf* genuflexión *f*.

géographe [ʒeɔgʀaf] *nm/f* geógrafo/a.

géographie [ʒeɔgʀafi] *nf* geografía; **géographique** *a* geográfico(a).

geôlier [ʒolje] *nm* carcelero.

géologie [ʒeɔlɔʒi] *nf* geología; **géologique** *a* geológico(a); **géologue** [-lɔg] *nm/f* geólogo/a.

géomètre [ʒeɔmɛtʀ(ə)] *nm/f* agrimensor/ora.

géométrie [ʒeɔmetʀi] *nf* geometría; **géométrique** *a* geométrico(a).

géophysique [ʒeɔfizik] *nf* geofísica.

gérance [ʒeʀɑ̃s] *nf* gerencia; **mettre/prendre en** ~ poner/tomar en gestión.

géranium [ʒeʀanjɔm] *nm* geranio.

gérant, e [ʒeʀɑ̃, ɑ̃t] *nm/f* gerente *m*; ~ **d'immeuble** administrador *m* de un edificio.

gerbe [ʒɛʀb(ə)] *nf* (*de fleurs*) ramo; (*de blé*) haz *m*, gavilla; (*d'eau*) chorro, surtidor *m*; (*fig*) haz.

gercé, e [ʒɛʀse] *a* agrietado(a).

gerçure [ʒɛRsyR] *nf* grieta.
gérer [ʒeRe] *vt* administrar, dirigir.
gériatrie [ʒeRjatRi] *nf* geriatría; **gériatrique** *a* geriátrico(a).
germain, e [ʒɛRmɛ̃, ɛn] *a voir* **cousin.**
germanique [ʒɛRmanik] *a* germánico(a).
germe [ʒɛRm(ə)] *nm* (*de plante*) brote *m*, germen *m*; (*microbe*) germen; (*fig*) cierne *m*.
germer [ʒɛRme] *vi* brotar, germinar.
gérondif [ʒeRɔ̃dif] *nm* gerundio.
gésier [ʒezje] *nm* molleja.
gésir [ʒeziR] *vi* yacer, residir; *voir aussi* **ci-gît.**
gestation [ʒɛstɑsjɔ̃] *nf* gestación *f*.
geste [ʒɛst(ə)] *nm* gesto; movimiento; ademán *m*.
gesticuler [ʒɛstikyle] *vi* gesticular.
gestion [ʒɛstjɔ̃] *nf* gestión *f*.
geyser [ʒɛzɛR] *nm* géiser *m*.
ghetto [gɛto] *nm* ghetto.
gibecière [ʒibsjɛR] *nf* morral *m*.
gibet [ʒibɛ] *nm* horca.
gibier [ʒibje] *nm* (*animaux*) caza; (*fig*) facineroso/a, forajido/a.
giboulée [ʒibule] *nf* chaparrón *m*, chubasco.
giboyeux, euse [ʒibwajø, øz] *a* abundante en caza.
gicler [ʒikle] *vi* salpicar.
gicleur [ʒiklœR] *nm* (AUTO) chicler *m*.
gifle [ʒifl(ə)] *nf* bofetada, sopapo; **gifler** *vt* abofetear.
gigantesque [ʒigɑ̃tɛsk(ə)] *a* gigantesco(a).
gigogne [ʒigɔɲ] *a*: **lits/tables ~s** camas/mesas nido.
gigot [ʒigo] *nm* pierna.
gigoter [ʒigɔte] *vi* patalear.
gilet [ʒilɛ] *nm* chaleco; (*pull*) chaleco, chaqueta; (*de corps*) camiseta; **~ pare-balles** chaleco antibales; **~ de sauvetage** chaleco salvavidas.
gin [dʒin] *nm* gin *m*, ginebra.
gingembre [ʒɛ̃ʒɑ̃bR(ə)] *nm* jengibre *m*.
girafe [ʒiRaf] *nf* jirafa.
giratoire [ʒiRatwaR] *a*: **sens ~** dirección giratoria.
girofle [ʒiRɔfl(ə)] *nm*: **clou de ~** clavo de olor.
giroflée [ʒiRɔfle] *nf* alhelí *m*.
girouette [ʒiRwɛt] *nf* veleta.
gisait *etc vb voir* **gésir.**
gisement [ʒizmɑ̃] *nm* yacimiento.
gitan, e [ʒitɑ̃, an] *nm/f* gitano/a.
gît *vb voir* **gésir.**
gîte [ʒit] *nm* hogar *m*, casa; madriquera; **~ rural** albergue *m* rural.
givre [ʒivR(ə)] *nm* escarcha.
givré, e [ʒivRe] *a* escarchado(a).
glabre [glɑbR(ə)] *a* lampiño(a).
glace [glas] *nf* hielo; (*crème glacée*) helado; (*verre*) cristal *m*; (*miroir*) espejo; (*de voiture*) ventanilla; **~s** *fpl* (GÉO) hielos, témpano.
glacé, e [glase] *a* helado(a); (*fig*) frío(a).
glacer [glase] *vt* (*lac, eau*) helar, congelar; (*refroidir*) helar; (*gâteau*) escarchar; (*papier, tissu*) glacear; (*fig*) dejar helado(a) a.
glaciaire [glasjɛR] *a* glaciar.
glacial, e [glasjal] *a* glacial.
glacier [glasje] *nm* (GÉO) glaciar *m*; **~ suspendu** glaciar suspendido.
glacière [glasjɛR] *nf* nevera.
glaçon [glasɔ̃] *nm* témpano; (*pour boisson*) cubito de hielo.
glaïeul [glajœl] *nm* gladiolo.
glaise [glɛz] *nf* greda.
glaive [glɛv] *nm* espada.
gland [glɑ̃] *nm* bellota; (*décoration*) borla; (ANAT) glande *m*, bálano.
glande [glɑ̃d] *nf* glandúla.
glaner [glane] *vi* espigar // *vt* (*fig*) recoger, rebuscar.
glapir [glapiR] *vi* chillar.
glas [glɑ] *nm* tañido; **sonner le ~** tocar a muerto.
glauque [glok] *a* glauco(a).
glissade [glisad] *nf* (*par jeu*) resbalón *m*, patinazo; (*chute*) resbalón; (*dérapage*) resbalamiento, bajada; **faire des ~s** dar patinazos.

glissant, e [glisɑ̃, ɑ̃t] *a* resbaladizo(a).
glissement [glismɑ̃] *nm* deslizamiento; ~ **de terrain** desmoronamiento del terreno.
glisser [glise] *vi* deslizarse; (*coulisser, tomber, être glissant*) resbalar; (*déraper*) dar un patinazo // *vt* deslizar; ~ **sur** (*détail, fait*) pasar por alto; **se** ~ **dans/entre** (*suj: personne*) escurrirse en/entre; (*suj: erreur etc*) deslizarse, escaparse.
glissière [glisjɛʀ] *nf* corredera; **à** ~ de corredera.
glissoire [gliswaʀ] *nf* resbaladero.
global, e, aux [glɔbal, o] *a* global.
globe [glɔb] *nm* globo; (*d'un objet*) fanal *m* de cristal; **sous** ~ en un fanal; **le** ~ **terrestre** el globo terráqueo; **~-trotter** [-tʀɔtœʀ] *nm* trotamundos *m inv*.
globule [glɔbyl] *nm* (*du sang*) glóbulo.
globuleux, euse [glɔbylø, øz] *a*: **yeux** ~ ojos saltones.
gloire [glwaʀ] *nf* gloria; **glorieux, euse** [glɔʀjø, øz] *a* glorioso(a); **glorifier** *vt* glorificar.
glossaire [glɔsɛʀ] *nm* glosario.
glotte [glɔt] *nf* glotis *f*.
glousser [gluse] *vi* cloquear; (*rire*) reír sojocadamente.
glouton, ne [glutɔ̃, ɔn] *a* glotón(ona).
glu [gly] *nf* liga; **~ant, e** *a* pegajoso(a).
glycine [glisin] *nf* glicina.
gnome [gnom] *nm* gnomo.
go [go] : **tout de** ~ *ad* de sopetón.
GO *abrév de grandes ondes*.
gobelet [gɔblɛ] *nm* cubilete *m*.
gober [gɔbe] *vt* sorber.
godet [gɔdɛ] *nm* vaso.
godiller [gɔdije] *vi* cinglar.
goéland [gɔelɑ̃] *nm* gaviota.
goélette [gɔelɛt] *nf* goleta.
goémon [gɔemɔ̃] *nm* varec *m*.
gogo [gɔgo] *nm* (*péj*) primo, bobo; **à** ~ *ad* a porillo.
goguenard, e [gɔgnaʀ, aʀd(ə)] *a* burlón(ona), zumbón(ona).
goguette [gɔgɛt] *nf*: **en** ~ achispado(a).
goinfre [gwɛ̃fʀ(ə)] *a* comilón(ona); **se goinfrer** *vi* engullir, atiborrarse; **se goinfrer de** atracarse de.
goitre [gwatʀ(ə)] *nm* bocio.
golf [gɔlf] *nm* golf *m*; ~ **miniature** minigolf *m*.
golfe [gɔlf(ə)] *nm* golfo.
gomme [gɔm] *nf* goma; (*résine*) resina; **boule de** ~ caramelo de goma.
gommer [gɔme] *vt* borrar; (*enduire de gomme*) engomar.
gond [gɔ̃] *nm* gozne *m*.
gondole [gɔ̃dɔl] *nf* góndola.
gondoler [gɔ̃dɔle] *vi*, **se** ~ *vi* combarse.
gondolier [gɔ̃dɔlje] *nm* gondolero.
gonflé, e [gɔ̃fle] *a* (*yeux, visage*) hinchado(a).
gonfler [gɔ̃fle] *vt* inflar; (*nombre, importance*) exagerar, ponderar // *vi* hincharse; (*CULIN: pâte*) inflarse; **gonfleur** *nm* bomba de aire.
gong [gɔ̃] *nm* gong *m*.
goret [gɔʀɛ] *nm* lechón *m*, cochinillo.
gorge [gɔʀʒ(ə)] *nf* garganta; (*poitrine*) pechos; (*rainure*) entalladura.
gorgé, e [gɔʀʒe] *a*: ~ **de** ahito de, saciado de // *nf* trago, sorbo; ~ **d'eau** empapado.
gorille [gɔʀij] *nm* gorila *m*.
gosier [gozje] *nm* garguero.
gosse [gɔs] *nm/f* chiquillo/a.
gothique [gɔtik] *a* gótico(a); ~ **flamboyant** gótico flamígero.
gouache [gwaʃ] *nf* aguada.
goudron [gudʀɔ̃] *nm* alquitrán *m*; **~ner** *vt* alquitranar.
gouffre [gufʀ(ə)] *nm* abismo, sima; (*fig*) abismo.
goujat [guʒa] *nm* grosero, patán *m*.
goujon [guʒɔ̃] *nm* gobio.
goulet [gulɛ] *nm* bocana.
goulot [gulo] *nm* gollete *m*; **boire au** ~ beber del pico.
goulu, e [guly] *a* goloso(a).

goupillon [gupijɔ̃] *nm* (*REL*) hisopo; (*brosse*) escobilla.
gourd, e [guʀ, uʀd(ə)] *a* entumecido(a) // *nf* (*récipient*) cantimplora.
gourdin [guʀdɛ̃] *nm* porra.
gourmand, e [guʀmɑ̃, ɑ̃d] *a* goloso(a); **~ise** *nf* gula; (*bonbon*) golosina.
gourmet [guʀmɛ] *nm* gastrónomo/a.
gourmette [guʀmɛt] *nf* pulsera.
gousse [gus] *nf*: **~ d'ail** diente *m* de ajo.
gousset [gusɛ] *nm* (*de gilet*) bolsillo.
goût [gu] *nm* gusto; **avoir du ~ pour** tener inclinación por.
goûter [gute] *vt* probar; (*apprécier*) gustar // *vi* merendar // *nm* merienda; **~ à** probar; (*la liberté, l'amour*) gozar de; **~ de** experimentar *o* probar.
goutte [gut] *nf* gota; (*alcool*) copita de aguardiente; **~s** *fpl* (*MÉD*) gotas; **une ~ de whisky** un poquito de whisky; **~ à ~** gota a gota.
goutte-à-goutte [gutagut] *nm* recipiente *m* de transfusión; **alimenter au ~** alimentar por gotas.
gouttelette [gutlɛt] *nf* gotita.
gouttière [gutjɛʀ] *nf* canalón *m*.
gouvernail [guvɛʀnaj] *nm* timón *m*.
gouvernante [guvɛʀnɑ̃t] *nf* institutriz *f*, aya.
gouverne [guvɛʀn(ə)] *nf*: **pour sa ~** para su gobierno.
gouvernement [guvɛʀnəmɑ̃] *nm* gobierno; **~al, e, aux** *a* gubernamental.
gouverner [guvɛʀne] *vt* gobernar; (*fig*) dominar; **gouverneur** *nm* (*MIL*) gobernador *m*.
grâce [gʀɑs] *nf* gracia; favor *m*; (*charme*) gracia, donaire *m*; (*JUR*) gracia, indulto; **~s** *fpl* (*REL*) gracias; **de bonne/mauvaise ~** de buena/mala gana; **faire ~ à qn de qch** perdonar algo a alguien; **rendre ~(s) à** dar gracias a; **demander ~** pedir perdón; **droit de/recours en ~** (*JUR*) derecho a/recurso de indulto; **~ à** *prép* gracias a; **gracier** *vt* (*JUR*) indultar; **gracieux, euse** *a* gracioso(a).
gracile [gʀasil] *a* grácil.
gradation [gʀadɑsjɔ̃] *nf* gradación *f*, progresión *f*.
grade [gʀad] *nm* grado; **monter en ~** ascender de grado.
gradé [gʀade] *nm* oficial *m*.
gradin [gʀadɛ̃] *nm* grada; **~s** *mpl* (*de stade*) gradería, gradas; **en ~s** dispuesto(a) en gradas.
graduel, le [gʀadɥɛl] *a* gradual.
graduer [gʀadɥe] *vt* graduar.
graffiti [gʀafiti] *nmpl* graffiti *mpl*.
grain [gʀɛ̃] *nm* grano; (*NAUT*) turbonada; **~ de beauté** lunar *m*; **~ de poussière** mota de polvo; **~ de sable** (*fig*) pizca.
graine [gʀɛn] *nf* semilla; **~tier** *nm* comerciante *m* en semillas.
graissage [gʀɛsaʒ] *nm* engrase *m*.
graisse [gʀɛs] *nf* (*sur le corps*) grasa, sebo; (*CULIN, lubrifiant*) grasa; **graisser** *vt* engrasar; (*tacher*) manchar de grasa; **graisseux, euse** *a* grasiento(a); (*ANAT*) adiposo(a), graso(a).
grammaire [gʀamɛʀ] *nf* gramática.
grammatical, e, aux [gʀamatikal, o] *a* gramatical.
gramme [gʀam] *nm* gramo.
gramophone [gʀamɔfɔn] *nm* gramófono.
grand, e [gʀɑ̃, ɑ̃d] *a* gran, grande; (*salle, maison*) gran, grande, amplio(a); (*long*) largo(a); (*large*) amplio(a); (*intense*) fuerte // *ad*: **~ ouvert** abierto de par en par; **avoir ~ besoin de** tener mucha necesidad de; **il est ~ temps de** ya es hora de; **son ~ frère** su hermano mayor; **il est assez ~ pour** ya es bastante mayorcito para; **~ blessé/brûlé** herido/quemado grave; **au ~ air** al aire libre; **~ angle** (*PHOTO*) gran angular *m*; **~**

écart: **faire le ~ écart** esparrancarse; **~ ensemble** grupo de viviendas; **~ magasin** gran almacén de lujo; **~es écoles** escuelas de enseñanza superior universitaria; **~es lignes** (*RAIL*) líneas principales; **~-chose** *nm/f inv*: **pas ~-chose** poca cosa; **G~e-Bretagne** *nf*: **la G~e-Bretagne** (la) Gran Bretaña; **~eur** *nf* tamaño, dimensión *f*; (*importance*) amplitud *f*, magnitud *f*; (*gloire, puissance*) grandeza, gloria; (*mesure, quantité*) cantidad *f*; **~eur nature** tamaño natural; **~ir** *vi* crecer, desarrollarse; (*bruit, hostilité*) crecer, aumentar // *vt* hacer parecer mayor; (*fig*) acrecentar el prestigio a; **~-mère** *nf* abuela; **~-messe** *nf* misa mayor; **~-peine**: **à ~-peine** *ad* a duras penas; **~-père** *nm* abuelo; **~-route** *nf* carretera general; **~-rue** *nf* calle *f* mayor; **~s-parents** *nmpl* abuelos.

grange [gʀɑ̃ʒ] *nf* granero.

granit [gʀanit] *nm* granito; **~ique** *a* granítico(a).

granulé [gʀanyle] *nm* granulado.

granuleux, euse [gʀanylø, øz] *a* granuloso(a).

graphie [gʀafi] *nf* grafía, grafismo.

graphique [gʀafik] *a* gráfico(a) // *nm* gráfico.

graphisme [gʀafism(ə)] *nm* grafismo.

graphite [gʀafit] *nm* grafito.

graphologie [gʀafɔlɔʒi] *nf* grafología; **graphologue** [-lɔg] *nm/f* grafólogo/a.

grappe [gʀap] *nf* racimo, ramillete *m*; (*fig*) racimo, grupo; **~ de raisin** racimo de uvas.

grappiller [gʀapije] *vt* recoger, rebuscar.

grappin [gʀapɛ̃] *nm* gancho.

gras, se [gʀɑ, ɑs] *a* graso(a); (*personne*) gordo(a), grueso(a); (*surface, main*) pringoso(a), untuoso(a); (*rire*) áspero(a); (*plaisanterie*) grosero(a); (*crayon, TYPOGRAPHIE*) grueso(a) // *nm* (*CULIN*) gordo; **toux ~se** tos *f* de catarro; **~sement** *ad*: **~sement payé** largamente pagado; **~souillet, te** *a* regordete(a).

gratification [gʀatifikɑsjɔ̃] *nf* gratificación *f*, recompensa.

gratifier [gʀatifje] *vt*: **~ qn de** gratificar a alguien con; (*sourire etc*) recompensar a alguien con.

gratin [gʀatɛ̃] *nm* gratín *m*; **~é, e** [-tine] *a* gratinado(a); (*fam*) horroroso(a).

gratis [gʀatis] *ad* gratis, gratuitamente.

gratitude [gʀatityd] *nf* gratitud *f*.

gratte-ciel [gʀatsjɛl] *nm inv* rascacielos *m inv*.

grattement [gʀatmɑ̃] *nm* (*bruit*) rascamiento.

gratte-papier [gʀatpapje] *nm inv* (*péj*) cagatintas *m inv*.

gratter [gʀate] *vt* raspar; (*bras, bouton*) rascar; **grattoir** *nm* raspador *m*.

gratuit, e [gʀatɥi, it] *a* gratuito(a); **~ement** *ad* gratuitamente.

gravats [gʀavɑ] *nmpl* escombros, cascotes *mpl*.

grave [gʀav] *a* grave, serio(a); (*air*) severo(a), serio(a); (*voix, son*) grave // *nm* (*MUS*) grave *m*; **~ment** *ad* gravemente, seriamente.

graver [gʀave] *vt* grabar; **graveur** *nm* grabador *m*.

gravier [gʀavje] *nm* grava.

gravillons [gʀavijɔ̃] *nmpl* gravilla.

gravir [gʀaviʀ] *vt* subir, trepar.

gravité [gʀavite] *nf* gravedad *f*, seriedad *f*; (*PHYSIQUE*) gravedad.

graviter [gʀavite] *vi*: **~ autour de** gravitar alrededor de.

gravure [gʀavyʀ] *nf* grabado; (*photo*) reproducción *f*.

gré [gʀe] *nm*: **à son ~** a su gusto *o* antojo; **au ~ de** a merced de; **contre le ~ de qn** contra la voluntad de alguien; **de son (plein) ~** por su propia voluntad; **de ~ ou de force** de grado o por la fuerza; **de bon ~** con mucho gusto, de buen grado; **bon ~ mal ~** de buen o mal grado, quieras que no quieras; **savoir ~ à qn de qch** quedar reconocido(a) con alguien por algo.

grec, grecque [gʀɛk] *a* griego(a).

Grèce [gʀɛs] *nf*: **la ~** (la) Grecia.

gréement [gʀemɑ̃] *nm* aparejo.

greffe [gʀɛf] *nf* injerto; (*MÉD*) trasplante *m* // *nm* archivo.

greffer [gʀefe] *vt* (*BOT, MÉD: tissu*) injertar; (*MÉD: organe*) trasplantar.

greffier [gʀefje] *nm* escribano forense.

grégaire [gʀegɛʀ] *a* gregario(a).

grège [gʀɛʒ] *a*: **soie ~** seda cruda.

grêle [gʀɛl] *a* flaco(a), delgaducho(a) // *nf* granizo.

grêlé, e [gʀele] *a* picado(a) de viruelas.

grêler [gʀele] *vi* granizar; **il grêle** graniza.

grêlon [gʀɛlɔ̃] *nm* granizo, piedra.

grelot [gʀəlo] *nm* cascabel *m*.

grelotter [gʀəlɔte] *vi* tintar.

grenade [gʀənad] *nf* granada.

grenadier [gʀənadje] *nm* (*MIL*) granadero; (*BOT*) granado.

grenadine [gʀənadin] *nf* granadina.

grenat [gʀəna] *a inv* granate.

grenier [gʀənje] *nm* desván *m*; (*de ferme*) granero.

grenouille [gʀənuj] *nf* rana.

grenu, e [gʀəny] *a* granoso(a).

grès [gʀɛ] *nm* arenisca; (*poterie*) gres *m*.

grésiller [gʀezije] *vi* chisporrotear, chirriar; (*RADIO*) chirriar.

grève [gʀɛv] *nf* (*d'ouvriers*) huelga; (*plage*) playa; **se mettre en/faire ~** declararse en/hacer huelga; **~ bouchon** huelga parcial; **~ de la faim** huelga de hambre; **~ perlée** huelga intermitente; **~ sauvage** huelga espontánea *o* improvisa; **~ surprise** huelga sorpresa; **~ sur le tas** huelga de brazos caídos; **~ tournante** huelga escalonada; **~ du zèle** *huelga con aplicación minuciosa de las consignas de trabajo a los efectos de paralizar la producción.*

grever [gʀəve] *vt* gravar, recargar; **grevé d'hypothèques** gravado con una hipoteca, hipotecado.

gréviste [gʀevist(ə)] *nm/f* huelquista *m/f*.

gribouiller [gʀibuje] *vt* garabatear // *vi* garabatear, garrapatear.

grief [gʀijɛf] *nm* motivo de queja; **faire ~ à qn de qch** reprochar algo a alguien.

grièvement [gʀijɛvmɑ̃] *ad* gravemente.

griffe [gʀif] *nf* garra, zarpa; (*fig*) sello, etiqueta.

griffer [gʀife] *vt* arañar, rasguñar.

griffonner [gʀifɔne] *vt* garabatear.

grignoter [gʀiɲɔte] *vt* roer, mordisquear; (*fig*) ganar, sacar ventaja.

gril [gʀi] *nm* parrilla.

grillade [gʀijad] *nf* carne *f* a la parrilla.

grillage [gʀijaʒ] *nm* (*treillis*) reja; alambrada.

grille [gʀij] *nf* (*portail*) reja, verja; (*d'égout, de trappe*) rejilla; (*fig*) casillas; red *f*.

grille-pain [gʀijpɛ̃] *nm inv* tostador *m* de pan.

griller [gʀije] *vt* (*aussi*: **faire ~**: *pain*) tostar; (:*viande*) asar; (*fig: ampoule etc*) fundir // *vi* (*brûler*) asarse, achicharrarse.

grillon [gʀijɔ̃] *nm* grillo.

grimace [gʀimas] *nf* mueca, mohín *m*; (*pour faire rire*): **faire des ~s** hacer muecas.

grimer [gʀime] *vt* maquillar.

grimpant, e [gʀɛ̃pɑ̃, ɑ̃t] *a*: **plante/fleur ~e** planta/flor trepadora.

grimper [gʀɛ̃pe] *vt* subir, escalar // *vi* (*route, terrain*) ascender, empinarse; (*fig*) elevarse, ascender // *nm*: **le ~** (*SPORT*) la trepa; **~ à/sur** trepar(se) a/sobre.

grinçant, e [gʀɛ̃sɑ̃, ɑ̃t] *a* (*fig*) agrio(a), ácido(a).

grincement [gʀɛ̃smɑ̃] *nm* chirrido, crujido.

grincer [gʀɛ̃se] *vi* (*porte, roue*) chirriar; (*plancher*) crujir; ~ **des dents** rechinar los dientes.
grincheux, euse [gʀɛ̃ʃø, øz] *a* rezongón(ona), cascarrabias.
grippe [gʀip] *nf* gripe *f*; **grippé, e** *a*: **être grippé** estar agripado.
gripper [gʀipe] *vt* agarrotar // *vi* agarrotarse.
gris, e [gʀi, iz] *a* gris; (*ivre*) ahumado(a), alegre; ~ **vert** gris verdoso.
grisaille [gʀizɑj] *nf* gris *m*.
griser [gʀize] *vt* (*fig*) embriagar.
grisonner [gʀizɔne] *vi* encanecer.
grisou [gʀizu] *nm* grisú *m*.
grive [gʀiv] *nf* tordo.
grivois, e [gʀivwa, az] *a* verde, atrevido(a).
grog [gʀɔg] *nm* ponche *m*.
grogner [gʀɔɲe] *vi* gruñir; (*fig*) gruñir, refunfuñar.
groin [gʀwɛ̃] *nm* jeta, hocico.
grommeler [gʀɔmle] *vi* mascullar.
grondement [gʀɔ̃dmɑ̃] *nm* estruendo, bramido.
gronder [gʀɔ̃de] *vi* bramar, retumbar; (*fig*: *révolte*) amenazar con estallar // *vt* regañar a.
groom [gʀum] *nm* botones *m*.
gros, se [gʀo, os] *a* grande; (*obèse, large*) grueso(a); (*fortune, commerçant*) grueso(a), inmenso(a); (*orage, bruit*) fuerte // *ad*: **risquer/gagner** ~ arriesgar/ganar mucho // *nm* (COMM): **le** ~ el por mayor; **écrire** ~ escribir grueso; **par** ~ **temps/~se mer** con temporal/mar agitado; **le** ~ **de** el grueso de; **en** ~ aproximadamente, más o menos; **vente en** ~ venta al por mayor; ~ **intestin** intestino grueso; ~ **lot** premio gordo; ~ **mot** palabrota; ~ **sel** sal gruesa.
groseille [gʀozɛj] *nf* grosella; ~ **à maquereau** grosella espinosa; **groseillier** *nm* grosellero.
grosse [gʀos] *af voir* **gros**.
grossesse [gʀosɛs] *nf* embarazo; ~ **nerveuse** falso embarazo.
grosseur [gʀosœʀ] *nf* gordura; volumen *m*; (*tumeur*) bulto, tuberosidad *f*.
grossier, ière [gʀosje, jɛʀ] *a* grosero(a), ordinario(a); (*brut*: *laine*) rústico(a), basto(a); (:*travail, facture*) rústico(a), tosco(a); (*évident*) grosero(a), burdo(a); **grossièrement** *ad* groseramente, rústicamente; aproximadamente.
grossir [gʀosiʀ] *vi* engordar; (*fig*) aumentar; (*rivière, eaux*) crecer // *vt* aumentar; (*suj*: *vêtement*): ~ **qn** hacer gordo(a) a alguien; (*exagérer*) agrandar, abultar; ~ **de 5 kilos** engordar 5 kilos; **grossissant, e** *a* de aumento; **grossissement** *nm* (*optique*) aumento.
grossiste [gʀosist(ə)] *nm/f* mayorista *m/f*.
grosso modo [gʀɔsomɔdo] *ad* grosso modo.
grotesque [gʀɔtɛsk(ə)] *a* grotesco(a).
grotte [gʀɔt] *nf* gruta.
grouiller [gʀuje] *vi* pulular, hormiguear; ~ **de** rebosar *o* bullir de.
groupe [gʀup] *nm* grupo; ~ **électrogène** grupo electrógeno; ~ **de pression** grupo de presión; ~ **sanguin** grupo sanguíneo.
groupement [gʀupmɑ̃] *nm* agrupación *f*.
grouper [gʀupe] *vt* agrupar; **se** ~ agruparse.
grue [gʀy] *nf* grúa; (ZOOL) grulla.
grumeaux [gʀymo] *nmpl* grumos.
grutier [gʀytje] *nm* conductor *m* de una grúa.
Guadeloupe [gwadlup] *nf*: **la** ~ Guadalupe *f*.
gué [ge] *nm* vado; **passer à** ~ vadear.
guenilles [gənij] *nfpl* harapos, pingajos.
guenon [gənɔ̃] *nf* mona.
guépard [gepaʀ] *nm* guepardo.
guêpe [gɛp] *nf* avispa.
guêpier [gepje] *nm* (*fig*) avispero.
guère [gɛʀ] *ad*: **tu n'es** ~ **raisonnable** eres poco razonable; ce

ne sera ~ difficile no sera muy difícil; **il ne la connaît ~** apenas la conoce; **il n'y a ~ que 3 personnes** hay apenas 3 personas; **il n'y a ~ de...** apenas hay..., no hay mucho... .
guéridon [geʀidɔ̃] *nm* velador *m*.
guérilla [geʀija] *nf* guerrilla.
guérillero [geʀijeʀo] *nm* guerrillero.
guérir [geʀiʀ] *vt* curar // *vi* curarse; sanar; **~ de** curar de; **guérison** *nf* curación *f*, cura; (*d'une maladie, plaie etc*) curación; **guérissable** *a* curable; **guérisseur, euse** *nm/f* curandero/a.
guérite [geʀit] *nf* garita.
guerre [gɛʀ] *nf* guerra; **en ~** en guerra; **faire la ~ à** combatir; **de ~ lasse** cansado(a) de luchar; **~ civile** guerra civil; **~ froide** guerra fría; **~ de religion** guerra religiosa; **~ sainte** guerra santa; **~ d'usure** guerra de desgaste; **guerrier, ière** *a, nm/f* guerrero(a); **guerroyer** *vi* guerrear.
guet [gɛ] *nm*: **faire le ~** estar al acecho.
guet-apens [gɛtapɑ̃] *nm* celada, emboscada.
guêtre [gɛtʀ(ə)] *nf* polaina.
guetter [gete] *vt* (*épier*) acechar; (*attendre*) acechar, aguardar; asechar; **guetteur** [gɛtœʀ] *nm* centinela *m*.
gueule [gœl] *nf* jeta, hocico; (*du canon, tunnel*) boca; (*fam*) jeta.
gueuler [gœle] *vi* (*fam*) vociferar, chillar.
gui [gi] *nm* muérdago.
guichet [giʃɛ] *nm* ventanilla; (*d'une porte*) portillo; **les ~s** (*à la gare, au théâtre*) la taquilla; **~ier, ière** [giʃtje, jɛʀ] *nm/f* taquillero/a.
guide [gid] *nm* guía *m/f*; (*livre*) guía // *nf* (*fille scout*) guía; **~s** *mpl* (*d'un cheval*) riendas.
guider [gide] *vt* guiar; **se ~ sur** guiarse con *o* por.
guidon [gidɔ̃] *nm* manillar *m*.
guignol [giɲɔl] *nm* guiñol *m*; (*fig*) payaso.
guillemets [gijmɛ] *nmpl*: **entre ~** entre comillas.
guilleret, te [gijʀɛ, ɛt] *a* festivo(a), vivaracho(a).
guillotine [gijɔtin] *nf* guillotina; **guillotiner** *vt* guillotinar.
guimauve [gimov] *nf* malvavisco, altea.
guindé, e [gɛ̃de] *a* estirado(a), empacado(a).
guirlande [giʀlɑ̃d] *nf* guirnalda.
guise [giz] *nf*: **à votre ~** a su gusto, como quiere; **en ~ de** a guisa *o* manera de.
guitare [gitaʀ] *nf* guitarra; **guitariste** *nm/f* guitarrista *m/f*.
gustatif, ive [gystatif, iv] *a* gustativo(a).
guttural, e, aux [gytyʀal, o] *a* gutural.
Guyane [gɥijan] *nf*: **la ~** Guayana.
gymkhana [ʒimkana] *nm* gymkhana.
gymnase [ʒimnɑz] *nm* gimnasio.
gymnaste [ʒimnast(ə)] *nm/f* gimnasta *m/f*.
gymnastique [ʒimnastik] *nf* gimnasia.
gynécologie [ʒinekɔlɔʒi] *nf* ginecología; **gynécologue** [-lɔg] *nm/f* ginecólogo/a.
gypse [ʒips(ə)] *nm* yeso.

H

h *abrév de* **heure**.
habile [abil] *a* hábil, diestro(a); (*malin*) hábil, astuto(a); **~té** *nf* habilidad *f*; astucia.
habilité, e [abilite] *a*: **~ à** habilitado *o* capacitado para.
habillé, e [abije] *a* vestido(a); (*chic*) elegante, de vestir; (*TECH*): **~ de** cubierto *o* forrado con.
habillement [abijmɑ̃] *nm* vestido, vestimenta; (*profession*) confección *f*.

habiller [abije] *vt* vestir; (*objet*) cubrir, forrar; **s'~** vestirse; (*se déguiser*) vestirse, disfrazarse; **s'~ de/en** vestirse de; **s'~ chez/à** vestirse en.
habit [abi] *nm* traje *m*; **~s** *mpl* (*vêtements*) ropa; **~ (de soirée)** traje (de noche *o* gala).
habitable [abitabl(ə)] *a* habitable.
habitacle [abitakl(ə)] *nm* (AUTO) puesto de pilotaje; (*de fusée etc*) cabina.
habitant, e [abitɑ̃, ɑ̃t] *nm/f* habitante *m/f*, vecino/a; (*d'une maison*) habitante, morador/ora; **loger chez l'~** alojarse en una casa.
habitat [abita] *nm* hábitat *m*, alojamiento; (BOT, ZOOL) hábitat *m*.
habitation [abitɑsjɔ̃] *nf* residencia; domicilio; vivienda, casa; **~ à loyer modéré, HLM** vivienda de renta limitada.
habité, e [abite] *a* habitado(a), ocupado(a).
habiter [abite] *vt* vivir en, habitar; (*suj*: *sentiment*) residir *o* anidar en // *vi*: **~ à/dans** vivir en; **~ chez qn** vivir en casa de alguien; **~ 16 rue Montmartre** vivir en la calle Montmartre no. 16.
habitude [abityd] *nf* hábito, costumbre *f*; **avoir l'~ de faire** tener la costumbre de hacer; **d'~** generalmente, habitualmente; **comme d'~** como de costumbre.
habitué, e [abitɥe] *a*: **être ~ à** estar acostumbrado a // *nm/f* amigo/a; cliente *m/f*.
habituel, le [abitɥɛl] *a* habitual, acostumbrado(a).
habituer [abitɥe] *vt*: **~ qn à** acostumbrar a alguien a; **s'~ à** acostumbrarse a.
***hâbleur, euse** ['ɑblœʀ, øz] *a* presumido(a), fanfarrón(ona).
***hache** ['aʃ] *nf* hacha.
***haché, e** ['aʃe] *a* picado(a); (*fig*) entrecortado(a), cortado(a).
***hacher** ['aʃe] *vt* picar.
***hachette** ['aʃɛt] *nf* hachuela.
***hachis** ['aʃi] *nm* picadillo.
***hachisch** ['aʃiʃ] *nm* = **haschisch.**
***hachoir** ['aʃwaʀ] *nm* cuchilla de picar; máquina de picar carne; tabla de picar.
***hachures** ['aʃyʀ] *nfpl* sombreado, plumeado.
***haddock** ['adɔk] *nm* eglefino ahumado.
***hagard, e** ['agaʀ, aʀd(ə)] *a* aterrado(a), espantado(a).
***haie** ['ɛ] *nf* cerco, seto; (SPORT) valla, obstáculo; (*fig*: *rang*) fila, hilera; **200 m ~s** 200 m vallas; **~ d'honneur** calle *f* de honor.
***haillons** ['ɑjɔ̃] *nmpl* harapos, andrajos.
***haine** ['ɛn] *nf* odio, aversión *f*.
***haïr** ['aiʀ] *vt* odiar; **se ~** odiarse.
***halage** ['alaʒ] *nm*: **chemin de ~** camino de sirga.
***hâle** ['ɑl] *nm* bronceado; ***hâlé, e** *a* bronceado(a).
haleine [alɛn] *nf* aliento; **hors d'~** sin aliento; **tenir en ~** mantener en vilo; **de longue ~** de larga duración.
***haleter** ['alte] *vi* jadear.
***hall** ['ol] *nm* vestíbulo.
hallali [alali] *nm* alalí *m*.
***halle** ['al] *nf* mercado; **~s** *fpl* mercado central.
hallucination [alysinɑsjɔ̃] *nf* alucinación *f*.
***halo** ['alo] *nm* halo, resplandor *m*.
***halte** ['alt(ə)] *nf* alto; (*lieu*, RAIL) parada // *excl* ¡alto!; **faire ~** hacer un alto, detenerse.
haltère [altɛʀ] *nm* peso; **~s** *mpl* (*activité*) levantamiento de pesos; **haltérophile** *nm/f* levantador/ora de pesos.
***hamac** ['amak] *nm* hamaca.
***hameau, x** ['amo] *nm* caserío, aldea.
hameçon [amsɔ̃] *nm* anzuelo.
***hampe** ['ɑ̃p] *nf* asta.
***hamster** ['amstɛʀ] *nm* hámster *m*.
***hanche** ['ɑ̃ʃ] *nf* cadera.
***hand-ball** ['ɑ̃dbal] *nm* balonmano.

***handicap** ['ɑ̃dikap] *nm* (*fig*) desventaja, inferioridad *f*; (SPORT) handicap *m*; **~é, e** *a* disminuido(a) // *nm/f*: **~é physique/mental** disminuido físicamente/mentalmente; **~é moteur** espástico; **~er** *vt* disminuir las posibilidades de.

***hangar** ['ɑ̃gaʀ] *nm* cobertizo.

***hanneton** ['antɔ̃] *nm* abejorro.

***hanter** ['ɑ̃te] *vt* frecuentar, aparecerse en; (*fig*) obsesionar, perseguir; ***hantise** *nf* obsesión *f*, idea fija.

***happer** ['ape] *vt* atrapar; (*suj*: *train etc*) arrollar, atropellar.

***haranguer** ['aʀɑ̃ge] *vt* arengar.

***haras** ['aʀɑ] *nm* acaballadero.

***harassant, e** ['aʀasɑ̃, ɑ̃t] *a* agobiador(ora), extenuante.

***harceler** ['aʀsəle] *vt* (MIL) hostigar; (CHASSE) acosar; (*fig*) molestar.

***hardes** ['aʀd(ə)] *nfpl* trapos, guiñapos.

***hardi, e** ['aʀdi] *a* audaz, arriesgado(a).

***harem** ['aʀɛm] *nm* harén *m*.

***hareng** ['aʀɑ̃] *nm* arenque *m*; **~ saur** arenque ahumado.

***hargne** ['aʀɲ(ə)] *nf* saña, furor *m*.

***haricot** ['ariko] *nm* judía; **~ blanc** alúbia; **~ vert** judía enana.

harmonica [aʀmɔnika] *nm* armónica.

harmonie [aʀmɔni] *nf* armonía; **harmonieux, euse** *a* armonioso(a); **harmonique** *nm* armónico; **harmoniser** *vt* armonizar.

harmonium [aʀmɔnjɔm] *nm* armonio.

***harnaché, e** ['aʀnaʃe] *a* (*fig*) ataviado(a) ridículamente.

***harnacher** ['aʀnaʃe] *vt* enjaezar.

***harnais** ['aʀnɛ] *nm* arreos, arneses *mpl*.

***harpe** ['aʀp(ə)] *nf* arpa; ***harpiste** *nm/f* arpista *m/f*.

***harpon** ['aʀpɔ̃] *nm* arpón *m*; ***~ner** *vt* arponear; (*fam*) pillar, enganchar.

***hasard** ['azaʀ] *nm*: **le ~** el azar; **un ~** una casualidad; **au ~** al azar; **par ~** por casualidad; **à tout ~** por si acaso.

***hasarder** ['azaʀde] *vt* (*mot, regard*) arriesgar, aventurar; (*vie, fortune*) arriesgar, exponer; **se ~ à** arriesgarse a, atreverse a.

***hasardeux, euse** ['azaʀdø, øz] *a* arriesgado(a).

***haschisch** ['aʃiʃ] *nm* hachís *m*.

***hâte** ['ɑt] *nf* prisa; **à la ~** de prisa; **en ~** con premura *o* rapidez *f*; **avoir ~ de** tener prisa por; ***hâter** *vt* apresurar; **se hâter** apresurarse; **se hâter de** apresurarse a; ***hâtif, ive** *a* hecho(a) de prisa; precipitado(a), apresurado(a); (*fruit, légume*) temprano(a).

***hausse** ['os] *nf* alza, subida; (*de la température*) elevación *f*, aumento; (*de fusil*) alza; **en ~** en alza; en aumento.

***hausser** ['ose] *vt* alzar, levantar; **se ~** alzarse, elevarse; **~ les épaules** encogerse de hombros.

***haut, e** ['o, 'ot] *a* alto(a); (*ligne, limite*) superior; (*son, voix*) agudo(a), alto(a); (*fig*) elevado(a) // *ad* alto // *nm*: **le ~** (lo) alto; **~ de 2 m/5 étages** de 2 m/5 pisos de alto; **20 m de ~** 20 m de alto; **à ~e voix, tout ~** en alta voz, en voz alta; **du ~ de** desde lo alto de; **de ~ en bas** (*regarder*) de arriba abajo; (*lire*) por completo, de punta a punta; (*frapper*) por completo; **plus ~** más alto; (*dans un texte*) más arriba; **en ~** arriba; **en ~ de** arriba de; **~e fidélité** alta fidelidad; **la ~e finance** las altas finanzas; **des ~s et des bas** altibajos.

***hautain, e** ['otɛ̃, ɛn] *a* altanero(a), soberbio(a).

***hautbois** ['obwɑ] *nm* oboe *m*.

***haut-de-forme** ['odfɔʀm(ə)] *nm* sombrero de copa.

***hautement** ['otmɑ̃] *ad* muy, extremadamente.

***hauteur** ['otœʀ] *nf* altura; (GÉO) altura, cumbre *f*; (*fig*) elevación *f*,

grandeza; altivez *f*, soberbia; **à la ~ de** a la altura de.
***haut-fond** ['ofɔ̃] *nm* bajío, bajo fondo.
***haut-fourneau** ['ofuʀno] *nm* alto horno.
***haut-le-cœur** ['olkœʀ] *nm inv* náusea, repugnancia.
***haut-parleur** ['opaʀlœʀ] *nm* altavoz *m*.
***hâve** ['ɑv] *a* macilento(a).
***havre** ['ɑvʀ(ə)] *nm* refugio, puerto.
***Haye** ['ɛ] *n*: **la ~** la Haya.
hebdomadaire [ɛbdɔmadɛʀ] *a* semanal // *nm* semanario.
héberger [ebɛʀʒe] *vt* hospedar; (*réfugiés*) alojar.
hébété, e [ebete] *a* aturdido(a), alelado(a).
hébraïque [ebʀaik] *a* hebraico(a).
hébreu, x [ebʀø] *am, nm* hebreo.
HEC *sigle fpl voir* **étude.**
hectare [ɛktaʀ] *nm* hectárea.
hectolitre [ɛktolitʀ(ə)] *nm* hectolitro.
hégémonie [eʒemɔni] *nf* hegemonía, supremacía.
***hein** ['ɛ̃] *excl* ¿eh?
***hélas** ['elɑs] *excl* ¡ay! // *ad* desgraciadamente.
***héler** ['ele] *vt* llamar.
hélice [elis] *nf* hélice *f*.
hélicoptère [elikɔptɛʀ] *nm* helicóptero.
héliogravure [eljɔgʀavyʀ] *nf* heliograbado.
héliport [elipɔʀ] *nm* helipuerto.
héliporté, e [elipɔʀte] *a* transportado(a) por helicóptero.
hellénique [elenik] *a* helénico(a).
helvétique [ɛlvetik] *a* helvético(a).
hématome [ematom] *nm* hematoma *m*.
hémicycle [emisikl(ə)] *nm* hemiciclo; (*POL*): **l'~** la sala, la gradería semicircular.
hémiplégie [emipleʒi] *nf* hemiplejía.
hémisphère [emisfɛʀ] *nf*: **~ nord/sud** hemisferio norte/sur.
hémoglobine [emɔglɔbin] *nf* hemoglobina.
hémophile [emɔfil] *a* hemofílico(a).
hémorragie [emɔʀaʒi] *nf* hemorragia.
hémorroïdes [emɔʀɔid] *nfpl* hemorroides *fpl*.
***henné** ['ene] *nm* alheña.
***hennir** ['eniʀ] *vi* relinchar.
hépatique [epatik] *a* hepático(a).
hépatite [epatit] *nf* hepatitis *f*.
herbe [ɛʀb(ə)] *nf* (*gazon*) césped *m*; (*CULIN, MÉD*) hierba; **en ~** en cierne; **de l'~** hierba, pasto; **herbeux, euse** *a* herboso(a); **herbicide** *nm* herbicida *m*; **herbier** *nm* herbario; **herbivore** *a* herbívoro(a); **herboriser** *vi* herborizar; **herboriste** *nm/f* herbolario/a; **herboristerie** *nf* (*magasin*) herboristería; (*commerce*) comercio de hierbas.
herculéen, ne [ɛʀkyleɛ̃, eɛn] *a* titánico(a), gigantesco(a).
***hère** ['ɛʀ] *nm*: **pauvre ~** pobre diablo.
héréditaire [ereditɛʀ] *a* hereditario(a).
hérédité [eredite] *nf* herencia.
hérésie [eʀezi] *nf* herejía; **hérétique** *nm/f* hereje *m/f*.
***hérissé, e** ['eʀise] *a* erizado(a), hirsuto(a); **~ de** erizado de.
***hérisser** ['eʀise] *vt*: **~ qn** ponerle los pelos de punta a alguien; (*fig*) enfadar a alguien; **se ~** *vi* (*poils, chat*) erizarse.
***hérisson** ['eʀisɔ̃] *nm* erizo.
héritage [eʀitaʒ] *nm* herencia.
hériter [eʀite] *vi*: **~ de qch (de qn)** heredar algo (de alguien); **héritier, ière** *nm/f* heredero/a.
hermaphrodite [ɛʀmafʀɔdit] *a* hermafrodita.
hermétique [ɛʀmetik] *a* hermético(a); **~ment** *ad* herméticamente.
hermine [ɛʀmin] *nf* armiño.
***hernie** ['ɛʀni] *nf* hernia.
héroïne [eʀɔin] *nf* heroína.
héroïque [eʀɔik] *a* heroico(a).

héroïsme [eʀɔism(ə)] *nm* heroísmo.
***héron** [ˈeʀɔ̃] *nm* garza.
***héros** [ˈeʀo] *nm* héroe *m*.
***herse** [ˈɛʀs(ə)] *nf* rastra; (*de château*) rastrillo.
hertz [ɛʀts] *nm* hertz *m*.
hésitation [ezitɑsjɔ̃] *nf* vacilación *f*.
hésiter [ezite] *vi*: ~ **(à faire)** dudar *o* vacilar (en hacer).
hétéroclite [eteʀɔklit] *a* heteróclito(a).
hétérogène [eteʀɔʒɛn] *a* heterogéneo(a).
hétérosexuel, le [eteʀɔsɛksɥɛl] *a* heterosexual.
***hêtre** [ˈɛtʀ(ə)] *nm* haya.
heure [œʀ] *nf* hora; **c'est l'~** es la hora; **quelle ~ est-il?** ¿qué hora es?; **à toute ~** a todas horas; **être à l'~** ser puntual; (*montre*) estar en hora; **mettre à l'~** poner en hora; **24 ~s sur 24** todo el día; **à l'~ qu'il est** a esta hora; (*fig*) en estos momentos, en los tiempos que corren; **sur l'~** de inmediato, al instante; **le bus passe à l'~** el autobús pasa a la hora en punto; **à l'~ actuelle** actualmente, en la actualidad; **~s de bureau** horas de oficina; **~s supplémentaires** horas extraordinarias.
heureusement [œʀøzmɑ̃] *ad* felizmente, afortunadamente.
heureux, euse [œʀø, øz] *a* feliz, dichoso(a); (*chanceux*) afortunado(a); (*judicieux*) feliz, acertado(a); **être ~ de faire** tener mucho gusto en hacer.
***heurt** [ˈœʀ] *nm* choque *m*, colisión *f*; **~s** *mpl* (*fig*) choque, disputa; desavenencia, desacuerdo.
***heurté, e** [ˈœʀte] *a* (*fig*) contrastado(a).
***heurter** [ˈœʀte] *vt* (*mur*) chocar con; (*personne*) tropezar con; (*fig*) chocar, ofender; **se ~ à** *vt* chocar con, darse en; (*fig*) enfrentarse a; **se ~** chocar, encontrarse.
***heurtoir** [ˈœʀtwaʀ] *nm* aldaba.
hévéa [evea] *nm* jebe *m*.
hexagone [ɛgzagɔn] *nm* hexágono.
***hiatus** [jatys] *nm* hiato.
hiberner [ibɛʀne] *vi* hibernar.
***hibou, x** [ˈibu] *nm* búho.
***hideux, euse** [ˈidø, øz] *a* horrible, horrendo(a).
hier [jɛʀ] *ad* ayer; ~ **matin** ayer por la mañana; ~ **soir** ayer por la tarde *o* la noche; anoche; **toute la journée d'~** todo el día de ayer.
***hiérarchie** [ˈjeʀaʀʃi] *nf* jerarquía; ***hiérarchique** *a* jerárquico(a); ***hiérarchiser** *vt* jerarquizar.
***hiéroglyphe** [ˈjeʀɔglif] *nm* jeroglífico.
hilare [ilaʀ] *a* alegre, jovial.
hindou, e [ɛ̃du] *a* hindú(a); (*nationalité*) hindú(a), indio(a) // *nm/f* indio/a, hindú/a; (*croyant*) hindú/a.
hippique [ipik] *a* hípico(a).
hippisme [ipism(ə)] *nm* hipismo.
hippodrome [ipɔdʀom] *nm* hipódromo.
hippopotame [ipɔpɔtam] *nm* hipopótamo.
hirondelle [iʀɔ̃dɛl] *nf* golondrina.
hirsute [iʀsyt] *a* hirsuto(a).
hispanique [ispanik] *a* hispánico(a).
***hisser** [ˈise] *vt* izar, subir; **se ~ sur** subirse a *o* en.
histoire [istwaʀ] *nf* historia; (*anecdote*) historia, cuento; (*mensonge*) cuento, mentira; (*incident*) problema *m*, asunto; (*chichis*) lío; **~s** *fpl* (*ennuis*) problemas *mpl*; ~ **sainte** historia sagrada; **historien, ne** *nm/f* historiador/ora; **historique** *a* histórico(a).
hiver [ivɛʀ] *nm* invierno; **~nal, e, aux** *a* invernal; **~ner** *vi* invernar.
HLM *sigle f ou m voir* **habitation.**
***hocher** [ˈɔʃe] *vt*: ~ **la tête** sacudir la cabeza.
***hochet** [ˈɔʃɛ] *nm* sonajero.
***hockey** [ˈɔkɛ] *nm*: ~ **(sur glace/gazon)** hockey *m* (sobre hielo/hierba); ***~eur** [-jœʀ] *nm* jugador *m* de hockey.
***holding** [ˈɔldiŋ] *nm* trust *m*.

***hold-up** ['ɔldœp] *nm inv* asalto a mano armada.
***hollandais, e** ['ɔlɑ̃dɛ, ɛz] *a, nm, nf* holandés(esa).
***Hollande** ['ɔlɑ̃d] *nf* Holanda.
***homard** ['ɔmaʀ] *nm* bogavante *m*.
homélie [ɔmeli] *nf* homilía.
homéopathe [ɔmeɔpat] *nm/f* homeópata *m/f*.
homéopathie [ɔmeɔpati] *nf* homeopatía; **homéopathique** *a* homeopático(a).
homérique [ɔmeʀik] *a* homérico(a).
homicide [ɔmisid] *nm* homicidio // *nm/f* homicida *m/f*.
hommage [ɔmaʒ] *nm* homenaje *m*; ~**s** *mpl*: **présenter ses ~s** presentar sus respetos; **rendre ~ à** rendir homenaje a; **en ~ de** en prueba de.
homme [ɔm] *nm* hombre *m*; ~ **d'affaires** hombre de negocios; ~ **des cavernes** hombre de las cavernas; ~ **d'Église** eclesiástico; ~ **d'État** estadista *m*; ~**-grenouille** *nm* hombre rana; ~ **de loi** legista *m*; ~ **de main** matón *m*; ~**-orchestre** *nm* hombre orquesta; ~ **de paille** testaferro; **l'~ de la rue** el hombre de la calle *o* común; ~**-sandwich** *nm* hombre sandwich *o* anuncio.
homogène [ɔmɔʒɛn] *a* homogéneo(a); **homogénéité** [-ʒeneite] *nf* homogeneidad *f*.
homologue [ɔmɔlɔg] *nm/f* colega *m*.
homologué, e [ɔmɔlɔge] *a* homologado(a).
homonyme [ɔmɔnim] *nm* homónimo(a).
homosexualité [ɔmɔsɛksɥalite] *nf* homosexualidad *f*.
homosexuel, le [ɔmɔsɛksɥɛl] *a* homosexual.
***Hongrie** ['ɔ̃gʀi] *nf*: **la ~** Hungría; ***hongrois, e** *a, nm, nf* húngaro(a).
honnête [ɔnɛt] *a* honesto(a), honrado(a); (*juste, satisfaisant*) razonable, decente; ~**ment** *ad* honestamente, sinceramente; ~**té** *nf* honestidad *f*, honradez *f*.
honneur [ɔnœʀ] *nm* honor *m*; (*faveur, considération*) honra, honor; (*mérite*): **l'~ lui revient** es mérito suyo, el mérito le corresponde; (CARTES) triunfo; ~**s** *mpl* honores *mpl*; **"j'ai l'~ de..."** "tengo el honor de..."; **en l'~ de** en honor de; (*événement*) en celebración de; **faire ~ à** (*engagements*) respetar, cumplir con; (*famille*) respetar *u* honrar a; (*fig*) hacer honor a; **être à l'~** ser honrado(a) *o* apreciado(a); **être en ~** ser considerado(a) *u* honrado(a).
honorable [ɔnɔʀabl(ə)] *a* honorable, digno(a); (*suffisant*) satisfactorio(a), honroso(a); ~**ment** *ad* dignamente; honrosamente.
honoraire [ɔnɔʀɛʀ] *a* honorario(a); ~**s** *mpl* honorarios.
honorer [ɔnɔʀe] *vt* honrar; (*estimer*) respetar; (*chèque, dette*) pagar; ~ **qn de** honrar a alguien con; **s'~ de** enorgullecerse de.
honorifique [ɔnɔʀifik] *a* honorífico(a).
***honte** ['ɔ̃t] *nf* vergüenza; **avoir ~ de** tener vergüenza de; **faire ~ à qn** avergonzar a alguien; ***honteux, euse** *a* (*confus*) avergonzado(a); (*infâme*) vergonzoso(a), escandaloso(a).
hôpital, aux [ɔpital, o] *nm* hospital *m*.
***hoquet** ['ɔkɛ] *nm*: **avoir le ~** tener hipo; ***~er** ['ɔkte] *vi* hipar, tener hipo.
horaire [ɔʀɛʀ] *a* por hora // *nm* horario.
***horde** ['ɔʀd(ə)] *nf* horda.
horizon [ɔʀizɔ̃] *nm* horizonte *m*; ~**s** *mpl* (*fig*) horizontes *mpl*.
horizontal, e, aux [ɔʀizɔ̃tal, o] *a* horizontal; ~**ement** *ad* horizontalmente.
horloge [ɔʀlɔʒ] *nf* reloj *m*.
horloger, ère [ɔʀlɔʒe, ɛʀ] *nm/f* relojero/a.
horlogerie [ɔʀlɔʒʀi] *nf* relojería.

***hormis** ['ɔʀmi] *prép* excepto, salvo.
hormonal, e, aux [ɔʀmɔnal, o] *a* hormonal.
hormone [ɔʀmɔn] *nf* hormona.
horoscope [ɔʀɔskɔp] *nm* horóscopo.
horreur [ɔʀœʀ] *nf* horror *m*, espanto; (*chose, objet laid*) horror; **l'~ d'une scène** lo horroroso de una escena; **avoir ~ de qch** sentir horror por algo; **horrible** *a* horrible, espantoso(a); (*laid*) horrible, horrendo(a); **horrifier** *vt* horrorizar, aterrar.
horripiler [ɔʀipile] *vt* exasperar.
***hors** ['ɔʀ] *prép* salvo; **~ de** fuera de; **~ pair** sin par; **~ de propos** fuera de lugar, inoportuno(a); **être ~ de soi** estar fuera de sí; **~ d'usage** fuera de uso; **~-bord** *nm* fuera borda *m*; **~-concours** *a* fuera de concurso; **~-d'œuvre** *nm* entremeses *mpl*; **~-jeu** *nm* fuera de juego *m*;**~-la-loi** *nm* persona fuera de la ley; **~-taxe** *a* exento(a) de impuestos; **~-texte** *nm* lámina fuera de texto.
hortensia [ɔʀtɑ̃sja] *nm* hortensia.
horticulteur, trice [ɔʀtikyltœʀ, tʀis] *nm/f* horticultor/ora.
horticulture [ɔʀtikyltyʀ] *nf* horticultura.
hospice [ɔspis] *nm* hospicio, asilo.
hospitalier, ière [ɔspitalje, jɛʀ] *a* hospitalario(a).
hospitaliser [ɔspitalize] *vt* hospitalizar.
hospitalité [ɔspitalite] *nf* hospitalidad *f*.
hostie [ɔsti] *nf* hostia.
hostile [ɔstil] *a* hostil; **~ à** (*opposé à*) contrario(a) *u* opositor(ora) a *o* de; **hostilité** *nf* hostilidad *f*, enemistad *f*; **hostilités** *fpl* hostilidades *fpl*.
hôte [ot] *nm* anfitrión *m*; (*invité, client*) huésped *m*; (*fig*) ocupante *m*, inquilino.
hôtel [otɛl] *nm* hotel *m*; **~ (particulier)** palacete *m*, hotel; **~ de ville** ayúntamiento; **~ier, ière** [otəlje, jɛʀ] *a*, *nm/f* hotelero(a); **~lerie** [otɛlʀi] *nf* (*profession*) hostelería; (*auberge*) hostal *m*.
hôtesse [otɛs] *nf* anfitriona; (*dans une agence, une foire*) recepcionista; **~ de l'air** azafata.
***hotte** ['ɔt] *nf* cuévano; (*de cheminée*) campana; **~ aspirante** campana aspirante.
***houblon** ['ublɔ̃] *nm* lúpulo.
***houille** ['uj] *nf* hulla; **~ blanche** hulla blanca; ***houiller, ère** *a* hullero(a).
***houle** ['ul] *nf* oleaje *m*.
***houlette** ['ulɛt] *nf*: **sous la ~ de** bajo la protección de.
***houleux, euse** ['ulø, øz] *a* encrespado(a), agitado(a); (*fig*) agitado(a), turbulento(a).
***houppe, *houppette** ['up, 'upɛt] *nf* borla.
***hourra** ['uʀa] *nm* viva, hurra // *excl* ¡hurra!, ¡viva!
***houspiller** ['uspije] *vt* regañar, reprender.
***housse** ['us] *nf* funda; **~ (penderie)** funda.
***houx** ['u] *nm* acebo.
***hublot** ['yblo] *nm* ojo de buey.
***huche** ['yʃ] *nf*: **~ à pain** artesa.
***huées** ['ɥe] *nfpl* abucheo.
***huer** ['ɥe] *vt* abuchear.
huile [ɥil] *nf* aceite *m*; (ART) óleo; (*fam*) pez gordo; **~ d'arachide/de colza** aceite de maní/de colza; **~ de foie de morue** aceite de higado de bacalao; **~ de table** aceite comestible; **huiler** *vt* aceitar; **huileux, euse** *a* aceitoso(a), grasoso(a).
huis [ɥi] *nm*: **à ~ clos** a puerta cerrada.
huissier [ɥisje] *nm* ordenanza *m*; (JUR) ujier *m*.
***huit** ['ɥit] *num* ocho; **samedi en ~** sábado de la próxima semana; **une *~aine de jours** unos ocho días; ***~ième** *num* octavo(a).
huître [ɥitʀ(ə)] *nf* ostra; **huîtrier** *nm* ostrero.
humain, e [ymɛ̃, ɛn] *a* humano(a)

// *nm* humano; ~**ement** [-mɛnmɑ̃] *ad* humanamente; **humaniser** *vt* humanizar; **humanitaire** *a* humanitario(a); **humanité** *nf* humanidad *f.*
humble [œbl(ə)] *a* humilde.
humecter [ymɛkte] *vt* humedecer; **s'**~ **les lèvres** humedecerse los labios.
***humer** [ˈyme] *vt* oler, aspirar.
humeur [ymœʀ] *nf* (*momentanée*) humor *m*; (*tempérament*) carácter *m,* temperamento; (*irritation*) mal humor *o* falante *m*; **de bonne/mauvaise** ~ de buen/mal humor.
humide [ymid] *a* húmedo(a); **humidificateur** *nm* humectador *m*; **humidifier** *vt* humedecer; **humidité** *nf* humedad *f.*
humiliation [ymiljɑsjɔ̃] *nf* humillación *f.*
humilier [ymilje] *vt* humillar, rebajar.
humilité [ymilite] *nf* humildad *f,* modestia.
humoriste [ymɔʀist(ə)] *nm/f* humorista *m/f.*
humoristique [ymɔʀistik] *a* humorístico(a).
humour [ymuʀ] *nm* humor *m*; **avoir de l'**~ tener sentido del humor; ~ **noir** humor negro.
humus [ymys] *nm* humus *m.*
***hurlement** [ˈyʀləmɑ̃] *nm* aullido, alarido.
***hurler** [ˈyʀle] *vi* (*animal*) aullar; (*personne*) aullar, gritar; (*de peur*) chillar; ~ **à la mort** aullar a la muerte.
hurluberlu [yʀlybɛʀly] *nm* (*péj*) tocado, descocado.
***hutte** [ˈyt] *nf* choza.
hybride [ibʀid] *a* híbrido(a).
hydratant, e [idʀatɑ̃, ɑ̃t] *a* hidratante.
hydrate [idʀat] *nm*: ~ **de carbone** hidrato de carbono.
hydrater [idʀate] *vt* hidratar.
hydraulique [idʀolik] *a* hidráulico(a).
hydravion [idʀavjɔ̃] *nm* hidroavión *m.*
hydro... [idʀɔ] *préf*: ~**-carbure** *nm* hidrocarburo; ~**cution** *nf síncope ocasionado por el brusco contacto con el agua*; ~**-électrique** *a* hidroeléctrico(a); ~**gène** *nm* hidrógeno; ~**glisseur** *nm* hidroplano; ~**graphie** *nf* hidrografía; ~**phile** *a voir* **coton.**
***hyène** [ˈjɛn] *nf* hiena.
hygiène [iʒjɛn] *nf* higiene *f*; **hygiénique** *a* higiénico(a).
hymne [imn(ə)] *nm* himno; ~ **national** himno nacional.
hyper... [ipɛʀ] *préf*: ~**métrope** [-metʀɔp] *a* hipermétrope; ~**tension** *nf* hipertensión *f.*
hypnose [ipnoz] *nf* hipnosis *f*; **hypnotique** *a* hipnótico(a); **hypnotiser** *vt* hipnotizar.
hypocrisie [ipɔkʀizi] *nf* hipocresía, doblez *m.*
hypocrite [ipɔkʀit] *a* hipócrita, falso(a) // *nm/f* hipócrita *m/f.*
hypotension [ipɔtɑ̃sjɔ̃] *nf* hipotensión *f.*
hypothécaire [ipɔtekɛʀ] *a* hipotecario(a).
hypothèque [ipɔtɛk] *nf* hipoteca.
hypothéquer [ipɔteke] *vt* hipotecar.
hypothèse [ipɔtɛz] *nf* hipótesis *f*; **hypothétique** *a* hipotético(a).
hystérie [isteʀi] *nf* histeria, histerismo; **hystérique** *a* histérico(a).

I

ibérique [ibeʀik] *a*: **la péninsule** ~ la península ibérica.
iceberg [ajsbɛʀg] *nm* iceberg *m.*
ici [isi] *ad* aquí, acá; **d'**~ **là** entretanto; **d'**~ **peu** dentro de poco.
icône [ikon] *nf* icono.

iconographie [ikɔnɔgʀafi] *nf* iconografía.
idéal, e, aux [ideal, o] *a, nm* ideal (*m*); **~iser** *vt* idealizar; **~iste** *a, nm/f* idealista (*m/f*).
idée [ide] *nf* idea; **avoir dans l'~ que** estar convencido(a) de que; **~s noires** pensamientos negros, mal humor; **~s reçues** prejuicios.
identification [idɑ̃tifikɑsjɔ̃] *nf* identificación *f*.
identifier [idɑ̃tifje] *vt* identificar; (*:bruit, accent, pierres*) reconocer, identificar; **~ qch à** identificar algo con; **s'~ à** identificarse con.
identique [idɑ̃tik] *a* idéntico(a).
identité [idɑ̃tite] *nf* igualdad *f*, semejanza; (*d'une personne*) identidad *f*.
idéologie [ideɔlɔʒi] *nf* ideología.
idiomatique [idjɔmatik] *a*: **expression ~** expresión idiomática.
idiome [idjom] *nm* idioma *m*.
idiot, e [idjo, ɔt] *a* (*MÉD*) idiota; (*péj*) estúpido(a), tonto(a) // *nm/f* idiota *m/f*; **~ie** [idjɔsi] *nf* idiotez *f*; tontería; estupidez *f*.
idolâtrer [idɔlɑtʀe] *vt* idolatrar.
idole [idɔl] *nf* ídolo.
idylle [idil] *nf* idilio; **idyllique** *a* idílico(a).
if [if] *nm* tejo.
IFOP [ifɔp] *sigle m* = *Institut français d'opinion publique*.
igloo [iglu] *nm* iglú *m*.
ignare [iɲaʀ] *a* ignorante, ignaro(a).
ignifugé, e [ignifyʒe] *a* ignífugo(a).
ignoble [iɲɔbl(ə)] *a* innoble, abyecto(a); inmundo(a), asqueroso(a).
ignominie [iɲɔmini] *nf* ignominia.
ignorance [iɲɔʀɑ̃s] *nf* ignorancia; **l'~ de** la ignorancia *o* el desconocimiento de.
ignorant, e [iɲɔʀɑ̃, ɑ̃t] *a* ignorante.
ignorer [iɲɔʀe] *vt* ignorar, desconocer; (*personne*) ignorar a; (*être sans expérience de: plaisir, guerre etc*) ignorar, no conocer.
iguane [igwan] *nm* iguana.
il [il] *pron* (*généralement non traduit*) él; (*en tournure impersonnelle*) *non traduit*; **~s** (*généralement non traduit*) ellos; **~ pleut** llueve; **~ fait froid** hace frío; **~ est midi** son las doce; *voir aussi* **avoir.**
île [il] *nf* isla; **les ~s** (*les Antilles*) las Antillas; **les ~s anglo- normandes** las islas anglonormandas; **les ~s Britanniques** las islas británicas.
illégal, e, aux [ilegal, o] *a* ilegal, ilícito(a); **~ité** *nf* ilegalidad *f*.
illégitime [ileʒitim] *a* ilegítimo(a); (*non justifié, fondé*) injustificado(a); ilegítimo(a).
illettré, e [iletʀe] *a* iletrado(a), analfabeto(a) // *nm/f* analfabeto/a.
illicite [ilisit] *a* ilícito(a), ilegal.
illimité, e [ilimite] *a* (*immense*) ilimitado(a), infinito(a); (*congé, durée*) ilimitado(a), indeterminado(a).
illisible [ilizibl(ə)] *a* ilegible.
illogique [ilɔʒik] *a* ilógico(a); **illogisme** *nm* falta de lógica.
illumination [ilyminɑsjɔ̃] *nf* iluminación *f*.
illuminer [ilymine] *vt* iluminar, alumbrar; (*suj: joie, foi*) iluminar; **s'~** *vi* iluminarse.
illusion [ilyzjɔ̃] *nf* ilusión *f*; **faire ~** deslumbrar; **~ d'optique** ilusión óptica; **~niste** *nm/f* ilusionista *m/f*; **~ner** *vt* ilusionar, engañar; **s'~ner (sur)** ilusionarse (con); **illusoire** *a* ilusorio(a), engañoso(a).
illustrateur [ilystʀatœʀ] *nm* ilustrador *m*.
illustration [ilystʀɑsjɔ̃] *nf* ilustración *f*.
illustre [ilystʀ(ə)] *a* ilustre, célebre.
illustré, e [ilystʀe] *a* ilustrado(a) // *nm* revista ilustrada.
illustrer [ilystʀe] *vt* ilustrar; **s'~** (*personne*) hacerse ilustre.
îlot [ilo] *nm* islote *m*; (*de maisons*) manzana.
image [imaʒ] *nf* imagen *f*; (*gravure, photographie*) imagen, figura; **~ de marque** reputación *f*, renombre *m*;

(*fig*) imagen; **imagé, e** *a* rico(a) en imágenes.
imaginaire [imaʒinɛʀ] *a* imaginario(a).
imagination [imaʒinɑsjɔ̃] *nf* imaginación *f*.
imaginer [imaʒine] *vt* imaginar; **s'~** *vt* imaginarse; **s'~ pouvoir faire qch** imaginarse que puede hacer algo.
imbattable [ɛ̃batabl(ə)] *a* invencible, imbatible.
imbécile [ɛ̃besil] *a* imbécil; **imbécillité** *nf* imbecilidad *f*.
imberbe [ɛ̃bɛʀb(ə)] *a* imberbe.
imbiber [ɛ̃bibe] *vt*: **~ qch de** embeber *o* empapar algo en; **s'~ de** impregnarse de; **imbibé d'eau** (*chaussures, étoffe*) empapado de agua; (*terre*) empapado *o* impregnado de agua.
imbriquer [ɛ̃bʀike] *vt* imbricar; **s'~** *vi* imbricarse.
imbroglio [ɛ̃bʀɔljo] *nm* embrollo, enredo.
imbu, e [ɛ̃by] *a*: **~ de** lleno de; imbuído *o* creído de.
imbuvable [ɛ̃byvabl(ə)] *a* imbebible.
imitateur, trice [imitatœʀ, tʀis] *nm/f* imitador/ora.
imitation [imitɑsjɔ̃] *nm* imitación *f*; **un sac ~ cuir** un bolso de cuero artificial.
imiter [imite] *vt* imitar; (*parodier*) imitar, remedar; (*suj*: *chose*) imitar, simular.
immaculé, e [imakyle] *a* inmaculado(a).
immangeable [ɛ̃mɑ̃ʒabl(ə)] *a* incomible.
immanquable [ɛ̃mɑ̃kabl(ə)] *a* infalible; (*fatal*) indefectible, inevitable.
immatériel, le [imateʀjɛl] *a* inmaterial.
immatriculation [imatʀikylɑsjɔ̃] *nf* matriculación *f*.
immatriculer [imatʀikyle] *vt* matricular, inscribir; **faire/se faire ~** hacer/hacerse inscribir *o* matricular; **voiture immatriculée dans la Seine** coche matriculado en Sena.
immaturité [imatyʀite] *nf* inmadurez *f*.
immédiat, e [imedja, at] *a* inmediato(a) // *nm*: **dans l'~** por ahora; **dans le voisinage ~ de** muy cerca de; **~ement** *ad* inmediatamente.
immense [imɑ̃s] *a* inmenso(a), enorme.
immerger [imɛʀʒe] *vt* sumergir; (*déchets*) arrojar al mar; **s'~** *vi* (*sous-marin*) sumergirse.
immeuble [imœbl(ə)] *nm* edificio, inmueble *m* // *a* (JUR) inmueble; **~ locatif** casa de inquilinato; **~ de rapport** edificio de alquiler.
immigrant, e [imigʀɑ̃, ɑ̃t] *nm/f* inmigrante *m/f*.
immigration [imigʀɑsjɔ̃] *nf* inmigración *f*.
immigré, e [imigʀe] *nm/f* inmigrado/a.
immigrer [imigʀe] *vi* inmigrar.
imminent, e [iminɑ̃, ɑ̃t] *a* inminente.
immiscer [imise] : **s'~ dans** *vt* inmiscuirse en, entrometerse en.
immobile [imɔbil] *a* inmóvil, quieto(a); (*pièce de machine*) fijo(a), inmovible.
immobilier, ière [imɔbilje, jɛʀ] *a* inmobiliario(a) // *nm*: **l'~** la sociedad inmobiliaria; (JUR) los bienes inmuebles.
immobilisation [imɔbilizɑsjɔ̃] *nf*: **~s** *fpl* (COMM) inmovilización *f*.
immobiliser [imɔbilize] *vt* inmovilizar; (*circulation, affaires*) detener, entorpecer; (*véhicule*: *stopper*) detener; **s'~** (*personne*) inmovilizarse; (*machine, véhicule*) detenerse.
immobilité [imɔbilite] *nf* inmobilidad *f*.
immodéré, e [imɔdeʀe] *a* inmoderado(a).
immoler [imɔle] *vt* inmolar.
immonde [imɔ̃d] *a* inmundo(a).

immondices [imɔ̃dis] *nmpl* basura.
immoral, e, aux [imɔʀal, o] *a* inmoral.
immortaliser [imɔʀtalize] *vt* inmortalizar, perpetuar.
immortel, le [imɔʀtɛl] *a* inmortal.
immuable [imɥabl(ə)] *a* inmutable.
immuniser [imynize] *vt* inmunizar.
immunité [imynite] *nf* inmunidad *f*.
impact [ɛ̃pakt] *nm* impacto, efecto; (*d'une personne*) influencia, influjo; **point d'~** impacto.
impair, e [ɛ̃pɛʀ] *a* impar // *nm* pifia, plancha.
imparable [ɛ̃paʀabl(ə)] *a* imparable.
impardonnable [ɛ̃paʀdɔnabl(ə)] *a* imperdonable.
imparfait, e [ɛ̃paʀfɛ, ɛt] *a* imperfecto(a) // *nm* pretérito imperfecto.
impartial, e, aux [ɛ̃paʀsjal, o] *a* imparcial.
impartir [ɛ̃paʀtiʀ] *vt* impartir, conceder; (*JUR*: *délai*) acordar, otorgar.
impasse [ɛ̃pɑs] *nf* callejón sin salida *m*; (*fig*) callejón sin salida, atolladero; (*BRIDGE, BELOTE*) impás *m*; **être dans l'~** (*négociations*) estar en un punto muerto.
impassible [ɛ̃pasibl(ə)] *a* impasible.
impatience [ɛ̃pasjɑ̃s] *nf* impaciencia.
impatient, e [ɛ̃pasjɑ̃, ɑ̃t] *a* impaciente; (*attente, geste*) impaciente, inquieto(a); **~ de faire** impaciente por hacer; **~er** *vt* impacientar, irritar; **s'~er** impacientarse.
impayable [ɛ̃pɛjabl(ə)] *a* (*drôle*) graciosísimo(a).
impayé, e [ɛ̃peje] *a* no pagado(a); **~s** *nmpl* (*COMM*) impagado.
impeccable [ɛ̃pekabl(ə)] *a* impecable.
impénitent, e [ɛ̃penitɑ̃, ɑ̃t] *a* impenitente.
impensable [ɛ̃pɑ̃sabl(ə)] *a* inconcebible; inimaginable; increíble.
impératif, ive [ɛ̃peʀatif, iv] *a* imperioso(a), perentorio(a); (*JUR*) obligatorio(a); (*ton, geste*) imperioso(a), autoritario(a) // *nm* imperativo; (*d'une fonction*) obligación *f*, imperativo.
impératrice [ɛ̃peʀatʀis] *nf* emperatriz *f*.
imperceptible [ɛ̃pɛʀsɛptibl(ə)] *a* imperceptible.
imperfection [ɛ̃pɛʀfɛksjɔ̃] *nf* imperfección *f*.
impérial, e, aux [ɛ̃peʀjal, o] *a* imperial // *nf* imperial *f*; **autobus à ~e** autobús *m* con imperial.
impérialisme [ɛ̃peʀjalism(ə)] *nm* imperialismo.
impérieux, euse [ɛ̃peʀjø, øz] *a* imperioso(a).
impérissable [ɛ̃peʀisabl(ə)] *a* imperecedero(a), inmortal.
imperméabiliser [ɛ̃pɛʀmeabilize] *vt* impermeabilizar.
imperméable [ɛ̃pɛʀmeabl(ə)] *a* impermeable; (*fig*): **~ à** inaccesible a // *nm* impermeable *m*, gabardina.
impersonnel, le [ɛ̃pɛʀsɔnɛl] *a* impersonal.
impertinent, e [ɛ̃pɛʀtinɑ̃, ɑ̃t] *a* impertinente.
imperturbable [ɛ̃pɛʀtyʀbabl(ə)] *a* imperturbable.
impie [ɛ̃pi] *a* impío(a), sacrílego(a).
impitoyable [ɛ̃pitwajabl(ə)] *a* despiadado(a).
implacable [ɛ̃plakabl(ə)] *a* implacable.
implant [ɛ̃plɑ̃] *nm* (*MÉD*) injerto, trasplante *m*.
implanter [ɛ̃plɑ̃te] *vt* implantar, establecer; (*idée, préjugé*) introducir, instaurar; (*MÉD*) injertar, trasplantar; **s'~** *vi* instalarse, establecerse.
implication [ɛ̃plikɑsjɔ̃] *nf* implicación *f*.
implicite [ɛ̃plisit] *a* implícito(a).

impliquer [ɛ̃plike] *vt* implicar; ~ **qn dans** implicar *o* enredar a alguien en.
implorer [ɛ̃plɔʀe] *vt* implorar.
implosion [ɛ̃plozjɔ̃] *nf* implosión *f*.
impoli, e [ɛ̃pɔli] *a* descortés, grosero(a); ~**ment** *ad* descortésmente, descomedidamente; ~**tesse** *nf* incorrección *f*; descortesía; grosería.
impopulaire [ɛ̃pɔpylɛʀ] *a* impopular.
importable [ɛ̃pɔʀtabl(ə)] *a* (COMM) importable; (*vêtement*) imposible de poner.
importance [ɛ̃pɔʀtɑ̃s] *nf* importancia.
important, e [ɛ̃pɔʀtɑ̃, ɑ̃t] *a* importante // *nm*: **l'**~ lo importante.
importateur, trice [ɛ̃pɔʀtatœʀ, tʀis] *a, nm/f* importador(ora).
importation [ɛ̃pɔʀtɑsjɔ̃] *nf* importación *f*; (*de plantes, maladies*) importación, introducción *f*.
importer [ɛ̃pɔʀte] *vt* (COMM) importar // *vi* (*être important*) importar, tener importancia; **il importe que** es importante que; **peu m'importe** me da lo mismo; me importa poco, no me importa; **peu importe!** ¡poco importa!, ¡qué importa!; **peu importe que** no importa que, poco importa que; **peu importe le prix** no importa el precio; *voir aussi* **n'importe**.
import-export [ɛ̃pɔʀɛkspɔʀ] *nm* importación-exportación *f*.
importun, e [ɛ̃pɔʀtœ̃, yn] *a* importuno(a), molesto(a); (*arrivée, visite*) intempestivo(a), inoportuno(a) // *nm* importuno; ~**er** [ɛ̃pɔʀtyne] *vt* importunar, molestar; (*insecte, bruit*) molestar, fastidiar.
imposable [ɛ̃pozabl(ə)] *a* imponible.
imposant, e [ɛ̃pozɑ̃, ɑ̃t] *a* imponente.
imposer [ɛ̃poze] *vt* (*taxer*) imponer, gravar; (*personne*) imponer, obligar; (*prix*) exigir, imponer; (REL): ~ **les mains** imponer las manos, bendecir; ~ **qch à qn** imponer algo a alguien; (*tribut, contribution*) gravar con algo a alguien; **s'**~ imponerse; **en** ~ **à** impresionar a; **en** ~ infundir respeto.
imposition [ɛ̃pozisjɔ̃] *nf* (ADMIN) contribución *f*.
impossibilité [ɛ̃pɔsibilite] *nf* imposibilidad *f*; (*chose impossible*) imposible *m*; **être dans l'**~ **de faire** serle a uno imposible hacer.
impossible [ɛ̃pɔsibl(ə)] *a* imposible; (*difficile*) penoso(a), dificultoso(a); (*absurde*) increíble, extravagante // *nm*: **l'**~ lo imposible; ~ **à faire** imposible de hacer; **il m'est** ~ **de** me es imposible.
imposteur [ɛ̃pɔstœʀ] *nm* impostor *m*, falsario.
imposture [ɛ̃pɔstyʀ] *nf* impostura, calumnia.
impôt [ɛ̃po] *nm* impuesto; ~**s** *mpl* impuestos; ~ **sur le chiffre d'affaires** impuesto sobre el capital; ~ **foncier** impuesto sobre la propiedad; ~ **sur les plus values** impuesto sobre las ganancias; ~ **sur le revenu** impuesto sobre la renta.
impotent, e [ɛ̃pɔtɑ̃, ɑ̃t] *a* tullido(a), impedido(a); (*jambe, bras*) paralítico(a).
impraticable [ɛ̃pʀatikabl(ə)] *a* impracticable.
imprécis, e [ɛ̃pʀesi, iz] *a* impreciso(a), confuso(a); (*tir*) sin precisión.
imprégner [ɛ̃pʀeɲe] *vt* impregnar; (*personne*): **imprégné de** imbuído de; **s'**~ **de** impregnarse de; (*apprendre, assimiler*) asimilar.
imprenable [ɛ̃pʀənabl(ə)] *a* inexpugnable; **vue** ~ vista panorámica asegurada.
impresario [ɛ̃pʀesaʀjo] *nm* empresario.
impression [ɛ̃pʀesjɔ̃] *nf* impresión *f*; **faire bonne** ~ causar buena impresión; **faire** ~ impresionar.

impressionnant, e [ɛ̃pʀesjɔnɑ̃, ɑ̃t] *a* impresionante.
impressionner [ɛ̃pʀesjɔne] *vt* impresionar.
impressionnisme [ɛ̃pʀesjɔnism(ə)] *nm* impresionismo.
imprévisible [ɛ̃pʀevizibl(ə)] *a* imprevisible, inesperado(a).
imprévoyant, e [ɛ̃pʀevwajɑ̃, ɑ̃t] *a* imprevisor(ora), desprevenido(a); (*en matière d'argent*) descuidado(a), imprevisor(ora).
imprévu, e [ɛ̃pʀevy] *a* imprevisto(a) // *nm* imprevisto; **en cas d'~** en el caso de que ocurriera un imprevisto.
imprimé, e [ɛ̃pʀime] *a* estampado(a); (*livre, ouvrage*) impreso(a) // *nm* impreso; (*tissu*) estampado.
imprimer [ɛ̃pʀime] *vt* estampar; (*empreinte etc*) imprimir, marcar; (*livre*: composer) imprimir; (: *faire paraître*) imprimir, estampar; (*auteur, écrivain*) imprimir, publicar; (*mouvement, vitesse*) imprimir, trasmitir; (*fig*: direction) imprimir, comunicar; **imprimerie** *nf* imprenta; (*établissement*) imprenta, tipografía; **imprimeur** *nm* impresor *m*; **(ouvrier) imprimeur** (obrero) tipógrafo; **imprimeur-libraire/-éditeur** impresor librero/editor.
improbable [ɛ̃pʀɔbabl(ə)] *a* improbable.
improductif, ive [ɛ̃pʀɔdyktif, iv] *a* improductivo(a).
impromptu, e [ɛ̃pʀɔ̃pty] *a* improvisado(a), repentino(a) // *ad* improvisadamente; de improviso.
imprononçable [ɛ̃pʀɔnɔ̃sabl(ə)] *a* impronunciable.
impropre [ɛ̃pʀɔpʀ(ə)] *a* impropio(a), incorrecto(a); ~ **à** inepto(a) *o* incapaz para; (*suj*: *chose*) inadecuado(a) para; **impropriété** *nf* (*de langage*) incorrección *f*, impropiedad *f*.
improviser [ɛ̃pʀɔvize] *vt, vi* improvisar; **s'~** improvisarse.
improviste [ɛ̃pʀɔvist(ə)] : **à l'~** *ad* de improviso.
imprudemment [ɛ̃pʀydamɑ̃] *ad* (*conduire, circuler*) imprudentemente, con imprudencia; (*parler*) con ligereza, irreflexivamente.
imprudence [ɛ̃pʀydɑ̃s] *nf* imprudencia; descuido.
imprudent, e [ɛ̃pʀydɑ̃, ɑ̃t] *a* imprudente, atolondrado(a); (*remarque, projet*) imprudente.
impudent, e [ɛ̃pydɑ̃, ɑ̃t] *a* impudente; descarado(a).
impudique [ɛ̃pydik] *a* impúdico(a).
impuissance [ɛ̃pɥisɑ̃s] *nf* impotencia.
impuissant, e [ɛ̃pɥisɑ̃, ɑ̃t] *a* impotente; (*sans effet*) ineficaz // *nm* impotente *m*; ~ **à faire** incapaz de hacer.
impulsif, ive [ɛ̃pylsif, iv] *a* impulsivo(a).
impulsion [ɛ̃pylsjɔ̃] *nf* impulso; (*élan*) empuje *m*, estímulo; (*influence*) instigación *f*, estímulo.
impunément [ɛ̃pynemɑ̃] *ad* impunemente.
impunité [ɛ̃pynite] *nf* impunidad *f*.
impur, e [ɛ̃pyʀ] *a* impuro(a); **~eté** *nf* impureza.
imputer [ɛ̃pyte] *vt*: ~ **à** imputar a.
imputrescible [ɛ̃pytʀesibl(ə)] *a* imputrescible.
in [in] *a inv* in, de moda.
inabordable [inabɔʀdabl(ə)] *a* (*lieu*) inaccesible, inalcanzable; (*cher*) inaccesible, carísimo(a).
inaccentué, e [inaksɑ̃tɥe] *a* (LING) inacentuado(a), átono(a).
inacceptable [inaksɛptabl(ə)] *a* inaceptable; inadmisible.
inaccessible [inaksesibl(ə)] *a* inaccesible; inasequible; inalcanzable; (*incompréhensible*) inasequible, ininteligible; (*insensible*): ~ **à** insensible *o* indiferente a.
inaccoutumé, e [inakutyme] *a* desacostumbrado(a), inusual.
inachevé, e [inaʃve] *a* inconcluso(a), incompleto(a).

inactif, ive [inaktif, iv] *a* inactivo(a).
inaction [inaksjɔ̃] *nf* ocio, inacción *f*.
inactivité [inaktivite] *nf* (*ADMIN*): **en ~** en suspensión de servicio.
inadapté, e [inadapte] *a* (*PSYCH*) inadaptado(a); (*vie*): **~ à** inadecuado a.
inadmissible [inadmisibl(ə)] *a* inadmisible.
inadvertance [inadvɛʀtɑ̃s] : **par ~** *ad* por descuido *o* inadvertencia.
inaliénable [inaljenabl(ə)] *a* inalienable.
inaltérable [inalteʀabl(ə)] *a* inalterable.
inamovible [inamɔvibl(ə)] *a* (*JUR*) inamovible; (*fonction, emploi*) inamovible, fijo(a); (*fixe*) fijo(a).
inanimé, e [inanime] *a* inanimado(a); (*mort*) inanimado(a), exánime; **tomber ~** caer exánime.
inanition [inanisjɔ̃] *nf*: **tomber d'~** desfallecer por inanición.
inaperçu, e [inapɛʀsy] *a*: **passer ~** pasar desapercibido *o* inadvertido.
inappliqué, e [inaplike] *a* desaplicado(a); (*procédé, loi etc*) inaplicado(a).
inappréciable [inapʀesjabl(ə)] *a* inapreciable.
inapte [inapt(ə)] *a*: **~ à** incapaz de, incompetente para; (*MIL*) no apto(a) para.
inattaquable [inatakabl(ə)] *a* (*MIL*) inatacable; (*texte, preuve*) incuestionable; (*argument*) irrebatible, irrefutable; (*réputation*) inobjetable, irreprochable; (*personne*) irreprochable, incensurable.
inattendu, e [inatɑ̃dy] *a* inesperado(a); (*insoupçonné*) impensado(a), insospechado(a).
inattentif, ive [inatɑ̃tif, iv] *a* desatento(a), distraído(a); **~ à** (*dangers, détails*) despreocupado de; **inattention** *nf* distracción *f*, desatención *f*; **une minute d'inattention** un minuto de descuido; **faute d'inattention** falta por descuido.
inaudible [inodibl(ə)] *a* inaudible; imperceptible.
inaugural, e, aux [inɔgyʀal, o] *a* inaugural.
inauguration [inɔgyʀɑsjɔ̃] *nf* inauguración *f*.
inaugurer [inɔgyʀe] *vt* inaugurar.
inavouable [inavwabl(ə)] *a* inconfesable; nefando(a).
inavoué, e [inavwe] *a* inconfesado(a).
inca [ɛ̃ka] *a, nm/f* inca (*m/f*).
incalculable [ɛ̃kalkylabl(ə)] *a* incalculable; incontable; (*considérable*) incalculable, innumerable.
incandescence [ɛ̃kɑ̃desɑ̃s] *nf* incandescencia, ignición *f*; **porter qch à ~** llevar algo a incandescencia; **lampe/manchon à ~** lámpara/camisa incandescente.
incantation [ɛ̃kɑ̃tɑsjɔ̃] *nf* encantamiento, embrujo.
incapable [ɛ̃kapabl(ə)] *a* incapaz; (*JUR*) inepto(a), inhabilitado(a).
incapacité [ɛ̃kapasite] *nf* incapacidad *f*, incompetencia; **être dans l'~ de faire** estar imposibilitado(a) para hacer; **~ électorale** inhabilitación *f* electoral; **~ de travail** inhabilitación para el trabajo.
incarcérer [ɛ̃kaʀseʀe] *vt* encarcelar.
incarnation [ɛ̃kaʀnɑsjɔ̃] *nf* encarnación *f*.
incarné, e [ɛ̃kaʀne] *a*: **ongle ~** uña encarnada.
incarner [ɛ̃kaʀne] *vt* encarnar.
incartade [ɛ̃kaʀtad] *nf* incorrección *f*, error *m*; (*ÉQUITATION*) espantada.
incassable [ɛ̃kɑsabl(ə)] *a* irrompible.
incendiaire [ɛ̃sɑ̃djɛʀ] *a* incendiario(a); (*fig*) subversivo(a), incendiario(a) // *nm/f* incendiario/a.
incendie [ɛ̃sɑ̃di] *nm* incendio; **~ criminel** incendio doloso; **~ de forêt** incendio de bosque.

incendier [ɛ̃sɑ̃dje] *vt* incendiar.

incertain, e [ɛ̃sɛʀtɛ̃, ɛn] *a* incierto(a); (*imprécis, hésitant*) vacilante, inseguro(a); **incertitude** *nf* incertidumbre *f*; **incertitudes** *fpl* (*hésitations*) vacilaciones *fpl*, irresolución *f*; (*impondérables*) inseguridad, incertidumbre.

incessamment [ɛ̃sɛsamɑ̃] *ad* inmediatamente, en seguida.

incessant, e [ɛ̃sɛsɑ̃, ɑ̃t] *a* incesante.

inceste [ɛ̃sɛst(ə)] *nm* incesto.

inchangé, e [ɛ̃ʃɑ̃ʒe] *a* (*situation*) igual, idéntico(a).

incidence [ɛ̃sidɑ̃s] *nf* incidencia.

incident, e [ɛ̃sidɑ̃, ɑ̃t] *a* incidental // *nm* incidente *m*; ~ **de frontière** incidente *o* conflicto de frontera; ~ **de parcours** incidente de tránsito; ~ **technique** dificultad técnica.

incinérateur [ɛ̃sineʀatœʀ] *nm* incinerador *m*.

incinérer [ɛ̃sineʀe] *vt* (*mort*) incinerar, cremar; (*ordures*) incinerar, quemar.

incise [ɛ̃siz] *nf* (LING) inciso.

incisif, ive [ɛ̃sizif, iv] *a* incisivo(a), mordaz // *nf* incisivo.

incision [ɛ̃sizjɔ̃] *nf* (*d'un arbre*) entalladura, incisión *f*; (*d'une plaie, d'un organe*) incisión, corte *m*.

inciter [ɛ̃site] *vt*: ~ **qn à** incitar *o* inducir a alguien a.

incivil, e [ɛ̃sivil] *a* descortés.

inclinaison [ɛ̃klinɛzɔ̃] *nf* inclinación *f*; (*d'un plan, d'une pente*) declive *m*, pendiente *f*; (*d'un navire*) tumbo.

inclination [ɛ̃klinɑsjɔ̃] *nf* inclinación *f*; (*attrait, disposition*) propensión *f*.

incliner [ɛ̃kline] *vt* inclinar; (*navire*: *suj*: *vent*) tumbar; (*inciter*): ~ **qn à** incitar a alguien a; **s'**~ inclinarse; (*chemin, pente*) descender; (*toit*) descender, inclinarse; **s'**~ **(devant)** inclinarse (ante); (*céder*) cejar (ante); (*s'avouer battu*) doblegarse (ante); ~ **à** tender *o* propender a.

inclure [ɛ̃klyʀ] *vt* incluir; (*joindre à un envoi*) adjuntar; (*récit, condition*) incluir, encerrar; **jusqu'au 10 mars inclus** hasta el 10 de marzo inclusive.

incoercible [ɛ̃kɔɛʀsibl(ə)] *a* irrefrenable, incontenible.

incognito [ɛ̃kɔɲito] *ad* de incógnito.

incohérence [ɛ̃kɔeʀɑ̃s] *nf* incoherencia.

incohérent, e [ɛ̃kɔeʀɑ̃, ɑ̃t] *a* incoherente, incongruente.

incollable [ɛ̃kɔlabl(ə)] *a* que no se puede suspender.

incolore [ɛ̃kɔlɔʀ] *a* incoloro(a); (*fig*) insulso(a), descolorido(a).

incomber [ɛ̃kɔ̃be]: ~ **à** *vt* (*suj*: *devoirs, responsabilité*) incumbir a, corresponder a; (*:frais, travail*) corresponder a, atañer a.

incombustible [ɛ̃kɔ̃bystibl(ə)] *a* incombustible.

incommode [ɛ̃kɔmɔd] *a* incómodo(a).

incommoder [ɛ̃kɔmɔde] *vt* incomodar, molestar; (*suj*: *comportement*) molestar, disgustar.

incommunicable [ɛ̃kɔmynikabl(ə)] *a* (JUR) intransferible, intrasmisible.

incomparable [ɛ̃kɔ̃paʀabl(ə)] *a* diferente; (*inégalable*) incomparable.

incompatibilité [ɛ̃kɔ̃patibilite] *nf*: ~ **d'humeur** incompatibilidad *f* de carácter.

incompatible [ɛ̃kɔ̃patibl(ə)] *a* incompatible.

incompétent, e [ɛ̃kɔ̃petɑ̃, ɑ̃t] *a* incompetente.

incomplet, ète [ɛ̃kɔ̃plɛ, ɛt] *a* incompleto(a).

incompréhensible [ɛ̃kɔ̃pʀeɑ̃sibl(ə)] *a* incomprensible; (*bizarre*) extraño(a), curioso(a); (*mystérieux*) extraño(a), incomprensible.

incompréhensif, ive [ɛ̃kɔ̃pʀeɑ̃sif, iv] *a* incomprensivo(a).

incompris, e [ɛ̃kɔ̃pʀi, iz] *a* incomprendido(a).

inconcevable [ɛ̃kɔ̃svabl(ə)] *a* inconcebible; (*extravagant*) absurdo(a).
inconciliable [ɛ̃kɔ̃siljabl(ə)] *a* inconciliable.
inconditionnel, le [ɛ̃kɔ̃disjɔnɛl] *a* incondicional.
inconduite [ɛ̃kɔ̃dɥit] *nf* mala conducta.
inconfortable [ɛ̃kɔ̃fɔʀtabl(ə)] *a* incómodo(a).
incongru, e [ɛ̃kɔ̃gʀy] *a* incongruente; incorrecto(a).
inconnu, e [ɛ̃kɔny] *a* desconocido(a); ignoto(a) // *nm/f* desconocido/a // *nm*: **l'~** lo desconocido // *nf* (MATH, *fig*) incógnita.
inconsciemment [ɛ̃kɔ̃sjamɑ̃] *ad* inconscientemente.
inconscience [ɛ̃kɔ̃sjɑ̃s] *nf* inconsciencia.
inconscient, e [ɛ̃kɔ̃sjɑ̃, ɑ̃t] *a* inconsciente // *nm* (PSYCH): **l'~** el inconsciente.
inconséquent, e [ɛ̃kɔ̃sekɑ̃, ɑ̃t] *a* inconsecuente, ilógico(a); precipitado(a), irreflexivo(a).
inconsidéré, e [ɛ̃kɔ̃sideʀe] *a* inconsiderado(a), imprudente.
inconsistant, e [ɛ̃kɔ̃sistɑ̃, ɑ̃t] *a* inconsistente; (*amorphe, indécis*) débil, flojo(a); (*crème, bouillie*) inconsistente, chirle; (*action d'un roman*) débil, insustancial.
incontestable [ɛ̃kɔ̃tɛstabl(ə)] *a* indiscutible, irrefutable.
incontesté, e [ɛ̃kɔ̃tɛste] *a* indiscutido(a).
incontinent, e [ɛ̃kɔ̃tinɑ̃, ɑ̃t] *a* incontinente.
incontrôlable [ɛ̃kɔ̃tʀolabl(ə)] *a* incomprobable.
inconvenant, e [ɛ̃kɔ̃vnɑ̃, ɑ̃t] *a* inconveniente; (*tenue*) inconveniente, indecoroso(a); (*personne*) incorrecto(a), descortés.
inconvénient [ɛ̃kɔ̃venjɑ̃] *nm* (*d'une situation, d'un projet*) inconveniente *m*, desventaja; (*d'un remède, changement etc*) inconveniente, daño; **si vous n'y voyez pas d'~** si Usted no encuentra ningún inconveniente *o* impedimento; **y a-t-il un ~ à?** (*risque*) ¿hay algún peligro en?; (*objection*) ¿hay algún impedimento *o* inconveniente en?
incorporel, le [ɛ̃kɔʀpɔʀɛl] *a*: **biens ~s** bienes *mpl* inmateriales.
incorporer [ɛ̃kɔʀpɔʀe] *vt* (CULIN): **~ (à)** agregar (a); (*paragraphe etc*) agregar; (*territoire*) incorporar, anexar; (*personne*) incorporar, introducir; (MIL) incorporar.
incorrect, e [ɛ̃kɔʀɛkt, ɛkt(ə)] *a* incorrecto(a); (*inconvenant: tenue*) incorrecto(a), inadecuado(a).
incorrigible [ɛ̃kɔʀiʒibl(ə)] *a* incorregible.
incorruptible [ɛ̃kɔʀyptibl(ə)] *a* incorruptible, insobornable.
incrédule [ɛ̃kʀedyl] *a* incrédulo(a).
increvable [ɛ̃kʀəvabl(ə)] *a* a prueba de pinchazos; (*fam*) incansable, infatigable.
incriminer [ɛ̃kʀimine] *vt* (*personne*) incriminar; (*bonne foi, honnêteté*) dudar *o* sospechar de; **livre/article incriminé** libro/artículo censurado *o* reprobado.
incroyable [ɛ̃kʀwajabl(ə)] *a* increíble.
incroyant, e [ɛ̃kʀwajɑ̃, ɑ̃t] *nm/f* descreído/a.
incrustation [ɛ̃kʀystɑsjɔ̃] *nf* incrustación *f*; (*dans un radiateur etc*) incrustación, sarro.
incruster [ɛ̃kʀyste] *vt* (ART): **~ qch dans/qch de** incrustar algo en/algo con; (*radiateur etc*) formar sarro en; **s'~** incrustarse; (*invité*) instalarse, aposentarse; (*radiateur etc*) cubrirse de sarro.
incubateur [ɛ̃kybatœʀ] *nm* incubadora.
incubation [ɛ̃kybɑsjɔ̃] *nf* incubación *f*.
inculpation [ɛ̃kylpɑsjɔ̃] *nf* acusación *f*; inculpación *f*.
inculpé, e [ɛ̃kylpe] *nm/f* acusado/a, inculpado/a.

inculper [ɛ̃kylpe] *vt*: ~ **(de)** acusar *o* inculpar (de).
inculquer [ɛ̃kylke] *vt*: ~ **qch à qn** inculcar algo a alguien.
inculte [ɛ̃kylt(ə)] *a* inculto(a), yermo(a); (*esprit, peuple*) inculto(a), ignorante; (*barbe*) descuidado(a).
incurable [ɛ̃kyʀabl(ə)] *a* incurable; (*ignorance*) irremediable, incurable.
incursion [ɛ̃kyʀsjɔ̃] *nf* incursión *f*, invasión *f*; (*fig*) irrupción *f*, invasión.
incurvé, e [ɛ̃kyʀve] *a* curvo(a), curvado(a).
Inde [ɛ̃d] *nf*: **l'**~ la India.
indécence [ɛ̃desɑ̃s] *nf* indecencia; indecoro.
indécent, e [ɛ̃desɑ̃, ɑ̃t] *a* indecente.
indéchiffrable [ɛ̃deʃifʀabl(ə)] *a* indescifrable.
indécis, e [ɛ̃desi, iz] *a* (*douteux*) inseguro(a), dudoso(a); (*temps*) inestable; (*imprécis*) incierto(a), indefinido(a); (: *réponse*) impreciso(a), vago(a); (*perplexe*) indeciso(a); ~**ion** [ɛ̃desizjɔ̃] *nf* indecisión *f*; **laisser qch dans l'**~**ion** dejar algo en la duda.
indéfendable [ɛ̃defɑ̃dabl(ə)] *a* indefendible.
indéfini, e [ɛ̃defini] *a* indefinido(a); ~**ment** *ad* indefinidamente, eternamente; **indéfinissable** *a* indefinible.
indéformable [ɛ̃defɔʀmabl(ə)] *a* indeformable.
indélébile [ɛ̃delebil] *a* indeleble.
indélicat, e [ɛ̃delika, at] *a* desatento(a), ordinario(a); (*malhonnête*) inescrupuloso(a), deshonesto(a).
indémaillable [ɛ̃demɑjabl(ə)] *a* indesmallable.
indemne [ɛ̃dɛmn(ə)] *a* indemne, ileso(a).
indemniser [ɛ̃dɛmnize] *vt*: ~ **qn (de)** indemnizar a alguien (de).
indemnité [ɛ̃dɛmnite] *nf* (*dédommagement*) indemnización *f*; (*allocation*) subsidio; ~ **de licenciement** indemnización de despido; ~ **de logement** subsidio de vivienda; ~ **parlementaire** dieta parlamentaria.
indéniable [ɛ̃denjabl(ə)] *a* innegable.
indépendamment [ɛ̃depɑ̃damɑ̃] *ad* independientemente; ~ **de** (*abstraction faite de*) independientemente de; (*en plus de*) además de.
indépendance [ɛ̃depɑ̃dɑ̃s] *nf* independencia.
indépendant, e [ɛ̃depɑ̃dɑ̃, ɑ̃t] *a* independiente.
indescriptible [ɛ̃dɛskʀiptibl(ə)] *a* indescriptible.
indésirable [ɛ̃deziʀabl(ə)] *a* indeseable.
indéterminé, e [ɛ̃detɛʀmine] *a* indeterminado(a); indefinido(a).
index [ɛ̃dɛks] *nm* índice *m*; **mettre à l'**~ poner en el índice.
indexer [ɛ̃dɛkse] *vt* (ÉCON): ~ **(sur)** ajustar de acuerdo (con).
indicateur [ɛ̃dikatœʀ] *nm* (POLICE) soplón *m*, delator *m*; (*livre, brochure*) guía; (TECH) indicador *m*; (*indice*) indicador, aforador *m*.
indicatif [ɛ̃dikatif] *nm* (LING) indicativo; (*d'une émission*) sinfonía; (*téléphonique*) prefijo; (*d'un avion*) distintivo // *a*: **à titre** ~ a título de información; ~ **d'appel** (RADIO) signo convencional.
indication [ɛ̃dikɑsjɔ̃] *nf* indicación *f*; (*marque, signe*) señal *f*, indicio; (*renseignement*) información *f*, indicación; ~**s** *fpl* (*directives*) indicaciones *fpl*; ~ **d'origine** (COMM) marca de origen.
indice [ɛ̃dis] *nm* indicio; (SCIENCE, TECH, ADMIN) índice *m*; (POLICE: *lors d'une enquête*) indicio, pista; ~ **des prix** índice de precios; ~ **de traitement** escala de sueldos.
indicible [ɛ̃disibl(ə)] *a* indecible.
indien, ne [ɛ̃djɛ̃, jɛn] *a* indio(a), hindú(a) // *nm/f* (*d'Amérique*) indio/a; (*d'Inde*) indio/a, hindú/a.
indifféremment [ɛ̃difeʀamɑ̃] *ad* (*sans distinction*) indistintamente.

indifférence [ɛ̃difeʀɑ̃s] *nf* indiferencia.
indifférent, e [ɛ̃difeʀɑ̃, ɑ̃t] *a* indiferente; (*insensible*): ~ **à** insensible a; **parler de choses ~es** hablar de cosas sin importancia.
indigence [ɛ̃diʒɑ̃s] *nf* indigencia.
indigène [ɛ̃diʒɛn] *a* indígena; nativo(a) // *nm/f* nativo/a, indígena *m/f.*
indigent, e [ɛ̃diʒɑ̃, ɑ̃t] *a* indigente, menesteroso(a).
indigeste [ɛ̃diʒɛst(ə)] *a* indigesto(a); (*fig*) pesado(a).
indigestion [ɛ̃diʒɛstjɔ̃] *nf* indigestión *f.*
indignation [ɛ̃diɲɑsjɔ̃] *nf* indignación *f*, irritación *f.*
indigne [ɛ̃diɲ] *a* indigno(a).
indigner [ɛ̃diɲe] *vt* indignar, irritar; **s'~ (de qch/contre qn)** indignarse (por *o* con algo/con *o* contra alguien).
indiqué, e [ɛ̃dike] *a* indicado(a).
indiquer [ɛ̃dike] *vt* (*désigner*): ~ **qch/qn du doigt** señalar algo/a alguien con el dedo; (*suj*: *pendule, aiguille*) indicar, marcar; (*suj*: *étiquette, plan etc*) indicar, dar; (*faire connaître*: *médecin, endroit*): ~ **à qn** indicar a alguien; (*renseigner sur*) indicar, señalar; (*déterminer*: *date, lieu*) fijar, señalar; (*dénoter*) indicar, denotar; **pourriez-vous m'~ l'heure?** ¿puede decirme la hora?
indirect, e [ɛ̃diʀɛkt, ɛkt(ə)] *a* indirecto(a).
indiscipline [ɛ̃disiplin] *nf* indisciplina, rebeldía; **indiscipliné, e** *a* indisciplinado(a), rebelde; (*fig*) rebelde.
indiscret, ète [ɛ̃diskʀɛ, ɛt] *a* indiscreto(a); **indiscrétion** *nf* indiscreción *f.*
indiscutable [ɛ̃diskytabl(ə)] *a* indiscutible, innegable.
indispensable [ɛ̃dispɑ̃sabl(ə)] *a* indispensable; (*objet, vêtement*) indispensable, imprescindible; (*condition*) necesario(a), esencial.
indisponibilité [ɛ̃dispɔnibilite] *nf* (*ADMIN*) indisponibilidad *f.*
indisponible [ɛ̃dispɔnibl(ə)] *a* (*local*) indisponible, no disponible; (*personne*) indisponible.
indisposé, e [ɛ̃dispoze] *a* indispuesto(a).
indisposer [ɛ̃dispoze] *vt* indisponer.
indissoluble [ɛ̃disɔlybl(ə)] *a* indisoluble.
indistinct, e [ɛ̃distɛ̃, ɛ̃kt(ə)] *a* indeterminado(a), indistinto(a); (*voix, bruits*) confuso(a), indistinto(a); **~ement** [ɛ̃distɛ̃ktəmɑ̃] *ad* indistintamente.
individu [ɛ̃dividy] *nm* individuo; **~aliser** *vt* individualizar; **~aliste** *a* individualista.
individuel, le [ɛ̃dividɥɛl] *a* individual; **propriété ~le** propiedad *f* particular *o* privada; **~lement** *ad* individualmente.
indocile [ɛ̃dɔsil] *a* indócil, díscolo(a).
indolent, e [ɛ̃dɔlɑ̃, ɑ̃t] *a* indolente.
indolore [ɛ̃dɔlɔʀ] *a* indoloro(a).
indomptable [ɛ̃dɔ̃tabl(ə)] *a* indomable.
Indonésie [ɛ̃dɔnezi] *nf* Indonesia.
indonésien, ne [ɛ̃dɔnezjɛ̃, ɛn] *a, nm/f* indonesio(a).
indu, e [ɛ̃dy] *a*: **à des heures ~es** a deshora.
indubitable [ɛ̃dybitabl(ə)] *a* indudable.
induire [ɛ̃dɥiʀ] *vt* (*inférer*) inferir, deducir; ~ **qn en erreur** inducir a alguien en error.
indulgence [ɛ̃dylʒɑ̃s] *nf* indulgencia.
indulgent, e [ɛ̃dylʒɑ̃, ɑ̃t] *a* indulgente.
indûment [ɛ̃dymɑ̃] *ad* indebidamente, ilícitamente; ilegítimamente.
industrialiser [ɛ̃dystʀijalize] *vt* industrializar; **s'~** industrializarse.
industrie [ɛ̃dystʀi] *nf* industria; ~ **automobile** industria automotriz; **industriel, le** *a, nm* industrial (*m*).

inébranlable [inebʀɑ̃labl(ə)] *a* (*masse, colonne*) inconmovible, firme; (*personne*) impasible, inquebrantable; (:*déterminé*) inmutable, impertérrito(a); (*certitude, foi*) firme, inquebrantable.
inédit, e [inedi, it] *a* inédito(a).
ineffaçable [inefasabl(ə)] *a* imborrable, perdurable.
inefficace [inefikas] *a* ineficaz; (*machine, employé*) inservible, inútil; **inefficacité** *nf* ineficacia.
inégal, e, aux [inegal, o] *a* desigual; desparejo(a); (*personnes: socialement*) desigual, distinto(a); (*rythme, pouls*) irregular, variable; (*humeur*) inconstante, mudable; (*œuvre, écrivain*) irregular, desigual.
inégalable [inegalabl(ə)] *a* inigualable.
inégalé, e [inegale] *a* inigualado(a).
inégalité [inegalite] *nf* desigualdad *f*; irregularidad *f*; **~s** *fpl* (*dans une œuvre*) irregularidades *fpl*.
inélégant, e [inelegɑ̃, ɑ̃t] *a* poco elegante; (*indélicat*) descortés, desconsiderado(a).
inéligible [inelizibl(ə)] *a* inelegible.
inéluctable [inelyktabl(ə)] *a* ineluctable.
inemployé, e [inɑ̃plwaje] *a* desaprovechado(a), inutilizado(a).
inénarrable [inenaʀabl(ə)] *a* increíble, divertidísimo(a).
inepte [inɛpt(ə)] *a* estúpido(a), necio(a); (*personne*) mentecato(a), tonto(a); **ineptie** [inɛpsi] *nf* necedad *f*; desatino; inepcia.
inépuisable [inepɥizabl(ə)] *a* inagotable.
inéquitable [inekitabl(ə)] *a* desigual, no equitativo(a).
inerte [inɛʀt(ə)] *a* inerte.
inertie [inɛʀsi] *nf* inercia.
inespéré, e [inɛspeʀe] *a* inesperado(a).
inesthétique [inɛstetik] *a* antiestético(a).
inestimable [inɛstimabl(ə)] *a* inestimable, inapreciable.
inévitable [inevitabl(ə)] *a* inevitable, ineludible; (*fatal*) inevitable, fatal; (*habituel*) infaltable, consabido(a).
inexact, e [inɛgza, akt(ə)] *a* inexacto(a); que falta a la puntualidad; **~itude** [inɛgzaktityd] *nf* error *m*, equivocación *f*.
inexcusable [inɛkskyzabl(ə)] *a* inexcusable.
inexécutable [inɛgzekytabl(ə)] *a* inejecutable.
inexistant, e [inɛgzistɑ̃, ɑ̃t] *a* inexistente.
inexorable [inɛgzɔʀabl(ə)] *a* inexorable.
inexpérience [inɛkspeʀjɑ̃s] *nf* inexperiencia, ingenuidad *f*.
inexpérimenté, e [inɛkspeʀimɑ̃te] *a* inexperto(a); (*arme, procédé*) no experimentado(a).
inexplicable [inɛksplikabl(ə)] *a* inexplicable; (*personne*) incomprensible, desconcertante.
inexploité, e [inɛksplwate] *a* inexplotado(a).
inexpressif, ive [inɛkspʀesif, iv] *a* inexpresivo(a).
inexprimable [inɛkspʀimabl(ə)] *a* inexpresable; indecible.
inexprimé, e [inɛkspʀime] *a* inexpresado(a), implícito(a).
in extenso [inɛkstɛ̃so] *ad* in extenso // *a* íntegro(a), completo(a).
in extremis [inɛkstʀemis] *ad* in extremis // *a* de último momento; (*mariage, testament*) in extremis.
inextricable [inɛkstʀikabl(ə)] *a* inextricable; (*affaire*) intrincado(a).
infaillible [ɛ̃fajibl(ə)] *a* infalible.
infâme [ɛ̃fɑm] *a* infame; inmundo(a).
infanterie [ɛ̃fɑ̃tʀi] *nf* infantería.
infanticide [ɛ̃fɑ̃tisid] *a, nm/f* infanticida (*m/f*) // *nm* (*meurtre*) infanticidio.
infantile [ɛ̃fɑ̃til] *a* infantil.
infarctus [ɛ̃faʀktys] *nm*: ~ **(du**

myocarde) infarto (de miocardio).
infatigable [ɛ̃fatigabl(ə)] *a* infatigable, incansable; (*fig*) infatigable.
infatué, e [ɛ̃fatɥe] *a* infatuado(a), engreído(a); ~ **de** orgulloso de.
infécond, e [ɛ̃fekɔ̃, ɔ̃d] *a* infecundo(a).
infect, e [ɛ̃fɛkt, ɛkt(ə)] *a* infecto(a), pestilente; (*odeur, goût*) repugnante, infecto(a); (*repas, vin*) asqueroso(a), repugnante; (*temps*) horrible, asqueroso(a); (*personne*) detestable, despreciable.
infecter [ɛ̃fɛkte] *vt* infectar, contaminar; (*MÉD*) contagiar; (*:plaie*) infectar; **s'~** infectarse; **infectieux, euse** [-sjø, øz] *a* infeccioso(a); **infection** *nf* pestilencia, hediondez *f*; (*MÉD*) infección *f*.
inféoder [ɛ̃feɔde] *vt*: **s'~ à** someterse a.
inférer [ɛ̃feʀe] *vt* inferir, deducir.
inférieur, e [ɛ̃feʀjœʀ] *a* inferior; (*classes sociales*) bajo(a), inferior; (*nombre*) inferior, menor // *nm* inferior *m*, subalterno; ~ **à** inferior a; **infériorité** [ɛ̃feʀjɔʀite] *nf* inferioridad *f*.
infernal, e, aux [ɛ̃fɛʀnal, o] *a* infernal; (*méchanceté, complot, personne*) diabólico(a); (*fam: enfant*) endiablado(a).
infester [ɛ̃fɛste] *vt* infestar.
infidèle [ɛ̃fidɛl] *a* infiel; (*narrateur, récit*) inexacto(a); ~ **à** (*devoir, serment*) infiel a; **infidélité** *nf* infidelidad *f*; inexactitud *f*.
infiltration [ɛ̃filtʀɑsjɔ̃] *nf* infiltración *f*; penetración *f*; (*MÉD*) infiltración.
infiltrer [ɛ̃filtʀe] : **s'~** *vi* penetrar; (*ennemi, fig*) infiltrarse.
infime [ɛ̃fim] *a* ínfimo(a).
infini, e [ɛ̃fini] *a* infinito(a) // *nm*: **l'~** el infinito; **à l'~** al infinito; **s'étendre à l'~** extenderse hasta el infinito; **~ment** *ad* infinitamente; **~té** *nf*: **une ~té de** una infinidad de.
infinitif, ive [ɛ̃finitif, iv] *nm* infinitivo // *a* infinitivo(a).
infirme [ɛ̃fiʀm(ə)] *a* inválido(a), lisiado(a) // *nm/f* inválido/a; ~ **mental** enfermo *o* débil mental; ~ **moteur** paralítico(a).
infirmer [ɛ̃fiʀme] *vt* (*preuve etc*) menoscabar, debilitar; (*JUR*) invalidar, infirmar.
infirmerie [ɛ̃fiʀməʀi] *nf* enfermería.
infirmier, ière [ɛ̃fiʀmje, jɛʀ] *nm/f* enfermero/a.
infirmité [ɛ̃fiʀmite] *nf* invalidez *f*, achaque *m*.
inflammable [ɛ̃flamabl(ə)] *a* inflamable.
inflammation [ɛ̃flamɑsjɔ̃] *nf* inflamación *f*.
inflation [ɛ̃flɑsjɔ̃] *nf* inflación *f*; **~niste** *a* inflacionista.
infléchir [ɛ̃fleʃiʀ] *vt* (*fig: politique*) desviar, cambiar.
inflexible [ɛ̃flɛksibl(ə)] *a* inflexible.
inflexion [ɛ̃flɛksjɔ̃] *nf* inflexión *f*.
infliger [ɛ̃fliʒe] *vt* infligir.
influençable [ɛ̃flyɑ̃sabl(ə)] *a* influenciable.
influence [ɛ̃flyɑ̃s] *nf* influencia, influjo; (*d'un médicament*) influencia, efecto; (*domination, persuasion*) influencia, autoridad *f*; (*autorité, crédit*) influencia, ascendiente *m*; (*POL*) influencia, predominio; **influencer** *vt* influenciar, influir; (*suj: conduite*) influir; (*choix, décision*) influir, intervenir en; **influent, e** *a* influyente.
influer [ɛ̃flye] : ~ **sur** *vt* influir sobre *o* en.
influx [ɛ̃fly] *nm*: ~ **nerveux** influjo nervioso.
informaticien, ne [ɛ̃fɔʀmatisjɛ̃, jɛn] *nm/f* especialista *m/f* en informática.
information [ɛ̃fɔʀmɑsjɔ̃] *nf* información *f*; (*renseignement*) informe *m*; **voyage d'~** viaje *m* de estudio.

informatique [ɛ̃fɔʀmatik] *nf* informática.
informe [ɛ̃fɔʀm(ə)] *a* (*masse, tas*) informe; (*vêtement*) deforme; (*essai, plan*) imperfecto(a), confuso(a).
informé, e [ɛ̃fɔʀme] *a*: **jusqu'à plus ample** ~ hasta mayor información.
informer [ɛ̃fɔʀme] *vt*: ~ **qn (de)** informar a alguien (de) // *vi* (JUR): ~ **contre qn/sur qch** informar contra alguien/sobre algo; **s'**~ informarse.
infortune [ɛ̃fɔʀtyn] *nf* infortunio, desventura.
infraction [ɛ̃fʀaksjɔ̃] *nf* infracción *f*, transgresión *f*; **être en** ~ estar en infracción.
infranchissable [ɛ̃fʀɑ̃ʃisabl(ə)] *a* (*obstacle*) infranqueable; (*distance*) insuperable; (*fig*) insuperable, invencible.
infrarouge [ɛ̃fʀaʀuʒ] *a* infrarrojo(a) // *nm* infrarrojo.
infrastructure [ɛ̃fʀastʀyktyʀ] *nf* infraestructura.
infroissable [ɛ̃fʀwasabl(ə)] *a* inarrugable.
infructueux, euse [ɛ̃fʀyktɥø, øz] *a* infructuoso(a).
infuser [ɛ̃fyze] *vt* (*gén*: **faire** ~) dejar en infusión // *vi*: **(laisser)** ~ dejar en infusión.
infusion [ɛ̃fyzjɔ̃] *nf* (*tisane*) infusión *f*.
ingambe [ɛ̃gɑ̃b] *a* ágil, saludable.
ingénier [ɛ̃ʒenje] : **s'**~ **à** *vt*: **s'**~ **à faire** ingeniarse para hacer.
ingénieur [ɛ̃ʒenjœʀ] *nm* ingeniero; ~ **agronome/chimiste** ingeniero agrónomo/químico; ~ **du son** ingeniero de sonido.
ingénieux, euse [ɛ̃ʒenjø, øz] *a* ingenioso(a).
ingénu, e [ɛ̃ʒeny] *a* ingenuo(a) // *nf* (THÉÂTRE) ingenua.
ingérer [ɛ̃ʒeʀe] : **s'**~ **dans** *vt* inmiscuirse en.
ingrat, e [ɛ̃gʀa, at] *a* (*personne*): ~ **(envers)** ingrato *o* desagradecido (con); (*sol*) estéril; (*travail, sujet*) ingrato(a), penoso(a); (*visage*) desagradable.
ingrédient [ɛ̃gʀedjɑ̃] *nm* ingrediente *m*, componente *m*.
inguérissable [ɛ̃geʀisabl(ə)] *a* incurable.
ingurgiter [ɛ̃gyʀʒite] *vt* tragar.
inhabile [inabil] *a* torpe, chapucero(a); inhábil.
inhabitable [inabitabl(ə)] *a* inhabitable.
inhabité, e [inabite] *a* (*régions*) despoblado(a), inhabitado(a); (*maison*) deshabitado(a).
inhabituel, le [inabitɥɛl] *a* inhabitual.
inhalateur [inalatœʀ] *nm* inhalador *m*.
inhalation [inalɑsjɔ̃] *nf* (MÉD) inhalación *f*.
inhérent, e [ineʀɑ̃, ɑ̃t] *a*: ~ **à** inherente a.
inhibition [inibisjɔ̃] *nf* inhibición *f*.
inhospitalier, ière [inɔspitalje, jɛʀ] *a* inhospitalario(a).
inhumain, e [inymɛ̃, ɛn] *a* inhumano(a), despiadado(a); (*cri*) brutal, inhumano(a).
inhumation [inymɑsjɔ̃] *nf* inhumación *f*, entierro.
inhumer [inyme] *vt* inhumar, sepultar.
inimitable [inimitabl(ə)] *a* inimitable.
inimitié [inimitje] *nf* enemistad *f*.
inintelligent, e [inɛ̃teliʒɑ̃, ɑ̃t] *a* (*personne*) carente de inteligencia; (*acte, préjugé*) falto de inteligencia.
inintelligible [inɛ̃teliʒibl(ə)] *a* ininteligible.
inintéressant, e [inɛ̃teʀesɑ̃, ɑ̃t] *a* poco interesante *o* atractivo(a).
ininterrompu, e [inɛ̃tɛʀɔ̃py] *a* ininterrumpido(a).
iniquité [inikite] *nf* iniquidad *f*.
initial, e, aux [inisjal, o] *a* inicial; ~**es** *nfpl* iniciales *fpl*.
initiateur, trice [inisjatœʀ, tʀis] *nm/f* iniciador/ora, precursor/ora;

(*d'une mode, technique*) precursor/ora, promotor/ora.
initiative [inisjativ] *nf* iniciativa; **de sa propre ~** por iniciativa propia.
initier [inisje] *vt*: **~ qn à** iniciar a alguien en; **s'~ à** (*métier, technique*) iniciarse en.
injecté, e [ɛ̃ʒɛkte] *a*: **yeux ~s de sang** ojos inyectados en sangre.
injecter [ɛ̃ʒɛkte] *vt* inyectar.
injection [ɛ̃ʒɛksjɔ̃] *nf* inyección *f*; **à ~** a (*AUTO*) de inyección.
injonction [ɛ̃ʒɔ̃ksjɔ̃] *nf* exhortación *f*, orden *f*.
injure [ɛ̃ʒyʀ] *nf* injuria, insulto; (*JUR*) agravio, ultraje *m*.
injurier [ɛ̃ʒyʀje] *vt* injuriar, agraviar.
injuste [ɛ̃ʒyst(ə)] *a* injusto(a); **~ (avec/envers qn)** injusto(a) (con/para con alguien); **injustice** *nf* injusticia.
inlassable [ɛ̃lɑsabl(ə)] *a* incansable.
inné, e [ine] *a* innato(a), congénito(a).
innocence [inɔsɑ̃s] *nf* inocencia, candidez *f*.
innocent, e [inɔsɑ̃, ɑ̃t] *a* inocente, candoroso(a); (*crédule, naïf*) cándido(a), inocente; (*pas coupable*): **~ (de qch)** inocente (de algo); (*jeu, plaisir*) inocente, inofensivo(a) // *nm/f* (*non coupable*) inocente *m/f*; **~er** *vt* (*personne*) justificar, disculpar; (*JUR*: *accusé, suj*: *déclaration etc*) declarar inocente.
innombrable [inɔ̃bʀabl(ə)] *a* innumerable, incontable.
innommable [inɔmabl(ə)] *a* inmundo(a); ignominioso(a), despreciable.
innover [inɔve] *vt, vi* innovar.
inobservation [inɔpsɛʀvɑsjɔ̃] *nf* incumplimiento.
inoculer [inɔkyle] *vt*: **~ qch à qn** (*volontairement*) inocular algo a alguien; (*accidentellement*) contagiar con algo a alguien; **~ qn contre** vacunar a alguien contra.
inodore [inɔdɔʀ] *a* inodoro(a).
inoffensif, ive [inɔfɑ̃sif, iv] *a* inofensivo(a); (*anodin*) inofensivo(a), inocuo(a).
inondation [inɔ̃dɑsjɔ̃] *nf* inundación *f*.
inonder [inɔ̃de] *vt* inundar, anegar; (*personne*: *suj*: *pluie*) empapar; (*fig*) inundar.
inopérable [inɔpeʀabl(ə)] *a* que no puede ser operado(a).
inopiné, e [inɔpine] *a* inopinado(a), imprevisto(a); (*subit*) repentino(a), imprevisto(a).
inopportun, e [inɔpɔʀtœ̃, yn] *a* inoportuno(a).
inoubliable [inublijabl(ə)] *a* inolvidable.
inouï, e [inwi] *a* inaudito(a).
inox [inɔks] *a, nm abrév de* **inoxydable.**
inoxydable [inɔksidabl(ə)] *a* inoxidable // *nm* metal *m* inoxidable.
inqualifiable [ɛ̃kalifjabl(ə)] *a* incalificable.
inquiet, ète [ɛ̃kjɛ, ɛt] *a* (*personne*) inquieto(a), intranquilo(a); (*par nature*) inquieto(a); (*attente, regard*) inquieto(a), preocupado(a) // *nm/f* inquieto/a; **~ de qch/au sujet de qn** preocupado por algo/a causa de alguien.
inquiétant, e [ɛ̃kjetɑ̃, ɑ̃t] *a* inquietante.
inquiéter [ɛ̃kjete] *vt* inquietar, preocupar; (*ville, pays*) hostigar; (*personne*: *suj*: *police*) molestar; **s'~** inquietarse; **s'~ de** preocuparse por.
inquiétude [ɛ̃kjetyd] *nf* inquietud *f*, desasosiego.
inquisition [ɛ̃kizisjɔ̃] *nf* inquisición *f*.
insaisissable [ɛ̃sezisabl(ə)] *a* (*fugitif*) inasible, inasequible; (*nuance*) imperceptible; (*JUR*) inembargable.
insalubre [ɛ̃salybʀ(ə)] *a* insalubre.

insanité [ɛ̃sanite] *nf* insensatez *f*; locura, necedad.
insatiable [ɛ̃sasjabl(ə)] *a* insaciable.
insatisfait, e [ɛ̃satisfɛ, ɛt] *a* insatisfecho(a).
inscription [ɛ̃skʀipsjɔ̃] *nf* (*sur un écriteau etc*) inscripción *f*, letrero; (*caractères écrits ou gravés*) inscripción; (*à une institution*) inscripción; matrícula.
inscrire [ɛ̃skʀiʀ] *vt* (*marquer*) anotar, registrar; (*dans la pierre, le métal*) grabar, inscribir; (*à un budget*) asentar, registrar; (*sur une liste*) inscribir, anotar; (*dans un club etc, à un examen etc*) inscribir; (*à l'université, l'école*) matricular, inscribir; (*enrôler: soldat*) enrolar; **s'~** inscribirse; (*à l'université*) matricularse; **s'~ en faux contre qch** tachar de falso algo, desmentir algo.
insecte [ɛ̃sɛkt(ə)] *nm* insecto; **insecticide** *a, nm* insecticida (*m*).
insécurité [ɛ̃sekyʀite] *nf* inseguridad *f*.
INSEE [inse] *sigle m* = *Institut national de la statistique et des études économiques*.
insémination [ɛ̃seminasjɔ̃] *nf* inseminación *f*.
insensé, e [ɛ̃sɑ̃se] *a* insensato(a).
insensibiliser [ɛ̃sɑ̃sibilize] *vt* insensibilizar, anestesiar.
insensible [ɛ̃sɑ̃sibl(ə)] *a* insensible.
inséparable [ɛ̃separabl(ə)] *a* inseparable; (*inhérent à, joint à*): **~ de** inherente a; **~s** *nmpl* (ZOOL) inseparables *mpl*.
insérer [ɛ̃seʀe] *vt* insertar; (*encart, dans un cadre etc*) colocar; (*exemples*) agregar, introducir; **s'~** (*se dérouler, se placer*) insertarse, incluirse.
insidieux, euse [ɛ̃sidjø, øz] *a* insidioso(a); penetrante.
insigne [ɛ̃siɲ] *nm* (*d'un parti, club*) distintivo, divisa // *a* insigne, eximio(a); (*service*) notable; **~s** *mpl* (*d'une fonction*) insignias.
insignifiant, e [ɛ̃siɲifjɑ̃, ɑ̃t] *a* insignificante.
insinuation [ɛ̃sinɥasjɔ̃] *nf* insinuación *f*.
insinuer [ɛ̃sinɥe] *vt* insinuar; **s'~ dans** colarse *o* deslizarse en; filtrarse en.
insipide [ɛ̃sipid] *a* insípido(a), soso(a); (*fig*) insípido(a), insulso(a).
insistance [ɛ̃sistɑ̃s] *nf* insistencia.
insister [ɛ̃siste] *vi* insistir; (*s'obstiner*) insistir, porfiar; **~ sur** insistir *o* persistir en; (*accentuer*) acentuar; **~ pour** insistir en.
insociable [ɛ̃sɔsjabl(ə)] *a* insociable, intratable.
insolation [ɛ̃sɔlasjɔ̃] *nf* insolación *f*; (*ensoleillement*) sol *m*, insolación; (PHOTO) exposición *f*.
insolence [ɛ̃sɔlɑ̃s] *nf* insolencia; descaro; atrevimiento; **avec ~** con insolencia *o* desfachatez.
insolent, e [ɛ̃sɔlɑ̃, ɑ̃t] *a* insolente, descarado(a); (*indécent*) insolente, injurioso(a).
insolite [ɛ̃sɔlit] *a* insólito(a).
insoluble [ɛ̃sɔlybl(ə)] *a* insoluble.
insolvable [ɛ̃sɔlvabl(ə)] *a* insolvente.
insomnie [ɛ̃sɔmni] *nf* insomnio, desvelo; **avoir des ~s** sufrir de insomnio.
insondable [ɛ̃sɔ̃dabl(ə)] *a* (*fig*) insondable, impenetrable; (*maladresse etc*) tremendo(a).
insonore [ɛ̃sɔnɔʀ] *a* insonoro(a); **insonoriser** *vt* insonorizar.
insouciant, e [ɛ̃susjɑ̃, ɑ̃t] *a* despreocupado(a), indolente; (*imprévoyant*) descuidado(a), negligente.
insoumis, e [ɛ̃sumi, iz] *a* insumiso(a), indócil; (*contrée, tribu*) rebelde, sublevado(a); (*soldat*) insubordinado(a).
insoupçonnable [ɛ̃supsɔnabl(ə)] *a* insospechable, irreprochable.
insoutenable [ɛ̃sutnabl(ə)] *a* (*argument*) insostenible; (*chaleur*) insoportable, intolerable.

inspecter [ɛ̃spɛkte] *vt* inspeccionar.
inspecteur, trice [ɛ̃spɛktœʀ, tʀis] *nm/f* inspector/ora; ~ **d'Académie** superintendente *m* provincial de los estudios.
inspection [ɛ̃spɛksjɔ̃] *nf* inspección *f*.
inspiration [ɛ̃spiʀɑsjɔ̃] *nf* inspiración *f*; (*conseil, suggestion*) sugerencia; **sous l'~ de qn** bajo la instigación de alguien.
inspirer [ɛ̃spiʀe] *vt* inspirar; (*inquiétude etc*) provocar, despertar; (*plaire*) atraer // *vi* (*aspirer*) inspirar, aspirar; **s'~ de qch** inspirarse en algo; ~ **de la crainte à qn** infundir temor a alguien.
instable [ɛ̃stabl(ə)] *a* (*meuble, équilibre*) inestable, instable; (*population*) errante, nómade; (*temps, paix, situation*) inestable; (*PSYCH*) inconstante, voluble.
installation [ɛ̃stalɑsjɔ̃] *nf* instalación *f*; alojamiento; (*ameublement etc, appareils etc*) instalación; ~**s** *fpl* instalaciones *fpl*.
installer [ɛ̃stale] *vt* instalar; (*meuble, rideaux etc*) colocar, instalar; (*chose*): ~ **une chaise devant la porte** colocar una silla delante de la puerta; (*fonctionnaire, magistrat*) dar posesión del cargo a; **s'~** *vi* (*s'établir*) instalarse; (*se loger*) alojarse; (*fig: maladie, grève*) arraigarse.
instamment [ɛ̃stamɑ̃] *ad* insistentemente, encarecidamente.
instance [ɛ̃stɑ̃s] *nf* (*JUR*) instancia; (*ADMIN: autorité*) organismo; ~**s** *fpl* (*prières*) peticiones *fpl*, súplicas; **affaire en** ~ asunto pendiente; **en ~ de divorce** en trámite de divorcio.
instant [ɛ̃stɑ̃] *nm* instante *m*; (*moment présent*) presente *m*, momento presente; **à l'~: je l'ai vu à l'~** lo he visto enseguida *o* de inmediato; **il faut le faire à l'~** hay que hacerlo enseguida *o* al instante; **à l'~ (même) où** en el instante (mismo) en que; **à tout** ~ a cada instante, en todo momento; **pour l'~** por el momento; **par ~s** por momentos, a veces; **de tous les ~s** *a* contínuo(a), constante.
instantané, e [ɛ̃stɑ̃tane] *a* instantáneo(a); (*explosion, mort*) inmediato(a) // *nm* instantánea *f*.
instar [ɛ̃staʀ] : **à l'~ de** *prép* a imitación *o* ejemplo de.
instaurer [ɛ̃stɔʀe] *vt* instaurar.
instigateur, trice [ɛ̃stigatœʀ, tʀis] *nm/f* instigador/ora.
instigation [ɛ̃stigɑsjɔ̃] *nf*: **à l'~ de qn** a instigación de alguien.
instinct [ɛ̃stɛ̃] *nm* instinto; **d'~** por instinto; ~ **de conservation** instinto de conservación; ~**if, ive** [ɛ̃stɛ̃ktif, iv] *a* instintivo(a).
instituer [ɛ̃stitɥe] *vt* instituir; (*REL: évêque*) elegir, designar; (*JUR: héritier*) nombrar; **s'~** erigirse; establecerse.
institut [ɛ̃stity] *nm* instituto; ~ **de beauté** instituto de belleza; **I~ Universitaire de Technologie, IUT** Instituto Universitario de Tecnología.
instituteur, trice [ɛ̃stitytœʀ, tʀis] *nm/f* maestro/a, institutriz *f*.
institution [ɛ̃stitysjɔ̃] *nf* instauración *f*, establecimiento; (*loi, groupement, régime*) institución *f*, organismo; (*collège*) instituto; ~**s** *fpl* (*formes, structures sociales*) instituciones *fpl*.
instructeur [ɛ̃stʀyktœʀ] *a* (*MIL*): **officier** ~ oficial *m* instructor; (*JUR*): **juge** ~ juez *m* de instrucción.
instructif, ive [ɛ̃stʀyktif, iv] *a* instructivo(a).
instruction [ɛ̃stʀyksjɔ̃] *nf* instrucción *f*; (*JUR*) sumario; (*ADMIN: document*) circular *f*; ~**s** *fpl* instrucciones *fpl*.
instruire [ɛ̃stʀɥiʀ] *vt* instruir; (*recrues*) instruir, adiestrar; **s'~** instruirse; ~ **qn de qch** (*informer*) informar a alguien de algo; ~ **contre qn** (*JUR*) instruir causa

contra alguien; **instruit, e** *a* instruído(a), culto(a).

instrument [ɛ̃stʀymɑ̃] *nm* (*outil*) instrumento, herramienta; (*MUS*) instrumento; (*moyen, exécutant*) instrumento, recurso; ~ **à vent/à percussion** instrumento de viento/de percusión; ~ **de mesure** instrumento de medición; ~ **de musique** instrumento musical.

insu [ɛ̃sy] *nm*: **à l'**~ **de** a ocultas *o* espaldas de; **à son** ~ sin saberlo él/ella, a sus espaldas.

insubmersible [ɛ̃sybmɛʀsibl(ə)] *a* insumergible.

insubordination [ɛ̃sybɔʀdinɑsjɔ̃] *nf* insubordinación *f*.

insuffisance [ɛ̃syfizɑ̃s] *nf* insuficiencia, escasez *f*; ~**s** *fpl* (*lacunes*) deficiencias.

insuffisant, e [ɛ̃syfizɑ̃, ɑ̃t] *a* insuficiente, escaso(a); (*lumière*) insuficiente.

insuffler [ɛ̃syfle] *vt*: ~ **qch (dans)** insuflar algo (en).

insulaire [ɛ̃sylɛʀ] *a* insular, isleño(a); (*attitude*) de mitas estrechas.

insuline [ɛ̃sylin] *nf* insulina.

insulte [ɛ̃sylt(ə)] *nf* insulto; **insulter** *vt* insultar.

insupportable [ɛ̃sypɔʀtabl(ə)] *a* insoportable.

insurgé, e [ɛ̃syʀʒe] *a* insurgente, sublevado(a) // *nm/f* insurgente *m/f*, faccioso/a.

insurger [ɛ̃syʀʒe]: **s'**~ **contre** *vt* sublevarse contra; (*fig*) rebelarse contra.

insurmontable [ɛ̃syʀmɔ̃tabl(ə)] *a* insuperable; (*angoisse, aversion*) invencible, irreprimible.

insurrection [ɛ̃syʀɛksjɔ̃] *nf* insurrección *f*.

intact, e [ɛ̃takt, akt(ə)] *a* intacto(a), íntegro(a); (*réputation, honneur*) incólume, ileso(a).

intarissable [ɛ̃taʀisabl(ə)] *a* inagotable.

intégral, e, aux [ɛ̃tegʀal, o] *a* íntegro(a), completo(a); **nu** ~ desnudo integral.

intégrant, e [ɛ̃tegʀɑ̃, ɑ̃t] *a*: **faire partie** ~**e de** formar parte integrante de.

intègre [ɛ̃tɛgʀ(ə)] *a* íntegro(a), probo(a).

intégrer [ɛ̃tegʀe] *vt*: ~ **à/dans** integrar *o* incorporar a/en // *vi* (*SCOL*) ingresar; **s'**~ **dans** integrarse en *o* incorporarse a.

intégrité [ɛ̃tegʀite] *nf* integridad *f*, probidad *f*.

intellect [ɛ̃telɛkt] *nm* intelecto.

intellectuel, le [ɛ̃telɛktɥɛl] *a, nm/f* intelectual (*m/f*).

intelligence [ɛ̃teliʒɑ̃s] *nf* inteligencia; (*personne*) inteligencia, mentalidad *f*; (*compréhension*): ~ **de** comprensión *f* de; (*complicité*): **regard d'**~ mirada de complicidad; (*accord*): **vivre en bonne** ~ **avec qn** vivir en buena relación con alguien; ~**s** *fpl* (*MIL*) cómplices *mpl*.

intelligent, e [ɛ̃teliʒɑ̃, ɑ̃t] *a* inteligente; (*capable*): ~ **en affaires** entendido en *o* sagaz para los negocios.

intelligible [ɛ̃teliʒibl(ə)] *a* inteligible.

intempéries [ɛ̃tɑ̃peʀi] *nfpl* inclemencias, intemperie *f*.

intempestif, ive [ɛ̃tɑ̃pɛstif, iv] *a* intempestivo(a).

intenable [ɛ̃tnabl(ə)] *a* (*indéfendable*) insostenible; (*situation, chaleur*) insoportable; (*enfant*) inaguantable.

intendance [ɛ̃tɑ̃dɑ̃s] *nf* (*MIL*) intendencia; (*SCOL*) administración *f*.

intendant, e [ɛ̃tɑ̃dɑ̃, ɑ̃t] *nm/f* (*MIL*) intendente *m*; (*SCOL, d'une propriété*) administrador/ora.

intense [ɛ̃tɑ̃s] *a* intenso(a).

intensif, ive [ɛ̃tɑ̃sif, iv] *a* intensivo(a), activo(a).

intensifier [ɛ̃tɑ̃sifje] *vt* intensificar; **s'**~ intensificarse.

intensité [ɛ̃tɑ̃site] *nf* intensidad *f*.

intenter [ɛ̃tɑ̃te] *vt*: ~ **un procès**

contre *ou* **à** entablar un proceso contra.
intention [ɛ̃tɑ̃sjɔ̃] *nf* intención *f*, propósito; (*volonté, décision*) propósito, designio; (*but, objectif*) fin *m*, objetivo; **avoir l'~ de faire** tener la intención de hacer; **dans l'~ de faire** con el propósito de hacer; **à l'~ de** *prép* para, por; (*fête*) en honor de; (*film, ouvrage*) dirigido(a) a, dedicado(a) a; **à cette ~** con este propósito; **~né, e** *a*: **bien/mal ~né** bien/mal intencionado; **~nel, le** *a* intencional; (*JUR*) premeditado(a).
inter [ɛ̃tɛʀ] *nm* (*TÉLÉC*) *abrév de* **interurbain**; (*SPORT*) interior *m*.
intercalaire [ɛ̃tɛʀkalɛʀ] *a* intercalado(a), interpuesto(a).
intercaler [ɛ̃tɛʀkale] *vt* intercalar; **s'~ entre** (*suj*: *voiture, coureur, candidat*) interponerse entre.
intercéder [ɛ̃tɛʀsede] *vi*: **~ (pour qn)** interceder (en favor de alguien).
intercepter [ɛ̃tɛʀsɛpte] *vt* interceptar; (*SPORT*: *ballon*) interceptar, apoderarse de; (*lumière, chaleur*) aislar de, interceptar; **intercepteur** *nm* (*AVIAT*) interceptador *m*.
interchangeable [ɛ̃tɛʀʃɑ̃ʒabl(ə)] *a* intercambiable.
interclasse [ɛ̃tɛʀklɑs] *nm* (*SCOL*) intervalo.
interdiction [ɛ̃tɛʀdiksjɔ̃] *nf* prohibición *f*, interdicción *f*; (*interdit*) prohibición; **~ de séjour** (*JUR*) interdicción de residencia.
interdire [ɛ̃tɛʀdiʀ] *vt* prohibir; (*ADMIN*: *stationnement, meeting, passage*) prohibir, vedar; (*ADMIN, REL*: *personne*) entredecir; (*suj*: *chose*) impedir; **~ à qn de faire qch** prohibir a alguien hacer algo; **s'~ qch** evitar algo; **s'~ de faire** negarse a hacer, evitar hacer.
interdit, e [ɛ̃tɛʀdi, it] *a* (*stupéfait*) estupefacto(a), atónito(a) // *nm* interdicción *f*; prohibición *f*; **film ~ aux moins de 13 ans** película prohibida para menores de 13 años.
intéressant, e [ɛ̃teʀɛsɑ̃, ɑ̃t] *a* interesante; (*affaire, prix*) conveniente, provechoso(a).
intéressé, e [ɛ̃teʀese] *a, nm/f* interesado(a).
intéressement [ɛ̃teʀɛsmɑ̃] *nm* participación *f* en los beneficios.
intéresser [ɛ̃teʀese] *vt* (*captiver*) interesar; (*toucher*) conmover a; (*ADMIN*: *concerner*) concernir, atañer; (*élèves, public*) provocar *o* despertar el interés de; (*COMM*: *travailleur*) dar participación en los beneficios a; (:*partenaire*): **~ qn dans une affaire** dar participación a alguien en un negocio; **s'~ à** interesarse por.
intérêt [ɛ̃teʀɛ] *nm* interés *m*; (*avantage*) provecho, utilidad *f*; **~s** *mpl* intereses *mpl*; **avoir ~ à faire** tener interés en hacer.
interférer [ɛ̃tɛʀfeʀe] *vi*: **~ (avec)** interferir (con).
intérieur, e [ɛ̃teʀjœʀ] *a* interior; (*ÉCON*) interno(a), interior; (:*marché*) interno(a) // *nm* interior *m*; (*POL*): **l'I~** ≈ la Gobernación; (*décor, mobilier*) piso; **à l'~ (de)** en el interior (de), dentro (de); **de l'~** (*fig*) desde adentro; **en ~** (*CINÉMA*) en interiores; **vêtement d'~** vestido para estar en casa.
intérim [ɛ̃teʀim] *nm* interinato; **par ~** interino(a); **~aire** *a* interino(a).
interjection [ɛ̃tɛʀʒɛksjɔ̃] *nf* interjección *f*.
interligne [ɛ̃tɛʀliɲ] *nm* entrelineas *m*, entrerrenglones *m*; (*MUS*) espacio // *nf* interlínea.
interlocuteur, trice [ɛ̃tɛʀlɔkytœʀ, tʀis] *nm/f* interlocutor/ora.
interloquer [ɛ̃tɛʀlɔke] *vt* desconcertar.
interlude [ɛ̃tɛʀlyd] *nm* interludio.
intermède [ɛ̃tɛʀmɛd] *nm* intervalo; (*THÉÂTRE etc*) interludio.
intermédiaire [ɛ̃tɛʀmedjɛʀ] *a* intermedio(a) // *nm/f* intermediario/a; **par l'~ de** por intermedio de.
interminable [ɛ̃tɛʀminabl(ə)] *a*

interminable, inacabable.
intermittence [ɛ̃tɛʀmitɑ̃s] *nf*: **par ~** irregularmente, con intermitencia; intermitentemente, a ratos.
intermittent, e [ɛ̃tɛʀmitɑ̃, ɑ̃t] *a* intermitente, discontinuo(a); (*source, fontaine*) irregular, intermitente; (*lumière*) intermitente; (*efforts*) discontinuo(a).
internat [ɛ̃tɛʀna] *nm* (*SCOL*) internado.
international, e, aux [ɛ̃tɛʀnasjɔnal, o] *a, nm/f* internacional (*m/f*).
interne [ɛ̃tɛʀn(ə)] *a, nm/f* interno(a).
interner [ɛ̃tɛʀne] *vt* (*POL*) internar, recluir; (*MÉD*) internar.
interpeller [ɛ̃tɛʀpele] *vt* interpelar.
interphone [ɛ̃tɛʀfɔn] *nm* intercomunicador *m*.
interposer [ɛ̃tɛʀpoze] *vt* interponer; **s'~** (*obstacle*) interponerse, obstaculizar; (*dans une bagarre etc*) intervenir, mediar; (*s'entremettre*) entrometerse; **par personnes interposées** por interpósitas personas.
interprétariat [ɛ̃tɛʀpʀetaʀja] *nm* profesión *f* de intérprete.
interprète [ɛ̃tɛʀpʀɛt] *nm/f* intérprete *m/f*.
interpréter [ɛ̃tɛʀpʀete] *vt* interpretar.
interrogateur, trice [ɛ̃teʀɔgatœʀ, tʀis] *a* interrogador(ora).
interrogatif, ive [ɛ̃teʀɔgatif, iv] *a* interrogativo(a).
interrogation [ɛ̃teʀɔgɑsjɔ̃] *nf* interrogación *f*, pregunta; (*SCOL*): **~ écrite/orale** prueba escrita/oral; (*LING*): **~ directe/indirecte** interrogación directa/indirecta.
interrogatoire [ɛ̃teʀɔgatwaʀ] *nm* interrogatorio.
interroger [ɛ̃teʀɔʒe] *vt* interrogar; **~ qn (sur qch)** interrogar a alguien (acerca de algo), preguntar (algo) a alguien.
interrompre [ɛ̃teʀɔ̃pʀ(ə)] *vt* interrumpir; **s'~** interrumpirse.
interrupteur [ɛ̃teʀyptœʀ] *nm* (*ÉLEC*) interruptor *m*.
interruption [ɛ̃teʀypsjɔ̃] *nf* interrupción *f*; **~ de grossesse** interrupción de embarazo, aborto.
intersection [ɛ̃tɛʀsɛksjɔ̃] *nf* intersección *f*.
interstice [ɛ̃tɛʀstis] *nm* intersticio, resquicio.
interurbain [ɛ̃tɛʀyʀbɛ̃] *nm* (*TÉLÉC*) teléfono/central *f* interurbano(a).
intervalle [ɛ̃tɛʀval] *nm* intervalo; (*espace*) espacio, distancia; **dans l'~** en el intervalo, en tanto.
intervenir [ɛ̃tɛʀvəniʀ] *vi* intervenir; (*se produire*) sobrevenir, ocurrir; **~ auprès de** interceder ante.
intervention [ɛ̃tɛʀvɑ̃sjɔ̃] *nf* intervención *f*.
intervertir [ɛ̃tɛʀvɛʀtiʀ] *vt* invertir.
interview [ɛ̃tɛʀvju] *nf* entrevista, interviú *f*; **~er** [-vjuve] *vt* entrevistar a.
intestin, e [ɛ̃tɛstɛ̃, in] *a* intestino(a) // *nm* intestino; **~al, e, aux** [-tinal, o] *a* intestinal.
intime [ɛ̃tim] *a* íntimo(a); (*complet, profond*) profundo(a), íntimo(a) // *nm/f* íntimo/a.
intimer [ɛ̃time] *vt* intimar, notificar.
intimider [ɛ̃timide] *vt* intimidar; (*terroriser*) intimidar, amedrentar.
intimité [ɛ̃timite] *nf*: **dans la plus stricte ~** en la más estricta intimidad.
intitulé [ɛ̃tityle] *nm* título.
intituler [ɛ̃tityle] *vt* intitular, titular; **s'~** (*ouvrage*) intitularse, titularse; (*personne*) llamarse.
intolérable [ɛ̃tɔleʀabl(ə)] *a* intolerable.
intolérant, e [ɛ̃tɔleʀɑ̃, ɑ̃t] *a* intolerante.
intonation [ɛ̃tɔnɑsjɔ̃] *nf* entonación *f*.
intouchable [ɛ̃tuʃabl(ə)] *a* (*fig*) intocable.

intoxication [ɛ̃tɔksikɑsjɔ̃] *nf* intoxicación *f*; (*fig*) envenenamiento, emponzonamiento.
intoxiquer [ɛ̃tɔksike] *vt* intoxicar; (*fig*) influenciar negativamente.
intraduisible [ɛ̃tʀadɥizibl(ə)] *a* intraducible.
intraitable [ɛ̃tʀɛtabl(ə)] *a* intransigente; implacable; inflexible.
intransigeant, e [ɛ̃tʀɑ̃ziʒɑ̃, ɑ̃t] *a* intransigente.
intransitif, ive [ɛ̃tʀɑ̃zitif, iv] *a* intransitivo(a).
intransportable [ɛ̃tʀɑ̃spɔʀtabl(ə)] *a* intransportable.
intraveineux, euse [ɛ̃tʀavɛnø, øz] *a* intravenoso(a).
intrépide [ɛ̃tʀepid] *a* intrépido(a), arrojado(a); (*résistance*) tenaz, intrépido(a); (*imperturbable*) denodado(a).
intrigue [ɛ̃tʀig] *nf* intriga; (*aventure*) amorío, aventura.
intriguer [ɛ̃tʀige] *vi, vt* intrigar.
intrinsèque [ɛ̃tʀɛ̃sɛk] *a* intrínseco(a), esencial.
introduction [ɛ̃tʀɔdyksjɔ̃] *nf* introducción *f*; **lettre d'~** carta de presentación.
introduire [ɛ̃tʀɔdɥiʀ] *vt* introducir; **s'~** *vi* introducirse; (*eau, fumée*) penetrar, entrar; **~ qn à qn/dans un club** presentar alguien a alguien/a alguien en un club.
introniser [ɛ̃tʀɔnize] *vt* entronizar.
introuvable [ɛ̃tʀuvabl(ə)] *a* que no se puede encontrar; (*rare: édition, livre*) raro(a).
introverti, e [ɛ̃tʀɔvɛʀti] *nm/f* introvertido/a.
intrus, e [ɛ̃tʀy, yz] *nm/f* intruso/a, entrometido/a.
intrusion [ɛ̃tʀyzjɔ̃] *nf* intrusión *f*; intromisión *f*, ingerencia.
intuitif, ive [ɛ̃tɥitif, iv] *a* intuitivo(a).
intuition [ɛ̃tɥisjɔ̃] *nf* intuición *f*, presentimiento; **avoir une ~** tener un presentimiento; **avoir de l'~** tener intuición.
inusable [inyzabl(ə)] *a* durable, fuerte.
inusité, e [inyzite] *a* desusado(a), en desuso.
inutile [inytil] *a* inútil; **inutilisable** *a* inutilizable; **inutilité** *nf* inutilidad *f*.
invalide [ɛ̃valid] *a, nm/f* inválido(a).
invalider [ɛ̃valide] *vt* invalidar, anular; (*élection, député*) anular.
invalidité [ɛ̃validite] *nf* invalidez *f*.
invariable [ɛ̃vaʀjabl(ə)] *a* invariable.
invasion [ɛ̃vɑzjɔ̃] *nf* invasión *f*.
invectiver [ɛ̃vɛktive] *vt* denostar, injuriar // *vi*: **~ contre** lanzar imprecaciones contra.
invendable [ɛ̃vɑ̃dabl(ə)] *a* invendible.
invendus [ɛ̃vɑ̃dy] *nmpl* artículos no vendidos.
inventaire [ɛ̃vɑ̃tɛʀ] *nm* inventario; (*COMM, fig*) inventario, balance *m*.
inventer [ɛ̃vɑ̃te] *vt* inventar; **~ de faire** idear hacer; **inventeur** *nm* inventor *m*; **inventif, ive** *a* inventivo(a); **invention** *nf* invención *f*; (*découverte*) descubrimiento, hallazgo; (*expédient*) invento, recurso; (*fable, mensonge*) ficción *f*, mentira; (*imagination*) inventiva.
inventorier [ɛ̃vɑ̃tɔʀje] *vt* inventariar.
inverse [ɛ̃vɛʀs(ə)] *a* inverso(a) // *nm*: **l'~** lo inverso *o* contrario; **en sens ~** en sentido inverso *o* opuesto; **à l'~** al contrario, al revés; **inverser** *vt* invertir; **inversion** *nf* inversión *f*.
investigation [ɛ̃vɛstigɑsjɔ̃] *nf* investigación *f*.
investir [ɛ̃vɛstiʀ] *vt* investir, conferir; (*MIL*) cercar; (*argent*) invertir, colocar; **investissement** *nm* inversión *f*; **investiture** *nf* investidura.
invétéré, e [ɛ̃veteʀe] *a* inveterado(a).
invincible [ɛ̃vɛ̃sibl(ə)] *a* invencible; (*argument*) irrebatible,

irrefutable; (*fig*) irresistible.
invisible [ɛ̃vizibl(ə)] *a* invisible.
invitation [ɛ̃vitɑsjɔ̃] *nf* invitación *f*; **à** *ou* **sur l'~ de qn** a pedido de alguien.
invité, e [ɛ̃vite] *nm/f* invitado/a, convidado/a.
inviter [ɛ̃vite] *vt* invitar, convidar; (*exhorter*) inducir; (*suj*: *chose*) invitar, incitar.
involontaire [ɛ̃vɔlɔ̃tɛʀ] *a* involuntario(a).
invoquer [ɛ̃vɔke] *vt* invocar; (*excuse, jeunesse, ignorance*) alegar; (*témoignage*) apelar a; **~ la clémence de qn** implorar la clemencia de alguien.
invraisemblable [ɛ̃vʀɛsɑ̃blabl(ə)] *a* inverosímil; increíble, inaudito(a).
invulnérable [ɛ̃vylneʀabl(ə)] *a* invulnerable.
iode [jɔd] *nm* yodo.
ion [jɔ̃] *nm* ion *m*.
ionique [jɔnik] *a* (*ARCHIT*) jónico(a); (*SCIENCE*) iónico(a).
irai *etc vb voir* **aller.**
irakien, ne [iʀakjɛ̃, jɛn] *a, nm/f* iraquí (*m/f*).
Iran [iʀɑ̃] *nm* Irán *m*; **i~ien, ne** *a, nm/f* iranio/a, iraní (*m/f*).
Iraq [iʀak] *nm* Irak *m*.
irions *vb voir* **aller.**
iris [iʀis] *nm* lirio; (*ANAT*) iris *m*.
irisé, e [iʀize] *a* irisado(a).
irlandais, e [iʀlɑ̃dɛ, ɛz] *a, nm/f* irlandés(esa).
Irlande [iʀlɑ̃d] *nf*: **~ du Nord/Sud** Irlanda del Norte/Sur.
ironie [iʀɔni] *nf* ironía; **ironique** *a* irónico(a); **ironiser** *vi* ironizar.
irons *vb voir* **aller.**
irradier [iʀadje] *vi* irradiar, difundir; propagarse.
irraisonné, e [iʀɛzɔne] *a* impensado(a), irrazonable.
irrationnel, le [iʀasjɔnɛl] *a* irracional, insensato(a).
irréalisable [iʀealizabl(ə)] *a* irrealizable.
irrecevable [iʀsəvabl(ə)] *a* inadmisible.
irréconciliable [iʀekɔ̃siljabl(ə)] *a* irreconciliable.
irrécupérable [iʀekypeʀabl(ə)] *a* irrecuperable.
irrécusable [iʀekyzabl(ə)] *a* irrecusable.
irréductible [iʀedyktibl(ə)] *a* irreductible; indómito(a); (*MÉD*) irreducible.
irréel, le [iʀeɛl] *a* irreal.
irréfléchi, e [iʀefleʃi] *a* irreflexivo(a).
irréfutable [iʀefytabl(ə)] *a* irrefutable, irrebatible.
irrégularité [iʀegylaʀite] *nf* irregularidad *f*.
irrégulier, ière [iʀegylje, jɛʀ] *a* irregular; (*peu honnête*) indecoroso(a), deshonesto(a).
irrémédiable [iʀemedjabl(ə)] *a* irremediable.
irremplaçable [iʀɑ̃plasabl(ə)] *a* irreemplazable, irrecuperable; (*personne*) insustituible, único(a).
irréparable [iʀepaʀabl(ə)] *a* irreparable.
irrépressible [iʀepʀesibl(ə)] *a* irreprimible.
irréprochable [iʀepʀɔʃabl(ə)] *a* irreprochable.
irrésistible [iʀezistibl(ə)] *a* irresistible; (*preuve, logique*) contundente, implacable; (*personne: qui fait rire*) gracioso(a), jocoso(a).
irrespectueux, euse [iʀɛspɛktɥø, øz] *a* irrespectuoso(a), irreverente.
irrespirable [iʀɛspiʀabl(ə)] *a* irrespirable.
irresponsable [iʀɛspɔ̃sabl(ə)] *a* irresponsable.
irrévérencieux, euse [iʀeveʀɑ̃sjø, jøz] *a* irreverente.
irréversible [iʀevɛʀsibl(ə)] *a* irreversible.
irrévocable [iʀevɔkabl(ə)] *a* irrevocable.
irrigation [iʀigɑsjɔ̃] *nf* irrigación *f*, riego.

irriguer [iʀige] *vt* irrigar, regar.
irritable [iʀitabl(ə)] *a* irritable.
irritation [iʀitɑsjɔ̃] *nf* irritación *f*, enfado; (*inflammation*) irritación.
irriter [iʀite] *vt* irritar, enojar; (*enflammer*) irritar; **s'~ contre/de** enojarse *o* irritarse con/por.
irruption [iʀypsjɔ̃] *nf* irrupción *f*.
Islam [islam] *nm* Islam *m*; **i~ique** *a* islámico(a).
islandais, e [islɑ̃dɛ, ɛz] *a, nm/f* islandés(esa).
Islande [islɑ̃d] *nf* Islandia.
isocèle [izɔsɛl] *a* isósceles.
isolant, e [izɔlɑ̃, ɑ̃t] *a* aislante.
isolation [izɔlɑsjɔ̃] *nf* aislamiento.
isolationnisme [izɔlɑsjɔnism(ə)] *nm* aislacionismo.
isoler [izɔle] *vt* aislar; **s'~** apartarse, retraerse; **isoloir** *nm* cabina electoral.
Israël [isʀael] *nm* Israel *m*; **israélien, ne** *a, nm/f* israelí (*m/f*); **israélite** *a, nm/f* israelita (*m/f*).
issu, e [isy] *a*: **~ de** descendiente de; (*fig*) resultado *o* consecuencia de // *nf* salida; (*résultat*) resultado, desenlace *m*; **à l'~e de** al final de, al terminar.
isthme [ism(ə)] *nm* istmo.
Italie [itali] *nf* Italia; **italien, ne** *a, nm/f* italiano(a).
italique [italik] *nm*: **en ~** en bastardilla.
itinéraire [itineʀɛʀ] *nm* itinerario, recorrido.
itinérant, e [itineʀɑ̃, ɑ̃t] *a* ambulante.
IUT *sigle m voir* **institut.**
ivoire [ivwaʀ] *nm* marfil *m*; (*sur dent*) esmalte *m*.
ivre [ivʀ(ə)] *a* ebrio(a), beodo(a); **ivresse** *nf* ebriedad *f*, embriaguez *f*; **ivrogne** [ivʀɔɲ] *nm/f* borracho/a.

J

j' [ʒ] *pron voir* **je**.
jabot [ʒabo] *nm* buche *m*; (*ornement*) chorrera.
jacasser [ʒakase] *vi* (*bavarder*) cotorrear.
jachère [ʒaʃɛʀ] *nf*: **en ~** en barbecho.
jacinthe [ʒasɛ̃t] *nf* jacinto.
jadis [ʒadis] *ad* antaño.
jaillir [ʒajiʀ] *vi* brotar.
jais [ʒɛ] *nm* azabache *m*.
jalon [ʒalɔ̃] *nm* jalón *m*, hito; **~ner** *vt* jalonar.
jalouser [ʒaluze] *vt* celar.
jalousie [ʒaluzi] *nf* celos *mpl*.
jaloux, ouse [ʒalu, uz] *a* celoso(a).
jamais [ʒamɛ] *ad* jamás, nunca; (*non nég*) algun día; **ne... ~** no... nunca, jamás.
jambage [ʒɑ̃baʒ] *nm* trazo; (*de porte etc*) jamba.
jambe [ʒɑ̃b] *nf* pierna; **à toutes ~s** a todo correr; **jambière** *nf* polaina.
jambon [ʒɑ̃bɔ̃] *nm* jamón *m*.
jante [ʒɑ̃t] *nf* llanta.
janvier [ʒɑ̃vje] *nm* enero.
Japon [ʒapɔ̃] *nm* Japón *m*; **j~ais, e** *a, nm/f* japonés(esa).
japper [ʒape] *vi* gañir, aullar.
jaquette [ʒakɛt] *nf* chaqueta; (*de cérémonie*) chaqué *m*.
jardin [ʒaʀdɛ̃] *nm* jardín *m*; **~ d'enfants** jardín de la infancia; **~ potager** huerta; **~ public** parque *m* público; **~age** [ʒaʀdinaʒ] *nm* jardinería; horticultura; **~ier, ière** [ʒaʀdinje, jɛʀ] *nm/f* jardinero/a; hortelano/a // *nf* jardinera; **~ier paysagiste** jardinero artístico.
jargon [ʒaʀgɔ̃] *nm* jerga, jerigonza.
jarre [ʒaʀ] *nf* tinaja.
jarret [ʒaʀɛ] *nm* corva; (*CULIN*) morcillo.
jarretelle [ʒaʀtɛl] *nf* liga.
jaser [ʒɑze] *vi* charlar, cotorrear.
jasmin [ʒasmɛ̃] *nm* jazmín *m*.
jatte [ʒat] *nf* cuenco.

jauge [ʒoʒ] *nf* arqueo; (*instrument*) aspilla; **jauger** *vt* aforar, medir (*contenir*) contener; (*fig*) medir; ~ **6 mètres** tener 6 metros de calado; ~ **3000 tonneaux** tener una capacidad de 3000 toneladas.

jaune [ʒon] *a* amarillo(a) // *nm* amarillo; (*aussi*: ~ **d'œuf**) yema // *nm/f* amarillo/a // *ad* (*fam*): **rire** ~ reír falsamente; **jaunir** *vt, vi* amarillear; **jaunisse** *nf* ictericia.

javel [ʒavɛl] : **eau de** ~ *nf* lejía.

javelot [ʒavlo] *nm* jabalina.

jazz [dʒɑz] *nm* jazz *m*.

je [ʒ(ə)] *pron* yo.

jeep [dʒip] *nf* jeep *m*.

jersey [ʒɛʀzɛ] *nm* jersey *m*.

Jérusalem [ʒeʀyzalɛm] *n* Jerusalén.

jésuite [ʒezɥit] *nm* jesuita *m*.

Jésus-Christ [ʒezykʀi] *nm* Jesucristo.

jet [ʒɛ] *nm* lanzamiento, tiro; (*jaillissement, tuyau*) chorro; (*avion*) [dʒɛt] jet *m*, reactor *m*; (*fig*): **du premier** ~ de primera intención, desde el primer intento; ~ **d'eau** chorro de agua, surtidor *m*.

jetée [ʒəte] *nf* escollera.

jeter [ʒəte] *vt* (*lancer*) lanzar; (*se défaire de*) tirar, arrojar; (*mettre, poser rapidement*) echar, arrojar; (*cri, insultes*) arrojar, lanzar; ~ **un coup d'œil** echar una ojeada; ~ **l'ancre** enchar el ancla; ~ **les bras en avant** echar los brazos hacia adelante; ~ **le trouble parmi...** sembrar la confusión entre...; ~ **qn dehors** arrojar a alguien afuera; **se** ~ **contre/dans/sur** arrojarse contra/en/sobre; **se** ~ **dans** (*fleuve*) desembocar en.

jeton [ʒətɔ̃] *nm* ficha; ~ **(de présence)** ficha de asistencia.

jeu, x [ʒø] *nm* juego; (*THÉÂTRE, MUS, CINÉMA*) actuación *f*, ejecución *f*; **être/remettre en** ~ (*SPORT*) estar/entrar en juego; ~ **de boules** (*endroit*) bolera; ~ **de construction** juego de construcción; ~ **d'écritures** (*COMM*) compensación *f* contable; ~ **de hasard** juego de azar; ~ **de massacre** pim pam pum *m*; ~ **de mots** juego de palabras; ~ **d'orgue(s)** registro; ~ **de patience** juego de paciencia; ~ **de société** juego de salón; ~**x olympiques** juegos olímpicos.

jeudi [ʒødi] *nm* jueves *m*.

jeûn [ʒœ̃]: **à** ~ *ad* en ayunas.

jeune [ʒœn] *a* joven; (*récent*) nuevo(a), reciente; **les** ~**s** los jovenes; ~ **fille, J.F.** muchacha, chicha; ~**s gens** jovenes; ~ **homme, J.H.** muchacho, joven *m*; ~ **premier** galán *m* joven; ~**s mariés** recién casados.

jeûne [ʒøn] *nm* ayuno.

jeunesse [ʒœnɛs] *nf* juventud *f*; (*caractère récent de qch*) actualidad *f*.

J.F. *abrév voir* **jeune.**

J.H. *abrév voir* **jeune**.

joaillerie [ʒɔɑjʀi] *nf* joyería.

joaillier, ière [ʒɔaje, jɛʀ] *nm/f* joyero/a.

jobard [ʒɔbaʀ] *nm* tonto, ingenuo.

joie [ʒwa] *nf* alegría, gozo.

joindre [ʒwɛ̃dʀ(ə)] *vt* juntar, unir; (*ajouter*) añadir, agregar; (*contacter*) dar con; **à pieds joints** a pies juntillos; ~ **les deux bouts** (*fig*) hacer alcanzar apenas el dinero; **se** ~ **à** unirse a, sumarse a; **joint** *nm* junta, juntura; **joint de culasse** junta de culata.

joli, e [ʒɔli] *a* bonito(a); ~**ment** *ad* preciosamente, graciosamente; (*très*) considerablemente, muy.

jonc [ʒɔ̃] *nm* junco.

joncher [ʒɔ̃ʃe] *vt* cubrir, alfombrar.

jonction [ʒɔ̃ksjɔ̃] *nf* unión *f*; **(point de)** ~ confluencia.

jongler [ʒɔ̃gle] *vi* hacer malabarismos; **jongleur, euse** *nm/f* malabarista *m/f*.

jonquille [ʒɔ̃kij] *nf* junquillo.

joue [ʒu] *nf* mejilla; **mettre/tenir en** ~ apuntar.

jouer [ʒwe] *vt* jugar; (*pièce, film*) interpretar, actuar; (*rôle*) representar, desempeñar; (*simuler*) fingir; (*MUS*) interpretar, ejecutar // *vi* jugar; (*MUS*) ejecutar, tocar; (*acteur*) actuar; (*bois, porte*) torcerse; (*clé, pièce*) tener juego; ~ **sur** jugar con; ~ **de** (*MUS*) ejecutar, tocar; (*fig*) servirse de; ~ **à** jugar a; (*imiter*) dárselas de; **se** ~ **de qch** no hacer caso de algo; **se** ~ **de qn** burlarse de alguien; ~ **un tour à qn** jugar una mala pasada a alguien; ~ **de malchance** tener mala suerte; ~ **sur les mots** jugar del equívoco; **à toi/nous de** ~ (*fig*) a ti te/nosotros nos toca.

jouet [ʒwɛ] *nm* juguete *m*.

joueur, euse [ʒwœʀ, øz] *nm/f* jugador/ora; (*MUS*) intérprete *m/f*, ejecutante *m/f*.

joufflu, e [ʒufly] *a* mofletudo(a).

joug [ʒu] *nm* yugo.

jouir [ʒwiʀ] : ~ **de** *vt* gozar de; **jouissance** *nf* goce *m*; (*JUR*) usufructo.

joujou, x [ʒuʒu] *nm* (*fam*) juguete *m*.

jour [ʒuʀ] *nm* día *m*; (*clarté, ouverture, aussi fig*) luz *f*; **tous les** ~**s** todos los días; **au** ~ **le** ~ al día; **en plein** ~ a la luz del día; **au grand** ~ (*fig*) con toda claridad; **sous un** ~ **favorable** bajo una luz favorable; **mettre au** ~ sacar a la luz; **mettre à** ~ poner al día; **donner le** ~ **à** dar a luz; **voir le** ~ ver la luz, nacer; **se faire** ~ abrirse paso.

journal, aux [ʒuʀnal, o] *nm* diario, periódico; (*d'une personne*) diario; ~ **de bord** diario de a bordo; ~ **parlé/télévisé** noticiero radial/televisivo.

journalier, ière [ʒuʀnalje, jɛʀ] *a* diario(a) // *nm* jornalero.

journalisme [ʒuʀnalism(ə)] *nm* periodismo; **journaliste** *nm/f* periodista *m/f*.

journée [ʒuʀne] *nf* día *m*; (*de travail*) jornada; **la** ~ **continue** la jornada intensiva.

journellement [ʒuʀnɛlmɑ̃] *ad* diariamente.

joute [ʒut] *nf* justa, combate *m*.

jovial, e, aux [ʒɔvjal, o] *a* jovial.

joyau, x [ʒwajo] *nm* joya *m*.

joyeux, euse [ʒwajø, øz] *a* alegre.

jubilaire [ʒybilɛʀ] *nm/f* *persona que ha cumplido 50 años de profesión*.

jubilé [ʒybile] *nm* jubileo, bodas de oro.

jubiler [ʒybile] *vi* regocijarse.

jucher [ʒyʃe] *vt*: ~ **qch sur** subir algo sobre // *vi* (*oiseau*) posarse.

judas [ʒyda] *nm* (*trou*) mirilla.

judiciaire [ʒydisjɛʀ] *a* judicial.

judicieux, euse [ʒydisjø, øz] *a* juicioso(a), sensato(a).

judo [ʒydo] *nm* judo; ~**ka** *nm* judoka *m*.

juge [ʒyʒ] *nm* juez *m*; ~ **d'instruction/de paix** juez de instrucción/de paz; ~ **de touche** juez de línea.

jugé [ʒyʒe] : **au** ~ *ad* al tuntún.

jugement [ʒyʒmɑ̃] *nm* juicio; (*verdict*: *JUR*) sentencia.

jugeote [ʒyʒɔt] *nf* (*fam*) caletre *m*.

juger [ʒyʒe] *vt* juzgar; ~ **bon de faire...** juzgar oportuno hacer...; ~ **de** *vt* juzgar.

jugulaire [ʒygylɛʀ] *a* yugular // *nf* barboquejo.

juif, ive [ʒɥif, iv] *a, nm/f* judío(a).

juillet [ʒɥijɛ] *nm* julio.

juin [ʒɥɛ̃] *nm* junio.

juive [ʒɥiv] *a, nf voir* **juif.**

jumeau, elle [ʒymo, ɛl] *a, nm/f* gemelo(a).

jumeler [ʒymle] *vt* acoplar; (*villes*) hermanar; **roues jumelées** ruedas gemelas.

jumelle [ʒymɛl] *a, nf voir* **jumeau**; ~**s** *fpl* (*OPTIQUE*) gemelos.

jument [ʒymɑ̃] *nf* yegua.

jungle [ʒœ̃gl(ə)] *nf* selva, jungla.

jupe [ʒyp] *nf* falda; ~**-culotte** *nf* falda pantalón.

jupon [ʒypɔ̃] *nm* enaguas.

Jura [ʒyʀa] *nm*: **le** ~ el Jura.

juré, e [ʒyʀe] *nm/f, a* jurado(a).

jurer [ʒyʀe] *vt, vi* jurar; ~ **(avec)** desentonar (con); ~ **de faire** jurar hacer; ~ **de qch** jurar algo; **ils ne**

jurent que par lui/cela creen a ciegas en él/eso.
juridiction [ʒyʀidiksjɔ̃] *nf* jurisdicción *f.*
juridique [ʒyʀidik] *a* jurídico(a).
juriste [ʒyʀist(ə)] *nm/f* jurista *m/f.*
juron [ʒyʀɔ̃] *nm* juramento.
jury [ʒyʀi] *nm* jurado; (SCOL) tribunal *m.*
jus [ʒy] *nm* jugo; (*fam*) corriente eléctrica; agua; café *m*; ~ **de fruits** jugo de frutas.
jusant [ʒyzɑ̃] *nm* reflujo, bajamar *f.*
jusque [ʒysk(ə)] : **jusqu'à** *prép* hasta; ~ **sur/dans/vers** hasta arriba de/en/cerca de; **jusqu'à ce que** *conj* hasta que; ~**-là** hasta ahí *o* allá; **jusqu'ici** hasta aquí; **jusqu'à présent** hasta ahora.
juste [ʒyst(ə)] *a* justo(a); (*étroit*) estrecho(a), ajustado(a); (*insuffisant*) muy justo(a), escaso(a) // *ad* justo; ~ **assez** suficiente, suficientemente; **pouvoir tout ~ faire qch** poder apenas hacer algo; **au ~** exactamente; **comme de ~** como es lógico; **le ~ milieu** el término medio; ~**ment** *ad* justamente; **justesse** *nf* precisión *f*, exactitud *f*; (*correction, vérité*) rectitud *f*, corrección *f*; **de justesse** por poco.
justice [ʒystis] *nf* justicia; **rendre la ~** suministrar justicia; **rendre ~ à qn** hacer justicia a alguien; **se faire ~** suicidarse.
justification [ʒystifikɑsjɔ̃] *nf* justificación *f.*
justifier [ʒystifje] *vt* justificar; ~ **de** *vt* probar.
jute [ʒyt] *nm* yute *m.*
juteux, euse [ʒytø, øz] *a* jugoso(a).
juvénile [ʒyvenil] *a* juvenil.
juxtaposer [ʒykstapoze] *vt* yuxtaponer; ~ **qch à** *ou* **et qch** yuxtaponer algo a *o* con algo.

K

kaki [kaki] *a inv* caqui.
kaléidoscope [kaleidɔskɔp] *nm* calidoscopio.
kangourou [kɑ̃guʀu] *nm* canguro.
kapoc [kapɔk] *nm* miraguano, algodón *m* de ceiba.
karaté [kaʀate] *nm* karate *m.*
karting [kaʀtiŋ] *nm* karting *m.*
kayac, kayak [kajak] *nm* kayac *m.*
képi [kepi] *nm* quepis *m.*
kermesse [kɛʀmɛs] *nf* quermese *f*; (*fête villageoise*) feria, verbena.
kérosène [keʀozɛn] *nm* queroseno.
kibboutz [kibuts] *nm* kibutz *m.*
kidnapper [kidnape] *vt* secuestrar.
kilo [kilo] *nm abrév de* **kilogramme** // *préf*: ~**gramme** *nm* kilogramo; ~**métrage** *nm* kilometraje *m*; ~**mètre, km** *nm* kilómetro; ~**métrique** *a* kilométrico(a); ~**watt** *nm* kilovatio.
kinésithérapeute [kineziteʀapøt] *nm/f* kinesiólogo/a.
kiosque [kjɔsk(ə)] *nm* quiosco.
kirsch [kiʀʃ] *nm* kirsch *m.*
klaxon [klaksɔn] *nm* bocina; ~**ner** *vi* tocar bocina // *vt* tocar bocina a.
kleptomane [klɛptɔman] *nm/f* cleptómano/a.
km *abrév voir* **kilomètre.**
knock-out [nɔkawt; knɔkut] *nm* fuera de combate.
K.O. *a inv* fuera de combate.
kolkhoze [kɔlkoz] *nm* koljoz *m.*
Kremlin [kʀɛmlɛ̃] *nm*: **le ~** el Kremlin.
kyrielle [kiʀjɛl] *nf* ristra, sarta.
kyste [kist(ə)] *nm* quiste *m.*

L

l' [l] *dét voir* **le.**
la [la] *nm* la.
la [la] *dét voir* **le.**
là [la] (*voir aussi* **-ci, celui**) *ad* allí, allá; (*ici*) ahí, acá; (*dans le temps*) entonces; **est-ce que Catherine est ~?** ¿está ahí Catalina?; **elle n'est pas ~** no está ahí; **c'est ~ que** es ahí que *o* donde; **~ où** ahí donde; **de ~** (*fig*) de ahí que, por eso; **par ~** (*fig*) por ésas; **~-bas** *ad* allá.
label [labɛl] *nm* marca, sello.
labeur [labœʀ] *nm* faena, trabajo.
labo [labo] *nm abrév de* **laboratoire.**
laborantin, e [labɔʀɑ̃tɛ̃, in] *nm/f* técnico/a de laboratorio.
laboratoire [labɔʀatwaʀ] *nm* laboratorio; **~ de langues/d'analyses** laboratorio lingüístico/de análisis.
laborieux, euse [labɔʀjø, øz] *a* trabajoso(a); laborioso(a); (*masses*) trabajador(ora).
labour [labuʀ] *nm* labor *f*, labranza; **~s** *mpl* (*champs*) labrantíos; **cheval/bœuf de ~** caballo/buey *m* de labranza.
labourer [labuʀe] *vt* arar, labrar; (*fig*) surcar; **laboureur** *nm* labrador *m*.
labyrinthe [labiʀɛ̃t] *nm* laberinto.
lac [lak] *nm* lago.
lacer [lase] *vt* atar.
lacérer [laseʀe] *vt* lacerar.
lacet [lasɛ] *nm* lazo, cordón *m*; (*de route*) curva; (*piège*) lazo.
lâche [lɑʃ] *a* cobarde; (*desserré*) flojo(a); (*morale etc*) despreciable, ruin // *nm/f* cobarde *m/f*.
lâcher [lɑʃe] *vt* soltar; (*ce qui tombe*) soltar, largar; (*SPORT: distancer*) despegarse de; (*abandonner*) dejar, abandonar // *vi* soltar; **~ les amarres** soltar amarras; **~ les chiens (contre)** largar los perros (contra); **~ prise** aflojar; (*fig*) soltar prenda.
lâcheté [lɑʃte] *nf* cobardía; ruindad *f*, bajeza.
lacis [lɑsi] *nm* red *f*, laberinto.
laconique [lakɔnik] *a* lacónico(a).
lacrymogène [lakʀimɔʒɛn] *a* lacrimógeno(a).
lacté, e [lakte] *a* lácteo(a).
lacune [lakyn] *nf* laguna, blanco; (*de connaissances*) laguna, falta.
lad [lad] *nm* mozo de cuadra.
là-dedans [laddɑ̃] *ad* ahí adentro; (*fig*) de *o* en eso.
là-dehors [ladɔɔʀ] *ad* allí afuera, afuera de eso.
là-derrière [ladɛʀjɛʀ] *ad* allí atrás; (*fig*) detrás de eso.
là-dessous [ladsu] *ad* ahí debajo; (*fig*) debajo de eso.
là-dessus [ladsy] *ad* ahí encima *o* arriba; (*fig*) sobre eso, respecto a eso.
là-devant [ladvɑ̃] *ad* ahí adelante, adelante.
ladite [ladit] *dét voir* **ledit.**
lagon [lagɔ̃] *nm* laguna salada.
lagune [lagyn] *nf* laguna.
là-haut [lao] *ad* allá arriba.
laïc [laik] *a, nm/f* = **laïque.**
laïciser [laisize] *vt* dar carácter laico a.
laid, e [lɛ, ɛd] *a* feo(a); **~eron** *nm* loro, callo; **~eur** *nf* fealdad *f*; abyección *f*.
laie [lɛ] *nf* jabalina.
lainage [lɛnaʒ] *nm* jersey *m*; lana, tejido de lana.
laine [lɛn] *nf* lana; **~ de verre** lana de vidrio; **laineux, euse** *a* lanoso(a); lanudo(a).
laïque [laik] *a* laico(a) // *nm/f* lego/a.
laisse [lɛs] *nf* (*de chien*) correa; **tenir en ~** manejar a su antojo.
laissé, e-pour-compte [lesepuʀkɔ̃t] *nm* (*COMM*) resto, mercadería de rechazo // *nm/f* dejado/a de lado.
laisser [lese] *vt* dejar // *vb auxiliaire*: **~ qn faire** dejar *o*

permitir a alguien hacer; **se ~ exploiter** dejarse explotar; **se ~ aller** dejarse llevar; **laisse-toi faire** déjate llevar; **~-aller** *nm* negligencia, dejadez *f*.
laissez-passer [lesepɑse] *nm* salvoconducto.
lait [lɛ] *nm* leche *f*; **frère/sœur de ~** hermano/hermana de leche; **~ entier/écrémé** leche entera/desnatada; **~ concentré/en poudre** leche condensada/en polvo; **~ démaquillant** leche de limpieza; **~age** *nm* producto lácteo; **~erie** *nf* lechería; **~eux, euse** *a* lechoso(a); **~ier, ière** *a* lácteo(a) // *nm/f* lechero/a; **vache ~ière** vaca lechera.
laiton [lɛtɔ̃] *nm* latón *m*.
laitue [lɛty] *nf* lechuga.
laïus [lajys] *nm* (*péj*) perorata.
lambeau, x [lɑ̃bo] *nm* (*de tissu*) jirón *m*; (*de chair*) colgajo; **en ~x** a jirones.
lambin, e [lɑ̃bɛ̃, in] *a* (*péj*) holgazán(ana), remolón(ona).
lambris [lɑ̃bʀi] *nm* revestimiento; **~sé, e** *a* revestido(a).
lame [lam] *nf* hoja; (*lamelle*) lámina; (*vague*) ola; **~ de fond** mar *m* de fondo; **~ de rasoir** hoja de afeitar.
lamé, e [lame] *a* lamé, laminado(a) // *nm* lamé *m*.
lamelle [lamɛl] *nf* laminilla; (*de champignon*) laminilla, hojuela.
lamentable [lamɑ̃tabl(ə)] *a* lamentable.
lamenter [lamɑ̃te]: **se ~** *vi*: **se ~ (sur)** lamentarse *o* quejarse (de).
laminer [lamine] *vt* laminar; **laminoir** *nm* laminador *m*.
lampadaire [lɑ̃padɛʀ] *nm* lámpara de pie; (*dans la rue*) farol *m*, farola.
lampe [lɑ̃p(ə)] *nf* lámpara; (*de chevet*) velador *m*; (TECH) lámpara, válvula; **~ à pétrole** lámpara de petróleo; **~ de poche** linterna; **~ à souder** soplete *m*.
lampée [lɑ̃pe] *nf* trago.
lampion [lɑ̃pjɔ̃] *nm* farolillo.
lampiste [lɑ̃pist(ə)] *nm* lamparista *m*.
lance [lɑ̃s] *nf* lanza; **~ d'incendie** manga *o* manguera de incendio.
lancée [lɑ̃se] *nf*: **continuer sur sa ~** aprovechar el impulso inicial.
lance-flammes [lɑ̃sflam] *nm inv* lanzallamas *m inv*.
lance-grenades [lɑ̃sgʀənad] *nm inv* lanzagranadas *m inv*.
lancement [lɑ̃smɑ̃] *nm* lanzamiento; (*d'un bateau*) botadura.
lance-pierres [lɑ̃spjɛʀ] *nm inv* tirador *m*, tirachinas *m inv*.
lancer [lɑ̃se] *nm* (SPORT) lanzamiento // *vt* lanzar; (*ballon, pierre, flamme*) lanzar, arrojar; (*bateau*) botar, varar; (*mandat d'arrêt*) dar; **~ qch à qn** arrojar algo a alguien; (*avec agression*) arrojar *o* tirar algo a alguien; **se ~** *vi* lanzarse.
lance-roquettes [lɑ̃sʀɔkɛt] *nm inv* lanzaproyectiles *m inv*.
lance-torpilles [lɑ̃stɔʀpij] *nm inv* lanzatorpedos *m inv*.
lancinant, e [lɑ̃sinɑ̃, ɑ̃t] *a* obsesivo(a); (*douleur*) punzante.
landau [lɑ̃do] *nm* cochecito de niño.
lande [lɑ̃d] *nf* landa.
langage [lɑ̃gaʒ] *nm* lenguaje *m*.
lange [lɑ̃ʒ] *nm* mantilla; **langer** *vt* envolver en mantillas; **table à langer** envolvedor *m*.
langoureux, euse [lɑ̃guʀø, øz] *a* lánguido(a).
langouste [lɑ̃gust(ə)] *nf* langosta; **langoustine** *nf* cigala.
langue [lɑ̃g] *nf* lengua; **tirer la ~ (à)** sacar la lengua (a); **de ~ française** de lengua francesa; **~ maternelle** lengua madre; **~ de terre** lengua *o* franja de tierra; **~ verte** germanía; **~ vivante** lengua viva; **languette** *nf* lengüeta.
langueur [lɑ̃gœʀ] *nf* languidez *f*.
languir [lɑ̃giʀ] *vi* languidecer; **faire ~ qn** hacer esperar a alguien; **se ~ de** suspirar por; languidecer de.
lanière [lanjɛʀ] *nf* correa.

lanterne [lɑ̃tɛʀn(ə)] *nf* farol *m*; (*de voiture*) luz *f* de población; ~ **rouge** (*fig*) cola, farolillo rojo.
lapalissade [lapalisad] *nf* perogrullada.
laper [lape] *vt* beber a lengüetazos.
lapereau, x [lapʀo] *nm* gazapo.
lapidaire [lapidɛʀ] *a* lapidario(a) // *nm* comerciante *m* de piedras preciosas; artesano joyero.
lapin [lapɛ̃] *nm* conejo; ~ **de garenne** conejo de monte.
laps [laps] *nm*: ~ **de temps** lapso de tiempo.
laquais [lakɛ] *nm* lacayo.
laque [lak] *nf* laca; **laqué, e** *a* (*cheveux*) con laca.
laquelle *pron voir* **lequel.**
larbin [laʀbɛ̃] *nm* (*péj*) lacayo.
larcin [laʀsɛ̃] *nm* ratería.
lard [laʀ] *nm* (*graisse*) tocino, lardo; (*bacon*) tocino; ~**er** [laʀde] *vt* (*CULIN*) mechar; ~**on** [laʀdɔ̃] *nm* (*CULIN*) lonja de tocino.
large [laʀʒ(ə)] *a* (*rue, espace*) ancho(a), amplio(a); (*robe, veste*) ancho(a), holgado(a); (*sourire, panorama, place*) amplio(a); (*bouche*) ancho(a), grande; (*fig*) generoso(a), espléndido(a) // *ad*: **calculer/voir** ~ calcular/ver con amplitud // *nm* ancho; (*mer*): **le** ~ el alta mar; **au** ~ **de** a la altura de; ~ **d'esprit** amplio(a) de mentalidad; ~**ment** *ad* ampliamente; en abundancia; abundantamente, generosamente; al menos; más que; **largesse** *nf* largueza, generosidad *f*; **largesses** *fpl* (*dons*) dones espléndidos; **largeur** *nf* (*qu'on mesure*) ancho, anchura; (*impression visuelle, fig*) amplitud *f*.
larguer [laʀge] *vt* arrojar; (*parachutiste*) lanzar; (*fam*) largar; ~ **les amarres** soltar amarras.
larme [laʀm(ə)] *nf* lágrima; (*fig*): **une** ~ **de** una gota de; **en** ~**s** en lágrimas *o* llanto; **larmoyer** *vi* lagrimear; (*se plaindre*) lloriquear.
larron [laʀɔ̃] *nm* ladrón *m*.
larve [laʀv(ə)] *nf* larva.
larvé, e [laʀve] *a* (*fig*) latente.
laryngite [laʀɛ̃ʒit] *nf* laringitis *f*.
laryngologiste [laʀɛ̃gɔlɔʒist(ə)] *nm/f* laringólogo/a.
larynx [laʀɛ̃ks] *nm* laringe *f*.
las, lasse [lɑ, lɑs] *a* cansado(a), extenuado(a); ~ **de** harto de.
lascar [laskaʀ] *nm* barbián *m*; (*malin*) pícaro, bribón *m*.
lascif, ive [lasif, iv] *a* lascivo(a).
laser [lazɛʀ] *nm, a*: **(rayon)** ~ (rayo) láser *m*.
lasse [lɑs] *af voir* **las.**
lasser [lɑse] *vt* cansar, aburrir; agotar; **se** ~ **de** cansarse *o* hartarse de.
lassitude [lɑsityd] *nf* cansancio, agotamiento; hastío.
lasso [laso] *nm* lazo; **prendre au** ~ coger con lazo, enlazar.
latent, e [latɑ̃, ɑ̃t] *a* latente.
latéral, e, aux [lateʀal, o] *a* lateral; ~**ement** *ad* lateralmente; de lado.
latex [latɛks] *nm* látex *m*.
latin, e [latɛ̃, in] *a, nm/f* latino(a) // *nm* latín *m*; ~**iste** [-tinist(ə)] *nm/f* latinista *m/f*; **latino-américain, e** *a* latinoamericano(a).
latitude [latityd] *nf* latitud *f*; (*fig*) libertad *f*.
latrines [latʀin] *nfpl* letrinas.
latte [lat] *nf* listón *m*, tabla; (*de plancher*) tableta, listón.
lauréat, e [lɔʀea, at] *nm/f* galardonado/a.
laurier [lɔʀje] *nm* laurel *m*; ~**s** *mpl* (*fig*) laureles *mpl*.
lavable [lavabl(ə)] *a* lavable.
lavabo [lavabo] *nm* palangana, lavabo; ~**s** *mpl* baños.
lavage [lavaʒ] *nm* lavado; ~ **d'estomac/d'intestin** lavaje *m* de estómago/de intestinos; ~ **de cerveau** lavaje de cerebro.
lavande [lavɑ̃d] *nf* lavanda, espliego.
lavandière [lavɑ̃djɛʀ] *nf* lavandera.
lave [lav] *nf* lava.

lave-glace [lavglas] *nm* (AUTO) lavaparabrisas *m inv.*
lavement [lavmɑ̃] *nm* lavativa.
laver [lave] *vt* lavar; (*tache*) sacar, limpiar; **se ~** lavarse; **~ la vaisselle** fregar los platos; **~ le linge** lavar la ropa; **se ~ les mains** lavarse las manos; **se ~ les mains de qch** (*fig*) lavarse las manos con respecto a algo; **~ qn de** (*accusation*) defender a alguien de; **~ie** [lavʀi] *nf*: **~ie (automatique)** lavandería; **lavette** *nf* trapo de fregar; **lave-vaisselle** *nm inv* lavaplatos *m inv.*
lavis [lavi] *nm* (*technique*) aguada; (*dessin*) lavado.
lavoir [lavwaʀ] *nm* lavadero; artesa para lavar, tina.
laxatif, ive [laksatif, iv] *a, nm* laxante (*m*).
layette [lɛjɛt] *nf* ropita de bebé.
le (l'), la, les [l(ə), la, le] *dét* el *m*, la *f*, los *mpl*, las *fpl* // *pron* le *m* (*pour personnes uniquement*), lo *m*, la *f*, los *mpl*, las *fpl*; (*indique la possession*): **avoir les yeux gris/le nez rouge** tener los ojos grises/la nariz roja; (*remplaçant une phrase*): **il était riche et ne l'est plus** (él) era rico y no lo es más; **le jeudi** *etc ad* los jueves; (*ce jeudi- là*) el jueves; **le matin/soir** *ad* por la mañana/noche; **10 F le mètre** 10 F el metro.
lécher [leʃe] *vt* lamer; **~ les vitrines** mirar los escaparates; **se ~** *vt* (*doigts etc*) chuparse, lamerse.
leçon [ləsɔ̃] *nf* lección *f*; **faire la ~** dar clase; **faire la ~ à** (*fig*) dar una lección a; **~ de choses** lección práctica; **~s de conduite** reglas *o* lecciones de conducta *o* comportamiento; **~s particulières** clases *fpl* particulares.
lecteur, trice [lɛktœʀ, tʀis] *nm/f* lector/ora // *nm* (TECH): **~ de cassettes** tocacassettes *f.*
lecture [lɛktyʀ] *nf* lectura.
ledit [lədi], **ladite** [ladit], *mpl* **lesdits** [ledi], *fpl* **lesdites** [ledit] *dét* dicho(a), susodicho(a).
légal, e, aux [legal, o] *a* legal; **~ement** *ad* legalmente; **~iser** *vt* legalizar; **~ité** *nf* legalidad *f.*
légataire [legatɛʀ] *nm*: **~ universel** legatario universal.
légendaire [leʒɑ̃dɛʀ] *a* legendario(a); (*fig*) célebre, tradicional.
légende [leʒɑ̃d] *nf* leyenda; (*de carte, plan*) referencia.
léger, ère [leʒe, ɛʀ] *a* ligero(a), liviano(a); (*vent, brume, bruit, coup*) leve, ligero(a); (*erreur, retard*) leve; (*thé, boisson*) ligero(a); (*ton etc*) ligero(a), superficial; **à la légère** *ad* a la ligera; **légèrement** *ad* suavemente, levemente; (*parler, agir*) imprudentemente; **légèrement plus grand** levemente *o* ligeramente más grande; **légèreté** *nf* ligereza; liviandad *f.*
légiférer [leʒifeʀe] *vi* legislar.
légion [leʒjɔ̃] *nf* legión *f*; **~ étrangère** legión extranjera; **~naire** *nm* legionario.
législatif, ive [leʒislatif, iv] *a* legislativo(a).
législation [leʒislɑsjɔ̃] *nf* legislación *f.*
législature [leʒislatyʀ] *nf* legislatura.
légiste [leʒist(ə)] *a*: **médecin ~** médico forense.
légitime [leʒitim] *a* legítimo(a); **en état de ~ défense** en legítima defensa; **~ment** *ad* legítimamente; **légitimité** *nf* legitimidad *f.*
legs [lɛg] *nm* legado.
léguer [lege] *vt*: **~ qch à qn** legar algo a alguien.
légume [legym] *nm* legumbre *f*, hortaliza.
leitmotiv [lajtmɔtif] *nm* leitmotiv *m.*
lendemain [lɑ̃dmɛ̃] *nm*: **le ~** el día siguiente *o* después; **le ~ matin/soir** al día siguiente por la mañana/noche; **penser au ~** pensar en el mañana *o* porvenir; **sans ~** sin porvenir *o* futuro.
lénifiant, e [lenifjɑ̃, ɑ̃t] *a* consolador(ora), alentador(ora).

lent, e [lɑ̃, ɑ̃t] *a* lento(a), pausado(a); (*changement, administration*) lento(a); **~ement** *ad* lentamente; **~eur** *nf* lentitud *f.*
lentille [lɑ̃tij] *nf* lente *f;* (*BOT*) lenteja.
léopard [leɔpaʀ] *nm* leopardo.
lèpre [lɛpʀ(ə)] *nf* lepra; **lépreux, euse** *nm/f* leproso/a // *a* (*fig*) roñoso(a).
lequel [ləkɛl], **laquelle** [lakɛl], *mpl* **lesquels,** *fpl* **lesquelles** [lekɛl] (*avec à, de*: **auquel, duquel** *etc*) *pron* (*interrogatif*) cuál *m/f,* cuáles *m/fpl;* (*relatif*: *personne*) que, quien *m/f,* quienes *m/fpl,* el/la cual, los/las cuales, el/la que, los/las que; (: *chose*) que, el/la cual, los/las cuales, el/la que, los/las que // *a*: **auquel cas** en cuyo caso; **il prit un livre, ~ livre...** (él) tomó un libro que... .
les [le] *dét voir* **le.**
lesbienne [lɛsbjɛn] *nf* lesbiana.
lèse-majesté [lɛzmaʒɛste] *nf*: **crime de ~** crimen *m* de lesa majestad.
léser [leze] *vt* perjudicar.
lésion [lezjɔ̃] *nf* lesión *f.*
lesquels, lesquelles [lekɛl] *pron voir* **lequel.**
lessive [lesiv] *nf* (*poudre*) lejía; (*linge*) ropa a lavar; (*opération*) lavado; **faire la ~** lavar la ropa.
lessiver [lesive] *vt* lavar.
lest [lɛst] *nm* lastre *m.*
leste [lɛst(ə)] *a* ágil, ligero(a).
lester [lɛste] *vt* lastrar.
léthargie [letaʀʒi] *nf* letargo; **léthargique** *a* aletargado(a), letárgico(a).
lettre [lɛtʀ(ə)] *nf* letra; (*missive*) carta; **~s** *fpl* literatura; (*SCOL*) Filosofía y Letras; **à la ~** a la letra, al pie de la letra; **en toutes ~s** por extenso, sin abreviar; **~ anonyme** carta anónima; **~ de change** letra de cambio.
lettré, e [letʀe] *a* letrado(a).
leucémie [løsemi] *nf* leucemia.
leur [lœʀ] *dét* su, sus // *pron* les, (*avant un autre pronom à la 3ème personne*) se; **le(la) ~, les ~s** el(la) suyo(a), los(las) suyos(as); **à ~ approche** al acercarse (ellos(as)); **à ~ vue** a su vista; al verles.
leurre [lœʀ] *nm* cebo artificial; (*fig*) engaño, engañifa; **leurrer** *vt* embaucar, engañar.
levain [ləvɛ̃] *nm* levadura.
levant, e [ləvɑ̃, ɑ̃t] *a*: **soleil ~** sol *m* naciente // *nm*: **le L~** el Levante.
levé, e [lve] *a*: **être ~** estar levantado; **au pied ~** de improviso.
levée [lve] *nf* (*POSTES*) recogida; (*CARTES*) baza; **~ de boucliers** levantamiento, rebelión *f;* **~ du corps** levantamiento del cadáver; **~ d'écrou** liberación *f;* **~ de troupes** reclutamiento de tropas.
lever [lve] *vt* levantar; (*vitre, bras etc*) levantar, alzar; (*impôts*) recaudar; (*armée*) reclutar; (*fam*: *fille*) seducir // *vi* (*CULIN*) leudar // *nm*: **au ~** al amanecer; **se ~** *vi* levantarse; (*soleil*) salir; (*jour*) nacer; **ça va se ~** va a aclarar *o* despejar(se); **~ du jour** amanecer *m;* **~ du rideau** subida del telón; **~ de rideau** pieza de entrada; **~ du soleil** salida del sol.
levier [ləvje] *nm* palanca.
lévitation [levitɑsjɔ̃] *nf* levitación *f.*
lèvre [lɛvʀ(ə)] *nf* labio.
lévrier [levʀije] *nm* lebrel *m.*
levure [lvyʀ] *nf*: **~ de bière** levadura de cerveza; **~ de boulanger** levadura de pan.
lexicographie [lɛksikɔgʀafi] *nf* lexicografía.
lexique [lɛksik] *nm* léxico.
lézard [lezaʀ] *nm* lagarto.
lézarde [lezaʀd(ə)] *nf* grieta; **lézarder: se lézarder** *vi* agrietarse.
liaison [ljɛzɔ̃] *nf* relación *f;* (*RAIL, AVIAT etc*) comunicación *f;* (*PHONÉTIQUE*) enlace *m;* **entrer/être en ~ avec** entrar/estar en comunicación con; **~ radio/téléphonique** contacto radiofónico/telefónico.
liane [ljan] *nf* liana, bejuco.
liant, e [ljɑ̃, ɑ̃t] *a* sociable.

liasse [ljas] *nf* fajo.
Liban [libɑ̃] *nm*: **le** ~ el Líbano; **l~ais, e** *a, nm/f* libanés(esa).
libeller [libele] *vt*: ~ **(au nom de)** extender (a la orden de); (*lettre, rapport*) redactar.
libellule [libelyl] *nf* libélula.
libéral, e, aux [libeʀal, o] *a, nm/f* liberal (*m/f*); ~**iser** *vt* liberalizar; ~**isme** *nm* liberalismo.
libéralité [liberalite] *nf* don *m*, presente *m*.
libérateur, trice [libeʀatœʀ, tʀis] *a* liberador(ora) // *nm/f* libertador/ora.
libération [libeʀɑsjɔ̃] *nf* liberación *f*; licenciamiento.
libérer [libeʀe] *vt* liberar; (*pays, peuple*) libertar; (*soldat*) licenciar; (ÉCON) liberalizar; **se** ~ (*de rendez-vous*) liberarse; ~ **qn de** liberar a uno de.
libertaire [libɛʀtɛʀ] *a* libertario(a).
liberté [libɛʀte] *nf* libertad *f*; ~**s** *fpl* (*privautés*) libertades *fpl*, atrevimiento; **en** ~ **provisoire/surveillée/conditionnelle** en libertad provisoria/vigilada/condicional; ~ **de réunion/d'association** derecho de reunión/de asociación; ~ **de la presse/d'opinion** libertad de prensa/de opinión; ~ **d'esprit** libertad *o* independencia de juicio.
libertin, e [libɛʀtɛ̃, in] *a* libertino(a), disoluto(a).
libidineux, euse [libidinø, øz] *a* libidinoso(a), lujurioso(a).
libido [libido] *nf* libido *f*.
libraire [libʀɛʀ] *nm/f* librero/a.
librairie [libʀeʀi] *nf* librería.
libre [libʀ(ə)] *a* libre; (*propos*) licencioso(a), atrevido(a); (*manières*) desenvuelto(a), desembarazado(a); ~ **arbitre** libre arbitrio *o* albedrío; ~**-échange** *nm* librecambio; ~**ment** *ad* libremente; atrevidamente; ~**-service** *nm* auto-servicio.
librettiste [libʀetist(ə)] *nm/f* libretista *m/f*.
licence [lisɑ̃s] *nf* licencia; (*liberté*) libertinaje *m*; licencia; libertad *f*; **licencié, e** *nm/f* (SCOL): **licencié ès lettres/en droit** licenciado en letras/en derecho; (SPORT) poseedor/ora de una licencia.
licenciement [lisɑ̃simɑ̃] *nm* licenciamiento, despido.
licencier [lisɑ̃sje] *vt* licenciar, despedir; (*débaucher*) despedir.
licencieux, euse [lisɑ̃sjø, øz] *a* licencioso(a), disoluto(a).
lichen [likɛn] *nm* liquen *m*.
licorne [likɔʀn(ə)] *nf* unicornio.
licou [liku] *nm* cabestro.
lie [li] *nf* heces *fpl*.
lié, e [lje] *a* (*fig*) íntimo(a).
liège [ljɛʒ] *nm* corcho.
liégeois, e [ljeʒwa, az] *a*: **café** ~ helado de café con nata.
lien [ljɛ̃] *nm* ligadura, correa; (*analogie*) relación *f*, analogía; (*affectif, culturel*) vínculo, relación; ~ **de parenté** lazo de parentesco.
lier [lje] *vt* (*attacher*) atar; (*joindre*) unir, ligar; (*fig: unir*) unir, vincular; (CULIN) espesar; ~ **qch à** atar algo a; ligar algo a; ~ **conversation avec** entablar conversación con; **se** ~ **avec** relacionarse con.
lierre [ljɛʀ] *nm* hiedra.
liesse [ljɛs] *nf*: **être en** ~ estar alborozado(a).
lieu, x [ljø] *nm* lugar *m*, sitio; ~**x** *mpl*: **quitter les** ~**x** abandonar un sitio; (*endroit*): **être sur les** ~**x** estar en el escenario; **en** ~ **sûr** en lugar seguro; **en haut** ~ en las altas esferas; **en premier/dernier** ~ en primer/último lugar; **avoir** ~ ocurrir, efectuarse; **avoir** ~ **de** tener razones para; **tenir** ~ **de** hacer las veces de; **donner** ~ **à** dar lugar a; **au** ~ **de** en lugar de; ~ **commun** lugar común; ~ **de départ** punto *o* lugar de partida.
lieu-dit [ljødi] *nm* lugar denominado *o* llamado.
lieue [ljø] *nf* legua.
lieutenant [ljøtnɑ̃] *nm* teniente *m*.
lièvre [ljɛvʀ(ə)] *nm* liebre *f*.
liftier [liftje] *nm* ascensorista *m*.

ligament [ligamɑ̃] *nm* ligamento.
ligature [ligatyʀ] *nf* ligadura; **ligaturer** *vt* ligar.
lige [liʒ] *a*: **homme ~** (*péj*) hombre *m* incondicional.
ligne [liɲ] *nf* línea; **à la ~** aparte, en párrafo aparte; **entrer en ~ de compte** entrar en cuenta; **~ de but** línea de gol *o* meta; **~ d'horizon** línea del horizonte; **~ de mire** línea de mira; **émission à ~ ouverte** emisión *f* en línea abierta; **~ de touche** línea de banda.
lignée [liɲe] *nf* (*race, famille*) casta; (*postérité*) descendencia.
ligneux, euse [liɲø, øz] *a* leñoso(a).
lignite [liɲit] *nm* lignito.
ligoter [ligɔte] *vt* amarrar, atar.
ligue [lig] *nf* liga; **liguer** *vt*: **se liguer contre** aliarse contra.
lilas [lilɑ] *nm* lila.
limace [limas] *nf* babosa.
limaille [limɑj] *nf*: **~ de fer** limadura de hierro.
limande [limɑ̃d] *nf* gallo, platija.
lime [lim] *nf* lima; **~ à ongles** lima de uñas; **limer** *vt* limar; (*fig*: *prix*) reducir.
limier [limje] *nm* sabueso.
liminaire [liminɛʀ] *a* preliminar.
limitation [limitɑsjɔ̃] *nf* limitación *f*.
limite [limit] *nf* límite *m*; (*de terrain*) lindero, linde *m*; **vitesse/charge ~** velocidad/carga máxima; **date ~** fecha última.
limiter [limite] *vt* (*délimiter*) delimitar, demarcar; (*restreindre*) restringir, limitar.
limitrophe [limitʀɔf] *a* limítrofe, lindante; **~ de** confinante con.
limoger [limɔʒe] *vt* destituir, deponer.
limon [limɔ̃] *nm* limo, lodo.
limonade [limɔnad] *nf* limonada, gaseosa.
limpide [lɛ̃pid] *a* límpido(a).
lin [lɛ̃] *nm* lino.
linceul [lɛ̃sœl] *nm* mortaja.
linéaire [lineɛʀ] *a* lineal.
linge [lɛ̃ʒ] *nm* (*serviettes etc*) ropa blanca; (*pièce de tissu*) lienzo; (*aussi*: **~ de corps**) ropa interior; (*aussi*: **~ de toilette**) ropa blanca; (*lessive*) ropa sucia; **~ sale** ropa sucia; **~rie** *nf* lencería.
lingot [lɛ̃go] *nm* lingote *m*.
linguiste [lɛ̃gɥist(ə)] *nm/f* lingüista *m/f*.
linguistique [lɛ̃gɥistik] *a* lingüístico(a) // *nf* lingüística.
lino(léum) [linɔ(leɔm)] *nm* linóleo.
lion, ne [ljɔ̃, ɔn] *nm/f* león/ona; (*ASTRO*): **le L~** Leo; **être du L~** ser de Leo; **~ceau, x** *nm* cachorro de león.
lippu, e [lipy] *a* bezudo(a).
liquéfier [likefje] *vt* licuefacer; **se ~** *vi* licuefacerse.
liqueur [likœʀ] *nf* licor *m*.
liquide [likid] *a* líquido(a) // *nm* líquido; (*COMM*): **en ~** en líquido.
liquider [likide] *vt* liquidar.
liquidités [likidite] *nfpl* (*COMM*) liquidez *f*.
lire [liʀ] *nf* lira // *vt, vi* leer.
lis [lis] *nm* = **lys.**
Lisbonne [lisbɔn] *n* Lisboa.
liseré [lizʀe] *nm* ribete *m*.
liseron [lizʀɔ̃] *nm* enredadera, campánula.
liseuse [lizøz] *nf* cubierta.
lisez *vb voir* **lire.**
lisible [lizibl(ə)] *a* legible.
lisière [lizjɛʀ] *nf* linde *m*; (*de tissu*) orillo.
lisons *vb voir* **lire.**
lisse [lis] *a* liso(a); **lisser** *vt* alisar, pulir.
liste [list(ə)] *nf* lista.
lit [li] *vb voir* **lire** // *nm* cama; (*de rivière*) lecho; **se mettre au ~** meterse en la cama; **prendre le ~** guardar cama, meterse en la cama; **~ de camp** cama de campaña; **~ de feuilles** lecho de hojas.
litanie [litani] *nf* letanía, sarta.
literie [litʀi] *nf* ropa de cama.
lithographie [litɔgʀafi] *nf* litografía.
litière [litjɛʀ] *nf* cama de paja.

litige [litiʒ] *nm* litigio; **litigieux, euse** *a* discutido(a), litigoso(a).
litre [litʀ(ə)] *nm* litro; (*récipient*) botella de litro.
littéraire [liteʀɛʀ] *a* literario(a).
littéral, e, aux [liteʀal, o] *a* literal.
littérature [liteʀatyʀ] *nf* literatura.
littoral, e, aux [litɔʀal, o] *a, nm* litoral (*m*).
liturgie [lityʀʒi] *nf* liturgia; **liturgique** *a* litúrgico(a).
livide [livid] *a* lívido(a).
livraison [livʀɛzɔ̃] *nf* reparto, entrega.
livre [livʀ(ə)] *nm* (*gén*) libro // *nf* libra; ~ **de chevet** libro de cabecera; ~ **de messe** libro de misa, misal *m*; ~ **de poche** libro de bolsillo.
livré, e [livʀe] *a*: ~ **à soi-même** librado a sí // *nf* librea.
livrer [livʀe] *vt* (*COMM*) entregar, repartir; (*otage, coupable*) entregar; (*secret, information*) revelar, confiar; **se** ~ **à** (*se confier*) confiarse con; (*police etc, débauche etc, pratiques, travail*) entregarse a; (*sport*) dedicarse a; (*enquête*) efectuar; ~ **bataille** entablar *o* librar una batalla.
livret [livʀɛ] *nm* librito; (*d'opéra*) libreto; ~ **de caisse d'épargne** cartilla de ahorros; ~ **de famille** cartilla de familia; ~ **scolaire** libro escolar.
livreur, euse [livʀœʀ, øz] *nm/f* repartidor/ora.
lobe [lɔb] *nm* lóbulo.
lober [lɔbe] *vt* volear por alto.
local, e, aux [lɔkal, o] *a, nm* local (*m*); **locaux** *mpl* locales *mpl*.
localiser [lɔkalize] *vt* localizar; (*limiter*) circunscribir.
localité [lɔkalite] *nf* localidad *f*.
locataire [lɔkatɛʀ] *nm/f* inquilino/a.
locatif, ive [lɔkatif, iv] *a* a cuenta del inquilino; (*valeur*) del alquiler, de la locación; (*immeuble*) de alquiler.
location [lɔkɑsjɔ̃] *nf* alquiler *m*; ~-**vente** alquiler con opción a compra.
lock-out [lɔkawt] *nm inv* lock-out *m*.
locomotion [lɔkɔmosjɔ̃] *nf* locomoción *f*.
locomotive [lɔkɔmɔtiv] *nf* locomotora.
locution [lɔkysjɔ̃] *nf* frase *f*.
logarithme [lɔgaʀitm(ə)] *nm* logaritmo.
loge [lɔʒ] *nf* (*THÉÂTRE*) camarín *m*; (:*de spectateurs*) palco; (*de concierge*) conserjería; (*de franc-maçon*) logia.
logement [lɔʒmɑ̃] *nm* alojamiento; casa; **chercher un** ~ buscar una casa; **construire des** ~**s bon marché** construir viviendas económicas; **crise du** ~ crisis *f* de la vivienda; ~ **de fonction** alojamiento de servicio.
loger [lɔʒe] *vt* alojar; (*suj*: *hôtel, école*) alojar, albergar // *vi* alojarse; **se** ~: **trouver à se** ~ encontrar donde vivir; **se** ~ **dans** (*suj*: *balle, flèche*) alojarse *o* meterse en; **logeur, euse** *nm/f* hospedero/a, posadero/a.
loggia [lɔdʒja] *nf* loggia.
logique [lɔʒik] *a* lógico(a) // *nf* lógica; ~**ment** *ad* lógicamente.
logis [lɔʒi] *nm* casa.
logistique [lɔʒistik] *nf* logística.
loi [lwa] *nf* ley *f*; **faire la** ~ dictar la ley; ~-**cadre** *nf* estatuto, ley de bases.
loin [lwɛ̃] *ad* lejos; ~ **de** lejos de; **pas** ~ **de 1.000 F** no mucho menos de 1.000 F; **au** ~ (a lo) lejos; **de** ~ de lejos.
lointain, e [lwɛ̃tɛ̃, ɛn] *a* lejano(a) // *nm*: **dans le** ~ a lo lejos.
loir [lwaʀ] *nm* lirón *m*.
Loire [lwaʀ] *nf* Loira *m*.
loisir [lwaziʀ] *nm*: **heures de** ~ horas de ocio; ~**s** *mpl* tiempo libre; (*activités*) distracciones *fpl*; **prendre/avoir le** ~ **de**

tomarse/tener tiempo para; **(tout) à** ~ con (toda) tranquilidad.

londonien, ne [lɔ̃dɔnjɛ̃, ɛn] *a, nm/f* londinense (*m/f*).

Londres [lɔ̃dʀ(ə)] *n* Londres.

long, longue [lɔ̃, lɔ̃g] *a* largo(a) // *ad*: **en dire/savoir** ~ decir/saber mucho // *nm* largo // *nf*: **à la longue** a la larga; **ne pas faire** ~ **feu** durar poco; **être** ~ **à faire** ser lento para hacer; **en** ~ *ad* a lo largo; **(tout) le** ~ **de** a lo largo de; **tout au** ~ **de** (*année, vie*) a lo largo de; **de** ~ **en large** de un lado a otro; **en** ~ **et en large** (*fig*) a fondo; **navigation/capitaine au** ~ **cours** navegación *f*/capitán *m* de altura.

longanimité [lɔ̃ganimite] *nf* paciencia.

long-courrier [lɔ̃kuʀje] *nm* avión *m* de larga distancia.

longe [lɔ̃ʒ] *nf* (*corde*) cabestro, cadena; (CULIN) lomo.

longer [lɔ̃ʒe] *vt* bordear, costear; (*suj*: *mur, route*) bordear.

longévité [lɔ̃ʒevite] *nf* longevidad *f*.

longiligne [lɔ̃ʒiliɲ] *a* longilíneo(a).

longitude [lɔ̃ʒityd] *nf* longitud *f*.

longitudinal, e, aux [lɔ̃ʒitydinal, o] *a* longitudinal.

longtemps [lɔ̃tɑ̃] *ad* mucho tiempo, largamente; **avant** ~ dentro de poco; **pour/pendant** ~ por/durante mucho tiempo; **elle/il en a pour** ~ **(à)** (a ella/él) le queda mucho tiempo (antes de); **il y a** ~ **que je l'ai rencontré/je n'ai pas travaillé** hace mucho tiempo que le encontré/no trabajo.

longuement [lɔ̃gmɑ̃] *ad* largamente.

longueur [lɔ̃gœʀ] *nf* largo, longitud *f*; ~**s** *fpl* (*fig*) extensión *f*, largo; **une** ~ **(de piscine)** un largo (de piscina); **sur une** ~ **de 10 km** en una extensión de 10 km; **en** ~ *ad* a lo largo; **tirer en** ~ ir para largo; **à** ~ **de journée** durante todo el día; **d'une** ~ (SPORT) por un largo *o* cuerpo; ~ **d'onde** longitud de onda.

longue-vue [lɔ̃gvy] *nf* anteojo de larga vista.

lopin [lɔpɛ̃] *nm*: ~ **de terre** parcela de tierra.

loquace [lɔkas] *a* elocuente, locuaz.

loque [lɔk] *nf* pingajo, guiñapo; ~**s** *fpl* harapos, andrajos.

loquet [lɔkɛ] *nm* picaporte *m*.

lorgner [lɔʀɲe] *vt* echarle el ojo a; diquelar; codiciar.

lorgnon [lɔʀɲɔ̃] *nm* quevedos.

loriot [lɔʀjo] *nm* oropéndola.

lors [lɔʀ]: ~ **de** *prép* en el momento de; (*pendant*) durante; ~ **même que** aunque.

lorsque [lɔʀsk(ə)] *conj* cuando.

losange [lɔzɑ̃ʒ] *nm* rombo.

lot [lo] *nm* (*part*) lote *m*; (*de loterie*) premio; (*fig*: *destin*) suerte *f*.

loterie [lɔtʀi] *nf* lotería; rifa.

loti, e [lɔti] *a*: **bien** ~ favorecido; **mal** ~ desfavorecido.

lotion [losjɔ̃] *nf* loción *f*; ~ **après rasage** loción para después del afeitado; ~ **capillaire** tónico capilar.

lotir [lɔtiʀ] *vt* parcelar, lotear;

lotissement *nm terreno loteado para la construcción*; parcelación *f*.

loto [lɔto] *nm* lotería.

louage [lwaʒ] *nm*: **voiture de** ~ coche *m* de alquiler.

louange [lwɑ̃ʒ] *nf*: ~**s** *fpl* elogios, alabanzas; **à la** ~ **de** en elogio de.

louche [luʃ] *a* sospechoso(a), equívoco(a) // *nf* cucharón *m*.

loucher [luʃe] *vi* bizquear; (*fig*): ~ **sur** írsele los ojos tras de.

louer [lwe] *vt* alquilar; (*réserver*) reservar; (*faire l'éloge de*) alabar, elogiar; (*qualités*) alabar, encomiar; (*Dieu*) alabar; **"à** ~**"** "se alquila"; **se** ~ **de** felicitarse *o* congratularse de.

loufoque [lufɔk] *a* chiflado(a).

loulou [lulu] *nm* (*chien*) perrito faldero.

loup [lu] *nm* lobo; ~ **de mer** lobo marino.

loupe [lup] *nf* lupa; (MENUISERIE): ~ **de noyer** nudo de nogal.

louper [lupe] *vt* errar, fallar.

lourd, e [luʀ, uʀd(ə)] *a* pesado(a); (*démarche, gestes*) pesado(a), torpe; (*chaleur, temps*) pesado(a), bochornoso(a); (*tâche, impôts*) pesado(a), gravoso(a); (*parfum, vin*) fuerte // *ad*: **peser ~** pesar mucho; **~ de** (*conséquences, menaces*) cargado de; (*fatigue, sommeil*) lleno de; **~aud, e** *a* (*péj*) cachazudo(a), torpe; fastidioso(a), latoso(a); **~ement** *ad* pesadamente; (*fig*) fastidiosamente; **~eur** *nf* pesadez *f*; torpeza; **~eur d'estomac** pesadez de estómago.

loutre [lutʀ(ə)] *nf* nutria.

louve [luv] *nf* loba.

louveteau, x [luvto] *nm* lobezno; (*scout*) scout *m* joven.

louvoyer [luvwaje] *vi* bordear; (*fig*) andar con rodeos.

lover [lɔve]: **se ~** *vi* enroscarse.

loyal, e, aux [lwajal, o] *a* leal; **loyauté** *nf* lealtad *f*.

loyer [lwaje] *nm* alquiler *m*, arriendo; **~ de l'argent** interés *m* del dinero.

lu, lue [ly] *pp de* **lire**.

lubie [lybi] *nf* ventolera, antojo.

lubrifiant [lybʀifjɑ̃] *nm* lubricante *m*.

lubrifier [lybʀifje] *vt* lubricar.

lucarne [lykaʀn(ə)] *nf* claraboya, tragaluz *m*.

lucide [lysid] *a* lúcido(a).

luciole [lysjɔl] *nf* luciérnaga.

lucratif, ive [lykʀatif, iv] *a* lucrativo(a).

luette [lɥɛt] *nf* campanilla.

lueur [lɥœʀ] *nf* resplandor *m*; (*pâle*) luz, resplandor; (*fig*) chispa; relámpago.

luge [lyʒ] *nf* luge *f*.

lugubre [lygybʀ(ə)] *a* lúgubre.

lui [lɥi] *pron* (*objet indirect*) le, (*avant un autre pronom à la 3ème personne*) se; (*objet direct, avec prép: humain*) él *m*, ella *f*; (*: non humain ou animé, y compris pays*) lo; (*sujet*) él; **je la connais mieux que ~** (yo) la conozco mejor que a él; (*qu'il ne la connaît*) (yo) la conozco mejor que él; **avec ~** con él; (*réfléchi*) consigo; **~-même** él mismo; (*avec prép*) sí (mismo).

luire [lɥiʀ] *vi* brillar; relucir; resplandecer.

lumbago [lɔ̃bago] *nm* lumbago.

lumière [lymjɛʀ] *nf* luz *f*; (*fig*) aclaración *f*, esclarecimiento; **~s** *fpl* (*d'une personne*) luces *fpl*, ilustración *f*; **à la ~ électrique** con luz eléctrica; **faire de la ~** encender la luz; **faire (toute) la ~ sur** (*fig*) esclarecer; **mettre qch en ~** (*fig*) poner algo en evidencia.

luminaire [lyminɛʀ] *nm* lámpara.

lumineux, euse [lyminø, øz] *a* luminoso(a); (*éclairé*) iluminado(a); (*ciel, journée, couleur*) radiante, luminoso(a); (*fig: regard*) brillante, radiante; **luminosité** *nf* luminosidad *f*.

lunaire [lynɛʀ] *a* lunar.

lunatique [lynatik] *a* mudable.

lunch [lœntʃ] *nm* lunch *m*.

lundi [lœdi] *nm* lunes *m*; **le ~ 20 août** el lunes 20 de agosto.

lune [lyn] *nf* luna; **~ de miel** luna de miel.

luné, e [lyne] *a*: **bien/mal ~** de buen/mal humor.

lunette [lynɛt] *nf*: **~s** *fpl* gafas, anteojos; (*protectrices*) gafas; **~ d'approche** anteojo de larga vista; **~ arrière** (AUTO) ventana trasera, cristal trasero; **~ des cabinets** agujero del retrete; **~s noires** anteojos negros; **~s de soleil** gafas de sol.

lurette [lyʀɛt] *nf*: **il y a belle ~** hace tiempo *o* siglos.

luron, ne [lyʀɔ̃, ɔn] *nm/f* barbián/ana; **joyeux** *ou* **gai ~** juerguista *m*.

lustre [lystʀ(ə)] *nm* araña.

lustrer [lystʀe] *vt* lustrar; (*user*) gastar, lustrar por el uso.

luth [lyt] *nm* laúd *m*; **~ier** *nm* fabricante *m* de instrumentos de cuerda.

lutin [lytɛ̃] *nm* duende *m*.

lutrin [lytʀɛ̃] *nm* facistol *m.*
lutte [lyt] *nf* lucha; **lutter** *vi* luchar; **lutteur** *nm* luchador *m.*
luxe [lyks(ə)] *nm* lujo; **de ~** *a* de lujo.
Luxembourg [lyksɑ̃buʀ] *nm*: **le ~** Luxemburgo.
luxer [lykse] *vt*: **se ~ l'épaule** dislocarse el hombro.
luxueux, euse [lyksɥø, øz] *a* lujoso(a).
luxure [lyksyʀ] *nf* lujuria.
luxuriant, e [lyksyʀjɑ̃, ɑ̃t] *a* lujurioso(a).
luzerne [lyzɛʀn(ə)] *nf* alfalba.
lycée [lise] *nm* liceo; **~ technique** liceo *o* instituto técnico; **lycéen, ne** *nm/f* alumno/a de un liceo *o* instituto.
lymphatique [lɛ̃fatik] *a* (*fig*) linfático(a).
lymphe [lɛ̃f] *nf* linfa.
lyncher [lɛ̃ʃe] *vt* linchar.
lynx [lɛ̃ks] *nm* lince *m.*
lyre [liʀ] *nf* lira.
lyrique [liʀik] *a* lírico(a).
lyrisme [liʀism(ə)] *nm* lirismo.
lys [lis] *nm* lis *m.*

M

m' [ɛm] *pron voir* **me.**
M. [ɛm] *abrév de* **Monsieur.**
ma [ma] *dét voir* **mon.**
maboul [mabul] *a* chiflado(a).
macabre [makɑbʀ(ə)] *a* macabro(a), fúnebre.
macadam [makadam] *nm* macadán *m.*
macaron [makaʀɔ̃] *nm* macarrón *m*; (*natte*) rodete *m*; (*ornement, motif*) insignia.
macaroni [makaʀɔni] *nm* macarrones *mpl*; **~ au fromage/au gratin** macarrones con queso/gratinados.
macédoine [masedwan] *nf*: **~ de légumes/fruits** macedonia de verduras/frutas.
macérer [maseʀe] *vi* macerar.
mâché, e [mɑʃe] *a*: **papier ~** pasta de papel, papel *m* maché.
mâchefer [mɑʃfɛʀ] *nm* cagafierro, escoria mineral.
mâcher [mɑʃe] *vt* mascar, masticar; **~ le travail à qn** darle el trabajo servido a alguien; **ne pas ~ ses mots** no tener pelos en la lengua.
machiavélique [makjavelik] *a* maquiavélico(a).
machin [maʃɛ̃] *nm* (*fam*) chirimbolo, trasto; **M~** Fulano/a.
machinal, e, aux [maʃinal, o] *a* maquinal, mecánico(a).
machination [maʃinɑsjɔ̃] *nf* maquinación *f*, tejemaneje *m.*
machine [maʃin] *nf* máquina; **la ~ administrative** el aparato administrativo; **faire ~ arrière** dar marcha atrás; **~ à laver/coudre** máquina de lavar/coser; **~ à écrire** máquina de escribir; **~-outil** *nf* máquina herramienta; **~ à sous** máquina tragamonedas; **~ à tricoter** máquina de hacer punto; **~ à vapeur** máquina de vapor; **~rie** *nf* maquinaria; (*d'un navire*) sala de máquinas; **machinisme** *nm* maquinismo; **machiniste** *nm* operador *m*, tramoyista *m*; (*conducteur, mécanicien*) maquinista *m.*
mâchoire [mɑʃwaʀ] *nf* mandíbula; (*TECH*) mordaza, mandíbula; **~ de frein** zapata de freno.
mâchonner [mɑʃɔne] *vt* mordisquear.
maçon [masɔ̃] *nm* albañil *m*; **~ner** *vt* construir; mampostear; **~nerie** *nf* mampostería; **~nerie de briques** construcción *f* de ladrillos.
maçonnique [masɔnik] *a* masónico(a).
maculer [makyle] *vt* manchar.
Madame, *pl* **Mesdames** [madam, medam] *nf*: **~ X** la señora X; **occupez-vous de ~/Monsieur/Mademoiselle** atienda a la se-

ñora/al señor/a la señorita; **bonjour ~/Monsieur/Mademoiselle** buenos días señora/señor/señorita; **bonjour Mesdames/Messieurs/Mesdemoiselles** buenos días señoras/señores/señoritas; **~/Monsieur/Mademoiselle!** (*pour appeler*) ¡señora/señor/señorita!; **Mme/M./Mlle X** (*sur enveloppe*) la Sra/el Sr/la Srta X; **~/Monsieur/Mademoiselle** (*sur lettre*) estimada señora/estimado señor/estimada señorita; **chère ~/cher Monsieur/chère Mademoiselle** muy señora mía/señor mío/señorita mía.

madeleine [madlɛn] *nf* magdalena.

Mademoiselle, *pl* **Mesdemoiselles** [madmwazɛl, medmwazɛl] *nf* señorita; *voir aussi* **Madame.**

madère [madɛʀ] *nm* vino de Madera.

madone [madɔn] *nf* madona.

madré, e [madʀe] *a* pícaro(a), astuto(a).

Madrid [madʀid] *n* Madrid.

madrier [madʀije] *nm* tablón *m.*

madrigal, aux [madʀigal, o] *nm* madrigal *m.*

mafia [mafja] *nf* mafia.

magasin [magazɛ̃] *nm* negocio, tienda; (*entrepôt*) almacén *m,* depósito; (*d'une arme*) depósito; **magasinage** *nm* almacenaje *m;* **magasinier** *nm* almacenero.

magazine [magazin] *nm* revista; (*RADIO, TV*) emisión periódica.

mage [maʒ] *nm*: **les Rois M~s** los Reyes Magos.

magicien, ne [maʒisjɛ̃, jɛn] *nm/f* mago/a, hechicero/a.

magie [maʒi] *nf* magia, hechicería; (*séduction*) magia, hechizo.

magique [maʒik] *a* mágico(a).

magistral, e, aux [maʒistʀal, o] *a* magistral, maestro(a); (*ton*) magistral, doctoral; **enseignement/cours ~** enseñanza/clase *f* magistral.

magistrat [maʒistʀa] *nm* magistrado.

magistrature [maʒistʀatyʀ] *nf* magistratura; **la ~ assise** los jueces; **la ~ debout** los fiscales.

magma [magma] *nm* (*GÉO*) magma *m.*

magnanerie [maɲanʀi] *nf* criadero de gusanos de seda.

magnanime [maɲanim] *a* magnánimo(a).

magnat [magna] *nm* magnate *m.*

magner [maɲe]: **se ~** *vi* (*fam*) apurarse.

magnésie [maɲezi] *nf* magnesia.

magnésium [maɲezjɔm] *nm* magnesio.

magnétique [maɲetik] *a* magnético(a).

magnétiser [maɲetize] *vt* magnetizar.

magnétisme [maɲetism(ə)] *nm* magnetismo.

magnétophone [maɲetɔfɔn] *nm* magnetófono; **~ à cassettes** magnetófono a cassettes.

magnificence [maɲifisɑ̃s] *nf* magnificencia.

magnifier [magnifje] *vt* magnificar, ensalzar.

magnifique [maɲifik] *a* magnífico(a).

magnolia [maɲɔlja] *nm* magnolia.

magnum [magnɔm] *nm botella de dos litros.*

magot [mago] *nm* gato, hulla.

mai [mɛ] *nm* mayo.

maigre [mɛgʀ(ə)] *a* delgado(a), flaco(a); (*viande, fromage*) magro(a); (*repas, menu, végétation, moisson*) escaso(a), pobre; (*salaire, profit, résultat*) magro(a), exiguo(a) // *ad*: **faire ~** comer de vigilia; **jours ~s** días *mpl* de vigilia; **~let, te** *a* delgaducho(a); **maigreur** *nf* delgadez *f,* flacura; escasez *f;* **maigrir** *vi, vt* adelgazar; **maigrir de 5 kilos** adelgazar 5 kilos.

maille [mɑj] *nf* malla, punto; (*ouverture*) malla; **monter des ~s** montar puntos; **~ à l'endroit/à l'envers** punto de derecho/de revés.

maillet [mɑjɛ] *nm* mazo; (*de*

croquet) mazo, martillo.

maillon [mɑjɔ̃] *nm* eslabón *m*.

maillot [majo] *nm* (*de danseur*) malla, leotardo; (*tricot*) jersey *m*; (*lange de bébé*) pañal *m*, mantilla; ~ **une pièce/deux-pièces** traje de baño de una pieza/de dos piezas; ~ **de bain** traje de baño *m*; ~ **de corps** camiseta; ~ **jaune** (CYCLISME) camiseta amarilla.

main [mɛ̃] *nf* mano *f*; (*de papier*) *veinticinco hojas*; **la ~ dans la ~** cogidos(as) de la mano; **à deux/d'une ~(s)** con ambas/una mano(s); **se donner la ~** darse la mano; **donner la ~ à qn** dar la mano a uno; **tenir qch à la ~** tener algo en la mano; **avoir qch sous la ~** tener algo a mano; **fait à la ~** (*ouvrage*) hecho a mano; **haut les ~s!** ¡arriba las manos!, ¡manos arriba!; **à remettre en ~s propres** para entrega personal; **de première ~** de primera mano; **faire ~ basse sur qch** alzarse con algo; **mettre la dernière ~ à qch** dar el último toque a algo; **prendre qch en ~** (*fig*) tomar algo entre manos, ocuparse de algo; **donner un coup de ~ à qn** dar una mano a alguien; **forcer la ~ à qn** obligar a alguien; **se faire la ~** hacerse la mano; **perdre la ~** perder el tiento; **avoir une belle ~** (CARTES) tener buenas cartas; **à ~ droite/gauche** a mano derecha/izquierda; **à ~ levée** (ART: *dessin etc*) hecho(a) a pulso; **à ~s levées** (*voter*) a manos alzadas; ~ **courante** pasamanos *m inv*.

main-d'œuvre [mɛ̃dœvʀ(ə)] *nf* mano *f* de obra.

main-forte [mɛ̃fɔʀt(ə)] *nf*: **prêter ~ à qn** prestar ayuda a alguien.

mainmise [mɛ̃miz] *nf* dominio, potestad *f*.

maint, e [mɛ̃, mɛ̃t] *a*: **à ~es reprises** en muchas ocasiones; **~es fois** varias veces; **~es et ~es fois** millones de veces.

maintenant [mɛ̃tnɑ̃] *ad* ahora; (*désormais*) ahora, de ahora en adelante.

maintenir [mɛ̃tniʀ] *vt* (*retenir, soutenir*) mantener, contener; (*personne, animal*) mantener, sostener; (*conserver*) mantener, conservar; (*affirmer*) sostener, afirmar; **se ~** *vi* mantenerse; conservarse.

maintien [mɛ̃tjɛ̃] *nm* conservación *f*, mantenimiento; (*attitude*) actitud *f*, compostura.

maire [mɛʀ] *nm* alcalde *m*.

mairie [meʀi] *nf* ayuntamiento; (*administration*) alcaldía.

mais [mɛ] *conj* pero, mas; **il n'en a pas pris un, ~ deux** no tomó uno sino dos; **~ enfin** pero después de todo; ¡vamos!; **~ non!** ¡claro que no!; ¡qué va!

maïs [mais] *nm* maíz *m*.

maison [mɛzɔ̃] *nf* casa; (*famille*) familia, casa // *a inv*: **tarte ~** tarta casera; **à la ~** en casa; (*direction*) a casa; **~ de santé/de repos** casa de salud/reposo; **~ close/de passe** casa de trato/de citas; **~ de détail/de gros** casa minorista/mayorista; **~ d'arrêt** prisión *f*, carcel *f*; **la M~-Blanche** la Casa Blanca; **~ de campagne** casa de campo; **~ de correction** reformatorio; **~ des jeunes et de la culture** casa de los jovenes y de la cultura; **~ mère** casa matriz *o* central; **~ de retraite** asilo de ancianos; **~née** *nf* gente *f* de la casa, familia; **~nette** *nf* casita.

maître, esse [mɛtʀ(ə), tʀɛs] *nm/f* amo/a, jefe/a; (*propriétaire*) patrón/ona, dueño/a; (SCOL) maestro/a, profesor/ora // *nm* (*peintre etc*) maestro; (*titre*): **M~** Maestro // *nf* (*d'un amant*) amante *f* // *a* (*principal, essentiel*) maestro(a), principal; **voiture/maison de ~** coche *m*/casa de propiedad; **être ~ de** (*soi-même, situation*) dominar; **se rendre ~ de** (*pays, ville*) adueñarse de; (*situation, incendie*) dominar; **rester ~**

de la situation quedar dueño de la situación; **une maîtresse femme** toda una mujer; **être ~ à une couleur** (CARTES) estar fuerte en un palo; **~ d'armes** maestro de armas; **~ assistant** *nm/f* (SCOL) profesor/ora adjunto(a); **~ auxiliaire** *nm/f* (SCOL) auxiliar *m/f*; **~-chanteur** *nm* chantajista *m*; **~ de conférences** *nm/f* profesor/a; **~/maîtresse d'école** maestro/a de escuela; **~ d'hôtel** mayordomo; (*d'hôtel*) camarero principal; **~/maîtresse de maison** dueño/a de casa; **~ nageur** bañero; **~ queux** jefe *m* de cocina.

maîtrise [metʀiz] *nf* (*calme*) serenidad *f*, sangre fría; (*habileté*) maestría, habilidad *f*; (*suprématie*) imperio, dominio; (*diplôme*) magisterio, maestría; **maîtriser** *vt* dominar; (*cheval*) domar, amansar; (*forcené*) someter, dominar; (*émotion*) dominar, reprimir; **se maîtriser** contenerse, reprimirse.

majesté [maʒɛste] *nf* majestad *f*; **majestueux, euse** *a* majestuoso(a); imponente; solemne.

majeur, e [maʒœʀ] *a* mayor, importante; (JUR) mayor de edad // *nm/f* mayor *m/f* de edad // *nm* dedo medio; **en ~e partie** en su mayor parte; **la ~e partie de** la mayor parte de.

major [maʒɔʀ] *nm* (MIL) mayor *m*, médico militar; **~ de la promotion** primero/a de la promoción.

majoration [maʒɔʀɑsjɔ̃] *nf* aumento; recargo.

majordome [maʒɔʀdɔm] *nm* mayordomo.

majorer [maʒɔʀe] *vt* aumentar, recargar.

majorette [maʒɔʀɛt] *nf* bastonera.

majoritaire [maʒɔʀitɛʀ] *a* mayoritario(a); (JUR) *que posee la mayoría de las acciones*; **système/scrutin ~** sistema/escrutinio mayoritario.

majorité [maʒɔʀite] *nf* mayoría; (JUR) mayoría de edad.

Majorque [majɔʀk] *nf* Mallorca.

majuscule [maʒyskyl] *nf* mayúscula // *a* mayúsculo(a).

mal, maux [mal, mo] *nm* (*opposé à bien*) mal *m*; (*tort*) mal, desgracia; (*douleur physique*) mal, dolor *m*; (*maladie*) enfermedad *f*, mal; (*difficulté, peine*) trabajo, esfuerzo; (*souffrance morale*) mal, calamidad *f* // *ad* mal // *a*: **c'est ~ (de faire)** es malo (hacer); **aller ~** estar malo(a); **être ~** (*mal à son aise*) estar incómodo(a); **être ~ avec qn** andar a malas con uno; **dire du ~ de** hablar mal de; **ne voir aucun ~ à** no ver ningún mal en; **craignant ~ faire** temiendo mal hacer; **sans songer à ~** sin mal pensar; **faire du ~ à qn** hacer mal *o* daño a alguien; **se faire ~** hacerse daño, lastimarse; **se faire ~ au pied** lastimarse el pie; **ça fait ~** hace mal *o* daño; **j'ai ~ (ici/au dos)** me duele (aquí/la espalda); **avoir ~ à la tête/aux dents** tener dolor de cabeza/de muelas; **avoir ~ au cœur** tener náuseas; **avoir le ~ de l'air** marearse (*en un avión*); **avoir le ~ du pays** sentir nostalgia; **prendre ~** ponerse enfermo(a); **être au plus ~** estar muy mal *o* grave; **être ~ en point** estar bastante mal; **~ de mer** mareo; **maux de ventre** dolor *m* de estómago.

malade [malad] *a* enfermo(a), malo(a); (*poitrine, gorge*) enfermo(a), afectado(a); (*plante*) enfermo(a); (*fig*) en mal estado, caduco(a) // *nm/f* enfermo/a, paciente *m/f*; **tomber ~** caer enfermo(a); **être ~ du cœur** ser enfermo(a) del corazón, sufrir del corazón; **grand ~** enfermo/a grave; **~ mental** enfermo/a mental; **maladie** *nf* enfermedad *f*, mal *m*; (*fig*: *manie*) enfermedad, manía; **maladie de peau** enfermedad de la piel; **maladif, ive** *a* enfermizo(a), achacoso(a); (*pâleur*) enfermizo(a); (*curiosité, besoin*) enfermizo(a), morboso(a).

maladresse [maladʀɛs] *nf* torpeza; imprudencia.
maladroit, e [maladʀwa, wat] *a* torpe.
malaise [malɛz] *nm* malestar *m*; **malaisé, e** *a* trabajoso(a).
malappris, e [malapʀi, iz] *nm/f* malcriado/a.
malaria [malaʀja] *nf* malaria, paludismo.
malavisé, e [malavize] *a* atolondrado(a), imprudente.
malaxer [malakse] *vt* amasar.
malchance [malʃɑ̃s] *nf*: **la ~** la mala suerte *o* adversidad; (*mésaventure*) desgracia; **par ~** por desgracia; **malchanceux, euse** *a* desafortunado(a).
malcommode [malkɔmɔd] *a* incómodo(a).
maldonne [maldɔn] *nf* (CARTES) cartas mal dadas.
mâle [mɑl] *nm* macho // *a* varón; (*animal,* TECH) macho; (*viril*: *voix, traits*) varonil, viril; **prise ~** (ÉLEC) clavija.
malédiction [malediksjɔ̃] *nf* maldición *f*, imprecación *f*; (*fatalité, malchance*) infortunio, fatalidad *f*.
maléfice [malefis] *nm* maleficio.
maléfique [malefik] *a* maléfico(a).
malencontreux, euse [malɑ̃kɔ̃tʀø, øz] *a* nefasto(a), desafortunado(a).
malentendu [malɑ̃tɑ̃dy] *nm* malentendido, error *m*.
malfaçon [malfasɔ̃] *nf* defecto, imperfección *f*.
malfaisant, e [malfəzɑ̃, ɑt] *a* (*être*) maligno(a); (*bête*) dañino(a); (*idées etc*) nocivo(a), pernicioso(a).
malfaiteur [malfɛtœʀ] *nm* malhechor *m*, delincuente *m*.
malfamé, e [malfame] *a* de mala fama.
malformation [malfɔʀmɑsjɔ̃] *nf* malformación *f*.
malfrat [malfʀɑ] *nm* malhechor *m*.
malgré [malgʀe] *prép* contra la voluntad de, a pesar de; (*en dépit de*) a pesar de, pese a; **~ soi/lui** a pesar suyo; **~ tout** *ad* a pesar de todo.
malhabile [malabil] *a* inhabil, torpe.
malheur [malœʀ] *nm* desgracia; **~eux, euse** *a* infortunado(a); desgraciado(a), desdichado(a); (*misérable, pauvre*): **la ~euse victime** la pobre víctima; (*insignifiant*) mísero(a) // *nm/f* desgraciado/a; infeliz *m/f*; miserable *m/f*.
malhonnête [malɔnɛt] *a* deshonesto(a); **~té** *nf* deshonestidad *f*.
malice [malis] *nf* picardía, broma; **par ~** por maldad *o* bellaquería; **sans ~** sin maldad; **malicieux, euse** *a* pícaro(a), malicioso(a).
malin, igne [malɛ̃, iɲ] *a* (*futé*: *f gén*: **maline**) vivo(a), astuto(a); (MÉD) maligno(a).
malingre [malɛ̃gʀ(ə)] *a* enteco(a), canijo(a).
malintentionné, e [malɛ̃tɑ̃sjɔne] *a* malintencionado(a).
malle [mal] *nf* baúl *m*, maleta; (AUTO): **~ arrière** baúl, maletero.
malléable [maleabl(ə)] *a* maleable.
malle-poste [malpɔst(ə)] *nf* coche *m* de correo.
mallette [malɛt] *nf* maletín *m*.
malmener [malmәne] *vt* maltratar; (*fig*) dejar maltrecho(a).
malodorant, e [malɔdɔʀɑ̃, ɑ̃t] *a* maloliente, hediondo(a).
malotru [malɔtʀy] *nm* grosero, patán *m*.
malpoli, e [malpɔli] *nm/f* mal educado/a.
malpropre [malpʀɔpʀ(ə)] *a* sucio(a), desaseado(a); (*travail*) improlijo(a), mal hecho(a); (*histoire, plaisanterie*) sucio(a), indecente; (*malhonnête*) indecente, deshonesto(a); **~té** *nf* suciedad *f*; indecencia.
malsain, e [malsɛ̃, ɛn] *a* malsano(a).
malséant, e [malseɑ̃, ɑ̃t] *a* descortés, incorrecto(a).
malt [malt] *nm* malta.

maltraiter [maltʀete] *vt* maltratar; (*critiquer*) demoler, menoscabar.
malveillance [malvɛjɑ̃s] *nf* (*animosité*) malevolencia, ojeriza; (*intention de nuire*) malignidad *f*, mala intención.
malveillant, e [malvɛjɑ̃, ɑ̃t] *a* malvado(a), malévolo(a); (*regard, propos*) maligno(a), hostil.
malvenu, e [malvəny] *a*: **être ~ de/à faire qch** no tener derecho para/de hacer algo.
malversation [malvɛʀsɑsjɔ̃] *nf* malversación *f*.
maman [mamɑ̃] *nf* mamá.
mamelle [mamɛl] *nf* teta, mama.
mamelon [mamlɔ̃] *nm* pezón *m*; (*colline*) montecillo.
mammifère [mamifɛʀ] *nm* mamífero.
mammouth [mamut] *nm* mamut *m*.
manche [mɑ̃ʃ] *nf* manga; (*d'un jeu*) mano *f* // *nm* mango; (*de violon, guitare*) mástil *m*, mango; (*fam*) zopenco; **~ à air** manguera de ventilación; **~ à balai** palo de escoba; (AVIAT) palanca de gobierno.
Manche [mɑ̃ʃ] *nf*: **la ~** el Canal de la Mancha.
manchette [mɑ̃ʃɛt] *nf* puño; (*coup*) golpe dado con el antebrazo; (*titre*) titular *m*.
manchon [mɑ̃ʃɔ̃] *nm* (*de fourrure*) manguito; **~ (à incandescence)** camisa (incandescente).
manchot [mɑ̃ʃo] *nm* manco; (ZOOL) pájaro bobo *o* niño.
mandarine [mɑ̃daʀin] *nf* mandarina.
mandat [mɑ̃da] *nm* mandato; (*postal*) giro; **~ d'arrêt/de dépôt/d'amener** orden *f* de detención/de prisión/de comparecer; **~ télégraphique** giro telegráfico; **~aire** [mɑ̃datɛʀ] *nm/f* mandatario/a, delegado/a; **~-carte** *nm giro que se envía como tarjeta postal*; **~-lettre** *nm* giro postal.
mander [mɑ̃de] *vt* anunciar, informar.
mandibule [mɑ̃dibyl] *nf* mandíbula.
mandoline [mɑ̃dɔlin] *nf* mandolina.
manège [manɛʒ] *nm* picadero; (*à la foire*) tiovivo; (*fig*) embrollo, maniobra; **faire un tour de ~** dar una vuelta en tiovivo; **~ de chevaux de bois** tiovivo, caballitos.
manette [manɛt] *nf* palanca, mando.
manganèse [mɑ̃ganɛz] *nm* manganeso.
mangeable [mɑ̃ʒabl(ə)] *a* comestible; (*juste bon à manger*) comible, comestible.
mangeoire [mɑ̃ʒwaʀ] *nf* comedero.
manger [mɑ̃ʒe] *vt* comer; (*ronger*: *suj*: *rouille etc*) carcomer; (*consommer*: *suj*: *poêle etc*) consumir; (*fortune etc*) despilfarrar, comerse // *vi* comer.
mangouste [mɑ̃gust(ə)] *nf* mangosta.
mangue [mɑ̃g] *nf* mango.
maniable [manjabl(ə)] *a* (*outil*) manuable; (*voiture, voilier*) manuable, manejable.
maniaque [manjak] *a* maniático(a); maníaco(a) // *nm/f* maníaco/a.
manie [mani] *nf* manía.
manier [manje] *vt* manejar; (*peuple, foule*) conducir, manejar; **maniement** *nm* manejo; **maniement d'armes** manejo de las armas.
manière [manjɛʀ] *nf* manera, modo; (*genre, style*) género, estilo; **~s** *fpl* (*attitude*) maneras, modales *mpl*; **de ~ à** para, con objeto de; **de telle ~ que** de tal modo *o* manera que; **de cette ~** de este modo, de esta manera; **d'une ~ générale** en general, por regla; **de toute ~** de todos modos, de todas maneras; **d'une certaine ~** en cierto sentido; **manquer de ~s** carecer de educación *o* buenos modales; **faire**

des ~s andar con remilgos; **sans ~s** sin ceremonias; **employer la ~ forte** emplear la fuerza, forzar; **complément/adverbe de ~** complemento/adverbio de modo; **maniéré, e** *a* afectado(a), amanerado(a).

manifestant, e [manifɛstɑ̃, ɑ̃t] *nm/f* manifestante *m/f*.

manifestation [manifɛstɑsjɔ̃] *nf* manifestación *f*.

manifeste [manifɛst(ə)] *a* manifiesto(a), evidente // *nm* manifiesto.

manifester [manifɛste] *vt* (*volonté, intentions*) manifestar, declarar; (*joie, peur*) manifestar, mostrar // *vi* manifestar; **se ~** *vi* manifestarse, mostrarse; (*personne*) presentarse, manifestarse.

manigance [manigɑ̃s] *nf* treta, artimaña; **manigancer** *vt* maquinar, tramar.

manioc [manjɔk] *nm* mandioca.

manipuler [manipyle] *vt* manipular; (*comptes etc*) alterar; (*fig*) manejar.

manivelle [manivɛl] *nf* manivela.

manne [man] *nf* maná *m*.

mannequin [mankɛ̃] *nm* maniquí *m*; (MODE: *femme*) modelo *f*; **taille ~** talla maniquí.

manœuvre [manœvʀ(ə)] *nf* maniobra // *nm* peón *m*.

manœuvrer [manœvʀe] *vt* maniobrar, manejar; (*personne*) manejar // *vi* maniobrar.

manoir [manwaʀ] *nm* casa solariega.

manomètre [manɔmɛtʀ(ə)] *nm* manómetro.

manque [mɑ̃k] *nm* falta, carencia; **~s** *mpl* (*lacunes*) omisiones *fpl*, lagunas; **par ~ de** por falta de; **~ à gagner** lucro cesante.

manqué, e [mɑ̃ke] *a*: **garçon ~** marimacho.

manquement [mɑ̃kmɑ̃] *nm*: **~ à** (*infraction à*) transgresión *f* a.

manquer [mɑ̃ke] *vi* faltar // *vt* (*coup, photo, objectif*) fallar, errar; (*personne*) no encontrar; (*cours, rendez-vous*) faltar a, perder; (*occasion*) perder // *vb impersonnel*: **il (nous) manque encore 100 F** todavía (nos) faltan 100 F; **il manque des pages (au livre)** faltan unas páginas (al libro); **le pied lui manqua** perdió el pie; **la voix lui manqua** se enmudeció; **~ à qn** (*absent etc*): **il/cela me manque** le/lo echo de menos; **~ à** faltar a; **~ de** carecer de; **ne pas ~ de faire** no dejar de hacer; **~ (de) faire: il a manqué (de) se tuer** por poco se mató; **il ne manquait plus que ça!** ¡no faltaba más!, ¡eso faltaba!; **je n'y manquerai pas** no faltaré.

mansarde [mɑ̃saʀd(ə)] *nf* tejado; (*chambre*) desván *m*, buharda; **mansardé, e** *a*: **chambre mansardée** habitación *f* en el desván.

mansuétude [mɑ̃sɥetyd] *nf* mansedumbre *f*.

mante [mɑ̃t] *nf*: **~ religieuse** santateresa.

manteau, x [mɑ̃to] *nm* abrigo; (*de cheminée*) campana.

mantille [mɑ̃tij] *nf* mantilla.

manucure [manykyʀ] *nf* manicura.

manuel, le [manɥɛl] *a, nm* manual (*m*).

manufacture [manyfaktyʀ] *nf* manufactura; **manufacturé, e** *a* manufacturado(a); **manufacturier, ière** *nm/f* fabricante *m/f*, manufacturero/a.

manuscrit, e [manyskʀi, it] *a* manuscrito(a) // *nm* manuscrito.

manutention [manytɑ̃sjɔ̃] *nf* (COMM) manipulado; (*local*) depósito.

mappemonde [mapmɔ̃d] *nf* (*plane*) mapamundi *m*, planisferio; (*sphère*) globo terráqueo.

maquereau, x [makʀo] *nm* (ZOOL) caballa; (*fam*) rufián *m*.

maquerelle [makʀɛl] *nf* (*fam*) *patrona de casa de trato*.

maquette [makɛt] *nf* maqueta;

(*d'une page illustrée*) boceto.
maquillage [makijaʒ] *nm* maquillaje *m*; falsificación *f*.
maquiller [makije] *vt* (*personne, visage*) maquillar; (*passeport*) adulterar, falsificar; (*vérité, statistique*) falsear, adulterar; (*voiture volée*) disfrazar, maquillar; **se ~** maquillarse.
maquis [maki] *nm* (*GÉO*) monte *m*; (*MIL*) maquis *m*, resistencia; **~ard** [makizaʀ] *nm* guerrillero.
marabout [maʀabu] *nm* (*ZOOL*) marabú *m*.
maraîcher, ère [maʀeʃe, maʀɛʃɛʀ] *a* hortense // *nm/f* hortelano/a.
marais [maʀɛ] *nm* pantano; **~ salant** salina.
marasme [maʀasm(ə)] *nm* (*ÉCON*) marasmo, crisis *f*; (*apathie*) abatimiento, postración *f*.
marathon [maʀatɔ̃] *nm* maratón *f*.
marâtre [maʀɑtʀ(ə)] *nf* madrastra.
maraude [maʀod] *nf* ratería; vagabundeo; **en ~** de vagabundo; de ronda.
maraudeur [maʀodœʀ] *nm* merodeador *m*.
marbre [maʀbʀ(ə)] *nm* mármol *m*; (*statue de marbre*) estatua de mármol; (*TYPOGRAPHIE*) platina; **marbrer** *vt* (*surface*) jaspear; (*peau*) amoratar; **marbrier** *nm* marmolista *m*.
marc [maʀ] *nm* (*de raisin, pommes*) orujo; **~ de café** poso del café.
marcassin [maʀkasɛ̃] *nm* jabato.
marchand, e [maʀʃɑ̃, ɑ̃d] *nm/f* comerciante *m/f*, vendedor/ora; (*spécifique*): **~ de...** comerciante en... // *a* (*NAUT*) mercante; **prix ~** precio corriente; **valeur ~e** valor *m* comercial; **~ de biens** agente inmobilario; **~ de couleurs** droguero; **~ de sable** (*fig*) genio fabuloso que les trae el sueño a los niños; **~/~e de fruits** frutero/a; **~/~e de journaux** vendedor/ora de periódicos; **~/~e de légumes** verdulero/a; **~/~e de poisson** pescadero/a; **~e des quatre saisons** verdulera.
marchander [maʀʃɑ̃de] *vt* (*article*) regatear // *vi* escatimar.
marchandise [maʀʃɑ̃diz] *nf* mercancía.
marche [maʀʃ(ə)] *nf* marcha; (*d'escalier*) escalón *m*, peldaño; **à une heure de ~** a una hora de camino; **dans le sens de la ~** (*RAIL*) de frente a la máquina; **en ~** en marcha; **ouvrir/fermer la ~** abrir/cerrar la marcha; **~ arrière** marcha atrás; **faire ~ arrière** echar marcha atrás; **~ à suivre** pasos a seguir; (*sur notice*) método.
marché [maʀʃe] *nm* mercado; (*transaction*) negocio, trato; **par-dessus le ~** por añadidura; **~ des changes/valeurs** mercado de cambios/valores; **~ aux fleurs/poissons** mercado de flores/pescado; **M~ Commun** Mercado Común; **~ noir** mercado negro; **faire du ~ noir** vender clandestinamente, hacer mercado negro; **~ aux puces** mercado de pulgas; **~ du travail** bolsa del trabajo.
marchepied [maʀʃəpje] *nm* estribo.
marcher [maʀʃe] *vi* marchar, caminar; (*se promener*) caminar, marchar; (*voiture, train*) marchar, andar; (*fonctionner*) marchar, funcionar; (*affaire, études*) marchar, prosperar; (*fam*) aceptar, acceder; tragarse, creerse; **~ sur** caminar por *o* en; (*mettre le pied sur*) pisar; (*MIL*) avanzar hacía; **~ dans** (*herbe etc*) caminar en; (*flaque*) meterse en; **faire ~ qn** tomar el pelo a alguien; **marcheur, euse** *nm/f* andarín/ina, andariego/a.
mardi [maʀdi] *nm* martes *m*; **M~ gras** martes de carnaval.
mare [maʀ] *nf* charca; **~ de sang** charco de sangre.
marécage [maʀekaʒ] *nm* terreno pantanoso; **marécageux, euse** *a* pantanoso(a).

maréchal, aux [marefal, o] *nm* mariscal *m*; ~ **des logis** (*MIL*) sargento.
maréchal-ferrant [marefalfɛrɑ̃] *nm* herrador *m*.
maréchaussée [marefose] *nf* policía.
marée [mare] *nf* marea; (*poissons*) pescado y mariscos frescos; ~ **haute/basse** marea alta/baja; ~ **d'équinoxe** marea de equinoccio; ~ **descendante** reflujo; ~ **montante** flujo.
marelle [marɛl] *nf*: **jouer à la** ~ jugar a la rayuela *o* al tejo.
marémotrice [maremɔtris] *a* maremotriz.
mareyeur, euse [marɛjœr, øz] *nm/f* mayorista *m/f* de pescado y mariscos.
margarine [margarin] *nf* margarina.
marge [marʒ(ə)] *nf* margen *m*; **en** ~ **(de)** al margen (de); ~ **bénéficiaire** margen de ganancia.
margelle [marʒɛl] *nf* brocal *m*.
marginal, e, aux [marʒinal, o] *a* marginal.
marguerite [margərit] *nf* margarita.
marguillier [margije] *nm* capiller *m*.
mari [mari] *nm* marido, esposo.
mariage [marjaʒ] *nm* matrimonio; (*noce*) boda, casamiento; (*fig*) asociación *f*, combinación *f*; ~ **civil/religieux** casamiento civil/religioso; ~ **de raison/d'amour** casamiento por interés/amor.
marié, e [marje] *a* casado(a) // *nm/f* novio/a.
marier [marje] *vt* casar; (*fig*) combinar, unir; **se** ~ **(avec)** casarse con.
marin, e [marɛ̃, in] *a* marino(a); (*carte, lunette*) náutico(a) // *nm* (*navigateur*) marino; (*matelot*) marinero // *nf* marina; **avoir le pied** ~ tener pie marino; ~**e de guerre/marchande** marina de guerra/mercante.
marinade [marinad] *nf* escabeche *m*, adobo.
marine [marin] *af, nf voir* **marin** // *a inv* azul marino // *nm* (*MIL*) soldado de marina.
mariner [marine] *vt* (*gén*: **faire** ~) escabechar, adobar // *vi* estar en escabeche *o* adobo.
marinier [marinje] *nm* gabarrero.
marionnette [marjɔnɛt] *nf* marioneta, títere *m*.
maritime [maritim] *a* marítimo(a).
marjolaine [marʒɔlɛn] *nf* mejorana.
mark [mark] *nm* marco.
marmaille [marmɑj] *nf* (*péj*) pandilla.
marmelade [marməlad] *nf* mermelada.
marmite [marmit] *nf* marmita, olla.
marmiton [marmitɔ̃] *nm* marmitón *m*, pinche *m* de cocina.
marmonner [marmɔne] *vt* mascullar, barbotar.
marmot [marmo] *nm* rapaz *m*, crío.
marmotte [marmɔt] *nf* marmota.
marmotter [marmɔte] *vt* (*prière*) musitar, mascullar.
Maroc [marɔk] *nm* Marruecos *m*; **m**~**ain,** e *a, nm/f* marroquí (*m/f*).
maroquinerie [marɔkinri] *nf* marroquinería; artículos de cuero.
marotte [marɔt] *nf* manía, chifladura.
marquant, e [markɑ̃, ɑ̃t] *a* notable, relevante.
marque [mark(ə)] *nf* (*empreinte, signe distinctif*) marca, señal *f*; (*initiales*: *sur linge*) marca, inicial *f*; (*de doigts etc*) marca, huella; (*d'une fonction etc*) insignia, distintivo; (*LING*) signo; (*fig*: *d'affection etc*) muestra; (*SPORT, JEU*: *décompte des points*) marcador *m*; (*COMM*) marca; **à vos** ~**s!** (*SPORT*) ¡a sus marcas!; **de** ~ *a* (*COMM*) de marca; (*fig*) insigne, de renombre; ~ **déposée** marca

registrada; ~ **de fabrique** marca de fábrica.
marqué, e [marke] *a* marcado(a); (*visage*) envejecido(a), arrugado(a); (*fig*) pronunciado(a), acentuado(a).
marquer [marke] *vt* marcar; (*inscrire*) anotar; (*suj*: *chose*: *laisser une trace sur*) dejar una marca en; (*fig*: *personne*) afectar, impresionar; (*limite etc*) marcar, señalar; (*suj*: *instrument*) marcar, indicar; (*JEU*: *enregistrer*: *points*) anotar, marcar; (*SPORT*: *but etc*) marcar, lograr; (: *joueur*) marcar; (*manifester*: *refus, intérêt*) señalar, manifestar // *vi* (*tampon, coup*) dejar marca; (*événement, personnalité*) dejar marca *o* impronta; ~ **qch de/à/par** señalar algo con; ~ **les points** (*tenir la marque*) marcar los puntos.
marqueterie [markətri] *nf* marquetería, taracea.
marquis, e [marki, iz] *nm/f* marqués/esa // *nf* (*auvent*) marquesina.
marraine [marɛn] *nf* madrina.
marrant, e [marɑ̃, ɑ̃t] *a* (*fam*) divertido(a), chistoso(a); (: *bizarre*) sorprendente, insólito(a).
marre [mar] *ad* (*fam*): **en avoir ~ de** estar harto(a) de.
marrer [mare] *vi* (*fam*): **se ~** desternillarse de risa.
marron [marɔ̃] *nm* (*fruit*) castaña; (*couleur*) marrón *m*, castaño // *a inv* marrón *inv*, castaño(a); **esclave ~** esclavo cimarrón; **~s glacés** marrons glacés, castañas confitadas; **~nier** [marɔnje] *nm* castaño.
mars [mars] *nm* marzo.
Marseille [marsɛj] *n* Marsella.
marsouin [marswɛ̃] *nm* marsopa.
marteau, x [marto] *nm* martillo; (*de piano*) macillo; (*de porte*) aldaba; **~-piqueur** martillo neumático.
martel [martɛl] *nm*: **se mettre ~ en tête** quemarse la sangre.
marteler [martəle] *vt* martillar.
martial, e, aux [marsjal, o] *a* marcial.
martien, ne [marsjɛ̃, jɛn] *a* marciano(a).
martinet [martinɛ] *nm* disciplinas; (*ZOOL*) vencejo.
martingale [martɛ̃gal] *nf* (*COUTURE*) martingala.
Martinique [martinik] *nf*: **la ~** Martinica.
martin-pêcheur [martɛ̃pɛʃœr] *nm* martín pescador *m*.
martre [martr(ə)] *nf* marta.
martyr, e [martir] *nm/f* mártir *m/f*.
martyre [martir] *nm* martirio.
martyriser [martirize] *vt* martirizar, atormentar.
marxisme [marksism(ə)] *nm* marxismo.
mascarade [maskarad] *nf* máscara, disfraz *m*; (*hypocrisie*) mascarada, bufonada.
mascotte [maskɔt] *nf* mascota.
masculin, e [maskylɛ̃, in] *a* masculino(a) // *nm* masculino.
masochisme [mazɔʃism(ə)] *nm* masoquismo.
masque [mask(ə)] *nm* máscara; (*d'escrime, de soudeur*) careta, pantalla; (*MÉD*) mascarilla; ~ **à gaz** careta antigás.
masqué, e [maske] *a* enmascarado(a).
masquer [maske] *vt* ocultar, disimular; (*vérité, projet*) disimular, encubrir; (*goût, odeur*) cubrir.
massacre [masakr(ə)] *nm* masacre *f*, exterminio.
massacrer [masakre] *vt* exterminar; (*fig*: *texte etc*) arruinar, estropear.
massage [masaʒ] *nm* masaje *m*.
masse [mas] *nf* masa; (*de cailloux, documents*) montón *m*, cúmulo; (*d'un édifice, navire*) mole *f*; (*péj*): **la ~** la masa, el pueblo; **~s** *fpl* masas; **la grande ~ des...** la gran mayoría de los(las)...; **en ~** *ad* en masa, todos juntos // *a* en serie.

masser [mase] *vt* (*assembler*) aglomerar, amontonar; (*personne, jambe*) masajear; **se ~** *vi* aglomerarse, concentrarse; **masseur, euse** *nm/f* masajista *m/f* // *nm* (*appareil*) vibrador *m.*

massif, ive [masif, iv] *a* (*porte, visage*) macizo(a), sólido(a); (*bois, or*) compacto(a), macizo(a); (*dose, départs*) masivo(a) // *nm* macizo.

massue [masy] *nf* maza, garrote *m*; **argument ~** argumento contundente.

mastic [mastik] *nm* masilla.

mastiquer [mastike] *vt* masticar, mascar; (*fente, vitre*) enmasillar.

masturbation [mastyʀbɑsjɔ̃] *nf* masturbación *f.*

masure [mazyʀ] *nf* covacha, tugurio.

mat, e [mat] *a* (*couleur, métal, teint*) mate, opaco(a); (*bruit, son*) sordo(a) // *a inv* (ÉCHECS) mate.

mât [ma] *nm* (NAUT) palo, mástil *m*; (*poteau*) poste *m*, palo.

match [matʃ] *nm* partido, match *m*; **~ aller/retour** partido de ida/de vuelta; **~ nul** empate *m*; **faire ~ nul** empatar.

matelas [matla] *nm* colchón *m*; **~ pneumatique** colchón neumático *o* de aire.

matelasser [matlase] *vt* (*fauteuil*) rellenar; (*manteau*) enguatar.

matelot [matlo] *nm* marinero.

mater [mate] *vt* (*personne*) dominar; someter; reprimir.

matérialiser [mateʀjalize] *vi*: **se ~** concretarse, materializarse.

matérialiste [mateʀjalist(ə)] *a, nm/f* materialista (*m/f*).

matériaux [mateʀjo] *nmpl* materiales *mpl.*

matériel, le [mateʀjɛl] *a* material; (*fig: péj*) materialista, prosaico(a) // *nm* (*équipement, outillage*) material *m*, equipo; (*de camping, pêche*) material, aparejo.

maternel, le [matɛʀnɛl] *a* materno(a); (*amour, geste*) maternal // *nf* (*aussi*: **école ~le**) escuela de párvulos.

maternité [matɛʀnite] *nf* maternidad *f*; (*grossesse*) alumbramiento, embarazo.

mathématicien, ne [matematisjɛ̃, jɛn] *nm/f* matemático/a.

mathématique [matematik] *a* matemático(a); **~s** *fpl* matemáticas.

matière [matjɛʀ] *nf* materia; (COMM) material *m*; (TECH) material, materia; **en ~ de** en cuanto a; **donner ~ à** dar motivo de; **~ plastique** plástico; **~s fécales** excrementos; **~s grasses** grasas; **~s premières** materias primas.

matin [matɛ̃] *nm* mañana; **le ~** la mañana; **dimanche ~** domingo por la mañana; **le lendemain ~** al día siguiente por la mañana; **hier ~** ayer por la mañana; **du ~ au soir** de la mañana a la noche; **~ et soir** mañana y noche; **une heure du ~** la una de la mañana *o* madrugada; **à demain ~!** ¡hasta mañana por la mañana!; **de grand/bon ~** por la mañana temprano, de madrugada; **~al, e, aux** [matinal, o] *a* matinal, matutino(a); (*personne*) madrugador(ora), mañanero(a); **~ée** [matine] *nf* mañana; (*spectacle*) función *f* de la tarde; **en ~ée** por la tarde; **faire la grasse ~ée** quedarse pegado(a) a las sábanas.

matou [matu] *nm* gato, micho.

matraque [matʀak] *nf* porra, cachiporra.

matriarcal, e, aux [matʀijaʀkal, o] *a* matriarcal.

matrice [matʀis] *nf* matriz *f.*

matricule [matʀikyl] *nf* (*registre, liste*) matrícula, registro // *a*: **registre/numéro ~** registro/número de matrícula; **livret ~** cartilla militar.

matrimonial, e, aux [matʀimɔnjal, o] *a* matrimonial.

maturité [matyʀite] *nf* madurez *f*; (*d'un fruit*) madurez, sazón *f.*

maudire [modiʀ] *vt* maldecir.

maudit, e [modi, it] *a* maldito(a).
maugréer [mogʀee] *vi* refunfuñar, rezongar.
mausolée [mozɔle] *nm* mausoleo.
maussade [mosad] *a* malhumorado(a), hosco(a); (*ciel, temps*) destemplado(a).
mauvais, e [mɔvɛ, ɛz] *a* malo(a), mal(a); (*faux*): **le ~ numéro** el número errado // *ad*: **il fait ~** hace mal tiempo; **la mer est ~e** el mar está agitado; **~ coup** (*fig*) delito; **~ joueur/payeur** mal jugador/pagador; **~ garçon** mal tipo, tipo peligroso; **~e langue** mala lengua *m/f*, chismoso/a; **~ plaisant** bromista *m*; **~ traitements** maltratos; **~e herbe** mala hierba.
mauve [mov] *a, nf* malva (*f*).
mauviette [movjɛt] *nf* (*péj*) alondra; persona frágil.
maux [mo] *nmpl voir* **mal**.
maximal, e, aux [maksimal, o] *a* máximo(a).
maxime [maksim] *nf* máxima.
maximum [maksimɔm] *a* máximo(a) // *nm* máximo; **au ~** (*pousser, utiliser*) al máximo; (*tout au plus*) como máximo.
mayonnaise [majɔnɛz] *nf* mayonesa.
mazout [mazut] *nm* fuel-oil *m*.
me, m' [m(ə)] *pron* me.
Me *abrév de* **Maître.**
méandre [meɑ̃dʀ(ə)] *nm* meandro; (*fig*) subterfugio, rodeo.
mec [mɛk] *nm* (*fam*) tío.
mécanicien [mekanisjɛ̃] *nm* mecánico.
mécanique [mekanik] *a* mecánico(a) // *nf* (*science*) mecánica; **ennui ~** dificultad *f o* problema *m* mecánico(a); **~ hydraulique** mecánica hidráulica.
mécaniser [mekanize] *vt* mecanizar.
mécanisme [mekanism(ə)] *nm* mecanismo.
méchanceté [meʃɑ̃ste] *nf* maldad *f*, perversidad *f*.
méchant, e [meʃɑ̃, ɑ̃t] *a* malo(a), malvado(a); (*enfant*: *turbulent*) revoltoso(a), desobediente; (*animal*) malo(a); (*avant le nom*: *valeur péjorative*) mal(a), desagradable // *nm/f* malo/a.
mèche [mɛʃ] *nf* mecha; (*d'une lampe, bougie*) mecha, pabilo; (*de vilebrequin, perceuse*) barrena; (*de dentiste*) fresa; (*de cheveux*) mecha, mechón *m*.
méchoui [meʃwi] *nm* cordero asado.
mécompte [mekɔ̃t] *nm* error *m*, equivocación *f*; (*déception*) desengaño, decepción *f*.
méconnaissable [mekɔnɛsabl(ə)] *a* irreconocible.
méconnaître [mekɔnɛtʀ(ə)] *vt* (*ignorer*) desconocer, ignorar; (*mésestimer*) no apreciar, menospreciar.
mécontent, e [mekɔ̃tɑ̃, ɑ̃t] *a* descontento(a), insatisfecho(a); **~ement** *nm* insatisfacción *f*, descontento; **~er** *vt* contrariar, disgustar.
médaille [medaj] *nf* medalla.
médaillon [medajɔ̃] *nm* medallón *m*.
médecin [mɛdsɛ̃] *nm* médico; **~ de famille** médico de familia; **~ généraliste** médico general; **~ légiste** médico forense; **votre ~ traitant** su médico de cabecera.
médecine [mɛdsin] *nf* medicina; **~ préventive/générale** medicina preventiva/general; **~ légale** medicina forense; **~ du travail** medicina del trabajo.
médiateur, trice [medjatœʀ, tʀis] *nm/f* mediador/ora; juez *m*, árbitro.
médiation [medjɑsjɔ̃] *nf* mediación *f*; (*dans conflit social etc*) arbitraje *m*.
médical, e, aux [medikal, o] *a* médico(a).
médicament [medikamɑ̃] *nm* medicamento, remedio.
médicinal, e, aux [medisinal, o] *a* medicinal.

médiéval, e, aux [medjeval, o] *a* medieval.
médiocre [medjɔkʀ(ə)] *a* mediocre; **médiocrité** *nf* mediocridad *f.*
médire [mediʀ] *vt*: ~ **de** difamar a, hablar mal de.
médisance [medizɑ̃s] *nf* difamación *f*; maledicencia.
méditatif, ive [meditatif, iv] *a* meditabundo(a).
méditation [meditɑsjɔ̃] *nf* meditación *f.*
méditer [medite] *vt* (*approfondir*) meditar; (*combiner*) meditar, proyectar // *vi* meditar, reflexionar.
Méditerranée [mediteʀane] *nf*: **la** ~ el Mediterráneo; **méditerranéen, ne** *a, nm/f* mediterráneo(a).
médium [medjɔm] *nm* médium *m.*
méduse [medyz] *nf* medusa.
méduser [medyze] *vt* asombrar, dejar patitieso(a).
meeting [mitiŋ] *nm* (POL) mítin *m*; (SPORT) encuentro; (: *athlétique*) concurso; ~ **d'aviation** exhibición aeronáutica.
méfait [mefɛ] *nm* (*faute*) fechoría; (*résultat désastreux*) perjuicio.
méfiance [mefjɑ̃s] *nf* desconfianza, recelo.
méfiant, e [mefjɑ̃, ɑ̃t] *a* desconfiado(a), receloso(a).
méfier [mefje] *vi*: **se** ~ desconfiar, recelar; **se** ~ **de** *vt* desconfiar de.
mégalomanie [megalɔmani] *nf* megalomanía.
mégaphone [megafɔn] *nm* megáfono.
mégarde [megaʀd(ə)] *nf*: **par** ~ por descuido *o* inadvertencia.
mégère [meʒɛʀ] *nf* arpía, bruja.
mégot [mego] *nm* colilla.
meilleur, e [mɛjœʀ] *a, ad* mejor // *nm*: **le** ~ (*personne*) el mejor; (*chose*) lo mejor // *nf*: **la** ~**e** la mejor; ~ **marché** más barato(a); **de** ~**e heure** más temprano; ~**s vœux** felicidades *fpl.*
mélancolie [melɑ̃kɔli] *nf* melancolía, tristeza; **mélancolique** *a* melancólico(a), triste.
mélange [melɑ̃ʒ] *nm* mezcla, mezcolanza.
mélanger [melɑ̃ʒe] *vt* (*substances*) mezclar; (*mettre en désordre*) trastocar, desordenar.
mélasse [melas] *nf* melaza.
mêlée [mele] *nf* refriega, choque *m*; (*lutte, conflit*) conflicto, lucha; (RUGBY) mêlée *f.*
mêler [mele] *vt* (*substances, odeurs, races*) mezclar; (*sujets, thèmes*) amalgamar, reunir; (*embrouiller*) embrollar, enredar; ~ **à/avec/de** unir *o* mezclar a *o* con; **se** ~ mezclarse, amalgamarse; **se** ~ **à** (*suj*: *chose*) mezclarse a *o* con; (: *personne*) meterse *o* inmiscuirse en; **se** ~ **de** (*suj*: *personne*) meterse *o* entrometerse en; ~ **qn à** (*affaire*) implicar a alguien en.
mélodie [melɔdi] *nf* melodía; **mélodieux, euse** *a* melodioso(a).
mélodrame [melɔdʀam] *nm* melodrama *m.*
mélomane [melɔman] *a* melómano(a).
melon [məlɔ̃] *nm* melón *m*; **chapeau** ~ sombrero hongo; ~ **d'eau** sandía.
mélopée [melɔpe] *nf* melopea.
membrane [mɑ̃bʀan] *nf* membrana.
membre [mɑ̃bʀ(ə)] *nm, a* miembro.
même [mɛm] *a* mismo(a) // *pron*: **le (la)** ~ el (la) mismo(a) // *ad* incluso, hasta; **ce sont ses paroles** ~**s** son sus mismas palabras; **celles-là** ~**s** precisamente éstas; **il n'a** ~ **pas pleuré** ni siquiera lloró; **à** ~ **la bouteille** de la botella misma; **à** ~ **la peau** junto a la piel; **être à** ~ **de faire** estar en condiciones de hacer; **mettre qn à** ~ **de faire** hacer posible a alguien hacer; **faire de** ~ hacer lo mismo; **lui de** ~ él también; **de** ~ **que** lo mismo que; **il en va de** ~ **pour** lo mismo va para.
mémento [memɛ̃to] *nm* (*agenda*) agenda; (*ouvrage*) compendio.
mémoire [memwaʀ] *nf* memoria

// *nm* (*exposé, requête*) memoria, relación *f*; (*SCOL*) disertación *f*, tesina; ~s *mpl* memorias; **avoir la ~ des chiffres** tener memoria para las cifras; **avoir de la ~** tener memoria; **à la ~ de** en memoria *o* recuerdo de; **pour ~** *ad* a título de información; **de ~** *ad* de memoria.

mémorable [memɔRabl(ə)] *a* memorable, inolvidable.

mémorandum [memɔRãdɔm] *nm* (*d'un diplomate*) memorándum *m*; (*note*) nota, anotación *f*.

mémorial, e, aux [memɔRjal, o] *nm* memorial *m*.

menaçant, e [mənasã, ãt] *a* amenazador(ora).

menace [mənas] *nf* amenaza, conminación *f*; (*danger, péril*) amenaza.

menacer [mənase] *vt* amenazar.

ménage [menaʒ] *nm* quehaceres domésticos, limpieza; (*couple*) matrimonio, pareja; (*famille, ADMIN*) hogar *m*; **faire le ~** hacer la limpieza; **faire des ~s** hacer taréas domésticas en casa ajena; **se mettre en ~ (avec)** poner casa (con); **heureux en ~** bien casado; **faire bon/mauvais ~ avec** llevarse bien/mal con; **~ de poupée** batería de cocina de muñeca; **~ à trois** amoroso triángulo.

ménagement [menaʒmã] *nm* consideración *f*, deferencia; ~s *mpl* (*égards*) contemplaciones *fpl*, miramientos.

ménager [menaʒe] *vt* (*traiter*) tratar con consideración; tratar con cuidado; (*vêtements, temps, santé*) cuidar, controlar; (*organiser*) organizar, preparar; (*installer*) instalar, disponer; **~ qch à qn** tener algo en reserva para alguien.

ménager, ère [menaʒe, ɛR] *a* doméstico(a) // *nf* ama de casa.

ménagerie [menaʒRi] *nf* jaula de fieras; (*animaux*) fieras.

mendiant, e [mãdjã, ãt] *nm/f* mendigo/a.

mendicité [mãdisite] *nf* mendicidad *f*.

mendier [mãdje] *vi* mendigar, limosnear // *vt* mendigar, pedir.

menées [məne] *nfpl* manejos, intrigas.

mener [məne] *vt* (*cortège, file*) dirigir, encabezar; (*fig*: *diriger*) conducir, guiar; (*enquête, vie, affaire*) conducir, llevar; **~ à/dans/chez** *vt* llevar a/en/a casa de; (*suj*: *train, bus, métier*) conducir a, llevar a; **~ une personne/un chien promener** llevar a una persona/un perro de paseo; **~ à bonne fin/à terme/à bien** llevar a buen término/a término/a bien; **~ à rien/à tout** llevar a ningún lado/a todas partes.

meneur, euse [mənœR, øz] *nm/f* conductor/ora, jefe/a; (*péj*) cabecilla *m/f*; **~ de jeu** (*RADIO, TV*) animador *m*.

méningite [menɛ̃ʒit] *nf* meningitis *f*.

ménopause [menɔpoz] *nf* menopausia.

menottes [mənɔt] *nfpl* esposas; **passer les ~ à qn** poner las esposas a alguien.

mens *etc vb voir* **mentir.**

mensonge [mãsɔ̃ʒ] *nm* mentira, embuste *m*; **mensonger, ère** *a* mentiroso(a), falso(a).

mensualité [mãsɥalite] *nf* mensualidad *f*.

mensuel, le [mãsɥɛl] *a* mensual.

mensurations [mãsyRasjɔ̃] *nfpl* medidas.

ment *etc vb voir* **mentir.**

mental, e, aux [mãtal, o] *a* mental.

mentalité [mãtalite] *nf* mentalidad *f*.

menteur, euse [mãtœR, øz] *nm/f* mentiroso/a, embustero/a.

menthe [mãt] *nf* menta.

mention [mãsjɔ̃] *nf* mención *f*; **~ passable** aprobado; **~ bien** notable; **~ très bien** sobresaliente; **~ner** [mãsjɔne] *vt* mencionar.

mentir [mãtiʀ] *vi* mentir.
menton [mãtɔ̃] *nm* mentón *m*.
menu, e [məny] *a* menudo(a); débil // *ad*: **couper** ~ cortar en trocitos // *nm* menú *m*, carta; **hacher** ~ picar; **la** ~**e monnaie** el dinero suelto.
menuet [mənɥɛ] *nm* minué *m*.
menuiserie [mənɥizʀi] *nf* carpintería.
menuisier [mənɥizje] *nm* carpintero.
méprendre [mepʀɑ̃dʀ(ə)] *vt*: **se** ~ **sur** confundirse *o* equivocarse respecto a.
mépris [mepʀi] *nm* desprecio, desdén *m*; (*indifférence*): **le** ~ **de** el menosprecio de *o* por; **au** ~ **de** a despecho de, sin tener en cuenta.
méprisable [mepʀizabl(ə)] *a* despreciable, detestable.
méprise [mepʀiz] *nf* confusión *f*, equivocación *f*.
mépriser [mepʀize] *vt* despreciar.
mer [mɛʀ] *nf* mar *m ou f*; **en haute** *ou* **pleine** ~ en alta mar; **prendre la** ~ hacerse a la mar; **la** ~ **Baltique/Caspienne/Égée/Morte** el mar Báltico/Caspio/Egeo/Muerto; **la** ~ **Noire/du Nord/Rouge** el mar Negro/del Norte/Rojo.
mercantile [mɛʀkɑ̃til] *a*: **esprit** ~ mentalidad *f* de comerciante.
mercenaire [mɛʀsənɛʀ] *nm* mercenario.
mercerie [mɛʀsəʀi] *nf* mercería.
merci [mɛʀsi] *excl* gracias // *nm*: **dire** ~ **à qn** dar las gracias a alguien // *nf*: **à la** ~ **de qn/qch** a (la) merced de alguien/algo; ~ **de/pour** gracias por; **sans** ~ sin cuartel, despiadado(a).
mercier, ière [mɛʀsje, jɛʀ] *nm/f* mercero/a.
mercredi [mɛʀkʀədi] *nm* miércoles *m*; ~ **des Cendres** miércoles de Ceniza.
mercure [mɛʀkyʀ] *nm* mercurio.
merde [mɛʀd(ə)] (*fam!*) *nf* mierda // *excl* ¡mierda!, ¡coño!
mère [mɛʀ] *nf* madre *f* // *a* matriz, central; madre, materno(a); ~ **célibataire/adoptive** madre soltera/ adoptiva.
méridien [meʀidjɛ̃] *nm* meridiano.
méridional, e, aux [meridjɔnal, o] *a, nm/f* meridional (*m/f*).
meringue [məʀɛ̃g] *nf* merengue *m*.
mérinos [meʀinos] *nm* merino.
merisier [məʀizje] *nm* cerezo silvestre; (*bois*) cerezo.
mérite [meʀit] *nm* mérito.
mériter [meʀite] *vt* merecer; (*réclamer*) exigir, merecer.
méritoire [meʀitwaʀ] *a* meritorio(a), valioso(a).
merlan [mɛʀlɑ̃] *nm* pescadilla.
merle [mɛʀl(ə)] *nm* mirlo.
mérou [meʀu] *nm* mero.
merveille [mɛʀvɛj] *nf* maravilla, portento; **merveilleux, euse** *a* maravilloso(a), prodigioso(a).
mes [me] *dét voir* **mon.**
mésallier [mezalje] *vi*: **se** ~ malcasarse.
mésange [mezɑ̃ʒ] *nf* paro.
mésaventure [mezavɑ̃tyʀ] *nf* desventura, infortunio.
Mesdames [medam] *nfpl voir* **Madame.**
Mesdemoiselles [medmwazɛl] *nfpl voir* **Mademoiselle.**
mésentente [mezɑ̃tɑ̃t] *nf* desacuerdo, discordia.
mesquin, e [mɛskɛ̃, in] *a* mezquino(a), ruin; (*avare*) mezquino(a), roñoso(a); ~**erie** [mɛskinʀi] *nf* mesquindad *f*, ruindad *f*.
mess [mɛs] *nm* comedor *m* de oficiales *o* suboficiales.
message [mesaʒ] *nm* mensaje *m*; **messager, ère** *nm/f* mensajero/a.
messe [mɛs] *nf* misa; ~ **basse** misa rezada; ~ **de minuit** misa del gallo; ~ **noire** misa negra.
messie [mesi] *nm*: **le M**~ el Mesías.
Messieurs [mesjø] *nmpl voir* **Monsieur.**
Messrs *abrév de* **Messieurs.**
mesure [məzyʀ] *nf* medida; (*MUS*)

compás *m*; (*retenue*) mesura, moderación *f*; **sur ~** (*costume*) a la medida; **à la ~ de** al alcance *o* a la medida de; **dans la ~ de/où** en la medida de/en que; **à ~ que** a medida que; **au fur et à ~** paulatinamente, poco a poco; **en ~** al compás; **être en ~ de** estar en condiciones de.

mesuré, e [məzyʀe] *a* (*fig*) mesurado(a), circunspecto(a).

mesurer [məzyʀe] *vt* medir; **il mesure 1m 80** tiene 1m 80 de alto; **se ~ avec/à qn** medirse *o* competir con alguien.

met *vb voir* **mettre.**

métairie [meteʀi] *nf* finca en aparcería; (*bâtiments*) granja.

métal, aux [metal, o] *nm* metal *m*; **~lique** *a* metálico(a); **~liser** *vt* metalizar; **~lurgie** *nf* metalurgia; **~lurgiste** *nm* metalúrgico.

métamorphose [metamɔʀfoz] *nf* metamorfosis *f*.

métaphore [metafɔʀ] *nf* metáfora.

métaphysique [metafizik] *a* metafísico(a).

métayer, ère [meteje, ɛjɛʀ] *nm/f* aparcero/a, colono/a.

métempsychose [metɑ̃psikoz] *nf* metempsícosis *f*.

météo [meteo] *nf* parte *o* boletín meteorológico; (*service*) servicio meteorológico.

météore [meteɔʀ] *nm* meteoro.

météorologie [meteɔʀɔlɔʒi] *nf* meteorología; **météorologique** *a* meteorológico(a).

méthode [metɔd] *nf* método; **méthodique** *a* metódico(a).

méticuleux, euse [metikylø, øz] *a* meticuloso(a).

métier [metje] *nm* (*profession*) oficio, profesión *f*; (*manuel, artisanal*) oficio; (*technique, expérience*) oficio, práctica; (*fonction, rôle*) función *f*, ejercicio; (*machine*) telar *m*; **être du ~** ser del oficio.

métis, se [metis] *a, nm/f* mestizo(a).

métisser [metise] *vt* cruzar.

métrage [metʀaʒ] *nm* medición *f* en metros; (*longueur de tissu*) medida en metros; (CINÉMA) metraje *m*; **long/moyen/court ~**, largo/medio/corto metraje.

mètre [mɛtʀ(ə)] *nm* metro; (*ruban*) cinta métrica; **un huit cents ~s** (SPORT) un ochocientos metros; **métrique** *a* métrico(a).

métro [metʀo] *nm* metro, metropolitano.

métropole [metʀɔpɔl] *nf* metrópoli *f*; **métropolitain, e** *a* metropolitano(a).

mets [mɛ] *vb voir* **mettre** // *nm* plato.

mettable [mɛtabl(ə)] *a* que puede llevarse *o* usarse.

metteur [mɛtœʀ] *nm*: **~ en scène** (THÉÂTRE) director *m* de escena; (CINÉMA) director *m*; **~ en ondes** director de emisión.

mettre [mɛtʀ(ə)] *vt* poner, colocar; (*vêtement, objet*) poner, ponerse; (: *porter*) ponerse, llevar; (*installer*: *gaz, électricité*) colocar; (*faire fonctionner*: *chauffage, électricité*) encender; **se ~ à** ponerse a; **~ en bouteille** embotellar; **~ en sac** ensacar; **~ en terre** enterrar; **~ à la poste** echar al correo; **~ du temps à faire qch** echar *o* emplear tiempo en hacer algo; **~ fin à qch** poner fin a algo; **~ qn debout/assis** levantar/sentar a alguien; **mettons que** pongamos que; **se ~: n'avoir rien à se ~** no tener qué ponerse; **se ~ au piano** sentarse al piano; (*apprendre*) estudiar piano; **se ~ bien/mal avec qn** amigarse/enemistarse con alguien; **se ~ de l'encre sur les doigts** echarse tinta en los dedos.

meuble [mœbl(ə)] *nm* mueble *m* // *a* (*terre*) blando(a); (JUR): **bien ~** bien mueble *m*; **meubler** *vt* amueblar; (*fig*) ocupar, llenar // *vi* (*tissu etc*) adornar, ornar.

meugler [møgle] *vi* mugir.

meule [møl] *nf* (*à broyer*) muela; (*à*

aiguiser, polir) piedra de afilar; (*de foin, blé*) niara, almiar *m*.
meunerie [mønRi] *nf* (*industrie*) molinería.
meunier, ière [mønje, ɛR] *nm/f, a* molinero(a) // *af inv*: **sole meunière** lenguado marinado.
meure *etc vb voir* **mourir.**
meurtre [mœRtR(ə)] *nm* asesinato, homicidio; **meurtrier, ière** *nm/f* asesino/a, homicida *m/f* // *a* (*épidémie*) mortal, mortífero(a); (*combat*) sangriento(a); (*carrefour, route*) mortal; (*arme*) asesino(a), homicida // *nf* (*ouverture*) tronera.
meurtrir [mœRtRiR] *vt* magullar; (*fig*) mortificar, lastimar; **meurtrissure** *nf* (*d'un fruit etc*) machacadura.
meus *etc vb voir* **mouvoir.**
meute [møt] *nf* jauría; (*de personnes*) jauría, banda.
mexicain, e [mɛksikɛ̃, ɛn] *a, nm/f* mexicano(a), mejicano(a).
Mexique [mɛksik] *nm* México, Méjico.
MF *sigle f voir* **modulation.**
Mgr *abrév de* **monseigneur**.
mi [mi] *nm* mi *m*.
mi- [mi] *préf*: **à ~hauteur/pente** a media altura/pendiente; **à ~jambes/corps** a media pierna/medio cuerpo; **à la ~janvier** a mediados de enero; **~bureau, ~chambre** mitad oficina, mitad dormitorio.
miauler [mjole] *vi* maullar.
mica [mika] *nm* mica.
mi-carême [mikaRɛm] *nf*: **la ~** *el jueves de la tercera semana de cuaresma*.
miche [miʃ] *nf* hogaza.
mi-chemin [miʃmɛ̃]: **à ~** *ad* a la mitad del camino.
mi-clos, e [miklo, kloz] *a* entornado(a).
micro [mikRo] *nm* micrófono.
microbe [mikRɔb] *nm* microbio.
microfiche [mikRofiʃ] *nf* microficha.
microfilm [mikRɔfilm] *nm* microfilm *m*.
microphone [mikRɔfɔn] *nm* micrófono.
microscope [mikRɔskɔp] *nm* microscopio.
midi [midi] *nm* (*milieu du jour*) mediodía *m*; (*heure*) mediodía, las doce; (*sud*) sur *m*; (*: de la France*): **le M~** el Mediodía; **tous les ~s** todos los días a las doce; **le repas de ~** el almuerzo, la comida de mediodía; **en plein ~** en pleno día.
midinette [midinɛt] *nf* costurerilla, modistilla.
mie [mi] *nf* miga.
miel [mjɛl] *nm* miel *f*.
mielleux, euse [mjɛlø, øz] *a* (*péj*) meloso(a), melifluo(a).
mien, ne [mjɛ̃, mjɛn] *pron*: **le ~** el mío; **la ~ne** la mía; **les ~s** los míos; **les ~nes** las mías.
miette [mjɛt] *nf* (*de pain etc*) miga, migaja; (*fig*): **mettre en ~s** hacer trizas *o* añicos.
mieux [mjø] *a, ad* mejor // *nm* mejoría; **le ~** el mejor; **la ~** la mejor; **les ~** los(las) mejores; **ce que je sais le ~ c'est...** lo que mejor conozco es...; **c'est dans ce restaurant qu'on mange le ~** es en este restaurante donde mejor se come; **c'est ici qu'il dort le ~** es aquí que se duerme mejor; **le ~ serait de...** lo mejor seria...; **c'est à Paris que les rues sont le ~ éclairées** es en París donde están mejor alumbradas las calles; **les situations les ~ payées sont...** los puestos mejor pagados son...; **des deux, elle est la ~ habillée** de las (los) dos, es ella la mejor vestida; **valoir ~** valer más, ser mejor; **de mon/ton ~** lo mejor que puedo/puedes; **aimer ~** preferir; **faire ~ de** hacer mejor en; **de ~ en ~** cada vez mejor; **pour le ~** (*très bien*) maravillosamente; **~ je comprends, plus je m'intéresse** cuanto más entiendo tanto más me interesa; **plus il fait d'exercice, ~ il se porte** cuanto más hace gimnasia tanto mejor se encuentra;

~ **il est payé, plus il est content** cuanto mejor pagado (tanto) más contento; **du ~ qu'il peut** lo mejor que puede; **au ~** en el mejor de los casos; **être au ~ avec qn** estar muy amigo(a) con uno.

mièvre [mjɛvʀ(ə)] *a* empalagoso(a).

mignon, ne [miɲɔ̃, ɔn] *a* encantador(ora).

migraine [migʀɛn] *nf* jaqueca, migraña.

migrateur, trice [migʀatœʀ, tʀis] *a* migratorio(a).

migration [migʀɑsjɔ̃] *nf* migración *f*.

mi-jambe [miʒɑ̃b]: **à ~** *ad* a media pierna.

mijoter [miʒɔte] *vt* cocinar a fuego lento; (*préparer avec soin*) preparar cuidadosamente; (*fig*) maquinar, tramar // *vi* cocinar lentamente.

milice [milis] *nf* milicia.

milieu, x [miljø] *nm* (*centre*) medio, mitad *f*; (*fig*) término medio; (*BIO*) medio; (*entourage social*) medio ambiente, medio; (*pègre*): **le M~** el hampa; **au ~ de** en medio de, en la mitad de; (*fig*) en medio de; **au beau ~ (de)** en lo mejor (de), en pleno(a).

militaire [militɛʀ] *a, nm* militar (*m*).

militant, e [militɑ̃, ɑ̃t] *a, nm/f* militante (*m/f*).

militer [milite] *vi* militar.

mille [mil] *num* mil // *nm* (*mesure*): **~ marin** milla marina, nudo; **mettre dans le ~** dar en el blanco; **~-feuille** *nm* milhojas *m*, hojaldre *m*; **millénaire** *nm* milenio // *a* milenario(a); **~-pattes** *nm inv* ciempiés *m*.

millésime [milezim] *nm* fecha, año.

millet [mijɛ] *nm* mijo.

milliard [miljaʀ] *nm* mil millones; **~aire** *a, nm/f* multimillonario(a).

millier [milje] *nm* millar *m*; **par ~s** por millares.

milligramme [miligʀam] *nm* miligramo.

millimètre [milimɛtʀ(ə)] *nm* milímetro; **millimétré, e** *a*: **papier millimétré** papel milimetrado.

million [miljɔ̃] *nm* millón *m*; **~naire** *a, nm/f* millonario(a).

mime [mim] *nm/f* mimo; (*imitateur*) imitador(ora).

mimer [mime] *vt* mimar, imitar; (*singer*) imitar, remedar.

mimique [mimik] *nf* mímica.

mimosa [mimoza] *nm* mimosa.

minable [minabl(ə)] *a* deplorable, lamentable.

minaret [minaʀɛ] *nm* minarete *m*, alminar *m*.

minauder [minode] *vi* hacer remilgos *o* melindres.

mince [mɛ̃s] *a* delgado(a); (*couche*) ligero(a); (*fig*) escaso(a), magro(a); **minceur** *nf* delgadez *f*.

mine [min] *nf* mina; (*physionomie*) cara, aspecto; (*extérieur*) aspecto, semblante *m*; **les M~s** (*ADMIN*) Dirección *f* de Minas; **avoir bonne/mauvaise ~** (*personne*) tener buena/mala cara; **il fit ~ de partir** hizo como si marchara; **~ de rien** como quien no quiere la cosa; **~ à ciel ouvert** mina a *o* de cielo abierto.

miner [mine] *vt* minar; (*saper*) socavar, minar.

minerai [minʀɛ] *nm* mineral *m*.

minéral, e, aux [mineʀal, o] *a, nm* mineral (*m*).

minéralogique [mineʀalɔʒik] *a*: **plaque ~** matrícula; **numéro ~** número de matrícula.

minet, te [minɛ, ɛt] *nm/f* minino/a; (*péj*) monín/ina.

mineur, e [minœʀ] *a, nm/f* menor (*m/f*) // *nm* (*ouvrier*) minero.

miniature [minjatyʀ] *nf, a* miniatura.

minibus [minibys] *nm* microbús *m*.

mini-cassette [minikasɛt] *nf* mini- cassette *f*.

minier, ière [minje, jɛʀ] *a* minero(a).

mini-jupe [miniʒyp] *nf* minifalda.
minimal, e, aux [minimal, o] *a* mínimo(a).
minime [minim] *a* mínimo(a) // *nm/f* (*SPORT*) junior *m/f*.
minimiser [minimize] *vt* minimizar, subestimar.
minimum [minimɔm] *a* mínimo(a) // *nm* mínimo, mínimum *m*; **au ~** (*au moins*) a lo mínimo, por lo menos; **~ vital** salario mínimo vital.
ministère [ministɛʀ] *nm* ministerio; (*gouvernement*) ministerio, gabinete *m*; (*portefeuille*) ministerio, cartera; **~ public** (*JUR*) ministerio público; **ministériel, le** *a* ministerial.
ministre [ministʀ(ə)] *nm* ministro; **~ d'État** ministro de Estado.
minium [minjɔm] *nm* minio.
minois [minwa] *nm* cara, palmito.
minoritaire [minɔʀitɛʀ] *a* minoritario(a), de la minoría.
minorité [minɔʀite] *nf* minoría; (*d'une personne*) minoría de edad; **dans la ~ des cas** en la minoría *o* en la menor parte de los casos; **être/mettre en ~** estar/poner en minoría.
Minorque [minɔʀk] *nf* Menorca.
minoterie [minɔtʀi] *nf* molino harinero.
minuit [minɥi] *nm* medianoche *f*.
minuscule [minyskyl] *a* minúsculo(a) // *nf*: (**lettre**) **~** letra minúscula.
minute [minyt] *nf* minuto; (*JUR*: *original*) minuta; **à la ~** al instante; **entrecôte/steak ~** entrecote *m*/bisté *m* al minuto; **minuter** *vt* cronometrar; **~rie** *nf* interruptor automático.
minutieux, euse [minysjø, øz] *a* minucioso(a).
mioche [mjɔʃ] *nm/f* (*fam*) mocoso/a.
mirabelle [miʀabɛl] *nf* (*fruit*) ciruela amarilla *o* mirabel.
miracle [miʀɑkl(ə)] *nm* milagro; (*chose admirable*) prodigio;
miraculé, e [miʀakyle] *nm/f* curado/a milagrosamente; **miraculeux, euse** [miʀakylø, øz] *a* milagroso(a); (*étonnant*) prodigioso(a), milagroso(a).
mirador [miʀadɔʀ] *nm* mirador *m*, torre *f* de observación.
mirage [miʀaʒ] *nm* espejismo.
mire [miʀ] *nf*: **point de ~** punto de mira.
mirer [miʀe] *vt* observar al trasluz.
mirifique [miʀifik] *a* mirífico(a).
mirobolant, e [miʀɔbɔlɑ̃, ɑ̃t] *a* extraordinario(a), estupendo(a).
miroir [miʀwaʀ] *nm* espejo; (*fig*) reflejo, espejo.
miroiter [miʀwate] *vi* espejear, resplandecer; **faire ~ qch à qn** seducir a alguien con algo.
miroiterie [miʀwatʀi] *nf* (*usine*) taller *m* de espejos; (*magasin*) tienda de espejos.
mis, e [mi, miz] *pp de* **mettre** // *a*: **bien/mal ~** bien/mal vestido *o* puesto // *nf* (*argent*: *au jeu*) apuesta; (*tenue*) indumentaria; **être de ~e** ser admisible; **~e en accusation** acusación *f*; **~e en bouteilles** embotellado; **~e à feu** encendido; **~e de fonds** inversión *f*; **~e à mort** matanza; **~e en ondes** realización *f*; **~e en plis** marcado; **~e sur pied** montaje, organización *f*; **~e au point** (*fig*) aclaración *f*; **~e en scène** montaje *m*, escenificación *f*.
mise [miz] *a, nf voir* **mis.**
miser [mize] *vt* (*enjeu*) apostar; **~ sur** *vt* apostar a; (*fig*) contar con.
misérable [mizeʀabl(ə)] *a* miserable; (*pauvre*) menesteroso(a), necesitado(a); (*insignifiant*) miserable, mísero(a) // *nm/f* (*miséreux*) miserable *m/f*, menesteroso/a.
misère [mizɛʀ] *nf* miseria, indigencia; **~s** *fpl* calamidades *fpl*, desventuras; **salaire de ~** salario miserable *o* de hambre; **miséreux, euse** [mizeʀø, øz] *a* menesteroso(a).
miséricorde [mizeʀikɔʀd(ə)] *nf*

misericordia; **misericordieux, euse** a misericordioso(a).
misogyne [mizɔʒin] *a, nm/f* misógino/a.
missel [misɛl] *nm* misal *m.*
missile [misil] *nm* misil *m.*
mission [misjɔ̃] *nf* misión *f*; **partir en ~** salir de misión.
missionnaire [misjɔnɛʀ] *nm* misionero.
missive [misiv] *nf* misiva.
mistral [mistʀal] *nm* mistral *m.*
mit *vb voir* **mettre.**
mite [mit] *nf* polilla; **mité, e** a apolillado(a).
mi-temps [mitɑ̃] *nf inv* (SPORT: *période*) tiempo; (:*pause*) medio tiempo, descanso; **à ~** medio tiempo.
miteux, euse [mitø, øz] *a* mísero(a), lamentable.
mitigation [mitigɑsjɔ̃] *nf*: **~ des peines** mitigación *f* de la pena.
mitigé, e [mitiʒe] *a* moderado(a).
mitonner [mitɔne] *vt* cocer con ternura.
mitoyen, ne [mitwajɛ̃, ɛn] *a* medianero(a); **maisons ~nes** casas semiseparadas; (*plus de deux*) casas en hilera.
mitraille [mitʀɑj] *nf* metralla.
mitrailler [mitʀɑje] *vt* ametrallar; (*fam*) fotografiar.
mitraillette [mitʀɑjɛt] *nf* pistola ametralladora.
mitrailleur [mitʀɑjœʀ] *nm* soldado ametrallador // *am*: **fusil ~** fusil *m* ametralladora.
mitrailleuse [mitʀɑjøz] *nf* ametralladora.
mitre [mitʀ(ə)] *nf* mitra.
mi-voix [mivwa]: **à ~** *ad* a media voz, en voz baja.
mixage [miksaʒ] *nm* mezcla de sonidos.
mixer [miksœʀ] *nm* batidora.
mixité [miksite] *nf* coeducación *f.*
mixte [mikst(ə)] *a* mixto(a); **à usage ~** de doble finalidad; **cuisinière ~** cocina eléctrica y de gas.
mixture [mikstyʀ] *nf* mixtura; (*fig*) menjunje *m*, brebaje *m.*
MLF *sigle m voir* **mouvement.**
Mlle, *pl* **Mlles** *abrév de* **Mademoiselle.**
MM *abrév de* **Messieurs.**
Mme, *pl* **Mmes** *abrév de* **Madame.**
mn *abrév de* **minute.**
mnémonique [mnemɔnik] *a* mnemónico(a).
Mo *abrév de* **métro.**
mobile [mɔbil] *a* suelto(a), movible; (*nomade*) móvil, inestable; (*changeant*) cambiante, mudable // *nm* (*cause*) móvil *m*, motivo; (*œuvre d'art*) móvil.
mobilier, ière [mɔbilje, jɛʀ] *a* (JUR) mobiliario(a) // *nm* mobiliario; **vente mobilière** venta mobiliaria.
mobilisation [mɔbilizɑsjɔ̃] *nf* movilización *f.*
mobiliser [mɔbilize] *vt* movilizar; (*adhérents etc*) convocar, congregar; (*fig*) reunir, juntar.
mobilité [mɔbilite] *nf* movilidad *f*, inestabilidad *f.*
mocassin [mɔkasɛ̃] *nm* mocasín *m.*
moche [mɔʃ] *a* (*fam*) horrible, feo(a).
modalité [mɔdalite] *nf* modalidad *f*; (JUR) condición *f*, modalidad *f*; **adverbe de ~** adverbio de modo.
mode [mɔd] *nf* moda // *nm* modo; **à la ~** de moda; **journal de ~** revista de modas; **~ d'emploi** modo de empleo; **~ de paiement** forma de pago.
modèle [mɔdɛl] *a, nm* modelo; (*catégorie*) tipo; **~ déposé** modelo patentado; **~ réduit** modelo reducido.
modelé [mɔdle] *nm* modelado.
modeler [mɔdle] *vt* modelar; **~ qch sur/d'après** amoldar *o* ajustar algo a.
modérateur, trice [mɔdeʀatœʀ, tʀis] *a* moderador(ora).
modération [mɔdeʀɑsjɔ̃] *nf* moderación *f*; mesura.

modéré, e [mɔdeʀe] *a* moderado(a); (*POL*) conservador(ora) // *nm/f* (*POL*) conservador/ora.
modérer [mɔdeʀe] *vt* moderar; **se** ~ *vi* moderarse, calmarse.
moderne [mɔdɛʀn(ə)] *a* moderno(a) // *nm*: **le** ~ lo moderno; **moderniser** *vt* modernizar.
modeste [mɔdɛst(ə)] *a* modesto(a); **modestie** *nf* modestia.
modificatif, ive [mɔdifikatif, iv] *a* modificativo(a).
modification [mɔdifikɑsjɔ̃] *nf* modificación *f*.
modifier [mɔdifje] *vt* modificar, transformar; **se** ~ *vi* modificarse, transformarse.
modique [mɔdik] *a* módico(a).
modiste [mɔdist(ə)] *nf* sombrerera.
modulation [mɔdylɑsjɔ̃] *nf* modulación *f*; ~ **de fréquence, MF** frecuencia modulada.
module [mɔdyl] *nm*: ~ **lunaire** módulo lunar.
moduler [mɔdyle] *vt* modular.
moelle [mwal] *nf* médula; ~ **épinière** médula espinal.
moelleux, euse [mwalø, øz] *a* blando(a), mullido(a); (*au goût, à l'ouïe*) suave; aterciopelado(a).
moellon [mwalɔ̃] *nm* morrillo.
mœurs [mœʀs] *nfpl* (*conduite*) costumbres *fpl*, hábitos; (*pratiques sociales*) costumbres; (*mode de vie, d'une espèce animale*) hábitos; **contraire aux bonnes** ~ contrario(a) a las buenas costumbres.
mohair [mɔɛʀ] *nm* tela de pelo de angora; **laine** ~ lana mohair.
moi [mwa] *pron* yo; (*complément indirect*) me; (*après prép*) mí; (*emphatique*): ~, **je crois...** creo yo ... // *nm inv* yo *m*; **avec** ~ conmigo.
moignon [mwaɲɔ̃] *nm* garrón *m*; (*d'un membre*) muñón *m*.
moi-même [mwamɛm] *pron* yo mismo; (*après prép*) mí (mismo(a)).
moindre [mwɛ̃dʀ(ə)] *a* menor; **le** ~ el menor; **la** ~ la menor; **les** ~**s** los(las) menores.
moine [mwan] *nm* monje *m*.
moineau, x [mwano] *nm* gorrión *m*.
moins [mwɛ̃] *ad, prép* menos; ~ **je travaille, mieux je me porte** tanto menos trabajo, (cuanto) mejor me encuentro; ~ **grand que** menos grande que; **le(la)** ~ **doué(e)** el(la) menos dotado(a); **le** ~ lo menos; ~ **de** menos; ~ **de 2 ans/100 F** menos de 2 años/100 F; ~ **de midi** antes de mediodía; **100 F/3 jours de** ~ 100 F/3 días menos; **3 livres en** ~ 3 libros de menos; **de l'eau en** ~ menos agua; **le soleil en** ~ sin el sol; **à** ~ **que** a menos que; **à** ~ **de faire** a menos que haga; **à** ~ **de** (*imprévu etc*) salvo; **au** ~ al menos; **de** ~ **en** ~ cada vez menos; **pour le** ~ a lo menos; **du** ~ por lo menos; **midi** ~ **cinq** las doce menos cinco; **il fait** ~ **cinq** hace cinco bajo cero.
moins-value [mwɛ̃valy] *nf* depreciación *f*; (*d'une taxe etc*) minusvalía.
moiré, e [mwaʀe] *a* (*tissu etc*) tornasolado(a).
mois [mwa] *nm* mes *m*; (*salaire, somme due*) mensualidad *f*.
moïse [mɔiz] *nm* moisés *m*.
moisi, e [mwazi] *a* enmohecido(a), mohoso(a) // *nm* moho; **odeur de** ~ olor *m* a moho.
moisir [mwaziʀ] *vi* enmohecerse, cubrirse de moho; (*fig*) criar moho; **moisissure** *nf* moho.
moisson [mwasɔ̃] *nf* cosecha, siega; (*céréales*) cosecha; (*fig*) colección *f*; ~**ner** *vt* segar, cosechar; (*champ*) segar; ~**neur, euse** *nm/f* segador/ora // *nf* (*machine*) segadora; ~**neuse-batteuse** *nf* segadora trilladora.
moite [mwat] *a* (*peau*) húmedo(a), sudoroso(a); (*chaleur*) húmedo(a).
moitié [mwatje] *nf* mitad *f*; (*épouse*): **sa** ~ su media naranja; **la** ~ **(de)** la mitad (de); **à la** ~ **de** a mitad de; ~ **moins grand/plus long** la mitad de grande/más largo; **à** ~

a medias; **de ~** a medias; **~ ~** mitad y mitad.
moka [mɔka] *nm* moka *m*; (*gâteau*) torta moka.
molaire [mɔlɛʀ] *nf* molar *m*, muela.
molécule [mɔlekyl] *nf* molécula.
moleskine [mɔlɛskin] *nf* molesquín *m*.
molester [mɔlɛste] *vt* maltratar.
molette [mɔlɛt] *nf* piedra de mechero.
molle [mɔl] *af voir* **mou.**
mollement [mɔlmɑ̃] *ad* débilmente, blandamente; (*péj*) desganadamente, indolentemente.
mollesse [mɔlɛs] *nf* blandura, flojedad *f*; flaqueza, indolencia.
mollet [mɔlɛ] *nm* pantorrilla // *a*: **œuf ~** huevo pasado por agua; **~ière** [mɔltjɛʀ] *af*: **bande ~ière** polaina.
molleton [mɔltɔ̃] *nm* muletón *m*; **~né, e** *a*: **gants ~nés** guantes forrados de múleton.
mollir [mɔliʀ] *vi* aflojarse, ceder; amainar; cejar, flaquear.
mollusque [mɔlysk(ə)] *nm* molusco.
molosse [mɔlɔs] *nm* moloso.
môme [mom] *nm/f* (*fam*: *enfant*) chiquillo/a, niño/a; (: *fille*) muchacha, chica.
moment [mɔmɑ̃] *nm* momento; **ce n'est pas le ~** no es el momento apropiado; **à ses ~s perdus** en sus ratos libres; **à un certain ~** en algún momento; **à un ~ donné** en un momento dado; **pour un bon ~** por un buen rato; **au ~ de** en el momento de; **au ~ où** en el momento en que; **à tout ~** a cada momento *o* rato; **en ce ~** en este momento, ahora; **pour le ~** por el momento; **sur le ~** en un primer momento, en un principio; **par ~s** por momentos, a veces; **d'un ~ à l'autre** de un momento a otro; **du ~ où** *ou* **que** dado que, ya que; **~ané, e** *a* momentáneo(a).
momie [mɔmi] *nf* momia.
mon, ma, *pl* **mes** [mɔ̃, ma, me] *dét* mi(mis).
monacal, e, aux [mɔnakal, o] *a* monacal.
Monaco [mɔnako] *n* Mónaco.
monarchie [mɔnaʀʃi] *nf* monarquía; (*état*) monarquía, reino; **monarchiste** *a, nm/f* monárquico(a).
monarque [mɔnaʀk(ə)] *nm* monarca *m*.
monastère [mɔnastɛʀ] *nm* monasterio.
monastique [mɔnastik] *a* monástico(a).
monceau, x [mɔ̃so] *nm* montón *m*.
mondain, e [mɔ̃dɛ̃, ɛn] *a* mondano(a) // *nf*: **la M~e, la police ~e** *cuerpo policial para el control de la prostitución*; **mondanités** [mɔ̃danite] *nfpl* mundanería, entretenimientos mundanos; crónica social, ecos de sociedad.
monde [mɔ̃d] *nm* mundo; (*haute société*): **le ~** la alta sociedad; (*gens*): **il y a du ~** (*beaucoup de gens*) hay mucha gente; (*quelques personnes*) hay gente; **y a-t-il du ~ dans le salon?** ¿hay gente en el salón?; **beaucoup/peu de ~** mucha/poca gente; **le meilleur** *etc* **du ~** el mejor *etc* del mundo; **mettre au ~** dar a luz; **pas le moins du ~** de ninguna manera; **homme/femme du ~** hombre *m*/mujer *f* de mundo; **se faire un ~ de qch** hacer gran cosa de algo; **mondial, e, aux** *a* mundial; **mondialement** *ad* mundialmente, universalmente.
monégasque [mɔnegask(ə)] *a, nm/f* monegasco(a).
monétaire [mɔnetɛʀ] *a* monetario(a).
mongolien, ne [mɔ̃gɔljɛ̃, jɛn] *a, nm/f* mongólico(a).
moniteur, trice [mɔnitœʀ, tʀis] *nm/f* (SPORT) profesor/ora, monitor/ora; (*de colonie de vacances*) monitor/ora // *nm*: ~

cardiaque monitor cardíaco; ~ **d'auto-école** instructor *m* de autoescuela.

monnaie [mɔnɛ] *nf* (*pièce*) moneda; (*ÉCON, gén*: *moyen d'échange*) moneda, dinero; (*petites pièces*): **avoir de la** ~ tener cambio o dinero suelto; **faire de la** ~ cambiar; **avoir/faire la** ~ **de 20 F** tener cambio de/cambiar 20 F; **faire/donner à qn la** ~ **de 20 F** cambiar/dar el cambio de 20 F a alguien; **rendre à qn la** ~ **(sur 20 F)** dar a alguien la vuelta (de 20 F); **monnayer** [mɔneje] *vt* convertir en dinero; (*talent*) sacar dinero de.

monocle [mɔnɔkl(ə)] *nm* monóculo.

monocoque [mɔnɔkɔk] *a*: **voiture** ~ coche monocasco.

monocorde [mɔnɔkɔʀd(ə)] *a* monocorde.

monoculture [mɔnɔkyltyʀ] *nf* monocultivo.

monogramme [mɔnɔgʀam] *nm* monograma *m*.

monolingue [mɔnɔlɛ̃g] *a* monolingüe.

monologue [mɔnɔlɔg] *nm* monólogo; **monologuer** *vi* monologar.

monôme [mɔnom] *nm* (*MATH*) monomio.

monoplace [mɔnɔplas] *a, nm/f* monoplaza (*m*).

monopole [mɔnɔpɔl] *nm* monopolio; **monopoliser** *vt* monopolizar.

monorail [mɔnɔʀɑj] *nm* monorail *m*, monocarril *m*.

monoski [mɔnɔski] *nm* deslizador *m*.

monosyllabe [mɔnɔsilab] *nm* monosílabo; **monosyllabique** *a* monosilábico(a).

monotone [mɔnɔtɔn] *a* monótono(a), uniforme; **monotonie** *nf* monotonía, uniformidad *f*.

monseigneur [mɔ̃sɛɲœʀ] *nm* (*archevêque, évêque*) Ilustrísima; (*duc*) Excelencia; (*cardinal*) Vuestra Eminencia; (*prince*) Alteza.

Monsieur [məsjø], *pl* **Messieurs** [mesjø] *nm* (*titre*) señor *m*, don *m* (*suivi du prénom*); (: *d'un maître de maison, client*) señor; (*homme quelconque*) señor, caballero; *voir aussi* **Madame**.

monstre [mɔ̃stʀ(ə)] *nm* monstruo // *a* monstruo *inv*, monstruoso(a); **monstrueux, euse** *a* monstruoso(a); **monstruosité** *nf* monstruosidad *f*.

mont [mɔ̃] *nm* monte *m*; **par ~s et par vaux** por todas partes.

montage [mɔ̃taʒ] *nm* instalación *f*, montaje *m*; (*assemblage, PHOTO, CINÉMA*) montaje; ~ **sonore** montaje sonoro.

montagnard, e [mɔ̃taɲaʀ, aʀd(ə)] *a, nm/f* montañés(esa).

montagne [mɔ̃taɲ] *nf* montaña; **la haute/moyenne** ~ la alta/media montaña; **~s russes** montaña rusa; **montagneux, euse** *a* montañoso(a).

montant, e [mɔ̃tɑ̃, ɑ̃t] *a* (*mouvement, marée*) ascendente, creciente; (*chemin*) ascendente; (*robe, corsage*) alto(a), cerrado(a) // *nm* (*somme, total*) monto, importe *m*; (*d'une fenêtre, d'un lit*) jamba, larguero; (*d'une échelle*) larguero.

mont-de-piété [mɔ̃dpjete] *nm* monte de piedad *m*.

monte-charge [mɔ̃tʃaʀʒ(ə)] *nm inv* montacargas *m inv*.

montée [mɔ̃te] *nf* subida, ascensión *f*; (*pente*) subida, cuesta.

monte-plats [mɔ̃tpla] *nm inv* montaplatos *m inv*.

monter [mɔ̃te] *vt* (*escalier, côte*) subir, ascender; (*valise, courrier etc*) subir; (*bijou, cheval, aussi THÉÂTRE, CINÉMA*) montar; (*femelle*) cubrir, montar; (*étagère*) subir, alzar; (*tente, échafaudage*) instalar, armar; (*COUTURE*) colocar, montar; (*société etc*) organizar // *vi* subir; (*passager*): ~ **dans un train** subir a un tren; (*avion etc, chemin*) ascender, subir; (*niveau, température, voix, prix, brouillard, bruit*) subir, elevarse; (*CARTES*) echar una carta de más valor; (*à cheval*): ~ **bien/mal** montar bien/mal; ~ **sur/à** subir a *o* en/a; ~ **son ménage** montar su casa; ~ **son trousseau** preparar su ajuar; **se** ~ (*s'équiper*) proveerse; **se** ~ **à** (*frais etc*) ascender a, importar; ~ **à cheval/bicyclette** montar a caballo/en bicicleta; ~ **à pied/en voiture** subir a pie/en coche; ~ **à bord** subir a bordo; ~ **sur les planches** subir a la escena; ~ **la garde** montar guardia; ~ **à l'assaut** lanzarse al asalto; **monteur, euse** *nm/f* montador/ora.

monticule [mɔ̃tikyl] *nm* montículo; (*tas*) montículo, cúmulo.

montre [mɔ̃tʀ(ə)] *nf* reloj *m*; **contre la** ~ (*SPORT*) contra reloj; **faire** ~ **de** hacer alarde de, exhibir; (*faire preuve de*) dar muestras de; ~**-bracelet** *nf* reloj *m* de pulsera.

montrer [mɔ̃tʀe] *vt* mostrar, enseñar; (*suj*: *panneau etc*) señalar, indicar; (*fig*) describir, presentar; (: *prouver*) mostrar, demostrar; (: *témoigner*) demostrar; (: *étonnement, courage*) mostrar, revelar; **se** ~ (*paraître*) mostrarse, dejarse ver; **se** ~ **habile** mostrarse hábil; **montreur, euse** *nm/f*: **montreur d'ours** amaestrador *m* de osos; **montreur de marionnettes** titiritero.

monture [mɔ̃tyʀ] *nf* montura, cabalgadura; (*d'une bague, de lunettes*) montura.

monument [mɔnymɑ̃] *nm* monumento; ~ **aux morts** monumento a los muertos; ~**al, e, aux** *a* monumental, grandioso(a); colosal.

moquer [mɔke]: **se** ~ **de** *vt* burlarse *o* mofarse de; (*fam*: *mépriser*) importarle (a uno) poco; (*tromper*) engañar a, burlarse de.

moquette [mɔkɛt] *nf* moqueta.

moqueur, euse [mɔkœʀ, øz] *a* burlón(ona), zumbón(ona).

moral, e, aux [mɔʀal, o] *a* moral, espiritual // *nm* moral *f*, ánimo // *nf* (*éthique, doctrine*) moral, ética; (*règles*) moral; (*d'une fable etc*) moraleja; **au** ~ en lo moral; **faire la** ~**e à** dar un sermón a; ~**isateur, trice** *a* moralizador(ora) // *nm/f* moralista *m/f*; ~**iste** *nm/f* moralista *m/f*; ~**ité** *nf* moral *f*, moralidad *f*; (*d'une action, attitude*) moralidad *f*, conducta; (*conclusion, enseignement*) moraleja.

morbide [mɔʀbid] *a* morboso(a), mórbido(a).

morceau, x [mɔʀso] *nm* trozo, fragmento; (*de ficelle, terre, pain*) trozo, pedazo; **couper/mettre en** ~**x** cortar en/hacer pedazos.

morceler [mɔʀsəle] *vt* dividir, parcelar.

mordant, e [mɔʀdɑ̃, ɑ̃t] *a* cáustico(a), incisivo(a); penetrante.

mordiller [mɔʀdije] *vt* mordisquear, dentellear.

mordre [mɔʀdʀ(ə)] *vt* morder; (*suj*: *insecte*) picar; (: *lime*) corroer, morder; (: *ancre, vis*) penetrar en; (: *fig*: *froid*) penetrar // *vi* (*poisson*) morder, picar; ~ **dans** (*fruit, gâteau*) morder; ~ **sur** (*ligne de départ, marge*) pasar, sobrepasar; ~ **à** (*hameçon, appât*) morder, picar; (*fig*) tomarle gusto a, interesarse en.

mordu, e [mɔʀdy] *nm/f*: **un** ~ **de** un apasionado de, un chiflado por.

morfondre [mɔʀfɔ̃dʀ(ə)]: **se** ~ *vi* impacientarse, exasperarse.

morgue [mɔʀg(ə)] *nf* soberbia, engreimiento; (*lieu*) morgue *f*.

moribond, e [mɔʀibɔ̃, ɔ̃d] *nm/f* moribundo/a.

morille [mɔʀij] *nf* colmenilla, cagarria.

morne [mɔʀn(ə)] *a* abatido(a), sombrío(a); destemplado(a), desapacible; insulso(a), hueco(a).

morose [mɔʀoz] *a* taciturno(a), apesadumbrado(a).

morphine [mɔʀfin] *nf* morfina; **morphinomane** *nm/f* morfinómano/a.

morphologie [mɔʀfɔlɔʒi] *nf* morfología; (*d'un relief, tissu*) forma.

mors [mɔʀ] *nm* bocado.

morse [mɔRS(ə)] *nm* morsa; (*TÉLÉC*) morse *m*.
morsure [mɔRSYR] *nf* mordedura; picadura.
mort [mɔR] *nf* muerte *f*; ~ **apparente/clinique** muerte aparente/clínica.
mort, e [mɔR, mɔRt(ə)] *pp de* **mourir** // *a, nm/f* muerto(a) // *nm* (*CARTES*) muerto; ~ **ou vif** muerto o vivo; ~ **de peur/fatigue** muerto de miedo/cansancio.
mortadelle [mɔRtadɛl] *nf* mortadela.
mortalité [mɔRtalite] *nf* mortalidad *f*, mortandad *f*.
mortel, le [mɔRtɛl] *a, nm/f* mortal (*m/f*).
morte-saison [mɔRtəsɛzɔ̃] *nf* temporada mala.
mortier [mɔRtje] *nm* mortero; (*TECH: mélange*) mezcla, argamasa.
mortifier [mɔRtifje] *vt* mortificar, humillar.
mort-né, e [mɔRne] *a* (*enfant*) nacido(a) muerto(a).
mortuaire [mɔRtɥɛR] *a*: **cérémonie** ~ ceremonia fúnebre; **chapelle** ~ capilla ardiente; **couronne** ~ corona mortuaria; **drap** ~ mortaja, paño mortuorio.
morue [mɔRy] *nf* bacalao; **morutier** *nm* (*bateau*) barco para la pesca de bacalao.
mosaïque [mɔzaik] *nf* mosaico.
Moscou [mɔsku] *n* Moscú; **moscovite** [mɔskɔvit] *a, nm/f* moscovita (*m/f*).
mosquée [mɔske] *nf* mezquita.
mot [mo] *nm* palabra; (*message*): **un** ~ unas líneas; **bon** ~ ocurrencia, gracia; ~ **de la fin** conclusión *f*; ~ **à** ~ *a* palabra por palabra, textual // *ad* palabra por palabra, literalmente // *nm* traducción *f* literal; ~ **pour** ~ palabra por palabra; **sur/à ces** ~**s** después de/con estas palabras; **en un** ~ en una palabra; **prendre qn au** ~ tomarle la palabra a uno; **avoir son** ~ **à dire** tener derecho a decir la suya; ~ **d'ordre/de passe** contraseña, santo y seña *m*; ~**s croisés** palabras cruzadas, crucigrama *m*.
motard [mɔtaR] *nm* motorista *m*.
motel [mɔtɛl] *nm* motel *m*.
moteur, trice [mɔtœR, tRis] *a* motor(ora) // *nm* motor *m*; **troubles** ~**s** trastornos motores; **à 4 roues motrices** a cuatro ruedas motrices; **à** ~ a motor; ~ **à deux/quatre temps** motor de dos/cuatro tiempos; ~ **à explosion** motor de explosión.
motif [mɔtif] *nm* motivo, causa; (*décoratif*) motivo, dibujo; (*d'un tableau, aussi MUS*) motivo, tema *m*; (*JUR*) motivación *f*; **sans** ~ sin motivo *o* razón.
motion [mosjɔ̃] *nf* moción *f*; ~ **de censure** moción de censura.
motivé, e [mɔtive] *a* justificado(a), motivado(a).
motiver [mɔtive] *vt* motivar, justificar; (*suj: chose*) explicar.
moto [mɔto] *nf* moto *f*, motocicleta; ~**-cross** *nm* motocross *m*; ~**cyclette** *nf* motocicleta; ~**cyclisme** *nm* carreras de motos; ~**cycliste** *nm/f* motociclista *m/f*; ~**neige** *nf pequeño vehículo a oruga, con esquíes adelante*.
motorisé, e [mɔtɔRize] *a* motorizado(a).
motrice [mɔtRis] *af voir* **moteur.**
motte [mɔt] *nf* (*de terre, gazon*) terrón *m*; (*de beurre*) pella.
motus [mɔtys] *excl*: ~**, bouche cousue** ¡chiton!, ¡punto en boca!
mou, molle [mu, mɔl] *a* blando(a); (*bruit*) suave, sordo(a); (*visage, traits*) fofo(a), fláccido(a); (*fig*) blando(a), débil // *nm* (*homme*) flojo, débil *m*; (*abats*) bofe *m*; **avoir/donner du** ~ tener/dar cuerda, aflojar; **avoir les jambes molles** flaquearle las piernas.
mouchard, e [muʃaR, aRd(ə)] *nm/f* chivato/a, delator/ora; (*péj*) soplón/ona // *nm* (*appareil*) aparato de control.

mouche [muʃ] *nf* mosca; **bateau ~** lancha; **faire ~** hacer centro, dar en el blanco.
moucher [muʃe] *vt* sonar; (*chandelle*) despabilar; **se ~** *vi* sonarse.
moucheron [muʃʀɔ̃] *nm* mosquita.
moucheté, e [muʃte] *a* moteado(a).
mouchoir [muʃwaʀ] *nm* pañuelo.
moudre [mudʀ(ə)] *vt* moler.
moue [mu] *nf* mueca, mohín *m*; **faire la ~** poner mala cara *o* cara de asco.
mouette [mwɛt] *nf* gaviota.
moufle [mufl(ə)] *nf* (*gant*) mitón *m*, manopla.
mouillage [mujaʒ] *nm* fondeo; (NAUT: *lieu*) fondeadero.
mouillé, e [muje] *a* húmedo(a); (*accidentellement, temporairement*) mojado(a).
mouiller [muje] *vt* humedecer, mojar; (*suj*: *pluie, orage etc*) mojar; (CULIN) añadir agua a; (*couper, diluer*) diluir, aguar; (NAUT: *mine*) sembrar; (*ancre*) echar, arrojar // *vi* (NAUT) anclar, fondear; **se ~** mojarse; (*fam*) meterse.
moulage [mulaʒ] *nm* moldeado, vaciado; (*objet*) moldeado.
moule [mul] *nf* mejillón *m* // *nm* molde *m*; (*modèle plein*) modelo.
moulent *etc vb voir aussi* **moudre.**
mouler [mule] *vt* moldear; (*visage, bas-relief*) moldear, sacar el molde de; (*suj*: *vêtement*) ceñir, delinear; **~ qch sur** (*fig*) adaptar algo a.
moulin [mulɛ̃] *nm* molino; **~ à eau/à vent** molino de agua/de viento; **~ à café/à poivre** molinillo de café/de pimienta; **~ à légumes** pasapuré *m*; **~ à paroles** (*fig*) parlanchín(ina).
moulinet [mulinɛ] *nm* (*de treuil*) torniquete *m*; (*de canne à pêche*) carrete *m*; (*mouvement*) molinete *m*.
moulinette [mulinɛt] *nf* triturador *m* de verduras.
moulu, e *pp de* **moudre.**
moulure [mulyʀ] *nf* moldura.
mourant, e [muʀɑ̃, ɑ̃t] *a* moribundo(a); (*fig*) mortecino(a), desfalleciente; apagado(a), lánguido(a) // *nm/f* moribundo/a.
mourir [muʀiʀ] *vi* morir; **~ de faim/d'ennui** morir(se) de hambre/aburrimiento; **~ de vieillesse/assassiné** morir de vejez/asesinado; **~ d'envie de** morir(se) de ganas de.
mousquetaire [muskətɛʀ] *nm*: **les Trois M~s** los Tres Mosqueteros.
mousse [mus] *nf* musgo; (*écume*) espuma; (CULIN) crema batida // *nm* (NAUT) grumete *m*; **bas ~** media de espumilla; **~ carbonique** espuma de gas carbónico; **~ à raser** espuma de afeitar; **~ de nylon** espuma de nylon.
mousseline [muslin] *nf* muselina.
mousser [muse] *vi* hacer espuma.
mousseux, euse [musø, øz] *a* espumoso(a) // *nm* espumante *m*.
mousson [musɔ̃] *nf* monzón *m*.
moussu, e [musy] *a* musgoso(a), cubierto(a) de musgo.
moustache [mustaʃ] *nf* bigote *m*; **~s** *fpl* bigotes.
moustiquaire [mustikɛʀ] *n* mosquitero.
moustique [mustik] *nm* mosquito.
moutarde [mutaʀd(ə)] *nf* mostaza.
mouton [mutɔ̃] *nm* carnero; (CULIN) cordero; **~s** *mpl* (*fig*) cabrillas; pelusa, motas de polvo.
mouture [mutyʀ] *nf* molienda.
mouvais *etc vb voir* **mouvoir.**
mouvant, e [muvɑ̃, ɑ̃t] *a* movedizo(a).
mouvement [muvmɑ̃] *nm* movimiento; (*geste*) movimiento, ademán *m*; (*activité*): **aimer le ~** ser activo(a); (*d'un terrain*) ondulación *f*, accidente *m*; (*mécanisme*) mecanismo; (*fig*) explosión *f*, arrebato; (*variation*) variación *f*; **(mettre) en ~** (poner) en movimiento; **M~ de libération de la femme, MLF** movimiento de

liberación de la mujer; **~é, e** *a* (*terrain*) accidentado(a); (*récit*) ágil, animado(a); (*vie, poursuite, réunion*) agitado(a), movido(a).
mouvoir [muvwaʀ] *vt* mover; (*fig*: *personne*) animar, impulsar; **se ~** *vi* moverse.
moyen, ne [mwajɛ̃, ɛn] *a* medio(a); (*lecteur, spectateur*) medio(a), corriente; (*passable*) medio(a), mediano(a) // *nm* medio, recurso // *nf* media; (*de notes, températures*) media, promedio; **~s** *mpl* (*capacités*) capacidad *f*, facultades *fpl*; (*financiers*) medios, recursos; **au ~ de** por medio de; **par tous les ~s** por todos los medios; **par ses propres ~s** por sus propios medios; **en ~ne** por término medio, como promedio; **faire/avoir la ~ne** sacar/tener el promedio; **~ âge** Edad Media; **~-courrier** *nm avión de pasajeros para distancia media*; **~ne d'âge** edad media *o* promedio; **~ne entreprise** mediana empresa; **~ de transport** medio de transporte.
moyennant [mwajɛnɑ̃] *prép* (*somme*) por; (*service, conditions*) a cambio de; (*travail, effort*) con.
Moyen-Orient [mwajɛnɔʀjɑ̃] *nm*: **le ~** el Oriente Medio.
moyeu, x [mwajø] *nm* cubo.
Mssrs *abrév de* **Messieurs.**
mu, e *pp de* **mouvoir.**
mucosité [mykozite] *nf* moco, mocosidad *f*.
mucus [mykys] *nm* moco, mocosidad *f*.
mue [my] *nf* muda; piel dejada por la serpiente.
muer [mɥe] *vi* (*animal*) mudar, pelechar; (*voix, garçon*) mudar, cambiar; **se ~ en** transformarse en.
muet, te [mɥɛ, ɛt] *a, nm/f* mudo(a) // *nm*: **le ~** el cine mudo.
mufle [myfl(ə)] *nm* morro; (*goujat*) patán *m*, palurdo.
mugir [myʒiʀ] *vi* mugir; (*fig*) silbar.
muguet [mygɛ] *nm* muguete *m*.
mulâtre, tresse [mylɑtʀ(ə), ɑtʀɛs] *nm/f* mulato/a.
mule [myl] *nf* mula; (*pantoufle*) chancleta, chinela.
mulet [mylɛ] *nm* mulo; (*poisson*) mújol *m*; **~ier, ière** [myltje, jɛʀ] *nm/f* muletero/a // *a*: **chemin ~ier** camino de herradura.
mulot [mylo] *nm* ratón *m* de campo.
multicolore [myltikɔlɔʀ] *a* multicolor *inv*.
multidisciplinaire [myltidisiplinɛʀ] *a* multidisciplinario(a).
multimilliardaire [myltimiljaʀdɛʀ] *a, nm/f* multimillonario(a).
multimillionnaire [myltimiljɔnɛʀ] *a, nm/f* multimillonario(a).
multinational, e, aux [myltinasjɔnal, o] *a* multinacional.
multiple [myltipl(ə)] *a* múltiple, numeroso(a); (*nombre*) múltiplo(a) // *nm* múltiplo.
multiplication [myltiplikɑsjɔ̃] *nf* multiplicación *f*.
multiplicité [myltiplisite] *nf* multiplicidad *f*.
multiplier [myltiplije] *vt* multiplicar; **se ~** *vi* multiplicarse; acrecentarse.
multirisque [myltiʀisk] *a*: **assurance ~** seguro contra varios riesgos.
multitude [myltityd] *nf* multitud *f*, muchedumbre *f*; **une ~ de** una multitud *o* infinidad de.
municipal, e, aux [mynisipal, o] *a* municipal.
municipalité [mynisipalite] *nf* municipalidad *f*; (*commune*) municipio.
munificent, e [mynifisɑ̃, ɑ̃t] *a* munífico(a), espléndido(a).
munir [myniʀ] *vt*: **~ qn/qch de** proveer *o* dotar a alguien/algo de.
munitions [mynisjɔ̃] *nfpl* municiones *fpl*.
muqueuse [mykøz] *nf* mucosa.
mur [myʀ] *nm* muro, pared *f*; (*de terre, rondins*) muro, tapia; (*fig*)

piedra, roca; barrera; **faire le ~** salir sin permiso; (*SPORT*) formar una barrera; **~ du son** barrera del sonido.
mûr, e [myʀ] *a* maduro(a) // *nf* mora; (*de la ronce*) mora, zarzamora.
muraille [myʀɑj] *nf* muralla.
mural, e, aux [myʀal, o] *a* mural.
mûrement [myʀmɑ̃] *ad*: **ayant ~ réfléchi** habiéndolo pensado a fondo.
murène [myʀɛn] *nf* murena.
murer [myʀe] *vt* tapiar; (*personne*) emparedar.
muret [myʀɛ] *nm* muro bajo.
mûrier [myʀje] *nm* morera.
mûrir [myʀiʀ] *vi, vt* madurar.
murmure [myʀmyʀ] *nm* murmullo, rumor *m*; (*commentaire*) murmullo; **~s** *mpl* (*plaintes*) quejas, protestas; **murmurer** *vi* murmurar, susurrar; (*se plaindre*) quejarse, protestar.
mus *vb voir* **mouvoir.**
musaraigne [myzaʀɛɲ] *nf* musaraña.
musc [mysk] *nm* almizcle *m*.
muscade [myskad] *nf* moscada.
muscat [myska] *nm* moscatel *m*.
muscle [myskl(ə)] *nm* músculo; **musclé, e** *a* musculoso(a); **musculation** [myskylɑsjɔ̃] *nf*: **exercice de musculation** ejercicio para desarrollar los músculos; **musculature** [myskylatyʀ] *nf* musculatura.
muse [myz] *nf* musa.
museau, x [myzo] *nm* hocico.
musée [myze] *nm* museo.
museler [myzle] *vt* poner un bozal a; (*fig*) amordazar.
muselière [myzəljɛʀ] *nf* bozal *m*.
musette [myzɛt] *nf* (*sac*) bolsa, morral *m* // *a inv* popular.
muséum [myzeɔm] *nm* museo.
musical, e, aux [myzikal, o] *a* musical.
music-hall [myzikol] *nm* teatro de variedades.
musicien, ne [myzisjɛ̃, jɛn] *nm/f, a* músico(a).
musique [myzik] *nf* música; (*d'une phrase etc*) música, musicalidad *f*; **~ de chambre** música de cámara; **~ de film/militaire** música de película/militar.
musqué, e [myske] *a* almizclado(a).
musulman, e [myzylmɑ̃, an] *a, nm/f* musulmán(ana).
mut *vb voir* **mouvoir.**
mutation [mytɑsjɔ̃] *nf* (*ADMIN*) traslado, cambio; (*BIO*) mutación *f*.
muter [myte] *vt* (*ADMIN*) trasladar, cambiar.
mutilé, e [mytile] *a, nm/f* mutilado(a).
mutiler [mytile] *vt* mutilar.
mutin, e [mytɛ̃, in] *a* travieso(a), pícaro(a) // *nm/f* amotinado/a; **~er** [mytine] *vi*: **se ~er** *vi* amotinarse; **~erie** [mytinʀi] *nf* motín *m*, revuelta.
mutisme [mytism(ə)] *nm* mutismo silencio.
mutualiste [mytɥalist(ə)] *a* mutualista.
mutualité [mytɥalite] *nf* mutualidad *f*.
mutuel, le [mytɥɛl] *a* mutuo(a), (*société*) mutual // *nf* mutualidad *f*.
myocarde [mjɔkaʀd(ə)] *nm voir* **infarctus**.
myope [mjɔp] *a, nm/f* miope (*m/f*); **myopie** *nf* miopía.
myosotis [mjozɔtis] *nm* miosota.
myriade [miʀjad] *nf* miríada.
myrtille [miʀtij] *nf* mirtilo.
mystère [mistɛʀ] *nm* misterio, enigma *m*; (*REL*) misterio; **mystérieux, euse** *a* misterioso(a).
mysticisme [mistisism(ə)] *nm* misticismo, mística; (*foi*) misticismo.
mystification [mistifikɑsjɔ̃] *nf* mistificación *f*.
mystifier [mistifje] *vt* mistificar.
mystique [mistik] *a, nm/f* místico(a).
mythe [mit] *nm* mito; **mythique** *a* mítico(a).
mythologie [mitɔlɔʒi] *nf* mitología

mythologique *a* mitológico(a).
mythomane [mitɔman] *a, nm/f* mitómano(a).

N

n' [n] *ad voir* **ne**.
N *abrév de* **nord**.
nacelle [nasɛl] *nf* barquilla.
nacre [nakʀ(ə)] *nf* nácar *m*; **nacré, e** *a* nacarado(a).
nage [naʒ] *nf* natación *f*; (*style*) modo de nadar, estilo; **à la ~** a nado; **~ libre/papillon** estilo libre/mariposa; **en ~** bañado(a) en sudor.
nageoire [naʒwaʀ] *nf* aleta.
nager [naʒe] *vi, vt* nadar; **nageur, euse** *nm/f* nadador/ora.
naguère [nagɛʀ] *ad* no hace mucho.
naïf, ïve [naif, iv] *a* ingenuo(a), cándido(a).
nain, e [nɛ̃, ɛn] *nm/f* enano/a.
naissance [nɛsɑ̃s] *nf* nacimiento; **donner ~ à** dar a luz; (*fig*) dar nacimiento *o* origen a.
naître [nɛtʀ(ə)] *vi* nacer; **~ (de)** nacer (de), ser hijo(a) (de); **faire ~** engendrar, dar origen a.
naïveté [naivte] *nf* ingenuidad *f*, candidez *f*.
nana [nana] *nf* (*fam*) chica, niña.
nantir [nɑ̃tiʀ] *vt* proveer; **les nantis** (*péj*) los ricos, los ricachos.
napalm [napalm] *nm* napalm *m*.
nappe [nap] *nf* mantel *m*; (*fig*): **~ de gaz** capa de gas.
napperon [napʀɔ̃] *nm* salvamantel *m*, tapete *m*.
naquîmes, naquit *etc vb voir* **naître**.
narcissisme [naʀsisism(ə)] *nm* narcisismo.
narcotique [naʀkɔtik] *a* narcótico(a) // *nm* narcótico.
narguer [naʀge] *vt* provocar, escarnecer.
narine [naʀin] *nf* ventana de la nariz.
narquois, e [naʀkwa, waz] *a* socarrón(ona), burlón(ona).
narration [naʀɑsjɔ̃] *nf* narración *f*, relato.
narrer [naʀe] *vt* narrar, relatar.
naseau, x [nazo] *nm* ollar *m*, *ventana de la nariz de algunos animales*.
nasiller [nazije] *vi* (*personne*) ganguear, nasalizar.
nasse [nas] *nf* nasa.
natal, e [natal] *a* natal; **~iste** *a partidario(a) del incremento de la natalidad*; **~ité** *nf* natalidad *f*.
natation [natɑsjɔ̃] *nf* natación *f*.
natif, ive [natif, iv] *a* nativo(a), natural.
nation [nɑsjɔ̃] *nf* nación *f*; **les N~s Unies** las naciones Unidas; **~al, e, aux** *a* nacional // *nf*: **(route) ~ale, RN** carretera nacional; **~aliser** *vt* nacionalizar; **~alisme** *nm* nacionalismo; **~alité** *nf* nacionalidad *f*.
natte [nat] *nf* estera; (*cheveux*) trenza.
naturalisation [natyʀalizɑsjɔ̃] *nf* naturalización *f*, nacionalización *f*.
naturaliser [natyʀalize] *vt* naturalizar, nacionalizar.
naturaliste [natyʀalist(ə)] *nm/f* naturalista *m/f*.
nature [natyʀ] *nf* naturaleza; (*tempérament, genre*) naturaleza, índole *f* // *a, ad* (CULIN) al natural, solo; **payer en ~** pagar en especie; **peindre d'après ~** pintar del natural; **~ morte** naturaleza muerta; **naturel, le** *a* natural // *nm* temperamento, natural *m*; (*aisance*) naturalidad *f*; (*péj*) natural; **naturellement** *ad* naturalmente.
naturisme [natyʀism(ə)] *nm* naturismo.
naufrage [nofʀaʒ] *nm* naufragio; **faire ~** naufragar; **naufragé, e** *a, nm/f* naúfrago(a).

nausée [noze] *nf* náusea.
nautique [notik] *a* náutico(a); **nautisme** *nm* náutica.
naval, e [naval] *a* naval.
navet [navɛ] *nm* nabo; (*péj*) tostón *m*.
navette [navɛt] *nf* lanzadera; (*en car etc*) recorrido; **faire la ~** ir y venir.
navigable [navigabl(ə)] *a* navegable.
navigateur [navigatœʀ] *nm* piloto; (*NAUT*) navegante.
navigation [navigɑsjɔ̃] *nf* navegación *f*.
naviguer [navige] *vi* navegar.
navire [naviʀ] *nm* navío, buque *m*; **~ de guerre** buque de guerra; **~ marchand** navío mercante.
navrer [navʀe] *vt* desconsolar, afligir.
NB *abrév de nota bene.*
ne, n' [n(ə)] *ad voir* **pas, plus, jamais** *etc*; (*explétif*) *non traduit.*
né, e [ne] *pp de* **naître** // *a* nacido(a); **~e Dupont** nacida Dupont, de soltera Dupont; **un comédien ~** un comediante nato.
néanmoins [neɑ̃mwɛ̃] *ad* no obstante, sin embargo.
néant [neɑ̃] *nm* nada.
nébuleux, euse [nebylø, øz] *a* confuso(a), nebuloso(a).
nébulosité [nebylozite] *nf* nubosidad *f*.
nécessaire [nesesɛʀ] *a* necesario(a), indispensable; (*inéluctable*) inevitable, necesario(a) // *nm*: **~ de toilette** estuche *m* de tocador; **~ de couture** costurero; **le ~** lo necesario.
nécessité [nesesite] *nf* necesidad *f*.
nécessiter [nesesite] *vt* necesitar, requerir.
nec plus ultra [nekplysyltʀa] *nm* súmmum *m*.
nécrologique [nekʀɔlɔʒik] *a*: **article ~** noticia necrológica.
néerlandais, e [neɛʀlɑ̃dɛ, ɛz] *a, nm/f* neerlandés(esa), holandés (esa).
nef [nɛf] *nf* nave *f*.
néfaste [nefast(ə)] *a* nefasto(a).
négatif, ive [negatif, iv] *a* negativo(a) // *nm* negativo // *nf*: **répondre par la négative** responder negativamente.
négation [negɑsjɔ̃] *nf* negación *f*.
négligé [negliʒe] *nm* descuido, desaliño.
négligeable [negliʒabl(ə)] *a* desdeñable, despreciable.
négligence [negliʒɑ̃s] *nf* negligencia, descuido.
négligent, e [negliʒɑ̃, ɑ̃t] *a* negligente, descuidado(a).
négliger [negliʒe] *vt* descuidar, desatender; (*tenue, santé*) descuidar; (*avis, précautions*) desatender, ignorar; **~ de faire qch** dejar de hacer algo.
négoce [negɔs] *nm* negocio; **négociant, e** *nm/f* negociante *m/f*.
négociateur, trice [negɔsjatœʀ, tʀis] *nm/f* negociador/ora.
négociation [negɔsjɑsjɔ̃] *nf* negociación *f*.
négocier [negɔsje] *vt* negociar; (*virage etc*) sortear // *vi* negociar.
nègre [nɛgʀ(ə)] *nm* (*péj*) negro; (*péj*) colaborador/ora (no reconocido/a) // *a* negro(a); **négresse** *nf* (*péj*) negra.
neige [nɛʒ] *nf* nieve *f*; **~ poudreuse** nieve fresca; **battre en ~** batir a punto de nieve; **neiger** *vi* nevar; **il neige** nieva.
nénuphar [nenyfaʀ] *nm* nenúfar *m*.
néologisme [neɔlɔʒism(ə)] *nm* neologismo.
néon [neɔ̃] *nm* neón *m*.
néo-zélandais, e [neɔzelɑ̃dɛ, ɛz] *a, nm/f* neocelandés(esa).
nerf [nɛʀ] *nm* nervio; **~s** *mpl* (*fig*) nervios; **~ de bœuf** vergajo; **nerveux, euse** *a* nervioso(a); **nervosité** *nf* nerviosismo.
nervure [nɛʀvyʀ] *nf* nervadura, nervio; (*de feuille*) nervadura.
n'est-ce pas [nɛspɑ] *ad* ¿no es cierto?; **~ que...?** ¿no es cierto

que...?; **lui, ~, il peut se le permettre** él puede permitírselo ¿no es asi?

net, te [nɛt] *a* claro(a), exacto(a); (*distinct*) nítido(a), claro(a); (*évident*) explícito(a), categórico(a); (*propre*) limpio(a), impecable; (*COMM*) neto(a) // *ad* rotundamente; (*s'arrêter*) en seco, de golpe; (*casser, tuer*) de un golpe // *nm*: **mettre au ~** poner en limpio; **~teté** *nf* limpieza, nitidez *f*.

nettoyage [nɛtwajaʒ] *nm* limpieza; **~ à sec** limpieza a seco.

nettoyer [nɛtwaje] *vt* limpiar.

neuf [nœf] *num* nueve.

neuf, neuve [nœf, nœv] *a* nuevo(a) // *nm*: **repeindre à ~** dejar como nuevo (repintando).

neurasthénique [nøʀastenik] *a* neurasténico(a).

neurologie [nøʀɔlɔʒi] *nf* neurología; **neurologue** [nøʀɔlɔg] *nm/f* neurólogo.

neutraliser [nøtʀalize] *vt* neutralizar.

neutralité [nøtʀalite] *nf* neutralidad *f*.

neutre [nøtʀ(ə)] *a* neutro(a) // *nm* neutro.

neutron [nøtʀɔ̃] *nm* neutrón *m*.

neuve [nœv] *af voir* **neuf**.

neuvième [nœvjɛm] *a, nm/f* noveno(a).

neveu, x [nəvø] *nm* sobrino.

névralgie [nevʀalʒi] *nf* neuralgia.

névrose [nevʀoz] *nf* neurosis *f*.

New-York [njujɔʀk] *n* Nueva York.

nez [ne] *nm* nariz *f*; (*d'avion etc*) proa; **~ à ~ avec** cara a cara con.

NF *abrév de nouveaux francs*.

ni [ni] *conj*: **~ l'un ~ l'autre ne sont ...** ni uno ni otro son...; **il n'a rien dit ~ fait** no ha dicho ni hecho nada.

niais, e [njɛ, ɛz] *a* bobo(a), memo(a).

niche [niʃ] *nf* casilla; (*de mur*) nicho; (*farce*) diablura.

nichée [niʃe] *nf* nidada, prole *f*.

nicher [niʃe] *vi* anidar, vivir.

nickel [nikɛl] *nm* níquel *m*.

nicotine [nikɔtin] *nf* nicotina.

nid [ni] *nm* nido; **~ de poule** bache *m*.

nièce [njɛs] *nf* sobrina.

nième [ɛnjɛm] *a*: **la ~ fois** por la centésima vez.

nier [nje] *vt* negar.

Nil [nil] *nm*: **le ~** el Nilo.

n'importe [nɛ̃pɔʀt] *a*: **~ qui** quienquiera; **~ quoi** cualquier cosa, lo que sea; **~ où** dondequiera, en cualquier lugar; **~ quand** cuando quiera, en cualquier momento; **~ quel/quelle** cualquier; cualquiera; **~ lequel/laquelle** cualquiera; **~ comment** de cualquier modo.

nitouche [nituʃ] *nf* (*péj*): **une sainte ~** una mosquita muerta.

nitrate [nitʀat] *nm* nitrato.

nitroglycérine [nitʀɔgliseʀin] *nf* nitroglicerina.

niveau, x [nivo] *nm* nivel *m*; **au ~ de** al nivel de; **de ~ (avec)** a nivel (con); **~ (à bulle)** nivel (de aire); **~ de vie** nivel de vida; **niveler** [nivle] *vt* nivelar, igualar.

noble [nɔbl(ə)] *a, nm/f* noble (*m/f*); **noblesse** *nf* nobleza.

noce [nɔs] *nf* boda, nupcias; **en secondes ~s** en segundas nupcias; **~s d'or/d'argent** bodas de oro/de plata.

nocif, ive [nɔsif, iv] *a* nocivo(a).

nocturne [nɔktyʀn(ə)] *a* nocturno(a) // *nf* (*SPORT*) partido nocturno.

Noël [nɔɛl] *nm* Navidad *f*.

nœud [nø] *nm* nudo; **~ coulant** nudo corredizo; **~ papillon** corbata de pajarita.

noir, e [nwaʀ] *a* negro(a); (*obscur*) sombrío(a), oscuro(a); (*triste*) sombrío(a), negro(a) // *nm/f* negro/a // *nf* (*MUS*) negra; **dans le ~** en la oscuridad; **~ceur** [nwaʀsœʀ] *nf* negrura; **~cir** [nwaʀsiʀ] *vi* ennegrecer.

noisetier [nwaztje] *nm* avellano.

noisette [nwazɛt] *nf, a* avellana.

noix [nwa] *nf* nuez *f*; (*CULIN*)

cucharadita; ~ **de coco** coco; ~ **muscade** nuez moscada; ~ **de veau** babilla *o* rabada de ternera.

nom [nɔ̃] *nm* nombre *m*; (*LING*) sustantivo; **au** ~ **de** en nombre de; ~ **commun** nombre común; ~ **d'emprunt** falso nombre; ~ **de famille** apellido; ~ **de jeune fille** apellido de soltera; ~ **propre** nombre propio.

nomade [nɔmad] *a, nm/f* nómada (*m/f*).

nombre [nɔ̃bʀ(ə)] *nm* número; **ils sont au** ~ **de 3** son 3; **au** ~ **de mes amis** entre mis amigos; **sans** ~ innumerable.

nombreux, euse [nɔ̃bʀø, øz] *a* numeroso(a).

nombril [nɔ̃bʀi] *nm* ombligo.

nomenclature [nɔmɑ̃klatyʀ] *nf* nomenclatura.

nominal, e, aux [nɔminal, o] *a* nominal.

nominatif [nɔminatif] *nm* nominativo.

nomination [nɔminɑsjɔ̃] *nf* nombramiento, designación *f*.

nommément [nɔmemɑ̃] *ad* por su nombre; especialmente.

nommer [nɔme] *vt* llamar, nombrar; (*mentionner, citer*) nombrar, citar; (*élire*) designar, nombrar; **se** ~ *vb avec attribut* llamarse.

non [nɔ̃] *ad, nm* no; ~ **que...** no porque...; **moi** ~ **plus** yo tampoco.

non-alcoolisé, e [nɔnalkɔlize] *a* no alcohólico(a).

nonchalance [nɔ̃ʃalɑ̃s] *nf* indolencia, dejadez *f*.

non-lieu [nɔ̃ljø] *nm* sobreseimiento.

nonne [nɔn] *nf* monja.

non-sens [nɔ̃sɑ̃s] *nm* disparate *m*, absurdo.

non-violence [nɔ̃vjɔlɑ̃s] *nf* no violencia.

nord [nɔʀ] *nm, a* norte (*m*); **au** ~ **de** al norte de; ~**-africain, e** *a, nm/f* norteafricano(a); ~**-est** *nm* noreste *m*, nordeste *m*; ~**ique** *a* nórdico(a); ~**-ouest** *nm* noroeste *m*.

normal, e, aux [nɔʀmal, o] *a* normal // *nf*: **la** ~**e** lo normal, la normalidad; ~**ement** *ad* normalmente; ~**iser** *vt* normalizar.

normand, e [nɔʀmɑ̃, ɑ̃d] *a, nm/f* normando(a).

Normandie [nɔʀmɑ̃di] *nf* Normandía.

norme [nɔʀm(ə)] *nf* norma.

Norvège [nɔʀvɛʒ] *nf* Noruega; **norvégien, ne** *a, nm/f* noruego(a).

nos [no] *dét* nuestros(as).

nostalgie [nɔstalʒi] *nf* nostalgia.

notable [nɔtabl(ə)] *a, nm* notable (*m*).

notaire [nɔtɛʀ] *nm* notario.

notamment [nɔtamɑ̃] *ad* particularmente, principalmente.

notarié [nɔtaʀje] *am*: **acte** ~ acta notarial.

notation [nɔtɑsjɔ̃] *nf* notación *f*; (*note, trait*) bosquejo.

note [nɔt] *nf* nota; (*facture*) cuenta; **prendre des** ~**s** tomar apuntes; ~ **de service** circular *f*.

noter [nɔte] *vt* anotar, apuntar; (*remarquer*) señalar, notar; (*SCOL, ADMIN*) calificar, conceptuar.

notice [nɔtis] *nf* nota, noticia; ~ **explicative** folleto explicativo.

notifier [nɔtifje] *vt* notificar.

notion [nosjɔ̃] *nf* noción *f*; ~**s** *fpl* (*rudiments*) nociones *fpl*.

notoire [nɔtwaʀ] *a* destacado(a), notorio(a); (*en mal*) notorio(a).

notre [nɔtʀ(ə)] *dét* nuestro(a).

nôtre [notʀ(ə)] *pron*: **le** ~ el *o* lo nuestro; **la** ~ la nuestra; **les** ~**s** (*amis etc*) los nuestros // *a* nuestro(a).

nouer [nwe] *vt* atar, anudar; (*fig*) trabar.

nougat [nuga] *nm tipo de turrón.*

nouilles [nuj] *nfpl* tallarines *mpl*.

nourrice [nuʀis] *nf* nodriza.

nourrir [nuʀiʀ] *vt* nutrir, alimentar; (*entretenir*) nutrir, mantener; **bien/mal nourri** bien/mal alimentado; ~ **au sein** amamantar, criar al pecho; **se** ~ **de qch** alimentarse con algo;

nourrissant, e *a* nutritivo(a), alimenticio(a).
nourrisson [nuʀisɔ̃] *nm* niño de pecho.
nourriture [nuʀityʀ] *nf* alimento, sustento.
nous [nu] *pron* nosotros(as); (*objet direct, indirect*) nos; **~-mêmes** nosotros(as) mismos(as).
nouveau (nouvel), elle, aux [nuvo, vɛl] *a* nuevo(a); (*original*) nuevo(a), novedoso(a) // *nm/f* nuevo/a // *nm*: **il y a du ~** hay novedad // *nf* noticia, nueva; (*TV etc*): **nouvelles** noticias; (*LITTÉRATURE*) cuento; **de ~, à ~** de nuevo, nuevamente; **~-né, e** *a, nm/f* recién nacido(a); **~ riche** *nm* nuevo rico; **~ venu, nouvelle venue** *nm/f* recién llegado/a; **~té** *nf* novedad *f*.
nouvel [nuvɛl] *am voir* **nouveau**.
nouvelle [nuvɛl] *a, nf voir* **nouveau**; **N~-Zélande** *nf* Nueva Zelanda.
novateur, trice [nɔvatœʀ, tʀis] *nm/f* innovador/ora.
novembre [nɔvɑ̃bʀ(ə)] *nm* noviembre *m*.
novice [nɔvis] *a, nm/f* novicio(a).
noyade [nwajad] *nf* ahogamiento.
noyau, x [nwajo] *nm* núcleo; (*de fruit*) hueso; (*de résistants etc*) núcleo, célula; **~ter** *vt* infiltrar núcleos de división en.
noyé, e [nwaje] *nm/f* ahogado/a.
noyer [nwaje] *nm* nogal *m* // *vt* ahogar, anegar (un lugar); (*fig*) ahogar, sumergir; (: *délayer*) diluir, desleír; **~ son moteur** ahogar su motor; **se ~** ahogarse.
nu, e [ny] *a* desnudo(a); (*chambre, plaine, fil*) desnudo(a), pelado(a) // *nm* desnudo; **~-pieds, (les) pieds ~s** descalzo(a), con los pies desnudos; **~-tête, (la) tête ~e** descubierto(a), con la cabeza descubierta; **à l'œil ~** a simple vista; **se mettre ~** desnudarse; **mettre à ~** desnudar.
nuage [nɥaʒ] *nm* nube *f*; **nuageux, euse** *a* nublado(a).
nuance [nɥɑ̃s] *nf* matiz *m*; **il y a une ~ (entre...)** hay una leve diferencia (entre...); **nuancer** *vt* matizar.
nucléaire [nykleɛʀ] *a* nuclear.
nudisme [nydism(ə)] *nm* nudismo.
nudiste [nydist(ə)] *nm/f* nudista *m/f*.
nudité [nydite] *nf* desnudez *f*.
nuée [nɥe] *nf* nube *f*, bandada.
nuire [nɥiʀ] *vi* perjudicar, hacer daño.
nuisible [nɥizibl(ə)] *a* perjudicial, dañino(a); (*animal*) dañino(a).
nuit [nɥi] *nf* noche *f*; **service de ~** servicio nocturno; **~ blanche** noche en vela *o* blanco; **~ de noces** noche de bodas.
nuitée [nɥite] *nf noche pasada en un hotel*.
nul, le [nyl] *a* ningún, ninguno(a); (*minime, péj*) nulo(a); (*non valable*) nulo(a), sin validez; (*SPORT*): **résultat ~** empate *m* // *pron* nadie; **~lement** *ad* de ningún modo, en modo alguno; **~lité** *nf* nulidad *f*.
numéraire [nymeʀɛʀ] *nm* numerario, metálico.
numéral, e, aux [nymeʀal, o] *a* numeral.
numérateur [nymeʀatœʀ] *nm* numerador *m*.
numération [nymeʀɑsjɔ̃] *nf* numeración *f*.
numérique [nymeʀik] *a* numérico(a).
numéro [nymeʀo] *nm* número; **~ter** *vt* numerar.
numismate [nymismat] *nm/f* numismático/a.
nuque [nyk] *nf* nuca.
nutritif, ive [nytʀitif, iv] *a* nutritivo(a).
nutrition [nytʀisjɔ̃] *nf* nutrición *f*.
nylon [nilɔ̃] *nm* nailon *m*, nylon *m*.
nymphe [nɛ̃f] *nf* ninfa.
nymphomane [nɛ̃fɔman] *nf* ninfómana.

O

O *abrév de* **ouest**.
oasis [ɔazis] *nf* oasis *m*.
obédience [ɔbedjɑ̃s] *nf*: **d'~ communiste** de sumisión al comunismo.
obéir [ɔbeiʀ] *vi* obedecer; **~ à** *vt* obedecer a; (*ordre, loi, impulsion*) acatar, obedecer a; (*force, loi naturelle*) ceder *u* obedecer a; **obéissance** *nf* obediencia; **obéissant, e** *a* obediente, dócil.
obélisque [ɔbelisk(ə)] *nm* obelisco.
obèse [ɔbɛz] *a* obeso(a), gordo(a).
objecter [ɔbʒɛkte] *vt* objetar.
objecteur [ɔbʒɛktœʀ] *nm*: **~ de conscience** objetor *m* de conciencia.
objectif, ive [ɔbʒɛktif, iv] *a* objetivo(a) // *nm* objetivo; **~ grand angulaire/à focale variable** objetivo gran angular/de distancia focal variable.
objection [ɔbʒɛksjɔ̃] *nf* objeción *f*.
objectivité [ɔbʒɛktivite] *nf* objetividad *f*.
objet [ɔbʒɛ] *nm* objeto; **~ d'art** objeto de arte; **~ volant non identifié, OVNI** objeto volante no identificado, OVNI; **(bureau des) ~s trouvés** (oficina de) objetos perdidos.
objurgations [ɔbʒyʀgɑsjɔ̃] *nfpl* admoniciones *fpl*, exhortaciones *fpl*.
obligation [ɔbligɑsjɔ̃] *nf* obligación *f*; **sans ~ d'achat/de votre part** sin compromiso de compra/de su parte; **obligatoire** *a* obligatorio(a).
obligé, e [ɔbliʒe] *a*: **~ de faire** obligado a hacer; **être très ~ à qn** estar muy agradecido a alguien; **obligeamment** *ad* atentamente, amablemente; **obligeance** *nf*: **avoir l'obligeance de** tener la amabilidad *o* la bondad de; **obligeant, e** *a* atento(a), amable.
obliger [ɔbliʒe] *vt*: **~ qn à faire** obligar a alguien a hacer; (*JUR*: engager) obligar, comprometer; (*rendre service à*) complacer, hacer un favor.
oblique [ɔblik] *a* oblicuo(a); **en ~** *ad* oblicuamente, en diagonal.
obliquer [ɔblike] *vi*: **~ à gauche** torcer a izquierda.
oblitérer [ɔbliteʀe] *vt* (*timbre-poste*) poner el matasellos a.
oblong, oblongue [ɔblɔ̃, ɔblɔ̃g] *a* oblongo(a), alargado(a).
obscène [ɔpsɛn] *a* obsceno(a); **obscénité** *nf* obscenidad *f*.
obscur, e [ɔpskyʀ] *a* oscuro(a); (*écrivain, origine*) desconocido(a); **~cir** *vt* oscurecer; **s'~cir** *vi* oscurecerse; **~ité** *nf* oscuridad *f*.
obsédé, e [ɔpsede] *nm/f*: **~ sexuel** maníaco sexual.
obséder [ɔpsede] *vt* atormentar, obsesionar.
obsèques [ɔpsɛk] *nfpl* exequias.
observateur, trice [ɔpsɛʀvatœʀ, tʀis] *a, nm/f* observador(ora).
observation [ɔpsɛʀvɑsjɔ̃] *nf* observación *f*.
observatoire [ɔpsɛʀvatwaʀ] *nm* observatorio; (*lieu élevé*) puesto de observación.
observer [ɔpsɛʀve] *vt* observar; (*surveiller, épier, MIL*) vigilar, observar; **s'~** (*se surveiller*) controlarse, dominarse; **faire ~ qch à qn** (*le lui dire*) hacer notar algo a alguien.
obstacle [ɔpstakl(ə)] *nm* obstáculo.
obstétrique [ɔpstetʀik] *nf* obstetricia.
obstiné, e [ɔpstine] *a* obstinado(a), terco(a); (*effort, travail, résistance*) obstinado(a), tenaz.
obstiner [ɔpstine]: **s'~** *vi* obstinarse, empecinarse; **s'~ à** obstinarse en; **s'~ sur qch** obstinarse por algo.
obstruer [ɔpstʀɥe] *vt* obstruir, obturar; **s'~** *vi* obstruirse, atascarse.
obtempérer [ɔptɑ̃peʀe] *vi* someterse a, acatar; **~ à** *vt* acatar, obedecer.

obtenir [ɔptəniʀ] *vt* obtener, lograr; (*total, température, résultat*) obtener, conseguir; ~ **de pouvoir faire** obtener el poder hacer algo; ~ **de qn que** conseguir que alguien; ~ **satisfaction** lograr satisfacción.
obturateur [ɔptyʀatœʀ] *nm* obturador *m*; ~ **à rideau/focal** obturador de cortinilla/central.
obturation [ɔptyʀɑsjɔ̃] *nf* obturación *f*; ~ **(dentaire)** empaste *m* (de un diente).
obturer [ɔptyʀe] *vt* obturar, tapar.
obtus, e [ɔpty, yz] *a* obtuso(a), lerdo(a).
obus [ɔby] *nm* obús *m*.
obvier [ɔbvje]: ~ **à** *vt* obviar, evitar.
occasion [ɔkɑzjɔ̃] *nf* ocasión *f*; **à plusieurs ~s** en varias ocasiones; **être l'~ de** ser la oportunidad de *o* para; **à l'~** *ad* eventualmente, si llega el caso; **à l'~ de** con motivo de; **d'~** *a* de ocasión, de lance // *ad* de segunda mano; **~nel, le** *a* ocasional; **~ner** *vt* ocasionar, causar.
occident [ɔksidɑ̃] *nm*: **l'~** el occidente; **~al, e, aux** [-tal, o] *a, nm/f* occidental (*m/f*).
occire [ɔksiʀ] *vt* matar.
occlusion [ɔklyzjɔ̃] *nf*: ~ **intestinale** oclusión *f u* obstrucción *f* intestinal.
occulte [ɔkylt(ə)] *a* oculto(a).
occupant, e [ɔkypɑ̃, ɑ̃t] *a, nm* ocupante (*m*) // *nm/f* (*d'un appartement*) inquilino/a.
occupation [ɔkypɑsjɔ̃] *nf* ocupación *f*; (*passe-temps*) ocupación *f*, quehacer *m*.
occupé, e [ɔkype] *a* ocupado(a); (*fig*) abstraído(a), absorto(a).
occuper [ɔkype] *vt* ocupar; (*poste, fonction*) ocupar, desempeñar; (*personnel*) emplear, ocupar; (*suj: travail etc*) llevar, tomar; **s'~** ocuparse; **s'~ de** *vt* ocuparse de.
occurrence [ɔkyʀɑ̃s] *nf*: **en l'~** en este caso.
océan [ɔseɑ̃] *nm* océano; **l'~ Indien** el Océano Índico; **O~ie** [-ani] *nf*: **l'O~ie** (la) Oceanía; **~ique** [-anik] *a* oceánico(a); **~ographie** [-anɔgʀafi] *nf* oceanografía.
ocre [ɔkʀ(ə)] *a inv* ocre.
octane [ɔktan] *nm* octano.
octobre [ɔktɔbʀ(ə)] *nm* octubre *m*.
octogénaire [ɔktɔʒenɛʀ] *a, nm/f* octogenario(a).
octogone [ɔktɔgɔn] *nm* octágono.
octroyer [ɔktʀwaje] *vt* otorgar.
oculaire [ɔkylɛʀ] *a, nm* ocular (*m*).
oculiste [ɔkylist(ə)] *nm/f* oculista *m/f*.
ode [ɔd] *nf* oda.
odeur [ɔdœʀ] *nf* olor *m*.
odieux, euse [ɔdjø, øz] *a* odioso(a).
odorant, e [ɔdɔʀɑ̃, ɑ̃t] *a* oloroso(a).
odorat [ɔdɔʀa] *nm* olfato.
odoriférant, e [ɔdɔʀifeʀɑ̃, ɑ̃t] *a* aromático(a), fragante.
odyssée [ɔdise] *nf* odisea.
œcuménique [ekymenik] *a* ecuménico(a).
œil [œj] *nm* ojo; **avoir un ~ au beurre noir** tener un ojo a la funerala; **à l'~** (*fam*) de balde; **à l'~ nu** a simple vista; **tenir qn à l'~** no quitarle los ojos de encima a alguien; **faire de l'~ à qn** guiñar el ojo a alguien; **voir qch d'un bon/mauvais ~** ver algo con buenos/malos ojos; **à mes/ses yeux** para mí/él; ~ **de verre** ojo de vidrio; **~lade** *nf* mirada; **faire des ~lades** hacer guiñadas *o* guiños; **~lères** *nfpl* anteojeras.
œillet [œjɛ] *nm* (BOT) clavel *m*; (*trou*) ojete *m*.
œsophage [ezɔfaʒ] *nm* esófago.
œstrogène [ɛstʀɔʒɛn] *a* estrógeno(a).
œuf [œf, *pl* ø] *nm* huevo; ~ **à la coque/dur/mollet/au plat/poché** huevo en cáscara/duro/pasado por agua/al plato/escalfado; ~ **à repriser** huevo de zurcir; **~s brouillés** huevos revueltos; **~s à la neige** natilla con claras de huevo.
œuvre [œvʀ(ə)] *nf, nm* obra; (CONSTRUCTION): **le gros ~** las

paredes maestras; ~**s** *fpl* (REL: *actes*) obras; **mettre en** ~ (*moyens*) emplear; **bonnes** ~**s**, ~**s de bienfaisance** obras de caridad *o* beneficencia; ~ **d'art** obra de arte.

offense [ɔfɑ̃s] *nf* ofensa, agravio; (REL) falta, pecado; **offenser** *vt* ofender a; (*principes etc*) agraviar, faltar a; **s'offenser de** ofenderse por.

offensif, ive [ɔfɑ̃sif, iv] *a* ofensivo(a) // *nf* ofensiva.

offert, e *pp de* **offrir**.

offertoire [ɔfɛRtwaR] *nm* ofertorio.

office [ɔfis] *nm* oficio; (*agence*) oficina // *nm ou nf* (*pièce*) antecocina; **faire** ~ **de** hacer las veces de; **d'**~ *ad* de oficio; **bons** ~**s** (POL) buenos servicios *u* oficios; ~ **du tourisme** oficina de turismo.

officiel, le [ɔfisjɛl] *a* oficial // *nm/f* funcionario; (SPORT) juez *m*, árbitro.

officier [ɔfisje] *nm* oficial *m* // *vi* oficiar, celebrar.

officieux, euse [ɔfisjø, øz] *a* oficioso(a), extraoficial.

officinal, e, aux [ɔfisinal, o] *a*: **plantes** ~**es** plantas oficinales.

officine [ɔfisin] *nf* (*de pharmacie*) laboratorio; (*pharmacie*) farmacia; (*gén péj*) oficina.

offrais *etc vb voir* **offrir**.

offrande [ɔfRɑ̃d] *nf* ofrenda.

offrant [ɔfRɑ̃] *nm*: **au plus** ~ al mejor postor.

offre [ɔfR(ə)] *nf* oferta; (ADMIN: *soumission*) licitación *f*; ~ **publique d'achat, OPA** oferta pública de compra.

offrir [ɔfRiR] *vt*: ~ **(à qn)** ofrecer *u* obsequiar (a alguien); (*proposer*): ~ **(à qn)** ofrecer (a alguien); (*présenter, montrer*) ofrecer, presentar; **s'**~ *vi* (*occasion, paysage*) ofrecerse, presentarse // *vt* (*vacances*) costearse; (*voiture*) comprarse; ~ **(à qn) de faire qch** proponer (a alguien) hacer algo; ~ **à boire à qn** ofrecer de beber a alguien.

offset [ɔfsɛt] *nm* offset *m*.

offusquer [ɔfyske] *vt* ofender, disgustar.

ogive [ɔʒiv] *nf* ojiva; **arc en** ~ arco ojival.

ogre [ɔgR(ə)] *nm* ogro.

oie [wa] *nf* (*espèce*) ganso; (*femelle*) gansa.

oignon [ɔɲɔ̃] *nm* cebolla; (*bulbe*) bulbo.

oindre [wɛ̃dR(ə)] *vt* ungir.

oiseau, x [wazo] *nm* ave *f*, pájaro; ~ **de nuit** ave nocturna; ~ **de proie** ave de rapiña; **oisellerie** *nf* pajarería.

oiseux, euse [wazø, øz] *a* ocioso(a).

oisif, ive [wazif, iv] *a* ocioso(a) // *nm/f* (*péj*) holgazán/ana.

O.K. [okɛ] *excl* ¡de acuerdo!, ¡muy bien!

oléagineux, euse [ɔleaʒinø, øz] *a* oleaginoso(a); (*liquide*) aceitoso(a), oleaginoso(a).

oléoduc [ɔleɔdyk] *nm* oleoducto.

olive [ɔliv] *nf* aceituna, oliva; (*interrupteur*) perilla // *a inv* verde oliva; **olivier** *nm* olivo.

olympien, ne [ɔlɛ̃pjɛ̃, jɛn] *a* olímpico(a).

olympique [ɔlɛ̃pik] *a* olímpico(a).

ombilical, e, aux [ɔ̃bilikal, o] *a* umbilical.

ombrage [ɔ̃bRaʒ] *nm* (*ombre*) sombra; (*fig*): **prendre** ~ **de** quedar resentido(a) por; **ombragé, e** *a* sombreado(a); **ombrageux, euse** *a* espantadizo(a), inquieto(a); susceptible, receloso(a).

ombre [ɔ̃bR(ə)] *nf* sombra; **à l'**~ a la sombra; **à l'**~ **de** a la sombra de; (*fig*) al amparo de; **donner/faire de l'**~ dar/hacer sombra; ~ **à paupières** sombra para párpados.

ombrelle [ɔ̃bRɛl] *nf* sombrilla.

omelette [ɔmlɛt] *nf* tortilla; ~ **aux herbes/au fromage** tortilla de verdura/de queso.

omettre [ɔmɛtR(ə)] *vt* omitir, pasar por alto; ~ **de faire qch** omitir hacer algo; **omission** *nf* omisión *f*.

omni... [ɔmni] *préf*: ~**bus** *nm*:

(**train**) **~bus** (tren) ómnibus *m*; **~potent, e** *a* omnipotente; **~vore** *a* omnívoro(a).
omoplate [ɔmɔplat] *nf* omóplato.
OMS *sigle f voir* **organisation.**
on [ɔ̃] *pron* (*indéterminé*): **~ peut le faire ainsi** se *o* uno lo puede hacer así; (*quelqu'un*): **~ vous demande au téléphone** le llaman por teléfono; (*nous*): **~ va y aller demain** iremos mañana; (*les gens*): **autrefois, ~ croyait aux fantômes** antes creían *o* se creía en los fantasmas; **alors, ~ se promène** nos paseamos ¡eh!; **~ ne peut plus stupide** estúpido(a) a más no poder.
oncle [ɔ̃kl(ə)] *nm* tío.
onctueux, euse [ɔ̃ktɥø, øz] *a* suave, untuoso(a); (*aliment, saveur*) suave, cremoso(a); (*fig*) meloso(a).
onde [ɔ̃d] *nf* onda; **sur les ~s** por radio; **mettre en ~s** difundir por radio; **longues ~s** ondas largas; **~s courtes** ondas cortas.
ondée [ɔ̃de] *nf* chaparrón *m*.
on-dit [ɔ̃di] *nm inv* rumor *m*, habladuría.
ondoyer [ɔ̃dwaje] *vi* ondear, ondular // *vt* (REL) bautizar.
ondulé, e [ɔ̃dyle] *a* (*route, chaussée*) sinuoso(a).
onduler [ɔ̃dyle] *vi* ondular; (*route*) zigzaguear.
ongle [ɔ̃gl(ə)] *nm* uña; **manger/ronger ses ~s** comerse/morderse las uñas; **se faire les ~s** arreglarse las uñas.
onglet [ɔ̃glɛ] *nm* (*rainure*) uña, muesca; (*bande de papier*) uñero.
onguent [ɔ̃gɑ̃] *nm* ungüento.
ont *vb voir* **avoir.**
ONU [ɔny] *sigle f voir* **organisation.**
onyx [ɔniks] *nm* ónix *m*, ónice *m*.
onze [ɔ̃z] *num* once; **onzième** *a, nm/f* undécimo(a) // *nm* (*fraction*) onceavo, onzavo.
OPA *sigle f voir* **offre.**
opale [ɔpal] *nf* ópalo.
opalin, e [ɔpalɛ̃, in] *a* opalino(a) // *nf* opalina.
opaque [ɔpak] *a* opaco(a).
opéra [ɔpeʀa] *nm* ópera; **~-comique** *nm* ópera cómica.
opérateur, trice [ɔpeʀatœʀ, tʀis] *nm/f* operador/ora; **~ (de prise de vues)** operador (de la cámara).
opération [ɔpeʀɑsjɔ̃] *nf* operación *f*; **~ de publicité** campaña publicitaria.
opératoire [ɔpeʀatwaʀ] *a* operatorio(a).
opérer [ɔpeʀe] *vt* operar; (*faire, exécuter*) realizar, hacer // *vi* (*faire effet*) hacer efecto, obrar; (*procéder, agir*) actuar, proceder; (MÉD) operar; **s'~** (*avoir lieu*) producirse, efectuarse; **se faire ~ (de)** hacerse operar (de).
opérette [ɔpeʀɛt] *nf* opereta.
ophtalmologie [ɔftalmɔlɔʒi] *nf* oftalmología.
opiner [ɔpine] *vi*: **~ de la tête** asentir con la cabeza.
opiniâtre [ɔpinjɑtʀ(ə)] *a* empecinado(a).
opinion [ɔpinjɔ̃] *nf* opinión *f*, parecer *m*; (*jugement collectif*) opinión; **~s** *fpl* (*religieuses etc*) convicciones *fpl*; **l'~ américaine** la posición americana.
opium [ɔpjɔm] *nm* opio.
opportun, e [ɔpɔʀtœ̃, yn] *a* oportuno(a), conveniente; **~iste** [-tynist(ə)] *nm/f, a* oportunista (*m/f*).
opposant, e [ɔpozɑ̃, ɑ̃t] *a* opositor(ora); **~s** *mpl* opositores *mpl*.
opposé, e [ɔpoze] *a* opuesto(a); (*personne, faction*) contrario(a) // *nm*: **l'~** (*côté, sens*) lo contrario, lo inverso; (*contraire*) lo opuesto, lo contrario; **il est tout l'~ de son frère** es todo lo contrario de su hermano; **être ~ à** ser enemigo de; **à l'~** al contrario; **à l'~ de** enfrente de; (*fig*) en oposición con.
opposer [ɔpoze] *vt* oponer; **s'~** *vi* (*sens réciproque*) oponerse, contrastar; **s'~ à** *vt* oponerse a; **s'~ à ce que** oponerse a que.
opposition [ɔpozisjɔ̃] *nf* oposición *f*; **par ~** por oposición, en

contradicción; **par ~ à** en contradicción con; **être/entrer en ~ avec** estar/entrar en conflicto con; **être en ~ avec** (*idées, conduite*) estar en contraste con; **faire ~ à un chèque** impedir que un cheque sea cobrado; **~ à paiement** oposición legal a un pago.

oppresser [ɔpʀese] *vt* (*suj: chaleur*) agobiar, ahogar; (*fig*) oprimir, ahogar; **oppresseur** *nm* opresor *m*.

opprimer [ɔpʀime] *vt* oprimir, avasallar; (*liberté, opinion, suj: chaleur etc*) oprimir.

opprobre [ɔpʀɔbʀ(ə)] *nm* oprobio; ignominia; vergüenza, deshonor *m*.

opter [ɔpte] : **~ pour** *vt* optar por.

opticien, ne [ɔptisjɛ̃, ɛn] *nm/f* óptico/a.

optimal, e, aux [ɔptimal, o] *a* óptimo(a).

optimisme [ɔptimism(ə)] *nm* optimismo; **optimiste** *nm/f* optimista *m/f*.

optimum [ɔptimɔm] *nm* óptimo // *a* óptimo(a).

option [ɔpsjɔ̃] *nf* opción *f*; (*SCOL*) asignatura elegida *o* escogida; **matière/texte à ~** asignatra/texto facultativo(a); **prendre une ~ sur** sacar opción sobre.

optique [ɔptik] *a* óptico(a) // *nf* óptica.

opulent, e [ɔpylɑ̃, ɑ̃t] *a* opulento(a).

or [ɔʀ] *nm* oro // *conj* luego, ahora bien; **en ~** (*fig*) ventajoso(a).

oracle [ɔʀɑkl(ə)] *nm* profeta *m*, oráculo.

orage [ɔʀaʒ] *nm* tormenta, borrasca; **orageux, euse** *a* tormentoso(a); borrascoso(a).

oraison [ɔʀɛzɔ̃] *nf* oración *f*.

oral, e, aux [ɔʀal, o] *a, nm* oral (*m*).

orange [ɔʀɑ̃ʒ] *nf* naranja // *a inv* anaranjado(a) // *nm* anaranjado; **~ amère/sanguine** naranja agria/de sangre; **~ade** *nf* naranjada; **oranger** *nm* naranjo; **~raie** *nf* naranjal *m*.

orang-outan(g) [ɔʀɑ̃utɑ̃] *nm* orangután *m*.

orateur [ɔʀatœʀ] *nm* orador *m*.

oratoire [ɔʀatwaʀ] *nm* oratorio // *a* oratorio(a).

orbital, e, aux [ɔʀbital, o] *a* orbital.

orbite [ɔʀbit] *nf* órbita; **mettre sur ~** poner en órbita.

orchestration [ɔʀkɛstʀɑsjɔ̃] *nf* orquestación *f*.

orchestre [ɔʀkɛstʀ(ə)] *nm* orquesta; (*THÉÂTRE*) foso de la orquesta; (*places*) patio de butacas, platea; (*spectateurs*) platea; **orchestrer** *vt* orquestar.

orchidée [ɔʀkide] *nf* orquídea.

ordinaire [ɔʀdinɛʀ] *a* ordinario(a) // *nm*: **l'~** lo normal // *nf* (*essence*) gasolina corriente; **d'~** habitualmente, por lo general; **à l'~** habitualmente, de costumbre.

ordinal, e, aux [ɔʀdinal, o] *a* ordinal.

ordinateur [ɔʀdinatœʀ] *nm* ordenador *m*.

ordonnance [ɔʀdɔnɑ̃s] *nf* disposición *f*; (*MÉD*) receta, prescripción *f*; (*JUR*): **~ de non-lieu** auto de sobreseimiento; (*MIL*) ordenanza *m*, asistente *m*; **officier d'~** ayudante *m* de campo.

ordonnée [ɔʀdɔne] *nf* ordenada.

ordonner [ɔʀdɔne] *vt* ordenar; (*MÉD*) recetar, prescribir; (*JUR*): **~ le huis-clos** ordonar que la audiencia sea a puerta cerrada.

ordre [ɔʀdʀ(ə)] *nm* orden *m*; (*directive, association, REL*) orden *f*; **~s** *mpl* (*REL*) órdenes *fpl*; **(mettre) en ~** (poner) en orden; **payer à l'~ de** pagar a la orden de; **de même ~** de la misma categoría *o* naturaleza; **de l'~ de** del orden de; **rentrer dans l'~** volver a la normalidad; **rappeler qn à l'~** llamar al orden a alguien; **par ~ d'entrée en scène** por orden de aparición; **jusqu'à nouvel ~** hasta nueva orden; **de premier/second ~** de primer/segundo orden; **~ de grandeur** idea

del tamaño; ~ **du jour** orden del día.
ordure [ɔʀdyʀ] *nf* basura; (*excrément: d'animal*) suciedad *f*, porquería; (*propos, écrit*) indecencia; **~s** *fpl* (*balayures, déchets*) basuras; **~s ménagères** basura.
oreille [ɔʀɛj] *nf* oreja; oído; (*d'un écrou*) oreja; (*de marmite, tasse*) asa; **avoir de l'~** tener oído; **avoir l'~ fine** tener buen oído, ser fino(a) de oídos; **dire qch à l'~ de qn** decir algo al oído de alguien.
oreiller [ɔʀeje] *nm* almohada.
oreillons [oʀɛjɔ̃] *nmpl* paperas.
ores [ɔʀ]: **d'~ et déjà** *ad* desde ahora.
orfèvre [ɔʀfɛvʀ(ə)] *nm* orfebre *m*; **~rie** *nf* orfebrería.
organe [ɔʀgan] *nm* órgano.
organigramme [ɔʀganigʀam] *nm* organigrama *m*.
organique [ɔʀganik] *a* orgánico(a).
organisateur, trice [ɔʀganizatœʀ, tʀis] *nm/f* organizador/ora.
organisation [ɔʀganizɑsjɔ̃] *nf* organización *f*; **O~ mondiale de la santé, OMS** Organización Mundial de la Salud; **O~ des Nations Unies, ONU** Organización de las Naciones Unidas; **O~ du traité de l'Atlantique Nord, OTAN** Organización del Tratado del Atlantico Norte, OTAN.
organiser [ɔʀganize] *vt* organizar; **s'~** (*personne*) organizarse; (*choses*) arreglarse.
organisme [ɔʀganism(ə)] *nm* organismo.
organiste [ɔʀganist(ə)] *nm/f* organista *m/f*.
orgasme [ɔʀgasm(ə)] *nm* orgasmo.
orge [ɔʀʒ(ə)] *nm* cabada.
orgeat [ɔʀʒa] *nm* horchata.
orgelet [ɔʀʒəlɛ] *nm* orzuelo.
orgie [ɔʀʒi] *nf* orgía.
orgue [ɔʀg(ə)] *nm* órgano.
orgueil [ɔʀgœj] *nm* orgullo; **~leux, euse** *a* orgulloso(a).
Orient [ɔʀjɑ̃] *nm*: **l'~** el Oriente.
oriental, e, aux [ɔʀjɑ̃tal, o] *a, nm/f* oriental (*m/f*).
orientation [ɔʀjɑ̃tɑsjɔ̃] *nf* orientación *f*.
orienté, e [ɔʀjɑ̃te] *a* (*fig*) tendencioso(a).
orienter [ɔʀjɑ̃te] *vt* orientar; **s'~** orientarse.
orifice [ɔʀifis] *nm* orificio.
oriflamme [ɔʀiflam] *nf* oriflama.
origan [ɔʀigɑ̃] *nm* orégano.
originaire [ɔʀiʒinɛʀ] *a* oriundo(a).
original, e, aux [ɔʀiʒinal, o] *a, nm* original (*m*) // *nm/f* extravagante *m/f*, excéntrico/a; **~ité** *nf* originalidad *f*; extravagancia.
origine [ɔʀiʒin] *nf* origen *m*; (*d'un message, appel, vin*) procedencia, origen; **dès/à l'~** desde el/al principio; **originel, le** *a* original.
oripeaux [ɔʀipo] *nmpl* harapos.
orme [ɔʀm(ə)] *nm* olmo.
ornement [ɔʀnəmɑ̃] *nm* adorno; (*d'un édifice, texte*) ornamento, ornato; **~s sacerdotaux** ornamentos sacerdotales; **~er** *vt* ornamentar, adornar.
orner [ɔʀne] *vt* ornar, adornar.
ornière [ɔʀnjɛʀ] *nf* carril *m*, surco.
ornithologie [ɔʀnitɔlɔʒi] *nf* ornitología.
orphelin, e [ɔʀfəlɛ̃, in] *a, nm/f* huérfano/a; **~at** [-lina] *nm* orfanato.
orteil [ɔʀtɛj] *nm* dedo del pie; **gros ~** dedo gordo del pie.
ORTF *sigle m* = *Office de la radiodiffusion et télévision française*.
orthodoxe [ɔʀtɔdɔks(ə)] *a* ortodoxo(a).
orthographe [ɔʀtɔgʀaf] *nf* ortografía; **orthographier** *vt* ortografiar.
orthopédie [ɔʀtɔpedi] *nf* ortopedia; **orthopédique** *a* ortopédico(a).
ortie [ɔʀti] *nf* ortiga.
os [ɔs, *pl* o] *nm* hueso.
OS *sigle m voir* **ouvrier**.
oscar [ɔskaʀ] *nm* oscar *m*; **~ de la chanson** premio de la canción.
osciller [ɔsile] *vi* oscilar, balancearse; (*fig*): **~ entre** vacilar entre.
osé, e [oze] *a* (*plaisanterie etc*)

atrevido(a), desvergonzado(a).
oseille [ozɛj] *nf* acedera.
oser [oze] *vt, vi* osar, atreverse; ~ **faire** osar *o* atreverse a hacer.
osier [ɔzje] *nm* mimbre *m.*
ossature [ɔsatyʀ] *nf* (*ANAT*) osamenta; (*d'un monument etc*) armazón *f*; (*fig*) estructura, armazón.
osselet [ɔslɛ] *nm* huesecillo; ~**s** *mpl* (*jeu*) taba.
ossements [ɔsmɑ̃] *nmpl* huesos, osamenta.
osseux, euse [ɔsø, øz] *a* óseo(a); (*main, visage*) huesudo(a).
ossuaire [ɔsɥɛʀ] *nm* osario.
ostentation [ɔstɑ̃tɑsjɔ̃] *nf* ostentación *f*, exhibición *f.*
ostréiculture [ɔstʀeikyltyʀ] *nf* ostricultura.
otage [ɔtaʒ] *nm* rehén *m.*
OTAN *sigle f voir* **organisation.**
otarie [ɔtaʀi] *nf* león marino.
ôter [ote] *vt* quitar, sacar; ~ **qch de** quitar algo de; ~ **une somme/un nombre de** restar una cantidad/un número de; ~ **qch à qn** quitar algo a alguien; **6 ôté de 10 égale 4** 10 menos 6 es igual a 4.
otite [ɔtit] *nf* otitis *f.*
oto-rhino(-laryngologiste) [ɔtɔʀino(laʀɛ̃gɔlɔʒist(ə))] *nm/f* otorrinolaringólogo/a.
ou [u] *conj* o; (*devant 'o' ou 'ho'*) u; ~ **...** ~ o ... o; ~ **bien** o, o bien.
où [u] *ad, pron* donde; (*dans lequel*) donde, en el cual; de donde, del cual; (*sur lequel*) donde, en el cual; (*sens de 'que'*): **au train** ~ **ça va/prix** ~ **c'est** al paso en que va esto/precio en que está; **le jour** ~ **il est parti** el día en que partió; **par** ~ **passer?** ¿por dónde pasar?; **le village d'**~ **je viens** el pueblo de donde *o* del que vengo; **d'**~ **vient qu'il est parti?** ¿por qué es que partió?
ouate [wat] *nf* algodón *m*; (*bourre*) guata; ~ **de verre** lana de vidrio; **ouaté, e** *a* (*pansement*) de algodón; (*fig*) confortable; **ouater** *vt* enguatar.
oubli [ubli] *nm* descuido, olvido; (*absence de souvenirs*) olvido.
oublier [ublije] *vt* olvidar; (*négliger*) descuidar, olvidar; **s'**~ descuidarse; (*enfant, malade*) orinarse, mearse; ~ **de faire qch** olvidar hacer algo; ~ **l'heure** olvidarse de la hora.
oubliettes [ublijɛt] *nfpl* mazmorras.
ouest [wɛst] *nm, a inv* oeste (*m*); **l'O**~ (*région de France*) el Oeste; (*POL*) el Occidente.
ouf [uf] *excl* ¡uf!, ¡ufa!
oui [wi] *ad* sí; **répondre (par)** ~ responder (con un) sí.
ouï-dire [widiʀ] *nm inv*: **par** ~ de oídas.
ouïe [wi] *nf* oído; ~**s** *fpl* (*de poisson*) agallas.
ouïr [wiʀ] *vt*: **avoir ouï dire que** haber oído decir que.
ouistiti [wistiti] *nm* tití *m.*
ouragan [uʀagɑ̃] *nm* huracán *m.*
ourler [uʀle] *vt* dobladillar.
ourlet [uʀlɛ] *nm* dobladillo; (*de l'oreille*) repliegue *m.*
ours [uʀs] *nm* oso; ~ **brun/blanc** oso pardo/blanco.
ourse [uʀs(ə)] *nf* osa; **la Grande/Petite O**~ la Osa Mayor/Menor.
oursin [uʀsɛ̃] *nm* erizo de mar.
ourson [uʀsɔ̃] *nm* osezno.
ouste [ust(ə)] *excl* ¡fuera!
outil [uti] *nm* herramienta.
outiller [utije] *vt* equipar.
outrage [utʀaʒ] *nm* ultraje *m*, agravio.
outrager [utʀaʒe] *vt* ultrajar, injuriar; (*contrevenir à*) ofender.
outrance [utʀɑ̃s] *nf*: **à** ~ *ad* a ultranza; **outrancier, ière** *a* exagerado(a).
outre [utʀ(ə)] *nf* odre *m // prép* además de // *ad*: **passer** ~ hacer caso omiso; **passer** ~ **(à qch)** no tomar en cuenta (algo), hacer caso omiso (de algo); **en** ~ además; ~ **que** además de que; ~ **mesure** demasiado, más allá de la medida.
outre-Atlantique [utʀatlɑ̃tik] *ad*

al otro lado del Atlántico.
outrecuidance [utʀəkɥidɑ̃s] *nf* presunción *f*, suficiencia.
outre-Manche [utʀəmɑ̃ʃ] *ad* al otro lado de la Mancha.
outremer [utʀəmɛʀ] *a*: **bleu/ciel ~** azul *m*/cielo de ultramar.
outre-mer [utʀəmɛʀ] *ad* en ultramar; **d'~** de ultramar, ultramarino(a).
outrepasser [utʀəpɑse] *vt* sobrepasar.
outrer [utʀe] *vt* extremar, exagerar; indignar.
outre-Rhin [utʀəʀɛ̃] *ad* allende el Rin.
outsider [awtsajdœʀ] *nm* no favorito.
ouvert, e [uvɛʀ, ɛʀt(ə)] *pp de* **ouvrir** // *a* abierto(a); (*chasse, paris*) levantado(a); (*air, personne*) comunicativo(a), franco(a); (*esprit*) inteligente, despierto(a); **à cœur ~** (*MÉD*) *en el interno del músculo cardíaco*; **à livre ~** de corrido; **~ement** *ad* abiertamente.
ouverture [uvɛʀtyʀ] *nf* apertura; (*orifice, PHOTO*) abertura; **faire des ~s** (*fig*) hacer propuestas.
ouvrable [uvʀabl(ə)] *a*: **jour ~** día *m* laborable.
ouvrage [uvʀaʒ] *nm* (*travail*) tarea, trabajo; (*COUTURE, TRICOT, ART*) labor *f*; (*texte, livre*) obra.
ouvragé, e [uvʀaʒe] *a* labrado(a).
ouvrant, e [uvʀɑ̃, ɑ̃t] *a*: **toit ~** (*AUTO*) techo corredizo.
ouvre *etc vb voir* **ouvrir**.
ouvre-boîte [uvʀəbwat] *nm inv* abrelatas *m inv*.
ouvre-bouteilles [uvʀəbutɛj] *nm inv* abridor *m*, descapsulador *m*.
ouvres *vb voir* **ouvrir**.
ouvreuse [uvʀøz] *nf* acomodadora.
ouvrier, ière [uvʀije, jɛʀ] *nm/f, a* obrero(a); **~ spécialisé, OS** obrero semicualificado *o* semiexperto.
ouvrir [uvʀiʀ] *vt* abrir; (*entreprise: créer, fonder*) fundar, abrir // *vi* abrir; (*CARTES*): **~ à cœur** abrir con corazón; (*cours, scène*) comenzar; **s'~** *vi* abrirse; **~/s'~ sur** dar a; **s'~ à** (*art etc*) interesarse por; **s'~ à qn** confiarse a alguien; **s'~ à qn de qch** confiar algo a alguien.
ouvroir [uvʀwaʀ] *nm* ropero.
ouvrons *vb voir* **ouvrir**.
ovaire [ɔvɛʀ] *nm* ovario.
ovale [ɔval] *a* ovalado(a).
ovation [ɔvɑsjɔ̃] *nf* ovación *f*, aclamación *f*; **~ner** *vt* aclamar.
ovin, e [ɔvɛ̃, in] *a* ovino(a); **~s** *mpl* ovinos.
OVNI *sigle m voir* **objet**.
ovule [ɔvyl] *nm* óvulo.
oxyde [ɔksid] *nm* óxido.
oxyder [ɔkside]: **s'~** *vi* oxidarse.
oxygène [ɔksiʒɛn] *nm* oxígeno.
oxygéné, e [ɔksiʒene] *a* oxigenado(a).
oxyure [ɔksjyʀ] *nm* oxiuro.
ozone [ozɔn] *nm* ozono.

P

pachyderme [paʃidɛʀm(ə)] *nm* paquidermo.
pacifier [pasifje] *vt* pacificar; (*fig*) aplacar, calmar.
pacifique [pasifik] *a* pacífico(a), apacible // *nm*: **le P~, l'océan P~** el (océano) Pacífico.
pacte [pakt(ə)] *nm* pacto, tratado; **pactiser** *vi*: **pactiser avec** pactar con; (*fig*) transigir con; acallar.
pagaie [pagɛ] *nf* canalete *m*.
pagaille [pagaj] *nf* desorden *m*, desbarajuste *m*; **en ~** a porrillo; en desorden.
pagayer [pageje] *vi* remar.
page [paʒ] *nf* página // *nm* paje *m*; **à la ~** (*fig*) al corriente *o* día; **~ blanche** página en blanco.
pagne [paɲ] *nm* taparrabo.
paie [pɛ] *nf* paga.
paiement [pɛmɑ̃] *nm* pago.
païen, ne [pajɛ̃, jɛn] *a, nm/f* pagano(a).

paillard, e [pajaʀ, aʀd(ə)] *a* lascivo(a), obsceno(a).
paillasse [pajas] *nf* jergón *m*; (*d'un évier*) tablero.
paillasson [pɑjasɔ̃] *nm* felpudo.
paille [pɑj] *nf* paja; (*pour boire*) pajita; ~ **de fer** estropajo de acero.
pailleté, e [pajte] *a* adornado(a) con lentejuelas.
paillette [pajɛt] *nf* lentejuela; **lessive en ~s** lejía en escamas.
pain [pɛ̃] *nm* pan *m*; ~ **grillé/de mie** pan tostado/francés; ~ **de cire** librillo de cera; ~ **complet** pan integral; ~ **d'épice** pan de especias *o* jengibre; ~ **de seigle** pan cuscurroso *o* de centeno.
pair, e [pɛʀ] *a, nm, nf* par (*m*); **aller de** ~ ir a la par, correr parejo(a); **au** ~ (FINANCE) a la par; **jeune fille au** ~ *muchacha que presta servicios en una casa a cambio de comida y alojamiento.*
paisible [pezibl(ə)] *a* tranquilo(a), apacible; (*ville, vie, lac*) tranquilo(a).
paître [pɛtʀ(ə)] *vi* pastar, pacer.
paix [pɛ] *nf* paz *f*; (*fig*) tranquilidad *f*, quietud *f*; **faire la ~ avec** hacer las paces con; **ficher la ~ à qn** (*fam*) dejar en paz a alguien.
palabrer [palabʀe] *vi* chacharear.
palace [palas] *nm* hotel *m* de lujo.
palais [palɛ] *nm* palacio; (ANAT) paladar *m*; **le ~ de l'Elysée** el palacio del Elíseo.
palan [palɑ̃] *nm* paparejo.
pale [pal] *nf* (*de rame*) pala; (*d'hélice*) paleta, aleta; (*de roue*) paleta.
pâle [pɑl] *a* pálido(a).
palefrenier [palfʀənje] *nm* palafrenero.
Palestine [palɛstin] *nf*: **la ~** Palestina; **palestinien, ne** *a, nm/f* palestino(a).
palet [palɛ] *nm* tejo; (HOCKEY) disco de caucho.
paletot [palto] *nm* gabán *m*.
palette [palɛt] *nf* (*de peintre*) paleta.
pâleur [pɑlœʀ] *nf* palidez *f*.
palier [palje] *nm* (*d'un escalier*) descansillo, rellano; (*plate-forme*) rellano, plataforma; (TECH: *d'une machine*) cojinete *m*; (*d'un graphique*) nivel *m*; (*fig*) nivel estable; **en ~** en terreno plano; a altura constante; **par ~s** gradualmente, escalonadamente.
palière [paljɛʀ] *af*: **porte ~** puerta a nivel del descansillo.
pâlir [pɑliʀ] *vi* (*personne*) palidecer; (*couleur*) descolorirse, desteñirse.
palissade [palisad] *nf* empalizada.
palissandre [palisɑ̃dʀ(ə)] *nm* palisandro.
palliatif, ive [paljatif, iv] *a* paliativo(a), calmante // *nm* paliativo.
pallier [palje] *vt*, ~ **à** *vt* mitigar.
palmarès [palmaʀɛs] *nm* lista de resultados; lista de premiados.
palme [palm(ə)] *nf* palma; (*en caoutchouc*) aleta; **palmé, e** *a* palmeado(a).
palmeraie [palməʀɛ] *nf* palmar *m*.
palmier [palmje] *nm* palmera.
palmipède [palmipɛd] *nm* palmípedo.
palombe [palɔ̃b] *nf* paloma torcaz.
pâlot, te [pɑlo, ɔt] *a* paliducho(a).
palourde [paluʀd(ə)] *nf* almeja.
palper [palpe] *vt* palpar, tocar.
palpitant, e [palpitɑ̃, ɑ̃t] *a* emocionante.
palpitation [palpitɑsjɔ̃] *nf* palpitación *f*.
palpiter [palpite] *vi* palpitar.
paludisme [palydism(ə)] *nm* paludismo.
pâmer [pɑme] : **se ~** *vi*: **se ~ d'amour** desfallecer de amor; **se ~ d'admiration** extasiarse de admiración; **pâmoison** *nf*: **tomber en pâmoison** desmayarse, darle un soponcio.
pampa [pɑ̃pa] *nf* pampa, pampas.
pamphlet [pɑ̃flɛ] *nm* libelo, panfleto; **pamphlétaire** *nm/f* libelista *m*, panfletista *m/f*.

pamplemousse [pɑ̃pləmus] *nm* pomelo.
pan [pɑ̃] *nm* faldón *m* // *excl* ¡pum!; ~ **de mur** lienzo de pared.
panachage [panaʃaʒ] *nm* (*de couleurs*) mezcla; (POL) combinación *f*.
panache [panaʃ] *nm* penacho.
panaché, e [panaʃe] *a*: **œillet** ~ clavel matizado // *nm* (*boisson*) cerveza con gaseosa; **glace** ~**e** helado de varios gustos.
panade [panad] *nf* sopa de pan.
Panama [panama] *nm* Panamá *m*.
panaris [panaʀi] *nm* panadizo.
pancarte [pɑ̃kaʀt(ə)] *nf* cartel *m*.
pancréas [pɑ̃kʀeɑs] *nm* páncreas *m*.
pané, e [pane] *a* empanado(a).
panier [panje] *nm* cesto, canasta; (*à diapositives*) *dispositivo que contiene las diapositivas y facilita la proyección sucesiva de las tomas*; **mettre au** ~ tirar a la basura; ~ **de crabes** (*fig*) nido de víboras; ~ **percé** (*fig*) despilfarrador/ora, manirroto/a; ~ **à provisions** cesto de la compra.
panique [panik] *nf* pánico, terror *m* // *a* pánico(a); **paniquer** *vt* aterrorizar.
panne [pan] *nf* avería; (THÉÂTRE) papel *m* menor; **mettre en** ~ (NAUT) poner al pairo, pairar; **en** ~ averiado(a); **être en** ~ **d'essence** *ou* **sèche** quedar sin gasolina; ~ **d'électricité** *ou* **de courant** *ou* **de secteur** apagón *m*.
panneau, x [pano] *nm* (*écriteau*) cartel *m*; (*de boiserie, de tapisserie etc*) panel *m*; (COUTURE) paño; **tomber dans le** ~ (*fig*) caer en la trampa; ~ **électoral** proclama electoral; ~ **de signalisation** señal *f* de tránsito.
panonceau, x [panɔ̃so] *nm* placa.
panoplie [panɔpli] *nf* (*d'armes*) panoplia; (*fig*) arsenal *m*; (*jouet*) disfraz *m*.
panorama [panɔʀama] *nm* panorama *m*; **panoramique** *a* panorámico(a).
panse [pɑ̃s] *nf* panza.
pansement [pɑ̃smɑ̃] *nm* cura; (*compresse etc*) vendaje *m*, apósito.
panser [pɑ̃se] *vt* (*plaie, blessé*) curar, vendar; (*cheval*) almohazar.
pantalon [pɑ̃talɔ̃] *nm* pantalón *m*.
pantelant, e [pɑ̃tlɑ̃, ɑ̃t] *a* jadeante.
panthère [pɑ̃tɛʀ] *nf* pantera.
pantin [pɑ̃tɛ̃] *nm* pelele *m*, marioneta.
pantois [pɑ̃twa] *am*: **rester** ~ quedarse patitieso(a) *o* atónito(a).
pantomime [pɑ̃tɔmim] *nf* pantomima.
pantouflard, e [pɑ̃tuflaʀ, aʀd(ə)] *a* casero(a).
pantoufle [pɑ̃tufl(ə)] *nf* pantufla.
paon [pɑ̃] *nm* pavo real.
papa [papa] *nm* papá *m*.
papauté [papote] *nf* papado.
papaye [papaj] *nf* papaya.
pape [pap] *nm* papa *m*.
paperasse [papʀas] *nf* papelería, papelotes *mpl*; ~**rie** *nf* papeleo.
papeterie [papetʀi] *nf* (*usine*) fábrica de papel; (*magasin*) papelería.
papetier, ière [paptje, jɛʀ] *nm/f* papelero/a.
papier [papje] *nm* papel *m*; (*article*) artículo; ~**s** *mpl* (*documents, notes*) documentos, papeles *mpl*; **sur le** ~ (*théoriquement*) en teoría; ~ **quadrillé/réglé** papel cuadriculado/rayado; ~ **de brouillon** papel de borrador; ~ **buvard** papel secante; ~ **d'emballage** papel de envolver; ~ **d'étain** papel de estaño; ~ **hygiénique** papel higiénico; ~ **journal** papel de periódico *o* diario; ~ **à lettres** papel de cartas; ~ **peint** papel pintado; ~ **de verre** papel de lija; ~**s (d'identité)** documentos (de identidad).
papille [papij] *nf* papila.
papillon [papijɔ̃] *nm* mariposa; (*fam*: *contravention*) multa; ~ **de nuit** mariposa (nocturna).

papilloter [papijɔte] *vi* parpadear.
paprika [papʀika] *nm* paprika.
papyrus [papiʀys] *nm* papiro.
pâque [pɑk] *nf*: **la** ~ la Pascua.
paquebot [pakbo] *nm* paquebote *m*, transatlántico; ~**-mixte** *nm* buque mixto.
pâquerette [pɑkʀɛt] *nf* margarita.
Pâques [pɑk] *nfpl* Pascua // *nm* (*période*) Semana Santa; **faire ses** ~ comulgar por Semana Santa.
paquet [pakɛ] *nm* (*ballot*) atado, bulto; ~**s** *mpl* (*bagages*) petates *mpl*; ~**-cadeau** *nm* paquete regalo.
par [paʀ] *prép* por; ~ **où?** ¿por dónde?; ~ **ici/là** por aquí/ahí *o* allí; ~**-ci**, ~**-là** aquí y allá.
parachever [paʀaʃve] *vt* acabar, perfeccionar.
parachute [paʀaʃyt] *nm* paracaídas *m inv*; **parachutiste** *nm/f* paracaidista *m/f*.
parade [paʀad] *nf* parada; (*de cirque, bateleurs*) exhibición *f*; (*défense, riposte*) defensa.
paradis [paʀadi] *nm* paraíso; ~ **terrestre** paraíso terrenal.
paradoxal, e, aux [paʀadɔksal, o] *a* paradójico(a).
paradoxe [paʀadɔks(ə)] *nm* paradoja.
parafer [paʀafe] *vt* rubricar.
paraffine [paʀafin] *nf* parafina.
parages [paʀaʒ] *nmpl* (NAUT) aguas; **dans les** ~ **(de)** en los alrededores *o* las vecindades (de).
paragraphe [paʀagʀaf] *nm* párrafo, parágrafo.
Paraguay [paʀagwɛ] *nm*: **le** ~ el Paraguay.
paraître [paʀɛtʀ(ə)] *vb avec attribut* parecer, aparentar // *vi* aparecer; (*briller*) hacerse notar // *vb impersonnel*; **il (me) paraît que** (me) parece que; ~ **en justice** comparecer ante la justicia; ~ **en scène/à l'écran** aparecer en escena/en la pantalla.
parallèle [paʀalɛl] *a* paralelo(a) // *nm* paralelo // *nf* paralela; **parallélisme** *nm* paralelismo; (AUTO: *des roues*) alineación *f*; **parallélogramme** *nm* paralelogramo.
paralyser [paʀalize] *vt* paralizar.
paralysie [paʀalizi] *nf* parálisis *f*.
paralytique [paʀalitik] *a, nm/f* paralítico(a).
paramédical, e, aux [paʀamedikal, o] *a*: **personnel** ~ personal auxiliar médico.
paranoïaque [paʀanɔjak] *nm/f* paranoico/a.
parapet [paʀapɛ] *nm* parapeto.
parapher [paʀafe] *vt* = **parafer.**
paraphrase [paʀafʀɑz] *nf* paráfrasis *f*; **paraphraser** *vt* parafrasear.
parapluie [paʀaplɥi] *nm* paraguas *m inv*.
parasite [paʀazit] *nm* parásito // *a* parásito(a); ~**s** *mpl* (TÉLÉC) parásitos.
parasol [paʀasɔl] *nm* sombrilla; ~ **de plage** quitasol *m*.
paratonnerre [paʀatɔnɛʀ] *nm* pararrayos *m inv*.
paravent [paʀavɑ̃] *nm* biombo.
parc [paʀk] *nm* parque *m*; (*pour le bétail*) cercado; ~ **à huîtres** criadero de ostras.
parcelle [paʀsɛl] *nf* fragmento, ápice *m*; (*de terrain*) parcela.
parce que [paʀsk(ə)] *conj* porque.
parchemin [paʀʃəmɛ̃] *nm* pergamino.
parcmètre [paʀkmɛtʀ(ə)] *nm* parcómetro.
parcourir [paʀkuʀiʀ] *vt* recorrer; (*article, livre*) hojear.
parcours [paʀkuʀ] *nm* recorrido.
par-delà [paʀdəla] *prép* más allá de, del otro lado de.
par-dessous [paʀdəsu] *prép* por debajo de // *ad* por debajo.
pardessus [paʀdəsy] *nm* sobretodo, abrigo.
par-dessus [paʀdəsy] *prép* por encima de // *ad* por arriba *o* encima.
par-devant [paʀdvɑ̃] *prép* ante // *ad* adelante, por el frente.
pardon [paʀdɔ̃] *nm, excl* perdón

(*m*); **demander ~ à qn (de)** pedir perdón a alguien (por); **je vous demande ~** (*politesse*) le pido perdón; (*contradiction*) discúlpeme.
pardonner [paRdɔne] *vt* perdonar; (*excuser, tolérer*) disculpar, excusar; **~ à qn** perdonar *o* disculpar a alguien.
pare-balles [paRbal] *nm inv* chaleco a prueba de balas.
pare-boue [paRbu] *nm* guardabarros *m inv.*
pare-brise [paRbRiz] *nm inv* parabrisas *m inv.*
pare-chocs [paRʃɔk] *nm inv* parachoques *m inv.*
pareil, le [paRɛj] *a* parecido(a), similar; (*tel*): **en ~ cas** en tal caso, en un caso semejante // *ad*: **habillés ~** vestidos del mismo modo // *nm/f*: **le/la ~(le)** (*chose*) el/la mismo/a; **vos ~s** sus semejantes; **~ à** parecido *o* semejante a; **sans ~** sin igual, sin par; **c'est du ~ au même** es igual *o* lo mismo; **~lement** *ad* igualmente, de la misma manera.
parent, e [paRɑ̃, ɑ̃t] *nm/f*: **un/une ~/e** un/una pariente/a // *a*: **être ~ de** ser pariente de; **~s** *mpl* (*père et mère*) padres *mpl*; **~ par alliance/en ligne directe** parientes políticos/por línea directa; **~é** [paRɑ̃te] *nf* parentesco.
parenthèse [paRɑ̃tɛz] *nf* paréntesis *m*; **entre ~s** *ad* entre paréntesis.
parer [paRe] *vt* (*orner*) ornar, adornar; (*suj*: *bijou etc*) ornar; (CULIN: *viande*) aderezar, aliñar; (*coup, manœuvre*) parar, evitar; **~ à** (*danger, inconvénient*) precaverse *o* protegerse de; (*éventualité*) prevenirse contra; **~ qch/qn de** adornar algo/a alguien con; **~ qn de** (*fig*) atribuir a alguien; **~ au plus pressé** prever con urgencia.
pare-soleil [paRsɔlɛj] *nm inv* visera, parasol *m.*
paresse [paRɛs] *nf* pereza; **paresser** *vi* holgazanear; **paresseux, euse** *a* perezoso(a), holgazán(ana); (*démarche, attitude*) indolente // *nm/f* perezoso/a, vago/a // *nm* (ZOOL) perezoso.
parfaire [paRfɛR] *vt* perfeccionar.
parfait, e [paRfɛ, ɛt] *a* perfecto(a) // *nm* (LING) pretérito perfecto // *excl* ¡perfecto!, ¡muy bien!; **~ement** [-fɛtmɑ̃] *ad* perfectamente // *excl* ¡seguro!, ¡ciertamente!; **cela lui est ~ement égal** (eso) le da exactamente lo mismo.
parfois [paRfwa] *ad* a veces, algunas veces.
parfum [paRfœ̃] *nm* (*produit*) perfume *m*; (*de fleur, tabac, vin*) perfume, aroma *m*; (*de glace, milkshake*) gusto; **~é, e** [-fyme] *a*: **~é au café** aromatizado con café; **~er** [-fyme] *vt* perfumar; (*crème etc*) perfumar, aromatizar; **se ~er** perfumarse; **~erie** [-fymRi] *nf* perfumería.
pari [paRi] *nm* apuesta; **~ mutuel urbain, PMU** *apuestas mutuas para las carreras de caballos.*
parier [paRje] *vt* apostar; **parieur** *nm* apostador *m.*
Paris [paRi] *n* París; **p~ien, ne** [-zjɛ̃, jɛn] *a* parisino(a), parisién // *nm/f* parisino/a, parisiense *m/f.*
paritaire [paRitɛR] *a*: **commission ~** comité paritario.
parité [paRite] *nf* paridad *f.*
parjure [paRʒyR] *nm* perjurio // *nm/f* perjuro/a; **parjurer: se parjurer** *vi* perjurar.
parking [paRkiŋ] *nm* estacionamiento, aparcamiento; (*lieu*) aparcamiento, parque *m* de estacionamiento.
parlant, e [paRlɑ̃, ɑ̃t] *a* (*fig*) de gran semejanza; expresivo(a); elocuente; (CINÉMA) sonoro(a) // *ad*: **généralement ~** generalmente hablando; **horloge ~e** reloj *m* parlante.
parlement [paRləmɑ̃] *nm* parlamento; **~aire** *a* parlamentario(a) // *nm/f* parlamentario/a; delegado/a.

parlementer [parlәmɑ̃te] *vi* parlamentar, tratar.

parler [parle] *vi* hablar; (*malfaiteur*) hablar, cantar; ~ **pour qn** (*intercéder*) hablar en favor de alguien; ~ **affaires** *etc* hablar de negocios *etc*; ~ **en dormant/du nez** hablar en sueños/gangoso; ~ **en l'air** hablar sin fundamento.

parloir [parlwar] *nm* locutorio, sala de visitas.

parmi [parmi] *prép* entre.

parodie [parɔdi] *nf* parodia; **parodier** *vt* parodiar.

paroi [parwa] *nf* pared *f*; ~ **(rocheuse)** pared (de roca).

paroisse [parwas] *nf* parroquia; **paroissial, e, aux** *a* parroquial; **paroissien, ne** *nm/f* parroquiano/a, feligrés/esa.

parole [parɔl] *nf* palabra; (*faculté*) habla, palabra; (*ton, débit de voix*) habla, voz *f*; ~**s** *fpl* (*MUS*) letra; **prendre la** ~ coger la palabra; **croire qn sur** ~ creer en la palabra de alguien; **prisonnier sur** ~ prisionero bajo palabra; **temps de** ~ espacio para hablar; ~ **d'honneur** palabra de honor.

parpaing [parpɛ̃] *nm* perpiaño.

parquer [parke] *vt* encerrar; (*MIL*) establecer, instalar.

parquet [parkɛ] *nm* parquet *m*; **le** ~ (*JUR: magistrats*) el ministerio fiscal; (*: bureau*) el recinto donde funciona el ministerio fiscal; ~**er** [parkәte] *vt* colocar el parquet en, entarimar.

parrain [parɛ̃] *nm* padrino; ~**er** [parene] *vt* apadrinar.

parricide [parisid] *nm* parricidio // *nm/f* parricida *m/f*.

pars *vb voir* **partir.**

parsemer [parsәme] *vt* (*suj: feuilles, papiers*) sembrar, esparcir; ~ **qch de** salpicar algo de.

part [par] *vb voir* **partir** // *nf* (*qui revient à qn*) parte *f*, porción *f*; (*d'efforts, de peines*) parte, cuota; (*fraction, partie*) parte; (*FINANCE*) acción *f*; **prendre** ~ **à** tomar parte en, participar en; **faire** ~ **de qch à qn** informar *o* dar parte de algo a alguien; **pour ma** ~ por mi parte; **à** ~ **entière** de pleno derecho; **de la** ~ **de** de parte de; **de toute(s)** ~**(s)** de todas partes, por todas partes; **de** ~ **et d'autre** por ambas partes, de una y otra parte; **de** ~ **en** ~ de parte a parte, de un lado al otro; **nulle/autre/quelque** ~ en ninguna/otra/alguna parte; **d'une** ~... **d'autre** ~ por una parte... por otra parte; **à** ~ *ad* aparte, separadamente; (*de côté*) de lado // *prép* aparte de, excepto // *a* aparte; **prendre qn à** ~ llevar a alguien aparte; **pour une large/bonne** ~ en una grave/buena parte.

partage [partaʒ] *nm* partición *f*, participación *f*; (*POL: de suffrages*) empate *m*.

partager [partaʒe] *vt* (*morceler, répartir*) dividir, repartir; (*couper, diviser*) dividir; (*fig*) participar de, compartir; **se** ~ *vt* (*héritage etc*) repartirse, dividirse; ~ **qch avec qn** compartir algo con alguien; **être partagé entre** sentirse dividido entre; **être partagés sur** (*suj: avis, personnes*) estar divididos sobre, estar en desacuerdo con respecto a; **être partagé** (*torts, amour*) ser compartido.

partais *etc vb voir* **partir.**

partance [partɑ̃s]: **en** ~ **(pour)** *ad* a punto de partir (para).

partant [partɑ̃] *nm* competidor *m*, participante *m*.

parte *etc vb voir* **partir.**

partenaire [partәnɛr] *nm/f* pareja, compañero/a; (*POL*) asociado/a.

parterre [partɛr] *nm* arriate *m*, parterre *m*; (*THÉÂTRE*) platea, patio de butacas.

parti [parti] *nm* partido; (*groupe*) grupo, bando; **tirer** ~ **de** sacar provecho *o* partido de; **prendre le** ~ **de faire** tomar la determinación de hacer; **prendre le** ~ **de qn** tomar partido por alguien; **prendre son** ~

de considerar como inevitable, resignarse a; ~ **pris** prejuicio.
parti, e *pp de* **partir**.
partial, e, aux [paʀsjal, o] *a* parcial.
participant, e [paʀtisipɑ̃, ɑ̃t] *nm/f* participante *m/f*.
participation [paʀtisipɑsjɔ̃] *nf* participación *f*; ~ **aux bénéfices** participación en las ganancias.
participe [paʀtisip] *nm* participio; ~ **présent/passé** participio presente/pretérito.
participer [paʀtisipe] : ~ **à** *vt* participar en; ~ **au chagrin de qn** compartir la tristeza de alguien.
particularité [paʀtikylaʀite] *nf* particularidad *f*.
particule [paʀtikyl] *nf* partícula.
particulier, ière [paʀtikylje, jɛʀ] *a* (*personnel, privé*) particular; (*individuel: entretien etc*) personal; (*spécial*) particular, propio(a) // *nm* particular *m*; ~ **à** propio de; **en** ~ *ad* (*à part*) aparte; (*en privé*) en privado; (*surtout*) en particular, especialmente.
partie [paʀti] *nf* parte *f*; (*profession, spécialité*) especialidad *f*, ramo; (*de cartes, tennis*) partida; (*lutte, combat*) lucha; ~ **de campagne/de pêche** excursión *f* al campo/de pesca; **en** ~ *ad* en parte; **faire** ~ **de qch** formar parte de algo; **prendre qn à** ~ agarrárselas con alguien; ~ **civile** (*JUR*) parte civil; ~ **publique** (*JUR*) fiscal *m*.
partiel, le [paʀsjɛl] *a* parcial, incompleto(a) // *nm* (*SCOL*) examen *m* parcial.
partir [paʀtiʀ] *vi* (*personne, cheval, avion, lettre*) partir, salir; (*pétard, cris*) estallar; (*fusil*) dispararse; (*bouchon*) saltar; (*tache*) desaparecer, irse; (*affaire*) comenzar, iniciarse; (*moteur*) arrancar, ponerse en marcha; ~ **de** (*lieu: quitter*) salir *o* irse de; (*commencer à: suj: personne*) partir *o* comenzar de; (*: suj: route*) nacer en, salir de; (*: suj: proposition*) nacer de; (*: suj: abonnement*) comenzar, ser válido(a) desde; **à** ~ **de** a partir de.
partisan, e [paʀtizɑ̃, an] *nm/f, a* partidario(a).
partition [paʀtisjɔ̃] *nf* (*MUS*) partitura.
partons *vb voir* **partir.**
partout [paʀtu] *ad* por todos lados, en cualquier parte; ~ **où il allait** dondequiera que iba; **de** ~ de todo, de todas partes; **trente** ~ (*TENNIS*) treinta iguales.
paru, e *pp de* **paraître.**
parure [paʀyʀ] *nf* adorno; (*bijoux assortis*) aderezo; (*de table*) mantelería; (*sous-vêtements*) juego de ropa interior.
parus *etc vb voir* **paraître.**
parution [paʀysjɔ̃] *nf* aparición *f*, publicación *f*.
parvenir [paʀvəniʀ] : ~ **à** *vt* llegar a; ~ **à faire qch** lograr *o* conseguir hacer algo.
parvenu, e [paʀvəny] *nm/f* (*péj*) nuevo/a rico/a, advenedizo/a.
parvis [paʀvi] *nm* atrio.
pas [pɑ] *nm voir le mot suivant // ad* no; **ne...~: je ne vais ~ à l'école** no voy a la escuela; **il m'a dit de ne ~ le faire** me dijo que no lo haga; **je n'en sais ~ plus** no sé más; ~ **un/une** ni un(o)/a; **...lui** ~ él no; **et non ~...** y no ...; ~ **de sucre, merci!** ¡sin azúcar, gracias!; ~ **du tout** de ninguna manera, en absoluto; **absolument ~!** ¡en absoluto!; **sûrement ~!** ¡claro que no!; ~ **encore** todaviá no, aún no; **je ne reviendrai ~ de sitôt** no regresaré tan pronto; ~ **plus tard qu'hier** no más tarde de ayer; ~ **mal** *ad* bastante bien // *a* bastante bueno(a) *o* bonito(a); ~ **mal de** bastante, mucho(a); **ils ont ~ mal d'argent** no les falta dinero.
pas [pɑ] *ad voir le mot précédent // nm* paso; (*TECH: de vis, d'écrou*) paso, vuelta; ~ **à** ~ paso a paso; **au** ~ al paso; **au ~ de gymnastique** a paso ligero; **au ~ de course** a la carrera; **à ~ de loup** de puntillas;

faire les cent ~ vagabundear, rondar; **faire les premiers** ~ dar los primeros pasos; ~ **de la porte** umbral *m*; ~ **de porte** (*COMM*) llave *f*; **faux** ~ paso en falso; (*fig*) desliz *m*.

passable [pasabl(ə)] *a* pasable, regular.

passage [pasaʒ] *nm* paso; (*NAUT*) travesía; (*lieu*) paso, pasaje *m*; (*d'un livre etc*) pasaje; ~ **clouté** paso peatonal; "~ **interdit**" "prohibido el paso"; ~ **à niveau** paso a nivel; "~ **protégé**" "paso protegido".

passager, ère [pasaʒe, ɛʀ] *a*, *nm/f* pasajero(a); ~ **clandestin** polizón *m*.

passant, e [pasɑ̃, ɑ̃t] *a* transitado(a) // *nm/f* transeúnte *m/f*; **en** ~ de paso.

passe [pas] *nf* pase *m* // *nm* (*passe-partout*) llave maestra, ganzúa.

passé, e [pase] *a* (*événement, temps*) pasado(a); (*couleur, tapisserie*) descolorido(a) // *prép* después de // *nm* pasado; (*LING*) pretérito; **il est midi** ~ son las doce y pico; ~ **simple/composé/antérieur** pretérito indefinido/perfecto/anterior.

passementerie [pasmɑ̃tʀi] *nf* pasamanería.

passe-montagne [pasmɔ̃taɲ] *nm* pasamontañas *m inv*.

passe-partout [paspaʀtu] *nm inv* llave maestra, ganzúa // *a inv* adecuado(a) a toda ocasión.

passe-passe [paspas] *nm inv*: **tour de** ~ juego de manos.

passeport [paspɔʀ] *nm* pasaporte *m*.

passer [pase] *vi* pasar; (*temps, jour*) pasar, transcurrir; (*liquide, café*) pasar, colar; (*projet de loi*) ser aprobado(a); (*film*) proyectarse; (*émission*) trasmitirse; (*pièce de théâtre*) representarse; (*personne*): ~ **à la radio/télévision** trasmitir por radio/televisión; (*couleur, papier*) desteñirse // *vt* pasar; (*examen*: *réussir*) aprobar; (*tolérer*): ~ **qch à qn** tolerar algo a alguien; (*donner, transmettre*): ~ **qch à qn** dar *o* trasmitir algo a alguien; (*enfiler*: *vêtement*) ponerse; (*café, soupe etc*) colar, filtrar; (*pièce*) representar; (*marché, accord*) concertar; **se** ~ *vi* (*scène, action*) suceder, pasar; (*arriver*): **que s'est-il passé?** ¿qué ocurrió *o* sucedió?; (*s'écouler*: *semaine etc*) pasar; **se** ~ **de qch** privarse de algo, arreglárselas sin algo; ~ **par** *vt* pasar por; ~ **sur** *vt* pasar por alto; ~ **dans les mœurs/l'usage** adaptarse en las costumbres/el uso; ~ **au travers de** (*corvée, punition*) salvarse de; ~ **avant qch/qn** ser más importante que algo/alguien; ~ **dans la classe supérieure** (*SCOL*) pasar de grado *o* curso; ~ **en seconde/troisième** (*AUTO*) pasar a segunda/tercera; ~ **à la radio** sacar una radiografía; ~ **à la visite médicale** hacerse un examen médico; ~ **aux aveux** confesar; ~ **pour** pasar por; **laissez-**~ *nm* salvaconducto; ~ **une radio** hacer un examen radiográfico; ~ **la seconde/troisième** (*AUTO*) poner la segunda/tercera; ~ **qch en fraude** (*DOUANE*) pasar algo de contrabando; ~ **la tête par la portière** sacar la cabeza por la portezuela; **je vous passe M. X** le paso al Sr. X.

passereau, x [pasʀo] *nm* pájaro.

passerelle [pasʀɛl] *nf* (*pont étroit*) pasarela; (*d'un navire, avion*) pasarela, escalerilla.

passe-temps [pastɑ̃] *nm inv* pasatiempo, entretenimiento.

passe-thé [paste] *nm inv* colador *m* de té.

passeur, euse [pasœʀ, øz] *nm/f* (*fig*) pasador/ora.

passif, ive [pasif, iv] *a* pasivo(a), impasible // *nm* voz pasiva; (*COMM*) pasivo.

passion [pasjɔ̃] *nf* pasión *f*.

passionnant, e [pasjɔnɑ̃, ɑ̃t] *a* apasionante.
passionné, e [pasjɔne] *a* apasionado(a); entusiasta; exaltado(a).
passionnel, le [pasjɔnɛl] *a* pasional.
passionner [pasjɔne] *vt* apasionar; (*débat, discussion*) exaltar, avivar; **se ~ pour** apasionarse por.
passoire [paswaʀ] *nf* colador *m*.
pastèque [pastɛk] *nf* sandía.
pasteur [pastœʀ] *nm* (*protestant*) pastor *m*.
pasteuriser [pastœʀize] *vt* pasteurizar.
pastille [pastij] *nf* pastilla, tableta.
pastis [pastis] *nm* anisado.
patate [patat] *nf*: **~ douce** batata.
patchwork [patʃwœʀk] *nm* labor *f* de retazos.
pâte [pɑt] *nf* (CULIN) masa, pasta; (*d'un fromage, substance molle*) pasta; **~s** *fpl* (*macaroni etc*) pastas; **~ brisée/feuilletée/à choux** masa crocante/de hojaldre/de petisú; **~ d'amandes** pasta de almendras; **~ de fruits** dulce *m* de frutas; **~ à modeler** pasta de modelar; **~ à papier** pasta de papel.
pâté [pɑte] *nm* (*friand*) pastel *m*; (*terrine*) pasta de carne *o* hígado; (*d'encre*) borrón *m*; **~ en croûte** empanada; **~ de foie/de lapin** pasta de hígado/de liebre; **~ (de sable)** flan *m* de arena; **~ de maisons** manzana.
pâtée [pɑte] *nf* comida, papilla.
patelin [patlɛ̃] *nm* (*fam*) pueblado.
patente [patɑ̃t] *nf* patente *f*.
patère [patɛʀ] *nf* percha.
paternel, le [patɛʀnɛl] *a* (*amour, soins*) paternal; (*ligne, autorité*) paterno(a).
paternité [patɛʀnite] *nf* paternidad *f*.
pâteux, euse [pɑtø, øz] *a* espeso(a), pastoso(a); **avoir la bouche/langue pâteuse** tener la boca/lengua pastosa.
pathétique [patetik] *a* patético(a).
pathologie [patɔlɔʒi] *nf* patología.
patiemment [pasjamɑ̃] *ad* pacientemente.
patience [pasjɑ̃s] *nf* paciencia; (CARTES) solitario.
patient, e [pasjɑ̃, ɑ̃t] *a, nm/f* paciente (*m/f*).
patienter [pasjɑ̃te] *vi* esperar.
patin [patɛ̃] *nm* patín *m*; **~s (à glace)** patines (de cuchilla); **~s à roulettes** patines de ruedas; **faire du ~/du ~ à roulettes** practicar patinaje/patinaje sobre ruedas.
patinage [patinaʒ] *nm* patinaje *m*.
patine [patin] *nf* pátina.
patiner [patine] *vi* patinar; **se ~** cubrirse de pátina; **patineur, euse** *nm/f* patinador/ora; **patinoire** *nf* pista de patinaje.
pâtir [pɑtiʀ] : **~ de** *vt* padecer, sufrir por.
pâtisserie [pɑtisʀi] *nf* pastelería, repostería; (*boutique*) pastelería, confitería; **~s** *fpl* (*gâteaux*) pasteles *mpl*.
pâtissier, ière [pɑtisje, jɛʀ] *nm/f* pastelero/a, repostero/a.
patois [patwa] *nm* habla regional.
patriarche [patʀijaʀʃ(ə)] *nm* patriarca *m*.
patrie [patʀi] *nf* patria.
patrimoine [patʀimwan] *nm* patrimonio.
patriote [patʀijɔt] *a, nm/f* patriota (*m/f*); **patriotique** *a* patriótico(a).
patron, ne [patʀɔ̃, ɔn] *nm/f* dueño/a; (REL) patrono/a; (*employeur*) empresario/a; (MÉD) profesor/ora // *nm* (COUTURE) patrón *m*; **~ de thèse** padrino/a de tesis; **~al, e, aux** *a* patronal, empresarial.
patronage [patʀɔnaʒ] *nm* patrocinio.
patronat [patʀɔna] *nm* empresariado.
patronner [patʀɔne] *vt* patrocinar.
patrouille [patʀuj] *nf* patrulla; **~ de chasse** patrulla de caza.
patrouiller [patʀuje] *vi* patrullar.
patte [pat] *nf* pata; (*de cuir etc*) lengüeta; **pantalon à ~s d'éléphant** pantalón ancho.

pattemouille [patmuj] *nf* paño húmedo, trapo mojado.
pâturage [patyʀaʒ] *nm* lugar *m* de pastoreo, pradera.
paume [pom] *nf* palma.
paumer [pome] *vt* (*fam*) perder.
paupière [popjɛʀ] *nf* párpado.
pause [poz] *nf* pausa, alto; (*MUS*) pausa *o* silencio de redonda.
pauvre [povʀ(ə)] *a* pobre; **les ~s** los pobres; **~té** *nf* pobreza.
pavaner [pavane] : **se ~** *vi* pavonearse, vanagloriarse.
pavé, e [pave] *a* empedrado(a), pavimentado(a) // *nm* (*bloc*) adoquín *m*; (*pavage*) pavimento; (*fam*) ladrillo.
pavillon [pavijɔ̃] *nm* (*kiosque, ANAT*) pabellón *m*; (*villa*) chalet *m*; (*d'hôpital*) sala, crujía; (*drapeau*) pabellón, bandera; **~ de complaisance** bandera de conveniencia.
pavoiser [pavwaze] *vt* embanderar, empavesar.
pavot [pavo] *nm* abormidera.
payable [pɛjabl(ə)] *a* pagadero(a).
payant, e [pɛjɑ̃, ɑ̃t] *a* (*hôte, spectateur*) que paga; (*billet, spectacle*) de pago; (*fig*) rentable, remunerador(ora).
paye [pɛj] *nf* = **paie**.
payement [pɛjmɑ̃] *nm* = **paiement**.
payer [peje] *vt* pagar // *vi* (*métier, crime etc*) rendir, redituar; **~ qn de** (*efforts etc*) recompensar a alguien por; **~ par chèque** pagar con cheque; **payeur, euse** *a* pagador(ora).
pays [pei] *nm* país *m*; tierra, región *f*; pueblo; aldea.
paysage [peizaʒ] *nm* paisaje *m*.
paysagiste [peizaʒist(ə)] *nm/f* (*ART*) paisajista *m/f*.
paysan, ne [peizɑ̃, an] *nm/f, a* campesino(a).
Pays-Bas [peiba] *nmpl*: **les ~** los Países Bajos.
PCV *sigle voir* **communication.**
PDG *sigle m voir* **président.**
péage [peaʒ] *nm* peaje *m*; **autoroute à ~** autopista *m* de peaje.
peau, x [po] *nf* piel *f*; (*du lait*) nata; (*de la peinture*) película; (*morceau de peau*): **une ~** una piel, un pellejo; **~ de chamois** (*chiffon*) gamuza; **~ d'orange** (*MÉD*) piel de naranja; **P~-rouge** *nm/f* piel roja *m/f*.
pêche [pɛʃ] *nf* pesca; (*fruit*) melocotón *m* // *a*: **couleur ~** color melocotón; **~ au large/côtière/à la ligne** pesca en alta mar/costera/con caña.
péché [peʃe] *nm* pecado.
pêche-abricot [pɛʃabʀiko] *nf* melocotón albaricoque *m*.
pécher [peʃe] *vi* (*REL*) pecar; (*fig*) fallar.
pêcher [peʃe] *nm* melocotonero // *vi, vt* pescar; **~ au filet** pescar con red; **~ au chalut** pescar al arrastre *o* a la rastra.
pécheur, eresse [peʃœʀ, ʃʀɛs] *nm/f* pecador/ora.
pêcheur [pɛʃœʀ] *nm* pescador *m*.
pectoraux [pɛktɔʀo] *nmpl* pectorales *mpl*.
pécule [pekyl] *nm* peculio.
pécuniaire [pekynjɛʀ] *a* pecuniario(a).
pédagogie [pedagɔʒi] *nf* pedagogía; **pédagogique** *a* pedagógico(a); **pédagogue** [-gɔg] *nm/f* pedagogo/a.
pédale [pedal] *nf* pedal *m*; **pédaler** *vi* pedalear.
pédalo [pedalo] *nm* bicicleta acuática, hidropedal *m*.
pédant, e [pedɑ̃, ɑ̃t] *a* (*péj*) pedante.
pédéraste [pedeʀast(ə)] *nm* pederasta *m*.
pédestre [pedɛstʀ(ə)] *a*: **randonnée ~** caminata.
pédiatre [pedjatʀ(ə)] *nm/f* pedíatra *m/f*.
pédiatrie [pedjatʀi] *nf* pediatría.
pédicure [pedikyʀ] *nm/f* pedicuro/a.
pedigree [pedigʀi] *nm* pedigree *m*.
pègre [pɛgʀ(ə)] *nf* hampa.
peignais *etc vb voir* **peindre.**

peigne [pɛɲ] *nm* peine *m*.
peigner [peɲe] *vt* peinar; **se ~** peinarse.
peignis *vb voir* **peindre.**
peignoir [pɛɲwaʀ] *nm* albornoz *m*; (*déshabillé*) bata, salto de cama.
peinard, e [pɛnaʀ, aʀd(ə)] *a* (*fam*) tranquilo(a).
peindre [pɛ̃dʀ(ə)] *vt* pintar.
peine [pɛn] *nf* pena; (*effort*) esfuerzo, dificultad *f*; **faire de la ~ à qn** apenar a alguien, ocasionar pena a alguien; **se donner** *ou* **prendre la ~ de** tomarse el trabajo de; **donnez-vous** *ou* **veuillez vous donner la ~ d'entrer** tenga (usted) *o* ¿quiere tener (usted) la amabilidad de entrar?; **pour la ~** en castigo; **à ~** *ad* (*presque, très peu*) apenas; (*tout juste*) apenas, sólo; **à ~ endormi** no bien *o* apenas dormido; **sous ~ de** so pena de; **~ de mort** pena de muerte.
peiner [pene] *vi* fatigarse, esforzarse // *vt* apenar, afligir.
peins *etc vb voir* **peindre.**
peintre [pɛ̃tʀ(ə)] *nm* pintor *m*; **~ en bâtiment** pintor de brocha gorda.
peinture [pɛ̃tyʀ] *nf* pintura; **~ laquée** pintura laqueada.
péjoratif, ive [peʒɔʀatif, iv] *a* peyorativo(a), despectivo(a).
pelage [pəlaʒ] *nm* pelaje *m*.
pêle-mêle [pɛlmɛl] *ad* en desorden.
peler [pəle] *vt* pelar // *vi* pelarse, despellejarse.
pèlerin [pɛlʀɛ̃] *nm* peregrino; **~age** [pɛlʀinaʒ] *nm* peregrinación *f*; lugar *m* de peregrinación.
pélican [pelikɑ̃] *nm* pelícano.
pelle [pɛl] *nf* pala; **~ à tarte/gâteau** pala para tarta/pastel; **~ mécanique** pala mecánica; **~ter** *vt* palear, apalear.
pelletier [pɛltje] *nm* peletero.
pellicule [pelikyl] *nf* película; **~s** *fpl* (*MÉD*) caspa.
pelote [pəlɔt] *nf* ovillo; (*d'épingles*) acerico, almohadilla; **~ (basque)** pelota (vasca).
peloton [plɔtɔ̃] *nm* pelotón *m*.
pelotonner [plɔtɔne] : **se ~** *vi* acurrucarse, hacerse un ovillo.
pelouse [pluz] *nf* césped *m*.
peluche [pəlyʃ] *nf*: **animal en ~** animal *m* de felpa; **pelucher** *vi* soltar pelusa.
pelure [pəlyʀ] *nf* piel *f*, cáscara.
pénal, e, aux [penal, o] *a* penal.
pénaliser [penalize] *vt* sancionar, penar.
pénalité [penalite] *nf* sanción *f*, pena; (*SPORT*) penalidad *f*.
penalty, ies [penalti, tiz] *nm* penalty *m*.
pénard, e [penaʀ, aʀd(ə)] *a* = **peinard.**
pénates [penat] *nmpl*: **regagner ses ~** volver al hogar.
penaud, e [pəno, od] *a* contrito(a), confuso(a).
penchant [pɑ̃ʃɑ̃] *nm* inclinación *f*.
penché, e [pɑ̃ʃe] *a* (*écriture*) inclinado(a).
pencher [pɑ̃ʃe] *vi* inclinarse, torcerse // *vt* inclinar; **se ~** *vi* inclinarse; **se ~ sur** (*fig*: *problème*) interesarse por, examinar; **~ à/pour** inclinarse a/por.
pendable [pɑ̃dabl(ə)] *a*: **cas ~** cuestión *f* grave *o* condenable.
pendaison [pɑ̃dɛzɔ̃] *nf* horca.
pendant, e [pɑ̃dɑ̃, ɑ̃t] *a* (*ADMIN, JUR*) pendiente // *prép* durante; **faire ~ à** hacer juego con, corresponder a; **les bras ~s** los brazos colgando; **~s d'oreilles** pendientes *mpl*.
pendeloque [pɑ̃dlɔk] *nf* colgante *m*.
pendentif [pɑ̃dɑ̃tif] *nm* colgante *m*.
penderie [pɑ̃dʀi] *nf* guardarropa.
pendre [pɑ̃dʀ(ə)] *vt* colgar; (*personne*) ahorcar, colgar // *vi* colgar, pender; (*jupe etc*) colgar; **se ~** ahorcarse; **se ~ à qch** colgarse de algo; **~ la crémaillère** inaugurar la casa.

pendule [pɑ̃dyl] *nf* reloj *m* de péndulo // *nm* péndulo.

pendulette [pɑ̃dylɛt] *nf* relojito.

pêne [pɛn] *nm* pestillo.

pénétrer [penetʀe] *vi* penetrar, entrar // *vt* entrar, penetrar; (*mystère etc*) descubrir, adivinar; **se ~ de** convencerse de.

pénible [penibl(ə)] *a* penoso(a); (*personne, caractère*) insoportable; **il m'est ~ de...** me resulta penoso...; **~ment** *ad* difícilmente, penosamente; apenas.

péniche [peniʃ] *nf* balsa, chalana; (MIL): **~ de débarquement** barcaza de desembarco.

pénicilline [penisilin] *nf* penicilina.

péninsule [penɛ̃syl] *nf* península.

pénis [penis] *nm* pene *m*.

pénitence [penitɑ̃s] *nf* penitencia; **être en ~** estar castigado(a); **mettre en ~** poner en castigo.

pénitencier [penitɑ̃sje] *nm* penitenciaría, penal *m*.

pénitentiaire [penitɑ̃sjɛʀ] *a* penitenciario(a).

pensant [pɑ̃sɑ̃] *a*: **bien/mal ~** bien/mal pensante.

pense-bête [pɑ̃sbɛt] *nm* recordatorio.

pensée [pɑ̃se] *nf* pensamiento.

penser [pɑ̃se] *vi, vt* pensar; **~ à** *vt* pensar en; (*se souvenir de*) acordarse de; **~ du bien/du mal de** pensar bien/mal de; **libre penseur** librepensador *m*; **pensif, ive** *a* pensativo(a), absorto(a).

pension [pɑ̃sjɔ̃] *nf* pensión *f*; (*école*) internado; **prendre ~ chez qn** hospedarse en la casa de alguien; **prendre qn en ~** hospedar a alguien en su casa; **mettre un enfant en ~ dans un collège** poner un niño interno en un colegio; **~ d'invalidité** pensión por invalidez; **~ complète** pensión completa; **~ de famille** casa de huéspedes; **~naire** [pɑ̃sjɔnɛʀ] *nm/f* pensionista *m/f*, interno/a.

pensionnat [pɑ̃sjɔna] *nm* internado, pensionado.

pentagone [pɛ̃tagɔn] *nm* pentágono.

pentathlon [pɛ̃tatlɔ̃] *nm* pentatlón *m*.

pente [pɑ̃t] *nf* declive *m*, pendiente *f*.

Pentecôte [pɑ̃tkot] *nf*: **la ~** Pentecostés *m*.

pénurie [penyʀi] *nf* escasez *f*, penuria.

pépier [pepje] *vi* piar.

pépin [pepɛ̃] *nm* pepita; (*ennui*) engorro, joroba.

pépinière [pepinjɛʀ] *nf* plantel *m*, almáciga.

pépite [pepit] *nf* pepita.

perçant, e [pɛʀsɑ̃, ɑ̃t] *a* agudo(a).

percée [pɛʀse] *nf* brecha; (MIL): **tenter/faire une ~** intentar abrir/abrir una brecha.

perce-neige [pɛʀsənɛʒ] *nf inv* narciso de las nieves.

percepteur [pɛʀsɛptœʀ] *nm* recaudador *m*.

perception [pɛʀsɛpsjɔ̃] *nf* percepción *f*; recaudación *f*; (PSYCH): **la ~** la percepción; (*bureau*) oficina de recaudación.

percer [pɛʀse] *vt* (*métal, mur, pneu*) agujerear, perforar; (*oreilles etc, aussi suj*: *bruit*: *oreilles, tympan*) perforar; (*abcès*) reventar; (*trou, fenêtre, tunnel, avenue*) abrir; (*suj*: *lumière, soleil*: *obscurité, nuage*) atravesar; (*mystère, énigme*) penetrar, descifrar // *vi* aparecer; traslucirse, manifestarse; triunfar, hacer carrera; **~ une dent** echar un diente.

perceuse [pɛʀsøz] *nf* perforadora.

percevoir [pɛʀsəvwaʀ] *vt* percibir, advertir; (*somme d'argent, revenu*) percibir, cobrar; (*taxe, impôt*) cobrar, recaudar.

perche [pɛʀʃ(ə)] *nf* pértiga; (ZOOL) perca.

percher [pɛʀʃe] *vi*, **se ~** *vi* (*oiseau*) posarse; **perchoir** *nm* percha, palo.

perclus, e [pɛʀkly, yz] *a*: **~ de**

rhumatismes tullido de reumatismo.
perçois *etc*, **perçoive** *etc vb voir* **percevoir.**
percolateur [pɛʀkɔlatœʀ] *nm* cafetera grande.
perçu, e *pp de* **percevoir.**
percussion [pɛʀkysjɔ̃] *nf voir* **instrument**.
percuter [pɛʀkyte] *vt* percutir, golpear // *vi*: ~ **contre** chocar contra.
perdant, e [pɛʀdɑ̃, ɑ̃t] *nm/f* perdedor/ora // *a* (*numéro*) no premiado(a).
perdition [pɛʀdisjɔ̃] *nf* (NAUT): **en** ~ en peligro de naufragio.
perdre [pɛʀdʀ(ə)] *vt* perder; (*gaspiller: temps, argent*) perder, malgastar // *vi* perder; (*récipient*) perder, salirse; **se** ~ (*s'égarer*) perderse, desorientarse; (*fig*) perderse; desaparecer.
perdreau, x [pɛʀdʀo] *nm* perdigón *m.*
perdrix [pɛʀdʀi] *nf* perdiz *f.*
perdu, e [pɛʀdy] *pp de* **perdre** // *a* perdido(a), extraviado(a); (*isolé*) perdido(a), alejado(a); (*COMM: emballage, aussi occasion*) perdido(a); (*malade, blessé*) perdido(a), desahuciado(a).
père [pɛʀ] *nm* padre *m*; ~**s** *mpl* (*ancêtres*) padres; **de** ~ **en fils** de padres a hijos; ~ **de famille** padre de familia; **valeurs de** ~ **de famille** inversiones seguras; **mon** ~ (REL) padre; **le** ~ **Noël** el papá Noel.
perfection [pɛʀfɛksjɔ̃] *nf* perfección *f.*
perfectionnement [pɛʀfɛksjɔnmɑ̃] *nm* perfeccionamiento; adelanto.
perfectionner [pɛʀfɛksjɔne] *vt* perfeccionar, mejorar; **se** ~ **en** perfeccionarse en; **perfectionniste** *nm/f* perfeccionista *m/f.*
perforant, e [pɛʀfɔʀɑ̃, ɑ̃t] *a* (*balle, obus*) perforante.
perforation [pɛʀfɔʀɑsjɔ̃] *nf* perforación *f.*
perforatrice [pɛʀfɔʀatʀis] *nf* (*de bandes, cartes*) perforadora; (*de tickets*) perforador *m.*
perforer [pɛʀfɔʀe] *vt* perforar.
perforeuse [pɛʀfɔʀøz] *nf* perforadora.
performance [pɛʀfɔʀmɑ̃s] *nf* (*d'un cheval, athlète*) marca, resultado; (*d'une machine*) rendimiento óptimo; (*fig*) hazaña, proeza.
perfusion [pɛʀfyzjɔ̃] *nf* perfusión *f.*
péricliter [peʀiklite] *vi* declinar, decaer.
péril [peʀil] *nm* peligro, riesgo; **à ses risques et** ~**s** por su cuenta y riesgo; ~**leux, euse** [peʀijø, øz] *a* peligroso(a), arriesgado(a).
périmé, e [peʀime] *a* perimido(a), caduco(a); (ADMIN) caducado(a).
périmètre [peʀimɛtʀ(ə)] *nm* perímetro.
période [peʀjɔd] *nf* período, lapso; (PHYSIOLOGIE) período; **périodique** *a* periódico(a) // *nm* publicación periódica; **serviette/tampon périodique** paño/tampón higiénico.
périphérie [peʀifeʀi] *nf* (*d'une ville*) periferia, extrarradio; **périphérique** *a* (*quartiers*) periférico(a).
périphrase [peʀifʀɑz] *nf* perífrasis *f.*
périr [peʀiʀ] *vi* (*personne*) perecer, morir; (*navire*) naufragar.
périscope [peʀiskɔp] *nm* periscopio.
périssable [peʀisabl(ə)] *a* perecedero(a).
péristyle [peʀistil] *nm* peristilo.
péritonite [peʀitɔnit] *nf* peritonitis *f.*
perle [pɛʀl(ə)] *nf* perla; (*de plastique, verre, métal*) perla, cuenta; (*de rosée, sang, sueur*) gota.
perler [pɛʀle] *vi* gotear, formar gotas.
permanence [pɛʀmanɑ̃s] *nf* permanencia, estabilidad *f*; (*ADMIN, MÉD, local*) servicio permanente;

(*SCOL*) sala de estudio; **en** ~ *ad* sin interrupción.

permanent, e [pɛRmanɑ̃, ɑ̃t] *a* (*constant, stable*) permanente, estable; (*continu*) permanente, constante; (*spectacle*) continuado(a); (*armée, envoyé*) estable, fijo(a) // *nf* permanente *f*.

perméable [pɛRmeabl(ə)] *a* (*terrain*) permeable; ~ **à** (*fig*) influenciable a.

permettre [pɛRmɛtR(ə)] *vt* permitir, autorizar; (*suj*: *santé, diplôme*) permitir, consentir; ~ **que** permitir *o* consentir que; ~ **de faire qch** permitir hacer algo; **se** ~ **de faire qch** tomarse la libertad de hacer algo.

permis [pɛRmi] *nm* permiso, autorización *f*; ~ **de chasse/pêche** licencia de caza/pesca; ~ **de conduire** permiso de conducir; ~ **de construire** autorización para construir; ~ **d'inhumer** autorización de inhumar; ~ **poids lourds** permiso para camiones de carga; ~ **de séjour** permiso de residencia.

permission [pɛRmisjɔ̃] *nf* permiso, consentimiento; (*MIL*) permiso; **avoir la** ~ **de faire** tener la autorización *o* el permiso para hacer; ~**naire** [pɛRmisjɔnɛR] *nm* (*MIL*) militar *m* con permiso.

permuter [pɛRmyte] *vt, vi* permutar.

péroné [peRɔne] *nm* peroné *m*.

pérorer [peRɔRe] *vi* perorar.

Pérou [peRu] *nm*: **le** ~ el Perú.

perpendiculaire [pɛRpɑ̃dikylɛR] *a, nf* perpendicular (*f*).

perpétrer [pɛRpetRe] *vt* perpetrar, consumar.

perpétuel, le [pɛRpetɥɛl] *a* perpetuo(a), constante; (*dignité, fonction*) vitalicio(a), perenne.

perpétuer [pɛRpetɥe] *vt* perpetuar, mantener.

perpétuité [pɛRpetɥite] *nf*: **à** ~ *ad* a perpetuidad; **être condamné à** ~ ser condenado a cadena perpetua.

perplexe [pɛRplɛks(ə)] *a* perplejo(a).

perquisition [pɛRkizisjɔ̃] *nf* pesquisa; ~**ner** *vi* indagar, hacer una pesquisa.

perron [pɛRɔ̃] *nm* escalinata.

perroquet [pɛRɔkɛ] *nm* loro, papagayo.

perruche [peRyʃ] *nf* cotorra.

perruque [peRyk] *nf* peluca.

persan, e [pɛRsɑ̃, an] *a, nm, nf* persa (*m, f*).

Perse [pɛRs(ə)] *nf* Persia.

persécuter [pɛRsekyte] *vt* perseguir; (*harceler*) acosar, importunar.

persévérer [pɛRseveRe] *vi* perseverar.

persiennes [pɛRsjɛn] *nfpl* persianas.

persiflage [pɛRsiflaʒ] *nm* burla, befa.

persil [pɛRsi] *nm* perejil *m*.

persistant, e [pɛRsistɑ̃, ɑ̃t] *a* persistente, tenaz; (*feuilles*) perenne; **arbre à feuillage** ~ árbol *m* de follaje perenne.

persister [pɛRsiste] *vi* persistir, perdurar; (*personne*) persistir, obstinarse; ~ **à** persistir en.

personnage [pɛRsɔnaʒ] *nm* (*notable*) personaje *m*.

personnaliser [pɛRsɔnalize] *vt* dar un toque personal a; (*impôt, assurance*) personalizar.

personnalité [pɛRsɔnalite] *nf* personalidad *f*.

personne [pɛRsɔn] *nf* persona // *pron* nadie; **en** ~ personalmente, en persona; **grande** ~ persona mayor; ~ **morale** *ou* **civile** (*JUR*) persona moral *o* civil; ~ **âgée** persona de edad; ~ **à charge** (*JUR*) persona a cargo; **personnel, le** *a, nm* personal (*m*); **personnellement** *ad* personalmente; **personnifier** *vt* personificar.

perspective [pɛRspɛktiv] *nf* perspectiva; ~**s** *fpl* (*horizons*) perspectivas.

perspicace [pɛRspikas] *a* perspicaz.

persuader [pɛʀsɥade] *vt*: ~ **qn de/que/de faire** persuadir a alguien de/de que/que haga; **persuasif, ive** *a* persuasivo(a), convincente.

perte [pɛʀt(ə)] *nf* pérdida; (*malheur*) pérdida, daño; ~**s** *fpl* (*personnes tuées*) pérdidas, bajas; (COMM) pérdidas; **à** ~ (COMM) con pérdida; **à** ~ **de vue** hasta donde se pierde la vista; (*fig*) interminablemente; **en pure** ~ inútilmente, para nada; **courir à sa** ~ ir a su perdición; ~ **sèche** pérdida total; ~**s blanches** leucorrea.

pertinent, e [pɛʀtinɑ̃, ɑ̃t] *a* pertinente.

perturbation [pɛʀtyʀbɑsjɔ̃] *nf* perturbación *f*, alteración *f*; ~ **atmosphérique** perturbación atmosférica.

perturber [pɛʀtyʀbe] *vt* perturbar, alterar; (PSYCH) turbar, trastornar.

péruvien, ne [peʀyvjɛ̃, jɛn] *a*, *nm/f* peruano(a).

pervenche [pɛʀvɑ̃ʃ] *nf* vincapervinca.

pervers, e [pɛʀvɛʀ, ɛʀs(ə)] *a*, *nm/f* perverso(a).

pervertir [pɛʀvɛʀtiʀ] *vt* pervertir.

pesage [pəzaʒ] *nm* peso; (*endroit*) *recinto donde se efectúa el peso.*

pesant, e [pəzɑ̃, ɑ̃t] *a* pesado(a).

pesanteur [pəzɑ̃tœʀ] *nf* (PHYSIQUE): **la** ~ la gravedad.

pèse-bébé [pɛzbebe] *nm* balanza de bebé.

pèse-lettre [pɛzlɛtʀ(ə)] *nm* pesacartas *m inv.*

peser [pəze] *vt* pesar; (*considérer, comparer*) medir, sopesar // *vi*: ~ **sur** (*levier etc*) apoyarse contra, hacer fuerza sobre; (*fig*) pesar en *o* sobre; pesar *o* influenciar en.

pessimisme [pesimism(ə)] *nm* pesimismo.

pessimiste [pesimist(ə)] *a*, *nm/f* pesismista (*m/f*).

peste [pɛst(ə)] *nf* peste *f*.

pester [pɛste] *vi*: ~ **contre** echar pestes contra.

pestiféré, e [pɛstifeʀe] *nm/f* apestado/a.

pestilentiel, le [pɛstilɑ̃sjɛl] *a* pestilente.

pet [pɛ] *nm* (*fam!*) pedo.

pétale [petal] *nf* pétalo.

pétanque [petɑ̃k] *nf* petanca.

pétarader [petaʀade] *vi* producir detonaciones *o* estampidos.

pétard [petaʀ] *nm* petardo.

péter [pete] *vi* (*fam!*) peer.

pétiller [petije] *vi* (*flamme, bois*) chisporrotear, crepitar; (*mousse, champagne*) burbujear; (*joie, yeux*) chispear.

petit, e [pəti, it] *a* pequeño(a); (*main, objet, colline, en âge*: *enfant*) pequeño(a), chico(a); (*personne, taille, pluie*) pequeño(a), menudo(a); (*voyage etc*) corto(a), breve; (*bruit etc*) ligero(a), moderado(a); (*minime*) mínimo(a), pequeño(a); (*peu nombreux*) pequeño(a), reducido(a) // *ad*: ~ **à** ~ poco a poco // *nm/f* (*petit enfant*) niño/a, chico/a; ~**s** *mpl* (*d'un animal*) cría; **la classe des** ~**s** la clase de los párvulos; **pour** ~**s et grands** para chicos y grandes; **les tous-**~**s** los más pequeños, los pequeñuelos; **le** ~ **doigt** el meñique, el dedo pequeño; ~ **four** pasta; ~ **pois** guisante *m*; ~**e-fille** *nf* nieta; ~**ement** [pətitmɑ̃] *ad* (*fig*) modestamente, mezquinamente; **être logé** ~**ement** vivir en una casa pequeña; ~**esse** [ptitɛs] *nf* pequeñez *f*; (*d'un salaire*) escasez *f*, estrechez *f*; (*d'une existence*) mediocridad *f*; (*mesquinerie*) mezquindad *f*, bajeza; ~**-fils** *nm* nieto.

pétition [petisjɔ̃] *nf* petición *f*.

petit-lait [ptilɛ] *nm* suero.

petits-enfants [ptizɑ̃fɑ̃] *nmpl* nietos.

pétrifier [petʀifje] *vt* petrificar.

pétrin [petʀɛ̃] *nm* (BOULANGERIE) amasadera; (*fig*) atolladero.

pétrir [petʀiʀ] *vt* (*pâte*) amasar; (*argile, cire*) modelar, trabajar.

pétrole [petʀɔl] *nm* petróleo;

pétrolier, ière *a* petrolero(a) // *nm* petrolero.

peu [pø] *ad, nm* poco // *pron* (*nombre*) pocos(as); (*quantité*) poco(a); ~ **de** (*nombre*) pocos(as); (*quantité*) poco(a); ~ **de temps après/avant** poco después/antes; **en** ~ **de temps** en poco tiempo; **de** ~ de poco; **il a gagné de** ~ ganó por poco; **il est de** ~ **mon aîné** es un poco mayor que yo; **éviter qch de** ~ escaparse de algo por poco; ~ **à** ~ poco a poco; **à** ~ **près** *ad* poco más o menos; **à** ~ **près 10 F/10 kg** 10 F/10 kg poco más o menos; **avant** ~ dentro de poco.

peuplade [pœplad] *nf* pueblo primitivo.

peuple [pœpl(ə)] *nm* pueblo.

peupler [pœple] *vt* poblar.

peuplier [pøplije] *nm* álamo.

peur [pœʀ] *nf* (PSYCH) miedo, temor *m*; (*émotion*): **une** ~ un miedo *o* susto; **avoir** ~ **(de/de faire)** tener miedo (de/de hacer); **avoir** ~ **que** tener miedo de que, temer que; **la/une** ~ **de** el/un temor de; **faire** ~ **à** dar miedo a, asustar a; **de** ~ **de/que** por miedo *o* temor a/de que; ~**eux, euse** *a* miedoso(a), temeroso(a).

peut *vb voir* **pouvoir.**

peut-être [pøtɛtʀ(ə)] *ad* quizá(s), tal vez; ~ **bien** posiblemente; ~ **que** puede ser que; ~ **fera-t-il beau dimanche** tal vez haga buen tiempo el domingo.

peuvent, peux *vb voir* **pouvoir.**

phacochère [fakɔʃɛʀ] *nm* facoquero.

phalange [falɑ̃ʒ] *nf* falange *f.*

phallocrate [falɔkʀat] *nm* chauvinista masculino.

phallus [falys] *nm* falo.

pharaon [faʀaɔ̃] *nm* faraón *m.*

phare [faʀ] *nm* faro; **se mettre en** ~**s** poner la luz larga *o* de carretera.

pharmaceutique [faʀmasøtik] *a* farmacéutico(a).

pharmacie [faʀmasi] *nf* farmacia; (*produits*) botiquín *m.*

pharmacien, ne [faʀmasjɛ̃, ɛn] *nm/f* farmacéutico/a.

pharynx [faʀɛ̃ks] *nm* faringe *f.*

phase [fɑz] *nf* fase *f.*

phénomène [fenɔmɛn] *nm* fenómeno; (*personne*) tipo raro, caso.

philanthrope [filɑ̃tʀɔp] *nm/f* filántropo/a.

philatélie [filateli] *nf* filatelia; **philatéliste** *nm/f* filatelista *m/f.*

philharmonique [filaʀmɔnik] *a* filarmónico(a).

philistin [filistɛ̃] *nm* grosero, bárbaro.

philo [filo] *nf abrév de* **philosophie**.

philodendron [filodɛ̃dʀɔ̃] *nm* filodendro.

philosophe [filɔzɔf] *nm/f* filósofo/a // a juicioso(a), prudente.

philosophie [filɔzɔfi] *nf* filosofía; **philosophique** *a* filosófico(a).

phlébite [flebit] *nf* flebitis *f.*

phobie [fɔbi] *nf* fobia.

phonétique [fɔnetik] *a* fonético(a) // *nf* fonética.

phonographe [fɔnɔgʀaf] *nm* fonógrafo.

phoque [fɔk] *nm* foca; (*fourrure*) piel *f* de foca.

phosphate [fɔsfat] *nm* fosfato.

phosphore [fɔsfɔʀ] *nm* fósforo.

phosphorescent, e [fɔsfɔʀesɑ̃, ɑ̃t] *a* fosforescente.

photo [foto] *nf* (*abrév de* **photographie**) foto *f*; **prendre (qn) en** ~ sacar una foto (a alguien); **aimer/faire de la** ~ gustar de/dedicarse a la fotografía; ~ **d'identité** foto de carnet.

photo... [foto] *préf*: ~**copie** *nf* fotocopia; ~**copier** *vt* fotocopiar; ~**génique** *a* fotogénico(a); ~**graphe** *nm/f* fotógrafo/a; ~**graphie** *nf* fotografía; ~**graphier** *vt* fotografiar; ~**graphique** *a* fotográfico(a); ~**maton** *nm* cámara de fotografía superautomática; ~**-robot** *nf* foto robot *m.*

phrase [fʀɑz] *nf* frase *f*, oración *f*.
phtisie [ftizi] *nf* tisis *f*.
physicien, ne [fizisjɛ̃, jɛn] *nm/f* físico/a.
physiologie [fizjɔlɔʒi] *nf* fisiología; **physiologique** *a* fisiológico(a).
physionomie [fizjɔnɔmi] *nf* fisonomía; **physionomiste** *a* fisonomista.
physique [fizik] *a* físico(a) // *nm* (*d'une personne*) físico // *nf* física; **au** ~ en lo físico, físicamente; **~ment** *ad* materialmente; físicamente.
pi [pi] *nm* (GÉOMÉTRIE) pi *f*.
piaffer [pjafe] *vi* piafar.
piailler [pjɑje] *vi* piar.
pianiste [pjanist(ə)] *nm/f* pianista *m/f*.
piano [pjano] *nm* piano.
pianoter [pjanɔte] *vi* teclear; (*tapoter*): ~ **sur** tamborilear en.
pic [pik] *nm* pico; (ZOOL) pico, pájaro carpintero; **à** ~ *ad* a pico; (*fig*) de perilla.
pichet [piʃɛ] *nm* jarro.
pickpocket [pikpɔkɛt] *nm* carterista *m*, ratero.
picorer [pikɔʀe] *vt* picotear, picar.
picoter [pikɔte] *vt* picotear // *vi* (*irriter*) causar picazón.
picrique [pikʀik] *am*: **acide** ~ ácido pícrico.
pie [pi] *nf* urraca; (*fig*) cotorra // *af*: **œuvre** ~ obra pía.
pièce [pjɛs] *nf* pieza; (*d'un logement*) habitación *f*, cuarto; (THÉÂTRE) obra; (*de monnaie*) moneda, pieza; (COUTURE) pieza, remiendo; (*document*): ~ **d'identité** documento de identidad; (*morceau, fragment*) pedazo, trozo; (*de drap, tissu*) retazo; (*de bétail*) res *f*; **dix francs** ~ diez francos cada uno(a); **à la** ~ (*vendre*) por unidad; (*travailler, payer*) a destajo; **un deux ~s cuisine** una casa *o* un apartamento de dos habitaciones y cocina; ~ **à conviction** cuerpo del delito; ~ **d'eau** estanque *m*; ~ **justificative** compróbante *m*; ~ **montée** plato montado; **~s détachées** piezas de repuesto, repuestos.
pied [pje] *nm* pie *m*; (ZOOL) pata, mano; (*de meuble, table*) pata; **~s nus** *ou* **nu-~s** descalzo(a); **à** ~ a pie; **à ~ sec** a pie enjuto; **de ~ en cap** de pies a cabeza; **en** ~ (*portrait*) de cuerpo entero; **avoir/perdre** ~ hacer/perder pie; **sur** ~ (AGR) en pie *o* sin recoger; (*debout*) en pie; **mettre sur** ~ (*affaire, entreprise*) poner en pie *o* marcha; **mettre à** ~ (*employé*) poner en la calle; **faire du ~ à qn** dar con el pie a alguien; ~ **de salade** planta de ensalada; ~ **de vigne** cepa; **~-de-biche** *nm* (COUTURE) prensatelas *m inv*; **~-à-terre** *nm inv* vivienda de paso.
piédestal, aux [pjedɛstal, o] *nm* pedestal *m*.
pied-noir [pjenwaʀ] *nm* argelino de origen europeo.
piège [pjɛʒ] *nm* trampa; **prendre au** ~ coger en la trampa.
piéger [pjeʒe] *vt* (*avec une bombe, mine*) colocar una trampa explosiva en.
pierraille [pjɛʀɑj] *nf* grava, gravilla.
pierre [pjɛʀ] *nf* piedra; **première** ~ (*d'un édifice*) piedra fundamental; ~ **à briquet** piedra de mechero; ~ **fine** piedra fina; ~ **de taille** sillar *m*, piedra de sillería; **~ries** *fpl* pedrerías.
piété [pjete] *nf* piedad *f*.
piétiner [pjetine] *vi* patalear; (*marquer le pas*) marcar el paso; (*fig*) estancarse // *vt* pisotear.
piéton, ne [pjetɔ̃, ɔn] *nm/f* peatón/ona; **~nier, ière** *a* peatonal.
piètre [pjɛtʀ(ə)] *a* triste, pobre.
pieu, x [pjø] *nm* estaca.
pieuvre [pjœvʀ(ə)] *nf* pulpo.
pieux, euse [pjø, øz] *a* piadoso(a).
pigeon [piʒɔ̃] *nm* palomo; ~ **voyageur** paloma mensajera; **~neau, x** [piʒɔno] *nm* pichón *m*; **~nier** *nm* palomar *m*.
piger [piʒe] *vt* (*fam*) entender.

pigment [pigmɑ̃] *nm* pigmento.

pignon [piɲɔ̃] *nm* (*de mur*) aguilón *m*; (*d'engrenage*) piñón *m*; **avoir ~ sur rue** ser propietario(a) de una importante casa de comercio.

pile [pil] *nf* pila // *ad* en seco justo; **jouer à ~ ou face** jugar a cara o cruz.

piler [pile] *vt* moler, machacar.

pileux, euse [pilø, øz] *a*: **système ~** sistema piloso.

pilier [pilje] *nm* pilar *m*.

pillard, e [pijaʀ, aʀd(ə)] *nm/f* saqueador/ora.

piller [pije] *vt* saquear.

pilon [pilɔ̃] *nm* mano, pisón *m*.

pilonner [pilɔne] *vt* aplastar, machacar.

pilori [pilɔʀi] *nm*: **mettre** *ou* **clouer au ~** poner en la picota.

pilotage [pilɔtaʒ] *nm* pilotaje *m*.

pilote [pilɔt] *nm* piloto // *a* piloto *inv*, modelo *inv*; **~ de ligne/d'essai/de chasse** piloto civil/de prueba/de caza.

piloter [pilɔte] *vt* pilotar.

pilotis [pilɔti] *nm* pilote *m*.

pilule [pilyl] *nf* píldora.

pimbêche [pɛ̃bɛʃ] *nf* (*péj*) remilgada.

piment [pimɑ̃] *nm* pimienta; (*fig*) sal *f*.

pin [pɛ̃] *nm* pino; **~ parasol** pino piñonero *o* parasol.

pince [pɛ̃s] *nf* pinza; (*d'un homard, crabe*) pinza, pata; **~ à sucre/glace** tenacillas para el azúcar/hielo; **~ à épiler** pinza de depilar; **~ à linge** pinza para la ropa; **~s de cycliste** sujetadores *mpl*, clips *mpl* de ciclista.

pincé, e [pɛ̃se] *a* (*air, sourire*) afectado(a), forzado(a) // *nf*: **une ~e de** una pizca de.

pinceau, x [pɛ̃so] *nm* pincel *m*.

pince-monseigneur [pɛ̃smɔ̃sɛɲœʀ] *nf* ganzúa.

pince-nez [pɛ̃sne] *nm inv* quevedos.

pincer [pɛ̃se] *vt* pellizcar; (MUS: *cordes*) puntear; (*suj*: *vêtement*) ajustar; (COUTURE) entallar; (*fam*) pescar, atrapar.

pince-sans-rire [pɛ̃ssɑ̃ʀiʀ] *nm/f inv persona que bromea conservando un aspecto serio.*

pincettes [pɛ̃sɛt] *nfpl* (*pour le feu*) tenazas; (*instrument*) pinza.

pinède [pinɛd] *nf* pinar *m*.

pingouin [pɛ̃gwɛ̃] *nm* pingüino.

ping-pong [piŋpɔ̃g] *nm* ping-pong *m*, tenis *m* de mesa.

pingre [pɛ̃gʀ(ə)] *a* roñoso(a).

pinson [pɛ̃sɔ̃] *nm* pinzón *m*.

pintade [pɛ̃tad] *nf* pintada, gallina de Guinea; **pintadeau, x** *nm* polluelo de pintada.

pioche [pjɔʃ] *nf* pico, piqueta; **piocher** *vt* cavar; **piocher dans** hurgar en.

piolet [pjɔlɛ] *nm* piolet *m*.

pion, ne [pjɔ̃, ɔn] *nm/f* (SCOL: *péj*) vigilante *m/f* // *nm* (ÉCHECS) peón *m*; (DAMES) ficha.

pionnier [pjɔnje] *nm* pionero; (*fig*) precursor *m*.

pipe [pip] *nf* pipa; **fumer la ~** fumar en pipa.

pipeau, x [pipo] *nm* caramillo.

pipe-line [pajplajn] *nm* oleoducto.

pipi [pipi] *nm* (*fam*): **faire ~** hacer pipí.

piquant, e [pikɑ̃, ɑ̃t] *a* (*barbe*) áspero(a), punzante; (*rosier etc*) espinoso(a), punzante; (*saveur, sauce*) picante // *nm* (*épine*) púa, espina; (*fig*) (lo) excitante, (lo) chistoso.

pique [pik] *nf* (*arme*) pica; (*fig*) indirecta // *nm* (CARTES: *couleur*) picos, ≈ espadas; (: *carte*) pico, ≈ espada.

piqué, e [pike] *a* (COUTURE) con pespuntes; (*livre, glace*) manchado(a); (*vin*) picado(a) // *nm* (TEXTILE) piqué *m*.

pique-assiette [pikasjɛt] *nm/f inv* mogrollo, parásito.

pique-nique [piknik] *nm* picnic *m*.

piquer [pike] *vt* (*percer*) pinchar; (MÉD) poner una inyección a, vacunar; (: *animal blessé*) matar mediante una inyección; (*suj*: *insecte, fumée, ortie, poivre, froid*) picar; (*COUTURE*) pespuntear, coser; (*fam*) soplar, birlar; atrapar, pillar // *vi* (*oiseau, avion*) picar; ~ **qch dans/à** clavar algo en; ~ **qch sur** prender algo sobre; **se** ~ (*avec une aiguille*) pincharse; (*se faire une piqûre*) inyectarse; **se** ~ **de** alardear de; ~ **du nez** caerse de narices.

piquet [pikɛ] *nm* (*pieu*) estaca, jalón *m*; (*de tente*) estaca; **mettre un élève au** ~ poner a un alumno en penitencia; ~ **de grève** piquete *m* de huelga; ~ **d'incendie** piquete *o* pelotón *m* contra incendios.

piqûre [pikyʀ] *nf* pinchazo, picadura; (*MÉD*) inyección *f*, vacuna; (*COUTURE*) pespunte *m*, costura; (*de ver*) picadura; (*tache*) mancha.

pirate [piʀat] *nm, a* pirata (*m*); ~ **de l'air** pirata del aire.

pire [piʀ] *a, nm* peor (*m*); **pour le meilleur et pour le** ~ en las buenas y en las malas.

pirogue [piʀɔg] *nf* piragua.

pirouette [piʀwɛt] *nf* pirueta; (*fig*) cambio.

pis [pi] *nm* (*pire*): **le** ~ lo peor // *a, ad* peor; ~**-aller** *nm inv* expediente *m*, mal menor *m*; **au** ~**-aller** *ad* en el peor de los casos.

pisciculture [pisikyltyʀ] *nf* piscicultura.

piscine [pisin] *nf* piscina.

pissenlit [pisɑ̃li] *nm* diente de león *m*.

pisser [pise] *vi* (*fam!*) mear (!).

pissotière [pisɔtjɛʀ] *nf* (*fam*) meadero.

pistache [pistaʃ] *nf* pistacho.

piste [pist(ə)] *nf* pista; (*d'un animal*) pista, rastro; (*d'un magnétophone*) banda; ~ **de danse** pista de baile.

pistil [pistil] *nm* pistilo.

pistolet [pistɔlɛ] *nm* pistola; ~ **à bouchon/air comprimé** pistola con tapón/de aire comprimido; ~**-mitrailleur** *nm* pistola ametralladora.

piston [pistɔ̃] *nm* (*TECH*) pistón *m*; (*MUS*): **cornet/trombone à** ~**s** corneta/trombón *m* de pistones.

pistonner [pistɔne] *vt* (*candidat*) recomendar, enchufar.

pitance [pitɑ̃s] *nf* (*péj*) pitanza.

piteux, euse [pitø, øz] *a* deplorable, lastimoso(a).

pitié [pitje] *nf* piedad *f*; **faire** ~ dar lástima, inspirar piedad; **avoir** ~ **de qn** tener lástima de alguien, sentir piedad por alguien.

piton [pitɔ̃] *nm* (*clou, vis*) clavija.

pitoyable [pitwajabl(ə)] *a* lamentable, lastimoso(a).

pitre [pitʀ(ə)] *nm* payaso; ~**rie** *nf* payasada, bufonada.

pittoresque [pitɔʀɛsk(ə)] *a* pintoresco(a).

pivert [pivɛʀ] *nm* picoverde *m*, picamaderos *m inv*.

pivot [pivo] *nm* pivote *m*; (*fig*) eje *m*, centro; ~**er** *vi* girar.

pizza [pidza] *nf* pizza.

placard [plakaʀ] *nm* armario empotrado; (*affiche*) cartel *m*, anuncio; ~ **publicitaire** cartel de propaganda; ~**er** *vt* (*affiche*) fijar, pegar.

place [plas] *nf* plaza; (*emplacement*) sitio, lugar *m*; (*espace libre*) lugar, espacio; (*siège*: *de train, cinéma, voiture, aussi classement*) puesto; (*fig*: *situation*) condición *f*, situación *f*; (*emploi*) puesto, cargo; **en** ~ en el lugar *o* sitio; **sur** ~ en el lugar *o* sitio; (*sur les lieux*) sobre el terreno; **faire** ~ **à** dejar sitio a; **à la** ~ **(de)** en lugar (de); **une quatre** ~**s** (*AUTO*) un coche de cuatro plazas; ~**s avant/arrière** asientos delanteros/traseros; ~ **assise/debout** puesto de sentado/de pie; ~ **forte** plaza fuerte; ~ **d'honneur** puesto de honor.

placé, e [plase] *a* (*HIPPISME*) placé; **haut** ~ (*fig*) importante; **bien/mal** ~ bien/mal ubicado.

placement [plasmɑ̃] *nm* colocación *f*.

placenta [plasɛ̃ta] *nm* placenta.

placer [plase] *vt* colocar; (*convive,*

spectateur) acomodar; (*dans la conversation*) decir; (*récit, événement, pays*: *situer*) situar; **se ~ au premier rang/devant** colocarse en primera fila/delante de.
plafond [plafɔ̃] *nm* techo; (AVIAT) altura máxima; (*fig*) tope *m*; **~ de nuages** capa de nubes bajas.
plafonner [plafɔne] *vi* (AVIAT) alcanzar la altura máxima; (*fig*) llegar al máximo.
plage [plaʒ] *nf* playa; **~ arrière** (AUTO) bandeja; **~ musicale** (RADIO) espacio musical.
plagiat [plaʒja] *nm* plagio.
plagier [plaʒje] *vt* plagiar.
plaid [plɛd] *nm* manta de viaje.
plaidant, e [plɛdɑ̃, ɑ̃t] *a* (JUR) pleiteante, litigante.
plaider [plede] *vi* pleitear // *vt* (*cause*) defender; **~ l'irresponsabilité** *etc* alegar irresponsabilidad *etc*; **~ coupable/non coupable** declararse culpable/inocente; **plaideur, euse** *nm/f* (JUR) pleitista *m/f*, litigante *m/f*; **plaidoirie** *nf* (JUR) alegato, defensa; **plaidoyer** *nm* (JUR) defensa; (*éloge*) alegato.
plaie [plɛ] *nf* llaga, herida.
plaignant, e [plɛɲɑ̃, ɑ̃t] *a, nm/f* demandante (*m/f*).
plaindre [plɛ̃dʀ(ə)] *vt* compadecer a; **se ~** quejarse; **se ~ que** quejarse *o* lamentarse de que.
plaine [plɛn] *nf* llanura, planicie *f*.
plain-pied [plɛ̃pje] : **de ~** *ad* al mismo nivel.
plaint, e *pp de* **plaindre.**
plainte [plɛ̃t] *nf* gemido, lamento; (*doléance*) queja.
plaintif, ive [plɛ̃tif, iv] *a* quejumbroso(a).
plaire [plɛʀ] *vi* gustar, agradar; **~ à** *vt* (*suj*: *personne*) gustar a; (: *spectacle, situation*) gustar *o* agradar a; **se ~** *vi* (*dans un lieu etc*) estar a gusto; (*plante*) darse bien; **tant qu'il vous plaira** cuánto usted quiera; **s'il vous plaît** por favor.
plaisamment [plɛzamɑ̃] *ad* agradablemente, graciosamente.
plaisance [plɛzɑ̃s] *nf*: **la ~** la navegación de recreo.
plaisant, e [plɛzɑ̃, ɑ̃t] *a* agradable; (*histoire*) divertido(a), gracioso(a).
plaisanter [plɛzɑ̃te] *vi* bromear, jaranear; **~ie** [-tʀi] *nf* broma, chanza.
plaisent *vb voir* **plaire.**
plaisir [pleziʀ] *nm* placer *m*; **~s** *mpl* (*agréments*) encantos; **faire ~ à qn** dar gusto *o* placer a alguien; **prendre ~ à** complacerse en; **M. et Mme X ont le ~ de vous faire part de...** el Sr y la Sra X tienen el agrado de participarle...; **à ~** a gusto; por gusto.
plaisons, plaît *vb voir* **plaire.**
plan, e [plɑ̃, an] *a* plano(a) // *nm* plan *m*; (*d'un bâtiment, d'une machine, ville*) plano; **au premier/second ~** en primer/segundo plano; **de premier/second ~** a de primera/segunda plana; **sur le ~ (de)...** en el terreno (de)..., desde el punto de vista (de)...; **sur tous les ~s** en todos los planos *o* aspectos; **(en) gros ~** (en) primer plano; **toit en ~ incliné** techo en declive; **~ d'eau** espejo de agua; **~ de sustentation** plano de sustentación.
planche [plɑ̃ʃ] *nf* tabla; (*illustration*) lámina; (*de salades etc*) arriate *m*; (*d'un plongeoir*) tablón *m*, palanca; **les ~s** (THÉÂTRE) las tablas; **faire la ~** hacer la plancha; **~ à dessin** tablero de dibujo; **~ à repasser** tabla de planchar.
plancher [plɑ̃ʃe] *nm* (*entre deux étages*) solera; (*sol*) piso; (*fig*) nivel mínimo.
plancton [plɑ̃ktɔ̃] *nm* plancton *m*.
planer [plane] *vi* planear; (*fig*) cernerse.
planète [planɛt] *nf* planeta *m*.
planeur [planœʀ] *nm* planeador *m*.
planifier [planifje] *vt* planificar.
planning [planiŋ] *nm* planificación *f*, programación *f*; **~ familial** control *m* de la natalidad.
planque [plɑ̃k] *nf* (*fam*) momio, breva; escondrijo.

plant [plɑ̃] *nm* planta.
plantation [plɑ̃tɑsjɔ̃] *nf* plantación *f.*
plante [plɑ̃t] *nf* planta; ~ **d'appartement** planta de interior; ~ **des pieds** planta de los pies.
planter [plɑ̃te] *vt* plantar; (*enfoncer*) clavar; (*échelle, tente, décors*) instalar, montar; (*drapeau*) enarbolar; ~ **qch de** poblar algo de; **planteur** *nm* plantador *m.*
planton [plɑ̃tɔ̃] *nm* ordenanza *m.*
plantureux, euse [plɑ̃tyʀø, øz] *a* abundante, copioso(a); exuberante.
plaque [plak] *nf* placa, plancha; (*de verre*) hoja; (*d'eczéma*) placa; (*fig: tache*) mancha; ~ **de chocolat** tableta de chocolate; ~ **chauffante** calientaplatos *m inv*; ~ **d'identité** placa de matrícula; ~ **d'immatriculation** (AUTO) placa de matrícula; ~ **tournante** (*fig*) eje *m.*
plaqué, e [plake] *a*: ~ **or/argent** enchapado en oro/plata.
plaquer [plake] *vt* (*bijou*) chapar, enchapar; (*aplatir*) aplastarse; (RUGBY) hacer un placaje a.
plaquette [plakɛt] *nf* (*de chocolat*) tableta; (*de beurre*) paquete *m.*
plasma [plasma] *nm* plasma *m.*
plastic [plastik] *nm* explosivo plástico.
plastifié, e [plastifje] *a* plastificado(a).
plastique [plastik] *a* plástico(a) // *nm* plástico.
plastiquer [plastike] *vt* volar con explosivo plástico.
plat, e [pla, at] *a* (*toit, terrain*) plano(a); (*pays*) llano(a); (*chapeau, bateau, ventre, poitrine, style*) chato(a); (*talons*) bajo(a) // *nm* fuente *f*; (CULIN, *d'un repas*) plato; **le** ~ **de la main** la palma de la mano; **le** ~ **d'un couteau** la hoja de un cuchillo; **à** ~ **ventre** *ad* boca abajo; **à** ~ *ad* de plano // *a* (*pneu*) desinflado(a); (*batterie*) descargado(a); ~ **de résistance** plato fuerte.
platane [platan] *nm* plátano.
plateau, x [plato] *nm* (*support*) bandeja; (*d'une balance*) platillo; (GÉO) meseta; (*d'un graphique*) nivel *m*; (RADIO, TV) escenario.
plate-bande [platbɑ̃d] *nf* arriate *m.*
platée [plate] *nf* fuente *f.*
plate-forme [platfɔʀm(ə)] *nf* plataforma; (*terre-plein*) terraza; ~ **de forage** plataforma de perforación.
platine [platin] *nm* (*métal*) platino // *nf* (*d'un tourne-disque*) plato.
platitude [platityd] *nf* simpleza.
plâtras [plɑtʀa] *nm* cascote *m.*
plâtre [plɑtʀ(ə)] *nm* yeso; (*statue*) estatua de yeso; (MÉD) escayola, yeso; **avoir un bras dans le** ~ tener un brazo enyesado; **plâtrer** *vt* enyesar, enlucir; (MÉD) enyesar, escayolar.
plausible [plozibl(ə)] *a* plausible.
play-back [plɛbak] *nm* play-back *m.*
play-boy [plɛbɔj] *nm* play-boy *m.*
plébiscite [plebisit] *nm* plebiscito.
plein, e [plɛ̃, ɛn] *a* lleno(a), repleto(a); (*journée*) pleno(a), completo(a); (*porte, roue*) macizo(a); (*joues, visage, formes*) relleno(a); (*lune*) lleno(a); (*mer*) alto(a); (*chienne, jument*) preñada // *nm*: **faire le** ~ (*d'essence etc*) llenar el depósito; ~ **de** a lleno de; **à** ~**es mains** a manos llenas; **en** ~ **air** al aire libre; **en** ~ **soleil** a pleno sol; **en** ~**e rue** en medio de la calle; **en** ~ **milieu** en el mismo centro; **en** ~**e nuit** en plena noche; **en** ~ **sur** justo sobre, de lleno sobre; ~-**emploi** *nm* pleno empleo.
plénière [plenjɛʀ] *af*: **assemblée** ~ asamblea plenaria.
pléonasme [pleɔnasm(ə)] *nm* pleonasmo.
pléthore [pletɔʀ] *nf*: ~ **de** sobreabundancia de.
pleurer [plœʀe] *vi* llorar // *vt* llorar, lamentar; ~ **sur** *vt* llorar por.
pleurésie [plœʀezi] *nf* pleuresía.

pleurnicher [plœʀniʃe] *vi* lloriquear.
pleurs [plœʀ] *nmpl*: **en** ~ en lágrimas *o* llanto.
pleutre [pløtʀ(ə)] *a* pusilánime.
pleuvoir [pløvwaʀ] *vi* llover; **il pleut des cordes** llueve a cántaros.
plexiglas [plɛksiglɑs] *nm* plexiglás *m*.
pli [pli] *nm* pliegue *m*; (*de jupe*) pliegue, tabla; (*de pantalon*) raya; (*du cou, menton*) pliegue, arruga; (*enveloppe*) sobre *m*; (*lettre*) carta; (CARTES) baza; **faux** ~ arruga; ~ **de terrain** repliegue *m* de terreno, hondonada.
pliable [plijabl(ə)] *a* (*carton*) flexible; (*siège*) plegable.
pliage [plijaʒ] *nm* plegado.
pliant, e [plijɑ̃, ɑ̃t] *a* plegable // *nm* silla de tijera.
plier [plije] *vt* plegar, doblar; (*tente*) desmontar; (*table pliante*) plegar; (*genou, bras*) flexionar; (*fig*): ~ **qn à** someter a alguien a // *vi* plegarse, doblarse; **se** ~ **à** someterse a, doblegarse a.
plinthe [plɛ̃t] *nf* zócalo.
plissé, e [plise] *a* (GÉO) plegado(a).
plissement [plismɑ̃] *nm* (GÉO) plegamiento.
plisser [plise] *vt* plegar, plisar; (*front, bouche*) arrugar, fruncir.
plomb [plɔ̃] *nm* (*métal*) plomo; (*d'une cartouche*) perdigón *m*; (*sceau*) precinto; (ÉLEC) fusible *m*; **à** ~ a plomo.
plomber [plɔ̃be] *vt* (*canne, ligne*) colocar el plomo en; (*colis, wagon*) precintar; (TECH: *mur*) aplomar; (*dent*) empastar, poner una amalgama en.
plomberie [plɔ̃bʀi] *nf* fontanería; (*installation*) tubería.
plombier [plɔ̃bje] *nm* fontanero.
plonge [plɔ̃ʒ] *nf*: **faire la** ~ lavar los platos.
plongeant, e [plɔ̃ʒɑ̃, ɑ̃t] *a* (*vue*) desde lo alto; (*décolleté*) descendiente; (*tir*) oblicuo(a).
plongée [plɔ̃ʒe] *nf* immersión *f*; (*prise de vue*) picado, toma desde lo alto; **sous-marin en** ~ submarino sumergido; ~ **(sous-marine)** buceo (submarino).
plongeoir [plɔ̃ʒwaʀ] *nm* trampolín *m*.
plongeon [plɔ̃ʒɔ̃] *nm* zambullida.
plonger [plɔ̃ʒe] *vi* (*personne*) zambullirse; (*sous-marin*) sumergirse; (*oiseau, avion*) lanzarse, precipitarse; (*gardien de but*) lanzarse, tirarse; (*regard*) dominar // *vt* (*immerger*) sumergir, hundir; (*enfoncer, enfouir*) hundir; (*fig*): ~ **qn dans** sumir a alguien en;
plongeur, euse *nm/f* (*qui plonge*) saltador/ora; buceador/ora // *nm* (ZOOL) somorgujo.
ployer [plwaje] *vt* doblar // *vi* doblarse, curvarse; doblegarse.
plu *pp de* **plaire, pleuvoir.**
pluie [plɥi] *nf* lluvia; **en** ~ (*retomber etc*) en gotas.
plume [plym] *nf* pluma; (*de métal*) pluma, plumilla; **dessin à la** ~ dibujo a pluma.
plumeau, x [plymo] *nm* plumero.
plumer [plyme] *vt* desplumar.
plumet [plymɛ] *nm* penacho.
plumier [plymje] *nm* plumero, cajita de los lápices.
plupart [plypaʀ] *pron*: **la** ~ la mayoría; **la** ~ **du temps** la mayoría de las veces; **pour la** ~ *ad* en su mayoría.
pluriel [plyʀjɛl] *nm* plural *m*.
plus *vb voir* **plaire** // *ad* [ply, plyz + *voyelle*] , *conj* [plys] más // *nm* [plys]: **(signe)** ~ (signo) más; ~ **que** más que; **ne...** ~ no... más; ~ **grand que** más grande que; ~ **de 10 personnes/3 heures** más de 10 personas/de 3 horas; ~ **de pain** más pan; ~ **de possibilités (que)** más posibilidades (que); ~ **il travaille,** ~ **il est heureux** cuanto más trabaja, (tanto) más contento; **le** ~ **grand** el más grande; **3 heures de** ~ **que** 3 horas más que; **de** ~, **en** ~ además; **3 kilos en** ~ 3 kilos de más; **en** ~ **de** además de; **de** ~ **en**

~ cada vez más; **(tout) au** ~ cuando más, a lo sumo; ~ **ou moins** más o menos; **ni** ~ **ni moins** ni más ni menos; **il fait** ~ **2** hace dos grados arriba de cero.
plusieurs [plyzjœʀ] *dét, pron* varios(as).
plus-que-parfait [plyskɔpaʀfɛ] *nm* pluscuamperfecto.
plus-value [plyvaly] *nf* plusvalía; utilidad *f*, ganancia.
plut *vb voir* **plaire, pleuvoir.**
plutôt [plyto] *ad* más bien; ~ **que (de) faire** en lugar de hacer.
pluvieux, euse [plyvjø, øz] *a* lluvioso(a).
PMU *sigle m voir* **pari.**
PNB *sigle m voir* **produit.**
pneu, x [pnø] *nm* (*abrév de* **pneumatique**) neumático; (*missive*) carta neumática *o* tubular; ~ **increvable** neumático contra-pinchazos.
pneumatique [pnømatik] *a voir* **canot.**
pneumonie [pnømɔni] *nf* neumonía.
PO *abrév de petites ondes.*
poche [pɔʃ] *nf* bolsa; (*d'un vêtement, sac*) bolsillo; (*d'eau, de pétrole*) napa // *nm* (*abrév de* **livre de** ~) libro de bolsillo.
poché, e [pɔʃe] *a*: **œil** ~ ojo a la funerala; **avoir les yeux** ~**s** tener bolsas bajo los ojos.
pocher [pɔʃe] *vt* (*CULIN*) escalfar; (*PEINTURE*) bosquejar, abocetar.
poche-revolver [pɔʃʀevɔlvɛʀ] *nf* bolsillo posterior *o* de atrás.
pochette [pɔʃɛt] *nf* (*enveloppe, sachet*) sobre *m*; (*mouchoir*) pañuelo de adorno; (*de disque*) funda; ~ **d'allumettes** carterilla de fósforos.
pochoir [pɔʃwaʀ] *nm* (*ART*) plantilla.
podium [pɔdjɔm] *nm* podio.
poêle [pwal] *nm* estufa // *nf*: ~ **(à frire)** sartén *f*.
poêlon [pwalɔ̃] *nm* cazo.
poème [pɔɛm] *nm* poema *m*.
poésie [pɔezi] *nf* poesía.
poète [pɔɛt] *nm* poeta *m*.
poétique [pɔetik] *a* poético(a).
pognon [pɔɲɔ̃] *nm* (*fam*) guita.
poids [pwa] *nm* peso; (*pour peser*) pesa; **prendre/perdre du** ~ aumentar/bajar de peso; ~ **plume/mouche/moyen** (*BOXE*) peso pluma/mosca/medio; ~ **lourd** camión de carga *m*; ~ **mort** peso muerto, lastre *m*.
poignant, e [pwaɲɑ̃, ɑ̃t] *a* conmovedor(ora).
poignard [pwaɲaʀ] *nm* puñal *m*; ~**er** *vt* apuñalar.
poigne [pwaɲ] *nf* fuerza en las manos *o* los puños; (*fig*) energía, firmeza.
poignée [pwaɲe] *nf* puñado; (*de couvercle, valise*) asa; (*de tiroir*) tirador *m*; (*de porte*) manilla, picaporte *m*; (*MÉNAGE: pour le four etc*) agarrador *m*, asa; ~ **de main** apretón *m* de manos.
poignet [pwaɲɛ] *nm* (*ANAT*) muñeca; (*d'une chemise*) puño.
poil [pwal] *nm* pelo; (*de pinceau, brosse*) cerda; (*pelage*) piel *f*; **poilu, e** *a* peludo(a).
poinçon [pwɛ̃sɔ̃] *nm* (*outil*) punzón *m*, buril *m*; (*marque*) contraste *m*; ~**ner** *vt* contrastar; (*billet, ticket*) picar, perforar.
poing [pwɛ̃] *nm* puño.
point [pwɛ̃] *nm* punto; (*jeu, SPORT*) punto, tanto; (*COUTURE, TRICOT*) puntada, punto // *ad* = **pas; faire le** ~ (*NAUT*) determinar la posición, tomar la estrella; (*fig*) recapitular, analizar la situación; **en tout** ~ *ad* en todo, totalmente; **sur le** ~ **de** a punto de; **au** ~ **que** al punto que; **à tel** ~ **que** hasta tal punto que; **(mettre) au** ~ (*mécanisme, procédé*) (poner) a punto; (*appareil-photo*) enfocar; **à** ~ **nommé** a punto; ~ **d'interrogation/d'exclamation** signo de interrogación/de exclamación; ~ **de croix/tige/chaînette** punto de cruz/tallo/cadenata; ~ **chaud** (*fig*) punto álgido; ~ **de côté** punzada en el

costado; ~ **final** punto final; **au ~ mort** (*AUTO*) en punto muerto; **~ noir** (*sur le visage*) punto negro; **~ de repère** punto de referencia; **~ de vente** punto de venta; **~ de vue** (*paysage*) vista; (*fig*) punto de vista; **du ~ de vue...** desde el punto de vista...; **~s de suspension** puntos suspensivos.

pointe [pwɛ̃t] *nf* punta; (*fig*): **une ~ de** un poco de; **~s** *fpl* (*DANSE: chaussons*) zapatillas de punta; **être à la ~ de** (*fig*) estar a la vanguardia de; **pousser une ~ jusqu'à...** hacer un desvío hasta...; **sur la ~ des pieds** en punta de pies, de puntillas; **de ~** *a* (*industrie etc*) de vanguardia; **heures de ~** horas punta; **faire du 180 en ~** (*AUTO*) hacer 180 de máxima; **faire des ~s** (*DANSE*) bailar de puntas.

pointer [pwɛ̃te] *vt* (*cocher*) puntear, marcar; (*employés*) fichar; (*diriger: canon, doigt*) apuntar, dirigir; (*: longue-vue*) enfocar // *vi* (*employé*) fichar; **~ la carte** (*NAUT*) señalar en el mapa; **~ les oreilles** (*suj: chien*) parar las orejas.

pointillé [pwɛ̃tije] *nm* (*trait*) línea de puntos, punteado; (*ART*) punteado.

pointilleux, euse [pwɛ̃tijø, øz] *a* puntilloso(a), quisquilloso(a).

pointu, e [pwɛ̃ty] *a* puntiagudo(a), agudo(a); (*son, voix*) agudo(a).

pointure [pwɛ̃tyʀ] *nf* medida, número.

point-virgule [pwɛ̃viʀgyl] *nm* punto y coma.

poire [pwaʀ] *nf* (*BOT*) pera; **~ à injections** jeringa para inyecciones; **~ électrique** perilla eléctrica; **~ à lavement** lavativa.

poireau, x [pwaʀo] *nm* puerro.

poireauter [pwaʀote] *vi* (*fam*) estar de plantón.

poirier [pwaʀje] *nm* peral *m*; (*GYMNASTIQUE*) farol *m*, piano.

pois [pwa] *nm* (*BOT*) guisante *m*; (*sur une étoffe*) lunar *m*; **~ chiche** garbanzo; **~ de senteur** guisante de olor.

poison [pwazɔ̃] *nm* veneno.

poisse [pwas] *nf* malapata.

poisser [pwase] *vi* embadurnar.

poisson [pwasɔ̃] *nm* pez *m*; (*comme nourriture*) pescado; (*ASTRO*): **les P~s** Piscis *m*; **être des P~s** ser de Piscis; **~ scie/volant** pez sierra/volador; **~ d'avril** inocentada; **~ chat** siluro; **~nerie** *nf* pescadería; **~neux, euse** *a* abundante en peces; **~nier, ière** *nm/f* pescadero/a, vendedor/ora de pescado.

poitrail [pwatʀaj] *nm* pecho.

poitrine [pwatʀin] *nf* pecho.

poivre [pwavʀ(ə)] *nm* pimienta; **~ et sel** *a* entrecano(a); **poivré, e** *a* picante; **poivrier** *nm* pimentero.

poivron [pwavʀɔ̃] *nm* pimiento morrón; **~ vert/rouge** pimiento verde/rojo.

poker [pɔkɛʀ] *nm* póker *m*.

polaire [pɔlɛʀ] *a* polar.

pôle [pol] *nm* polo; **le ~ Nord/Sud** el Polo Norte/Sur.

polémique [pɔlemik] *a* polémico(a) // *nf* polémica, controversia; **polémiste** *nm/f* polemista *m/f*.

poli, e [pɔli] *a* refinado(a), cortés; (*lisse*) pulido(a), liso(a).

police [pɔlis] *nf* policía; (*discipline*) disciplina; **numéro/plaque de ~** (*AUTO*) número/placa de matrícula; **~ d'assurance** póliza de seguros; **~ mondaine** *ou* **des mœurs** *cuerpo policial para el control de la prostitución*; **~ judiciaire, PJ** policía judicial; **~ secours** servicio urgente de policía; **~s parallèles** servicio secretos.

polichinelle [pɔliʃinɛl] *nm* polichinela *m*, títere *m*.

policier, ière [pɔlisje, jɛʀ] *a* policíaco(a) // *nm* policía *m*; (*aussi: roman ~*) novela policíaca.

polio(myélite) [pɔljɔ(mjelit)] *nf* polio(mielitis) *f*; **poliomyélitique** *nm/f* poliomielítico/a.

polir [pɔliʀ] *vt* pulir, lustrar.
polisson, ne [pɔlisɔ̃, ɔn] *a* pillo(a), bribonzuelo(a); atrevido(a).
politesse [pɔlitɛs] *nf* cortesía, urbanidad *f*; cumplido; (*civilité*): **la ~** la urbanidad; **rendre une ~ à** devolver una atención a.
politicien, ne [pɔlitisjɛ̃, jɛn] *nm/f* político/a, politicastro/a.
politique [pɔlitik] *a* político(a) // *nf* política; **politiser** *vt* politizar.
pollen [pɔlɛn] *nm* polen *m*.
polluer [pɔlɥe] *vt* contaminar; **pollution** *nf* polución *f*, contaminación *f*.
polo [pɔlo] *nm* (*sport*) polo.
Pologne [pɔlɔɲ(ə)] *nf*: **la ~** (la) Polonia // **polonais, e** [pɔlɔnɛ, ɛz] *a, nm/f* polaco(a).
poltron, ne [pɔltʀɔ̃, ɔn] *a* cobarde.
polycopier [pɔlikɔpje] *vt* multicopiar.
polygamie [pɔligami] *nf* poligamia.
polygone [pɔligɔn] *nm* polígono.
Polynésie [pɔlinezi] *nf*: **la ~** la Polinesia.
polype [pɔlip] *nm* pólipo.
polytechnicien, ne [pɔlitɛknisjɛ̃, jɛn] *nm/f* alumno/a *o* ex-alumno/a de la Escuela Politécnica.
polytechnique [pɔlitɛknik] *a*: **École ~** Escuela Politécnica.
polyvalent, e [pɔlivalɑ̃, ɑ̃t] *a* polivalente; (*professeur*) *que enseña varias materias*.
pommade [pɔmad] *nf* pomada.
pomme [pɔm] *nf* (BOT) manzana; (*pomme de terre*): **~s frites** patatas fritas; **tomber dans les ~s** (*fam*) darle (a uno) un patatús; **~ d'Adam** nuez *f* (de Adán); **~ d'arrosoir** alcachofa (de regadera); **~ de pin** piña; **~ de terre** patata.
pommé, e [pɔme] *a* (*chou etc*) repolludo(a).
pommeau, x [pɔmo] *nm* (*boule*) puño, pomo; (*de selle*) perilla.
pommette [pɔmɛt] *nf* pómulo.
pommier [pɔmje] *nm* manzano.
pompe [pɔ̃p] *nf* pompa; **~ de bicyclette** bomba de aire de la bicicleta; **~ (à essence)** surtidor *m* (de gasolina); **~ à incendie** bomba de incendios; **~s funèbres** pompas fúnebres; **pomper** *vt, vi* bombear.
pompeux, euse [pɔ̃pø, øz] *a* pomposo(a), ampuloso(a).
pompier [pɔ̃pje] *nm* bombero.
pompon [pɔ̃pɔ̃] *nm* borla.
pomponner [pɔ̃pɔne] *vt* emperifollar.
ponce [pɔ̃s] *nf*: **pierre ~** piedra pómez.
ponceau, x [pɔ̃so] *nm* puentecillo.
poncer [pɔ̃se] *vt* alisar, pulimentar.
ponction [pɔ̃ksjɔ̃] *nf*: **~ lombaire** punción *f* lumbar.
ponctuation [pɔ̃ktɥasjɔ̃] *nf* puntuación *f*.
ponctuel, le [pɔ̃ktɥɛl] *a* puntual; constituido(a) por un punto.
ponctuer [pɔ̃ktɥe] *vt* puntuar; (MUS) marcar las pausas.
pondéré, e [pɔ̃deʀe] *a* ponderado(a).
pondeuse [pɔ̃døz] *nf* ponedora.
pondre [pɔ̃dʀ(ə)] *vt* poner.
poney [pɔnɛ] *nm* poney *m*.
pont [pɔ̃] *nm* puente *m*; (NAUT) cubierta; **faire le ~** hacer puente; **~ d'envol** cubierta de despegue; **~ de graissage** elevador *m* de engrase; **~ suspendu** puente colgante; **P~s et Chaussées** ≈ Caminos, Canales y Puertos.
ponte [pɔ̃t] *nf* puesta // *nm* (*fam*) mandamás *m*.
pontife [pɔ̃tif] *nm* pontífice *m*.
pont-levis [pɔ̃lvi] *nm* puente levadizo.
pop [pɔp] *a inv* pop.
pop-corn [pɔpkɔʀn] *nm* palomita de maíz.
populace [pɔpylas] *nf* (*péj*) populacho.
populaire [pɔpylɛʀ] *a* popular; **popularité** [-laʀite] *nf* popularidad *f*.
population [pɔpylasjɔ̃] *nf* población *f*.
porc [pɔʀ] *nm* cerdo, puerco;

(*viande*) carne *f* de cerdo; (*peau*) cuero de cerdo.
porcelaine [pɔRsəlɛn] *nf* porcelana.
porcelet [pɔRsəlɛ] *nm* lechón *m.*
porc-épic [pɔRkepik] *nm* puerco espín *m.*
porche [pɔRʃ(ə)] *nm* porche *m.*
porcherie [pɔRʃəRi] *nf* porqueriza.
pore [pɔR] *nm* poro; **poreux, euse** *a* poroso(a).
porno [pɔRnɔ] *a* (*abrév de* **pornographique**) porno.
pornographie [pɔRnɔgRafi] *nf* pornografía.
pornographique [pɔRnɔgRafik] *a* pornográfico(a).
port [pɔR] *nm* uso; (*NAUT, ville*) puerto; (*pour lettre, colis*) porte *m*, franqueo; ~ **de commerce/de pêche** puerto comercial/pesquero; ~ **dû** porte adeudado; ~ **de tête** porte de cabeza.
portail [pɔRtaj] *nm* portal *m.*
portant, e [pɔRtɑ̃, ɑ̃t] *a* sustentador(ora); **bien/mal** ~ con buena/mala salud.
portatif, ive [pɔRtatif, iv] *a* portátil.
porte [pɔRt(ə)] *nf* puerta; **mettre à la** ~ echar a la calle; **à ma** ~ muy cerca *o* en la puerta de mi casa; **faire du** ~ **à** ~ (*COMM*) pasar de puerta en puerta; ~ **à tambour/coulissante** puerta cancel/corredera; ~ **d'entrée** puerta de entrada.
porte... [pɔRt(ə)] *préf*: ~**-à-faux** *nm*: **en** ~**-à-faux** en vilo; ~**-avions** *nm inv* portaviones *m inv*; ~**-bagages** *nm inv* portabultos *m inv*; (*AUTO*) portaequipajes *m inv*; ~**-bonheur** *nm inv* amuleto; ~**-cigarettes** *nm inv* pitillera; ~**-clefs** *nm inv* llavero; ~**-couteau, x** *nm* descanso de los cuchillos.
portée [pɔRte] *nf* alcance *m*; (*de chatte etc*) cría, camada; (*MUS*) pentagrama *m*; (*fig*) capacidad *f*, comprensión *f*; **à la/hors de** ~ **(de)** al/fuera del alcance (de); **à** ~ **de la main** a mano, al alcance de la mano.
porte-fenêtre [pɔRtfənɛtR(ə)] *nf* puerta vidriera.
portefeuille [pɔRtəfœj] *nm* cartera; **faire un lit en** ~ hacer la cama a petaca.
porte-jarretelles [pɔRtʒaRtɛl] *nm inv* portaligas *m inv.*
porte-jupe [pɔRtəʒyp] *nm* pinza para polleras.
portemanteau, x [pɔRtmɑ̃to] *nm* perchero.
porte-mine [pɔRtəmin] *nm* portaminas *m inv*, lapicero.
porte-monnaie [pɔRtmɔnɛ] *nm inv* monedero.
porte-parole [pɔRtpaRɔl] *nm inv* portavoz *m.*
porter [pɔRte] *vt* llevar; (*fig*: *responsabilité etc*) soportar, cargar con; (*suj*: *jambes*) sostener; (*produire*: *fruits*) producir, dar; (*inscrire*): ~ **une somme sur un registre** asentar una cantidad en un registro // *vi* (*voix, regard, canon, coup*) alcanzar; (*mots, argument, événement*) surtir efecto; ~ **sur qch** (*peser*) apoyarse sobre algo; (*heurter*) dar contra algo; (*conférence etc*) tratar de algo, referirse a algo; **se** ~ *vi* sentirse, estar; ~ **secours/assistance à qn** prestar socorro/ayuda a alguien; ~ **bonheur à qn** traer suerte a alguien; ~ **son âge** representar su edad; ~ **plainte (contre qn)** presentar una denuncia (contra alguien); **se faire** ~ **malade** declararse enfermo(a); ~ **un jugement sur** emitir un juicio sobre; ~ **la main à son chapeau** llevarse la mano al sombrero; ~ **son attention sur** fijar su atención en; ~ **à faux** estar en falso.
porte-savon [pɔRtsavɔ̃] *nm* jabonera.
porte-serviettes [pɔRtsɛRvjɛt] *nm inv* toallero.
porteur, euse [pɔRtœR, øz] *a*: **être** ~ **de** ser portador de // *nm* (*de bagages*) mozo de cuerda; (*en*

montagne) portador *m* del equipaje; (*COMM*: *de chèque etc*) portador, tenedor *m*; **(avion) gros** ~ avión *m* de gran capacidad.

porte-voix [pɔʀtəvwa] *nm inv* megáfono.

portier [pɔʀtje] *nm* portero.

portière [pɔʀtjɛʀ] *nf* portezuela, puerta.

portillon [pɔʀtijɔ̃] *nm* portillo.

portion [pɔʀsjɔ̃] *nf* (*part*) porción *f*, parte *f*; (*partie*) parte.

portique [pɔʀtik] *nm* barra sueca; (*ARCHIT*) pórtico.

porto [pɔʀto] *nm* oporto.

portrait [pɔʀtʀɛ] *nm* retrato; ~-**robot** *nm* identikit *m*.

portuaire [pɔʀtɥɛʀ] *a* portuario(a).

portugais, e [pɔʀtygɛ, ɛz] *a, nm/f* portugués(esa).

Portugal [pɔʀtygal] *nm*: **le** ~ (el) Portugal.

pose [poz] *nf* instalación *f*; (*attitude, d'un modèle*) pose *f*, postura; (*PHOTO*) exposición *f*.

posé, e [poze] *a* juicioso(a).

posemètre [pozmɛtʀ(ə)] *nm* fotómetro.

poser [poze] *vt* colocar; (*principe*) admitir, establecer; (*problème, difficulté*) plantear, enunciar // *vi* (*modèle*) posar; **se** ~ (*oiseau, avion*) posarse; (*question, problème*) plantearse; **se** ~ **en** (*suj*: *personne*) dárselas de; ~ **une question à qn** hacer una pregunta a alguien; ~ **sa candidature** presentar su candidatura; **poseur, euse** *nm/f* instalador/ora; (*péj*) presuntuoso/a, engreído/a.

positif, ive [pozitif, iv] *a* positivo(a).

position [pozisjɔ̃] *nf* posición *f*; (*emplacement, localisation*) ubicación *f*, disposición *f*; (*fig*: *circonstances, aussi d'un compte*) situación *f*.

posséder [pɔsede] *vt* poseer, tener; (*bien connaître*) dominar, conocer a fondo; (*suj*: *jalousie, colère*) dominar; (: *force occulte*) poseer, dominar; **possesseur** *nm* poseedor *m*, posesor *m*; **possessif, ive** *a* posesivo(a) // *nm* (*LING*) posesivo; **possession** *nf* posesión *f*.

possibilité [pɔsibilite] *nf* posibilidad *f*; ~**s** *fpl* posibilidades *fpl*.

possible [pɔsibl(ə)] *a* posible; (*acceptable*: *situation, personne*) tolerable // *nm*: **faire (tout) son** ~ hacer (todo) lo posible; **autant que** ~ en la medida *o* dentro de lo posible; **le plus/moins** ~ lo más/menos posible; **le plus/moins de...** ~ la mayor/menor cantidad posible de...; **aussitôt/dès que** ~ tan pronto como/en cuanto sea posible; **au** ~ (*gentil, brave etc*) al máximo, en sumo grado.

postal, e, aux [pɔstal, o] *a* postal.

postdater [pɔstdate] *vt* colocar una fecha posterior en.

poste [pɔst(ə)] *nf* correo // *nm* (*MIL*) puesto; (*fonction*) puesto, cargo; (*de radio etc*) aparato; **où est la** ~**?** ¿dónde está correos?; **P**~**s, Télégraphes, Téléphones, PTT** ≈ Correo, Telégrafo y Teléfono, CTT; ~ **émetteur** emisora; ~ **d'essence** surtidor *m* de gasolina; ~ **de pilotage** puesto de pilotaje; ~ **(de police)** puesto (de policía); ~ **restante** lista de correos; ~ **de secours** puesto de socorro.

poster [pɔste] *vt* echar al correo; (*soldats, personne etc*) apostar // *nm* [pɔstɛʀ] póster *m*, cartel *m*.

postérieur, e [pɔsteʀjœʀ] *a* posterior // *nm* (*fam*) trasero, asentaderas.

posteriori [pɔsteʀjɔʀi]: **à** ~ *ad* a posteriori.

postérité [pɔsteʀite] *nf* posteridad *f*.

posthume [pɔstym] *a* póstumo(a).

postiche [pɔstiʃ] *nm* postizo.

postillonner [pɔstijɔne] *vi espurrear saliva al hablar.*

post-natal, e [pɔstnatal] *a* postnatal.

post-scriptum [pɔstskʀiptɔm] *nm inv* posdata.

postulant, e [pɔstylɑ̃, ɑ̃t] *nm/f* postulante *m/f.*
postulat [pɔstyla] *nm* postulado.
postuler [pɔstyle] *vt* (*emploi*) postularse para, solicitar.
posture [pɔstyʀ] *nf* postura; (*fig*) posición *f.*
pot [po] *nm* bote *m*, tarro; **boire un ~** (*fam*) beber una copa; **avoir du ~** (*fam*) tener suerte; **~ (de chambre)** orinal *m*; **~ d'échappement** silenciador *m*; **~ de fleurs** maceta; **~ de peinture** tarro de pintura.
potable [pɔtabl(ə)] *a* (*eau*) potable.
potage [pɔtaʒ] *nm* sopa.
potager, ère [pɔtaʒe, ɛʀ] *a* hortense // *nm* huerto, huerta; **plantes potagères** hortalizas.
potasse [pɔtas] *nf* potasa.
pot-au-feu [pɔtofø] *nm inv* puchero, cocido.
pot-de-vin [podvɛ̃] *nm* gratificación *f*, guante *m.*
poteau, x [pɔto] *nm* poste *m*; **~ de but** meta; **~ (d'exécution)** paredón *m* (*de ejecución*); **~ indicateur** poste indicador.
potelé, e [pɔtle] *a* rollizo(a).
potence [pɔtɑ̃s] *nf* horca.
potentiel, le [pɔtɑ̃sjɛl] *a, nm* potencial (*m*).
poterie [pɔtʀi] *nf* alfarería; (*objet*) vasija, cerámica.
potiche [pɔtiʃ] *nf* jarrón *m.*
potier [pɔtje] *nm* alfarero, ceramista *m.*
potion [posjɔ̃] *nf* poción *f.*
pou, x [pu] *nm* piojo.
poubelle [pubɛl] *nf* cubo de la basura.
pouce [pus] *nm* pulgar *m.*
poudre [pudʀ(ə)] *nf* polvo; (*fard*) polvos; (*explosif*) pólvora; **en ~** en polvo; **~ à récurer** polvo limpiador; **poudrer** *vt* empolvar; **poudreux, euse** *a* polvoriento(a); polvoroso(a), en polvo; **poudrier** *nm* polvera; **poudrière** *nf* (*fabrique*) polvorín *m.*
pouffer [pufe] *vi*: **~ (de rire)** reventar de risa.
pouilleux, euse [pujø, øz] *a* piojoso(a), miserable; (*fig*) sórdido(a).
poulailler [pulɑje] *nm* gallinero.
poulain [pulɛ̃] *nm* potrillo, potro; (*fig*) pupilo, protegido.
poularde [pulaʀd(ə)] *nf* polla.
poule [pul] *nf* (ZOOL) gallina; (RUGBY) liga; **~ d'eau** polla de agua; **~ mouillée** gallina, cagón/ona; **~ au riz** pollo con arroz.
poulet [pulɛ] *nm* pollo; (*fam*) polizonte *m.*
pouliche [puliʃ] *nf* potranca.
poulie [puli] *nf* polea.
pouls [pu] *nm* pulso; **prendre le ~ de qn** tomar el pulso a alguien.
poumon [pumɔ̃] *nm* pulmón *m.*
poupe [pup] *nf* popa.
poupée [pupe] *nf* muñeca.
poupon [pupɔ̃] *nm* bebé *m*, nene *m*; **~nière** *nf* guardería.
pour [puʀ] *prép* (*direction, temps, intention, destination*) para; (*rapport, comparaison*): **~ un Français, il parle bien espagnol** para un francés habla bien el español; (*durée, à cause de, en faveur de, à la place de, au prix de, en échange de*) por; (*point de vue*): **~ moi, il a tort** para o por mí se equivoca; (*avec infinitif: but*) para; (: *cause*) por // *nm*: **le ~ et le contre** el pro y el contra; **~ que** para que; **~ ce qui est de** por lo que va de; **~ peu que** por poco que; **10 ~ cent** 10 por cien; **10 ~ cent des gens** el diez por ciento de la gente; **~ toujours** para siempre.
pourboire [puʀbwaʀ] *nm* propina.
pourcentage [puʀsɑ̃taʒ] *nm* porcentaje *m.*
pourchasser [puʀʃase] *vt* perseguir.
pourlécher [puʀleʃe] *vi*: **se ~** relamerse.
pourparlers [puʀpaʀle] *nmpl* negociaciones *fpl*, tratos.
pourpre [puʀpʀ(ə)] *a* púrpura.
pourquoi [puʀkwa] *ad* por qué; para qué // *nm inv*: **le ~ (de)** el porqué (de); **~ dis-tu cela?** ¿por

qué dices eso?; ~ **se taire/faire cela?** ¿por *o* para qué callar(se)/hacer eso?; ~ **pas?** ¿por qué no?; **expliquer** ~ explicar por qué; **c'est** ~ por eso.
pourrai *etc vb voir* **pouvoir.**
pourri, e [puRi] *a* podrido(a); (*roche*) carcomido(a) // *nm*: **sentir le** ~ oler a podrido.
pourrir [puRiR] *vi* podrirse, pudrirse // *vt* pudrir, podrir; (*enfant*) echar a perder, viciar; **pourriture** *nf* putrefacción *f*.
pourrons *etc vb voir* **pouvoir.**
poursuite [puRsɥit] *nf* persecución *f*; prosecución *f*; ~**s** *fpl* (*JUR*) diligencias.
poursuivant, e [puRsɥivɑ̃, ɑ̃t] *nm/f* perseguidor/ora.
poursuivre [puRsɥivR(ə)] *vt* perseguir; (*presser, relancer*) perseguir, acosar; (*JUR*): ~ **qn en justice** demandar a alguien ante la justicia; (*continuer*) proseguir; **se** ~ *vi* proseguir, continuar.
pourtant [puRtɑ̃] *ad* sin embargo, no obstante; **et** ~ y sin embargo, a pesar de ello.
pourtour [puRtuR] *nm* perímetro.
pourvoi [puRvwa] *nm*: ~ **en cassation** recurso de casación; ~ **en grâce** petición *f* de indulto.
pourvoir [puRvwaR] *vt*: ~ **qch/qn de** proveer *o* dotar algo/a alguien de // *vi*: ~ **à** subvenir *o* atender a; (*emploi*) cubrir; **se** ~ **de qch** proveerse de algo.
pourvu [puRvy]: ~ **que** *conj* (*si*) siempre que, a condición que; (*espérons que*) con tal que, ojalá que.
pousse [pus] *nf* (*bourgeon*) brote *m*, yema.
poussée [puse] *nf* presión *f*, empuje *m*; (*coup*) empujón *m*; (*MÉD*) acceso.
pousser [puse] *vt* empujar; (*soupir etc*) dar, exhalar; (*élève etc*) hacer adelantar *o* estimular a; (*moteur*) esforzar; (*recherches, études*) incentivar, profundizar // *vi* (*croître*) crecer; (*aller*): ~ **jusqu'à** ir *o* seguir hasta; **se** ~ *vi* hacer lugar; ~ (**qn**) **à** incitar (a alguien) a; **faire** ~ (*plante*) cultivar.
poussette [pusɛt] *nf* cochecito.
poussière [pusjɛR] *nf* polvo; (*grain*) mota; **et des** ~**s** (*fig*) y pico; **poussiéreux, euse** *a* polvoriento(a).
poussif, ive [pusif, iv] *a* que se sofoca fácilmente.
poussin [pusɛ̃] *nm* pollito, polluelo.
poutre [putR(ə)] *nf* viga; ~**s apparentes** vigas falsas; **poutrelle** *nf* vigueta.
pouvoir [puvwaR] *vb + infinitif* poder // *nm* poder *m*; **il se peut que** puede ser *o* es posible que; **je n'en peux plus** no puedo más; **on ne peut mieux** *ad* lo mejor posible; **on ne peut plus** *ad* a más no poder; ~ **d'achat** poder adquisitivo.
prairie [pReRi] *nf* pradera.
praliné, e [pRaline] *a* garapiñado(a); con almendras garapiñadas.
praticien, ne [pRatisjɛ̃, ɛn] *nm/f* médico/a, facultativo/a.
pratiquant, e [pRatikɑ̃, ɑ̃t] *a* practicante.
pratique [pRatik] *nf* práctica; ejercicio; (*coutume, conduite*) práctica, uso // *a* práctico(a); **dans la** ~ en la práctica; ~**ment** *ad* prácticamente.
pratiquer [pRatike] *vt* practicar; (*métier, art, sport*) ejercer, practicar // *vi* (*REL*) practicar.
pré [pRe] *nm* prado.
préalable [pRealabl(ə)] *a* previo(a) // *nm* condición previa, condiciones *fpl*; **au** ~ previamente.
préambule [pReɑ̃byl] *nm* preámbulo.
préavis [pReavi] *nm*: ~ **(de licenciement)** notificación *f* de despido; ~ **de congé** notificación de permiso; **communication téléphonique avec** ~ comunicación telefónica con aviso.
précaire [pRekɛR] *a* precario(a).
précaution [pRekosjɔ̃] *nf* precaución *f*, prudencia; **prendre des** ~**s**

tomar precauciones; **par ~ contre qch** en precaución de algo.

précédemment [pʀesedamɑ̃] *ad* anteriormente, precedentemente.

précédent, e [pʀesedɑ̃, ɑ̃t] *a* precedente, anterior // *nm* antecedente *m*, precedente *m*; **sans ~** *a* sin precedentes.

précéder [pʀesede] *vt* preceder; (*suj: générations, semaine*) preceder, anteceder; (*selon l'ordre logique, la place occupée*) anteceder.

précepte [pʀesɛpt(ə)] *nm* precepto.

précepteur, trice [pʀesɛptœʀ, tʀis] *nm/f* preceptor/ora, institutor/triz.

prêcher [pʀeʃe] *vt* predicar.

précieux, euse [pʀesjø, øz] *a* precioso(a); valioso(a); apreciable; rebuscado(a).

précipice [pʀesipis] *nm* precipicio.

précipitamment [pʀesipitamɑ̃] *ad* precipitadamente, atropelladamente.

précipitation [pʀesipitɑsjɔ̃] *nf* precipitación *f*; **~s (atmosphériques)** precipitaciones (atmosféricas).

précipité, e [pʀesipite] *a* precipitado(a); presuroso(a); apresurado(a).

précipiter [pʀesipite] *vt*: **~ qn/qch du haut de** arrojar a alguien/algo desde lo alto de; (*hâter*) apresurar; **se ~** *vi* (*pouls etc*) acelerarse; (*événements*) precipitarse; **se ~ sur/vers** arrojarse *o* precipitarse sobre/hacia; **se ~ au devant de qn** precipitarse al encuentro de alguien.

précis, e [pʀesi, iz] *a* preciso(a); **~ément** [-zemɑ̃] *ad* exactamente, precisamente; (*en réponse, justement*) precisamente, justamente; (*dans phrase négative*) precisamente; **~er** [-ze] *vt* precisar, especificar; **se ~er** *vi* definirse, precisarse; **~ion** [-zjɔ̃] *nf* precisión *f*; (*détail, explication précise*) aclaración *f*, explicación *f*.

précoce [pʀekɔs] *a* (*végétal, animal*) precoz, temprano(a); (*saison, mariage, calvitie*) precoz, prematuro(a).

préconçu, e [pʀekɔ̃sy] *a* preconcebido(a).

préconiser [pʀekɔnize] *vt* preconizar.

précurseur [pʀekyʀsœʀ] *nm, am* precursor (*m*).

prédécesseur [pʀedesesœʀ] *nm* predecesor *m*.

prédestiner [pʀedɛstine] *vt*: **~ qn à** predestinar alguien a.

prédiction [pʀediksjɔ̃] *nf* predicción *f*.

prédilection [pʀedilɛksjɔ̃] *nf* predilección *f*; **de ~** *a* favorito(a), preferido(a).

prédire [pʀediʀ] *vt* predecir.

prédisposer [pʀedispoze] *vt*: **~ qn à** predisponer a alguien a; **prédisposition** *nf* predisposición *f*.

prédominer [pʀedɔmine] *vi* predominar.

préfabriqué, e [pʀefabʀike] *a* prefabricado(a) // *nm* material prefabricado.

préface [pʀefas] *nf* prefacio, prólogo; **préfacer** *vt* prologar.

préfectoral, e, aux [pʀefɛktɔʀal, o] *a* prefectoral, gubernativo(a); **par mesure ~e** por decisión gubernativa.

préfecture [pʀefɛktyʀ] *nf* prefectura; **~ de police** jefatura de policía.

préférable [pʀefeʀabl(ə)] *a* preferible, mejor; **être ~ à** ser mejor que.

préféré, e [pʀefeʀe] *a, nm/f* preferido(a).

préférence [pʀefeʀɑ̃s] *nf* preferencia, predilección *f*; **de ~** *ad* de preferencia; **de ~/par~ à** *prép* a preferencia de; **donner la ~ à qn** preferir a alguien, dar la prioridad a alguien; **préférentiel, le** *a* preferencial.

préférer [pʀefeʀe] *vt* preferir; (*suj: plante*) darse mejor en.

préfet [pʀefɛ] *nm* prefecto; ~ **de police** jefe *m* de policía.
préfixe [pʀefiks] *nm* prefijo.
préhistoire [pʀeistwaʀ] *nf* prehistoria; **préhistorique** *a* prehistórico(a).
préjudice [pʀeʒydis] *nm* perjuicio.
préjugé [pʀeʒyʒe] *nm* prejuicio.
préjuger [pʀeʒyʒe]: ~ **de** *vt* prejuzgar.
prélasser [pʀelɑse] : **se** ~ *vi* reposar, estar tendido(a).
prélat [pʀelɑ] *nm* prelado.
prélever [pʀɛlve] *vt* (*échantillon*) sacar una muestra de; (*argent*): ~ **qch (sur)** descontar algo (de); (:*sur son compte*): ~ **qch (sur)** retirar algo (de).
préliminaire [pʀeliminɛʀ] *a* preliminar; ~**s** *nmpl* preliminares *mpl*.
prélude [pʀelyd] *nm* preludio.
prématuré, e [pʀematyʀe] *a* prematuro(a).
préméditation [pʀemeditɑsjɔ̃] *nf*: **avec** ~ con premeditación.
préméditer [pʀemedite] *vt* premeditar.
premier, ière [pʀəmje, ɛʀ] *a* primero(a), primer(a) // *nm/f* primero/a // *nm* (*étage*) primer piso // *nf* primera; (*THÉÂTRE, CINÉMA*) estreno; **de** ~ **choix** (*viande*) de primera cualidad, de selección; **le** ~ **venu** un cualquiera; **P**~ **Ministre** Primer Ministro; ~**s soins** primeros auxilios; **premièrement** *ad* (*d'abord*) primero, primeramente; (*dans une énumération*) primero, en primer lugar; (*introduisant une objection*) primero; ~**-né, première-née** *a, nm/f* primogénito(a).
prémisse [pʀemis] *nf* premisa.
prémolaire [pʀemɔlɛʀ] *nf* premolar *m*.
prémonition [pʀemɔnisjɔ̃] *nf* premonición *f*.
prémonitoire [pʀemɔnitwaʀ] *a* premonitorio(a).
prémunir [pʀemyniʀ]: **se** ~ **contre** *vt* tomar precauciones contra, prevenirse contra.
prendre [pʀɑ̃dʀ(ə)] *vt* tomar; (*objet, place, direction, route, aussi passager*) tomar, coger; (*ôter*): ~ **qch à qn** quitar algo a alguien; (*aller chercher*) recoger; (*emporter*: *vêtement etc*) llevar, coger; (*s'emparer de*: *malfaiteur, poisson*) atrapar, coger; (: *argent*) cobrar; (: *place, otage*) lograr; (*moyen de transport*) coger; (*se procurer*: *billet*) sacar; (*ton, attitude*) adoptar; (*du poids etc, de la valeur*) adquerir; (*coûter*: *temps, place*) requerir; (*prélever*: *pourcentage etc*) sacar, descontar; (*fig*: *personne, problème*) coger, manejar; (*accrocher, coincer*) aferrar, coger // *vi* (*liquide, pâte*) tomar consistencia; (*peinture, ciment*) fraguar; (*bouture, greffe, vaccin*) agarrar; (*plaisanterie, mensonge*) ser creído(a); (*feu*) prender, encenderse; (*allumette, bois*) encenderse; ~ **à gauche** tirar *o* coger a la izquierda; ~ **qn par la main/dans ses bras** coger a alguien de la mano/en sus brazos; ~ **qn comme/pour** (*associé etc*) tomar a alguien como; ~ **sur soi** aguantar; ~ **sur soi de faire** cargar con la responsabilidad de hacer; **à tout** ~ después de todo; **s'en** ~ **à** tomarla con; acusar a; **se** ~ **d'amitié pour qn** cobrarle cariño a alguien; **s'y** ~ (*procéder*) proceder, hacer; **il faudra s'y** ~ **à l'avance** sera necesario tomarlo con anticipación.
preneur [pʀənœʀ] *nm*: **être** ~ ser comprador/a.
preniez, prenne *vb voir* **prendre.**
prénom [pʀenɔ̃] *nm* nombre *m* de pila.
prénuptial, e, aux [pʀenypsjal, o] *a* prenupcial.
préoccupant, e [pʀeɔkypɑ̃, ɑ̃t] *a* inquietante, serio(a).
préoccuper [pʀeɔkype] *vt* preocupar, inquietar; absorber; **se** ~ **de** preocuparse por.

préparatifs [pʀepaʀatif] *nmpl* preparativos.

préparation [pʀepaʀɑsjɔ̃] *nf* preparación *f*; (*SCOL*) ejercicio.

préparatoire [pʀepaʀatwaʀ] *a* preparatorio(a).

préparer [pʀepaʀe] *vt* preparar; **se** ~ *vi* (*orage, tragédie*) anunciarse, prepararse; **se** ~ **(à qch/faire)** prepararse (para algo/hacer); ~ **qn (à qch/faire)** preparar a alguien (para algo/hacer).

préposé, e [pʀepoze] *a*: ~ **à** encargado de // *nm* (*ADMIN*: *facteur*) cartero.

préposition [pʀepozisjɔ̃] *nf* preposición *f*.

prérogative [pʀeʀɔgativ] *nf* prerrogativa, privilegio.

près [pʀɛ] *ad* cerca, próximo; ~ **de** *prép* cerca de, próximo a; (*environ*) cerca de, alrededor de; **de** ~ *ad* de cerca; ~ **de faire qch** a punto de *o* próximo a hacer algo; **à 5 mn/5 kg** ~ 5 mn/5 kg más o menos; **à cela** ~ **que** salvo *o* excepto que.

présage [pʀezaʒ] *nm* presagio.

présager [pʀezaʒe] *vt* presagiar.

presbyte [pʀɛsbit] *a* présbita.

presbytère [pʀɛsbitɛʀ] *nm* rectoría, casa parroquial.

presbytérien, ne [pʀɛsbiteʀjɛ̃, jɛn] *a, nm/f* presbiteriano(a).

presbytie [pʀɛsbisi] *nf* presbicia, vista cansada.

prescription [pʀɛskʀipsjɔ̃] *nf* prescripción *f*.

prescrire [pʀɛskʀiʀ] *vt* prescribir; (*repos etc*) prescribir, recetar.

prescrit, e [pʀɛskʀi, it] *a* (*jour, dose*) fijado(a), prescrito(a).

préséance [pʀeseɑ̃s] *nf* prelación *f*.

présence [pʀezɑ̃s] *nf* presencia; **en** ~ (*armées, fig*) frente a frente, enfrentado(a); ~ **d'esprit** presencia de espíritu.

présent, e [pʀezɑ̃, ɑ̃t] *a, nm* presente (*m*); **à** ~ ahora; **dès à** ~ desde ahora.

présentateur, trice [pʀezɑ̃tatœʀ, tʀis] *nm/f* (*vendeur*) vendedor/ora; (*animateur, RADIO, TV*) presentador/ora, locutor/ora.

présentation [pʀezɑ̃tɑsjɔ̃] *nf* presentación *f*; ofrecimiento; exposición *f*.

présenter [pʀezɑ̃te] *vt* presentar; (*plat, billet etc*): ~ **qch à qn** ofrecer algo a alguien; (*étalage, vitrine, aussi défense, théorie*) presentar, exponer; (*matière*: *à un examen*) exponer // *vi*: ~ **mal/bien** tener mal/buen aspecto; **se** ~ presentarse.

préservatif [pʀezɛʀvatif] *nm* preservativo.

préserver [pʀezɛʀve] *vt*: ~ **qn/qch de** preservar a alguien/algo de.

présidence [pʀezidɑ̃s] *nf* presidencia.

président [pʀezidɑ̃] *nm* presidente *m*; ~ **directeur général, PDG** director gerente *m*; ~ **du jury** presidente del jurado; (*d'examen*) presidente del tribunal de exámenes; ~ **de la République** presidente de la República; **présidente** *nf* presidenta; mujer *f* del presidente; ~**iel, le** [-dɑ̃sjɛl] *a* presidencial.

présider [pʀezide] *vt* presidir.

présomptueux, euse [pʀezɔ̃ptɥø, øz] *a* presuntuoso(a), petulante.

presque [pʀɛsk(ə)] *ad* casi.

presqu'île [pʀɛskil] *nf* península.

pressant, e [pʀɛsɑ̃, ɑ̃t] *a* imperioso(a), perentorio(a); urgente, apremiante.

presse [pʀɛs] *nf* prensa; (*affluence*): **heures de** ~ horas de mayor trabajo; **sous** ~ en prensa.

pressé, e [pʀese] *a* presuroso(a), impaciente; (*urgent*) urgente // *nm*: **courir au plus** ~ hacer lo más urgente; **orange/citron** ~**(e)** jugo de naranja/limón.

presse-citron [pʀɛssitʀɔ̃] *nm inv* exprimidor *m*, prensa-limones *m inv*.

pressentiment [pʀesɑ̃timɑ̃] *nm* presentimiento.
presse-papiers [pʀɛspapje] *nm inv* pisapapeles *m inv.*
presser [pʀese] *vt* (*fruit, éponge*) exprimir, estrujar; (*interrupteur, bouton*) apretar, oprimir; (*allure, pas*) apretar; (*harceler*) acuciar; (*brusquer*) apurar, apresurar // *vi*: **rien ne presse** nada urge *o* apremia; **se** ~ (*se hâter*) apurarse, darse prisa; (*se grouper*) apretujarse; **se** ~ **contre qn** apretujarse contra alguien.
pressing [pʀesiŋ] *nm* planchado a vapor; (*magasin*) tintorería.
pression [pʀɛsjɔ̃] *nf* presión *f*; (*bouton*) automático; **faire** ~ **sur** presionar *o* ejercer presión sobre.
pressoir [pʀɛswaʀ] *nm* prensa, lagar *m.*
pressurer [pʀesyʀe] *vt* (*fig*) estrujar, explotar.
pressurisé, e [pʀesyʀize] *a*: **cabine** ~**e** cabina comprimida a la presión normal.
prestataire [pʀɛstatɛʀ] *nm/f* contribuyente *m/f*, tributario/a.
prestation [pʀɛstɑsjɔ̃] *nf* (*allocation*) subsidio; (*d'un artiste*) actuación *f.*
prestidigitateur, trice [pʀɛstidiʒitatœʀ, tʀis] *nm/f* prestidigitador/ora.
prestidigitation [pʀɛstidiʒitɑsjɔ̃] *nf* prestidigitación *f.*
prestige [pʀɛstiʒ] *nm* prestigio; **prestigieux, euse** *a* prestigioso(a).
présumer [pʀezyme] *vt* presumir, suponer; ~ **de** jactarse de; ~ **qn coupable** suponer culpable a alguien.
prêt, e [pʀɛ, ɛt] *a* listo(a), dispuesto(a) // *nm* préstamo; ~ **à** (*préparé à*) preparado para; (*disposé à*) dispuesto a; ~ **pour** listo para; ~**-à-porter** *nm* ropa de confección.
prétendant [pʀetɑ̃dɑ̃] *nm* pretendiente *m.*
prétendre [pʀetɑ̃dʀ(ə)] *vt* (*affirmer*) sostener, afirmar; (*avoir l'intention de*) tratar de; ~ **à** *vt* aspirar a, pretender; **prétendu, e** *a* supuesto(a), presunto(a).
prête-nom [pʀɛtnɔ̃] *nm* testaferro.
prétentieux, euse [pʀetɑ̃sjø, øz] *a* presumido(a); (*villa*) pretencioso(a).
prétention [pʀetɑ̃sjɔ̃] *nf* pretensión *f*; exigencia; aspiración *f*; **sans** ~ sin pretensiones.
prêter [pʀete] *vt* prestar; (*supposer*): ~ **à qn** (*caractère, propos*) atribuir a alguien; (*assistance, appui*) dar, prestar // *vi* (*aussi*: **se** ~: *tissu, cuir*) estirarse, prestar; ~ **à** (*commentaires etc*) dar motivo a; **se** ~ **à** prestarse a; ~ **sur gage** prestar sobre prenda.
prétérit [pʀeteʀit] *nm* pretérito.
prétexte [pʀetɛkst(ə)] *nm* pretexto, excusa; **donner qch pour** ~ alegar algo como pretexto; **sous un** ~ **quelconque** con un pretexto cualquiera; **sous aucun** ~ en ningún caso, por ninguna razón; **sous** ~**/le** ~ **que/de** so/con el pretexto de que/de.
prétexter [pʀetɛkste] *vt* pretextar.
prêtre [pʀɛtʀ(ə)] *nm* sacerdote *m*, cura *m*; ~**-ouvrier** *nm* cura obrero.
preuve [pʀœv] *nf* prueba; **jusqu'à** ~ **du contraire** hasta prueba en contrario; **faire** ~ **de** dar pruebas de; **faire ses** ~**s** demostrar su capacidad; ~ **par neuf** prueba del nueve.
prévaloir [pʀevalwaʀ] *vi* prevalecer; **se** ~ **de** valerse de; vanagloriarse de.
prévenance [pʀɛvnɑ̃s] *nf* (*attention*) deferencia, consideración *f.*
prévenant, e [pʀɛvnɑ̃, ɑ̃t] *a* solícito(a), deferente.
prévenir [pʀɛvniʀ] *vt* prevenir; (*police, médecin*) informar, avisar; (*anticiper*) prever.
préventif, ive [pʀevɑ̃tif, iv] *a* preventivo(a).
prévention [pʀevɑ̃sjɔ̃] *nf* prevención *f*; (JUR): **faire six mois de** ~ cumplir seis meses de prisión

preventiva; ~ **routière** prevención de accidentes de tránsito.

prévenu, e [prevny] *nm/f* acusado/a.

prévision [previzjɔ̃] *nf*: ~**s** *fpl* previsiones *fpl*; (*ADMIN*: *d'un règlement, texte de loi*) disposición *f*; **en** ~ **de** en previsión de.

prévoir [prevwar] *vt* prever.

prévoyance [prevwajɑ̃s] *nf* previsión *f*.

prévoyant, e [prevwajɑ̃, ɑ̃t] *a* precavido(a), cauto(a).

prier [prije] *vi* rogar, rezar // *vt* rogar; (*implorer*) rogar, suplicar; (*demander*) rogar, pedir por favor; ~ **qn à dîner/d'assister à une réunion** invitar a alguien a cenar/a asistir a una reunión; **je vous en prie** por favor, se lo ruego.

prière [prijɛr] *nf* (*REL*: *oraison, office*) oración *f*, plegaria; (*demande instante*) ruego, súplica; **dire une** ~ decir una plegaria; **à la** ~ **de qn** a ruego de alguien; **"**~ **de faire/de ne pas faire..."** "se ruega hacer/no hacer...".

primaire [primɛr] *a* primario(a); (*péj*) simple, tonto(a) // *nm* (*SCOL*) primaria.

primauté [primote] *nf* (*fig*) primacía.

prime [prim] *nf* (*bonification*) plus *m*; (*subside, ASSURANCES, BOURSE*) prima; (*COMM*: *cadeau*) obsequio // *a*: **de** ~ **abord** en principio, a primera vista.

primer [prime] *vt* (*l'emporter sur*) predominar sobre; (*récompenser*) premiar, recompensar // *vi* predominar, sobresalir.

primeur [primœr] *nf*: **la** ~ **de la** primicia de; ~**s** *fpl* (*fruits, légumes*) primicias.

primitif, ive [primitif, iv] *a* primitivo(a); (*PEINTURE*): **couleurs primitives** colores primarios; (*rudimentaire*) rudimentario(a) // *nm/f* primitivo/a.

prince, esse [prɛ̃s, prɛ̃sɛs] *nm/f* príncipe/princesa; ~ **charmant** príncipe azul; ~ **de Galles** príncipe de Gales.

principal, e, aux [prɛ̃sipal, o] *a* principal // *nm* (*d'un collège*) director *m*; (*essentiel*): **le** ~ lo principal *o* fundamental.

principauté [prɛ̃sipote] *nf* principado.

principe [prɛ̃sip] *nm* (*postulat*) principio; (*d'une discipline, science*) fundamento, norma; (*d'une opération, machine*) rudimento, noción *f*; ~**s** *mpl* (*sociaux etc*) principios; **pour le** ~ por formalidad; **de** ~ a de principio; **par** ~ por principio *o* norma; **en** ~ en principio.

printemps [prɛ̃tɑ̃] *nm* primavera.

prioritaire [prijɔritɛr] *a* prioritario(a).

priorité [prijɔrite] *nf* prioridad *f*; **avoir la** ~ **sur** tener prioridad sobre; **en** ~ con prioridad *o* precedencia.

pris, e [pri, priz] *pp de* **prendre** // *a* ocupado(a); (*MÉD* : *enflammé*) tomado(a); (*saisi*): ~ **de peur** lleno de miedo; (*crème, glace*) helado(a).

prise [priz] *nf* toma; (*de judo, catch*) toma, presa; (*PÊCHE*) pesca, presa; (*ÉLEC*): ~ **(de courant)** enchufe *m*; (*moyen de tenir, d'attraper*): **avoir** ~ **pour tenir qch** tener cómo sostener algo; **être aux** ~**s avec qn** (*fig*) estar en conflicto con alguien; ~ **en charge** (*taxe*) *recargo sobre la tarifa normal*; ~ **de contact** (*AUTO*) encendido; ~ **d'eau** toma de agua; ~ **multiple** enchufe múltiple; ~ **de sang** extracción *f* de sangre; ~ **de son** grabación *f*, toma de sonido; ~ **de terre** toma de tierra; ~ **de vue** filmación *f*, toma de vistas.

priser [prize] *vt* (*tabac, héroïne*) tomar; (*estimer*) apreciar.

prisme [prism(ə)] *nm* prisma *m*.

prison [prizɔ̃] *nf* prisión *f*; **faire de/risquer la** ~ cumplir/arriesgar una condena; **cinq ans de** ~ cinco años de cárcel; ~**nier, ière** *nm/f*

(*détenu*) preso/a; (*soldat*) prisionero // *a* prisionero(a).
prit *vb voir* **prendre.**
privé, e [pRive] *a* privado(a); **en ~** en privado; **de source ~e** de fuente particular *o* oficiosa; **dans le ~** en la intimidad; (*dans le secteur privé*) en el sector privado.
priver [pRive] *vt*: **~ qn de** privar a alguien de; **se ~ (de)** privarse (de).
privilège [pRivilɛʒ] *nm* privilegio.
prix [pRi] *nm* premio; (*coût, valeur*) precio, coste *m*; **mettre à ~** (*aux enchères*) evaluar; **hors de ~** muy caro(a); **à aucun ~** por nada del mundo; **à tout ~** a todo coste; **~ de gros/détail** precio al por mayor/por menor; **~ d'excellence** premio al mejor alumno.
probabilité [pRɔbabilite] *nf* probabilidad *f.*
probable [pRɔbabl(ə)] *a* probable; **~ment** *ad* probablemente.
probant, e [pRɔbɑ̃, ɑ̃t] *a* decisivo(a).
probité [pRɔbite] *nf* probidad *f.*
problématique [pRɔblematik] *a* problemático(a), dudoso(a).
problème [pRɔblɛm] *nm* problema *m.*
procédé [pRɔsede] *nm* (*méthode*) procedimiento, método; (*comportement*) proceder *m*, actitud *f.*
procéder [pRɔsede] *vi* proceder, actuar; **~ à** *vt* proceder a.
procédure [pRɔsedyR] *nf* procedimiento.
procès [pRɔsɛ] *nm* (JUR) proceso, causa; **être en ~ avec** estar en juicio con.
procession [pRɔsesjɔ̃] *nf* procesión *f.*
processus [pRɔsesys] *nm* proceso.
procès-verbal, aux [pRɔsɛvɛRbal, o] *nm* (JUR: *constat*) acta, atestado; (*de réunion*) acta; **j'ai eu un ~** me han hecho una multa.
prochain, e [pRɔʃɛ̃, ɛn] *a* próximo(a) // *nm* prójimo; **à la ~e fois** hasta la vista; **~ement** [-ʃɛnmɑ̃] *ad* próximamente.
proche [pRɔʃ] *a* cercano(a); (*dans le temps*) próximo(a); (*fig*): **~ (de)** próximo(a) *o* cercano(a) (a); **~s** *nmpl* familiares *mpl*, parientes *mpl*; **de ~ en ~** poco a poco; **le P~-Orient** el Cercano Oriente.
proclamer [pRɔklame] *vt* proclamar.
procréer [pRɔkRee] *vt* procrear.
procuration [pRɔkyRɑsjɔ̃] *nf* poder *m*; **donner ~ à qn** dar poderes a alguien; **par ~** por poderes.
procurer [pRɔkyRe] *vt*: **~ qch à qn** procurar algo a alguien; (*causer*): **~ qch à qn** proporcionar algo a alguien; **se ~** conseguir, procurarse.
procureur [pRɔkyRœR] *nm*: **~ (de la République)** fiscal *m*; **~ général** fiscal del Tribunal Supremo.
prodige [pRɔdiʒ] *nm* prodigio; (*personne*) prodigio, portento; (*merveille*): **un ~ de** un portento de; **enfant ~** niño prodigio.
prodigue [pRɔdig] *a* pródigo(a).
prodiguer [pRɔdige] *vt* prodigar.
producteur, trice [pRɔdyktœR, tRis] *a, nm/f* productor(ora).
productif, ive [pRɔdyktif, iv] *a* productivo(a).
production [pRɔdyksjɔ̃] *nf* producción *f*; (*film, émission*) producción; emisión *f.*
productivité [pRɔdyktivite] *nf* productividad *f*, rendimiento.
produire [pRɔdɥiR] *vt* producir; (ADMIN, JUR: *documents, témoins*) presentar // *vi* (*rapporter*) producir, rendir; **se ~** (*acteur*) presentarse; (*événement*) producirse.
produit [pRɔdɥi] *nm* producto; **~ de beauté/d'entretien** producto de belleza/limpieza; **~ national brut, PNB** producto nacional bruto.
proéminent, e [pRɔeminɑ̃, ɑ̃t] *a* prominente, saliente.
profane [pRɔfan] *a* profano(a).
proférer [pRɔfeRe] *vt* proferir.
professer [pRɔfese] *vt* (*déclarer*) profesar // *vi* enseñar.
professeur [pRɔfɛsœR] *nm* profe-

sor/ora; (*titulaire d'une chaire*) catedrático/a.

profession [pRɔfɛsjɔ̃] *nf* profesión *f*; **~nel, le** [-sjɔnɛl] *a* profesional // *nm* profesional *m*.

professorat [pRɔfɛsɔRa] *nm*: **le ~** el profesorado.

profil [pRɔfil] *nm* perfil *m*; (*d'une voiture*) línea; (*section, coupe*) corte *m*; **de ~** de perfil.

profiler [pRɔfile] *vt* perfilar; **se ~** perfilarse, recortarse.

profit [pRɔfi] *nm* provecho; (COMM, FINANCE) ganancia, utilidad *f*; **au ~ de** en provecho de; **tirer ~ de** sacar provecho de; **mettre à ~** aprovechar; **~s et pertes** ganancias y pérdidas.

profitable [pRɔfitabl(ə)] *a* provechoso(a).

profiter [pRɔfite] : **~ de** *vt* aprovechar; **~ de ce que...** aprovechar que...; **~ à** dar ganancia a, ser de provecho a.

profond, e [pRɔfɔ̃, ɔ̃d] *a* profundo(a), hondo(a); (*fig*) profundo(a); **~eur** *nf* profundidad *f*.

profusion [pRɔfyzjɔ̃] *nf* profusión *f*.

progéniture [pRɔʒenityR] *nf* progenie *f*.

progestérone [pRɔʒesteRɔn] *nf* progesterona.

programme [pRɔgRam] *nm* programa *m*; **programmer** *vt* (*émission*) programar; **programmeur, euse** *nm/f* (*d'ordinateur*) programador/ora.

progrès [pRɔgRɛ] *nm* progreso, adelanto; (*d'un incendie etc*) avance *m*, propagación *f*; (*d'un élève, apprenti*) progreso; **être en ~** estar adelantado(a); **progresser** *vi* (*mal, troupes, inondation*) avanzar; (*élève*) progresar, adelantar.

progressif, ive [pRɔgResif, iv] *a* progresivo(a).

progression [pRɔgResjɔ̃] *nf* avance *m*; adelanto.

prohiber [pRɔibe] *vt* prohibir.

prohibitif, ive [pRɔibitif, iv] *a* prohibitivo(a).

proie [pRwa] *nf* presa.

projecteur [pRɔʒɛktœR] *nm* proyector *m*; (*de théâtre, cirque*) reflector *m*.

projectile [pRɔʒɛktil] *nm* proyectil *m*.

projection [pRɔʒɛksjɔ̃] *nf* proyección *f*.

projet [pRɔʒɛ] *nm* proyecto.

projeter [pRɔʒte] *vt* proyectar.

prolétaire [pRɔletɛR] *nm/f* proletario/a; **prolétariat** [-taRja] *nm* proletariado.

proliférer [pRɔlifeRe] *vi* proliferar.

prolixe [pRɔliks] *a* prolijo(a).

prologue [pRɔlɔg] *nm* prólogo.

prolongation [pRɔlɔ̃gasjɔ̃] *nf* prolongación *f*; (*délai*) prórroga; (FOOTBALL) prórroga, tiempo suplementario; **jouer les ~s** jugar los suplementarios.

prolongement [pRɔlɔ̃ʒmɑ̃] *nm* prolongamiento; **~s** *mpl* (*fig*) repercusiones *fpl*, consecuencias; **dans le ~ de** a continuación de.

prolonger [pRɔlɔ̃ʒe] *vt* prolongar; **se ~** *vi* prolongarse.

promenade [pRɔmnad] *nf* paseo; **faire une ~** dar un paseo; **partir en ~** salir de paseo.

promener [pRɔmne] *vt* pasear, llevar de paseo; (*regard*): **~ qch sur** pasear algo sobre; (*doigts, main*): **~ qch sur** pasar algo sobre; **se ~** pasearse, pasear; **promeneur, euse** *nm/f* paseante *m/f*.

promesse [pRɔmɛs] *nf* promesa; **~ d'achat/de vente** compromiso de compra/de venta.

promettre [pRɔmɛtR(ə)] *vt* prometer // *vi* prometer; asegurar; **se ~ de faire** (*avoir l'intention de*) proponerse hacer; **~ de faire** prometer hacer.

promiscuité [pRɔmiskɥite] *nf* promiscuidad *f*.

promontoire [pRɔmɔ̃twaR] *nm* promontorio.

promoteur, trice [pRɔmɔtœR, tRis] *nm/f* promotor/ora; **~ immobilier** promotor inmobiliario.

promotion [pʀɔmosjɔ̃] *nf* promoción *f*; ejecución *f*; (*avancement*) promoción; ~ **des ventes** promoción de ventas.

promouvoir [pʀɔmuvwaʀ] *vt* promover, ascender; (*politique, réforme*) llevar a cabo, ejecutar.

prompt, e [pʀɔ̃, ɔ̃t] *a* pronto(a).

promulguer [pʀɔmylge] *vt* promulgar.

prôner [pʀone] *vt* encomiar; preconizar.

pronom [pʀɔnɔ̃] *nm* pronombre *m*; **~inal, e, aux** [pʀɔnɔminal, o] *a* pronominal.

prononcer [pʀɔnɔ̃se] *vt, vi* pronunciar; **se** ~ *vi* pronunciarse.

prononciation [pʀɔnɔ̃sjasjɔ̃] *nf* pronunciación *f*.

pronostic [pʀɔnɔstik] *nm* pronóstico.

propagande [pʀɔpagɑ̃d] *nf* propaganda.

propager [pʀɔpaʒe] *vt* propagar, divulgar; **se** ~ *vi* propagarse.

prophète, prophétesse [pʀɔfɛt, pʀɔfetɛs] *nm/f* profeta/isa; (*devin*) adivino/a.

prophétie [pʀɔfesi] *nf* profesía, predicción *f*; **prophétiser** [pʀɔfetize] *vt* profetizar.

propice [pʀɔpis] *a* propicio(a).

proportion [pʀɔpɔʀsjɔ̃] *nf* proporción *f*; **à ~ de** en proporción a; **en ~ de** en relación con; (*en comparaison de*) en comparación con; **en ~** en proporción *o* correspondencia; **toute(s) ~(s) gardée(s)** guardando las proporciones; **~né, e** [-sjɔne] *a*: **bien ~né** bien proporcionado; **~nel, le** [-sjɔnɛl] *a* proporcional; **~ner** [-sjɔne] *vt*: **~ner (à)** adecuar (a), proporcionar (a).

propos [pʀɔpo] *nm* palabras; (*intention, but*) propósito; (*sujet*): **à quel ~?** ¿con qué propósito?, ¿por qué motivo?; **à ~ de** a propósito de, en relación a; **à tout ~** a cada momento; **à ~** *ad* a propósito.

proposer [pʀɔpoze] *vt* proponer; (*loi, motion*) proponer, plantear; **se ~** (*offrir ses services*) ofrecerse; **se ~ de faire** proponerse *o* procurar hacer; **proposition** *nf* propuesta, proposición *f*; (*POL*) propuesta, moción *f*; (*offre*) ofrecimiento, oferta; (*LING*) oración *f*, proposición.

propre [pʀɔpʀ(ə)] *a* (*pas sale*) limpio(a), pulcro(a); (*net*) limpio(a), aseado(a); (*cahier etc, métier etc*) limpio(a); (*fait convenablement*: *travail*) esmerado(a), correcto(a); (*possessif*) propio(a); (*particulier*): **~ à** propio(a) de; (*approprié*): **~ à** apropiado(a) *o* apto(a) para; (*de nature à*): **~ à faire** apropriado(a) para hacer // *nm*: **mettre** *ou* **recopier au ~** pasar *o* poner en limpio; **le ~ de** la particularidad de; **~ment** *ad* limpiamente, pulcramente; esmeradamente, impecablemente; **à ~ment parler** hablando con propiedad; **~ment dit** propiamente dicho; **~té** *nf* limpieza; aseo.

propriétaire [pʀɔpʀijetɛʀ] *nm/f* propietario/a; (*qui loue*) propietario/a, dueño/a.

propriété [pʀɔpʀijete] *nf* propiedad *f*.

propulser [pʀɔpylse] *vt* (*missile*) propulsar, impulsar; (*projeter*) arrojar.

prorata [pʀɔʀata] *nm inv*: **au ~ de** en proporción a.

proroger [pʀɔʀɔʒe] *vt* (*échéance*) prorrogar, aplazar; (*assemblée, délai*) prorrogar.

prosaïque [pʀozaik] *a* prosaico(a), ramplón(ona).

proscrire [pʀɔskʀiʀ] *vt* proscribir.

prose [pʀoz] *nf* prosa.

prospecter [pʀɔspɛkte] *vt* prospectar.

prospectus [pʀɔspɛktys] *nm* prospecto.

prospère [pʀɔspɛʀ] *a* próspero(a); **prospérer** *vi* prosperar.

prosterner [pʀɔstɛʀne] *vt*: **se ~** prosternarse.

prostituée [pRɔstitɥe] *nf* prostituta.
prostitution [pRɔstitysjɔ̃] *nf* prostitución *f.*
prostré, e [pRɔstRe] *a* postrado(a).
protagoniste [pRɔtagɔnist(ə)] *nm* protagonista *m.*
protecteur, trice [pRɔtɛktœR, tRis] *a, nm/f* protector(ora).
protection [pRɔtɛksjɔ̃] *nf* protección *f,* amparo; (*patronage*) protección, patrocinio; (*ÉCON*) protección, salvaguardia; **~nisme** *nm* proteccionismo.
protégé, e [pRɔteʒe] *nm/f* protegido/a.
protège-cahier [pRɔtɛʒkaje] *nm* forro.
protège-dents [pRɔtɛʒdɑ̃] *nm inv* (*BOXE*) protector *m.*
protéger [pRɔteʒe] *vt* proteger; (*personne*) proteger, amparar; (*membres, matériel*) proteger, resguardar; (*carrière*) favorecer, apoyar; **se ~ de/contre** protegerse de/contra.
protéine [pRɔtein] *nf* proteína.
protestant, e [pRɔtɛstɑ̃, ɑ̃t] *a, nm/f* protestante (*m/f*).
protestation [pRɔtɛstɑsjɔ̃] *nf* (*plainte*) queja, protesta; (*déclaration*) protesta.
protester [pRɔtɛste] *vi* protestar.
prothèse [pRɔtɛz] *nf* prótesis *f;* **~ dentaire** prótesis dental.
protocole [pRɔtɔkɔl] *nm* (*étiquette*) protocolo, ceremonial *m;* **~ d'accord** protocolo.
prototype [pRɔtɔtip] *nm* prototipo.
protubérance [pRɔtybeRɑ̃s] *nf* protuberancia; **protubérant, e** *a* protuberante.
proue [pRu] *nf* proa.
prouesse [pRuɛs] *nf* proeza; (*exploit*) proeza, hazaña.
prouver [pRuve] *vt* probar, demostrar; (*reconnaissance etc*) demostrar.
provenance [pRɔvnɑ̃s] *nf* procedencia, origen *m;* **avion/train en ~ de** avión *m*/tren *m* procedente de.
Provence [pRɔvɑ̃s] *nf* Provenza.
provenir [pRɔvniR]: **~ de** *vt* (*venir de*) provenir *o* proceder de; (*tirer son origine de*) provenir de; (*résulter de*) derivarse de.
proverbe [pRɔvɛRb(ə)] *nm* proverbio; **proverbial, e, aux** *a* proverbial.
providence [pRɔvidɑ̃s] *nf* providencia; **providentiel, le** *a* providencial.
province [pRɔvɛ̃s] *nf* provincia; **provincial, e, aux** *a, nm/f* provinciano(a).
proviseur [pRɔvizœR] *nm* director *m.*
provision [pRɔvizjɔ̃] *nf* (*réserve*) provisión *f;* (*avance: à un avocat, avoué*) anticipo; (*COMM*) provisión de fondos; **~s** *fpl* (*vivres*) provisiones *fpl;* **faire ~ de** abastecerse de algo; **armoire à ~s** armario de las provisiones.
provisoire [pRɔvizwaR] *a* provisional, transitorio(a); (*JUR*) provisional; (*personne*) interino(a); **~ment** *ad* provisionalmente.
provocant, e [pRɔvɔkɑ̃, ɑ̃t] *a* provocativo(a), provocante; (*excitant*) provocativo(a).
provocation [pRɔvɔkɑsjɔ̃] *nf* (*parole, écrit*) provocación *f.*
provoquer [pRɔvɔke] *vt* provocar; (*inciter*): **~ qn à** incitar a alguien a.
proxénète [pRɔksenɛt] *nm* proxeneta *m.*
proximité [pRɔksimite] *nf* proximidad *f,* cercanía; (*dans le temps*) proximidad; **à ~** en las cercanías, cerca; **à ~ de** cerca de.
prude [pRyd] *a* mojigato(a).
prudence [pRydɑ̃s] *nf* prudencia; sensatez *f;* **par (mesure de) ~** como (medida de) precaución.
prudent, e [pRydɑ̃, ɑ̃t] *a* prudente.
prune [pRyn] *nf* ciruela.
pruneau, x [pRyno] *nm* ciruela pasa.
prunelle [pRynɛl] *nf* (*ANAT*) pupila.
prunier [pRynje] *nm* ciruelo.
psaume [psom] *nm* salmo.

pseudonyme [psødɔnim] *nm* seudónimo.
psychanalyse [psikanaliz] *nf* (p)sicoanálisis *m*; **psychanaliste** *nm/f* (p)sicoanalista *m/f*.
psychiatre [psikjatʀ(ə)] *nm/f* (p)siquiatra *m/f*.
psychiatrie [psikjatʀi] *nf* (p)siquiatría; **psychiatrique** *a* (p)siquiátrico(a).
psychique [psiʃik] *a* (p)síquico(a).
psychologie [psikɔlɔʒi] *nf* (p)sicología; **psychologique** *a* (p)sicológico(a); **psychologue** [psikɔlɔg] *a, nm/f* (p)sicólogo(a).
Pte *abrév de* **porte.**
PTT *sigle fpl voir* **poste.**
pu *pp de* **pouvoir.**
puanteur [pɥɑ̃tœʀ] *nf* fetidez *f*, hediondez *f*.
puberté [pybɛʀte] *nf* pubertad *f*.
pubis [pybis] *nm* pubis *m*.
public, ique [pyblik] *a* público(a) // *nm* público; (*assistance, audience*) público, concurrencia.
publication [pyblikɑsjɔ̃] *nf* publicación *f*.
publicitaire [pyblisitɛʀ] *a* publicitario(a).
publicité [pyblisite] *nf* publicidad *f*.
publier [pyblije] *vt* publicar; (*bans*) proclamar; (*décret, loi*) promulgar; (*nouvelle*) divulgar, difundir.
puce [pys] *nf* pulga; **~s** *fpl* (*marché*) mercado de pulgas.
pucelle [pysɛl] *nf* doncella, virgen *f*.
pudeur [pydœʀ] *nf* pudor *m*; recato.
pudique [pydik] *a* púdico(a), pudoroso(a); (*discret*) recatado(a).
puer [pɥe] *vt* heder, apestar.
puéricultrice [pɥeʀikyltʀis] *nf* puericultora.
puéril, e [pɥeʀil] *a* pueril, infantil.
pugilat [pyʒila] *nm* pugilato.
puis [pɥi] *vb voir* **pouvoir** // *ad* después, enseguida; (*dans une énumération*) después, luego; **et ~ y** además, y por otra parte; **et ~ ensuite** e inmediatamente después, y a continuación; **et ~ c'est tout** y nada más, eso es todo; **et ~ après tout** y después de todo.
puisard [pɥizaʀ] *nm* sumidero.
puiser [pɥize] *vt* sacar.
puisque [pɥisk(ə)] *conj* (*du moment que*) ya que, dado que; (*comme*) como, puesto que.
puissance [pɥisɑ̃s] *nf* potencia, poder *m*, vigor *m*; (*POL, ÉLEC, PHYSIQUE*) potencia; **deux (à la) ~ cinq** dos a la quinta (potencia).
puissant, e [pɥisɑ̃, ɑ̃t] *a* poderoso(a), potente; (*homme, musculature, voix*) fuerte, vigoroso(a).
puisse *etc vb voir* **pouvoir.**
puits [pɥi] *nm* pozo.
pull(-over) [pul(ɔvœʀ)] *nm* pulóver *m*, jersey *m*.
pulluler [pylyle] *vi* pulular.
pulmonaire [pylmɔnɛʀ] *a* pulmonar.
pulpe [pylp(ə)] *nf* pulpa, carne *f*.
pulsation [pylsɑsjɔ̃] *nf* (*MÉD*) pulsación *f*.
pulvérisateur [pylveʀizatœʀ] *nm* pulverizador *m*.
pulvériser [pylveʀize] *vt* pulverizar; (*record*) batir ampliamente.
punaise [pynɛz] *nf* chinche *f*.
punch [pœnʃ] *nm* (*BOXE*) pegada; (*boisson*) [pɔ̃ʃ] ponche *m*; **~ing-ball** *nm* punching-ball *m*; saco de arena.
punir [pyniʀ] *vt* castigar; (*suj: chose*): **~ qn de qch** castigar a alguien por algo; (*faute, crime*) condenar; **punitif, ive** *a*: **expédition punitive** expedición punitiva; **punition** *nf* castigo.
pupille [pypij] *nf* (*ANAT*) pupila; (*enfant*) pupilo/a; **~ de l'Etat** hospiciano/a; **~ de la Nation** huérfano/a de guerra.
pupitre [pypitʀ(ə)] *nm* (*SCOL*) pupitre *m*; (*REL, MUS: de chef d'orchestre*) atril *m*; (*d'ordinateur*) mesa, tablero.
pur, e [pyʀ] *a* puro(a); **~ et simple** simple, mero(a).
purée [pyʀe] *nf* puré *m*.
pureté [pyʀte] *nf* pureza.

purgatif [pyʀgatif] *nm* purgante *m.*
purgatoire [pyʀgatwaʀ] *nm* purgatorio.
purge [pyʀʒ(ə)] *nf* limpieza, purga; (*MÉD*) purga, purgante *m.*
purger [pyʀʒe] *vt* limpiar, purgar; (*MÉD, JUR: peine*) purgar.
purifier [pyʀifje] *vt* purificar.
purin [pyʀɛ̃] *nm* purín *m*, agua de estiércol.
puriste [pyʀist(ə)] *nm/f* purista *m/f.*
puritain, e [pyʀitɛ̃, ɛn] *a* puritano(a); **puritanisme** [-tanism(ə)] *nm* puritanismo.
pur-sang [pyʀsɑ̃] *nm inv* pura sangre *m inv.*
pus [py] *vb voir* **pouvoir** // *nm* pus *m.*
pustule [pystyl] *nf* pústula.
put *vb voir* **pouvoir.**
putain [pytɛ̃] *nf* (*fam*) puta, ramera.
putréfier [pytʀefje] *vt* pudrir, descomponer; **se** ~ *vi* pudrirse, descomponerse.
putsch [putʃ] *nm* golpe *m* de estado.
puzzle [pœzl(ə)] *nm* rompecabezas *m inv.*
PV *abrév de* **procès-verbal.**
pygmée [pigme] *nm* pigmeo.
pyjama [piʒama] *nm* pijama *m*, piyama *m.*
pylône [pilon] *nm* (*d'un pont*) pilote *m*, pilar *m*; (*mât, poteau*) poste *m.*
pyramide [piʀamid] *nf* pirámide *f.*
Pyrénées [piʀene] *nfpl*: **les** ~ el Pirineo, los Pirineos.
pyromane [piʀɔman] *nm/f* piromano/a.
python [pitɔ̃] *nm* pitón *m.*

Q

QI *sigle m voir* **quotient.**
quadragénaire [kwadʀaʒenɛʀ] *a, nm/f* cuarentón(ona).
quadrilatère [kadʀilatɛʀ] *nm* cuadrilátero.
quadriller [kadʀije] *vt* cuadricular; (*POLICE: ville etc*) dividir en zonas.
quadriphonie [kadʀifɔni] *nf* tetrafonía.
quadrupède [kadʀypɛd] *nm* cuadrúpedo.
quadruple [kadʀypl(ə)] *a* cuádruple // *nm* cuádruplo; **quadrupler** *vt, vi* cuadruplicar; **quadruplés, ées** *nm/fpl* cuatrillizos/as.
quai [ke] *nm* muelle *m*; (*d'une gare*) andén *m.*
qualificatif, ive [kalifikatif, iv] *a* calificativo(a) // *nm* calificativo.
qualification [kalifikɑsjɔ̃] *nf* calificación *f*; (*aptitude*) capacitación *f.*
qualifier [kalifje] *vt* calificar; **se** ~ *vi* (*SPORT*) calificarse; **être qualifié pour** estar capacitado para.
qualité [kalite] *nf* calidad *f*; (*d'une personne*) cualidad *f.*
quand [kɑ̃] *conj* cuando; (*alors que*) cuando, mientras // *ad* cuándo; ~ **je serai riche** cuando sea rico; ~ **même** sin embargo; de todos modos; vaya; ~ **bien même** aún cuando.
quant [kɑ̃] : ~ **à** *prép* en cuanto a; (*au sujet de*) de.
quantifier [kɑ̃tifje] *vt* cuantificar.
quantité [kɑ̃tite] *nf* cantidad *f.*
quarantaine [kaʀɑ̃tɛn] *nf* (*MÉD*) cuarentena; **il a la** ~ tiene cuarenta años; **une** ~ **(de)** unos cuarenta.
quarante [kaʀɑ̃t] *num* cuarenta.
quart [kaʀ] *nm* cuarto; (*surveillance*) guardia; **les trois** ~**s** la mayoría; **les trois** ~**s du temps** la mayor parte del tiempo; ~ **d'heure** cuarto de hora; **il est moins le** ~**/le** ~ son las menos cuarto/las y cuarto; **prendre le** ~ entrar de guardia.
quartier [kaʀtje] *nm* (*d'une ville*) barrio; (*de bœuf*) cuarto; (*de fruit, de fromage*) trozo; ~**s** *mpl* (*MIL*) cuarteles *mpl*; ~ **général, QG** cuartel general.

quartier-maître [kaRtjemɛtR(ə)] *nm* cabo de la Marina.
quartz [kwaRts] *nm* cuarzo.
quasi [kazi] *ad, préf* casi; **~ment** *ad* casi.
quaternaire [kwatɛRnɛR] *a*: **ère ~** era cuaternaria.
quatorze [katɔRz(ə)] *num* catorce.
quatrain [katRɛ̃] *nm* cuarteto.
quatre [katR(ə)] *num* cuatro; **à ~ pattes** en cuatro patas; **~ à ~** de cuatro en cuatro; **~-vingt-dix** *num* noventa; **~-vingts** *num* ochenta; **quatrième** *num* cuarto(a).
quatuor [kwatɥɔR] *nm* cuarteto.
que [k(ə)] *conj* que; **si vous y allez ou ~ vous lui téléphoniez** si usted va o le telefonea; **quand il rentrera et qu'il aura mangé** cuando (él) regrese y haya comido; **qu'il le veuille ou non** quiera o no; **elle venait à peine de sortir que** acababa de salir cuando; *voir* **aussi, autant, avant, plus, pour, si** *etc* // *ad* qué, cuán; **~ de** ¡cuánto(a)! // *pron* que; **un jour ~** un día en que; **~ fais-tu?, qu'est-ce que tu fais?** ¿qué haces?; ¿qué es lo que haces?; **~ fait-il dans la vie?** ¿de qué se ocupa?
Québec [kebɛk] *nm*: **le ~** Quebec *m*.
quel, quelle [kɛl] *a* qué; **~ est cet homme?** ¿quién es este hombre?; **~ que soit...** cualquiera que sea... // *pron* cuál.
quelconque [kɛlkɔ̃k] *a* cualquier, cualquiera; (*médiocre*) insignificante, mediocre; **un prétexte ~** un pretexto cualquiera; **une femme ~** una mujer cualquiera.
quelque [kɛlk(ə)] *dét*: **cela fait ~ temps que** hace un tiempo que; **~s mots** algunas palabras; **les ~s enfants/livres qui** los pocos niños/libros que // *ad* (*environ*): **~ 100 mètres** unos 100 metros; **20 kg et ~(s)** 20 kg. y pico; **~ chose** algo; **~ chose d'autre** otra cosa; **~ peu** un poco.
quelquefois [kɛlkəfwa] *ad* a veces.
quelques-uns, unes [kɛlkəzœ̃, yn] *pron* algunos/as; **~ des lecteurs** algunos lectores.
quelqu'un, une [kɛlkœ̃, yn] *pron* alguien; (*avec négation*) nadie; **~ d'autre** algún/una otro/a.
quémander [kemɑ̃de] *vt* mendigar.
qu'en dira-t-on [kɑ̃diRatɔ̃] *nm inv* qué dirán *m inv*.
querelle [kəRɛl] *nf* disputa, reyerta; **se quereller** *vi* disputar, pelearse.
qu'est-ce que (*ou* **qui**) [kɛskə(ki)] *voir* **que, qui.**
question [kɛstjɔ̃] *nf* pregunta; (*problème*) cuestión *f*, problema *m*; **il a été ~ de** se trató *o* habló de; **il n'en est pas ~** no hay cuestión; **en ~** a en discusión, de que se trata; **hors de ~** fuera de discusión; **~s économiques** problemas económicos; **~ piège** pregunta insidiosa; **~naire** *nm* cuestionario; **~ner** *vt* interrogar, preguntar.
quête [kɛt] *nf* colecta; **faire la ~** (*à l'église*) hacer la colecta; (*artiste*) pasar el sombrero; **en ~ de** en busca de.
quêter [kete] *vt* mendigar, buscar.
quetsche [kwɛtʃ(ə)] *nf* ciruela, damascena.
queue [kø] *nf* cola; (*d'animal*) cola, rabo; (*de lettre*) rabo; (*de note*) vírgula, tallo; (*d'une casserole*) mango; (*d'un fruit, d'une feuille*) rabillo; **faire la ~** hacer cola; **à la ~ leu leu** en fila india; **~ de cheval** cola de caballo; **~-de-pie** *nf* (*habit*) chaqué *m*.
qui [ki] *pron* (*interrogatif*) quién; quiénes *pl*; **qu'est-ce ~ est sur la table?** ¿qué está sobre la mesa?; **à ~ est ce sac?** ¿de quién es este bolso?; (*relatif sujet*) quien, que; (*: chose*) que; **l'ami de ~ je vous ai parlé** el amigo de quien le hablé; **amenez ~ vous voulez** traiga a quien quiera; **~ que ce soit** quienquiera que sea.
quiconque [kikɔ̃k] *pron* quienquie-

ra que; (*personne*) quienquiera.
quignon [kiɲɔ̃] *nm*: ~ **de pain** zoquete *m* de pan; mendrugo de pan.
quille [kij] *nf* bolo; quilla; (**jeu de**) ~**s** (juego de) bolos.
quincaillerie [kɛ̃kɑjʀi] *nf* quincallería; **quincaillier, ère** *nm/f* quincallero/a.
quinconce [kɛ̃kɔ̃s] *nm*: **en** ~ al tresbolillo.
quinine [kinin] *nf* quinina.
quinquagénaire [kɛ̃kaʒenɛʀ] *a* cincuentón(ona), quincuagenario(a).
quintal, aux [kɛ̃tal; o] *nm* quintal *m*.
quinte [kɛ̃t] *nf*: ~ (**de toux**) acceso de tos.
quintuple [kɛ̃typl(ə)] *a* quíntuplo(a) // *nm* quíntuplo; **quintupler** *vt, vi* quintuplicar; **quintuplés, ées** *nm/fpl* quintillizos/as.
quinzaine [kɛ̃zɛn] *nf* quincena; **une** ~ (**de**) unos quince, una quincena (de).
quinze [kɛ̃z] *num* quince; **demain/lundi en** ~ dos semanas a partir de mañana/del lunes.
quiproquo [kipʀɔko] *nm* malentendido.
quittance [kitɑ̃s] *nf* (*reçu*) recibo; (*facture*) factura.
quitte [kit] *a*: **être** ~ **envers qn** quedar liberado(a) de una obligación con alguien; (*fig*) estar en paz con alguien; ~ **à** con riesgo de.
quitter [kite] *vt* dejar, abandonar; (*suj: crainte, énergie*) abandonar; (*vêtement*) quitarse, sacarse; ~ **la route** (*véhicule*) salirse de la carretera; **se** ~ dejarse, separarse; **ne quittez pas** (*au téléphone*) no cuelgue, no se retire.
qui-vive [kiviv] *nm*: **être sur le** ~ estar en alerta.
quoi [kwa] *pron* (*interrogatif*) qué; ~ **qu'il arrive** suceda lo que suceda; ~ **qu'il en soit** sea lo que fuere; ~ **que ce soit** lo que sea; **il n'y a pas de** ~ no hay de qué; ~ **de neuf?** ¿qué hay de nuevo?
quoique [kwak(ə)] *conj* aunque.
quolibet [kɔlibɛ] *nm* pitorreo.
quorum [kɔʀɔm] *nm* quórum *m*.
quota [kɔta] *nm* cuota.
quote-part [kɔtpaʀ] *nf* cuota.
quotidien, ne [kɔtidjɛ̃, ɛn] *a* cotidiano(a); (*banal*) rutinario(a) // *nm* (*journal*) periódico, diario.
quotient [kɔsjɑ̃] *nm* cociente *m*; ~ **intellectuel, QI** cociente intelectual.
quotité [kɔtite] *nf* cuota.

R

rabâcher [ʀabɑʃe] *vt* repetir.
rabais [ʀabɛ] *nm* rebaja, descuento; **au** ~ con descuento *o* rebaja.
rabaisser [ʀabese] *vt* disminuir, menoscabar; (*dénigrer*) rebajar, menoscabar.
rabattre [ʀabatʀ(ə)] *vt* bajar, plegar; (*couture*) doblar, dobladillar; (*balle*) rechazar; (*gibier*) ojear; (*d'un prix*) rebajar; **se** ~ *vi* plegarse; (*véhicule*) doblar, torcer; **se** ~ **sur** conformarse con.
rabbin [ʀabɛ̃] *nm* rabino.
rabot [ʀabo] *nm* cepillo; ~**er** *vt* cepillar.
rabougri, e [ʀabugʀi] *a* raquítico(a).
racaille [ʀakɑj] *nf* (*péj*) chusma.
raccommoder [ʀakɔmɔde] *vt* zurcir, remendar.
raccompagner [ʀakɔ̃paɲe] *vt* acompañar a.
raccord [ʀakɔʀ] *nm* (TECH: *pièce*) acoplamiento, empalme *m*; (CINÉMA) ajuste *m*; ~ **de peinture** retoque *m* de pintura.
raccorder [ʀakɔʀde] *vt* conectar, empalmar.
raccourci [ʀakuʀsi] *nm* atajo.
raccourcir [ʀakuʀsiʀ] *vt* acortar // *vi* acortarse, encoger.
raccrocher [ʀakʀɔʃe] *vt* volver a

colgar; (*récepteur*) colgar // *vi* (TÉLÉC) colgar; **se ~ à** aferrarse a; (*se raccorder à*) concordar con, relacionarse con.
race [Ras] *nf* raza; (*ascendance*) linaje *m*; (*fig*) especie *f*, casta.
racheter [Raʃte] *vt* comprar nuevamente; (*acheter davantage de*) comprar más; (*après avoir vendu*) volver a comprar; (*d'occasion*) comprar de lance *o* de segunda mano; (*pension, rente*) liberar, liquidar; (REL) redimir; (*défaut*) compensar; **se ~** redimirse.
racial, e, aux [Rasjal, jo] *a* racial.
racine [Rasin] *nf* raíz *f*; **~ carrée** raíz cuadrada.
racisme [Rasism(ə)] *nm* racismo; **raciste** *a, nm/f* racista (*m/f*).
racket [Rakɛt] *nm* extorsión *f*.
racler [Rɑkle] *vt* raspar, frotar; (*tache, boue*) frotar; (*fig*) rascar; **se ~ la gorge** carraspear.
racoler [Rakɔle] *vt* enganchar; levantar; pescar.
racontars [Rakɔ̃taR] *nmpl* habladurías, chismes *mpl*.
raconter [Rakɔ̃te] *vt* contar.
racorni, e [RakɔRni] *a* endurecido(a).
radar [RadaR] *nm* radar *m*; **écran ~** pantalla de radar.
rade [Rad] *nf* rada.
radeau, x [Rado] *nm* balsa.
radial, e, aux [Radjal, o] *a* radial; **pneu à carcasse ~e** neumático de cubierta radial.
radiateur [RadjatœR] *nm* radiador *m*.
radiation [Radjɑsjɔ̃] *nf* supresión *f*; (PHYSIQUE) radiación *f*.
radical, e, aux [Radikal, o] *a* radical; (*moyen, remède*) infalible // *nm* radical.
radier [Radje] *vt* suprimir, cancelar.
radieux, euse [Radjø, øz] *a* radiante.
radin, e [Radɛ̃, in] (*ou inv*) *a* (*fam*) tacaño(a), roñoso(a).
radio [Radjo] *nf* radio *f*; (*radioscopie*) radioscopía; (*radiographie*) radiografía; **avoir la ~** tener radio.
radioactif, ive [Radjɔaktif, iv] *a* radioactivo(a); **radioactivité** *nf* radioactividad *f*.
radiodiffuser [Radjɔdifyze] *vt* radiodifundir.
radiographie [RadjɔgRafi] *nf* radiografía.
radiologie [Radjɔlɔʒi] *nf* radiología; **radiologue** *nm/f* radiólogo/a.
radioscopie [Radjɔskɔpi] *nf* radioscopía.
radis [Radi] *nm* rábano.
radium [Radjɔm] *nm* radio.
radoub [Radu] *nm*: **bassin de ~** dique de carena.
radoucir [RadusiR] *vt* templar; **se ~** (*se calmer*) serenarse, aplacarse.
rafale [Rafal] *nf* ráfaga; **tir en ~** ráfaga de disparos.
raffermir [RafɛRmiR] *vt* fortalecer, fortificar.
raffiné, e [Rafine] *a* (*fig*) refinado(a), fino(a).
raffiner [Rafine] *vt* refinar; (*langage, manières*) pulir, afinar; **~ie** [-finRi] *nf* rafinería.
raffoler [Rafɔle] : **~ de** *vt* volverse loco(a) por.
raffut [Rafy] *nm* (*fam*) batahola, bulla.
rafistoler [Rafistɔle] *vt* (*fam*) chapucear.
rafle [Rafl(ə)] *nf* (*de police*) razzia, redada.
rafler [Rafle] *vt* (*fam*) alzarse con, afanar.
rafraîchir [RafReʃiR] *vt* refrescar; (*boisson, dessert*) enfriar; (*fig*) renovar, retocar; (*peinture, tableau*) avivar; **se ~** *vi* refrescar; (*en buvant etc*) refrescarse; **rafraîchissement** *nm* (*boisson*) refresco; **rafraîchissements** *mpl* refrigerio, refrescos.
rage [Raʒ] *nf* rabia; **~ de dents** dolor *m* de muelas; **faire ~** hacer estragos.

ragot [Rago] *nm* (*fam*) chisme *m*, patraña.
ragoût [Ragu] *nm* guiso.
rai [Rɛ] *nm*: ~ **de lumière** rayo de luz.
raid [Rɛd] *nm* raid *m*; (*attaque aérienne*) incursión aérea.
raide [Rɛd] *a* lacio(a); (*ankylosé*) rígido(a); (*tendu*) tenso(a); (*escarpé*) abrupto(a), empinado(a); (*guindé*) tieso(a), envarado(a); (*fam*) inusitado(a), increíble; (*alcool*) fuerte; (*osé*) escabroso(a) // *ad* a pique; **raidir** [RediR] *vt* contraer; (*tirer*) estirar, poner tenso(a); **se raidir** contraerse, ponerse rígido(a); (*câble*) ponerse tirante.
raie [Rɛ] *nf* raya.
rail [Raj] *nm* riel *m*; (*chemins de fer*): **le** ~ el ferrocarril; **les** ~**s** (*voie ferrée*) las vías; ~ **conducteur** carril *m* de toma.
railler [Raje] *vt* burlarse *o* mofarse de.
rainure [RenyR] *nf* ranura, acanaladura.
rais [Rɛ] *nm* = **rai.**
raisin [Rɛzɛ̃] *nm* uva; ~**s** uvas; ~**s secs** uvas pasas.
raison [Rɛzɔ̃] *nf* razón *f*, juicio; (*motif, cause*) razón, causa; (*excuse, prétexte*) razón, pretexto; **plus que de** ~ más de lo razonable *o* conveniente; ~ **de plus** mayor razón, razón de más; **à plus forte** ~ con mayor razón; **avoir** ~ tener razón; **donner** ~ **à qn** dar razón a alguien; **se faire une** ~ resignarse, conformarse; ~ **sociale** razón social; ~**nable** *a* razonable; (*doué de raison*) racional.
raisonnement [Rɛzɔnmɑ̃] *nm* raciocinio; (*argumentation*) razonamiento; ~**s** *mpl* (*objections etc*) objeciones *fpl*, observaciones *fpl*.
raisonner [Rɛzɔne] *vi* razonar, reflexionar; (*argumenter*) argüir, razonar; (*péj*) objetar, discutir // *vt* hacer entrar en razón; (*attitude etc*) justificar; **se** ~ reflexionar.
rajeunir [RaʒœniR] *vt* rejuvenecer; (*moderniser*) renovar // *vi* rejuvenecer, remozar; (*entreprise etc*) modernizarse, renovarse.
rajouter [Raʒute] *vt* agregar, añadir.
rajuster [Raʒyste] *vt* arreglar; (*salaires, prix*) reajustar.
râle [Rɑl] *nm* estertor *m*.
ralenti [Ralɑ̃ti] *nm* ralentí *m*, marcha lenta; (*CINÉMA*) cámara lenta; **au** ~ al ralentí, lentamente.
ralentir [Ralɑ̃tiR] *vt* aminorar; (*production etc*) disminuir, reducir // *vi* disminuir la velocidad, ir más despacio; **se** ~ *vi* frenarse, disminuir.
râler [Rɑle] *vi* estar con *o* producir estertores; (*fam*) gruñir.
rallier [Ralje] *vt* reunir; (*rejoindre*) reintegrarse a; (*gagner*) ganar; **se** ~ **à** (*avis, opinion*) adherir a.
rallonge [Ralɔ̃ʒ] *nf* (*de table*) larguero; (*de vêtement etc*) añadido.
rallonger [Ralɔ̃ʒe] *vt* alargar.
rallumer [Ralyme] *vt* volver a encender.
rallye [Rali] *nm* rallye *m*.
ramages [Ramaʒ] *nmpl* estampado rameado.
ramassage [Ramɑsaʒ] *nm*: ~ **scolaire** transporte *m* escolar.
ramassé, e [Ramɑse] *a* rechoncho(a).
ramasser [Ramɑse] *vt* recoger; (*personne tombée*) levantar; (*fam*) detener, pescar; (: *attraper*) coger, pescar(se); **se** ~ *vi* replegarse, encogerse.
rambarde [Rɑ̃baRd(ə)] *nf* barandilla.
rame [Ram] *nf* remo; (*de métro*) tren *m*; (*de papier*) resma.
rameau, x [Ramo] *nm* rama, ramo; **les R**~**x** domingo de Ramos.
ramener [Ramne] *vt* llevar nuevamente; (*reconduire*) llevar de vuelta; (*revenir avec*) traer; (*rapporter, rendre*) devolver; (*faire revenir*) hacer volver; (*rabattre*)

poner, echar; (*rétablir*) restablecer, devolver; ~ **qch à** hacer volver algo a; (*réduire*) reducir algo a; **se ~ à** reducirse a.

ramer [ʀame] *vi* remar.

ramifier [ʀamifje]: **se ~** ramificarse.

ramollir [ʀamɔliʀ] *vt* ablandar, debilitar; **se ~** *vi* debilitarse, ablandarse; (*beurre, asphalte*) ablandarse.

ramoner [ʀamɔne] *vt* deshollinar; **ramoneur** *nm* deshollinador *m.*

rampe [ʀɑ̃p] *nf* barandilla; (*dans un garage*) rampa; (*montée*) rampa, declive *m*; (THÉÂTRE) candilejas; **~ de lancement** plataforma de lanzamiento.

ramper [ʀɑ̃pe] *vi* reptar, arrastrarse; (*personne, aussi péj*) arrastrarse.

rancard [ʀɑ̃kaʀ] *nm* (*fam*) cita; sopladura, soplo.

rancart [ʀɑ̃kaʀ] *nm*: **mettre au ~** arrumbar.

rance [ʀɑ̃s] *a* rancio(a).

rancœur [ʀɑ̃kœʀ] *nf* rencor *m.*

rançon [ʀɑ̃sɔ̃] *nf* rescate *m.*

rancune [ʀɑ̃kyn] *nf* resentimiento, rencor *m*; **rancunier, ière** *a* rencoroso(a), resentido(a).

randonnée [ʀɑ̃dɔne] *nf* excursión *f*, jira.

rang [ʀɑ̃] *nm* rango; (*rangée*) fila; (*de perles, de tricot etc*) hilera, vuelta.

rangé, e [ʀɑ̃ʒe] *a* (*sérieux*) formal, sensato(a).

rangée [ʀɑ̃ʒe] *nf* hilera, fila.

ranger [ʀɑ̃ʒe] *vt* ordenar; (*voiture*) aparcar; (*en cercle etc*) acomodar, disponer; (*fig*) clasificar, colocar; **se ~** disponerse, colocarse; (*s'écarter*) apartarse, echarse a un lado; **se ~ à** compartir, adoptar.

ranimer [ʀanime] *vt* reanimar; reavivar.

rapace [ʀapas] *nm* rapaz *m.*

rapatrier [ʀapatʀije] *vt* repatriar.

râpe [ʀɑp] *nf* rallador *m*; **râpé, e** *a* raído(a); (CULIN) rallado(a); **râper** *vt* rallar; (*gratter, racler*) raspar.

rapetisser [ʀaptise] *vt* reducir, achicar; (*suj: distance*) empequeñecer, reducir // *vi*, **se ~** *vi* encogerse.

rapide [ʀapid] *a* rápido(a) // *nm* rápido; **rapidité** *nf* rapidez *f.*

rapiécer [ʀapjese] *vt* remendar.

rappel [ʀapɛl] *nm* llamada, revocación *f*; (THÉÂTRE) llamada a escena; (MIL) llamamiento; (MÉD) revacunación *f*; (*de salaire*) retroactividad *f*, atrasos; (*d'une aventure, d'une date etc*) recuerdo, evocación *f*; **~ (de corde)** descenso con cuerda.

rappeler [ʀaple] *vt* llamar; (*retéléphoner*) volver a llamar; (*ambassadeur*) retirar; **~ qch (à qn)** recordar algo (a alguien); **se ~** recordar, acordarse de.

rapport [ʀapɔʀ] *nm* informe *m*; (*profit*) rendimiento, renta; (*lien*) relación *f*, correlación *f*; (MATH, TECH) razón *f*; **~s** *mpl* (*contacts*) relaciones *fpl*; **par ~ à** con relación a; **sous le ~ de** en lo que se refiere a, desde el punto de vista de.

rapporter [ʀapɔʀte] *vt* restituir, devolver; (*apporter davantage*) traer más; (*revenir avec*) traer consigo; (COUTURE) añadir, agregar; (*suj: investissement etc*) rendir, redituar; (*relater*) referir, relatar; (JUR) derogar, revocar // *vi* rendir, rentar; (*péj*) acusar, chivatar; **se ~ à** referirse a, relacionarse con; **s'en ~ à** fiarse de; **rapporteur, euse** *nm/f* (*d'un procès etc*) ponente *m* // *nm* transportador *m.*

rapproché, e [ʀapʀɔʃe] *a* cercano(a), próximo(a); (*détonations, événements*) seguido(a), consecutivo(a).

rapprochement [ʀapʀɔʃmɑ̃] *nm* (*rapport*) comparación *f*, cotejo.

rapprocher [ʀapʀɔʃe] *vt* acercar; (*deux tuyaux*) unir, juntar; (*comparer*) cotejar, relacionar; **se ~** *vi* acercarse; **se ~ de** acercarse a; (*être analogue à*) asemejarse a.

rapt [Rapt] *nm* rapto.
raquette [Rakɛt] *nf* raqueta; (*de ping-pong*) pala.
rare [RaR] *a* raro(a); (*cheveux, herbe*) ralo(a), escaso(a); **il est ~ que** es extraño que, no es habitual que.
raréfier [RaRefje]: **se ~** *vi* escasear; (*air*) rarificarse.
rarement [RaRmɑ̃] *ad* raramente.
ras, e [Rɑ, ɑz] *a* corto(a); (*tête*) rapado(a) // *ad* al ras, al rape; **à ~ bords** colmado(a); **au ~ de** a ras de; **~ le cou** *a* a la base, al ras.
rasade [Rɑzad] *nf* vaso lleno *o* colmado.
rase-mottes [Rɑzmɔt] *nm inv*: **faire du ~** volar a ras del suelo.
raser [Rɑze] *vt* afeitar; (*cheveux*) rapar; (*fam*) aburrir; (*démolir*) arrasar, demoler; (*frôler*) rozar; **se ~** afeitarse; **être rasé de frais** estar recién afeitado; **être rasé de près** estar bien afeitado; **rasoir** *nm* navaja, afeitadora; **rasoir électrique** afeitadora; **rasoir mécanique** maquinilla de afeitar.
rassasier [Rasazje] *vt* saciar.
rassemblement [Rasɑ̃bləmɑ̃] *nm* (*groupe*) concentración *f*.
rassembler [Rasɑ̃ble] *vt* reunir; (*regrouper*) juntar, reunir; **se ~** reunirse, congregarse.
rasseoir [RaswaR] : **se ~** *vi* volver a sentarse.
rassis [Rasi] *am*: **pain ~** pan sentado.
rassurer [RasyRe] *vt* tranquilizar; **se ~** tranquilizarse.
rat [Ra] *nm* rata.
ratatiné, e [Ratatine] *a* apergaminado(a); arrugado(a).
ratatouille [Ratatuj] *nf* pisto.
rate [Rat] *nf* bazo.
raté, e [Rate] *nm/f* frustrado/a, malogrado/a // *nm* detonación *f*; (*d'arme à feu*) fallo.
râteau, x [Rɑto] *nm* rastrillo.
rater [Rate] *vi* fallar; (*échouer*) fracasar, fallar // *vt* fallar; (*train, occasion etc*) perder; (*examen*) no aprobar.
ratière [RatjɛR] *nf* ratonera.
ratifier [Ratifje] *vt* ratificar.
ration [Rɑsjɔ̃] *nf* ración *f*.
rationnel, le [Rasjɔnɛl] *a* racional.
rationner [Rasjɔne] *vt* racionar; (*personne*) someter a racionamiento; **se ~** ponerse a ración.
ratisser [Ratise] *vt* rastrillar; (*suj: armée, police*) batir.
RATP *nf voir* **régie.**
rattacher [Rataʃe] *vt* atar *o* ligar de nuevo; (*incorporer*) anexar; (*fig*) relacionar, ligar; (*lier*) ligar, unir.
rattraper [RatRape] *vt* atrapar *o* coger de nuevo; (*empêcher de tomber*) agarrar, sostener; (*atteindre, rejoindre*) alcanzar; (*imprudence, erreur*) subsanar, corregir; **se ~** *vi* (*perte de temps*) ponerse al día; (*perte d'argent etc*) recuperarse; (*privation*) desquitarse; (*erreur, bévue*) enmendarse, corregirse; **se ~ à** agarrarse *o* aferrarse a *o* de; **~ son retard** recuperarse de su retraso; **~ le temps perdu** recuperar el tiempo perdido.
rature [RatyR] *nf* tachadura; **raturer** *vt* tachar.
rauque [Rok] *a* ronco(a).
ravage [Ravaʒ] *nm*: **~s** *mpl* estragos.
ravager [Ravaʒe] *vt* devastar; (*suj: maladie etc*) aniquilar.
ravaler [Ravale] *vt* enlucir; (*déprécier*) rebajar; (*avaler de nouveau*) volver a tragar.
ravauder [Ravode] *vt* zurcir.
rave [Rav] *nf* naba.
ravi, e [Ravi] *a* radiante; (*enthousiasmé*) encantado(a).
ravier [Ravje] *nm* fuente *f*.
ravin [Ravɛ̃] *nm* arroyada, grieta.
raviner [Ravine] *vt* arroyar.
ravir [RaviR] *vt* encantar; (*de force*) raptar, arrebatar.
raviser [Ravize] : **se ~** *vi* echarse atrás, cambiar de idea.

ravissant, e [ravisɑ̃, ɑ̃t] *a* encantador(ora), admirable.
ravisseur, euse [ravisœr, øz] *nm/f* raptor/ora.
ravitaillement [ravitɑjmɑ̃] *nm* (*provisions*) provisiones *fpl*; ~ **en vol** abastecimiento en vuelo.
ravitailler [ravitɑje] *vt* abastecer; **se** ~ *vi* abastecerse.
ravoir [ravwar] *vt* recuperar.
raviver [ravive] *vt* reavivar; (*feu, flamme*) atizar, avivar.
rayé, e [reje] *a* (*à rayures*) a rayas.
rayer [reje] *vt* rayar; (*barrer*) tachar; (*d'une liste*) suprimir, excluir.
rayon [rɛjɔ̃] *nm* rayo; (*GÉOMÉTRIE, d'une roue*) radio; (*périmètre*): **dans un** ~ **de...** en un radio de...; (*étagère*) estante *m*, anaquel *m*; (*de grand magasin*) sección *f*; ~**s X** *etc* rayos x *etc*; ~ **d'action** radio de acción; ~ **de braquage** radio de giro; ~ **de soleil** rayo de sol.
rayonnage [rɛjɔnaʒ] *nm* estantería.
rayonner [rɛjɔne] *vi* irradiar; (*fig*) influir; (*être radieux*) resplandecer de gozo; (*avenues etc*) divergir; (*se déplacer*) ir de jira por los alrededores.
rayure [rejyr] *nf* raya; (*rainure, d'un fusil*) estría, raya; **à** ~**s** a *o* de rayas.
raz-de-marée [rɑdmare] *nm inv* maremoto; (*fig*) conmoción *f*.
R.d.C. *abrév de* **rez-de-chaussée.**
ré [re] *nm* re *m*.
réacteur [reaktœr] *nm* reactor *m*.
réactif [reaktif] *nm* reactivo.
réaction [reaksjɔ̃] *nf* reacción *f*; ~**naire** *a* reaccionario(a).
réadapter [readapte] *vt* readaptar; **se** ~ (**à**) readaptarse (a).
réaffirmer [reafirme] *vt* ratificar, reafirmar.
réagir [reaʒir] *vi* reaccionar; ~ **sur** actuar *o* repercutir sobre.
réalisateur, trice [realizatœr, tris] *nm/f* realizador/ora.
réalisation [realizɑsjɔ̃] *nf* (*production etc*) realización *f*.
réaliser [realize] *vt* realizar; (*rêve, souhait*) cumplir, realizar; (*bien, capital*) convertir en dinero, cobrar; (*comprendre*) percatarse de; **se** ~ *vi* realizarse, cumplirse.
réalisme [realism(ə)] *nm* realismo; **réaliste** *a, nm/f* realista (*m/f*).
réalité [realite] *nf* realidad *f*.
réarmement [rearməmɑ̃] *nm* rearme *m*.
réarmer [rearme] *vt* recargar // *vi* (*état*) rearmar.
réassurance [reasyrɑ̃s] *nf* reaseguro.
rébarbatif, ive [rebarbatif, iv] *a* desagradable, ingrato(a).
rebattu, e [rəbaty] *a* remanido(a).
rebelle [rəbɛl] *a, nm/f* rebelde (*m/f*); ~ **à** (*fermé à*) negado(a) para.
rebeller [rəbele] : **se** ~ *vi* rebelarse; **rébellion** [rebeljɔ̃] *nf* rebelión *f*; (*rebelles*) rebeldes *mpl*.
reboiser [rəbwaze] *vt* repoblar de árboles.
rebond [rəbɔ̃] *nm* rebote *m*.
rebondi, e [rəbɔ̃di] *a* panzudo(a); (*visage, personne*) relleno(a).
rebondir [rəbɔ̃dir] *vi* rebotar; (*fig*) poner nuevamente sobre el tapete; **rebondissement** *nm* vuelta a la actualidad.
rebord [rəbɔr] *nm* reborde *m*; (*d'un fossé*) borde *m*, orilla.
rebours [rəbur] : **à** ~ *ad* al revés.
rebouteux, euse [rəbutø, øz] *nm/f* ensalmador/ora.
rebrousse-poil [rəbruspwal]: **à** ~ *ad* a contrapelo.
rebrousser [rəbruse] *vt*: ~ **chemin** dar media vuelta.
rebuffade [rəbyfad] *nf* repulsa.
rébus [rebys] *nm inv* jeroglífico.
rebut [rəby] *nm*: **mettre qch au** ~ desechar algo.
rebuter [rəbyte] *vt* desanimar; (*suj*: *attitude etc*) repeler.

récalcitrant, e [ʀekalsitʀɑ̃, ɑ̃t] *a* terco(a), indómito(a).
recaler [ʀəkale] *vt* suspender.
récapituler [ʀekapityle] *vt* recapitular.
recel [ʀəsɛl] *nm* encubrimiento.
receler [ʀəsle] *vt* ocultar, encubrir; (*fig*) encerrar; **receleur, euse** *nm/f* encubridor/ora.
récemment [ʀesamɑ̃] *ad* recientemente.
recensement [ʀəsɑ̃smɑ̃] *nm* censo; (*des ressources etc*) reconocimiento.
recenser [ʀəsɑ̃se] *vt* empadronar; (*inventorier*) enumerar, computar.
récent, e [ʀesɑ̃, ɑ̃t] *a* reciente.
récépissé [ʀesepise] *nm* recibo.
récepteur, trice [ʀesɛptœʀ, tʀis] *a* receptor(ora) // *nm* (*de téléphone*) receptor *m*, auricular *m*; ~ (**de radio**) receptor (de radio).
réception [ʀesɛpsjɔ̃] *nf* recibo, recepción *f*; (*accueil*) recibimiento; (*réunion*) recepción; (SPORT) caída; (*d'un hôtel etc*): **la** ~ la recepción, el vestíbulo; ~**ner** *vt* verificar un envío.
recette [ʀəsɛt] *nf* receta; (COMM) ingreso; (*des impôts*) oficina de recaudación; ~**s** *fpl* (COMM) ingresos, entradas.
receveur, euse [ʀəsvœʀ, øz] *nm/f* (*des finances, contributions*) recaudador/ora; (*des postes*) jefe *m*; (*d'autobus*) cobrador/ora.
recevoir [ʀəsvwaʀ] *vt* recibir; (*modifications, solution*) admitir, recibir; (SCOL) ingresar, aprobar // *vi* recibir; **se** ~ *vi* caer; **être reçu** (SCOL) ser aprobado.
rechange [ʀəʃɑ̃ʒ] : **de** ~ *a* de recambio.
rechaper [ʀəʃape] *vt* recauchutar.
réchapper [ʀeʃape] : ~ **de** *ou* **à** *vt* librarse *o* salvarse de.
recharge [ʀəʃaʀʒ(ə)] *nf* (*de briquet etc*) recarga, recambio.
recharger [ʀəʃaʀʒe] *vt* (*camion*) volver a cargar; (*fusil, batterie*) recargar; (*briquet etc*) cargar.
réchaud [ʀeʃo] *nm* hornillo, infiernillo.
réchauffer [ʀeʃofe] *vt* recalentar; (*mains, doigts*) calentar; **se** ~ calentarse; (*température*) templarse.
rêche [ʀɛʃ] *a* áspero(a), rugoso(a).
Rech. *abrév de* **recherche.**
recherche [ʀəʃɛʀʃ(ə)] *nf* búsqueda, busca; (*voir recherché*) rebuscamiento; **la** ~ la investigación; ~**s** *fpl* investigaciones *fpl*.
recherché, e [ʀəʃɛʀʃe] *a* raro(a), preciado(a); (*acteur, femme*) solicitado(a); (*style, allure*) rebuscado(a).
rechercher [ʀəʃɛʀʃe] *vt* buscar; (*causes, procédé*) investigar, indagar.
rechigner [ʀəʃiɲe] *vi* rezongar, refunfuñar.
rechute [ʀəʃyt] *nf* recaída; **faire** *ou* **avoir une** ~ (MÉD) recaer, tener una recaída.
récidive [ʀesidiv] *nf* reincidencia; **récidiver** *vi* reincidir; reiterar; **récidiviste** *nm/f* reincidente *m/f*.
récif [ʀesif] *nm* arrecife *f*.
récipient [ʀesipjɑ̃] *nm* recipiente *m*.
réciproque [ʀesipʀɔk] *a* recíproco(a); ~**ment** *ad* recíprocamente.
récit [ʀesi] *nm* relato, narración *f*.
récital [ʀesital] *nm* recital *m*.
récitation [ʀesitɑsjɔ̃] *nf* recitación *f*.
réciter [ʀesite] *vt* (*aussi péj*) recitar.
réclamation [ʀeklamɑsjɔ̃] *nf* reclamación *f*, protesta; **service des** ~**s** oficina de reclamación.
réclame [ʀeklam] *nf* propaganda, publicidad *f*; **article en** ~ artículo de reclamo.
réclamer [ʀeklame] *vt* reclamar, pedir; (*exiger, nécessiter*) exigir // *vi* reclamar; **se** ~ **de** apelar a.
reclasser [ʀəklɑse] *vt* volver a clasificar; (*fig*) rehabilitar.
réclusion [ʀeklyzjɔ̃] *nf* reclusión *f*; ~ **à perpétuité** reclusión perpetua.
recoin [ʀəkwɛ̃] *nm* rincón *m*.

reçois *etc vb voir* **recevoir.**
récolte [Rekɔlt(ə)] *nf* cosecha; (*fig*) stock *m*, acopio; **récolter** *vt* cosechar, recoger.
recommandation [Rəkɔmɑ̃dɑsjɔ̃] *nf* recomendación *f*.
recommandé, e [Rəkɔmɑ̃de] *nm*: **en ~** certificado(a).
recommander [Rəkɔmɑ̃de] *vt* recomendar; (POSTES) certificar; **~ à qn de faire...** recomendar a alguien hacer...; **il est recommandé de...** se recomienda...; **se ~ à qn** encomendarse a alguien; **se ~ de qn** apoyarse en alguien.
recommencer [Rəkɔmɑ̃se] *vt* recomenzar // *vi* recomenzar; (*récidiver*) volver a las andadas, comenzar nuevamente; **~ à faire** volver a hacer.
récompense [Rekɔ̃pɑ̃s] *nf* recompensa.
récompenser [Rekɔ̃pɑ̃se] *vt* recompensar; **~ qn de** *ou* **pour qch** recompensar a alguien por algo.
réconcilier [Rekɔ̃silje] *vt* reconciliar; (*fig*) conciliar; armonizar; **se ~** reconciliarse.
reconduire [Rəkɔ̃dɥiR] *vt* acompañar; (JUR, POL) prorrogar.
réconfort [Rekɔ̃fɔR] *nm* alivio, consuelo.
réconforter [Rekɔ̃fɔRte] *vt* reconfortar.
reconnaissance [Rəkɔnɛsɑ̃s] *nf* reconocimiento; **en ~** (MIL) de reconocimiento.
reconnaissant, e [Rəkɔnɛsɑ̃, ɑ̃t] *a* agradecido(a).
reconnaître [Rəkɔnɛtʀ(ə)] *vt* reconocer; (*jumeaux*) distinguir; **~ qn/qch à** reconocer a alguien/algo por; **se ~ quelque part** orientarse en un sitio.
reconquérir [Rəkɔ̃keRiR] *vt* reconquistar.
reconstituer [Rəkɔ̃stitɥe] *vt* reconstruir; (*fortune, patrimoine*) rehacer, reconstruir; **reconstitution** *nf* reconstitución *f*; reconstrucción *f*; (JUR) reconstrucción.
reconstruire [Rəkɔ̃stRɥiR] *vt* reconstruir, reedificar.
reconversion [Rəkɔ̃vɛRsjɔ̃] *nf* readaptación *f*.
record [Rəkɔʀ] *a, nm* récord (*m*); **~ du monde** récord mundial.
recoupement [Rəkupmɑ̃] *nm* verificación *f*; **par ~** atando cabos, confrontando.
recouper [Rəkupe] : **se ~** *vi* coincidir, corresponderse.
recourbé, e [RəkuRbe] *a* encorvado(a); (*bec*) corvo(a).
recourir [RəkuRiR] : **~ à** *vt* recurrir a.
recours [RəkuR] *nm* recurso; **avoir ~ à** recurrir a; **c'est sans ~** no hay remedio.
recouvrer [RəkuvRe] *vt* recobrar; (*impôts, créance*) recaudar.
recouvrir [RəkuvRiR] *vt* (*couvrir à nouveau: livre*) forrar de nuevo; (*récipient etc*) tapar *o* cubrir de nuevo; (*entièrement*) recubrir; (*suj: attitude etc*) ocultar, tapar; (*suj: étude, concept etc*) cubrir, abarcar.
récréatif, ive [RekReatif, iv] *a* recreativo(a), entretenido(a).
récréation [RekReɑsjɔ̃] *nf* recreación *f*; (SCOL) recreo.
récrier [RekRije] : **se ~** *vi* exclamar.
récrimination [RekRiminɑsjɔ̃] *nf* recriminación *f*, reproche *m*.
récriminer [RekRimine] *vi* regañar.
recroqueviller [RəkRɔkvije]: **se ~** *vi* retorcerse.
recrudescence [RəkRydesɑ̃s] *nf* recrudecimiento.
recrue [RəkRy] *nf* recluta *m*; (*gén*) adherente *m*; **recruter** *vt* incorporar; (MIL) reclutar.
rectangle [Rɛktɑ̃gl(ə)] *nm* rectángulo; **rectangulaire** *a* rectangular.
recteur [Rɛktœʀ] *nm* rector *m*.
rectificatif, ive [Rɛktifikatif, iv] *a* rectificativo(a) // *nm* rectificativo.
rectifier [Rɛktifje] *vt* rectificar.
rectiligne [Rɛktiliɲ] *a* rectilineo(a).

rectorat [ʀɛktɔʀa] *nm* rectorado.
reçu, e [ʀəsy] *pp de* **recevoir** // *a* admitido(a), consentido(a) // *nm* recibo.
recueil [ʀəkœj] *nm* compilación *f.*
recueillir [ʀəkœjiʀ] *vt* recoger; (*renseignements, dépositions*) reunir; (*voix, suffrages*) obtener, conseguir; (*accueillir*) acoger, recoger; **se ~** *vi* recogerse.
recul [ʀəkyl] *nm* retirada, regresión *f*; (*d'une arme*) retroceso; **avoir un mouvement de ~** dar una reculada, hacer un movimiento de retroceso.
reculé, e [ʀəkyle] *a* alejado(a), apartado(a); (*lointain*) remoto(a), lejano(a).
reculer [ʀəkyle] *vi* retroceder; (*fig*) cejar, retraerse; (*se dérober*) ceder, recular // *vt* echar hacia atrás, retirar; (*mur, frontières*) alejar, correr; (*fig*) retrasar, diferir; (: *date, livraison, décision*) aplazar, diferir; **~ devant** ceder ante.
reculons [ʀkylɔ̃] : **à ~** *ad* hacia atrás.
récupérer [ʀekypeʀe] *vt* recuperar // *vi* recuperarse.
récurer [ʀekyʀe] *vt* fregar.
récuser [ʀekyze] *vt* recusar; (*argument etc*) impugnar, rechazar; **se ~** *vi* declararse incompetente.
reçut *etc vb voir* **recevoir.**
recyclage [ʀəsiklaʒ] *nm* reciclado, reconvención *f*; **cours de ~** curso de perfeccionamiento.
recycler [ʀəsikle] *vt* cambiar la orientación de, reconvertir.
rédacteur, trice [ʀedaktœʀ, tʀis] *nm/f* redactor/ora; **~ en chef** redactor jefe.
rédaction [ʀedaksjɔ̃] *nf* redacción *f*; (*SCOL*) composición *f*, redacción.
reddition [ʀedisjɔ̃] *nf* rendición *f.*
rédempteur [ʀedɑ̃ptœʀ] *nm*: **le R~** el Redentor.
rédemption [ʀedɑ̃psjɔ̃] *nf* redención *f*; **la R~** la Redención.
redescendre [ʀədesɑ̃dʀ(ə)] *vi* volver a bajar // *vt* bajar.
redevable [ʀədvabl(ə)] *a*: **être ~ de** ser deudor(ora) de.
redevance [ʀədvɑ̃s] *nf* canon *m* de suscripción; (*de rente, dette*) canon.
rédiger [ʀediʒe] *vt* redactar.
redire [ʀədiʀ] *vt* repetir; **trouver à ~ à qch** encontrar algo que criticar a algo.
redite [ʀədit] *nf* repetición *f.*
redondance [ʀədɔ̃dɑ̃s] *nf* redundancia.
redoublé, e [ʀəduble] *a*: **frapper à coups ~s** golpear con violencia.
redoubler [ʀəduble] *vt* redoblar; (*SCOL*) repetir // *vi* arreciar, intensificarse; (*SCOL*) repetir; **~ de** *vt* redoblar.
redoutable [ʀədutabl(ə)] *a* temible, pavoroso(a).
redouter [ʀədute] *vt* temer; **~ de faire** tener miedo de hacer.
redressement [ʀdʀɛsmɑ̃] *nm* **maison de ~** reformatorio.
redresser [ʀədʀese] *vt* enderezar; (*fig*) restablecer; **se ~** *vi* enderezarse; (*fig*) restablecerse; **redresseur** *nm*: **redresseur de torts** desfacedor *m* de entuertos.
réduction [ʀedyksjɔ̃] *nf* reducción *f*; disminución *f*; (*rabais*) rebaja, descuento.
réduire [ʀedɥiʀ] *vt* reducir; (*texte*) sintetizar, compendiar; (*CULIN*) condensar, concentrar; **~ qch en** transformar algo en; **se ~ à** reducirse a; **se ~ en** convertirse en.
réduit [ʀedɥi] *nm* cuartucho.
rééducation [ʀeedykɑsjɔ̃] *nf* reeducación *f*; (*de délinquants*) rehabilitación *f.*
réel, le [ʀeɛl] *a* real // *nm*: **le ~** lo real.
réélire [ʀeeliʀ] *vt* reelegir.
réellement [ʀeɛlmɑ̃] *ad* realmente.
réescompte [ʀeɛskɔ̃t] *nm* redescuento.
réévaluer [ʀeevalɥe] *vt* revalorizar.
réexpédier [ʀeɛkspedje] *vt* reexpedir.

Ref. *abrév de* **référence.**
refaire [ʀəfɛʀ] *vt* rehacer; (*santé, force*) restablecer, reponer; **se ~** *vi* restablecerse, reponerse; **se ~ à qch** acostumbrarse nuevamente a algo; **être refait** (*fam*) ser embaucado.
réfection [ʀefɛksjɔ̃] *nf* reparación *f.*
réfectoire [ʀefɛktwaʀ] *nm* refectorio.
référence [ʀefeʀɑ̃s] *nf* referencia; **~s** *fpl* (*recommandations*) referencias; **ouvrage de ~** obra *o* libro de consulta.
référendum [ʀefeʀɛ̃dɔm] *nm* referéndum *m.*
référer [ʀefeʀe] : **se ~ à** *vt* remitirse a; (*ami, avis*) recurrir a, apoyarse en; **en ~ à qn** informar a alguien.
réfléchi, e [ʀefleʃi] *a* reflexivo(a); (*action, décision*) reflexionado(a), pensado(a).
réfléchir [ʀefleʃiʀ] *vt* reflejar // *vi* reflexionar, cavilar; **~ à/sur** reflexionar en/sobre.
reflet [ʀəflɛ] *nm* reflejo; **~s** *mpl* reflejos; **refléter** *vt* reflejar; **se refléter** *vi* reflejarse.
réflexe [ʀeflɛks(ə)] *a, nm* reflejo; **~ conditionné** reflejo condicionado.
réflexion [ʀeflɛksjɔ̃] *nf* reflexión *f*; (*remarque personnelle*) observación *f*; **~s** *fpl* (*méditations*) reflexiones *fpl*; **avec ~** con inteligencia *o* discernimiento; **~ faite** pensándolo bien.
refluer [ʀəflye] *vi* refluir; (*fig*) retroceder.
reflux [ʀəfly] *nm* reflujo; (*fig*) retroceso.
refondre [ʀəfɔ̃dʀ(ə)] *vt* refundir.
réformation [ʀefɔʀmɑsjɔ̃] *nf*: **la R~** la Reforma.
réforme [ʀefɔʀm(ə)] *nf* reforma; (*MIL*) baja; (*REL*): **la R~** la Reforma.
réformé, e [ʀefɔʀme] *a, nm/f* (*REL*) reformista *m/f*, protestante *m/f.*
réformer [ʀefɔʀme] *vt* reformar; (*rétablir*) restaurar; (*MIL*) dar de baja.
refoulé, e [ʀəfule] *a* reprimido(a), inhibido(a).
refoulement [ʀəfulmɑ̃] *nm* rechazo; (*PSYCH*) inhibición *f*, represión *f.*
refouler [ʀəfule] *vt* rechazar; (*fig*) reprimir.
réfractaire [ʀefʀaktɛʀ] *a* refractario(a).
réfracter [ʀefʀakte] *vt* refractar.
refrain [ʀəfʀɛ̃] *nm* estribillo; (*fig*) cantinela.
refréner, réfréner [ʀəfʀene, ʀefʀene] *vt* refrenar, contener.
réfrigérant, e [ʀefʀiʒeʀɑ̃, ɑ̃t] *a* refrigerante.
réfrigérer [ʀefʀiʒeʀe] *vt* refrigerar; (*fam, aussi fig*) helar, congelar.
refroidir [ʀəfʀwadiʀ] *vt* enfriar; (*air, atmosphère*) refrescar // *vi* enfriar; **se ~** *vi* enfriarse; (*temps*) refrescar; **refroidissement** *nm* (*rhume*) enfriamiento, resfriado.
refuge [ʀəfyʒ] *nm* refugio.
réfugié, e [ʀefyʒje] *a, nm/f* refugiado(a).
réfugier [ʀefyʒje] : **se ~** *vi* refugiarse.
refus [ʀəfy] *nm* negación *f*; rechazo; suspensión *f*; (*opposition*) negativa.
refuser [ʀəfyze] *vt* negar, rehusar; (*ne pas accepter*) rechazar, rehusar; (*SCOL*) suspender; **~ de faire, se ~ de faire** negarse a hacer; **~ qch à qn** negar algo a alguien.
réfuter [ʀefyte] *vt* refutar.
regagner [ʀəgaɲe] *vt* volver a ganar, recuperar; (*affection etc*) volver a obtener; (*lieu, place*) regresar; **~ le temps perdu** recuperar el tiempo perdido.
regain [ʀəgɛ̃] *nm*: **un ~ de** un rebrote de.
régal [ʀegal] *nm* delicia, deleite *m*; **~er: se ~er** *vi* obsequiarse, regalarse.
regard [ʀəgaʀ] *nm* mirada; **au ~**

de respecto a, frente a; **en** ~ al lado, enfrente.
regarder [ʀəgaʀde] *vt* mirar; (*situation, avenir*) considerar; (*suj*: *maison*): ~ **vers** mirar a *o* hacia; (*concerner*) concernir a; ~ **à** *vt* cuidar de; ~ **qn/qch comme** considerar a alguien/algo como; ~ **dans le dictionnaire** consultar el diccionario.
régate [ʀegat] *nf*, ~**s** *nfpl* regatas.
régent [ʀeʒɑ̃] *nm* regente *m*.
régie [ʀeʒi] *nf* administración *f*; (*THÉÂTRE, CINÉMA, TV*) dirección *f*; ~ **autonome des transports parisiens, RATP** *organización f de los transportes públicos de París.*
régime [ʀeʒim] *nm* régimen *m*; (*de bananes etc*) racimo, ramo; **suivre un** ~ (*MÉD*) seguir un régimen; ~ **sans sel** dieta sin sel; **à plein** ~ a toda marcha.
régiment [ʀeʒimɑ̃] *nm* (*MIL*) regimiento; (*l'armée*): **le** ~ el ejército.
région [ʀeʒjɔ̃] *nf* región *f*; ~**al, e, aux** *a* regional; ~**alisation** *nf* regionalización *f*.
régir [ʀeʒiʀ] *vt* regir; **régisseur** *nm* administrador *m*; (*CINÉMA, THÉÂTRE, TV*) director *m*.
registre [ʀəʒistʀ(ə)] *nm* registro.
réglage [ʀeglaʒ] *nm* reglaje *m*.
règle [ʀɛgl(ə)] *nf* regla; ~**s** *fpl* (*menstruation*) reglas; **avoir pour** ~ **de** tener por norma; **en** ~ en regla; **en** ~ **générale** por regla general.
réglé, e [ʀegle] *a* (*vie, personne*) ordenado(a), metódico(a); (*femme*): **bien** ~e regular.
règlement [ʀɛgləmɑ̃] *nm* (*arrêté*) ordenanza; (*règles*) reglamento; **réglementaire** *a* reglamentario(a); **réglementation** *nf* reglamentación *f*; (*règles*) reglamento; **réglementer** *vt* regular.
régler [ʀegle] *vt* regular; (*problème etc*) arreglar; (*facture etc*) liquidar, pagar; (*fournisseur*) pagar a; (*papier*) rayar, reglar.
réglisse [ʀeglis] *nf* regaliz *m*.
règne [ʀɛɲ] *nm* reinado; (*BIO*) reino.
régner [ʀeɲe] *vi* reinar.
regorger [ʀəgɔʀʒe] : ~ **de** *vt* abundar en, rebosar de.
régression [ʀegʀesjɔ̃] *nf* regresión *f*, retroceso.
regret [ʀəgʀɛ] *nm* melancolía, pena; (*remords*) remordimiento, pesar *m*; **à** ~ *ad* de mala gana; **avec** ~ *ad* con pesar.
regretter [ʀəgʀete] *vt* añorar, echar de menos; (*imprudence etc*) arrepentirse de, lamentar; (*déplorer*) lamentar, deplorar; ~ **de** lamentar, sentir; **"je regrette"** "lo lamento *o* siento".
regrouper [ʀəʀupe] *vt* reagrupar.
régulariser [ʀegylaʀize] *vt* regularizar.
régularité [ʀegylaʀite] *nf* regularidad *f*.
régulier, ière [ʀegylje, jɛʀ] *a* regular; (*employé*) puntual, cumplidor(ora); (*élève, écrivain*) constante; (*réglementaire*) legítimo(a), regular.
réhabiliter [ʀeabilite] *vt* rehabilitar.
rehausser [ʀəose] *vt* levantar, elevar; (*fig*) realzar, enaltecer.
rein [ʀɛ̃] *nm* riñón *m*; ~**s** *mpl* riñones *mpl*, cintura.
reine [ʀɛn] *nf* reina.
réintégrer [ʀeɛ̃tegʀe] *vt* volver *o* regresar a; (*fonctionnaire*) reintegrar, rehabilitar.
réitérer [ʀeiteʀe] *vt* reiterar.
rejaillir [ʀəʒajiʀ] *vi* salpicar; (*fig*): ~ **sur** recaer sobre.
rejet [ʀəʒɛ] *nm* (*POÉSIE*) encabalgamiento; **phénomène de** ~ fenómeno de rechazo.
rejeter [ʀəʒte] *vt* devolver; (*refouler*) arrojar; (*écarter*) rechazar; (*reporter*) remitir; ~ **la responsabilité de qch sur qn** achacar la responsabilidad de algo a alguien.
rejeton [ʀəʒtɔ̃] *nm* (*fam*) retoño.
rejoindre [ʀəʒwɛ̃dʀ(ə)] *vt* reunirse

con; (*rattraper*) alcanzar; (*lieu*) llegar a; **se** ~ *vi* encontrarse; (*routes*) juntarse; (*fig*) acercarse a.

réjouir [ʀeʒwiʀ] *vt* alegrar, regocijar; **se** ~ *vi* alegrarse.

réjouissances [ʀeʒwisɑ̃s] *nfpl* festejos.

relâche [ʀəlɑʃ] : **faire** ~ *vi* hacer escala; (CINÉMA) no haber función; **sans** ~ *ad* sin tregua.

relâcher [ʀəlɑʃe] *vt* aflojar; (*animal, prisonnier*) soltar; **se** ~ *vi* aflojarse; (*discipline*) relajarse; (*élève etc*) aflojar.

relais [ʀəlɛ] *nm*: (**course de**) ~ carrera de relevos; (RADIO, TV) relé *m*, relevador *m*; **équipe de** ~ turno; **travail par** ~ trabajo por turnos; ~ **routier** parada; ~ **de télévision** transmisora.

relancer [ʀəlɑ̃se] *vt* lanzar de[illegible] nuevamente[illegible] en marcha; (*économie etc*) reactiv[illegible]ar; (*péj*) [illegible]diar.

rel[illegible]**atif, ive** [illegible]əlaf, iv] *a* relat[illegible]vo(a).

rela[illegible] [ʀəlasj[illegible] *nf* relato; (*rappor*[illegible]) relaci[illegible] *f*; ~s *fpl* relaciones [illegible]s **publiques** relaciones públicas.

relativement [ʀəlativmɑ̃] *ad* relativamente; ~ **à** en relación a, comparado(a) con.

relativité [ʀəlativite] *nf* relatividad *f*.

relaxer [ʀəlakse] *vt* poner en libertad; (*détendre*) relajar; **se** ~ *vi* relajarse.

relayer [ʀəleje] *vt* relevar; (RADIO, TV) retransmitir; **se** ~ relevarse, turnarse.

relégation [ʀəlegɑsjɔ̃] *nf* (SPORT) expulsión *f*.

reléguer [ʀəlege] *vt* relegar.

relent [ʀəlɑ̃] *nm* hedor *m*, tufo.

relève [ʀəlɛv] *nf* relevo.

relevé, e [ʀəlve] *a* (*virage*) peraltado(a); (*fig*) elevado(a); (: *sauce, plat*) picante, fuerte // *nm* lista, detalle *m*; (*d'un compteur*) lectura; (*topographique*) relevamiento.

relever [ʀəlve] *vt* levantar; (*niveau de vie, salaire*) elevar; (*sentinelle, équipe*) relevar; (*fautes, points*) señalar; (*constater*) notar, constatar; (*répliquer à*) responder a; (*défi*) aceptar; (*inscrire*) anotar; (*cahiers etc*) recoger // *vi*, **se** ~ *vi* levantarse; ~ **de** *vt* depender de; ~ **qn de** liberar a alguien de; ~ **de maladie** reponerse de una enfermedad.

relief [ʀəljɛf] *nm* relieve *m*; ~**s** *mpl* restos; **en** ~ en relieve; **donner du** ~ **à** dar realce a.

relier [ʀəlje] *vt* comunicar, unir; (*fig*) relacionar; (*livre*) encuadernar; ~ **qch à** ligar algo a; **relieur, euse** *nm/f* encuadernador/ora.

rel[illegible]**gieux, euse** [ʀəliʒjø, øz] *a* re[illegible]oso(a) // *nm* monje *m*, fraile *m* // [illegible] religiosa, monja; (*gâteau*) pastel de cre[illegible]a.

religion [[illegible]liʒjɔ̃] *nf* religión *f*; **entrer en** [illegible] hace[illegible]se religioso(a).

reli[illegible] [ʀəlika] *nm* ([illegible]) saldo.

relique [ʀəlik] *nf* reliquia.

relire [ʀəliʀ] *vt*, **se** ~ *vi* releer.

reliure [ʀəljyʀ] *nf* encuadernación *f*.

reluire [ʀəlɥiʀ] *vi* relucir.

remailler [ʀəmɑje] *vt* remallar.

remaniement [ʀəmanimɑ̃] *nm*: ~ **ministériel** reorganización *f* ministerial.

remanier [ʀəmanje] *vt* (*roman, texte*) modificar, retocar.

remarquable [ʀəmaʀkabl(ə)] *a* notable.

remarque [ʀəmaʀk(ə)] *nf* observación *f*; (*commentaire, note*) advertencia, nota.

remarquer [ʀəmaʀke] *vt* notar; ~ **que** notar que; (*dire*) señalar que; **se** ~ notarse; **faire** ~ **que** advertir *o* señalar que; **faire** ~ **qch** señalar *o* hacer notar algo.

remballer [ʀɑ̃bale] *vt* volver a embalar.

remblai [ʀɑ̃blɛ] *nm* terraplén *m*.

remblayer [ʀɑ̃bleje] *vt* terraplenar.
rembourrer [ʀɑ̃buʀe] *vt* rellenar.
remboursement [ʀɑ̃buʀsəmɑ̃] *nm* reintegro, devolución *f*; **envoi contre** ~ envío contra reembolso.
rembourser [ʀɑ̃buʀse] *vt* abonar, saldar; (*personne*) resarcir.
rembrunir [ʀɑ̃bʀyniʀ] : **se** ~ *vi* ensombrecerse, entristecerse.
remède [ʀəmɛd] *nm* remedio.
remédier [ʀəmedje] : ~ **à** *vt* remediar, subsanar.
remembrement [ʀəmɑ̃bʀəmɑ̃] *nm* concentración *f* de parcelas.
remémorer [ʀəmemɔʀe]: **se** ~ *vt* rememorar, recordar(se).
remerciement [ʀəmɛʀsimɑ̃] *nmpl*: ~**s** agradecimiento.
remercier [ʀəmɛʀsje] *vt* agradecer; (*congédier*) despedir; ~ **qn de qch** agradecer algo a alguien; ~ **qn d'avoir fait qch** agradecer a alguien por haber hecho algo.
remettre [ʀəmɛtʀ(ə)] *vt* (*vêtement*) ponerse de nuevo; (*replacer*) meter [illegible] de nuevo; (*ajouter*) agregar; (*rendre*) devolver; (*donner*) confiar; (*prix, décoration*) otorgar; (*ajourner*) aplazar; **se** ~ *vi* reponerse; (*temps*) mejorar; **se** ~ **à** volver a; **se** ~ **de** *vt* reponerse de; **s'en** ~ **à** contar con; ~ **qch en place** volver a poner algo en su lugar; ~ **à l'heure** colocar en hora; ~ **en marche/en ordre** volver a poner en marcha/en orden; ~ **en état** reparar; ~ **en cause/question** poner nuevamente en causa/en tela de juicio; ~ **sa démission** dar su demisión; ~ **qch à plus tard** dejar algo para más tarde; ~ **à neuf** dejar como nuevo.
remise [ʀəmiz] *nf* (*réduction*) rebaja; (*lieu*) cochera; ~ **en jeu** saque *m*; ~ **de peine** remisión *f* de pena.
remontée [ʀəmɔ̃te] *nf* ascenso, subida; ~**s mécaniques** telesquíes *mpl*.
remonte-pente [ʀəmɔ̃tpɑ̃t] *nm* telesquí *m*.
remonter [ʀəmɔ̃te] *vi* volver a subir; (*sur un cheval*) volver a montar; (*jupe*) alzarse // *vt* volver a subir; (*fleuve*) remontar; (*pantalon, col*) levantar; (*rayon, limite*) levantar; (*réconforter*) reanimar; (*moteur, meuble*) volver a montar *o* armar; (*collection*) renovar; (*mécanisme*) dar cuerda a; ~ **à** (*dater de*) remontar a.
remontoir [ʀəmɔ̃twaʀ] *nm* corona.
remontrance [ʀəmɔ̃tʀɑ̃s] *nf* advertencia, amonestación *f*.
remontrer [ʀəmɔ̃tʀe] *vt* volver a mostrar.
remords [ʀəmɔʀ] *nm* remordimiento.
remorque [ʀəmɔʀk(ə)] *nf* remolque *m*; **remorquer** *vt* remolcar; **remorqueur** *nm* remolcador [illegible]
rémouleur [ʀemulœʀ] *nm* afilador *m*.
remous [ʀəmu] *nm* torbellino; (*d'une rivière*) remolino.
rempailler [ʀɑ̃pɑje] *vt* cambiar la paja a.
rempart [ʀɑ̃paʀ] *nm* [illegible]; (*fig*) escudo; ~**s** *mpl* murallas.
remplaçant, e [ʀɑ̃plasɑ̃, ɑ̃t] *nm/f* sustituto/a; (*d'un acteur*) doble *m/f*.
remplacement [ʀɑ̃plasmɑ̃] *nm* (SCOL) reemplazo, suplencia.
remplacer [ʀɑ̃plase] *vt* reemplazar; (*ami, pneu etc*) cambiar.
rempli, e [ʀɑ̃pli] *a* (*occupé*) completo(a); ~ **de** lleno de.
remplir [ʀɑ̃pliʀ] *vt* llenar; (*journée, vie*) emplear; (*promesses, conditions etc*) cumplir con; (*fonctions etc*) desempeñar; **se** ~ *vi* llenarse; ~ **qch de** llenar algo con *o* de; ~ **qn de** colmar a alguien de.
remporter [ʀɑ̃pɔʀte] *vt* llevar de vuelta; (*victoire etc*) obtener.
remue-ménage [ʀəmymenaʒ] *nm inv* trasiego, desorden *m*.
remuer [ʀəmɥe] *vt* mover; (*café, salade*) remover; (*émouvoir*)

emocionar // *vi* moverse; (*fig*) agitarse; **se** ~ *vi* moverse.
rémunérer [ʀemyneʀe] *vt* remunerar.
renaissance [ʀənɛsɑ̃s] *nf*: **la R~** el Renacimiento.
rénal, e, aux [ʀenal, o] *a* renal.
renard [ʀənaʀ] *nm* zorro; (*fourrure*) piel *f* de zorro.
rencart, rencard [ʀɑ̃kaʀ] *nm voir* **rancard.**
renchérir [ʀɑ̃ʃeʀiʀ] *vi* encarecerse; ~ **(sur)** ir más allá (de).
rencontre [ʀɑ̃kɔ̃tʀ(ə)] *nf* (*entrevue, congrès,* SPORT) encuentro; **aller à la ~ de qn** ir al encuentro de alguien.
rencontrer [ʀɑ̃kɔ̃tʀe] *vt* encontrar, (*avoir une entrevue avec*) entrevistarse con; (SPORT) enfrentarse con; **se** ~ encontrarse; (*fleuves*) confluir; (*voitures*) chocar.
rendement [ʀɑ̃dmɑ̃] *nm* rendimiento; **à plein** ~ con pleno rendimiento.
rendez-vous [ʀɑ̃devu] *nm* cita; (*lieu*) lugar *m* de cita; **avoir ~ (avec qn)** tener una cita (con alguien); **prendre ~ (avec qn)** citarse (con alguien).
rendre [ʀɑ̃dʀ(ə)] *vt* devolver; (*otages, prisonniers*) entregar; (*sang*) echar; (*son*) emitir; (*pensée, tournure*) reflejar; ~ **qn célèbre/qch possible** hacer célebre a alguien/posible algo; **se** ~ rendirse; **se** ~ **quelque part** ir a algún lado; ~ **la liberté à qn** restituir la libertad a alguien; ~ **compte de qch à qn** rendir cuenta de algo a alguien; ~ **des comptes à qn** rendir cuentas a alguien.
rênes [ʀɛn] *nfpl* riendas.
renfermé, e [ʀɑ̃fɛʀme] *a* cerrado(a) // *nm*: **sentir le** ~ oler a cerrado.
renfermer [ʀɑ̃fɛʀme] *vt* encerrar, contener; **se** ~ encerrarse.
renflé, e [ʀɑ̃fle] *a* abultado(a).
renflouer [ʀɑ̃flue] *vt* reflotar.
renforcement [ʀɑ̃fɔʀsəmɑ̃] *nm* hueco.
renforcer [ʀɑ̃fɔʀse] *vt* reforzar; (*expression, argument*) confirmar; (*soupçons*) reafirmar.
renfort [ʀɑ̃fɔʀ] : **~s** *nmpl* refuerzos; **à grand ~ de** a fuerza de.
renfrogner [ʀɑ̃fʀɔɲe]: **se** ~ *vi* fruncir el ceño, enfurruñarse.
rengaine [ʀɑ̃gɛn] *nf* (*péj*) cantinela.
rengainer [ʀɑ̃gene] *vt* envainar.
rengorger [ʀɑ̃gɔʀʒe] : **se** ~ *vi* (*fig*) pavonearse.
renier [ʀənje] *vt* renegar de; (*engagements*) eludir, negar.
renifler [ʀənifle] *vi* resoplar // *vt* (*tabac*) aspirar; (*odeur*) oler.
renne [ʀɛn] *nm* reno.
renom [ʀənɔ̃] *nm* renombre *m*; **~mé, e** *a* renombrado(a) // *nf* fama.
renoncer [ʀənɔ̃se] : ~ **à** *vt* renunciar a.
renouer [ʀənwe] *vt* (*cravate*) hacer de nuevo el nudo; (*lacets*) atar *o* anudar nuevamente; (*fig*) reanudar; ~ **avec** reanudar la amistad con; (*tradition, mode*) resucitar, restablecer.
renouveau [ʀənuvo] *nm* rebrote *m.*
renouveler [ʀənuvle] *vt* renovar; (*exploit, méfait*) repetir; **se** ~ repetirse; (*artiste etc*) renovarse.
rénover [ʀenɔve] *vt* renovar.
renseignement [ʀɑ̃sɛɲmɑ̃] *nm* información *f.*
renseigner [ʀɑ̃seɲe] *vt*: ~ **qn (sur)** informar a alguien (sobre); (*suj: expérience etc*) instruir, informar; **se** ~ informarse.
rentable [ʀɑ̃tabl(ə)] *a* rentable.
rente [ʀɑ̃t] *nf* renta; **rentier, ière** *nm/f* rentista *m/f.*
rentrée [ʀɑ̃tʀe] *nf* (*d'argent*) entrada, ingreso; **la ~ (des classes)/(parlementaire)** la reapertura (del curso escolar)/(del Parlamento); **faire sa** ~ volver a escena.

rentrer [rɑ̃tʀe] *vi* volver a entrar; (*revenir chez soi*) regresar; (*air, clou*) entrar; (*argent etc*) entrar, ingresar // *vt* entrar; (*chemise dans pantalon etc*) meter; (*fig*) contener; ~ **dans** entrar en; (*heurter*) estrellarse contra; ~ **dans son pays** volver a su país; ~ **dans l'ordre** volver al orden; ~ **dans son argent** recuperar su dinero.

renverse [rɑ̃vɛʀs(ə)] : **à la** ~ *ad* de espaldas.

renversé, e [rɑ̃vɛʀse] *a* (*écriture, image*) invertido(a).

renversement [rɑ̃vɛʀsəmɑ̃] *nm*: ~ **de la situation** cambio *o* inversión *f* de la situación.

renverser [rɑ̃vɛʀse] *vt* (*retourner*) poner boca abajo; (*piéton*) atropellar; (*chaise*) derribar; (*récipient*) hacer caer; (*liquide, contenu*) volcar; (*intervertir*) invertir, trastocar; (*gouvernement*) derrocar; (*stupéfier*) sorprender; **se** ~ *vi* derrumbarse; (*véhicule*) darse vuelta; (*liquide*) volcarse; **se** ~ **(en arrière)** echarse hacia atrás.

renvoi [rɑ̃vwa] *nm* expulsión *f*; despido; devolución *f*; reexpedición *f*; reflexión *f*; aplazamiento; (*référence*) llamada; (*éructation*) eructo.

renvoyer [rɑ̃vwaje] *vt* (*faire retourner*) hacer volver; (*élève*) expulsar; (*employé*) despedir; (*balle*) devolver; (*colis etc*) reexpedir; (*lumière, son*) reflejar, repetir; (*ajourner*) aplazar; ~ **qch à qn** devolver algo a alguien; ~ **qch à** (*ajourner*) aplazar algo para; ~ **qn à** (*référer*) remitir (a) alguien a.

réorganiser [ʀeɔʀganize] *vt* reorganizar, restructurar.

réouverture [ʀeuvɛʀtyʀ] *nf* (*COMM*) reapertura.

repaire [ʀəpɛʀ] *nm* guarida.

répandre [ʀepɑ̃dʀ(ə)] *vt* derramar; (*sable etc*) desparramar; (*lumière, odeur etc*) difundir; (*fig*) propagar; (: *terreur etc*) sembrar; **se** ~ *vi* derramarse; (*odeur, fumée*) propagarse; (*foule*) desparramarse; (*fig*) propagarse; **se** ~ **en** deshacerse en; **répandu, e** *a* difundido(a).

réparation [ʀepaʀɑsjɔ̃] *nf* reparación *f*; ~**s** *fpl* (*travaux*) reparaciones *fpl*; **en** ~ en reparación *o* arreglo.

réparer [ʀepaʀe] *vt* reparar.

repartie [ʀepaʀti] *nf* réplica.

repartir [ʀəpaʀtiʀ] *vi* volver a partir.

répartir [ʀepaʀtiʀ] *vt* repartir; (*personnes, objets*) distribuir, dispersar; **se** ~ *vt* (*travail, rôles*) repartirse; **répartition** *nf* reparto.

repas [ʀəpɑ] *nm* comida.

repasser [ʀəpɑse] *vi* pasar de nuevo, volver a pasar // *vt* planchar; (*examen*) examinarse de nuevo; (*film*) poner de nuevo; (*plat, pain*) volver a pasar; (*leçon, rôle*) repasar.

repêcher [ʀəpeʃe] *vt* (*noyé*) sacar del agua; (*fam*) aprobar raspando.

repenser [ʀəpɑ̃se] *vi*: ~ **à qch** pensar nuevamente en algo; (*considérer à nouveau*) repensar algo.

repentir [ʀəpɑ̃tiʀ] : **se** ~ *vi* arrepentirse.

répercuter [ʀepɛʀkyte] : **se** ~ *vi* repercutir.

repère [ʀəpɛʀ] *nm* señal *f*, indicio; (*TECH*) marca, señal; **repérer** *vt* identificar, descubrir; (*MIL*) localizar; **se repérer** orientarse; **se faire repérer** dejarse catalogar.

répertoire [ʀepɛʀtwaʀ] *nm* repertorio; (*carnet*) agenda; **répertorier** *vt* inventariar, catalogar.

répéter [ʀepete] *vt* repetir; (*leçon, rôle*) repasar // *vi* ensayar; **se** ~ repetirse.

répétition [ʀepetisjɔ̃] *nf* repetición *f*; (*THÉÂTRE*) ensayo; ~**s** *fpl* lecciones *fpl* particulares; **à** ~ a de repetición.

repeupler [ʀəpœple] *vt* repoblar.

répit [ʀepi] *nm* reposo; (*fig*) tregua.

replacer [ʀəplase] *vt* volver a colocar.

replanter [ʀəplɑ̃te] *vt* volver a plantar; trasplantar.

replet, ète [ʀəplɛ, ɛt] *a* rollizo(a), rechoncho(a).

repli [ʀəpli] *nm* pliegue *m*; (*MIL, fig*) repliegue *m*; **~s** *mpl* (*d'un drapé*) pliegues *mpl*.

replier [ʀəplije] *vt* plegar; **se ~** *vi* (*troupes*) replegarse.

réplique [ʀeplik] *nf* réplica; (*THÉÂTRE*) entrada; **sans ~** *a* categórico(a).

répliquer [ʀeplike] *vi* replicar; **~ à** replicar; **~ que** contestar que.

répondre [ʀepɔ̃dʀ(ə)] *vi* responder, contestar; (*avec impertinence*) contestar; (*mécanisme*) responder; **~ à** *vt* responder a; (*avec impertinence*) contestar a; **~ que** responder *o* contestar que; **~ de** responder de, garantizar.

réponse [ʀepɔ̃s] *nf* respuesta.

report [ʀəpɔʀ] *nm* traslado; postergación *f*; vuelco.

reportage [ʀəpɔʀtaʒ] *nm* reportaje *m*.

reporter [ʀəpɔʀtɛʀ] *nm* reportero/a // *vt* [ʀəpɔʀte] trasladar; (*ajourner*) postergar; (*affection etc*): **~ qch sur** volcar algo sobre; **se ~ à** remontarse a; (*document etc*) remitirse a.

repos [ʀəpo] *nm* reposo, descanso; (*après maladie*) reposo; (*paix, tranquillité*) calma, (*MIL*): **~!** ¡descanso!; **en ~** en paz, en reposo; **au ~** en reposo, reposando; **de tout ~** tranquilo(a).

reposer [ʀəpoze] *vt* colocar de nuevo, volver a poner; (*rideaux etc*) volver a colocar; (*question etc*) plantear de nuevo; (*délasser*) reposar, descansar // *vi* reposar; **~ sur** apoyarse sobre; **se ~** *vi* reposarse, descansar; **se ~ sur qn** apoyarse en alguien; **ici repose...** aquí yace *o* descansa.

repousser [ʀəpuse] *vi* volver a crecer // *vt* rechazar, repeler; (*proposition etc*) rechazar; (*différer*) prorrogar; (*tiroir, table*) empujar.

répréhensible [ʀepʀeɑ̃sibl(ə)] *a* reprochable, vituperable.

reprendre [ʀəpʀɑ̃dʀ(ə)] *vt* volver a coger; (*MIL*) tomar nuevamente; (*chercher*) buscar, recoger; (*pain, salade*) tomar más; (*objet prêté, donné*) recuperar; (*COMM*) recomprar; (*travail, études*) reanudar; (*histoire*) recomenzar; (*argument, prétexte*) repetir; (*dire*): **reprit-il** agregó, prosiguió; (*corriger*) corregir, modificar; (*jupe, pantalon*) retocar; (*émission, pièce*) reponer; (*personne*) reprender // *vi* (*cours, classes*) recomenzar, volver a empezar; (*activités, travaux etc*) recomenzar; (*froid etc*) volver; (*affaires, industrie*) recuperarse; **se ~** corregirse; **~ la route** proseguir camino; **~ connaissance** volver en sí; **~ haleine** recobrar aliento; **~ la parole** retirar la palabra.

représentant, e [ʀəpʀezɑ̃tɑ̃, ɑ̃t] *nm/f* representante *m/f*; (*type*) ejemplar *m*, arquetipo.

représentation [ʀəpʀezɑ̃tsjɔ̃] *nf* representación *f*; **faire de la ~** representar, ser representante.

représenter [ʀəpʀezɑ̃te] *vt* representar; (*pays, assemblée, société etc*) representar a; (*dire*) advertir; **se ~** *vt* imaginarse.

répression [ʀepʀesjɔ̃] *nf* represión *f*.

réprimander [ʀepʀimɑ̃de] *vt* dar una reprimenda, reprender.

réprimer [ʀepʀime] *vt* reprimir.

repris [ʀəpʀi] *nm*: **~ de justice** *persona que tiene antecedentes penales.*

reprise [ʀəpʀiz] *nf* nueva toma; nueva compra; corrección *f*; retoque *m*; recuperación *f*; (*TV, THÉÂTRE*) reposición *f*; (*AUTO*) poder *m* de aceleración; (*COMM*) recompra; (*raccommodage*) zurcido; **à plusieurs ~s** varias

veces; **repriser** *vt* zurcir.
réprobation [ʀepʀɔbɑsjɔ̃] *nf* reprobación *f*, condena.
reproche [ʀəpʀɔʃ] *nm* reproche *m*.
reprocher [ʀəpʀɔʃe] *vt*: ~ **qch à qn** reprochar algo a alguien; ~ **qch à** (*machine, théorie*) censurar *o* criticar algo a; **se** ~ **qch/d'avoir fait qch** reprocharse algo/por haber hecho algo.
reproducteur, trice [ʀəpʀɔdyktœʀ, tʀis] *a* reproductor(ora).
reproduction [ʀəpʀɔdyksjɔ̃] *nf* reproducción *f*; ~ **interdite** prohibida la reproducción.
reproduire [ʀəpʀɔdɥiʀ] *vt* reproducir; **se** ~ *vi* reproducirse; (*faits etc*) repetirse.
réprouver [ʀepʀuve] *vt* reprobar.
reptile [ʀɛptil] *nm* reptil *m*.
repu, e [ʀəpy] *a* saciado(a).
républicain, e [ʀepyblikɛ̃, ɛn] *a, nm/f* republicano(a).
république [ʀepyblik] *nf* república; **la R~ Française** la República Francesa.
répudier [ʀepydje] *vt* repudiar.
répugner [ʀepyɲe]: ~ **à** *vt* repugnar *o* repeler a.
répulsion [ʀepylsjɔ̃] *nf* repulsión *f*.
réputation [ʀepytɑsjɔ̃] *nf* reputación *f*; **connaître qn/qch de** ~ conocer a alguien/algo por su reputación.
réputé, e [ʀepyte] *a* célebre.
requérir [ʀəkeʀiʀ] *vt* requerir; (*JUR*) exigir; (*peine*) pedir.
requête [ʀəkɛt] *nf* petición *f*; (*JUR*) demanda.
requiem [ʀekɥijɛm] *nm* réquiem *m*.
requiers *nm vb voir* **requérir.**
requin [ʀəkɛ̃] *nm* tiburón *m*.
requis, e *pp de* **requérir.**
réquisition [ʀekizisjɔ̃] *nf* requisición *f*; ~**ner** *vt* requisar.
réquisitoire [ʀekizitwaʀ] *nm* requisitoria; (*fig*) denuncia.
RER *sigle m* (= *Réseau express régional*) *tren de alta velocidad que viaja entre París y sus afueras.*
rescapé, e [ʀɛskape] *nm/f* sobreviviente *m/f*.
rescousse [ʀɛskus] *nf*: **venir à la** ~ **de qn** acudir en ayuda de alguien; **appeler qn à la** ~ pedir auxilio a alguien.
réseau, x [ʀezo] *nm* red *f*.
réservation [ʀezɛʀvɑsjɔ̃] *nf* reserva.
réserve [ʀezɛʀv(ə)] *nf* reserva; (*entrepôt*) depósito; ~**s** *fpl* reservas; (*restrictions*): **faire des** ~**s** poner peros; **officier de** ~ oficial *m* de complemento; **sous toutes** ~**s** con muchas reservas.
réservé, e [ʀezɛʀve] *a* reservado(a).
réserver [ʀezɛʀve] *vt* reservar; (*réponse, diagnostic*) reservarse, callar; ~ **qch à** (*usage etc*) destinar algo a *o* para; **se** ~ **qch** reservarse *o* quedarse con algo; **se** ~ **de faire qch** reservarse de hacer algo.
réserviste [ʀezɛʀvist(ə)] *nm* reservista *m*.
réservoir [ʀezɛʀvwaʀ] *nm* depósito, tanque *m*.
résidence [ʀezidɑ̃s] *nf* residencia; (*immeubles*) barrio residencial; ~ **surveillée** domicilio controlado; **résidentiel, e** *a* residencial.
résider [ʀezide] *vi* residir.
résidu [ʀezidy] *nm* residuo.
résigner [ʀeziɲe] *vt* resignar, renunciar a; **se** ~ *vi* resignarse.
résilier [ʀezilje] *vt* rescindir.
résille [ʀezij] *nf* redecilla.
résine [ʀezin] *nf* resina; **résineux** *nm* conífera.
résistance [ʀezistɑ̃s] *nf* resistencia; **la R~** la Resistencia.
résistant, e [ʀezistɑ̃, ɑ̃t] *a* resistente, fuerte // *nm/f* miembro de la Resistencia.
résister [ʀeziste] *vi* resistir; ~ **à** *vt* resistir; (*personne*) oponerse *o* contrariar a.
résolu, e [ʀezɔly] *pp de* **résoudre** // *a* (*fig*) resuelto(a), decidido(a).
résolution [ʀezɔlysjɔ̃] *nf* resolución *f*; **bonnes** ~**s** buenos propósitos.

résolve *etc vb voir* **résoudre.**
résonance [ʀezɔnɑ̃s] *nf* resonancia.
résonner [ʀezɔne] *vi* sonar, resonar; (*salle, rue*) resonar.
résorber [ʀezɔʀbe] : **se ~** *vi* reabsorberse.
résoudre [ʀezudʀ(ə)] *vt* resolver; **se ~ à** resolverse *o* decidirse a.
respect [ʀɛspɛ] *nm* respeto; **~s** *mpl*: **présenter ses ~s à qn** presentar sus saludos a alguien; **tenir qn en ~** tener a raya a alguien; **~able** *a* respetable; **~er** *vt* respetar.
respectif, ive [ʀɛspɛktif, iv] *a* respectivo(a); **respectivement** *ad* respectivamente.
respectueux, euse [ʀɛspɛktɥø, øz] *a* respetuoso(a).
respiration [ʀɛspiʀɑsjɔ̃] *nf* respiración *f*; **retenir sa ~** contener la respiración; **~ artificielle** respiración artificial.
respirer [ʀɛspiʀe] *vi, vt* respirar.
resplendir [ʀɛsplɑ̃diʀ] *vi* resplandecer.
responsabilité [ʀɛspɔ̃sabilite] *nf* responsabilidad *f*; **~ civile** *etc* responsabilidad civil *etc*.
responsable [ʀɛspɔ̃sabl(ə)] *a* responsable // *nm/f* (*du ravitaillement etc*) encargado/a; (*d'un parti, syndicat*) delegado/a.
resquilleur, euse [ʀɛskijœʀ, øz] *nm/f* colón/ona.
ressac [ʀəsak] *nm* resaca.
ressaisir [ʀəseziʀ] : **se ~** *vi* reponerse.
ressasser [ʀəsɑse] *vt* rumiar; reiterar, repetir.
ressemblance [ʀəsɑ̃blɑ̃s] *nf* parecido, semejanza; (ART) similitud *f*, parecido; (*analogie*) semejanza; (*trait commun*) parecido.
ressembler [ʀəsɑ̃ble] : **~ à** *vt* parecerse a; (*moralement, par analogie*) asemejarse a; **se ~** parecerse, asemejarse.
ressemeler [ʀəsəmle] *vt* cambiar la suela a.
ressentir [ʀ(ə)sɑ̃tiʀ] *vt* sentir; **se ~ de** resentirse por, sufrir.
resserre [ʀəsɛʀ] *nf* cobertizo.
resserrer [ʀəseʀe] *vt* estrechar; (*pores*) cerrar; (*nœud, boulon*) apretar, ajustar; **se ~** *vi* estrecharse; (*liens, nœuds*) ajustarse.
resservir [ʀəsɛʀviʀ] *vt* volver a servir; (*servir davantage*): **~ de qch (à qn)** servir nuevamente algo (a alguien) // *vi* (*être réutilisé*) servir nuevamente; **se ~ de** volver a servirse de; (*outil etc*) volver a usar.
ressort [ʀəsɔʀ] *nm* resorte *m*; **en dernier ~** en última instancia; **être du ~ de** ser de la competencia de.
ressortir [ʀəsɔʀtiʀ] *vi* salir de nuevo; (*projectile etc*) salir; (*contraster*) resaltar // *vt* volver a salir; **il ressort de ceci que ...** resulta de esto que... .
ressortissant, e [ʀəsɔʀtisɑ̃, ɑ̃t] *nm/f* natural *m/f*, nacional *m/f*.
ressource [ʀəsuʀs(ə)] *nf* recurso; **~s** *fpl* recursos.
ressusciter [ʀesysite] *vt, vi* resucitar.
restant, e [ʀɛstɑ̃, ɑ̃t] *nm* resto // *a* restante.
restaurant [ʀɛstɔʀɑ̃] *nm* restaurante *m*; **~ universitaire** comedor *m* universitario.
restaurateur, trice [ʀɛstɔʀatœʀ, tʀis] *nm/f* restaurador/ora; (*aubergiste*) dueño/a de un restaurante.
restauration [ʀɛstɔʀɑsjɔ̃] *nf* restauración *f*; **la ~** la hotelería.
restaurer [ʀɛstɔʀe] *vt* restaurar; **se ~** *vi* comer.
restauroute *nm* = **restoroute.**
reste [ʀɛst(ə)] *nm* resto; **~s** *mpl* restos; **pour le ~, quant au ~** *ad* por lo demás, en cuanto al resto; **et tout le ~** y todo el resto *o* lo demás; **demeurer en ~** quedar en deuda; **du ~, au ~** *ad* además.
rester [ʀɛste] *vi* quedarse, permanecer; (*être encore là,*

subsister) permanecer; (*durer*) quedar // *vb impersonnel*: **il me reste du pain/10 minutes** (me) queda pan/quedan 10 minutos; **ils en sont restés à des pourparlers** no fueron más allá de las negociaciones; **il y est resté** murió.

restituer [Rɛstitɥe] *vt* restituir; (*texte, inscription*) reconstruir.

restoroute [Rɛstɔrut] *nm* restaurante *m* de carretera.

restreindre [RɛstRɛ̃dR(ə)] *vt* restringir; **se ~** restringirse.

restriction [RɛstRiksjɔ̃] *nf* restricción *f*; **~s** *fpl* (*rationnement*) restricciones *fpl*; **faire des ~s** (*mentales*) manifestar reservas.

résultat [Rezylta] *nm* resultado; **~s** *mpl* resultados.

résulter [Rezylte] : **~ de** *vt* derivarse de; **il résulte de ceci que** de esto se deduce que.

résumé [Rezyme] *nm* resumen *m*; **en ~** *ad* en resumen.

résumer [Rezyme] *vt*, **se ~** *vt réfléchi* resumir; **se ~ à** reducirse a.

résurgence [RezyRʒɑ̃s] *nf* surgente *m*.

résurrection [RezyRɛksjɔ̃] *nf* resurrección *f*.

rétablir [RetabliR] *vt* restablecer; **se ~** *vi* restablecerse; (*GYMNASTIQUE etc*): **se ~ (sur)** elevarse (sobre); **rétablissement** *nm* (*GYMNASTIQUE etc*) elevación *f*.

rétamer [Retame] *vt* volver a estañar, estañar de nuevo.

retaper [Rətape] *vt* arreglar; (*fam*) robustecer; (*redactylographier*) mecanografiar de nuevo.

retard [RətaR] *nm* atraso, retraso; (*d'une personne attendue*) atraso; (*d'un train etc*) demora, retraso; **arriver en ~** llegar con retraso; **être en ~** estar retrasado(a); **être en ~ de 2h** llevar un retraso de 2 hs; **avoir un ~ de 2h/2km** tener un atraso de 2 hs/2km; **avoir du/une heure de ~** tener/una hora de retraso; **prendre du ~** (*train, avion*) atrasarse; (*montre*) atrasar; **sans ~** *ad* sin demora; **~ à l'allumage** retardo en el encendido.

retardataire [RətaRdatɛR] *nm/f* atrasado/a, rezagado/a.

retardement [RətaRdəmɑ̃] : **à ~** *a* de retardo.

retarder [RətaRde] *vt* retrasar, demorar; (*sur un programme*) retrasar; (*montre*) atrasar; (*départ, date*) retardar // *vi* retrasar, atrasar; **ça m'a retardé d'une heure** esto me ha demorado *o* atrasado una hora; **~ son départ de 2 heures** retrasar su partida en 2 horas.

retenir [RətniR] *vt* retener; (*objet*) sujetar, sostener; (*odeur, lumière etc*) conservar; (*fig*) contener; (*suggestion etc*) tener en cuenta; (*chambre*) reservar; (*MATH*) llevarse; **se ~** (*euphémisme*) aguantarse; **se ~ (à)** sostenerse (de); **se ~ (de faire qch)** contenerse (de hacer algo); **~ son souffle** contener la respiración.

retentir [Rətɑ̃tiR] *vi* resonar; (*salle*): **~ de** resonar con; **~ sur** *vt* repercutir en *o* sobre.

retentissant, e [Rətɑ̃tisɑ̃, ɑ̃t] *a* resonante; (*fig*) clamoroso(a).

retentissement [Rətɑ̃tismɑ̃] *nm* estrépito, resonancia; (*éclat*) repercusión *f*, resonancia.

retenue [Rətny] *nf* descuento; (*MATH*) lo que se lleva; (*SCOL*) penitencia; (*modération*) discreción *f*.

réticence [Retisɑ̃s] *nf* vacilación *f*; (*omission*) reticencia; **sans ~** *ad* sin reparos.

rétif, ive [Retif, iv] *a* repropio(a).

rétine [Retin] *nf* retina.

retiré, e [RətiRe] *a* retirado(a).

retirer [RətiRe] *vt* retirar; (*vêtement etc*) sacar, quitar; **~ qch à qn** quitar *o* retirar algo a alguien; **~ qch de** sacar algo de; **se ~** *vi* retirarse.

retombées [Rətɔ̃be] *nfpl* lluvia; (*fig*) consecuencias.

retomber [Rətɔ̃be] *vi* caer; (*tomber de nouveau*) caer de nuevo; **~ sur**

qn (*fig*) recaer sobre alguien.
rétorquer [ʀetɔʀke] *vt*: ~ **qch à qn** retrucar algo a alguien.
rétorsion [ʀetɔʀsjɔ̃] *nf*: **mesures de** ~ medidas de retorsión.
retoucher [ʀətuʃe] *vt* retocar.
retour [ʀətuʀ] *nm* regreso; (*fig, du printemps etc*) retorno; (*COMM, POSTES*) devolución *f*; **au** ~ al regreso; **à mon** ~ a mi regreso; **au** ~ **de** (*endroit*) de regreso *o* vuelta de; **être de** ~ **(de)** estar de vuelta (de); **de** ~ **à/chez...** de regreso a/a lo de...; **en** ~ *ad* en cambio; **par** ~ **du courrier** a vuelta de correo; ~ **à l'envoyeur** devuélvase al remitente.
retourner [ʀətuʀne] *vt* dar vuelta; (*terre, foin*) remover; (*émouvoir*) trastornar; (*lettre etc, aussi restituer*) devolver; // *vi* volver; **se** ~ *vi* darse vuelta; (*voiture*) volcarse; **se** ~ **contre** volverse contra; **savoir de quoi il retourne** saber de qué se trata.
retracer [ʀətʀase] *vt* narrar.
rétracter [ʀetʀakte] *vt* retractar, desdecir; (*antenne etc*) retraer; **se** ~ *vi* retractarse; retraerse.
retraduire [ʀətʀadɥiʀ] *vt* traducir de nuevo; (*à nouveau*) volver a traducir.
retrait [ʀətʀɛ] *nm* retiro; retirada; (*retrécissement*) encogimiento; **en** ~ *a, ad* hacia atrás; ~ **du permis de conduire** suspensión *f* del permiso de conducir.
retraite [ʀətʀɛt] *nf* jubilación *f*; (*d'une armée*) retirada; (*refuge, REL*) retiro; **être à la** ~ estar jubilado(a); **mettre à la** ~ jubilar; **prendre sa** ~ retirarse, jubilarse; **retraité, e** *a, nm/f* jubilado(a), retirado(a).
retrancher [ʀətʀɑ̃ʃe] *vt* suprimir; (*nombre, somme*) descontar; (*couper, aussi fig*) cercenar, cortar; **se** ~ **derrière/dans** parapetarse detrás de/en.
retransmettre [ʀətʀɑ̃smɛtʀ(ə)] *vt* retransmitir.
retransmission [ʀətʀɑ̃smisjɔ̃] *nf*: ~ **en direct/en différé** retransmisión en directo/diferida.
retraverser [ʀətʀavɛʀse] *vt* atravesar de nuevo.
rétrécir [ʀetʀesiʀ] *vt* estrechar, angostar // *vi* encoger; **se** ~ *vi* estrecharse, angostarse.
rétribuer [ʀetʀibɥe] *vt* retribuir.
rétro *nm* (*fam*) = **rétroviseur.**
rétroactif, ive [ʀetʀɔaktif, iv] *a* retroactivo(a).
rétrofusée [ʀetʀɔfyze] *nf* retrocohete *m*.
rétrograder [ʀetʀɔgʀade] *vi* atrasarse; (*AUTO*) retroceder.
rétrospective [ʀetʀɔspɛktiv] *nf* retrospectiva.
rétrospectivement [ʀetʀɔspɛktivmɑ̃] *ad* retrospectivamente.
retrousser [ʀətʀuse] *vt* arremangar; (*fig*) fruncir.
retrouver [ʀətʀuve] *vt* encontrar; (*fig*) recuperar; (*reconnaître*) reconocer; (*revoir*) volver a ver; (*rejoindre*) volver a encontrar; **se** ~ *vi* encontrarse (de nuevo); (*s'orienter*) orientarse; **se** ~ **seul** encontrarse solo; **se** ~ **dans** (*calculs etc*) hallarse a sus anchas en; **s'y** ~ resarcirse; **retrouvailles** [ʀətʀuvaj] *nfpl* reencuentro.
rétroviseur [ʀetʀɔvizœʀ] *nm* retrovisor *m*.
réunion [ʀeynjɔ̃] *nf* reunión *f*; unión *f*; (*meeting etc*) reunión.
Réunion [ʀeynjɔ̃] *nf*: **(île de) la** ~ (isla de) la Reunión.
réunir [ʀeyniʀ] *vt* reunir; (*rattacher*) unir; ~ **qch à** unir algo a *o* con; **se** ~ *vi* reunirse; (*états*) unirse.
réussi, e [ʀeysi] *a* perfecto(a); **bien/mal** ~ bien/mal ejecutado(a).
réussir [ʀeysiʀ] *vi* tener éxito; (*plante, culture*) darse bien; (*à un examen*) aprobar; (*dans la vie*) triunfar // *vt* lograr, conseguir; ~ **à faire qch** lograr *o* conseguir hacer algo.
réussite [ʀeysit] *nf* éxito, logro; triunfo; (*CARTES*) solitario.

revaloir [Rəvalwar] *vt*: **je vous revaudrai cela** se lo devolveré *o* pagaré; me lo pagará.
revaloriser [Rəvalɔrize] *vt* revalorizar; (*salaire*) elevar.
revanche [Rəvɑ̃ʃ] *nf* revancha.
rêvasser [Rɛvase] *vi* divagar.
rêve [Rɛv] *nm* sueño; **faire qch en ~** hacer algo en sueños; **de ~** *a* irreal.
revêche [Rəvɛʃ] *a* huraño(a), hosco(a).
réveil [Revɛj] *nm* despertar *m*; (*pendule*) despertador *m*; **sonner le ~** (*MIL*) tocar diana.
réveille-matin [Revɛjmatɛ̃] *nm* despertador *m*.
réveiller [Reveje] *vt* despertar; **se ~** *vi* despertarse.
réveillon [Revɛjɔ̃] *nm* cena de Nochebuena *o* de Nochevieja.
révélateur [RevelatœR] *nm* (*PHOTO*) revelador *m*.
révéler [Revele] *vt* revelar; **se ~** *vi* revelarse; **se ~ facile** resultar fácil.
revenant, e [Rəvnɑ̃, ɑ̃t] *nm/f* aparecido/a.
revendeur, euse [Rəvɑ̃dœR, øz] *nm/f* revendedor/ora.
revendication [Rəvɑ̃dikɑsjɔ̃] *nf* reivindicación *f*.
revendiquer [Rəvɑ̃dike] *vt* reivindicar; (*responsabilité*) asumir // *vi* reivindicar.
revendre [Rəvɑ̃dR(ə)] *vt* revender; (*vendre davantage de*) volver a vender.
revenir [RəvniR] *vi* volver; (*santé, etc*) venir, volver; (*CULIN*): **faire ~** rehogar; **~ à** *vt* (*équivaloir à*) equivaler a; **~ à qn** llegar a los oídos de alguien; (*part etc*) tocar a alguien; (*souvenir, nom*) volverle a la memoria de alguien; **~ de** *vt* (*fig*) salir de; **~ sur** *vt* volver a; (*promesse*) retirar; **cela (nous) revient cher/à 100F** esto (nos) sale caro/a 100F; **~ à soi** volver en sí; **n'en pas ~** no salir de su asombro; **cela revient au même** (esto) viene a ser lo mismo; **cela revient à dire que** (esto *o* lo que) quiere decir que.
revente [Rəvɑ̃t] *nf* reventa.
revenu [RəvnY] *nm* entrada, ganancia; (*de l'Etat*) renta, producto; (*d'une terre*) rendimiento, producto; (*d'un capital*) renta, rendimiento; **~s** *mpl* ingresos; **~ national brut** producto nacional bruto.
rêver [Reve] *vi* soñar // *vt*, **~ de** soñar con; **~ à** soñar con.
réverbération [RevɛRbeRɑsjɔ̃] *nf* reverberación *f*, reflejo.
réverbère [RevɛRbɛR] *nm* farol *m*.
réverbérer [RevɛRbeRe] *vt* reflejar.
révérence [ReveRɑ̃s] *nf* reverencia.
révérend, e [ReveRɑ̃, ɑ̃d] *a*: **le ~ père** el reverendo padre.
révérer [ReveRe] *vt* reverenciar.
rêverie [RɛvRi] *nf* ensueño.
revers [RəvɛR] *nm* reverso, revés *m*; (*de la main*) dorso; (*d'une médaille*) reverso; (*d'une pièce*) cruz *f*; (*TENNIS, aussi fig*) revés; (*d'un veston*) solapa; (*de pantalon*) remango, vuelta; **prendre à ~** (*MIL*) tomar de flanco.
réversible [RevɛRsibl(ə)] *a* reversible.
revêtement [Rəvɛtmɑ̃] *nm* revestimiento.
revêtir [RəvetiR] *vt* vestir; **~ qn de** vestir a alguien con; (*autorité*) conferir a alguien; **~ qch de** cubrir *o* revestir algo con.
reviendrai, reviens *etc vb voir* **revenir.**
revient [Rəvjɛ̃] *nm*: **prix de ~** precio de costo.
revirement [RəviRmɑ̃] *nm* variación *f*; (*d'une personne*) mudanza.
réviser [Revize] *vt* revisar; **révision** [Revizjɔ̃] *nf* revisión *f*; **conseil de révision** junta de clasificación *f*.
revisser [Rəvise] *vt* atornillar de nuevo.
revivre [RəvivR(ə)] *vi, vt* revivir; **faire ~** resucitar.
revoir [RəvwaR] *vt* volver a ver;

(*apercevoir de nouveau, aussi* SCOL) ver de nuevo; (*région, film*) ver nuevamente; (*texte, édition*) revisar // *nm*: **au ~!** ¡hasta la vista!; **au ~ Monsieur!** ¡adiós señor!; **dire au ~ à qn** decir adiós a alguien; **se ~** *vt réciproque* volverse a ver.

révolte [ʀevɔlt(ə)] *nf* revuelta, sedición *f*; (*indignation*) rebelión *f*.

révolter [ʀevɔlte] *vt* rebelar a; **se ~ (contre)** rebelarse (contra); (*s'indigner*) sublevarse (contra).

révolu, e [ʀevɔly] *a* pasado(a); (ADMIN) cumplido(a).

révolution [ʀevɔlysjɔ̃] *nf* revolución *f*; **~naire** *a, nm/f* revolucionario(a); **~ner** *vt* revolucionar; (*fam*) perturbar.

revolver [ʀevɔlvɛʀ] *nm* revólver *m*.

révoquer [ʀevɔke] *vt* revocar.

revue [ʀəvy] *nf* revista; (*inventaire, examen*) examen *m*; **~ de (la) presse** revista de prensa.

révulsé, e [ʀevylse] *a*: **yeux ~s** ojos en blanco.

rez-de-chaussée [ʀedʃose] *nm inv* planta baja.

RF *abrév de République Française*.

rhabiller [ʀabije] *vt* vestir nuevamente; **se ~** vestirse de nuevo.

rhapsodie [ʀapsɔdi] *nf* rapsodia.

rhésus [ʀezys] *nm*: **~ positif/négatif** RH *o* Rhesus positivo/negativo.

rhétorique [ʀetɔʀik] *nf* retórica.

Rhin [ʀɛ̃] *nm*: **le ~** el Rin.

rhinocéros [ʀinɔseʀɔs] *nm* rinoceronte *m*.

Rhône [ʀon] *nm*: **le ~** el Ródano.

rhubarbe [ʀybaʀb] *nf* ruibarbo.

rhum [ʀɔm] *nm* ron *m*.

rhumatisme [ʀymatism(ə)] *nm* reumatismo; **avoir des ~s** sufrir de reumatismo.

rhume [ʀym] *nm* resfriado; **~ de cerveau** catarro nasal; **~ des foins** rinitis alérgica.

ri *pp de* **rire**.

riant, e [ʀijɑ̃, ɑ̃t] *a* alegre.

ribambelle [ʀibɑ̃bɛl] *nf* retahíla.

ricaner [ʀikane] *vi* reír socarronamente; reír estúpidamente.

riche [ʀiʃ] *a* rico(a) // *nmpl*: **les ~s** los ricos; **~ de** lleno(a) de; **richesse** *nf* riqueza; **richesses** *fpl* riquezas.

ricin [ʀisɛ̃] *nm*: **huile de ~** aceite *m* de ricino.

ricocher [ʀikɔʃe] *vi* rebotar.

ricochet [ʀikɔʃɛ] *nm* rebote *m*; **faire des ~s** hacer cabrillas.

ride [ʀid] *nf* arruga; (*fig*) onda.

rideau, x [ʀido] *nm* cortina; (*THÉÂTRE*) telón *m*; (POL): **le ~ de fer** la cortina de hierro; **~ de fer** cortina metálica.

rider [ʀide] *vt* arrugar; **se ~** *vi* crisparse; (*avec l'âge*) arrugarse.

ridicule [ʀidikyl] *a* ridículo(a); **ridiculiser** *vt* ridiculizar; **se ridiculiser** ponerse en ridículo.

rie *vb voir* **rire**.

rien [ʀjɛ̃] *pron* nada; (*quelque chose*) nada, algo; **il n'a ~ dit** no dijo nada; **~ d'autre/d'intéressant** nada más/de interesante; **~ que** nada más que; **~ que pour eux/faire cela** sólo para ellos/hacer eso; **il n'y est pour ~** no tiene nada que ver con eso; **il n'en est ~** nada de eso es verdad; **ça ne fait ~** no es nada; **~ à faire!** ¡nada que hacer!; **de ~** de nada // *nm*: **un petit ~** una nimiedad; **des ~s** naderías; **avoir peur d'un ~** tener miedo de todo.

rigide [ʀiʒid] *a* rígido(a).

rigolade [ʀigɔlad] *nf*: **c'est de la ~** es un juego de niños.

rigole [ʀigɔl] *nf* zanja, acequia; (*filet d'eau*) arroyuelo.

rigoler [ʀigɔle] *vi* chancearse, reírse; divertirse; bromear, chancear.

rigoureux, euse [ʀiguʀø, øz] *a* riguroso(a).

rigueur [ʀigœʀ] *nf* rigor *m*; **de ~** de rigor; **à la ~** en última instancia; **tenir ~ à qn de qch** guardar rencor a alguien por algo.

riions *etc vb voir* **rire**.

rillettes [Rijɛt] *nfpl* chicharrones *mpl*.
rime [Rim] *nf* rima.
rimer [Rime] *vi* rimar; **ne ~ à rien** no venir a cuento.
rinçage [Rɛ̃saʒ] *nm* enjuague *m*; fregado.
rince-doigts [Rɛ̃sdwa] *nm inv* lavafrutas *m inv*.
rincer [Rɛ̃se] *vt* lavar, fregar; (*linge*) enjuagar; **se ~ la bouche** enjuagarse la boca.
ring [Riŋ] *nm* ring *m*.
riposte [Ripɔst(ə)] *nf* réplica; (*contre-attaque*) respuesta; **riposter** *vi* replicar, responder.
rire [RiR] *vi* reír, reírse; (*se divertir*) reírse; (*plaisanter*) reír // *nm* risa; **~ aux éclats/aux larmes** reír(se) a carcajadas/hasta las lágrimas; **~ sous cape** reír para sus adentros; **pour ~** *ad* en broma.
ris [Ri] *nm*: **~ de veau** molleja.
risée [Rize] *nf*: **être la ~ de** ser el hazmerreír de.
risette [Rizɛt] *nf*: **faire ~ (à)** sonreír (a).
risible [Rizibl(ə)] *a* divertido(a).
risque [Risk(ə)] *nm* riesgo; **aimer le ~** amar el peligro; **au ~ de** a riesgo de; **~ d'incendie** riesgo de incendio.
risqué, e [Riske] *a* arriesgado(a); (*plaisanterie*) osado(a).
risquer [Riske] *vt* arriesgar; (*prison, ennuis*) arriesgarse a; **ça ne risque rien** no se arriesga nada con eso; **~ de** correr el peligro de; **il risque de gagner** puede ganar; **se ~** arriesgarse.
rissoler [Risɔle] *vi, vt*: **(faire) ~** (hacer) dorar.
ristourne [RistuRn(ə)] *nf* rebaja.
rit *vb voir* **rire.**
rite [Rit] *nm* rito; **~s d'initiation** ritos de iniciación.
rituel, le [Ritɥɛl] *a, nm* ritual (*m*).
rivage [Rivaʒ] *nm* costa, ribera.
rival, e, aux [Rival, o] *a, nm/f* rival (*m/f*).
rivaliser [Rivalize] *vi*: **~ avec** rivalizar con; (*suj: choses*) competir con; **~ de** rivalizar en.
rivalité [Rivalite] *nf* rivalidad *f*.
rive [Riv] *nf* orilla, margen *f*.
river [Rive] *vt* remachar.
riverain, e [RivRɛ̃, ɛn] *a, nm/f* ribereño(a).
rivet [Rivɛ] *nm* remache *m*; **~er** [Rivte] *vt* remachar, roblar.
rivière [RivjɛR] *nf* río.
rixe [Riks] *nf* riña, pendencia.
riz [Ri] *nm* arroz *m*; **~ière** [RizjɛR] *nf* arrozal *m*.
RN *abrév de* **route nationale.**
robe [Rɔb] *nf* vestido; (*de juge etc*) toga; (*d'ecclésiastique*) hábito; (*d'un animal*) pelaje *m*; **~ de soirée/de mariée/de baptême** traje *m* de noche/de novia/de bautizo; **~ de chambre** bata; **~ de grossesse** vestido de futura mamá.
robinet [Rɔbinɛ] *nm* grifo; **~ de gaz** llave *f* del gas; **~ mélangeur** grifo mezclador; **~terie** *nf* fontanería.
robot [Rɔbo] *nm* robot *m*.
robuste [Rɔbyst(ə)] *a* robusto(a); (*arbre, moteur*) resistente.
roc [Rɔk] *nm* roca.
rocaille [Rɔkɑj] *nf* roquedal *m*, rocalla; (*jardin*) *decoración con piedras o rocas*.
rocambolesque [Rɔkɑ̃bɔlɛsk(ə)] *a* fantástico(a).
roche [Rɔʃ] *nf* roca.
rocher [Rɔʃe] *nm* peñasco; (*matière*) roca.
rochet [Rɔʃɛ] *nm*: **roue à ~** rueda de trinquete.
rocheux, euse [Rɔʃø, øz] *a* rocoso(a).
rock (and roll) [Rɔk(ɛnRɔl)] *nm* rock *m*.
rocking-chair [RɔkiɲtʃɛR] *nm* mecedora.
rodage [Rɔdaʒ] *nm* rodaje *m*; perfeccionamiento; **en ~** en rodaje.
rodéo [Rɔdeo] *nm* rodeo.
roder [Rɔde] *vt* rodar; (*spectacle etc*) perfeccionar.
rôder [Rode] *vi* vagar; (*péj*) merodear.

rôdeur, euse [ʀodœʀ, øz] *nm/f* vagabundo/a.
rogne [ʀɔɲ] *nf*: **mettre en ~** poner furioso(a).
rogner [ʀɔɲe] *vt* recortar; (*fig*) rebajar; **~ sur** descontar de.
rognons [ʀɔɲɔ̃] *nmpl* riñones *mpl*.
roi [ʀwa] *nm* rey *m*; **les R~s** (*fête*) los Reyes.
roitelet [ʀwatlɛ] *nm* reyezuelo.
rôle [ʀol] *nm* rol *m*, papel *m*; (*fonction*) función *f*; **jouer un ~ important dans** (*fig*) desempeñar un papel importante en.
rollmops [ʀɔlmɔps] *nm* arenque escabechado.
romain, e [ʀɔmɛ̃, ɛn] *a, nm/f* romano(a) // *nf* lechuga romana.
roman, e [ʀɔmɑ̃, an] *a* románico(a); (*LING*) romance // *nm* novela; **~ policier** novela policíaca; **~ photo** fotonovela.
romance [ʀɔmɑ̃s] *nf* romanza.
romancer [ʀɔmɑ̃se] *vt* novelar.
romancier, ière [ʀɔmɑ̃sje, jɛʀ] *nm/f* novelista *m/f*.
romand, e [ʀɔmɑ̃, ɑ̃d] *a* romance.
romanesque [ʀɔmanɛsk(ə)] *a* novelesco(a); (*sentimental*) romanticón(ona), sentimental.
roman-feuilleton [ʀɔmɑ̃fœjtɔ̃] *nm* folletín *m*.
romanichel, le [ʀɔmaniʃɛl] *nm/f* gitano/a, bohemio/a.
romantique [ʀɔmɑ̃tik] *a* romántico(a).
romantisme [ʀɔmɑ̃tism(ə)] *nm* romanticismo.
romarin [ʀɔmaʀɛ̃] *nm* romero.
Rome [ʀɔm] *n* Roma.
rompre [ʀɔ̃pʀ(ə)] *vt* romper; **se ~** *vi* romperse.
rompu, e [ʀɔ̃py] *a* deshecho(a); **~ à** avezado *o* ducho en.
ronce [ʀɔ̃s] *nf* zarzamora; **~ de noyer** veta de nogal; **~s** *fpl* zarzas.
rond, e [ʀɔ̃, ɔ̃d] *a* redondo(a); (*gras*) relleno(a); (*fam*) borracho(a) // *nm* círculo, redondel *m* // *nf* ronda; (*danse*) corro, rueda; **avoir le dos ~** ser cargado(a) de espaldas; **en ~** *ad* en círculo; **je n'ai pas un ~** estoy pelado(a); **à la ~e** *ad* a la redonda; (*à chacun*) en corro; **~ de serviette** servilletero; **~elet, te** *a* regordete(a); (*fig*) grueso(a); **~elle** *nf* rodaja; (*TECH*) arandela.
rondement [ʀɔ̃dmɑ̃] *ad* pronto, velozmente; sin rodeos.
rondin [ʀɔ̃dɛ̃] *nm* leño.
rond-point [ʀɔ̃pwɛ̃] *nm* glorieta de tráfico.
ronéotyper [ʀɔneɔtipe] *vt* mimeografiar.
ronfler [ʀɔ̃fle] *vi* roncar; (*moteur, poêle*) zumbar.
ronger [ʀɔ̃ʒe] *vt* roer; (*vers, insectes, fig*) carcomer; (*rouille*) corroer; **se ~ les ongles** morderse *o* comerse las uñas; **rongeur, euse** *nm/f* roedor/ora.
ronronner [ʀɔ̃ʀɔne] *vi* ronronear.
roquet [ʀɔkɛ] *nm* gozque *m*.
roquette [ʀɔkɛt] *nf* cohete *m*.
rosace [ʀozas] *nf* rosetón *m*.
rosaire [ʀozɛʀ] *nm* rosario.
rosbif [ʀɔsbif] *nm* rosbif *m*.
rose [ʀoz] *nf* rosa; (*vitrail*) rosetón *m* // *a, nm* rosa (*m*); **~ des vents** rosa de los vientos; **rosé, e** *a* rosado(a) // *nm* rosado // *nf* rocío.
roseau, x [ʀozo] *nm* caña.
roseraie [ʀozʀɛ] *nf* rosaleda.
rosette [ʀozɛt] *nf*: **~ de la Légion d'honneur** escarapela de la Legión de honor.
rosier [ʀozje] *nm* rosal *m*.
rossignol [ʀɔsiɲɔl] *nm* ruiseñor *m*; (*crochet*) ganzúa.
rot [ʀo] *nm* eructo.
rotatif, ive [ʀɔtatif, iv] *a* rotativo(a) // *nf* rotativa.
rotation [ʀɔtɑsjɔ̃] *nf* rotación *f*; (*cercle, tour*) círculo, vuelta; **~ du stock** renovación *f* de existencias.
roter [ʀɔte] *vi* (*fam*) eructar.
rôti [ʀoti] *nm* asado.
rotin [ʀɔtɛ̃] *nm* caña de Indias.
rôtir [ʀotiʀ] *vi, vt* (*aussi*: **faire ~**) asar; **rôtissoire** *nf* asador *m*.
rotor [ʀɔtɔʀ] *nm* rotor *m*.
rotule [ʀɔtyl] *nf* rótula.

roturier, ière [ʀɔtyʀje, jɛʀ] *nm/f* plebeyo/a.
rouage [ʀwaʒ] *nm* rueda; (*fig*) engranaje *m*.
rouble [ʀubl(ə)] *nm* rublo.
roucouler [ʀukule] *vi* arrullar; (*fig: péj*) hacer gorgoritos.
roue [ʀu] *nf* rueda; **en ~ libre** a rueda libre; **~ avant/arrière** rueda delantera/trasera; **~ à aubes** rueda de paletas; **~ de secours** rueda de repuesto.
rouer [ʀwe] *vt*: **~ qn de coups** moler a palos a alguien.
rouet [ʀwɛ] *nm* torno, hiladora.
rouge [ʀuʒ] *a, nm/f* rojo(a) // *nm* rojo; (*vin*) tinto; (*fard*) carmín *m*; **~ (à lèvres)** lápiz *m o* barra de labios; **passer au ~** (AUTO) pasar con rojo; **porter au ~** calentar al rojo; **~âtre** *a* rojizo(a); **~-gorge** *nm* petirrojo.
rougeole [ʀuʒɔl] *nf* sarampión *m*.
rougeoyer [ʀuʒwaje] *vi* enrojecer.
rouget [ʀuʒɛ] *nf* salmonete *m*.
rougeur [ʀuʒœʀ] *nf*: **~s** *fpl* manchas rojas.
rougir [ʀuʒiʀ] *vi* enrojecer; (*fraise, tomate*) ponerse rojo(a).
rouille [ʀuj] *nf, a inv* herrumbre (*f*); **rouiller** *vt* herrumbrar; (*fig*) entorpecer // *vi*, **se ~** herrumbrarse.
roulade [ʀulad] *nf* voltereta; (CULIN) filete relleno; (MUS) trino.
roulant, e [ʀulɑ̃, ɑ̃t] *a* rodante, de ruedas; **matériel/personnel ~** material *m*/personal *m* móvil.
rouleau, x [ʀulo] *nm* rollo; (*de pièces*) cartucho; (*de machine à écrire, à peinture*) rodillo; (*à mise en plis*) tubo; (SPORT) balanceo; **~ compresseur** apisonadora; **~ à pâtisserie** rodillo; **~ de pellicule** carrete *m* de película.
roulement [ʀulmɑ̃] *nm* circulación *f*; (*bruit*) rodar *m*; (: *du tonnerre*) fragor *m*; (*d'ouvriers etc*) relevo, rotación *f*; **~ (à billes)** cojinete *m* de bolas.
rouler [ʀule] *vt* hacer rodar; (*tissu, papier etc*) enrollar; (*cigarette*) liar; (CULIN: *pâte*) pasar el rodillo por; (*fam*) timar, estafar // *vi* rodar; (*voiture etc, automobiliste, train*) marchar; (*bateau*) balancearse; (*tonnerre, tambour*) redoblar; (*personne, dégringoler*) rodar por; **~ sur** (*porter sur*) girar sobre; **se ~ dans** revolcarse en; (*couverture*) envolverse en; **~ les épaules** menear los hombros.
roulette [ʀulɛt] *nf* ruedecilla; (*jeu*) ruleta; **à ~s** de ruedas; **la ~ russe** la ruleta rusa.
roulis [ʀuli] *nm* balanceo.
roulotte [ʀulɔt] *nf* carromato.
roumain, e [ʀumɛ̃, ɛn] *a, nm/f* rumano(a) // *nm* rumano.
Roumanie [ʀumani] *nf* Rumania.
roupie [ʀupi] *nf* rupia.
roupiller [ʀupije] *vi* (*fam*) dormir, echarse un sueño.
rouquin, e [ʀukɛ̃, in] *nm/f* (*péj*) pelirrojo/a.
rouspéter [ʀuspete] *vi* (*fam*) rezongar, protestar.
rousse [ʀus] *a, nf voir* **roux.**
rousseur [ʀusœʀ] *nf*: **tache de ~** peca.
roussir [ʀusiʀ] *vt* chamuscar // *vi* (*feuilles*) amarillear; (CULIN): **faire ~** hacer dorar.
route [ʀut] *nf* ruta, vía; (*moyen de transport*) carretera; (*fig*) camino, senda; **il y a 3h de ~** hay 3hs de camino; **en ~** durante el trayecto; **se mettre en ~** ponerse en camino; **mettre en ~** poner en marcha; **faire fausse ~** equivocarse; **routier, ière** *a* de carretera // *nm* camionero // *nf* coche *m* para carretera.
routine [ʀutin] *nf* rutina.
rouvrir [ʀuvʀiʀ] *vt, vi* volver a abrir; **se ~** *vi* abrirse de nuevo.
roux, rousse [ʀu, ʀus] *a* rojizo(a); (*personne*) pelirrojo(a) // *nm/f* pelirrojo/a // *nm* salsa rubia.
royal, e, aux [ʀwajal, o] *a* real; (*paix etc*) total.
royaliste [ʀwajalist(ə)] *a, nm/f*

realista (*m/f*), monárquico(a).
royaume [ʀwajom] *nm* reino; **le R~ Uni** el Reino Unido.
royauté [ʀwajote] *nf* realeza; (*régime*) monarquía.
RSVP *abrév de répondez s'il vous plaît.*
Rte *abrév de* **route.**
ruade [ʀyad] *nf* coz *f.*
ruban [ʀybɑ̃] *nm* cinta; (*décoration*) condecoración *f.*
rubéole [ʀybeɔl] *nf* rubéola.
rubis [ʀybi] *nm* rubí *m.*
rubrique [ʀybʀik] *nf* rúbrica.
ruche [ʀyʃ] *nf* colmena.
rude [ʀyd] *a* áspero(a); (*métier, manières*) rudo(a); (*épreuve*) duro(a); (*climat*) riguroso(a); (*voix*) bronco(a); **~ment** *ad* brutalmente; (*traiter, reprocher*) duramente.
rudimentaire [ʀydimɑ̃tɛʀ] *a* rudimentario(a).
rudiments [ʀydimɑ̃] *nmpl* rudimentos.
rudoyer [ʀydwaje] *vt* tratar con rudeza.
rue [ʀy] *nf* calle *f.*
ruée [ʀɥe] *nf*: **ça a été la ~ vers** se precipitaron todos hacia.
ruelle [ʀɥɛl] *nf* callejuela.
ruer [ʀɥe] *vi* dar coces; **se ~ sur** arrojarse sobre; **se ~ dans** precipitarse dentro de.
rugby [ʀygbi] *nm* rugby *m*; **~ à treize/quinze** rugby de trece/quince.
rugir [ʀyʒiʀ] *vi* rugir.
rugueux, euse [ʀygø, øz] *a* rugoso(a), áspero(a).
ruine [ʀɥin] *nf* ruina; **~s** *fpl* ruinas; **tomber en ~** caer en ruinas; **ruiner** *vt* arruinar; (*santé, réputation*) echar a perder; **se ruiner** arruinarse.
ruisseau, x [ʀɥiso] *nm* arroyo; (*caniveau*) cuneta.
ruisseler [ʀɥisle] *vi* correr, fluir; (*mur, visage*) chorrear.
rumeur [ʀymœʀ] *nf* rumor *m.*
ruminer [ʀymine] *vt, vi* rumiar.
rupture [ʀyptyʀ] *nf* rotura; (*fig*) ruptura.
rural, e, aux [ʀyʀal, o] *a* rural // *nmpl*: **les ruraux** los campesinos.
ruse [ʀyz] *nf*: **la ~** la astucia; **une ~** un ardid, una triquiñuela; **par ~** por medio de la astucia; **rusé, e** *a* astuto(a), pícaro(a).
russe [ʀys] *a, nm/f* ruso(a) // *nm* ruso.
Russie [ʀysi] *nf*: **la ~** Rusia.
rustique [ʀystik] *a* rústico(a).
rustre [ʀystʀ(ə)] *nm* palurdo.
rut [ʀyt] *nm* celo.
R-V *abrév de* **rendez-vous.**
rythme [ʀitm(ə)] *nm* ritmo; (*des saisons*) sucesión *f*; **au ~ de** al ritmo *o* con la frecuencia de; **rythmé, e** *a* rítmico(a); **rythmique** *a* rítmico(a) // *nf* rítmica.

S

S *abrév de* **Sud.**
sa [sa] *dét voir* **son.**
SA *sigle f voir* **société.**
sable [sɑbl(ə)] *nm* arena; **~s mouvants** arenas movedizas.
sablé, e [sɑble] *a* (CULIN) de *bizcocho // nm tipo de galleta.*
sabler [sɑble] *vt* enarenar; **~ le champagne** *beber champaña para celebrar algo.*
sableux, euse [sɑblø, øz] *a* arenoso(a).
sablier [sɑblije] *nm* reloj *m* de arena.
sablière [sɑblijɛʀ] *nf* (*carrière*) arenal *m.*
sablonneux, euse [sɑblɔnø, øz] *a* arenoso(a).
saborder [sabɔʀde] *vt* hundir voluntariamente; (*fig*) suspender voluntariamente.
sabot [sabo] *nm* zueco; (*de cheval*) casco; (*de bœuf*) pezuña; **~ de frein** zapata de freno.

sabotage [sabɔtaʒ] *nm* sabotaje *m*.
saboter [sabɔte] *vt* sabotear; (*fam*) chafallar, chapucear.
sabre [sɑbʀ(ə)] *nm* sable *m*.
sac [sak] *nm* saco, bolsa; **mettre à ~** saquear; **~ de couchage** saco de dormir; **~ à dos** mochila; **~ à main** bolso, saco de mano; **~ de plage** bolso de playa *o* de baño; **~ à provisions** bolsa de la compra; **~ de voyage** bolso de viaje.
saccade [sakad] *nf* sacudida; **saccadé, e** *a* (*gestes*) brusco(a); (*voix*) entrecortado(a).
saccager [sakaʒe] *vt* saquear, devastar; desordenar, trastocar.
saccharine [sakaʀin] *nf* sacarina.
sacerdoce [sasɛʀdɔs] *nm* sacerdocio; **sacerdotal, e, aux** *a* sacerdotal.
sache *etc vb voir* **savoir.**
sachet [saʃɛ] *nm* saquito, bolsita; **thé en ~s** té *m* en saquitos *o* sobres; **~ de lavande** saquito *o* almohadilla de lavanda.
sacoche [sakɔʃ] *nf* bolso; (*de bicyclette etc*) alforja, cartera; (*du facteur*) bolsa, cartera.
sacquer [sake] *vt* (*fam*) tirar al degüello; poner de patitas en la calle.
sacre [sakʀ(ə)] *nm* coronación *f*; consagración *f*.
sacré, e [sakʀe] *a* sacro(a); (*droit, promesse etc*) sagrado(a); (*fam*) maldito(a); colosal, sorprendente.
sacrement [sakʀəmɑ̃] *nm* sacramento.
sacrer [sakʀe] *vt* coronar; (*évêque*) consagrar // *vi* blasfemar.
sacrifice [sakʀifis] *nm* sacrificio; **~s** *mpl* (*privations*) sacrificios.
sacrifier [sakʀifje] *vt* sacrificar; **~ à** *vt* seguir, acatar; **se ~** sacrificarse.
sacrilège [sakʀilɛʒ] *nm* sacrilegio // *a, nm/f* sacrílego(a).
sacristain [sakʀistɛ̃] *nm* sacristán *m*.
sacristie [sakʀisti] *nf* sacristía.
sacro-saint, e [sakʀɔsɛ̃, sɛ̃t] *a* sacrosanto(a).
sadique [sadik] *a, nm/f* sádico(a).
sadisme [sadism(ə)] *nm* sadismo.
sadomasochisme [sadɔmazɔʃism(ə)] *nm* sadomasoquismo.
safari [safaʀi] *nm* safari *m*; **~-photo** *nm* safari fotográfico.
safran [safʀɑ̃] *nm* azafrán *m*.
sagace [sagas] *a* sagaz, perspicaz.
sagaie [sagɛ] *nf* azagaya.
sage [saʒ] *a* sensato(a), razonable; (*enfant*) juicioso(a); (*chaste*) casto(a), serio(a) // *nm* sabio.
sage-femme [saʒfam] *nf* comadrona.
sagesse [saʒɛs] *nf* sensatez *f*, cordura; (*philosophie*) sabiduría.
Sagittaire [saʒitɛʀ] *nm* (ASTRO): **le ~** el Sagitario; **être du ~** ser de Sagitario.
Sahara [saaʀa] *nm*: **le ~** el Sahara.
saharienne [saaʀjɛn] *nf chaqueta de manga corta.*
saignant, e [sɛɲɑ̃, ɑ̃t] *a* jugoso(a), poco cocido(a); (*plaie*) sangrante.
saignée [seɲe] *nf* sangría; **la ~ du bras** el pliegue del codo, la sangría.
saignement [sɛɲmɑ̃] *nm* hemorragia; **~ de nez** hemorragia nasal.
saigner [seɲe] *vi* sangrar // *vt* sangrar a; (*fig*) chupar la sangre a; (*animal: égorger*) desangrar; **~ du nez** sangrar por la nariz.
saillait *etc vb voir* **saillir.**
saillant, e [sajɑ̃, ɑ̃t] *a* saliente; (*pommettes, menton*) prominente; (*fig*) sobresaliente, notable.
saillie [saji] *nf* saliente *m*; (*trait d'esprit*) salida, ocurrencia; (*accouplement*) cubrición *f*; **faire ~** sobresalir.
saillir [sajiʀ] *vi* sobresalir // *vt* cubrir; **faire ~** (*muscles etc*) hacer resaltar.
sain, e [sɛ̃, sɛn] *a* sano(a); (*affaire*) regular, normal; **~ d'esprit** sano de espíritu, equilibrado; **~ et sauf** sano y salvo.
saindoux [sɛ̃du] *nm* manteca de cerdo.
saint, e [sɛ̃, sɛ̃t] *a* san, santo(a); (*vie etc*) santo(a), piadoso(a) // *nm/f*

santo/a // *nm* (*statue*) santo; ~ **Pierre/Paul** san Pedro/Pablo; **le ~ des ~s** el sanctasanctórum; **~-bernard** *nm inv* san bernardo; **le ~-Esprit** el Espíritu Santo; **la ~e famille** la sagrada familia; **la S~e Vierge** la Virgen Santísima; **~eté** *nf* santidad *f*; **sa S~eté le pape** su Santidad el Papa; **le ~-Père** el Santo Padre; **le ~-Siège** la Santa Sede; **la ~-Sylvestre** el día de Nochevieja.

sais *etc vb voir* **savoir.**

saisie [sezi] *nf* (JUR) embargo, secuestro.

saisir [seziʀ] *vt* agarrar, coger; (*fig*) aprovechar; (*comprendre*) captar; (*suj*: *sensations etc*) arrebatar, sobrecoger; (CULIN) soasar; (JUR) embargar; (: *publication interdite*) secuestrar; **se ~ de** *vt* (*personne*) apoderarse de, atrapar; **~ un tribunal d'une affaire** someter un caso a un tribunal; **saisissant, e** *a* emocionante, sobrecogedor(ora).

saisissement [sezismɑ̃] *nm* sorpresa.

saison [sɛzɔ̃] *nf* tiempo, época; (*du calendrier*) estación *f*; (*touristique*): **la ~** la temporada; **en/hors ~** de/fuera de temporada; **haute/basse/morte ~** temporada de alta/baja/calma; **la ~ des pluies** la época de las lluvias; **~nier, ière** *a* de la estación, estacional; (*travail*) temporario(a) // *nm* temporero.

salace [salas] *a* libidinoso(a).

salade [salad] *nf* lechuga; escarola; (CULIN) ensalada; (*fam*) mescolanza, revoltijo; **~s** *fpl* (*fam*) cuentos; **~ de laitue/d'endives/de concombres** ensalada de lechuga/de endibia/de pepinos; **~ de fruits** ensalada de frutas; **~ niçoise** *ensalada que se prepara con aceitunas, anchoas y tomates*; **saladier** *nm* ensaladera.

salaire [salɛʀ] *nm* salario, sueldo; (*fig*) recompensa, pago; **~ brut/net** salario bruto/neto; **~ de base** sueldo base; **~ minimum interprofessionnel de croissance, SMIC** ≈ salario mínimo; **~ minimum interprofessionnel garanti, SMIG** ≈ sueldo base.

salaison [salɛzɔ̃] *nf* salazón *f*; **~s** *fpl* conservas saladas.

salamandre [salamɑ̃dʀ] *nf* salamandra.

salami [salami] *nm* salchichón *m*.

salant [salɑ̃] *nm*: **marais ~** salina.

salarial, e, aux [salaʀjal, o] *a* salarial.

salarié, e [salaʀje] *a, nm/f* asalariado(a).

salaud [salo] *nm* (*fam!*) cabrón (!).

sale [sal] *a* sucio(a), mugriento(a); (*fig*) sucio(a), indecente; (*fam*) mal(mala).

salé, e [sale] *a* salado(a); (*fig*) picante, verde; (: *fam*) desmesurado(a), excesivo(a).

saler [sale] *vt* echar sal a; (*pour conserver*) salar.

saleté [salte] *nf* suciedad *f*; (*crasse*) suciedad, mugre *f*; (*chose sale*) suciedad, inmundicia; (*fig*) cochinada, marranada; porquería; indecencia, verdulería.

salière [saljɛʀ] *nf* (*récipient*) salero.

saligaud [saligo] *nm* (*fam!*) marrano.

salin, e [salɛ̃, in] *a* salino(a) // *nf* salina; **salinité** *nf* salinidad *f*.

salir [saliʀ] *vt* ensuciar; (*fig*) manchar, mancillar; **salissant, e** *a* que se ensucia; (*métier*) sucio(a).

salive [saliv] *nf* saliva; **saliver** *vi* salivar.

salle [sal] *nf* sala; (*pièce*: *gén*) habitación *f*, cuarto; sala; **faire ~ comble** tener un llenazo; **~ d'attente** sala de espera; **~ de bain(s)** cuarto de baño; **~ de bal** sala *o* salón *m* de baile; **~ de classe** aula; **~ de cinéma** sala cinematográfica *o* de cine; **~ commune** (*d'hôpital*) sala común; **~ de concert** sala de conciertos; **~ des douches** cuarto de duchas; **~ d'eau** lavadero, cuarto de aseo; ~

d'embarquement sala de embarque; ~ **des machines** sala de máquinas; ~ **à manger** comedor *m*; ~ **d'opération** sala de operaciones; ~ **de séjour** estar *m*, sala de estar; ~ **de spectacle** sala de espectáculos.

salon [salɔ̃] *nm* salón *m*, sala; (*mobilier*) juego de sala; (*exposition*) exposición *f*, salón; (*littéraire etc*) salón, tertulia; ~ **de coiffure** salón de peinados, peluquería; ~ **de thé** salón de té.

salopard [salɔpaʀ] *nm* (*fam!*) cabrón (!).

saloperie [salɔpʀi] *nf* (*fam!*) cochinada; indecencia; basura.

salopette [salɔpɛt] *nf* (*de travail*) mono.

salpêtre [salpɛtʀ(ə)] *nm* salitre *m*.

salsifis [salsifi] *nm* salsifí *m*.

saltimbanque [saltɛ̃bɑ̃k] *nm/f* saltimbanqui *m*.

salubre [salybʀ(ə)] *a* salubre, saludable; **salubrité** *nf* salubridad *f*.

saluer [salɥe] *vt* saludar; (*fig*) aclamar.

salut [saly] *nm* salvación *f*; (*pour accueillir*, MIL) saludo // *excl* (*fam*) ¡hola!; (*style relevé*) ¡salve!

salutaire [salytɛʀ] *a* saludable.

salutations [salytɑsjɔ̃] *nfpl* saludos, recuerdos; **recevez mes ~ distinguées/respectueuses** saludo a Usted muy atentamente/con mi más atenta consideración.

salutiste [salytist(ə)] *nm/f* *miembro del Ejército de Salvación*.

salve [salv(ə)] *nf* descarga, salva; (*fig*) salva.

samaritain [samaʀitɛ̃] *nm*: **le bon** ~ el buen samaritano.

samedi [samdi] *nm* sábado.

sanatorium [sanatɔʀjɔm] *nm* sanatorio antituberculoso.

sanctifier [sɑ̃ktifje] *vt* santificar.

sanction [sɑ̃ksjɔ̃] *nf* sanción *f*; **prendre des ~s (contre)** aplicar sanciones (contra); **~ner** *vt* sancionar.

sanctuaire [sɑ̃ktɥɛʀ] *nm* santuario.

sandale [sɑ̃dal] *nf* sandalia; **sandalette** *nf* sandalia.

sandow [sɑ̃do] *nm* ® extensor *m*, cable eléctrico.

sandwich [sɑ̃dwitʃ] *nm* bocadillo, emparedado; **être pris en ~ (entre)** estar comprimido *o* apretado (entre).

sang [sɑ̃] *nm* sangre *f*; **~-froid** *nm* sangre fría; **garder/perdre son ~-froid** conservar/perder la sangre fría; **faire qch de ~-froid** hacer algo a sangre fría; **~lant, e** [sɑ̃glɑ̃, ɑ̃t] *a* ensangrentado(a); (*bataille*, *fig*) sangriento(a).

sangle [sɑ̃gl(ə)] *nf* cincha; **lit de ~s** cama *o* catre *m* de tijera; **sangler** *vt* (*animal*) cinchar; (*colis*, *parachutiste*) ceñir, ajustar; **sanglé dans son uniforme** embutido en su uniforme.

sanglier [sɑ̃glije] *nm* jabalí *m*.

sanglot [sɑ̃glo] *nm* sollozo; **~er** *vi* sollozar.

sangsue [sɑ̃sy] *nf* sanguijuela.

sanguin, e [sɑ̃gɛ̃, in] *a* sanguíneo(a) // *nf* sanguina.

sanguinaire [sɑ̃ginɛʀ] *a* sanguinario(a).

sanguine [sɑ̃gin] *af*, *nf* *voir* **sanguin**.

sanguinolent, e [sɑ̃ginɔlɑ̃, ɑ̃t] *a* sanguinolento(a).

sanitaire [sanitɛʀ] *a* sanitario(a); **~s** *mpl* aparatos sanitarios.

sans [sɑ̃] *prép* sin; **~-abri** *nm/f inv* desalojado/a; **~-emploi** *nm/f* desocupado/a; **~-façon** *nm inv* desenvoltura, soltura; **~-gêne** *a inv* desenfadado(a), fresco(a) // *nm inv* (*attitude*) desenfado, frescura; **~-logis** *nm/f inv* desalojado/a, sin hogar *m/f*; **~-travail** *nm/f inv* desocupado/a.

santal [sɑ̃tal] *nm* sándalo.

santé [sɑ̃te] *nf* salud *f*; **être en bonne ~** estar bueno(a), estar bien de salud; **boire à la ~ de qn** beber a la salud de alguien; **à votre/sa ~!** ¡a su salud!; **la ~ publique** la sanidad.

santon [sɑ̃tɔ̃] *nm* figurita de pesebre.
saoul [su] *a* = **soûl.**
sape [sap] *nf*: **travail de** ~ trabajo de zapa.
saper [sape] *vt* minar, socavar.
sapeur [sapœʀ] *nm* zapador *m*; **~-pompier** *nm* bombero.
saphir [safiʀ] *nm* zafiro.
sapin [sapɛ̃] *nm* abeto, pino; ~ **de Noël** pino de Navidad; **~ière** [sapinjɛʀ] *nf* abetal *m*.
sarabande [saʀabɑ̃d] *nf* zarabanda.
sarbacane [saʀbakan] *nf* cerbatana.
sarcasme [saʀkasm(ə)] *nm* sarcasmo; **sarcastique** *a* sarcástico(a), mordaz.
sarcler [saʀkle] *vt* escardar; **sarcloir** *nm* escardillo.
sarcophage [saʀkɔfaʒ] *nm* sarcófago.
Sardaigne [saʀdɛɲ] *nf*: **la** ~ (la) Cerdeña.
sarde [saʀd(ə)] *a* sardo(a).
sardine [saʀdin] *nf* sardina; **~s à l'huile** sardinas en aceite.
sardonique [saʀdɔnik] *a* irónico(a).
sari [saʀi] *nm* sari *m*.
SARL *sigle f voir* **société.**
sarment [saʀmɑ̃] *nm*: ~ **(de vigne)** sarmiento (de vid).
sarrasin [saʀazɛ̃] *nm* alforfón *m*.
sarrau [saʀo] *nm* blusón *m*.
Sarre [saʀ] *nf*: **la** ~ el Sarre.
sarriette [saʀjɛt] *nf* ajedrea.
sarrois, e [saʀwa, waz] *a* del Sarre // *nm/f* nativo/a del Sarre.
sas [sɑ] *nm* (*pièce étanche*) esclusa de aire; (*d'une écluse*) cámara.
satané, e [satane] *a* condenado(a), maldito(a).
satanique [satanik] *a* satánico(a).
satelliser [satelize] *vt* poner en órbita; (*fig*) convertir en estado satélite.
satellite [satelit] *nm* satélite *m*; **pays** ~ país *m* satélite; **retransmis par** ~ trasmitido vía satélite; ~ **observatoire/relais/espion** satélite observatorio/repetidor/espía.
satiété [sasjete]: **à** ~ *ad* hasta la saciedad.
satin [satɛ̃] *nm* satén *m*, raso; **~é, e** [satine] *a* satinado(a); (*peau*) aterciopelado(a); **~ette** [satinɛt] *nf* rasete *m*.
satire [satiʀ] *nf* sátira; **satirique** *a* satírico(a); **satiriser** *vt* satirizar.
satisfaction [satisfaksjɔ̃] *nf* satisfacción *f*.
satisfaire [satisfɛʀ] *vt* satisfacer; ~ **à** *vt* cumplir con; (*suj*: *chose*) colmar, satisfacer.
satisfaisant, e [satisfəzɑ̃, ɑ̃t] *a* satisfactorio(a).
satisfait, e [satisfɛ, ɛt] *a* satisfecho(a), complacido(a); ~ **de** satisfecho de.
saturation [satyʀɑsjɔ̃] *nf* saturación *f*; **arriver à** ~ llegar a la saturación.
saturer [satyʀe] *vt* saturar, colmar; **être saturé de qch** estar harto de algo.
satyre [satiʀ] *nm* sátiro.
sauce [sos] *nf* salsa; ~ **blanche/tomate** salsa blanca/de tomate; ~ **aux câpres/suprême/vinaigrette** salsa de alcaparras/suprema/vinagreta; **saucer** *vt* rebañar, limpiar los restos de salsa con el pan; **saucière** *nf* salsera.
saucisse [sosis] *nf* salchicha.
saucisson [sosisɔ̃] *nm* salchichón *m*; ~ **sec/à l'ail** salchichón seco/al ajo.
sauf [sof] *prép* salvo; ~ **si...** (*excepté*) salvo *o* excepto si; (*à moins que*) salvo *o* sólo si; ~ **avis contraire** salvo opinión en contrario.
sauf, sauve [sof, sov] *a* salvo(a), ileso(a); (*fig*) salvo(a), indemne; **laisser la vie sauve à qn** perdonarle la vida a alguien.
sauf-conduit [sofkɔ̃dɥi] *nm* salvoconducto.
sauge [soʒ] *nf* salvia.

saugrenu, e [sogʀɔny] *a* estrambótico(a).
saule [sol] *nm* sauce *m*; ~ **pleureur** sauce llorón.
saumâtre [somɑtʀ(ə)] *a* salubre.
saumon [somɔ̃] *nm* salmón *m* // *a inv* salmón *inv*, asalmonado(a); ~**é, e** *a*: **truite** ~**ée** trucha salmonada.
saumure [somyʀ] *nf* salmuera.
sauna [sona] *nm* sauna *m*.
saupoudrer [sopudʀe] *vt* espolvorear.
saur [sɔʀ] *am*: **hareng** ~ arenque ahumado.
saurai *etc vb voir* **savoir.**
saut [so] *nm* salto; **faire un** ~ dar un salto; **faire un** ~ **chez qn** dar un salto por lo de *o* casa de alguien; **au** ~ **du lit** al levantarse; ~ **en hauteur/longueur/à la perche** salto de altura/longitud/pértiga; ~ **périlleux** salto mortal.
saute [sot] *nf* cambio.
sauté, e [sote] *a* salteado(a) // *nm*: ~ **de veau** salteado de ternera.
saute-mouton [sotmutɔ̃] *nm*: **jouer à** ~ jugar al salto.
sauter [sote] *vi* saltar; (*se précipiter*): ~ **dans/sur/vers** abalanzarse en/sobre/hacia; (*bateau, pont*) saltar, estallar; (*corde etc*) romperse // *vt* saltar; (*fig*) saltarse; **faire** ~ (*pont etc*) hacer saltar *o* volar; (CULIN) saltear; ~ **à pieds joints/à cloche-pied** saltar con los pies juntos/a la pata coja; ~ **en parachute** saltar en paracaídas; ~ **à la corde** saltar a la cuerda; ~ **au cou de qn** echarse en brazos de alguien; ~ **aux yeux** saltar a la vista.
sauterelle [sotʀɛl] *nf* saltamontes *m*, langosta.
sauterie [sotʀi] *nf* guateque *m*.
sauteur, euse [sotœʀ, øz] *nm/f* saltador/ora // *nf* (*casserole*) cacerola para saltear; ~ **à la perche/à skis** saltador de pértiga/con esquíes.
sautiller [sotije] *vi* dar saltitos.
sautoir [sotwaʀ] *nm* collar largo; **porter en** ~ llevar sobre el pecho.
sauvage [sovaʒ] *a* salvaje, feroz; (*plante*) silvestre; (*lieu*) agreste; (*peuplade*) salvaje; (*insociable*) huraño(a), arisco(a); (*barbare*) salvaje, bárbaro(a); (*non officiel*) desautorizado(a) // *nm/f* salvaje *m/f*; (*timide*) hosco/a, retraído/a; ~**rie** *nf* salvajez *f*; insociabilidad *f*; barbaridad *f*.
sauve [sov] *af voir* **sauf.**
sauvegarde [sovgaʀd(ə)] *nf* salvaguardia, garantía; **sous la** ~ **de** bajo la protección *o* el amparo de; **sauvegarder** *vt* salvaguardar.
sauve-qui-peut [sovkipø] *nm* desbandada // *excl* ¡sálvese quien pueda!
sauver [sove] *vt* salvar; **se** ~ *vi* largarse, escaparse; (*fam*) irse; **sauvetage** *nm* salvamento; **sauveteur** *nm* salvador *m*.
sauvette [sovɛt] : **à la** ~ *ad* precipitadamente; **vente à la** ~ venta ambulante no autorizada.
sauveur [sovœʀ] *nm* salvador *m*; (REL): **le S**~ el Salvador.
savais *etc vb voir* **savoir.**
savamment [savamɑ̃] *ad* sabiamente.
savane [savan] *nf* sabana.
savant, e [savɑ̃, ɑ̃t] *a* sabio(a), docto(a); (*édition, revue, travaux*) erudito(a); (*compétent*) erudito(a), sabio(a); (*compliqué*) arduo(a), complejo(a); (*habile*) inteligente, hábil // *nm* sabio, erudito.
saveur [savœʀ] *nf* sabor *m*.
Savoie [savwa] *nf*: **la** ~ (la) Saboya.
savoir [savwaʀ] *vt* conocer; (*date, nom, fait etc*) conocer, saber; (*être capable de*) saber // *nm* saber *m*, conocimiento; ~ **que** saber que; ~ **si/comment/combien...** saber si/cómo/cúanto...; **se** ~ saberse; **à** ~ *ad* a saber; **faire** ~ **qch à qn** hacer saber *o* dar a conocer algo a alguien; **ne rien vouloir** ~ no querer saber nada; **pas que je sache** que yo sepa, no; **sans le** ~ *ad* sin sa-

berlo; **~-faire** *nm inv* tacto, tino; **~-vivre** *nm inv* urbanidad *f*, mundo.

savon [savɔ̃] *nm* jabón *m*; (*fam*): **passer un ~ à qn** dar una peluca *o* filípica a alguien; **~ner** *vt* enjabonar; **se ~ner** enjabonarse; **~nette** *nf* jabón *m* de tocador; **~neux, euse** *a* jabonoso(a).

savons *vb voir* **savoir.**

savourer [savuʀe] *vt* saborear.

savoureux, euse [savuʀø, øz] *a* sabroso(a).

savoyard, e [savwajaʀ, aʀd(ə)] *a* saboyano(a).

saxophone [saksɔfɔn] *nm* saxofón *m*; **saxophoniste** *nm/f* saxofonista *m/f*.

saynète [sɛnɛt] *nf* sainete *m*.

sbire [sbiʀ] *nm* (*péj*) esbirro.

scabreux, euse [skabʀø, øz] *a* escabroso(a).

scalpel [skalpɛl] *nm* escalpelo.

scalper [skalpe] *vt* escalpar.

scandale [skɑ̃dal] *nm* escándalo; (*tapage*): **faire du ~** armar (un) escándalo *o* alboroto; **au grand ~ de...** con gran indignación de...; **faire ~** causar escándalo; **scandaleux, euse** *a* escandaloso(a); **scandaliser** *vt* escandalizar; **se scandaliser (de)** escandalizarse (de *o* con).

scander [skɑ̃de] *vt* escandir; (*mots, syllabes*) silabear, marcar.

scandinave [skɑ̃dinav] *a, nm, nf* escandinavo(a).

Scandinavie [skɑ̃dinavi] *nf* Escandinavia.

scaphandre [skafɑ̃dʀ(ə)] *nm* escafandra; (*de cosmonaute*) escafandra, casco; **~ autonome** autorespirador *m*.

scarabée [skaʀabe] *nm* escarabajo.

scarlatine [skaʀlatin] *nf* escarlatina.

scarole [skaʀɔl] *nf* escarola.

scatologique [skatɔlɔʒik] *a* escatológico(a).

sceau, x [so] *nm* sello; **sous le ~ du secret** bajo secreto.

scélérat, e [seleʀa, at] *nm/f* delincuente *m/f*, malhechor/ora.

sceller [sele] *vt* sellar; (*barreau, chaîne etc*) empotrar.

scellés [sele] *nmpl* (JUR): **mettre les ~ sur** precintar.

scénario [senaʀjo] *nm* guión *m*; (*fig*) plan *m*; **scénariste** *nm/f* guionista *m/f*.

scène [sɛn] *nf* escena; (THÉÂTRE: *lieu, estrade, décors*) escenario, escena; (*art dramatique*): **la ~** la escena, el teatro; **entrer en ~** entrar en escena; **par ordre d'entrée en ~** por orden de aparición; **mettre en ~** dirigir; **porter à la ~** llevar a escena; **adapter pour la ~** adaptar para el teatro; **~ de ménage** altercado conyugal; **scénique** *a* teatral, escénico(a).

sceptique [sɛptik] *a, nm/f* escéptico(a).

sceptre [sɛptʀ(ə)] *nm* cetro.

schéma [ʃema] *nm* esquema *m*; **~tique** *a* esquemático(a).

schisme [ʃism(ə)] *nm* cisma *m*.

schiste [ʃist(ə)] *nm* esquisto.

schizophrène [skizɔfʀɛn] *nm/f* esquizofrénico/a.

sciatique [sjatik] *a*: **nerf ~** nervio ciático // *nf* ciática.

scie [si] *nf* serrucho, sierra; (*fam: péj*) lata, cantinela; **~ à bois/métaux** sierra para madera/metales; **~ circulaire** sierra circular; **~ à découper** segueta.

sciemment [sjamɑ̃] *ad* concientemente.

science [sjɑ̃s] *nf* ciencia; (*connaissance, savoir faire*) conocimiento, saber *m*; **~-fiction** *nf* ciencia ficción; **~s naturelles** ciencias naturales; **~s occultes** ciencias ocultas; **scientifique** *a, nm/f* científico(a).

scier [sje] *vt* aserrar, serrar; **scierie** *nf* aserradero; **scieur de long** *nm* aserrador *m*, chiquichaque *m*.

scinder [sɛ̃de] *vt* escindir, dividir; **se ~** *vi* (*parti*) escindirse.

scintiller [sɛ̃tije] *vi* centellar, destellar.
scission [sisjɔ̃] *nf* escisión *f.*
sciure [sjyʀ] *nf*: ~ **(de bois)** aserrín (de madera) *m.*
sclérose [skleʀoz] *nf* esclerosis *f*; (*fig*) esclerosis, estancamiento; ~ **artérielle** esclerosis arterial, arteriosclerosis *f*; ~ **en plaques** esclerosis en placas; **sclérosé, e** *a* escleroso(a); (*fig*) estancado(a).
scolaire [skɔlɛʀ] *a* escolar.
scolariser [skɔlaʀize] *vt* escolarizar; **scolarité** *nf* escolaridad *f.*
scoliose [skɔljoz] *nf* escoliosis *f.*
scooter [skutœʀ] *nm* scooter *m*, ciclomoto.
scorbut [skɔʀbyt] *nm* escorbuto.
score [skɔʀ] *nm* número de tantos, tanteo.
scories [skɔʀi] *nfpl* escorias.
scorpion [skɔʀpjɔ̃] *nm* escorpión *m*; (*ASTRO*): **le S~** Escorpio; **être du S~** ser de Escorpio.
scout [skut] *a* explorador(ora), scout // *nm* scout *m*, escutista *m*; **~isme** *nm* escutismo.
scribe [skʀib] *nm* escribiente *m.*
script [skʀipt] *a, nf*: **(écriture)** ~ (letra) cursiva // *nm* (*CINÉMA*) guión *m.*
script-girl [skʀiptgœʀl] *nf* secretaria de dirección, script girl *f.*
scrupule [skʀypyl] *nm* escrúpulo; **scrupuleux, euse** *a* escrupuloso(a).
scruter [skʀyte] *vt* escrutar; (*motifs, comportement*) examinar.
scrutin [skʀytɛ̃] *nm* escrutinio; (*ensemble des opérations*) votación *f*; ~ **uninominal/de liste** votación nominal/por una lista; ~ **à deux tours** votación en dos vueltas.
sculpter [skylte] *vt* esculpir; (*suj*: *érosion*) esculpir, tallar; **sculpteur** *nm* escultor *m.*
sculptural, e, aux [skyltyʀal, o] *a* escultural.
sculpture [skyltyʀ] *nf* escultura.
SDECE *sigle m voir* **service.**
se, s' [s(ə)] *pron* se; ~ **casser la jambe** romperse la pierna; ~ **laver les mains** lavarse las manos; *autres emplois pronominaux: voir le verbe en question.*
séance [seɑ̃s] *nf* sesión *f*; ~ **tenante** de inmediato.
séant, e [seɑ̃, ɑ̃t] *a* sentado(a) // *nm* asentaderas, trasero.
seau, x [so] *nm* cubo; ~ **à glace** cubo de hielo.
sec, sèche [sɛk, sɛʃ] *a* seco(a); (*cœur, personne*) duro(a), frío(a); (*style, graphisme*) árido(a); (*départ, démarrage*) brusco(a) // *nm*: **tenir au** ~ mantener en lugar seco // *ad* (*démarrer*) bruscamente; **boire** ~ beber mucho; **je le prends** *ou* **bois** ~ lo tomo *o* bebo puro; **à pied** ~ sin mojarse los pies, a pie enjuto; **à** ~ *a* seco(a).
sécateur [sekatœʀ] *nm* podadera.
sécession [sesesjɔ̃] *nf*: **faire** ~ separarse, dividirse.
séchage [seʃaʒ] *nm* secado.
sèche [sɛʃ] *af voir* **sec.**
sèche-cheveux [sɛʃ(ə)vø] *nm inv* secador *m* de cabellos.
sécher [seʃe] *vt* secar; (*fam*) fumarse // *vi* secarse; (*fam*) estar pegado(a); **se** ~ secarse.
sécheresse [sɛʃʀɛs] *nf* sequedad *f*, aridez *f*; (*absence de pluie*) sequía.
séchoir [seʃwaʀ] *nm* secador *m.*
second, e [s(ə)gɔ̃, ɔ̃d] *a* segundo(a) // *nm* (*assistant*) auxiliar *m*, ayudante *m*; (*étage*) segundo piso; (*NAUT*) segundo // *nf* segundo; (*SCOL*) ≈ quinto año; (*TRANSPORTS*) segunda; **doué de ~e vue** dotado de sexto sentido; **trouver son ~ souffle** recobrar el impulso; **de ~e main** de segunda mano; **~aire** *a* secundario(a); (*SCOL*) medio(a); **~er** *vt* secundar, ayudar.
secouer [səkwe] *vt* sacudir; (*passagers*) sacudir, zangolotear; (*traumatiser*) perturbar, traumatizar; (*fam*) hacer reaccionar; **se** ~ (*chien*) sacudirse; (*fam*) moverse, reaccionar.
secourable [s(ə)kuʀabl(ə)] *a* humanitario(a), caritativo(a).

secourir [s∋kuʀiʀ] *vt* socorrer, auxiliar; **secourisme** *nm* socorrismo; **secouriste** *nm/f* socorrista *m/f*.
secours [s(∋)kuʀ] *nm* socorro, auxilio // *nmpl* ayuda; (*soins, équipes de secours*) auxilio; **cela lui a été d'un grand** ~ esto le ha sido de gran ayuda; **au** ~! ¡socorro!; ¡auxilio!; **appeler au** ~ pedir socorro *o* auxilio; **appeler qn à son** ~ pedir socorro a alguien; **aller au** ~ **de qn** socorrer *o* auxiliar a alguien; **les premiers** ~ los primeros auxilios.
secousse [s(∋)kus] *nf* sacudida; (*électrique*) descarga; (*fig*) conmoción *f*, sacudida; ~ **sismique** *ou* **tellurique** sacudimiento *o* temblor sísmico *o* telúrico.
secret, ète [s∋kʀɛ, ɛt] *a* secreto(a); (*personne*) reservado(a) // *nm* secreto; **en** ~ *ad* en secreto, a escondidas; **au** ~ (*prisonnier*) en celda de aislamiento, incomunicado(a); ~ **professionnel** secreto profesional.
secrétaire [s∋kʀetɛʀ] *nm/f* secretario/a // *nm* (*meuble*) secreter *m*; ~**-comptable** secretario/a contable; ~ **de direction** secretario/a de dirección; ~ **d'Etat** = ministro *m/f*; ~ **général** secretario/a general; ~ **de mairie** secretario/a municipal; ~ **médicale** ayudante *o* auxiliar médico; ~ **de rédaction** secretario/a de redacción; ~ **sténodactylo** secretario/a taquimecanógrafo(a); **secrétariat** *nm* secretariado; (*bureau,* POL *etc*) secretaría; **secrétariat d'Etat** ministerio, secretaría de Estado; **secrétariat général** secretaría general.
secréter [s∋kʀete] *vt* secretar, segregar.
sectaire [sɛktɛʀ] *a* sectario(a).
secte [sɛkt(∋)] *nf* secta.
secteur [sɛktœʀ] *nm* sector *m*; (ÉLEC): **branché sur le** ~ conectado con la red.
section [sɛksjɔ̃] *nf* sección *f*; (*coupe*) corte *m*, sección; (*tronçon*) sección, tramo; (*d'un chapitre, d'une œuvre*) parte *f*; (MUS): **la** ~ **rythmique/des cuivres** la batería/los cobres; **tube de** ~ **6,5 mm** tubo de 6,5 mm de sección; ~**ner** *vt* seccionar, cortar; **se** ~**ner** *vi* (*câble*) cortarse, romperse.
sectoriel, le [sɛktɔʀjɛl] *a* sectorial.
séculaire [sekylɛʀ] *a* secular.
séculier, ière [sekylje, jɛʀ] *a* seglar.
sécuriser [sekyʀize] *vt* asegurar.
sécurité [sekyʀite] *nf* seguridad *f*; **être en** ~ estar al seguro; **la** ~ **routière** *medidas de seguridad para el tránsito de carreteras*; **la** ~ **sociale** la seguridad social.
sédatif, ive [sedatif, iv] *a* sedativo(a) // *nm* sedante *m*.
sédentaire [sedɑ̃tɛʀ] *a* sedentario(a).
sédiment [sedimɑ̃] *nm* sedimento; ~**s** *mpl* (*alluvions*) sedimentos.
séditieux, euse [sedisjø, øz] *a* sedicioso(a), insurrecto(a).
sédition [sedisjɔ̃] *nf* sedición *f*, insurrección *f*.
séducteur, trice [sedyktœʀ, tʀis] *a* seductor(ora), cautivante // *nm* seductor *m* // *nf* seductora.
séduction [sedyksjɔ̃] *nf* seducción *f*.
séduire [sedɥiʀ] *vt* seducir, conquistar; (*femme*: *abuser de*) seducir; (*suj*: *chose*) cautivar, seducir; **séduisant, e** *a* encantador(ora), atractivo(a); (*offre, promesse*) seductor(ora), cautivante.
segment [sɛgmɑ̃] *nm* segmento; ~ (**de piston**) segmento de pistón; ~**er** *vt* segmentar.
ségrégation [segʀegɑsjɔ̃] *nf* segregación *f*.
seiche [sɛʃ] *nf* sepia.
séide [seid] *nm* (*péj*) fanático, secuaz *m*.
seigle [sɛgl(∋)] *nm* centeno.
seigneur [sɛɲœʀ] *nm* señor *m*;

(*REL*): **le S~** el Señor; **~ial, e, aux** *a* señorial.

sein [sɛ̃] *nm* seno; (*fig*: *poitrine*) seno, pecho; **au ~ de** *prép* en el seno de; **donner le ~ à** dar el pecho a.

Seine [sɛn] *nf*: **la ~** el Sena.

séisme [seism(ə)] *nm* seísmo, terremoto; **séismique** *etc voir* **sismique** *etc.*

seize [sɛz] *num* dieciséis; **seizième** *num* decimosexto(a).

séjour [seʒuʀ] *nm* estadía, permanencia; (*pièce*) estar *m*, sala; **~ner** *vi* permanecer.

sel [sɛl] *nm* sal *f.*

sélection [selɛksjɔ̃] *nf* selección *f*; **~ner** *vt* seleccionar; **~neur, euse** *nm/f* seleccionador/ora.

self-service [sɛlfsɛʀvis] *nm* autoservicio.

selle [sɛl] *nf* silla: (*de bicyclette, motocyclette*) sillín *m*; (*CULIN*) faldilla; **~s** *nfpl* deposiciones *fpl*; **aller à la ~** (*MÉD*) hacer del cuerpo; **se mettre en ~** montar; **seller** *vt* ensillar.

sellette [sɛlɛt] *nf*: **mettre qn sur la ~** agobiar a preguntas a alguien; **être sur la ~** estar en el banquillo de los acusados.

sellier [selje] *nm* sillero, talabartero.

selon [səlɔ̃] *prép* (*en se conformant à*) según, conforme a; (*en fonction de, d'après*) según.

semailles [səmɑj] *nfpl* siembra.

semaine [səmɛn] *nf* semana.

sémantique [semɑ̃tik] *a* semántico(a) // *nf* semántica.

sémaphore [semafɔʀ] *nm* (*RAIL*) semáforo.

semblable [sɑ̃blabl(ə)] *a* parecido(a), semejante // *nm* semejante *m*; **~ à** semejante *o* parecido(a) a; **de ~s mésaventures** *etc* semejantes desgracias *etc.*

semblant [sɑ̃blɑ̃] *nm*: **un ~ de** una apariencia de; **faire ~ de faire qch** aparentar *o* fingir hacer algo; **faire ~** hacer como si, simular.

sembler [sɑ̃ble] *vb avec attribut* parecer // *vb impersonnel*: **il (me) semble que/inutile de...** parece que/inútil...; **il me semble le connaître** me parece que le conozco; **comme/quand bon lui semble** como/cuando le parece *o* se le antoja; **me semble-t-il, à ce qu'il me semble** me parece, en mi opinión.

semelle [səmɛl] *nf* suela; (*intérieure*) plantilla; (*de bas etc*) soleta; **~s compensées** suelas de zapato tanque.

semence [səmɑ̃s] *nf* (*graine*) semilla, simiente *f*; (*clou*) tachuela.

semer [səme] *vt* sembrar; (*fig*) sembrar, desparramar; (*poursuivants*) desorientar, perder.

semestre [səmɛstʀ(ə)] *nm* semestre *m*; **semestriel, le** *a* semestral.

semi... [səmi] *préf* semi; **~-automatique** *a* semiautomático(a).

sémillant, e [semijɑ̃, ɑ̃t] *a* jovial, donoso(a).

séminaire [seminɛʀ] *nm* seminario; **séminariste** *nm* seminarista *m.*

semi-remorque [səmiʀəmɔʀk(ə)] *nf, nm* semirremolque *m.*

semis [səmi] *nm* (*terrain*) sementera; (*plante*) macizo, semillero.

sémite [semit] *a* semita.

sémitique [semitik] *a* semítico(a).

semoir [səmwaʀ] *nm* sembradora.

semonce [səmɔ̃s] *nf* advertencia; (*fig*) sermón *m*, reprimenda; **coup de ~** disparo de advertencia.

semoule [səmul] *nf* (*farine*) sémola; **~ de riz/maïs** harina de arroz/maíz.

sempiternel, le [sɑ̃pitɛʀnɛl] *a* sempiterno(a).

sénat [sena] *nm*: **le S~** el Senado; **~eur** *nm* senador *m.*

sénile [senil] *a* senil; (*péj*) chocho(a) senil; **sénilité** *nf* senilidad *f.*

sens [sɑ̃] *vb voir* **sentir** // *nm* [sɑ̃s] sentido // *mpl* (*sensualité*) sentidos; **à mon ~** a mi juicio; **reprendre ses**

~ volver en sí; ~ **interdit/unique** dirección prohibida/única; ~ **figuré/propre** sentido figurado/recto *o* propio; ~ **dessus, dessous** *ad* patas arriba; **en ~ interdit** contramano; **dans le ~/dans le ~ inverse des aiguilles d'une montre** en el sentido/en sentido inverso al de las agujas de un reloj.

sensation [sɑ̃sɑsjɔ̃] *nf* sensación *f*; **faire ~** causar sensación; **~nel, le** *a* sensacional; (*fam*) estupendo(a), sensacional.

sensé, e [sɑ̃se] *a* sensato(a).

sensibiliser [sɑ̃sibilize] *vt*: **sensibilisé(e) à** sensible a, consciente de.

sensibilité [sɑ̃sibilite] *nf* sensibilidad *f*.

sensible [sɑ̃sibl(ə)] *a* sensible; **~ à** sensible a; **~ment** *ad* (*notablement*) sensiblemente; (*à peu près*): **ils ont ~ment le même poids** tienen casi el mismo peso; **~rie** *nf* sensiblería.

sensitif, ive [sɑ̃sitif, iv] *a* sensitivo(a).

sensoriel, e [sɑ̃sɔʀjɛl] *a* sensorial.

sensualité [sɑ̃sɥalite] *nf* sensualidad *f*.

sensuel, le [sɑ̃sɥɛl] *a* sensual.

sent, sentais *etc vb voir* **sentir.**

sente [sɑ̃t] *nf* senda.

sentence [sɑ̃tɑ̃s] *nf* sentencia; **sentencieux, euse** *a* sentencioso(a).

senteur [sɑ̃tœʀ] *nf* fragancia, perfume *m*.

sentez *vb voir* **sentir.**

sentier [sɑ̃tje] *nm* sendero.

sentiment [sɑ̃timɑ̃] *nm* sentimiento; (*impression*): **avoir le ~ de/que** tener la impresión de/de que; (*avis*) opinión *f*, punto de vista; **recevez mes ~s respectueux** reciba Ud. mi consideración más distinguida; **faire du ~** (*péj*) apelar a la sensiblería; **~al, e, aux** *a* sentimental; **~alité** *nf* sentimentalismo.

sentinelle [sɑ̃tinɛl] *nf* centinela *m*; **en ~** de centinela *o* guardia.

sentir [sɑ̃tiʀ] *vt* (*percevoir*) sentir, percibir; (*avoir conscience de*) sentir, advertir; (*apprécier, goûter*) sentir, apreciar; (*par l'odorat*) sentir, oler; (*répandre une odeur de*) oler a; (*avoir le goût, la saveur de*) saber a // *vi* oler mal; **~ bon/mauvais** oler bien/mal; **se ~ bien/mal à l'aise** sentirse bien/incómodo(a); **se ~ mal** (*être indisposé*) sentirse mal; **se ~ le courage de faire** sentirse con el coraje de hacer; **ne plus se ~ de joie** desbordar de alegría; **ne pas pouvoir ~ qn** (*fam*) no poder tragar a alguien.

seoir [swaʀ] : **~ à** *vt* sentar *o* quedar bien a.

séparation [sepaʀɑsjɔ̃] *nf* separación *f*; (*entre amis etc*) separación, alejamiento; (*mur etc*) separación, división *f*; **~ de corps** separación.

séparatisme [sepaʀatism(ə)] *nm* separatismo.

séparé, e [sepaʀe] *a* separado(a); **~ment** *ad* separadamente.

séparer [sepaʀe] *vt* separar; (*suj*: *divergences etc, aussi delibérément*) separar, alejar; (*diviser*): **~ qch par** *ou* **au moyen de** dividir algo por medio de; **~ une pièce en deux** dividir una habitación en dos; **se ~** separarse; (*prendre congé*: *amis etc*) separarse, despedirse; (*se diviser*: *route, tige etc*) bifurcarse, dividirse; (*se détacher*): **se ~ (de)** alejarse *o* separarse (de); **se ~ de** (*époux*) separarse de; (*employé, objet personnel*) deshacerse de.

sept [sɛt] *num* siete.

septembre [sɛptɑ̃bʀ(ə)] *nm* setiembre *m*.

septennat [sɛptena] *nm* septenio.

septentrional, e, aux [sɛptɑ̃tʀijɔnal, o] *a* septentrional.

septicémie [sɛptisemi] *nf* septicemia.

septième [sɛtjɛm] *num* séptimo(a).

septique [sɛptik] *a*: **fosse ~** fosa séptica.

septuagénaire [sɛptɥaʒenɛʀ] *a, nm/f* septuagenario(a).

sépulcre [sepylkʀ(ə)] *nm* sepulcro.

sépulture [sepyltyʀ] *nf* (*inhumation*) sepultura.
séquelles [sekɛl] *nfpl* secuelas.
séquence [sekɑ̃s] *nf* secuencia.
séquestre [sekɛstʀ(ə)] *nm* secuestro, embargo; **mettre sous ~** embargar.
séquestrer [sekɛstʀe] *vt* secuestrar; (*biens*) embargar.
serai *etc vb voir* **être.**
serein, e [səʀɛ̃, ɛn] *a* sereno(a).
sérénade [seʀenad] *nf* serenata; (*fam*) jarana, jolgorio.
sérénité [seʀenite] *nf* serenidad *f.*
serez *vb voir* **être.**
serf, serve [sɛʀ, sɛʀv(ə)] *nm/f* siervo/a.
serge [sɛʀʒ(ə)] *nf* sarga.
sergent [sɛʀʒɑ̃] *nm* sargento; **~-chef** *nm* sargento primero; **~-major** *nm* sargento mayor.
sériciculture [seʀisikyltyʀ] *nf* sericultura.
série [seʀi] *nf* (*de questions, d'accidents*) serie *f*; (*de clefs, casseroles, outils*) juego; (*catégorie*: SPORT) categoría; **fabrication en ~** fabricación *f* en serie; **voiture de ~** coche *m* de serie; **hors ~** fuera de serie; **soldes de fin de ~s** saldos de restos; **roman de ~ noire** novela policial; **sérier** *vt* clasificar, seriar.
sérieusement [seʀjøzmɑ̃] *ad* seriamente; **~?** ¿de verdad?, ¿en serio?
sérieux, euse [seʀjø, øz] *a* serio(a); (*sûr*) seguro(a), serio(a); (*moral, rangé*) serio(a), formal; (*maladie, situation*) grave, serio(a); (*important*) considerable // *nm* seriedad *f*; **prendre qch/qn au ~** tomar algo/a alguien en serio.
seriez *vb voir* **être.**
serin [səʀɛ̃] *nm* canario.
seriner [səʀine] *vt*: **~ qch à qn** machacar algo a alguien.
seringue [səʀɛ̃g] *nf* jeringa.
serions *vb voir* **être.**
serment [sɛʀmɑ̃] *nm* juramento; **prêter ~** prestar juramento; **sous ~** bajo juramento; **~ d'ivrogne** promesa de borracho.
sermon [sɛʀmɔ̃] *nm* sermón *m.*
serons *etc vb voir* **être.**
serpe [sɛʀp(ə)] *nf* podón *m.*
serpent [ɛʀpɑ̃] *nm* serpiente *f*; **~ à lunettes/à sonnettes** serpiente de anteojo/de cascabel.
serpenter [sɛʀpɑ̃te] *vi* serpentear.
serpentin [sɛʀpɑ̃tɛ̃] *nm* (*tube*) serpentín *m*; (*ruban*) serpentina.
serpillière [sɛʀpijɛʀ] *nf* aljofifa.
serrage [sɛʀaʒ] *nm* presión *f*, ajuste *m.*
serre [sɛʀ] *nf* (AGR) invernadero; **~s** *fpl* (*griffes*) garras; **~ chaude/froide** invernadero templado/frío.
serré, e [seʀe] *a* apretado(a); (*habits*) estrecho(a), ceñido(a); (*fig*) encarnizado(a), reñido(a) // *ad*: **jouer ~** jugar con tino o prudencia; **avoir le cœur/la gorge ~(e)** tener el corazón en un puño/un nudo en la garganta.
serre-livres [sɛʀlivʀ(ə)] *nm inv* sujetalibros *m inv.*
serrement [sɛʀmɑ̃] *nm*: **~ de cœur** congoja, opresión *f*; **~ de main** apretón *m* de manos.
serrer [seʀe] *vt* (*comprimer*) apretar, ajustar; (*poings, mâchoires*) apretar; (*suj*: *vêtement*) ceñir; (*rapprocher*) estrechar, comprimir; (*corde, ceinture, nœud*) ajustar; (*frein, vis, robinet*) presionar, ajustar; (*automobiliste, cycliste*) encerrar // *vi*: **~ à droite/gauche** ceñirse a la derecha/izquierda; **se ~** (*se rapprocher*) estrecharse, apretujarse; **se ~ la main** estrecharse la mano; **~ la main à qn** estrechar la mano a alguien; **~ qn dans ses bras** estrechar a alguien en sus brazos; **~ qn de près** seguir de cerca a alguien; **~ le trottoir** pegarse a la acera; **~ sa droite/gauche** pegarse a su derecha/izquierda; **se ~ contre qn** apretarse contra alguien; **se ~ les coudes** ayudarse mutuamente; **se ~ la**

ceinture apretarse el cinturón; ~ **la vis à qn** ajustarle las clavijas a alguien.

serre-tête [sɛʀtɛt] *nm* banda elástica; (*bonnet*) casco.

serrure [seʀyʀ] *nf* cerradura; **~rie** *nf* (*métier*) cerrajería; (*ferronnerie*) forja de hierro; **~rie d'art** artesanía de hierro forjado; **serrurier** *nm* cerrajero.

sers *vb voir* **servir.**

sertir [sɛʀtiʀ] *vt* (*pierre*) engastar; (*pièces métalliques*) encastrar.

sérum [seʀɔm] *nm* suero; ~ **antitétanique/antivenimeux** suero antitetánico/antiofídico; ~ **de vérité** suero de la verdad.

servage [sɛʀvaʒ] *nm* servidumbre *f.*

servais *vb voir* **servir.**

servant [sɛʀvɑ̃] *nm* (*REL*) monaguillo; (*MIL*) sirviente *m.*

servante [sɛʀvɑ̃t] *nf* sirvienta, mujer *f* de servicio.

serve [sɛʀv(ə)] *etc vb voir* **servir** // *nf voir* **serf.**

serveur, euse [sɛʀvœʀ, øz] *nm/f* camarero/a.

servi, e *pp de* **servir.**

serviable [sɛʀvjabl(ə)] *a* servicial.

service [sɛʀvis] *nm* servicio; (*série de repas*): **premier/second** ~ primer/segundo turno; (*aide, faveur*) servicio, favor *m*; (*REL: office*) servicio, oficio; (*TENNIS, VOLLEY-BALL*) servicio, saque *m*; **~s** *mpl* (*travail, ÉCON*) servicios; **faire le** ~ servir; **être en** ~ **chez qn** (*domestique*) estar en servicio en lo de alguien; **être au** ~ **de** estar al servicio de; **rendre** ~ **(à qn)** hacer un favor *o* servicio (a alguien); (*suj: objet, outil*) ser de utilidad (a alguien); **entrée/escalier de** ~ entrada/escalera de servicio; ~ **après vente** servicio de instalación y reparación; **en** ~ **commandé** en función de servicio; ~ **de documentation extérieure et de contre-espionnage, SDECE** servicio de contraespionaje; ~ **militaire** servicio militar; ~ **de presse** servicio de prensa; ~ **à thé** *etc* servicio de té *etc*; **~s secrets** servicios secretos.

serviette [sɛʀvjɛt] *nf* (*de table*) servilleta; (*de toilette*) toalla; (*porte-documents*) cartera; ~ **hygiénique** paño higiénico.

servile [sɛʀvil] *a* servil, rastrero(a).

servir [sɛʀviʀ] *vt* servir; (*convive, client*) servir, atender; (*fig: aider*) servir, ayudar; (*COMM: rente, intérêts*) pagar // *vi* (*TENNIS*) servir, sacar; (*CARTES*) servir; **se** ~ (*prendre d'un plat*) servirse; **se** ~ **de** servirse; (*voiture, outil*) servirse de, utilizar; (*relations, amis*) servirse *o* valerse de; ~ **à qn** (*diplôme, livre*) servir *o* ser útil a alguien; ~ **à qch/faire qch** servir para algo/hacer algo; **à quoi cela sert-il (de faire)?** ¿de qué sirve (hacer)?; ~ **(à qn) de** hacer *o* servir (a alguien) de; ~ **la messe** ayudar a *o* servir la misa; ~ **les intérêts de qn** servir a los intereses de alguien; ~ **à dîner/déjeuner (à qn)** servir de cenar/almorzar (a alguien).

serviteur [sɛʀvitœʀ] *nm* servidor *m*, criado.

servitude [sɛʀvityd] *nf* servidumbre *f.*

servons *vb voir* **servir.**

ses [se] *dét voir* **son.**

session [sesjɔ̃] *nf* sesión *f*, reunión *f*; (*d'examen*) turno.

set [sɛt] *nm* set *m.*

seuil [sœj] *nm* umbral *m*; **recevoir qn sur le** ~ **(de sa maison)** recibir a alguien en la puerta (de su casa).

seul, e [sœl] *a* solo(a); (*avec nuance affective: isolé*) solitario(a), solo(a); (*en isolation*) solo(a), aislado(a); **le** ~ **livre/homme** el único libro/hombre; ~ **ce livre/cet homme** sólo este libro/hombre; **à lui (tout)** ~ él solo *o* a solas // *ad* (*vivre*) solo; **parler tout** ~ hablar solo; **faire qch (tout)** ~ hacer algo completamente) solo *o* a solas // *nm*: **un** ~ uno (solo), sólo uno.

seulement [sœlmɑ̃] *ad* sólo,

solamente; (*pas avant*): ~ **hier/à 10h** sólo ayer/a las 10hs; **non ~... mais aussi...** no sólo *o* solamente... sino que también... .
sève [sɛv] *nf* savia; (*fig*) vigor *m*.
sévère [sevɛʀ] *a* severo(a); (*fig*) severo(a), austero(a); (: *climat*) riguroso(a), duro(a); (*considérable*) serio(a), grave; **sévérité** *nf* severidad *f*; rigor *m*.
sévices [sevis] *nmpl* sevicia, malos tratos.
sévir [seviʀ] *vi* castigar con severidad; (*fléau*) hostigar;~ **contre** proceder con rigor contra.
sevrer [səvʀe] *vt* destetar; (*fig*): ~ **qn de** privar a alguien de.
sexagénaire [sɛgzaʒenɛʀ] *a, nm/f* sexagenario(a).
sexe [sɛks(ə)] *nm* sexo; **sexologue** *nm/f* sexólogo.
sextant [sɛkstɑ̃] *nm* sextante *m*.
sexualité [sɛksɥalite] *nf* sexualidad *f*.
sexué, e [sɛksɥe] *a* sexuado(a).
sexuel, le [sɛksɥɛl] *a* sexual.
seyait *etc vb voir* **seoir.**
seyant, e [sɛjɑ̃, ɑ̃t] *a* que favorece.
shampooing [ʃɑ̃pwɛ̃] *nm* champú *m*.
short [ʃɔʀt] *nm* short *m*, pantalón corto.
si [si] *nm inv* (MUS) si // *ad* (*oui*) sí; (*tellement*) tan // *conj* si; ~ **gentil/rapidement** tan amable/rápidamente; (**tant et**) ~ **bien que...** (tanto y) de tal modo que...; ~ **rapide qu'il soit...** por rápido que sea; ~ **seulement** si sólo.
siamois, e [sjamwa, waz] *a* siamés(esa).
Sicile [sisil] *nf*: **la** ~ Sicilia; **sicilien, ne** *a* siciliano(a).
sidéré, e [sideʀe] *a* anonadado(a).
sidérurgie [sideʀyʀʒi] *nf* siderurgia; **sidérurgique** *a* siderúrgico(a).
siècle [sjɛkl(ə)] *nm* siglo.
sied *vb voir* **seoir.**
siège [sjɛʒ] *nm* asiento; (*dans une assemblée, d'un député*) puesto; (*d'un tribunal, d'une assemblée*) sede *f*, asiento; (*d'organisation*) sede; (*d'une douleur etc*) foco; (MIL) sitio; **mettre le ~ devant une ville** poner sitio a una ciudad; **se présenter par le** ~ (MÉD) estar colocado(a) de trasero; ~ **avant/arrière** asiento delantero/trasero; ~ **éjectable** asiento lanzable; ~ **social** sede *o* casa central.
siéger [sjeʒe] *vi* (*député*) ocupar un escaño; (*assemblée, tribunal*) celebrar sesión; (*résider, se trouver*) residir.
sien, ne [sjɛ̃, sjɛn] *pron*: **le ~, la ~ne** el suyo, la suya; **les ~s, les ~nes** los suyos, las suyas; **y mettre du** ~ poner de su parte.
siérait *etc vb voir* **seoir.**
sieste [sjɛst(ə)] *nf* siesta; **faire la** ~ dormir la siesta.
sieur [sjœʀ] *nm*: **le ~ Duval** el señor Duval.
sifflant, e [siflɑ̃, ɑ̃t] *a* (*bruit*) sibilante, silbante; (**consonne**) ~**e** (consonante *f*) sibilante.
sifflement [sifləmɑ̃] *nm* silbido.
siffler [sifle] *vi* silbar // *vt* silbar; (*animal, personne*) silbar a; (*faute, fin d'un match, départ*) pitar; (*fam*) soplarse.
sifflet [siflɛ] *nm* silbato, pito; (*sifflement*) silbido; ~**s** *nmpl* (*de mécontentement*) silbidos; **coup de** ~ silbido, pitido.
siffloter [siflɔte] *vi* silbar distraídamente // *vt* silbar negligentemente.
sigle [sigl(ə)] *nm* sigla.
signal, aux [siɲal, o] *nm* señal *f*; ~ **de détresse** señal de socorro; **signaux (lumineux)** (AUTO) semáforo.
signalement [siɲalmɑ̃] *nm* filiación *f*, señas particulares.
signaler [siɲale] *vt* señalar, indicar; (*faire remarquer, montrer*): ~ **qch à qn/à (qn) que** hacer notar *o* señalar algo a alguien/(a alguien) que; **se ~ (par)** distinguirse (por); **se ~ à l'attention de qn** llamar la

atención de alguien, hacerse notar por alguien.
signalétique [siɲaletik] *a*: **fiche ~** ficha de filiación *o* identificación.
signalisation [siɲalizɑsjɔ̃] *nf* señalización *f*.
signaliser [siɲalize] *vt* señalizar.
signataire [siɲatɛʀ] *nm/f* signatario/a.
signature [siɲatyʀ] *nf* firma.
signe [siɲ] *nm* signo; (*mouvement, geste*) seña; **c'est bon/mauvais ~** es un(a) buen(a)/mal(a) signo *o* señal; **c'est ~ que** es signo *o* señal de que; **faire un ~ de la tête/main** hacer una seña con la cabeza/mano; **faire ~ à qn** hacer señas a alguien; **en ~ de** en señal de; **~ de (la) croix** señal *f* de la cruz; **~s particuliers: ...** señas particulares: ... .
signer [siɲe] *vt* firmar; **se ~** *vi* santiguarse.
signet [siɲɛ] *nm* registro, señal *f*.
significatif, ive [siɲifikatif, iv] *a* significativo(a).
signification [siɲifikɑsjɔ̃] *nf* significación *f*, significado; (*d'un mot*) significado, sentido.
signifier [siɲifje] *vt* (*vouloir dire*) significar, expresar; (*faire connaître*): **~ qch (à qn)** comunicar algo (a alguien); (*JUR*): **~ qch à qn** notificar algo a alguien.
silence [silɑ̃s] *nm* silencio; **garder le ~** guardar silencio, callar; **garder le ~ sur qch** guardar silencio sobre algo; **passer qch sous ~** pasar algo en silencio; **réduire qn au ~** hacer callar a alguien; **silencieux, euse** *a* silencioso(a); (*personne*) silencioso(a), callado(a) // *nm* silenciador *m*.
silex [silɛks] *nm* silex *m*.
silhouette [silwɛt] *nf* silueta.
sillage [sijaʒ] *nm* estela; **dans le ~ de** (*fig*) en las huellas de.
sillon [sijɔ̃] *nm* surco.
sillonner [sijɔne] *vt* surcar.
silo [silo] *nm* silo.
simagrées [simagʀe] *nfpl* dengues *mpl*, melindres *mpl*.
similaire [similɛʀ] *a* similar; **similarité** *nf* similitud *f*.
simili... [simili] *préf* simili; **similicuir** *nm* cuero artificial; **similitude** *nf* similitud *f*, semejanza.
simple [sɛ̃pl(ə)] *a* simple // *nm*: **~ messieurs/dames** simples *mpl* caballeros/damas; **~s** *nmpl* (*MÉD*) simples *mpl*; **un ~ particulier** un particular; **varier du ~ au double** duplicarse; **dans le plus ~ appareil** como Dios lo puso al mundo, en cueros; **~ d'esprit** *nm/f* simple *m/f*; **~ soldat** soldado raso; **simplicité** *nf* simplicidad *f*, sencillez *f*; (*candeur*) candidez *f*, simpleza; **en toute simplicité** con toda sencillez; **simplifier** *vt* simplificar; **simpliste** *a* simplista.
simulacre [simylakʀ(ə)] *nm* simulacro.
simulateur, trice [simylatœʀ, tʀis] *nm/f* simulador/ora // *nm*: **~ de vol** aparato de adiestramiento para el vuelo.
simulation [simylɑsjɔ̃] *nf* simulación *f*.
simuler [simyle] *vt* simular.
simultané, e [simyltane] *a* simultáneo(a); **~ment** *ad* simultáneamente.
sincère [sɛ̃sɛʀ] sincero(a); **mes ~s condoléances** mi sentido pésame; **sincérité** *nf* sinceridad *f*, franqueza; (*d'une parole, promesse*) sinceridad, veracidad *f*; **en toute sincérité** con toda franqueza.
singe [sɛ̃ʒ] *nm* mono; **singer** *vt* remedar; **~ries** *nfpl* monerías; (*simagrées*) remilgos.
singulariser [sɛgylaʀize] *vt* singularizar, caracterizar; **se ~** caracterizarse, singularizarse.
singularité [sɛ̃gylaʀite] *nf* singularidad *f*.
singulier, ière [sɛ̃gylje, jɛʀ] *a*, *nm* singular (*m*).
sinistre [sinistʀ(ə)] *a* siniestro(a) // *nm* siniestro; **un ~**

imbécile/crétin un tremendo imbécil/cretino; **sinistré, e** *a, nm/f* siniestrado(a), damnificado(a).
sinon [sinɔ̃] *conj* (*autrement, sans quoi*) si no, de lo contrario; (*sauf*) salvo, excepto; (*si ce n'est*) si no.
sinueux, euse [sinɥø, øz] *a* sinuoso(a), serpenteante; (*fig*) tortuoso(a), laberíntico(a); **sinuosités** *nfpl* embrollos.
sinus [sinys] *nm* seno; **~ite** [sinyzit] *nf* sinusitis *f*.
siphon [sifɔ̃] *nm* sifón *m*; **~ner** *vt* trasvasar por medio de un sifón.
sire [siʀ] *nm* (*titre*): **S~** señor *m*; **un triste ~** villano.
sirène [siʀɛn] *nf* sirena.
sirop [siʀo] *nm* jarabe *m*; (*pharmaceutique*) jarabe, sirope *m*.
siroter [siʀɔte] *vt* beber a sorbos.
sis, e [si, siz] *a* sito(a).
sismique [sismik] *a* sísmico(a).
sismographe [sismɔgʀaf] *nm* sismógrafo.
sismologie [sismɔlɔʒi] *nf* sismología.
site [sit] *nm* paraje *m*, paisaje *m*; (*emplacement*) emplazamiento; **~ (pittoresque)** paisaje; **la protection des ~s** la protección del paisaje.
sitôt [sito] *ad* ni bien, tan pronto como; **~ parti** ni bien *o* en cuanto partió; **~ après** inmediatamente después; **pas de ~** no enseguida, no tan pronto; **~ (après) que** tan pronto como, luego que.
situation [sitɥɑsjɔ̃] *nf* posición *f*; (*d'un édifice etc, circonstances*) situación *f*; (*emploi*) puesto, cargo.
situé, e [sitɥe] *a*: **bien/mal ~** bien/mal situado *o* orientado; **~ à/près de** situado en/cerca de.
situer [sitɥe] *vt* situar, colocar; (*en pensée*) situar, localizar; **se ~** *vi* (*être*) situarse *o* colocarse.
six [sis] *num* seis; **~ième** [sizjɛm] *num* sexto(a).
ski [ski] *nm* esquí *m*; **aller faire du ~** ir a esquiar; **~ de fond/de piste/de randonnée** esquí de fondo/de pista/de paseo; **~-bob** deslizador *m* sobre nieve; **~ nautique** esquí acuático; **~er** *vi* esquiar; **~eur, euse** *nm/f* esquiador/ora.
slalom [slalɔm] *nm* slalom *m*; (*fig*): **faire du ~ entre** hacer gambetas entre; **~ géant/spécial** slalom gigante/especial.
slave [slav] *a* eslavo(a).
slip [slip] *nm* slip *m*, braslip *m*; (*de bain*) calzón *m*.
slogan [slɔgɑ̃] *nm* slogan *m*.
SMIC, SMIG [smik, smig] *sigle m voir* **salaire.**
smoking [smɔkiŋ] *nm* smoking *m*.
SNCF *sigle f voir* **société.**
snob [snɔb] *a, nm/f* snob (*m/f*): **~isme** *nm* snobismo.
sobre [sɔbʀ(ə)] *a* sobrio(a), mesurado(a); (*élégance, style*) sobrio(a), sencillo(a); **~ de** (*gestes, compliments*) parco(a) de; **sobriété** *nf* sobriedad *f*.
sobriquet [sɔbʀikɛ] *nm* mote *m*, apodo.
soc [sɔk] *nm* reja.
sociable [sɔsjabl(ə)] *a* sociable, afable.
social, e, aux [sɔsjal, o] *a* social.
socialisme [sɔsjalism(ə)] *nm* socialismo; **socialiste** *nm/f* socialista *m/f*.
sociétaire [sɔsjetɛʀ] *nm/f* socio/a.
société [sɔsjete] *nf* sociedad *f*; (*d'abeilles, de fourmis*) comunidad *f*; (*compagnie*): **rechercher la ~ de** buscar la compañía de; **~ anonyme, SA/à responsabilité limitée, SARL** sociedad anónima/de responsabilidad limitada; **~ française d'enquêtes pour sondages, SOFRES** *sociedad francesa para el sondeo de opinión;* **~ immobilière** sociedad inmobiliaria; **~ nationale des chemins de fer français, SNCF** ≈ red *f* nacional de ferrocarriles españoles, RENFE.
sociologie [sɔsjɔlɔʒi] *nf* sociología; **sociologue** [-lɔg] *nm/f* sociólogo/a.
socle [sɔkl(ə)] *nm* zócalo, pedestal *m*.

socquette [sɔkɛt] *nf* calcetín *m* corto.
sodium [sɔdjɔm] *nm* sodio.
sœur [sœʀ] *nf* hermana.
SOFRES [sɔfʀɛs] *sigle f voir* **société.**
soi [swa] *pron* sí, sí mismo(a); **cela va de ~** eso cae de maduro.
soi-disant [swadizɑ̃] *a inv* presunto(a), supuesto(a) // *ad* presuntamente, aparentemente.
soie [swa] *nf* seda; (*poil*) cerda.
soient *vb voir* **être.**
soierie [swaʀi] *nf* sedería.
soif [swaf] *nf* sed *f*; (*fig*) sed, afán *m*; **avoir ~** tener sed; **donner ~ (à qn)** provocar sed (a alguien).
soigné, e [swaɲe] *a* cuidado(a), pulcro(a); (*travail*) cuidadoso(a), esmerado(a); (*fam*) endiablado(a).
soigner [swaɲe] *vt* cuidar *o* asistir a; (*maladie*) curar; (*travail, détails*) cuidar, esmerarse en; (*jardin, chevelure*) cuidar; (*clientèle, invités*) atender, ocuparse de; **soigneur** *nm* (SPORT) entrenador *m.*
soigneux, euse [swaɲø, øz] *a* cuidadoso(a), escrupuloso(a); (*travail, recherches*) minucioso(a), metódico(a).
soi-même [swamɛm] *pron* sí mismo(a), el(la) mismo(a), uno(a) (mismo(a)).
soin [swɛ̃] *nm* (*application*) cuidado, atención *f*; (*propreté, ordre*) cuidado, prolijidad *f*; (*responsabilité*): **le ~ de qch** el cuidado *o* cargo de algo; **~s** *nmpl* cuidados; (*prévenance*) cuidados, atenciones *fpl*; **les ~s du ménage** las ocupaciones domésticas; **avoir** *ou* **prendre ~ de** ocuparse de; **sans ~** a descuidado(a), negligente; **aux bons ~s de** por gentileza *o* atención de.
soir [swaʀ] *nm* tarde *f*; noche *f*; **le ~** por la tarde; por la noche; **à ce ~!** ¡hasta la tarde!; ¡hasta esta noche!; **la veille au ~** la tarde de la víspera; la noche de la víspera; **sept heures du ~** siete de la tarde; **dix heures du ~** diez de la noche; **le repas du ~** la comida de la noche, la cena; **le journal du ~** el diario de la tarde *o* vespertino // *ad*: **dimanche/demain ~** el domingo/mañana por la tarde; el domingo/mañana por la noche; **hier ~** ayer por la tarde *o* la noche; anoche.
soirée [swaʀe] *nf* tarde *f*; noche *f*; (*réception*) velada *o* fiesta nocturna; (CINÉMA, THÉÂTRE): **en ~** de noche.
sois *etc vb voir* **être.**
soit [swa] (*à savoir*) es decir, o sea; (MATH): **~ un triangle ...** sea un triángulo; (*en corrélation*): **~ ..., ~ ...** sea..., o... // *ad* sea, está bien; **~ que..., ~ que...** *ou* **ou que...** ya sea que..., o que... .
soixantaine [swasɑ̃tɛn] *nf*: **la ~** los sesenta; **une ~ (de)...** unos(as) sesenta... .
soixante [swasɑ̃t] *num* sesenta.
soja [sɔʒa] *nm* soja; (*graines*) semillas de soja.
sol [sɔl] *nm* suelo, tierra; (*de logement*) suelo; (*revêtement*) suelo, piso; (MUS) sol *m.*
solaire [sɔlɛʀ] *a* solar, del sol.
soldat [sɔlda] *nm* soldado; **~ inconnu** soldado desconocido; **~ de plomb** soldadito de plomo.
solde [sɔld(ə)] *nf* paga, sueldo // *nm* saldo; **~s** *nmpl ou nfpl* (COMM) saldos; **à la ~ de qn** (*péj*) a sueldo de alguien; **en ~** de saldo.
solder [sɔlde] *vt* saldar, liquidar; **se ~ par** (*fig*) resultar *o* terminar en; **article soldé (à) 10 F** artículo liquidado en 10 F.
sole [sɔl] *nf* lenguado.
solécisme [sɔlesism(ə)] *nm* solecismo.
soleil [sɔlɛj] *nm* sol *m*; (*pièce d'artifice*) rueda; (*acrobatie*) molinete *m*; (BOT) girasol *m*; **il fait du ~** hace sol; **au ~** al sol, bajo el sol.
solennel, le [sɔlanɛl] *a* solemne.
solfège [sɔlfɛʒ] *nm* solfeo.
soli [sɔli] *pl de* **solo.**

solidaire [sɔlidɛʀ] *a* solidario(a); **~ de** solidario(a) con; **solidariser: se solidariser avec** *vt* solidarizarse con; **solidarité** *nf* solidaridad *f.*

solide [sɔlid] *a* sólido(a), resistente; (*fig*) sólido(a), firme; (*personne, estomac*) fuerte, resistente; (*nourriture*) consistente, sólido(a); (PHYSIQUE) sólido(a) // *nm* (PHYSIQUE, GÉOMÉTRIE) sólido; **avoir les reins ~s** (*fig*) estar bien forrado(a); **solidifier** *vt* solidificar; **se solidifier** *vi* solidificarse; **solidité** *nf* solidez *f*; firmeza.

soliloque [sɔlilɔk] *nm* soliloquio.

soliste [sɔlist(ə)] *nm/f* solista *m/f.*

solitaire [sɔlitɛʀ] *a* solitario(a), solo(a); (*isolé*) solitario(a), aislado(a); (*désert*) solitario(a), desierto(a) // *nm/f* solitario/a, ermitaño/a // *nm* (*diamant*) solitario.

solitude [sɔlityd] *nf* soledad *f*; (*paix*) soledad, retiro.

solive [sɔliv] *nf* viga.

sollicitations [sɔlisitɑsjɔ̃] *nfpl* requerimientos, insistencias; tentaciones *fpl*, incitaciones *fpl*; impulso, aceleración *f.*

solliciter [sɔlisite] *vt* pedir, solicitar; (*suj*: *occupations, attractions etc*) incitar, tentar; **~ qn de faire qch** pedir a alguien que haga algo.

sollicitude [sɔlisityd] *nf* solicitud *f*, diligencia.

solo, *pl* **soli** [sɔlo] *nm* solo.

solstice [sɔlstis] *nm* solsticio.

soluble [sɔlybl(ə)] *a* soluble.

solution [sɔlysjɔ̃] *nf* solución *f*; (*conclusion*) solución, desenlace *m*; **~ de facilité** solución fácil.

solvable [sɔlvabl(ə)] *a* solvente.

solvant [sɔlvɑ̃] *nm* disolvente *m.*

sombre [sɔ̃bʀ(ə)] *a* oscuro(a), sombrío(a); (*fig*) sombrío(a), triste; (: *avenir*) sombrío(a), negro(a); **une ~ brute** una soberana bestia.

sombrer [sɔ̃bʀe] *vi* (*bateau*) hundirse, zozobrar; **~ corps et biens** desaparecer bienes y personas; **~ dans** (*misère etc*) hundirse *o* caer en.

sommaire [sɔmɛʀ] *a* suscinto(a), conciso(a); (*repas, tenue*) escueto(a), ligero(a) // *nm* sumario; **faire le ~ de** hacer el resumen de; **exécution ~** ejecución sumaria.

sommation [sɔm(m)ɑsjɔ̃] *nf* intimación *f*, advertencia; **faire feu sans ~** disparar sin intimación; **~s d'usage** intimaciones reglamentarias.

somme [sɔm] *nf* suma, adición *f*; (*d'argent, fig*) suma, cantidad *f* // *nm*: **faire un ~** echar la siesta, dormitar; **en ~** *ad* en resumidas cuentas; **~ toute** *ad* en resumen.

sommeil [sɔmɛj] *nm* sueño; (*fig*) sueño, reposo; **avoir ~** tener sueño; **avoir le ~ léger/lourd** tener el sueño ligero/pesado; **en ~** (*fig*) en suspenso; **~ler** *vi* dormitar; (*fig*) estar adormecido(a) *o* latente.

sommelier [sɔməlje] *nm* botillero.

sommer [sɔme] *vt*: **~ qn de** intimar a alguien a.

sommes *vb voir* **être.**

sommet [sɔmɛ] *nm* (*d'une montagne*) cima, cumbre *f*; (*d'une tour, d'un arbre*) punta, cima; (*fig*) cumbre; (GÉOMÉTRIE: *d'un angle*) vértice *m*; (: *d'un polygone*) cúspide *f*; (*montagne*) montaña.

sommier [sɔmje] *nm* somier *m*, colchón *m* de muelles.

sommité [sɔmite] *nf* eminencia.

somnambule [sɔmnɑ̃byl] *nm/f* sonámbulo/a.

somnifère [sɔmnifɛʀ] *nm* somnífero.

somnolent, e [sɔmnɔlɑ̃, ɑ̃t] *a* somnolento(a), soñoliento(a).

somnoler [sɔmnɔle] *vi* dormitar.

somptuaire [sɔ̃ptɥɛʀ] *a* suntuario(a).

somptueux, euse [sɔ̃ptɥø, øz] *a* suntuoso(a), fastuoso(a).

son, sa, *pl* **ses** [sɔ̃, sa, se] *dét* su(sus).

son [sɔ̃] *nm* sonido; (*résidu*) afrecho; **~ et lumière** *a inv* luz y sonido.

sonar [sɔnaʀ] *nm* sonar *m.*
sonate [sɔnat] *nf* sonata.
sondage [sɔ̃daʒ] *nm* sondeo; ~ **d'opinion** sondeo de opinión.
sonde [sɔ̃d] *nf* sonda; (TECH) barrena, sonda; **sonder** *vt* sondear; (*plaie, malade*) sondar, examinar.
songe [sɔ̃ʒ] *nm* sueño.
songer [sɔ̃ʒe] : ~ **à** *vt* (*rêver à*) soñar con; (*penser à*) pensar en; (*envisager*) pensar en, considerar; ~ **que** considerar que; ~**ie** [sɔ̃ʒʀi] *nf* ensoñación *f*, ensueño; **songeur, euse** *a* pensativo(a), caviloso(a).
sonnaille [sɔnɑj] *nf* cencerro; ~**s** *fpl* campanilleo.
sonnant, e [sɔnɑ̃, ɑ̃t] *a*: **espèces** ~**es et trébuchantes** moneda contante y sonante; **à huit heures** ~**es** a las ocho en punto.
sonné, e [sɔne] *a* (*fam*) chiflado(a); **il est midi** ~ son las doce dadas; **il a quarante ans bien** ~**s** tiene cuarenta años bien cumplidos.
sonner [sɔne] *vi* sonar; (*cloche*) sonar, tañer; (*à la porte: personne*) llamar, tocar el timbre // *vt* (*cloche*) tañer; (*domestique etc*) llamar a; (*messe, réveil, tocsin*) tocar a; (*fam*) dar un palizón, aporrear; ~ **du clairon** tocar la corneta; ~ **les heures** dar las horas; **minuit vient de** ~ acaba de dar la medianoche; ~ **chez qn** llamar a la casa de alguien.
sonnerie [sɔnʀi] *nf* timbre *m*, campanilla; (*d'horloge, de réveil*) campana, timbre; ~ **d'alarme** toque *m* de alarma; ~ **de clairon** toque de corneta.
sonnet [sɔnɛ] *nm* soneto.
sonnette [sɔnɛt] *nf* (*clochette*) campanilla; (*de porte, électrique*) timbre *m*; ~ **d'alarme** timbre de alarma; ~ **de nuit** timbre nocturno.
sono [sono] *nf abrév de* **sonorisation.**
sonore [sɔnɔʀ] *a* sonoro(a).
sonorisation [sɔnɔʀizɑsjɔ̃] *nf* sonorización *f.*
sonorité [sɔnɔʀite] *nf* sonoridad *f*; (*d'une salle*) sonoridad, resonancia; ~**s** *fpl* sonoridades *fpl.*
sont *vb voir* **être.**
sophistiqué, e [sɔfistike] *a* sofisticado(a).
soporifique [sɔpɔʀifik] *a* soporífico(a).
sorbet [sɔʀbɛ] *nm* sorbete *m*; ~**ière** [sɔʀbətjɛʀ] *nf* sorbetera.
sorbier [sɔʀbje] *nm* serbal *m.*
sorcellerie [sɔʀsɛlʀi] *nf* brujería, hechicería.
sorcier, ière [sɔʀsje, jɛʀ] *nm/f* hechicero/a, brujo/a // *a*: **ce n'est pas** ~ (*fam*) no es nada del otro mundo.
sordide [sɔʀdid] *a* sórdido(a); mísero(a); miserable.
sornettes [sɔʀnɛt] *nfpl* (*péj*) sandeces *fpl*, necedades *fpl.*
sors *etc vb voir* **sortir.**
sort [sɔʀ] *nm* (*fortune*) suerte *f*, ventura; (*destinée*) suerte, destino; (*condition, situation*) suerte, fortuna; **jeter un** ~ **sur qn** hacer una brujería a alguien; **un coup de** ~ un golpe de fortuna; **c'est une ironie du** ~ es una ironía del destino; **tirer (qch) au** ~ sortear (algo).
sortais *etc vb voir* **sortir.**
sortant, e [sɔʀtɑ̃, ɑ̃t] *a* ganador(ora); (*député etc*) saliente.
sorte [sɔʀt(ə)] *etc vb voir* **sortir** // *nf* suerte *f*, clase *f*; **une** ~ **de** una suerte *o* especie de; **de la** ~ *ad* de este(a) modo *o* manera; **en quelque** ~ de alguna manera, en cierto modo; **de** ~ **à** de manera *o* modo que; **de (telle)** ~ **que, en** ~ **que** de (tal) modo que, de modo que; **faire en** ~ **que** procurar que; **faire en** ~ **de** procurar.
sorti, e *pp de* **sortir.**
sortie [sɔʀti] *nf* salida; (MIL) incursión *f*; (*fig*) invectiva; disparate *m*, dislate *m*; (*d'un gaz, de l'eau*) escape *m*, pérdida; ~ **de bain** (*vêtement*) salida de baño; ~ **de secours** salida de emergencia.
sortilège [sɔʀtilɛʒ] *nm* sortilegio, hechicería.

sortir [sɔʀtiʀ] *vi* salir; (*bourgeon, plante*) salir, brotar; (*eau, fumée*) salir, desprenderse // *vt* (*promener*) sacar; (*emmener au spectacle, dans le monde*) sacar, llevar; (*produit, ouvrage, modèle*) sacar, poner en venta; (*fam*) despachar; echar // *nm*: **au ~ de l'hiver** al final del invierno; **~ de** *vt* salir de; (*route, rainure, cadre, compétence*) salirse de; (*famille, université*) venir de, proceder de; **se ~ de** (*affaire, situation*) desembarazarse *o* librarse de; **~ de table** retirarse *o* levantarse de la mesa; **~ de ses gonds** (*fig*) salirse de sus casillas; **~ qn d'affaire/d'embarras** sacar a alguien de un asunto/de un aprieto; **il ne s'en sort pas** no se las arregla, no sale del apuro.

SOS *sigle m* SOS *m*.

sosie [sozi] *nm* sosía *m*.

sot, sotte [so, sɔt] *a* tonto(a), necio(a) // *nm/f* tonto/a, bobo/a; **~tise** *nf* estupidez *f*; necedad *f*; tontería.

sou [su] *nm*: **être près de ses ~s** ser un(a) agarrado(a); **être sans le ~** estar pelado(a); **économiser ~ à ~** ahorrar céntimo a céntimo.

soubassement [subasmɑ̃] *nm* basamento.

soubresaut [subʀəso] *nm* (*de peur etc*) sobresalto; (*d'un cheval*) corcovo; (*d'un véhicule*) barquinazo.

soubrette [subʀɛt] *nf* doncella de comedia, graciosa.

souche [suʃ] *nf* (*d'un arbre*) tocón *m*; (*fig*) tronco; origen *m*, raíz *f*; (*de carnet*) matriz *f*; **de vieille ~** de rancio linaje; **carnet à ~(s)** talonario; **chéquier à ~(s)** talonario de cheques.

souci [susi] *nm* preocupación *f*; (*préoccupation, intérêt*) preocupación, desvelo; (BOT) caléndula; **se faire du ~** preocuparse, inquietarse; **avoir (le) ~ de** preocuparse por, tener interés en; **~s financiers** problemas económicos.

soucier [susje]: **se ~ de** *vt* preocuparse por.

soucieux, euse [susjø, øz] *a* preocupado(a), taciturno(a); **~ de/que** preocupado por/que; **peu ~ de/que...** poco cuidadoso de/de que... .

soucoupe [sukup] *nf* platillo; **~ volante** platillo volador *o* volante.

soudain, e [sudɛ̃, ɛn] *a* repentino(a), imprevisto(a) // *ad* súbitamente, repentinamente; **~eté** *nf* lo repentino.

soude [sud] *nf* sosa, soda.

soudé, e [sude] *a* (*fig*) aglutinado(a), adherido(a).

souder [sude] *vt* soldar; (*fig*) agrupar, unir.

soudoyer [sudwaje] *vt* (*péj*) sobornar.

soudure [sudyʀ] *nf* soldadura.

souffert, e *pp de* **souffrir.**

souffle [sufl(ə)] *nm* soplo; (*respiration*) respiración *f*; (*d'une explosion*) onda expansiva; **avoir du/manquer de ~** tener/faltarle el resuello; **être à bout de ~** estar sin aliento; **avoir le ~ court** tener el aliento corto; **~ au cœur** soplo al corazón.

soufflé, e [sufle] *a* (CULIN) inflado(a), soufflé; (*fam*: *ahuri*) atolondrado(a), aturdido(a) // *nm* soufflé *m*.

souffler [sufle] *vi* (*vent*) soplar; (*personne*: *haleter*) resoplar, resollar; (: *pour éteindre etc*): **~ sur** soplar, apagar // *vt* soplar; (*fumée*) echar; (*détruire*) volar; (*fam*): **~ qch à qn** birlar algo a alguien; **laisser ~** (*fig*) dejar respirar.

soufflet [suflɛ] *nm* (*instrument, entre wagons*) fuelle *m*; (*gifle*) soplamocos *m inv*, sopapo.

souffleur, euse [suflœʀ, øz] *nm/f* apuntador/ora.

souffrais *etc vb voir* **souffrir.**

souffrance [sufʀɑ̃s] *nf* sufrimiento, padecimiento; **en ~** (*marchandise*) detenido(a); (*affaire*) en suspenso.

souffrant, e [sufʀɑ̃, ɑ̃t] *a* indispuesto(a), enfermo(a); (*air*) doliente, sufriente.
souffre *etc vb voir* **souffrir.**
souffre-douleur [sufʀədulœʀ] *nm inv* sufrelotodo.
souffreteux, euse [sufʀətø, øz] *a* enfermizo(a), delicado(a).
souffrir [sufʀiʀ] *vi* sufrir // *vt* sufrir, padecer; (*personne, comportement etc*) sufrir, soportar; (*exception, retard*) admitir; ~ **de** sufrir (de); **ne pas pouvoir ~ qch/que...** no poder aguantar algo/que...; **faire ~ qn** hacer sufrir a alguien.
soufre [sufʀ(ə)] *nm* azufre *m.*
souhait [swɛ] *nm* deseo, anhelo; **tous nos ~s pour** nuestros mejores augurios para; **à ~** *ad* a pedir de boca; **à vos ~s!** ¡salud!; **~able** *a* deseable; **~er** *vt* desear, anhelar; **~er le bonjour/la bonne année à qn** desear los buenos días/feliz año nuevo a alguien.
souiller [suje] *vt* ensuciar, manchar; (*fig*) mancillar, manchar.
souk [suk] *nm* zoco.
soûl, e [su, sul] *a* borracho(a), ebrio(a); (*fig*): **~ de** harto *o* embriagado de // *nm*: **tout son ~** hasta hartarse.
soulagement [sulaʒmɑ̃] *nm* alivio.
soulager [sulaʒe] *vt* aliviar; (*douleur, peine*) aliviar, calmar; **se ~** (*fam*) hacer sus necesidades; **~ qn de** (*fardeau*) aligerar a alguien de; **~ qn de son portefeuille** afanar la cartera a alguien.
soûler [sule] *vt* emborrachar, embriagar; (*fig*) embriagar; **se ~** embriagarse, emborracharse; **~ie** [sulʀi] *nf* (*péj*) borrachera, francachela.
soulèvement [sulɛvmɑ̃] *nm* insurrección *f,* sublevación *f.*
soulever [sulve] *vt* levantar; (*peuple, province*) levantar, sublevar; (*indigner*) indignar, irritar; (*enthousiasme etc*) excitar, suscitar; (*question, débat*) provocar, plantear; **se ~** *vi* (*peuple, province*) levantarse, sublevarse; (*personne couchée*) levantarse, erguirse; (*couvercle etc*) alzar, levantar; **cela (me) soulève le cœur** eso (me) asquea *o* revuelve el estómago.
soulier [sulje] *nm* zapato; **~s plats/à talons** zapatos sin tacón/con tacón.
souligner [suliɲe] *vt* subrayar; (*fig*) marcar; subrayar; destacar.
soumettre [sumɛtʀ(ə)] *vt* someter; **~ à qn** (*projet etc*) someter *o* plantear a alguien; **se ~** someterse; **se ~ à** someterse *o* subordinarse a.
soumis, e [sumi, iz] *a* sumiso(a); (*peuples*) sometido(a); **revenus ~ à l'impôt** entradas *o* ganancias sujetas a impuesto.
soumission [sumisjɔ̃] *nf* sumisión *f*; sometimiento; obediencia; (COMM) licitación *f.*
soupape [supap] *nf* válvula; **~ de sureté** válvula de seguridad; (*fig*) derivativo.
soupçon [supsɔ̃] *nm* sospecha, presunción *f*; **un ~ de** una pizca de; **au dessus de tout ~** por encima de toda sospecha; **~ner** *vt* sospechar, presumir; (*piège, manœuvre*) presumir; **~ner que** sospechar que; **~ner qn de qch/d'être** sospechar algo de alguien/que es; **~neux, euse** *a* desconfiado(a), receloso(a).
soupe [sup] *nf* sopa.
soupente [supɑ̃t] *nf* sobrado, desván *m.*
souper [supe] *vi* cenar // *nm* cena; **avoir soupé de** (*fam*) estar hasta la coronilla de.
soupeser [supəze] *vt* sopesar.
soupière [supjɛʀ] *nf* sopera.
soupir [supiʀ] *nm* suspiro; (MUS) silencio de negra.
soupirail, aux [supiʀaj, o] *nm* tragaluz *m.*
soupirant [supiʀɑ̃] *nm* (*péj*) pretendiente *m,* festejante *m.*
soupirer [supiʀe] *vi* suspirar.
souple [supl(ə)] *a* flexible; (*corps, personne*) ágil; (*caractère*) dócil;

(*démarche, taille*) ágil, ligero(a); **souplesse** *nf* flexibilidad *f*; agilidad *f*; docilidad *f*; **en souplesse, avec souplesse** con suavidad, con soltura.
source [suʀs(ə)] *nf* vertiente *f*, manantial *m*; (*d'un cours d'eau*) naciente *f*, fuente *f*; (*fig: point de départ*) origen *m*, causa; (: *origine d'une information*) fuente *f*; **~s** *nfpl* (*textes, originaux*) fuentes *fpl*; **prendre sa ~ à/dans** (*suj: cours d'eau*) tener su origen en, nacer en; **tenir qch de bonne ~/de ~ sûre** saber algo de buena fuente/de ciencia cierta; **~ de chaleur/lumineuse** fuente de calor/de luz; **~ d'eau minérale** vertiente de agua mineral; **~ thermale** fuente termal.
sourcier [suʀsje] *nm* zahorí *m*.
sourcil [suʀsi] *nm* ceja.
sourcilière [suʀsiljɛʀ] *a voir* **arcade**.
sourciller [suʀsije] *vi*: **sans ~** sin pestañear.
sourcilleux, euse [suʀsijø, øz] *a* arrogante, altanero(a).
sourd *vb voir* **sourdre**.
sourd, e [suʀ, suʀd(ə)] *a* sordo(a); (*fig*) sordo(a), encubierto(a) // *nm/f* sordo/a.
sourdait *vb voir* **sourdre**.
sourdine [suʀdin] *nf* sordina; **en ~** *ad* a la sordina; **mettre une ~ à** (*fig*) acallar, moderar.
sourd-muet, sourde-muette [suʀmyɛ, suʀdmyɛt] *a, nm/f* sordomudo(a).
sourdre [suʀdʀ(ə)] *vi* manar, surgir.
souriant, e [suʀjɑ̃, ɑ̃t] *a* sonriente, risueño(a).
souricière [suʀisjɛʀ] *nf* ratonera.
sourire [suʀiʀ] *nm* sonrisa // *vi* sonreír; **~ à qn** (*fig*) agradar a alguien; sonreír *o* favorecer a alguien.
souris [suʀi] *nf* ratón *m*.
sournois, e [suʀnwa, waz] *a* taimado(a), solapado(a).
sous [su] *prép* bajo, debajo de; **~ terre** *ad* bajo tierra; **~ vide** *a, ad* en vacío; **~ le choc** a causa del choque; **~ telle rubrique/lettre** en la sección/letra; **~ Louis XIV** bajo el reinado de Luis XIV; **~ peu** *ad* dentro de poco.
sous... [su] *préf* sub..., **~-alimenté/peuplé/équipé** alimentado/poblado/equipado insuficientemente; **~-bois** *nm inv* maleza; **~-catégorie** *nf* subcategoría; **~-chef** *nm* subjefe *m*.
souscription [suskʀipsjɔ̃] *nf* suscripción *f*; **offert en ~** en venta por suscripción.
souscrire [suskʀiʀ] : **~ à** *vt* suscribirse a; (*fig*) adherir a.
sous-cutané, e [sukytane] *a* subcutáneo(a).
sous-développé, e [sudɛvlɔpe] *a* subdesarrollado(a).
sous-directeur, trice [sudiʀɛktœʀ, tʀis] *nm/f* subdirector/ora.
sous-emploi [suzɑ̃plwa] *nm* subempleo.
sous-entendre [suzɑ̃tɑ̃dʀ(ə)] *vt* sobrentender; **sous-entendu** *nm* sobrentendido, insinuación *f*.
sous-estimer [suzɛstime] *vt* subestimar.
sous-homme [suzɔm] *nm* (*péj*) hombre inferior *m*.
sous-jacent, e [suʒasɑ̃, ɑ̃t] *a* subyacente.
sous-lieutenant [suljøtnɑ̃] *nm* subteniente *m*.
sous-location [sulɔkɑsjɔ̃] *nf* subarriendo.
sous-louer [sulwe] *vt* subarrendar.
sous-main [sumɛ̃] *nm inv* cartapacio; **en ~** *ad* bajo mano.
sous-marin, e [sumaʀɛ̃, in] *a* submarino(a) // *nm* submarino.
sous-officier [suzɔfisje] *nm* suboficial *m*.
sous-préfecture [supʀefɛktyʀ] *nf* subprefectura.
sous-préfet [supʀefɛ] *nm* subprefecto.
sous-produit [supʀɔdɥi] *nm* subproducto; (*fig: péj*) imitación *f*.
sous-secrétaire [suskʀetɛʀ] *nm*:

~ **d'État** subsecretario de Estado.
soussigné, e [susiɲe] *a*: **je ~...** el que suscribe...; **le/les ~(s)** el/los abajo firmante(s).
sous-sol [susɔl] *nm* subsuelo; (*d'une construction*) sótano; **en ~** en el subsuelo.
sous-titre [sutitʀ(ə)] *nm* subtítulo; **sous-titré, e** *a* con subtítulos.
soustraction [sustʀaksjɔ̃] *nf* sustracción *f*.
soustraire [sustʀɛʀ] *vt* (*nombre*) sustraer, restar; (*document, argent*) sustraer; ~ **qn à** (*curiosité, danger*) alejar a alguien de; **se ~ à** sustraerse a.
sous-traitance [sutʀɛtɑ̃s] *nf* subcontrato.
sous-verre [suvɛʀ] *nm cuadro montado con vidrio y cartón.*
sous-vêtement [suvɛtmɑ̃] *nm* prenda interior; **~s** *mpl* ropa interior.
soutane [sutan] *nf* sotana.
soute [sut] *nf* pañol *m*, bodega; ~ **à bagages** cala de equipaje.
soutenable [sutnabl(ə)] *a* sustentable, defendible.
soutenance [sutnɑ̃s] *nf*: ~ **de thèse** defensa de tesis.
soutènement [sutɛnmɑ̃] *nm*: **mur de ~** muro de contención.
souteneur [sutnœʀ] *nm* rufián *m*.
soutenir [sutniʀ] *vt* sostener; (*personne*: *fortifier*) dar fuerza a, reponer; (: *réconforter, aider*) reconfortar; (*assaut, choc*) resistir a, sostener; (*intérêt, effort*) mantener; **se ~** (*s'aider*) sostenerse, apoyarse; (*point de vue*) defenderse; (*dans l'eau, sur ses jambes*) mantenerse, sostenerse.
soutenu, e [sutny] *a* (*efforts*) constante, tenaz; (*style*) elevado(a); (*couleur*) intenso(a), vivo(a).
souterrain, e [sutɛʀɛ̃, ɛn] *a* subterráneo(a) // *nm* subterráneo.
soutien [sutjɛ̃] *nm* (*aide*) sostén *m*, apoyo; (*MIL*) apoyo.
soutien-gorge [sutjɛ̃gɔʀʒ(ə)] *nm* sostén *m*.
soutirer [sutiʀe] *vt*: ~ **qch à qn** sonsacar algo a alguien.
souvenance [suvnɑ̃s] *nf*: **avoir ~ de** recordar, tener el recuerdo de.
souvenir [suvniʀ] *nm* recuerdo // *vb*: **se ~ de** *vt* recordar, acordarse de; **se ~ que** recordar que, acordarse de que; **en ~ de** como recuerdo de; **avec mes meilleurs ~s** con mis mejores recuerdos.
souvent [suvɑ̃] *ad* a menudo, frecuentemente; **peu ~** pocas veces, raramente.
souverain, e [suvʀɛ̃, ɛn] *a* soberano(a); (*remède*) infalible, radical; (*mépris*) sumo(a), mayúsculo(a) // *nm/f* soberano/a; **le ~ pontife** el sumo pontífice; **~eté** *nf* soberanía.
soviétique [sɔvjetik] *a, nm/f* soviético(a).
soyeux, euse [swajø, øz] *a* de seda; (*fig*) sedoso(a).
soyons *etc vb voir* **être.**
SPA *sigle f = Société protectrice des animaux.*
spacieux, euse [spasjø, øz] *a* espacioso(a), amplio(a).
spaghettis [spageti] *nmpl* espaguetis *mpl*.
sparadrap [spaʀadʀa] *nm* esparadrapo.
spartiate [spaʀsjat] *a* espartano(a); **~s** *nfpl* (*sandales*) sandalias.
spasme [spasm(ə)] *nm* espasmo.
spasmodique [spasmɔdik] *a* espasmódico(a).
spatial, e, aux [spasjal, o] *a* espacial.
spatule [spatyl] *nf* espátula.
speaker, ine [spikœʀ, in] *nm/f* locutor/ora.
spécial, e, aux [spesjal, o] *a* especial; **~ement** *ad* especialmente.
spécialisé, e [spesjalize] *a* especializado(a).
spécialiser [spesjalize] *vt*: **se ~** especializarse.
spécialiste [spesjalist(ə)] *nm/f* especialista *m/f*.

spécialité [spesjalite] *nf* especialidad *f*.
spécieux, euse [spesjø, øz] *a* especioso(a), falaz.
spécification [spesifikasjɔ̃] *nf* especificación *f*.
spécifier [spesifje] *vt* especificar, detallar; ~ **que** especificar *o* precisar que.
spécifique [spesifik] *a* específico(a).
spécimen [spesimɛn] *nm* espécimen *m*, ejemplar *m*; (*revue, manuel*) ejemplar, muestra // *a* muestra.
spectacle [spɛktakl(ə)] *nm* espectáculo, cuadro; (*THÉÂTRE, CINÉMA*) espectáculo; **pièce/revue à grand** ~ obra/revista espectacular; **au** ~ **de...** frente al espectáculo de, a la vista de.
spectaculaire [spɛktakylɛʀ] *a* espectacular.
spectateur, trice [spɛktatœʀ, tʀis] *nm/f* espectador/ora.
spectral, e, aux [spɛktʀal, o] *a* espectral.
spectre [spɛktʀ(ə)] *nm* espectro.
spéculateur, trice [spekylatœʀ, tʀis] *nm/f* (*péj*) especulador/ora.
spéculation [spekylasjɔ̃] *nf* especulación *f*.
spéculer [spekyle] *vi* especular, comerciar; (*PHILOSOPHIE*) especular, meditar; ~ **sur** especular con.
spéléologie [speleɔlɔʒi] *nf* espeleología; **spéléologue** [-lɔg] *nm/f* espeleólogo/a.
spermatozoïde [spɛʀmatozɔid] *nm* espermatozoide *m*.
sperme [spɛʀm(ə)] *nm* esperma.
sphère [sfɛʀ] *nf* esfera; **sphérique** *a* esférico(a), redondo(a).
sphincter [sfɛ̃ktɛʀ] *nm* esfínter *m*.
spirale [spiʀal] *nf* espiral *f*.
spiritisme [spiʀitism(ə)] *nm* espiritismo.
spirituel, le [spiʀitɥɛl] *a* espiritual; (*fin, piquant*) ingenioso(a), agudo(a); **musique** ~**le** música sacra.
spiritueux [spiʀitɥø] *nm* bebida espiritosa.
splendeur [splɑ̃dœʀ] *nf* esplendor *m*, fulgor *m*; ~**s** *fpl* esplendores *mpl*.
splendide [splɑ̃did] *a* espléndido(a), esplendoroso(a); (*fête, paysage, femme*) espléndido(a), maravilloso(a); (*effort, réalisation*) extraordinario(a).
spolier [spɔlje] *vt* despojar.
spongieux, euse [spɔ̃ʒjø, øz] *a* esponjoso(a).
spontané, e [spɔ̃tane] *a* espontáneo(a).
sporadique [spɔʀadik] *a* esporádico(a).
sport [spɔʀ] *nm* deporte *m* // *a*: **costume** ~ traje *m* "sport"; **faire du** ~ practicar deportes; ~**if, ive** *a* deportivo(a).
spot [spɔt] *nm* (*lampe*) reflector *m*, foco; (*annonce*): ~ (**publicitaire**) espacio (publicitario).
sprint [spʀint] *nm* sprint *m*, arrancada final; **gagner au** ~ ganar en el sprint; **piquer un** ~ dar una arrancada.
square [skwaʀ] *nm* plazoleta, jardín público.
squelette [skəlɛt] *nm* esqueleto; **squelettique** *a* esquelético(a); (*fig*) esquemático(a), esquelético(a).
stabilisateur, trice [stabilizatœʀ, tʀis] *a* estabilizador(ora) // *nm* estabilizador *m*.
stabiliser [stabilize] *vt* (*monnaie, situation*) estabilizar, fijar; (*terrain*) estabilizar, afirmar; (*véhicule*) estabilizar.
stabilité [stabilite] *nf* estabilidad *f*.
stable [stabl(ə)] *a* estable.
stade [stad] *nm* estadio.
stage [staʒ] *nm* (*d'études*) práctica; (*de perfectionnement*) cursillo; (*d'avocat stagiaire*) pasantía; **stagiaire** [staʒjɛʀ] *nm/f* practicante *m/f*, cursillista *m/f*.
stagnant, e [stagnɑ̃, ɑ̃t] *a* estancado(a); (*fig*) paralizado(a), estancado(a).

stagnation [stagnɑsjɔ̃] *nf* (*fig*) estancamiento, paralización *f*.
stalactite [stalaktit] *nf* estalactita.
stalagmite [stalagmit] *nf* estalagmita.
stalle [stal] *nf* box *m*, jaula.
stand [stɑ̃d] *nm* (*d'exposition*) stand *m*, puesto; ~ **de tir** (*à la foire*) barraca de tiro al blanco; (*MIL, SPORT*) galería de tiro; ~ **de ravitaillement** puesto de avituallamiento.
standard [stɑ̃daʀ] *a inv* standard, tipo // *nm* central telefónica; ~**iser** *vt* standardizar.
standardiste [stɑ̃daʀdist(ə)] *nm/f* telefonista *m/f*.
standing [stɑ̃diŋ] *nm* nivel *m* de vida; **immeuble de grand** ~ inmueble *m* de gran categoría.
star [staʀ] *nf*: ~ **(de cinéma)** estrella (de cine).
starter [staʀtɛʀ] *nm* (*AUTO*) starter *m*.
station [stɑsjɔ̃] *nf* estación *f*; (*de bus*) parada; (*RADIO, TV*) estación emisora; (*posture*): **la** ~ **debout** la posición de pie; ~ **de taxis** parada de taxis.
stationnaire [stasjɔnɛʀ] *a* estacionario(a).
stationnement [stasjɔnmɑ̃] *nm* estacionamiento; ~ **interdit** estacionamiento prohibido, prohibido estacionar.
stationner [stasjɔne] *vi* estacionar.
station-service [stasjɔ̃sɛʀvis] *nf* estación *f* de servicio.
statique [statik] *a* estático(a).
statisticien, ne [statistisjɛ̃, jɛn] *nm/f* estadista *m*.
statistique [statistik] *nf* estadística // *a* estadístico(a).
statue [staty] *nf* estatua.
statuer [statɥe] *vi*: ~ **sur** resolver.
statuette [statɥɛt] *nf* estatuilla.
stature [statyʀ] *nf* estatura, altura; (*fig*) estatura, dimensión *f*.
statut [staty] *nm* estatuto; ~**s** *nmpl* (*JUR, ADMIN*) estatutos; ~**aire** [statytɛʀ] *a* estatutario(a).
Sté *abrév de* **société**.
steak [stɛk] *nm* bifteak *m*.
stèle [stɛl] *nf* estela.
stellaire [stelɛʀ] *a* estelar.
stencil [stɛnsil] *nm* sténcil *m*.
sténo... [steno] *préf*: ~**(dactylo)** *nf* taquimecanógrafa; ~**graphe** *nm/f* estenógrafo/a, taquígrafo/a; ~**(graphie)** *nf* taquigrafía, estenografía; **prendre en** ~ taquigrafiar; ~**graphier** *vt* estenografiar.
stentor [stɑ̃tɔʀ] *nm*: **voix de** ~ voz *f* de trueno, voz estentórea.
steppe [stɛp] *nf* estepa.
stéréo(phonie) [steʀeɔfɔni] *nf* estereofonía; **stéréo(phonique)** *a* estereofónico(a).
stéréotype [steʀeɔtip] *nm* estereotipo; **stéréotypé, e** *a* estereotipado(a).
stérile [steʀil] *a* estéril.
stérilet [steʀilɛ] *nm* espiral *m*.
stérilisé, e [steʀilize] *a* pasterizado(a).
stériliser [steʀilize] *vt* esterilizar.
stérilité [steʀilite] *nf* esterilidad *f*.
sternum [stɛʀnɔm] *nm* esternón *m*.
stéthoscope [stetɔskɔp] *nm* estetoscopio.
stick [stik] *nm* barra.
stigmate [stigmat] *nm* estigma *m*.
stigmatiser [stigmatize] *vt* estigmatizar.
stimulant, e [stimylɑ̃, ɑ̃t] *a* estimulante, alentador(ora); (*excitant*) estimulante, excitante // *nm* estimulante *m*; (*fig*) estimulante, aliciente *m*.
stimulation [stimylɑsjɔ̃] *nf* estímulo, acicate *m*.
stimuler [stimyle] *vt* estimular; (*personne*) estimular, aguijonear.
stimulus, *pl* **i** [stimylys, i] *nm* estímulo, incentivo.
stipuler [stipyle] *vt* (*énoncer*) estipular, acordar; (*préciser*) estipular, especificar; ~ **que** precisar que.
stock [stɔk] *nm* (*COMM*) stock *m*, existencias; (*FINANCE*) reservas; (*fig*) stock, reserva; ~**er** *vt*

almacenar; ~**iste** *nm* depositario.
stoïque [stɔik] *a* estoico(a).
stomacal, e, aux [stɔmakal, o] *a* estomacal.
stomachique [stɔmaʃik] *a* estomacal.
stop [stɔp] *nm* (AUTO: *écriteau*) stop *m*; (: *signal*) luz *f* de freno; (*dans un télégramme*) stop, punto // *excl* ¡pare!, ¡alto!
stoppage [stɔpaʒ] *nm* zurcido.
stopper [stɔpe] *vt* (*navire, machine*) detener; (*mouvement, attaque*) detener, parar; (COUTURE) zurcir // *vi* detenerse, pararse.
store [stɔʀ] *nm* (*de bois*) persiana; (*de tissu*) toldo.
strabisme [stʀabism(ə)] *nm* estrabismo.
strangulation [stʀɑ̃gylɑsjɔ̃] *nf* estrangulación *f*.
strapontin [stʀapɔ̃tɛ̃] *nm* estrapontín *m*, traspontín *m*.
strass [stʀas] *nm* estrás *m*.
stratagème [stʀataʒɛm] *nm* estratagema, ardid *m*.
stratégie [stʀateʒi] *nf* estrategia, táctica; **stratégique** *a* estratégico(a).
stratifié, e [stʀatifje] *a* estratificado(a).
stratosphère [stʀatɔsfɛʀ] *nf* estratósfera.
strict, e [stʀikt(ə)] *a* estricto(a); (*tenue, décor*) severo(a), riguroso(a); (*langage*) riguroso(a); **son droit le plus** ~ su justo derecho; **dans la plus** ~**e intimité** en la más estrecha intimidad; **au sens** ~ **du mot** en el estricto sentido de la palabra; **le** ~ **nécessaire** lo estrictamente necesario; **le** ~ **minimum** lo mínimo.
strident, e [stʀidɑ̃, ɑ̃t] *a* estridente.
stridulations [stʀidylɑsjɔ̃] *nfpl* chirridos.
strie [stʀi] *nf* estria; **strier** *vt* estriar.
strip-tease [stʀiptiz] *nm* striptease *m*; **strip-teaseuse** *nf mujer que hace strip-tease*.
strophe [stʀɔf] *nf* estrofa.
structure [stʀyktyʀ] *nf* estructura, conformación *f*; **structurer** *vt* estructurar, organizar.
strychnine [stʀiknin] *nf* estricnina.
stuc [styk] *nm* estuco.
studieux, euse [stydjø, øz] *a* estudioso(a); (*vacances, retraite*) de estudio.
studio [stydjo] *nm* estudio.
stupéfaction [stypefaksjɔ̃] *nf* estupefacción *f*, estupor *m*.
stupéfait, e [stypefɛ, ɛt] *a* estupefacto(a), atónito(a).
stupéfiant, e [stypefjɑ̃, ɑ̃t] *a* asombroso(a), sorprendente // *nm* estupefaciente *m*.
stupéfier [stypefje] *vt* pasmar, embotar; (*étonner*) asombrar, dejar estupefacto(a).
stupeur [stypœʀ] *nf* (*inertie*) embotamiento, entorpecimiento; (*étonnement*) estupor, sorpresa.
stupide [stypid] *a* estúpido(a), tonto(a); **stupidité** *nf* estupidez *f*; torpeza.
style [stil] *nm* estilo.
stylé, e [stile] *a* con clase.
stylet [stilɛ] *nm* estilete *m*.
stylisé, e [stilize] *a* estilizado(a).
styliste [stilist(ə)] *nm/f* estilista *m/f*.
stylistique [stilistik] *nf* estilística.
stylo [stilo] *nm*: ~ **(à) bille** bolígrafo; ~ **(à encre)** estilográfica; ~ **(à) plume** pluma estilográfica.
styptique [stiptik] *a*: **crayon** ~ lápiz estíptico.
su, e [sy] *pp de* **savoir** // *nm*: **au** ~ **de** a sabiendas de.
suaire [sɥɛʀ] *nm* sudario.
subalterne [sybaltɛʀn(ə)] *a, nm/f* subalterno(a).
subconscient [sypkɔ̃sjɑ̃] *nm* subconsciente *m*.
subdiviser [sybdivize] *vt* subdividir; **subdivision** *nf* subdivisión *f*.
subir [sybiʀ] *vt* sufrir, soportar; (*influence*) sufrir, experimentar;

(*traitement, examen*) sufrir, pasar; (*suj: chose*) sufrir.
subit, e [sybi, it] *a* súbito(a), repentino(a); **~ement** *ad* repentinamente, súbitamente.
subjectif, ive [sybʒɛktif, iv] *a* subjetivo(a).
subjonctif [sybʒɔ̃ktif] *nm* subjuntivo.
subjuguer [sybʒyge] *vt* subyugar.
sublimer [syblime] *vt* sublimar, enaltecer.
submergé, e [sybmɛʀʒe] *a* sumergido(a); (*fig*): ~ **de** sobrecargado *o* atiborrado de.
submerger [sybmɛʀʒe] *vt* sumergir, inundar; (*fig*) abismar, desbordar.
submersible [sybmɛʀsibl(ə)] *nm* sumergible *m.*
subordonné, e [sybɔʀdɔne] *a* subordinado(a); ~ **à** subordinado a, dependiente de // *nm/f* subordinado/a, subalterno/a.
subordonner [sybɔʀdɔne] *vt*: ~ **qn à** subordinar alguien a; ~ **qch à** supeditar algo a, hacer depender algo de.
subornation [sybɔʀnɑsjɔ̃] *nf* soborno.
subrepticement [sybʀɛptismɑ̃] *ad* subrepticiamente, furtivamente.
subside [sypsid] *nm* subsidio.
subsidiaire [sypsidjɛʀ] *a*: **question** ~ pregunta subsidiaria.
subsistance [sybzistɑ̃s] *nf* subsistencia, sostenimiento.
subsister [sybziste] *vi* subsistir, perdurar; (*personne, famille*) subsistir, sobrevivir.
subsonique [sypsɔnik] *a* subsónico(a).
substance [sypstɑ̃s] *nf* sustancia; (*fig*) tema *m,* esencia; **en** ~ *ad* en sustancia *o* esencia.
substantiel, le [sypstɑ̃sjɛl] *a* sustancioso(a), nutritivo(a); (*fig*) sustancial, considerable.
substantif [sypstɑ̃tif] *nm* sustantivo; **substantiver** *vt* sustantivar.
substituer [sypstitɥe] *vt*: ~ **qn/qch à** sustituir a alguien/algo por; **se** ~ **à qn** sustituir *o* reemplazar a alguien.
substitut [sypstity] *nm* sustituto.
substitution [sypstitysjɔ̃] *nf* sustitución *f.*
subterfuge [syptɛʀfyʒ] *nm* subterfugio.
subtil, e [syptil] *a* sutil.
subtiliser [syptilize] *vt* sustraer.
subtilité [syptilite] *nf* sutileza, agudeza; (*aussi péj*) sutileza, argucia.
subvenir [sybvəniʀ]: ~ **à** *vt* subvenir a, atender a.
subvention [sybvɑ̃sjɔ̃] *nf* subvención *f,* subsidio; **~ner** *vt* subvencionar.
subversif, ive [sybvɛʀsif, iv] *a* subversivo(a); **subversion** *nf* subversión *f.*
suc [syk] *nm* jugo, zumo; (*d'une viande, d'un fruit*) jugo; **~s gastriques** jugos gástricos.
succédané [syksedane] *nm* sucedáneo.
succéder [syksede] : ~ **à** *vt* suceder a; **se** ~ *vi* sucederse.
succès [syksɛ] *nm* éxito; (*à un examen, une course*) éxito, triunfo; (*d'un produit etc*) éxito, auge *m;* **avoir du** ~ (*auteur, livre*) tener éxito; **auteur/livre à** ~ autor *m*/libro de éxito.
successeur [syksesœʀ] *nm* sucesor *m;* (JUR) sucesor, heredero.
successif, ive [syksesif, iv] *a* sucesivo(a).
succession [syksesjɔ̃] *nf* sucesión *f,* serie *f;* (JUR) sucesión, herencia; (POL) sucesión; **prendre la** ~ **de** suceder a.
succint, e [syksɛ̃, ɛ̃t] *a* sucinto(a), conciso(a).
succion [syksjɔ̃] *nf*: **bruit de** ~ ruido de succión.
succomber [sykɔ̃be] *vi* sucumbir, fenecer; (*fig*) sucumbir, ceder; ~ **à** *vt* sucumbir *o* rendirse a.

succulent, e [sykylɑ̃, ɑ̃t] *a* suculento(a).
succursale [sykyʀsal] *nf* sucursal *f*; **magasin à ~s multiples** negocio en cadena.
sucer [syse] *vt* chupar; **~ son pouce** chuparse el pulgar.
sucette [sysɛt] *nf* (*bonbon*) pirulí *m*.
sucre [sykʀ(ə)] *nm* azúcar *m*; (*morceau de sucre*) terrón *m* de azúcar; **~ en morceaux/cristallisé/en poudre** azúcar de cortadillo/cristalizado/en polvo; **~ blanc/roux** azúcar blanco/moreno; **~ d'orge** pirulí *m*, chupón *m*; **sucré, e** *a* azucarado(a); (*péj*) almibarado(a), meloso(a); **sucrer** *vt* (*thé, café*) azucarar; (*personne*) echar azúcar a; **se sucrer** echarse azúcar; (*fam*) ponerse las botas; **~rie** *nf* ingenio azucarero; **~ries** *fpl* (*bonbons*) golosinas; **sucrier, ière** *a* azucarero(a) // *nm* (*fabricant*) fabricante *m* de azúcar; (*récipient*) azucarero.
sud [syd] *nm, a inv* sur (*m*); **au ~** (*situation*) al sur; (*direction*) hacia el sur; **~-africain, e** *a, nm/f* sudafricano(a); **~-américain, e** *a, nm/f* sudamericano(a).
sudation [sydɑsjɔ̃] *nf* transpiración *f*, sudación *f*.
sud-est [sydɛst] *nm* sudeste *m*, sureste *m* // *a inv* sudeste.
sud-ouest [sydwɛst] *nm* sudoeste *m*, suroeste *m* // *a inv* sudoeste.
Suède [sɥɛd] *nf* Suecia; **suédois, e** *a, nm, nf* sueco(a).
suer [sɥe] *vi* sudar, transpirar; (*fam*) sudar; (*suinter*) rezumarse, trasudar // *vt* (*exhaler*) rezumar; **~ à grosses gouttes** sudar la gota gorda.
sueur [sɥœʀ] *nf* sudor *m*; **en ~** sudado(a), bañado(a) en sudor.
suffire [syfiʀ] *vi* (*être assez*): **~ (à/pour)** bastar *o* ser suficiente (para); (*satisfaire*): **~ à qn** bastar a alguien; **~ à faire qch/pour que** ser suficiente para hacer algo/para que; **se ~** bastarse a sí mismo; **il suffit de/que** basta con/que; **il suffit d'une négligence** basta una negligencia; **ça suffit!** ¡basta!
suffisamment [syfizamɑ̃] *ad* suficientemente; **~ de** suficiente, bastante.
suffisance [syfizɑ̃s] *nf* suficiencia, pedantería; (*quantité*): **en ~** bastante, suficientemente.
suffisant, e [syfizɑ̃, ɑ̃t] *a* suficiente.
suffisons *etc vb voir* **suffire.**
suffixe [syfiks(ə)] *nm* sufijo.
suffocation [syfɔkɑsjɔ̃] *nf* sofocación *f*, ahogo; **sensation de ~** sensación *f* de asfixia.
suffoquer [syfɔke] *vt* (*suj: chaleur, fumée*) sofocar, asfixiar; (*: émotion, larmes*) sofocar, reprimir; (*stupéfier*) pasmar, aturdir // *vi* sofocarse, ahogarse; **~ de** (*colère, indignation*) ahogarse de.
suffrage [syfʀaʒ] *nm* (*POL*) sufragio, voto; (*méthode*): **~ universel** sufragio universal; (*gén*): **~s** aprobación *f*; **~s exprimés** votos válidos.
suggérer [sygʒeʀe] *vt* sugerir; **~ de faire** sugerir hacer; **suggestif, ive** *a* sugestivo(a); **suggestion** *nf* sugerencia; (*PSYCH*) sugestión *f*.
suicidaire [sɥisidɛʀ] *a* suicida.
suicide [sɥisid] *nm* suicidio; **suicidé, e** *nm/f* suicida *m/f*; **se suicider** *vi* suicidarse.
suie [sɥi] *nf* hollín *m*.
suif [sɥif] *nm* sebo.
suinter [sɥɛ̃te] *vi* (*liquide*) exsudar, brotar; (*mur*) rezumarse.
suis *vb voir* **être, suivre.**
Suisse [sɥis] *nf* Suiza; **~ allemande** *ou* **alémanique** Suiza alemana; **~ romande** Suiza francesa; **s~** *a, nm/f* suizo(a) // *nm* (*bedeau*) pertiguero, sacristán *m*; **s~ allemand, e** *a, nm/f* suizo(a) alemán(ana); **s~ romand, e** *a, nm/f* suizo(a) francés(esa); **Suissesse** *nf* suiza.
suit *vb voir* **suivre.**
suite [sɥit] *nf* continuación *f*;

(*série*): **une ~ de...** una serie de...; (*conséquence*) consecuencia; (*ordre, liaison logique*) coherencia, ilación *f*; (*appartement*, MUS) suite *f*; (*escorte*) comitiva; **~s** *nfpl* (*d'une maladie etc*) secuelas, consecuencia; **prendre la ~ de** (*directeur etc*) suceder a, tomar el puesto de; **donner ~ à** dar curso a; **faire ~ à** ser continuación de; (**faisant**) **~ à votre lettre du...** en respuesta a su carta de...; **de ~** *ad* (*d'affilée*) seguidos(as); (*immédiatement*) de inmediato, enseguida; **par la ~** luego, más tarde; **à la ~** *a, ad* a continuación; **à la ~ de** después de; **par ~ de** a causa de; **attendre la ~ des événements** esperar el desarrollo posterior de los acontecimientos.

suivais *etc vb voir* **suivre.**

suivant, e [sɥivɑ̃, ɑ̃t] *a* siguiente // *prép* (*selon*) según; **au ~!** ¡el que sigue!, ¡el siguiente!

suive *etc vb voir* **suivre.**

suiveur [sɥivœʀ] *nm* (CYCLISME) seguidor *m*; (*d'une femme*) seguidor, cortejador *m*.

suivi, e [sɥivi] a (*régulier*) regular, continuo(a); (COMM) de producción regular; (*cohérent*) coherente; **très/peu ~** (*cours*) muy/poco frecuentado *o* concurrido; (*mode, feuilleton*) muy/poco seguido(a).

suivre [sɥivʀ(ə)] *vt* seguir; (*accompagner*: *mari, etc*) seguir, acompañar; (*suj*: *bagages*) seguir, venir después; (: *remords, pensées*) perseguir; (*imagination, penchant*) seguir, dejarse llevar por; (SCOL: *être inscrit à*: *cours*) asistir a; (: *être attentif à*: *leçon*) seguir, atender; (: *assimiler*: *programme*) asimilar, comprender; (*comprendre*) comprender, seguir; (COMM: *article*) seguir produciendo // *vi* seguir; (*élève*) atender, prestar atención; asimilar, comprender; **se ~** seguirse, sucederse; (*raisonnement*) ser coherente; **~ des yeux** seguir con la mirada; **"faire ~"** (*sur lettre*) "remítase al destinatario"; **"à ~"** "continuará".

sujet, te [syʒɛ, ɛt] *a*: **être ~ à** ser propenso a // *nm/f* (*d'un souverain etc*) súbdito/a // *nm* tema *m*; (*raison*) causa, motivo; (*élève*) alumno; (LING) sujeto; **un ~ de mécontentement** un motivo de descontento; **avoir ~ de se plaindre** tener razón *o* motivo para quejarse; **un mauvais ~** (*péj*) una mala persona; **au ~ de** *prép* a propósito de; **~ d'expérience** (BIO *etc*) sujeto de experimentación.

sujétion [syʒesjɔ̃] *nf* sujeción *f*.

sulfater [sylfate] *vt* sulfatar.

sulfureux, euse [sylfyʀø, øz] *a* sulfuroso(a).

sulfurique [sylfyʀik] *a*: **acide ~** ácido sulfúrico.

sûmes *vb voir* **savoir.**

summum [sɔmɔm] *nm*: **le ~ de** el súmmum de.

superbe [sypɛʀb(ə)] *a* soberbio(a), espléndido(a); (*situation, performance*) magnífico(a), admirable.

super(carburant) [sypɛʀkaʀbyʀɑ̃] *nm* super(carburante) *m*.

supercherie [sypɛʀʃəʀi] *nf* superchería.

superfétatoire [sypɛʀfetatwaʀ] *a* superfluo(a), redundante.

superficie [sypɛʀfisi] *nf* superficie *f*.

superficiel, le [sypɛʀfisjɛl] *a* superficial, ligero(a); (*péj*) superficial, somero(a).

superflu, e [sypɛʀfly] *a* superfluo(a), innecesario(a) // *nm*: **le ~** lo superfluo.

super-huit [sypɛʀɥit] *a*: **caméra ~** cámara super-ocho.

supérieur, e [sypeʀjœʀ] *a* superior; (*air, sourire*) de superioridad // *nm* (*hiérarchique*) superior *m* // *nm/f* (REL) superior/ora; **supériorité** *nf* superioridad *f*; **supériorité numérique** supremacía numérica.

superlatif [sypɛʀlatif] *nm* superlativo.

supermarché [sypɛrmarʃe] *nm* supermercado.
superposer [sypɛrpoze] *vt* superponer; **se** ~ *vi* (*images, souvenirs*) superponerse; **lits superposés** literas.
superproduction [sypɛrprɔdyksjɔ̃] *nf* superproducción *f.*
superpuissance [sypɛrpɥisɑ̃s] *nf* superpotencia.
supersonique [sypɛrsɔnik] *a* supersónico(a).
superstitieux, euse [sypɛrstisjø, øz] *a* supersticioso(a).
superstition [sypɛrstisjɔ̃] *nf* superstición *f.*
superstructure [sypɛrstryktyr] *nf* superestructura.
superviser [sypɛrvize] *vt* supervisar.
supplanter [syplɑ̃te] *vt* suplantar.
suppléance [sypleɑ̃s] *nf* suplencia.
suppléant, e [sypleɑ̃, ɑ̃t] *a* suplente // *nm/f* suplente/a.
suppléer [syplee] *vt* (*ajouter*) agregar; (*lacune, défaut*) suplir, compensar; (*professeur, juge*) suplir, suplantar; ~ **à** *vt* suplir, compensar.
supplément [syplemɑ̃] *nm* suplemento; (*de livre etc*) suplemento, apéndice *m*; **en** ~ (*au menu etc*) de más; **~aire** *a* suplementario(a), adicional; (*train etc*) especial, suplementario.
suppliant, e [syplijɑ̃, ɑ̃t] *a* suplicante, implorante.
supplication [syplikɑsjɔ̃] *nf* súplica, ruego; **~s** *fpl* (*adjurations*) súplicas, imploraciones *fpl.*
supplice [syplis] *nm* suplicio.
supplier [syplije] *vt* suplicar, rogar.
supplique [syplik] *nf* petición *f,* requerimiento.
support [sypɔr] *nm* soporte *m,* sostén *m*; ~ **audio-visuel** medio audiovisual; ~ **publicitaire** medio de publicidad.
supportable [sypɔrtabl(ə)] *a* (*douleur*) soportable, tolerable; (*conduite*) admisible.
supporter [sypɔrtɛr] *nm* hincha *m* // *vt* [sypɔrte] (*poids, poussée*) soportar, sostener; (*conséquence, épreuve*) soportar, sobrellevar; (*défaut, personne*) soportar, aguantar; (*suj*: *chose*: *chaleur, choc etc*) soportar, resistir; (*suj*: *personne*: *chaleur, vin*) soportar, tolerar.
supposer [sypoze] *vt* suponer; **en supposant** *ou* **à** ~ **que** suponiendo que; **supposition** *nf* suposición *f,* conjetura.
suppositoire [sypozitwar] *nm* supositorio.
suppôt [sypo] *nm* (*péj*) secuaz *m.*
suppression [sypresjɔ̃] *nf* supresión *f.*
supprimer [syprime] *vt* suprimir; (*obstacle, douleur, anxiété*) suprimir, quitar; ~ **qch à qn** quitar algo a alguien.
suppurer [sypyre] *vi* supurar.
supputations [sypytɑsjɔ̃] *nfpl* cálculos, suputaciones *fpl.*
supputer [sypyte] *vt* calcular, suputar.
suprématie [sypremasi] *nf* supremacía.
suprême [syprɛm] *a* supremo(a); (*bonheur, habileté*) supremo(a), sumo(a); **un** ~ **espoir/effort** un(a) último(a) esperanza/esfuerzo; **les honneurs** **~s** los honores póstumos.
sur [syr] *prép* sobre, en; (*direction*) a, hacia; (*à propos de*) sobre; **un** ~ **10** uno de cada 10, uno sobre 10; ~ **20, 2 sont venus** de 20, 2 vinieron; **4m** ~ **2** 4m por 2; ~ **sa recommandation** bajo su recomendación; **avoir un effet** ~ tener un efecto sobre; **avoir accident** ~ **accident** tener accidente tras accidente; ~ **ce** *ad* dicho esto, después de esto; ~ **mesure** a medida.
sur... [syr] *préf* sobre..., super... .
sur, e [syr] *a* ácido(a).
sûr, e [syr] *a* seguro(a); ~ **de/que** seguro de/de que; ~ **de soi** seguro de sí mismo.

surabondance [syRabɔ̃dɑ̃s] *nf* sobreabundancia; (*de couleurs, détails*) exceso, profusión *f*.
surabonder [syRabɔ̃de] *vi* sobreabundar, superabundar.
suraigu, ë [syRegy] *a* muy agudo(a), estridente.
surajouter [syRaʒute] *vt*: ~ **qch à** agregar *o* sobreañadir algo a; **se ~ à** *vt* sobreañadirse a.
suralimenté, e [syRalimɑ̃te] *a* sobrealimentado(a).
suranné, e [syRane] *a* anticuado(a), desusado(a).
surarmement [syRaRməmɑ̃] *nm* armamento excesivo.
surbaissé, e [syRbese] *a* bajo(a).
surcharge [syRʃaRʒ(ə)] *nf* sobrecarga; (*correction, ajout*) enmienda; **prendre des passagers en ~** tomar sobrecarga de pasajeros; **~ de bagages** exceso de equipaje.
surchargé, e [syRʃaRʒe] *a*: **~ de travail** *etc* agobiado(a) de trabajo *etc*.
surcharger [syRʃaRʒe] *vt* sobrecargar, abarrotar; (*texte, timbre-poste*) sobrecargar; (*fig*) recargar, abarrotar; (*décoration*) sobrecargar, recargar.
surchauffé, e [syRʃofe] *a* sobrecalentado(a); (*fig*) sobreexcitado(a), exaltado(a).
surchoix [syRʃwa] *a inv* de primera calidad, seleccionado(a).
surclasser [syRklɑse] *vt* (*SPORT*) descollar sobre, aventajar a; (*suj: chose*) superar, aventajar.
surcouper [syRkupe] *vt* contrafallar.
surcroît [syRkRwa] *nm*: **~ de** aumento de; **par** *ou* **de ~** además; **en ~** en exceso.
surdité [syRdite] *nf* sordera.
sureau, x [syRo] *nm* saúco.
surélever [syRelve] *vt* alzar, sobrealzar.
sûrement [syRmɑ̃] *ad* con seguridad; (*certainement*) seguramente.
suremploi [syRɑ̃plwa] *nm* sobreempleo.
surenchère [syRɑ̃ʃɛR] *nf* sobrepuja; (*fig*) pugna; **surenchérir** *vi* sobrepujar en la oferta; (*fig*) prometer más que otro.
surent *vb voir* **savoir.**
surentraîné, e [syRɑ̃tRene] *a* sobreentrenado(a).
suréquipé, e [syRekipe] *a* sobreequipado(a).
surestimer [syRɛstime] *vt* sobrestimar, sobrevalorar.
sureté [syRte] *nf* seguridad *f*; autenticidad *f*; (*JUR: garantie*) seguridad, garantía; **être/mettre en ~** estar/poner al seguro *o* a salvo; **pour plus de ~** para mayor seguridad; **la S~ (nationale)** la Policía.
surexciter [syRɛksite] *vt* sobreexcitar.
surexposer [syRɛkspoze] *vt* sobreexponer.
surf [sœRf] *nm* surf *m*.
surface [syRfas] *nf* superficie *f*; **faire ~** salir a la superficie; **en ~** en la superficie; **100m² de ~** 100m² de superficie *o* área; **~ de réparation** área de castigo.
surfait, e [syRfɛ, ɛt] *a* sobrevalorado(a).
surfin, e [syRfɛ̃, in] *a* superfino(a).
surgelé, e [syRʒəle] *a* congelado(a).
surgir [syRʒiR] *vi* surgir.
surhausser [syRose] *vt* sobrealzar, levantar.
surhumain, e [syRymɛ̃, ɛn] *a* sobrehumano(a).
surimposer [syRɛ̃poze] *vt* recargar.
surimpression [syRɛ̃pResjɔ̃] *nf* (*PHOTO*) sobreimpresión *f*; **en ~** en sobreimpresión; (*fig*) simultáneamente.
sur-le-champ [syRləʃɑ̃] *ad* inmediatamente.
surlendemain [syRlɑ̃dmɛ̃] *nm*: **le ~** a los dos días; **le ~ de** dos días después de; **le ~ soir** dos días después por la noche.
surmenage [syRmənaʒ] *nm*

surmenaje *m*, agotamiento; ~ **intellectuel** agotamiento intelectual.
surmener [syʀmәne] *vt* agotar, fatigar; **se** ~ agotarse.
surmonter [syʀmɔ̃te] *vt* (*suj*: *coupole etc*) rematar; (*vaincre*) superar.
surmultiplié, e [syʀmyltiplije] *a*: **vitesse** ~**e** directa multiplicada // *nf*: **en** ~**e** en superdirecta.
surnager [syʀnaʒe] *vi* flotar, sobrenadar.
surnaturel, le [syʀnatyʀɛl] *a*, *nm* sobrenatural (*m*).
surnom [syʀnɔ̃] *nm* sobrenombre *m*, apodo; (*péj*) apodo.
surnombre [syʀnɔ̃bʀ(ә)] *nm*: **en** ~ de más *o* sobra.
surnommer [syʀnɔme] *vt* apodar.
surnuméraire [syʀnymeʀɛʀ] *nm/f* supernumerario/a.
suroît [syʀwa] *nm* sudeste *m*; sueste *m*.
surpasser [syʀpɑse] *vt* sobrepasar a; (*espérances etc*) sobrepasar, superar; **se** ~ superarse a sí mismo.
surpeuplé, e [syʀpœple] *a* superpoblado(a).
surplis [syʀpli] *nm* sobrepelliz *f*, roquete *m*.
surplomb [syʀplɔ̃] *nm* desplomo, saliente *f*; **en** ~ en saliente.
surplomber [syʀplɔ̃be] *vi* estar en saliente // *vt* estar suspendido(a) sobre.
surplus [syʀply] *nm* (*COMM*) excedente *m*, resto; (*non utilisé*) resto; ~ **américains** excedentes americanos de guerra.
surprenant, e [syʀpʀәnɑ̃, ɑ̃t] *a* sorprendente, prodigioso(a).
surprendre [syʀpʀɑ̃dʀ(ә)] *vt* sorprender; (*suj*: *orage etc*) sorprender, pescar; ~ **la vigilance de qn** engañar la vigilancia de alguien; **se** ~ **à faire qch** descubrirse haciendo algo.
surprime [syʀpʀim] *nf* sobreprima.
surpris, e [syʀpʀi, iz] *a* sorprendido(a), desconcertado(a); ~ **que** sorprendido de que; ~**e** *nf* sorpresa; **voyage sans** ~**es** viaje *m* sin imprevistos; **par** ~**e** *ad* de sorpresa.
surprise-partie [syʀpʀizpaʀti] *nf* asalto.
surproduction [syʀpʀɔdyksjɔ̃] *nf* superproducción *f*.
surréaliste [syʀʀealist(ә)] *a* surrealista.
sursaut [syʀso] *nm* sobresalto; ~ **d'énergie** impulso *o* arrebato de energía; **en** ~ *ad* sobresaltado(a).
sursauter [syʀsote] *vi* sobresaltarse.
surseoir [syʀswaʀ]: ~ **à** *vt* diferir, postergar; (*JUR*) sobreseer, aplazar.
sursis [syʀsi] *nm* (*JUR*) sobreseimiento; (: *à la condamnation à mort*) prórroga; (*MIL*): ~ (**d'appel** *ou* **d'incorporation**) prórroga (de incorporación); (*fig*) plazo, tregua; **5 mois de prison avec** ~ 5 meses de prisión con la condicional; **sursitaire** *nm* (*MIL*) beneficiario de una prórroga.
sursois, sursoyais *etc vb voir* **surseoir.**
surtaxe [syʀtaks(ә)] *nf* sobretasa, recargo; (*POSTES*) sobretasa.
surtout [syʀtu] *ad* sobre todo, especialmente; **il songe** ~ **à ses propres intérêts** piensa sobre todo en sus propios intereses; **il aime le sport,** ~ **le football** le gusta el deporte, especialmente el fútbol; **cet été, il a** ~ **fait de la pêche** este verano se dedicó principalmente a la pesca; ~ **pas d'histoires/ne dites rien!** ¡especialmente nada de cuentos/no diga nada!; ~ **pas!** ¡de ninguna manera!; ~ **pas lui!** ¡seguramente no él!; ~ **que...** sobre todo porque... .
surveillance [syʀvɛjɑ̃s] *nf* (*active, continuelle*) vigilancia; (*d'un gardien*) vigilancia, custodia; **être sous la** ~ **de qn** estar bajo la custodia de alguien; **sous** ~

médicale bajo control médico *o* observación médica.
surveillant, e [syʀvɛjɑ̃, ɑ̃t] *nm/f* (*de prison*) guardián/ana; (*SCOL*) vigilante *m*, celador/ora; (*de travaux*) capataz *m*.
surveiller [syʀveje] *vt* vigilar; (*enfant, malade, élèves, bagages*) vigilar, cuidar; (*travaux, cuisson, SCOL: examen*) controlar; **se ~** cuidarse; **~ son langage** cuidar su lenguaje.
survenir [syʀvəniʀ] *vi* sobrevenir, ocurrir; (*personne*) llegar de improviso.
survêtement [syʀvɛtmɑ̃] *nm* chandal *m*.
survie [syʀvi] *nf* supervivencia; (*REL*) vida eterna; **une ~ de quelques mois** algunos meses de vida.
survivant, e [syʀvivɑ̃, ɑ̃t] *nm/f* sobreviviente *m/f*, superviviente *m/f*; (*JUR*) sobreviviente.
survivre [syʀvivʀ(ə)] *vi* sobrevivir.
survol [syʀvɔl] *nm* vuelo sobre.
survoler [syʀvɔle] *vt* sobrevolar; (*fig*) hojear, dar una leída rápida.
survolté, e [syʀvɔlte] *a* (*ÉLEC*) sobrevoltado(a); (*fig*) exaltado(a).
sus [sy] : **en ~ de** *prép* además de; **en ~** *ad* además; **~!** *excl* ¡vamos!
susceptible [sysɛptibl(ə)] *a* susceptible, quisquilloso(a); **~ de** susceptible de; (*capable de*) capaz de.
susciter [sysite] *vt* suscitar, provocar; (*admiration, enthousiasme*) suscitar, despertar; **~ des difficultés à qn** crear dificultades a alguien.
susdit, e [sysdi, dit] *a* susodicho(a).
suspect, e [syspɛ, ɛkt(ə)] *a* (*personne, attitude*) sospechoso(a); (*témoignage, opinions*) dudoso(a), sospechoso(a) // *nm/f* (*JUR*) sospechoso/a; **être ~ de** ser sospechable de.
suspecter [syspɛkte] *vt* sospechar de; (*honnêteté de qn*) dudar de; **~ qn de qch/faire** recelar a alguien de algo/que haga.
suspendre [syspɑ̃dʀ(ə)] *vt* suspender; (*vêtement, lustre etc*): **~ qch (à)** colgar algo (de); (*interrompre*) suspender, interrumpir; **se ~ à** colgarse de.
suspendu, e [syspɑ̃dy] *pp de* **suspendre** // *a* (*accroché*): **~ à** colgado de; (*perché*): **~ au-dessus de** colgado sobre; (*AUTO*): **bien/mal ~** con buena/mala suspensión.
suspens [syspɑ̃]: **en ~** *ad* en suspenso.
suspense [syspɑ̃s] *nm* suspenso.
suspension [syspɑ̃sjɔ̃] *nf* suspensión *f*; (*lustre*) lámpara colgante.
suspicion [syspisjɔ̃] *nf* presunción *f*, recelo.
sustentation [systɑ̃tɑsjɔ̃] *nf voir* **vitesse**.
sustenter [systɑ̃te]: **se ~** *vi* sustentarse, alimentarse.
susurrer [sysyʀe] *vt* susurrar, murmurar.
sut *vb voir* **savoir**.
suture [sytyʀ] *nf*: **point de ~** punto de sutura.
suturer [sytyʀe] *vt* suturar.
suzeraineté [syzʀɛnte] *nf* soberanía feudal.
svelte [svɛlt(ə)] *nf* esbelto(a).
SVP *abrév de* **s'il vous plaît**.
syllabe [silab] *nf* sílaba.
sylvestre [silvɛstʀ(ə)] *a*: **pin ~** pino silvestre.
sylviculture [silvikyltyʀ] *nf* silvicultura.
symbole [sɛ̃bɔl] *nm* símbolo.
symbolique [sɛ̃bɔlik] *a* simbólico(a) // *nf* simbolismo.
symboliser [sɛ̃bɔlize] *vt* simbolizar.
symétrie [simetʀi] *nf* simetría; **symétrique** *a* simétrico(a).
sympa [sɛ̃pa] *a* (*fam*) *abrév de* **sympathique**.
sympathie [sɛ̃pati] *nf* simpatía; **accueillir avec ~** (*projet*) acoger con agrado; **avoir de la ~ pour qn** sentir simpatía por alguien; **témoignages de ~** demostraciones

fpl de afecto; **croyez à toute ma ~** le acompaño en el sentimiento; **sympathique** *a* simpático(a); agradable; **sympathisant, e** *nm/f* simpatizante *m/f*; **sympathiser** *vi* simpatizar.
symphonie [sɛ̃fɔni] *nf* sinfonía; **symphonique** *a* sinfónico(a).
symptomatique [sɛ̃ptɔmatik] *a* sintomático(a).
symptôme [sɛ̃ptom] *nm* síntoma *m*.
synagogue [sinagɔg] *nf* sinagoga.
synchronique [sɛ̃kʀɔnik] *a*: **tableau ~** cuadro sincrónico.
synchroniser [sɛ̃kʀɔnize] *vt* sincronizar.
syncope [sɛ̃kɔp] *nf* (MÉD) síncope *m*; **tomber en ~** caer en síncope
syncopé, e [sɛ̃kɔpe] *a* sincopado(a).
syndic [sɛ̃dik] *nm* administrador *m*.
syndical, e, aux [sɛ̃dikal, o] *a* sindical; **~isme** *nm* sindicalismo; **~iste** *nm/f* sindicalista *m/f*.
syndicat [sɛ̃dika] *nm* (*d'ouvriers, employés*) sindicato; (*autre association d'intérêts*) asociación *f*, unión *f*; **~ d'initiative** oficina de turismo; **~ patronal** patronal *f*; **~ de producteurs** sindicato de productores; **~ de propriétaires** unión de propietarios.
syndiquer [sɛ̃dike]: **se ~** *vi* sindicarse, afiliarse a un sindicato.
syndrome [sɛ̃dʀom] *nm* síndrome *m*.
synode [sinɔd] *nm* sínodo.
synonyme [sinɔnim] *a* sinónimo(a) // *nm* sinónimo.
synoptique [sinɔptik] *a*: **tableau ~** cuadro sinóptico.
synovie [sinɔvi] *nf*: **épanchement de ~** derrame *m* sinovial.
syntaxe [sɛ̃taks(ə)] *nf* sintáxis *f*.
synthèse [sɛ̃tɛz] *nf* síntesis *f*.
synthétique [sɛ̃tetik] *a* sintético(a).
synthétiser [sɛ̃tetize] *vt* sintetizar.
synthétiseur [sɛ̃tetizœʀ] *nm* sintetizador *m*.
syphilis [sifilis] *nf* sífilis *f*.
Syrie [siʀi] *nf* Siria; **syrien, ne** *a, nm/f* sirio(a).
systématique [sistematik] *a* sistemático(a); (*péj*) sistemático(a), dogmático(a).
systématiser [sistematize] *vt* sistematizar.
système [sistɛm] *nm* sistema *m*; (*combine, moyen*) sistema, procedimiento; **le ~ D** la habilidad para salir de un aprieto.

T

ta [ta] *dét voir* **ton.**
tabac [taba] *nm* tabaco; (**débit** *ou* **bureau de**) **~** estanco; **~ blond/brun/gris** tabaco rubio/negro/picado; **tabagie** [tabaʒi] *nf* fumadero; **tabatière** [tabatjɛʀ] *nf* tabaquera.
tabernacle [tabɛʀnakl(ə)] *nm* tabernáculo.
table [tabl(ə)] *nf* mesa; **se mettre à ~** sentarse a la mesa; (*fig: fam*) confesar; **mettre la ~** poner *o* tender la mesa; **~ d'écoute** tablero de interceptaciones telefónicas; **~ des matières** índice *m*; **~ de multiplication** tabla de multiplicación; **~ de nuit** *ou* **de chevet** mesita de noche.
tableau, x [tablo] *nm* cuadro; (*panneau*) tablero; **~ d'affichage** tablero de anuncios; **~ de bord** (AUTO) tablero de mandos; (AVIAT) tablero de instrumentos; **~ noir** pizarra.
tabler [table] *vi*: **~ sur** contar con.
tablette [tablɛt] *nf* (*planche*) anaquel *m*; **~ de chocolat** tableta de chocolate.
tablier [tablije] *nm* delantal *m*; (*de pont*) tablero.
tabou [tabu] *nm, a* tabú (*m*).

tabouret [taburɛ] *nm* banqueta, taburete *m*.
tabulateur [tabylatœʀ] *nm* tabulador *m*.
tac [tak] *nm*: **du ~ au ~** en los mismos términos.
tache [taʃ] *nf* mancha; **~ de rousseur** *ou* **de son** peca.
tâche [tɑʃ] *nf* tarea; **travailler à la ~** trabajar a destajo.
tacher [taʃe] *vt* manchar, ensuciar; (*fig*) manchar, mancillar.
tâcher [tɑʃe] *vi*: **~ de** tratar de.
tâcheron [tɑʃʀɔ̃] *nm* (*fig*) destajista *m*.
tacite [tasit] *a* tácito(a), implícito(a).
taciturne [tasityʀn(ə)] *a* taciturno(a).
tacot [tako] *nm* (*péj*) cacharro.
tact [takt] *nm* tacto, tiento.
tactique [taktik] *a* táctico(a) // *nf* táctica.
taffetas [tafta] *nm* tafetán *m*.
taie [tɛ] *nf*: **~ (d'oreiller)** funda (de almohada).
taille [tɑj] *nf* talla; poda; (*milieu du corps*) talle *m*, cintura; (*hauteur*) talla, estatura; (*grandeur*) tamaño; (*fig*) dimensión *f*, envergadura; **de ~** a importante, enorme.
taille-crayon(s) [tɑjkʀɛjɔ̃] *nm* sacapuntas *m inv*.
tailler [tɑje] *vt* (*pierre*) tallar; (*plante*) talar, podar; (*vêtement*) cortar; (*crayon*) afilar, sacar punta a; **se ~** *vt* cortarse; (*fig*) lograr // *vi* (*fam*) largarse; **tailleur** *nm* sastre *m*; (*vêtement*) traje *m*; **en tailleur** (*assis*) a la turca; **tailleur de diamants** tallador *m* de diamantes.
taillis [taji] *nm* bosque *m*, bajo.
tain [tɛ̃] *nm* azogue *m*.
taire [tɛʀ] *vt* callar, ocultar // *vi*: **faire ~ qn** hacer callar a alguien; **se ~** *vi* (*s'arrêter de parler*) callarse; (*ne pas parler*) callar; **taistoi!** ¡cállate!
talc [talk] *nm* talco.
talé, e [tale] *a* golpeado(a), machucado(a).
talent [talɑ̃] *nm* (*aptitude*) aptitud *f*; **le ~** (*don*) el talento; **avoir du ~** tener talento; **~ueux, euse** [-tɥø, øz] *a* talentoso(a).
talon [talɔ̃] *nm* talón *m*; (*de jambon, pain*) extremo; (*de chèque, billet*) matriz *f*; **~s plats/aiguilles** tacones bajos/altos muy finos; **tourner les ~s** (*fig*) dar media vuelta; **~ner** *vt* seguir de cerca; (*fig*) acosar; (*RUGBY*) talonar.
talquer [talke] *vt* espolvorear de talco.
talus [taly] *nm* declive *m*; **~ de déblai** talud *m*; **~ de remblai** terraplén *m*.
tambour [tɑ̃buʀ] *nm* tambor *m*; (*porte*) cancel *m*.
tambourin [tɑ̃buʀɛ̃] *nm* tamboril *m*.
tambouriner [tɑ̃buʀine] *vi*: **~ contre** tamborilear contra.
tamis [tami] *nm* tamiz *m*.
Tamise [tamiz] *nf*: **la ~** el Támesis.
tamiser [tamize] *vt* tamizar.
tampon [tɑ̃pɔ̃] *nm* tapón *m*; (*amortisseur*) tope *m*; (*cachet, timbre*) matasellos *m inv*; **~ner** *vt* (*timbres*) sellar; (*heurter*) chocar, topar; **~neuse** *a*: **autos ~neuses** coches-tope *mpl*, autos-choque *mpl*.
tandem [tɑ̃dɛm] *nm* tándem *m*.
tandis [tɑ̃di]: **~ que** *conj* mientras, cuando; (*opposition*: *alors que*) en tanto que, mientras que.
tangage [tɑ̃gaʒ] *nm* cabeceo.
tangent, e [tɑ̃ʒɑ̃, ɑ̃t] *a*: **~ à** tangente a // *nf* tangente *f*.
tango [tɑ̃go] *nm* tango.
tanguer [tɑ̃ge] *vi* cabecear, balancearse.
tanière [tanjɛʀ] *nf* madriguera, guarida.
tanin [tanɛ̃] *nm* tanino.
tank [tɑ̃k] *nm* tanque *m*.
tanker [tɑ̃kɛʀ] *nm* buque petrolero *m*.
tanné, e [tane] *a* bronceado(a).

tanner [tane] *vt* curtir; **~ie** [tanʀi] *nf* curtiduría.
tant [tɑ̃] *ad* tanto; **~ de** (*sable, eau*) tanto(a); (*personnes, livres*) tantos(as); **~ que** *conj* mientras; (*comparatif*) tanto como *o* cuanto; **~ mieux** tanto mejor *o* mejor así; **~ pis** tanto peor; ¡qué le vamos a hacer!; **~ pis pour lui** peor para él; **un ~ soit peu** un poco; tan; algo.
tante [tɑ̃t] *nf* tía.
tantinet [tɑ̃tinɛ]: **un ~** *ad* un poquito.
tantôt [tɑ̃to] *ad*: **~...~** unas veces...otras, ya...ya; (*cet après-midi*) esta tarde, por la tarde.
tapage [tapaʒ] *nm* escándalo, alboroto; **~ nocturne** escándalo nocturno.
tape [tap] *nf* palmada.
tape-à-l'œil [tapalœj] *a inv* bambolla.
taper [tape] *vt* (*porte*) cerrar de golpe; (*fam*) sablear, petardear // *vi* (*soleil*) pegar; **~ sur qn** golpear a alguien; **~ sur qch** golpear sobre algo; (*clou etc*) martillar algo; **~ à** (*porte etc*) llamar *o* golpear a; **~ des mains** palmear, golpear con las manos; **~ des pieds** patear; **~ (à la machine)** escribir a máquina; **il tapa la porte en sortant** dio un portazo al salir.
tapi, e [tapi] *a* acurrucado(a); agazapado(a).
tapioca [tapjɔka] *nm* tapioca.
tapis [tapi] *nm* alfombra; (*de table*) tapete *m*; **~-brosse** *nm* felpudo; **~ roulant** cinta transportadora.
tapisser [tapise] *vt* empapelar; (*recouvrir*): **~ qch (de)** revestir algo (con).
tapisserie [tapisʀi] *nf* tapicería; (*tenture*) tapiz *m*; (*papier peint*) empapelado; **faire ~** quedarse en el poyete.
tapissier, ière [tapisje, jɛʀ] *nm/f*: **~(-décorateur)** tapicero.
tapoter [tapɔte] *vt* dar golpecitos en.
taquet [takɛ] *nm* cuña; uña, tope *m*.
taquin, e [takɛ̃, in] *a* guasón(ona); **~er** [-kine] *vt* hacer rabiar.
tard [taʀ] *ad* tarde; **au plus ~** a más tardar; **sur le ~** al atardecer.
tarder [taʀde] *vi* (*chose*) tardar, demorar; (*personne*): **~ à** tardar *o* demorar en; **il me tarde d'être** estoy impaciente por estar; **sans (plus) ~** sin (más) demora.
tardif, ive [taʀdif, iv] *a* tardío(a).
tare [taʀ] *nf* tara.
targuer [taʀge]: **se ~ de** *vt* alardear *o* jactarse de.
tarif [taʀif] *nm* (*liste*) lista de precios; (*barème, prix*) tarifa; **voyager à plein ~/à ~ réduit** viajar con tarifa completa/reducida.
tarifer [taʀife] *vt* tarifar.
tarir [taʀiʀ] *vi* agotarse, secarse.
tarot(s) [taʀo] *nm(pl)* naipe(s) *m(pl)* de adivinación, tarot *m*.
tarte [taʀt(ə)] *nf* tarta; **~ aux pommes** tarta de manzanas; **~lette** *nf* tartita.
tartine [taʀtin] *nf* rebanada de pan; **tartiner** *vt*: **fromage à tartiner** queso para untar.
tartre [taʀtʀ(ə)] *nm* sarro.
tas [tɑ] *nm* montón *m*, pila; **formé sur le ~** formado en el taller.
tasse [tɑs] *nf* taza.
tassé, e [tɑse] *a*: **bien ~** (*café etc*) fuerte, cargado(a).
tasser [tɑse] *vt* apisonar; (*entasser*) amontonar; **se ~** *vi* (*terrain*) hundirse; (*fig*) arreglarse.
tâter [tɑte] *vt* tocar; (*fig*) tantear; **~ de** (*prison etc*) probar; **se ~** (*hésiter*) reflexionar.
tatillon, ne [tatijɔ̃, ɔn] *a* puntilloso(a).
tâtonnement [tɑtɔnmɑ̃] *nm*: **par ~s** (*fig*) a tientas, por tanteo.
tâtonner [tɑtɔne] *vi* andar a tientas.
tâtons [tɑtɔ̃]: **à ~** *ad* a tientas.
tatouer [tatwe] *vt* tatuar.
taudis [todi] *nm* pocilga, cuchitril *m*.

taupe [top] *nf* topo; **taupinière** *nf* topinera.
taureau, x [tɔʀo] *nm* toro; (*ASTRO*): **le T~** Tauro; **être du T~** ser de Tauro.
tauromachie [tɔʀɔmaʃi] *nf* tauromaquia.
taux [to] *nm* (*prix*) tasa; (*proportion*) porcentaje *m*, índice *m*; **~ d'intérêt** porcentaje de interés; **~ de mortalité** índice de mortandad.
taverne [tavɛʀn(ə)] *nf* taberna, posada.
taxe [taks(ə)] *nf* impuesto; (*douanière*) arancel *m*; **~ sur la valeur ajoutée, TVA** impuesto al valor agregado, IVA.
taxer [takse] *vt* (*personne*) gravar con impuesto a; (*produit*) tasar; (*fig*) calificar; tachar, acusar.
taxi [taksi] *nm* taxi *m*.
taxiphone [taksifɔn] *nm* teléfono público (*con fichas o monedas*).
tchécoslovaque [tʃekɔslɔvak] *a* checoslovaco(a).
Tchécoslovaquie [tʃekɔslɔvaki] *nf* Checoslovaquia; **tchèque** [tʃɛk] *a, nm, nf* checo(a).
te, t' [t(ə)] *pron* te.
té [te] *nm* regla te.
technicien, ne [tɛknisjɛ̃, jɛn] *nm/f* técnico/a.
technique [tɛknik] *a* técnico(a) // *nf* técnica; **~ment** *ad* técnicamente.
technologie [tɛknɔlɔʒi] *nf* tecnología; **technologique** *a* tecnológico(a).
teck [tɛk] *nm* teca.
teckel [tekɛl] *nm* perro pachón.
teignais *etc vb voir* **teindre.**
teigne [tɛɲ(ə)] *vb voir* **teindre** // *nf* (*ZOOL*) polilla; (*MÉD*) tiña.
teindre [tɛ̃dʀ(ə)] *vt* teñir; **se ~ (les cheveux)** teñirse (el pelo).
teint, e [tɛ̃, tɛ̃t] *nm* tez *f*, tinte *m*, color *m* // *nf* tinte *m*, matiz *m*; **grand ~** *a inv* color firme.
teinté, e [tɛ̃te] *a* (*verres*) ahumado(a); (*bois*) teñido(a); **~ de** (*fig*) matizado de.
teinter [tɛ̃te] *vt* teñir; **teinture** *nf* tintura; **teinture d'iode** tintura de iodo.
teinturerie [tɛ̃tyʀʀi] *nf* tintorería.
teinturier [tɛ̃tyʀje] *nm* tintorero.
tek [tɛk] *nm* = **teck.**
tel, telle [tɛl] *a* (*pareil*) tal, semejante; (*comme*): **~ un/des...** tal como..., como...; (*indéfini*) tal...; **un ~...** tal...; **de ~s...** (de) tales...; **~ que** *conj* tal que; **~ quel** tal cual.
tél *abrév de* **téléphone.**
télé [tele] *nf* (*abrév de* **télévision**) (*poste*) tele *f*; **à la ~** en la tele.
télé... [tele] *préf*: **~benne** *nf* teleférico monocable; **~cabine** *nf* teleférico monocable; **~commande** *nf* telemando; **~commander** *vt* teledirigir; **~communications** *nfpl* telecomunicaciones *fpl*; **~férique** *nm* = **~phérique**; **~gramme** *nm* telegrama *m*.
télégraphe [telegʀaf] *nm* telégrafo; **télégraphie** *nf* telegrafía; **télégraphier** *vt* telegrafiar; **télégraphique** *a* telegráfico(a).
téléguider [telegide] *vt* teledirigir.
téléobjectif [teleɔbʒɛktif] *nm* teleobjetivo.
télépathie [telepati] *nf* telepatía.
téléphérique [telefeʀik] *nm* teleférico.
téléphone [telefɔn] *nm* teléfono; **avoir le ~** tener teléfono; **au ~** por teléfono; **les T~s** Teléfonos; **téléphoner** *vt, vi* telefonear; **téléphonique** *a* telefónico(a); **téléphoniste** *nm/f* telefonista *m/f*.
télescope [telɛskɔp] *nm* telescopio.
télescoper [telɛskɔpe] *vt*, **se ~** *vi* chocar.
télescopique [telɛskɔpik] *a* telescópico(a).
téléscripteur [teleskʀiptœʀ] *nm* teleimpresor *m*.
télésiège [telesjɛʒ] *nm* telesilla.
téléski [teleski] *nm* telesquí *m*; **~ à perche/à archets** telesquí de trole/de arcos.
téléspectateur, trice [telespɛktatœʀ, tʀis] *nm/f* telespectador/ora.
téléviser [televize] *vt* televisar.

téléviseur [televizœʀ] *nm* televisor *m*.

télévision [televizjɔ̃] *nf* televisión *f*; **(poste de)** ~ (aparato de) televisión, televisor *m*; **avoir la** ~ tener televisión.

télex [telɛks] *nm* télex *m*.

telle [tɛl] *a voir* **tel**.

tellement [tɛlmɑ̃] *ad* tan; ~...**que** tan... que; ~ **plus grand (que)** tanto más grande (que); ~ **de** (*sable, eau*) tanto(a); (*personnes, livres*) tantos(as); **il ne mange pas** ~ no come tanto.

tellurique [telyʀik] *a voir* **secousse**.

téméraire [temeʀɛʀ] *a* temerario(a), arrojado(a); (*imprudent*) temerario(a).

témoignage [temwaɲaʒ] *nm* testimonio.

témoigner [temwaɲe] *vt* demostrar, manifestar // *vi* (*JUR*) testimoniar, atestiguar; ~ **que** declarar *o* manifestar que; (*fig*) demostrar que; ~ **de** *vt* dar pruebas de, atestiguar.

témoin [temwɛ̃] *nm* testigo; (*fig*) prueba; (*CONSTRUCTION*) muestra // *a* testigo; **prendre à** ~ tomar como testigo; **appartement** ~ piso de muestra; ~ **à charge** testigo de cargo.

tempe [tɑ̃p] *nf* sien *f*.

tempérament [tɑ̃peʀamɑ̃] *nm* temperamento, carácter *m*; (*santé*) complexión *f*, constitución *f*; **à** ~ a plazos *o* crédito.

tempérance [tɑ̃peʀɑ̃s] *nf* templanza.

température [tɑ̃peʀatyʀ] *nf* temperatura; **feuille de** ~ gráfica de la temperatura.

tempéré, e [tɑ̃peʀe] *a* templado(a).

tempérer [tɑ̃peʀe] *vt* moderar, calmar.

tempête [tɑ̃pɛt] *nf* tempestad *f*, tormenta; ~ **de sable/neige** tormenta de arena/nieve.

tempêter [tɑ̃pete] *vi* (*personne*) vociferar.

temple [tɑ̃pl(ə)] *nm* templo.

temporaire [tɑ̃pɔʀɛʀ] *a* temporario(a); ~**ment** *ad* temporariamente.

temporiser [tɑ̃pɔʀize] *vi* contemporizar.

temps [tɑ̃] *nm* tiempo; **il fait beau/mauvais** ~ hace buen/mal tiempo; ~ **chaud/froid** tiempo caluroso/frío; **avoir du** ~ **de libre** tener tiempo libre; **prendre son** ~ no precipitarse; **en** ~ **utile** *ou* **voulu** a su debido tiempo; **de** ~ **en** ~, **de** ~ **à autre** de vez en cuando; **en même** ~ al mismo tiempo; **à** ~ con tiempo; a tiempo; **entre** ~ entre tanto; **à plein/mi-**~ la jornada completa/media jornada; **dans le** ~ hace tiempo, antaño; **de tout** ~ siempre; **du** ~ **que** *ou* **où** en los tiempos en que, cuando; ~ **d'arrêt** parada; ~ **mort** (*COMM*) tiempo de inactividad.

tenable [tnabl(ə)] *a* (*fig*) soportable.

tenace [tənas] *a* tenaz, firme; (*infection*) resistente.

tenailles [tnɑj] *nfpl* tenazas.

tenais *etc vb voir* **tenir.**

tenancier, ière [tənɑ̃sje, jɛʀ] *nm/f* encargado/a.

tenant, e [tənɑ̃, ɑ̃t] *a voir* **séance** // *nm/f* (*SPORT*): ~ **du titre** poseedor *m* del título // *nm*: **d'un seul** ~ de una sola pieza; **les** ~**s et les aboutissants** (*fig*) los pormenores.

tendance [tɑ̃dɑ̃s] *nf* tendencia; (*inclination*) tendencia, propensión *f*; **avoir** ~ **à** tener propensión a.

tendeur [tɑ̃dœʀ] *nm* tensor *m*; (*de tente*) viento.

tendon [tɑ̃dɔ̃] *nm* tendón *m*.

tendre [tɑ̃dʀ(ə)] *a* tierno(a); (*bois, roche*) blando(a); (*couleur*) suave // *vt* (*élastique, peau*) extender, estirar; (*muscle, arc*) tensar; (*lettre, stylo*): ~ **qch à qn** alcanzar algo a alguien; ofrecer algo a alguien; (*fig: piège*) tender; (*tapisserie*) tapizar; **se** ~ *vi* (*relations*) ponerse

tenso(a); ~ **à** tender a; ~ **l'oreille** aguzar el oído; ~ **le bras** alargar el brazo; ~ **la main** tender la mano; ~**ment** *ad* tiernamente; **tendresse** *nf* ternura.
tendu, e [tɑ̃dy] *a* estirado(a), tenso(a).
ténèbres [tenɛbʀ(ə)] *nfpl* tinieblas.
teneur [tənœʀ] *nf* contenido; ~ **en cuivre** proporción *f* de cobre.
ténia [tenja] *nm* tenia.
tenir [təniʀ] *vt* tener, sostener; (*magasin, hôtel*) dirigir, regentar; (*promesse*) mantener, cumplir // *vi* (*tableau, nœud*) sujetar; (*neige, gel*) cuajar; (*peinture, colle*) agarrar; (*résister*) resistir; **se** ~ *vi* (*avoir lieu*) tener lugar; (*être situé*) estar; **se** ~ **debout** tenerse en pie; **se** ~ **droit** ponerse derecho, aderezarse; **bien/mal se** ~ comportarse bien/mal; ~ **à** *vt* tener cariño a; deberse a, depender de; **j'y tiens** me importa(n); ~ **à faire** tener ganas de hacer; ~ **de** *vt* remontarse a; salir a; **s'en** ~ **à** limitarse a, atenerse a; ~ **qn pour** considerar a alguien como; ~ **qch de qn** saber algo por alguien; tener algo de alguien; **ça ne tient qu'à lui** es asunto suyo; ~ **les comptes** llevar la contabilidad; ~ **un rôle** desempeñar un papel; ~ **au chaud** mantener caliente; ~ **chaud** (*personne*) abrigar, dar calor a; ~ **prêt** tener listo; ~ **parole** mantener la palabra; ~ **sa langue** retener la lengua; **tiens/tenez, voilà le stylo!** toma/tome, aquí está la pluma; **tiens! Pierre** ¡vaya! Pedro; **tiens?** (*surprise*) ¡vaya!, ¡hombre!
tennis [tenis] *nm* tenis *m*; (*aussi*: **court de** ~) campo de tenis; **des (chaussures de)** ~ zapatillas de tenis; ~ **de table** tenis de mesa; ~**man** *nm* tenista *m*.
tenons *vb voir* **tenir.**
ténor [tenɔʀ] *nm* tenor *m*.
tension [tɑ̃sjɔ̃] *nf* tensión *f*; (*concentration, effort*) concentración *f*, esfuerzo.
tentacule [tɑ̃takyl] *nm* tentáculo.
tentation [tɑ̃tɑsjɔ̃] *nf* tentación *f*.
tentative [tɑ̃tativ] *nf* tentativa, intento.
tente [tɑ̃t] *nf* tienda; ~ **à oxygène** tienda de oxígeno.
tenter [tɑ̃te] *vt* tentar; ~ **qch/de faire** intentar algo/hacer.
tenture [tɑ̃tyʀ] *nf* colgadura.
tenu, e [təny] *pp de* **tenir** // *a* tenido(a) // *nf* mantenimiento; dirección *f*; (*vêtements*) vestimenta; (*comportement*) comportamiento, modales *mpl*; **bien** ~ (*maison*) bien cuidado; (*comptes*) bien llevado; **mal** ~ (*maison*) descuidado; (*comptes*) mal llevado; **être** ~ **de faire** estar obligado a hacer; **en petite** ~**e** en paños menores; **une** ~**e de voyage/sport** un traje de viaje/sport; ~**e de soirée/de ville** traje *m* de etiqueta/de calle; ~**e de combat** uniforme *m* de combate; **une** ~**e de jardinier** un uniforme de jardinero; ~**e de route** (AUTO) estabilidad *f*.
ter [tɛʀ] *a*: **le 16** ~ el 16 bis.
térébenthine [teʀebɑ̃tin] *nf*: **(essence de)** ~ (esencia de) trementina.
tergal [tɛʀgal] *nm* tergal *m*.
tergiverser [tɛʀʒivɛʀse] *vi* vacilar, titubear.
terme [tɛʀm(ə)] *nm* término; (FINANCE) trimestre *m*; **vente à** ~ venta a plazos; **au** ~ **de** al final de; **à court/moyen/long** ~ *a, ad* a corto/mediano/largo plazo; **à** ~ (MÉD) a a los nueve meses; **avant** ~ (MÉD) *a* prematuro(a), antes de tiempo.
terminaison [tɛʀminɛzɔ̃] *nf* terminación *f*.
terminal, e, aux [tɛʀminal, o] *a, nm* terminal (*m*).
terminer [tɛʀmine] *vt* terminar, acabar; **se** ~ *vi* (*leçon, vacances*) terminarse, acabarse; (*route, terrain*) terminar, acabar; **se** ~ **par/en** (*repas, chansons*) acabar

con/en; (*pointe, boule*) acabar *o* terminar en.

terminologie [tɛʀminɔlɔʒi] *nf* terminología.

terminus [tɛʀminys] *nm* final *m* de línea.

termite [tɛʀmit] *nm* termes *m*.

terne [tɛʀn(ə)] *a* mate, apagado(a).

ternir [tɛʀniʀ] *vt* desteñir, empañar; **se ~** *vi* empañarse, deslustrarse.

terrain [tɛʀɛ̃] *nm* terreno; (*COMM*) terreno, tierra; (*: à bâtir*) terreno, solar *m*; **sur le ~** en el mismo sitio; **~ de football/rugby** campo de fútbol/rugby; **~ d'aviation** campo de aviación; **~ de camping** camping *m*; **~ de jeu** campo de juego; **~ de sport** campo de deportes; **~ vague** terreno baldío, solar.

terrasse [tɛʀas] *nf* terraza.

terrassement [tɛʀasmɑ̃] *nm* excavación *f*, remoción *f*; terraplén *m*.

terrasser [tɛʀase] *vt* derribar.

terre [tɛʀ] *nf* tierra; (*population*) mundo; **~s** *fpl* (*terrains*) tierras; **travail de la ~** trabajo del campo; **en ~** (*pipe, poterie*) de arcilla *o* barro; **à ~** *ou* **par ~** en el suelo; (*jeter, tomber*) al suelo; **~ cuite** terracota, barro; **~ glaise** greda; **T~ Sainte** Tierra Santa; **~ à ~** ramplón(ona).

terreau [tɛʀo] *nm* mantillo.

terre-plein [tɛʀplɛ̃] *nm* terraplén *m*.

terrer [tɛʀe]: **se ~** *vi* encerrarse; ocultarse.

terrestre [tɛʀɛstʀ(ə)] *a* terrestre; (*REL*) terrenal.

terreur [tɛʀœʀ] *nf* terror *m*, pavor *m*.

terrible [tɛʀibl(ə)] *a* terrible; (*fam*) formidable; **~ment** *ad* (*très*) terriblemente.

terrien, ne [tɛʀjɛ̃, jɛn] *nm/f* campesino/a; (*non martien etc*) habitante *m/f* de la tierra.

terrier [tɛʀje] *nm* (*de lapin*) madriguera; (*chien*) terrier *m*.

terrifier [tɛʀifje] *vt* aterrorizar.

terril [tɛʀi] *nm* escorial *m*.

terrine [tɛʀin] *nf* lebrillo, barreño; (*CULIN*) conserva de carne.

territoire [tɛʀitwaʀ] *nm* territorio; **territorial, e, aux** *a* territorial; **armée territoriale** segunda reserva.

terroir [tɛʀwaʀ] *nm* (*AGR*) tierra; **accent du ~** acento regional *o* del terruño.

terroriser [tɛʀɔʀize] *vt* aterrorizar; **terrorisme** *nm* terrorismo; **terroriste** *nm/f* terrorista *m/f*.

tertiaire [tɛʀsjɛʀ] *a* terciario(a) // *nm* (*ÉCON*) terciario.

tertre [tɛʀtʀ(ə)] *nm* montículo, monte *m*.

tes [te] *dét voir* **ton.**

tesson [tesɔ̃] *nm*: **~ de bouteille** pedazo de botella.

test [tɛst] *nm* test *m*, prueba.

testament [tɛstamɑ̃] *nm* testamento; **~aire** *a* testamentario(a).

testicule [tɛstikyl] *nm* testículo.

tétanos [tetanos] *nm* tétanos *m*.

têtard [tɛtaʀ] *nm* renacuajo.

tête [tɛt] *nf* cabeza; (*visage*) cara; (*FOOTBALL*) cabeza, cabezazo; **de ~** *a* (*wagon etc*) delantero(a) // *ad* (*calculer*) mentalmente; **tenir ~ à qn** hacer frente a alguien; **la ~ la première** (*tomber*) de cabeza; **la ~ en bas** la cabeza hacia abajo; **faire une ~** (*FOOTBALL*) dar un cabezazo; **faire la ~** (*fig*) poner mala cara; **en ~** (*SPORT*) a la cabeza; **en ~ à ~** a solas; **de la ~ aux pieds** de pies a cabeza; **~ d'enregistrement/de lecture** cabeza sonora/auditiva; **~ d'affiche** (*THÉÂTRE etc*) cabecera del reparto; **~-bêche** *ad* pies contra cabeza; **~ de bétail** cabeza de ganado; **~ de mort** calavera; **~-à-queue** *nm inv* tornillazo; **~ de série** (*TENNIS*) primero/a de la categoría; **~ de taxi** parada de taxi; **~-à-~** *nm inv* entrevista a solas.

tétée [tete] *nf* mamada.

téter [tete] *vt*: **~ (sa mère)** tomar el pecho, mamar.

tétine [tetin] *nf* teta; (*sucette*) tetina.
téton [tetɔ̃] *nm* (*fam*) teta.
têtu, e [tety] *a* terco(a), testarudo(a).
texte [tɛkst(ə)] *nm* texto; (*THÉÂTRE*) papel *m.*
textile [tɛkstil] *a* textil // *nm* tejido; industria textil.
texture [tɛkstyʀ] *nf* textura; contextura.
thé [te] *nm* té *m.*
théâtre [teɑtʀ(ə)] *nm* teatro; (*péj*) exageración *f*; simulación *f*; **faire du ~** hacer teatro.
théière [tejɛʀ] *nf* tetera.
thème [tɛm] *nm* tema *m*; (*SCOL: traduction*) traducción *f.*
théologie [teɔlɔʒi] *nf* teología; **théologien** *nm* teólogo.
théorème [teɔʀɛm] *nm* teorema *m.*
théoricien, ne [teɔʀisjɛ̃, jɛn] *nm/f* teórico/a.
théorie [teɔʀi] *nf* teoría; **théorique** *a* teórico(a).
thérapeutique [teʀapøtik] *a* terapeútico(a) // *nf* terapeútica.
thermal, e, aux [tɛʀmal, o] *a* termal.
thermes [tɛʀm(ə)] *nmpl* termas.
thermomètre [tɛʀmɔmɛtʀ(ə)] *nm* termómetro.
thermos [tɛʀmos] *nm ou nf* ®: (**bouteille**) ~ termo.
thermostat [tɛʀmɔsta] *nm* termostato.
thésauriser [tezɔʀize] *vi* atesorar.
thèse [tɛz] *nf* tesis *f.*
thon [tɔ̃] *nm* atún *m.*
thorax [tɔʀaks] *nm* tórax *m.*
thym [tɛ̃] *nm* tomillo.
thyroïde [tiʀɔid] *nf* tiroides *m.*
tiare [tjaʀ] *nf* tiara.
tibia [tibja] *nm* tibia.
tic [tik] *nm* tic *m*; (*de langage etc*) muletilla.
ticket [tikɛ] *nm* billete *m.*
tiède [tjɛd] *a* tibio(a); **tiédir** *vt* entibiar.
tien, tienne [tjɛ̃, tjɛn] *pron*: **le ~ (la tienne), les ~s (tiennes)** el tuyo(la tuya), los tuyos(las tuyas); **à la tienne!** ¡a tu salud!
tiendrai *etc,* **tienne** *etc vb voir* **tenir.**
tiens *vb, excl voir* **tenir**.
tierce [tjɛʀs(ə)] *a, nf voir* **tiers.**
tiercé [tjɛʀse] *nm* apuesta triple.
tiers, tierce [tjɛʀ, tjɛʀs(ə)] *a* tercer, tercero(a) // *nm* (*JUR*) tercero; (*fraction*) tercio // *nf* (*MUS*) tercera; (*CARTES*) escalerilla; **assurance au ~** seguro contra terceros.
tige [tiʒ] *nf* tallo; (*branche d'arbre*) rama; (*baguette*) varilla.
tignasse [tiɲas] *nf* (*péj*) pelambrera.
tigre [tigʀ(ə)] *nm* tigre *m.*
tigresse [tigʀɛs] *nf* tigre *f.*
tilde [tild(ə)] *nm* tilde *f.*
tilleul [tijœl] *nm* tilo; (*boisson*) tila.
timbale [tɛ̃bal] *nf* vaso; **~s** *fpl* (*MUS*) timbales *mpl.*
timbre [tɛ̃bʀ(ə)] *nm* sello; (*sonnette, MUS*) timbre *m*; **~ fiscal** timbre fiscal.
timbrer [tɛ̃bʀe] *vt* sellar; (*document, acte*) poner un sello a.
timide [timid] *a* tímido(a), apocado(a); (*timoré*) pusilánime, temeroso(a); (*fig*) débil; **timidité** *nf* timidez *f*, apocamiento.
timonerie [timɔnʀi] *nf* timonera, cámara del timónel.
timoré, e [timɔʀe] *a* timorato(a).
tintamarre [tɛ̃tamaʀ] *nm* estrépito, estruendo.
tinter [tɛ̃te] *vi* tocar, tañer; (*argent, clefs*) tintinear.
tir [tiʀ] *nm* tiro; (*stand*) barraca de tiro; **~ au fusil** tiro con fusil; **~ au pigeon** tiro de pichón (tiro al plato).
tirade [tiʀad] *nf* parlamento.
tirage [tiʀaʒ] *nm* (*action*) tiraje *m*; (*d'un journal*) tirada; (*de livre*) tirada; edición *f*; (*de loterie*) sorteo; (*désaccord*) dificultad *f*, desacuerdo; **~ au sort** sorteo.
tirailler [tiʀɑje] *vt* dar tirones a // *vi* tirotear; **tirailleur** *nm* tirador *m.*

tirant [tiʀɑ̃] *nm*: ~ **d'eau** calado.
tire [tiʀ] *nf*: **vol à la** ~ ratería.
tire-au-flanc [tiʀoflɑ̃] *nm inv* (*péj*) holgazán/ana, haragán/ana.
tire-bouchon [tiʀbuʃɔ̃] *nm* sacacorchos *m inv*.
tire-d'aile [tiʀdɛl]: **à** ~ *ad* a aletazos.
tirelire [tiʀliʀ] *nf* alcancía, hucha.
tirer [tiʀe] *vt* tirar de; (*extraire*): ~ **qch de** sacar algo de; extraer algo de; obtener *o* producir algo de; (*trait, journal, livre,* FOOTBALL, PÉTANQUE) tirar; (*fermer*: *porte, trappe*) cerrar; (: *rideau, panneau*) correr; (*choisir*: *carte, lot, conclusion*) sacar; (*chèque*) extender; (*loterie*) sortear; (*balle, coup*) tirar, disparar; (*animal*) disparar *o* tirar a; (*photo*) revelar // *vi* (*faire feu*) tirar, disparar; (*faire du tir,* FOOTBALL, *cheminée*) tirar; **se** ~ *vi* (*fam*) largarse; **s'en** ~ salir bien; tirar; ~ **sur** tirar de; (*faire feu sur*) tirar *o* disparar a; (*pipe*) aspirar; (*fig*) acercarse a; ~ **avantage** sacar ventaja *o* provecho de; ~ **qn de** (*embarras*) sacar a alguien de; ~ **à l'arc/à la carabine** tirar con arco/con carabina; ~ **les cartes** echar las cartas.
tiret [tiʀɛ] *nm* guión *m*.
tireur, euse [tiʀœʀ, øz] *nm/f* tirador/ora; (COMM) librador/ora.
tiroir [tiʀwaʀ] *nm* cajón *m*; ~**-caisse** *nm* caja.
tisane [tizan] *nf* tisana.
tison [tizɔ̃] *nm* tizón *m*; ~**ner** *vt* atizar; ~**nier** *nm* atizador *m*.
tisser [tise] *vt* tejer; ~**and** [tisʀɑ̃] *nm* tejedor *m*.
tissu [tisy] *nm* tejido, tela; (ANAT, BIO) tejido; ~ **de mensonges** sarta de mentiras.
tissu-éponge [tisyepɔ̃ʒ] *nm* felpa.
titane [titan] *nm* titanio.
titanesque [titanɛsk(ə)] *a* titánico(a).
titre [titʀ(ə)] *nm* título; (*de journal*) título, nombre *m*; (CHIMIE) ley *f*; dosificación *f*; **en** ~ *a* titular, reconocido(a); **à juste** ~ con justa razón, con toda razón; **à quel** ~? ¿por qué razón?; **à aucun** ~ por ninguna razón; **au même** ~ **(que)** por la misma razón (que); **à** ~ **d'exemple** como ejemplo; **à** ~ **gracieux** gratuitamente.
titrer [titʀe] *vt* valorar.
tituber [titybe] *vi* titubear.
titulaire [tityləʀ] *a, nm* titular (*m*).
toast [tost] *nm* tostada; (*de bienvenue*) brindis *m*; **porter un** ~ **à qn** brindar por alguien.
toboggan [tɔbɔgɑ̃] *nm* tobogán *m*.
toc [tɔk] *nm*: **en** ~ de imitación.
tocsin [tɔksɛ̃] *nm* rebato.
toge [tɔʒ] *nf* toga.
tohu-bohu [tɔybɔy] *nm* alboroto, confusión *f*; caos *m*, tumulto.
toi [twa] *pron* (*sujet*) tú; (*après prép*) ti; **avec** ~ contigo; **tais-**~! ¡cállate!
toile [twal] *nf* tela; (*bâche*) lona; (*tableau*) tela, lienzo; **grosse** ~ tela burda; ~ **d'araignée** telaraña; ~ **cirée** hule *m*; ~ **de jute** tela de saco; ~ **de lin** lienzo; ~ **de tente** lona.
toilette [twalet] *nf* aseo; (*s'habiller et se préparer*) arreglo, aliño; (*habillement, parure*) vestimenta; (*costume*) vestido; ~**s** *fpl* (*W.-C.*) servicios; **faire sa** ~ lavarse; **produits de** ~ productos de tocador; **les** ~**s des dames/messieurs** los servicios para damas/caballeros; **toiletter** *vt* (*animal*) lavar, asear.
toi-même [twamɛm] *pron* tú mismo(a); (*après prép*) ti (mismo(a)).
toise [twaz] *nf*: **passer à la** ~ tallarse.
toison [twazɔ̃] *nf* vellón *m*.
toit [twa] *nm* (*de chaume*) techo; (*d'ardoises, de tuiles*) tejado.
toiture [twatyʀ] *nf* techado, techo.
tôle [tol] *nf* chapa; ~**s** *fpl* (*carrosserie*) chapas; ~ **ondulée** chapa ondulada.
tolérant, e [tɔleʀɑ̃, ɑ̃t] *a* tolerante.
tolérer [tɔleʀe] *vt* tolerar; (ADMIN: *hors taxe*) autorizar, tolerar.

tôlerie [tolʀi] *nf* fabricación *f* de chapas; chapistería.
tollé [tɔle] *nm*: **un ~ de protestations** un clamor *o* tole de protestas.
TOM *sigle m* = *Territoire d'outre-mer.*
tomate [tɔmat] *nf* tomate *m.*
tombal, e [tɔ̃bal] *a*: **pierre ~e** lápida sepulcral.
tombant, e [tɔ̃bɑ̃, ɑ̃t] *a* (*fig*) caído(a).
tombe [tɔ̃b] *nf* tumba; (*avec monument*) sepulcro, tumba.
tombeau, x [tɔ̃bo] *nm* tumba.
tombée [tɔ̃be] *nf*: **à la ~ du jour** *ou* **de la nuit** al atardecer, a la caída de la tarde.
tomber [tɔ̃be] *vi* caer(se); (*fruit, feuille*) caer // *vt*: **~ la veste** quitarse la chaqueta; **laisser ~** dejar, abandonar; **~ sur** *vt* (*rencontrer*) encontrar, dar con; (*attaquer*) precipitarse contra, caer sobre; **~ en panne** tener una avería.
tombeur [tɔ̃bœʀ] *nm* (*péj*) seductor *m.*
tombola [tɔ̃bɔla] *nf* tómbola.
tome [tɔm] *nm* tomo.
ton, ta, *pl* **tes** [tɔ̃, ta, te] *dét* tu *m/f*, tus *pl.*
ton [tɔ̃] *nm* tono; (*d'un livre, texte*) estilo, carácter *m*; **de bon ~** de buen gusto.
tonalité [tɔnalite] *nf* (*au téléphone*) señal *f* de llamada; (*MUS, fig*) tonalidad *f.*
tondeuse [tɔ̃døz] *nf* cortacésped *m*; (*du coiffeur*) maquinilla para cortar el pelo; (*pour la tonte*) esquiladora.
tondre [tɔ̃dʀ(ə)] *vt* cortar; (*haie*) recortar, podar; (*mouton, toison*) esquilar; (*cheveux*) cortar, rapar.
tonifier [tɔnifje] *vi, vt* tonificar.
tonique [tɔnik] *nm* tónico // *nf* tónica.
tonitruant, e [tɔnitʀyɑ̃, ɑ̃t] *a*: **voix ~e** voz atronadora.
tonnage [tɔnaʒ] *nm* tonelaje *m.*
tonne [tɔn] *nf* tonelada.
tonneau, x [tɔno] *nm* tonel *m*, cuba; (*NAUT*) tonelada; **faire des ~x** dar vueltas de campana.
tonnelier [tɔnəlje] *nm* tonelero.
tonnelle [tɔnɛl] *nf* cenador *m.*
tonner [tɔne] *vi* tronar.
tonnerre [tɔnɛʀ] *nm* trueno; (*fig*) salva; **du ~** *a* (*fam*) bárbaro(a), fantástico(a).
tonsure [tɔ̃syʀ] *nf* tonsura; calva.
tonte [tɔ̃t] *nf* esquila.
tonus [tɔnys] *nm* energía, tono.
top [tɔp] *nm*: **au 3ème ~** a la 3ª señal // *a*: **~ secret** de lo más secreto, de reserva absoluta.
topaze [tɔpɑz] *nf* topacio.
toper [tɔpe] *vi*: **tope-/topez-la!** ¡choca/choque esos cinco!
toque [tɔk] *nf* (*de fourrure*) toca; **~ de cuisinier** gorro de cocinero; **~ de jockey** gorra de jockey; **~ de juge** birrete *m* de juez.
torche [tɔʀʃ(ə)] *nf* lámpara de pilas; (*de paille*) tapón *m* (de paja).
torchère [tɔʀʃɛʀ] *nf* hachón *m.*
torchon [tɔʀʃɔ̃] *nm* (*gén*) trapo, paño; (*à vaisselle*) paño.
tordre [tɔʀdʀ(ə)] *vt* (*vêtement, chiffon*) retorcer; (*barre, métal, fig: visage*) torcer; (*bras, pied*) retorcer, torcer; **se ~** *vi* (*barre, roue*) torcerse; (*serpent*) retorcerse, serpentear; **se ~ le pied** torcerse el pie; **se ~ de douleur** retorcerse de dolor; **se ~ de rire** desternillarse de risa.
toréador [tɔʀeadɔʀ] *nm* torero.
torero [tɔʀeʀo] *nm* torero.
torpille [tɔʀpij] *nf* torpedo; **torpiller** *vt* torpedear.
torréfier [tɔʀefje] *vt* tostar, torrar.
torrent [tɔʀɑ̃] *nm* torrente *m*; **~iel, le** [-sɛl] *a* torrencial.
torsade [tɔʀsad] *nf* canelón *m*; (*ARCHIT*) espiral *f*; **torsader** *vt* retorcer, entorchar.
torse [tɔʀs(ə)] *nm* torso.
torsion [tɔʀsjɔ̃] *nf* torsión *f.*
tort [tɔʀ] *nm* (*défaut*) error *m*; (*préjudice*) daño; **~s** *mpl* (*JUR*) prejuicios; **avoir ~** estar equivocado(a), tener la culpa; **donner ~ à**

qn echar la culpa a alguien; (*suj: chose*) demostrar que alguien está equivocado(a); **causer du ~ à** perjudicar a; **à ~** sin razón; **à ~ et à travers** a tontas y a locas.

torticolis [tɔʀtikɔli] *nm* tortícolis *f.*

tortiller [tɔʀtije] *vt* retorcer; **se ~** *vi* retorcerse.

tortionnaire [tɔʀsjɔnɛʀ] *nm* verdugo, torturador *m.*

tortue [tɔʀty] *nf* tortuga.

torture [tɔʀtyʀ] *nf* tortura, suplicio; **torturer** *vt* torturar.

tôt [to] *ad* temprano; (*au bout de peu de temps*) pronto; **~ ou tard** tarde o temprano; **si ~** tan pronto; (*déjà*) ya, pronto; **au plus ~** cuanto antes; **il eut ~ fait de faire** muy pronto hizo.

total, e, aux [tɔtal, o] *a, nm* total (*m*); **au ~** en total; **faire le ~ (de)** sumar, sacar la suma (de); **~ement** *ad* totalmente, completamente.

totalitaire [tɔtalitɛʀ] *a* totalitario(a).

totalité [tɔtalite] *nf*: **la ~ de** la totalidad de; **en ~** totalmente.

toubib [tubib] *nm* (*fam*) médico.

touchant, e [tuʃɑ̃, ɑ̃t] *a* conmovedor(ora).

touche [tuʃ] *nf* (*de piano, machine à écrire*) tecla; (*PEINTURE etc*) pincelada; (*fig*) toque *m*; (*RUGBY*) línea lateral; (*FOOTBALL: aussi*: **remise en ~**) banda, saque *m* de banda; (: **ligne de ~**) línea de banda; (*ESCRIME*) tocado; **en ~** fuera de banda.

toucher [tuʃe] *nm* tacto; (*MUS*) ejecución *f* // *vt* tocar; (*manger, boire*) tomar, tocar; (*mur, pays*) lindar con; (*atteindre*) alcanzar; (*affecter*) afectar; (*émouvoir*) conmover; (*contacter*) comunicar con; (*prix, récompense*) recibir; (*salaire, chèque*) cobrar; **se ~** *vi* tocarse; **au ~** al tocar, al tacto; **~ à qch** tocar algo; (*modifier*) cambiar o modificar algo; (*traiter de, concerner*) atañer a algo; **~ au but** (*fig*) llegar a la meta; **je vais lui en ~ un mot** le voy a decir dos palabras sobre ello.

touffe [tuf] *nf* (*d'herbe*) mata; (*de cheveux, de poils*) mechón *m.*

toujours [tuʒuʀ] *ad* siempre; (*encore*) aún, todavía; **~ plus** cada vez más; **~ est-il que** lo cierto es que; **essaie ~** mientras tanto o por ahora prueba.

toupie [tupi] *nf* trompo.

tour [tuʀ] *nf* torre *f*; (*immeuble*) rascacielos *m inv* // *nm* vuelta; (*excursion*) paseo, excursión *f*; (*d'être servi ou de jouer etc*) turno, vuelta; (*tournure*) carácter *m*, cariz *m*; (*circonférence*): **de 3 m de ~** de 3 m de circunferencia o perímetro; (*ruse*) ardid *m*, treta; (*de prestidigitation etc*) número de destreza; (*de cartes*) juego de destreza; (*de potier, à bois, métaux*) torno; **faire le ~ de** dar la vuelta a; (*fig*) examinar; **faire un ~** dar una vuelta; **fermer à double ~** *vi* cerrar con dos vueltas; **à ~ de rôle, ~ à ~** por turno; **~ de poitrine/taille/tête** contorno de pecho/cintura/cabeza; **~ de chant** actuación *f*; **~ de force** proeza; **~ d'horizon** (*fig*) panorama *m*, vista de conjunto; **~ de reins** lumbago.

tourbe [tuʀb(ə)] *nf* turba.

tourbière [tuʀbjɛʀ] *nf* turbera.

tourbillon [tuʀbijɔ̃] *nm* torbellino; (*d'eau*) remolino; **~ner** *vi* arremolinarse; (*objet, personne*) girar.

tourelle [tuʀɛl] *nf* torrecilla; (*de véhicule*) torreta.

tourisme [tuʀism(ə)] *nm* turismo; **faire du ~** hacer turismo; **touriste** *nm/f* turista *m/f*; **touristique** *a* turístico(a).

tourmenter [tuʀmɑ̃te] *vt* atormentar; **se ~** *vi* atormentarse, acongojarse.

tournage [tuʀnaʒ] *nm* (*d'un film*) rodaje *m.*

tournant, e [tuʀnɑ̃, ɑ̃t] *a voir* **plaque, grève** // *nm* (*de route*) vuelta, recodo; (*fig*) viraje *m.*

tournebroche [tuʀnəbʀɔʃ] *nm* asador giratorio.
tourne-disque [tuʀnədisk(ə)] *nm* tocadiscos *m inv.*
tournée [tuʀne] *nf* (*du facteur, boucher*) ronda; (*d'artiste, de politicien*) gira; (*au café*) vuelta, ronda.
tourner [tuʀne] *vt* girar, dar vueltas a; (*sauce, mélange*) revolver; (*contourner*) rodear; eludir, sortear; (CINÉMA) rodar; actuar *o* trabajar en // *vi* girar, dar vueltas; (*voiture, personne*) doblar, torcer; (*vent, chance*) cambiar; (*moteur, compteur*) girar, funcionar; (*lait etc*) cortarse, agriarse; **se ~** *vi* darse vuelta, volverse; **se ~ vers** volverse hacia; (*fig*) dirigirse *o* acudir a; inclinarse hacia, interesarse por; **bien/mal ~** salir bueno/malo; salir bien/mal; **~ autour de** dar vueltas a; (*suj*: *terre*) girar alrededor de; **~ à/en** volverse; **~ le dos à** dar la espalda a; **se ~ les pouces** estar de brazos cruzados; **~ la tête** volver la cabeza; **~ de l'œil** desmayarse; **~ à la bagarre** *etc* volverse pelea *etc.*
tournesol [tuʀnəsɔl] *nm* girasol *m.*
tournevis [tuʀnəvis] *nm* destornillador *m.*
tourniquet [tuʀnikɛ] *nm* (*pour arroser*) rociadera; (*portillon*) torniquete *m*; (*présentoir*) molinete *m.*
tournoi [tuʀnwa] *nm* torneo.
tournoyer [tuʀnwaje] *vi* (*oiseau*) revolotear; (*fumée*) arremolinarse.
tournure [tuʀnyʀ] *nf* (LING) giro, expresión *f*; forma, estructura; (*direction*): **la ~ des événements** el sesgo *o* giro de los acontecimientos; (*évolution*): **la ~ de qch** el curso *o* la marcha de algo; (*aspect*): **la ~ de** el carácter de; **~ d'esprit** modo de ver.
tourte [tuʀt(ə)] *nf* tortada.
tourteau [tuʀto] *nm* torta; (ZOOL) macera.
tourterelle [tuʀtəʀɛl] *nf* tórtola.
tous *dét* [tu], *pron* [tus] *voir* **tout.**
Toussaint [tusɛ̃] *nf*: **la ~** el día de Todos los Santos.
tousser [tuse] *vi* toser; **toussoter** *vi* tosiquear.
tout, e, *pl* **tous, toutes** [tu, tus, tut] *dét* todo(a); **~ un livre/pain** un libro/pan entero; **toutes les 2/3 semaines** cada 2/3 semanas; **tous les 2** ambos, los dos; **toutes les 3** las tres // *pron* todo; **tous, toutes** todos/as; **en ~** en total // *ad* muy; **~ ouvert/rouge** completamente abierto/rojo; **~ en haut** muy *o* bien arriba; **parler ~ bas** hablar en voz baja; **le ~ premier** el primero de todos; **le livre ~ entier** el libro completo; **~ seul** (completamente) solo; **~ droit** derecho // *nm* todo; **le ~ est de...** lo esencial es...; **~ d'abord** en primer lugar; **~ à coup** de repente; **~ à fait** completamente; perfectamente; **~ à l'heure** hace un rato; luego, más tarde; **~ de même** sin embargo; **~ le monde** todo el mundo; **~ de suite** en seguida; **~ terrain** *a* todo terreno; **~-à-l'égout** *nm inv* evacuación directa.
toutefois [tutfwa] *ad* sin embargo, no obstante.
toux [tu] *nf* tos *f.*
toxine [tɔksin] *nf* toxina.
toxique [tɔksik] *a* tóxico(a).
trac [tʀak] *nm* nerviosismo, temor *m*; **avoir le ~** estar nervioso(a).
tracas [tʀaka] *nm* inquietud *f*, zozobra; **~ser** *vt* preocupar, inquietar; molestar.
trace [tʀas] *nf* huella; (*empreintes*) huella, rastro; (*fig*) imprenta, huella; (*quantité minime*) indicio, resto.
tracé [tʀase] *nm* trazado; trazo, rasgo.
tracer [tʀase] *vt* trazar.
trachée(-artère) [tʀaʃe(aʀtɛʀ)] *nf* tráquea, traquearteria.
tract [tʀakt] *nm* pasquín *m*, cartel *m.*
tractations [tʀaktɑsjɔ̃] *nfpl* negociaciones *fpl*, convenios.

tracteur [tʀaktœʀ] *nm* tractor *m*.
traction [tʀaksjɔ̃] *nf* tracción *f*.
tradition [tʀadisjɔ̃] *nf* tradición *f*; **~nel, le** *a* tradicional.
traducteur, trice [tʀadyktœʀ, tʀis] *nm/f* traductor/ora.
traduction [tʀadyksjɔ̃] *nf* traducción *f*.
traduire [tʀadɥiʀ] *vt* traducir; **~ en français** traducir al francés; **~ en justice** convocar ante la justicia.
trafic [tʀafik] *nm* tráfico; **trafiquant, e** *nm/f* traficante *m/f*; **trafiquer** *vt* (*péj*) falsificar, adulterar.
tragédie [tʀaʒedi] *nf* tragedia; **tragédien, ne** *nm/f* actor/triz de tragedias.
tragique [tʀaʒik] *a* trágico(a), funesto(a); **~ment** *ad* trágicamente.
trahir [tʀaiʀ] *vt* traicionar; (*secret*) revelar; **trahison** *nf* traición *f*.
traie *etc vb voir* **traire.**
train [tʀɛ̃] *nm* tren *m*, ferrocarril *m*; (*transport*): **le ~** el tren; (*allure*) paso, marcha; (*fig*: *ensemble*) convoy *m*; **mettre qch en ~** comenzar algo; **mettre qn en ~** animar a alguien; **se mettre en ~** ponerse manos a la obra *o* en marcha; ponerse en forma; **~ avant/arrière** tren delantero/trasero; **~ d'atterrissage** tren de aterrizaje; **~ de pneus** juego de neumáticos.
traîne [tʀɛn] *nf* (*de robe*) cola; **être à la ~** ir rezagado(a).
traîneau, x [tʀɛno] *nm* trineo.
traînée [tʀene] *nf* reguero; (*péj*) prostituta, mujerzuela.
traîner [tʀene] *vt* (*remorque*) remolcar, acarrear; (*enfant, chien*) traer, llevar // *vi* estar diseminado(a) *o* esparcido(a); (*marcher lentement*) demorar; (*vagabonder*) vagabundear; (*agir lentement*) rezagarse; (*durer*) hacerse largo; **se ~** *vi* andar despacio; (*durer*) hacerse largo(a); **se ~ par terre** (*enfant*) arrastrarse por el suelo; **~ les pieds** arrastrar los pies.
train-train [tʀɛ̃tʀɛ̃] *nm* rutina.
traire [tʀɛʀ] *vt* ordeñar.
trait [tʀɛ] *nm* (*ligne*) raya; (*de dessin*) rasgo, trazo; (*caractéristique*) rasgo; **~s** *mpl* (*du visage*) rasgos, facciones *fpl*; **d'un ~** (*boire*) de un trago; **de ~** *a* de tiro; **avoir ~ à** referirse *o* concernir a; **~ d'esprit** agudeza; **~ d'union** guión *m*.
traite [tʀɛt] *nf* (COMM) letra de cambio; (AGR) ordeño; (*trajet*) trecho; **d'une (seule) ~** de un (solo) tirón; **la ~ des noirs** la trata de negros.
traité [tʀete] *nm* tratado.
traitement [tʀɛtmɑ̃] *nm* tratamiento; (*salaire*) sueldo.
traiter [tʀete] *vt, vi* tratar; **~ de** *vt* tratar sobre.
traiteur [tʀɛtœʀ] *nm* casas de comida de encargo.
traître, esse [tʀɛtʀ(ə), tʀɛs] *a* traicionero(a), peligroso(a) // *nm* traidor *m*.
trajectoire [tʀaʒɛktwaʀ] *nf* trayectoria.
trajet [tʀaʒɛ] *nm* trayecto; (*fig*) recorrido; trayectoria.
tralala [tʀalala] *nm* (*péj*) ceremonia.
tram [tʀam] *nm abrév de* **tramway**.
trame [tʀam] *nf* trama.
tramer [tʀame] *vt* tramar, urdir.
tramway [tʀamwɛ] *nm* tranvía.
tranchant, e [tʀɑ̃ʃɑ̃, ɑ̃t] *a* afilado(a); (*fig*) tajante // *nm* (*d'un couteau*) filo; (*de la main*) borde *m*.
tranche [tʀɑ̃ʃ] *nf* (*de pain*) rebanada; (*de jambon*) lonja; (*de pâté*) rodaja; (*de fromage, gâteau*) porción *f*; (*arête*) canto; (*partie*) parte *f*; (*série*) serie *f*; parte; categoría.
tranché, e [tʀɑ̃ʃe] *a* neto(a), marcado(a); claro(a), categórico(a) // *nf* trinchera, zanja.
trancher [tʀɑ̃ʃe] *vt* cortar; (*fig*) zanjar // *vi*: **~ avec** contrastar con.
tranchoir [tʀɑ̃ʃwaʀ] *nm* tajadero, cuchilla.

tranquille [tʀɑ̃kil] *a* tranquilo(a); (*caractère*) sereno(a), tranquilo(a); **se tenir** ~ (*enfant*) quedarse quieto(a); **~ment** *ad* tranquilamente; **tranquillisant** *nm* tranquilizante *m*; **tranquilliser** *vt* tranquilizar; **tranquillité** *nf* tranquilidad *f*.
transaction [tʀɑ̃zaksjɔ̃] *nf* transacción *f*.
transat [tʀɑ̃zat] *nm* tumbona.
transatlantique [tʀɑ̃zatlɑ̃tik] *a* transatlántico(a) // *nm* transatlántico.
transborder [tʀɑ̃sbɔʀde] *vt* trasbordar.
transcrire [tʀɑ̃skʀiʀ] *vt* transcribir.
transe [tʀɑ̃s] *nf*: **être en ~s** estar enajenado(a); **entrer en ~s** enajenarse.
transférer [tʀɑ̃sfeʀe] *vt* transferir, traspasar; (*PSYCH*) transferir; **transfert** *nm* transferencia; traspaso.
transfigurer [tʀɑ̃sfigyʀe] *vt* transfigurar, transformar.
transformateur [tʀɑ̃sfɔʀmatœʀ] *nm* transformador *m*.
transformation [tʀɑ̃sfɔʀmɑsjɔ̃] *nf* transformación *f*; (*RUGBY*) transformación de ensayo.
transformer [tʀɑ̃sfɔʀme] *vt* transformar; (*maison, vêtement*) modificar, reformar; ~ **du plomb en or** convertir el plomo en oro; **se** ~ *vi* transformarse; (*larve, embryon*) metamorfosearse.
transfusion [tʀɑ̃sfyzjɔ̃] *nf*: ~ **sanguine** transfusión *f* de sangre.
transgresser [tʀɑ̃sgʀese] *vt* trasgredir, infringir.
transhumance [tʀɑ̃zymɑ̃s] *nf* trashumancia.
transistor [tʀɑ̃zistɔʀ] *nm* transistor *m*.
transit [tʀɑ̃zit] *nm* tránsito; **~er** *vi* estar en tránsito.
transitif, ive [tʀɑ̃zitif, iv] *a* transitivo(a).
transition [tʀɑ̃zisjɔ̃] *nf* transición *f*.
transmetteur [tʀɑ̃smɛtœʀ] *nm* transmisor *m*.
transmettre [tʀɑ̃smɛtʀ(ə)] *vt* transmitir; (*passer*): ~ **qch à qn** transmitir algo a alguien; (*secret, recette*) comunicar *o* pasar algo a alguien.
transmission [tʀɑ̃smisjɔ̃] *nf* transmisión *f*; **~s** *fpl* (*MIL*) cuerpo de comunicaciones *o* de enlace.
transparaître [tʀɑ̃spaʀɛtʀ(ə)] *vi* traslucirse, transparentarse.
transparence [tʀɑ̃spaʀɑ̃s] *nf* transparencia; **par** ~ al trasluz.
transparent, e [tʀɑ̃spaʀɑ̃, ɑ̃t] *a* transparente.
transpercer [tʀɑ̃spɛʀse] *vt* traspasar.
transpiration [tʀɑ̃spiʀɑsjɔ̃] *nf* transpiración *f*.
transpirer [tʀɑ̃spiʀe] *vi* transpirar.
transplanter [tʀɑ̃splɑ̃te] *vt* trasplantar.
transport [tʀɑ̃spɔʀ] *nm* transporte *m*; **~s en commun** transportes públicos.
transporter [tʀɑ̃spɔʀte] *vt* transportar; (*énergie, son*) transmitir, conducir; ~ **qn à l'hôpital** llevar *o* transportar a alguien al hospital; **transporteur** *nm* camionero, transportista *m*.
transposer [tʀɑ̃spoze] *vt* transponer; (*MUS*) transportar.
transversal, e, aux [tʀɑ̃svɛʀsal, o] *a* transversal.
trapèze [tʀapɛz] *nm* trapecio; **trapéziste** *nm/f* trapecista *m/f*.
trappe [tʀap] *nf* trampa, escotillón *m*.
trappeur [tʀapœʀ] *nm* trampero.
trapu, e [tʀapy] *a* rechoncho(a).
traquenard [tʀaknaʀ] *nm* trampa.
traquer [tʀake] *vt* acorralar.
traumatiser [tʀomatize] *vt* provocar un traumatismo, traumatizar.
traumatisme [tʀomatism(ə)] *nm* trauma *m*; ~ **crânien** traumatismo de cráneo.

travail, aux [tʀavaj, o] *nm* trabajo; (*MÉD*) parto // *mpl* trabajos; ~ **(au) noir** trabajo negro *o* clandestino; **travaux dirigés** tareas dirigidas; **travaux forcés** trabajos forzados; **travaux manuels** trabajos manuales, manualidades *fpl*; **travaux ménagers** trabajos domésticos; **Travaux publics** Obras públicas.

travailler [tʀavaje] *vi* trabajar; (*bois*) alabearse, arquearse // *vt* trabajar; (*discipline*) estudiar, perfeccionar; (*fig*) influenciar; **cela le travaille** eso le preocupa *u* obsesiona; ~ **à** trabajar en; ~ **à faire** tratar de *o* esforzarse en hacer; ~ **son piano** ejercitarse en el piano; **travailleur, euse** *a, nm/f* trabajador(ora).

travailliste [tʀavajist(ə)] *a* laborista.

travée [tʀave] *nf* fila.

travers [tʀavɛʀ] *nm* defecto, imperfección *f*; **en** ~ **(de)** transversalmente (a); **au** ~ por en medio; **au** ~ **de** a través de, por medio de; **de** ~ *a* de través, atravesado(a) // *ad* oblicuamente; (*fig*) al revés; **à** ~ a través.

traverse [tʀavɛʀs(ə)] *nf* (*RAIL*) traviesa; **chemin de** ~ atajo.

traversée [tʀavɛʀse] *nf* cruce *m*, travesía; (*en mer*) travesía.

traverser [tʀavɛʀse] *vt* cruzar, atravesar; (*percer, fig, suj: ligne*) atravesar; (*suj: pluie*) traspasar.

traversin [tʀavɛʀsɛ̃] *nm* cabezal *m*.

travesti [tʀavɛsti] *nm* disfraz *m*; (*artiste, pervers*) travestido.

travestir [tʀavɛstiʀ] *vt* (*vérité*) alterar, falsificar; **se** ~ disfrazarse; travestirse.

trayais *etc vb voir* **traire.**

trébucher [tʀebyʃe] *vi*: ~ **(sur)** tropezar con.

trèfle [tʀɛfl(ə)] *nm* trébol *m*.

treille [tʀɛj] *nf* parra; (*tonnelle*) emparrado.

treillis [tʀeji] *nm* (*toile*) arpillera; (*MIL*) traje *m* de faena.

treize [tʀɛz] *num* trece; **treizième** *num* decimotercero(a).

tréma [tʀema] *nm* diéresis *f*.

tremblement [tʀɑ̃bləmɑ̃] *nm* temblor *m*, estremecimiento; ~ **de terre** temblor de tierra.

trembler [tʀɑ̃ble] *vi* temblar; ~ **(de froid/fièvre)** temblar *o* tiritar (de frío/fiebre); **trembloter** *vi* temblequear.

trémolo [tʀemɔlo] *nm* (*MUS*) trémolo; (*: voix*) temblor *m*.

trémousser [tʀemuse]: **se** ~ *vi* menearse, zarandearse.

trempe [tʀɑ̃p] *nf* (*fig*) temple *m*.

trempé, e [tʀɑ̃pe] *a* (*TECH*): **acier** ~ acero templado.

tremper [tʀɑ̃pe] *vt* empapar, mojar; (*aussi*: **faire ~, mettre à ~**) mojar, remojar; (*plonger*): ~ **qch dans** mojar algo en // *vi* estar en remojo; (*fig*): ~ **dans** participar en, estar metido(a) en.

tremplin [tʀɑ̃plɛ̃] *nm* trampolín *m*.

trentaine [tʀɑ̃tɛn] *nf* treintena; **une** ~ **(de)** una treintena (de), unos treinta.

trente [tʀɑ̃t] *num* treinta; **trentième** *num* trigésimo(a).

trépider [tʀepide] *vi* trepidar.

trépied [tʀepje] *nm* trípode *m*.

trépigner [tʀepiɲe] *vi* patalear.

très [tʀɛ] *ad* muy; **j'ai** ~ **envie de** tengo muchas ganas de.

trésor [tʀezɔʀ] *nm* tesoro; (*ADMIN*) tesoro, hacienda; fondos, recursos; **T~ (public)** erario (público); (*service*) fisco.

trésorerie [tʀezɔʀʀi] *nf* tesorería.

trésorier, ière [tʀezɔʀje, jɛʀ] *nm/f* tesorero/a.

tressaillir [tʀesajiʀ] *vi* estremecerse; (*s'agiter*) agitarse, temblar.

tressauter [tʀesote] *vi* sobresaltarse, asustarse.

tresse [tʀɛs] *nf* trenza.

tresser [tʀese] *vt* trenzar.

tréteau, x [tʀeto] *nm* caballete *m*.

treuil [tʀœj] *nm* torno.

trêve [tʀɛv] *nf* tregua; ~ **de...** basta de... .
tri [tʀi] *nm* clasificación *f*; (POSTES) clasificación; sala de batalla.
triage [tʀijaʒ] *nm* (RAIL) maniobras; (*gare*) playa de clasificación.
triangle [tʀijɑ̃gl(ə)] *nm* triángulo.
tribord [tʀibɔʀ] *nm*: **à** ~ a estribor *m*.
tribu [tʀiby] *nf* tribu *f*.
tribunal, aux [tʀibynal, o] *nm* tribunal *m*; ~ **pour enfants** tribunal de menores.
tribune [tʀibyn] *nf* tribuna; ~ **libre** tribuna política.
tribut [tʀiby] *nm* tributo.
tributaire [tʀibytɛʀ] *a*: **être** ~ **de** depender de; (GÉO) ser un afluente de.
tricher [tʀiʃe] *vi* hacer trampas; ~**ie** [tʀiʃʀi] *nf* trampa; **tricheur, euse** *nm/f* tramposo/a.
tricolore [tʀikɔlɔʀ] *a* tricolor; (*français*) francés(esa).
tricot [tʀiko] *nm* tejido de punto; (*tissu*) género de punto; (*vêtement*) prenda de punto.
tricoter [tʀikɔte] *vt* hacer punto.
tricycle [tʀisikl(ə)] *nm* triciclo.
trier [tʀije] *vt* clasificar; (*sélectionner*) seleccionar.
trigonométrie [tʀigɔnɔmetʀi] *nf* trigonometría.
trimbaler [tʀɛ̃bale] *vt* acarrear.
trimer [tʀime] *vi* apechugar, pringar.
trimestre [tʀimɛstʀ(ə)] *nm* trimestre *m*; **trimestriel, le** *a* trimestral.
tringle [tʀɛ̃gl(ə)] *nf* barra.
Trinité [tʀinite] *nf* Trinidad *f*.
trinquer [tʀɛ̃ke] *vi* brindar; (*fam*) pagar el pato; ~ **à qch** brindar por algo.
trio [tʀijo] *nm* trío, terceto.
triomphe [tʀijɔ̃f] *nm* triunfo, éxito; **être reçu en** ~ ser recibido con aclamaciones; **être porté en** ~ ser llevado en hombros.
triompher [tʀijɔ̃fe] *vi* triunfar, vencer; ~ **de qch** triunfar sobre algo.
tripes [tʀip] *nfpl* callos.
triple [tʀipl(ə)] *a, nm* triple (*m*); **en** ~ **exemplaire** por triplicado; **tripler** *vi* triplicarse // *vt* triplicar.
tripot [tʀipo] *nm* (*péj*) timba; chirlata.
tripotage [tʀipɔtaʒ] *nm* (*péj*) chanchullo, enjuague *m*.
tripoter [tʀipɔte] *vt* manosear.
trique [tʀik] *nf* garrote *m*, palo.
triste [tʀist(ə)] *a* triste; **tristesse** *nf* tristeza.
troc [tʀɔk] *nm* trueque *m*.
trognon [tʀɔɲɔ̃] *nm* (*de fruit*) corazón *m*; (*de légume*) troncho.
trois [tʀwɑ] *num* tres; ~**ième** [-zjɛm] *num* tercero(a); ~**ièmement** [-zjɛmmɑ̃] *ad* en tercer lugar; ~**-quarts** *nmpl* tres cuartos *m inv*.
trolleybus [tʀɔlɛbys] *nm* trolebús *m*.
trombe [tʀɔ̃b] *nf* tromba; **des** ~**s d'eau** mangas de agua.
trombone [tʀɔ̃bɔn] *nm* (MUS) trombón *m*; (*de bureau*) clip *m*; ~ **à coulisse** trombón de varas; **tromboniste** *nm/f* trombón *m*.
trompe [tʀɔ̃p] *nf* trompa; ~ **d'Eustache** trompa de Eustaquio; ~**s utérines** trompas de Falopio.
trompe-l'œil [tʀɔ̃plœj] *nm*: **en** ~ con efecto.
tromper [tʀɔ̃pe] *vt* engañar; (*fig*) frustrar; burlar; **se** ~ *vi* equivocarse; **se** ~ **de 20 F** equivocarse en 20 F.
trompette [tʀɔ̃pɛt] *nf* trompeta; **nez en** ~ nariz respingona; **trompettiste** *nm/f* trompeta *m*.
tronc [tʀɔ̃] *nm* tronco; (*d'église*) cepillo; ~ **commun** (SCOL) ciclo básico; ~ **de cône** cono truncado.
tronçon [tʀɔ̃sɔ̃] *nm* tramo.
tronçonner [tʀɔ̃sɔne] *vt* cortar en trozos.
trône [tʀon] *nm* trono.
trôner [tʀone] *vi* (*fig*) dominar, reinar.
trop [tʀo] *ad* (*avec verbe*) demasia-

do, mucho; (*devant adverbe, adjectif*) muy, demasiado; ~ **peu nombreux** muy poco numerosos(as); ~ **souvent** muy a menudo; ~ **longtemps** demasiado *o* mucho tiempo; ~ **de** demasiado(a); demasiados(as); **de ~, en ~** de más, de sobra; **du lait en ~** leche en exceso *o* demasía.

trophée [tʀɔfe] *nm* trofeo.

tropical, e, aux [tʀɔpikal, o] *a* tropical.

tropique [tʀɔpik] *nm* trópico; **~s** *mpl* trópicos; ~ **du Cancer/Capricorne** trópico de Cáncer/Capricornio.

trot [tʀo] *nm* trote *m*.

trotter [tʀɔte] *vi* trotar.

trotteuse [tʀɔtøz] *nf* (*de montre*) segundero.

trottinette [tʀɔtinɛt] *nf* patinete *m*.

trottoir [tʀɔtwaʀ] *nm* acera; **faire le ~** (*péj*) dedicarse a la prostitución; ~ **roulant** plataforma móvil.

trou [tʀu] *nm* hueco, agujero; (*fig*) hueco, tiempo libre; ~ **d'air** bache *m*; ~ **de mémoire** laguna, fallo de la memoria; **le ~ de la serrure** el ojo de la cerradura.

trouble [tʀubl(ə)] *a* turbio(a) // *nm* desconcierto; turbación *f*; (*embarras*) confusión *f*; (*zizanie*) desavenencia; **~s** *mpl* (*POL*) disturbios; (*MÉD*) trastornos.

troubler [tʀuble] *vt* turbar; (*émouvoir*) turbar; desorientar; perturbar; (*ordre*) alterar; (*réunion*) perturbar; (*liquide*) enturbiar; **se ~** *vi* (*personne*) turbarse, cortarse.

trouée [tʀue] *nf* boquete *m*; (*GÉO*) paso; (*MIL*) brecha.

trouer [tʀue] *vt* agujerear, perforar.

trouille [tʀuj] *nf* (*fam*): **avoir la ~** tener medrana *o* canguelo.

troupe [tʀup] *nf* (*MIL*) tropa; (*groupe*) banda; ~ **(de théâtre)** compañía (de teatro); **~s de choc** grupos *o* fuerzas de choque.

troupeau, x [tʀupo] *nm* (*de moutons*) manada, rebaño; (*de vaches*) manada.

trousse [tʀus] *nf* estuche *m*; (*de docteur*) maletín *m*; **aux ~s de** (*fig*) pisándole los talones a; ~ **de toilette** estuche de tocador.

trousseau, x [tʀuso] *nm* ajuar *m*; ~ **de clefs** manojo de llaves.

trouvaille [tʀuvɑj] *nf* hallazgo.

trouver [tʀuve] *vt* encontrar, hallar; (*temps, occasion*) encontrar; **venir ~ qn** venir a ver a alguien; **je trouve que** me parece que; ~ **à boire/critiquer** tener algo que beber/criticar; **se ~** *vi* (*être*) encontrarse, estar; (*être soudain*) encontrarse, hallarse; **se ~ être/avoir** encontrarse siendo *o* estando/habiendo *o* teniendo; **il se trouve que** ocurre que; **se ~ mal** sentirse mal.

truand [tʀyɑ̃] *nm* pillo, truhán *m*.

truc [tʀyk] *nm* (*astuce*) maña, artificio; (*de cinéma, prestidigitateur*) truco; (*chose*) cosa, chisme *m*; (*machin*) aparato, mecanismo.

truelle [tʀyɛl] *nf* llana, trulla.

truffe [tʀyf] *nf* trufa; (*nez*) hocico.

truffer [tʀyfe] *vt* trufar.

truie [tʀɥi] *nf* cerda; marrana.

truite [tʀɥit] *nf* trucha.

truquer [tʀyke] *vt* (*élections*) hacer fraude en; (*serrure*) falsear, falsificar; (*cartes, dés*) hacer trampas en; (*CINÉMA*) hacer un trucaje en.

tsar [tsaʀ] *nm* zar *m*.

tsé-tsé [tsetse] *nf*: **mouche ~** mosca tsé-tsé.

TSF [teɛsɛf] *sigle f* = *Télégraphie sans fil* // *nf*: **(poste de) ~** (aparato de) radio *f*.

tsigane [tsigan] *a, nm/f* = **tzigane.**

TSVP *abrév de tournez s'il vous plaît.*

TTC *abrév de toutes taxes comprises.*

tu [ty] *pron* tú.

tu, e *pp de* **taire.**

tuba [tyba] *nm* (*MUS*) tuba; (*SPORT*) tubo de respiración.

tube [tyb] *nm* tubo; (*chanson, disque*) éxito; ~ **à essai** tubo de ensayo; ~ **digestif** tubo digestivo.
tuberculose [tybɛʀkyloz] *nf* tuberculosis *f*.
tubulure [tybylyʀ] *nf* tubo; ~**s** *fpl* tubería.
tué, e [tɥe] *nm/f* muerto/a.
tuer [tɥe] *vt* matar; (*vie, activité*) aniquilar, destruir; (*fig*) arruinar; destruir; apagar; **se** ~ suicidarse; (*dans un accident*) matarse.
tuerie [tyʀi] *nf* matanza.
tue-tête [tytɛt]: **à** ~ *ad* a grito pelado.
tueur [tɥœʀ] *nm* asesino; ~ **à gages** pistolero.
tuile [tɥil] *nf* teja; (*fam*) calamidad *f*, desgracia.
tulipe [tylip] *nf* tulipán *m*.
tulle [tyl] *nm* tul *m*.
tuméfié, e [tymefje] *a* tumefacto(a).
tumeur [tymœʀ] *nf* tumor *m*.
tumulte [tymylt(ə)] *nm* tumulto.
tunique [tynik] *nf* túnica.
Tunisie [tynizi] *nf*: **la** ~ Túnez *m*; **tunisien, ne** *a, nm/f* tunecino(a).
tunnel [tynɛl] *nm* túnel *m*.
turban [tyʀbɑ̃] *nm* turbante *m*.
turbine [tyʀbin] *nf* turbina.
turbulences [tyʀbylɑ̃s] *nfpl* turbulencias, alborotos.
turbulent, e [tyʀbylɑ̃, ɑ̃t] *a* revoltoso(a).
turc, turque [tyʀk(ə)] *a, nm/f* turco(a).
turf [tyʀf] *nm* turf *m*; ~**iste** *nm/f* turfista *m/f*.
turpitude [tyʀpityd] *nf* ignominia.
turque [tyʀk(ə)] *a, nf voir* **turc.**
Turquie [tyʀki] *nf*: **la** ~ (la) Turquía.
turquoise [tyʀkwaz] *a inv, nf* turquesa.
tutelle [tytɛl] *nf* tutela.
tuteur [tytœʀ] *nm* tutor *m*.
tutoyer [tytwaje] *vt* tutear.
tuyau, x [tɥijo] *nm* tubo, caño; (*flexible*) tubo, manguera; (*fam*) dato; ~ **d'arrosage** manguera de riego; ~ **d'échappement** tubo de escape; ~**terie** *nf* cañería.
tuyère [tyjɛʀ] *nf* tobera.
TVA *sigle f voir* **taxe.**
tweed [twid] *nm* tweed *m*.
tympan [tɛ̃pɑ̃] *nm* tímpano.
type [tip] *nm* tipo; (*catégorie*) modelo // *a inv* tipo *inv*, modelo *inv*.
typhoïde [tifɔid] *nf* tifoidea.
typhus [tifys] *nm* tifus *m*.
typique [tipik] *a* típico(a).
typographie [tipɔgʀafi] *nf* tipografía; **typographique** *a* tipográfico(a).
tyran [tiʀɑ̃] *nm* tirano/a; ~**nie** [tiʀani] *nf* tiranía; ~**nique** [tiʀanik] *a* tiránico(a); ~**niser** [tiʀanize] *vt* tiranizar, esclavizar.
tzigane [dzigan] *a, nm/f* gitano(a).

U

ulcère [ylsɛʀ] *nm* úlcera; **ulcérer** *vt* ulcerar; (*fig*) herir, agraviar.
ultérieur, e [ylteʀjœʀ] *a* ulterior, posterior; **remis à une date** ~**e** aplazado para una fecha posterior; ~**ement** *ad* ulteriormente, posteriormente.
ultimatum [yltimatɔm] *nm* ultimátum *m*.
ultime [yltim] *a* último(a).
ultra... [yltʀa] *préf*: ~ **moderne** *a* ultramoderno(a); ~ **rapide** *a* ultrarrápido(a); ~**-sensible** *a* (PHOTO) ultrasensible; ~**-son** *nm* ultrasonido; ~**-violet,te** *a* ultravioleta.
un, une [œ̃, yn] *dét, pron, num* un(una), uno(a).
unanime [ynanim] *a* unánime; **ils sont** ~**s** (**à penser que** ...) son unánimes (en pensar que ...); **unanimité** *nf* unanimidad *f*; **faire l'unanimité** lograr la unanimidad; **à l'unanimité** por unanimidad.
uni, e [yni] *a* liso(a), parejo(a); (*surface, terrain*) liso(a), llano(a); (*famille, groupe, pays*) unido(a).

unification [ynifikasjõ] *nf* unificación *f*.
unifier [ynifje] *vt* unificar; (*réglements, systèmes*) unificar, uniformar.
uniforme [ynifɔʀm(ə)] *a* (*mouvement*) uniforme, regular; (*surface, ton*) uniforme, parejo(a); (*objets, maisons*) semejante, uniforme // *nm* uniforme *m*; **être sous l'~** estar bajo las armas; **uniformiser** *vt* igualar, uniformizar; (*objets, styles, systèmes*) uniformar; **uniformité** *nf* uniformidad *f*; regularidad *f*.
unijambiste [yniʒɑ̃bist(ə)] *nm/f* *hombre/mujer con una sola pierna*.
unilatéral, e, aux [ynilateʀal, o] *a* unilateral; **stationnement ~** estacionamiento en una sola mano.
uninominal, e, aux [yninɔminal, o] *a voir* **scrutin**.
union [ynjõ] *nf* unión *f*; **~ conjugale/libre** unión conyugal/libre.
unique [ynik] *a* único(a), solo(a); (*le même*) único(a), unitario(a); (*exceptionnel*) único(a), singular; **ménage à salaire ~** familia de salario único; **fils/fille ~** hijo/hija único(a); **~ment** *ad* únicamente; solamente.
unir [yniʀ] *vt* unir, aunar; (*en mariage*) unir; (*avoir*) reunir; **~ qch à** unir algo a *o* con; **s'~** unirse.
unisson [ynisõ] : **à l'~** *ad* al unísono.
unitaire [yniteʀ] *a* (COMM) unitario(a).
unité [ynite] *nf* unidad *f*.
univers [yniveʀ] *nm* universo; (*fig*) universo, mundo; **~el, le** *a* universal; **~ellement** *ad* universalmente.
universitaire [yniveʀsiteʀ] *a* universitario(a) // *nm/f* docente universitario/a.
université [yniveʀsite] *nf* universidad *f*.
uranium [yʀanjɔm] *nm* uranio.
urbain, aine [yʀbɛ̃, ɛn] *a* urbano(a).
urbaniser [yʀbanize] *vt* urbanizar.
urbanisme [yʀbanism(ə)] *nm* urbanismo; **urbaniste** *nm/f* urbanista *m/f*.
urbanité [yʀbanite] *nf* urbanidad *f*, cortesía.
urée [yʀe] *nf* urea.
uretère [yʀteʀ] *nm* uréter *m*.
urètre [yʀetʀ(ə)] *nm* uretra.
urgence [yʀʒɑ̃s] *nf* urgencia; (MÉD) caso *m* de urgencia; **d'~** *a, ad* con urgencia; **service des ~s** (MÉD) servicio de urgencia.
urgent, e [yʀʒɑ̃, ɑ̃t] *a* urgente, apremiante.
urinal, aux [yʀinal, o] *nm* orinal *m*.
urine [yʀin] *nf* orina; **uriner** *vi* orinar; **urinoir** *nm* urinario.
urne [yʀn(ə)] *nf* urna; **aller aux ~s** ir a las urnas, votar; **~ funéraire** urna funeraria.
URSS [*parfois*: yʀs] *nf*: **l'~** la URSS.
urticaire [yʀtikeʀ] *nf* urticaria.
Uruguay [yʀygwɛ] *nm* el Uruguay.
us [ys] *nmpl*: **~ et coutumes** usos y costumbres.
USA [yɛsa] *sigle mpl*: **les ~** los EE.UU.
usage [yzaʒ] *nm* uso, empleo; (*coutume*) uso, costumbre *f*; (*bonnes manières, éducation*) usanza, costumbre; **l'~** el uso; **c'est l'~** es la costumbre; **avoir l'~ de** poder servirse de, poder hacer uso de; **à l'~** *ad* con el uso; **à l'~ de** para uso de; **à ~ interne/externe** (MÉD) para uso interno/externo.
usagé, ée [yzaʒe] *a* usado(a), gastado(a).
usager, ère [yzaʒe, ɛʀ] *nm/f* usuario/a.
usé, e [yze] *a* gastado(a); (*fig*) trillado(a).
user [yze] *vt* gastar; (*consommer*) usar, consumir; (*santé, personne*) debilitar, agotar; **s'~** *vi* gastarse, desgastarse; (*facultés, santé*) consumirse, desgastarse; **s'~ au**

travail agotarse en el trabajo; ~ **de** *vt* usar, servirse de.
usine [yzin] *nf* fábrica; ~ **à gaz** planta de gas; **usiner** *vt* fabricar.
usité, e [yzite] *a* usado(a), usual; **peu** ~ poco usual.
ustensile [ystɑ̃sil] *nm* utensilio, aparato; ~ **de cuisine** utensilio de cocina.
usuel, le [yzɥɛl] *a* usual.
usufruit [yzyfʀɥi] *nm* usufructo.
usuraire [yzyʀɛʀ] *a* usuario(a).
usure [yzyʀ] *nf* desgaste *m*; (*de l'usurier*) usura; **avoir qn à l'**~ desgastar a alguien; **usurier, ière** *nm/f* usurero/a.
usurpateur, trice [yzyʀpatœʀ, tʀis] *nm/f* usurpador/ora.
usurper [yzyʀpe] *vt* usurpar; **réputation usurpée** reputación ilegítima.
ut [yt] *nm* do.
utérus [yteʀys] *nm* útero; **utérin, e** *a* uterino(a).
utile [ytil] *a* útil; ~ **à qn/qch** útil a *o* para alguien/algo.
utilisation [ytilizɑsjɔ̃] *nf* utilización *f*.
utiliser [ytilize] *vt* utilizar, emplear; (*consommer*) utilizar, consumir; (*péj*) explotar, aprovecharse de.
utilitaire [ytilitɛʀ] *a* utilitario(a).
utilité [ytilite] *nf* utilidad *f*.
utopie [ytɔpi] *nf* utopia; **utopique** *a* utópico(a); **utopiste** *nm/f* utopista *m/f*.
uvule [yvyl] *nf* úvula, campanilla.

V

va *vb voir* **aller.**
vacance [vakɑ̃s] *nf* vacante *f*; ~**s** *fpl* vacaciones *fpl*; **les grandes** ~**s** las vacaciones de verano; **aller en** ~**s** ir de vacaciones; **vacancier, ère** *nm/f* veraneante *m/f*, persona de vacaciones.
vacant, e [vakɑ̃, ɑ̃t] *a* vacante; (*appartement*) desocupado(a).
vacarme [vakaʀm(ə)] *nm* alboroto, batahola.
vaccin [vaksɛ̃] *nm* vacuna; ~ **bilié de Calmette et Guérin, BCG** vacuna antituberculosa, BCG *f*.
vaccination [vaksinɑsjɔ̃] *nf* vacunación *f*.
vacciner [vaksine] *vt* vacunar; ~ **qn contre** vacunar a alguien contra.
vache [vaʃ] *nf* vaca // *a* maldito(a), severo(a); ~ **à eau** bolsa de agua; ~**ment** *ad* (*fam*) formidablemente, terriblemente; **vacher, ère** *nm/f* vaquero/a; ~**rie** *nf* (*fam*) maldad *f*, cretinada.
vaciller [vasije] *vi* vacilar, tambalearse; (*flamme, lumière*) vacilar, titilar; (*mémoire, intelligence*) vacilar.
vadrouille [vadʀuj] *nf*: **être/partir en** ~ estar/salir de paseo.
va-et-vient [vaevjɛ̃] *nm inv* vaivén *m*.
vagabond, e [vagabɔ̃, ɔ̃d] *a* vagabundo(a), errante; (*fig*) errabundo(a) // *nm* vagabundo; (*aventurier, voyageur*) vagabundo, trotamundo.
vagabondage [vagabɔ̃daʒ] *nm* (JUR) vagancia.
vagabonder [vagabɔ̃de] *vi* vagabundear, vagar; (*fig*) vagar.
vagin [vaʒɛ̃] *nm* vagina; ~**al, e, aux** [vaʒinal, o] *a* vaginal.
vagir [vaʒiʀ] *vi* chillar, dar vagidos.
vague [vag] *nf* ola; (*d'une chevelure etc*) onda // *a* (*confus*) vago(a), impreciso(a); (*flou*) confuso(a), borroso(a); (*angoisse etc*) vago(a), indefinido(a); (*manteau, robe*) suelto(a) // *nm*: **rester dans le** ~ no dar precisiones, decir vaguedades; **un** ~ **cousin** un primo cualquiera; **être dans le** ~ estar en el aire; **regarder dans le** ~ mirar al vacío; ~ **à l'âme** *nm* melancolía; ~ **d'assaut** *nf* comando, unidad *f* de

ataque; ~**ment** *ad* vagamente, apenas.
vaguer [vage] *vi* vagar, errar.
vahiné [vaine] *nf* tahitiana.
vaillant, e [vajɑ̃, ɑ̃t] *a* valiente, valeroso(a); (*en bonne santé*) saludable, robusto(a).
vaille *vb voir* **valoir.**
vain, e [vɛ̃, vɛn] *a* vano(a), inútil; (*stérile*) vano(a), infructuoso(a); (*fat*) vanidoso(a), engreído(a); **en** ~ *ad* en vano, inútilmente.
vaincre [vɛ̃kʀ(ə)] *vt* vencer, derrotar; (*fig*) vencer, superar; **vaincu, e** [vɛ̃ky] *nm/f* derrotado/a, vencido/a; **vainqueur** [vɛ̃kœʀ] *nm* vencedor, triunfador.
vais [vɛ] *vb voir* **aller.**
vaisseau, x [vɛso] *nm* vaso; (*NAUT*) nave *f*, navío; **enseigne/capitaine de** ~ alférez *m*/capitán *m* de navío; ~ **spatial** nave espacial.
vaisselier [vɛsəlje] *nm* aparador *m.*
vaisselle [vɛsɛl] *nf* vajilla; (*plats etc à laver*) platos, vajilla; (*lavage*) fregado; **faire la** ~ fregar los platos.
val, *pl* **vaux** *ou* **vals** [val, vo] *nm* valle *m.*
valable [valabl(ə)] *a* válido(a); (*sérieux*) admisible; (: *interlocuteur, écrivain*) de valor *o* mérito.
Valence [valɑ̃s] *n* Valencia.
valet [valɛ] *nm* mucamo, criado; (*CARTES*) sota; ~ **de chambre** ayuda de cámara; ~ **de pied** lacayo.
valeur [valœʀ] *nf* valor *m*; (*prix*) valor, precio; ~**s** *fpl* (*morales*) valores *mpl*; **mettre en** ~ hacer fructificar, dar valor a; (*fig*) destacar; **avoir/prendre de la** ~ tener/adquirir valor; ~**s mobilières** valores, títulos.
valide [valid] *a* válido(a), sano(a); (*valable*) válido(a); **valider** *vt* legalizar, validar; **validité** *nf* validez *f*; **(durée de) validité** (duración *f* de) validez, válido(a) por.
valise [valiz] *nf* maleta; ~ **diplomatique** valija diplomática.
vallée [vale] *nf* valle *m.*
vallon [valɔ̃] *nm* valle pequeño; ~**né, e** *a* ondulado(a).
valoir [valwaʀ] *vb avec attribut* valer, costar // *vi* valer, concernir // *vt* (*équivaloir à*) valer, equivaler a; (*mériter*) valer, merecer; ~ **qch à qn** costar algo a alguien; **se** ~ ser equivalente, tener el mismo valor; **faire** ~ hacer valer; (*domaine, capitaux*) hacer rendir; **verser un acompte à** ~ **sur une sommme due** entregar una cantidad a cuenta de una deuda; **vaille que vaille** mal que bien; **cela ne me dit rien qui vaille** eso no me dice nada bueno; **ce climat** *etc* **ne me vaut rien** este clima *etc* no me sienta; ~ **la peine** valer *o* merecer la pena; **il vaut mieux** más vale; **ça ne vaut rien** eso no vale nada; ~ **cher** costar caro, valer mucho.
valoriser [valɔʀize] *vt* valorizar.
valse [vals(ə)] *nf* vals *m*; **valser** *vi* bailar el vals.
valve [valv(ə)] *nf* (*ZOOL*) valva; (*TECH*) válvula.
vamp [vɑ̃p] *nf* vampiresa.
vampire [vɑ̃piʀ] *nm* vampiro.
vandale [vɑ̃dal] *nm/f* vándalo/a; **vandalisme** *nm* vandalismo.
vanille [vanij] *nf* vainilla.
vanité [vanite] *nf* futilidad *f*, ineficacia; (*orgueil, fatuité*) vanidad *f*, engreimiento; **vaniteux, euse** *a* vanidoso(a), fatuo(a).
vanne [van] *nf* compuerta.
vanneau, x [vano] *nm* avefría, frailecillo.
vanner [vane] *vt* (*blé*) cribar.
vannerie [vanʀi] *nf* cestería.
vantail, aux [vɑ̃taj, o] *nm* batiente *m.*
vanter [vɑ̃te] *vt* alabar, elogiar; **se** ~ *vi* vanagloriarse, jactarse; **se** ~ **de** jactarse de.
va-nu-pieds [vanypje] *nm/f inv* descamisado/a, pordiosero/a.
vapeur [vapœʀ] *nf* vapor *m*; **locomotive à** ~ locomotora de vapor; **à toute** ~ a toda máquina;

renverser la ~ cambiar de marcha; (*fig*) cambiar radicalmente; **cuit à la ~** cocinado al vapor; **~s** *fpl* vapores *mpl*; (*fig*) vértigo.
vaporisateur [vapɔʀizatœʀ] *nm* vaporizador *m*.
vaporiser [vapɔʀize] *vt* vaporizar, evaporar; (*parfum etc*) vaporizar.
vaquer [vake] *vi* estar vacante; **~ à ses occupations** dedicarse a sus ocupaciones.
varappe [vaʀap] *nf* escalada en rocas.
varech [vaʀɛk] *nm* varec *m*.
vareuse [vaʀøz] *nf* chaqueta, bata; (*blouson de marin*) marinera; (*d'uniforme*) guerrera.
variable [vaʀjabl(ə)] *a* variable; (TECH) adaptable // *nf* variable *f*.
variante [vaʀjɑ̃t] *nf* (*d'un texte*) variante *f*.
variation [vaʀjɑsjɔ̃] *nf* variación *f*; cambio; **~s** *fpl* (*changements*) transformaciones *fpl*, variaciones *fpl*; (*de température etc, aussi* MUS) variaciones; (*différences*) variaciones, diferencias.
varice [vaʀis] *nf* várice *f*.
varicelle [vaʀisɛl] *nf* varicela.
varié, e [vaʀje] *a* variado(a); (*divers*) diverso(a), vario(a).
varier [vaʀje] *vi* variar, cambiar; (TECH, MATH) modificarse, variar; (*différer, être divers*) variar, diferir; (*différer d'opinion*) discrepar, disentir // *vt* alterar, cambiar; (*faire alterner*) variar, cambiar.
variété [vaʀjete] *nf* variedad *f*; diversidad *f*; (BOT, ZOOL) variedad, tipo; (*choix*) variedad, surtido; **~s** *fpl* variedades *fpl*.
variole [vaʀjɔl] *nf* viruelas.
vas *vb voir* **aller**.
vase [vaz] *nm* vaso, jarrón *m* // *nf* cieno, fango; **~ de nuit** orinal *m*; **~s communicants** vasos comunicantes.
vaseline [vazlin] *nf* vaselina.
vaseux, euse [vazø, øz] *a* cenagoso(a), fangoso(a); (*fig*) turbio(a), confuso(a); (: *fatigué*) molido(a), deshecho(a).
vasistas [vazistas] *nm* tragaluz *m*, montante *m*.
vassal, e, aux [vasal, o] *nm/f* vasallo/a.
vaste [vast(ə)] *a* vasto(a), extenso(a); (*fig*) vasto(a), amplio(a).
Vatican [vatikɑ̃] *nm*: **le ~** el Vaticano.
vaudeville [vodvil] *nm* vodevil *m*.
vaudrai *etc vb voir* **valoir**.
vaurien, enne [voʀjɛ̃, ɛn] *nm/f* pillo/a, briboń/ona; (*malfaiteur*) bribón/ona, tunante/a.
vaut *vb voir* **valoir**.
vautour [votuʀ] *nm* buitre *m*.
vautrer [votʀe]: **se ~** *vi* revolcarse.
vaux [vo] *nmpl voir* **val**.
veau, x [vo] *nm* ternero; (CULIN) ternera; (*peau*) becerro.
vecteur [vɛktœʀ] *nm* vector *m*.
vécu, e [veky] *pp de* **vivre** // *a* vivido(a).
vedette [vədɛt] *nf* estrella, divo/a; (*fig*) personaje *m*, figura; (*canot*) lancha.
végétal, e, aux [veʒetal, o] *a, nm* vegetal (*m*).
végétarien, ne [veʒetaʀjɛ̃, ɛn] *a, nm/f* vegetariano(a).
végétation [veʒetɑsjɔ̃] *nf* vegetación *f*; **~s** *fpl* (MÉD) vegetaciones *fpl*.
véhément, e [veemɑ̃, ɑ̃t] *a* vehemente, impetuoso(a).
véhicule [veikyl] *nm* vehículo; (*fig*) vehículo, conducto.
veille [vɛj] *nf*: **l'état de ~** el estado de vigilia; **la ~** la víspera; **la ~ de** la víspera de; **à la ~ de** en vísperas de.
veillée [veje] *nf* velada; **~ d'armes** vela de armas; **~ mortuaire** velatorio.
veiller [veje] *vi, vt* velar; **~ à** ocuparse de; (*faire attention à*) velar por; (*prendre soin de*) cuidar de; **~ à faire/à ce que** ocuparse de hacer/de que; **~ sur** velar por,

vigilar; (*santé*) cuidar de; **veilleur** *nm*: **veilleur de nuit** sereno.

veilleuse [vɛjøz] *nf* lamparilla de noche; (*flamme*) piloto; **en ~** *a, ad* a media luz; (*fig*) en suspenso, a la espera.

veine [vɛn] *nf* veta; (ANAT, *inspiration*) vena; (*fam*) suerte *f*, chiripa.

vêler [vele] *vi* parir (la vaca).

vélin [velɛ̃] *a, nm*: (**papier**) **~** (papel *m*) vitela.

vélo [velo] *nm* (SPORT) ciclismo.

vélodrome [velɔdʀɔm] *nm* velódromo.

vélomoteur [velɔmɔtœʀ] *nm* velomotor *m*.

velours [vəluʀ] *nm* terciopelo; **~ côtelé** pana.

velouté, e [vəlute] *a* aterciopelado(a); (*à la vue*) aterciopelado(a), suave; (*au goût*) untuoso(a), aterciopelado(a) // *nm* sopa.

velu, e [vəly] *a* velloso(a).

venaison [vənɛzɔ̃] *nf carne de caza mayor.*

vénal, e, aux [venal, o] *a* venal.

venant [vənɑ̃] : **à tout ~** *ad* a todo el mundo, a cualquiera.

vendange [vɑ̃dɑ̃ʒ] *nf* vendimia; (*raisins récoltés*) cosecha de uvas; **vendanger** *vi, vt* vendimiar; **vendangeur, euse** *nm/f* vendimiador/ora.

vendeur, euse [vɑ̃dœʀ, øz] *nm/f* vendedor/ora // *nm* (JUR) vendedor *m*.

vendre [vɑ̃dʀ(ə)] *vt* vender; (*trahir*) vender, entregar; **~ qch à qn** vender algo al alguien; **se ~** venderse.

vendredi [vɑ̃dʀədi] *nm* viernes *m*; **V~ saint** Viernes Santo.

vénéneux, euse [venenø, øz] *a* venenoso(a), tóxico(a).

vénérer [veneʀe] *vt* venerar, reverenciar; (*fig*) venerar, respetar.

vénérien, ne [veneʀjɛ̃, ɛn] *a* venéreo(a).

Venezuela [venezɥela] *nm* Venezuela; **vénézuélien, ne** *a, nm/f* venezolano(a).

vengeance [vɑ̃ʒɑ̃s] *nf* venganza, represalia; (*acte punitif*) venganza, desquite *m*.

venger [vɑ̃ʒe] *vt* vengar, castigar; (*honneur*) vengar, reparar; (*personne, famille*) vengar; **se ~** vengarse; **se ~ sur** vengarse en.

véniel, le [venjɛl] *a*: **faute ~le** falta leve; **péché ~** pecado venial.

venimeux, euse [vənimø, øz] *a* venenoso(a).

venin [vənɛ̃] *nm* veneno.

venir [vəniʀ] *vi* venir; (*saison, maladie etc*) llegar, venir; (*arriver, parvenir*) llegar, alcanzar; **~ de** venir de; (*cause*) provenir de; **~ de faire qch** acabar de hacer algo; **en ~ à faire qch** llegar a hacer algo; **les générations à ~** las generaciones venideras; **il me vient une idée** se me ocurre una idea; **il me vient des soupçons** comienzo a sospechar; **laisser ~** dejar que ocurra, dejar pasar; **faire ~** (*personne*) llamar; **d'où vient que ...?** ¿cómo puede ser que ...?, ¿por qué ...?

vent [vɑ̃] *nm* viento; **au ~** a barlovento; **sous le ~** a sotavento; **avoir le ~ debout/arrière** *ou* **en poupe** tener viento en contra/en popa; **être dans le ~** (*fam*) seguir la corriente, estar a la moda; **avoir ~ de** tener noticias de, llegar a los oídos (de uno) que.

vente [vɑ̃t] *nf* venta; **~ de charité** venta de beneficencia; **~ par correspondance** venta por correspondencia; **~ aux enchères** subasta.

venter [vɑ̃te] *vb impersonnel*: **il vente** sopla el viento.

ventilateur [vɑ̃tilatœʀ] *nm* ventilador *m*.

ventilation [vɑ̃tilasjɔ̃] *nf* ventilación *f*, aireación *f*; (*installation*) ventilación *f*.

ventiler [vɑ̃tile] *vt* ventilar, airear; (*répartir*) repartir, distribuir.

ventouse [vɑ̃tuz] *nf* ventosa.
ventre [vɑ̃tʀ(ə)] *nm* vientre *m*; (*intestins, fig*) vientre, panza; **avoir/prendre du ~** tener/echar barriga.
ventricule [vɑ̃tʀikyl] *nm* ventrículo.
ventriloque [vɑ̃tʀilɔk] *a, nm/f* ventrílocuo(a).
venu, e [vəny] *pp de* **venir** // *a*: **mal/bien ~** (*plante etc*) poco/bien desarrollado // *nf* venida, llegada.
vêpres [vɛpʀ(ə)] *nfpl* vísperas.
ver [vɛʀ] *nm* gusano, oruga; (*intestinaux*) parásito, lombriz *f*; (*dans les fruits etc*) gusano, larva; **~ blanc** larva de abejorro; **~ luisant** luciérnaga; **~ à soie** gusano de seda; **~ solitaire** tenia, lombriz solitaria; **~ de terre** lombriz *f*.
véranda [veʀɑ̃da] *nf* solana.
verbal, e, aux [vɛʀbal, o] *a* verbal, oral; (LING) verbal.
verbaliser [vɛʀbalize] *vi* proceder, formalizar un atestado.
verbe [vɛʀb(ə)] *nm* verbo; (*expression*) palabra; **avoir le ~ haut** hablar en voz alta.
verbiage [vɛʀbjaʒ] *nm* verborrea, chachara.
verdâtre [vɛʀdɑtʀ(ə)] *a* verdoso(a).
verdeur [vɛʀdœʀ] *nf* verdor *m*, lozanía; (*des propos*) rigor *m*, rudeza; (*de fruit, vin*) acidez *f*, agrura.
verdict [vɛʀdikt] *nm* (JUR) veredicto; (*gén*) veredicto, opinión *f*.
verdir [vɛʀdiʀ] *vi* verdear, ponerse verde; (*végétaux*) verdecer, reverdecer // *vt* volver verde, verdear.
verdoyant, e [vɛʀdwajɑ̃, ɑ̃t] *a* que verdece.
verdure [vɛʀdyʀ] *nf* verdor *m*, verdura.
verge [vɛʀʒ(ə)] *nf* verga; (*baguette*) vara.
verger [vɛʀʒe] *nm* huerto.
vergeture [vɛʀʒətyʀ] *nf* estría.
verglacé, e [vɛʀglase] *a* helado(a).
verglas [vɛʀgla] *nm* hielo.
véridique [veʀidik] *a* verídico(a).
vérification [veʀifikɑsjɔ̃] *nf* verificación *f*; control *m*; comprobación *f*.
vérifier [veʀifje] *vt* verificar, revisar; (*hypothèse*) verificar; (*suj*: *chose*) confirmar, corroborar; **se ~** *vi* verificarse, comprobarse.
véritable [veʀitabl(ə)] *a* verdadero(a); (*or, argent*) de ley.
vérité [veʀite] *nf* verdad *f*; (*d'un fait etc*) verdad, autenticidad *f*; (*d'un portrait*) naturalidad *f*; (*sincérité*) verdad, sinceridad *f*; **en ~, à la ~** *ad* en realidad, a decir verdad.
vermeil, le [vɛʀmɛj] *a* bermejo(a) // *nm* corladura.
vermicelles [vɛʀmisɛl] *nmpl* fideos para sopa.
vermifuge [vɛʀmifyʒ] *nm* vermicida, antiparasitario.
vermillon [vɛʀmijɔ̃] *nm, a inv* bermellón (*m*).
vermine [vɛʀmin] *nf* parásitos.
vermisseau, x [vɛʀmiso] *nm* gusanillo.
vermoulu, e [vɛʀmuly] *a* carcomido(a).
vermout(h) [vɛʀmut] *nm* vermut *m*.
verni, e [vɛʀni] *a* (*fam*) suertudo(a), afortunado(a); **cuir ~** cuero charolado.
vernir [vɛʀniʀ] *vt* barnizar.
vernis [vɛʀni] *nm* barniz *m*; **~ à ongles** esmalte *m* de uñas.
vernissage [vɛʀnisaʒ] *nm* apertura de exposición de arte.
vérole [veʀɔl] *nf* (*aussi*: **petite ~**) viruela; (*fam*) sífilis *f*.
verrai *etc voir* **voir.**
verre [vɛʀ] *nm* vaso; (*substance*) vidrio; (*de lunettes*) cristal *m*, lente *f*; **boire** *ou* **prendre un ~** beber *o* tomar una copa; **~ à vin/à liqueur** copa para vino/para licor; **~ de lampe** tubo; **~ de montre** cristal de reloj; **~ à pied** copa; **~s de contact** lentes de contacto; **~rie** *nf*

cristalería; (*fabrique*) vidriería, cristalería.
verrière [vɛʀjɛʀ] *nf* vidriera; (*toit vitré*) cristalera.
verroterie [vɛʀɔtʀi] *nf* abalorio.
verrou [vɛʀu] *nm* cerrojo; (*fig*) bloqueo; **mettre qn sous les ~s** poner a alguien en chirona; **~ de sûreté** pasador *m* de seguridad; **verrouiller** *vt* cerrar con cerrojo; (MIL) bloquear.
verrue [vɛʀy] *nf* verruga.
vers [vɛʀ] *nm* verso // *mpl* versos, poesía // *prép* hacia; (*près de, dans les environs de*) cerca de.
versant [vɛʀsɑ̃] *nm* vertiente *f*, ladera.
verse [vɛʀs(ə)] : **à ~** *ad*: **pleuvoir à ~** llover a baldes.
Verseau [vɛʀso] *nm* (ASTRO): **le ~** Acuario; **être du ~** ser de Acuario.
versement [vɛʀsəmɑ̃] *nm* (*paiement*) pago, cuota.
verser [vɛʀse] *vt* verter; (*argent*) pagar, entregar; (*soldat*) afectar // *vi* (*véhicule*) volcar, tumbar; (*fig*): **~ dans** adherir(se) a.
verset [vɛʀsɛ] *nm* versículo; (*d'un texte poétique*) verso, versículo.
verseur [vɛʀsœʀ] *a voir* **bec.**
versification [vɛʀsifikasjɔ̃] *nf* versificación *f*.
version [vɛʀsjɔ̃] *nf* versión *f*, traducción *f*; (*interprétation, récit*) versión, interpretación *f*; (*d'un texte*) versión; **film en ~ originale** película en su versión original.
verso [vɛʀso] *nm* dorso, reverso; **voir au ~** ver al dorso.
vert, e [vɛʀ, vɛʀt(ə)] *a* verde // *nm* verde *m*; **se mettre au ~** irse al campo; **~ de peur** blanco de miedo; **~-de-gris** *nm* verdín *m*, óxido de cobre // *a inv* verde grisáceo(a); **~ pomme** *a inv* verde manzana.
vertébral, e, aux [vɛʀtebʀal, o] *a* vertebral.
vertèbre [vɛʀtɛbʀ(ə)] *nf* vértebra; **vertébré, e** *a* vertebrado(a).
vertical, e, aux [vɛʀtikal, o] *a* vertical // *nf*: **la ~e** la vertical; **à la ~e** *ad* en línea vertical.
vertige [vɛʀtiʒ] *nm* vértigo; (*fig*) extravío; **ça me donne le ~** eso me produce vértigo; (*fig*) eso me da vértigo *o* me marea; (: *m'égare*) eso me hace perder la cabeza *o* me desorienta.
vertu [vɛʀty] *nf* virtud *f*; (*d'un médicament etc*) virtud, propiedad *f*; (*chasteté*) virtud, castidad *f*; **en ~ de** *prép* en virtud de; **~eux, euse** *a* virtuoso(a), honesto(a); (*femme*) virtuoso(a), casto(a); (*action, conduite*) loable, meritorio(a).
verve [vɛʀv(ə)] *nf* ingenio, inspiración *f*.
verveine [vɛʀvɛn] *nf* verbena; (*infusion*) infusión *f* de verbena.
vésicule [vezikyl] *nf* vesícula; **~ biliaire** vesícula biliar.
vespasienne [vɛspazjɛn] *nf* urinario (público).
vessie [vesi] *nf* vejiga.
veste [vɛst(ə)] *nf* chaqueta.
vestiaire [vɛstjɛʀ] *nm* guardarropa; (*de stade etc*) vestuario.
vestibule [vɛstibyl] *nm* vestíbulo.
vestige [vɛstiʒ] *nm* vestigio, rastro.
vestimentaire [vɛstimɑ̃tɛʀ] *a* de la vestimenta.
veston [vɛstɔ̃] *nm* chaqueta.
Vésuve [vezyv] *nm* Vesubio.
vêtement [vɛtmɑ̃] *nm* vestido, traje *m*; (*industrie*): **le ~** el vestido; **~s** *mpl* ropa.
vétéran [veteʀɑ̃] *nm* veterano.
vétérinaire [veteʀinɛʀ] *a, nm/f* veterinario(a).
vétille [vetij] *nf* nonada, pamplina.
vêtir [vetiʀ] *vt* vestir; **se ~** vestirse.
véto [veto] *nm* veto; **mettre** *ou* **opposer un ~ à** poner el veto a.
veuf, veuve [vœf, vœv] *a, nm/f* viudo(a).
veuille *etc voir* **vouloir**.
veule [vøl] *a* abúlico(a).
veuvage [vœvaʒ] *nm* viudez *f*.
veuve [vœv] *a, nf voir* **veuf.**
veux *vb voir* **vouloir.**
vexatoire [vɛksatwaʀ] *a*: **mesure**

~ medida vejatoria *o* humillante.
vexer [vɛkse] *vt* ofender, humillar; **se** ~ *vi* ofenderse, resentirse.
viabiliser [vjabilize] *vt* proveer de mejoras.
viable [vjabl(ə)] *a* viable.
viaduc [vjadyk] *nm* viaducto.
viager, ère [vjaʒe, ɛʀ] *a*: **rente viagère** renta vitalicia // *nm* renta vitalicia; **mettre en** ~ hacer un vitalicio.
viande [vjɑ̃d] *nf* carne *f*; ~ **rouge** carne de vaca *o* cordero; ~ **blanche** carne blanca.
vibraphone [vibʀafɔn] *nm* vibráfono.
vibration [vibʀɑsjɔ̃] *nf* vibración *f*.
vibrato [vibʀato] *nm* vibrato.
vibrer [vibʀe] *vi* vibrar // *vt* (TECH) someter a vibraciones.
vibro-masseur [vibʀɔmasœʀ] *nm* masajeador vibratorio.
vicaire [vikɛʀ] *nm* vicario.
vice [vis] *nm* vicio, perversión *f*; (*défaut*) defecto; ~ **de forme** vicio de forma; ~ **de procédure** vicio de procedimiento.
vice... [vis] *préf* vice; ~**-consul** *nm* vicecónsul *m*; ~**-président, e** *nm/f* vicepresidente/a; ~**-roi** *nm* virrey *m*.
vice-versa [visvɛʀsa] *ad* viceversa.
vicieux, euse [visjø, øz] *a* vicioso(a).
vicinal, e, aux [visinal, o] *a*: **chemin** ~ camino vecinal.
vicomte, esse [vikɔ̃t, ɛs] *nm/f* vizconde/esa.
victime [viktim] *nf* víctima.
victoire [viktwaʀ] *nf* victoria, triunfo; **victorieux, euse** [viktɔʀjø, øz] *a* victorioso(a), vencedor(ora); (*sourire etc*) victorioso(a), triunfante.
victuailles [viktɥaj] *nfpl* vituallas, víveres *mpl*.
vidange [vidɑ̃ʒ] *nf* vaciado; (AUTO) cambio de aceite; (*de lavabo*) desagüe *m*; ~**s** *fpl* (*matières*) aguas fecales; **vidanger** *vt* vaciar; **vidangeur** *nm* pocero.
vide [vid] *a* vacío(a); (*fig*) vacío(a), vano(a) // *nm* vacío; (*espace, creux*) hueco, espacio; ~ **de** desprovisto(a) de; **emballage sous** ~ envase *m* en vacío; **parler dans le** ~ hablar en el aire; **à** ~ *ad* vacío(a), desocupado(a); **tourner à** ~ (*moteur*) girar en falso, girar loco; ~**-ordures** *nm inv* vertedero de basuras; ~**-poches** *nm inv* guantero, guantera.
vider [vide] *vt* vaciar; (*boire*) vaciar, beber; (CULIN) destripar, limpiar; **se** ~ *vi* vaciarse.
vie [vi] *nf* vida, existencia; (*fig*) vida, vitalidad *f*; (: *gaieté, animation*) vida, animación *f*; (*biographie*) vida, biografía; **membre à** ~ miembro vitalicio *o* permanente.
vieillard [vjɛjaʀ] *nm* anciano, viejo.
vieilleries [vjɛjʀi] *nfpl* antiguallas; (*péj*) antiguallas, obras caducas.
vieillesse [vjɛjɛs] *nf* vejez *f*, ancianidad *f*; (*dernier âge*) vejez; (*vieillards*) ancianos.
vieillir [vjejiʀ] *vi* envejecer; (*se flétrir etc*) envejecer, ajarse; (*institutions, doctrine, auteur*) envejecer, caducar; (*vin, alcool*) añejarse // *vt* avejentar.
vielle [vjɛl] *nf* zanfonía, chifonía.
viendrai *etc voir* **venir.**
vierge [vjɛʀʒ(ə)] *a* virgen // *nf* virgen *f*; (ASTRO): **la V**~ Virgo; **être de la V**~ ser de Virgo.
Viet-Nam [vjɛtnam] *nm* Vietnam *m*; ~ **du Nord/Sud** Vietnam del Norte/Sur; **vietnamien, ne** *a, nm/f* vietnamita (*m/f*).
vieux(vieil), vieille [vjø, vjɛj] *a* viejo(a), antiguo(a); (*âgé*) viejo(a) // *nm/f* viejo/a, anciano/a; **les** ~ los viejos; **un petit** ~ un viejecito; **mon** ~ (*fam*) ¡hombre!; **ma vieille** ¡mujer!; ~ **garçon** *nm* solterón *m*; ~ **jeu** *a inv* anticuado(a), chapado(a) a la antigua; **vieille fille** *nf* solterona.

vif, vive [vif, viv] *a* vivo(a), vivaz; (*alerte*) vivo(a), despierto(a); (*brusque, emporté*) impulsivo(a), violento(a); (*aigu*) agudo(a); (*lumière, froid etc*) vivo(a), intenso(a); (*fort*) gran(de), agudo(a); **eau vive** agua que corre; **source vive** manantial *m*; **à ~** en carne viva; (*fig*) a flor de piel; **de vive voix** a viva voz; **sur le ~** (*ART*) del natural; **dans le ~ du sujet/débat** en el núcleo del tema/debate.
vif-argent [vifaʀʒɑ̃] *nm* azogue *m*.
vigie [viʒi] *nf* vigilancia; (*personne*) vigía *m*; (*poste*) torre *f* de vigía.
vigilance [viʒilɑ̃s] *nf* vigilancia.
vigne [viɲ] *nf* vid *f*; (*plantation*) viña, viñedo; **~ vierge** viña loca *o* virgen; **~ron, ne** *nm/f* viñador/ora, viñatero/a.
vignette [viɲɛt] *nf* etiqueta; (*motif, illustration*) viñeta; (*AUTO*) patente *f*.
vignoble [viɲɔbl(ə)] *nm* viñedo; (*d'une région*) viñedos.
vigoureux, euse [viguʀø, øz] *a* vigoroso(a).
vigueur [vigœʀ] *nf* vigor *m*, fuerza; (*JUR*): **être/entrer en ~** estar/entrar en vigor; **en ~** vigente.
vil, e [vil] *a* vil, innoble; **à ~ prix** regalado(a), tirado(a).
vilain, e [vilɛ̃, ɛn] *a* feo(a), horrible; (*mauvais*) feo(a), malo(a).
vilebrequin [vilbʀəkɛ̃] *nm* herbiquí *m*; (*AUTO*) cigüeñal *m*.
villa [villa] *nf* villa.
village [vilaʒ] *nm* pueblo, aldea; **~ de toile** campamento; **~ois, e** [-wa, waz] *a* pueblerino(a), aldeano(a) // *nm/f* aldeano/a.
ville [vil] *nf* ciudad *f*, urbe *f*; (*administration*): **la ~** el municipio.
villégiature [vileʒjatyʀ] *nf* veraneo.
vin [vɛ̃] *nm* vino; (*liqueur*) licor *m*; **~ ordinaire** *ou* **de table** vino común *o* de mesa; **~ blanc/rouge/rosé** vino blanco/tinto/rosado *o* clarete; **~ d'honneur** vino de honor; **~ de messe** vino de consagrar; **~ mousseux** vino espumoso; **~ de pays** vino de la zona.
vinaigre [vinɛgʀ(ə)] *nm* vinagre *m*; **vinaigrette** *nf* vinagreta; **vinaigrier** *nm* vinagrero; (*flacon*) vinagrera.
vindicatif, ive [vɛ̃dikatif, iv] *a* vengativo(a).
vingt [vɛ̃] *num* veinte; **~ quatre heures sur ~ quatre** las veinticuatro horas del día; **~aine** *nf* veintena; **~ième** *num* vigésimo(a); **le ~ième siècle** el siglo veinte.
vinicole [vinikɔl] *a* vitivinícolo(a).
viol [vjɔl] *nm* violación *f*, estupro.
violation [vjɔlasjɔ̃] *nf* violación *f*; **~ de sépulture** (*JUR*) profanación *f* de sepultura.
violemment [vjɔlamɑ̃] *ad* violentamente, brutalmente.
violence [vjɔlɑ̃s] *nf* violencia; agresión *f*; **la ~** la violencia; **~s** *fpl* agresiones *fpl*.
violent, e [vjɔlɑ̃, ɑ̃t] *a* violento(a), agresivo(a); (*choc, remède, vent etc*) violento(a), fuerte; (*fort*) violento(a), impetuoso(a).
violer [vjɔle] *vt* violar; (*lieu, sépulture*) violar, profanar.
violet, te [vjɔlɛ, ɛt] *a* morado(a) // *nm* morado, violeta *m* // *nf* violeta.
violon [vjɔlɔ̃] *nm* violín *m*; **~ d'Ingres** pasatiempo artístico.
violoncelle [vjɔlɔ̃sɛl] *nm* violoncelo; **violoncelliste** *nm/f* violoncelista *m/f*.
violoniste [vjɔlɔnist(ə)] *nm/f* violinista *m/f*.
vipère [vipɛʀ] *nf* víbora.
virage [viʀaʒ] *nm* viraje *m*; (*d'une route, piste*) curva; **~ sur l'aile** virada sobre el ala.
viral, e, aux [viʀal, o] *a* virósico(a).
virée [viʀe] *nf* vuelta.
virement [viʀmɑ̃] *nm* transferencia; **~ bancaire/postal** giro bancario/postal.
virer [viʀe] *vt* (*COMM*) transferir; (*PHOTO*) virar, cambiar // *vi* torcer, doblar; (*CHIMIE, PHOTO*) virar, cambiar; (*MÉD*) volverse positivo(a);

~ **au bleu/rouge** cambiar al azul/rojo; ~ **de bord** (*NAUT*) virar de bordo.
virevolte [viʀvɔlt(ə)] *nf* pirueta; **virevolter** *vi* girar.
virginité [viʀʒinite] *nf* virginidad *f.*
virgule [viʀgyl] *nf* coma.
viril, e [viʀil] *a* viril, varonil; (*attitude, air etc*) viril, resuelto(a).
virtuel, le [viʀtɥɛl] *a* virtual.
virtuose [viʀtɥoz] *nm/f* virtuoso/a.
virulent, e [viʀylɑ̃, ɑ̃t] *a* virulento(a).
virus [viʀys] *nm* virus *m.*
vis [vi] *vb voir* **vivre** // *nf* [vis] tornillo; ~ **sans fin/à tête plate** tornillo sin fin/de cabeza chata; ~ **de pressoir** clavija.
visa [viza] *nm* visado; ~ **de censure** visado de censura.
visage [vizaʒ] *nm* rostro, cara; **visagiste** *nm/f* técnico/a facial.
vis-à-vis [vizavi] *ad* frente a frente; ~ **de** *prép* frente a; (*fig*) ante, frente a; (: *en comparaison de*) con respecto a, en comparación con // *nm persona o cosa situada frente a otra*; **en** ~ frente a frente, cara a cara.
viscères [visɛʀ] *nmpl* vísceras.
visée [vize] *nf* puntería, mira.
viser [vize] *vi* apuntar // *vt* apuntar a; (*poste etc*) aspirar a; (*concerner*) atañer a, concernir a; (*apposer un visa sur*) visar; ~ **à** *vt* tratar de, tender a; **viseur** *nm* mira; (*PHOTO*) visor *m.*
visibilité [vizibilite] *nf* visibilidad *f.*
visible [vizibl(ə)] *a* visible.
visière [vizjɛʀ] *nf* visera.
vision [vizjɔ̃] *nf* visión *f*, percepción *f*; (*image mentale*) visión, representación *f*; (*fig*) visión, concepción *f*; (*apparition*) visión, aparición *f*; **en première** ~ en estreno; ~**ner** *vt* ver; (*CINÉMA*) examinar.
visite [vizit] *nf* visita; (*d'inspection*) inspección *f*; (*médicale, à domicile*) visita, examen médico; **la** ~ (*MÉD*) la consulta; (*MIL*) la revista; **rendre** ~ **à qn** visitar a alguien; **être en** ~ **(chez qn)** estar de visita (en lo de alguien).
visiter [vizite] *vt* visitar; **visiteur, euse** *nm/f* visita; (*à l'hôpital etc, touriste*) visitante *m/f.*
vison [vizɔ̃] *nm* visón *m.*
visqueux, euse [viskø, øz] *a* viscoso(a); (*peau, surface*) viscoso(a), pegajoso(a).
visser [vise] *vt* atornillar; (*couvercle*) enroscar.
visu [vizy]: **de** ~ *ad* de visu.
visuel, le [vizɥɛl] *a* visual.
vit *vb voir* **vivre.**
vital, e, aux [vital, o] *a* vital.
vitalité [vitalite] *nf* vitalidad *f.*
vitamine [vitamin] *nf* vitamina.
vitaminique [vitaminik] *a* vitamínico(a).
vite [vit] *ad* de prisa, rápidamente; (*sans délai*) pronto, rápidamente; **il s'agit de faire** ~ hay que apurarse; **ce sera** ~ **fini** pronto estará terminado.
vitesse [vitɛs] *nf* velocidad *f*, rapidez *f*; (*hâte, promptitude*) rapidez; (*d'un véhicule, corps, du son etc*) velocidad; (*AUTO*): **les** ~**s** las velocidades; **prendre de la** ~ adquirir velocidad; **à toute** ~ a toda velocidad, con rapidez; **changer de** ~ (*AUTO*) cambiar la velocidad; **en première/seconde** ~ en primera/segunda velocidad; ~ **de pointe** máximo de velocidad.
viticole [vitikɔl] *a* vitícolo(a), vitivinícolo(a).
viticulteur [vitikyltœʀ] *nm* viticultor *m*, vinicultor *m.*
vitrage [vitʀaʒ] *nm* encristalado; (*cloison*) mampara; (*toit*) claraboya, lucernario; (*rideau*) visillo.
vitrail, aux [vitʀaj, o] *nm* vitral *m*, vidriera; (*technique*) vitral.
vitre [vitʀ(ə)] *nf* vidrio, cristal *m*; **vitré, e** *a* con vidrios *o* cristales; **porte** ~**e** vidriera; **vitrer** *vt* poner vidrios *o* cristales.
vitreux, euse [vitʀø, øz] *a*

vítreo(a); (*terne*) vidrioso(a).
vitrier [vitʀje] *nm* vidriero.
vitrifier [vitʀifje] *vt* vitrificar.
vitrine [vitʀin] *nf* vitrina; (*devanture*) escaparate *m.*
vitriol [vitʀjɔl] *nm* vitriolo.
vivace [vivas] *a* duradero(a), resistente; (*fig*) tenaz, pertinaz // *ad* (*MUS*) vivace.
vivacité [vivasite] *nf* (*voir* **vif**) vivacidad *f*; violencia.
vivant, e [vivɑ̃, ɑ̃t] *a* vivo(a), viviente; (*animé*) animado(a) // *nm*: **du ~ de qn** en vida de alguien, cuando alguien vivía; **les ~s** los vivos.
vive [viv] *af voir* **vif** // *excl*: **~ le roi!** ¡viva el rey!; **~ les vacances!** ¡vivan las vacaciones!
vivement [vivmɑ̃] *ad* (*voir* **vif**) vivamente; violentamente // *excl*: **~ qu'il s'en aille!** ¡que se vaya!
vivier [vivje] *nm* vivero de peces.
vivifier [vivifje] *vt* vivificar, fortalecer; (*fig*) avivar, revivir.
vivipare [vivipaʀ] *a* vivíparo(a).
vivisection [viviseksjɔ̃] *nf* vivisección *f.*
vivoter [vivɔte] *vi* subsistir, ir tirando.
vivre [vivʀ(ə)] *vi* vivir, existir; (*habiter*) vivir, residir; (*subsister*) vivir; (*souvenir, institution*) durar, subsistir // *vt* vivir // *nm*: **le ~ et le logement** comida y alojamiento; **~s** *mpl* víveres *mpl*; **se laisser ~** dejarse estar; **ne plus ~** (*fig*) no vivir más, ya no vivir; **être facile/difficile à ~** ser de buen/mal carácter; **faire ~ qn** mantener a alguien.
vocabulaire [vɔkabylɛʀ] *nm* vocabulario.
vocal, e, aux [vɔkal, o] *a* vocal, oral.
vocalique [vɔkalik] *a* vocálico(a).
vocalise [vɔkaliz] *nf* vocalización *f.*
vocaliser [vɔkalize] *vi* vocalizar.
vocatif [vɔkatif] *nm* vocativo.
vocation [vɔkasjɔ̃] *nf* vocación *f*; (*pour une profession, un état*) vocación, inclinación *f.*
vodka [vɔdka] *nf* vodka *m.*
vœu, x [vø] *nm* promesa; (*souhait*) augurio, deseo; **faire ~ de** hacer voto de; **~x de bonne année** augurios de feliz año; **avec tous nos ~x** con nuestras mejores felicitaciones.
vogue [vɔg] *nf* boga, reputación *f*; **en ~** *a* en boga, de moda.
voguer [vɔge] *vi* bogar, navegar.
voici [vwasi] *prép* he aquí, acá está; **~ que...** he aquí que...; **~ deux ans** hace (ya) dos años; **en ~ un** he aquí uno, aquí hay uno; **"~"** "acá está", "aquí tiene".
voie [vwa] *nf* vía, ruta; (*RAIL*) vía; (*fig*) camino, senda; **route à 2/3 ~s** carretera de 2/3 carriles; **à ~ étroite** de trocha angosta; **les ~s de Dieu** los designios de Dios; **par ~ buccale** por vía bucal; **par la ~ aérienne/maritime** por vía aérea/marítima; **être en bonne ~** andar por buen camino; **mettre qn sur la ~** encaminar *o* orientar a alguien; **être en ~ de** estar en vías de; **~ prioritaire/à sens unique** (*AUTO*) vía prioritaria/de dirección única; **~ d'eau** vía de agua; **~ ferrée** vía férrea; **~ de garage** vía de estacionamiento; **~ lactée** vía láctea; **~ privée** camino *o* calle privado(a); **~ publique** vía pública.
voilà [vwala] *prép* he ahí, ahí está; **les ~** helos ahí, ahí están; **en ~ un** he ahí uno, ahí hay uno; **~ deux ans** hace dos años; **et ~!** y nada más, eso es todo; **~ tout** eso es todo; **"~"** "aquí tiene", "acá está".
voile [vwal] *nm* velo; (*devant une ouverture etc*) cortina; (*tissu*) vual *m*; (*fig*) velo, capa; (*PHOTO*) veladura // *nf* vela; (*sport*): **la ~** la vela, la regata; **mettre à la ~** alzar velas; **~ au poumon** mancha en el pulmón; **voiler** *vt* cubrir, tapar; (*fig*) velar, disimular; (*PHOTO*) velar; (*TECH*) alabear, torcer; **se ~r** *vi* (*lune*) ocultarse; (*ciel*) nublarse;

(*regard, voix*) velarse, empañarse; (*TECH*) alabearse, torcerse; **se ~r la face** taparse la cara; **voilette** *nf* velo; **voilier** *nm* velero; **voilure** *nf* velamen *m*; (*d'un avion*) *superficie sustentadora*; (*d'un parachute*) tela de paracaídas.

voir [vwaR] *vi* ver; (*comprendre*) ver, comprender // *vt* ver, percibir; (*être témoin de*) ver, vivir; (*concevoir*) ver, imaginar; (*recevoir, fréquenter*) ver, frecuentar; (*considérer, examiner*) ver, analizar; (*constater*) ver; **se ~ critiquer** verse criticado; **~ à faire qch** ver *o* encargarse de hacer algo; **~ loin** (*fig*) imaginar, prever; **avoir quelque chose à ~ avec** tener algo que ver con, tener relación con.

voire [vwaR] *ad* hasta, incluso.

voirie [vwaRi] *nf* servicio de higiene urbana; (*administration*) vialidad *f*; (*enlèvement des ordures*) servicio de recolección de basura.

vois *vb voir* **voir.**

voisin, e [vwazɛ̃, in] *a* cercano(a), próximo(a); (*analogue*) parecido(a), semejante // *nm/f* vecino/a; **~ de palier** vecino de piso; **~age** [vwazinaʒ] *nm* vecindad *f*, proximidad *f*; (*environs, quartier*) vecindad, cercanía; (*voisins*) vecindario.

voisiner [vwazine] *vi* estar cerca *o* próximo.

voit *vb voir* **voir.**

voiture [vwatyR] *nf* coche *m*; **en ~!** (*RAIL*) ¡al tren!; **~ d'enfant** cochecito; **~ d'infirme** cochecillo de inválido.

voix [vwa] *nf* voz *f*; (*MUS*) voz, sonido; (*POL*) voto.

vol [vɔl] *nm* vuelo; (*mode d'appropriation*) robo; (*larcin*) robo, hurto; **~ de perdrix** bandada de perdices; **à ~ d'oiseau** en línea recta; **au ~** al vuelo; **prendre son ~** levantar el vuelo; **~ libre** *ou* **sur aile delta** (*SPORT*) vuelo libre; **~ qualifié/simple** hurto calificado/ simple; **~ avec effraction** robo con fractura; **~ à main armée** robo a mano armada, asalto; **~ de nuit** vuelo nocturno; **~ à voile** vuelo a vela.

volage [vɔlaʒ] *a* veleidoso(a).

volaille [vɔlɑj] *nf* aves *fpl* de corral; (*viande*) ave *f*; (*oiseau*) ave de corral; **volailler** *nm* vendedor *m* de aves.

volant, e [vɔlɑ̃, ɑ̃t] *a voir* **poisson** *etc* // *nm* volante *m*; (*feuillet détachable*) talón *m*; **le personnel ~, les ~s** el personal de a bordo, la tripulación.

volatile [vɔlatil] *nm* ave *f*, volátil *m*.

volatiliser [vɔlatilize] : **se ~** *vi* volatilizarse, evaporarse.

vol-au-vent [vɔlovɑ̃] *nm* volován *m*.

volcan [vɔlkɑ̃] *nm* volcán *m*; **~ique** [vɔlkanik] *a* volcánico(a); **~ologue** [vɔlkanɔlɔg] *nm/f* especialista *m/f* en vulcanología.

volée [vɔle] *nf* bandada; (*TENNIS*) voleo; **~ d'obus** descarga de obuses; **~ de flèches** lluvia de flechas; **à la ~** al vuelo; **lancer/semer à la ~** arrojar/sembrar al voleo; **à toute ~** a vuelo; (*lancer un projectile*) al voleo.

voler [vɔle] *vi* volar; (*commettre un vol*) robar, hurtar // *vt* robar, hurtar; (*idée*) robar, quitar; (*dévaliser*) despojar a, robar a; (*fig*) asaltar a, robar; **~ qch à qn** robar algo a alguien.

volet [vɔlɛ] *nm* postigo, contraventana; (*AVIAT*) flap *m*, alerón *m*; (*de feuillet etc*) hoja.

voleter [vɔlte] *vi* revolotear.

voleur, euse [vɔlœR, øz] *a*, *nm/f* ladrón(ona).

volière [vɔljɛR] *nf* pajarera.

volontaire [vɔlɔ̃tɛR] *a* voluntario(a), deliberado(a); (*décidé*) voluntarioso(a), resuelto(a); (*MIL, gén*) voluntario(a) // *nm/f* voluntario/a.

volonté [vɔlɔ̃te] *nf* voluntad *f*; (*fermeté*) voluntad, resolución *f*; (*souhait*) voluntad, deseo; **boire** *etc* **à ~** beber *etc* a discreción; **les**

dernières ~s de qn la última voluntad de alguien.
volontiers [vɔlɔ̃tje] *ad* con gusto; (*avec plaisir*) de buen grado, de buena gana; (*habituellement*) habitualmente; "~" "con mucho gusto".
volt [vɔlt] *nm* voltio; **~age** *nm* voltaje *m*.
volte-face [vɔltəfas] *nf* media vuelta; (*fig*) cambiazo.
voltige [vɔltiʒ] *nf* acrobacia; (*ÉQUITATION*) volteo; (*AVIAT*) acrobacia aérea; **haute ~** acrobacia.
voltiger [vɔltiʒe] *vi* revolotear; (*cheveux etc*) ondear, flamear.
voltigeur, euse [vɔltiʒœʀ, øz] *nm/f* acróbata *m/f* // *nm* (*MIL*) tirador *m*.
voltmètre [vɔltmɛtʀ(ə)] *nm* voltímetro.
volubile [vɔlybil] *a* locuaz.
volume [vɔlym] *nm* volumen *m*; (*solide*) volumen, cuerpo; **volumineux, euse** *a* voluminoso(a).
volupté [vɔlypte] *nf* voluptuosidad *f*; (*esthétique etc*) gozo, deleite *m*.
volute [vɔlyt] *nf* voluta.
vomi [vɔmi] *nm* vómito.
vomir [vɔmiʀ] *vi* vomitar // *vt* vomitar; (*exécrer*) abominar, execrar; **vomissement** *nm* vómito; **vomissure** *nf* vómito; **vomitif** *nm* vomitivo.
vont *vb voir* **aller.**
vorace [vɔʀas] *a* voraz.
vos [vo] *dét* (*voir* **vous**) vuestros(as); sus, de ustedes; sus, de usted.
Vosges [voʒ] *nfpl*: **les ~** los Vosgos.
votant, e [vɔtɑ̃, ɑ̃t] *nm/f* elector/ora; (*participant au vote*) votante *m/f*.
vote [vɔt] *nm* voto; (*suffrage, élection, consultation*) votación *f*; **~ à main levée/secret** voto a mano alzada/secreto; **~ par correspondance/procuration** voto por correspondencia/poder.
voter [vɔte] *vi* votar // *vt* aprobar.
votre [vɔtʀ(ə)] *dét* (*voir* **vous**) vuestro(a); su, de ustedes; su, de usted.
vôtre [votʀ(ə)] *pron*: **le ~, la ~** el vuestro *m*, la vuestra *f*, lo vuestro *n*; (*forme polie*) el suyo *m*, la suya *f*, lo suyo *n*; **les ~s** los vuestros *mpl*, las vuestras *fpl*; los suyos *mpl*, las suyas *fpl*; (*vos parents, alliés*) los vuestros; los suyos; **à la ~** a vuestra salud; a su salud.
voudrai *etc voir* **vouloir.**
voué, e [vwe] *a*: **~ à** (*fig*) condenado(a) a.
vouer [vwe] *vt*: **~ qch à** consagrar algo a; **se ~ à** consagrarse a.
vouloir [vulwaʀ] *vi* querer // *vt* querer, desear // *nm*: **le bon ~ de qn** la buena voluntad *f* de alguien; **~ que/faire** querer que/hacer; **je voudrais** (yo) quisiera; **veuillez attendre** haga el favor de esperar; **je veux bien** estoy de acuerdo en; (*concession*) admito, reconozco; **si on veut** si se quiere; **que me/lui veut-il?** ¿qué quiere de mí/de él?; **sans le ~** sin querer; **~ qch à qn** desear algo a alguien; **en ~ à qn/qch** agarrárselas con alguien/algo; **s'en ~ d'avoir fait qch** arrepentirse de *o* reprocharse por haber hecho algo; **~ de qch/qn** aceptar algo/a alguien; **voulu, e** *a* exigido(a), requerido(a); (*délibéré*) deliberado(a), intencional.
vous [vu] *pron* (*sujet*: *pluriel*) vosotros/as; (*: forme polie*) ustedes; (*: singulier*) usted; (*objet direct*: *pluriel*) os; (*: forme polie*) les *m*, las *f*; (*: singulier*) le *m*, la *f*; (*objet indirect*) os; les *m/f*, se; le *m/f*, se; (*réfléchi direct, indirect*) os; se; **dire ~ à qn** tratar de usted a alguien; **~-même** usted mismo(a); (*après prép*) sí (mismo(a)); **~-mêmes** vosotros(as) mismos(as); (*forme polie*) ustedes mismos(as); (*:après prép*) sí (mismos(as)).
voûte [vut] *nf* bóveda; **~ en ogive/en berceau** bóveda ojival/de medio punto; **~ plantaire** arco

plantar; **voûter** *vt* abovedar; (*dos, personne*) encorvar; **se voûter** *vi* encorvarse.

vouvoyer [vuvwaje] *vt* tratar de usted.

voyage [vwajaʒ] *nm* viaje *m*; **être/partir en ~** estar/partir de viaje; **aimer le ~** gustar de los viajes; **les gens du ~** la gente de circo; **~ d'agrément/d'affaires** viaje de placer/de negocios; **~ de noces** viaje de novios; **~ organisé** viaje organizado.

voyager [vwajaʒe] *vi* viajar; **voyageur, euse** *nm/f* viajero/a // *a* aventurero(a); **voyageur (de commerce)** viajante *m* (de comercio).

voyais *etc voir* **voir.**

voyant, e [vwajɑ̃, ɑ̃t] *a* estridente, chillón(ona) // *nm* señal luminosa // *nf* adivina, vidente *f*.

voyelle [vwajɛl] *nf* vocal *f*.

voyeur, euse [vwajœʀ, øz] *nm/f* mirón/ona.

voyez *vb voir* **voir.**

voyou [vwaju] *nm* pilluelo, granuja *m*; (*petit truand*) granuja, bribón *m* // *a* pícaro(a).

vrac [vʀak] : **en ~** *a, ad* en desorden; (*COMM*) a granel.

vrai, e [vʀɛ] *a* verdadero(a) // *nm*: **le ~** lo verdadero; **son ~ nom** su verdadero nombre; **un ~ comédien** un auténtico comediante; **à ~ dire** a decir verdad; **il est ~ que** es cierto que; **être dans le ~** estar en lo cierto; **~ment** *ad* ciertamente, verdaderamente; (*dubitatif*): **"~ment?"** ¿realmente?, ¿de veras?

vraisemblable [vʀɛsɑ̃blabl(ə)] *a* verosímil; (*probable*) probable.

vraisemblance [vʀɛsɑ̃blɑ̃s] *nf* verasimilitud *f*; **selon toute ~** con toda seguridad, indudablemente.

vrille [vʀij] *nf* zarzillo; (*outil*) barrena; (*hélice, spirale*) espiral *f*; **faire une ~** hacer la barrena; **vrillé, e** *a* ensortijado(a), retorcido(a); **vriller** *vt* barrenar.

vrombir [vʀɔ̃biʀ] *vi* zumbar.

vu [vy] *prép* en vista de, a causa de; **~ que** visto que, dado que.

vu, e [vy] *pp de* **voir** // *a*: **bien/mal ~** bien/mal visto // *nm*: **au ~ et au su de** a la vista y conocimiento de // *nf* vista; **vues** *fpl* (*idées*) opiniones *fpl*; (*dessein*) proyectos; **ni ~ ni connu** ni visto ni oído; **à vue** (*COMM*) a la vista; **tirer à vue** disparar sin dar la voz de alto; **à vue d'œil** a ojos vistas; **en vue** a la vista; **en vue de** a la vista de; **en vue de faire qch** con el objeto de hacer algo; **vue de l'esprit** teoría pura.

vulgaire [vylgɛʀ] *a* vulgar; (*péj*): **de ~s touristes** vulgares *o* simples turistas; **nom ~** (*BOT, ZOOL*) nombre vulgar; **~ment** *ad* vulgarmente.

vulgarisation [vylgaʀizɑsjɔ̃] *nf*: **ouvrage de ~** obra de divulgación.

vulgariser [vylgaʀize] *vt* difundir, divulgar; (*rendre vulgaire*) vulgarizar.

vulgarité [vylgaʀite] *nf* vulgaridad *f*.

vulnérable [vylneʀabl(ə)] *a* vulnerable.

vulve [vylv(ə)] nf vulva.

W

wagon [vagɔ̃] *nm* vagón *m*; **~-citerne** vagón cisterna; **~-lit** coche-cama *m*; **~-poste** coche-correo *m*; **~-restaurant** coche-restaurante *m*.

Washington [waʃintɔn] *n* Washington.

waters [watɛʀ] *nmpl* retretes *mpl*, waters *mpl*.

watt [wat] *nm* vatio.

WC [dubləvese] *nmpl* w.c. *m*.

week-end [wikɛnd] *nm* fin *m* de semana.

western [wɛstɛʀn] *nm* western *m*, película del oeste.

whisky [wiski] *nm* whisky *m*.

X

xénophobe [ksenɔfɔb] *nm/f* xenófobo/a.
xérès [gzeʀɛs] *nm* jerez *m.*
xylographie [ksilɔgʀafi] *nf* xilografía.
xylophone [ksilɔfɔn] *nm* xilófono.

Y

y [i] *ad* (*à cet endroit*) allí, ahí; (*dessus*) (ahí *o* allí) encima *o* arriba; (*dedans*) (ahí *o* allí) dentro // *pron* lo: *vérifier la syntaxe du verbe employé*; **j'y pense** piènso en ello; *voir aussi* **aller, avoir**.
yacht [jɔt] *nm* yate *m.*
yaourt [jauʀt] *nm* = **yoghourt.**
yeux [jø] *pl de* **œil.**
yoga [jɔga] *nm* yoga *m.*
yoghourt [jɔguʀt] *nm* yogur *m.*
yole [jɔl] *nf* yola, bote *m* de chumaceras.
yougoslave [jugɔslav] *a, nm/f* yugoeslavo(a).
Yougoslavie [jugɔslavi] *nf* Yugoeslavia.
youyou [juju] *nm* lanchón *m,* gabarra.
yo-yo [jojo] *nm inv* yo-yo.

Z

zèbre [zɛbʀ(ə)] *nm* cebra.
zébré, e [zebʀe] *a* marcado(a) con rayas, cebrado(a).
zébrure [zebʀyʀ] *nf* raya.
zélateur, trice [zelatœʀ, tʀis] *nm/f* adepto/a, defensor/ora.
zèle [zɛl] *nm* celo, afán *m*; **faire du ~** (*péj*) excederse en el celo; **zélé, e** *a* afanoso(a).
zénith [zenit] *nm* cenit *m*; (*fig*) cenit, cumbre *f.*
zéro [zeʀo] *nm* cero; **au dessus/au-dessous de ~** (*température*) sobre/bajo cero; **réduire à ~** reducir a la nada; **partir de ~** partir de cero, comenzar desde el principio; **trois (buts) à ~** tres (tantos) a cero.
zeste [zɛst(ə)] *nm* cáscara.
zézayer [zezeje] *vi* cecear.
zibeline [ziblin] *nf* marta cebellina; (*fourrure*) cibelina.
zigouiller [ziguje] *vt* (*fam*) escabechar.
zigzag [zigzag] *nm* zigzag *m*; **zigzaguer** *vi* zigzaguear.
zinc [zɛ̃g] *nm* cinc *m,* zinc *m*; (*comptoir*) barra.
zingueur [zɛ̃gœʀ] *nm*: **(plombier) ~** *fontanero que trabaja con cinc.*
zinnia [zinja] *nm* zinnia, rascamoño.
zizanie [zizani] *nf* cizaña.
zodiaque [zodjak] *nm* zodíaco.
zona [zona] *nm* zona.
zone [zon] *nf* zona, región *f*; **~ bleue** zona azul; **~s monétaires** zonas monetarias.
zoo [zoo] *nm* zoo, parque zoológico.
zoologie [zɔɔlɔʒi] *nf* zoología; **zoologique** *a* zoológico(a); **zoologiste** *nm/f* zoólogo/a.
zut [zyt] *excl* ¡caracoles!; ¡recórcholis!

ESPAGNOL - FRANÇAIS
ESPAÑOL - FRANCÉS

A

a *prep* (*a* + *el* = *al*) à; (*situación, lugar*): ~ **la derecha/izquierda** à droite/ gauche; **al lado de** à côté de; (*dirección*): **subir** ~ **un avión/tren** monter dans un avion/train; **voy al dentista** je vais chez le dentiste; (*con nombres propios*): **voy** ~ **París/Colombia** je vais à Paris/en Colombie; (*destino*): **dirigirse** ~ **la estación** se diriger vers la gare; (*tiempo*): ~ **las cuatro** à quatre heures; **¿~ qué hora?** à quelle heure?; **al día siguiente** le jour suivant; **al poco tiempo** peu après; (*manera*): **hacerlo** ~ **la fuerza** le faire par *ou* de force; (*evaluación*): **poco** ~ **poco** peu à peu; **ocho horas al día** huit heures par jour; (*con verbo*): **empezó** ~ **llover** il se mit à pleuvoir; **voy** ~ **llevarlo** je vais l'emporter; (*complemento de objeto*): **quiero** ~ **mis padres** j'aime mes parents; (*complemento indirecto*): **se lo dije** ~ **él** je le lui ai dit; (*complemento circunstancial*): **cercano** ~ près de; **por miedo** ~ par peur de; (*frases elípticas*): **¡~ comer!** mangeons!; **¡al patio!** allons dans le patio!; **¿~ qué viene eso?** qu'est-ce que cela signifie?; ~ **ver** voyons.

abacero, a *nm/f* épicier/ière.

abad *nm* abbé *m*.

abadejo *nm* (*pez*) morue *f*; (*pájaro*) roitelet *m*; (*insecto*) méloé *m*.

abadía *nf* abbaye *f*.

abajo *ad* dessous, en bas; ~ **de** *prep* sous; **¡~ el gobierno!** à bas le gouvernement!; **el** ~ **firmante** le soussigné; **más** ~ plus bas; **echar** ~ (*gobierno*) renverser; (*edificio*) abattre; (*avión*) descendre; **venirse** ~ s'effondrer; s'écrouler.

abalanzar *vt* équilibrer; ~**se** *vr* s'élancer.

abalorio *nm* verroterie *f*.

abanderado *nm* porte-drapeau *m*.

abandonado, a *a* abandonné(e).

abandonar *vt* (*familia, casa*) abandonner, quitter; (*carrera, partido*) abandonner; (*la bebida*) renoncer à; ~**se** *vr* se laisser aller; ~**se a** s'abandonner à.

abandono *nm* abandon *m*; forfait *m*.

abanicar *vt* éventer; (*enfermo*) faire de l'air à; ~**se** *vr* s'éventer.

abanico *nm* éventail *m*; (NAUT) bigue *f*.

abaratar *vt* baisser; *vi*, ~**se** *vr* baisser.

abarca *nf* sandale *f*.

abarcar *vt* embrasser, cerner; (*fig*) embrasser; (AM) accaparer, monopoliser.

abarrotar *vt* surcharger; (NAUT) arrimer; (*habitación, calle*) encombrer; (AM) accaparer.

abarrote *nm* ballot *m*; ~**s** *nmpl* (AM) articles *mpl* d'épicerie.

abarrotero, a *nm/f* (AM) épicier/ière.

abastecer *vt* approvisionner; (*de víveres*) ravitailler; (*de libros:una biblioteca*) alimenter.

abastecimiento *nm* ravitaillement *m*.

abasto *nm* (*de provisiones*) ravitaillement *m*; (*abundancia*) abondance *f*; (*de bordado*) partie *f* secondaire d'une broderie; (AM) abattoir *m*; **mercado de** ~ marché *m*, halles *fpl*; **dar** ~ **con** arriver à faire.

abate *nm* abbé *m*.

abatido, a *a* abattu(e).

abatimiento *nm* (*acto*) démoli-

tion; (*moral*) abattement *m*; (*NAUT*) abattée *f*.
abatir *vt* (*gen*) abattre; (*pájaro*) descendre; (*fig*) humilier, abaisser; (*vela, bandera*) amener; (*rumbo*) abattre; (*desmontar*) démonter; (*naipes*) abattre // *vi* dériver; **~se** *vr* s'humilier.
abdicación *nf* abdication *f*.
abdicar *vt* abdiquer.
abdomen *nm* abdomen *m*.
abecedario *nm* abécédaire *m*.
abedul *nm* bouleau *m*.
abeja *nf* abeille *f*.
abejón *nm* (*ZOOL*) bourdon *m*.
aberración *nf* aberration *f*.
abertura *nf* ouverture *f*; (*de borde de mar, río*) crique *f*; (*en montaña*) crevasse *f*; (*entre montañas*) trouée *f*; (*en falda, chaqueta*) fente *f*.
abeto *nm* sapin *m*.
abierto, a *pp de* **abrir** // *a* ouvert(e); (*flor*) épanoui(e).
abigarrado, a *a* bigarré(e).
abintestato, a *a* intestat(e).
abiselar *vt* biseauter.
abismado, a *a* abîmé(e).
abismar *vt* ruiner; humilier; engloutir; **~se** *vr* s'abîmer; (*en el trabajo*) se plonger.
abismo *nm* abîme *m*.
abjuración *nf* abjuration *f*.
abjurar *vt* abjurer // *vi*: **~ de** abjurer de.
ablandar *vt* amollir; (*carne*) attendrir; (*lentejas*) faire tremper; (*a alguien enfadado*) calmer, radoucir; (*con ternezas*) attendrir, fléchir.
ablución *nf* ablution *f*.
abnegación *nf* abnégation *f*.
abnegado, a *a* désintéressé(e), altruiste.
abnegarse *vr* se dévouer.
abobado, a *a* niais(e); ahuri(e).
abocar *vt* (*con la boca*) saisir (avec la bouche); (*acercar*) approcher; **~se** *vr* (*a alguien*) s'adresser; *vi*: **~** a parvenir à; (*tarea*) s'atteler à.
abochornado, a *a* honteux(euse).
abochornar *vt* suffoquer; **~se** *vr* avoir honte, rougir; (*BOT*) griller.
abofetear *vt* gifler.
abogacía *nf* barreau *m*.
abogaderas *nfpl* (*AM*) arguties *fpl*.
abogado *nm* avocat *m*.
abogar *vi*: **~ por** *o* **en** plaider en faveur de.
abolengo *nm* ascendance *f*, lignée *f*.
abolición *nf* abolition *f*.
abolir *vt* abolir.
abolladura *nf* bosse *f*, bosselure *f*.
abollar *vt* bosseler.
abombarse *vr* (*AM*: *fam*) se saouler; (*carne*) pourrir; (*leche*) tourner.
abominación *nf* abomination *f*.
abonado, a *a* (*a revista, teatro*) abonné(e); (*deuda*) payé(e), réglé(e); (*tierras*) fumé(e).
abonanzar *vi* se calmer.
abonar *vt* (*deuda*) payer; (*terreno*) fumer; (*idea*) accréditer // *vi* se calmer; **~se** *vr* s'abonner.
abono *nm* paiement *m*; (*de deuda*) règlement *m*; (*de tierra*) engrais *m*; (*a teatro*) abonnement *m*.
abordar *vt* aborder.
abordo *nm* abordage *m*.
aborigen *nm* aborigène *m*.
aborrecer *vt* détester; (*suj*: *pájaro*) abandonner.
aborrecible *a* haïssable.
abortar *vi* avorter; échouer.
aborto *nm* avortement *m*; échec *m*.
abotonar *vt* boutonner // *vi* bourgeonner.
abovedado, a *a* voûté(e).
abra *nf* (*en playa*) crique *f*; (*en montaña*) crevasse *f*, petite vallée; (*en el suelo*) crevasse; (*en bosque*) clairière *f*.
abrasar *vt* embraser; (*AGR*) brûler, griller.
abrazar *vt* embrasser.
abrazo *nm* étreinte *f*, accolade *f*; **un ~** (*en carta*) affectueusement.
abrevadero *nm* abreuvoir *m*; (*AM*) mine inondée.
abrevar *vt* (*animal*) abreuver, donner à boire à; (*piel*) faire boire; (*planta*) arroser.

abreviar *vt* abréger; (*plazo*) raccourcir.
abreviatura *nf* abréviation *f*.
abrigar *vt* (*proteger*) protéger; (*NAUT*) abriter; (*esperanza*) nourrir.
abrigo *nm* abri *m*; (*prenda*) pardessus *m*, manteau *m*; (*TEC*) abrivent *m*.
abril *nm* avril *m*.
abrir *vt* ouvrir; (*horadar*) percer; (*tratos*) inaugurer; (*las piernas*) écarter; (*calle*) percer // *vi* (*flor*) s'épanouir; **~se** *vr* s'ouvrir; (*cielo*) se dégager; (*AM*) prendre le large, partir; **~se paso** s'ouvrir un chemin.
abrochador *nm* tire-bouton *m*; (*AM*) agrafe *f*
abrochar *vt* (*vestido*) boutonner, fermer; (*AM*) agrafer; (*zapato*) lacer.
abrogación *nf* abrogation *f*.
abrogar *vt* abroger.
abrojo *nm* (*BOT*) chardon *m*; (*MIL*) chausse-trappe *f*; **~s** *nmpl* (*zarzas*) ronces *fpl*; (*NAUT*) écueils *mpl*.
abrumado, a *a* accablé(e).
abrumar *vt* accabler, écraser; ennuyer; **~se** *vr* s'ennuyer; (*nublarse*) s'embrumer.
abrupto, a *a* abrupt(e).
absceso *nm* abcès *m*.
ábside *nm* abside *f*.
absolución *nf* (*de pecado*) absolution *f*; (*de condenado*) acquittement *m*.
absolutamente *ad* absolument.
absolutismo *nm* absolutisme *m*.
absoluto, a *a* absolu(e); **en ~** *ad* absolument pas; pas du tout; (*no negativo*) absolument; **no tiene miedo en ~** il n'a pas du tout peur, il n'a absolument pas peur.
absolver *vt* (*pecador*) absoudre; (*acusado*) innocenter; (*de promesa*) délier.
absorber *vt* absorber.
absorción *nf* absorption *f*.
absorto, a *pp de* **absorber** // *a* absorbé(e).
abstemio, a *a* abstème.
abstención *nf* abstention *f*.
abstenerse *vr* s'abstenir.
abstinencia *nf* abstinence *f*.
abstracción *nf* abstraction *f*.
abstraer *vt* abstraire // *vi*: **~ de** faire abstraction de; **~se** *vr* s'absorber.
abstraído, a *a* abstrait(e); (*fig*) distrait(e).
abstruso, a *a* abstrus(e), abscons(e).
absuelto *pp de* **absolver.**
absurdo, a *a* absurde // *nm* imbécillité *f*.
abuchear *vt* huer.
abuela *nf* grand-mère *f*.
abuelo *nm* grand-père *m*.
abultado, a *a* gros(se), volumineux(euse).
abultar *vt* grossir; (*fig*) exagérer; (*costo*) gonfler.
abundancia *nf* abondance *f*.
abundante *a* abondant(e).
abundar *vt* abonder.
aburrido, a *a* (*hastiado*) ennuyé(e); las(se); (*que aburre*) ennuyeux(euse) // *nm/f* ennuyeux/euse.
aburrimiento *nm* ennui *m*.
aburrir *vt* ennuyer; **~se** *vr* s'ennuyer.
abusar *vi* abuser; **~ de** abuser de.
abuso *nm* abus *m*.
abyecto, a *a* abject(e).
A.C. *abr de Año de Cristo* ap. J-C. (après Jésus-Christ).
a/c *abr de al cuidado de* c/o (chez).
acá *ad* ici; là; **de ayer ~** d'hier à aujourd'hui; **¿desde cuándo ~?** depuis quand?; **mas ~ de** au delà de; **de ~ para allá** de ci, de là.
acabado, a *a* achevé(e); terminé(e); (*producto*) fini(e); (*perfecto*) parfait(e); (*persona: agotado*) fini // *nm* fini *m*.
acabar *vt* (*llevar a su fin*) achever; (*llegar al final de*) terminer; (*perfeccionar*) perfectionner; (*consumir*) consommer; (*rematar*) achever; // *vi* finir, se terminer; **~ con** en finir avec; **~ de** venir de; **~ por**

finir par; ~**se** *vr* prendre fin; **¡se acabó!** c'est tout!
academia *nf* académie *f.*
académico, a *a* académique // *nm* académicien/ne.
acaecer *vi* arriver, avoir lieu.
acallar *vt* faire taire; (*aplacar*) apaiser; (*hambre*) assouvir.
acaloramiento *nm* (*calentamiento*) échauffement *m*; (*excitación*) ardeur *f.*
acalorar *vt* (*calentar*) chauffer; (*fomentar*) encourager; ~**se** *vr* (*fig*) s'enflammer.
acamastronarse *vr* devenir rusé(e).
acampanado, a *a* en forme de cloche.
acampar *vi* camper.
acanalado, a *a* cannelé(e); (*río*) encaissé(e).
acanalar *vt* (*metal*) strier; (*tela*) canneler.
acantilado, a *a* escarpé(e) // *nm* falaise *f.*
acantonar *vt* cantonner.
acaparamiento *nm* accaparement *m*, monopolisation *f.*
acaparar *vt* accaparer.
acariciar *vt* caresser; (*fig*) caresser, nourrir.
acarrear *vt* (*llevar*) transporter; (*arrastrar*) charrier; (*en carro*) charroyer; (*fig*) occasionner.
acarreo *nm* (*transporte*) transport *m*; (*arrastre*) charriage *m*; (*precio*) prix *m* du transport.
acaso *ad* peut-être // *nm* hasard *m*; **por si** ~ au cas où; **si** ~ par hasard; **al** ~ par hasard.
acatamiento *nm* obéissance *f*; soumission *f*; respect *m*; déférence *f.*
acatar *vt* honorer, respecter; observer; obéir.
acatarrarse *vr* s'enrhumer; (AM) s'enivrer.
acaudalado, a *a* riche.
acaudalar *vt* thésauriser.
acaudillar *vt* commander.
acceder *vi* (*consentir*) accéder, consentir; (*asentir*) acquiescer, consentir.
accesible *a* accesible.
acceso *nm* accès *m*; (*camino*) voie *f* d'accès; ~ **de tos** quinte *f* de toux.
accesorio, a *a* accessoire // *nm* accessoire *m.*
accidentado, a *a* accidenté(e); (*viaje*) mouvementé(e).
accidental *a* accidentel(le).
accidente *nm* accident *m*; (LING) flexion *f*; (MED) syncope *f*; **vida sin** ~**s** vie sans histoire.
acción *nf* action *f*; (*de actor*) jeu *m*; (MIL) combat *m*; **acciones ordinarias/preferentes** actions ordinaires/privilégiées.
accionar *vt* actionner.
accionista *nm/f* actionnaire *m/f.*
acebo *nm* houx *m.*
acebuche *nm* olivier *m* sauvage.
acecinar *vt* boucaner.
acechanza *nf* = **acecho.**
acechar *vt* guetter.
acecho *nm* guet *m*; **estar al** ~ être à l'affût.
acedía *nf* (*acidez*) aigreur *f*; (*de estómago*) acidité *f*; (*de plantas*) jaunissement *m*; (*pez*) plie *m*, carrelet *m*, limande *f*; (*aspereza*) âpreté *f.*
acedo, a *a* aigre, acide.
aceitar *vt* huiler.
aceite *nm* huile *f*; (*de oliva*) huile d'olive.
aceitera *nf* huilier *m*; marchande *f* d'huile.
aceitoso, a *a* huileux(euse).
aceituna *nf* olive *f.*
aceitunado, a *a* olivâtre.
acelerar *vt* accélérer.
acémila *nf* bête *f* de somme, butor *m.*
acendrado, a *a* pur(e).
acendrar *vt* (*depurar*) épurer; (*oro, plata*) affiner.
acento *nm* accent *m.*
acentuar *vt* accentuer; (*intensificar*) intensifier; (*luz*) augmenter.
acepción *nf* acception *f*; préférence *f.*

acepillar *vt* brosser; (CARPINTERÍA) raboter.
aceptación *nf* acceptation *f*; approbation *f*; satisfaction *f*; (*éxito*) succès *m*.
aceptar *vt* accepter.
acequia *nf* canal *m* d'irrigation; (AM) ruisseau *m*.
acera *nf* trottoir *m*.
acerado, a *a* acieré(e); acéré(e); résistant(e); mordant(e).
acerbo, a *a* acerbe.
acerca de *ad* à propos de, au sujet de.
acercar *vt* approcher; **~se** *vr* s'approcher; **~se a** s'approcher de.
acero *nm* acier *m*; (*arma*) fer *m*; (*coraje, valor*) courage *m*, intrépidité *f*.
acérrimo, a *a* très fort(e), robuste; (*fig*) tenace; acharné(e).
acertado, a *a* juste; opportun(e); habile, heureux(euse); (*contestación*) adroit(e).
acertar *vt* (*dar en*: *el blanco*) atteindre; (*llegar a encontrar*) trouver; (*alcanzar*) réussir // *vi* taper dans le mille; (*tener éxito*) réussir; **~ a** réussir à; **~ con** trouver.
acervo *nm* tas *m*; amas *m*.
acético, a *a* acétique.
aciago, a *a* funeste.
acíbar *nm* aloès *m*; (*fig*) amertume *f*, douleur *f*.
acibarar *vt* rendre amer(ère).
acicalar *vt* (*armas*) fourbir; (*fig*) parer; **~se** *vr* se faire beau(belle).
acicate *nm* éperon *m* à broche; (*fig*) aiguillon *m*.
acicatear *vt* stimuler, aiguillonner.
acidez *nf* acidité *f*.
ácido, a *a* acide; (*personne*) amer(ère) // *nm* acide *m*.
acierto *nm* réussite *f*; (*de enigma*) résolution *f*; (*destreza*) habileté *f*.
aclamación *nf* acclamation *f*.
aclamar *vt* acclamer.
aclaración *nf* éclaircissement *m*; mise au point *f*.
aclarar *vt* éclaircir; (*ropa*) rincer // *vi* (*tiempo*) s'éclaircir; (*día*) se lever; **~se** *vr* s'éclaircir.
aclimatación *nf* acclimatation *f*.
aclimatar *vt* acclimater; **~se** *vr* s'acclimater.
acobardar *vt* faire peur à, intimider.
acocote *nm* calebasse *f*.
acodar *vt* (*árbol*) étayer; (AGR) marcotter; **~se** *vr* s'accouder.
acodo *nm* marcottage *m*.
acogedor, a *a* accueillant(e).
acoger *vt* accueillir, recevoir; **~se** *vr* se réfugier; **~se a** recourir à.
acogida *nf* accueil *m*.
acolchar *vt* (*muebles*) capitonner; (*colchón*) matelasser.
acolchonar *vt* matelasser.
acólito *nm* acolyte *m*.
acomedido, a *a* (AM) obligeant(e); serviable.
acomedirse *vr* (AM) rendre service, être serviable; **~ a** se proposer pour.
acometer *vt* assaillir, attaquer; (*empresa*) entreprendre.
acometida *nf* attaque *f*, assaut *m*.
acomodado, a *a* convenable; commode; (*precio*) modéré(e), raisonnable; (*persona*) aisé(e).
acomodador, a *a* accommodateur(trice) // *nm/f* placeur/ouvreuse.
acomodar *vt* (*ropa*) arranger; (*habitación*) aménager; (*persona*) placer; (*instrumento*) régler; **~se** *vr* (*en espectáculo*) se placer; (*en sillón*) s'installer; **~se con** se contenter de; (AM) s'arranger avec.
acomodo *nm* place *f*; situation *f*.
acompañamiento *nm* (*comitiva*) suite *f*; (TEATRO) figuration *f*; (MUS) accompagnement *m*; (AM) cortège *m* funèbre.
acompañar *vt* accompagner, tenir compagnie à; (*fig*) partager; (*documentos*) joindre; (MUS): **~ con** accompagner à.
acondicionar *vt* (*casa*) préparer, aménager; (*mercancías, aire*) conditionner.

acongojar *vt* angoisser.
aconsejar *vt* conseiller; **~se** *vr*: **~se con** se faire conseiller par.
acontecer *vi* arriver.
acontecimiento *nm* événement *m*.
acopio *nm* provision *f*.
acoplamiento *nm* (*TEC*) accouplement *m*; (*ensambladura*) assemblage *m*.
acoplar *vt* (*TEC*) accoupler; (*ELEC*) coupler.
acorazado, a *a* (*buque*) cuirassé(e); (*cámara*) blindé(e); (*fig*) endurci(e) // *nm* cuirassé *m*.
acordar *vt* se mettre d'accord sur; (*MUS*) accorder; (*PINTURA*) harmoniser; (*permiso*) délivrer; (*beca*) accorder // *vi* s'accorder; **~se** *vr* se souvenir, se rappeler; **~se de** se souvenir de, se rappeler; (*ponerse de acuerdo*) se mettre d'accord sur.
acorde *a* (*MUS*) accordé(e); harmonieux(euse); (*sentimiento*) identique // *nm* accord *m*; **estar ~s** être d'accord; **estar ~ con** être en accord avec.
acordeón *nm* accordéon *m*.
acordonado, a *a* entouré(e) d'un cordon.
acorralar *vt* (*ganado*) parquer; (*presa*) mettre aux abois; (*malhechor*) acculer.
acortar *vt* (*camino, falda, historia*) raccourcir; (*distancia, tiempo*) réduire; **~se** *vr* (*días*) raccourcir.
acosar *vt* poursuivre; (*fig*) harceler.
acostar *vt* (*en cama*) coucher; (*en suelo*) coucher, étendre; (*barco*) accoster; **~se** *vr* se coucher.
acostumbrar *vt* habituer, accoutumer; **~se** *vr* s'habituer.
acotación *nf* (*nota*) annotation *f*; (*GEO*) cote *f*.
acotar *vt* borner, délimiter; (*AGR*) ébrancher, étêter; (*GEO*) coter; (*manuscrito*) annoter.
acre *a* âcre; (*fig*) mordant(e) // *nm* acre *m*.
acrecentar *vt* augmenter.
acreditar *vt* (*cheque*) créditer; (*embajador*): **~ cerca de** accréditer auprès de; **~se** (*embajador*) présenter ses lettres de créances.
acreedor, a *a*: **~ a** digne de // *nm/f* créancier/ière.
acribar *vt* cribler.
acribillar *vt* cribler.
acrisolar *vt* (*metal*) affiner; (*fig*) faire briller.
acritud *nf* âcreté *f*; (*fig*) aigreur *f*.
acta *nf* acte *m*; (*de comisión*) rapport *m*; **~s** *nfpl* procès-verbal *m*, compte rendu *m*.
actitud *nf* attitude *f*.
activar *vt* activer; **~se** *vr* s'activer.
actividad *nf* activité *f*.
activo, a *a* actif(ive) // *nm* actif *m*.
acto *nm* acte *m*.
actor, a *nm/f* (*JUR*) demandeur/euse // *nm* acteur *m*.
actriz *nf* actrice *f*.
actuación *nf* comportement *m*; conduite *f*; rôle *m*; (*JUR*) procédure *f*; (*AM*) jeu *m*; **actuaciones** *nfpl* dossiers *mpl*.
actual *a* actuel(le).
actualidad *nf* actualité *f*; **~es** *nfpl* actualités *fpl*; **en la ~** à l'heure actuelle.
actualizar *vt* actualiser.
actuar *vi* (*obrar*) agir; (*actor*) jouer un rôle; (*JUR*) instruire un procès; (*función*) remplir une fonction *ou* une charge.
actuario *nm* greffier *m*.
acuarela *nf* aquarelle *f*.
Acuario *nm* le Verseau; **ser (de) ~** être (du) Verseau.
acuático, a *a* aquatique.
acuciar *vt* (*urgir*) presser; (*apremiar*) contraindre.
acucioso, a *a* diligent(e); avide, désireux(euse).
acuclillarse *vr* s'accroupir.
acudir *vi* arriver; (*con prontitud*) accourir; (*caballo*) obéir; (*presentarse*) se présenter; (*venir*) venir; **~ a** recourir à.
acueducto *nm* aqueduc *m*.

acuerdo *vb ver* **acordar** // *nm* accord *m*; décision *f*; **¡de ~!** d'accord!; **de ~ con** (*persona*) d'accord avec; (*acción, documento*) en accord avec; **volver en su ~** revenir à la raison.
acullá *ad* là-bas, par-là.
acumulación *nf* accumulation *f*.
acumulador *nm* accumulateur *m*.
acumular *vt* (*gen*) accumuler; (*empleos*) cumuler.
acunar *vt* bercer.
acuñar *vt* (*moneda*) frapper; (*poner cuñas*) coincer.
acuoso, a *a* aqueux(euse).
acurrucarse *vr* se blottir.
acusación *nf* accusation *f*.
acusar *vt* accuser.
acuse *nm*: **~ de recibo** accusé *m* de réception.
acústico, a *a* acoustique // *nf* acoustique *f* // *nm* appareil *m* acoustique.
achacar *vt* imputer.
achacoso, a *a* (*persona*) malade; (*objeto*) défectueux(euse).
achaque *nm* (*indisposición*) malaise *m*; (*defecto*) infirmité *f*; (*excusa*) excuse *f*.
achicar *vt* (*gen*) diminuer; (*NAUT*) écoper; (*fig*) humilier; **~se** *vr* se laisser abattre.
achicoria *nf* chicorée *f*.
achicharrar *vt* griller; (*fastidiar*) tourmenter; (*AM*) aplatir.
achiguarse *vr* se bomber; (*pared, madera*) se gauchir; (*persona*) prendre de l'embonpoint.
acholado, a *a* (*AM*) au teint cuivré; (: *fig*) penaud(e); honteux(euse).
acholar *vt* (*AM*) faire rougir, faire honte à; **~se** *vr* (*AM*) rougir.
achucutarse *vt* (*AM*) faire rougir, faire honte à.
achuchar *vt* (*fam*) aplatir; (*fig*) bousculer, pousser.
adagio *nm* adage *m*; (*MUS*) adagio *m*.
adalid *nm* chef *m*.
adaptación *nf* adaptation *f*.
adaptar *vt* adapter.
adarga *nf* bouclier *m*.
a. de C. *abr* = **a. de J.C.**
A. de C. *abr* = **A.C.**
adecuado, a *a* adéquat(e); (*apto*) apte.
adefesio *nm* (*fam*) épouvantail *m*; absurdité *f*.
a. de J.C. *abr de antes de Jesucristo* av. J-C. (avant Jésus-Christ).
adelantado, a *a* (*alumno*) avancé(e); (*reloj*): **estar ~** avancer // *nm gouverneur d'une province*; **pagar por ~** payer à l'avance.
adelantamiento *nm* (*AUTO*) dépassement *m*; (*de país*) progrès *m*.
adelantar *vt* avancer; (*el paso*) presser; (*trabajo*) (faire) avancer; (*AUTO, DEPORTE*) dépasser // *vi* avancer; (*AUTO, DEPORTE*) dépasser; **~se** *vr* s'avancer.
adelante *ad* en avant // *excl* (*pase*) entrez!; (*siga*) continuez!; (*MIL*) en avant!; **de hoy en ~** désormais, à partir de maintenant; **más ~** plus loin; **ir ~** aller de l'avant; **llevar ~** pousser, faire vivre; **sacar ~** (*niño*) élever; (*proyecto*) faire avancer; **salir ~** s'en tirer; **seguir ~** continuer.
adelanto *nm* avance *f*; (*progreso*) progrès *m*.
adelfa *nf* laurier rose *m*.
adelgazar *vt* affiner; (*persona*) faire maigrir // *vi* maigrir; (*al estar a dieta*) se faire maigrir; **~se** *vr* maigrir; (*al estar a dieta*) se faire maigrir; (*imagen*) s'effacer, s'estomper.
ademán *nm* expression *f*; **en ~ de** en signe de; **hacer ~ de** faire mine de; **ademanes** *nmpl* manières *fpl*.
además *ad* en plus; de plus; **~ de** en plus de.
adentro *ad* à l'intérieur, dedans; **mar ~** au large; **tierra ~** à l'intérieur des terres.
adepto, a *nm/f* partisan/e.
aderezar *vt* (*mesa*) dresser; (*comida, tela*) apprêter; (*ensalada*) assaisonner; **~se** *vr* se préparer.

aderezo *nm* (*de persona*) parure *f*; (*de tela*) apprêt *m*; (*de comida*) préparation *f*; (*de caballo*) harnais *m*.
adeudar *vt* devoir // *vi* s'apparenter; ~**se** *vr* s'endetter.
adherir *vt, vi* coller; ~**se** *vr*: ~**se a** adhérer à.
adhesión *nf* adhésion *f*.
adición *nf* addition *f*.
adicionar *vt* additionner.
adicto, a *a* attaché(e); (*amigo*) fidèle // *nm/f* fidèle *m/f*, dévoué/e; ~ a enclin à.
adiestrar *vt* (*animal*) dresser; (*niño*) instruire; (*la mano*) guider; ~**se** *vr* s'exercer, s'entraîner.
adinerado, a *a* riche.
adiós *excl* adieu!; au revoir! // *nm* adieu *m*; au revoir *m*.
aditamento *nm* addition *f*, supplément *m*.
aditivo *nm* additif *m*.
adivinanza *nf* divination *f*; (*acertijo*) devinette *f*.
adivinar *vt* deviner.
adivino, a *nm/f* devin/devineresse.
adj *a* (*abr de adjunto*) inc. (inclus).
adjudicación *nf* adjudication *f*.
adjudicar *vt* adjuger; ~**se** *vr* s'adjuger.
adjuntar *vt* adjoindre.
adjunto, a *a* adjoint(e); (*documento*) ci-inclus(e), ci-joint(e) // *nm/f* adjoint/e // *nm* accessoire *m*.
administración *nf* administration *f*.
administrador, a *nm/f* administrateur/trice.
administrar *vt* administrer.
administrativo, a *a* administratif(ive).
admirable *a* admirable.
admiración *nf* admiration *f*; (LING) point d'exclamation *m*.
admirar *vt* admirer; ~**se** *vr* s'étonner.
admisible *a* admissible.
admitir *vt* (*aceptar*) admettre; (*conceder*) consentir.
admonición *nf* admonition *f*.
adobar *vt* (*carne*) mettre en daube; (*pescado*) préparer à la marinade.
adobe *nm* brique crue.
adobo *nm* (*de carne*) daube *f*; (*de pescado*) marinade *f*; (*de piel, tela*) apprêt *m*; (*del rostro*) fard *m*.
adolecer *vi* tomber malade; ~ **de** souffrir de.
adolescente *a* adolescent(e) // *nm* adolescent/e.
adónde *ad* = **dónde.**
adopción *nf* adoption *f*.
adoptar *vt* adopter.
adoquín *nm* pavé *m*; (*fig*: *fam*) cruche *f*.
adoración *nf* adoration *f*
adorar *vt* adorer.
adormecer *vt* endormir; assoupir; (*fig*) calmer; ~**se** *vr* s'assoupir, somnoler, s'endormir; (*pierna etc*) s'engourdir; ~**se en** s'obstiner à.
adormidera *nf* stupéfiant *m*; (BOT) pavot *m*.
adornar *vt* orner; (*casa*) décorer; (*vestido*) parer; (*fig*: *estilo*) travailler; ~**se** *vr* se parer.
adorno *nm* (*de cosa*) garniture *f*; (*de persona*) parure *f*; (TAUR) fioriture *f*.
adquiero *etc vb ver* **adquirir**.
adquirir *vt* acquérir.
adquisición *nf* acquisition *f*.
adrede *ad* exprès, à dessein.
Adriático *nm*: **el (Mar)** ~ la mer Adriatique, l'Adriatique *f*.
adscribir *vt* assigner, attribuer; **estar adscripto a** être affecté à.
aduana *nf* douane *f*.
aduanero, a *a* douanier(ière).
aduar *nm* douar *m*, campement *m*.
aducir *vt* alléguer.
adueñarse *vr* s'approprier; s'emparer de.
adulación *nf* flatterie *f*.
adular *vt* flatter.
adulete *a* (AM) flatteur(euse), flagorneur(euse) // *nm/f* flatteur/euse, flagorneur/euse.
adulteración *nf* adultération *f*;

(*de producto alimenticio*) falsification *f.*
adulterar *vt* (*gusto*) adultérer; (*documento*) falsifier // *vi* commettre un adultère.
adulterio *nm* adultère *m.*
adulto, a *a, nm/f* adulte *m/f.*
adusto, a *a* sévère; austère.
advenedizo, a *nm/f* (*forastero*) étranger/ère; (*arribista*) arriviste *m/f*; (*nuevo rico*) parvenu/e.
advenimiento *nm* avènement *m*; (*de hijo*) venue *f.*
adventicio, a *a* adventice; (JUR : *bienes*) adventif(ive).
adverbio *nm* adverbe *m.*
adversario, a *a* adversaire // *nm/f* adversaire *m/f.*
adversidad *nf* adversité *f.*
adverso, a *a* adverse; contraire.
advertencia *nf* avertissement *m*; (*en libro*) avant-propos *m*; (NAUT) semonce *f*; observation *f.*
advertir *vt* remarquer.
adviento *nm* avent *m.*
adyacente *a* adjacent(e).
aéreo, a *a* aérien(ne).
aerodeslizador, aerodeslizante *nm* aéroglisseur *m.*
aeronáutica *nf* aéronautique *f.*
aeroplano *nm* aéroplane *m.*
aeropuerto *nm* aéroport *m.*
afabilidad *nf* affabilité *f.*
afable *a* affable.
afamado, a *a* renommé(e).
afán *nm* (*trabajo*) labeur *m*; (*anhelo*) soif *f*, ardeur *f.*
afanar *vt* harceler; (AM: *fam*) rafler; **~se** *vr* travailler beaucoup, se donner de la peine; **~se por** s'efforcer de, s'évertuer à.
afanoso, a *a* pénible, laborieux(euse).
afear *vt* enlaidir.
afección *nf* affection *f.*
afectación *nf* affectation *f.*
afectado, a *a* affecté(e).
afectar *vt* (*fingir*) feindre, affecter; (*atañer*) toucher, affecter.
afectísimo, a *a* affectueux(euse); **~ suyo** je vous prie d'agréer Monsieur/Madame l'expression de mes sentiments respectueux.
afecto, a *a* cher(ère); affectionné(e) // *nm* affection *f*, attachement *m*; **~** a enclin à.
afectuoso, a *a* affectueux(euse).
afeitar *vt* (*barba*) raser; (*cordero*) tondre; **~se** *vr* se raser.
afeite *nm* fard *m.*
afeminado, a *a* efféminé(e).
afeminar *vt* efféminer.
aferrado, a *a* obstiné(e).
aferrar *vt* (NAUT) mouiller; (*con garfio*) gaffer // *vi* (NAUT) mordre.
afianzamiento *nm* cautionnement *m*; garantie *f*; consolidation *f.*
afianzar *vt* (*respaldar*) cautionner; (*garantizar*) garantir; (*consolidar*) consolider; (*fijar*) fixer; (*apoyar*) soutenir; (*reforzar*) renforcer; (*afirmar*) affermir; **~se en su trabajo** s'affirmer dans son travail.
afición *nf* (*inclinación*) penchant *m*; (*afán*) ardeur *f*, zèle *m*; (*aficionados*) amateurs *mpl*; **hago música por ~** je fais de la musique par goût; **tener ~ a** aimer.
aficionado, a *a* (*entusiasta*) enthousiaste; (*no profesional*) amateur; **~ a** amateur de // *nm/f* amateur *m*; (*de equipo*) supporter *m/f*; (*de cantante*) fan *m/f*; **~ de** amateur de.
aficionar *vt* faire prendre goût à; **~se** *vr*: **~se a** prendre goût à, se passionner pour; **~se a alguien** s'attacher à qn.
afilado, a *a* (*cuchillo*) affilé(e), aiguisé(e); (*diente*) pointu(e).
afilar *vt* affûter; aiguiser; (*lápiz*) tailler.
afiliación *nf* affiliation *f.*
afiliar *vt* affilier; **~se** *vr* s'affilier.
afiligranado, a *a* filigrané(e); (*fig*) menu(e).
afín *a* (*próximo*) contigu(ë); (*país*) limitrophe; (*análogo*) analogue; (*conexo*) connexe; (*ideas*) voisin(e); **afines** *nmpl* proches *mpl.*

afinación *nf* (*TEC*) affinage *m*; (*MUS*) accordage *m*.
afinar *vt* (*TEC*) affiner; (*MUS*) accorder // *vi* jouer (*ou* chanter) juste.
afinidad *nf* affinité *f*; **parientes por ~** parents par alliance.
afirmación *nf* affirmation *f*.
afirmar *vt* (*aseverar*) affirmer, soutenir, assurer; (*sostener*) affermir; **~se** *vr* prendre appui.
afirmativo, a *a* affirmatif(ive).
aflicción *nf* affliction *f*.
afligir *vt* (*angustiar*) affliger; (*dar*) infliger.
aflojar *vt* relâcher; (*tornillo*) desserrer; (*nudo*) détendre; (*tensión*) faire baisser // *vi* (*temperatura, precios, interés*) diminuer, baisser **~se** *vr* se relâcher, se détendre.
afloramiento *nm* affleurement *m*.
afluencia *nf* affluence *f*.
afluente *a* affluent(e) // *nm* (*GEO*) affluent *m*.
afluir *vi* (*gente*) affluer; (*río*) confluer.
afmo, a *abr de* **afectísimo, a suyo, a.**
afonía *nf* extinction *f* de voix.
aforismo *nm* aphorisme *m*.
afortunado, a *a* (*feliz*) heureux(euse); (*que tiene suerte*) chanceux(euse); (*NAUT*) orageux(euse); (*de dinero*) fortuné(e).
afrancesado, a *a* francisé(e).
afrecho *nm* son *m*.
afrenta *nf* (*insulto*) affront *m*, outrage *m*; (*deshonor*) déshonneur *m*, opprobre *m*.
afrentar *vt* faire affront à, outrager; **~se** *vr* rougir, avoir honte.
afrentoso, a *a* ignominieux(euse); humiliant(e); deshonorant(e).
Africa *nf* Afrique *f*; **~ del Sur** Afrique du Sud.
africano, a *a* africain(e) // *nm/f* Africain/e.
afrontar *vt* affronter; **~ dos personas** mettre deux personnes l'une en face de l'autre.
afuera *ad* dehors // *excl* dehors!; **~s** *nfpl* alentours *mpl*.
afutrarse *vr* (*AM*) s'endimancher.
agachar *vt* (*la cabeza*) baisser; **~se** *vr* se baisser; (*someterse*) céder; (*ocultarse*) laisser passer l'orage.
agalla *nf* (*BOT*) galle *f*, noix *f* de galle; (*ANAT*) amygdale *f*; (*ZOOL*) ouïe *f*; (*AM*) gaffe *f*; **~s** *nfpl* (*MED*) angine *f*; (*ZOOL*) ouïes *fpl*; (*fig*) courage *m*.
agalludo, a *a* audacieux(euse); (*AM: desvergonzado*) effronté(e); (: *tacaño*) radin.
ágape *nm* agape *f*.
agarradera *nf* (*AM*) poignée *f*; (: *fam*) **tiene una buena ~** il a du piston.
agarradero *nm* (*de taza*) poignée *f*; (*de pala*) manche *m*; (*de cortina*) embrasse *f*; (*fam*): **tener ~** avoir du piston.
agarrado, a *a* pris(e); empoigné(e); (*fam*) radin.
agarrar *vt* attraper, saisir, accrocher; (*flor*) cueillir; (*empleo*) décrocher; (*fiebre*) attraper; (*AM: autobús*) prendre // *vi* (*pintura*) prendre bien; (*planta*) pousser bien; (*AM*): **~ por una calle** prendre une rue; **~se** *vr*: **~se (de)** se cramponner (à); (*AM: fam*) **se la agarró conmigo** il s'en prit contre moi.
agarrotar *vt* (*con cuerda*) garroter; (*suj: frío*) raidir; (*reo*) faire subir le supplice du garrot; **~se** *vr* (*motor*) gripper, bloquer; (*persona*) avoir des crampes.
agasajar *vt* fêter, accueillir chaleureusement.
agasajo *nm* bon accueil; réception *f*; (*regalo*) cadeau *m*; présent *m*.
agazapar *vt* (*fam*) attraper; **~se** *vr* se cacher; (*detrás de un muro*) se blottir.
agencia *nf* agence *f*, (*fig*) démarche *f*; **~ de viajes/inmobiliaria/de cambios** agence de voyages/immobilière/de change; ~

de colocaciones agence de placement.
agenciar *vt* préparer, agencer; (*fig*) procurer; **~se** *vr* (*fam*) se débrouiller.
agenda *nf* agenda *m*.
agente *nm* agent *m*; **~ inmobiliario/de policía** agent immobilier/de police.
agigantado, a *a* gigantesque; (*fig*) prodigieux(euse).
ágil *a* agile; souple; (*estilo*) alerte, enlevé(e).
agio *nm* agio *m*.
agiotista *nm* agioteur *m*.
agitación *nf* agitation *f*.
agitar *vt* agiter; (*fig*) troubler; **~se** *vr* s'agiter.
aglomerar *vt* agglomérer; **~se** *vr* s'agglomérer, s'entasser, s'attrouper.
agnóstico, a *a* agnostique // *nm/f* agnostique *m/f*.
agobiar *vt* (*las espaldas*) courber, écraser; (*con penas*) accabler, épuiser; (*con preguntas*) ennuyer, fatiguer; (*con trabajo*) déprimer, abattre; **~se** *vr*: **~se con** s'ennuyer avec; **~se de** se fatiguer de.
agolparse *vr* se presser, se rassembler; s'entasser.
agonía *nf* agonie *f*.
agonizante *a* agonisant(e).
agonizar *vt* (*fam*) harceler // *vi* (*aussi* **estar agonizando**) agoniser, être agonisant(e).
agorero, a *nm/f* devin/eresse // *a*: **noticia agorera** mauvaise nouvelle; **ave ~** oiseau *m* de malheur.
agostar *vt* dessécher, faner; (AGR) sarcler // *vi* paître.
agosto *nm* août *m*.
agotado, a *a* épuisé(e).
agotar *vt* vider; (*recursos, edición, tierra*) épuiser; (*tema*) traiter à fond; (*paciencia*) pousser à bout, épuiser; **~se** *vr* (*persona*) s'exténuer; (*libro*) s'épuiser.
agraciar *vt* (JUR) grâcier; (*con premio*) remettre un prix à.
agradable *a* agréable.
agradar *vt* plaire.
agradecer *vt* remercier.
agradecimiento *nm* reconnaissance *f*.
agrado *nm* plaisir *m*.
agrandar *vt* (*vestido, casa*) agrandir; (*dificultades*) grossir; (*patrimonio*) augmenter; **~se** *vr* (*niño*) grandir; (*fig*) s'agrandir.
agrario, a *a* agraire.
agravar *vt* aggraver; **~se** *vr* s'aggraver.
agraviar *vt* (*de palabra*) offenser; (*por acto*) nuire à, faire du tort à; **~se** *vr* s'offenser.
agravio *nm* offense *f*; (JUR) plainte *f* (en appel).
agravión, ona *a* (AM) susceptible, irritable.
agraz *nm* (AGR) verjus *m*, raisin vert; (BOT) épinevinette *f*; **en ~** encore vert, en herbe.
agredir *vt* attaquer, agresser.
agregado *nm* agrégat *m*, ensemble *m*; **~ cultural** attaché culturel.
agregar *vt* agréger; (*al servicio diplomático*) affecter.
agresión *nf* agression *f*.
agresivo, a *a* agressif(ive).
agreste *a* agreste; (*fig*) sauvage, grossier(ière).
agriar *vt* aigrir; **~se** *vr* (*vino*) s'aigrir; (*leche*) tourner; (*fig*) s'aigrir.
agrícola *a* agricole.
agricultor, a *nm/f* agriculteur/trice.
agridulce *a* aigre-doux (douce).
agrietarse *vr* (*tierra*) crevasser; (*piel, labios*) gercer; (*muro*) lézarder.
agringarse *vr* se conduire comme un étranger.
agrio, a *a* aigre.
agronomía *nf* agronomie *f*.
agrónomo *a* agraire // *nm* agronome *m*.
agrupación *nf* groupement *m*; **~ musical** groupe musical; **~ de jóvenes** mouvement *m* de jeunesse.

agrupar *vt* grouper; **~se** *vr* se grouper.
agua *nf* eau *f*; (ARQ) pente *f*; **~s** *nfpl* (*de piedra preciosa, tela*) reflet *m*; (MED): **hacer ~s** uriner; (MED): **~s mayores** selles *fpl*, matières fécales; (NAUT): **~s de flujo y reflujo** marée *f*; **~s jurisdiccionales** eaux territoriales; **pera de ~** poire fondante; **~s abajo/arriba** en aval/amont; (*nadar*) en descendant/en remontant le courant; **estar entre dos ~s** être indécis(e); **~ de colonia** eau de Cologne; **~ bendita** eau bénite.
aguacate *nm* (BOT) avocatier *m*; (AM) nigaud/e.
aguacero *nm* averse *f*, ondée *f*; (*fig*) ennuis *mpl*.
aguachar *vt* noyer, inonder.
aguado, a *a* coupé(e), baptisé(e) // *nf* (AGR) eau *f*; (NAUT) point *m* d'eau, aiguade *f*; (MINERÍA) inondation *f*; (PINTURA) gouache *f*; (AM) abreuvoir *m*.
aguador *nm* porteur *m* d'eau.
aguafiestas *nm/f* trouble-fête *m inv*.
aguaitar *vt* (AM) guetter, épier.
aguamala *nf* méduse *f*.
aguamanil *nm* pot *m* à eau.
aguamarina *nf* aigue-marine *f*.
aguantable *a* supportable.
aguantar *vt* (*frío*) endurer, supporter; (*alguien*) supporter, souffrir; (*rabia*) contenir; (*espera*) patienter; (*suj*: *muro*) tenir // *vi* résister; (TAUR) attendre de pied ferme; **~se** *vr* se contenir.
aguar *vt* mélanger d'eau, couper; (*vino, leche*) couper; (*crema*) délayer; **~se** *vr*: **se agua la fiesta** la fête se gâte.
aguardar *vt* attendre.
aguardiente *nm* eau-de-vie *f*.
aguarrás *nm* essence *f* de térébenthine.
agudeza *nf* (*de instrumento*) finesse *f*; (*de sentido*) acuité *f*; (*fig*): **~ de ingenio** esprit *m*.
agudo, a *a* (*cuchillo*) coupant(e); (*voz*) aigu(ë); fin(e); (MUS, LING, *ángulo*) aigu; (*espíritu*) vif(vive); (*escritor*) mordant(e); (*dolor, enfermedad*) aigu; (*vista*) perçant(e).
agüero *nm* augure *m*, présage *m*.
aguijar *vt* aiguillonner; (*fig*) stimuler // *vi* se hâter.
aguijón *nm* aiguillon *m*.
aguijonear *vt* = **aguijar.**
águila *nf* aigle *m*; (*fig*) as *m*.
aguileño, a *a* aquilin(e); (*nariz*) crochu(e); (*rostro*) allongé(e).
aguilucho *nm* (ZOOL) aiglon *m*; (BLASÓN) alérion *m*.
aguinaldo *nm* étrennes *fpl*.
aguja *nf* (*gen*) aiguille *f*; (AGR) greffon *m*; (ARQ) flèche *f*, aiguille; (TEC) burin *m*; **~s** *nfpl* (ZOOL) côtes *fpl*; (FERROCARRIL) aiguillage *m*.
agujerear *vt* percer, faire des trous dans.
agujero *nm* trou *m*; (*vendedor*) vendeur *m* d'aiguilles; (*para agujas*) aiguillier *m*.
agujetas *nfpl* courbatures *fpl*.
agustino, a *a* augustin(e).
aguzar *vt* tailler; **~ el oído** tendre l'oreille; **~ la vista** regarder attentivement.
aherrojar *vt* enchaîner; (*fig*) opprimer.
ahí *ad* là; **~ está su casa** voilà sa maison; **~ llega** le voilà; **hasta ~** jusque-là; **por ~** par là; **~ no más** ici-même.
ahijado, a *nm/f* filleul/e; (*fig*) protégé/e.
ahínco *nm* véhémence *f*.
ahitar *vt* (MED) causer une indigestion à; (*terreno*) jalonner; **~se** *vr* se gaver.
ahíto, a *a*: **estoy ~** j'ai une indigestion; (*fam*) fatigué(e); **estar ~ de** en avoir marre de.
ahogar *vt* noyer; (*animal*) étouffer, noyer; (*planta, habitación, fuego, rebelión*) étouffer; **~se** *vr* (*en el agua*) se noyer; (*por asfixia*) s'étouffer; (*por estrangulamiento*) s'étrangler.

ahogo *nm* étouffement m; (*fig*) angoisse *f*.
ahondar *vt* creuser // *vi* creuser, pénétrer.
ahora *ad* maintenant, à présent; ~ voy j'arrive; ~ **mismo** tout de suite; **desde** ~ à partir de maintenant; **hasta** ~ jusqu'à présent; **por** ~ pour le moment; *conj*: ~ **bien, si no te gusta** cela dit, si cela ne te plaît pas.
ahorcajadas *ad* à califourchon.
ahorcar *vt* pendre; ~**se** *vr* se pendre.
ahorita *ad* (*fam*) tout de suite.
ahorrar *vt* (*dinero*) économiser, épargner; (*esfuerzos*) économiser; ~**se** *vr* s'épargner.
ahorro *nm* économie *f*.
ahuecar *vt* (*árbol, piedra*) évider; (*tierra*) creuser; (*voz*) enfler; ~**se** *vr* se gonfler d'orgueil.
ahumar *vt* (*carne*) fumer; (*habitación*) enfumer // *vi* (*chimenea*) fumer; ~**se** *vr* (*habitación*) s'enfumer; (*muros*) noircir.
ahuyentar *vt* (*pájaro*) mettre en fuite; (*pensamiento*) chasser; ~**se** *vr* (AM) s'enfuir.
aindiado, a *a* d'aspect indien.
airado, a *a* furieux(euse); (*de mala vida*) de mauvaise vie; **palabra airada** gros mot.
airar *vt* fâcher; ~**se** *vr* se fâcher.
aire *nm* air *m*; vent *m*; (MUS) mouvement *m* // *excl* (*fam*) de l'air!, du vent!; ~**s** *nmpl*: **darse** ~**s** se donner des airs.
airoso, a *a* aéré(e); (TIEMPO) venteux(euse); (*fig*) élégant(e); **salir** ~ bien s'en tirer.
aislador, a *a* isolant(e) // *nm* isolant *m*.
aislar *vt* isoler.
ajar *vt* (*vestido*) défraîchir, user; (*color*) défraîchir; (*flor, piel*) flétrir.
ajedrez *nm* échecs *mpl*.
ajenjo *nm* absinthe *f*.
ajeno, a *a* (*extranjero*) étranger(ère); (*extraño*) étrange; (*diverso*) divers(e); différent(e).
ajetreo *nm* déploiement *m* d'activité.
ají *nm* (*pimiento*) poivre *m* de Guinée; piment *m* rouge; (*salsa*) sauce *f* au piment.
ajicero, a *a* du piment.
ajo *nm* ail *m*; ~ **porro** poireau *m*.
ajolote *nm* axolote *m*.
ajonjolí *nm* sésame *m*.
ajorca *nf* bracelet *m*.
ajuar *nm* (*de casa*) mobilier *m*; (*de novia*) trousseau *m*.
ajustado, a *a* réglé(e); correct(e); (*tornillo*) serré(e); (*cálculo*) exact(e); (*ropa*) ajusté(e), étroit(e); (DEPORTE: *resultado*) serré // *nm* ajustage *m*.
ajustar *vt* (TEC) ajuster; (IMPRENTA) mettre en pages; (*criado*) engager; (*cuenta*) régler; (*empleado*) embaucher; (*matrimonio*) arranger; (AM: *presupuesto*) équilibrer // *vi* être bien ajusté(e); ~**se** *vr* s'adapter; (*fig*: *enemigos*) se réconcilier; ~ **cuentas** régler ses comptes; ~ **el trabajo a un horario** aménager un horaire; ~ **un precio** convenir d'un prix.
ajuste *nm* (TEC) assemblage *m*, emboîtement *m*, ajustage *m*; (CINE) raccord *m*; (*entre enemigos*) accord *m*; (*de cuenta*) règlement *m*; (*de precios*) fixation *f*; (IMPRENTA) imposition *f*; (*musical*) arrangement *m*.
ajusticiar *vt* exécuter.
al = *a* + *el*, *ver* **a**.
ala *nf* (*gen*) aile *f*; (*de sombrero*) bord *m*; (*del corazón*) oreillette *f*; (*de techo*) avant-toit(s) *m*(*pl*); (*de hélice*) pale *f* // *nm/f* ailier/ière.
alabanza *nf* (*elogio*) éloge *m*, louange *f*; (*jactancia*) vantardise *f*.
alabar *vt* louer, vanter; ~**se** *vr* se vanter.
alabarda *nf* hallebarde *f*.
alabastro *nm* albâtre *m*.
alabear *vt* se gauchir; ~**se** *vr* se gondoler.
alacena *nf* placard *m*.
alacrán *nm* scorpion *m*.

alado, a *a* ailé(e); (BOT) en forme d'aile; (*fig*) éthéré(e).
alambicado, a *a* distillé(e); (*idea*) alambiqué(e); (*persona*) compliqué(e).
alambicar *vt* distiller; (*precio*) étudier.
alambique *nm* alambic *m*.
alambre *nm* fil *m* de fer *ou* d'acier; ~ **de púas** fil de fer barbelé.
alameda *nf* (*de álamos*) allée *f* de peupliers; (*plantío*) peupleraie *f*; (*lugar de paseo*) allée, promenade *f*.
álamo *nm* peuplier *m*; ~ **blanco/negro** peuplier blanc/noir; ~ **temblón** tremble *m*.
alano *nm* dogue *nm*.
alar *nm* avant-toit *m*, auvent *m*.
alarde *nm* (MIL) parade *f*, revue *f*; (*en cárcel*) visite *f*; (*ostentación*) étalage *m*.
alargar *vt* allonger; (*vestido*) allonger; (*paso*) allonger, presser; (*brazo*) allonger; (*cuerda*) dérouler; (*conversación, vacación*) prolonger; (*plazo de pago*) augmenter; ~**se** *vr* (*días*) s'allonger; (*viento*) tourner; (*persona*) s'allonger, s'étendre.
alarido *nm* hurlement *m*.
alarma *nf* alarme *f*; inquiétude *f*.
alba *nf* aube *f*.
albacea *nm/f* exécuteur/trice, testamentaire *m/f*.
Albania *nf* Albanie *f*.
albañal *nm* égout *m*.
albañil *nm* maçon *m*.
albarca *nf* = **abarca.**
albarda *nf* bât *m*.
albaricoque *nm* abricot *m*.
albedrío *nm*: **libre** ~ libre arbitre *m*.
albéitar *nm* vétérinaire *m*.
alberca *nf* (*para bañarse*) bassin *m*; (*depósito*) citerne *f*.
albérchigo *nm* alberge *f*.
albergar *vt* (*persona*) héberger, loger; (*planta*) abriter; (*esperanzas*) nourrir; ~**se** loger; se protéger.
albergue *nm* logement *m*; ~ **de juventud** auberge *f* de jeunesse; ~ **de carretera** relais *m*, auberge.
albis : **en albis** *ad*: **quedarse en** ~ ne rien piger.
albóndiga *nf* boulette *f*.
albor *nm* (*color*) blancheur *f*; (*del día*) aube *f*.
alborada *nf* (*del día*) aube *f*; (MUS) aubade *f*; (MIL) attaque *f* à l'aube.
alborear *vi* poindre (*le jour*).
albornoz *nm* (*de los árabes*) burnous *m*; (*para el baño*) peignoir *m* de bain.
alborotar *vi* faire du tapage; ~**se** *vr* (*persona, el mar*) s'agiter.
alboroto *nm* (*desorden*) désordre *m*, tumulte *m*; (*gritería*) tintamarre *m*.
alborozar *vt* réjouir, causer de la joie à; ~**se** *vr* se réjouir.
alborozo *nm* grande joie, allégresse *f*.
albricias *nfpl* cadeau *m* // *excl* chic!, réjouissons-nous!
álbum *nm* album *m*.
albur *nm* (*pez*) cabot *m*; ~**es** *nmpl* *jeu de cartes*; **correr un** ~ tenter sa chance.
alcachofa *nf* (BOT) artichaut *m*; (*de regadera*) pomme *f* d'arrosoir; (*de bañera*) crapaudine *f*.
alcahueta *nf* entremetteuse *f*; (*fig: fam*) maquerelle *f*.
alcahuete *nm* entremetteur *m*; (*fig: fam*) maquereau *m*; (TEATRO) rideau *m* d'entracte.
alcaide *nm* (*de fortaleza*) gouverneur *m* d'une forteresse; (*de prisión*) geôlier *m*.
alcalde *nm* maire *m*; ~ **mayor** juge *m* de paix.
alcaldía *nf* mairie *f*.
alcance *nm* portée *f*; (COM) déficit *m*; (*de periódico*) dernière minute; (*enfermedad*) atteinte *f*; ~ **de última hora** levée supplémentaire.
alcanforado *a* camphré(e).
alcanforar *vt* camphrer.
alcantarilla *nf* (*de aguas cloacales*) égout *m*; (*en la calle*) caniveau *m*.
alcanzar *vt* (*algo: con la mano, el pie*) atteindre, saisir; (*alguien en el*

camino, autobús) rattraper; *vi*: ~ **a hacer** arriver à faire.

alcatraz *nm* pélican *m*.

alcázar *nm* palais royal; forteresse *f*; (NAUT) gaillard *m* d'arrière.

alcoba *nf* alcôve *f*; chambre *f* à coucher.

alcohol *nm* alcool *m*; ~**ismo** *nm* alcoolisme *m*.

alcornoque *nm* (BOT) chêne-liège *m*; (*fig*) andouille *f*, buse *f*.

alcubilla *nf* château *m* d'eau, réservoir *m*.

alcurnia *nf* lignage *m*; extraction *f*.

alcuza *nf* burette *f* à huile.

aldaba *nf* heurtoir *m*, marteau *m* de porte; (*fig*) appui *m*; protection *f*.

aldea *nf* village *m*, hameau *m*.

aldeano, a *a* campagnard(e); villageois(e); (*fig*) rustre, paysan(ne) // *nm/f* villageois/e.

aleación *nf* alliage *m*.

aleccionar *vt* instruire, enseigner; faire la leçon.

aledaño, a *a* voisin(e), limitrophe; accessoire, annexe; ~**s** *nmpl* confins *mpl*.

alegación *nf* allégation *f*, exposé *m*, plaidoirie *f*.

alegar *vt* alléguer, plaider, citer comme preuve; (AM) discuter, disputer.

alegato *nm* (JUR) plaidoirie *f*, allégation *f*; (AM) discussion *f*, querelle *f*, dispute *f*; (*fig*) plaidoyer *m*.

alegoría *nf* allégorie *f*.

alegrar *vt* (*causar alegría*) réjouir, égayer; (*fuego*) attiser; (TAUR) exciter; (NAUT) donner du mou à; (*fiesta*) animer; ~**se** *vr*: ~**se con** se réjouir de; (*achisparse*) être un peu gris(e).

alegre *a* gai(e), joyeux(euse); (*fam*) éméché(e); (*licencioso*) leste, libre.

alegría *nf* joie *f*, gaîté *f*; (BOT) sésame *m*.

alejamiento *nm* éloignement *m*; distance *f*.

alejar *vt* éloigner; écarter; ~**se** *vr* s'éloigner.

aleluya *nm* (*canto*) alleluia *m*; (*Pascuas*) temps pascal // *nf petite image pieuse*; gâteau *m* à la crème; (*fam*) sot(te); (*cuadro*) croûte *f*, navet *m*; (AM) excuse *f* frivole // *excl* alleluia!, bravo!

alemán, ana *a* allemand(e) // *nm/f* Allemand/e // *nm* allemand *m*.

Alemania *nf*: ~ **Federal/Oriental** Allemagne fédérale/de l'Est.

alentado, a *pp de* **alentar** // *a* vaillant(e); résistant(e) à la fatigue; hautain(e).

alentar *vt* (*animar*) encourager, exciter; ~**se** *vr* s'enhardir; **estar alentado** être remis(e).

alerce *nm* mélèze *m*.

alergia *nf* allergie *f*.

alero *nm* (*de tejado*) avant-toit *m*; (*de carruaje*) garde-boue *m*.

alerta *ad* avec vigilance // *a* vigilant(e) // *excl* alerte! // *nf* alerte *f*.

aleta *nf* (ZOOL) aile *f*, nageoire *f*; (TEC: *de muro, techo, columna*) aile; (: *de radiador, proyectil*) ailette *f*; (*de nariz*) aile; (*de coche*) garde-boue *m*; (*de barco*) armature *f* de la poupe.

aletargar *vt* engourdir; faire tomber en léthargie; endormir avec un médicament; ~**se** *vr* (*cocodrilo*) s'endormir.

aletear *vi* battre des ailes; battre des nageoires; agiter les bras.

aleve *a* perfide, traître.

alevosía *nf* perfidie *f*.

alfabeto *nm* alphabet *m*.

alfanje *nm* (*sable*) alfange *m*, cimeterre *m*; (*pez*) espadon *m*.

alfarero *nm* potier *m*.

alfeñique *nm* sucre d'orge *m*; (*fam*: *persona*) gringalet *m*; (: *remilgo*) simagrée *f*.

alférez *nm* (*official*) souslieutenant *m*; (*abanderado*) porte-drapeau *m*; (NAUT) enseigne *m* de vaisseau.

alfil *nm* fou *m* (*du jeu d'échec*).

alfiler *nm* épingle *f*; ~ **de**

seguridad épingle de nourrice *ou* de sûreté.
alfombra *nf* tapis *m*.
alfombrar *vt* recouvrir de tapis, tapisser.
alfombrilla *nf* (MED) rubéole *f*; (*alfombra*) carpette *f*.
alforja *nf* sacoche *f*.
alforza *nf* pli *m*, rempli *m* en couture; (*fig*) balafre *f*.
alga *nf* algue *f*.
algarabía *nf* arabe *m*; (BOT) plante *f* à balais; **¡qué ~!** quel brouhaha!
algarroba *nf* vesce *f*, caroube *f*.
algazara *nf* (*gritería*) vacarme *m*, brouhaha *m*, clameurs *fpl*.
álgido, a *a* algide; (*fig*) brûlant(e).
algo *pron* quelque chose; **~ asombroso** quelque chose d'étonnant // *ad* un peu; quelque peu // **por ~ será** il y a sûrement une raison.
algodón *nm* coton *m*; (*planta*) cotonnier *m*; **~ hidrófilo** coton *m* hydrophile; **~ pólvora** coton-poudre *m*; fulmicoton *m*.
algodonero, a *a* cotonnier(ière) // *nm/f* cotonnier/ière // *nm* cotonnier *m*.
alguacil *nm* gendarme *m*; (TAUR) alguazil *m*; (ZOOL) araignée d'eau *f*.
alguien *pron* quelqu'un.
alguno, a, algún *a* quelque; **~ que otro libro** quelques livres; **algún día iré** j'irai un des ces jours // *pron* l'un, quelques-uns; **sin interés ~** sans aucun intérêt; **~ que otro** quelques-uns; **~s piensan** certains pensent; d'aucuns pensent.
alhaja *nf* (*joya*) bijou *m*; (*objeto precioso*) joyau *m*; **¡qué ~!** (*fig*: *pey*) quel numéro!
alharaquiento, a *a* futile et creux(euse); vain(e).
alhóndiga *nf* halle *f* au grain.
aliado, a *a* allié(e).
aliaga *nf* ajonc *m*.
alianza *nf* alliance *f*.
aliar *vt* allier; mettre d'accord; **~se** *vr* s'allier.
alias *ad* autrement dit, alias, dit.
alicaído, a *a* affaibli(e), sans forces.
alicantino, a *a* d'Alicante // *nm/f* habitant/e d'Alicante.
alicates *nmpl*: **~ de uñas** pince *f* à ongles.
aliciente *nm* attrait *m*, intérêt *m*.
alienación *nf* aliénation *f*.
aliento *nm* haleine *f*; respiration *f*; **sin ~** hors d'haleine.
aligerar *vt* alléger, rendre plus léger(ère); (*carga*) alléger; (*abreviar*) abréger; (*dolor*) soulager, calmer.
alijador *nm* allège *m*.
alimaña *nf* bête *f* nuisible, vermine *f*.
alimentación *nf* alimentation *f*.
alimentar *vt* nourrir, alimenter; (*fuego*) entretenir; (*máquina*) alimenter; (*esperanzas*) nourrir, caresser; **~se** *vr* s'alimenter.
alimenticio, a *a* alimentaire.
alimento *nm* nourriture *f*; **~s** *nmpl* (JUR) pension *f* alimentaire.
alinear *vt* aligner; *vr*: **~se en** faire partie de.
aliñar *vt* arranger, préparer, parer; (*guiso*) assaisonner; (TAUR) préparer (*le taureau pour la mise à mort*).
aliño *nm* (*de casa*) tenue *f*, propreté *f*; (*de persona*) correction *f*; (*de plato*) assaisonnement *m*.
alisar *vt* (*superficie*) lisser, polir; (*tela, pelo*) lisser; (TEC) polir; **~se** *vr*: **~se el pelo** mettre de l'ordre dans sa coiffure.
aliso *nm* alisier *m*, aulne *m*.
alistamiento *nm* enrôlement *m*, recrutement *m*.
alistar *vt* (*reclutar*) enrôler, recruter; (*registrar*) inscrire sur une liste; **~se** *vr* s'engager; (AM) se préparer.
aliviar *vt* (*carga*) alléger; (*dolor*) soulager, calmer; (*trabajo*) soulager; (*pena a un reo*) adoucir; **~se** *vr* (*paciente*) aller mieux; **~se de** se dégager de.
alivio *nm* (*de carga*) allègement *m*;

(*físico*) soulagement *m*; (*moral*) réconfort *m*.
aljibe *nm* citerne *f*.
aljofaina *nf* = **jofaina.**
alma *nf* âme *f*; (*viga*) baliveau *m*.
almacén *nm* magasin *m*; (*depósito*) entrepôt; comptoir *m*.
almacenar *vt* emmagasiner.
almacenero *nm* magasinier *m*.
almáciga *nf* mastic *m*; (AGR) pépinière *f*.
almadraba *nf* (*red*) madrague *f*; (*pesca*) pêche *f* au thon; (*lugar*) pêcherie *f* de thon.
almanaque *nm* almanach *m*.
almeja *nf* clovisse *f*.
almena *nf* créneau *m*.
almendra *nf* amande *f*; (*amarga*) amande amère, praline *f*; (*fig*) caillou *m*; **~s** *nfpl* pendeloques *fpl*.
almendro *nm* amandier *m*.
almiar *nm* meule *m*.
almíbar *nm* sirop *m*.
almibarado, a *a* doucereux(euse); (*fig*) sirupeux(euse).
almidón *nm* amidon *m*.
almidonar *vt* empeser, amidonner.
almirantazgo *nm* amirauté *f*; (*alto consejo*) tribunal *m* de l'amirauté.
almirante *nm* amiral *m*.
almohada *nf* oreiller *m*, coussin *m*.
almohadilla *nf* coussinet *m*; (*para sellos*) tampon *m*; (*para planchar*) pattemouille *f*; (AM) pelote *f*; (ARQ: *piedra*) bosse *f*.
almoneda *nf* (*subasta*) vente *f* aux enchères; (*saldo*) soldes *fpl*; (*tienda*) antiquité *f*.
almorzar *vt* déjeuner de, manger au déjeuner // *vi* déjeuner.
almuerzo *nm* déjeuner *m*.
alnado, a *nm/f* beau-fils/belle-fille.
alocado, a *a* étourdi(e), écervelé(e).
alocución *nf* allocution *f*.
alojamiento *nf* logement *m*; (MIL) camp *m*.
alojar *vt* loger; **~se** *vr* se loger.
alondra *nf* alouette *f*.
alpargata *nf* espadrille *f*.
Alpes *nmpl*: **los ~** les Alpes *fpl*.
alpiste *nm* (BOT) millet long, alpiste *m*.
alquería *nf* ferme *f*, hameau *m*.
alquilar *vt* louer; **se alquilan casas** maisons à louer.
alquiler *nm* location *f*; (*de apartamento*) loyer *m*; **coche de ~** voiture de location; **aparatos en ~** appareil à louer.
alquimia *nf* alchimie *f*.
alquimista *nm* alchimiste *m*.
alquitrán *nm* goudron *m*.
alrededor *ad* autour, tout autour; **~ de** (*aproximadamente*) environ; (*rodeando*) autour de; **~es** *nmpl* environs *mpl*; **mirar a su ~** regarder autour de soi.
alta *nf ver* **alto.**
altanería *nf* morgue *f*, arrogance *f*; (*de aves*) haut-vol *m*.
altanero, a *a* hautaine(e), altier(ière), orgueilleux(euse); **de vuelo ~** de haut vol.
altar *nm* autel *m*; (*grada*) gradin *m* de mine.
altavoz *nm* haut-parleur *m*.
alterable *a* altérable.
alteración *nf* (*del pulso*) dérèglement *m*; (*del orden público*) désordre *m*, trouble *m*; (*del tiempo*) altération *f*; (*disputa*) dispute *f*, querelle *f*.
alterar *vt* altérer, changer; **~se** *vr* s'altérer, se troubler; (*persona*) se fâcher, s'énerver.
altercado *nm* altercation *f*, démêlé *m*.
alternar *vt* alterner; faire alterner // *vi*, **~se** *vr* se relayer.
alternativo, a *a* alternatif(ive); (*horario*) tournant(e) // *nf* alternative *f*, alternance *f*; **alternativas** *nfpl* alternatives *fpl*.
alteza *nf* (*tratamiento*) altesse *f*; (*altura*) hauteur *f*; (*fig*) grandeur *f*.
altibajo *nm* (ESGRIMA) coup *m* de haut en bas; **~s** *nmpl* aspérités *fpl*; (*fig*) vicissitudes *fpl*.
altillo *nm* coteau *m*.

altiplanicie *nf* = **altiplano** *nm*.
altiplano *nm* haut plateau.
altisonante *a* pompeux(euse), ronflant(e).
altivez *nf* arrogance *f*.
altivo, a *a* arrogant(e).
alto, a *a* grand(e), haut(e); (*precio*) élevé(e); (*relieve*) haut; (*río*) en crue // *nm* haut *m*; halte *f*; (MUS) alto *m*; (AM) tas *m* // *ad* fort // *nf* bulletin *m* de santé // *excl* halte!, stop!; **tiene 2 metros de ~** il mesure 2 mètres; **en alta mar** en haute mer; **en voz alta** à voix haute; **a altas horas de la noche** à une heure avancée de la nuit; **en lo ~ de** au sommet de; **mantener en ~** maintenir bien haut; **pasar por ~** oublier; **dar de alta** (*enfermo*) donner l'exeat à; **dar el alta** (MIL) entrer en service actif.
altoparlante *nm* (AM) haut-parleur *m*.
altura *nf* altitude *f*; hauteur *f*; (NAUT): **barco de ~** bateau de haute mer, long courrier; **navegación de ~** navigation au long cours; (*fig*): **a esta ~ del año** à l'heure actuelle; **~s** *nfpl* hauteurs *fpl*; **cincuenta metros de ~** cinquante mètres de haut.
alubia *nf* haricot *m*.
alucinación *nf* hallucination *f*.
alud *nm* avalanche *f*.
aludir *vi*: **~ a** faire allusion à, se référer à; renvoyer à; **darse por ~** se sentir visé; **no darse por aludido** faire la sourde oreille.
alumbrado, a *a* éclairé(e); (*hereje*) illuminé(e); (*chimenea*) allumé(e) // *nm* éclairage *m*.
alumbramiento *nm* (ELEC) éclairage *m*, éclairement *m*; (MED) accouchement *m*.
alumbrar *vt* éclairer; (*ciego*) rendre la vue à; (TEC) plonger dans l'alun; (*aguas subterráneas*) découvrir; (*fam*) frapper.
aluminio *nm* aluminium *m*.
alumno, a *nm/f* élève *m/f*; (*discípulo*) élève, disciple *m*.
alusión *nf* allusion *f*, référence *f*.
alusivo, a *a* allusif(ive).
aluvión *nm* crue *f*, alluvion *f*; (*fig*) foule *f*; multitude *f*; **tierras de ~** alluvions.
alza *nf* hausse *f*; **estar en ~** (*fam*) avoir la cote.
alzada *nf* (*de caballos*) hauteur *f* du garrot; (*pastos*) pâturage *m* d'été; (JUR) pourvoi *m*, appel *m*, recours *m*.
alzamiento *nm* action *f* de lever *ou* de soulever; (*en subasta*) surenchère *f*; (*sublevación, rebelión*) soulèvement *m* (populaire); (COM) banqueroute frauduleuse.
alzar *vt* (*la mano*) lever; (*voz, muro*) élever; (*precios*) hausser; (*cuello de abrigo, algo del suelo*) relever; (AGR) rentrer; (IMPRENTA) assembler; **~se** *vr* se lever, se relever, s'élever; (*rebelarse*) se soulever; (COM) faire banqueroute; (JUR) faire appel, se pourvoir; (AM: *animal*) retourner à l'état sauvage; (: *persona*) s'enfuir; **~ el vuelo** prendre son vol; **~ velas** mettre à la voile.
allá *ad* (*lugar*) là-bas; (*tiempo*) autrefois; **más ~** plus loin; **por ~** par là; **el más ~** (*el otro mundo*) l'au-delà *m*.
allanar *vt* aplanir, niveler; (*fig*) vaincre; (JUR) violer // **~se** *vr* (*edificio*) s'effondrer, s'écrouler; (*fig*): **~se a** se soumettre à.
allegado, a *a* proche, voisin(e) // *nm/f* (*discípulo*) partisan/e; **sus ~s** (*parientes*) ses proches *mpl*.
allegar *vt* réunir, ajouter, ramasser, recueillir; **~se** *vr* (*a persona*) s'approcher; (*a opinión*) adhérer à.
allende *ad* au-delà de, de l'autre côté de; (*además*) outre, en outre.
allí *ad* (*lugar*) là; **~ mismo** ici-même; **hasta ~** jusque-là; **por ~** par là.
ama *nf* maîtresse *f* de maison; propriétaire *f*; gouvernante *f*; (*que*

cría niños ajenos) nourrice *f*; ~ **de llaves** gouvernante.
amabilidad *nf* amabilité *f*, gentillesse *f*.
amable *a* aimable.
amachinarse *vr* vivre en ménage avec quelqu'un.
amaestrar *vt* dresser.
amagar *vt* être sur le point de; menacer, s'annoncer.
amago *nm* (*amenaza*) menace *f*, signe *m*; (*gesto*) semblant *m*, geste *m*; (*de comienzo*) commencement *m*, signe; (*de enfermedad*) symptôme *m*.
amainar *vt* (*las velas*) amener; (*fig*) modérer // *vi* (*calmarse, el viento*) se calmer, tomber.
amalgama *nf* (*aleación*) alliage *m*; (*mezcla*) amalgame *m*.
amalgamar *vt* (QUÍMICA) amalgamer; (*fig*) mélanger.
amamantar *vt* allaiter, nourrir au sein.
amanecer *vi* faire jour, se lever, poindre // *nm* aube *f*, lever *m* du jour; **el día amaneció nublado** à l'aube le ciel était couvert; **el niño amaneció afiebrado** l'enfant s'est réveillé avec une forte fièvre.
amansador, a dresseur(euse) // *nm/f* (*domador*) dompteur/euse.
amansar *vt* dompter, apprivoiser; (*fig*) calmer, apaiser.
amante *a*: ~ **de** amoureux de // *nm/f* amoureux/euse, amant/e // *nf* maîtresse *f*.
amanzanar *vt* lotir.
amapola *nf* coquelicot *m*.
amar *vt* aimer; chérir.
amargado, a *a* amer(ère); aigri(e); pessimiste.
amargar *vt* rendre amer; (*fig*) affliger, faire de la peine à; ~**se** *vr* s'empoisonner.
amargo, a *a* amer(ère); (*fig*) triste, amer, aigri(e).
amargura *nf* amertume *f*.
amarillento, a *a* jaunâtre; (*tez*) blême, jaune.
amarillo, a *a* jaune // *nm* jaune *m*; blondeur *f*.
amarrar *vt* (*barco, zapatos, paquete*) amarrer, attacher; (*animal, persona*) ficeler, ligoter; (*fig*) attirer, obliger; ~**se** *vr* (*a un trabajo*) s'atteler.
amartelar *vt* rendre jaloux/amoureux; ~**se** *vr*: ~**se de** s'éprendre passionnément de.
amartillar *vt* = **martillar** *vt*.
amasar *vt* (*pan*) pétrir; (TEC) gâcher; (MED) masser; (*fam*) combiner, manigancer; (*fortuna*) amasser.
amasijo *nm* (*mezcla*) pâte pétrie; (*de cal, yeso*) gâchis *m*, mortier *m*; (*fig*) fatras *m*, ramassis *m*.
amatista *nf* améthyste *f*.
amazona *nf* amazone *f*, écuyère *f*; **A**~**s** *nm*: **el A**~**s** l'Amazone *f*; **en** ~ en amazone.
ambages *nmpl* ambages *mpl*; **sin** ~ sans ambages.
ámbar *nm* ambre *m*; ~ **gris** ambre gris.
ambición *nf* ambition *f*.
ambicionar *vt* ambitionner.
ambicioso, a *a* ambitieux(euse).
ambidextro, a *a* ambidextre.
ambiente *a* ambiant(e) // *nm* air ambiant, atmosphère *f*; climat *m*; (*fig*) milieu ambiant, ambiance *f*; climat.
ambigüedad *nf* ambiguïté *f*.
ambigüo, a *a* ambigu(ë).
ámbito *nm* enceinte *f*; (*fig*) milieu *m*, atmosphère *f*; **en el** ~ **nacional** sur le plan national; **dentro del** ~ **de** dans le cadre de.
ambos, ambas *apl* les deux // *pron pl* tous/toutes les deux; **por ambas partes** de tous côtés.
ambulancia *nf* ambulance *f*.
ambulante *a* ambulant(e); (*actor*) itinérant(e) // *nm/f* itinérant/e.
amedrentar *vt* effrayer, intimider.
amenaza *nf* menace *f*.
amenazar *vt* menacer // *vi*:

amenaza llover il menace de pleuvoir.
amenguar *vt* amoindrir, diminuer; (*fig*) déshonorer.
amenidad *nf* aménité *f*, charme *m*.
amenizar *vt* égayer, agrémenter.
ameno, a *a* amène, agréable.
América *nf*: ~ **del Norte/del Sur/Latina** Amérique *f* du Nord/du Sud/Latine.
americano, a *a* américain(e) // *nf* (*chaqueta*) veston *m*, veste *f* // *nm/f* Américain/e; ~ **del sur** Sud-Américain *m*.
ametralladora *nf* mitrailleuse *f*.
amigable *a* amiable.
amigo, a *a* ami(e) // *nm/f* ami/e.
amilanar *vt* effrayer, faire peur à, décourager; ~**se** *vr* s'effrayer, se décourager.
aminorar *vt* diminuer, amoindrir; (*marcha, temperatura*) ralentir.
amistad *nf* amitié *f*; ~**es** *nfpl* (*fig*) affinité *f*.
amistoso, a *a* amical(e).
amnistía *nf* amnistie *f*.
amo *nm* maître *m*, propriétaire *m*; ~ **de casa** maître de maison.
amodorrarse *vr* s'assoupir.
amolar *vt* aiguiser; (*fig*) raser, casser les pieds à; **piedra de** ~ pierre meulière.
amoldar *vt* mouler, ajuster; ~**se** *vr* se mouler, s'ajuster.
amonestación *nf* admonestation *f*, avertissement *m*; **amonestaciones** *nfpl*: **correr las** ~**es** publier les bans.
amonestar *vt* admonester; publier les bans de.
amontonar *vt* entasser, amonceler; ~**se** *vr* se masser.
amor *nm* amour *m*; **hacer el** ~ faire l'amour.
amoratado, a *a* violacé(e).
amordazar *vt* bâillonner, museler.
amorío *nm* (*fam*) amourette *f*.
amoroso, a *a* tendre, affectueux(euse).
amortajar *vt* ensevelir, mettre dans un linceul.
amortiguador *nm* amortisseur *m*.
amortiguar *vt* amortir; (*fig*) atténuer, étouffer.
amortización *nf* amortissement *m*.
amotinar *vt* soulever, ameuter; ~**se** *vr* se soulever, se mutiner.
amparar *vt* protéger; ~**se** *vr* se protéger.
amparo *nm* protection *f*, abri *m*, appui *m*, soutien *m*; **al** ~ **de** à l'abri de.
ampliación *nf* (*de crédito*) extension *f*, accroissement *m*, élargissement *m*; (*de edificio, fotografía*) agrandissement *m*; (*de tratado*) extension *f*.
ampliar *vt* agrandir, élargir, accroître; augmenter; étendre.
amplificación *nf* (*agrandamiento*) amplification *f*; (*desarrollo*) développement *m*; (AM: *de fotografía*) agrandissement *m*.
amplificar *vt* amplifier, agrandir.
amplio, a *a* ample; large.
amplitud *nf* amplitude *f*; étendue *f*; envergure *f*; ~ **de ideas** largeur *f* d'esprit.
ampolla *nf* (MED: *lesión*) ampoule *f*, cloque *f*; (: *inyección*) ampoule.
ampulosidad *nf* style ampoulé.
amueblar *vt* meubler.
amurallar *vt* fortifier.
anacoreta *nm/f* anachorète *m*.
anacronismo *nm* (*error*) anachronisme *m*; (*antigualla*) vieillerie *f*, antiquaille *f*.
ánade *nm/f* canard *m*.
anales *nmpl* annales *mpl*.
analfabeto, a *a* analphabète.
análisis *nm* analyse *f*.
analítico, a *a* analytique.
analizar *vt* analyser.
analogía *nf* analogie *f*.
análogo, a *a* analogue.
ananá(s) *nm* ananas *m*.
anaquel *nm* rayon m, étagère *f*, tablette *f*.
anaranjado, a *a* orangé(e) // *nm* orange *m*.
anarquía *nf* anarchie *f*.

anárquico, a *a* anarchique.
anarquismo *nm* anarchisme *m*.
anatema *nm* anathème *m*.
anatomía *nf* (*del cuerpo*) anatomie *f*, dissection *f*, autopsie *f*; (*ciencia*) anatomie *f*.
anca *nf* croupe *f*; (*fam*) fesse *f*.
anciano, a *a* vieux (vieille) // *nm* ancien *m* // *nm/f* vieillard/e; personne âgée.
ancla *nf* ancre *f*; **echar/levar ~s** jeter/lever l'ancre.
ancladero *nm* mouillage *m*, ancrage *m*.
anclar *vi* mouiller, ancrer.
ancho, a *a* large; (*falda*) ample; (*pared*) épais(se) // *nm* largeur *f*; (FERROCARRIL) écartement *m*; **estar muy ~** (*fam*) se gonfler; **estar a sus anchas** (*fam*) être à ses aises; **quedarse tan ~** (*fam*) ne pas s'affoler, ne pas s'en faire.
anchoa *nf* anchois *m*.
anchura *nf* largeur *f*; (*fig*) sans gêne *m*, ouverture *f* (d'esprit).
anchuroso, a *a* vaste, très large.
andada *nf* longue marche; **volver a las ~s** retomber dans les mêmes erreurs.
andadura *nf* marche *f*, allure *f*.
Andalucía *nf* Andalousie *f*.
andaluz, a *a* andalou(ouse) // *nm/f* Andalou/ouse.
andamio *nm* échafaudage *m*.
andanada *nf* (MIL) bordée *f*, volée *f*; (TAUR) promenoir *m*; (*fig*) bordée.
andar *vt* parcourir, faire // *vi* marcher // *nm* démarche *f*; **~ a pie/a caballo/en bicicleta** aller à pied/à cheval/en bicyclette; **~ bien/mal** aller bien/mal; **~ triste/alegre** être triste/gai(e); **~ a gatas** marcher à quatre pattes; **¡anda!, ¡andando!** en avant, en route; **anda en los 40** il va sur ses 40 ans; **~ con cuidado** faire attention; **~ diciendo** dire.
andariego, a *a* bon marcheur(euse); (*callejero*) flâneur(euse); (*vagabundo*) vagabond(e).
andarín, ina *nm/f* marcheur/euse // *nf* hirondelle *f*.
andas *nfpl*: **llevar en ~** porter sur ses épaules.
andén *nm* (FERROCARRIL) quai *m*; (NAUT) accotement *m*; (*de carretera*) bas-côté *m*, parapet *m*.
Andes *nmpl*: **los ~** les Andes *fpl*.
Andorra *nf* Andorre *f*.
andrajo *nm* guenille *f*.
andrajoso, a *a* déguenillé(e) // *nm/f* loqueteux/euse.
andurriales *nmpl* (*rincón perdido*) coin perdu; (*barrio alejado*) bout *m* du monde.
anduve *etc vb ver* **andar**.
anécdota *nf* anecdote *f*.
anegar *vt* (*inundar*) inonder; (*ahogar*) noyer; **~se** *vr* (*ahogarse*) se noyer; (NAUT: *hundirse*) sombrer, couler.
anejo, a *a* (*anexo*) annexe // *nm* annexe *m*; (*dos poblaciones*) syndicat *m* de communes.
anemia *nf* anémie *f*.
anexar *vt* annexer.
anexión *nf* annexion *f*.
anexo, a *a* annexe // **~s** *nmpl* (ANAT) annexes *fpl* // *nm* annexe *f*.
anfibio, a *a* amphibie // *nm* amphibien *m*.
anfiteatro *nm* amphithéâtre *m*.
anfitrión *nm* amphitryon *m*.
ángel *nm* ange *m*.
angélico, a, angelical *a* angélique.
angina *nf* (MED) angine *f*; **~ de pecho/diftérica** angine de poitrine/couenneuse.
anglicano, a *a* anglican(e) // *nm/f* anglican/e.
angosto, a *a* étroit(e), resserré(e).
angostura *nf* étroitesse *f*; (*paso*) gorge *f*, défilé *m*; (BOT) angusture *f*.
anguila *nf* anguille *f*.
angular *a* angulaire.
ángulo *nm* angle *m*.
angustia *nf* angoisse *f*.
angustiar *vt* angoisser, affliger.

anhelante *a* essouflé(e), haletant(e); désireux(euse).
anhelar *vt* briguer, désirer // *vi* haleter.
anhelo *nm* désir ardent; **~s** *nmpl* désirs, aspirations *fpl.*
anidar *vt* loger, accueillir // *vi* nicher, faire son nid.
anilina *nf* aniline *f.*
anillo *nm* anneau *m*; **~ de boda** alliance *f.*
ánima *nf* âme *f*; **sonar las ~s** sonner l'Angélus.
animación *nf* animation *f*; (*actividad*) entrain *m*, allant *m*; foule *f*; (*de mecanismo*) mise en marche *f.*
animado, a *a* animé(e).
animadversión *nf* animadversion *f.*
animal *a* animal(e); (*fig*: *bruto*) brute; (: *estúpido*) bête // *nm* animal *m.*
animar *vt* (BIO: *dar vida*) animer; (*alegrar*) mettre de l'ambiance dans; (*estimular*) encourager; (*incitar*) inciter; **~se** *vr* (*cobrar ánimo*) s'enhardir; (*decidirse*) se décider.
ánimo *nm* âme *f*; esprit *m* // *excl* courage!; **dar ~s** donner des encouragements.
animosidad *nf* animosité *f.*
animoso, a *a* courageux(euse).
aniquilación *nf*, **aniquilamiento** *nm* anéantissement *m.*
aniquilar *vt* (*acabar*) annihiler; (*destruir*) anéantir; (*echar por tierra*) abattre; (*fig*) réduire à néant; **~se** *vr* (*deteriorarse*) se détériorer; (*desaparecer*) s'anéantir.
anís *nm* anis *m.*
anisado *nm* anisette *f.*
aniversario *nm* anniversaire *m.*
ano *nm* anus *m.*
anoche *ad* hier soir, la nuit dernière; **antes de ~** avant hier soir.
anochecer *vi* commencer à faire nuit // *nm* crépuscule *m*; tombée *f* de la nuit; **~ en el mar** être surpris par la nuit en mer.
anodino, a *a* anodin(e); inoffensif(ive).
anomalía *nf* anomalie *f.*
anómalo, a *a* anomal(e).
anonadamiento *nm* accablement *m*, anéantissement *m*; abattement *m.*
anonadar *vt* (*aniquilar, destruir*) anéantir; (*perder el ánimo*) être altéré(e); **~se** *vr* être accablé(e).
anónimo, a *a* anonyme // *nm* anonymat *m.*
anormal *a* (*irregular*) anormal(e); irrégulier(ière); (*niño*) anormal, handicapé(e) // *nm* anormal/e.
anotación *nf* annotation *f*; note *f.*
anotar *vt* noter, prendre en note; (*faltas*) souligner; (*libro*) annoter.
ansia *nf* anxiété *f*, angoisse *f*; convoitise *f*, avidité *f*; désir ardent.
ansiar *vt* convoiter.
ansiedad *nf* (*angustia*) anxiété *f*; avidité *f.*
ansioso, a *a* (*inquieto*) anxieux(euse); avide; (*deseoso*) désireux (euse).
antagónico, a *a* antagonique.
antagonista *nm/f* antagoniste *m/f.*
antaño *ad* l'année dernière; jadis, autrefois; **la moda de ~** la mode d'antan.
Antártico *nm*: **el ~** l'Antarctique *m.*
ante *prep* (*delante*) devant; (*adelante*) en avant; **~ todo** avant tout.
anteanoche *ad* avant-hier soir, il y a deux nuits.
anteayer *ad* avant-hier.
antebrazo *nm* avant-bras *m.*
antecámara *nm* antichambre *f.*
antecedente *a* antécédent(e) // *nm* (MAT) nombre antécédent; (FILO, LING) antécédent *m*; **~s penales** casier *m* judiciaire.
anteceder *vt* précéder.
antecesor, a *nm/f* (*predecesor*) prédécesseur *m*; (*antepasado*) ancê-

tre *m*, aïeul *m* // *a* précédent(e).
antedicho, a *a* susdit(e); précédent(e).
antelación *nf* anticipation *f*; **con ~** à l'avance.
antemano: **de ~** *ad* d'avance.
antena *nf* antenne *f*.
antenoche *ad* avant-hier soir.
anteojo *nm* lunette *f*; **~ de larga vista** lunette d'approche, longue-vue *f*; **~ prismático** jumelles *fpl*; **~s** *nmpl* lunettes *fpl*.
antepasados *nmpl* aïeux *mpl*, ancêtres *mpl*.
antepecho *nm* (*balaustrada*) garde- fou *m*, parapet *m*; (*de ventana*) appui *m*, accoudoir *m*; (*del caballo*) poitrail *m* du harnais; (MIL) gradin *m* de mine.
anteponer *vt* mettre devant; (*fig*) faire passer avant.
anteportada *nf* faux-titre *m*.
anterior *a* antérieur(e).
anterioridad *nf* antériorité *f*; **con ~ a su carta** avant sa lettre.
antes *ad* avant; (*anteriormente*): **lo había hecho ~** il l'avait déjà fait; **~ bien** plutôt; **~ que** avant que; **dos días ~** deux jours auparavant; **~ muerto que esclavo** plutôt la mort que l'esclavage; **tomo el avión ~ que el barco** je préfère prendre l'avion plutôt que le bâteau; **cuanto ~** dès que possible; **lo ~ posible** le plus tôt possible // *prep*: **~ de venir** avant de venir // *conj*: **~ (de) que** avant que.
antesala *nf* antichambre *f*.
anticipación *nf* anticipation *f*.
anticipado, a *a* anticipé(e).
anticipar *vt* anticiper; (*fecha, viaje, pago*) avancer; **~se** *vr* devancer, prévenir; **~ a los deseos de alguien** aller au-devant des désirs de qn; **~ a su época** devancer son époque.
anticuado, a *a* vieilli(e), vieux (vieille); (*palabra, persona*) vieillot(te); (*vestido*) démodé(e).
anticuario *nm* (*persona*) antiquaire *m*; (*negocio*) magasin *m* d'antiquités.
antídoto *nm* antidote *m*, contrepoison *m*.
antifaz *nm* masque *f*, loup *m*.
antífona *nf* antienne *f*.
antigualla *nf* vieillerie *f*, antiquaille *f*.
antiguamente *ad* anciennement.
antigüedad *nf* (*época*) antiquité *f*; (*tiempo*) ancienneté *f*.
antiguo, a *a* antique, ancien(ne); (*que fue*) ancien; **~s** *nmpl* anciens *mpl*; **el ~ ministro** l'ancien ministre.
antílope *nm* antilope *f*.
antillano, a *a* antillais(e) // *nm/f* Antillais/e.
Antillas *nfpl*: **las ~** les Antilles *fpl*.
antipara *nf* paravent *m*.
antipatía *nf* antipathie *f*.
antipático, a *a* antipathique.
antípoda *nm* antipode *m*; **~s** *nmpl* antipodes *mpl*.
antiquísimo, a *a* très ancien(ne).
antítesis *nf* antithèse *f*.
antojadizo, a *a* (*caprichoso*) capricieux(euse); (*voluble*) lunatique, changeant(e).
antojarse *vr* (*desear*) avoir envie de; (*pensar*) avoir l'idée de.
antojo *nm* caprice *m*; envie *f*, désir *m*; (*mancha*) envie.
antología *nf* anthologie *f*; **de ~** (*fam*) magnifique, fantastique.
antorcha *nf* torche *f*, flambeau *m*; (*fig*) flambeau.
antro *nm* antre *m*.
antropófago, a *a* anthropophage // *nm* anthropophage *m*.
antropología *nf* anthropologie *f*.
anual *a* annuel(elle).
anualidad *nf* annuité *f*.
anuario *nm* annuaire *m*.
anublar *vt* obscurcir; (*fig*) ternir; **~se** *vr* se couvrir; (*planta*) se faner; (*fig*) s'évanouir.
anudar *vt* (*cinta, corbata*) nouer; (*zapatos*) attacher; (*amistad*) renouer; (BOT) se rabougrir; **~se** *vr* attacher.

anulación *nf* annulation *f*; décommandement *m*.
anular *vt* (*cancelar*) résilier, annuler; (*revocar*) révoquer, destituer; (*ley*) abroger; (*efectos de un medicamento*) supprimer; (*MAT*) annuler // *nm* annulaire *m*; **~se** *vr* (*persona*) s'annuler.
anunciación *nf* annonciation *f*.
anunciar *vt* déclarer; aviser; (*manifestar*) annoncer, proclamer; (*visita*) prévenir; (*film*) faire de la publicité pour, signaler; (*plan de gobierno*) exposer; **~se** *vr* se présenter.
anuncio *nm* annonce *f*; **~s por palabras** petites annonces; **~ luminoso** enseigne lumineuse.
anverso *nm* (*de moneda*) avers *m*, face *f*; (*de página*) recto *m*.
anzuelo *nm* hameçon *m*.
añadido *a* (*agregado*) ajouté(e) // *nm* (*agregado*) ajouté *m*; (*cabellos*) postiche *m*.
añadidura *nf* (*suplemento*) ajout *m*; (*de texto*) ajouté *m*; (*de vestido*) allonge *f*; **por ~** en outre.
añadir *vt* ajouter.
añejo, a *a* vieux(vieille).
añicos *nmpl* (*mil pedazos*) miettes *fpl*, morceaux *mpl*; **hacer ~** mettre en morceaux.
año *nm* an *m*, année *f*; **¡Feliz A~ Nuevo!** Bonne Année!; **tener 15 ~s** avoir 15 ans; **~ bisiesto/entrante/escolar** année bissextile/qui commence/scolaire.
añoranza *nf* regret *m*.
añoso, a *a* âgé(e).
aojar *vt* jeter un sort sur.
apacentamiento *nm* pâturage *m*.
apacentar *vt* paître, faire paître.
apacible *a* paisible, calme, tranquille; (*niño, vida*) tranquille, doux (douce); (*el tiempo*) calme; (*fig*: *carácter*) affable.
apaciguamiento *nm* apaisement *m*.
apaciguar *vt* apaiser, calmer.
apadrinar *vt* parrainer.
apagado, a *a* éteint(e); (*color*) sans éclat, terne; (*ruido*) sourd(e); étouffé(e).
apagar *vt* éteindre; (*sonido*) assourdir, étouffer; (*sed*) étancher; (*fig*) étouffer, tarir.
apalabrar *vt* convenir verbalement, décider; (*contratar*) engager.
apalear *vt* (*animal, persona*) battre, rosser; (*ropa*) battre; (*frutos*) gauler; (*grano*) éventer.
apaleo *nm* (*de trigo*) bastonnage *m*, éventage *m*; (*de fruto*) gaulage *m*.
apandillarse *vr* se grouper en bande.
apañado, a *a* adroit(e), habile; (*fam*) pratique.
apañar *vt* (*recoger*) disposer, arranger; (*asir*) saisir, prendre; (*ataviar*) orner, parer; (*remendar*) rapiécer, raccommoder; **~se** *vr* se débrouiller, s'arranger.
aparador *nm* (*mueble*) buffet *m*; (*escaparate*) vitrine *f*.
aparato *nm* machine *f*; pompe *f*, apparat *m*; (*TEC*) appareil *m*, poste *m*; (*doméstico*) appareil ménager; **~ digestivo/circulatorio** appareil *ou* système digestif/circulatoire.
aparatoso, a *a* pompeux(euse), ostentatoire.
aparecer *vi* apparaître; (*libro*) paraître; (*en lista*) figurer; (*en escena*) paraître; (*llegar*) venir, arriver; **~se** *vr* se montrer, surgir.
aparecido *nm* revenant *m*, fantôme *m*.
aparejado, a *a* préparé(e), convenable, adéquat(e).
aparejar *vt* préparer; disposer; (*caballo*) harnacher; (*NAUT*) gréer; **~se** *vr* se préparer, s'apprêter.
aparejo *nm* préparation *f*, arrangement *m*; (*de caballo*) harnais *m*, bât *m*; (*NAUT*) gréement *m*; (*TEC*) mouffle *m*.
aparentar *vt* feindre, simuler, faire semblant, affecter.
aparente *a* (*simulado*) apparent(e); (*falso*) faux(ausse); (*adecuado*) approprié(e); propre.
aparición *nf* (*visión*) apparition *f*

(*publicación*) parution *f*.
apariencia *nf* apparence *f*; **en ~** apparemment, en apparence.
apartado, a *a* (*retirado*) écarté(e), distant(e); (*remoto*) lointain(e) // *m* boîte postale; paragraphe *m*, alinéa *m*.
apartamento *nm* appartement *m*.
apartamiento *nm* (*acción*) écartement *m*; (*selección*) tri *m*, triage *m*; (*apartamento*) appartement *m*.
apartar *vt* (*separar*) écarter, éloigner, séparer; (*alejar*) éloigner; (*elegir*) mettre de côté, choisir; (*minerales*) trier; (*persona*) tenir à l'écart, écarter; **~se** *vr* (*alejarse*) s'éloigner, s'écarter; (*retirarse*) se retirer.
aparte *ad* (*separadamente*) de côté; (*en otro lugar*) ailleurs, en dehors; (*además*) en plus, en outre // *nm* aparté *m*; **punto y ~** point à ligne.
apasionado, a *a* passionné(e); ardent(e), acharné(e); partisan(e).
apasionar *vt* (*tener pasión a, por*) passionner; **~se** *vr* se passionner.
apatía *nf* (*abulia*) apathie *nf*; (*desgano*) dégoût *nm*.
apático, a *a* apathique; dégoûté(e).
apdo *nm abr de* **apartado (de correos)**.
apeadero *nm* (FERROCARRIL) halte *f*, petite gare; (*apartamento*) pied-à-terre *m*.
apearse *vr* (*de un caballo*) mettre pied à terre; (*de un coche*) descendre.
apechugar *vi* se coltiner, s'appuyer; affronter.
apedrear *vt* jeter des pierres à; lapider // *vi* grêler; **~se** *vr* être grêlé(e); se battre à coups de pierres.
apegarse *vr*: **~se a** s'attacher à, avoir de l'affection pour.
apego *nm* (*inclinación*) affection *f*, inclination *f*; (*afecto*) attachement *m*.
apelación *nf* (JUR) appel *m*; (MED) consultation *f* de médecins.
apelante *nm/f* appelant/e.
apelar *vi* faire appel; **~ a** en appeler *ou* s'en remettre *ou* avoir recours à.
apellidar *vt* nommer, surnommer; **~se** *vr* se nommer, s'appeler.
apellido *nm* nom *m* (de famille).
apenar *vt* affliger, peiner; **~se** *vr* s'affliger.
apenas *ad* (*escasamente*) à peine, presque pas; (*en cuanto*) dès que, aussitôt que.
apéndice *nm* appendice *m*.
apercibimiento *nm* préparation *f*; avertissement *m*, avis *m*; (JUR) sommation *f*.
apercibir *vt* préparer, disposer; avertir, admonester; (JUR) faire une sommation; **~se** *vr* se préparer; (AM) percevoir.
aperitivo *nm* apéritif *m*.
apero *nm* matériel *m* agricole; **~s** *nmpl* (AM) harnachement *m*.
apertura *nf* ouverture *f*.
apesadumbrar *vt* (*entristecer*) attrister, accabler; (*afligir*) faire de la peine à, affliger; **~se** *vr* s'affliger.
apestar *vt* (MED) donner la peste à, contagionner; (*fastidiar*) ennuyer, assommer // *vi* empester, puer; **~se** *vr* (*persona*) tomber malade; (*planta*) attraper la peste.
apetecer *vt*: **¿te apetece una tortilla?** est-ce qu'une omelette te dirait?, as-tu envie d'une omelette?
apetecible *a* (*deseable*) désirable, appétisant(e); (*atractivo*) attirant(e); (*agradable*) agréable.
apetencia *nf* appétit *m*, appétence *f*.
apetito *nm* appétit *m*.
apetitoso, a *a* (*sabroso*) appétissant(e), savoureux(euse); (*agradable*) délicieux(euse), agréable.
apiadarse *vr* s'apitoyer, s'attendrir.
ápice *nm* pointe *f*, extrémité *f*; (*parte mínima*) brin *m*, vétille *f*.
apiñar *vt* (*amontonar*) entasser, empiler; (*apretar*) serrer.
apio *nm* céleri *m*.

apisonar *vt* damer, tasser.
aplacar *vt* calmer, apaiser; ~**se** *vr* se calmer.
aplanamiento *nm* aplanissement *m*.
aplanar *vt* (*nivelar*) niveler; (*allanar*) aplanir; ~**se** *vr* (*fig*: *fam*) se laisser abattre.
aplastar *vt* aplatir, écraser; ~**se** *vr* (AM) s'effondrer, s'écrouler, dépérir.
aplaudir *vt* applaudir; (*fig*) applaudir à, approuver.
aplauso *nm* applaudissement *m*; (*fig*) éloges *mpl*.
aplazamiento *nm* ajournement *m*, remise *f*.
aplazar *vt* ajourner, remettre, retarder.
aplicación *nf* application *f*; (*puesta en marcha*) mise en œuvre *f*; (*adorno*) placage *m*.
aplicado, a *a* appliqué(e), studieux(euse).
aplicar *vt* (*ejecutar*) appliquer; (*emplear*) employer, appliquer; (*sobreponer*) superposer, rajouter; ~**se** *vr* (*esmerarse*) s'appliquer; (*ponerse*) se mettre; (*inyección, reprimenda*) se faire, s'infliger.
aplomo *nm* sérieux *m*, jugement *m*; verticalité *f*, aplomb *m*.
apocado, a *a* timide.
apocalipsis *nm* apocalypse *f*.
apocamiento *nm* timidité *f*, pusillanimité *f*; état dépressif.
apocar *vt* diminuer, amoindrir; ~**se** *vr* s'humilier, s'avilir.
apócrifo, a *a* apocryphe.
apodar *vt* surnommer.
apoderado *nm* agent *m*, mandataire *m*.
apoderar *vt* déléguer comme fondé de pouvoir; autoriser; ~**se** *vr* s'approprier, s'emparer; prendre possession.
apodo *nm* surnom *m*, sobriquet *m*.
apogeo *nm* apogée *m*.
apolítico, a *a* apolitique.
apología *nf* apologie *f*; défense *f*, plaidoyer *m*.
apoplejía *nf* apoplexie *f*.
apoplético, a *a* apoplectique.
apoquinar *vt* (*fam*) cracher, lâcher (de l'argent).
aporrear *vt* battre, frapper, cogner; ~**se** *vr* se battre.
aporreo *nm* bastonnade *f*, volée *f*.
aportar *vt* apporter // *vi* aborder, débarquer; ~**se** *vr* (AM) arriver, apparaître.
aposentar *vt* loger, héberger; ~**se** *vr* s'installer.
aposento *nm* (*habitación*) chambre *f*; (*hospedaje*) logement *m*.
aposta, apostadamente *ad* exprès, à dessein.
apostar *vt* parier; rivaliser; ~**se** *vr* se poster.
apostasía *nf* apostasie *f*.
apostilla *nf* apostille *f*, annotation *f*, note *f*.
apóstol *nm* apôtre *m*.
apóstrofe *nm* apostrophe *f*.
apóstrofo *nm* apostrophe *f*.
apostura *nf* élégance *f*, allure *f*.
apotegma *nm* apophtegme *m*.
apoteosis *nf* apothéose *f*.
apoyacodos *nm inv* accoudoir *m*.
apoyar *vt* appuyer; (*fig*) confirmer; appuyer.
apoyo *nm* (*soporte*) appui *m*; protection *f*; (*auxilio*) secours *m*.
apreciable *a* appréciable; (*fig*) estimable.
apreciación *nf* évaluation *f*, appréciation *f*.
apreciar *vt* apprécier; (*fig*) estimer.
aprecio *nm* appréciation *f*; (*fig*) estime *f*, sympathie *f*, considération *f*.
aprehender *vt* appréhender, saisir; concevoir; comprendre.
aprehensión *nf* appréhension *f*, prise *f*, capture *f*; compréhension *f*.
apremiante *a* urgent(e), pressant(e); (JUR) contraignant(e).
apremiar *vt* contraindre, forcer; (JUR) contraindre // *vi* presser.
apremio *nm* (*obligación*) con-

trainte *f*; urgence *f*; (*JUR*) contrainte *f*.
aprender *vt* apprendre.
aprendiz, a *nm/f* apprenti/e.
aprendizaje *nm* apprentissage *m*.
aprensión *nm* (*recelo*) appréhension *f*; (*miedo*) peur *f*; (*escrúpulo*) scrupules *mpl*; **aprensiones** *nfpl* idées fausses.
aprensivo, a *a* (*receloso*) peureux(euse), méfiant(e); (*temeroso*) craintif(ive), pusillanime.
apresamiento *nm* prise *f*, saisie *f*; capture *f*.
apresar *vt* (*asir*) saisir; (*NAUT*) capturer; (*JUR*) incarcérer.
aprestar *vt* (*preparar*) apprêter; (*disponer*) disposer, ordonner; (*TEC*) apprêter; **~se** *vr* s'apprêter.
apresto *nm* préparatifs *mpl*; (*TEC*) apprêt *m*.
apresurado, a *a* (*falto de tiempo*) pressé(e); (*precipitado*) hâtif(ive).
apresuramiento *nm* (*prisa*) empressement *m*; (*precipitación*) hâte *f*, précipitation *f*.
apresurar *vt* presser, hâter; **~se** *vr* se presser, se hâter.
apretado, a *a* serré(e), pincé(e); (*difícil*) difficile; (*peligroso*) périlleux(euse); (*falto de dinero o de espacio*) chiche; (*mezquino*) mesquin(e).
apretar *vt* (*estrechar*) serrer; (*comprimir*) presser, comprimer; (*oprimir*) presser, appuyer; (*activar*) presser, hâter; (*fig*) affliger, contrarier.
apretón *nm* (*de manos*) serrement *m*; (*dolor*) pincement *m*; (*fam*: *situación*) embarras *m*, situation *f* critique; (: *carrera*) sprint *m*, course rapide et courte.
apretura *nf* (*opresión*: *de gentío*) cohue *f*, foule *f*; (*presión*: *de mano etc*) serrement *m*; (*apuro*) situation *f* difficile, mauvais pas *m*; (*escasez*) gêne *f*; (*pasaje, estrecho*) espace exigu.
aprieto *nm* (*opresión*) gêne *f*, oppression *f*; (*dificultad*) difficulté *f*, situation *f* critique.
aprisa *ad* rapidement, vite.
aprisionar *vt* emprisonner; (*fig*) enchaîner.
aprobación *nf* (*consentimiento*) consentement *m*, approbation *f*; (*de un examen*) succès *m*.
aprobar *vt* (*consentir*) approuver; (*ley*) adopter; (*examen*) réussir, être reçu à // *vi* être reçu.
aprontar *vt* préparer rapidement.
apropiación *nf* appropriation *f*.
apropiado, a *a* réussi(e), pertinent(e).
apropiar *vt* adapter, approprier; **~se** *vr* s'attribuer, s'approprier.
aprovechado, a *a* appliqué(e), travailleur(euse); économe; studieux(euse); (*pey*) sans scrupules, profiteur(euse) // *nm/f* profiteur/euse.
aprovechamiento *nm* profit *m*, parti *m*; utilisation *f*; exploitation *f*.
aprovechar *vt* (*utilizar*) servir, (*explotar*) exploiter; (*tiempo, conocimientos, tierras*) profiter de // *vi* avancer, prospérer; etre utile ou utilisé; **~se** *vr*: **~se de** profiter de; **¡que aproveche!** bon appétit!
aprovisionar *vt* approvisionner, ravitailler.
aproximación *nf* approximation *f*; proximité *f*; (*MAT*) calcul *m* par approximation; (*LOTERÍA*) lot de consolation *m*.
aproximado, a *a* approximatif(ive).
aproximar *vt* approcher; **~se** *vr* s'approcher.
aptitud *nf* aptitude *f*, disposition *f*.
apto, a *a* apte, capable.
apuesta *nf* pari *m*.
apuesto, a *a* élégant(e), de belle prestance.
apuntación *nf* annotation *f*, remarque *f*; (*MUS*) notation *f*.
apuntador *nm* souffleur *m*.
apuntalar *vt* étayer; (*fig*) soutenir.
apuntar *vt* (*con arma*) pointer, braquer; (*con dedo*) montrer du

doigt; (*anotar*) noter, prendre note de; (*TEATRO*) souffler; (*dinero*) ponter, miser // *vi* (*planta*) pousser; **~se** *vr* poindre.
apunte *nm* note *f*, annotation *f*; (*de dibujo*) croquis *m*, esquisse *f*; (*TEATRO*) texte *m* du souffleur; (*apuesta*) mise *f*.
apuñalar *vt* poignarder.
apurado, a *a* (*necesitado*) gêné(e), dans la gêne; (*dificultoso, peligroso*) difficile, périlleux(euse); (*exhausto*) épuisé(e), tari(e); précis(e), exact(e); (*AM*) pressé(e), à court de temps.
apurar *vt* (*purificar*) épurer, purifier; (*extremar*) épuiser, pousser à l'extrême; (*agotar*) vider, épuiser; (*molestar*) mettre *ou* pousser à bout; (*apremiar*) harceler, presser; **~se** *vr* s'affliger, s'attrister; (*AM*) se dépêcher.
apuro *nm* (*aprieto*) gêne *f*, embarras *m*; (*escasez*) manque *m*, pénurie *f*; (*aflicción*) affliction, tristesse *f*; (*AM*) urgence *f*, hâte *f*.
aquejar *vt* peiner, affliger; (*MED*) souffrir de.
aquel, aquella, aquellos, as *det* (*m*) ce; (*f*) cette; (*mpl*) ces; (*fpl*) cettes.
aquél, aquélla, aquéllos, as *pron* (*m*) celui-là; (*f*) celle-là; (*mpl*) ceux-là; (*fpl*) celles-là.
aquello *pron* cela.
aquí *ad* (*lugar*) ici, là; (*tiempo*) alors, maintenant; **andar de ~ para allá** marcher ça et là; **~ arriba** là-haut; **~ mismo** ici même; **~ yace** ci-gît; **de ~ a siete días** dans sept jours; **de ~ en adelante** désormais.
aquiescencia *nf* acquiescement *m*, assentiment *m*.
aquietar *vt* (*sosegar*) rassurer, apaiser; (*calmar*) calmer.
aquilatar *vt* (*el oro*) déterminer, estimer; (*fig*) juger, apprécier.
ara *nf* autel *m* // *nm* (*AM*) ara *m*; **en ~s de** au nom de.
árabe *a* arabe // *nm/f* arabe *m/f*.
Arabia Saudita *nf* l'Arabie *f* Saoudite.
arado *nm* (*AGR*) charrue *f*; (*AM*) labours *mpl*.
aragonés, esa *a* aragonais(e) // *nm/f* Aragonais/e.
arana *nf* (*mentira*) mensonge *m*; (*fraude, estafa*) escroquerie *f*, fraude *f*.
arancel *nm* tarifs *mpl*; droits *mpl* de douane.
araña *nf* (*ZOOL*) araignée *f*; (*tela de araña*) toile *f* d'araignée; (*de mar*) araignée de mer; (*de luces*) lustre *m*; (*fam*) fourmi *f*.
arañar *vt* griffer, égratigner.
arañazo *nm* égratignure *f*.
arar *vt* labourer.
arbitraje *nm* arbitrage *m*.
arbitrar *vt* (*dirimir*) régler un différend; (*determinar*) déterminer, décider; (*entre adversarios*) arbitrer; **~se** *vr* s'ingénier; s'arranger.
arbitrariedad *nf* arbitraire *nm*.
arbitrario, a *a* arbitraire.
arbitrio *nm* (*voluntad*) volonté *f*; (*JUR*) arbitrage *m*; (*impuesto*) taxes *fpl*, charges *fpl*.
árbitro *nm* arbitre *m*.
árbol *nm* (*BOT*) arbre *m*; (*NAUT*) mât *m*; (*TEC*) arbre (moteur) *m*.
arbolado, a *a* boisé(e), couvert(e) // *nm* plantation *f* (*d'arbres*).
arboladura *nf* mâture *f*.
arbolar *vt* (*enarbolar*) arborer; (*NAUT*) mâter; **~se** *vr* se cabrer.
arboleda *nf* bois *m*, bosquet *m*.
arbotante *nm* arc-boutant *m*.
arbusto *nm* arbrisseau *m*, arbuste *m*.
arca *nf* (*cofre*) coffre *m*; (*de caudales*) coffre-fort *m*; **~s** *nfpl* coffres *mpl*.
arcada *nf* (*serie de arcos*) arcade *f*; (*de puente*) arche *f*; **~s** *nfpl* nausées *fpl*.
arcade, arcádico, a, arcadio, a *a* arcadien(ne).
arcaduz *nm* (*caño*) conduite *f*, tuyau *m*; (*cangilón*) godet *m*, auge *f*.

arcaico, a *a* (*antiguo*) archaïque; (*GEO*) archéen(ne).
arcángel *nm* archange *m*.
arcano, a *a* secret(ète), caché(e) // *nm* mystère *m*; secret *m*, arcane *m*.
arce *nm* érable *m*.
arcediano *nm* archidiacre *m*.
arcilla *nf* argile *f*.
arco *nm* arc *m*; (*de violín*) archet *m*; (*ANAT*) arcade *f* (dentaire); (*de puente*) arche *f*; ~ **iris** arc-en-ciel *m*.
arcón *nm* grand coffre.
archipiélago *nm* archipel *m*.
archivar *vt* classer; (*fig*) mettre au rancart, oublier.
archivo *nm* (*lugar*) archives *mpl*; (*registro*) archives, documents *mpl*.
arder *vi* brûler; être furieux(euse), bouillir de colère // *vt* brûler; ~**se** *vr* brûler, griller.
ardid *nm* ruse *f*, artifice *m*.
ardido *a* hardi(e), brave.
ardiente *a* ardent(e); (*fig*) passionné(e), fervent(e).
ardilla *nf* écureuil *m*.
ardor *nm* (*calor*) canicule *f*, chaleur *f*; (*pasión, vehemencia*) ardeur *f*; ~**es** *nmpl* brûlures *fpl* (d'estomac).
ardoroso, a *a* = **ardiente.**
arduo, a *a* ardu(e).
área *nf* (*superficie*) aire *f*; (*GEOM*) surface *f*; (*medida agraria*) are *m*; (*DEPORTE*) surface de réparation.
arena *nf* sable *m*; (*de una lucha*) arène *f*; (*redondel*) arènes *fpl*; (*MED*) calculs *mpl*, sable.
arenal *nm* (*terreno*) étendue de sable *f*; (*arenas movedizas*) sables mouvants; (*NAUT*) banc *m* de sable.
arenga *nf* harangue *f*; (*fam*) sermon *m*, harangues.
arengar *vt* haranguer.
arenisco, a *a* sablonneux(euse), aréneux(euse) // *nf* grès *m*.
arenoso, a *a* sablonneux(euse).
arenque *nm* hareng *m*.
argamasa *nf* mortier *m*.
argamasar *vt* (*mezclar la argamasa*) gâcher; (*unir con*) mélanger, cimenter.
Argel *n* Alger.
Argelia *nf* Algérie *f*.
argelino, a *a* algérien(ne) // *nm/f* Algérien/ne.
argentino, a *a* argentin(e) // *nm/f* Argentin/e // *nf*: **Argentina** Argentine *f*.
argolla *nf* (*arco*) anneau *m*; (*juego*) croquet *m*; (*castigo*) carcan *m*, pilori *m*; (*adorno*) collerette *f*, parure *f* de femme; (*fig*) carcan; (*AM*) alliance *f*.
argucia *nf* argutie *f*.
argüir *vt* arguer, déduire; faire voir, prouver, démontrer; reprocher, accuser // *vi* argumenter, discuter.
argumentación *nf* argument *m*, argumentation *f*, raisonnement *m*.
argumentar *vt* argumenter, discuter, prouver; déduire, conclure.
argumento *nm* argument *m*; (*AM*) discussion *f*.
aridez *nf* aridité *f*; (*fig*) aridité *f*.
árido, a *a* (*seco, estéril*) aride; (*falto de amenidad*) sec (sèche) // ~**s** *nmpl* (*granos, legumbres*) grains *mpl*, céréales *fpl*.
Aries *nm* le Bélier; **ser (de)** ~ être (du) Bélier.
ariete *nm* bélier *m*.
ario, a *a* aryen(ne) // *nf* aria *f*.
arisco, a *a* (*áspero, intratable*) bourru(e), intraitable, sauvage; (*huidizo*) peureux(euse), farouche.
arista *nf* (*gen*) arête *f*; (*del trigo*) barbe *f*; (*ARQ*) voûte *f* d'arêtes.
aristócrata *nm/f* aristocrate *m/f*.
aritmética *nf* arithmétique *f*.
arlequín *nm* arlequin *m*; (*fig*) pantin *m*, polichinelle *m*.
arma *nf* arme *f*.
armada *nf* armée *f* de mer, flotte *f*; escadre *f*.
armado, a *a* armé(e).
armadura *nf* (*MIL*) armure *f*; (*TEC*) armature *f*, charpente *f*; (*de techo*) lattis *m*; (*ZOOL*) squelette *m*; (*FÍSICA*) armature; (*MUS*) armature, armure.

armamento *nm* armement *m.*
armar *vt* (*soldado*) armer; (*máquina*) monter; (*navío*) armer, équiper; (*fig*) préparer, organiser; **~se** *vr* s'armer de; (*AM*) s'obstiner.
armario *nm* armoire *f.*
armatoste *nm* monument *m*, objet *m* inutile; (*fam*) gros tas.
armazón *nf* armature *f*, carcasse *f*; (*AUTO*) châssis *m*; (*TEC*) charpente *f*, monture *f*; (*ZOOL*) squelette *m*, carcasse // *nm* (*AM*) charpente en bois.
armella *nf* piton *m.*
armería *nf* (*depósito*) arsenal *m*; (*museo*) musée *m* de l'armée; (*tienda, arte*) armurerie *f.*
armiño *nm* hermine *f.*
armisticio *nm* armistice *m.*
armonía *nf* harmonie *f.*
armonioso, a *a* harmonieux (euse).
armonizar *vt* harmoniser // *vi* être en harmonie.
arnés *nm* harnais *m*; **arneses** *nmpl* harnais *m.*
aro *nm* (*argolla*) anneau *m*, cercle *m*; (*juego*) cerceau *m*; (*AM: anillo*) bague *f*; (*: pendiente*) boucle d'oreille *f.*
aroma *nm* arôme, parfum *m.*
aromático, a *a* aromatique.
arpa *nf* harpe *f.*
arpía *nf* harpie *f.*
arpista *nm/f* harpiste *m/f.*
arpón *nm* harpon *m.*
arquear *vt* (*doblar*) plier, arquer; (*lana*) arçonner; (*navío*) jauger; **~se** *vr* se courber.
arqueo *nm* (*gen*) courbure *f*, cambrure *f*; (*de navío*) jauge *f*; (*de lana*) arçonnage *m*; (*COM*) caisse *f*, compte *m* de la caisse.
arqueología *nf* archéologie *f.*
arquero *nm* (*soldado*) archer *m*; (*cajero*) caissier *m*; (*fabricante*) fabricant *m* de cerceaux.
arquitecto *nm* architecte *m.*
arquitectónico, a *a* architectonique.
arrabal *nf* faubourg *m.*
arracada *nf* boucle d'oreille *f.*
arracimarse *vr* se réunir, se disposer en grappes.
arraigado, a *a* enraciné(e).
arraigar *vt* enraciner // *vi* s'enraciner, prendre racine; **~se** *vr* se fixer, s'établir.
arrancar *vt* (*sacar*) déraciner; (*separar*) arracher; (*fig*) arracher, extorquer // *vi* démarrer, partir.
arranque *nm* (*de alguien*) départ *m*; (*de coche*) démarrage *m*; (*fig*) élan *m*; (*ANAT*) attache *f*; articulation *f*; (*ARQ*) point *m* de départ, base *f*; (*TEC*) démarreur *m*; (*de ira, generosidad*) sursaut *m*; accès *m*; **botón de ~** démarreur.
arranquera *nf* (*AM*) = **arranque.**
arras *nfpl* arrhes *fpl.*
arrasar *vt* (*aplanar*) aplanir; (*destruir*) raser; (*llenar*) remplir à ras bords // *vi* s'éclaircir.
arrastrado, a *a* misérable; (*AM*) servile // *nm/f* coquin/e // *f* traînée *f*; **llevar algo ~** trimballer qch.
arrastrar *vt* (*algo por el suelo*) traîner; (*los pies*) traîner; (*a alguien al cine*) traîner, entraîner; (*suj: agua, viento*) entraîner // *vi* traîner; **~se** *vr* (*persona, animal*) ramper, se traîner; (*humillarse*) ramper, s'humilier.
arrayán *nm* myrte *m.*
arrear *vt* (*animal*) exciter, stimuler; (*: poner arreos a*) harnacher // *vi* se dépêcher; **¡arre(a)!** hue!
arrebatado, a *a* emporté(e), impétueux(euse); violent(e); (*enrojecido*) rouge, congestionné(e).
arrebatar *vt* (*quitar*) enlever, arracher; (*fig*) ravir, transporter; (*AM*) bousculer, renverser; **~se** *vr* (*enfurecerse*) s'emporter, sortir de ses gonds; (*entusiasmarse*) s'enthousiasmer; (*torta*) se gâcher.
arrebato *nm* emportement *m*, fureur *f*; enthousiasme *m*; extase *f*; transport *m.*
arrebol *nm* (*colorete*) rouge *m*; (*de las nubes*) rougeoiement (des nu-

ages) *m*; embrasement *m*; (*enrojecimiento*) rougissement *m*.
arrebujarse *vr* s'envelopper.
arreciar *vi* redoubler.
arrecife *nm* chaussée *f*; (NAUT) récif *m*.
arreglado, a *a* (*ordenado, limpio*) réglé(e), soumis(e); (*moderado*) modéré(e).
arreglar *vt* (*poner orden*) régler; (*algo roto*) réparer, arranger; (*concertar*) conclure; (*problema*) régler; (MUS) accorder; **~se** *vr* (*vestirse*) s'habiller; (*el pelo*) s'arranger; (*contentarse*) se contenter.
arreglo *nm* (*orden*) accord *m*; (*conciliación*) arrangement *m*; (MUS) arrangement.
arremangar *vt* retrousser, relever; **~se** *vr* retrousser; (*fam*) se disposer à faire qch.
arremeter *vt* s'attaquer, tomber sur // *vi*: **~ a** foncer sur.
arremetida *nf* attaque *f*; assaut *m*; (*empujón*) bousculade, poussée *f*; (*de caballo*) ruade *f*.
arremolinarse *vr* (*hojas*) tournoyer, tourbillonner; (*aguas*) tourbillonner; (*gente*) s'entasser.
arrendador, a *nm/f* loueur *m*.
arrendamiento *nm* (*alquiler*) location *f*, affermage *m*; (*contrato*) bail *m*.
arrendar *vt* louer.
arrendatario, a *nm/f* locataire *m*, affermataire *m*.
arreo *nm* parure *f*, ornement *m*; **~s** *nmpl* harnais *mpl*; (AM) acte *m* de conduire les animaux au pâturage.
arrepentimiento *nm* repentir *m*.
arrepentirse *vr*: **~ de** se repentir de; regretter.
arrestado, a *a* détenu(e), arrêté(e).
arrestar *vt* arrêter; (MIL) mettre aux arrêts.
arresto *nm* détention *f*; (MIL) arrêts *mpl*; (*audacia, arrojo*) audace *f*; hardiesse *f*; **~ domiciliario** résidence forcée.
arriar *vt* (*velas, bandera*) amener; (*un cable*) affaler, mollir; **~se** *vr* être inondé.
arriate *nm* plate-bande *f*; chaussée *f*.
arriba *ad* (*posición*) en haut; (*dirección*) là-haut, en haut; **~ de** au-dessus de; **~ del todo** tout en haut; **en el piso de ~** à l'étage au-dessus; au dernier étage; **calle ~** en remontant la rue; **lo ~ mencionado** le mentionné ci-dessus; **~ de 20 francos** plus de 20 francs; **de ~** gratis, à l'œil; **¡~ las manos!** haut les mains!
arribar *vi* (NAUT) accoster; (*persona*) arriver.
arribo *nm* arrivée *f*.
arriendo *nm* (*alquiler*) location *f*; affermage *m*; (*contrato*) bail *m*.
arriero *nm* muletier *m*.
arriesgado, a *a* (*peligroso*) dangereux(euse); risqué(e); (*audaz*) hardi(e), audacieux(euse).
arriesgar *vt* risquer, hasarder; **~se** *vr*: **~se a** s'exposer à, se risquer à.
arrimar *vt* (*acercar*) approcher; (*adosar*) adosser; (*apoyar*) appuyer; (*dar golpes*) donner, flanquer; **~se** *vr* (*apoyarse*) s'appuyer; (*aproximarse*) s'approcher; (*juntarse*) se réunir, se rapprocher.
arrimo *nm* approche *f*; (*fig*) appui *m*, soutien *m*.
arrinconado, a *a* (*apartado*) laissé(e) de côté, jeté(e) dans un coin; (*fig*: *desatendido*: *persona*) délaissé(e); (*olvidado*) oublié(e), négligé(e).
arrinconar *vt* (*poner en un rincón*) mettre dans un coin; (*dejar de lado*) abandonner, laisser de côté; (*olvidar*) oublier; (*acosar*) acculer, traquer; **~se** *vr* se renfermer, vivre à l'écart.
arrizar *vt* (*lastrar*) lester; (*atar*) attacher, lier; **~ (la vela)** prendre des ris.
arroba *nf* arrobe *f*.
arrobamiento *nm* extase *f*, ravissement *m*.

arrodillarse *vr* s'agenouiller.
arrogancia *nf* arrogance *f*, superbe *f*; élégance *f*.
arrogante *a* arrogant(e); élégant(e); vaillant(e), courageux (euse).
arrogarse *vr* s'arroger, s'approprier.
arrojado, a *a* courageux(euse), téméraire.
arrojar *vt* lancer, jeter; (*demostrar, señalar*) démontrer, faire apparaître, signaler; (*fam*) vomir, cracher; **~se** *vr* se jeter, se précipiter, se ruer.
arrojo *nm* courage *m*, intrépidité *f*.
arrollar *vt* enrouler, rouler; entraîner; mettre en déroute; confondre; (AM) = **arrullar.**
arropar *vt* (*cubrir*) couvrir; (*abrigar con mantas*) envelopper, emmitoufler; (*fig*) protéger; (*vino*) mêler du moût cuit à; **~se** *vr* se couvrir.
arrope *nm* moût cuit *m*; (*almíbar de miel*) sirop *m* de miel; (*jarabe*) sirop; (AM) confiture *f*.
arroró *nm* dodo *m*.
arrostrar *vt* affronter, braver; faire face à, résister à; **~se** *vr* se mesurer, tenir tête.
arroyo *nm* (*de agua*) ruisseau *m*; (*de la calle*) caniveau *m*; (*fig*) rue *f*.
arroz *nm* riz *m*.
arrozal *nm* rizière *f*.
arruga *nf* (*de cara*) ride *f*; (*de vestido*) pli *m*.
arrugar *vt* chiffonner, froisser; **~se** *vr* (*encogerse*) se rétrécir; (*vestido*) se froisser.
arruinar *vt* ruiner; démolir; **~se** *vr* se démolir; (AM) être ruiné(e).
arrullar *vi* (*palomo*) roucouler // *vt* (*fig*: *niño*) bercer en chantant; (: *fam*) roucouler auprès de qn.
arrullo *nm* roucoulement *m*; (*canción*) berceuse *f*.
arrumaco *nm* (*fam*: *mimo*) câlinerie *f*, chatterie *f*; (: *adorno*) fanfreluche *f*.
arrurruz *nm* arrow-root *m*.
arsenal *nm* arsenal *m*.
arsénico *nm* arsenic *m*.
arte *nm* (*gen m en sing y siempre f en pl*) art *m*; **~s** *nfpl* arts *mpl*.
artefacto *nm* machine *f*; **~s explosivos** engins explosifs.
artejo *nm* (*nudillo*) jointure *f*; articulation *f*; (*de insectos*) article *m*.
arteria *nf* artère *f*.
artesa *nf* (*de panadero*) pétrin *m*; (*de albañil*) auge *f*.
artesano *nm* artisan *m*.
artesonado *nm* plafond *m* à caissons; mur lambrissé.
ártico, a *a* arctique // *nm*: **el Á~** l'Arctique *m*.
articulación *nf* (ANAT) articulation *f*; (LING) articulation, prononciation *f*; (TEC) joint *m*.
articulado, a *a* articulé(e) // *nm* ensemble *m* des articles d'une loi; (ZOOL) articulé *m*.
articular *a* articulaire // *vt* articuler.
artículo *nm* (*de periódico*) article *m*; (*de alimentación*) denrée *f*; (LING) article *m*.
artífice *nm* artiste *m*; auteur *m*.
artificio *nm* artifice *m*, habileté *f*, art *m*; (*fig*) astuce *f*.
artificioso, a *a* ingénieux(euse); (*disimulado, engañoso*) artificieux(euse).
artillería *nf* artillerie *f*.
artillero *nm* artilleur *m*.
artimaña *nf* (*trampa*) piège *m*, traquenard *m*; (*artificio, astucia*) ruse *f*, artifice *m*.
artista *nm/f* artiste *m/f*.
artístico, a *a* artistique.
artritis *nf* arthrite *f*.
arzobispado *nm* archevêché *m*.
arzobispo *nm* archevêque *m*.
arzón *nm* arçon *m*.
as *nm* as *m*.
asa *nf* (*de vasija, cesta*) anse *f*; (BOT) assa *f*.
asado *nm* grillade *f* // *a* rôti(e).
asador *nm* (*varilla*) broche *f*; (AM) rôtisseur *m*.

asalariar *vt* salarier.
asaltador, a *nm/f*, **asaltante** *nm/f* assaillant/e.
asaltar *vt* assaillir, attaquer.
asalto *nm* assaut *m*; (DEPORTE) round *m*; (*fam*) surprise-partie *f*.
asamblea *nf* assemblée *f*; (MIL) rassemblement *m*.
asar *vt* griller; **~se** *vr* (*fig*) étouffer, cuire de chaleur.
asaz *ad* assez.
asbesto *nm* asbeste *f*.
ascendencia *nf* (*antepasados*) ascendance *f*, lignée *f*; (*origen*) ascendance, origine *f*; (AM: *fig*) ascendant *m*.
ascender *vi* (*subir*) monter, s'élever; (*ser promovido*) être promu(e); **~ a** s'élever à.
ascendiente *nm* ascendant *m* // *nm/f* ascendant *m*.
ascensión *nf* (*subida*) ascension *f*; (*promoción*) avancement *m*.
ascensor *nm* ascenseur *m*.
asceta *nm/f* ascète *m/f*.
ascético, a *a* ascétique.
asco *nm* dégoût *m*.
ascua *nf* braise *f*.
aseado, a *a* (*limpio*) propre, net(te); (*elegante*) bien mis(e), élégant(e).
asear *vt* (*limpiar*) laver; (*arreglar*) arranger; (*adornar*) parer, orner.
asechanza *nf* traquenard *m*, embûche *f*, piège *m*.
asechar *vt* tendre un piège pour; (AM) tendre un traquenard pour // *vi* (*fig*) attendre son heure.
asediar *vt* (*sitiar*) assiéger; (*perseguir*) poursuivre, harceler; (*molestar*) harceler.
asedio *nm* siège *m*.
asegurado, a *a* assuré(e).
asegurador, a *nm/f* assureur *m*.
asegurar *vt* (*consolidar*) assurer; (*dar garantía de*) garantir; (*preservar*) préserver, assurer; (*afirmar, dar por cierto*) certifier; (*tranquilizar*) rassurer; (*tomar un seguro*) assurer, prendre une assurance sur; **~se** *vr* s'assurer.
asemejarse *vr* se ressembler.
asendereado, a *a* fréquenté(e), battu(e); (*fig*) surmené(e), accablé(e); expérimenté(e).
asentado, a *a* placé(e); situé(e); (*fig*) stable, équilibré(e).
asentar *vt* (*sentar*) asseoir; (*poner*) placer; (*fundar*) fonder; (*alisar*) aplatir; (*anotar*) porter, inscrire; (*afirmar*) poser, établir; (*afinar*) aiguiser.
asentimiento *nm* assentiment *m*, consentement *m*.
asentir *vi* assentir, consentir.
aseo *nm* (*limpieza*) propreté *f*; (*pulcritud*) soin *m*.
asequible *a* accessible; abordable, à la portée de.
aserción *nf* assertion *f*.
aserrado, a *a* dentelé(e).
aserrar *vt* scier.
aserrín *nm* sciure *f*.
aserto *nm* assertion *f*.
asesinar *vt* assassiner; (*fig*) affliger, causer une vive affliction à.
asesinato *nm* assassinat *m*.
asesino, a *a* assassin(e) // *nm/f* assassin *m/f*.
asesor, a *nm/f* conseiller/ère.
asesorar *vt* conseiller; **~se** *vr*: **~se con** *o* **de** prendre conseil de.
asestar *vt* braquer, pointer; (*golpear*) asséner.
aseveración *nf* affirmation *f*.
aseverar *vt* affirmer.
asfalto *nm* asphalte *m*.
asfixiar *vt* asphixier; (*fig*) étouffer; **~se** *vr* s'asphixier.
asgo *etc vb ver* **asir**.
así *ad* (*de esta manera*) ainsi, comme cela; (*aunque*) même si, quand bien même; (*tan luego como*) tant que, dès que; **~ que** *o* **como** dès que; **~ que** ce qui fait que; **~ y todo** tout de même; **~ como ~** comme ci, comme ça; de toute manière; **¿no es ~?** n'est- ce pas?
Asia *nf* Asie *f*.
asiático, a *a* asiatique.
asidero *nm* manche *m*, poignée *f*;

(*fig*) occasion *f*, prétexte *m*; (*fig*) appui *m*.
asiduidad *nf* assiduité *f*.
asiduo, a *a* assidu(e) // *nm/f* familier *m*; ~ **a** habitué à.
asiento *nm* (*silla, sillón, sofá*) siège *m*; (*de coche*) banquette *f*; (*base*) assise *f*; (*sitio*) emplacement *m*; (*fondo de botella, caja*) fond *m*; (*localidad*) place *f*; (*colocación*) pose *f*, mise en place *f*; (*depósito*) dépôt *m*, lie *f*; (ARQ: *sedimento*) tassement *m* de matériaux; (COM: *en libro*) enregistrement *m*, inscription *f*; (TEC) siège *m*, embouchure *f*; (*cordura*) sagesse *f*, bon sens.
asignación *nf* (*atribución*) assignation *f*; (*subsidio*) attribution *f*; (*sueldo*) traitement *m*, émoluments *mpl*.
asignar *vt* assigner, attribuer; accorder.
asignatura *nf* matière *f*.
asilo *nm* (*refugio, establecimiento*) asile *m*; (*amparo*) protection *f*.
asimilación *nf* assimilation *f*.
asimilar *vt* (*asemejar*) assimiler, ressembler à; (*sustancias nutritivas*) assimiler; ~**se** *vr* s'assimiler, se ressembler.
asimismo *ad* de la même manière; aussi, de même.
asir *vt* prendre, saisir; ~**se** *vr* se saisir; s'accrocher.
asistencia *nf* assistance *f*; présence *f*; secours *m*.
asistir *vt* assister; secourir // *vi* être présent(e).
asno *nm* âne *m*.
asociación *nf* association *f*.
asociado, a *a* associé(e) // *nm/f* associé/e; (*socio*) membre *m/f*.
asociar *vt* associer.
asolar *vt* ravager; ~**se** *vr* se déposer, former un dépôt.
asolear *vt* mettre au soleil; ~**se** *vr* (*acalorarse*) se chauffer au soleil.
asomar *vt* montrer, laisser voir // *vi* apparaître; ~**se** *vr* se montrer, apparaître; (*fam*) être un peu gris(e); ~ **la cabeza por la ventana** se pencher par la fenêtre.
asombrar *vt* (*dar sombra*) ombrager; (*pintura*) obscurcir; (*a alguien: causar admiración, sorpresa*) épater, stupéfier; (*asustar*) effrayer; ~**se** *vr* s'effrayer; s'étonner.
asombro *nm* frayeur *f*, étonnement *m*.
asombroso, a *a* étonnant(e), prodigieux(euse).
asomo *nm* indice *m*, signe *m*; apparence *f*; ombre *f*; soupçon *m*.
asonada *nf* tumulte *m*, émeute *f*.
asonancia *nf* assonance *f*; (*fig*) rapport *m*, relation *f*.
aspa *nf* (*cruz*) croix *f* de Saint André; (*de molino*) aile *f*; (BLASÓN) sautoir *m*; (*cuerno*) corne *f*.
aspar *vt* dévider; mortifier; ~**se** *vr* s'égosiller.
aspaviento *nm* outrance *f*; ~**s** *nmpl* simagrées *fpl*.
aspecto *nm* (*apariencia*) aspect *m*; (*semblante*) allure *f*; (*terreno*) domaine *m*; **bajo este** ~ à ce point de vue.
aspereza *nf* aspérité *f*; (*fig*) rudesse *f*.
áspero, a *a* âpre; (*al gusto, de carácter*) dur(e), acerbe.
aspersión *nf* aspersion *f*.
áspid(e) *nm* aspic *m*.
aspillera *nf* meurtrière *f*.
aspiración *nf* aspiration *f*.
aspirar *vt* aspirer; prétendre.
asquerosidad *nf* saleté *f*.
asqueroso, a *a* dégoûtant(e).
asta *nf* haste *f*, lance *f*, pique *f*; manche *f*; corne *f*; **a media** ~ en berne.
astilla *nf* (*de madera, piedra*) éclat *m*, fragment *m* de bois/pierre; (*de leña*) écharde *f*; (*de hueso*) esquille *f*.
astillero *nm* (NAUT) chantier naval; (*percha*) râtelier *m*.
astreñir *vt* = **astringir.**
astringente *a* astringent(e) // *nm* astringent *m*.
astringir *vt* astreindre, resserrer.

astro *nm* astre *m*; (*fig*) vedette *f*, étoile *f*, star *f*.
astrólogo *nm* astrologue *m*.
astronomía *nf* astronomie *f*.
astrónomo *nm* astronome *m*.
astucia *nf* astuce *f*, ruse *f*.
asturiano, a *a* asturien(enne).
astuto, a *a* astucieux(euse), madré(e).
asueto *nm* congé *m*.
asumir *vt* assumer.
asunción *nf* prise *f* en charge; (*REL*) assomption *f*.
asunto *nm* (*tema*) sujet *m*; (*negocio*) affaire *f*; (*caso*) fait *m*; (*molestia*) ennui *m*.
asustadizo, a *a* (*temeroso, miedoso*) craintif(ive); (*nervioso*) ombrageux(euse).
asustar *vt* effrayer; **~se** *vr* avoir peur.
atabal *nm* timbale *f*.
atacar *vt* (*acometer, embestir*) attaquer; (*impugnar*) combattre; (*MUS*) attaquer; (*QUÍMICA*) attaquer, ronger.
atado, a *a* lié(e); (*fig*) embarrassé(e), gauche // *nm* paquet *m*.
atadura *nf* (*ligazón*) attache *f*; (*fig*: *unión*) lien *m*; (*traba*) entrave *f*.
atajar *vt* arrêter, couper; interrompre // *vi* prendre un raccourci; **~se** *vr* (*AM*) se protéger; (*fig*) se troubler; (*:fam*) s'enivrer.
atajo *nm* (*camino*) raccourci *m*; (*medio*) expédient *m*; (*RUGBY*) plaquage *m*; (*FÚTBOL*) tackle *m*.
atalaya *nf* (*torre*) tour *f* de guet; (*elevado*) éminence *f*, hauteur *f* // *nm* guetteur *m*, vigie *f*.
atañer *vi* concerner.
ataque *nm* (*MED*) attaque *f*, crise *f*; (*MIL*) attaque *f*; (*MUS*) attaque *f*; **~ de risa** fou-rire *m*.
atar *vt* (*unir, sujetar*: *animal, paquete, persona*) attacher; (*zapatos*) lacer; **~se** *vr* (*concluir, deducir*) tirer des conclusions; (*fig*: *embarazarse, intimidarse*) se troubler, s'embrouiller; (*ceñirse a una cosa o persona*) s'en tenir; **~se la lengua** rester muet(te).
atarantar *vt* étourdir; **~se** *vr* se précipiter.
atareado, a *a* affairé(e).
atarear *vt* donner une tâche à; **~se** *vr* s'affairer.
atarjea *nf* (*cañería*) conduite *f* d'eau; (*alcantarilla*) égout *m*.
atarugar *vt* (*fijar*) cheviller; (*tapar*) boucher; (*fam*) clouer le bec à; **~se** *vr* (*fam*: *callarse*) rester court, ne savoir que répondre; (: *atragantarse*) s'empiffrer; (: *confundirse*) se troubler.
atasajar *vt* découper.
atascamiento *nm* = **atasco.**
atascar *vt* (*cañería*) boucher, engorger; **~se** *vr* s'embourber, s'enliser.
atasco *nm* (*de cañería*) engorgement *m*, obstruction *f*; (*AUTO*) embouteillage *m*; (*impedimento*) empêchement *m*.
ataúd *nm* cercueil *m*; bière *f*.
ataviado, a *a* paré(e).
ataviar *vt* parer, orner; **~se** *vr* se parer, s'habiller avec soin.
atavío *nm* parure *f*.
atavismo *nm* atavisme *m*.
atemorizar *vt* effrayer; **~se** *vr* s'effrayer.
atemperar *vt* tempérer, modérer; adapter; **~se** se modérer; s'adapter.
Atenas *n* Athènes.
atención *nf* attention *f*; politesse *f*; courtoisie *f*; intérêt *m* // *excl* attention!
atender *vt* s'occuper de; servir, accueillir; assurer // *vi* faire attention.
ateneo *nm* athénée *m*.
atenerse *vr*: **~ a** (*ajustarse*) s'en tenir à; (*acogerse*) recourir à.
atentado *nm* attentat *m*.
atentar *vi*: **~ a** attenter à.
atento, a *a* attentif(ive); (*cortés*) prévenant(e), attentionné(e).
atenuación *nf* attenuation *f*.
atenuante *a* atténuant(e) // *nm* (*AM*) circonstance atténuante.

atenuar *vt* (*disminuir*) atténuer; (*minimizar*) diminuer.
ateo, a *a* athée // *nm/f* athée *m/f*.
aterido, a *a* transi(e) de froid.
aterrador, a *a* effroyable.
aterrar *vt* (*echar por tierra*) renverser à terre; (MIN) décombrer; (*atemorizar*) effrayer; (AM) remplir de terre; ~**se** *vr* (*estar aterrado*) être atterré(e); (*tener pánico*) être terrorisé(e).
aterrizar *vi* atterrir.
aterrorizar *vt* terroriser; ~**se** *vr* être terrorisé(e).
atesorar *vt* thésauriser; (*fig*) réunir.
atestación *nf* (*deposición*) témoignage *m*, déclaration *f*.
atestar *vt* bourrer, remplir, bonder; (JUR) témoigner; ~**se** *vr* (*fig*: *fam*) s'empiffrer.
atestiguar *vt* (JUR) témoigner; (*fig*) démontrer.
atezar *vt* (*ennegrecer*) brunir, noircir; (*pulir*) polir; ~**se** *vr* brunir.
atiborrar *vt* bourrer; (*fig*: *fam*) remplir; ~**se** *vr* se gaver; (AM) bonder, remplir.
ático, a *a* attique // *nm* attique *m*, dernier étage.
atildamiento *nm* critique *f*; censure *f*; (*fig*) parure *f*, ornement *m*.
atildar *vt* mettre un tilde sur; critiquer; censurer; ~**se** *vr* se pomponner, se parer.
atinado, a *a* judicieux(euse); pertinent(e); approprié(e), adéquat(e).
atinar *vt* trouver, découvrir.
atisbar *vt* (*acechar*) guetter; (*mirar con disimulo*) regarder discrètement; observer.
atizar *vt* (*fuego, luz*) tisonner; (*fig*) attiser; ~ **un golpe** flanquer un coup; ~**se** *vr* (AM: *fam*: *con marijuana*) se défoncer.
atlántico, a *a* atlantique // *nm*: **el (océano) A~** l'(océan) Atlantique *m*.
atlas *nm* atlas *m*.
atleta *nm* athlète *m*.
atlético, a *a* athlétique.
atmósfera *nf* atmosphère *f*; (*fig*) climat *m*.
atolón *nm* atoll *m*.
atolondrado, a *a* écervelé(e), étourdi(e).
atolondramiento *nm* étourderie *f*.
atolladero *nm* bourbier *m*; (*fig*) impasse *f*.
atollar *vi* engorger, embourber; ~**se** *vr* s'embourber, s'enliser; (*fig*) s'embrouiller, s'empêtrer.
átomo *nm* atome *m*.
atónito, a *a* abasourdi(e), stupéfait(e).
atontado, a *a* (*aturdido*) étourdi(e); (*boquiabierto*) ébahi(e); (*confundido*) confondu(e).
atontar *vt* (*aturdir*) étourdir; (*volver tonto*) abrutir; ~**se** *vr* (*aturdirse*) entêter, étourdir; (*embrutecerse*) abêtir.
atorar *vt* (*cañería*) engorger, obstiner; (*tapar*) boucher; ~**se** *vr* s'engorger, s'obstiner; (AM: *fam*) avaler de travers.
atormentador, a *a* (*persona*) tourmenteur(euse); (*cosa*) pénible, douloureux(euse).
atormentar *vt* torturer; inquiéter; vexer; préoccuper; ~**se** *vr* s'inquiéter, se tourmenter.
atornillar *vt* visser.
atosigar *vt* empoisonner; (*fig*) harceler, presser; ~**se** *vr* être obsédé(e) *ou* harcelé(e).
atrabiliario, a *a* atrabilaire.
atrabilis *nf* atrabile *f*; (*fig*) mauvaise humeur.
atracar *vt* (NAUT) amarrer; (*robar*) attaquer, dévaliser; (*fam*) bourrer, gaver // *vi* amarrer; ~**se** *vr* (*fam*) se gaver, s'empiffrer.
atracción *nf* attraction *f*; (*simpatía*) attirance *f*.
atraco *nm* agression *f*.
atractivo, a *a* attractif(ive) // *nm/f* charmeur(euse).
atraer *vt* attirer.

atrancar *vt* (*con tranca, barra*) barrer, barricader; (*obstruir*) boucher; **~se** *vr* s'embourber; s'obstiner.

atrapar *vt* attraper; (*fig*) décrocher, obtenir; (: *engañar*) tromper.

atrás *ad* (*movimiento*) en arrière; (*tiempo*) plus tôt, auparavant; **ir hacia ~** aller en arrière; **estar ~** être à l'arrière.

atrasado, a *a* en retard; (*mentalmente*) arriéré(e); **estar ~ de** être à court de.

atrasar *vt* (*reloj*) retarder; **~se** *vr* (*quedarse atrás*) rester en arrière; (*llegar tarde*) se mettre en retard; (*endeudarse*) s'endetter; (*en crecimiento físico o mental*) être retardé(e).

atraso *nm* retard *m*; (*de pago*) arriéré *m*.

atravesar *vt* (*poner al través*) mettre en travers; (*traspasar*) percer, transpercer; (*la calle*) traverser; (*fig*: *pasar*) traverser; (NAUT) mettre à la cape; (AM) monopoliser; **~se** *vr* se mettre en travers; **me atraviesa** (*fam*) je ne peux pas le sentir.

atrayente *a* attrayant(e).

atrenzo *nm* (AM) difficulté *f*, épreuve *f*.

atreverse *vr* oser; manquer de respect.

atrevido, a *a* osé(e); hardi(e), audacieux(euse) // *nm/f* insolent/e.

atrevimiento *nm* insolence *f*, effronterie *f*; audace *f*.

atribución *nf* (*asignación*) attribution *f*, assignation *f*; (*concesión, otorgamiento*) attribution.

atribuir *vt* (*adjudicar*) attribuer; (*conceder, otorgar*) accorder.

atribular *vt* affliger, consterner; **~se** *vr* être affligé(e), être consterné(e).

atributo *nm* (*propiedad o cualidad*) attribut *m*, apanage *m*; (*símbolo*) attributs *mpl*; (LING) attribut *m*.

atril *nm* lutrin *m*, appui-livres *m*.

atrincherar *vt* retrancher; **~se** *vr* se retrancher.

atrio *nm* (*de iglesia*) parvis *m*; (*zaguán*) vestibule *m*.

atrocidad *nf* atrocité *f*, horreur *f*; (*fam*) cruauté *f*.

atrofiarse *vr* s'atrophier.

atronar *vt* (*aturdir*) assourdir; (*matar*: *un animal*) assommer.

atropellado, a *a* précipité(e).

atropellar *vt* (*derribar*) renverser; (*empujar*) bousculer violemment; (*pasar por encima de*) passer outre à; (*agraviar*) malmener, maltraiter; (*ultrajar*) outrager; **~se** *vr* se bousculer.

atropello *nm* (*accidente*) accident *m*; (*agravio*) mauvais traitement; (*empujón*) bousculade *f*; (*insulto*) outrage *m*; (*fig*) violation *f*.

atroz *a* atroce, démesuré(e).

atto, a *abr de* **atento**.

atún *nm* thon *m*.

aturdido, a *a* étourdi(e).

aturdir *vt* (*perturbar con ruidos*) étourdir, ahurir; (*confundir*) confondre.

aturrullar *vt* décontenancer, troubler; **~se** *vr* se troubler, s'affoler.

atusar *vt* (*recortar*) tondre; (*acariciar*) caresser; **~se** *vr* se pomponner.

audacia *nf* audace *f*, hardiesse *f*.

audaz *a* audacieux(euse) // *nm/f* audacieux/euse.

audiencia *nf* audience *f*; (*tribunal*) tribunal *m*, cour *f*, Palais *m* de Justice; (AM) audience.

auditor *nm* (JUR) assesseur *m*, conseiller *m* juridique; (AM) écoute *f*.

auditorio *nm* (*oyentes*) auditoire *m*; (*edificio*) auditorium *m*.

auge *nm* apogée *m*.

augurar *vt* augurer, prédire; conjecturer, présumer.

aula *nf* salle *f*, amphithéâtre *m*.

aulaga *nf* ajonc *m*.

aullar *vi* hurler.

aullido *nm* hurlement *m*.

aumentar *vt* augmenter; (*con microscopio, anteojos*) grossir;

(*fuego, luz*) intensifier // *vi*, **~se** *vr* s'agrandir, s'accroître; se mettre en quatre; se reproduire.
aumento *nm* augmentation *f*, grossissement *m*; amplification *f*; élargissement *m*; intensification *f*.
aun *ad* même, cependant, malgré tout.
aún *ad* encore, toujours.
aunar *vt* unir, réunir; unifier.
aunque *conj* quoique, bien que.
aura *nf* zéphir *m*; (*fig*) faveur *f* populaire, approbation *f*.
áureo, a *a* d'or, doré(e).
aureola *nf* auréole *f*.
auricular *a* auriculaire // *nm* (*dedo*) auriculaire *m*; (*del teléfono*) combiné *m*.
aurífero, a *a* aurifère.
aurora *nf* aurore *f*.
ausencia *nf* absence *f*.
ausentarse *vr* s'absenter.
ausente *a* absent(e) // *nm/f* absent/e *m/f*.
auspicio *nm* protection *f*.
austeridad *nf* austérité *f*.
austero, a *a* austère.
austral *a* austral(e).
Australia *nf* Australie *f*.
australiano, a *a* australien(ne).
Austria *nf* Autriche *f*.
austríaco, a *a* autrichien(ne).
autenticar *vt* légaliser.
auténtico, a *a* authentique.
auto *nm* (JUR) sentence *f*, arrêté *m*; (*drama*) drame religieux; (*fam*) voiture *f*; **~s** *nmpl* (JUR) acte *m*.
autócrata *nm/f* autocrate *m/f*.
autógrafo, a *a* autographe // *nm* autographe *m*.
autómata *nm* automate *m*.
automático, a *a* automatique; machinal(e).
automotor, triz *a* automoteur-(trice) // *nm* (*tren*) autorail *m*; (AM) véhicule *m*.
automóvil *a* automobile // *nm* automobile *f*.
autonomía *nf* autonomie *f*; indépendance *f*.
autónomo, a *a* autonome.
autopista *nf* autoroute *f*.
autopsia *nf* autopsie *f*.
autor, a *nm/f* auteur *m*.
autoridad *nf* (*persona*) autorité *f*; (*poder*) pouvoir *m*.
autorización *nf* autorisation *f*.
autorizado, a *a* autorisé(e); (*respetado*) accrédité(e).
autorizar *vt* autoriser; légaliser; confirmer; accréditer.
autoservicio *nm* self-service *m*.
auxiliar *vt* aider, porter secours à.
auxilio *nm* secours *m*, aide *f*.
Av *abr de* **Avenida**.
avalancha *nf* avalanche *f*.
avalentonado, a *a* fanfaron(ne).
avalorar *vt* valoriser; (*valorar*) évaluer, estimer; (*fig*) encourager.
avaluar *vt* évaluer, estimer.
avance *nm* progression *f*; avance *f*.
avanzada *nf* avancée *f*.
avanzar *vt* avancer // *vi*, **~se** *vr* progresser; (*transcurrir*) passer; (*en edad*) vieillir.
avaricia *nf* avarice *f*.
avariento, a *a* avaricieux(euse).
avaro, a *a* avare // *nm/f* avare *m/f*.
avasallar *vt* asservir, soumettre; **~se** *vr* s'asservir.
Avda *abr de* **Avenida**.
ave *nf* oiseau *m*.
avecinarse *vr* s'approcher; se domicilier.
avecindar *vt* domicilier; **~se** *vr* s'établir, élire domicile.
avellana *nf* noisette *f*.
avellanar *nm* coudraie *f* // *vt* fraiser; **~se** *vr* se ratatiner.
avellaneda *nf*, **avellanedo** *nm* coudraie *f*.
avellano *nm* noisetier *m*; coudrier *m*.
avena *nf* avoine *f*.
avenencia *nf* accord *m*.
avenida *nf* (*calle*) avenue *f*; (*de río*) crue *f*.
avenimiento *nm* accord *m*.
avenir *vt* accorder; **~se** *vr* s'accorder; se conformer.
aventajado, a *a* (*notable*) remar-

quable; (*adelantado*) avancé(e).
aventajar *vt* (*sobrepasar*) dépasser; (*superar*) surpasser; (*preferir*) préférer; **~se** *vr* se dépasser, être avantagé(e).
aventamiento *nm* (*acción*) éventement *m*; (*AGR*) vannage *m*.
aventar *vt* éventer; disperser; (*AGR*) vanner; (*fig*: *fam*) renvoyer, mettre dehors; **~se** *vr* se gonfler d'air; (*fig*) prendre la clé des champs.
aventura *nf* aventure *f*; (*casualidad*) hasard *m*; (*peligro*) risque *m*.
aventurado, a *a* risqué(e).
aventurero, a *a* aventureux (euse); (*fig*) indécent(e); malhonnête // *nm/f* aventurier(ière) *m/f*.
avergonzar *vt* faire honte à; intimider; **~se** *vr* avoir honte.
avería *nf* avarie *f*; **~ gruesa** (*NAUT*) avarie commune.
averiado, a *a* en panne; (*echado a perder*) avarié(e), gâté(e).
averiarse *vr* tomber en panne; (*dañarse*) s'abîmer; (*echarse a perder*) se gâter.
averiguación *nf* enquête *f*; vérification *f*; (*búsqueda*) recherche *f*.
averiguar *vt* (*buscar, investigar*) rechercher, enquêter; **~se** *vr*: **~se con uno** (*fam*) s'entendre avec qn.
aversión *nf* opposition *f*; (*disgusto*) contrariété *f*; (*repugnancia*) aversion *f*: **tener ~ a** avoir du dégoût pour.
avestruz *nm* autruche *f*.
aviación *nf* aviation *f*.
aviador, a *nm/f* aviateur/trice.
avidez *nf* avidité *f*.
ávido, a *a* avide.
avieso, a *a* retors(e).
avinagrado, a *a* aigre.
avinagrar *vt* aigrir; **~se** *vr* tourner au vinaigre; (*fig*: *fam*) être amer(ère) *ou* acariâtre.
avío *nm* apprêts *mpl*; **~s** *nmpl* nécessaire *m*; **¡al ~!** au travail; **ir a su ~** ne penser qu'à soi.
avión *nm* avion *m*; **~ de reacción/sin piloto** avion à réaction/ téléguidé.
aviso *nm* (*noticia*) avis *m*, nouvelle *f*; (*advertencia*) avertissement *m*; (*prudencia*) précaution *f*, soin *m*.
avispa *nf* guêpe *f*.
avispado, a *a* éveillé(e), vif(vive).
avispar *vt* fouetter; (*fig*: *fam*) éveiller; **~se** *vr* se réveiller.
avispero *nm* (*nido*) guêpier *m*; (*MED*) anthrax *m*.
avistar *vt* apercevoir; **~se** *vr* se réunir.
avituallar *vt* ravitailler.
avivar *vt* stimuler; (*fig*) exciter; **~se** *vr* reprendre des forces.
avizorar *vt* guetter.
axioma *nm* axiome *m*.
ay *excl* (*dolor*) aie!; (*aflicción*) hélas!; **¡~ de mí!** pauvre de moi!; **¡~ del que!** malheur à celui qui.
aya *nf* gouvernante *f*.
ayer *ad* hier; **antes de ~** avant hier // *nm* hier *m*.
ayo *nm* précepteur *m*.
ayuda *nf* (*cooperación*) aide *f*; (*socorro*) secours *m*; (*MED*) lavement *m*; (*AM*) laxatif *m* // *nm*: **~ de cámara** valet *m* de chambre.
ayudanta *nf* (*AM*) domestique *f*.
ayudante *nm/f* aide *m/f*, assistant/e; maître auxiliaire *m*; assistant/e; (*MIL*) adjudant *m*.
ayudar *vt* (*asistir*) aider; (*socorrer*) secourir; **~se** *vr* s'aider.
ayunar *vi* jeûner.
ayunas *nfpl*: **estar en ~** (*no haber comido*) être a jeûn; (*ignorante*) ne pas être au courant.
ayuno *nm* jeûne *m*; ignorance *f*.
ayuntamiento *nm* conseil municipal; hôtel *m* de ville, mairie *f*; assemblée *f*, réunion *f*; copulation *f*.
azabache *nm* jais *m*.
azada *nf* houe *f*.
azadón *nm* houe *f*.
azafata *nf* (*criada*) dame *f* d'atour; (*en avión*) hôtesse *f* de l'air.
azafrán *nm* safran *m*.
azafate *nm* corbeille *f* (d'osier).

azafrán *nm* safran *m.*
azahar *nm* fleur *f* d'oranger (*ou* de citronnier).
azar *nm* (*casualidad*) hasard *m*; (*desgracia*) malheur *m*, revers *m.*
azarearse *vr* = **azorarse.**
azaroso, a *a* (*arriesgado*) hasardeux(euse); (*desgraciado*) malheureux(euse).
ázimo *a* azyme.
azogue *nm* mercure *m*, vif-argent *m.*
azor *nm* autour *m.*
azoramiento *nm* effarement *m*, trouble *m*, gêne *f.*
azorar *vt* alarmer; effrayer, surprendre; **~se** *vr* se troubler.
Azores *nmpl*: **los ~** les Açores *fpl.*
azotar *vt* (*dar azotes*) fouetter; (*viento, lluvia*) frapper, cingler; (*pasear*) promener; **~se** *vr* flâner.
azote *nm* (*látigo*) fouet *m*; (*latigazo*) coup *m* de fouet; (*golpe en las nalgas*) fessée *f*; (*tira de cuero*) lanière *f*; **~ del viento** coup de vent; (*persona*) fléau *m.*
azotea *nf* terrasse *f.*
azteca *a* aztèque // *nm/f* aztèque *m/f.*
azúcar *nm* sucre *m.*
azucarado, a *a* sucré(e).
azucarero, a *a* sucrier(ière) // *nm* sucrier *m* // *nf* (AM) sucrier.
azucarillo *nm* sucre spongieux.
azucena *nf* lis *m*, lys *m.*
azud *nm*, **azuda** *nf* roue *f* hydraulique; barrage *m.*
azufre *nm* soufre *m.*
azul *a* bleu(e) // *nm* indigo *m*, bleu *m.*
azulejo *nm* carreau *m* de faïence émaillée.
azuzar *vt* exciter; (*fam*) asticoter (*fam*), pousser, embêter.

B

B.A. *abr de* **Buenos Aires.**
baba *nf* (*saliva*) bave *f*; (*mucus*) mucus *m.*
babear *vi* baver.
babel *nm o f* (*fig*) capharnaüm *m.*
babor *nm* bâbord *m.*
babosa *nf* limace *f.*
baboso, a *a* baveux(euse).
babucha *nf* (*zapato*) babouche *f*; (AM) corsage *m*; **llevar a ~** porter à califourchon.
bacalao *nm* morue *f.*
bacanal *nf* (*fig*) bacchanale *f.*
bacilo *nm* bacille *m.*
bacín *nm* pot *m* de chambre.
bacteria *nf* bactérie *f.*
bacteriología *nf* bactériologie *f.*
báculo *nm* bâton *m*; (*fig*) appui *m*; **~ pastoral** houlette *f.*
bache *nm* nid *m* de poule.
bachiller *nm/f* ≈ bachelier/ière.
bachillerato *nm* (ESCOL) ≈ baccalauréat *m.*
badajo *nm* (*de campana*) battant *m*; (*fig*: *fam*) pie *f.*
badajocense *a* de Badajoz.
badana *nf* basane *f.*
badulaque *nm* ballot *m*; (*fig*: *fam*) nigaud *m*, crétin *m.*
bagaje *nm* bagages *mpl*; (*fig*) bagage (intellectuel).
bagatela *nf* bagatelle *f.*
bagazo *nm* bagasse *f.*
bagual (AM) *a* sauvage // *nm* cheval *m* sauvage.
bahía *nf* baie *f.*
bailar *vt, vi* danser.
baile *nm* (*danza*) danse *f*; (*reunión*) bal *m*; (*lugar*) salle *f* de bal.
baja *nf ver* **bajo.**
bajada *nf* descente *f*; (*camino*) pente *f*, descente; **la ~ de bandera** la prise en charge.
bajamar *nf* marée basse.
bajar *vi* descendre; (*temperatura, precios*) baisser // *vt* (*cabeza*) baisser; (*temperatura*) faire baisser;

(*escalera*) descendre; (*llevar abajo*) descendre; (*humillar*) rabaisser; **~se** *vr* (*de tren*) descendre; (*doblarse*) se baisser.

bajeza *nf* bassesse *f*.

bajío *nm* (*NAUT*) banc *m* de sable.

bajo, a *a* (*terreno, mueble, número, precio*) bas(se); (*de estatura*) petit(e); (*color*) pâle, terne; (*sonido, voz*) bas; (*metal*) vil(e); (*fig: humilde, vil, vulgar*) vil, humble, vulgaire // *ad* (*hablar, volar*) bas // *prep* sous // *nm* (*piso*) rez-de-chaussée *m* // *nf* baisse *f*; (*MIL*) perte *f*; (*MUS*): **~ cantante/cifrado/continuo/profundo** basse chantante/chiffrée/continue/profonde; **~ palabra** sur parole; **~ cero** au-dessous de zéro; **baja temporada** saison creuse; **~s fondos** bas fonds *mpl*; **dar de baja a** (*soldado*) porter disparu; réformer; (*empleado*) congédier.

bajón *nm* (*MUS*) basson *m*; (*baja*) grande baisse.

bajorrelieve *nm* bas-relief *m*.

bala *nf* (*MIL*) balle *f*, boulet *m*; **~ perdida** balle perdue; (*fig*) écervelé/e, tête brûlée; **~ trazadora** balle traçante; **~ de algodón** (*COM*) balle de coton.

baladí *a* futil(e), insignifiant(e).

baladrón, ona *a* fanfaron(ne).

baladronada *nf* fanfaronnade *f*.

bálago *nm* paille *f*.

balance *nm* (*balanceo*) balancement *m*; (*NAUT*) roulis *m*; (*COM*) balance *f*; **hacer el ~** faire le bilan.

balancear *vt* (*equilibrar*) mettre en équilibre // *vi* (*fig*) hésiter, osciller; **~se** *vr* se balancer.

balanceo *nm* balancement *m*; (*de barco*) roulis *m*.

balancín *nm* palonnier *m*; balancier *m*; bascule *f*; culbuteur *m*.

balandra *nf* sloop *m*.

balandro *nm* yacht *m*, voilier *m*.

balanza *nf* balance *f*; **~ comercial/de cuentas/de pagos** balance commerciale/des comptes/des paiements; (*ASTRO*): **B~ = Libra**.

balar *vi* bêler.

balaustrada *nf* balustrade *f*.

balay *nm* (*AM*) corbeille *f* en jonc.

balazo *nm* coup *m* de feu.

balbucear, balbucir *vi, vt* balbutier.

balbuceo *nm* balbutiement *m*.

balcón *nm* balcon *m*.

baldadura *nf* infirmité *f*.

baldaquín, baldaquino *nm* baldaquin *m*.

baldar *vt* estropier; (*fig*) contrarier; (*NAIPES*) couper.

balde *nm* seau *m*; **de ~** *ad* gratis; **en ~** *ad* en vain.

baldear *vt* (*lavar*) laver à grande eau; (*achicar*) écoper.

baldío, a *a* (*terreno*) en friche, inculte; (*esfuerzo*) vain(e) // *nm* terrain *m* inculte.

baldón *nm* affront *m*.

baldosa *nf* carreau *m*.

balear *vt* (*AM*) blesser *ou* tuer d'un coup de feu.

Baleares *nfpl*: **las Islas ~** les (îles) Baléares *fpl*.

balido *nm* bêlement *m*.

balística *nf* balistique *f*.

baliza *nf* (*AVIAT, NAUT*) balise *f*.

balneario, a *a*: **estación balnearia** station *f* balnéaire // *nm* station *f balnéaire; établissement m* de bains; station thermale.

balón *nm* ballon *m*.

balotaje *nm* (*AM*) ballottage *m*.

balsa *nf* radeau *m*; (*BOT*) balsa *m*.

balsámico, a *a* balsamique.

bálsamo *nm* baume *m*.

baluarte *nm* rempart *m*; (*fig*) bastion *m*.

ballena *nf* baleine *f*; (*ASTRO*): **B~** Baleine.

ballenero, a *a* baleinier(ière) // *nm* (*barco*) baleinière *f*; (*pescador*) baleinier *m*.

ballesta *nf* arbalète *f*; (*AUTO*) ressort *m* à lames.

ballestero *nm* arbalétrier *m*.

ballet *nm* ballet *m*.

bambolear(se) *vi,* (*vr*) osciller; (*cabeza*) dodeliner.
bamboleo *nm* balancement *m.*
bambolla *nf* (*fam*) esbroufe *f*; (AM) épate *f.*
bambú *nm* bambou *m.*
bambuco *nm* (AM) *air et danse populaire.*
banca *nf* (*asiento*) banquette *f*; (*piragua*) pirogue *f*; (*juego*) *jeu de hasard*; (COM) banque *f*; (AM) siège *m.*
bancada *nf* (*banco*) banc *m*; (NAUT) banc *m* de poisson; (TEC) socle *m.*
bancal *nm* (AGR) carré *m*; (*terraza*) terrasse *f.*
bancario, a *a* bancaire.
bancarrota *nf* banqueroute *f.*
banco *nm* banc *m*; (TEC): ~ **de carpintero** établi *m*; ~ **de prueba** banc d'essai; ~ **de crédito** établissement *m* de crédit; ~ **de arena** banc de sable; ~ **de hielo** banquise *f.*
banda *nf* (*faja, cinta*) bande *f*; écharpe *f*; (MUS) fanfare *f*; (NAUT) bord *m*; (*de gente*) bande *f*; (*de animales*) bande *f*, volée *f*; **la B~ Oriental** l'Uruguay *f*; ~ **de carretera** voie *f* d'autoroute; ~ **magnética/de sonidos** bande magnétique/sonore.
bandada *nf* bande *f.*
bandear *vt* (AM: *cruzar*) traverser; (: *perseguir*) harceler; (: *atravesar, herir*) transpercer; ~**se** *vr* se débrouiller.
bandeja *nf* plateau *m.*
bandera *nf* drapeau *m*; **bajo** ~ sous les drapeaux.
banderilla *nf* (TAUR) banderille *f*; (TEC) béquet *m.*
banderillero *nm* banderillero *m.*
banderín *nm* (MIL) fanion *m*, enseigne *f.*
banderola *nf* banderole *f.*
bandido *nm* bandit *m.*
bando *nm* édit *m*; faction *f*; **los ~s** les bans.
bandolera *nf* bandoulière *f.*
bandolero *nm* bandit *m.*
bandurria *nf sorte de mandoline f.*
banquero, a *a* bancaire // *nm* banquier *m.*
banqueta *nf* (*asiento*) banquette *f*; (*escabel*) tabouret *m*; (AM) trottoir *m.*
banquete *nm* banquet *m*; ~ **de boda** banquet de noces.
banquillo *nm* (*al tribunal*) banc *m* des accusés; (*pequeño banco*) petit banc; (*de zapatero*) billot *m.*
bañadera *nf* (AM) baignoire *f.*
bañado *nm* (AM) prairie *f* inondable.
bañar *vt* (*niño*) baigner; (*objeto*) enduire; ~**se** *vr* (*en el mar*) se baigner; (*en la bañera*) prendre un bain; **bañado en** baigné de.
bañera *nf* baignoire *f.*
bañero *nm* maître-nageur *m.*
bañista *nm/f* baigneur/euse.
baño *nm* (*en bañera*) bain *m*; (*en río*) bain, baignade *f*; (*cuarto*) salle *f* de bain; (*bañera*) baignoire *f*; (*capa*) couche *f*; (*fig*) vernis *m*; **tomar un** ~ (*en bañera*) prendre un bain; (*en río*) se baigner; ~ **de pintura** bain de peinture; ~ **de chocolate** enrobement *m* de chocolat.
baptisterio *nm* baptistère *m.*
baqueta *nf* (MIL, MUS) baguette *f*; **mandar** *o* **tratar a la** ~ faire marcher à la baguette.
baquetear *vt* harceler.
baqueteo *nm* (*traqueteo*) cahotement *m*; (*molestia*) tracas *m.*
baquiano, a *a* connaisseur // *nm/f* (AM: *guía*) guide *m/f.*
báquico, a *a* bachique.
bar *nm* bar *m.*
barahúnda *nf* vacarme *m.*
baraja *nf* jeu *m* de cartes; **jugar a** *o* **con dos** ~**s** jouer un double jeu.
barajar *vt* (*naipes*) battre; (*fig*) embrouiller; ~**se** *vr* se brouiller.
baranda *nf* (*de escalera*) rampe *f*; (*de balcón*) barre *f* d'appui; (*de billar*) bande *f.*
barandilla *nf* rambarde *f.*

baratija *nf* (*fruslería*) bagatelle *f*; (*joya*) babiole *f*.
baratillo *nm* (*tienda*) boutique *f* de brocante; (*subasta*) braderie *f*; (*conjunto de cosas*) bric-à-brac *m*.
barato, a *a* bon marché; (*fig*) facile // *nm* liquidation *f* // *nf* (AM) liquidation // *ad* bon marché.
baratura *nf* bas prix *m*.
baraúnda *nf* = **barahúnda.**
barba *nf* (ANAT) menton *m*; (*pelo*) barbe *f*; **~s** *fpl* barbe; **~s de chivo** bouc *m*.
barbacoa *nf* (*parrilla*) barbecue *m*; (*carne*) viande grillée; (*lecho*) lit *m* rustique; (*choza*) chaumière *f*; (*emparrado*) vigne *f* en tonnelle.
barbado, a *a* (*barbudo*) barbu(e) // *nm* (*sarmiento*) sarment *m*; (*esqueje*) bouture *f*; (*hijuelo*) rejeton *m*.
barbaridad *nf* barbarie *f*; (*fig*: *palabra*) énormité *f*; (: *hecho*) sottise *f*; **comer una ~** (*fam*) manger énormément; **una ~ de gente** (*fam*) une foule de gens; **¡qué ~!** (*fam*) quelle horreur!; **cuesta una ~** (*fam*) cela coûte une fortune.
barbarie *nf* barbarie *f*.
barbarismo *nm* barbarie *f*; (LING) barbarisme *m*.
bárbaro, a *a* barbare; cruel(le); inculte; **¡qué ~!** (*fam*) fantastique!; **un éxito ~** (*fam*) un succès fantastique; **es un tipo ~** (*fam*) c'est un type formidable // *ad*: **lo pasamos ~** (*fam*) cela a été magnifique // *nm/f* barbare *m/f*.
barbear *vt* raser; (AM: *fam*: *adular*) flatter; (AM: *res vacuna*) (faire) coucher (par une torsion exercée sur les cornes).
barbecho *nm* jachère *f*.
barbero *nm* barbier *m*.
barbijo *nm* (AM) = **barbiquejo**.
barbilampiño *a* glabre // *nm* (*fig*) blanc bec.
barbilla *nf* menton *m*.
barbitúrico *nm* barbiturique *m*.
barbiquejo, barboquejo mentonnière *f*; jugulaire *f*.
barbot(e)ar *vt, vi* bredouiller.
barbudo, a *a* barbu(e).
barca *nf* barque *f*; **~ de pesca** barque de pêche; **~ de pasaje** bac *m*.
barcaza *nf* barcasse *f*; **~ de desembarco** (MIL) péniche *f* de débarquement.
Barcelona *n* Barcelone.
barcelonés, esa *a* barcelonais(e).
barco *nm* (*gen*) bateau *m*; **~ de pasajeros** paquebot *m*; **~ de carga** cargo *m*.
barda *nf* (*caballo*) barde *f*; (*tapia*) couronnement *m* en ronce.
bardar *vt* barder.
bardo *nm* barde *m*.
bargueño *nm* cabinet *m* (*meuble*).
bario *nm* baryum *m*.
barítono *nm* baryton *m*.
barlovento *nm* dessus *m* du vent.
barman *nm* barman *m*.
Barna *abr de* **Barcelona**.
barniz *nm* vernis *m*.
barnizar *vt* vernir.
barómetro *nm* baromètre *m*.
barón *nm* baron *m*.
baronesa *nf* baronne *f*.
barquero *nm* batelier *m*.
barquillo *nm* cornet *m*.
barquinazo *nm* canot *m*.
barra *nf* barre *f*; (*de pan*) baguette *f*; (AM) bande *f* de jeunes; (*palanca*) levier *m*; **~ de carmín** bâton *m* de rouge (à lèvres); **~ de cortina** tringle *f* de rideau.
barrabasada *nf* rosserie *f*.
barraca *nf* baraque *f*, chaumière *f*; (AM: *cobertizo, depósito*) hangar *m*.
barranca *nf* ravin *m*; précipice *m*.
barranco *nm* ravin *m*; précipice *m*; (*fig*) obstacle *m*.
barredero, a *a* balayeur(euse) // *nf* balayeuse *f*.
barredor, a *a* balayeur(euse).
barreminas *nm* démineur *m*.
barrena *nf* (*sin mango*) mèche *f*; (*con mango*) vrille *f*; (*de minero*)

barre *f* à mine; (*para madera*) tarière *f*.
barrenar *vt* forer; (*fig*) déjouer.
barrendero, a *nm/f* balayeur/euse.
barreno *nm* grande vrille.
barrer *vt* balayer; (*fig*) éliminer // *vi* balayer; ~ **hacia** *o* **para dentro** veiller à son propre intérêt.
barrera *nf* (*paso a nivel*) barrière *f*; (*cierre de camino*) barrage *m*; (*obstáculo*) obstacle *m*; (*TAUR*: *del torero*) barrière; (*de fútbol*) mur *m*; (*de jardín*) portail *m*.
barriada *nf* faubourg *m*.
barricada *nf* barricade *f*.
barrido *nm*, **barrida** *nf* balayage *m*.
barriga *nf* ventre *m*; panse *f*; (*de vasija*) panse *f*; **echar** ~ prendre du ventre.
barrigón, ona, barrigudo, a *a* ventru(e), ventripotent(e).
barriguera *nf* sous-ventrière *f*.
barril *nm* baril *m*.
barrilero *nm* tonnelier *m*.
barrilete *nm* (*de carpintero*) valet *m*; (*de revólver*) barillet *m*; (*AM*) cerf-volant *m*.
barrio *nm* (*en el pueblo*) quartier *m*; (*fuera del pueblo*) faubourg *m*; **el otro** ~ (*fam*) l' autre monde *m*; ~**s bajos** bas quartiers.
barro *nm* (*lodo*) boue *f*; (*MED*) point noir; (*AM*) gaffe *f*; ~ **cocido** terre cuite; ~ **de alfarero** glaise *f*.
barroco, a *a* baroque; (*pey*) extravagant(e) // *nm* baroque *m*.
barroso, a *a* boueux(euse).
barrote *nm* barreau *m*.
barruntar *vt* pressentir.
barrunto *nm* pressentiment *m*.
bartola : **a la** ~ *ad* sans s'en faire; **tirarse a la** ~ se la couler douce.
bártulos *nmpl* affaires *fpl*.
barullero, a *a* tapageur(euse).
barullo *nm* (*alboroto*) pagaille *f*; (*multitud*) cohue *f*.
basa *nf* base *f*.
basalto *nm* basalte *m*.
basamento *nm* soubassement *m*.
basar *vt* baser; (*fig*) fonder; ~**se** *vr*: ~**se en** se fonder sur.
basca *nf* nausée *f*.
báscula *nf* bascule *f*.
bascular *vi* basculer.
base *nf* base *f*; ~ **imponible** assiette *f* de l'impôt.
básico, a *a* basique.
basílica *nf* basilique *f*.
basilisco *nm* (*MITOLOGÍA*) basilic *m*; (*ZOOL*) iguane *m*.
bastante *ad* assez // *a* assez de; **lo** ~ **para** assez pour.
bastar *vi* suffire; ~ **con** suffire de *ou* que; ~ **de** avoir assez de; ~ **para** suffire pour; **¡basta!** assez!; **¡basta y sobra!** c'en est trop!
bastardilla *nf* italique *m o f*.
bastardo, a *a* bâtard(e).
bastidor *nm* (*gen*) châssis *m*; (*bordado*) métier *m* à broder; (*decorado*) praticable *m*; ~**es** *nmpl* coulisses *fpl*.
bastimento *nm* (*embarcación*) bâtiment *m*; ~**s** *nmpl* provisions *fpl*.
bastión *nm* bastion *m*.
basto, a *a* grossier(ière) // *nm* (*arnés*) bât *m*; (*cojinete*) coussinet *m* de selle // *nf* (*hilvanado*) bâti *m*; (*costura de colchón*) piqûre *f*; ~**s** *nmpl* (*NAIPES*) trèfle *m*.
bastón *nm* (*gen*) bâton *m*; (*para el paseo*) canne *f*.
bastonero *nm* fabricant *m* de cannes; (*comerciante*) marchand *m* de cannes; (*BALLET*) maître *m* de ballet.
basura *nf* ordure *f*; **cubo de** ~ poubelle *f*.
basural *nm* (*AM*) décharge *f*.
basurero *nm* (*hombre*) boueux *m*, éboueur *m*; (*lugar*) décharge *f*.
bata *nf* (*salto de cama*) robe *f* de chambre; (*de alumno etc*) blouse *f*.
batacazo *nm* (*ruido*) vacarme *m*; (*caída*) chute *f*; (*AM*) triomphe éclatant.
batahola *nf* raffut *m*.
batalla *nf* (*MIL*) bataille *f*; (*esgrima*) assaut *m*; **dar** *o* **librar** ~

(*fig*) se battre; **de ~** de tous les jours; **marca de ~** marque courante; **~ campal** bataille *f* rangée.
batallar *vi* batailler; disputer.
batallón *nm* bataillon *m.*
batata *nf* patate douce; (AM: *fam*) timidité *f.*
batea *nf* (*bandeja*) plateau *m*; (*barco*) bac *m*; (*vagón*) wagon-plat *m*; (AM) petit tonneau.
batel *nm* canot *m.*
batelero *nm* batelier *m.*
batería *nf* batterie *f*; **~ de cocina** batterie de cuisine.
batey *nm* (AM) sucrerie raffinerie *f.*
batiborrillo, batiburrillo *nm* (*revoltijo*) méli-mélo *m*; (*confusión de palabras*) galimatias *m.*
batido, a *a* (*camino*) battu(e); (*tela*) chatoyant(e) // *nm* (*huevos*) œufs battus; (*de mantequilla*) barattage *m* // *nf* (*de caza*) battue *f* de chasse; (*de policía*) rafle *f*; **~ de leche** lait parfumé; **batida del oro** batte *f.*
batidor, a *a* batteur(euse) // *nm* (MIL) éclaireur *m* // *nm o f* (*de metales, de cocina*) batteur *m.*
batiente *nm* (*puerta*) battant *m*; (*hoja de puerta*) battant d'une porte; (*marco de puerta*) chambranle *m*; (*marina*) brisant *m.*
batifondo *nm* (AM) pagaille *f.*
batir *vt* battre; (*vencer*) vaincre; (*acuñar*) frapper; (*pelo*) crêper; **~se** *vr* se battre.
batiscafo *nm* bathyscaphe *m.*
batista *nf* batiste *f.*
batuque *nm* (AM) pagaille *f.*
batuquear *vt, vi* (AM: *batir*) battre, agiter; (: *armar gresca*) semer la pagaille.
baturro, a *nm/f* paysan/ne aragonais/e.
batuta *nf* baguette *f.*
baúl *nm* malle *f*; (AUTO) coffre *m.*
bautismo *nm* baptême *m.*
bautista *nm* baptiste *m.*
bautizar *vt* baptiser.
bautizo *nm* baptême *m.*
baya *nf ver* **bayo.**
bayeta *nf* (*tejido*) flanelle *f*; (*trapo de fregar*) serpillière *f*; (AM : *persona*) paillasson *m.*
bayo, a *a* bai(e) // *nf* baie *f.*
bayoneta *nf* baïonnette *f.*
bayonetazo *nm* coup *m* de baïonnette.
baza *nf ver* **bazo.**
bazar *nm* bazar *m.*
bazo, a *a* bis(e) // *nm* rate *f* // *nf* levée *f*; **hacer baza** (*fig*) faire son chemin; **meter baza** (*fig*) fourrer son nez.
bazofia *nf* (*de comida*) restes *mpl*; (*cosa sucia*) saleté *f*; (*comida mala*) mangeaille *f.*
beata *nf ver* **beato.**
beatificar *vt* béatifier.
beatitud *nf* béatitude *f.*
beato, a *a* béatifié(e); (*piadoso*) pieux(pieuse) // *nm/f* (*devoto/a*) bigot/e; (*fig: que finge virtud*) cagot/e // *nf* (*fam: peseta*) pésete *f.*
bebé *nm* bébé *m.*
bebedero, a *a* buvable // *nm* (*para pájaros*) auge *f*; (*para animales*) abreuvoir *m*; (*de vasija*) bec *m.*
bebedizo, a *a* buvable // *nm* (*remedio*) potion *f*; (*filtro*) philtre *m.*
bebedor, a *a* buveur(euse).
beber *vt* boire // *vi* boire; (*emborracharse*) s'enivrer; (*brindar*) porter un toast.
bebida *nf* boisson *f.*
beca *nf* bourse *f* d'études.
becerro *nm* veau *m*; **~ marino** veau marin.
bedel *nm* appariteur *m.*
beduino, a *a* bédouin(e); (*fig*) barbare, sauvage.
befa *nf* raillerie *f.*
befar *vi* remuer les lèvres // *vt* se moquer de.
befo, a *a* = **belfo, a.**
begonia *nf* bégonia *m.*
beldad *nf* beauté *f.*
belén *nm* crèche *f*; (*fam*) pagaille *f*, foutoir *m.*

belfo, a *a* lippu(e) // *nm* (*de caballo*) lèvre *f*; (*de perro*) babine *f*.
belga *a* belge // *nm/f* Belge *m/f*.
Bélgica *nf* Belgique *f*.
bélico, a *a* de guerre.
belicoso, a *a* belliqueux(euse).
beligerante *a* belligérant(e).
bellaco, a *a* (*pícaro*) coquin(e); (*astuto*) fripon(ne); (AM) rétif(ive).
bellaquería *nf* friponnerie *f*.
belleza *nf* beauté *f*.
bello, a *a* beau(belle); **bellas artes** beaux arts.
bellota *nf* gland *m*.
bembo, a *a* (AM: *de labios gruesos*) lippu(e); (: *bobo*) nigaud(e) // *nm* (AM) lippe *f*.
bemol *nm* (MUS) bémol *m*; **tener ~es** (*fam*) être difficile.
bencina *nf* benzine *f*; (AM) essence *f*.
bendecir *vt* bénir.
bendición *nf* bénédiction *f*.
bendito, a *pp de* **bendecir** // *a* (*bienaventurado*) béni(e); (*feliz*) bienheureux(euse).
benedictino, a *a* bénédictin(e) // *nm* (*licor*) bénédictine *f*.
beneficencia *nf* bienfaisance *f*.
beneficiar *vt* (*hacer bien a*) faire du bien à; (*cosa, terreno*) mettre en valeur; (*tierra*) cultiver; (*mina*) exploiter; (*mineral*) traiter // *vi*: **~ de** bénéficier de; **~se** *vr*: **~se con** bénéficier de, tirer profit de.
beneficio *nm* (*bien*) bienfait *m*; (*ganancia*) bénéfice *m*, profit *m*; (AGR) culture *f*; (REL) bénéfice; (TEC) exploitation *f*; **a ~ de** au bénéfice de; **en ~ propio** pour soi- même.
beneficioso, a *a* avantageux(euse).
benéfico, a *a* bienfaisant(e); (*fiesta, obra*) de bienfaisance.
benemérito, a *a* méritant(e).
beneplácito *nm* approbation *f*.
benevolencia *nf* bienveillance *f*.
benévolo, a *a* bénévole.
bengala *nf* fusée *f*.
benignidad *nf* bénignité *f*; (*de clima*) douceur *f*.
benigno, a *a* (*enfermedad*) bénin(igne); (*clima*) doux(douce).
benito, a *a* benoît(e).
benjamín *nm* benjamin *m*.
benjuí *nm* benjoin *m*.
beodo, a *a* ivre.
berberecho *nm* coque *f*.
berenjena *nf* aubergine *f*.
berenjenal *nm* champ *m* d'aubergines; (*fam*) pagaille *f*.
bergamota *nf* bergamote *f*.
bergantín *nm* brigantin *m*.
Berlín *n* Berlin.
berlina *nf* (*vehículo*) berline *f*; (*de diligencia*) coupé *m*.
bermejo, a *a* vermeil(le).
bermellón *nm* vermillon *m*.
Berna *n* Berne.
berrear *vi* mugir; (*fig*) brailler.
berrido *nm* mugissement *m*; (*grito*) hurlement *m*; (*fig*) fausse note.
berrinche *nm* (*fam*) rogne *f*.
berro *nm* cresson *m*.
berza *nf* chou *m* // *nm/f* (*fam*) andouille *f*.
besamanos *nm* baisemain *m*.
besar *vt* embrasser; (*mano, pies*) baiser; **~se** *vr* s'embrasser.
beso *nm* baiser *m*.
bestia *nf* bête *f*; (*fig*) brute *f*; **~ de carga** bête de somme.
bestial *a* bestial(e); (*fam*) extraordinaire; (*fam*) énorme.
bestialidad *nf* bestialité *f*; stupidité *f*; (*fam*) énormité *f*.
besugo *nm* daurade *f*; (*fam*) niais/e.
besuquear *vt* (*fam*) bécoter; **~se** *vr* se bécoter.
betún *nm* bitume *m*; (*para calzado*) cirage *m*.
biberón *nm* biberon *m*.
Biblia *nf* bible *f*; **papel ~** papier *m* bible.
bíblico, a *a* biblique.
bibliófilo, a *nm/f* bibliophile *m/f*.
bibliógrafo, a *nm/f* bibliographe *m/f*.
biblioteca *nf* bibliothèque *f*; **~ itinerante** *o* **ambulante** bibliobus *m*.

bibliotecario, a *nm/f* bibliothécaire *m/f*.
B.I.C. *nf* (*abr de Brigada de Investigación Criminal*) P.J. *f* (Police Judiciaire).
bicicleta *nf* bicyclette *f*.
bicho *nm* animal *m*; (*pequeño*) bestiole *f*; (TAUR) taureau *m* de combat.
biela *nf* bielle *f*.
bielda *nf* fenaison *f*.
bieldar *vt* vanner.
bieldo *nm* (AGR) fourche *f* à faner.
bien *nm* bien *m* // *ad* bien; (*oler*) bon; (*mucho*: *malo, caliente, caro*) très; **más ~** plutôt // *excl*: **¡(muy) ~!** (très) bien! // *conj*: **no ~ llovió, bajó la temperatura** à peine s'est-il mis à pleuvoir que la température a baissé; **~es inmuebles/muebles** biens immeubles/meubles; **~es de consumo** biens de consommation; **~es raíces** bien-fonds *m*.
bienal *a* biennal(e).
bienandanza *nf* bonheur *m*.
bienaventurado, a *a* (*feliz*) bienheureux(euse).
bienestar *nm* bien-être *m*.
bienhadado, a *a* heureux(euse), fortuné(e).
bienhechor, a *a* bienfaiteur (trice).
bienio *nm* espace *m* de deux ans.
bienquisto, a *pp de* **bienquerer** // *a* bien vu(e).
bienvenida *nf* bienvenue *f*.
bife *nm* (AM) bifteck *m*; (AM: *fam*) claque *f*.
biftec *nm* (AM) bifteck *m*.
bifurcación *nf* bifurcation *f*.
bígamo, a *a* bigame // *nm/f* bigame *m/f*.
bigote *nm* moustache *f*; (*de horno*) trou *m* de coulée; **¡es de ~!** c'est du tonnerre!
bilbaíno, a *a* de Bilbao.
bilingüe *a* bilingue.
bilioso, a *a* bilieux(euse).
bilis *nf* bile *f*.
billar *nm* billard *m*.
billete *nm* (*de metro, tranvía, andén*) ticket *m*; (*de banco, espectáculo, lotería, tren*) billet *m*; (*carta*) petite lettre, mot *m*; **~ simple/de ida y vuelta/kilométrico** billet simple/aller et retour/kilométrique; **~ amoroso** billet doux.
billetera *nf*, **billetero** *nm* portefeuille *m*.
billón *nm* billion *m*.
bimensual *a* bimensuel(le).
bimestral *a* bimestriel(le).
bimotor *a* bimoteur // *nm* bimoteur *m*.
binóculo *nm* binocle *m*.
biografía *nf* biographie *f*.
biógrafo, a *nm/f* biographe *m/f* // *nm* (AM) cinéma *m*, ciné *m*.
biología *nf* biologie *f*.
biólogo, a *nm/f* biologiste *m/f*.
biombo *nm* paravent *m*.
biplano *nm* biplan *m*.
birlar *vt* chiper; (*fig*: *fam*) faucher; (: *matar*) descendre.
birlibirloque : **por arte de ~** *ad* comme par enchantement.
birlocha *nf* cerf-volant *m*.
birreta *nf* barrette *f*.
birrete *nm* toque *f*.
birria *nf* horreur *f*; (AM: *fam*) haine *f*; (*capricho*) caprice *m*, manie *f*; **de ~** (AM) sans intérêt.
bis *excl* bis // *ad*: **viven en el 27 ~** ils habitent au numéro 27 bis.
bisabuelo, a *nm/f* arrière-grand-père/-mère.
bisagra *nf* charnière *f*.
bisbisar, bisbisear *vt* chuchoter.
bisbiseo *nm* chuchotement *m*.
bisel *nm* biseau *m*.
biselar *vt* biseauter.
bisexual *a* (sexuellement) ambivalent(e).
bisiesto *a*: **año ~** année bissextile *f*.
bisnieto, a *nm/f* arrière-petit-fils/-petite-fille.
bisonte *nm* bison *m*.
bisoño, a *a* (*principiante*) débutant(e); (*fig*: *fam*) novice // *nm* (MIL) nouvelle recrue.

bisturí *nm* (*MED*) bistouri *m*.
bizarría *nf* (*valor*) courage *m*; générosité *f*; (*gallardía*) prestance *f*.
bizarro, a *a* (*valeroso*) courageux(euse); généreux(euse); (*gallardo*) de belle prestance.
bizcar *vi* loucher.
bizco, a *a* bigle // *nm/f* loucheur/euse, bigle *m/f*; **dejar a uno ~** (*fam*) laisser qn pantois.
bizcocho *nm* (*masa*) biscuit *m*; (*pastel*) gâteau *m*; (*de porcelana*) biscuit; **~ borracho** baba *m* au rhum.
bizcochuelo *nm* génoise (*CULIN*) *f*.
bizquear *vi* (*fam*) loucher.
blanco, a *a* (*gen*) blanc(he) // *nm/f* blanc/he // *nm* (*color, intervalo*) blanc *m*; (*hueco*) trou *m*; (*para tirar*) cible *f*; (*fig*) objectif *m*, but *m* // *nf* (*moneda*) ancienne monnaie; (*MUS*) blanche *f*; **dejar en ~** (*sin escribir*) laisser en blanc; **noche en ~** nuit blanche; **dar en el ~, hacer ~** frapper au but, faire mouche; **estar** *o* **quedarse sin blanca** être fauché; **~ de la uña** lunule *f*.
blancura *nf* blancheur *f*.
blandengue *a* (*fam*) faible.
blandir *vt* brandir.
blando, a *a* mou(molle); (*muelle*) moelleux(euse); (*tierno*) tendre; (*suave*) doux(douce); (*carácter*) faible; (*fam*) froussard(e).
blandura *nf* (*calidad de blando*) mollesse *f*; (*de temperatura*) douceur *f*, délicatesse *f*; affabilité *f*; (*halago*) flatterie *f*.
blanquear *vt* blanchir; (*encalar*) chauler // *vi* (*ponerse blanco*) blanchir, devenir blanc; (*tirar*) tirer sur le blanc.
blanquecino, a *a* blanchâtre; (*luz*) blafard(e).
blanqueo *nm* (*acción*) blanchiment *m*; (*encalado*) chaulage *m*.
blanquillo, a *a* blanc(he) // *nm* (*AM: huevo*) œuf *m*; (*: melocotón*) pêche blanche; (*: pez*) poisson *m*.
blasfemar *vi* blasphémer.
blasfemia *nf* blasphème *m*.
blasón *nm* blason *m*; (*fama*) honneur *m*.
blasonar *vt* blasonner // *vi* se vanter.
bledo *nm* (*planta*) blette *f*; **(no) me importa un ~** je m'en moque.
blindado, a *a* blindé(e).
blindaje *nm* blindage *m*.
blindar *vt* blinder.
bloque *nm* bloc *m*; (*de motor*) (*AUTO*) bloc-moteur *m*; **en ~** en bloc.
bloquear *vt* bloquer.
bloqueo *nm* (*MIL*) blocus *m*; (*COM*) blocage *m*.
blusa *nf* (*de alumno*) blouse *f*; (*de mujer*) corsage *m*.
boa *nf* boa *m*.
boardilla *nf* = **buhardilla.**
boato *nm* faste *m*.
bobada *nf* bêtise *f*.
bobalicón, ona (*fam*) *a* bête // *nm/f* imbécile *m/f*.
bobería *nf* sottise *f*.
bobina *nf* (*carrete*) bobine *f*.
bobinar *vt* embobiner.
bobo, a *a* (*tonto*) sot(te); (*cándido*) niais(e) // *nm* (*TEATRO*) bouffon *m*.
boca *nf* bouche *f*; (*de crustáceo*) pince *f*; (*de vasija*) bec *m*; (*de pinza*) mâchoire *f*; (*de martillo*) panne *f*; (*de calle*) débouché *m*; (*de vino*) bouquet *m*; (*entrada*) entrée *f*; **~s** *nfpl* (*fig*) bouches *fpl*, embouchure *f*; **~ abajo/arriba** sur le ventre/dos.
bocacalle *nf* débouché *m*.
bocadillo *nm* (*emparedado*) sandwich *m*; (*comida ligera*) casse-croûte *m*.
bocado *nm* bouchée *f*; (*lo que coge el ave*) becquée *f*; (*mordisco*) morsure *f*, coup *m* de dent; (*de caballo*) mors *m*.
bocanada *nf* bouffée *f*; **~ de gente** flot *m* de gens; **~ de viento** coup *m* de vent.
boceto *nm* esquisse *f*, épreuve *f*, ébauche *f*.
bocina *nf* (*MUS*) corne *f*, trompe *f*;

(*AUTO*) klaxon *m*; (*para hablar*) porte-voix *m*; (*para gramófono*) pavillon *m*; (*para sordos*) cornet *m* acoustique; (*ASTRO*) Petite Ourse; (*ZOOL*) buccin *m*.
bocoy *nm* tonneau *m*.
bocha *nf* boule *f*; **~s** *nfpl* jeu *m* de boules.
bochinche *nm* (*fam*) tapage *m*; (*AM*) bastringue *m*; **armar ~** faire du bruit.
bochorno *nm* (*calor*) chaleur lourde; (*vergüenza*) honte *f*; (*rubor*) rougeur *f*; (*mareo*) bouffée *f*.
bochornoso, a *a* (*opresivo*) lourd(e); (*vergonzoso*) honteux (euse); (*día*) orageux(euse); (*reunión*) orageux.
boda *nf* (*casamiento*) noce *f*, mariage *m*; (*fiesta*) fête *f* de noces; **~s de plata/de oro** noces d'argent/d'or.
bodega *nf* (*de vino*) cave *f*; (*depósito*) dock *m*; (*almacén*) magasin *m* de vin-liqueurs, cave *f*; (*de barco*) cale *f*.
bodegaje *nm* (*AM*) emmagasinage *m*.
bodegón *nm* (*pequeño restaurante*) bistrot *m*; (*pey*) gargote *f*; (*ARTE*) nature morte.
bodegonero, a *nm/f* gargotier/ière.
bodeguero, a *nm/f* (*cuidador*) sommelier/ière; (*propietario*) propriétaire *m/f* d'une cave.
bofe *nm*, **bofes** *nmpl* mou *m*.
bofetada *nf* gifle *f*; (*fig*) affront *m*.
bofetón *nm* = **bofetada**.
boga *nf* (*ZOOL*) bogue *f*; (*NAUT*) nage *f*; en ~ (*fig*) en vogue.
bogar *vi* ramer, nager; (*fig*) naviguer.
bogavante *nm* (*NAUT*) chef *m* de nage; (*ZOOL*) homard *m*.
Bogotá *n* Bogotá.
bogotano, a *a* de Bogotá // *nm/f* habitant/e de Bogotá.
bohardilla *nf* = **buhardilla.**
bohemio, a *a* bohémien(ne) // *nm/f* bohémien/ne.
bohío *nm* (*AM*) hutte *f*.
boicot *nm* boycottage *m*.
boicotear *vt* boycotter.
boicoteo *nm* boycottage *m*.
boina *nf* béret *m*.
boj *nm* (*AGR*) buis *m*.
bola *nf* boule *f*; (*NAIPES*) chelem *m*; vole *f*; (*betún*) cirage *m*; (*de carbón*) boulet *m*; (*AM*: *cometa*) cerf-volant *m*; (: *feria*) foire *f*, émeute *f*; (: *tamal*) tourte *f*; (*fam*: *embuste*) bobard *m*; **~ de nieve** boule de neige.
boleadoras *nfpl* (*AM*) *lasso terminé par des boules.*
bolero, a *a* qui fait l'école buissonnière; (*fam*) menteur(euse) // *nm* boléro *m*; (*AM*: *lustrabotas*) cireur *m* // *nm/f* danseur/euse.
boleta *nf* (*billete*) billet *m*; (*vale*) bon *m*; (*AM*) bulletin *m*.
boletería *nf* (*AM*) guichet *m*.
boletín *nm* (*periódico*) bulletin *m*; (*billete*) billet *m*; **~ escolar/meteorológico/de prensa** bulletin scolaire/météorologique/de presse; **el ~ (de noticias)** les informations *fpl*, **~ de precios** tarif *m*.
boleto *nm* (*hongo*) bolet *m*; (*billete*) billet *m*; (*AM*) promesse *f* de vente; (: *fam*) bobard *m*; **~ de compra-venta** engagement *m* de vente.
boliche *nm* (*bola*) cochonnet *m*; (*juego*) jeu *m* de quilles; (*adorno*) boule *f*; (*horno*) four *m* à réverbère; (*AM*: *restaurante*) bistrot *m*; (: *tienducha*) échoppe *f*; (: *tabaco*) mauvais tabac.
bolígrafo *nm* stylo *m* à bille.
bolívar *nm* bolivar *m*.
Bolivia *nf* Bolivie *f*.
boliviano, a *a* bolivien(ne) // *nm/f* Bolivien/ne.
bolo *nm* (*JUEGO*) quille *f*; (*eje*) axe *m*; (*de escalera*) noyau *m*; (*píldora*) bol *m*; (*cuchillo*) coutelas *m*; **~s** quilles.
bolsa *nf* (*cartera*) bourse *f*; (*saco*) sac *m*; (*ZOOL*) poche *f*; (*MINERÍA*) poche *f*; **~ de los ojos** poche sous

les yeux; **B~ de Comercio/de Trabajo** bourse de commerce/du travail; **~ de agua caliente** bouillotte *f*; **~ de papel** sac en papier.
bolsillo *nm* (*de vestido*) poche *f*; (*de chaleco*) gousset *m*; (*cartera*) porte-monnaie *m*.
bolsista *nm* boursier *m*.
bolso *nm* (*bolsa*) sac *m*; (*de mujer*) sac à main.
bollo *nm* (*pan*) pain au lait *m*; (*bulto*) bosse *f*; (*AM: fam*) coup *m* de poing; **~s** *nmpl* pépins *mpl*.
bomba *nf* pompe *f*; (*lámpara*) ampoule *f*; (*MIL*) bombe *f*; (*poema*) poème improvisé; (*AM*) bombe // *a* (*fam*): **éxito ~** succès fou; **noticia ~** nouvelle sensationnelle // *ad* (*fam*): **pasarlo ~** s'amuser comme un fou; **~ atómica/de humo/de retardo** bombe atomique/fumigène/à retardement; **~ centrífuga/de incendios** pompe centrifuge/à incendies; **~ lacrimógena** grenade *f* lacrymogène.
bombacha *nf* (*AM*) pantalon bouffant.
bombardear *vt* bombarder.
bombardeo *nm* bombardement *m*.
bombardero *nm* bombardier *m*.
bombear *vt* (*agua*) pomper; (*arquear*) arquer, bomber; (*fig: fam*) chanter les louanges de.
bombero *nm* pompier *m*.
bombilla *nf* (*ELEC*) ampoule *f*; (*AM*): **~ para el mate** pipette *f*.
bombo *nm* (*MUS*) grosse caisse; (*TEC*) tambour *m*.
bombón *nm* (*caramelo*) bonbon *m*.
bonachón, ona *a* bon enfant.
bonaerense *a* de Buenos Aires // *nm/f* habitant/e de Buenos Aires.
bonancible *a* calme.
bonanza *nf* (*NAUT*) bonace *f*; (*calma*) calme *m*; (*fig: prosperidad*) prospérité *f*; (*MINERÍA*) filon *m* très riche.
bondad *nf* bonté *f*.
bondadoso, a *a* bon(ne).
bonete *nm* bonnet *m*; (*de clérigo*) barrette *f*; **a tente ~** *ad* (*fam*) à n'en plus pouvoir.
bonetería *nf* (*AM*) bonneterie *f*.
bongo *nm* (*AM*) bac *m*.
bonito, a *a* joli(e) // *nm* (*pez*) bonite *f*, thon *m*.
bono *nm* bon *m*.
boquear *vi* ouvrir la bouche; (*expirar: morir*) agoniser; (*fig: fam*) mourir.
boquerón *nm* (*anchoa*) anchois *m*; (*agujero*) brèche *f*, grand trou.
boquete *nm* (*agujero*) trou *m*; (*entrada*) passage étroit; (*brecha*) brèche *f*.
boquiabierto, a *a* (*fig*) bouche bée.
boquilla *nf* (*para cigarro*) fume-cigare *m*; (*para riego*) saignée *f*, prise *f* d'eau; (*MUS*) bec *m*; (*de fusil*) embouchoir *m*; (*orificio*) ouverture *f*.
boquirroto, a *a* (*fam*) bavard(e).
borbol(e)ar, borbotar *vi* bouillonner.
borbotón *nm* bouillonnement *m*.
borceguí *nm* brodequin *m*.
borda *nf* (*NAUT: vela*) grand-voile *f*; (*costado*) bord *m*; **motor de ~** moteur *m* hors-bord.
bordado *nm* broderie *f*.
bordar *vt* broder; (*fig*) fignoler, soigner.
borde *nm* bord *m*.
bordelés, esa *a* bordelais(e) // *nm/f* habitant/e de Bordeaux.
bordo *nm* (*NAUT*) bord *m*; **dar ~s** tirer des bords; **a ~** à bord.
bordón *nm* (*de peregrino*) bourdon *m*; (*estribillo*) refrain *m*; (*muletilla*) ritournelle *f*; (*MUS, IMPRENTA*) bourdon; (*fig*) soutien *m*, appui *m*.
Borinquén *nm* Porto Rico *m*.
borinqueño, a *a* portoricain(e).
borla *nf* (*adorno*) gland *m*; (*MIL*) pompon *m*; (*de doctor*) bonnet *m*; (*para polvos*) houppette *f*; (*BOT*) amarante *f*.
borona *nf* (*mijo*) millet *m*; (*maíz*) maïs *m*; (*AM*) miette *f*.

borra *nf* bourre *f*; (*sedimento*) dépôt *m*; (*fig*) fadaise *f*.
borrachera *nf* (*ebriedad*) ivresse *f*; (*orgía*) beuverie *f*; **coger una ~** prendre une cuite.
borracho, a *a* ivre; (*color*) rouge // *nm/f* (*que bebe mucho*) ivrogne/sse; (*temporalmente*) homme/femme ivre.
borrado, a *a* effacé(e).
borrador *nm* (*escritura*) brouillon *m*; (*cuaderno*) cahier *m* de brouillon; (*goma*) gomme *f*.
borrajear *vt, vi* gribouiller.
borrar *vt* effacer; **~se** *vr*: **~se del mundo** disparaître *ou* se retirer du monde.
borrasca *nf* bourrasque *f*.
borrascoso, a *a* orageux(euse).
borrego, a *nm/f* agneau/agnelle; (*fam*: *joven*) môme *m/f*; (: *tonto*) nigaud/e; (: *servil*) mouton *m*, personne moutonnière.
borrica *nf* ânesse *f*; (*fig*: *fam*) bourrique *f*.
borricada *nf* (*asnos*) troupeau *m* d'ânes *m*; (*paseo*) promenade *f* à ânes; (*necedad*) ânerie *f*.
borrico *nm* (*asno*) âne *m*; (*de carpintero*) chevalet *m*; (*fig*: *fam*) âne.
borrón *nm* (*mancha*) tache *f*; (*de tinta*) pâté *m*; (*proyecto*) brouillon *m*; (*de cuadro*) ébauche *f*.
borroso, a *a* (*confuso, impreciso*) confus(e); (*vago, nebuloso*) vague, nébuleux(euse); (*fotografía*) flou(e).
boruquiento, a *a* turbulent(e).
bosque *nm* bois *m*.
bosquejar *vt* (*pintura, escultura*) ébaucher; (*idea, proyecto*) esquisser.
bosquejo *nm* ébauche *f*; esquisse *f*.
bosta *nf* bouse *f*.
bostezar *vi* bâiller.
bostezo *nm* bâillement *m*.
bota *nf* (*saco*) gourde *f*; (*calzado*) botte *f*.
botador *nm* (*pértiga*) gaffe *f*; (*de carpintero*) repoussoir *m*; (*de dentista*) davier *m*; (IMPRENTA) mentonnière *f*.
botadura *nf* lancement *m*.
botánica *nf* botanique *f*.
botánico, a *a* botanique.
botar *vt* lancer; (*fam*) ficher dehors; (AM) gaspiller; **~se** *vr* se jeter.
botarate *nm* (*fam*) idiot *m*; (AM) gaspilleur *m*; panier percé *m*.
bote *nm* bond *m*; (*de caballo*) haut-le-corps *m*; (*vasija*) pot *m*; (*de tabaco*) pot *m* à tabac; (*embarcación*) canot *m*; **de ~ en ~** (*fam*) plein à craquer; **~ salvavidas** canot de sauvetage.
botella *nf* bouteille *f*.
botica *nf* pharmacie *f*; (*fam*) boutique *f*.
boticario, a *nm/f* pharmacien/ne.
botija *nf* cruche *f* // *nm/f* (AM: *fam*) môme *m/f*.
botijo *nm* cruche *f*.
botín *nm* (*calzado*) bottine *f*; (MIL) butin *m*.
botiquín *nm* (*armario*) armoire *f* à pharmacie; (*portátil*) trousse *f* à pharmacie.
botón *nm* (*de vestido*) bouton *m*; (*de flor*) bouton *m*; (*de planta*) bourgeon *m*; **~ de oro** bouton d'or *m*; **~ de florete** bouton; **~ de sintonización** bouton de recherche de station.
botones *nm* groom *m*.
bototo *nm* (AM) calebasse *f*; **~s** *nmpl* (*fam*) godasses *fpl*.
botulismo *nm* botulisme *m*.
bóveda *nf* (*techo*) voûte *f*; (*cripta*) crypte *f*.
bovino, a *a* bovin(e).
boxeador *nm* boxeur *m*.
boxeo *nm* boxe *f*.
boya *nf* (NAUT) bouée *f*; (*flotador*) flotteur *m*.
boyante *a* (TAUR: *toro*) facile; (NAUT) qui flotte (bien).
boyero *nm* bouvier *m*.
bozal *a* (*fig*: *fam*) sot(te); (*caballo*) sauvage // *nm* (*de caballo*) licou *m*; (*de perro*) muselière *f*.

bozo *nm* (*vello*) duvet *m*; (*boca*) bouche *f*; (*cabestro*) licou *m*.
bracear *vt* (*NAUT*) sonder // *vi* (*agitar los brazos*) agiter les bras; (*nadar*) nager le crawl.
bracero *nm* manœuvre *m*.
bracete *nm*: **de** ~ *ad* (*fam*) bras dessus, bras dessous.
braga *nf* (*cuerda*) verboquet *m*; **~s** *nfpl* (*de mujer*) culotte *f*, slip *m*; (*de bebé*) couche *f*; (*pantalón*) braies *fpl*.
bragazas *nm* (*fig*: *fam*) chiffe *f*.
bragueta *nf* braguette *f*.
bramar *vi* (*ZOOL*) mugir, bramer, barrir; (*fig*: *persona*) rugir; (: *el viento, el mar*) mugir.
bramido *nm* (*ZOOL*) mugissement *m*, brame *m*, barrissement *m*; (*fig*: *de viento, mar*) hurlement *m*, mugissement *m*.
brasa *nf* braise *f*.
brasero *nm* (*vasija*) brasero *m*; (*hoguera*) brasier *m*; (*AM*) foyer *m*.
Brasil *nm*: **el** ~ le Brésil.
brasileño, a *a* brésilien(ne) // *nm/f* Brésilien/ne.
Brasilia *n* Brasilia.
bravata *nf* bravade *f*; fanfaronnade *f*.
braveza *nf* courage *m*; (*de los elementos*) violence *f*.
bravío, a *a* sauvage; (*fig*) rustre.
bravo, a *a* (*valiente, bueno*) brave; (*feroz*) féroce; (*salvaje*) sauvage // *nm* (*aplauso*) bravo *m*, applaudissement *m* // *excl* bravo!
bravura *nf* (*de animal*) férocité *f*; (*de persona*) bravoure *f*; (*pey*) bravade *f*.
braza *nf* brasse *f*; (*cuerda*) bras *m*; **nadar a la** ~ nager la brasse.
brazada *nf* brasse *f*.
brazado *nm* brassée *f*.
brazalete *nm* (*pulsera*) bracelet *m*; (*banda*) brassard *m*.
brazo *nm* (*gen*) bras *m*; (*ZOOL*) patte antérieure; (*BOT*) branche *f*; (*de lámpara*) branche *f*; **ir del** ~ se donner le bras.
brea *nf* (*vegetal*) brai *m*; (*mineral*) brai de goudron.
brebaje *nm* breuvage *m*.
brecha *nf* (*gen*) brèche *f*; (*en selva*) trouée *f*; (*MIL*) percée *f*.
brega *nf* (*lucha*) lutte *f*; (*trabajo*) travail dur.
bregar *vi* (*luchar*) lutter; (*reñir*) quereller; (*trabajar*) travailler dur // *vt* (*toro*) travailler.
breña *nf* broussaille *f*.
breñal *nm* terrain broussailleux.
breva *nf* (*higo*) figue fleur *f*; (*bellota*) jeune noisette *f*; (*cigarro*) cigare *m*; (*AM*) tabac *m* à chiquer; (*fam*) aubaine *f*.
breve *a* bref(brève) // *nm* bref *m*; **nota** ~ (*MUS*) brève *f*.
brevedad *nf* brièveté *f*.
breviario *nm* bréviaire *m*.
brezal *nm* bruyère *f* (*terrain*).
brezo *nm* bruyère *f*.
bribón, ona *a* (*haragán*) coquin(e) // *nm/f* (*vagabundo*) vaurien/ne; (*pícaro*) fripon/ne.
bribonear *vi* mener une vie de fripon; (*cometer bribonadas*) faire des friponneries.
bricolaje *nm* bricolage *m*.
brida *nf* bride *f*; (*TEC*) collerette *f* (d'un tuyau); **a toda** ~ à bride abattue.
bridge *nm* bridge *m*.
brigada *nf* (*unidad*) brigade *f*; (*animales*) troupe *f*; (*trabajadores*) équipe *f* // *nm* (*grado*) adjutant *m*.
brillante *a* brillant(e); (*fig*) brillant, intelligent(e) // *nm* brillant *m*.
brillar *vi* briller.
brillo *nm* éclat *m*; (*fig*) splendeur *f*, lustre *m*; **sacar** ~ **a** faire reluire.
brincar *vi* bondir; **está que brinca** il est fou furieux.
brinco *nm* bond *m*, saut *m*.
brindar *vi* porter un toast // *vt* offrir; ~ **el toro** (*TAUR*) dédier le taureau.
brindis *nm* toast *m*; (*TAUR*) *fait de dédier le taureau à quelqu'un avant l'estocade.*

brío *nm* courage *m*.
brioso, a *a* courageux(euse); (*caballo*) fougueux(euse).
brisa *nf* brise *f*; (*orujo*) marc *m*.
británico, a *a* britannique // *nm/f* Britannique *m/f*.
brizna *nf* brin *m*.
brocado *nm* broché *m*.
brocal *nm* margelle *f*; ~ **de la vaina** chape *f*.
brocha *nf* (*para pintar*) brosse *f*; (*para polvos*) houppette *f*; (DADOS) dé pipé; (*de afeitar*) blaireau *m*.
broche *nm* broche *f*; ~ **para papeles** trombone *m*.
broma *nf* (ZOOL) taret *m*; (*bulla*) bruit *m*; (*chanza*) plaisanterie *f*, blague *f*; **tomar a** ~ tourner en dérision.
bromear *vi* plaisanter.
bromista *a* farceur(euse) // *nm/f* casse-pieds *m/f*.
bronca *nf ver* **bronco.**
bronce *nm* bronze *m*.
bronceado, a *a* bronzé(e) // *nm* bronzage *m*.
broncear *vt*: ~**se** se bronzer.
bronco, a *a* âpre // *nf* (*riña*) bagarre *f*; (*reprensión*) réprimande *f*; (*desagrado colectivo*) chahut *m*; **¡tengo una bronca!** je suis furieux!
bronquial *a* des bronches.
bronquitis *nf* bronchite *f*.
brotar *vi* (*trigo*) pousser; (*renuevo de planta*) bourgeonner; (*aguas*) jaillir; (*erupción cutánea*) apparaître; (*las ideas*) jaillir.
brote *nm* (BOT) bourgeon *m*; (*de aguas*) jaillissement *m*; (*de fiebre*) apparition *f*.
broza *nf* broche *f*; **meter** ~ (*fig*) faire du remplissage.
brozar *vt* (*retrato, pintura*) brosser.
bruces : **de** ~ *ad*: **caer** *o* **dar de** ~ s'étaler de tout son long; **estar de** ~ être à plat ventre.
bruja *nf* sorcière *f*; (*lechuza*) chouette *f*.
brujería *nf* sorcellerie *f*.
brujo *nm* sorcier *m*.
brújula *nf* boussole *f*.
brujulear *vt* (NAIPES) filer // *vi* (*fig*) flâner; (*fig*: *fam*) deviner.
bruma *nf* brume *f*.
brumoso, a *a* brumeux(euse).
bruñido *nm* bruni *m*.
bruñir *vt* (*metal, piedra*) polir; (*espejo*) lustrer; (*fam*: *rostro*) brunir; (AM) embêter.
brusco, a *a* brusque // *nm* fragon épineux.
Bruselas *n* Bruxelles.
brutal *a* brutal(e); (*fam*: *temperatura*) terrible; (: *precio*) énorme.
brutalidad *nf* brutalité *f*.
bruto, a *a* (*idiota*) stupide; **producto nacional** ~ produit national brut; **material en** ~ matériel brut // *nm/f* idiot/e.
Bs.As. *abr de* **Buenos Aires**.
buba *nf* pustule *f*.
bucanero *nm* boucanier *m*.
bucear *vi* plonger // *vt* (*fig*) explorer.
buceo *nm* (*del buzo*) plongée *f*; (*del nadador*) plongeon *m*.
bucle *nm* boucle *m*.
bucólico, a *a* bucolique.
buche *nm* (*de ave*) jabot *m*; (*de animal*) panse *f*; (*de líquido*) gargarisme *m*; (*estómago*) estomac *m*; (*borrico*) ânon *m*.
budare *nm* (AM) *plat pour cuire le pain de maïs*.
budín *nm* flan *m* de pain perdu.
buenamente *ad* tout bonnement.
buenaventura *nf* bonne aventure.
bueno, a, buen *a* bon(ne); **buen día,** ~**s días** bonjour; **buenas tardes** bonjour; bonsoir; **buenas noches** bonne nuit; **¡buen sinvergüenza resultó!** voilà un drôle d'effronté!; **¡buena jugada me has hecho!** (*fam*) tu m'as roulé! // *ad excl* (*¡ya basta!*) bon!, assez!; ~, **¿y qué?** bon et alors?
Buenos Aires *n* Buenos Aires.
buey *nm* bœuf *m*; ~ **marino** lamantin *m*.
búfalo *nm* buffle *m*.
bufanda *nf* (*de lana*) cache-nez *m*; (*de seda*) écharpe *f*.

bufar *vi* (*toro*) souffler; (*caballo*) s'ébrouer.
bufete *nm* (*mesa*) bureau *m*; (*habitación*) cabinet *m*; (*de abogado*) étude *f*.
bufido *nm* (*de toro*) mugissement *m*; (*de caballo*) ébrouement *m*; (*de felino*) feulement *m*.
bufo, a *a* bouffe.
bufón, ona *a* bouffon(ne) // *nm* bouffon *m*.
buhardilla *nf* mansarde *f*.
búho *nm* hibou *m*.
buhonero *nm* camelot *m*.
buitre *nm* vautour *m*.
bujía *nf* bougie *f*.
bula *nf* bulle *f*; **tener ~ para todo** (*fam*) avoir carte blanche.
bulbo *nm* bulbe *m*.
búlgaro, a *a* bulgare // *nm/f* Bulgare *m/f*.
bulto *nm* (*paquete*) paquet *m*; (*tamaño*) volume *m*; (MED) bosse *f*, grosseur *f*; (*silueta*) silhouette *f*; (*estatua*) sculpture *f*; **hacer ~** faire le nombre; **de mucho/poco ~** qui a beaucoup/peu de poids.
bulla *nf* tapage *m*.
bullanga *nf* agitation *f*.
bullanguero, a *a* tapageur(euse).
bullicio *nm* brouhaha *m*.
bullicioso, a *a* (*fiesta*) bruyant(e); (*calle*) animé(e); (*niño*) turbulent(e).
bullir *vi* bouillir.
buñolero, a *nm/f* marchand/e de beignet.
buñuelo *nm* beignet *m*; (*fam*) pagaille *f*.
buque *nm* bateau *m*; **~ insignia** vaisseau amiral.
burbuja *nf* bulle *f*.
burdel *nm* bordel *m*.
burdo, a *a* grossier(ière).
burgalés, esa *a* de Burgos // *nm/f* habitant/e de Burgos.
burgués, esa *a* bourgeois(e) // *nm/f* bourgeois/e.
burguesía *nf* bourgeoisie *f*.
buril *nm* burin *m*.
burla *nf* moquerie *f*; **~ burlando** (*fam*) en badinant.
burlador, a *a* moqueur(euse) // *nm* séducteur *m*.
burlar *vt* tromper; **~se** *vr*: **~se de** se moquer de.
burlesco, a *a* burlesque.
burlón, ona *a* moqueur(euse) // *nm/f* moqueur/euse.
burocracia *nf* burocratie *f*.
burócrata *nm/f* (*empleado oficial*) fonctionnaire *m/f*; (*pey*) bureaucrate *m/f*.
burra *nf* ânesse *f*; (*fig*: *fam*) ânesse ignorante; **~ de carga** (*fig*: *fam*) bête *f* de somme (*fig*).
burrada *nf* troupe *f* d'ânes; (*fig*: *fam*) bêtise *f*.
burro *nm* (ZOOL, *fig*) âne *m*; (*de aserradero*) chevalet *m*; (*juego*) bourre *f*.
bursátil *a* boursier(ière).
busaca *nf* (AM) sacoche *f*.
busca *nf* recherche *f*; **a la ~ de** à la recherche de; **en ~ de** en quête de.
buscapiés *nm* crapaud *m*.
buscapleitos *nm* chicaneur *m*.
buscar *vt*, *vi* chercher; **se busca empleada** on cherche une employée.
buscón, ona *a* chercheur(euse) // *nm* filou *m* // *nf* pute *f*.
busilis *nm* hic *m*.
busque *etc vb ver* **buscar**.
búsqueda *nf* = **busca.**
busto *nm* buste *m*.
butaca *nf* fauteuil *m*.
butifarra *nf* saucisse catalane.
buzo *nm* scaphandrier *m*.
buzón *nm* boîte *f* aux lettres; (*de estanque*) bonde *f*; **echar una carta al ~** mettre une lettre à la poste.

C

c. *abr de* **capítulo.**
C. *abr de* **centígrado**; *abr de* **compañía.**
C/ *abr de* **calle.**
c.a. *abr de* **corriente alterna.**
cabal *a* exact(e); juste; (*acabado, completo*) accompli(e); total(e); parfait(e); **~es** *nmpl*: **estar en sus ~es** avoir toute sa tête.
cábala *nf* cabale *f*.
cabalgadura *nf* monture *f*.
cabalgar *vt* couvrir // *vi* monter *ou* aller à cheval.
cabalgata *nf* défilé *m*; chevauchée *f*.
cabalmente *ad* parfaitement.
caballa *nf* maquereau *m*.
caballar *a* (*raza*) chevalin(e); (*cría*) de chevaux.
caballeresco, a *a* chevaleresque.
caballería *nf* (*bestia*) monture *f*; (*MIL*) cavalerie *f*; (*orden*) chevalerie *f*; (*fig*) manières *fpl*, compliments *mpl*.
caballeriza *nf* écurie *f*.
caballerizo *nm* écuyer *m*.
caballero *nm* (*hidalgo, noble*) noble *m*, gentilhomme *m*; (*de la orden de caballería*) chevalier *m*; (*señor, término de cortesía*) monsieur *m*; (*hombre galante*) galant homme, homme de cœur // *a* (*a caballo*) à cheval.
caballerosidad *nf* noblesse *f*, esprit *m* chevaleresque; générosité *f*.
caballete *nm* (*del tejado*) faîte *m*; (*de tortura*) chevalet *m*; (*soporte*) tréteau *m*; (*de chimenea*) mitre *f*; (*ANAT*) dos *m*, arête *f*; (*ARTE: de pintor*) chevalet *m*.
caballo *nm* cheval *m*; (*AJEDREZ, NAIPES*) cavalier *m*; **estar a ~ de algo** (*fig*) être à cheval sur qch; **~ de vapor** *o* **de fuerza** cheval- vapeur *m*; **~ marino** hippocampe *m*; **~ padre** étalon *m*.
cabaña *nf* (*casita*) cabane *f*; (*rebaño*) troupeau *m*; (*riqueza ganadera*) cheptel *m*.
cabaré, cabaret (*pl* **cabarets**) *nm* boîte *f* de nuit.
cabás *nm* cartable *m*.
cabecear *vt* (*DEPORTE*): **~ la pelota** faire une tête // *vi* (*balancear*) hocher la tête; (*negar*) dire non de la tête; (*al dormirse*) dodeliner de la tête; (*el caballo*) battre à la main; (*barco*) tanguer.
cabecera *nf* (*de cama*) tête *f*; (*de mesa*) haut bout; (*de río*) source *f*; (*de distrito*) chef-lieu *m*; (*IMPRENTA*) frontispice *m*, tranchefile *f*, manchette *f*.
cabecilla *nm/f* meneur/euse; (*fig: fam*) écervelé/e, étourdi/e.
cabellera *nf* chevelure *f*; (*de cometa*) queue *f*.
cabello *nm* cheveu *m*; **se le pusieron los ~s de punta** cela lui fit se dresser les cheveux sur la tête.
cabelludo, a *a* chevelu(e).
caber *vi* (*entrar*) entrer, rentrer, tenir; (*corresponder*) revenir; (*contener*) contenir; (*MAT*): **¿en 12, caben cuántas veces 4?** en 12, combien de fois 4?; **dentro de lo que cabe** dans la mesure du possible; **¡esto no me cabe en la cabeza!** cela me dépasse!; **no cabe duda** cela ne fait aucun doute; **no cabía en sí de alegría/dolor** il ne se tenait pas de joie/de douleur.
cabestrillo *nm* écharpe *f*.
cabestro *nm* (*rienda*) licou *m*; (*buey*) sonnailler *m*.
cabeza *nf* tête *f*; (*BOT*) pointe *f*; (*POL*) chef *m*; **a la ~ de** en tête de; **lavarse la ~** se laver les cheveux; **no se te pase por la ~** n'y songe pas; **quebradero de ~** casse-tête *m*.
cabezada *nf* (*golpe*) coup de tête *m*; (*al dormirse*) dodelinement *m* de la tête; (*saludo*) salut *m* de la tête; (*del caballo*) caveçon *m*; (*NAUT*) tangage *m*.
cabezudo, a *a* qui a une grosse tête // *nm/f* (*fam*) cabochard/e; **~s**

nmpl nains *mpl*, grosses têtes.
cabida *nf* capacité *f*.
cabildo *nm* (*de iglesia*) chapitre *m*; (*ayuntamiento*) conseil muncipal; réunion *f*; salle *f* de réunion (du chapitre *ou* du conseil).
cabizbajo, a *a* abattu(e), mélancolique.
cable *nm* câble *m*; ~ **eléctrico/de remolque/submarino** câble électrique/remorque/sous-marin.
cabo *nm* (*extremidad, pedazo*) bout *m*; (*de herramienta, escoba*) manche *f*; (*MIL*) caporal *m*, brigadier *m*; (*NAUT*) cordage *m*; (*GEO*) cap *m*; **al** ~ **de 3 días** au bout de trois jours; **al fin y al** ~ finalement, en fin de compte; **atar** *o* **juntar** ~ procéder par recoupements; **de** ~ **a rabo** d'un bout à l'autre; **llevar a** ~ mener à bien, venir à bout de.
cabotaje *nm* cabotage *m*.
cabra *nf* chèvre *f*.
cabré *etc vb ver* **caber**.
cabrero, a *nm/f* chevrier/ère.
cabrestante *nm* cabestan *m*.
cabria *nf* chèvre *f*.
cabrilla *nf* (*de carpintero*) baudet *m*; ~**s** *nfpl* moutons *mpl*.
cabrío, a *a* caprin(e); **macho** ~ bouc *m*.
cabriola *nf* (*brinco, voltereta*) cabriole *f*; **hacer** ~**s** caracoler.
cabriolé, cabriolet *nm* cabriolet *m*.
cabritilla *nf* chevreau *m*.
cabrito *nm* chevreau *m*, cabri *m*.
cabrón *nm* bouc *m*; (*fig: fam*) salaud/salope.
cabruno, a *a* = **cabrío.**
cacahuete *nm* (*AGR*) cacahuète *f*; (*AM*) = **maní.**
cacahuetero *nm* marchand *m* de cacahuètes.
cacao *nm* (*árbol*) cacaoyer *m*; (*grano*) cacao *m*.
cacarear *vi* caqueter // *vt* (*fig: fam*) crier sur les toits.
cacareo *nm* caquet *m*; (*fig: fam*) jactance *f*.
cacería *nf* chasse *f*.
cacerola *nf* casserole *f*, marmite *f*.
cacique *nm* (*jefe*) cacique *m*; (*fig*) personnage influent; (*fam*) coq *m* du village.
caciquismo *nm* caciquisme *m*.
caco *nm* filou *m*; (*fam*) timide *m*, poltron *m*.
cacofonía *nf* cacophonie *f*.
cacto, cactus *nm* cactus *m*.
cacumen *nm* (*fig: fam*) flair *m*, perspicacité *f*.
cachalote *nm* cachalot *m*.
cachar *vt* (*romper*) briser; (*la madera*) fendre; (*AM: el tranvía, el ómnibus*) prendre; (*: sorprender*) surprendre; (*: ridiculizar*) railler.
cacharrería *nf* (*cacharros*) poterie *f*; (*almacén*) magasin *m* de faïences et de poteries.
cacharro *nm* (*recipiente, vasija*) pot *m*, récipient *m*, poterie *f*; (*bártulos*) affaires *fpl*; (*de cocina*) ustensiles *mpl* de cuisine.
cachaza *nf* (*fam*) (*lentitud*) lenteur *f*; (*flema*) flegme *m*; (*aguardiente*) tafia *m*.
cachear *vt* fouiller.
cachemira *nf* cachemire *m*.
cacheo *nm* fouille *f*.
cachetada *nf* (*AM*) gifle *f*.
cachete *nm* (*mejilla*) joue *f*; (*fam: bofetada*) claque *f*; (*: puñal*) poignard *m*.
cachimba *nf*, **cachimbo** *nm* pipe *f*, bouffarde *f*.
cachiporra *nf* massue *f*.
cachivache *nm* ustensile *m*, récipient *m*; (*fig: fam*) pauvre type *m*; ~**s** *nmpl* babioles *fpl*.
cacho, a *a* courbé(e) // *nm* morceau *m*; (*AM*) corne *f*.
cachorro, a *nm/f* (*perro*) chiot *m*; (*león*) lionceau *m*.
cada *a* chaque; ~ **día** tous les jours; ~ **uno/a** chacun/e; ~ **dos por tres** à tout bout de champ; ~ **vez más** de plus en plus; **uno de** ~ **diez** un sur dix.
cadalso *nm* échafaud *m*, gibet *m*.
cadáver *nm* cadavre *m*.

cadena *nf* chaîne *f*; (*JUR*) travaux forcés, emprisonnement *m*; **trabajo en ~** travail à la chaîne; **~ perpétua** détention perpétuelle.
cadencia *nf* cadence *f*.
cadera *nf* hanche *f*.
cadete *nm* cadet *m*.
caducar *vi* (*permiso, ley*) être périmé(e), expirer; (*persona*) radoter, être gâteux(euse).
caduco, a *a* caduc(caduque); périmé(e); (*idea*) dépassé(e).
C.A.E. *abr de cóbrese al entregar* envoi contre remboursement.
caer *vi* (*gen*) tomber; **~se** *vr* tomber; **~ enfermo** tomber malade; **~ dentro de su jurisdicción** faire partie de sa jurisdiction; **~ a tiempo** tomber à pic; **~ de su peso** aller de soi, tomber sous le sens; **~ en la cuenta** comprendre, se rendre compte; **¡ya caigo!** j'y suis!
café *nm* (*pl* **~s**) café *m*.
cafetal *nm* caféière *f*.
cafetero, a *a* (*industria*) relatif(ive) au café // *nf* (*utensilio*) cafetière *f*; (*fam*) tacot *m* // *nm/f* (*proprietario de bar*) patron/ne de café, cafetier/ère; **es ~** il marche au café, il boit énormément de café.
cáfila *nf* bande *f*.
caída *nf* (*gen*) chute *f*; (*declive*) pente *f*; (*disminución*) diminution *f*; **~ de ojos** (*fig*) les yeux doux.
caigo *etc vb ver* **caer**.
caimán *nm* caïman *m*; (*fig*) vieux renard.
caimiento *nm* chute *f*.
caja *nf* boîte *f*, caisse *f*; (*de escalera, ascensor*) cage *f*; (*COM*) caisse, coffre-fort *m*; (*MUS*) caisse; **~ craneana** boîte crânienne; **~ de ahorros** caisse d'épargne; **~ de cambios** boîte de vitesses; **~ de jubilaciones** caisse de retraite; **~ torácica** cage thoracique.
cajero, a *nm/f* (*encargado de la caja*) caissier/ière.
cajetilla *nf* paquet *m*.
cajista *nm/f* compositeur/trice.
cajón *nm* caisse *f*; (*de mueble*) tiroir *m*; (*de herramientas*) boîte *f* à outils.
cal *nf* chaux *f*.
cala *nf* (*GEO*) crique *f*; (*de barco*) cale *f*; (*MED*) suppositoire *m*.
calabaza *nf* (*BOT*) courge *f*; (*recipiente*) gourde *f*.
calabozo *nm* cachot *m*.
calabrote *nm* câble *m*.
calado *nm* (*bordado*) broderie ajourée; (*perforado*) découpage *m*; (*TEC*) calage *m*.
calafatear *vt* (*barcos*) calfater.
calaíta *nf* turquoise *f*.
calamar *nm* calmar *m*, encornet *m*.
calambre *nm* crampe *f*.
calamidad *nf* (*desastre*) calamité *f*; (*plaga*) fléau *m*.
calamina *nf* calamine *f*.
calamitoso, a *a* calamiteux(euse).
calandria *nf* calandre *f*; (*TEC: torno*) treuil *m*.
calaña *nf* (*muestra*) forme *f*; (*de personas*) nature *f*; (*de cosas*) qualité *f*.
calañés *nm* chapeau *m* à bords relevés.
calar *a* calcaire // *nm carrière f de pierre à chaux* // *vt* pénétrer, transpercer, traverser; (*comprender*) pénétrer, saisir; (*hacer calados*) deviner, percer à jour; (*sumergir: las redes*) caler; **~se** *vr* (*empaparse*) se pénétrer, s'imbiber.
calavera *nf* tête de mort *f* // *nm* (*fig*) noceur *m*.
calaverada *nf* frasque *f*.
calcañar, calcañal, calcaño *nm* talon *m*.
calcar *vt* (*reproducir*) calquer, décalquer; (*imitar*) calquer; (*pisar*) fouler.
calce *nm* (*de rueda*) jante *f*; (*de instrumentos cortantes*) acérure *f*; (*cuña*) coin *m*.
calceta *nf* bas *m*; **hacer ~** tricoter.
calcetín *nm* chaussette *f*.
calcina *nf* béton *m*.
calcinar *vt* calciner; (*fig: fam*) bassiner.

calcio *nm* calcium *m*.
calco *nm* calque *m*.
calculadora *nf* calculatrice *f*; ~ **de bolsillo** calculatrice de poche.
calcular *vt* (*MAT*) calculer; (*suponer, creer*) supposer, croire.
cálculo *nm* calcul *m*; (*de gastos*) évaluation *f*; **obrar con mucho** ~ agir avec beaucoup de prudence.
calda *nf* (*acción de calentar*) chauffage *m*; (*introducción del combustible*) chauffe *f*; ~**s** *nfpl* eaux thermales.
caldear *vt* chauffer; (*los metales*) porter au rouge; (*habitación*) chauffer, réchauffer; ~**se** *vr* (*fig*) s'échauffer.
caldera *nf* (*de vapor*) chaudière *f*; (*caldero*) chaudron *m*; (*MINERÍA*) puisard *m*.
calderada *nf* chaudière *f*.
calderería *nf* chaudronnerie *f*; forge *f*.
calderilla *nf* (*REL*) bénitier *m*; (*moneda*) menue monnaie.
caldero *nm* (*recipiente*) chaudron *m*; (*contenido*) chaudronnée *f*; (*TEC*) poche *f*.
calderón *nm* gros chaudron.
caldo *nm* bouillon *m*; (*para la ensalada*) sauce *f*, assaisonnement *m*; ~**s** *nmpl* liquides *mpl* alimentaires.
calefacción *nf* chauffage *m*.
calendario *nm* calendrier *m*.
calentador *nm* calorifère *m*.
calentar *vt* chauffer, faire chauffer; (*habitación, horno*) chauffer; ~**se** *vr* se réchauffer; (*AM: fig*) s'échauffer; ~ **al blanco/rojo** porter au blanc/rouge; ~**se la cabeza** se fatiguer les méninges.
calentura *nf* (*MED*) fièvre *f*, température *f*.
calenturiento, a *a* fiévreux (euse); (*fig*) fiévreux; fébrile.
calera *nf* carrière *f* de pierre à chaux; (*horno*) four *m* à chaux.
calero, a *a* de la chaux // *nm* chaufournier *m*.
calesa *nf* calèche *f*.
calesero *nm* postillon *m*.
calesín *nm* calèche *f*.
caleta *nf* crique *f*, anse *f*.
caletre *nm* (*fam*) jugeote *f*.
calibrar *vt* (*medir*) calibrer; (*mandrilar*) aléser; (*fig: juzgar*) jauger.
calibre *nm* (*MIL*) calibre *m*; (*TEC*) calibre, jaune *m*; (*fig*) importance *f*.
calicanto *nm* maçonnerie *f*.
calidad *nf* (*gen*) qualité *f*; (*fig*) importance *f*, poids *m*; **en** ~ **de** en qualité de.
cálido, a *a* chaud(e).
caliente *a* chaud(e); (*fig*) chaud, ardent(e); (*furioso*) furieux(euse), bouillant(e); **hacer algo en caliente** faire qch sur le champ.
califa *nm* calife *m*.
calificación *nf* qualification *f*; (*de alumno*) note *f*.
calificado, a *a* qualifié(e), compétent(e); manifeste.
calificar *vt* qualifier; (*enaltecer*) annoblir; (*alumno*) noter; (*determinar*) déterminer; ~**se** *vr* (*AM*) qualifier.
caligrafía *nf* calligraphie *f*.
calizo, a *a* calcaire.
calma *nf* calme *m*; (*pachorra*) nonchalance *f*, décontraction *f*.
calmante *a* calmant(e) // *nm* calmant *m*, tranquillisant *m*.
calmar *vt* (*un dolor*) calmer; (*los ánimos*) apaiser // *vi* tomber.
calmoso, a, calmudo, a *a* calme; (*fam*) indolent(e).
calofrío *nm* = **escalofrío** *nm*.
calor *nm* chaleur *f*; **dar** ~ **a** tenir chaud à; (*fig*) encourager.
calórico, a *a* calorique.
calorífero, a *a* calorifère // *nm* chauffage *m*.
calumnia *nf* calomnie *f*.
calumniador, a *a* calomniateur (trice).
calumnioso, a *a* calomnieux (euse).
caluroso, a *a* chaud(e); (*fig*) chaleureux(euse).

calva *nf* calvitie *f*; (*en bosque*) clairière *f*.
calvario *nm* calvaire *m*.
calvicie *nf* calvitie *f*.
calvo, a *a* chauve; (*terreno*) dénudé(e), pelé(e); (*tejido*) râpé(e), élimé(e).
calza *nf* cale *f*; (*fam*) bas *m*.
calzado, a *a* chaussé(e) // *nm* chaussure *f* // *nf* chaussée *f*.
calzador *nm* chausse-pied *m*.
calzar *vt* (*los pies*) chausser; (*un mueble*) caler; **~se** *vr* mettre; **¿qué (número) calza?** quelle est votre pointure?; **~(se) un empleo** (*AM*) se caser.
calzón *nm* culotte *f*.
calzoncillos *nmpl* caleçon *m*.
callado, a *a* silencieux(euse); réservé(e), discret(ète).
callar *vt* (*un secreto*) taire; (*la boca*) fermer // *vi*, **~se** *vr* se taire.
calle *nf* rue *f*; **~ arriba/abajo** en remontant/en descendant la rue; **~ de un solo sentido** rue à sens unique.
calleja *nf* ruelle *f*.
callejear *vi* flâner, battre le pavé.
callejero, a *a* (*persona*) flâneur(euse); (*animación, venta*) de la rue, ambulant(e).
callejón *nm* ruelle *f*; (*TAUR*) *couloir m courant le long de l'arène et servant de refuge aux toreros*; **~ sin salida** impasse *f*, cul-de-sac *m*.
callejuela *nf* ruelle *f*.
callista *nm/f* pédicure *m/f*.
callo *nm* (*MED: en pies y manos*) cor *m*, durillon *m*; (*: de una fractura*) cal *m*; **~s** *nmpl* gras- double *m*, tripes *fpl*.
calloso, a *a* calleux(euse).
cama *nf* lit *m*; (*AGR*) litière *f* (*GEO*) stratte *f*, couche *f*; **estar en ~** être alité(e); **hacer la ~** retaper le lit; **irse a la ~** se coucher; **~ de campaña/de matrimonio/de tijera** lit de campagne/à deux places/ pliant; **~ turca** cosy *m*.
camada *nf* portée *f*; (*de personas*) bande *f*.
camafeo *nm* camée *m*.
camaleón *nm* caméléon *m*.
camandulear *vi* (*fingir*) feindre, simuler; (*contar chismes*) médire; (*AM*) intriguer.
camandulero, a *a* hypocrite, fourbe; (*AM*) intrigant(e).
cámara *nf* chambre *f*; (*CINE*) caméra *f*; (*fotográfica*) appareil *m* photo(graphique); **~ de aire** chambre à air.
camarada *nm* camarade *m/f*.
camarera *nf* serveuse *f*; servante *f*; hôtesse *f*; habilleuse *f*.
camarero *nm* garçon *m*; valet *m*; (*TEATRO*) habilleur *m*.
camarilla *nf* (*clan*) coterie *f*, clan *m*; (*POL*) lobby *m*.
camarín *nm* (*detrás de altar*) niche *f*; (*despacho*) cabinet *m*, bureau *m*; (*tocador*) cabinet de toilette; (*TEATRO*) loge *f*.
camarista *nf* camériste *f*.
camarón *nm* crevette *f*.
camarote *nm* cabine *f*.
camastro *nm* grabat *m*.
camastrón, ona *nm/f* roublard/e.
cambiable *a* (*variable*) changeant(e); (*intercambiable*) interchangeable.
cambiante *a* (*el tiempo*) changeant(e), instable; (*persona*) instable, inconstant(e) // *nm* (*de colores*) chatoiement *m*; (*COM*) cambiste *m*, changeur *m*.
cambiar *vt* (*gen*) changer; (*de moneda*) changer; (*dinero*) faire la monnaie de; (*saludos*) échanger // *vi* (*gen*) changer; **~se** *vr* (*mudarse*) déménager; (*de ropa*) se changer; **~(se) de** changer de.
cambio *nm* échange *m*; (*trueque*) échange, troc *m*; (*COM*) change *f*, monnaie *f*; (*de tiempo*) changement *m*; (*de ideas*) volte- face *f*, revirement *m*; (*de gobierno*) changement; **tener ~** avoir de la monnaie; **dar el ~** donner le change; **en ~** par contre; **~ de velocidades** changement de vitesses; **~ de vía** aiguillage *m*.

cambista *nm* (*COM*) cambiste *m*; (*FERROCARRILES*) aiguilleur *m*.
cambray *nm* cambrai *m*.
camelar *vt* (*galantear*) baratiner; (*engañar*) tromper.
camelia *nf* camélia *m*.
camello *nm* chameau *m*.
camilla *nf* (*cama*) lit *m* de repos; (*angarillas*) brancard *m*, civière *f*; (*de hospital*) chariot *m*; (*mesa*) *table f sous laquelle on place le brasero*.
caminante *nm/f* voyageur/euse à pied.
caminar *vi* (*marchar*) cheminer à pied; (*viajar*) voyager // *vt* (*recorrer*) marcher; **~ 200 m.** marcher pendant 200 m.
caminata *nf* randonnée *f*.
camino *nm* chemin *m*; (*fig*) chemin *m*, voie *f*; **a medio ~** à moitié chemin; **en el ~** en route, en cours de route; **hacer algo de ~** faire qch en chemin *ou* en passant; **ponerse en ~** se mettre en route.
camión *nm* camion *m*.
camisa *nf* chemise *f*; (*BOT*) enveloppe *f*; (*de serpiente*) dépouille *f*; (*TEC*) chemise, crépi *m*; **~ de dormir** chemise de nuit; **~ de fuerza** camisole *f* de force.
camisería *nf* chemiserie *f*.
camiseta *nf* (*prenda*) chemisette *f*; (*de deportista*) maillot *m*.
camisón *nm* chemise *f* de nuit.
camorra *nf* (*fam*) bagarre *f*, querelle *f*.
camorrista, camorrero, a *a* querelleur(euse), bagarreur(euse) // *nm/f* querelleur/euse, bagarreur/euse.
camote *nm* (*AM: batata*) patate douce; (*: fig*) béguin *m*.
campal *a*: **batalla ~** bataille rangée.
campamento *nm* campement *m*.
campana *nf* cloche *f*; (*TEC*) manteau *m*, hotte *f*; **dar una vuelta de ~** capoter; **~ de buzo** cloche à plongeur.
campanada *nf* coup *m* de cloche; (*fig*) éclat *m*, scandale *m*.
campanario *nm* clocher *m*.
campaneo *nm* volée *f*; (*fig: fam*) dandinement *m*.
campanilla *nf* (*campana*) clochette *f*; (*burbuja*) bulle *f* d'air; (*ANAT*) luette *f*.
campante *a* (*fam: satisfecho*) satisfait(e); (*: ufano*) fier(ère), orgueilleux(euse).
campanudo, a *a* en forme de cloche; (*ampuloso*) ampoulé(e), ronflant(e).
campánula *nf* campanule *f*.
campaña *nf* campagne *f*.
campañol *nm* campagnol *m*.
campar *vi* camper; (*sobresalir*) exceller, briller.
campechano, a *a* bon enfant, sans façon.
campeche *nm* campêche *m*.
campeón, ona *nm/f* champion/ne.
campeonato *nm* championnat *m*.
campesino, a *a* champêtre // *nm/f* paysan/ne.
campestre *a* champêtre; rustique; rural(e).
campiña *nf* champ *m*, campagne *f*.
campo *nm* (*AGR*) champ *m*; (*fuera de la ciudad*) campagne *f*; (*AVIAT*) terrain *m*; (*de fútbol, golf*) terrain; (*de tenis*) court *m*; (*ELEC, FÍSICA*) champ; (*MIL*) champ, camp *m*; **a ~ traviesa** à travers champs; **a ~ raso** à ciel ouvert, à la belle étoile; **el ~ de la ciencia** le domaine de la science; **~ operativo** (*MED*) champ opératoire.
camposanto *nm* cimetière *m*.
can *nm* (*perro*) chien *m*; (*gatillo*) gâchette *f*, chien.
cana *nf ver* **cano.**
Canadá *nm* Canada *m*.
canadiense *a* canadien(ne) // *nm/f* Canadien/ne // *nf* canadienne *f*.
canal *nm* canal *m*; (*comercial*) circuit *m*; (*de televisión*) chaîne *f*; (*de tejado*) noue *f*; **abrir en ~** ouvrir de haut en bas.

canalizar *vt* canaliser.
canalón *nm* (*conducto vertical*) descente *f*; (*del tejado*) gouttière *f*; (REL) chapeau *m* d'ecclésiastique.
canalla *nf* canaille *f* // *nm* fripouille *f*, canaille *f*.
canapé *nm* (*pl* ~**s**) canapé *m*.
canario, a *a* canarien(ne) // *nm/f* Canarien/ne // *nm* serin *m*, canari *m*.
canasta *nf* (*cesto*) corbeille *f*; (NAIPES) canasta *f*.
canastilla *nf* (*de recién nacido*) layette *f*; (*cesto pequeño*) corbillon *m*.
canastillo *nm* corbillon *m*.
canasto *nm* corbeille *f*; **¡~s!** *excl* sapristi!
cancel *nm* tambour *m*; (AM) paravent *m*.
cancelación *nf* annulation *f*.
cancelar *vt* annuler; (*una deuda*) régler, solder.
cancelario *nm* recteur *m* d'université.
cáncer *nm* (MED) cancer *m*; **C~** (ASTRO) le Cancer; **ser (de) ~** être (du) Cancer; (*fig*) plaie *f*.
canciller *nm* chancellier *m*.
cancillería *nf* chancellerie *f*.
canción *nf* chanson *f*; **~ de cuna** berceuse *f*.
cancionero *nm* recueil *m* de poésies.
cancha *nf* (*de fútbol*) terrain *m*; (*de tenis*) court *m*.
candado *nm* cadenas *m*.
candeal *a*: **pan ~** pain blanc; **trigo ~** froment *m*.
candela *nf* (*vela*) chandelle *f*; (BOT) chaton *m*; (FÍSICA) candela *f*; **en ~** debout, verticalement.
candelabro *nm* candelabre *m*.
candelaria *nf* (*fiesta*) chandeleur *f*; (BOT) bouillon *m*, blanc *m*.
candelero *nm* (*para vela*) chandelier *m*; (*de aceite*) lampe *f* à huile; (*para la pesca*) pharillon *m*; **estar en el ~** être très en vue, tenir le haut du pavé.
candente *a* incandescent(e); (*problema*) brûlant(e), à l'ordre du jour.
candidato *nm/f* candidat/e; (AM) prétendant/e.
candidez *nf* candeur *f*.
cándido, a *a* candide.
candil *nm* (*lámpara*) lampe *f* a huile; (*cuerno*) andouiller *m*; (*de sombrero*) corne *f*.
candileja *nf* (*lámpara*) petite lampe; (BOT) nielle *f*; **~s** *nfpl* rampe *f*.
candor *nm* candeur *f*.
canelo, a *a* (*color*) cannelle // *nm* cannelier *m* // *nf* cannelle *f*.
canelón *nm* (*canal descendente*) descente *f*; (*carámbano*) glaçon *m*; (*pasamanería*) torsade *f*; (*pasta rellena*) cannelloni *m*.
cangrejo *nm* (ZOOL) crabe *m*, écrevisse *f*; (NAUT) corne *f*; (*de ferrocarril*) wagonnet plat; **C~** (ASTRO) le Cancer.
canguro *nm* kangourou *m*.
caníbal *a* cannibale; (*fig*) sauvage // *nm/f* cannibale *m/f*.
canica *nf* bille *f*.
canícula *nf* canicule *f*.
canicular *a* caniculaire.
canijo, a *a* chétif(ive).
canilla *nf* (ANAT) os *m*; (: *de la pierna*) tibia *m*; (TEC: *caño*) cannelle *f*, canette *f*; (*para el hilo*) canette; (AM: *grifo*) robinet *m*.
canillera *nf* jambière *f*.
canino, a *a* canin(e) // *nm* canine *f*, croc *m*.
canje *nm* échange *m*.
canjear *vt* échanger.
cano, a *a* blanc (blanche); (*fig*) vénérable; (*pey*: *viejo*) vieux (vieille) // *nf* cheveu blanc; (AM) policier *m*; **echar una cana al aire** faire une incartade.
canoa *nf* canoë *m*, canot *m*.
canon *nm* canon *m*; (*pensión*) redevance *f*.
canonesa *nf* chanoinesse *f*.
canónico, a *a* canonique.
canónigo *nm* chanoine *m*.
canonización *nf* canonisation *f*.

canonizar *vt* canoniser; (*fig*) approuver.
canonjía *nf* canonicat *m*; (*fig*: *fam*) sinécure *f*.
canoro, a *a* (*los pájaros*) chanteur(euse); (*melodioso*) mélodieux (euse).
canoso, a *a* chenu(e); grisonnant(e).
cansado, a *a* fatigué(e); (*tedioso*) ennuyeux(euse).
cansancio *nm* fatigue *f*, lassitude *f*.
cansar *vt* (*fatigar*) fatiguer; (*fastidiar*) ennuyer; (*aburrir*) lasser, ennuyer; **~se** *vr* (*agotarse*) se fatiguer; (*fastidiarse*) s'ennuyer.
cantaletear *vi* (AM: *repetir*) rabâcher; (: *exagerar*) exagérer.
cantante *a* chantant(e) // *nm/f* chanteur/euse.
cantar *vt* (*gen*) chanter; (*persona*) célébrer; (*copla*) fredonner // *vi* (*gen*) chanter; (*rechinar*) grincer; (NAIPES) annoncer; (*fam*) avouer, se mettre à table // *nm* chanson de geste *f*.
cántara *nf* broc *m*, cruche *f*; *mesure* = *16,13 l*.
cántaro *nm* broc *m*, cruche *f*; **llover a ~s** pleuvoir à seaux.
cantatriz *nf* cantatrice *f*.
cantera *nf* carrière *f*; (*fig*) pépinière (*fig*) *f*.
cantería *nf* (*tallado de piedra*) taille *f* de pierres; (ARQ: *obra*) ouvrage *m*.
cantero *nm* tailleur *m* de pierres.
cántico *nm* cantique *m*.
cantidad *nf* quantité *f*.
cantiga *nf* (MUS) chanson *f*; (HISTORIA) cantique *f*.
cantil *nm* falaise *f*; (AM) bord *m* d'un précipice.
cantilena *nf* = **cantinela.**
cantimplora *nf* (*frasco*) gourde *f*; (*sifón*) siphon *m*.
cantina *nf* (*de escuela*) cantine *f*; (*de estación*) buvette *f*; (*sótano*) cave *f*; (AM) taverne *f*, café *m*, bistrot *m*.
cantinela *nf* cantilène *f*.
cantinero, a *nm/f* cantinier/ière.
canto *nm* (*gen*) chant *m*; (*borde*) bord *m*; (*de un cuchillo*) dos *m*; (*de un libro*) tranche *f*; **caerse de ~** tomber de côté, verser; **~ rodado** galet *m*.
cantor, a *a* chanteur(euse) // *nm/f* chanteur/euse.
cantorral *nm* terrain pierreux.
canturrear, canturriar *vi* fredonner.
caña *nf* (BOT: *tallo*) chaume *f*, tige *f*; (*de la bota*) tige *f*; (*de cerveza*) demi *m*; (*del fusil*) fût *m*; (ANAT: *del brazo*) os *m* du bras; (: *de la pierna*) tibia *m*; (: *del caballo*) canon *m*; (: *tuétano*) moelle *f*; (ARQ: *fuste*) fût *m*, tige *f*; (MINERÍA) galerie *f*; (MUS) *chanson populaire andalouse*; (NAUT) barre *f*; (AM: *aguardiente*) eau-de-vie *f*, tafia *m*; **~s** *nfpl* (*torneo*) fontes *fpl*; **~ de azúcar** canne *f* à sucre; **~ de Indias** rotin *m*; **~ de pescar** canne à pêche.
cañada *nf* (*entre dos montañas*) vallon *m*, gorge *f*; (*camino*) chemin creux; (AM) ruisseau *m*.
cañamazo *nm* (*estopa*) étoupe *f*; (*tela*) toile *f* d'étoupe; (*para bordar*) canevas *m*; (*bosquejo*) canevas *m*.
cañamiel *nf* canne *f* à sucre.
cáñamo *nm* (AGR) chanvre *m*.
cañaveral *nm* cannaie *f*, plantation *f* de canne à sucre.
cañería *nf* canalisation *f*.
caño *nm* (*tubo*) tuyau *m*, tube *m*; (*de aguas servidas*) égout *m*; (MUS: *de órgano*) tuyau *m*; (NAUT: *canal*) chenal *m*; (*de fuente*) jet *m*.
cañón *nm* (*de chimenea*) tuyau *m*; (*de pluma de ave*) tuyau; (GEO) cañon *m*.
cañonazo *nm* (MIL) coup *m* de canon; (FÚTBOL) shoot *m*.
cañonear *vt* canonner.
cañonera *nf* (MIL) embrasure *f*; (NAUT) canonnière *f*; (AM) fonte *f*.
cañonero *nm* canonnière *f*.
caoba *nf* acajou *m*.
caos *nm* chaos *m*.
cap. *abr de* **capítulo**.

capa *nf* cape *f*; (*de barniz*) couche *f*; (*fig*: *apariencia*) apparence *f*; (GEO) couche *f*, banc *m*; (*pretexto*) prétexte *m*.
capacidad *nf* (*medida*) capacité *f*; (*aptitud*) habilité *f*, capacité *f*; (*talento*) talent *m*.
capacitación *nf* formation *f*.
capacho *nm* couffin *m*; cabas *m*.
capar *vt* châtrer.
caparazón *nm* (*arnés*) caparaçon *m*; (*de ave*) carcasse *f*; (*de tortuga, crustáceo*) carapace *f*.
capataz *nm* contremaître *m*.
capaz *a* capable, habile; (*amplio*) spacieux(euse); qui contient beaucoup.
capcioso, a *a* captieux(euse).
capea *nf action f d'exciter le taureau avec la cape*.
capeador *nm* torero *m*.
capear *vt* (TAUR) faire des passes avec la cape; (*fam*: *engañar*) tromper; (: *sortear*) surmonter; (NAUT) braver // *vi* braver la tempête.
capellán *nm* chapelain *m*.
caperuza *nf* chaperon *m*.
capilar *a* capillaire.
capilla *nf* chapelle *f*; (*capucha*) capuchon *m*; (*clan, camarilla*) clan *m*, chapelle *f*; ~ **ardiente** chapelle ardente; **estar en** ~ être sur des charbons ardents.
capirotazo *nm* chiquenaude *f*.
capirote *nm* (*tintura*) hennin *m*; (*de doctores*) chausse *f*, chaperon *m*; (*de halcón*) chaperon; (*de coche*) capote *f*; (*capirotazo*) chiquenaude *f*.
capitación *nf* capitation *f*.
capital *a* essentiel(le), fondamental(e) // *nm* capital *m*, richesse *f* // *nf* capitale *f*; **pena** ~ peine capitale; **pecados** ~**es** péchés capitaux; ~ **circulante** fonds *mpl* de roulement; ~ **de provincia** chef- lieu *m* de département; ~ **social** capital social.
capitalista *a* capitaliste // *nm* capitaliste *m/f*.
capitalizar *vt* capitaliser.
capitán *nm* capitaine *m*; (NAUT) commandant *m*, capitaine *m*.
capitana *nf* (NAUT: *nave principal*) vaisseau amiral; (*galera*) capitane *f*.
capitanear *vt* commander, diriger.
capitanía *nf* charge *f* du capitaine; région *f* militaire.
capitel *nm* chapiteau *m*.
capitolio *nm* capitole *m*.
capitoné *nm* camion *m* de déménagement; (AM) édredon *m*.
capitulación *nf* (*rendición*) capitulation *f*; (*acuerdo, pacto matrimonial*) accords *mpl*, contrat *m*.
capitular *vi* capituler // *a* capitulaire.
capítulo *nm* chapitre *m*; ~**s** *nmpl*: ~**s matrimoniales** accords *mpl ou* contrat *m* de mariage.
capó *nm* capot *m*.
capón *nm* (*golpe*) bosse *f*; (ZOOL) chapon *m*, castré *m*.
caporal *nm* contremaître *m*.
capota *nf* capote *f*.
capote *nm* (*abrigo, de militar*) capote *f*; (*de torero*) cape *f*; (*nubarrón*) gros nuage; (NAIPES) capot *m*; (AM: *de monte*: *poncho*) poncho *m*, capote.
Capricornio *nm* le Capricorne; **ser (de)** ~ être (du) Capricorne.
capricho *nm* caprice *m*.
caprichoso, a *a* capricieux(euse); (*extraño*) bizarre, fantaisiste.
cápsula *nf* capsule *f*.
captar *vt* capter.
captura *nf* capture *f*.
capturar *vt* capturer.
capucha *nf* (*de monje*) capuce *m*; (*de bebé*) capuchon *m*, capuche *f*; (LING) accent *m* circonflexe.
capuchino, a *nm/f* (*religioso*) capucin/e // *nm* (*mono*) capucin *m*.
capullo *nm* (ZOOL) cocon *m*; (BOT: *de flor*) bouton *m*; (: *de bellota*) cupule *f*; (ANAT) prépuce *m*.
capuz *nm* capuchon *m*, pèlerine *f*.
cara *nf* (ANAT) visage *m*, figure *f*,

face *f*; (GEOMETRÍA) face; (*de moneda, disco*) face; (*de edificio: lado*) côté *m*; ~ **a** *ad* face à; **de** ~ en face; **dar la** ~ prendre la responsabilité d'une chose; **echar en** ~ jeter à la figure; **mirar con mala** ~ regarder de travers; **mirarse** ~ **a** ~ se regarder dans les yeux; **¡que** ~ **dura!** quel culot!, quel toupet!; ~ **a la pared** face au mur; **tener el sol de** ~ avoir le soleil en face.

carabela *nf* caravelle *f*.

carabina *nf* carabine *f*; (*fam*) courtisane *f*.

carabinero *nm* (MIL) carabinier *m*; (*crustáceo*) grosse crevette.

caracol *nm* (ZOOL) escargot *m*, colimaçon *m*; (ANAT) limaçon *m*; **hacer** ~**es** caracoler; **¡**~**es!** *excl* mince!, sapristi!; **escalera de** ~ escalier *m* en colimaçon.

caracolear *vi* caracoler.

carácter (*pl* **caracteres**) *nm* (*gen*) caractère *m*; (AM: LITERATURA, TEATRO) personnage *m*; **tener mal** ~ avoir mauvais caractère; **tener mucho** ~ être emporté(e).

característica *nf* caractéristique *f*; (TEATRO) duègne *f*; (AM) orchestre *m*.

característico, a *a* caractéristique // *nm* barbon *m*.

caracterizar *vt* (*distinguir*) caractériser; (*honrar*) conférer une distinction à; (TEATRO) jouer, interpréter.

caracú *nm* (AM) moelle *f*.

caramba *excl* sapristi!, tiens!, allons donc!

carámbano *nm* glaçon *m*.

carambola *nf* carambolage *m*; (*fig: fam*) coup *m* double; **acertar de** ~ trouver par hasard.

caramelo *nm* (*dulce*) bonbon *m*; (*azúcar fundida*) caramel *m*.

caramillo *nm* (*flauta*) chalumeau *m*; (*montón*) tas *m*, fatras *m*; (*chisme, enredo*) histoire *f*, tour *m*.

carapacho *nm* carapace *f*.

caraqueño, a *a* de Caracas // *nm/f* habitant/e de Caracas.

carátula *nf* (*careta, máscara*) masque *m*; (TEATRO) planches *fpl*; (AM) frontispice *m*.

caravana *nf* caravane *f*; (*sucesión de autos*) file *f*; (*fam*) groupe *m*, troupeau *m*; (AM) politesses *fpl*.

caray *excl* mince!, diable!

carbón *nm* charbon *m*; **dibujo al** ~ dessin *m* au fusain.

carbonada *nf* pelletée *f*.

carbonato *nm* carbonate *m*.

carbonero, a *nm/f* charbonnier/ière.

carbonilla *nf* suie *f*.

carbonizar *vt* carboniser.

carbono *nm* carbone *m*.

carbunclo, carbunco *nm* (MED) anthrax *m*, charbon *m*; (*joya*) pierre précieuse.

carburador *nm* carburateur *m*.

carcaj *nm* (*para flechas*) carquois *m*; (*porta-estandarte*) porte-étendard *m*.

carcajada *nf* éclat *m* de rire.

carcamal *nm* vieille barbe *f*.

carcamán *nm* (NAUT) vieux rafiot.

cárcel *nf* prison *f*; (TEC) sergent *m*; serre-joint *m*.

carcelero, a *a* de la prison // *nm/f* geôlier/ère; gardien/ne.

carcoma *nf* artison *m*, vrillette *f*; (*ansiedad*) hantise *f*; (*persona: fastidiosa*) sangsue *f*, pot de colle *m*; (*: gastadora*) dépensier/ière.

carcomer *vt* tarauder; (*fig*) consumer; ~**se** *vr* se ronger.

carcomido, a *a* vermoulu(e); (*fig*) épuisé(e); usé(e).

cardar *vt* (*lana*) carder; (*pelo*) crêper.

cardenal *nm* (REL) cardinal *m*; (*pájaro*) cardinal *m*; (*equimosis*) bleu *m*.

cardenalato *nm* cardinalat *m*.

cardenillo *nm* vert-de-gris *m*.

cárdeno, a *a* (*color*) violacé(e); (*lívido*) livide; (*agua*) opalin(e).

cardíaco, a *a* cardiaque.

cardillo *nm* pissenlit *m*.

cardinal *a* cardinal(e).

cardo *nm* (*comestible*) cardon *m*; (*espinosa*) chardon *m*.
cardumen *nm* banc *m* de poissons.
carear *vt* confronter; **~se** *vr* (*entrevistarse*) se rencontrer; (*encararse*) s'expliquer; s'affronter.
carecer *vi*: **~ de** (*recursos*) manquer, être à court de; (*inteligencia*) être dépourvu(e) de.
carena *nf* (NAUT) carénage *m*; (*fig*) brimade *f*.
carenar *vt* radouber, caréner.
carencia *nf* (*de datos, de dinero*) manque *m*; (*de vitaminas*) carence *f*.
careo *nm* confrontation *f*.
carestía *nf* (*escasez*) pénurie *f*, disette *f*; (*de los precios*) cherté *f*.
careta *nf* masque *m*; **~ antigás** masque à gaz.
carey *nm* (*tortuga*) caret *m*; (*peine*) peigne *m* en écaille.
carga *nf* (*peso*, ELEC, MIL) charge *f*; (*de barco*) chargement *m*; (*barco*) cargo *m*; (TEC) poids *m*, charge *f*; (*obligación, responsabilidad*) charge *f*, obligation *f*.
cargadero *nm* (*lugar*) lieu *m* de chargement; (ARQ) linteau *m*.
cargado, a *a* (*de bultos*) chargé(e); lourd(e); (*de años, de espaldas, de alcohol*) lourd; (*mujer: encinta*) enceinte; (*café, té*) fort(e); tassé(e); (*el cielo*) lourd, chargé; (*la atmósfera*) tendu(e); lourd.
cargador, a *a* chargeur(euse) // *nm* (MIL, TEC) chargeur *m*; (AM) docker *m*.
cargamento *nm* cargaison *f*, chargement *m*.
cargar *vt* (*barco, maleta, arma*, ELEC) charger; (*estilográfica*) remplir; (COM: *algo en cuenta*) porter au débit, débiter; (MIL: *enemigo*) charger; (NAUT: *velas*) carguer; (*fam: molestar*) faire tuer, tanner, ennuyer // *vi* charger; (LING: *el acento*) tomber // **~se** *vr* se charger; **~ con** charger sur son *ou* ses épaule(s); **~ en** *o* **sobre** s'appuyer sur; **~ las tintas** en rajouter, forcer la note; **~ la mano** forcer la main; **¡esto me carga!** (AM) ça me pèse!
cargazón *nf* (NAUT) chargement *m*, cargaison *f*; (*del cielo*) amoncellement *m*.
cargo *nm* (*puesto*) charge *f*, poste *m*; (*responsabilidad*) charge; **hacerse ~ del gobierno** assumer les fonctions du gouvernement; **girar** *o* **poner a ~ de la empresa** mettre à compte de l'entreprise; **testigo de ~** (JUR) témoin *m* à charge; **un ~ de conciencia** (*fig*) un poids sur la conscience.
carguero *nm* cargo *m*.
cariacontecido, a *a* (AM) soucieux(euse).
cariar *vt* carier; **~se** *vr* se carier.
caribe *a* originaire de la Caraïbe // *nm* Caraïbe *m*.
Caribe *nm*: **el ~** les Caraïbes *fpl*.
caricatura *nf* caricature *f*.
caricia *nf* caresse *f*.
caridad *nf* charité *f*.
caries *nfpl* carie *f*.
carilampiño, a *a* imberbe.
carimbo *nm* marque *f*.
cariño *nm* affection *f*, tendresse *f*; (*caricia*) caresse *f*; (*en carta*) sentiments affectueux.
cariñoso, a *a* affectueux(euse).
caritativo, a *a* charitable.
cariz *nm* aspect *m*.
carmelita *nm/f* (REL) carmélite *m/f* // *nf* (BOT) *fleur f de la capucine* // *a* (AM) havane, marron clair.
carmen *nm* (*quinta*) villa *f*; (*composición*) composition *f* poétique; (REL): **orden del ~** carmel *m*.
carmesí *a* cramoisi(e) // *nm* cramoisi *m*.
carmín *nm* carmin *m*; (BOT) églantier *m*.
carnada *nf* appât *m*.
carnal *a* charnel(le); **primo ~** cousin germain; **tío ~** oncle *m* au premier degré.
carnaval *nm* carnaval *m*.
carnaza *nf* derme *m*.
carne *nf* chair *f*; (*del ternero, oveja,*

cerdo) viande *f*; **echar ~s** grossir; **metido en ~s** bien en chair; **herida en ~ viva** (*fig*) piqûre *f* au vif, offense *f*; **tener ~ de gallina** avoir la chair de poule.
carnerada *nf* troupeau *m* de moutons.
carnero *nm* mouton *m*; (*marino*) phoque *m*.
carnestolendas *nfpl* carême-prenant *m*.
carnicería *nf* boucherie *f*; (*fig*) carnage *m*, massacre *m*; (AM) abattoir *m*.
carnicero, a *a* (*animal*) carnassier(ière); (*fig*: *fam*) sanguinaire; (*que come mucha carne*): **ser ~** être un gros mangeur de viande // *nm/f* (*vendedor de carne*) boucher/ère // *nm* carnassier *m*.
carnívoro, a *a* carnassier(ière), carnivore.
carnosidad *nf* (MED) excroissance *f*; (*gordura*) embonpoint *m*.
carnoso, a *a* (*persona*) charnu(e); **planta carnosa** plante grasse.
caro, a *a* cher(ère) // *ad* cher.
carozo *nm* (*de maíz*) rafle *f*; (*de aceituna, durazno*) noyau *m*.
carpa *nf* (ZOOL) carpe *f*; (AGR) grapillon *m*.
carpeta *nf* (*para escribir*) sous-main *m*; (*para documentos*) chemise *f*; **~ de mesa** tapis *m* de table.
carpidor *nm* sarcloir *m*.
carpintería *nf* menuiserie *f*; **obra de ~** menuiserie.
carpintero *nm* charpentier *m*; **pájaro ~** pic-vert *m*.
carraca *nf* (*navío*) caraque *f*; (*astillero*) chantier naval; (MUS) crécelle *f*; (TEC) cliquet *m*.
carrada *nf* charretée *f*; (*fam*) flopée *f*, tapée *f*.
carral *nm* tonneau *m* (pour le vin).
carraspera *nf* enrouement *m*.
carrera *nf* (DEPORTE) course *f*; (*viga*) lambourde *f*; (*del sol*) cours *m*; (*calle*) cours *m*; (*trayecto*) trajet *m*, parcours *m*; (*profesión*) carrière *f*; (ESCOL) études *fpl*; **hacer ~** faire carrière.
carreta *nf* (*de bueyes*) charrette *f*; (AM) brouette *f*; chariot *m*; **~ de mano** brouette *f*.
carretada *nf* (*carga de una carreta*) charretée *f*; (*gran cantidad*) flopée *f*, tas *m*.
carrete *nm* bobine *f*; (TEC) rouleau *m*; (*de caña de pescar*) moulinet *m*.
carretear *vt* charrier.
carretel *nm* (*de caña de pescar*) moulinet *m*; (NAUT) touret *m*; (AM) bobine *f*.
carretela *nf* caliche *f*.
carretera *nf* route *f*.
carretería *nf* (*oficio*) charronnage *m*; (*taller*) atelier *m* de charron.
carretero *a* (*camino*) carrossable // *nm* (*constructor*) charron *m*; (*conductor*) charretier *m*; **mapa ~** carte routière.
carretilla *nf* (*de mano*) brouette *f*; (*juguete*) chariot *m*; (*cohete*) serpenteau *m*; (*carro*) chariot *m*; **saber de ~** savoir sur le bout des doigts.
carril *nm* (*huella*) ornière *f*; (*surco*) sillon *m*; (*camino*) chemin muletier; (*de vía férrea*) rail *m*; (AUTO) voie *f*.
carrillera *nf* (*quijada*) mâchoire *f*; (*correa*) jugulaire *f*, mentonnière *f*.
carrillo *nm* (ANAT) joue *f*; (*mesa*) table roulante; (TEC) poulie *f*.
carrindango *nm* tacot *m*.
carrizo *nm* roseau *m* à balais laîche *f*.
carro *nm* chariot *m*; (*juego*) morpion *m*; (IMPRENTA) train *m*; (MIL) char *m*; (AM: *coche*) automobile *f*; (: *tranvía*) tramway *m*; (: *vagón*) wagon *m*.
carrocería *nf* carrosserie *f*.
carroña *nf* charogne *f*.
carroza *nf* carrosse *m*; (*de carnaval*) char *m*; **~ fúnebre** char funèbre.
carruaje *nm* voiture *f*, véhicule *m*.
carta *nf* lettre *f*; (CULIN, *naipe, mapa*) carte *f*; **~ de aviso/de**

crédito lettre d'avis/de crédit; ~ **simple/ certificada/expreso** lettre ordinaire/recommandée/exprès; ~ **de amparo** sauf-conduit *m*; ~ **de ciudadanía** certificat *m* de résidence.

cartabón *nm* (*de agrimensor, de dibujante*) équerre *f*; (*de zapatero*) pied *m* à coulisse.

cartapacio *nm* (*para libros*) cartable *m*; (*para dibujos*) carton *m*; (*cuaderno*) carnet de notes *m*; (*de documentos*) dossier *m*.

cartearse *vr* correspondre.

cartel *nm* (*anuncio*) affiche *f*; (*alfabeto*) alphabet mural; **la obra continúa en** ~ la pièce tient l'affiche; **prohibido fijar** ~**es** défense d'afficher; **tener gran** ~ avoir bonne presse.

cartelera *nf* (*en un muro*) porte-affiche *m*; (*de espectáculos*) rubrique *f* des spectacles.

cartera *nf* (*de bolsillo*) portefeuille *m*; (*de colegial*) cartable *m*; (*de señora*) pochette *f*; (*para documentos*) porte-documents *m*; (*de cobrador, cartero*) sacoche *f*; (*COM, POL*) portefeuille *m*.

cartero *nm* facteur *m*.

cartilla *nf* (*ESCOL*) abécédaire *m*; (*de racionamiento, ahorros*) livret *m*; (*REL*) ordo *m*.

cartógrafo, a *nm/f* cartographe *m/f*.

cartón *nm* carton *m*.

cartuchera *nf* cartouchière *f*.

cartucho *nm* (*MIL*) cartouche *f*; (*cucurucho*) sac *m*.

cartujo *nm* chartreux *m*, ermite *m*.

cartulario *nm* cartulaire *m*.

cartulina *nf* bristol *m*.

casa *nf* (*habitación*) maison *f*; (*edificio*) immeuble *m*; (*de tablero de ajedrez*) case *f*; (*de billar*) quartier *m*; **ir a** ~ **de X** aller chez X; **estar en** ~ être à la maison; **una mujer de su** ~ une femme d'intérieur; **¡está en su** ~**!** faites comme chez vous!; ~ **de campo/ editorial/matriz** maison de campagne/d'édition/mère; ~ **consistorial** hôtel de ville *m*; ~ **cuna** crèche *f*; ~ **de citas** maison de passe; ~ **de socorro** clinique *f* d'urgence; ~ **real** famille royale, maison *f* du Roi; ~ **remolque** roulotte *f*, caravane *f*.

casaca *nf* casaque *f*; (*fam*) mariage *m*.

casadero, a *a* en âge d'être marié(e), à marier.

casal *nm* (*casa de campo*) maison *f* de campagne; (*ZOOL*) couple *m* de mâle et de femelle.

casamata *nf* casemate *f*.

casamentero, a *a* marieur(euse).

casamiento *nm* mariage *m*.

casar *vt* marier; (*JUR*) casser // *nm* hameau *m*; ~**se** *vr* se marier.

casca *nf* (*de uva*) marc *m*; (*para curtir*) tan *m*.

cascabel *nm* grelot *m*; (*MIL*) bouton *m* de culasse; **serpiente de** ~ serpent *m* à sonnettes.

cascada *nf* cascade *f*.

cascajo *nm* (*guijarro, escombros*) gravier *m*, gravats *mpl*; (*fruto*) fruit *m* à coquille; (*fam*: *persona*) croulant *m*; (: *coche*) tacot *m*.

cascanueces *nm inv* casse-noix *m inv*.

cascar *vt* (*un huevo*) fêler; (*fam*: *dar una paliza a*) cogner; (: *pagar*) casquer // *vi* (*fam*: *charlar*) bavarder; ~**se** *vr* (*quebrarse*) se briser; (*la voz*) casser; (*fam*: *morirse*) casser sa pipe.

cáscara *nf* (*del huevo*) coquille *f*; (*de frutas secas*) coque *f*; (*de las frutas*) peau *f*; (*del queso*) croûte *f*.

cascarón *nm* coquille *f*, écorce *f*; ~ **de nuez** (*fig*) coquille de noix.

cascarrabias *nm/f* (*gruñón*) grincheux/euse // *a*: **es** ~ il/elle est soupe au lait.

cascarriento, a *a* crasseux(euse).

cascarudo, a *a* (*AM*) dont l'écorce est dure et épaisse.

casco *nm* (*de bombero, soldado*) casque *m*; (*de sombrero*) coiffe *f*; (*de auricular*) serre-tête *m*; (*cráneo*) crâne *m*; (*de botella, obús*) éclat *m*; (*BOT: de cebolla*) tunique *f*; (*de naranja*) quartier *m*; (*de población*) périmètre urbain; (*tonel*) fût *m*; (*NAUT: de barco*) coque *f*; (*ZOOL: de caballo*) sabot *m*; (*botella*) bouteille *f* vide (consignée); **hay 5 pesetas de** ~ il y a 5 pesetas de consigne.

cascote *nm* gravats *mpl*, décombres *mpl*.

caserío *nm* hameau *m*.

casero, a *a* domestique; (*fam*) popote, casanier(ière); (*ropa*) d'intérieur // *nm/f* (*propietario*) propriétaire *m/f*; (*administrador*) intendant/e; (*AM: parroquiano*) habitué/e; **pan** ~ pain *m* maison; **remedio** ~ remède *m* de bonne femme.

casi *ad* presque; ~ **te caes** un peu plus tu allais tomber.

casilla *nf* (*casita*) maisonnette *f*; (*caminera, de guarda*) maison *f*; (*TEATRO*) guichet *m*; (*de ajedrez*) case *f*; (*de estante*) casier *m*; (*de crucigrama*) grille *f*, case.

casillero *nm* casier *m*.

casino *nm* casino *m*.

caso *nm* cas *m*; (*JUR*) affaire *f*; **en** ~ **de...** en cas de...; **el** ~ **es que** le fait est que; **en el peor/mejor de los** ~**s** dans le pire/meilleur des cas; **en último** ~ en dernier recours.

caspa *nf* pellicules *fpl*.

casquete *nm* (*gorro*) toque *f*, calotte *f*; (*polar*) calotte glaciaire.

casquijo *nm* gravillon *m*.

casquillo *nm* (*TEC: anillo*) bague *f*; (*de lámpara*) culot *m*, douille *f*; (*de bayoneta, de rosca*) culot *m*; (*cartucho*) culot *m*; (*de flecha*) pointe *f*; (*AM*) fer *m* à cheval.

casquivano, a *a* tête en l'air; (*de poco juicio*) écervelé(e).

cassette *nf* cassette *f*.

casta *nf* race *f*; (*fig*) espèce *f*, qualité *f*.

castaña *nf ver* **castaño.**

castañar, castañal *nm*, **castañeda** *nf* châtaigneraie *f*.

castañero, a *nm/f* marchand/e de marrons.

castañeta *nf* (*chasquido*) claquement *m* de doigts; (*instrumento*) castagnette *f*.

castañetear *vt* jouer aux castagnettes // *vi* (*MUS*) jouer des castagnettes; (*los dientes*) claquer; (*los huesos*) craquer; (*las perdices*) cacaber.

castaño, a *a* châtain, marron // *nm* châtaignier *m*, marronnier *m* // *nf* (*fruto*) châtaigne *f*; (*damajuana*) dame-jeanne *f*; (*fam*) marron *m*, châtaigne.

castañuela *nf* (*instrumento*) castagnette *f*; (*planta*) souchet *m*.

castellano, a *a* castillan(e) // *nm* (*lengua*) castillan *m*, espagnol *m*; (*señor*) châtelain *m*.

castidad *nf* chasteté *f*.

castigar *vt* (*reo*) châtier; (*niño*) punir; (*afligir*) affliger.

castigo *nm* châtiment *m*, punition *f*, sanction *f*.

castillo *nm* château fort; (*NAUT*) château *m*, gaillard *m*; ~ **de fuego** pièce *f* d'artillerie.

castizo, a *a* (*LING*) pur(e); (*de buena casta*) de bonne souche; (*fam*) typique.

casto, a *a* (*puro*) chaste; (*virtuoso*) vertueux(euse).

castor *nm* castor *m*.

castración *nf* castration *f*; (*de árbol*) taille *f*.

castrado, a *a* châtré(e), castré(e).

castrar *vt* (*capar*) châtrer, castrer; (*colmena*) châtrer; (*AGR: árbol*) tailler; (*herida*) cicatriser; (*fig*) affaiblir.

castrense *a* militaire.

casual *a* casuel(le); accidentel(le); fortuit(e); imprévu(e).

casualidad *nf* hasard *m*; accident *m*; coïncidence *f*.

casualmente *ad* par hasard; d'aventure; par accident.

casucha *nf* bicoque *f*.

casulla *nf* chasuble *f*.

cata *nf* (*desgustación, prueba*)

dégustation *f*; (*porción*) échantillon *m*, morceau *m*; (*AM: excavación metalífera*) gisement *m* métallifère.
cataclismo *nm* cataclysme *m*.
catacumbas *nfpl* catacombes *fpl*.
catador *nm* (*que prueba alimentos*) dégustateur *m*; (*que prospecta*) prospecteur *m*; (*fig*) connaisseur *m*.
catadura *nf* dégustation *f*; (*fig: fam*) mine *f*, tête *f*.
catalán, ana *a* catalan(e) // *nm/f* Catalan/e.
catalejo *nm* longue-vue *f*.
cataléptico, a *a* cataleptique // *nm/f* cataleptique *m/f*.
catálogo *nm* catalogue *m*.
Cataluña *nf* Catalogne *f*.
cataplasma *nf* cataplasme *m*; (*fam*) pot de colle *m*.
catapulta *nf* catapulte *f*.
catar *vt* (*alimento*) goûter; (*vino, té*) déguster; (*colmenas*) châtrer.
catarata *nf* (*GEO*) chute *f*; (*MED*) cataracte *f*.
catarro *nm* catarrhe *m*, rhume *m*.
catastro *nm* cadastre *m*.
catástrofe *nf* catastrophe *f*, désastre *m*.
cataviento *nm* penon *m*.
cateador *nm* (*AM*) prospecteur *m*.
catear *vt* (*buscar*) chercher, guetter; (*investigar*) investiguer; (*AM*) prospecter.
catecismo *nm* catéchisme *m*.
cátedra *nf* chaire *f*.
catedral *nf* cathédrale *f*.
catedrático, a *nm/f* professeur *m* de faculté *ou* d'université.
categoría *nf* catégorie *f*; (*calidad, prestigio*) rang *m*.
categórico, a *a* catégorique.
catequista *nm/f* catéchiste *m*.
catequizar *vt* catéchiser; (*fig*) endoctriner.
caterva *nf* (*banda*) bande *f*; (*cosas viejas*) ramassis *m*.
catilinaria *nf* catilinaire *f*.
catire *a* (*AM*) roux(rousse) // *nm/f* (*AM*) roux/rousse.
catolicismo *nm* catholicisme *m*.
católico, a *a* catholique // *nm/f* catholique *m/f*.
catorce *num* quatorze.
catre *nm* lit *m* de camp; (*fam*) pieu *m*.
cauce *nm* (*de río*) lit *m*; (*canal*) canal *m*; (*acequia*) rigole *f*; (*fig: vía*) voie *f*; (*: curso, camino*) cours *m*.
caución *nf* (*garantía*) caution *f*, garantie *f*; (*fianza*) cautionnement *m*.
caucionar *vt* cautionner; (*JUR*) garantir.
caucho *nm* caoutchouc *m*; **árbol del** ~ caoutchoutier *m*.
caudal *nm* (*de río*) débit *m*; (*volumen*) volume *m*; (*fortuna*) fortune *f*, capital *m*, richesse *f*; ~ **de conocimientos** puits *m* de science.
caudaloso, a *a* (*río*) abondant(e), de grand débit; (*persona*) riche, fortuné(e).
caudillo *nm* capitaine *m*, chef *m*; personnage influent.
causa *nf* cause *f*, raison *f*, motif *m*; (*JUR*) cause *f*, procès *m*, affaire *f*; **hacer** ~ **común con** faire cause commune avec.
causar *vt* (*provocar*) causer; (*originar*) provoquer, occasionner; (*acarrear*) entraîner.
cáustico, a *a* caustique.
cautela *nf* précaution *f*, prudence *f*.
cauteloso, a *a* prudent(e); cauteleux(euse); timoré(e); (*pey*) rusé(e).
cauterio *nm* cautère *m*; (*fig*) remède *m* énergique.
cauterizar *vt* cautériser; (*fig*) extirper.
cautivar *vt* faire prisonnier, capturer; (*fig*) captiver, séduire.
cautiverio *nm*, **cautividad** *nf* captivité *f*.
cautivo, a *a* captif(ive) // *nm* prisonnier/ière; esclave *m/f*; **un canario** ~ un canari en cage.
cauto, a *a* (*prudente, reservado*) prudent(e); circonspect(e); (*astuto*) rusé(e).

cavar *vt* (*un pozo*) creuser; (*AGR*) bêcher // *vi* (*fig*) pénétrer, approfondir.
caverna *nf* caverne *f*.
cavernícola *a* cavernicole; (*fig*) réactionnaire // *nm* troglodyte *m*; (*fig*) casanier/ière.
cavernoso, a *a* caverneux(euse).
cavidad *nf* cavité *f*.
cavilación *nf* méditation *f*, réflexion *f*.
cavilar *vi* méditer, réfléchir.
caviloso, a *a* préoccupé(e); pensif(ive).
cayado *nm* (*de pastor*) houlette *f*; (*de obispo*) crosse *f*; ~ **de la aorta** crosse *f* de l'aorte.
cayo *nm* récif *m*, écueil *m*.
cayó *etc vb ver* **caer**.
caz *nm* canal *m* de dérivation.
caza *nf* (*gen*) chasse *f*; (*animales*) gibier *m* // *nm* chasse *f*.
cazador, a *a* chasseur(euse) // *nm* chasseur *m* // *nf* blouson *m*.
cazar *vt* (*animales*) chasser; (*fam*) dénicher, dégoter; (*sorprender*) attraper, débusquer; (*NAUT*) border.
cazatorpedero *nm* contre-torpilleur *m*.
cazo *nm* (*vasija*) louche *f*; (*cucharón, cacerola*) casserole *f*.
cazuela *nf* (*cacerola*) casserole *f*; (*guisado*) ragoût *m*; (*TEATRO*) poulailler *m*, paradis *m*.
cazurro, a *a* (*huraño*) renfermé(e); (*reservado*) réservé(e); (*taimado*) roublard(e); (*tonto*) niais(e); (*testarudo*) têtu(e).
c/c *abr de* **cuenta corriente**.
CC.OO. *abr de Comisiones Obreras*.
c.d. *abr de* **corriente directa**.
C de J *abr de Compañía de Jesús*.
ceba *nf* (*para animales*) gavage *m*; (*de horno*) chargement *m*; (*AM*) amorce *f*.
cebada *nf ver* **cebado**.
cebadal *nm* champ *m* d'orge.
cebadera *nf* mangeoire *f*; (*NAUT*) civadière *f*; (*TEC*) appareil *m* de chargement du gueulard.
cebado, a *a* gavé(e); (*AM*) féroce // *nf* orge *f*.
cebar *vt* (*animal*) gaver, engraisser; (*pez*) appâter; (*MIL*) amorcer; (*TEC*) charger; (*AM: el mate*) préparer // *vi* pénétrer, mordre; ~**se** *vr* s'acharner.
cebellina *nf* zibeline *f*.
cebo *nm* (*para animales*) pouture *f*; (*para peces, fig*) appât *m*; (*de arma*) amorce *f*; (*para horno*) *combustible pour amorcer un four*.
cebolla *nf* (*AGR*) oignon *m*; (*ristra de cebollas*) chapelet *m* d'oignons; (*fig: de madera*) roulure *f*; (*de regadera*) pomme *f* d'arrosoir.
cebolludo, a *a* bulbeux(euse).
cebra *nf* zèbre *m*.
ceca *nf*: **ir de la ~ a la Meca** aller à droite et à gauche.
cecear *vi* zézayer.
ceceo *nm* zézaiement *m*.
cecina *nf* viande séchée *ou* boucanée.
cedazo *nm* tamis *m*.
ceder *vt* céder // *vi* (*renunciar*) renoncer; (*someterse*) céder; (*disminuir*) s'apaiser, se calmer; (*romperse*) céder, rompre.
cedro *nm* cèdre *m*.
cédula *nf* billet *m*; ~ **de aduana** papiers *mpl* de douane; ~ **de identificación** carte *f* d'identité; ~ **real** brevet *m* du roi.
C.E.E. *nf* (*abr de Comunidad Económica Europea*) CEE *f* (Communauté économique européenne).
céfiro *nm* zéphyr *m*.
cegar *vt* rendre aveugle; (*fig: pozo*) combler; (*paso, camino*) boucher, obstruer // *vi* perdre la vue; ~**se** *vr* s'aveugler.
ceguedad, ceguera *nf* cécité *f*; (*fig*) aveuglement *m*.
ceiba *nf* fromager *m*.
ceibo *nm* flamboyant *m*.
ceja *nf* (*ANAT*) sourcil *m*; (*ARQ*) rebord *m*; (*en vestido*) passepoil *m*; (*de libro*) mors *m*; (*de sierra*) crête

f; (*de guitarra*) sillet *m*; (TEC: *pestaña*) boudin *m*.
cejar *vi* céder, renoncer.
cejijunto, a *a* aux sourcils épais; (*fig*) renfrogné(e).
celada *nf* (*de armadura*) salade *f*; (*emboscada, trampa*) embuscade *f*, guet-apens *m*.
celador, a *nm/f* surveillant/e.
celaje *nm* claire-voie *f*; (*fig*) présage *m*; (*nubes*) nuages colorés.
celar *vt* (*vigilar*) surveiller, observer; (*encubrir*) celer, occulter.
celda *nf* cellule *f*.
celebración *nf* (*de acto*) célébration *f*; (*aplauso*) célébration, acclamation *f*.
celebrante *nm* célébrant *m*.
celebrar *vt* (*alabar*) célébrer; (*misa*) célébrer, dire; (*asamblea, congreso*) tenir; (*éxito*) célébrer; (*cumpleaños, etc*) fêter; **~se** *vr* avoir lieu.
célebre *a* célèbre; (*chistoso*) amusant(e); rigolot(e).
celebridad *nf* (*gen*) célébrité *f*; (*persona*) célébrité; (*festividad*) festivité *f*.
celeridad *nf* célérité *f*, rapidité *f*.
celeste *a* céleste // *nm* bleu ciel *m*.
celestial *a* céleste; (*fig*) parfait(e); délicieux(euse); divin(e).
celestina *nf* entremetteuse *f*.
celibato *nm* célibat *m*, célibataire *m*.
célibe *a* célibataire // *nm/f* célibataire *m/f*.
célico, a, celical *a* céleste.
celo *nm* (*cuidado*) zèle *m*; (*de animales*) rut *m*; **~s** *nmpl* jalousie *f*.
celofán *nm* cellophane *f*.
celosía *nf* (*persiana*) jalousie *f*; (*pasión*) jalousie, envie *f*.
celoso, a *a* (*envidioso*) jaloux (ouse); (*trabajo*) sensible; (*desconfiado*) méfiant(e).
celta *nm/f* Celte *m/f* // *nm* celte *m*.
céltico, a *a* celtique.
célula *nf* cellule *f*; **~ nerviosa** cellule nerveuse.
celular *a* cellulaire.
celuloide *nm* celluloïd *m*.
celulosa *nf* cellulose *f*.
cementar *vt* (*calle, edificio*) cimenter; (TEC: *metal*) cémenter.
cementerio *nm* cimetière *m*.
cemento *nm* ciment *m*; béton *m*; (*para dientes*) cément, plomb *m*; **~ armado** *o* **reforzado** béton armé.
cena *nf* dîner *m*, souper *m*.
cenáculo *nm* cénacle *m*.
cenador *nm* tonnelle *f*, charmille *f*.
cenagal *nm* bourbier *m*; (*fig*) bourbier, pétrin *m*.
cenagoso, a *a* fangeux(euse); bourbeux(euse).
cenar *vt* manger // *vi* dîner.
cenceño, a *a* sec(sèche); maigre.
cencerro *nm* sonnaille *f*, clarine *f*.
cendal *nm* voile *f*.
cenefa *nf* (*de pañuelo, cortina*) bordure *f*, lisière *f*; (*en muro, pavimento*) plinthe *f*.
cenicero *nm* cendrier *m*.
ceniciento, a *a* cendré(e).
cenit *nm* zénith *m*.
ceniza *nf* cendre *f*; **~s** *nfpl* cendres *fpl*.
cenizoso, a *a* cendreux(euse); cendré(e).
censo *nm* (*empadronamiento*) recensement *m*; (JUR: *tributo*) cens *m*, redevance *f*; (: *renta*) (contrat *m* de) rente *f*; (: *carga sobre una casa*) charge *f*.
censor *nm* censeur *m*.
censura *nf* (POL) censure *f*; (*moral*) blâme *m*.
censurable *a* blâmable, censurable, criticable.
censurar *vt* (*idea*) censurer, critiquer; (*cortar: película*) censurer.
centauro *nm* centaure *m*.
centavo *nm* (AM) centime *m*, cent *m*.
centella *nf* éclair *m*, foudre *f*.
centell(e)ar *vi* scintiller, briller.
centelleo *nm* scintillement *m*.
centena *nf* centaine *f*.
centenar *nm* centaine *f*; **~es de** des centaines de.
centenario, a *a* centenaire //

nm/f centenaire *m/f* // *nm* centenaire *m*.
centeno *nm* seigle *m*.
centésimo, a *a* centième // *nm* centième *m*.
centígrado, a *a* centigrade.
centímetro *nm* centimètre *m*.
céntimo, a *a* centième // *nm* centime *m*.
centinela *nm* sentinelle *f*.
centón *nm* (*poesía*) centon *m*; (*manta*) bâche *f*.
central *a* central(e); (*calle*) principal(e) // *nf* central *m*; ~ **de correos** bureau de poste principal; ~ **hidroeléctrica** centrale *f* hydroélectrique; ~ **obrera** centrale ouvrière.
centralismo *nm* centralisme *m*.
centralización *nf* centralisation *f*.
centralizar *vt* centraliser.
centrar *vt* centrer.
céntrico, a *a* central(e).
centrífugo, a *a* centrifuge.
centrípeto, a *a* centripète.
centro *nm* centre *m*.
centroamericano, a *a* de l'Amérique centrale // *nm/f* habitant/e d'Amérique centrale.
centuplicar *vt* centupler.
centuria *nf* siècle *m*.
ceñido, a *a* (*vestimenta*) ajusté(e); (*economía*) économe.
ceñidor *nm* (*cinturón*) ceinture *f*; (*cordón*) cordelière *f*.
ceñir *vt* (*apretar, ajustar*) serrer, ajuster; (*abrazar*) entourer, ceinturer; ~**se** *vr* (*presupuesto*) restreindre; (*al programa establecido*) se limiter; (*a las exigencias*) se faire; (*TAUR*) s'approcher tout près du taureau; ~**se el cinturón** se serrer la ceinture; ~**se la espada** ceindre son épée; ~**se a un amigo** s'en tenir à un ami.
ceño *nm* aspect menaçant; (*de casco de caballo*) bourrelet *m*; **fruncir el** ~ froncer le sourcil.
ceñudo, a *a* renfrogné(e); sombre; taciturne.
cepa *nf* (*de vid*) cep *m*; (*tronco de un árbol*) souche *f*; (*fig*) souche.
cepillar *vt* brosser; (*una madera*) raboter; (*AM*) flatter.
cepillo *nm* (*gen*) brosse *f*; (*de barrer*) balai *m*; (*de carpintero*) rabot *m*.
cepo *nm* (*rama*) rameau *m*, branche *f*; (*de tortura*) cep *m*; (*trampa para animales*) piège *m*; (*en iglesia*) tronc *m*.
cera *nf* (*de abejas*) cire *f*; (*de lustrar*) cirage *m*, cire *f*; (*del oído*) cérumen *m*.
cerámico, a *a* céramique // *nf* céramique *f*; **gres** ~ grès *m* cérame.
cerbatana *nf* (*MIL*) sarbacane *f*; (*MED*) cornet *m* acoustique.
cerca *nf* clôture *f*, enceinte *f* // *ad* près // ~**s** *nmpl* premiers plans; ~ **de** près de; **mirar de** ~ regarder de près.
cercado *nm* (*huerto*) enclos *m*; (*valla*) clôture *f*.
cercanía *nf* proximité *f*; (*de montaña, ciudad*) alentours *mpl*, environs *mpl*; (*de invierno*) approches *fpl*.
cercano, a *a* (*pariente*) proche; (*país*) voisin(e).
cercar *vt* (*gen*) clôturer, clore; (*MIL: al enemigo*) encercler, cerner.
cercén : **a** ~ *ad* à ras.
cercenar *vt* rogner, retrancher; (*fig*) réduire les libertés de.
cerciorar *vt* assurer; ~**se** *vr* s'assurer.
cerco *nm* cercle *m*; (*AM: valla*) clôture *f*, haie *f*; (*ASTRO*) halo *m*; (*MIL*) siège *m*; (*de hechicería*) cerne *m*.
cerda *nf* (*de cerdo*) soie *f*; (*de caballo*) crin *m*; (*hembra del cerdo*) truie *f*.
cerdo *nm* porc *m*; (*fig: fam*) cochon *m*.
cerdoso, a *a* couvert(e) de soies.
cereal *nm* céréale *f*.
cerebral *a* cérébral(e).
cerebro *nm* cerveau *m*.
ceremonia *nf* cérémonie *f*.

ceremonial *a* cérémonial(e) // *nm* cérémonial *m*.
ceremonioso, a *a* cérémonieux(euse).
cerería *nf* magasin *m* du cirier; métier *m* du cirier.
cerero, a *nm/f* cirier/ière.
cereza *nf* cerise *f*.
cerezo *nm* cerisier *m*; (*silvestre*) merisier *m*.
cerilla *nf* (*fósforo*) allumette *f*; (*vela*) bougie *f*; (*de los oídos*) cérumen *m*.
cerner *vt* bluter; (*fig*) observer, scruter // *vi* être en fleur; (*lloviznar*) pleuviner, bruiner; **~se** *vr* (*planear*) planer; (*fig*) planer, menacer; (*balancearse*) se dandiner.
cernícalo *nm* buse *f*; (*fig*) buse, cruche *f*.
cernido *nm* criblage *m*; (*harina*) farine blutée.
cero *nm* zéro *m*.
cerote *nm* poix (de cordonnier) *f*; (*fig*: *fam*) trouille *f*, frousse *f*.
cerquillo *nm* (*de monje*) couronne *f*, tonsure *f*; (*de zapato*) trépointe *f*.
cerrado, a *a* fermé(e); (*cielo, lluvia, noche*) couvert(e), nuageux(euse); (*curva*) à la corde; (*acento*) très prononcé; (*herida*) fermé, refermé(e); (*fig*: *fam*) renfermé(e); (*poco inteligente*) borné(e); **orden ~** (*MIL*) formation *f* en masse.
cerradura *nf* serrure *f*.
cerraja *nf* serrure *f*; (*BOT*) laiteron *m*.
cerrajería *nf* serrurerie *f*.
cerrajero *nm* serrurier *m*.
cerrar *vt* fermer; (*paso, carretera*) fermer, barrer; (*trato, cuenta, negocio*) conclure; (*debate*) clore // *vi* fermer; **~se** *vr* (*la noche*) s'obscurcir, descendre; (*persona*) s'enfoncer, s'absorber.
cerrazón *nf* obscurité *f*; (*fig*) étroitesse *f* d'esprit.
cerrero, a *a* vagabond(e); (*caballo*) sauvage; (*fig*) rustre, inculte.
cerril *a* (*terreno*) accidenté(e); (*animal*) sauvage; (*fig*) grossier(ière); rustre.
cerro *nm* colline *f*, coteau *m*; (*AM*) mamelon *m*, montagne peu élevée; (*ZOOL*) cou *m*, croupe *f*; (*de lino*) quenouille *f*.
cerrojo *nm* verrou *m*.
certamen *nm* (*torneo*) joute *f*, duel *m*; (*concurso*) concours *m*.
certero, a *a* juste; adroit(e); sûr(e); fondé(e).
certeza, certidumbre *nf* certitude *f*, assurance *f*; **tener la ~ de que** avoir la certitude que.
certificación *nf* (*aprobación, atestación*) certification *f*; (*de una carta*) recommandation *f*.
certificado, a *a* recommandé(e) // *nm* certificat *m*.
certificar *vt* (*asegurar, atestar*) certifier, assurer; (*carta*) recommander.
cerusa *nf* céruse *f*.
cerval *a* cervin(e); du cerf.
cervato *nm* faon *m*.
cervatillo *nm* porte-musc *m*.
cervecería *nf* brasserie *f*.
cervecero *nm* brasseur *m*.
cerveza *nf* bière *f*.
cerviz *nf* nuque *f*.
cesación *nf* cessation *f*.
cesante *a* en chômage; mis(e) à pied; révoqué(e) // *nm/f* chômeur/euse.
cesantía *nf* mise à pied *f*; chômage *m*.
cesar *vi* cesser, prendre fin; **~ de hacer** arrêter de faire.
cese *nm* (*de trabajo*) révocation *f*; (*de pago*) cessation *f*.
cesión *nf* cession *f*.
cesionario, a *a* cessionnaire.
césped *nm* gazon *m*, pelouse *f*.
cesta *nf* panier *m*; (*para pelota vasca*) chistera *f*.
cestero, a *nm/f* vannier/ière.
cesto *nm* (*para papeles*) panier *m*, corbeille *f*; (*cesta grande*) manne *f*.

cesura *nf* césure *f.*
cetrería *nf* fauconnerie *f.*
cetrero *nm* fauconnier *m.*
cetrino, a *a* citrin(e); olivâtre; (*fig*) mélancolique.
cetro *nm* (*gen*) sceptre *m*; (*para halcones*) perchoir *m*; **bajo el ~ de** sous le règne de.
ch... *voir sous la lettre* **CH**, *après* **C.**
cía *nf* ischion *m.*
Cía *abr de* **compañía.**
cianuro *nm* cyanure *m.*
ciar *vi* (*retroceder*) reculer; (*remar*) ramer en arrière; (*fig*) renoncer, abandonner.
ciática *nf* sciatique *f.*
cicatería *nf* ladrerie *f*, lésinerie *f.*
cicatero, a *a* lésineur(euse), ladre.
cicatriz *nf* cicatrice *f.*
ciclismo *nm* cyclisme *m.*
ciclo *nm* cycle *m.*
ciclón *nm* cyclone *m*, ouragan *m.*
cicuta *nf* ciguë *f.*
ciego, a *a* aveugle // *nm/f* aveugle *m/f.*
cielo *nm* ciel *m*; (ARQ) voûte *f*; **¡~s!** Ciel!
ciempiés *nm* mille-pattes *m.*
cien *a ver* **ciento.**
ciénaga *nf* marécage *m.*
ciencia *nf* science *f*; **saber algo a ~ cierta** *ad* être sûr et certain de qch.
cieno *nm* vase *f*, bourbe *f.*
científico, a *a* scientifique // *nm/f* scientifique *m/f*, savant/e.
ciento, cien *a nm* cent *m*; **~s de** des centaines de; **20 por ~ de descuento** 20de remise; **pagar al 10 por ~** payer 10
cierne *nm* floraison *f*; **estar en ~** être en germe.
cierre *nm* fermeture *f*; **~ a cremallera** *o* **relámpago** fermeture éclair *ou* à glissière.
cierro *etc vb ver* **cerrar.**
cierto, a *a* certain(e); (*un tal*) un certain (une certaine); (*correcto*) certain, sûr(e); **~ hombre** un certain homme; **sí, es ~** oui, c'est sûr; **estar en lo ~** être dans le vrai; **lo ~ es que ocurrió** ce qui est certain c'est que c'est arrivé.
ciervo *nm* cerf *m.*
cierzo *nm* bise *f.*
cifra *nf* chiffre *m*; (*cantidad*) quantité *f*; **en ~** en code, dans un langage codé.
cifrar *vt* chiffrer; (*resumir*) résumer, abréger.
cigarra *nf* cigale *f.*
cigarral *nm* villa *f.*
cigarrera *nf* (*persona*) cigarière *f*; (*para cigarros*) porte-cigares *m.*
cigarrería *nf* (AM) bureau *m* de tabac.
cigarrillo *nm* cigarette *f.*
cigarro *nm* cigare *m.*
cigüeña *nf* (ZOOL) cigogne *f*; (TEC) manivelle *f.*
cilindrar *vt* cylindrer.
cilíndrico, a *a* cylindrique.
cilindro *nm* cylindre *m.*
cima *nf* (*de montaña*) sommet *m*; (*de árbol*) cime *f*; (*fig*) cime.
cimarrón, ona *a* (AM) sauvage; (: *fugitivo*) marron(ne).
címbalo *nm* (*campanita*) clochette *f*; (*platillo*) cymbale *f.*
cimborrio, cimborio *nm* ciborium *m.*
cimbrar, cimbrear *vt* faire vibrer; (*fam*) frapper; (*bóveda*) cintrer; **~se** *vr* (*con el viento*) vibrer; (*doblarse*) se plier, se ployer.
cimbreo *nm* cintrage *m.*
cimentar *vt* (*muro*) cimenter; (*hacer los cimientos de*) creuser les fondations de; (*fig*) consolider.
cimera *nf* cimier *m.*
cimiento *nm* (ARQ) fondation *f*; **~s** fondations *fpl*; (*fig*) origine *f*, source *f.*
cimitarra *nf* cimeterre *m.*
cinc *nm* zinc *m.*
cincel *nm* ciseau *m.*
cincelar *vt* ciseler.
cinco *num* cinq.
cincuenta *num* cinquante.
cincha *nf* sangle *f.*
cinchar *vt* (*caballo*) sangler; (*tonel*) cercler.

cincho *nm* (*para la cintura*) ceinture *f*; (*para toneles*) cercle *m*, cerceau *m*; (AM) sangle *f*.
cine *nm* cinéma *m*.
cinematográfico, a *a* cinématographique.
cinerario, a *a* cinéraire // *nf* cinéraire *f*.
cíngulo *nm* cordon *m*.
cínico, a *a* cynique // *nm/f* cynique *m/f*.
cinismo *nm* cynisme *m*.
cinta *nf* (*para un paquete*) ruban *m*; (*de seda, lana, algodón*) galon *m*; (*película*) film *m*, bande *f*; (*de máquina de escribir*) ruban, rouleau *m*; (*métrica*) décamètre *m* à ruban; (*magnetofónica*) bande; (*adhesiva*) ruban.
cintillo *nm* (*de sombrero*) bourdalou *m*; (*anillo*) alliance *f* avec des pierres précieuses.
cinto *nm* ceinturon *m*.
cintura *nf* taille *f*; ceinture *f*.
cinturón *nm* (MIL: *para el sable*) ceinturon *m*; (*de cuero*) ceinture *f*; ~ **de seguridad** ceinture de sécurité; ~ **salvavidas** bouée *f* de sauvetage.
ciprés *nm* cyprès *m*.
circo *nm* cirque *m*.
circuir *vt* entourer; clore.
circuito *nm* circuit *m*.
circulación *nf* circulation *f*.
circulante *a* (*dinero*) circulant(e); (*noticia*) qui circule.
circular *a* circulaire // *nf* lettre *f* circulaire // *vi* circuler // *vt* faire circuler.
círculo *nm* (MAT) cercle *m*; (*club, cenáculo*) club *m*, cercle; ~**s** *nmpl*: ~**s diplomáticos** milieux *mpl* diplomatiques; ~ **polar ártico** cercle polaire arctique; ~ **vicioso** cercle vicieux.
circuncidar *vt* circoncire; (*fig*) diminuer, retrancher, modérer.
circuncisión *nm* circoncision *f*.
circunciso, a *pp de* **circuncidar** // *a* circoncis(e).
circundar *vt* environner, entourer.
circunferencia *nf* circonférence *f*.
circunflejo *nm* circonflexe *m*.
circunlocución *nf*, **circunloquio** *nm* circonlocution *f*.
circunnavegación *nf* circumnavigation *f*.
circunnavegar *vt* (*en círculo*) circumnaviguer; ~ **el mundo** faire le tour du monde en bateau.
circunscribir *vt* circonscrire; (*fig*) limiter; ~**se** *vr* se limiter, s'en tenir.
circunscripción *nf* circonscription *f*.
circunspección *nf* circonspection *f*.
circunspecto, a *a* circonspect(e); réservé(e).
circunstancia *nf* circonstance *f*.
circunstanciado, a *a* circonstancié(e); détaillé(e).
circunstante *nm/f* assistant/e.
circunvalar *vt* entourer, ceindre.
circunvecino, a *a* circonvoisin(e).
cirio *nm* cierge *m* (pascal).
cirro *nm* (*nube*) cirrus *m*; (BOT) cirre *m*, vrille *f*; (MED) squirre *m*; (ZOOL) cirre *m*.
ciruela *nf* prune *f*.
ciruelo *nm* prunier *m*.
cirugía *nf* chirurgie *f*; ~ **estética** *o* **plástica** chirurgie esthétique.
cirujano *nm* chirurgien *m*.
cisco *nm* charbonnaille *f*; (*fig: fam*) foin *m*, grabuge *m*.
cisma *nm* schisme *m*; (*fig*) discorde *f*.
cismático, a *a* schismatique.
cisne *nm* cygne *m*.
cisterna *nf* (*vagón, buque*) citerne *f*; (*depósito*) réservoir *m*.
cisura *nf* incision *f*.
cita *nf* rendez-vous *m*; (*referencia*) citation *f*; **darse ~ en un café** se donner rendez-vous dans un café.
citación *nf* (JUR) assignation *f*; (*referencia*) citation *f*.
citar *vt* (*gen*) donner rendez-vous à; (JUR) citer, appeler; (*un autor,*

texto) citer; (TAUR) provoquer; ~se *vr* prendre rendez-vous.
cítara *nf* cithare *f*.
citerior *a* citérieur(e).
cítrico, a *a* citrique; ~**s** *nmpl* agrumes *mpl*.
ciudad *nf* ville *f*.
ciudadanía *nf* citoyenneté *f*.
ciudadano, a *nm/f* (*de ciudad*) citadin/e; (*de estado*) citoyen/ne.
ciudadela *nf* citadelle *f*.
cívico, a *a* civique // *nm* (AM) agent *m* de police.
civil *a* civil(e) // *nm* (*guardia*) garde-civile *m*; (*ciudadano*) civil *m*.
civilidad *nf* civilité *f*.
civilista *nm* civiliste *m*.
civilización *nf* civilisation *f*.
civilizar *vt* civiliser; ~**se** *vr* s'intégrer.
civismo *nm* civisme *m*.
cizalla *nf* cisailles *fpl*.
cizaña *nf* ivraie *f*; (*fig*) discorde *f*, zizanie *f*.
cizañar, cizañear *vt* semer la discorde entre.
clac *nm* claque *m* // *excl* clac!
clamar *vt* clamer, crier // *vi* implorer; réclamer.
clamor *nm* (*grito*) clameur *f*; (*gemido*) gémissement *m*; (*vítores*) acclamation *f*; (*de campana*) glas *m*.
clamorear *vt* réclamer // *vi* (*de júbilo*) clamer; (*campana*) sonner.
clamoreo *nm* (*clamor*) clameur *f*; (*ruego*) prière agaçante.
clamoroso, a *a* (*plañidero*) retentissant(e); (*rotundo, ruidoso*) éclatant(e).
clandestino, a *a* clandestin(e).
claque *nf* (*fam*) claque *f*.
clara *nf* (*de huevo*) blanc *m* de l'œuf; (*del día*) œuf *m* du jour.
claraboya *nf* (*tragaluz*) lucarne *f*; (*en un tejado*) *fenêtre f à tabatière*.
clarear *vi* (*el día*) éclairer; (*el cielo*) éclaircir; ~**se** *vr* s'éclaircir, devenir transparent(e); (*fig: fam*) laisser percer ses intentions.
clarete *nm* rosé *m*, clairet *m*.
claridad *nf* clarté *f*.
claridoso, a *a* sincère.
clarificación *nf* (*de líquido*) clarification *f*; (*explicación*) éclaircissement *m*.
clarificar *vt* (*líquido*) clarifier; (*explicar*) éclaircir, expliquer.
clarín *nm* clairon *m*.
clarinete *nm* (*instrumento*) clarinette *f*; (*instrumentista*) clarinettiste *m*.
clarión *nm* craie *f*.
clarividencia *nf* clairvoyance *f*.
claro, a *a* (*gen*) clair(e); (*evidente*) évident(e), clair; (*ralo*) clairsemé(e) // *nm* (*en escritura*) espace *m*, blanc *m*; (*tiempo disponible*) temps *m* libre; (*en discurso*) pause *f*; (*en bosque*) clairière *f*; (*de luna*) clair *m* de lune // *ad* net, clairement // *excl* bien sûr!, évidemment!; **hablar** ~ parler clairement; **poner las cosas en** ~ tirer les choses au clair.
claroscuro *nm* clair-obscur *m*.
clase *nf* classe *f*; (ZOOL) classe, genre *m*; (MIL) hommes *mpl* de troupe; **tener** ~ avoir de la classe; ~**s particulares** leçons particulières; ~ **nocturna** cours *m* du soir; ~ **media** classe moyenne.
clásico, a *a* classique; (*fig*) typique.
clasificación *nf* classification *f*, classement *m*; (*de correo*) triage *m*; (*de equipo*) classement.
clasificar *vt* classer, trier.
claudicar *vi* céder, se soumettre.
claustro *nm* (*de convento*) cloître *m*; (*de profesores*) conseil *m*, assemblée *f* des professeurs; ~ **materno** matrice *f*.
cláusula *nf* clause *f*.
clausura *nf* clôture *f*.
clava *nf* massue *f*.
clavar *vt* (*clavo*) clouer; (*cuchillo, tenedor*) enfoncer, planter; (*mirada*) fixer, braquer; (*fam*) rouler; ~**se** *vr* être roulé(e), se laisser rouler.
clave *nf* clef *f*; (*de mapa*) légende *f*

// *nm* clavecin *m* // *a* clef *inv*.
clavel *nm* œillet *m*.
clavero *nm* giroflier *m*.
clavicordio *nm* clavecin *m*.
clavícula *nf* clavicule *f*.
clavija *nf* cheville *f*; (*ELEC*) fiche *f*.
clavillo *nm* vis *f*; ~ **de olor** clou *m* de girofle.
clavo *nm* (*de metal*) clou *m*, pointe *f*; (*BOT*) clou de girofle; (*forúnculo*) clou; (*callo*) cor *m*.
claxon *nm* klaxon *m*.
clemencia *nf* clémence *f*.
clemente *a* clément(e).
clerecía *nf* (*clero*) clergé *m*; (*oficio*) cléricature *f*; (*privilegio*) clergie *f*.
clerical *a* clérical(e) // *nm* clérical *m*.
clérigo *nm* ecclésiastique *m*.
clero *nm* clergé *m*.
cliente *nm/f* client/e.
clientela *nf* clientèle *f*.
clima *nm* climat *m*.
clínica *nf* clinique *f*.
clip *nm* trombone *m*.
clisé *nm* cliché *m*.
cloaca *nf* cloaque *m*.
clocar *vi* glousser.
cloque *nm* croc *m*.
cloquear *vi* = **clocar.**
clorhídrico, a *a* chlorhydrique.
cloroformizar *vt* chloroformer.
cloroformo *nm* chloroforme *m*.
club *nm* (*pl* ~**s** *o* ~**es**) club *m*.
cluniacense *a* clunisien(ne).
cm *abr de* **centímetro**.
C.N.T. *abr de Confederación Nacional de Trabajo*.
coacción *nf* contrainte *f*.
coactivo, a *a* coercitif(ive).
coadjutor, a *nm/f* coadjuteur/trice.
coadyuvante *a* qui aide.
coadyuvar *vt* contribuer, aider; secourir.
coagular *vt* coaguler.
coágulo *nm* (*de leche*) coagulum *m*; (*de sangre*) caillot *m*.
coalición *nf* coalition *f*.
coartada *nf* alibi *m*.
coartar *vt* limiter.
coba *nf* (*fam*: *embuste*) blague *f*; (*adulación*) flatterie *f*.
cobalto *nm* cobalt *m*.
cobarde *a* lâche; poltron(ne), peureux(euse) // *nm* lâche *m*, poltron *m*.
cobardía *nf* (*miedo*) poltronnerie *f*; (*falta de ánimo*) lâcheté *f*.
cobayo *nm*, **cobaya** *nf* cobaye *m*.
cobertera *nf* couvercle *m*.
cobertizo *nm* (*tejado*) auvent *m*; (*para trastos viejos, maquinarias*) hangar *m*, remise *f*.
cobertor *nm* couverture *f*, dessus-de-lit *m*.
cobertura, cubierta *nf* couverture *f*.
cobija *nf* (*teja*) tuile faîtiere, enfaîteau *m*; (*AM*) couverture *f* de lit.
cobijar *vt* couvrir, abriter; (*fig*) héberger, loger; protéger.
cobra *nf* courroie *f* d'attelage; (*serpiente*) cobra *m*, naja *m*.
cobrador *nm* (*de autobús, tren*) receveur *m*; (*de impuestos, gas*) encaisseur *m*.
cobranza *nf* encaissement *m*.
cobrar *vt* (*cheque, sueldo*) toucher; (*deuda*) encaisser; ~**se** *vr* (*hacerse pagar*) se payer; (*desquitarse*) se dédommager, se payer; ~ **ánimo** *o* **coraje** reprendre courage; ~ **cariño a uno** prendre qn en affection; ~ **fama de** acquérir réputation de; **¡vas a ~!** (*AM*) qu'est-ce que tu vas prendre!
cobre *nm* cuivre *m*; ~**s** *nmpl* cuivres *mpl*.
cobrizo, a *a* cuivré(e).
cobro *nm* (*paga*) paye *f*; (*cobranza*) encaissement *m*.
coca *nf* (*BOT*) coca *f ou m*; (*fam*) boule *f*, calotte *f*.
cocacho *nm* haricot *m*.
cocaína *nf* cocaïne *f*.
cocción *nf* cuisson *f*.
cocear *vi* ruer.
cocer *vt* cuire // *vi* cuire, bouillir; ~**se** *vr* cuire.

cocido *nm* pot-au-feu *m* // *a* cuit(e).
cocimiento *nm* (*de comida*) cuisson *f*; (*tisana*) décoction *f*.
cocina *nf* cuisine *f*; (*aparato*) cuisinière *f*.
cocinar *vt, vi* cuisiner.
cocinero, a *nm/f* cuisinier/ière.
coco *nm* (*árbol*) cocotier *m*; (*fruto*) noix *m* de coco; (*microbio*) coccus *m*; (*gusano de las frutas*) ver *m*; (*fam*) boule *f*.
cocodrilo *nm* crocodile *m*.
cocotal *nm* lieu planté de cocotiers.
cocotero *nm* cocotier *m*.
coche *nm* (*de caballos*) voiture *f*; (*automóvil*) voiture *f*, automobile *f*; (*de tren*) voiture, wagon *m*; (*fúnebre*) corbillard *m*; (*para niños*) poussette *f*; ~ **celular** panier *m* à salade.
cochera *a* cochère // *nf* garage *m*.
cochero *nm* cocher *m*.
cochinada *nf* (*fam*) cochonnerie *f*, grossièreté *f*.
cochinería *nf* cochonnerie *f*.
cochinilla *nf* (*crustáceo*) cloporte *m*; (*insecto, colorante*) cochenille *f*.
cochino, a *a* cochon(ne) // *nm* porc *m*, cochon *m*, (*fig*) cochon.
codal *a* (*medida*) qui mesure une coudée; (*forma*) coudé(e); en forme de coude // *nm* (*de armadura*) cubitière *f*; (*de vid*) marcotte *f* de la vigne; (ARQ) étresillon *m*.
codazo *nm* coup *m* de coude.
codear *vi* jouer des coudes.
codelincuente *a* complice // *nm/f* complice *m/f*.
codera *nf* coudière *f*.
códice *nm* codex *m*.
codicia *nf* cupidité *f*; (*fig*) convoitise *f*.
codiciar *vt* convoiter.
codicioso, a *a* cupide, convoiteur(euse).
código *nm* code *m*; **mensaje en** ~ message codé.
codillo *nm* (*codo*) coude *m*; (*espalda*) épaule *f*; (*de árbol*) fourche *f*.
codo *nm* (ANAT, *de tubo*) coude *m*; (*medida*) coudée *f*.
codorniz *nf* caille *f*.
coeducación *nf* coéducation *f*, enseignement *m* mixte.
coeficiente *nm* coefficient *m*; ~ **de incremento** taux *m* d'accroissement.
coerción *nf* coercition *f*.
coercitivo, a *a* coercitif(ive).
coetáneo, a *a* contemporain(e).
coexistencia *nf* coexistence *f*.
coexistir *vi* coexister.
cofia *nf* (*para el cabello*) résille *f*; (*de proyectil*) coiffe *f*.
cofrade *nm* confrère *m*.
cofradía *nf* confrérie *f*, association *f*.
cofre *nm* coffre *m*.
cogedero *nm* cueilloir *m*.
cogedor, a ramasseur(euse) // *nm* pelle *f*.
coger *vt* (*gen*) prendre; (*frutas*) cueillir; (*resfriado*) attraper; (*la lluvia, la noche*) se laisser surprendre par; (*un ladrón*) attraper // *vi*: ~ **por el buen camino** prendre le bon chemin; ~**se** *vr* (*robar*) voler.
cogida *nf* (AGR) cueillette *f*; (TAUR) coup *m* de corne.
cogido, a *a* (*tomado*) pris(e); (*apresado*: *ladrón*) capturé(e); (*torero*) encorné(e); blessé(e); **caminar** ~**s del brazo** aller bras dessus, bras dessous.
cognado, a *nm/f* cognat *m*.
cogollo *nm* (*de lechuga, col*) cœur *m*; (*de árbol*) rejeton *m*, bourgeon *m*, pousse *f*.
cogote *nm* nuque *f*.
cogulla *nf* habit *m*.
cohabitar *vi* cohabiter.
cohechar *vt* suborner, corrompre.
cohecho *nm* subornation *f*, corruption *f*.
coheredero, a *nm/f* cohéritier/ière.
coherente *a* cohérent(e).
cohesión *nm* cohésion *f*.
cohete *nm* fusée *f*.

cohetero *nm* artificier *m*.
cohibición *nf* contrainte *f*.
cohibir *vt* réprimer, intimider.
cohombrillo *nm* petit concombre.
cohombro *nm* (BOT) concombre *m*; (*churro*) *sorte de beignet*; (*molusco*) holothurie *f*; concombre de mer.
cohonestar *vt* présenter sous un jour favorable.
coincidencia *nf* coïncidence *f*.
coincidir *vi* (*en idea*) coïncider; (*en lugar*) se rencontrer par hasard.
coito *nm* coït *m*.
cojear *vi* (*persona*) boiter, clocher; (*mueble*) être bancal(e); boiter; (*fig: fam*) agir mal.
cojera *nf* boiterie *f*; claudication *f*.
cojín *nm* coussin *m*.
cojinete *nm* coussinet *m*; (TEC) roulement *m*.
cojo, a *a* boiteux(euse); bancal(e) // *nm/f* boiteux/euse.
cojuelo, a *a* légèrement boiteux(euse).
cok *nm* coke *m*.
col *nf* chou *m*.
cola *nf* queue *f*; (*de vestido*) traîne *f*; (*para pegar*) colle *f*; **hacer la ~** faire la queue.
colaborador, a *nm/f* collaborateur/trice // *a* serviable.
colaborar *vi* collaborer.
colación *nf* collation *f*.
colada *nf* (*lavado*) lessivage *m*; (*de lava*) coulée *f*; (TEC) coulée *f*; (*filtrado*) filtrage *m*; (*camino*) chemin *m* pour les troupeaux.
coladera *nf* passoire *f*.
colador *nm* collateur *m*.
coladura *nf* (*filtración*) filtration *f*; (*residuo*) résidus *m*; (*fig: fam*) gaffe *f*, maladresse *f*.
colapso *nm* (MED) collapsus *m*; (COM) effondrement *m*.
colar *vt* (*líquido, ropa*) passer, filtrer; (*beneficio*) collationner; (*metal*) couler // *vi* se glisser; s'infiltrer; **~se** *vr* se faufiler; resquiller; **esto no parece ~** ça ne semble pas correspondre.
colateral *a* collatéral(e) // *nm* parents collatéraux *mpl*.
colcha *nf* couvre-lit *m*.
colchón *nm* matelas *m*.
colchoneta *nf* (*colchón*) matelas *m*; (*cojín*) coussin *m*; **~ de aire** coussin d'air.
coleada *nf* (*de animal*) coup *m* de queue; (*del viento*) coup de vent.
colear *vi* (*perro*) remuer la queue; (*tren*) se balancer.
colección *nf* collection *f*.
colecta *nf* collecte *f*.
colectar *vt* (*recaudar*) collecter, recouvrer; (*recoger*) recueillir, ramasser.
colectividad *nf* collectivité *f*.
colectivo, a *a* collectif(ive) // *nm* collectif *m*.
colector *nm* collecteur *m*; (*sumidero*) collecteur, égout *m*; **~ de basuras** vide-ordures *m*.
colega *nm/f* collègue *m/f*, confrère/consœur.
colegial *a* collégial(e) // *nm* écolier *m*; lycéen *m*; collégien *m*.
colegiala *nf* écolière *f*; lycéenne *f*; collégienne *f*.
colegio *nm* (*escuela*) collège *m*; (*corporación*) corporation *f*; (*de abogados, médicos*) ordre *m*.
colegir *vt* (*juntar, reunir*) réunir, rassembler; (*deducir*) déduire.
cólera *nf* (*ira*) colère *f*; (MED) bile *f* // *nm* choléra *m*.
colérico, a *a* (*irritado, rabioso*) colérique; coléreux(euse); (MED) cholérique// *nm/f* cholérique *m/f*.
coleta *nf* (*trenza*) queue *f*; (*de pelo sin trenzar*) couette *f*.
coletazo *nm* coup *m* de queue.
coleto *nm* collet *m* de fourrure; (*fig*) for intérieur.
colgadero *nm* croc *m*, crochet *m*.
colgadizo, a *a* qui doit être accroché(e) // *nm* auvent *m*.
colgadura *nf* tenture *f*.
colgante *a* suspendu(e) // *nm* (ARQ) feston *m*; breloque *f*; pendeloque *f*; (*de araña*) pendeloque *f*.

colgar *vt* (*cuadro, ropa, tapiz*) accrocher, étendre, pendre; (*hábitos*) suspendre; (*teléfono*) accrocher; (*fam*: *en examen*) coller, refuser // *vi* pendre; ~ **de** pendre à; ~**se** *vr* se pendre.
colibrí *nm* colibri *m*.
cólico *nm* colique *f*.
coliflor *nf* chou-fleur *m*.
coligarse *vr* s'unir, se liguer.
colilla *nf* mégot *m*.
colina *nf* colline *f*.
colindante *a* limitrophe, contigu(ë).
colindar *vi* être contigu(ë).
coliseo *nm* colisée *m*.
colisión *nf* collision *f*; (*fig*) choc *m*, heurt *m*.
colmado, a *a* plein(e); rempli(e) // *nm* bistrot *m*, guinguette *f*.
colmar *vt* remplir à ras bord; ~ **la paciencia** dépasser les bornes de la patience; ~ **de regalos** combler de faveurs.
colmena *nf* ruche *f*; (*fig*) fourmilière *f*.
colmenar *nm* rucher *m*.
colmenero, a *nm/f* apiculteur/trice.
colmillo *nm* (*diente*) canine *f*; (*de elefante*) défense *f*; (*de perro*) croc.
colmo *nm* comble *m*.
colocación *nf* placement *m*; (*empleo*) situation *f*; (*de mueble*) emplacement *m*.
colocar *vt* placer; ~**se** *vr* se placer.
colofón *nm* cul-de-lampe *m*.
Colombia *nf* Colombie *f*.
colombiano, a *a* colombien(ne) // *nm/f* Colombien/ne.
colombino, a *a* relatif(ive) à Christophe Colomb.
colon *nm* côlon *m*.
colonia *nf* colonie *f*; ~ **de vacaciones/obrera** colonie de vacances/ouvrière.
coloniaje *nm* (AM) période *f* de colonialisme.
colonización *nf* colonisation *f*.
colonizador, a *a* colonisateur(trice) // *nm/f* colonisateur/trice.
colonizar *vt* coloniser.
colono *nm* (*de colonia*) colon *m*; (*granjero*) fermier *m*.
coloquio *nm* conversation *f*; (*congreso*) colloque *m*.
color *nm* couleur *f*; **los** ~**es** les couleurs.
colorado, a *a* (*que tiene color*) coloré(e); (*rojo*) rouge // *nm* rouge *m*; **ponerse** ~ rougir.
colorar *vt* colorer.
colorear *vt* colorer, colorier // *vi* rougir.
colorete *nm* fard *m*, rouge *m*.
colorido *nm* (*de un cuadro*) coloris *m*; (*color*) couleur *f*.
colosal *a* colossal(e); (*fig*) extraordinaire.
coloso *nm* colosse *m*.
columbrar *vt* apercevoir; (*fig*) conjecturer, deviner, prévoir.
columna *nf* colonne *f*; (*apoyo*) appui *m*, pilier *m*; ~ **de dirección** colonne de direction; ~ **vertebral** colonne vertébrale.
columpiar *vt* balancer; ~**se** *vr* se balancer; (*al caminar*) se dandiner.
columpio *nm* balançoire *f*.
collado *nm* (*cerro*) coteau *m*; (*camino*) col *m*.
collar *nm* collier *m*; (*de condecoración*) chaîne *f*; (TEC) bague *f*.
collera *nf* collier *m*.
coma *nf* virgule *f* // *nm* coma *m*.
comadre *nf* (*partera*) sage-femme *f*; (*madrina*) marraine *f*; (*vecina*) commère *f*.
comadrear *vi* cancaner.
comadreja *nf* belette *f*.
comadreo *nm* commérage *m*.
comadrona *nf* sage-femme *f*; (*fam*: *vecina*) commère *f*.
comandancia *nf* commandement *m*.
comandante *nm* commandant *m*.
comandar *vt* commander.
comandita *nf*: **sociedad en** ~ société *f* en commandite.

comanditario, a *a* commanditaire // *nm* commanditaire *m.*
comarca *nf* contrée *f*, région *f.*
comarcano, a *a* voisin(e), limitrophe.
comarcar *vi*: ~ **con** être limitrophe de.
comba *nf* courbure *f*; **saltar a la** ~ sauter à la corde.
combar *vt* courber, tordre.
combate *nm* combat *m.*
combatiente *a* combattant(e) // *nm* combattant *m.*
combatir *vt* combattre.
combinación *nf* combinaison *f*; cocktail *m.*
combinar *vt* combiner; ~**se** *vr* se combiner.
combo, a *a* courbé(e), cambré(e) // *nm* (AM) masse *f.*
combustión *nf* combustion *f.*
comedero *nm* (*para animales*) mangeoire *f*; (*comedor*) salle à manger *f.*
comedia *nf* comédie *f.*
comediante *nm/f* comédien/ne.
comedido, a *a* (*moderado*) modéré(e), mesuré(e); (*cortés*) courtois(e), poli(e); (AM: *servicial*) obligeant(e).
comedirse *vr* se modérer; (AM) s'offrir, se proposer.
comedor, a *nm/f* (*persona*) mangeur/euse // *nm* (*habitación, muebles*) salle à manger *f*; (*restaurante*) restaurant *m*; (*cantina*) cantine *f.*
comendador *nm* commandeur *m.*
comendadora *nf* mère-supérieure *f.*
comensal *nm/f* convive *m/f.*
comentador, a *nm/f* = **comentarista.**
comentado, a *a* commenté(e); (*mencionado*) mentionné(e), nommé(e); (*suceso de actualidad*) commenté, discuté(e).
comentar *vt* commenter.
comentario *nm* commentaire *m*; (AM) cancan *m*, sous-entendu *m.*
comentarista *nm/f* commentateur/trice.
comento *nm* = **comentario.**
comenzar *vt, vi* commencer.
comer *vt* (*gen*) manger; (QUÍMICA) ronger; (DAMAS, AJEDREZ) prendre // *vi*, ~**se** *vr* manger.
comercial *a* commercial(e); (*calle*) commerçant(e).
comerciante *a* commerçant(e) // *nm/f* commerçant/e.
comerciar *vi* (*comerciante*) faire le commerce; (*países*) commercer; (*fig*: *dos personas*) avoir des relations.
comercio *nm* commerce *m.*
comestible *a* comestible // *nm* épicerie *f.*
cometa *nm* comète *f* // *nf* cerf-volant *m.*
cometer *vt* commettre; ~ **algo a uno** charger qn de qch, confier qch à qn.
cometido *nm* (*misión*) tâche *f*, mission *f*; (*deber*) devoir *m.*
comezón *nf* démangeaison *f*; (*fig*) envie folle.
cómico, a *a* comique // *nm/f* comédien/ne.
comida *nf* (*alimento*) nourriture *f*; (*almuerzo, cena*) repas *m*; (*de mediodía*) déjeuner *m.*
comidilla *nf* (*afición*) occupation favorite; (*pey*: *chisme*) fable *f*; **es la** ~ **del barrio** on ne parle que de cela.
comienzo *nm* commencement *m*; **dar** ~ **a** commencer.
comilón, ona *a* glouton(ne) // *nm/f* goinfre *m/f* // *nf* ripaille *f*, gueuleton *m.*
comillas *nfpl* guillemets *mpl.*
comino *nm* cumin *m.*
comisar *vt* confisquer, saisir.
comisario *nm* commissaire *m.*
comisión *nf* commission *f.*
comisionado, a *a* mandaté(e) // *nm/f* mandataire *m/f.*
comisionista *nm* commissionnaire *m.*
comité *nm* comité *m.*

comitiva *nf* suite *f*, cortège *m*.
como *ad* comme; (*aproximadamente*) à peu près // *conj* (*ya que, puesto que*) comme; (*en seguida que*) au moment où, aussitôt que; **~ él hay pocos** il y en a peu comme lui; **eran ~ las ocho** il était à peu près huit heures; **~ no lo haga hoy** si vous ne le faites pas aujourd'hui; **~ no sea para terminarlo** à moins que ce ne soit pour le terminer; **~ si** comme si; **tan alto ~ ancho** aussi haut que large.
cómo *ad* comment // *excl* comment! // *nm*: **el ~ y el porqué** le pourquoi et le comment; **¿~ son?** comment sont-ils?; **no sé ~ hacerlo** je ne sais comment le faire; **¿~ no vino?** pourquoi n'est-il pas venu?; **¿~ es de alto?** combien mesure-t-il?; **¡~ no!** (AM) mais bien sûr!
cómoda *nf* commode *f*.
comodidad *nf* commodité *f*, confort *m*; intérêt *m*.
comodín *nm* (NAIPES) joker *m*; (*fig*) bouche-trou *m*.
cómodo, a *a* confortable; facile, commode.
comodón, ona *a* qui aime ses aises.
compacto, a *a* compact(e).
compadecer *vt* (*alguien*) plaindre, avoir pitié de; (*dolor, pena*) compatir à; **~se** *vr*: **~se de** plaindre, avoir pitié de.
compadre *nm* (*padrino*) parrain *m*; (*vecino, amigo*) compère *m*, ami *m*.
compaginar *vt* (*reunir*) assembler, réunir; (*libro*) mettre en pages; (*fig*) concilier, combiner; **~se** *vr* s'accorder, s'harmoniser.
compañerismo *nm* camaraderie *f*.
compañero, a *nm/f* (*gen*) camarade *m/f*, compagnon *m*, compagne *f*; (*de colegio*) camarade *m/f*; (NAIPES *etc*) partenaire *m/f*.
compañía *nf* compagnie *f*; **hacer ~ a uno** tenir compagnie à qn.
comparación *nf* comparaison *f*; **en ~ con** par rapport à.
comparar *vt* comparer.
comparativo, a *a* comparatif(ive) // *nm* comparatif *m*.
comparecer *vi* comparaître.
comparsa *nf* (TEATRO) figuration *f*; (*de carnaval*) mascarade *f*; *nm/f* figurant/e.
compartimiento *nm* compartiment *m*; (*acto*) partition *f*; distribution *f*.
compartir *vt* (*repartir, dividir*) répartir, diviser; (*fig*) partager.
compás *nm* (MUS) mesure *f*; (MAT, NAUT) compas *m*; **~ de 2 x 4** rythme 2 x 4; **bailar a ~** danser en mesure.
compasado, a *a* modéré(e).
compasión *nf* compassion *f*, pitié *f*.
compasivo, a *a* compatissant(e).
compatibilidad *nf* compatibilité *f*.
compatible *a* compatible.
compatriota *nm/f* compatriote *m*.
compeler *vt* contraindre, forcer.
compendiar *vt* abréger, résumer.
compendio *nm* résumé *m*; abrégé *m*.
compensación *nf* dédommagement *m*; contrepoids *m*; récompense *f*.
compensar *vt* équilibrer, compenser; dédommager, indemniser.
competencia *nf* (*incumbencia*) compétence *f*; (*aptitud, idoneidad*) ressort *m*, domaine *m*; (*rivalidad*) concurrence *f*.
competente *a* (*persona, jurado, tribunal*) compétent(e); (*conveniente*) convenable.
competer *vi*: **~ a** relever de, être du ressort *ou* de la compétence de.
competición *nf* compétition *f*.
competir *vi* concourir, rivaliser.
compilar *vt* compiler.
compinche *nm/f* copain/ copine.
complacencia *nf* (*placer*) plaisir *m*; satisfaction *f*; (*buena voluntad, tolerancia*) complaisance *f*.
complacer *vt* plaire, être agréable à; **~se** *vr* se complaire.
complaciente *a* complaisant(e).

complejo, a *a* complexe, difficile // *nm* complexe *m*.
complementario, a *a* complémentaire.
completar *vt* compléter.
completo, a *a* (*lleno*) complet(ète); (*perfecto*) parfait(e) // *nm* petit déjeuner copieux.
complexión *nf* complexion *f*.
complicación *nf* complication *f*.
complicar *vt* (*situación*) compliquer; (*persona*) impliquer dans, mêler à.
cómplice *nm/f* complice *m/f*.
complicidad *nf* complicité *f*.
complot *nm* complot *m*.
componenda *nf* accommodement *m*; arrangement *m*; compromis *m*.
componer *vt* (*completar, formar*) composer, former; (*MUS, LITERATURA, IMPRENTA*) composer; (*algo roto*) réparer, arranger; (*fam*: *salud*) retaper, remettre; (*adornar, arreglar*) arranger; (*reconciliar*) réconcilier.
comportamiento *nm* conduite *f*, comportement *m*.
comportar *vt* (*tolerar*) supporter, tolérer; (*contener*) comporter, comprendre; **~se** *vr* se conduire.
composición *nf* composition *f*.
compositor, a *nm/f* compositeur/trice.
compostelano, a *a* de Saint-Jacques-de-Compostelle.
compostura *nf* (*reparación*) réparation *f*, composition *f*; (*actitud*) contenance *f*.
compra *nf* achat *m*; **hacer las ~s** faire les achats; **ir de ~s** faire les courses; **~ a plazos/en cuotas/al contado** achat à terme/à tempérament/comptant.
comprador, a *nm/f* acheteur/euse.
comprar *vt* acheter.
compraventa *nf* contrat *m* d'achat et de vente.
comprender *vt* comprendre; **~se** *vr* se comprendre; **viaje todo comprendido** voyage tout compris.
comprensibilidad *nf* compréhensibilité *f*.
comprensión *nf* compréhension *f*.
comprensivo, a *a* compréhensif(ive).
compresa *nf* compresse *f*.
compresibilidad *nf* compressibilité *f*.
compresión *nf* compression *f*.
comprimir *vt* comprimer; (*fig*) réprimer; **~se** *vr* (*apretujarse*) se comprimer; (*controlarse, reprimirse*) se retenir.
comprobación *nf* vérification *f*; preuve *f*.
comprobante *a* probant(e) // *nm* (*justificación*) preuve *f*; (*recibo*) reçu *m*, récépissé *m*.
comprobar *vt* vérifier; contrôler; prouver, démontrer.
comprometer *vt* compromettre; **~se** *vr* (*obligarse*) se compromettre; (*involucrarse*) s'engager; **literatura comprometida** littérature engagée.
compromiso *nm* (*obligación*) compromis *m*; (*político, literario*) accommodement *m*; (*COM*) engagement *m*; (*matrimonial*) promesse *f*; (*dificultad*) embarras *m*, difficulté *f*.
compuerta *nf* vanne *f*, porte *f*.
compuesto, a *a* (*LING*) composé(e); (*ARQ*) composite; (*arreglado*: *objeto*) arrangé(e); (*mujer*) pomponné(e); (*discreto, reservado*) réservé(e), discret(ète) // *nm* composé *m*; **compuestas** *nfpl* composacées *fpl*.
compulsar *vt* (*JUR*: *confrontar*) confronter, comparer.
compulsión *nf* contrainte *f*.
compunción *nf* (*arrepentimiento*) componction *f*; (*compasión*) compassion *f*.
computador *nm*, **computadora** *nf* calculateur *m*, calculatrice *f*.
computar *vt* calculer, computer.
cómputo *nm* calcul *m*, computation *f*.
comulgar *vt* donner la communion à // *vi* communier.

común *a* (*frecuente*) commun(e); courant(e); (*LING*) commun // *nm*: **el ~** le commun *m*; **bienes comunes** biens communs.
comuna *nf* (*AM*) commune *f*.
comunal *a* commun(e); communal(e).
comunero, a *a* populaire // *nm* copropriétaire *m*.
comunicación *nf* (*gen*) communication *f*, contact *m*; (*telefónica, férrea, naval*) communication; **~ a larga distancia** communication à longue distance.
comunicado, a *a* desservi(e) // *nm* communiqué *m*.
comunicar *vt, vi* communiquer; **~se** *vr* (*personas*) correspondre; (*casas, habitaciones*) communiquer.
comunicativo, a communicatif(ive).
comunidad *nf* communauté *f*; **en bien de la ~** pour le bien de tous.
comunión *nf* communion *f*.
comunismo *nm* communisme *m*.
comunista *a* communiste // *nm/f* communiste *m/f*.
comúnmente *ad* généralement.
con *prep* avec, à; **~ que** et alors; **¿~ que Vd. es el famoso campeón?** c'est donc vous le fameux champion?; **torta ~ crema** tarte à la crème; **chocar ~** se cogner contre; **luchar ~ las dificultades** se battre contre les difficultés; **estar contento ~** être content de; **amistoso ~ sus empleados** amical envers ses employés; **confiar ~ un amigo** avoir confiance en un ami; **obrar ~ independencia** travailler en toute indépendance; **~ apretar el botón** en appuyant sur le bouton; **tener cuidado ~** faire attention à.
conato *nm* tentative *f*; **~ de robo** tentative de vol.
concavidad *nf* concavité *f*.
cóncavo, a *a* concave.
concebir *vt, vi* concevoir.
conceder *vt* accorder, concéder; (*reconocer*) reconnaître.
concejal *nm* conseiller municipal.
concejo *nm* conseil municipal.
concentración *nf* concentration *f*.
concentrar *vt* concentrer; **~se** *vr* se concentrer.
concepción *nf* conception *f*.
conceptista *a* conceptiste // *nm/f* conceptiste *m/f*.
concepto *nm* concept *m*.
conceptuar *vt* considérer, estimer, juger.
conceptuoso, a *a* ingénieux (euse), sentencieux(euse); (*pey*: *estilo*) précieux(euse).
concerniente *a* concernant(e).
concernir *vi* concerner, avoir rapport à.
concertar *vt* (*MUS*) accorder; (*acordar*: *precio*) se mettre d'accord sur; (: *tratado*) conclure; (*combinar*: *esfuerzos*) concerter; (*reconciliar*: *personas*) mettre d'accord // *vi* (*MUS*) chanter en harmonie; **~se** *vr* (*MUS*) chanter en harmonie; (*ponerse de acuerdo*) s'entendre, se mettre d'accord; **~ con** s'accorder avec.
concertista *nm/f* concertiste *m/f*.
concesión *nf* concession *f*.
concesionario *nm* concessionnaire *m*.
conciencia *nf* conscience *f*.
concienzudo, a *a* consciencieux(euse).
concierne *etc vb ver* **concernir**.
concierto *nm* (*MUS*: *sesión*) concert *m*; (*obra*) concerto *m*; (*fig*) concert, accord *m*, entente *f*, harmonie *f*.
conciliábulo *nm* conciliabule *m*; (*pey*) intrigue *f*.
conciliación *nf* conciliation *f*.
conciliador, a *a* indulgent(e), arrangeant(e) // *nm/f* conciliateur/trice; **medidas ~as** mesures *fpl* d'apaisement.
conciliar *vt* (*personas*) réconcilier, mettre d'accord; (*actitudes distintas*) concilier // *a* conciliaire // *nm* membre *m* d'un concile; **~se** *vr* se concilier.

conciliatorio, a *a* conciliant(e); arrangeant(e).
concilio *nm* concile *m*.
concisión *nf* concision *f*.
conciso, a *a* concis(e).
concitar *vt* attirer.
conciudadano, a *a* concitoyen(ne) // *nm/f* concitoyen/ne.
conclave, cónclave *nm* conclave *m*.
concluir *vt* finir, achever, terminer; (*deducir*) déduire, conclure; (*determinar*) décider // *vi* conclure, en finir; **~se** *vr* se terminer, prendre fin.
conclusión *nf* conclusion *f*; **en ~** en somme, en conclusion.
concluyente *a* concluant(e).
concomitante *a* concomitant(e).
concordancia *nf* (LING) concordance *f*, accord *m*; (MUS) accord.
concordar *vt* mettre d'accord, réconcilier // *vi* être d'accord; (LING) s'accorder.
concordato *nm* concordat *m*.
concordia *nf* concorde *f*.
concretar *vt* concrétiser; matérialiser; (*resumir*) résumer; **~se** *vr* se matérialiser; **~se a** se limiter *ou* se borner à.
concreto, a *a* concret(ète) // *nm* concrétion *f*; (AM) béton *m*; **en ~** en somme, en bref; **en el caso ~ de** dans le cas précis de; **no tengo nada en ~** je n'ai rien de concret.
concubina *nf* concubine *f*.
concupiscencia *nf* concupiscence *f*.
concurrencia *nf* (*público*) assistance *f*; (COM) concurrence *f*.
concurrido, a *a* fréquenté(e).
concurrir *vi* (*juntarse*: *ríos*) confluer; (: *personas*) se rejoindre; (*ponerse de acuerdo*) se mettre d'accord; (*coincidir*) coïncider; (*competir*) concourir; (: COM) se faire concurrence; (*contribuir*): **~ a** concourir à.
concurso *nm* (*de público*) affluence *f*; (ESCOL, DEPORTE) concours *m*; (*competencia*) concurrence *f*; (*coincidencia*) coïncidence *f*; **prestar su ~** prêter son concours.
concusión *nf* concussion *f*; exaction *f*.
concha *nf* (*de molusco*) coquille *f*; (*de tortuga*) carapace *f*; (TEATRO) trou *m* du souffleur; (*de oreja*) conque *f*.
conchabar *vt* (*unir*) grouper, associer; (AM) embaucher; **~se** *vr* (*confabularse*) s'aboucher; (AM) s'employer.
condado *nm* (*territorio*) comté *m*; (*de conde*) dignité *f* de comte.
conde *nm* comte *m*.
condecoración *nf* décoration *f*.
condecorar *vt* décorer.
condena *nf* condamnation *f*.
condenación *nf* (JUR) condamnation *f*; (REL) damnation *f*.
condenado, a *a* condamné(e).
condenar *vt* condamner; (AM) irriter; **~se** *vr* (JUR) se déclarer coupable; (REL) se damner.
condensar *vt* condenser; (*fig*) abréger, résumer; **~se** *vr* se condenser.
condescendencia *nf* condescendance *f*.
condescender *vi* condescendre.
condescendiente *a* condescendant(e).
condestable *nm* connétable *m*.
condición *nf* condition *f*; (*carácter*) caractère *m*; **en mi ~ de padre** en ma qualité de père; **las condiciones de pago** les modalités *fpl* de règlement; **tener condiciones para** avoir des aptitudes pour.
condicionado, a *a* conditionné(e).
condicional *a* conditionnel(le).
condimentar *vt* assaisonner, épicer.
condimento *nm* condiment *m*.
condiscípulo, a *nm/f* condisciple *m/f*.
condolerse *vr* s'apitoyer sur, compatir à.
condominio *nm* condominium *m*.

condonar *vt* remettre.
cóndor *nm* condor *m.*
conducción *nf* conduite *f*; (FÍSICA) conduction *f.*
conducente *a* (*conveniente*) approprié(e); convenable; ~ **a** qui conduit *ou* mène à.
conducir *vt, vi* conduire; **~se** *vr* se conduire, se comporter.
conducta *nf* conduite *f.*
conducto *nm* conduit *m*; (*fig*) intermédiaire *m.*
conductor, a *a* conducteur(trice) // *nm* (FÍSICA) conducteur *m*; (*de vehículo*) conducteur, machiniste *m.*
condueño, a *nm/f* copropriétaire *m/f.*
conduje *etc vb ver* **conducir**.
conduzco *etc vb ver* **conducir**.
conectar *vt* connecter.
conejera *nf* (*abierta*) terrier *m*; (: *de varios*) terriers *mpl*; (*cerrada*) cabane *f*, clapier *m*; (*fig*) bouge *m.*
conejo *nm* lapin *m.*
conexión *nf* connection *f*; (*fig*) liaison *f.*
confabular *vi* conférer, deviser; **~se** *vr* se concerter, comploter.
confección *nf* confection *f*; (FARMACIA) préparation *f.*
confeccionar *vt* confectionner.
confederación *nf* confédération *f.*
confederarse *vr* se confédérer, s'unir.
conferencia *nf* conférence *f*; (TELEC) communication *f.*
conferenciante *nm/f* conférencier/ière.
conferenciar *vi* s'entretenir.
conferencista *nm/f* = **conferenciante.**
conferir *vt* (*medalla*) conférer; (*ministerio*) attribuer; (*dignidades*) accorder; (*varios documentos*) comparer.
confesar *vt* confesser; **~se** *vr* (REL) se confesser; (*cansado, inquieto etc*) se déclarer, s'avouer.
confesión *nf* (JUR) aveux *mpl*, confession *f*; (REL) confession.
confesionario *nm* confessionnal *m.*
confesor *nm* confesseur *m.*
confiado, a *a* (*crédulo*) confiant(e), crédule; (*presumido*) présomptueux(euse).
confianza *nf* confiance *f*; (*pey*) vanité *f*; ~ **en sí mismo** confiance en soi; **~s** *nfpl* (*secretos*) confidences *fpl*; **tomarse demasiadas ~s** prendre trop de libertés.
confiar *vt* confier // *vi* avoir confiance; **~se** *vr* se confier; (*hacer confidencias*) faire des confidences.
confidencia *nf* confidence *f.*
confidencial *a* confidentiel(le).
confidente *a* de confiance, fidèle // *nm/f* (*el que confiesa*) confident/e; (*policial*) informateur/trice.
configuración *nf* configuration *f.*
configurar *vt* (*proyecto*) configurer; (*el pasado*) se souvenir de.
confín *nm* limite *f.*
confinar *vt* confiner; (*desterrar*) exiler, reléguer; **~se** *vr* se confiner.
confirmación *nf* confirmation *f.*
confirmar *vt* confirmer.
confiscación *nf* confiscation *f.*
confiscar *vt* confisquer.
confite *nm* sucrerie *f.*
confitería *nf* confiserie *f.*
confitero, a *nm/f* confiseur/euse.
confitura *nf* confiture *f.*
conflagración *nf* incendie *m*; (*fig*) conflagration *f.*
conflictivo, a *a* (*situación*) tendu(e).
conflicto *nm* conflit *m.*
confluencia *nf* (*de ríos*) confluence *f*, confluent *m*; (*de caminos*) croisement *m*; (*de opiniones*) point *m* de rencontre.
confluente *a* confluent(e).
confluir *vi* (*ríos*) confluer; (*caminos*) se rejoindre; (*personas*) confluer.
conformación *nf* conformation *f.*
conformar *vt* conformer // *vi* être

d'accord; **~se** *vr* se conformer, se soumettre.
conforme *a* (*gen*) conforme; (*de acuerdo*) d'accord; (*resignado*) résigné // *ad* conformément, suivant // *excl* d'accord! // *nm*: **dar el ~** donner son accord; **quedar ~ con el resultado** être d'accord.
conformidad *nf* (*semejanza*) conformité *f*; (*acuerdo*) accord *m*; (*resignación*) résignation *f*, soumission *f*; **de ~** (*por común acuerdo*) à l'unanimité; **de** *o* **en ~ con** conformément à; **dar su ~** donner son consentement.
confortable *a* confortable.
confortante *a* réconfortant(e).
confortar *vt* réconforter.
confraternidad *nf* confraternité *f*.
confrontación *nf* confrontation *f*.
confrontar *vt* (*carear dos personas*) confronter; (*cotejar*) confronter, comparer // *vi* (*lindar*) être contigu(ë); être attenant(e).
confundir *vt* (*mezclar*) confondre, mêler; (*equivocar, turbar, humillar*) confondre; **~se** *vr* (*equivocarse*) se confondre, se tromper; (*humillarse, turbarse*) se troubler.
confusión *nf* (*desorden*) désordre *m*; (*desconcierto*) confusion *f*; embarras *m*.
confuso, a *a* confus(e).
confutación *nf* attaque *f*, contestation *f*.
confutar *vt* réfuter.
congelación *nf* congélation *f*; **~ de precios/salarios** blocage de prix/salaires.
congelar *vt* (*comida, líquido*) congeler; (*precios*) bloquer; (*créditos*) geler; **~se** *vr* (*sangre, grasa*) se figer; (*persona*) se geler.
congénere *nm/f* congénère *m/f*.
congeniar *vi* (*llevarse bien*) s'entendre.
congénito, a *a* congénital(e).
congestión *nf* congestion *f*.
congestionarse *vr* se congestionner.
conglomeración *nf* conglomération *f*.
conglomerar *vt* conglomérer.
congoja *nf* (*angustia, aflicción*) angoisse *f*, douleur *f*; (*desmayo*) évanouissement *m*.
congraciarse *vr*: **~ con** gagner *ou* s'attirer les bonnes grâces de.
congratulación *nf* congratulation *f*.
congratular *vt* congratuler; **~se** *vr* se congratuler.
congregación *nf* congrégation *f*.
congregar *vt* réunir, rassembler.
congresal *nm/f* (AM) congressiste *m/f*.
congresista *nm/f* congressiste *m/f*.
congreso *nm* congrès *m*.
congruencia *nf* (*igualdad*) congruence *f*; (*conveniencia*) convenance *f*; (MAT) congruence.
congruente *a* (*conveniente, oportuno*) congruent(e); congru(e); (MAT) congruent.
congruo, a *a* congruent(e).
cónico, a *a* conique.
conífero, a *a* conifère // *nf* conifère *m*.
conjetura *nf* conjecture *f*.
conjeturar *vt* conjecturer.
conjugar *vt* conjuguer.
conjunción *nf* conjonction *f*.
conjuntamente *ad* (*juntamente*) conjointement; (*en unión con*) ensemble.
conjunto, a *a* conjoint(e) // *nm* ensemble *m*; **hacer algo en ~** faire qch ensemble.
conjura, conjuración *nf* complot *m*, conspiration *f*.
conjurar *vt* conjurer // *vi* (*conspirar*) comploter, conspirer; (*juramentar*) jurer; **~se** *vr* se conjurer.
conjuro *nm* (*imprecación*) exhortation *f*; (*invocación*) invocation *f*; (*ruego*) prière *f*.
conllevar *vt* (*soportar*) supporter; (*compartir*) partager; (*fig*): **~ a uno** enjôler qn.

conmemoración *nf* commémoration *f*.
conmemorar *vt* commémorer.
conmensurable *a* commensurable.
conmigo *pron* avec moi.
conminar *vt* (*amenazar*) menacer; (*intimidar*) intimer, enjoindre.
conmiseración *nf* commisération *f*.
conmoción *nf* (*cerebral*) commotion *f*; (*política, social*) secousse *f*.
conmovedor, a *a* émouvant(e); touchant(e); poignant(e).
conmover *vt* (*emocionar*) émouvoir; (*perturbar*) ébranler, toucher.
conmutador *nm* commutateur *m*.
conmutar *nf* (*trocar, permutar*) échanger; (*JUR: pena*) commuer.
connaturalizarse *vr*: **~ con** s'habituer *ou* se faire à.
connivencia *nf* connivence *f*; **estar en ~ con** être de connivence avec.
connotación *nf* (*LING*) connotation *f*; (*relación*) relation *f*; (*parentesco*) parenté lointaine.
connotar *vt* connoter.
cono *nm* cône *m*.
conocedor, a *a* connaisseur(euse), expert(e) // *nm/f* connaisseur/euse.
conocer *vt* (*gen*) connaître; (*reconocer*) reconnaître; **~se** *vr* se connaître; **~ de un pleito** connaître d'une cause; **se conoce que** on voit que.
conocido, a *a* connu(e) // *nm/f* connaissance *f*, relation *f*.
conocimiento *nm* connaissance *f*; (*NAUT*) connaissement *m*; **~s** *nmpl* connaissances *fpl*; **perder el ~** perdre connaissance; **con ~ de causa** en connaissance de cause.
conozco *etc vb ver* **conocer**.
conque *conj* ainsi donc, alors.
conquista *nf* conquête *f*.
conquistador, a *a* conquérant(e) // *nm* conquistador *m*.
conquistar *vt* (*gen*) conquérir; (*mujer*) faire la conquête de.
consabido, a *a* bien connu(e); classique.
consagración *nf* consécration *f*; (*de obispo*) sacre *m*.
consagrar *vt* (*REL*) consacrer; (*rey, obispo*) sacrer; (*dedicar*) consacrer, vouer; **~se** *vr* se consacrer.
consanguíneo, a *a* consanguin(e).
consanguinidad *nf* consanguinité *f*.
consciente *a* conscient(e).
consecución *nf* obtention *f*; réalisation *f*; (*encadenamiento*) consécution *f*.
consecuencia *nf* conséquence *f*; **a ~ de** par suite de; **como ~ de** à la suite de.
consecuente *a* conséquent(e).
consecutivo, a *a* consécutif(ive).
conseguir *vt* obtenir; (*sus fines*) arriver à.
conseja *nf* (*cuento, fábula*) conte *m*; (*mentira*) fable *f*.
consejero, a *nm/f* conseiller/ère; **ser un buen ~** être de bon conseil.
consejo *nm* conseil *m*.
consenso *nm* consentement *m*.
consentido, a *a* gâté(e).
consentimiento *nm* consentement *m*.
consentir *vt* (*permitir, tolerar*) consentir; (*mimar*) gâter; (*admitir*) permettre, admettre // *vi*: **~ en** consentir à; **~se** *vr* (*quebrarse*) se fendre, se fêler.
conserje *nm* concierge *m*.
conserva *nf* conserve *f*.
conservación *nf* conservation *f*.
conservador, a *a* conservateur(trice) // *nm/f* conservateur/trice.
conservar *vt* conserver; **~se** *vr* se conserver, se garder.
conservatorio *nm* conservatoire *m*.
considerable *a* considérable.
consideración *nf* considerátion *f*; **en ~ a** eu égard à.

considerado, a *a* (*prudente, reflexivo*) réfléchi(e), pondéré(e); (*respetado*) considéré(e).
considerar *vt* considérer.
consigna *nf* (*orden*) mot d'ordre *m*; (*para equipajes*) consigne *f*.
consignación *nf* consignation *f*; (*de créditos*) allocation *f*; **en ~** en consigne.
consignar *vt* consigner.
consigo *pron* avec soi; avec lui; avec elle; avec vous; avec eux; avec elles; **tenerlas todas ~** (*fam*) être chanceux(euse).
consiguiente *a* (*consecutivo*) consécutif(ive); (*resultado*) résultant(e); **en ~** en conséquence; **por ~** par conséquent, donc.
consistencia *nf* consistance *f*.
consistente *a* (*sólido, durable*) consistant(e); (*válido*) valable.
consistir *vi*: **~ en** (*componerse de*) consister en; (*ser resultado de*) consister dans; **¿en qué consiste tu trabajo?** en quoi consiste votre travail?; **¿en qué consiste la dificultad?** en quoi consiste la difficulté?; **la casa consiste en 4 piezas** la maison consiste en 4 pièces.
consistorio *nm* (*de cardenales*) consistoire *m*; (*ayuntamiento*) conseil municipal, hôtel *m* de ville.
consocio *nm/f* coassocié(e).
consolación *nf* consolation *f*.
consolar *vt* consoler; **~se** *vr* se consoler.
consolidación *nf* consolidation *f*.
consolidar *vt* consolider.
consonancia *nf* (*rima*) rime *f*; (MUS) consonance *f*; (*fig*) conformité *f*, accord *m*.
consonante *a* consonant(e) // *nf* consonne *f*.
consorcio *nm* (*asociación*) association *f*; (COM) consortium *m*.
consorte *nm/f* conjoint(e).
conspicuo, a *a* illustre, notable.
conspiración *nf* conspiration *f*.
conspirador, a *nm/f* conspirateur/trice.
conspirar *vi* conspirer.
constancia *nf* (*perseverancia*) persévérance *f*; (: *en el estudio*) acharnement *m*; (*certeza*) certitude *f*; (*testimonio*) preuve *f*, témoignage *m*.
constante *a* constant(e).
constar *vi* (*evidenciarse*) être certain(e); (*componerse de*) se composer de; **la obra consta de tres volúmenes** l'œuvre comprend trois volumes; **me consta (que)** je suis certain(e) que; **en su pasaporte no consta su dirección** son addresse ne figure pas dans son passeport.
constatar *vt* constater.
constelación *nf* constellation *f*.
constelado, a *a* constellé(e).
consternación *nf* consternation *f*.
consternar *vt* consterner; **~se** *vr* être consterné(e).
constipación *nf* = **constipado** *nm*.
constipado, a *a* enrhumé(e) // *nm* rhume *m*.
constitución *nf* constitution *f*.
constitucional *a* constitutionnel(le).
constituir *vt* (*formar, componer*) constituer; (*fundar, erigir, ordenar*) fonder, ordonner; **~se** *vr*: **~se parte/en fiador** se porter partie/garant; **~se prisionero** se constituer prisonnier.
constitutivo, a *a* constitutif(ive).
constituyente *a* constituant(e) // *nm/f* électeur/trice; **la Constituyente** l'Assemblée Constituante (d'Espagne).
constreñir *vt* (*obligar, compeler*) contraindre; (*restringir*) restreindre, forcer; (*arteria, intestinos*) resserrer.
construcción *nf* construction *f*; (*industria*) bâtiment *m*.
constructor, a *a* constructeur(trice) // *nm/f* constructeur *m*.
construir *vt* construire.
consuelo *nm* consolation *f*.
consuetudinario, a *a* consuétudinaire.

cónsul *nm* consul *m*.
consulado *nm* consulat *m*.
consulta *nf* consultation *f*; **libro de ~** livre *m* de consultation.
consultar *vt* consulter.
consultivo, a *a* consultatif(ive).
consultor, a *a* consultant(e) // *nm/f* consulteur *m*.
consultorio *nm* cabinet *m*; (*oficina de información*) bureau *m* de renseignements.
consumación *nf* consommation *f*.
consumado, a *a* consommé(e); (*fig*) parfait(e); **hecho ~** fait accompli.
consumar *vt* consommer.
consumición *nf* consommation *f*.
consumido, a *a* (*fuego*) éteint(e); (*flaco, descarnado*) décharné(e); efflanqué(e); (*de cansancio, por la fiebre*) épuisé(e); exténué(e).
consumidor, a *nm/f* consommateur/trice.
consumir *vt* consommer; **~se** *vr* (*en incendio*) se consumer; (*de impaciencia, rabia*) se consumer, brûler; (*volverse flaco*) dépérir.
consumo *nm* consommation *f*.
consunción *nf* consomption *f*.
consustancial *a* consubstantiel(le).
contabilidad *nf* comptabilité *f*.
contacto *nm* contact *m*; (*MED*) contagion *m*.
contado, a *a* (*dicho*) conté(e); raconté(e); **~s** (*escasos*) comptés(e)s; **contadas veces** rarement // *nm*: **pagar al ~** payer comptant.
contador *nm* (*aparato*) compteur *m*; (*COM*) comptable *m/f*.
contaduría *nf* (*contabilidad*) comptabilité *f*; (*oficina*) bureau *m* du comptable; (*de teatro*) bureau *m* de location.
contagiar *vt* contaminer; (*fig*) transmettre, contaminer; **~se** *vr* se transmettre.
contagio *nm* (*contaminación*) contagion *f*; (*agente de contagio*) contage *m*.
contagioso, a *a* contagieux(euse).
contaminación *nf* contamination *f*.
contaminar *vt* polluer; (*fig*) contaminer.
contante *a*: **dinero ~** comptant *m*.
contar *vt* (*páginas, dinero*) compter; (*anécdota*) raconter, dire // *vi* compter, calculer; **~ con** (*ayuda, amigo*) compter sur; (*pensión*) disposer de; **~se** *vr* (*incluirse*) se compter.
contemplación *nf* contemplation *f*; **contemplaciones** *nfpl* ménagements *mpl*.
contemplar *vt* contempler; (*situación*) considérer.
contemporáneo, a *a* contemporain(e) // *nm/f* contemporain/e.
contemporizar *vi* temporiser, composer.
contención *nf* (*de aguas*) contention *f*; (*MIL*) maintien *m*.
contencioso, a *a* contentieux(euse); (*capcioso: persona*) captieux(euse).
contender *vi* (*batallar*) lutter, se batttre; (*fig: disputar*) disputer; (: *competir*) rivaliser.
contendiente *a* opposé(e) // *nm/f* adversaire *m/f*.
contener *vt* contenir; (*retener: respiración, lágrimas, emoción*) contenir, retenir.
contenido, a *a* (*moderado*) mesuré(e); pondéré(e); (*reprimido*) réprimé(e) // *nm* (*de vasija*) contenu *m*; (*de documento*) teneur *f*.
contentadizo, a *a* facile à contenter.
contentar *vt* (*satisfacer*) satisfaire; (*dar placer a*) contenter.
contento, a *a* content(e) // *nm* contentment *m*; joie *f*; satisfaction *f*.
contertuliano, a, contertulio, a *nm/f membre/habitué(e) d'un cercle, d'un café ou d'une réunion.*
contestable *a* contestable.
contestación *nf* réponse *f*; (*discusión*) contestation *f*, débat *m*.
contestar *vt* (*responder*) répondre; (*atestiguar*) confirmer,

prouver, attester; (*impugnar*) contester, discuter.
contexto *nm* contexte *m.*
contextura *nf* contexture *f.*
contienda *nf* conflit *m*; (*fig*) dispute *f*, altercation *f.*
contigo *pron* avec toi.
contigüidad *nf* contiguïté *f.*
contiguo, a *a* contigu(ë).
continencia *nf* continence *f.*
continental *a* continental(e).
continente *a* continent(e) // *nm* (GEO) continent *m*; (*receptáculo*) contenant *m*; (*fig*) contenant, maintien *m.*
contingencia *nf* contingence *f.*
contingente *a* (*eventual, aleatorio*) contingent(e), aléatoire // *nm* contingent *m.*
continuación *nf* continuation *f*, prolongement *m*; **a** ~ ensuite, à la suite.
continuar *vt* continuer; (*camino*) continuer, poursuivre // *vi* continuer.
continuidad *nf* continuité *f.*
continuo, a *a* continu(e); (*alegría*) continuel(le); **de** ~ *ad* continuellement, constamment.
contonearse *vr* se dandiner.
contoneo *nm* dandinement *m.*
contorno *nm* (*de cuerpo o espacio*) contour *m*; (*de moneda o medalla*) tranche *f*; (*de población*) alentours *mpl*, environs *mpl.*
contorsión *nf* contorsion *f.*
contorsionarse *vr* se contorsionner.
contra *prep* contre // *ad* contre // *nm* contre *m* // *nf* (*dificultad*) difficulté *f*; **llevar la** ~ **a alguien** (*fam*) faire obstacle à qn; **votar en** ~ voter contre.
contraalmirante *nm* contre-amiral *m.*
contraataque *nm* contre-attaque *f.*
contrabajo *nm* contrebasse *f.*
contrabandista *nm/f* contrebandier/ière.
contrabando *nm* contrebande *f*; **pasar algo de** ~ passer qch en contrebande; **hacer** ~ **de** faire la contrebande de.
contracambio *nm* échange *m.*
contracarril *nm* contre-rail *m.*
contracción *nf* contraction *f.*
contracifra *nf* clef *f.*
contracorriente *nf* contre-courant *m.*
contrachapado *nm* contre-plaqué *m.*
contradanza *nf* contredanse *f.*
contradecir *vt* (*desdecir*) contredire; (*refutar, discutir*) réfuter, discuter; ~**se** *vr* se contredire.
contradicción *nf* contradiction *f*; (*fig*) incompatibilité *f.*
contradictorio, a *a* contradictoire // *nf* contradictoire *f.*
contraer *vt* contracter; (*limitar*) limiter; ~**se** *vr* se contracter; (*limitarse*) se limiter.
contraespionaje *nm* contre-espionnage *m.*
contrafuerte *nm* contrefort *m.*
contragolpe *nm* contre-coup *m.*
contrahacer *vt* imiter, falsifier, contrefaire; (*fingir*) feindre, simuler, déguiser.
contrahecho, a *a* contrefait(e), difforme.
contrahechura *nf* contrefaçon *f.*
contraintelegencia *nf* contre-espionnage *m.*
contrainterrogatorio *nm* contre- interrogatoire *m.*
contralto *nf* contralto *m* // *nm* haute-contre *m.*
contraluz : **a** ~ *ad* à contre-jour.
contramaestre *nm* contre-maître *m.*
contramandar *vt* contremander.
contramarcha *nf* (*retroceso*) contremarche *f*; (MIL) contremarche, volte-face *f inv*; (NAUT) changement *m* de cap.
contraorden *nf* contrordre *m.*
contraparte, contrapartida *nf* balance *f*, bilan *m*; (*fig*) compensation *f*, contre-partie *f.*

contrapelo : **a ~** *ad* (*al revés*) à rebrousse-poil; **hacer algo a ~** faire qch à l'envers.
contrapesar *vt* contre-balancer; (*fig*) compenser.
contrapeso *nm* contrepoids *m*; compensation *f*.
contraponer *vt* (*oponer*) opposer; (*cotejar*) confronter, comparer; **~se** *vr* s'opposer.
contraposición *nf* (*comparación*) comparaison *f*; (*contraste*) contraste *m*.
contraproducente *a* qui a des effets contraires *ou* fait plus de mal que de bien.
contrapunto *nm* contrepoint *m*.
contrariar *vt* (*contradecir*) contrarier; (*oponerse*) contrecarrer.
contrariedad *nf* (*oposición*) opposition *f*; (*contratiempo*) contretemps *m*, obstacle *m*; (*carácter de contrario*) esprit *m* de contradiction.
contrario, a *a* contraire, opposé(e); (*fig*) nocif(ive), adverse // *nm/f* adversaire *m/f*; **al** *o* **por el ~** au contraire; **de lo ~** dans le cas contraire, sinon.
contrarreferencia *nf* renvoi *m*.
contrarrestar *vt* (*resistir*) contrecarrer; (*oponer*) opposer; (*devolver*) renvoyer.
contrarrevolución *nf* contre-révolution *f*.
contrasentido *nm* (*contradicción*) contresens *m*; (*disparate*) non-sens *m*.
contraseña *nf* mot de passe *m*, contremarque *f*.
contrastar *vt* (*resistir*) résister à, faire front à; (*sellar*) poinçonner; (*pesos, medidas*) contrôler // *vi* contraster; **~se** *vr* trancher.
contraste *nm* contraste *m*; résistance *f*, opposition *f*; (*en las joyas*) poinçon *m*; (*de pesos y medidas*) étalonnage *m*, contrôle *m*; **en ~ con** en opposition avec.
contratante *nm/f* contractant/e.
contratar *vt* (*firmar un acuerdo para*) s'engager pour; (*empleados, obreros*) engager, embaucher; **~se** *vr* s'employer.
contraterrorismo *nm* contre-terrorisme *m*.
contratiempo *nm* (*accidente*) contretemps *m*; (MUS) contre-mesure *f*.
contratista *nm/f* entrepreneur/euse.
contrato *nm* contrat *m*.
contravención *nf* contravention *f*, infraction *f*.
contraveneno *nm* contrepoison *m*.
contravenir *vi*: **~ a** contrevenir à.
contraventana *nf* volet *m*, contrevent *m*.
contraventor, a *a* contrevenant(e).
contribución *nf* (*municipal etc*) contribution *f*; (*ayuda*) contribution, aide *f*.
contribuir *vt* contribuer // *vi* (COM) payer ses contributions.
contribuyente *nm/f* (*que paga sus impuestos*) contribuable *m/f*; (*que ayuda*) collaborateur/trice.
contrición *nf* contrition *f*.
contrincante *nm/f* concurrent/e, compétiteur/trice, rival/e.
contristar *vt* affliger.
contrito, a *a* contrit(e); affligé(e).
control *nm* (*comprobación*) contrôle *m*; (*inspección*) inspection *f*.
controlar *vt* contrôler.
controversia *nf* controverse *f*.
controvertir *vt* controverser // *vi* discuter, contester.
contumacia *nf* contumace *f*.
contumaz *a* opiniâtre, obstiné(e); tenace, rebelle; incorrigible.
contumelia *nf* injure *f*, affront *m*.
contundente *a* contondant(e); (*fig*) accablant(e), frappant(e).
conturbar *vt* alarmer, inquiéter, troubler.
contusión *nf* contusion *f*.

contusionar *vt* contusionner; (*herir*) blesser.
contuso, a *a* contusionné(e).
convalecencia *nf* convalescence *f.*
convalecer *vi* entrer *ou* être en convalescence; (*fig*) récupérer.
convaleciente *a* convalescent(e) // *nm/f* convalescent/e.
convecino, a *a* voisin(e) // *nm* voisin/e.
convencer *vt* convaincre, persuader; **~se** *vr* se convaincre, se persuader.
convencimiento *nm* conviction *f.*
convención *nf* convention *f.*
convencional *a* conventionnel(le); usuel(le), courant(e).
convenible *a* (*apto*) approprié(e); (*precio*) raisonnable; (*persona*) obligeant(e).
convenido, a *a* établi(e) d'avance, entendu(e).
conveniencia *nf* (*conformidad*) opportunité *f*; (*utilidad, provecho*) convenance *f*; (*comodidad*) convenance, commodité *f*; (*COM*) biens *mpl*, revenus *mpl.*
conveniente *a* satisfaisant(e); (*concorde*) convenable.
convenio *nm* convention *f*, accord *m.*
convenir *vi* convenir; **~se** *vr* se mettre d'accord, s'accorder; **~ en hacer** convenir de faire.
convento *nm* couvent *m.*
convenzo *etc vb ver* **convencer**.
convergencia *nf* convergence *f.*
convergente *a* convergent(e).
converger, convergir *vi* converger.
conversación *nf* (*plática*) conversation *f*; entretien *m*; (*cambio de ideas*) échange *m.*
conversador, a *nm/f* causeur/euse.
conversar *vi* parler, converser.
conversión *nf* conversion *f*; (*COM*) convertissement *m*; (*TEC*) convertissage *m.*
converso, a *a* converti(e) // *nm/f* converti/e.
convertible *a* convertible.
convertidor *nm* (*ELEC*) convertisseur *m.*
convertir *vt* changer, transformer; (*COM, ELEC, TEC, REL*) convertir; **~se** *vr* se transformer; (*REL*) se convertir.
convexo, a *a* convexe.
convicción *nf* conviction *f.*
convicto, a *a* (*culpable*) reconnu(e) coupable; (*condenado*) condamné(e).
convidado, a *nm/f* (*invitado*) invité/e; (*comensal*) convive *m/f.*
convidar *vt* (*invitar*) inviter, convier; (*ofrecer*) offrir; (*fig*) pousser, inciter.
convincente *a* convaincant(e).
convite *nm* invitation *f*; (*banquete*) banquet *m*, fête *f.*
convivencia *nf* (*coexistencia*) vie *f* en commun; (*vida compartida*) cohabitation *f.*
convivir *vi* (*vivir juntos*) cohabiter; (*fig*) coexister.
convocación *nf* convocation *f.*
convocar *vt* convoquer.
convocatoria *nf* = **convocación.**
convoy *nm* convoi *m.*
convoyar *vt* convoyer.
convulsión *nf* convulsion *f*; (*fig*) trouble *m.*
convulsionar *vt* convulsionner.
convulso, a *a* convulsé(e); (*fig*) troublé(e).
conyugal *a* conjugal(e).
cónyuge *nm/f* conjoint/e.
coñac *nm* cognac *m.*
cooperación *nf* coopération *f.*
cooperador, a *a* coopérateur (trice) // *nm/f* coopérant/e.
cooperar *vi* coopérer.
cooperativo, a *a* coopératif(ive) // *nf* coopérative *f.*
coordenada *nf* coordonnée *f.*
coordinación *nf* coordination *f.*
coordinar *vt* coordonner.
copa *nf* coupe *f*; (*vaso*) verre *m* (à

pied); (*de árbol*) tête *f*, cime *f*; (*de sombrero*) calotte *f*; **~s** *nfpl* (NAIPES) ≈ cœur *m*.
copado, a *a* touffu(e).
copar *vt* (*acaparar*) accaparer, rafler; (*ganar*) envelopper, encercler; **~ la banca** faire banco.
copartícipe *nm/f* coparticipant/e; (*el que comparte*) copartageant/e.
copero *nm* (*persona*) échanson *m*; (*mueble*) étagère *f* à verres.
copete *nm* (*de cabellos*) toupet *m*; (*de pájaro*) huppe *f*, aigrette *f*; (*de helado*) comble *m*; **de alto ~** (*fam*) de la haute.
copia *nf* copie *f*; imitation *f*; (*de fotografía*) épreuve *f*.
copiador, a *nm/f* copiste *m/f* // *nm* (*cuaderno*) cahier *m*; (*máquina*) machine *f* à photocopier.
copiar *vt* (*transcribir*) transcrire; (*reproducir*) reproduire, copier; (*calcar*) décalquer.
copiloto, a *nm/f* copilote *m/f*.
copioso, a *a* (*abundante*) copieux (euse); (*lluvia*) abondant(e).
copista *nm/f* copiste *m/f*.
copita *nf* petit verre à pied.
copla *nf* couplet *m*; (*canción*) chanson *f*.
copo *nm* flocon *m*; (AM: *de árbol*) cime *f*; (: *nube*) nuage *m*.
coposo, a *a* touffu(e).
coproducción *nf* coproduction *f*.
copropietario, a *nm/f* copropriétaire *m/f*.
copudo, a *a* = **coposo.**
cópula *nf* (LING) copule *f*; (*sexual*) copulation *f*.
coque *nm* coke *m*.
coqueta *a* (*mujer*) coquette *f*; (*mueble*) coiffeuse *f*.
coquetear *vi* (*mujer*) faire la coquette; (*fig*: *flirtear*) flirter.
coqueteo *nm* (*acto*) flirt *m*; (*tendencia*) coquetterie *f*.
coquetería *nf* coquetterie *f*; (*afectación*) affectation *f*.
coracha *nf* sac en cuir.
coraje *nm* courage *m*; brio *m*, énergie *f*; irritation *f*, colère *f*, emportement *m*.
corajudo, a *a* irrité(e).
coral *a* choral(e) // *nf* (*coro*) chorale *f*; (*serpiente*) serpent corail // *nm* corail *m*.
corambre *nf* cuirs *mpl*, peaux *fpl*.
coraza *nf* (*armadura*) cuirasse *f*; (*fig*) carapace *f*, protection *f*; (NAUT) blindage *m*; (ZOOL) carapace.
corazón *nm* cœur *m*.
corazonada *nf* pressentiment *m*; impulsion *f*, élan *m*.
corbata *nf* cravate *f*.
corbeta *nf* corvette *f*.
corcel *nm* coursier *m*.
corcova *nf* bosse *f*.
corcovado, a *a* bossu(e).
corchea *nf* croche *f*.
corchete *nm* grafe *f*; (CARPINTERÍA, TIPOGRAFÍA) crochet *m*.
corcho *nm* liège *m*; (*tapón*) bouchon *m* de liège; (*para pescar*) bouchon flotteur.
cordaje *nm* cordages *mpl*.
cordel *nm* corde *f*.
cordelero, a *nm/f* cordier *m*.
cordero *nm* agneau *m*.
cordial *a* cordial(e); aimable, affectueux(euse) // *nm* tonique *m*.
cordialidad *nf* cordialité *f*.
cordillera *nf* cordillère *f*, chaîne *f* (de montagnes).
cordobán *nm* cuir *m* de Cordoue.
cordobés, esa *a* cordovan(e).
cordón *nm* (*cuerda*) cordon *m*; (*de zapatos*) lacet *m*; (*zona prohibida*) cordon; **cordones** *nmpl* fourragère *f*, aiguillettes *fpl*.
cordura *nf* sagesse *f*, bon sens.
coreografía *nf* chorégraphie *f*.
coreógrafo *nm* chorégraphe *m/f*.
coriáceo, a *a* de cuir; (*fig*: *fam*) coriace.
corista *nm/f* choriste *m/f* // *nf* girl *f*.
cornada *nf* coup *m* de corne.
cornamenta *nf* cornes *fpl*; (*de ciervo*) ramure *f*, bois *mpl*.
cornamusa *nf* cornemuse *f*.
corneja *nf* corneille *f*.

córneo, a *a* corné(e).
corneta *nf* (*militar*) cornet *m*; (*de llaves*) cornet à pistons; (*bandera*) clairon *m* // *nm* clairon *m*.
cornisa *nf* corniche *f*.
cornucopia *nf* corne *f* d'abondance.
cornudo, a *a* cornu(e) // *nm* cocu *m*.
coro *nm* chœur *m*; **hablar en ~** parler tous à la fois.
corolario *nm* corollaire *m*.
corona *nf* couronne *f*; (*de astro*) couronne *f*, auréole *f*; (*tonsura*) tonsure *f*.
coronación *nf* couronnement *m*.
coronamiento *nm* couronnement *m*.
coronar *vt* couronner; (DAMAS) damer.
coronel *nm* colonel/le.
coronilla *nf* sommet *m* de la tête; (*de religioso*) tonsure *f*.
corpiño *nm* corsage *m*.
corporación *nf* corporation *f*.
corporal, corpóreo, a *a* corporel(le).
corpulencia *nf* corpulence *f*.
Corpus *nm* Fête-Dieu *f*.
corpúsculo *nm* corpuscule *m*.
corral *nm* (*de aves*) basse-cour *f*; (*de vacas*) écurie *f*; (*de cerdos*) porcherie *f*; (*de maderas*) chantier *m* (de bois).
corralón *nm* grande cour.
correa *nf* courroie *f*; **tener ~** (*fam*) être patient(e).
corrección *nf* correction *f*.
correcto, a *a* correct(e).
corredera *nf* (TEC) coulisse *f*; (*de molino*) meule courante; (ZOOL) cloporte *m*; (DEPORTE) cirque *m*; hippodrome *m*.
corredizo, a *a* coulant(e); (*techo*) ouvrant(e).
corredor, a *a* coureur(euse) // *nm* (COM) commissionnaire *m*; (*pasillo*) couloir *m*, corridor *m*; (DEPORTE) coureur *m*; **~ de fondo** coureur de fond.
corregible *a* corrigible.
corregidor *nm* corrégidor *m*.
corregidora *nf* femme *f* du corrégidor.
corregir *vt* (*error*) corriger; (*rectificar*) rectifier; (*amonestar, reprender*) corriger; **~se** *vr* se corriger.
correlación *nf* corrélation *f*.
correo *nm* (*mensajero*) courrier *m*; (*servicio postal*) poste *f*; (*cartas recibidas*) courrier, correspondance *f*; (JUR) complice *m/f*; **~ certificado/urgente** lettre recommandée/ exprès; **~ aéreo** poste aérienne; **~ diplomático** courrier diplomatique.
correr *vt* courir; (*silla, cortinas, cerrojo*) tirer // *vi* courir; (*sangre*) couler; (*moneda*) avoir cours; **~se** *vr* couler; **~ a cargo de** être à la charge de; **~ con los gastos** prendre à ses frais.
correría *nf* (MIL) raid *m*, incursion *f*; (*fig*) excursion *f*; **~s** *nfpl* voyage *m* rapide.
correspondencia *nf* correspondance *f*; (*correo*) correspondance, courrier *m*.
corresponder *vi* correspondre; (*pagar*) rendre, payer; (*pertenecer*) être à; **~se** *vr* (*por escrito*) correspondre; (*amarse*) s'aimer; **me corresponde pagar a mí** c'est à moi de payer.
correspondiente *a* correspondant(e) // *nm* correspondant *m*.
corresponsal *nm/f* correspondant/e.
corretaje *nm* commission *f*, courtage *m*.
correvedile, correveidile *nm/f* commère *f*.
corrido, a *a* (*avergonzado*) confus(e), déconfit(e); (*media*) filé(e); (*fam*) rusé(e), roué(e) // *nm* danse andalouse // *nf* course *f*; (*de toros*) course de taureaux; (MINERÍA) affleurement *m*; **un kilo ~** un bon kilo; **cine ~** cinéma permanent; **3 noches corridas** 3 nuits de suite;

leer de ~ lire couramment; **hacer de corrida** faire à la hâte; **andar a las corridas** être pressé(e).

corriente *a* courant(e); (*común*) ordinaire // *nf* courant *m*; **a mediados del ~ mes** vers le 15 courant; **estar al ~ de** être au courant de; **~ alterna/directa** courant alternatif/ continu.

corrillo *nm* cercle *m*, petit groupe; (*fig*) clan *m*, coterie *f*, clique *f*.

corro *nm* (*de personas*) cercle *m*; (*infantil*) ronde *f*.

corroboración *nf* corroboration *f*, fortification *f*; confirmation *f*.

corroborar *vt* fortifier, corroborer; confirmer.

corroer *vt* corroder, détruire.

corromper *vt* corrompre; pourrir; suborner, sudoyer; vicier.

corrosivo, a *a* corrosif(ive).

corrupción *nf* corruption *f*; altération *f*; erreur *f*; abus *m*.

corruptor, a *a* corrupteur(trice) // *nm/f* pervers/e.

corsé *nm* corset *m*.

corsetero, a *nm/f* corsetier/ière.

corso, a *a* corse // *nm/f* Corse *m/f*.

cortabolsas *nm/f* (*fam*) pickpocket *m/f*.

cortado, a *a* (*con cuchillo*) coupé(e); (*leche*) tourné(e); (*confuso*) court(e), confus(e); (*estilo*) haché(e), saccadé(e) // *nm* café *m* avec un nuage de lait.

cortador, a *a* coupeur(euse) // *nm/f* coupeur/euse // *nf* (*de césped*) tondeuse *f*; (*de fiambre*) coupe-jambon *m inv*.

cortadura *nf* (*en la piel*) coupure *f*, incision *f*; (*entre montañas*) gorge *f*, défilé *m*.

cortante *a* coupant(e).

cortapapel(es) *nm* (*inv*) coupepapier *m*; guillotine *f*.

cortapisa *nf* restriction *f*, condition *f*; (*traba*) obstacle *m*, entrave *f*; (*fig*) charme *m*, piquant *m*.

cortaplumas *nm inv* canif *m*.

cortar *vt* couper // *vi* couper; **~se** *vr* (*turbarse*) se troubler; (*leche*) tourner; **~se el pelo** se faire couper les cheveux.

cortaviento *nm* coupe-vent *m*.

corte *nm* coupure *f*; (*filo*) tranchant *m*, fil *m*; (*de tela*) métrage *m*; (NAIPES) coupe *f*; **las C~s** les Cortès; **la ~ Suprema** (AM) la cour Suprême.

cortedad *nf* petitesse *f*; (*timidez*) timidité *f*; **~ de alcances** manque *m* d'intelligence; **~ de vista** myopie *f*.

cortejar *vt* (*halagar*) flatter; (*mujer*) courtiser, faire la cour à.

cortejo *nm* (*séquito*) cortège *m*, suite *f*; (*acompañamiento*) cortège, cour *f*, suite.

cortés *a* courtois(e), poli(e).

cortesanía *nf* courtoisie *f*, politesse *f*.

cortesano, a *a* de la cour; (*cortés*) courtois(e), poli(e) // *nm* courtisan *m* // *nf* courtisane *f*.

cortesía *nf* amabilité *f*, bonne éducation; (*regalo*) cadeau *m*; (*favor*) grâce *f*; (COM) délai *m* de grâce (pour le paiement d'une traite).

corteza *nf* (*de árbol*) écorce *f*; (*de pan*) croûte *f*; (*terrestre*) croûte, écorce; (*apariencia, exterior*) extérieur *m*; (*rusticidad*) rudesse *f*, rusticité *f*.

cortijo *nm* ferme *f*; métairie *f*.

cortina *nf* rideau *m*; (*dosel*) dais *m*.

corto, a *a* (*breve*) court(e); (*tímido*) timide, timoré(e); (*poco inteligente*) bouché(e); **~ de vista** myope; **estar ~ de fondos** être à court (d'argent); **a corta distancia** à faible distance; **a la corta o a la larga** tôt ou tard.

corveta *nf* courbette *f*.

corvo, a *a* courbé(e).

corzo, a *nm/f* chevreuil *m*, chevrette *f*.

cosa *nf* chose *f*; **eso es ~ mía** c'est mon affaire; **es ~ de 10 minutos** c'est une question de 10 minutes; **se quedó como si tal ~** il resta comme si rien n'était; **~ que** (AM) pour que.

cosecha *nf* (AGR) récolte *f*; (*de frutas*) cueillette *f*; (*de cereales*) moisson *f*; (*de vino*) cru *m*; (*fig*) moisson, abondance *f*.
cosechar *vt* faire la récolte; (*fig*) cueillir.
coser *vt* coudre; **~se** *vr*: **~se a uno** se coller à qn.
cosmético, a *a* cosmétique // *nm* maquillage *m*.
cosmografía *nf* cosmographie *f*.
cosmopolita *a* cosmopolite // *nm/f* cosmopolite *m/f*.
coso *nm* (*plaza de toros*) arènes *fpl*; (*calle*) cours *m*; (*carcoma*) artison *m*, cossus *m*.
cosquillas *nfpl*: **hacer ~** faire des chatouilles; **tener ~** être chatouilleux(euse).
cosquilloso, a *a* chatouilleux(euse); (*fig*) susceptible.
costa *nf* (*gasto*) dépense *f*, frais *mpl*; (AM) côte *f*; **condenar a ~s** condamner aux dépens; **a ~ de** au prix de.
costado *nm* côté *m*.
costal *a* costal(e) // *nm* (*bolsa*) sac *m* (d'environ 50 kg); (*puntal*) étai *m*.
costanero, a *a* (*inclinado*) en pente; (*costero*) côtier(ière) // *nf* côte *f*; **~s** *nfpl* poutres *fpl*.
costar *vt* (*valer*) coûter, valoir; (*necesitar*) coûter // *vi* coûter.
Costa Rica *nf* Costa Rica *m*.
costarricense, costarriqueño, a *a* costaricien(ne), de Costa Rica // *nm/f* Costaricien/ne.
coste *nm* = **costo**.
costear *vt* (*pagar*) payer; (NAUT) longer la côte de.
costeño, a *a* côtier(ière).
costilla *nf* côte *f*; (*fam*: *esposa*) moitié *f*, bourgeoise *f*.
costo *nm* (*gasto, precio*) prix *m*; (*de construcción*) coût *m*; **~ de la vida** coût de la vie.
costoso, a *a* coûteux(euse).
costra *nf* croûte *f*; **~ láctea** croûte de lait.
costumbre *nf* coutume *f*.
costura *nf* couture *f*.
costurera *nf* couturière *f*.
costurero *nm* (*pequeña mesa*) table *f* à ouvrage; (*mueble con cajones*) chiffonnier *m*; (*caja, cesto*) nécessaire *m* de couture.
cota *nf* (*altura*) cote *f*; (*cuota*) cote(-part) *f*; **~ de malla** cotte *f* de mailles.
cotejar *vt* confronter, collationner, comparer.
cotejo *nm* comparaison *f*, collationnement *m*.
coterráneo, a *a* compatriote // *nm/f* compatriote *m/f*.
cotidiano, a *a* quotidien(ne).
cotillón *nm* cotillon *m*.
cotización *nf* (COM) cours *m* (de la Bourse); (*cuota*) cote *f*.
cotizar *vt* (COM) coter; (*contribuir*) cotiser; **~se** *vr* (COM) être coté(e); (AM: *fig*) être bien coté(e).
coto *nm* (*terreno cercado*) clos *m*; (*mojón*) borne *f*; (*precio*) cours *m*; (*fig*) terme *m*, limite *f*.
cotonada *nf* cotonnade *f*.
cotorra *nf* (ZOOL) perruche *f*, pie *f*; (*fig*) pie.
cotorrear *vi* (*fam*) jacasser.
covachuela *nf* (*fam*) ministère *m*, bureau *m*.
coyote *nm* coyote *m*.
coyunda *nf* courroie *f* du joug; courroie de sandale; lien conjugal; domination *f*, assujettissement *m*.
coyuntura *nf* (ANAT) jointure *f*, articulation *f*; (*fig*) conjoncture *f*, occasion *f*.
coz *nf* (*de caballo*) ruade *f*; (*patada*) coup *m* de pied; (*de fusil*: *culata*) crosse *f*; (: *retroceso*) recul *m*; (*fig*) juron *m*.
C.P. *abr de contestación pagada* réponse payée.
cráneo *nm* crâne *m*.
crapuloso, a *a* crapuleux(euse); dissolu(e).
craso, a *a* gras(se); (*fig*) crasse, grossier(ière).
cráter *nm* cratère *m*.
creación *nf* création *f*.

creador, a *a* créateur(trice) // *nm/f* créateur/trice.
crear *vt* créer, faire.
crecer *vi* (*niño*) grandir; (*planta*) pousser; (*días*) allonger; (*la luna*) croître; (*río*) grossir; (*ciudad*) s'agrandir; **~se** *vr* se redresser.
creces *nfpl* augmentation *f* de volume; **pagar con ~** payer avec intérêts.
crecido, a *a* (*aumentado, importante*) important(e), considérable; **niño muy ~** enfant qui a beaucoup grandi.
creciente *a* (*que aumenta*) croissant(e) // *nf* crue *f*.
crecimiento *nm* croissance *f*; (*de río*) grossissement *m*.
credencial *a* de créance; **carta ~** lettre de créance; **~es** *nfpl* lettres *fpl* de créance.
crédito *nm* crédit *m*; **~ a corto/largo plazo** crédit à court/long terme; **~ hipotecario** créance *f* hypothécaire; **~ inmobiliario** crédit foncier.
credo *nm* credo *m*.
credulidad *nf* crédulité *f*.
crédulo, a *a* crédule.
creencia *nf* croyance *f*.
creer *vt, vi* croire; **~se** *vr* se croire; **~ en** (*Dios, alguien*) croire en; (*fantasmas, promesas etc*) croire à; **¡ya lo creo!** je crois bien!; **creérselas** se croire, avoir bonne opinion de soi; **¡que te has creído!** qu'est-ce que tu t'es imaginé!
creíble *a* croyable.
creído, a *a* confiant(e), crédule; présomptueux(euse).
crema *nf* crème *f*; (*betún*) cirage *m*; (LING) tréma *m* // *a* crème.
cremación *nf* crémation *f*.
cremallera *nf* fermeture éclair *f*.
cremar *vt* incinérer.
crepitación *nf* crépitement *m*.
crepitar *vi* crépiter.
crepuscular *a* crépusculaire; (*de siglo*) de fin de siècle.
crepúsculo *nm* crépuscule *m*.
crespo, a *a* (*cabello*) crépu(e); (*vegetal*) frisé(e); (*fig*) irrité(e), en colère.
crespón *nm* crêpe *m*.
cresta *nf* crête *f*; **~ de gallo** crête-de-coq *f*.
creta *nf* craie *f*.
cretense *a* crétois(e) // *nm/f* (*fig*) Crétois/e.
cretino, a *a* crétin(e) // *nm/f* (*fig*) crétin/e.
cretona *nf* cretonne *f*.
creyente *a* crédule; (REL) croyant(e) // *nm/f* crédule *m*; (REL) croyant/e, pieux/euse.
creyó *etc vb ver* **creer**.
cría *nf* (*de animales*) élevage *m*; (*animal*) petit(s) *m(pl)* (d'un animal); (*niño*) nourrisson *m*.
criadero *nm* (*de gallinas*) élevage *m*; (MINERÍA) gisement *m*; **~ de ostras** parc *m* à huîtres.
criado, a *a* élevé(e); éduqué(e) // *nm* domestique *m* // *nf* bonne *f*, domestique *f*; **mal/bien ~** mal/bien élevé(e).
criador *nm* éleveur *m*.
crianza *nf* (*de animales*) élevage *m*; (*de niños*) éducation *f*; **buena/mala ~** bonne/mauvaise éducation.
criar *vt* (*niño, animal*) allaiter, nourrir; (*instruir, formar*) élever, éduquer; (*fig*) occasionner, faire naître, provoquer; **~se** *vr* (*alimentarse*) se nourrir; (*crecer*) pousser, croître.
criatura *nf* créature *f*; (*niño*) nourrisson *m*.
criba *nf* crible *m*.
cribar *vt* tamiser, cribler; (*fig*) trier.
crimen *nm* crime *m*.
criminal *a* criminel(le) // *nm/f* criminel/le.
criminalidad *nf* criminalité *f*.
crin *nf* crin *m*.
crío *nm* (*fam*) bébé *m*, gosse *m/f*, marmot *m*.
criollo, a *a* créole, national(e), indigène // *nm/f* Créole *m/f*; **fiesta criolla** fête *f* typique.

cripta *nf* crypte *f*.
crisálida *nf* chrysalide *f*.
crisis *nf inv* crise *f*.
crisma *nf* (*aceite*) chrême *m*; (*fig*: *fam*) figure *f*.
crisol *nm* (TEC) creuset *m*; (*fig*) fonte *f*.
crispar *vt* crisper; **~se** *vr* se crisper.
cristal *nm* cristal *m*; (*de ventana*) vitre *f*; (*lente*) verre *m*.
cristalino, a *a* cristallin(e) // *nm* cristallin *m*.
cristalizar *vt* cristalliser // *vi* cristalliser; (*fig*) se cristalliser; **~se** *vr* se cristalliser.
cristianar *vt* (*fam*) baptiser.
cristiandad *nf* (*conjunto de cristianos*) chrétienté *f*; (*virtud*) christianisme *m*.
cristianismo *nm* christianisme *m*.
cristianizar *vt* christianiser.
cristiano, a *a* chrétien(ne) // *nm/f* chrétien/ne; **hablar en ~** (*fam*) parler correctement en espagnol.
Cristo *nm* (*dios*) Le Christ; (*crucifijo*) crucifix *m*.
criterio *nm* jugement *m*; discernement *m*; (*norma*) critère *m*; **a mi ~** à mon avis.
criticar *vt* critiquer.
crítico, a *a* critique // *nm* critique *m* // *nf* (*juicio, censura*) critique *f*; (*reproche*) reproche *m*.
cromo *nm* (*metal*) chrome *m*; (*cromolitografía*) chromo *m*.
crónico, a *a* chronique // *nf* chronique *f*.
cronista *nm/f* chroniqueur *m*.
cronología *nf* chronologie *f*.
croqueta *nf* croquette *f*.
croquis *nm* croquis *m*.
cruce *nm* (*encrucijada*) carrefour *m*, croisement *m*; (*acto*) traversée *f*; (BIO) croisement; (TELEC): **hay un ~ en las líneas** les lignes sont embrouillées; **~ a nivel/de peatones** passage *m* à niveau/clouté; **~ giratorio** rondpoint *m*.
crucero *nm* (MIL: *de batalla*) croiseur *m*; (ARQ) transept *m*; (NAUT: *viaje*) croisière *f*; **C~** (ASTRO) Croix *f* du Sud.
crucificar *vt* crucifier; (*fig*) martyriser, tourmenter.
crucifijo *nm* crucifix *m*.
crucigrama *nf* mots croisés, problème *m* de mots croisés.
crudeza *nf* (*gen*) crudité *f*; (*rigor*) rigueur *f*; **la ~ del invierno** la dureté de l'hiver.
crudo, a *a* (*no cocido*) cru(e); (*no maduro*) vert(e); (*indigesto*) indigeste; (*petróleo*) brut(e); (*seda*) grège; (*rudo, cruel*) rigoureux (euse), rude.
cruel *a* cruel(le); brutal(e).
crueldad *nf* cruauté *f*.
cruento, a *a* sanglant(e).
crujía *nf* couloir *m*, corridor *m*; (*en hospital*) salle commune.
crujido *nm* (*de mueble*) craquement *m*; (*del viento*) mugissement *m*; (*de látigo*) claquement *m*.
crujir *vi* (*madera, dedos*) craquer; (*dientes*) grincer; (*nieve, arena*) crisser.
crustáceo *nm* crustacé *m*.
cruz *nf* croix *f*; (*de moneda*) pile *f*.
cruzado, a *a* croisé(e); (*cheque*) barré(e) // *nm* croisé *m* // *nf* croisade *f*; (*fig*) campagne *f*.
cruzamiento *nm* croisement *m*.
cruzar *vt* (*brazos*) croiser; (*calle*) traverser; (*cheque*) barrer; (*animales*) croiser; **~se** *vr* se croiser; (*personas: en la calle*) croiser; (*unas palabras*) échanger.
c.s.f. (*abr de costo, seguro y flete*) c.a.f. (coût, assurance, fret).
c/u *abr de* **cada uno**.
cuadernillo *nm* (*librito*) carnet *m*; (*cinco pliegos de papel*) cahier *m*.
cuaderno *nm* cahier *m*; (NAUT) livre de bord *m*.
cuadra *nf* (*caballeriza*) écurie *f*; (*gran sala*) grande salle; (*de hospital*) dortoir *m*; (*de cuartel*)

chambrée *f*; (*AM*) pâté *m* de maisons.

cuadrado, a *a* (*MAT*) carré(e); (*fig*) parfait(e) // *nm* (*MAT*) carré *m*; (*regla*) carrelet *m*; (*IMPRENTA*) cadrat *m*.

cuadrangular *a* quadrangulaire.

cuadrante *nm* (*ASTRO, GEOMETRÍA*) quadrant *m*; (*reloj*) cadran *m* solaire.

cuadrar *vt* donner la forme d'un carré à; (*número*) élever au carré; (*en compaginación*) cadrer; (*cuadricular*) graticuler // *vi*: ~ **con** s'accorder avec; ~**se** *vr* (*soldado*) se mettre au garde-à-vous; (*caballo*) s'arrêter ferme; (*AM*): **no me cuadra este horario** cet horaire ne me convient pas.

cuadrilátero, a *a* quadrilatéral(e) // *nm* quadrilatère *m*; (*BOXEO*) ring *m*.

cuadrilla *nf* (*TAUR*) *équipe qui accompagne le matador*; (*fig*) bande *f*; (*de obreros*) équipe *f*; (*baile*) quadrille *m*.

cuadrillero *nm* chef *m* d'équipe.

cuadro *nm* (*de vidrio, tela*) carreau *m*; (*PINTURA, TEATRO*) tableau *m*; (*DEPORTE*) équipe *f*; (*ARQ, TEC, MIL*) cadre *m*; **dentro del ~ de sus atribuciones** dans le cadre de ses attributions; ~ **vivo/de costumbres** tableau vivant/de mœurs; ~ **de ventana** cadre de fenêtre.

cuádruplo, a, cuádruple *a* quadruple.

cuajada *nf* (*de la leche*) caillé *m*; (*requesón*) fromage blanc.

cuajar *vt* (*leche*) cailler; (*sangre*) coaguler; (*adornar*) surcharger; ~**se** *vr* (*sangre*) se coaguler; (*leche*) se cailler; (*dulce*) se figer; (*laguna*) prendre; (*llenarse*) se remplir; (*adormilarse*) s'endormir; (*proyecto*) aboutir.

cuajo *nm* (*de leche*) présure *f*; (*de sangre*) caillement *m*; (*fig*: *fam*) calme *m*; **arrancar de** ~ (*árbol*) déraciner; (*vicio*) extirper.

cual *ad* comme; tel que; tel un(e) // *pron*: **el** ~ lequel; **la** ~ laquelle; **los** ~**es** lesquels; **las** ~**es** lesquelles; **lo** ~ ce qui; ce que; **abrieron la caja, de la ~ extrajeron el dinero** ils ouvrirent le coffre, duquel ils sortirent l'argent; **seis pinturas, de las ~es tres...** 6 peintures, dont 3...; **el poeta del ~ te hablé** le poète dont je t'ai parlé; **cada** ~ chacun/e; ~ **más,** ~ **menos** plus ou moins; **tal** ~ tel quel.

cuál *pron interrogativo* **¿~ será la decisión?** quelle sera la décision? // *ad*: **¡~ no seriá su sorpresa!** quelle serait sa surprise!

cualesquier(a) *pl de* **cualquier(a)**.

cualidad *nf* qualité *f*.

cualquiera, cualquier *a* n'importe quel/le; quelconque // *pron* n'importe qui; n'importe lequel/laquelle; quiconque; **en cualquier parte** n'importe où; **cualquier día de éstos** un de ces jours; **no es un hombre** ~ ce n'est pas n'importe qui; ~ **que sea** qui que ce soit; quoi que ce soit; ~ **de los presentes** n'importe qui parmi les présents; **es un** ~ c'est un pas-grand-chose *ou* le premier venu.

cuán *ad*: **¡~ agradable es el día!** quelle journée splendide!

cuando *ad* quand, lorsque; (*aún si*) si, même si, quand bien même // *conj* (*puesto que*) puisque // *prep*: **yo,** ~ **niño...** quand j'étais enfant, je...; ~ **no sea así** même si ce n'est pas le cas; ~ **más** tout au plus; ~ **menos** au moins; ~ **no** dans le cas contraire, sinon; **de** ~ **en** ~ de temps en temps.

cuándo *ad* quand; **¿desde ~?, ¿de ~ acá?** depuis quand?

cuantía *nf* (*cantidad*) quantité *f*; (*importe*) montant *m*; (*importancia*) importance *f*, qualité *f*; **de mayor/menor** ~ important/peu important, sans importance.

cuantioso, a *a* (*considerable*) considérable; (*importante*) important(e).

cuanto, a *a* tout le, toute la, tous les, toutes les // *pron* tout ce qui; tout ce que; **leyó ~ libro caía en sus manos** il a lu tous les livres qui lui tombait entre les mains; **llévate todo ~ quieras** emporte tout ce que tu voudras; **~ quedaba, se bebió** on a bu tout ce qui restait; **~s más, mejor** plus il y en a, mieux c'est; **en ~** (*en seguida que*) dès que; (*ya que*) puisque; **en ~ profesor** en tant que professeur; **en ~ a** quant à; **~ más difícil sea** si *ou* pour aussi difficile que ce soit; **~ más hace (tanto) menos avanza** plus il fait moins il progresse; **~ antes** dès que possible; **unos ~s libros** quelques livres.

cuánto, a *a* combien de // *pron, ad* combien; **¡cuánta gente!** que de gens!; **¿~ cuesta?** combien ça coûte?; **no sabes ~ lo siento** tu ne sais pas combien je le regrette; **¿~ dura la obra?** combien de temps dure la pièce?; **¿~ hay de aquí a la esquina?** combien cela fait-il d'ici au coin?; **¿a ~s estamos?** le combien sommes-nous?; **Señor no sé ~s** Monsieur Untel.

cuáquero, a *nm/f* quaker/esse.

cuarenta *num* quarante.

cuarentena *nf* quarantaine *f.*

cuaresma *nf* carême *m.*

cuartear *vt* diviser en quatre; (*fragmentar*) mettre en pièces; (*descuartizar*) dépecer; **~se** *vr* se lézarder, se fendre, se crevasser.

cuartel *nm* (*de ciudad*) quartier *m*; (*en jardín*) carré *m*; (*MIL*) quartier; **~ general** quartier général; **~ de las tropas** caserne *f.*

cuartelada *nf,* **cuartelazo** *nm* putsch *m*, coup d'État *m.*

cuarteta *nf* quatrain *m.*

cuarteto *nm* (*poema*) quatrain *m*; (*formación musical*) quatuor *m*; quartette *m.*

cuartilla *nf* (*de papel*) feuillet *m.*

cuarto, a *a* quatrième // *nm* (*MAT*) quart *m*; (*habitación*) chambre *f*, pièce *f*, logement *m*; (*de animal*) quartier *m*; (*de la luna*) quartier // *nf* (*MAT*) quart *m*; (*palmo*) empan *m*; (*en una fila*) quatrième *f*; (*MUS*) quarte *f*; (*NAUT*) quadrant *m*; (*AM*) fouet *m*; **~ de baño/estar** salle *f* de bains/séjour; **~ de hora** quart d'heure; **~ oscuro** chambre noire.

cuarzo *nm* quartz *m.*

cuasi *ad* = **casi**.

cuatro *num* quatre.

cuba *nf* cuve *f*; tonneau *m*; (*fig*) ivrogne/sse.

Cuba *nf* Cuba *f.*

cubano, a *a* cubain(e) // *nm/f* Cubain/e.

cubero *nm* tonnelier *m.*

cubicar *vt* cuber.

cúbico, a *a* cubique; **un metro ~** un mètre cube.

cubierta *nf* couverture *f*; (*neumático*) pneu *m*; (*funda*) housse *f*; (*NAUT*) pont *m*; (*AM*) enveloppe *f.*

cubierto, a *pp de* **cubrir** // *a* couvert(e) // *nm* couvert *m*; **a ~ de** à l'abri de.

cubo *nm* seau *m*; (*de madera*) cuveau *m*; (*MAT*) cube *m.*

cubrecama *nm* dessus-de-lit *m*, couvre-lit *m.*

cubrir *vt* (*gen*) couvrir; (*un muro con pintura, papel, tela*: *recubrir*) couvrir, recouvrir; (*la vista, la verdad*: *ocultar*) cacher; (*proteger*) couvrir, protéger; (*una distancia*: *recorrer*) couvrir, parcourir; **~se** *vr* (*cielo*) se couvrir.

cucaña *nf* (*palo*) mât *m* de cocagne; (*fig*: *fam*) aubaine *f*, profit *m.*

cucaracha *nf* (*insecto*) blatte *f*, cafard *m*; (*tabaco*) tabac *m* à priser.

cuclillas: **en ~** *ad* accroupi(e); **ponerse en ~** s'accroupir, se mettre sur les talons.

cuclillo *nm* coucou *m.*

cuco, a *a* (*lindo*) joli(e), gentil(le); (*taimado, astuto*) malin(igne), rusé(e); (*tramposo*) tricheur(euse) // *nm* coucou *m*; (*fam*) croquemitaine *m.*

cuchara *nf* cuiller *f*; (*NAUT*) écope *f*; (*TEC*) godet *m*; benne preneuse; (*AM*) truelle *f*.
cucharada *nf* cuillerée *f*.
cucharilla, cucharita *nf* petite cuiller.
cucharón *nm* louche *f*.
cuchichear *vi* chuchoter.
cuchicheo *nm* chuchotement *m*.
cuchilla *nf* (*de carnicero*) couperet *m*; (*de curtidor*) plane *f*; (*de arma blanca*) lame *f*; (*de arado*) coutre *m*; ~ **de afeitar** lame *f* de rasoir.
cuchillería *nf* coutellerie *f*.
cuchillero *nm* coutelier *m*; (*AM*) bagarreur *m*.
cuchillo *nm* couteau *m*; (*de guillotina*) couperet *m*; (*ARQ*) aiguille *f*.
cuchipanda *nf* (*fam*: *comilona*) ripaille *f*, bombance *f*; (: *juerga*) bombe *f*.
cuchitril *nm* taudis *m*, bouge *m*.
cuchufleta *nf* blague *f*, plaisanterie *f*.
cuello *nm* (*ANAT*) cou *m*; (*de botella*) goulot *m*; (*de vestido, camisa*) col *m*.
cuenca *nf* (*escudilla*) écuelle *f* de bois; (*ANAT*) orbite *f*; (*GEO*) vallée *f*, bassin *m*.
cuenta *nf* (*cálculo*) compte *m*; (*factura*) note *f*; (*en café, restaurante*) addition *f*; (*COM*: *en banco*) compte *m*; (: *factura*) facture *f*; (*de collar*) grain *m*; **a fin de** ~**s** au bout du compte; **caer en la** ~ y être, piger (*fam*); **dar** ~ **de** rendre compte de; **darse** ~ **de** constater, se rendre compte de; **más de la** ~ trop, plus que de raison; **tener en** ~ tenir compte de, considérer; **echar** ~**s** faire le point; **vivir a** ~ **de** vivre aux crochets de; ~ **corriente/de ahorros** compte courant/épargne.
cuento *vb ver* **contar** // *nm* (*LITERATURA*) conte *m*; (*relato*) conte, histoire *f*, récit oral; (*fam*: *chisme*) ragot *m*; (*mentira*) boniment *m*; ~ **de hadas** conte de fées.
cuerdo, a *a* (*sano de juicio*) raisonnable; (*prudente, sensato*) sage, prudent(e) // *nf* corde *f*; (*de reloj*) chaîne *f*; **bajo cuerda** en cachette; **dar cuerda a un reloj** remonter une horloge; **cuerdas** *nfpl*: **las cuerdas** les instruments *mpl* à cordes; **cuerdas vocales** cordes vocales.
cuerno *nm* corne *f*; (*de insecto*) antenne *f*; (*MUS*) cor *m*.
cuero *nm* (*ZOOL*) cuir *m*; (*odre*) outre *f*; (*AM*) fouet *m*; **andar en** ~**s** se promener tout(e) nu(e); **el** ~ **cabelludo** le cuir chevelu.
cuerpo *nm* corps *m*; **tomar** ~ prendre corps; ~ **del delito** corps du délit; **lucha** ~ **a** ~ lutte *f* corps à corps; **de** ~ **entero** en pied; **de medio** ~ de buste.
cuervo *nm* corbeau *m*; ~ **marino** cormoran *m*.
cuesta *nf* côte *f*, pente *f*; **ir** ~ **arriba** monter; **ir** ~ **abajo** descendre; **llevar a** ~**s** porter sur le dos.
cuestión *nf* question *f*; (*riña*) dispute *f*, querelle *f*.
cuestionar *vt* controverser.
cuestionario *nm* questionnaire *m*.
cuesto *etc vb ver* **costar**.
cueva *nf* grotte *f*, caverne *f*.
cuidado *nm* soin *m*; (*dependencia*) charge *f*; (*preocupación*) souci *m*; prudence *f*, précaution *f* // *excl* (fais) attention!
cuidadoso, a *a* (*aplicado*) soigneux(euse); (*prudente*) soucieux(euse), prudent(e).
cuidar *vt* (*MED*) soigner; (*ocuparse de*) s'occuper de // *vi*: ~ **de** prendre soin de; ~**se** *vr* faire attention; ~**se del frío** faire attention au froid; ~**se del quedirán** se soucier du qu'en-dira- t-on.
cuita *nf* peine *f*, souci *m*.
cuitado, a *a* (*afligido*) affligé(e),

malheureux(euse); (*apocado*) timoré(e).
culada *nf* chute *f* sur le derrière.
culata *nf* (*de cañón*) culasse *f*; (*de escopeta*) crosse *f*; (*de animal*) croupe *f*.
culatazo *nm* recul *m*.
culebra *nf* couleuvre *f*.
culebrear *vi* serpenter, zigzaguer.
culinario, a *a* culinaire.
culminación *nf* point culminant; (ASTRO) culmination *f*.
culo *nm* (*nalgas*) fesses *fpl*, cul *m*; (*ano*) anus *m*; (*piedra falsa*) pierre fausse.
culpa *nf* faute *f*, tort *m*.
culpabilidad *nf* culpabilité *f*.
culpable *a* coupable // *nm/f* coupable *m/f*.
culpado, a *a* coupable // *nm/f* (*acusado*) accusé/e; (*responsable*) coupable *m/f*.
culpar *vt* (*inculpar*) inculper; (*acusar*) accuser; (*reprochar*) reprocher; **~se** *vr* s'accuser, se reprocher.
cultismo *nm* mot recherché.
cultivable *a* cultivable.
cultivador, a *nm/f* cultivateur/trice // *nf* cultivateur *m*.
cultivar *vt* cultiver; (*fig*) cultiver, entretenir.
cultivo *nm* culture *f*.
culto, a *a* cultivé(e) // *nm* (*adoración religiosa*) culte *m*; (*homenaje*) culte, hommage *m*; **lenguaje ~** langue choisie.
cultura *nf* culture *f*; **~ física** culture physique.
cumbre *nf* (*de montaña*) sommet *m*; (*fig*) apogée *m*.
cumpleaños *nm* anniversaire *m*.
cumplido, a *a* accompli(e); (*deber*) complet(ète), accompli(e) // *nm* compliments *mpl*; **hacer por ~** faire par pure politesse.
cumplimentar *vt* (*felicitar*) complimenter, adresser ses compliments à; (JUR) exécuter.
cumplimiento *nm* (*ejecución*) accomplissement *m*, exécution *f*; (*acatamiento, respeto*) respect *m*; (*cortesía*) compliment *m*, politesse *f*.
cumplir *vt* (*orden*) accomplir; (*promesa*) accomplir, tenir; (*condena*) exécuter, appliquer; (*años*) avoir // *vi*: **~ con** (*deberes*) faire, remplir; (*su palabra*) respecter; **~se** *vr* (*plazo establecido*) expirer; (*aniversario*) avoir lieu; (*deseo*) se réaliser, s'accomplir.
cumular *vt* = **acumular**.
cúmulo *nm* accumulation *f*, tas *m*, amoncellement *m*; (*nube*) cumulus *m*.
cuna *nf* berceau *m*.
cundir *vi* se répandre, se propager.
cuneta *nf* (*de carretera*) fossé *m*; (*de calle*) caniveau *m*.
cuña *nf* cale *f*; (*fig: fam*) appui *m*, piston *m*.
cuñado, a *nm/f* beau-frère/belle-sœur.
cuñete *nm* petit tonneau.
cuño *nm* (*troquel*) coin *m*; (*marca que deja el cuño*) empreinte *f*; (*fig: marca*) marque *f*, empreinte; **de nuevo ~** moderne, nouveau(elle).
cuota *nf* (*parte proporcional*) quote-part *f*; (*cotización*) cotisation *f*; (AM) versement *m*.
cupe *etc vb ver* **caber**.
cupé *nm* coupé *m*.
cupo *nm* quota *m*.
cupón *nm* (*de valores bancarios*) coupon *m*; (*de racionamiento*) ticket *m*; (*de pedido*) billet *m*, bon *m*.
cúpula *nf* (ARQ) coupole *f*; (BOT) cupule *f*; (NAUT) tourelle *f*.
cura *nf* soin *m*, traitement *m* // *nm* curé *m*, prêtre *m*, abbé *m*.
curable *a* guérissable, curable.
curación *nf* guérison *f*.
curado, a *a* endurci(e), aguerri(e).
curador, a *nm/f* (JUR: *tutor*) curateur/trice, tuteur/trice; (*curandero*) guérisseur/euse; (*administrador*) administrateur/trice, régisseur *m*.

curandero, a *nm/f* guérisseur/euse.
curar *vt* (*herida*) guérir, panser; (*enfermo*) guérir; (*carne, pescado*) sécher; (*cuero*) tanner // *vi* soigner; **~se** *vr* se rétablir.
curativo, a *a* curatif(ive).
curato *nm* cure *f.*
cureña *nf* (*de cañón*) affût *m*; (*de mortero*) crapaud *m*; **a ~ rasa** sans défense.
curia *nf* (*romana*) curie *f*; (*JUR*) tribunal *m* du contentieux.
curiosear *vt* fouiner dans // *vi* mettre son nez partout.
curiosidad *nf* curiosité *f*; indiscrétion *f*; (*objeto*) curiosité.
curioso, a *a* curieux(euse); indiscret(ète); (*raro*) bizarre, étrange // *nm/f* curieux/euse.
curro, a *a* spirituel(le).
cursante *nm/f* (*AM*) élève *m/f* qui suit un cours, étudiant/e.
cursar *vt* (*carta, circular*) envoyer; (*orden*) transmettre; (*ESCOL: curso*) suivre.
cursi *a* (*fam*) de mauvais goût, maniéré(e) // *nm/f* crâneur/euse.
cursilería *nf* mauvais goût.
cursillo *nm* (*curso*) cours *m*; (*ciclo de conferencias*) cycle *m* de conférences.
cursivo, a *a* cursif(ive) // *nf* italique *m* o *f.*
curso *nm* cours *m*; (*de astro*) course *f*; **en ~** en cours; **moneda de ~ legal** pièce *f* à cours légal; **en el ~ de** au cours de; **estar en segundo ~** être en cinquième; **dar ~ a** donner suite à.
curtido, a *a* (*la piel por el sol*) basané(e), tanné(e); (*cuero*) tanné(e); (*fig*) rompu(e) // *nm* tannage *m.*
curtidor *nm* tanneur *m.*
curtir *vt* (*cuero*) tanner, corroyer; (*cara*) hâler; (*fig*) endurcir, aguerrir; **~se** *vr* s'endurcir.
curvatura *nf* courbure *f.*
curvo, a *a* (*gen*) courbe; (*camino*) sinueux(euse), courbe // *nf* (*gen*) courbe *f*; (*de camino*) tournant *m*, virage *m*; (*de río*) boucle *f.*
cuscurro *nm* croûton *m.*
cúspide *nf* sommet *m.*
custodia *nf* (*vigilancia*) surveillance *f*; (*guardián*) garde *m*; (*REL*) ostensoir *m.*
custodiar *vt* (*guardar*) garder; (*vigilar*) surveiller; (*proteger*) protéger.
custodio *nm* gardien *m.*
cutáneo, a *a* cutané(e).
cutis *nm* peau *f.*
cuyo, a *pron* dont le, dont la, dont les; duquel, de laquelle, desquels, desquelles; **en ~ caso no iremos** auquel cas, nous n'irons pas.
c.v. *abr de* **caballo de vapor**.

CH

chabacano, a *a* ordinaire, quelconque.
chacal *nm* chacal *m.*
chacona *nf* chaconne *f.*
chacota *nf* plaisanterie *f.*
chacotear *vi* blaguer, plaisanter.
chacra *nf* (*AM*) ferme *f*, métairie *f.*
chal *nm* châle *m.*
chalán *nm* maquignon *m*; (*AM*) dresseur *m* de chevaux.
chalanear *vi* maquignonner // *vt* (*AM*) dresser.
chalanería *nf* maquignonnage *m.*
chaleco *nm* gilet *m*; **~ de fuerza** (*AM*) camisole *f* de force; **~ salvavidas** (*AM*) gilet de sauvetage.
chalupa *nf* (*barco pequeño*) chaloupe *f*; (*lancha*) barque *f*, canot *m.*
chamarasca *nf* (*leños*) bourrée *f*; (*fuego*) flambée *f.*
chambelán *nm* chambellan *m.*
chambón, ona *a* (*fam*) veinard(e), chanceux(euse).
champú *nm* shampooing *m.*

chamuchina *nf* (*AM: pey*) populace *f.*
chamuscar *vt* flamber; roussir.
chancear *vi* plaisanter, blaguer.
chancero, a *nm/f* blagueur/euse.
chancillería *nf* chancellerie *f.*
chancleta *nf* (*pantufla*) pantoufle *f*, savate *f*; (*AM*) petite-fille *f*, gosse *f* // *nm/f* bon/ne à rien.
chanclo *nm* (*zueco de madera*) socque *m*; (*calzado de goma*) caoutchouc *m*; (*galocha*) galoche *f.*
chancho, a *a* (*AM*) sale // *nm* (*AM*) porc *m*, cochon *m.*
chanchullo *nm* (*AM*) affaire *f* louche, tripotage *m.*
chantaje *nm* chantage *m.*
chantre *nm* chantre *m.*
chanza *nf* plaisanterie *f.*
chapa *nf* (*de metal, madera*) plaque *f*; (*de botella*) capsule *f*, bouchon *m*; ~ **ondulada** tôle ondulée; **jugar a las ~s** jouer à pile ou face.
chapado, a *a* plaqué(e); ~ **a la antigua** vieux jeu.
chaparro *nm* (*mata de arbustos*) buisson *m* d'yeuses; (*gordo*) personne boulotte.
chaparrón *nm* averse *f.*
chapear *vt* couvrir de plaques.
chapetón, ona *a* novice, débutant(e).
chapín *nm* claque *f.*
chapitel *nm* (*de torre*) flèche *f*; (*de columna*) chapiteau *m.*
chapón *nm* pâté *m.*
chapotear *vt* mouiller // *vi* (*fam*) patauger.
chapoteo *nm* barbotage *m.*
chapucero, a *a* bâclé(e) // *nm/f* bâcleur/euse.
chapurr(e)ar *vt* (*idioma*) baragouiner; (*bebidas*) mélanger.
chapuz(a) *nm* (*nf*) bricole *f*, chose bâclée.
chapuzar *vt* plonger // *vi*, **~se** *vr* se baigner.
chaqueta *nf* veston *m.*
charada *nf* charade *f.*
charanguero *nm* (*chapucero*) bousilleur *m*, massacreur *m*, bricoleur *m.*
charca *nf* mare *f.*
charco *nm* flaque *f.*
charla *nf* bavardage *m*; (*conferencia*) causerie *f*, conférence *f.*
charlar *vi* bavarder, causer; (*pey*) faire des commérages.
charlatán, ana *a* bavard(e) // *nm* (*curandero*) charlatan *m*; (*mentiroso*) camelot *m.*
charlatanería *nf* (*locuacidad*) charlatanerie *f*; (*pey*) commérage *m.*
charol *nm* vernis *m.*
charola *nf* (*AM*) plateau *m.*
charretera *nf* épaulette *f.*
charro, a *a* rustre, balourd(e); (*adornado con mal gusto*) rococo, de mauvais goût.
chas *excl* crac!
chascarrillo *nm* (*fam*) histoire *f* drôle, plaisanterie *f.*
chasco *nm* (*broma, engaño*) niche *f*, tour *m*; (*fracaso, desengaño*) fiasco *m*, échec *m*, désillusion *f.*
chasquear *vt* (*engañar, bromear*) jouer des tours à, duper, tromper; (*látigo*) faire claquer; (*lengua*) claquer; **~se** *vr* (*sufrir un desengaño*) avoir une déception; (*fracasar*) essuyer un échec.
chasquido *nm* (*de lengua, látigo*) claquement *m*; (*ruido seco y súbito*) craquement *m.*
chato, a *a* (*aplastado*) camus(e), aplati(e); (*AM: expresión de afecto*) mon chou // *nf* (*barco*) chaland *m*; (*vagón plano*) wagon plat.
chaval, a *nm/f* gamin/e, gosse *m/f.*
checo(e)slovaco, a *a* tchécoslovaque // *nm/f* Tchécoslovaque *m/f.*
Checo(e)slovaquia *nf* Tchécoslovaquie *f.*
chelín *nm* shilling *m.*
cheque *nm* chèque *m*; ~ **sin fondos** *o* **sin provisión** chèque sans provision; ~ **de viajero** chèque de voyage.
chequeo *nm* (*MED*) examen

médical; (*AUTO*) vérification *f.*
chicle *nm* chewing-gum *m.*
chico, a *a* petit(e) // *nm/f* (*niño, niña*) garçon/fille; (*muchacho*) enfant *m/f.*
chicoria *nf* = **achicoria**.
chicote, a *nm/f* grand garçon/ grande fille.
chicharra *nf* (*ZOOL*) cigale *f*; (*AM*) sonnette *f* électrique.
chicharrón *nm* (*carne*) viande carbonisée; (*fig*) pruneau *m.*
chichear *vi* siffler.
chichón *nm* bosse *f.*
chichonera *nf* (*de niño*) bourrelet *m*; (*de paracaidista*) casque *m.*
chiflado, a *a* toqué(e), piqué(e) // *nm*: **es un ~ por** il est fou de.
chifladura *nf* (*silbido*) sifflement *m*; (*fam*: *capricho*) manie *f*, dada *m.*
chiflar *vt* siffler; **~se** *vr*: **~se por** se toquer de, aimer à la folie.
chile *nm* piment *m.*
Chile *nm* Chili *m.*
chileno, a *a* chilien(ne) // *nm/f* Chilien/ne.
chillar *vi* (*niño*) crier; (*animal*) glapir; (*puerta*) grincer; (*AM*) protester, crier; **~se** *vr* (*AM*) se fâcher, s'irriter.
chillido *nm* (*de persona*) cri perçant; (*de animal*) glapissement *m*; (*de rueda*) grincement *m.*
chillón, ona *a* (*niño*) criard(e), braillard(e); (*color*) criard.
chimenea *nf* cheminée *f.*
chimpancé *nm* chimpanzé *m.*
China *nf*: la ~ la Chine.
chinche *nf* punaise *f* // *nm/f* enquiquineur/euse, empoisonneur/ euse.
chinchilla *nf* chinchilla *m.*
chinchona *nf* (*AM*) quinquina *m.*
chinela *nf* mule *f*; claque *f.*
chinesco, a *a* chinois(e) // *nm* chapeau chinois.
chino, a *a* chinois(e) // *nm/f* Chinois/e // *nm* chinois *m*; **cuento ~** (*fam*) histoire *f* à dormir debout.
Chipre *nf* Chypre *f.*
chipriota, chipriote *a* chypriote // *nm/f* Chypriote *m/f.*
chiquero *nm* (*pocilga*) porcherie *f*; (*toril*) toril *m.*
chiquillada *nf* gaminerie *f*, enfantillage *m.*
chiquillo, a *nm/f* gamin/e.
chiquito, a *a* tout(e) petit(e) // *nm/f* petit/e, gosse *m/f* // *nm petit verre de vin.*
chiribitil *nm* galetas *m*; cagibi *m.*
chirimbolo *nm* (*fam*: *utensilio, vasija*) machin *m*, truc *m*, chose *f*; **~s** *mpl* (*fam*) bric-à-brac *m.*
chirimía *nf* (*MUS*) chalumeau *m*, flageolet *m.*
chiripa *nf* (*AM*: *broma*) quolibet *m*; (*BILLAR*) raccroc *m*; (*casualidad*) coup *m* de veine.
chirle *a* insipide, fade; (*aguado*) coupé(e); sans consistance; sans intérêt.
chirlo *nm* balafre *f.*
chirriar *vi* (*goznes*) grincer; (*pájaros*) piailler; (*fam*: *cantar mal*) chanter faux, brailler.
chirrido *nm* (*de pájaro*) cri *m*; (*de rueda*) grincement *m*; (*de aceite hirviendo, de agua*) grésillement *m*; (*de zapatos*) craquement *m.*
chirrión *nm* charrette *f.*
chis *excl* chut!
chisgarabís *nm* (*fam*) gringalet *m*, freluquet *m*; fouinard *m.*
chisme *nm* (*habladurías*) cancan *m*, potin *m*, ragot *m*; (*fam*: *objeto*) babiole *f.*
chismoso, a *a* cancanier(ière) // *nm/f* cancanier/ière.
chispa *nf* étincelle *f*; (*viveza, ingenio*) lueur *f*, esprit *m*; (*fam*: *borrachera*) cuite *f.*
chispazo *nm* étincelle *f.*
chispeante *a* étincelant(e).
chispear *vi* (*echar chispas*) étinceler; (*lloviznar*) pleuviner, tomber quelques gouttes.
chisporrotear *vi* (*fuego*) pétiller, crépiter; (*aceite*) grésiller, crépiter.
chisporroteo *nm* (*de leña*)

crépitement *m*; (*de aceite*) pétillement *m*.
chistar *vi*: **no ~** se taire; **lo aceptó sin ~** il l'a accepté sans répliquer *ou* sans mot dire.
chiste *nm* bon mot, plaisanterie *f*; **caer en el ~** comprendre, piger.
chistera *nf* (*sombrero*) tube *m*, chapeau haut-de-forme *m*; (*de pescador*) panier *m* de pêcheur.
chistoso, a *a* (*gracioso*) spirituel(le); (*bromista*) blagueur(euse).
chita *nf* astragale *m*.
chito *nm* (*juego*) bouchon *m*, palet *m*.
chitón *excl* chut!
chivar *vt* (*fam*: *fastidiar*) casser les pieds à; **~se** *vr* (*fam*: *delatar*) moucharder; (AM) hurler, se mettre en colère.
chivatear *vi* moucharder.
chivato *nm* chevreau *m*.
chivo, a *nm/f* chevreau/ chevrette.
chocante *a* désagréable; (*antipático*) choquant(e).
chocar *vi* (*coches, trenes*) se heurter // *vt* choquer; **~ con** (*tropezar con*) heurter; (*fig*: *enfrentarse con*) s'accrocher avec; **¡chócala!** tope là!
chocarrería *nf* grosse blague.
chocarrero, a *a* grossier(ière) // *nm/f* blagueur/euse.
chocolate *a* chocolat // *nm* chocolat *m*.
chochear *vi* (*anciano*) radoter; (*fig*) perdre la tête.
chochera *nf* (*de anciano*) radotage *m*, gâtisme *m*; (*fig*) toquade *f*.
chocho, a *a* (*senil*) radoteur(euse); (*fig*) gâteux(euse) // *nm sucrerie* // *nf* bécasse *f*.
cholo, a *nm/f* (AM) métis/se; (AM) homme/femme du peuple.
chopo *nm* peuplier noir.
choque *nm* (*golpe*) choc *m*; (*oposición*) collision *f*; (*combate*) heurt *m*.
choricero, a *nm/f* charcutier/ière.
chorizo *nm* chorizo *m* (*fam*) filou *m*.
chorlito *nm* chevalier *m*.
chorrear *vi* (*agua, sudor*) couler; (*gotear*) dégoutter, dégouliner; (*lluvia*) ruisseler, dégouliner; **~se** *vr* s'approprier.
chorrillo *nm* filet *m*; **sembrar a ~** semer en ligne.
chorro *nm* (*de líquido*) jet *m*; (*de luz*) rayon *m*.
choto, a *nm/f* (*cabrito*) cabri *m*, chevrette *f*; (*ternero*) veau *m* // *a* accommodant(e), arrangeant(e).
choza *nf* (*cabaña*) cabane *f*; (*rancho de paja*) chaumière *f*.
chubasco *nm* (*aguacero*) averse *f*; (*fig*) contretemps *m*, nuage *m*.
chuchería *nf* (*fruslería*) babiole *f*, colifichet *m*; (*golosina*) friandise *f*, sucrerie *f*.
chufa *nf* (*planta*) souchet *m* comestible; (*fig*) raillerie *f*.
chufleta *nf* (*fam*) plaisanterie *f*, blague *f*, raillerie *f*.
chuleta *nf* côtelette *f*, côte *f*.
chulo, a *a* effronté(e), insolent(e), dévergondé(e) // *nm* (*pícaro*) mauvais garçon; (*fam*: *joven lindo*) gommeux *m*, petit maître; (*pey*) *type du bas peuple de Madrid*.
chunga *nf* (*fam*) farce *f*, plaisanterie *f*.
chupa *nf* (AM) cuite *f*.
chupado, a *a* (*delgado*) maigre, émacié(e); (*ajustado*) serré(e), étroit(e); (AM) ivrogne.
chupar *vt* sucer; (*absorber*) pomper, absorber; (AM) fumer; sucer; (AM: *beber*) boire (trop); **~se** *vr* (*adelgazar*) maigrir, se creuser.
chupón, ona *a* suceur(euse) // *nm* (BOT) branche gourmande; (*paleta*, AM: *chupete*) sucette *f* // *nm/f* pique-assiette *m/f inv*.
churrigueresco, a *a* (ARQ) churrigueresque; (*fig*) surchargé(e).
churro, a *a* (*lana*) jarreux(euse) // *nm* (CULIN) beignet *m*; (*fam*) bricolage *m*.

chuscada *nf* plaisanterie *f*, drôlerie *f*, facétie *f*.
chusco, a *a* plaisant(e), cocasse // *nm* (*fam*) petit pain.
chusma *nf* (*conjunto de galeotes*) chiourme *f*; (*gente pícara, vil*) populace *f*.
chuzo *nm* pique *f*.

D

D. *abr de* **Don.**
Da. *abr de* **Doña.**
D.A. *abr de duración ampliada* double durée.
dable *a* possible.
dactilógrafo, a *nm/f* dactylo(graphe) *f*.
dádiva *nf* (*donación*) don *m*; (*regalo*) présent *m*.
dadivoso, a *a* généreux(euse).
dado, a *pp de* **dar** // *nm* dé *m* // *a*: **dadas las circunstancias** étant donné les circonstances; ~ **a la bebida** enclin à la boisson.
dador, a *nm/f* (*gen*) donneur/ euse; (*de letra de cambio*) tireur *m*.
daga *nf* (*puñal*) dague *f*; (AM) coutelas *m*.
daguerrotipo *nm* daguerréotype *m*.
dama *nf* (*gen*) dame *f*; (AJEDREZ) reine *f*; ~**s** *nfpl* (jeu *m* de) dames *fpl*.
damajuana *nf* dame-jeanne *f*.
damasco *nm* (*tela*) damas *m*; (BOT) *variété d'abricotier et d'abricot*.
damnificado, a *nm/f* sinistré/e.
damnificar *vt* endommager.
danés, esa *a* danois(e) // *nm/f* Danois/e.
Danubio *nm*: **el** ~ le Danube.
danza *nf* danse *f*.
danzar *vt, vi* danser.
dañar *vt* nuire à.
dañino, a *a* nuisible.
daño *nm* (*detrimento*) dommage *m*; (*perjuicio*) tort *m*; (*menoscabo*) dégât *m*; (MED) mal *m*; (AM) (mauvais) sort *m*.
dañoso, a *a* nuisible.
dar *vt* (*gen*) donner; (*lección*) réciter; (CINE) jouer, donner; (TEATRO) monter; jouer; (*la hora*): ~ **las 3** sonner 3 heures // *vi*: ~ **a** donner sur; ~ **con** tomber sur; ~ **contra** heurter; ~ **en** (*solución*) trouver; ~**se** *vr* (*ocurrir*) arriver; ~**se por** (*considerarse*) se donner pour, se considérer; ~ **alegría** faire plaisir; **da lástima** *o* **pena verle** cela fait de la peine de le voir; ~ **por** *o* **como** donner pour; ~ **de comer/beber** donner à manger/ boire; **lo mismo** *o* **qué más da** peu importe, ça ne fait rien; ~ **en el blanco** mettre dans le mille; **se dió a conocer que** on apprit que, la nouvelle se répandit que.
dardo *nm* dard *m*.
dársena *nf* bassin *m*, dock *m*.
data *nf* date *f*.
datar *vt* dater // *vi*: ~ **de** dater de, remonter à.
dátil *nm* datte *f*.
dato *nm* donnée *f*; renseignement *m*; ~**s personales** renseignements personnels.
dcha *abr de* **derecha.**
d. de J.C. *abr de después de Jesucristo* ap. J-C (après Jésus-Christ).
de *prep* de, à; **libro** ~ **cocina** livre de cuisine; **día** ~ **lluvia** jour de pluie; **el hombre** ~ **largos cabellos** l'homme aux longs cheveux; **broche** ~ **oro** broche en or; **guantes** ~ **cuero** gants de *ou* en cuir; **fue a Londres** ~ **profesor** il est allé à Londres comme professeur; **largo** ~ **contar** long à raconter; **dormir** ~ **aburrido** s'endormir d'ennui; **una** ~ **dos** de deux choses l'une; ~ **mañana** le matin; ~ **tarde** l'après-midi; ~ **noche** de nuit; ~ **cabeza** la tête la première; ~ **cara a** face à.

debajo *ad* dessous; ~ **de** sous; **por** ~ **de** en-dessous de.
debate *nm* débat *m*.
debatir *vt* débattre.
debe *nm* débit *m*; **el** ~ **y el haber** le doit et l'avoir.
deber *nm* devoir *m* // *vt* devoir // *vi* devoir; **debe de hacer calor** il doit faire chaud.
debidamente *ad* (*justamente*) dûment; (*convenientemente*) convenablement, comme il faut.
debido, a *a* qu'on doit, qui convient.
débil *a* (*persona*) faible, débile; (*luz, carácter*) faible // *nm/f*: **un/una** ~ **mental** un/e débile mental(e), un/e faible d'esprit.
debilidad *nf* (*de cuerpo, carácter*) faiblesse *f*; (*mental*) débilité *f* (mentale); (*atracción*) penchant *m*.
debilitar *vt* affaiblir, débiliter // *vi* (*salud*) ébranler; (*voluntad*) épuiser.
débito *nm* dette *f*.
década *nf* décade *f*.
decadencia *nf* décadence *f*.
decadente *a* décadent(e); ~**s** *nm/fpl* décadents *mpl*.
decaer *vi* (*declinar*) déchoir; (*debilitarse*) dépérir; (*cultura*) décliner, tomber; (*salud*) décliner; (*fiesta*) baisser; (*el ánimo*) baisser.
decaimiento *nm* (*declinación*) décadence *f*; (*desaliento*) abattement *m*; (*MED: debilitamiento de la salud*) affaiblissement *m*; (: *abatimiento*) abattement.
decálogo *nm* décalogue *m*.
decano, a *nm/f* doyen/ne.
decantar *vt* décanter.
decapitación *nf* décapitation *f*; (*fig*) mise *f* à bas.
decapitar *vt* décapiter; (*fig*) mettre à bas.
decasílabo, a *a* décasyllabe // *nm* décasyllabe *m*.
decena *nf* dizaine *f*.
decencia *nf* (*modestia*) modestie *f*, décence *f*; (*pudor*) pudeur *f*; (*recato*) retenue *f*; (*honestidad*) honnêteté *f*.
decenio *nm* décennie *f*.
decente *a* (*conveniente*) décent(e); (*correcto*) convenable, correct(e), confortable; (*honesto*) honnête; (*respetable*) respectable.
decepción *nf* (*contrariedad*) déception *f*, contrariété *f*; (*desilusión*) désillusion *f*; (*desengaño*) désillusion, leçon *f*.
decidir *vt* (*persuadir*) décider; (*resolver*) résoudre; (*orden*) décréter // *vi* décider; ~**se** *vr*: ~**se a** se décider à; ~**se por** se décider pour.
décimo, a *a* dixième.
decir *vt* (*expresar*) dire; (*afirmar*) affirmer; (*ordenar*) ordonner; **se dice que** on dit que; **dicho sea de paso** soit dit en passant; **por decirlo así** pour ainsi dire; **dicho y hecho** aussitôt dit, aussitôt fait.
decisión *nf* (*resolución*) décision *f*; (*firmeza*) détermination *f*.
decisivo, a *a* décisif(ive).
declamación *nf* déclamation *f*.
declamar *vt, vi* déclamer.
declaración *nf* (*explicación*) déclaration *f*; (*manifestación*) déclaration de principe; ~ **de quiebra** déposition *f* de bilan.
declarar *vt* déclarer, annoncer; expliquer; faire savoir, manifester // *vi*: ~ **ante el juez** déposer devant le juge; ~**se** *vr* se déclarer; ~ **quiebra** déposer son bilan, faire faillite; ~**se enfermo** se faire porter malade; ~**se en huelga** se mettre en grève.
declaratorio, a *a* déclaratoire.
declinación *nf* déclinaison *f*; (*de período*) déclin *m*; (*de terreno*) pente *f*.
declinar *vt* (*gen*) décliner; (*JUR*) récuser // *vi* (*ASTRO*) décliner; (*el día*) décliner, baisser; (*salud*) baisser.
declive *nm* (*cuesta*) pente *f*; (*inclinación*) déclivité *f*.
decocción *nf* décoction *f*.

decolorar *vt* décolorer; ~**se** *vr* se décolorer, passer.
decomisar *vt* confisquer.
decoración *nf* décoration *f.*
decorado *nm* décor *m.*
decorar *vt* décorer.
decorativo, a *a* décoratif(ive).
decoro *nm* (*respeto*) respect *m*; (*dignidad*) dignité *f*; (*recato*) réserve *f*, retenue *f.*
decoroso, a *a* correct(e); digne, respectable; convenable.
decrecer *vi* décroître, diminuer.
decreciente *a* décroissant(e).
decrépito, a *a* décrépit(e).
decrepitud *nf* décrépitude *f.*
decretar *vt* décréter.
decreto *nm* décret *m.*
decuplicar *vt* décupler.
décuplo, a *a* décuple // *nm* décuple *m.*
dechado *nm* (*modelo*) modèle *m*; (*ejemplo*) exemple *m.*
dedal *nm* dé à coudre *m.*
dédalo *nm* labyrinthe *m*, dédale *m.*
dedicación *nf* dévouement *m*; (*al estudio*) acharnement *m.*
dedicar *vt* (*libro*) dédier; (*tiempo, dinero*) consacrer; (*palabras: decir, ofrecer*) adresser; ~**se** *vr*: ~**se a** (*tener afición de*) se dévouer à; (*pasar el tiempo*) passer son temps à.
dedicatoria *nf* dédicace *f.*
dedil *nm* doigtier *m*, doigt *m.*
dedillo *nm*: **saber algo al** ~ savoir qch sur le bout des doigts.
dedo *nm* doigt *m*; ~ **del pie** orteil *m*, doigt de pied; ~ **pulgar** pouce *m*; ~ **índice** index *m*; ~ **mayor** *o* **cordial** majeur *m*, médius *m*; ~ **anular** annulaire *m*; ~ **meñique** auriculaire *m*; ~ **gordo/chico** gros/petit orteil.
deducción *nf* déduction *f.*
deducir *vt* (*concluir*) déduire; (COM) déduire; (*de un salario*) retenir; (AM) produire.
defección *nf* défection *f.*
defecto *nm* (*físico*) tare *f*, défaut *m*; (*imperfección*) défectuosité *f.*
defectuoso, a *a* défectueux(euse).
defender *vt* défendre; ~**se** *vr* se défendre.
defensa *nf* défense *f.*
defensiva *nf*: **estar/ponerse a la** ~ être/se mettre sur la défensive; (DEPORTE): **jugar a la** ~ jouer la défense.
defensivo, a *a* défensif(ive).
defensor, a *a* défensif(ive) // *nm/f* (*abogado*) avocat/e; (*protector*) protecteur/trice, défenseur *m.*
deferencia *nf* déférence *f.*
deferente *a* déférent(e).
deferir *vt* déférer // *vi*: ~ **a** s'en remettre à, s'appuyer sur.
deficiencia *nf* déficience *f.*
deficiente *a* (*mediocre*) médiocre; (*defectuoso*) déficient(e); (*imperfecto*) imparfait(e).
déficit *nm* déficit *m*; (*fig*) manque *m.*
definición *nf* définition *f.*
definir *vt* (*determinar*) définir; (*decidir*) décider; (*clarificar*) clarifier.
definitivo, a *a* définitif(ive); **en definitiva** en définitive.
deformación *nf* (*alteración*) déformation *f*; (*distorsión*) distorsion *f.*
deformar *vt* (*gen*) déformer; (*defigurar*) défigurer; ~**se** *vr* se déformer.
deforme *a* (*informe*) difforme; (*contrahecho*) contrefait(e); (*mal hecho*) mal bâti(e), mal fait(e).
deformidad *nf* difformité *f*; (*moral*) difformité, défaut *m.*
defraudación *nf* fraude *f*; ~ **fiscal** fraude (fiscale).
defraudador, a *a* (*engañador*) fraudeur(euse); (*frustrador*) qui déçoit *ou* frustre (des espoirs) // *nm/f* fraudeur/euse.
defraudar *vt* frauder; (*frustrar*) frustrer, décevoir.
defuera *ad* dehors, au-dehors, du dehors.
defunción *nf* décès *m.*
degeneración *nf* (*de las células*)

dégénérescence *f*; (*moral*) dégénération *f*.
degenerar *vi* dégénérer.
deglutir *vt, vi* déglutir.
degollación *nf* décollation *f*; (*fig*) massacre *m*.
degolladero *nm* (ANAT) gorge *f*; (*lugar*) abattoir *m*.
degollar *vt* (*animal*) égorger; (*decapitar*) décoller, décapiter; (*arruinar*) ruiner, détruire.
degollina *nf* (*fam*) tuerie *f*, massacre *m*.
degradación *nf* (*de empleado, soldado*) dégradation *f*; (*envilecimiento*) avilissement *m*.
degradar *vt* dégrader; **~se** *vr* s'avilir, se dégrader.
degüello *nm* égorgement *m*; (*fig*) massacre *m*.
degustación *nf* dégustation *f*.
dehesa *nf* pâturage *m*.
deidad *nf* divinité *f*, déité *f*.
deificar *vt* (*persona*) déifier; (*cosa*) diviniser.
dejación *nf* (*abandono*) abandon *m*; (JUR) cession *f*.
dejadez *nf* (*negligencia*) négligence *f*; (*descuido*) laisser-aller *m*, abandon *m*.
dejado, a *a* (*negligente*) négligent(e); (*indolente*) indolent(e); (*apático*) apathique, abattu(e) // *nm/f* personne négligente.
dejar *vt* laisser; (*abandonar*) abandonner; (*beneficios*) rapporter; **~ a un lado** laisser de côté // *vi*: **~ de** arrêter de; **~se** *vr*: **~se llevar por la música** se laisser porter par la musique; **~ estar** laisser faire; **~se ver** apparaître, se montrer.
dejo *nm* (*abandono*) abandon *m*; (LING) accent *m*; (*sabor*) arrière-goût *m*.
del = *de + el, voir* **de.**
delación *nf* (*acusación*) délation *f*; (*denuncia*) dénonciation *f*.
delantal *nm* tablier *m*.
delante *ad* devant; **por ~** devant; **~ de** devant.
delantero, a *a* de devant, qui va devant // *nm* avant *m* // *nf* (*de vestido, casa*) devant *m*; (*de vehículo*) avant *m*; (*de equipo*) avants *mpl*; **~ izquierdo/centro/derecho** avant-gauche/-centre/-droit; **llevarle la delantera a uno** prendre les devants, devancer qn.
delatar *vt* dénoncer.
delator, a *a* dénonciateur(trice) // *nm/f* (*acusador*) accusateur/trice; (*informante*) informateur/trice.
delectación *nf* délectation *f*.
delegación *nf* délégation *f*; (*edificio*) délégation, bureau *m*; **~ de policía** commissariat *m* de police; **~ municipal** mairie *f*.
delegado, a *a* délégué(e) // *nm/f* délégué/e.
delegar *vt* déléguer, confier.
deleitar *vt* enchanter, charmer; **~se** *vr*: **~se con** *o* **en** se délecter de; prendre plaisir à.
deleite *nm* délectation *f*, délice *m*, plaisir *m*.
deleitoso, a *a* délicieux(euse); délectable.
deletéreo, a *a* délétère.
deletrear *vi* épeler; (*fig*) déchiffrer.
deletreo *nm* épellation *f*; (*fig*) déchiffrage *m*.
deleznable *a* (*que se rompe*) friable; (*resbaladizo*) glissant(e); (*fugaz*) peu durable; (*inestable*) instable; (*desagradable, horrible*) détestable, horrible.
delfín *nm* (ZOOL) dauphin *m*; (*príncipe*) Dauphin *m*.
delgadez *nf* minceur *f*, finesse *f*.
delgado, a *a* (*poco grueso*) mince, fin(e); (*flaco*) maigre; (*delicado*) délicat(e); (*sutil, ingenioso*) spirituel(le), ingénieux(euse).
deliberación *nf* délibération *f*.
deliberar *vt* délibérer.
delicadeza *nf* (*gen*) délicatesse *f*; (*refinamiento, sutileza*) attention *f*, marque *f* de délicatesse.
delicado, a *a* délicat(e); (*material*) fragile.
delicia *nf* délice *m*.

delicioso, a *a* (*gracioso*) spirituel(le); (*placentero*) plaisant(e), agréable; (*exquisito*) exquis(e), délicieux(euse).
delincuencia *nf* délinquance *f*.
delincuente *a* délinquant(e) // *nm/f* délinquant/e.
delineación *nf*, **delineamiento** *nm* délinéation *f*; (*de terreno, figura*) tracé *m*; limite *f*; (*de programa, libro*) plan *m*.
delinear *vt* délinéer.
delinquir *vi* commettre un délit.
deliquio *nm* évanouissement *m*; extase *f*.
delirante *a* délirant(e).
delirar *vi* délirer.
delirio *nm* (*desvarío*) délire *m*, égarement *m*; (*manía*) manie *f*, folie *f*.
delito *nm* (*infracción a las leyes*) délit *m*; (*crimen*) crime *m*; (*ofensa*) outrage *m*; ~ **político/común** crime politique/de droit commun.
delta *nf* delta *m* // *nm* delta *m*.
demacración *nf* amaigrissement *m*.
demacrar *vt* amincir, rendre mince; ~**se** *vr* s'émacier, maigrir.
demagogo *nm* démagogue *m*.
demanda *nf* (*pedido*) demande *f*, requête *f*; (*COM*) demande; (*JUR*) action *f*.
demandante *nm/f* demandeur/eresse.
demandar *vt* (*gen*) demander; (*JUR*) poursuivre en justice.
demarcación *nf* (*de terreno*) démarcation *f*; (*de límites entre países*) délimitation *f*.
demarcar *vt* délimiter.
demás *a*: **los** ~ **niños** les autres enfants // *pron*: **los/las** ~ les autres; **lo** ~ le reste // *ad* inutile.
demasía *nf* (*exceso*) excès *m*; (*atrevimiento*) audace *f*; (*insolencia*) insolence *f*; **comer en** ~ manger à l'excès.
demasiado, a *a* trop de // *ad* trop; ¡**es** ~! c'est trop!
demencia *nf* (*locura*) démence *f*; (*insensatez*) manque *m* de bon sens.
demente *nm/f* dément/e // *a* dément(e), démentiel(le).
demisión *nf* démission *f*.
demitir *vi* renoncer.
democracia *nf* démocratie *f*.
demócrata *nm/f*, *a* démocrate *m/f*.
democrático, a *a* démocratique.
demoler *vt* démolir; (*fig*) mettre à bas.
demolición *nf* démolition *f*.
demonio *nm* démon *m*; ¡**demonios!** diable!, mince!; ¿**cómo** ~**s?** comment diable?
demora *nf* (*dilación*) retard *m*; délai *m*; (*tardanza*) attente *f*.
demorar *vt* (*retardar*) retarder; (*dilatar*) remettre à plus tard // *vi* tarder; ~**se** *vr* (*AM*) s'attarder.
demostración *nf* (*de teorema*) démonstration *f*; (*de afecto*) témoignage *m*.
demostrar *vt* (*probar*) démontrer; (*mostrar*) montrer; (*manifestar*) manifester.
demostrativo, a *a* démonstratif(ive).
demudación *nf*, **demudamiento** *nm* changement *m*, altération *f*.
demudar *vt* changer; ~**se** *vr* s'altérer.
denegación *nf* dénégation *f*.
denegar *vt* (*rechazar*) refuser, dénier; (*JUR*) débouter, rejeter.
dengue *nm* (*melindres*) chichi *m*, manière *f*; (*MED*) dengue *f*.
denigración *nf* dénigrement *m*.
denigrar *vt* (*desacreditar, infamar*) dénigrer, discréditer; (*injuriar*) injurier.
denodado, a *a* (*valiente*) courageux(euse); (*esforzado*) vaillant(e); (*atrevido*) audacieux(euse), hardi(e).
denominación *nf* dénomination *f*, appellation *f*.
denominar *vt* dénommer.
denostar *vt* insulter, injurier.
denotar *vt* (*indicar*) dénoter; (*significar*) signifier.

densidad *nf* (FÍSICA) densité *f*, épaisseur *f*; (*fig*) densité.
denso, a *a* (*compacto*) dense; (*apretado*) serré(e); (*espeso, pastoso*) épais(se); (*fig*) serré, tassé(e).
dentado, a *a* dentelé(e) // *nm* dents *fpl*.
dentadura *nf* denture *f*; ~ **postiza** dentier *m*, râtelier *m*.
dental *a* dental(e) // *nf* dentale *f*.
dentellada *nf* coup *m* de dent.
dentera *nf* (*sensación desagradable*) agacement *m*; (*envidia*) envie *f*; (*deseo*) désir *m*.
dentición *nf* dentition *f*.
dentífrico *nm* dentifrice *m*.
dentista *nm/f* dentiste *m/f*.
dentro *ad* dans // *prep*: ~ **de** dans; **vayamos a** ~ rentrons (à l'intérieur); **mirar por** ~ regarder dedans; ~ **de todo no está mal** après tout, ce n'est pas mal.
denudar *vt* dénuder.
denuedo *nm* courage *m*, intrépidité *f*.
denuesto *nm* insulte *f*, injure *f*.
denuncia *nf* (*delación*) dénonciation *f*, plainte *f*; (*acusación*) accusation *f*; ~ **de accidente** procès-verbal *m ou* constat *m* d'accident.
denunciar *vt* déposer une plainte contre; (*delatar*) dénoncer.
deparar *vt* (*conceder*) accorder, procurer; (*ofrecer, proponer*) offrir, proposer.
departamento *nm* (*sección administrativa*) département *m*; (*de caja, tren*) compartiment *m*; (AM: *piso*) appartement *m*; (: *provincia*) préfecture *f*, département.
departir *vi* deviser, causer.
dependencia *nf* dépendance *f*; (COM) succursale *f*.
depender *vi* dépendre; ~ **de** dépendre de.
dependienta *nf* vendeuse *f*, employée *f*.
dependiente *a* dépendant(e) // *nm* employé *m*, commis *m*, vendeur *m*.
deplorable *a* déplorable.
deplorar *vt* déplorer.
deponer *vt* déposer // *vi* (JUR) témoigner en justice; (*defecar*) aller à la selle.
deportación *nf* déportation *f*.
deportar *vt* déporter.
deporte *nm* sport *m*.
deportista *a* sportif(ive) // *nm/f* sportif/ive.
deposición *nf* déposition *f*; (*evacuación del vientre*) élimination *f*, selles *fpl*.
depositante *nm/f*, **depositador, a** *nm/f* déposant/e.
depositar *vt* (*dinero*) mettre en dépôt, déposer; (*mercaderías*) entreposer, laisser en dépôt; (*sedimentar*) déposer; (AM: *persona*) déposer; ~**se** *vr* se déposer.
depositario, a *nm/f* dépositaire *m/f* // *nm* caissier *m*; (*tutor*) tuteur *m*.
depósito *nm* dépôt *m*; (*de mercaderías*) entrepôt *m*; (*de agua, gasolina etc*) réservoir *m*; (*de equipajes*) consigne *f*; ~ **judicial** consignation *f*.
depravación *nf* dépravation *f*.
depravar *vt* dépraver, corrompre; ~**se** *vr* se dépraver.
deprecación *nf* déprécation *f*, prière fervente.
deprecar *vt* supplier, prier.
depreciación *nf* dépréciation *f*.
depreciar *vt* déprécier, diminuer; ~**se** *vr* se déprécier, se diminuer.
depredación *nf* (*saqueo, pillaje*) déprédation *f*; (*malversación*) malversation *f*.
depredar *vt* piller.
depresión *nf* dépression *f*.
deprimido, a *a* déprimé(e).
deprimir *vt* déprimer; ~**se** *vr* (*persona*) être déprimé(e); (*mercado*) être affaibli(e), se tasser; (*terreno*) former une dépression.
depuración *nf* épuration *f*, dépura-

tion *f*; (*de texto*) clarification *f*; (POL) purge *f*.
depurado, a *a* purifié(e), raffiné(e).
depurar *vt* épurer, dépurer.
der *abr de* **derecho**.
derechamente *ad* (*dirección*) tout droit; (*con prudencia*) prudemment; (*de manera clara*) avec droiture, manifestement; **decir las cosas ~** dire les choses clairement.
derecho, a *a* droit(e) // *nm* droit *m*; (*de tela, papel*) endroit *m* // *nf* droite *f* // *ad* droit; **~s** *mpl*: **~s de aduana/de autor** droits de douane/d'auteur; **tomar a la derecha** prendre à droite; **a derechas** correctement, comme il faut.
derechura *nf* droiture *f*; **en ~** tout droit.
deriva *nf* dérive *f*; **ir** *o* **estar a la ~** aller *ou* être à la dérive.
derivación *nf* dérivation *f*.
derivar *vt* (*dirigir*) acheminer; (*desviar*) dévier; (LING) dériver, faire dériver; (ELEC) dériver; (MAT) dériver // *vi* découler, dériver; **~se** *vr* (*dirigirse*) s'acheminer; (*desviarse*) se détourner.
derogación *nf* dérogation *f*.
derogar *vt* abroger, abolir.
derogatorio, a *a* dérogatoire.
derramado, a *a* (*esparcido*) répandu(e); (*vertido*) versé(e).
derramamiento *nm* (*de sangre*) effusion *f*; (*dispersión*) dispersion *f*.
derramar *vt* répandre; (*lágrimas*) verser; (*impuestos*) répartir; **~se** *vr* se répandre.
derrame *nm* (*de líquido*) dispersion *f*; action *f* de répandre; écoulement *m*; (*de puerta, ventana*) ébrasement *m*, ébrasure *f*; (*declive*) pente *f*; **~ sinovial** épanchement *m* de synovie.
derredor *ad*: **al** *o* **en ~ de** autour de.
derretido, a *a* fondu(e); **estar ~ por una** être mort d'amour pour qn.
derretir *vt* fondre; (*fig*) gaspiller, dissiper; **~se** *vr* se dissoudre, se fondre; (*enamorarse*) s'enflammer; (*impacientarse*) brûler; (*inquietarse*) se morfondre.
derribar *vt* abattre; (*construcción*) raser; (*persona, gobierno, político*) renverser; **~se** *vr* tomber, s'abattre.
derribo *nm* démolition *f*; **~s** *mpl* décombres *mpl*.
derrocamiento *nm* éboulement *m*, écroulement *m*; (*fig*) renversement *m*.
derrocar *vt* (*despeñar*) précipiter du haut d'un rocher; (*arruinar*) ruiner; (*derribar*) démolir, abattre.
derrochar *vt* gaspiller, dilapider.
derroche *nm* (*despilfarro*) gaspillage *m*, dissipation *f*; (*abundancia*) abondance *f*.
derrota *nf* (*camino, vereda*) chemin *m*, sentier *m*; (NAUT) route *f*, cap *m*; (MIL) déroute *f*, défaite *f*; (*fig*) défaite, débâcle *f*.
derrotar *vt* battre, vaincre; détruire; ruiner.
derrotero *nm* (*rumbo*) route *f*; (*camino*) chemin *m*; (*fig*) ligne *f*, voie *f*.
derruir *vt* démolir, abattre.
derrumbadero *nm* (*despeñadero*) précipice *m*; (*fig*) péril *m*, danger *m*.
derrumbamiento *nm* (*de edificio*) écroulement *m*; (*de relieve físico*) effondrement *m*; (*de gobierno*) renversement *m*; (*de mercado*) écroulement.
derrumbar *vt* abattre, renverser; **~se** *vr* (*despeñarse*) s'écrouler, s'effondrer; (*precipitarse*) se précipiter.
derviche *nm* derviche *m*, dervis *m*.
desabor *nm* fadeur *f*, insipidité *f*.
desabotonar *vt* déboutonner // *vi* s'épanouir, éclore; **~se** *vr* se déboutonner.
desabrido, a *a* (*insípido, soso*) fade, insipide; (*tiempo*) maussade; (*persona*) acariâtre, hargneux (euse); (*voz, tono*) dur(e), acerbe;

(*estilo*) plat(e), insipide.
desabrigo *nm* (*desamparo*) détresse *f*, abandon *m*; (*abandono*) abandon, délaissement *m*; **quedar al ~** être à découvert.
desabrimiento *nm* (*insipidez*) insipidité *f*, fadeur *f*; (*del tiempo*) caractère *m* maussade; (*aspereza*) dureté *f*, rudesse *f*, aigreur *f*; (*disgusto, pena*) chagrin *m*, peine *f*.
desabrochar *vt* (*botones, broches*) déboutonner, dégrafer; (*fig*) ouvrir; **~se** *vr* s'ouvrir.
desacatado, a, desacatador, a *a* (*insolente*) insolent(e), effronté(e); (*irrespetuoso*) irrévérencieux(euse).
desacato *nm* (*falta de respeto*) insolence *f*; (*irreverencia*) désobéissance *f*; (*JUR*) outrage *m* (à un fonctionnaire public).
desacertado, a *a* (*equivocado*) maladroit(e), malavisé(e); (*inoportuno*) malheureux(euse), malencontreux(euse).
desacertar *vi* (*errar*) se tromper; (*desatinar*) manquer de tact.
desacierto *nm* erreur *f*.
desacomodado, a *a* (*por falta de medios*) gêné(e), qui n'est pas à l'aise; (*sin empleo*) en chômage, sans emploi; (*molesto*) incommode, gênant(e).
desacomodar *vt* (*molestar*) incommoder, gêner; (*dejar sin empleo*) congédier, mettre à pied; **~se** *vr* perdre son emploi.
desacomodo *nm* (*incomodidad, molestia*) incommodité *f*; gêne *f*; (*falto de empleo*) chômage *m*.
desaconsejado, a *a* déconseillé(e); imprudent(e) // *nm/f* imprudent/e.
desaconsejar *vt* déconseiller.
desacoplar *vt* (*separar*) désaccoupler; (*desencajar*) découpler.
desacordado, a *a* (*MUS*) désaccordé(e); (*fig*) sans harmonie; détonnant(e); (*olvidado*) oublié(e).
desacostumbrar *vt* déshabituer, désaccoutumer; **~se** *vr* se déshabituer, se désaccoutumer.
desacreditar *vt* (*desprestigiar*) discréditer; (*denigrar*) dénigrer; (*desautorizar*) discréditer, déprécier; (*deshonrar*) déshonorer.
desacuerdo *nm* désaccord *m*; erreur *f*; oubli *m*.
desafecto, a *a* opposé(e), contraire; hostile // *nm* froideur *f*; malveillance *f*; animosité *f*.
desafiar *vt* défier, provoquer; **~se** *vr* se défier.
desafilar *vt* émousser; **~se** *vr* s'émousser.
desafinar *vt* (*MUS*) désaccorder // *vi* (*MUS*) chanter (*ou* jouer) faux; (*fig: fam*) dérailler, déraisonner.
desafío *nm* (*reto*) défi *m*; (*combate*) duel *m*; (*competencia*) concurrence *f*.
desaforado, a *a* démesuré(e), énorme; violent(e), épouvantable; illégal(e), illégitime.
desafortunado, a *a* (*desgraciado*) malheureux(euse); (*sin fortuna, pobre*) infortuné(e), pauvre.
desafuero *nm* (*acto ilegal*) atteinte *f*, infraction *f* aux lois; (*privación de privilegio*) privation *f* d'un droit *ou* d'un privilège; (*desacato*) écart *m*, inconvenance *f*.
desagradable *a* (*fastidioso, enojoso*) désagréable, fâcheux(euse);(*irritante*) irritant(e); (*desapacible*) désagréable.
desagradar *vi* (*disgustar*) déplaire; (*molestar*) ennuyer.
desagradecido, a *a* ingrat(e).
desagrado *nm* (*disgusto*) mécontentement *m*; (*contrariedad*) contrariété *f*.
desagraviar *vt* dédommager.
desagravio *nm* réparation *f*; dédommagement *m*, compensation *f*; satisfaction *f*.
desaguadero *nm* (*conducto*) dégorgeoir *m*, déversoir *m*; (*fig*) gouffre *m*.
desaguar *vt* (*agua*) épuiser, tarir; (*mina*) assécher // *vi* déboucher; **~se** *vr* (*vomitar*) vomir; (*evacuar*

el vientre) aller à la selle.
desagüe *nm* (*de un líquido*) écoulement *m*, dégorgement *m*; (*cañería*) déversoir *m*.
desaguisado, a *a* illégal(e) // *nm* offense *f*, erreur *f*.
desahijar *vt* (*crías*) sevrer; (*abejas*) essaimer.
desahogado, a *a* (*descarado*) effronté(e); (*holgado*) aisé(e); (*desembarazado*) dégagé(e).
desahogar *vt* (*consolar*) réconforter; (*aliviar*) soulager; (*ira*) déverser; **~se** *vr* (*distenderse, reposarse*) se détendre, se reposer; (*de deudas*) se libérer; (*fig*) s'épancher.
desahogo *nm* (*alivio*) soulagement *m*; (*descaro*) désinvolture *f*, tromperie *f*; (*libertad de palabra*) liberté *f* (de langage); (*bienestar*) bien-être *m*.
desahuciado, a *a* condamné(e); expulsé(e).
desahuciar *vt* ôter tout espoir à; (*enfermo*) condamner; (*inquilino*) expulser, donner congé à.
desahucio *nm* (*a un inquilino*) congé *m*; (*a un campesino*) expulsion *f*.
desairado, a *a* (*menospreciado*) dédaigné(e), méprisé(e); (*desgarbado*) lourd(e), gauche.
desairar *vt* (*menospreciar, desdeñar*) dédaigner, mépriser; (*ultrajar*) vexer, outrager.
desaire *nm* (*afrenta*) affront *m*, vexation *f*; (*menosprecio*) mépris *m*, dédain *m*; (*falta de garbo*) lourdeur *f*, inélégance *f*.
desajustar *vt* (*desacoplar*) désaccoupler; (*desarreglar*) dérégler; (*desconcertar*) désajuster; **~se** *vr* être en désaccord; (*cintura*) desserrer, lâcher.
desajuste *nm* (*de máquina*) désajustement *m*; (*situación*) désaccord *m*, divergence *f*, discordance *f*; (*en una persona*) déséquilibre *m*.
desalar *vt* (*quitar la sal de*) dessaler; (*quitar las alas a*) couper les ailes à; **~se** *vr* (*apresurarse*) s'empresser, se hâter; **~se por** convoiter, désirer vivement.
desalentador, a *a* décourageant(e).
desalentar *vt* (*la respiración*) essoufler; (*desanimar, acobardar*) décourager, abattre.
desaliento *nm* découragement *m*, abattement *m*.
desalinear *vt* désaligner; **~se** *vr* rompre l'alignement.
desaliño *nm* (*en el vestir*) débraillé *m*; (*negligencia*) négligé *m*, laisser-aller *m*; **~s** *mpl longues boucles d'oreilles*.
desalmado, a *a* (*cruel*) scélérat(e), méchant(e), cruel(le); (*perverso*) pervers(e).
desalmarse *vr*: **~ por** convoiter, désirer avidement.
desalmenado, a *a* sans créneaux.
desalojado, a *a* sans logis.
desalojamiento *nm* expulsion *f*; (*cambio de residencia*) déménagement *m*.
desalojar *vt* (*expulsar, echar*) déloger, expulser; (*abandonar*) évacuer, quitter; (*NAUT*) déplacer, jauger // *vi* déménager.
desalquilado, a *a* libre.
desalquilar *vt* libérer; **~se** *vr* être libre.
desamarrar *vt* détacher; (*NAUT*) larguer les amarres de; (*fig*) éloigner.
desamor *nm* froideur *f*; indifférence *f*; (*odio*) haine *f*; (*enemistad*) inimitié *f*.
desamortización *nf* désamortissement *m*.
desamortizar *vt* (*liberar*) désamortir; (*poner en venta*) mettre en vente.
desamparado, a *a* (*persona*) abandonné(e); (*sitio*) délaissé(e), quitté(e), abandonné.
desamparar *vt* (*abandonar*) abandonner, délaisser; (*JUR*) renoncer à, abandonner ses droits sur; (*barco*) désemparer.

desamparo *nm* abandon *m.*
desamueblar *vt* démeubler, dégarnir.
desandar *vt*: ~ **el camino** rebrousser chemin.
desanimado, a *a* (*persona*) découragé(e), abattu(e); (*espectáculo, fiesta*) ennuyeux(euse), dépourvu(e) d'intérêt.
desanimar *vt* décourager, abattre.
desánimo *nm* découragement *m.*
desanudar *vt* (*nudo*) dénouer; (*fig*) démêler.
desapacible *a* désagréable, rude; (*carácter*) mauvais(e), acerbe, rude; (*voz*) acerbe, rude; (*tiempo*) maussade.
desaparecer *vt* faire disparaître // *vi* (*gen*) disparaître; (*el sol, la luz*) s'éclipser; (*persona*) s'évanouir, disparaître.
desaparejar *vt* (*animal*) déharnacher; (*barco*) dégréer.
desaparición *nf* disparition *f*; occultation *f*; extinction *f.*
desapego *nm* indifférence *f*; manque *m* d'intérêt, détachement *m.*
desapercibido, a *a* (*desprevenido*) non préparé(e), au dépourvu; **pasar** ~ passer inaperçu.
desaplicación *nf* (*descuido, negligencia*) inapplication *f*, inattention *f*; (*ocio*) distraction *f.*
desaplicado, a *a* (*que no se aplica*) inappliqué(e); (*inutilizable*) inutilisable // *nm/f* paresseux/euse.
desapoderar *vt* déposséder.
desapolillarse *vr* prendre l'air, sortir.
desaprensivo, a *a* sans-gêne, sans scrupule.
desapretar *vt* desserrer.
desapreciar *vt* (*desestimar*) mésestimer; (*menospreciar*) déprécier.
desaprisionar *vt* libérer.
desaprobar *vt* (*reprobar*) désapprouver, réprouver; (*no consentir*) désavouer.
desaprovechado, a *a* indolent(e), négligent(e), inappliqué(e); infructueux(euse); mal employé(e), gaspillé(e).
desaprovechamiento *nm* gaspillage *m*, mauvais emploi.
desaprovechar *vt* gaspiller, mal employer.
desarbolar *vt* démâter.
desarmado, a *a* désarmé(e); (*fig*) vulnérable.
desarmar *vt* (*MIL*) désarmer; (*TEC*) démonter; (*fig*) désarmer, désarçonner.
desarme *nm* désarmement *m.*
desarraigar *vt* déraciner.
desarraigo *nm* déracinement *m.*
desarreglado, a *a* (*TEC*) déréglé(e); (*desordenado, desaseado*) désordonné(e).
desarreglar *vt* (*desordenar*) déranger, mettre en désordre; (*trastocar*) bouleverser; **~se** *vr* se dérégler.
desarreglo *nm* (*de casa, persona*) désordre *m*; (*TEC*) dérèglement *m.*
desarrollar *vt* développer; (*extender*) dérouler; **~se** *vr* se développer; (*extenderse*) se dérouler; (*film*) se dérouler, se passer.
desarrollo *nm* développement *m.*
desarrugar *vt* (*ropa*) défroisser, défriper; (*rostro*) dérider; **~se** *vr* se défroisser, se défriper; se dérider.
desarticular *vt* (*hueso*) désarticuler; (*objeto*) démanteler; (*fig*) désordonner.
desarzonar *vt* désarçonner.
desaseado, a *a* (*sucio*) malpropre, sale; (*descuidado*) négligé(e).
desaseo *nm* (*suciedad*) saleté *f*, malpropreté *f*; (*desaliño*) débraillé *m*, négligé *m.*
desasimiento *nm* (*acción de soltar*) dessaisissement *m*; (*desinterés*) désintéressement *m*; (*indiferencia*) détachement *m.*
desasir *vt* lâcher, détacher; **~se** *vr* se déssaisir, se défaire.
desasosegar *vt* (*inquietar*) inquiéter, troubler, agiter; (*afligir*) affliger; **~se** *vr* s'inquiéter.
desasosiego *nm* (*intranquilidad*)

trouble *m*; (*aflicción*) affliction *f*, agitation *f*; (*ansiedad*) anxiété *f*, inquiétude *f*.
desastrado, a *a* (*desaliñado*) malpropre; (*desgraciado, adverso*) malheureux(euse).
desastre *nm* désastre *m*.
desastroso, a *a* désastreux(euse).
desatado, a *a* (*desligado, desencadenado*) déchaîné(e); (*violento*) violent(e); (*sin control*) incontrôlé(e).
desatar *vt* (*nudo*) dénouer; (*paquete*) déficeler; (*discusión*) dénouer, délier; (*separar*) détacher, séparer; ~**se** *vr* (*zapatos*) se défaire, se délacer; (*tormenta*) se déchaîner; (*persona*) s'emporter, perdre toute retenue.
desatención *nf* (*distracción*) inattention *f*; (*descortesía*) impolitesse *f*, incorrection *f*.
desatender *vt* (*no prestar atención a*) ne pas prêter attention à; (*invitado*) négliger, ne pas prendre soin de.
desatentado, a *a* (*excesivo*) excessif(ive); (*desordenado*) désordonné(e).
desatento, a *a* (*distraído*) distrait(e); (*descortés*) impoli(e).
desatinado, a *a* (*disparatado*) insensé(e); (*absurdo*) absurde; (*sin juicio*) fou(folle), insensé.
desatinar *vt* (*disparatar, desvariar*) troubler, faire perdre la tête à; ~**se** *vr* déraisonner, dire des absurdités.
desatino *nm* bêtise *f*, maladresse *f*; (*error*) erreur *f*.
desautorizado, a *a* sans autorité, discrédité(e).
desautorizar *vt* désavouer, interdire; désapprouver; discréditer.
desavenencia *nf* (*desacuerdo*) désaccord *m*; (*discrepancia*) divergence *f*.
desavenir *vt* désaccorder, brouiller, fâcher; ~**se** *vr* se brouiller, se fâcher.
desaventajado, a *a* (*inferior*) désavantagé(e); (*poco ventajoso*) désavantageux(euse).
desayunar *vt, vi* déjeuner.
desayuno *nm* petit déjeuner.
desazón *nf* (*insipidez*) fadeur *f*, insipidité *f*; (AGR) trop grande sécheresse; (MED) malaise *m*; (*fig*) contrariété *f*, chagrin *m*.
desazonado, a *a* fade, insipide; (AGR) trop sec(sèche); (MED) indisposé(e), mal à l'aise; (*fig*) inquiet(ète), ennuyé(e).
desazonar *vt* affadir; (*fig*) indisposer, fâcher; ~**se** *vr* (*enojarse*) s'irriter, se fâcher; (*preocuparse*) s'inquiéter.
desbandada *nf* (*dispersión*) débandade *f*; (*desorden*) désordre *m*.
desbandarse *vr* (MIL) se débander, s'enfuir en désordre; (*fig*) déserter.
desbarajustar *vt* déranger, mettre sens dessus dessous.
desbarajuste *nm* désordre *m*; confusion *f*.
desbaratar *vt* (*deshacer, destruir*) démantibuler; (*malgastar*) gaspiller, dissiper; (*fig*) empêcher, faire obstacle à // *vi* parler à tort et à travers, déraisonner; ~**se** *vr* tomber en morceaux; (*fig*) se désorganiser.
desbarrancar *vt* (AM) jeter dans un précipice; ~**se** *vr* (: *caerse*) tomber dans un précipice; (: *arruinarse*) se ruiner.
desbarrar *vi* dire des sottises; divaguer, déraisonner.
desbastar *vt* (*campo*) désherber; (*metal*) dégrosser; (*persona*) dégrossir, civiliser; ~**se** *vr* se cultiver, se civiliser, se raffiner.
desbaste *nm* (*de objeto*) dégrossissement *m*, dégrossissage *m*; (*de persona*) éducation *f*.
desbocado, a *a* (*caballo*) emballé(e); (*libre, sin trabas*) débridé(e); (*insolente, descarado*) effronté(e), insolent(e).
desbocarse *vr* (*caballo*) s'emballer; (*fig*) s'emporter.

desbordamiento *nm* débordement *m*; (*fig*) emportement *m*.
desbordar *vt* (*sobrepasar*) déborder; (*exceder*) dépasser // *vi*, **~se** *vr* (*río*) se déchaîner; (*persona*) s'emporter.
desbravador *nm* dresseur *m* *ou* dompteur *m* de chevaux.
desbrozar *vt* débroussailler, désherber.
descabalgar *vi* descendre de cheval.
descabellado, a *a* (*disparatado*) saugrenu(e), sans queue ni tête; (*insensato*) insensé(e).
descabellar *vt* dépeigner, écheveler; (*TAUR: toro*) tuer par une estocade.
descabezar *vt* (*persona*) décapiter; (*árbol*) étêter; **~se** *vr* (*AGR*) s'égrener; (*fig*) se casser la tête.
descaecimiento *nm* (*flaqueza, debilidad*) affaiblissement *m*, déclin *m*; (*desaliento, falta de ánimo*) déchéance *f*, abattement *m*, lassitude *f*.
descafeinado *nm* café décaféiné.
descalabrado, a *a* (*herido*) blessé(e); (*maltrecho*) malmené(e).
descalabro *nm* contretemps *m*; désastre *m*, échec *m*.
descalzar *vt* déchausser; **~se** *vr* se déchausser; (*caballo*) se déferrer.
descalzo, a *a* déchaussé(e), pieds nus; (*REL*) déchaux, déchaussé; (*fig*) pauvre, dénué(e) de tout.
descaminado, a *a* (*equivocado*) égaré(e), fourvoyé(e); (*fig*) désorienté(e).
descaminar *vt* (*alguien*) écarter du droit chemin, égarer; (: *fig*) fourvoyer, dévoyer; **~se** *vr* (*en la ruta*) se fourvoyer, faire fausse route; (*fig*) se fourvoyer, se pervertir.
descamisado, a *a* sans chemise; (*fig*) déguenillé(e) // *nm/f* (*AM*) partisan/e de Péron.
descansado, a *a* reposé(e); détendu(e), tranquille.
descansar *vt* (*dormir*) dormir; (*reposar*) reposer; (*ARQ*): **~ en** reposer *ou* s'appuyer sur.
descanso *nm* (*reposo*) repos *m*; (*pausa*) halte *f*, pause *f*; (*DEPORTE*) mi-temps *f*; (*en una escalera*) palier *m*; (*fig*) soulagement *m*, réconfort *m*.
descarado, a *a* effronté(e), éhonté(e) // *nm/f* effronté/e, impudent/e, insolent/e.
descararse *vr* être insolent(e).
descarga *nf* (*ARQ, ELEC, MIL*) décharge *f*; (*NAUT*) déchargement *m*; **~ cerrada** salve *f*.
descargadero *nm* débarcadère *m*, quai *m*.
descargar *vt* décharger; (*golpe*) assener; **~se** *vr* se décharger.
descargo *nm* (*acción de descargar*) déchargement *m*; (*COM, JUR*) décharge *f*.
descargue *nm* = **descarga** *nf*.
descarnado, a *a* décharné(e); (*fig*) dénudé(e), dépouillé(e).
descarnar *vt* décharner; **~se** *vr* se déchausser.
descaro *nm* (*atrevimiento*) impudence *f*; (*insolencia*) insolence *f*, effronterie *f*.
descarriar *vt* (*descaminar*) égarer, fourvoyer; (*animal*) séparer du troupeau; **~se** *vr* (*perderse*) s'égarer; (*separarse*) s'écarter; (*pervertirse*) s'égarer, se pervertir.
descarrilamiento *nm* (*de tren*) déraillement *m*; (*fig*) égarement *m*.
descarrilar *vi* dérailler; **~se** *vr* (*AM*) dérailler; (*fig*) s'égarer.
descarrío *nm* égarement *m*, écart *m*.
descartar *vt* (*rechazar*) écarter; (*eliminar*) éliminer; **~se** *vr* (*NAIPES*) écarter; (*fig*) se mettre à l'écart.
descartado, a *a* (*rechazado*) écarté(e); (*eliminado*) éliminé(e).
descascarar *vt* écorcer, décortiquer, peler.
descastado, a *a* (*desapegado*) peu

affectueux(euse); (*ingrato*) ingrat(e).

descendencia *nf* descendance *f.*

descender *vt, vi* descendre.

descendiente *nm/f* descendant/e.

descendimiento *nm* descente *f.*

descenso *nm* descente *f*; (*de temperatura*) descente, baisse *f*; (*de precios*) baisse.

descentralizar *vt* décentraliser.

descerrajar *vt* (*puerta*) forcer la serrure de; (*disparar*) tirer.

descifrar *vt* déchiffrer, décrypter.

descoco *nm* (*fam*) effronterie *f.*

descolgar *vt* décrocher, dépendre; **~se** *vr* se décrocher.

descolorir, descolorar *vt* = **decolorar.**

descollar *vt* (*sobresalir*) ressortir; (*distinguirse*) se distinguer.

descomedido, a *a* (*descortés*) grossier(ière), insolent(e); (*excesivo*) excessif(ive).

descomedirse *vr* (*excederse*) dépasser les bornes; (*faltar el respeto*) manquer de respect.

descompaginar *vt* (*desordenar*) mettre en désordre; brouiller; (*desorganizar*) bouleverser, déranger.

descompasado, a *a* (*sin proporción*) disproportionné(e); (*excesivo*) excessif(ive).

descomponer *vt* (*desordenar*) déranger, mettre en désordre; (*TEC*) détraquer, dérégler; (*fig*) exaspérer, irriter; **~se** *vr* (*corromperse*) se décomposer, se corrompre; (*el tiempo*) devenir maussade, se dégrader, se détériorer; (*TEC*) se détraquer, se dérégler; (*irritarse*) s'emporter, se mettre en colère; (*hueso*) se disloquer.

descomposición *nf* décomposition *f*; (*fig*) désagrégation *f.*

descompostura *nf* (*TEC*) dérèglement *m*; (*descaro*) effronterie *f*; impudence *f*; (*dislocación, luxación*) dislocation *f*, luxation *f*; (*indisposición*) indisposition *f*; **~ de vientre** mal *m* de ventre.

descompuesto, a *a* (*corrompido*) décomposé(e); (*roto*) brisé(e), détraqué(e); (*descarado*) effronté(e), impudent(e); (*indispuesto*) indisposé(e), détraqué(e).

descomulgar *vt* = **excomulgar.**

descomunal *a* énorme, démesuré(e), extraordinaire.

desconcertado, a *a* confus(e); désorienté(e); (*turbado*) troublé(e), démonté(e).

desconcertar *vt* (*confundir*) confondre, déconcerter; (*turbar*) troubler, démonter; **~se** *vr* (*dislocarse*) se démettre; (*descomedirse*) s'oublier, s'emporter; (*turbarse*) se troubler.

desconcierto *nm* (*confusión*) désordre *m*, confusion *f*; (*desorientación*) désarroi *m.*

desconfianza *nf* méfiance *f*, défiance *f.*

desconfiar *vi* se méfier, se défier.

desconformidad *nf* discordance *f*, désaccord *m.*

desconocer *vt* (*alguien*) ne pas connaître; (*ignorar*) ignorer; (*no recordar*) ne pas se souvenir de; (*no aceptar*) ne pas accepter; (*repudiar*) renier.

desconocimiento *nm* ignorance *f*; répudiation *f*; ingratitude *f.*

desconsiderado, a *a* déconsidéré(e), inconsidéré(e); irrespectueux(euse); ingrat(e).

desconsolar *vt* affliger, navrer, désoler; **~se** *vr* s'affliger.

desconsuelo *nm* affliction *f*; peine *f*, chagrin *m.*

descontar *vt* (*deducir*) déduire; (*rebajar, quitar méritos a*) rabattre; (*predecir, dar por cierto*) escompter.

descontento, a *a* mécontent(e) // *nm* mécontentement *m.*

descorazonar *vt* décourager.

descorchar *vt* (*alcornoque*) démascler, écorcer, décortiquer; (*botella*) déboucher.

descorrer *vt* tirer, ouvrir.

descortés *a* (*mal educado*) discourtois(e); (*grosero*) impoli(e), grossier(ière).
descortezar *vt* (*árbol*) écorcer; (*pan*) enlever la croûte de; (*fruta*) décortiquer, peler; (*persona*) dégrossir.
descoser *vt* découdre; **~se** *vr* se découdre.
descosido, a *a* (*costura*) décousu(e); (*indiscreto, hablador*) indiscret(ète), trop bavard(e); (*desordenado*) décousu; sans suite // *nm*: **correr como un ~** courir comme un dératé; **dormir como un ~** dormir comme un bienheureux.
descote *nm* = **escote.**
descoyuntar *vt* disloquer; **~se** *vr* se démettre, se luxer.
descrédito *nm* discrédit *m*.
descreído, a *a* (*incrédulo*) mécréant(e); (*falto de fe*) incroyant(e).
describir *vt* (*representar*) décrire; (*relatar*) dépeindre.
descripción *nf* description *f*.
descrito *pp de* **describir**.
descuajar *vt* décoaguler, liquéfier, défiger; déraciner; décourager, désespérer.
descubierto, a *pp de* **descubrir** // *a* découvert(e) // *nm* déficit *m*, découvert *m*.
descubrimiento *nm* découverte *f*; inauguration *f*.
descubrir *vt* découvrir; (*inaugurar*) dévoiler, inaugurer; (*revelar*) révéler, découvrir; **~se** *vr* se découvrir, enlever son chapeau.
descuento *nm* escompte *m*; **~ jubilatorio** cotisations-retraite *fpl*, déduction salariale de retraite.
descuidado, a *a* négligent(e); distrait(e), inattentif(ive); désordonné(e); (*desprevenido*) insouciant(e).
descuidar *vt* négliger // *vi*, **~se** *vr* (*distraerse*) se distraire, avoir un moment d'inattention; (*estar desaliñado*) se négliger; (*desprevenirse*) négliger, oublier; **¡descuida!** ne t'en fais pas!
descuido *nm* négligence *f*; distraction *f*; (*desorden, desaliño*) faute *f* d'inattention, négligence; (*desliz*) faux pas, faute.
desde *ad* depuis; **~ que** depuis que; **~ lejos** de loin; **~ ahora en adelante** à partir de maintenant; **~ hace mucho tiempo** depuis longtemps; **~ luego** bien sûr, évidemment.
desdecir *vi*: **~ de** être indigne de; (*no convenir*) ne pas être en accord avec; aller mal avec; (*negar*) contredire; (*desentonar*) détonner; **~se** *vr* se dédire.
desdén *nm* dédain *m*, mépris *m*.
desdentado, a *a* édenté(e) // **~s** *nmpl* édentés *mpl*.
desdeñar *vt* (*despreciar*) dédaigner, mépriser; (*rechazar*) récuser, refuser, répudier.
desdicha *nf* (*desgracia*) malheur *m*; (*infelicidad*) infortune *f*.
desdichado, a *a* malheureux (euse).
desdoblar *vt* (*extender*) déplier; (*separar en dos*) dédoubler.
desdorar *vt* dédorer; (*fig*) déshonorer, ternir.
desdoro *nm* (*deshonra*) déshonneur *m*; (*descrédito*) discrédit *m*.
desear *vt* désirer, souhaiter.
desecar *vt* dessécher; **~se** *vr* se dessécher.
desechar *vt* (*rechazar*) rejeter, chasser; (*subestimar*) mépriser, dédaigner; (*censurar, reprobar*) refuser, écarter, bannir.
desembalar *vt* déballer.
desembarazado, a *a* (*libre*) dégagé(e), débarrassé(e); (*desenvuelto*) désinvolte, plein(e) d'aisance.
desembarazar *vt* (*desocupar, liberar*) débarrasser, dégager; (*desenredar*) démêler, évacuer; **~se** *vr*: **~se de** se débarrasser de.
desembarazo *nm* débarras *m*; désinvolture *f*, aisance *f*.
desembarcar *vt*, *vi*, **~se** *vr* débarquer.

desembargar *vt* débarrasser, lever l'embargo sur.
desembocadura *nf* (*de río*) embouchure *f*; (*de calle*) débouché *m*, issue *f*, sortie *f*.
desembocar *vi* déboucher, se jeter; (*fig*) aboutir.
desembolsar *vt* (*bolsa*) verser, vider; (*fig*) débourser.
desembolso *nm* déboursement *m*, versement *m*; **~s** *nmpl* dépenses *fpl*, frais *mpl*, débours *mpl*; **~ inicial** premier versement.
desemejante *a* différent(e), dissemblable.
desemejanza *nf* dissemblance *f*, différence *f*.
desempeñar *vt* (*cargo, función*) remplir, exercer; (*lo empeñado*) dégager; **~se** *vr* se libérer; **~ un papel** (*fig*) jouer un rôle.
desempeño *nm* dégagement *m*; (*de cargo*) exercice *m*; (*TEATRO, fig*) prestation *f*.
desencadenar *vt* désenchaîner; (*tormenta*) déchaîner; (*ira*) déchaîner, donner libre cours à; **~se** *vr* se déchaîner, déferler.
desencajado, a *a* altéré(e).
desencajar *vt* (*hueso*) déboiter, démettre; (*mandíbula*) décrocher; (*mecanismo, pieza*) déclencher; (*AM: coche*) désembourber; **~se** *vr* s'altérer.
desencantar *vt* désenchanter, désillusionner.
desencanto *nm* déception *f*, désenchantement *m*.
desencarcelar *vt* désemprisonner, relâcher.
desenfadado, a *a* (*desenvuelto*) plein(e) d'aisance, désinvolte; (*descarado*) gai(e), joyeux (euse).
desenfado *nm* franchise *f*; désinvolture *f*, aplomb *m*; (*descaro*) insolence *f*, effronterie *f*.
desenfrenado, a *a* (*descontrolado*) effréné(e), échevelé(e); (*inmoderado*) débridé(e).
desenfrenar *vt* (*cabalgadura*) débrider, ôter la bride à; **~se** *vr* (*persona*) s'emporter, se déchaîner; (*el viento, el mar*) se déchaîner.
desenfreno *nm* (*vicio*) dérèglement *m*, dévergondage *m*; (*de las pasiones*) déchaînement *m*.
desengañar *vt* décevoir; **~se** *vr* se désabuser, se détromper.
desengaño *nm* désillusion *f*, déception *f*.
desenlace *nm* dénouement *m*.
desenmarañar *vt* (*desenredar*) démêler, débrouiller; (*fig*) éclaircir.
desenredar *vt* démêler, débrouiller; (*intriga*) dénouer, démêler; **~se** *vr* se débrouiller, s'en sortir.
desenredo *nm* débrouillement *m*; (*desenlace*) dénouement *m*, issue *f*.
desenrollar *vt* dérouler.
desentenderse *vr*: **~ de** se désintéresser de; (*apartarse*) se détourner de, s'éloigner de.
desenterrar *vt* déterrer, exhumer; (*tesoro, fig*) exhumer.
desentonar *vi* (*cantar falso*) détonner, chanter faux; (*instrumento, fig*) détonner; **~se** *vr* élever la voix; (*fig*) s'emporter.
desentrañar *vt* percer, pénétrer.
desenvainar *vt* dégainer, sortir.
desenvoltura *nf* (*libertad, gracia*) désinvolture *f*, aisance *f*; (*descaro*) hardiesse *f*, effronterie *f*; (*desvergüenza*) dissipation *f*.
desenvolver *vt* (*paquete*) défaire, développer; (*madeja*) dérouler; (*fig*) développer, éclairer, débrouiller; **~se** *vr* (*desarrollarse*) se développer; (*arreglárselas*) se tirer d'affaire.
deseo *nm* envie *f*; (*aspiración*) souhait *m*, désir *m*.
deseoso, a *a*: **estar ~ de** être désireux de.
desequilibrado, a *a* déséquilibré(e).
deserción *nf* (*MIL*) désertion *f*; (*abandono*) abandon *m*.
desertar *vi* déserter.
desesperación *nf* (*impaciencia*)

désespoir *m*; (*irritación*) énervement *m*, rage *f*.
desesperar *vt* désespérer; (*exasperar*) exaspérer // *vi*: ~ **de** désespérer de; **~se** *vr* (se) désespérer.
desestimar *vt* (*menospreciar*) mésestimer; (*rechazar*) repousser, rejeter.
desfachatez *nf* (*fam*) sans-gêne *m*; culot *m*.
desfalcar *vt* (*dinero*) détourner, escroquer.
desfallecer *vi* (*perder las fuerzas*) défaillir; (*desvanecerse*) s'évanouir; **~se** *vr* s'affaiblir.
desfavorable *a* contraire, défavorable; adverse; hostile.
desfigurar *vt* (*rostro, cuerpo*) défigurer, déformer; (*voz*) altérer, déformer; **~se** *vr* s'altérer, avoir les traits altérés.
desfiladero *nm* défilé *m*.
desfilar *vi* défiler.
desfile *nm* défilé *m*.
desgaire *nm* (*desaliño, desgano*) nonchalance *f*; (*menosprecio*) geste *m* de dédain *ou* de mépris.
desgajar *vt* (*arrancar*) arracher; (*romper, despedazar*) disloquer, casser; **~se** *vr* s'arracher, s'éloigner.
desgana *nf* dégoût *m*, répugnance *f*; indifférence *f*; **hacer a** ~ faire à contrecœur.
desganarse *vr* perdre l'appétit; (*cansarse*) se dégoûter.
desgano *nm* = **desgana.**
desgarrar *vt* déchirer; **~se** *vr* se déchirer, s'entre-déchirer.
desgarro *nm* (*muscular*) déchirure *f*; (*aflicción*) déchirement *m*; (*descaro*) impudence *f*, effronterie *f*; (*AM*) flegme *m*.
desgastar *vt* (*deteriorar*) user, gâter; **~se** *vr* s'user, s'affaiblir.
desgaste *nm* usure *f*; (*MED*) affaiblissement *m*.
desgracia *nf* malheur *m*; tribulation *f*; calamité *f*; misère *f*; danger *m*; **por** ~ malheureusement.
desgraciado, a *a* (*infortunado*) malheureux(euse); (*sin gracia*) disgracieux(euse); (*desagradable, mala persona*) désagréable // *nm/f* pauvre malheureux/euse.
desgraciar *vt* esquinter, abîmer; **~se** *vr* (*malograrse*) rater, tourner mal; (*arruinarse*) se ruiner; (*desavenirse*) se brouiller.
desgranar *vt* (*AGR: el grano*) égrener; (: *la uva*) égrapper; (: *el trigo*) dépiquer; (*las cuentas de un rosario*) égrener; **~se** *vr* (*AGR*) s'égrener.
desgreñar *vt* ébouriffer, écheveler.
deshacer *vt* (*casa*) défaire; (*enemigo*) défaire, vaincre; (*diluir, desleír*) dissoudre, faire fondre; (*contrato*) annuler; (*intriga*) déjouer; **~se** *vr* (*disolverse*) se dissoudre; se défaire; **~se de** se défaire *ou* se débarrasser de; **~se en lágrimas** fondre en larmes.
deshecho, a *a* défait(e), brisé(e).
deshelar *vt* (*cañería*) dégeler; (*heladera*) déglacer, dégeler; **~se** *vr* (*nieve*) fondre; **se deshiela** il dégèle.
desheredar *vt* déshériter.
deshielo *nm* (*de cañería*) dégivrage *m*; (*de heladera*) dégel *m*, dégivrage; (*fig*) dégel.
deshilar *vt* (*tela*) effiler, effilocher; (*abejas*) provoquer l'essaimage artificiel de.
deshilvanado, a *a* (*costura*) défaufilé(e), débâti(e); (*conversación*) décousu(e).
deshinchar *vt* désenfler; **~se** *vr* se dégonfler.
deshojar *vt* effeuiller; **~se** *vr* s'effeuiller.
deshonesto, a *a* impudique, indécent(e).
deshonor *nm* déshonneur *m*; affront *m*.
deshonra *nf* (*deshonor*) déshonneur *m*; (*vergüenza*) honte *f*.
deshonrar *vt* déshonorer; insulter; **~se** *vr* se déshonorer.
deshonroso, a *a* déshonorant(e).

deshora : **a ~** *ad* à une heure indue.
desierto, a *a* (*casa, calle, negocio*) désert(e); (*llanura*) désertique; (*cargo, premio*) vacant(e) // *nm* désert *m*.
designar *vt* (*nombrar*) désigner; (*indicar*) indiquer.
designio *nm* (*proyecto*) dessein *m*, projet *m*; (*destino*) destinée *f*, destin *m*.
desigual *a* (*terreno*) accidenté(e), inégal(e), raboteux(euse); (*carácter*) changeant(e); (*tiempo*) variable, inégal.
desilusión *nf* désillusion *f*.
desilusionar *vt* désillusionner, décevoir; **~se** *vr* être déçu(e) *ou* désappointé(e).
desinfección *nf* désinfection *f*.
desinflar *vt* dégonfler; **~se** *vr* se dégonfler.
desinterés *nm* désintéressement *m*; indifférence *f*.
desistir *vi* (*renunciar*) renoncer à; **~se** *vr* se désister.
desjarretar *vt* (*animal*) couper les jarrets de; (MED) épuiser, affaiblir.
desleal *a* (*infiel*) déloyal(e); (*traidor*) traître(sse).
deslealtad *nf* (*infidelidad*) déloyauté *f*; (*traición*) traîtrise *f*, trahison *f*.
desleír *vt* délayer, détremper; **~se** *vr* se délayer, se décolorer.
deslenguado, a *a* (*chismoso*) insolent(e), cancanier(ière); (*grosero*) fort(e) en gueule.
desligar *vt* (*desatar*) délier, dénouer; (*separar*) séparer; **~se** *vr* (*dos personas*) se séparer; s'éloigner; (*de un compromiso*) se libérer, se dégager.
deslindar *vt* (*delimitar*) borner, délimiter; (*fig*) préciser.
deslinde *nm* (*límite*) bornage *m*, délimitation *f*; (*separación*) séparation *f*.
desliz *nm* (*de objeto*) glissement *m*; (*de persona*) glissade *f*; (*fig*) faux pas, moment *m* de faiblesse.
deslizar *vt* glisser; **~se** *vr* (*escurrirse*: *persona*) se faufiler, se glisser; (*objeto*) glisser entre les mains; (*aguas mansas*) filer; (*error*) se glisser, se faufiler; (*en tobogán*) glisser.
deslucido, a *a* (*torpe, falto de gracia*) terne, quelconque; (*colores*) terne, sans éclat; (*fiesta, discurso*) terne; peu brillant(e).
deslucir *vt* (*estropear*) abîmer, gâcher; (*afear*) déparer; (*desacreditar*) discréditer, faire du tort à.
deslumbramiento *nm* éblouissement *m*, aveuglement *m*; (*fig*) éblouissement, admiration *f*.
deslumbrar *vt* (*cegar*) éblouir, aveugler; (*fascinar*) fasciner, éblouir; (*confundir*) jeter de la poudre aux yeux de.
desmán *nm* abus *m*; excès *m*; outrage *m*.
desmandarse *vr* (*abusarse*) s'abuser; (*excederse*) dépasser les bornes; (*perder el control*) s'oublier.
desmantelar *vt* (*arrasar*) démanteler; (*barco*) démâter.
desmayado, a *a* (*sin sentido*) évanoui(e); (*desanimado, desalentado*) découragé(e); (*agotado, sin fuerzas*) épuisé(e); (*color, carácter*) pâle, éteint(e).
desmayar *vt* causer un évanouissement à, faire défaillir; (*color*) adoucir, estomper // *vi* se décourager; se laisser décourager; **~se** *vr* s'évanouir, défaillir.
desmayo *nm* (*desvanecimiento*) évanouissement *m*; (*depresión, desfallecimiento*) défaillance *f*.
desmedido, a *a* démesuré(e).
desmedirse *vr* dépasser les bornes *ou* la mesure.
desmejorar *vt* détériorer, abîmer // *vi*, **~se** *vr* (*persona*) perdre la santé; (*tiempo*) se dégrader, se détériorer; (*situación económica, política*) se détériorer.
desmembrar *vt* (MED) démembrer; (*fig*) disloquer.
desmentir *vt* (*contradecir*) dé-

mentir, donner un démenti à, contredire; (*refutar*) réfuter // *vi*: ~ **de** donner un démenti à; ~**se** *vr* se contredire.
desmenuzamiento *nm* émiettement *m*; (*fig*) analyse exhaustive.
desmenuzar *vt* (*deshacer*) émietter, réduire en miettes; (*examinar*) passer au crible.
desmerecer *vt* démériter de // *vi* (*deteriorarse*) se détériorer; (*perder su valor*) perdre de sa valeur, baisser.
desmesurado, a *a* démesuré(e).
desmontable *a* (*mueble*) démontable; (*capota de coche*) amovible.
desmontar *vt* (*deshacer*) démonter; (*arma de fuego*) désarmer; (*tierra*) déboiser // *vi* mettre pied à terre, descendre de cheval.
desmoralizar *vt* démoraliser.
desmoronar *vt* ébouler, abattre; ~**se** *vr* (*edificio, dique*) s'ébouler, s'écrouler; (*sociedad*) s'effriter, tomber en ruine; (*economía*) tomber.
desnaturalizar *vt* dénaturaliser; (*alterar*) dénaturer; ~**se** *vr* demander un changement de naturalité; (*fig*) se dénaturer, s'altérer.
desnivel *nm* (*de terreno*) dénivellement *m*, dénivellation *f*; (*fig*) déséquilibre *m*.
desnivelar *vt* (*calle, terreno*) déniveler; (*fig*) déséquilibrer.
desnudar *vt* (*desvestir*) déshabiller, dévêtir; (*despojar*) dépouiller, dénuder; ~**se** *vr* (*desvestirse*) se déshabiller; (*confesarse*) se mettre à nu.
desnudo, a *a* nu(e); ~ **de** dénué de // *nm* nu *m*.
desobedecer *vt* (*contravenir*) désobéir à; (*infringir*) enfreindre.
desobediencia *nf* contravention *f*, désobéissance *f*; indiscipline *f*.
desocupación *nf* (*ocio*) oisiveté *f*, désœuvrement *m*; (*desempleo*) chômage *m*.
desocupado, a *a* (*ocioso*) oisif(ive), désœuvré(e); (*desempleado*) inoccupé(e); (*deshabitado*) inhabité(e).
desocupar *vt* (*departamento, armario*) débarrasser; (*mesa*) vider; ~**se** *vr* se libérer, se débarrasser.
desodorante *nm* déodorant *m*.
desoír *vt* (*no escuchar*) faire la sourde oreille à, ne pas écouter; (*no darse por enterado*) ne pas tenir compte de.
desolación *nf* (*lugar*) lieu *m* désertique; (*fig*) désolation *f*.
desolar *vt* désoler, ravager; ~**se** *vr* se désoler.
desollar *vt* (*animal*) écorcher, dépouiller; (*criticar*) éreinter.
desorden *nm* désordre *m*; (MED) trouble *m*, dérèglement *m*; (*político*) trouble *m*.
desordenar *vt* déranger, mettre en désordre.
desorganizar *vt* (*desordenar*) désorganiser; (*deshacer*) défaire; décomposer.
desorientar *vt* (*extraviar*) désorienter; (*confundir, desconcertar*) troubler, déconcerter; ~**se** *vr* (*perderse*) se perdre, s'égarer; (*desconcertarse*) se troubler.
despabilado, a *a* (*despierto*) éveillé(e), réveillé(e); (*fig*) vif(vive), éveillé.
despabilar *vt* (*vela*) moucher; (*el ingenio*) dégourdir; (*fortuna, negocio*) expédier // *vi*, ~**se** *vr* se réveiller, se secouer.
despacio *ad* lentement; doucement, graduellement.
despachar *vt* (*negocio*) conclure, régler; (*enviar*) envoyer, expédier; (*vender*) vendre; (*despedir: empleado*) renvoyer, congédier; (*fam: matar*) expédier // *vi* se dépêcher; ~**se** *vr* se débarrasser.
despacho *nm* (*de paquete*) expédition *f*; (*del correo*) acheminement *m*; (*oficina*) bureau *m*; (*comunicación*) communiqué *m*.
desparejo, a *a* inégal(e), dissemblable.

desparpajo *nm* (*fam*) désinvolture *f*; sans-gêne *m*.

desparramar *vt* (*esparcir*) répandre, éparpiller; (*noticia*) répandre; (*dinero, fortuna*) gaspiller, dissiper; **~se** *vr* (*dispersarse*) se disperser, s'éparpiller; (*fig*) se distraire, s'amuser.

despavorido, a *a* épouvanté(e), affolé(e), effrayé(e).

despectivo, a *a* (*despreciativo*) méprisant(e); (LING) péjoratif(ive).

despecho *nm* dépit *m*, désespoir *m*, rancune *f*; **a ~ de** en dépit de, malgré.

despedazar *vt* (*animal*) dépecer, mettre en pièces; (*libro, revista, fig: corazón*) déchirer.

despedida *nf* (*de dos personas*) adieux *mpl*; (*de empleado, obrero*) congé *m*, licenciement *m*; (*de canto*) renvoi *m*, strophe finale; (*de carta*) formule *f* de politesse; **~ de soltero** *fait d'enterrer sa vie de garçon*.

despedir *vt* (*amigo*) raccompagner; (*licenciar: empleado*) licencier, congédier; (*inquilino*) expulser; (*desairar*) éconduire, mettre à la porte; (*expulsar*) expulser, renvoyer, mettre dehors; (*olor*) dégager, exhaler; **~se** *vr*: **~se de** (*alguien*) prendre congé de; (*algo*) renoncer à.

despegar *vt* décoller, détacher // *vi* décoller; **~se** *vr* se décoller, se détacher.

despego *nm* détachement *m*, indifférence *f*.

despejado, a *a* (*lugar*) dégagé(e), déblayé(e); (*cielo*) dégagé; (*persona*) lucide.

despejar *vt* débarrasser; (*calle*) déblayer; (FÚTBOL, MAT) dégager; (*misterio*) éclaircir; **~se** *vr* (*tiempo, cielo*) s'éclaircir, se dégager, se découvrir; (*misterio*) s'éclaircir; (*persona*) s'éveiller, prendre de l'assurance.

despejo *nm* (*de casa, calle etc*) débarras *m*; (*desenvoltura*) aisance *f*, désinvolture *f*; (*talento, ingenio*) intelligence *f*, vivacité *f* d'esprit.

despensa *nf* garde-manger *m*.

despeñadero *nm* (GEO) précipice *m*; (*fig*) risque *m*.

despeñar *vt* précipiter *ou* jeter *ou* pousser dans un précipice; **~se** *vr* se précipiter *ou* se jeter dans un précipice.

desperdiciar *vt* gaspiller; (*el tiempo*) perdre.

desperdicio *nm* (*despilfarro*) gaspillage *m*; (*residuo*) déchet *m*, reste *m*.

desperezarse *vr* s'étirer.

desperfecto *nm* (*deterioro*) détérioration *f*; (*defecto*) imperfection *f*, défaut *m*.

despertador *nm* réveil-matin *m*; (*fig*) aiguillon *m*, stimulant *m*.

despertar *vt* (*persona*) réveiller, éveiller; (*vocación*) éveiller, susciter; (*recuerdos*) réveiller; (*apetito*) ouvrir // *vi*, **~se** *vr* se réveiller // *nm* éveil *m*.

despido *nm* licenciement *m*.

despierto *vb ver* **despertar** // *a* éveillé(e), réveillé(e); (*fig*) vif(vive), éveillé, dégourdi(e).

despilfarrar *vt* gaspiller.

despilfarro *nm* (*derroche*) gaspillage *m*; (*gastos excesivos*) dépense inconsidérée; (*abundancia*) profusion *f*.

despistar *vt* dépister, dérouter; (*fig*) désorienter; **~se** *vr* s'égarer; (*fig*) s'affoler, perdre la tête.

desplazamiento *nm* déplacement *m*; **~ de tierras** glissement *m* de terrain.

desplegar *vt* (*tela, papel*) déplier; (*bandera*) déployer; (*velas*) larguer; (*tropas, energías, fuerzas, inteligencia*) déployer.

desplomarse *vr* (*derrumbarse*) s'écrouler, s'effondrer; (*persona, precios, gobierno*) tomber.

despoblar *vt* (*de gente*) dépeupler; (*de árboles*) déboiser; **~se** *vr* se dépeupler; être déserté(e).

despojar *vt* (*alguien*: *de sus bienes*) dépouiller; (*casa*) vider; (*alguien*: *de su cargo*) enlever, ôter; **~se** *vr*: **~se de** (*sus ropas*) enlever; (*hojas*) se dépouiller de; (*prejuicios*) s'affranchir *ou* se défaire de.
despojo *nm* dépouillement *m*; butin *m*.
desposado, a *a* nouvellement marié(e) // *nm/f* jeune marié/e.
desposar *vt* marier; **~se** *vr* se marier; se fiancer.
desposeer *vt* (*despojar*) déposséder; (*expoliar*) spolier; (*privar*) priver.
déspota *nm* despote *m*.
despreciar *vt* dédaigner, mépriser.
desprecio *nm* (*desdén*) mépris *m*; (*afrenta*) affront *m*; (*indiferencia*) dédain *m*.
desprender *vt* (*separar, desatar*) détacher; (*olor*) dégager; **~se** *vr* (*botón*) se détacher; (*olor, perfume*) se dégager; **~se de** se déssaisir *ou* se défaire *ou* se séparer de; **se desprende que** il découle que.
desprendido, a *a* généreux(euse).
desprendimiento *nm* générosité *f*; désintéressement *m*; (*desapego, indiferencia*) détachement *m*; (*de tierra, rocas*) éboulement *m*; (*de calor, gas*) dégagement *m*; (*de la retina*) décollement *m*.
despreocupado, a *a* (*sin preocupación*) insouciant(e); (*desprejuiciado*) sans préjugés; (*negligente*) négligent(e).
despreocuparse *vr* ne pas s'inquiéter; **~ de** négliger.
desprevenido, a *a* (*no preparado*) dépourvu(e); (*tomado por sorpresa*) au dépourvu, à l'improviste.
desproporción *nf* disproportion *f*; déséquilibre *m*.
despropósito *nm* sottise *f*, ânerie *f*.
después *ad* après; **~ de comer** après manger; **un año ~** une année après; **~ se debatío el tema** puis on débattit sur le thème; **~ de corregido el texto** une fois le texte corrigé; **~ de todo** après tout; **~ (de) que habló, comprendí** après qu'il eut parlé, je compris.
despuntar *vt* épointer, casser la pointe de // *vi* (BOT) bourgeonner; (*el día*) poindre; (*persona*) se distinguer.
desquiciar *vt* (*puerta*) dégonder; (*institución, economía*) ébranler, faire chanceler; (*persona*) désaxer, déséquilibrer.
desquitarse *vr* prendre sa revanche; (*desfogarse*) se défouler; **~ de** se venger de.
desquite *nm* revanche *f*.
destacamento *nm* détachement *m*.
destacar *vt* faire ressortir; (MIL) détacher // *vi*, **~se** *vr* (*resaltarse*) se détacher; (*fig*) ressortir; (: *persona*) se distinguer.
destajo *nm* forfait *m*; **trabajar a ~** travailler au forfait; **hablar a ~** (*fam*) trop parler.
destapar *vt* (*cañería*) déboucher; (*cacerola*) découvrir; **~se** *vr* (*en la cama*) se découvrir; (*revelarse*) se révéler; **~se con uno** s'ouvrir à *ou* s'épancher auprès de qn.
destartalado, a *a* (*desordenado*) mal rangé(e), malpropre; (*ruinoso*) délabré(e); (*dislocado*) disloqué(e), démantibulé(e).
destello *nm* (*de estrella*) scintillement *m*; (*de faro*) éclair *m*, lueur *f*.
destemplanza *nf* (MUS) discordance *f*; (*falta de armonía*) inharmonie *f*, discordance; (*impaciencia*) emportement *m*, excès *m*, manque *m* de retenue; (MED) fièvre légère; (*del tiempo*) intempérie *f*.
destemplar *vt* (MUS) désaccorder; (*molestar*) déranger; **~se** *vr* (MED) avoir un peu de fièvre; (TEC) se détremper; (*irritarse*) s'emporter.
desteñir *vt* déteindre // *vi*, **~se** *vr* déteindre, se décolorer.

desternillarse *vr*: ~ **de risa** se tordre de rire.
desterrar *vt* (*exilar*) exiler, bannir; (*AGR*) enlever la terre de.
destierro *nm* exil *m*.
destilación *nf* distillation *f*.
destilar *vt* distiller; (*fig*) exsuder, laisser suinter // *vi* (*gotear*) couler goutte à goutte, dégoutter; (*rezumar*) suinter; ~ **su rabia** manifester sa rage.
destinar *vt* destiner; (*funcionario*) affecter; (*fondos*) affecter, destiner; ~**se** *vr* se destiner.
destinatario, a *nm/f* destinataire *m/f*.
destino *nm* (*suerte*) destinée *f*, destin *m*; (*función*) destination *f*, affectation *f*.
destitución *nf* destitution *f*.
destituir *vt* destituer.
destornillador *nm* tournevis *m*.
destornillar *vt* dévisser; ~**se** *vr* (*tornillo*) se dévisser; (*fam*) perdre la tête, divaguer; (*AM*) = **desternillarse.**
destreza *nf* (*habilidad*) habileté *f*; (*maña*) adresse *f*, dextérité *f*; (*facilidad*) facilité *f*.
destripar *vt* (*animal*) étriper; (*persona, colchón*) éventrer.
destronar *vt* détrôner.
destrozar *vt* (*romper*) mettre en pièces, déchirer, casser, démolir; (*estropear*) abîmer; (*deshacer*) défaire; (*MIL*) défaire, mettre en déroute, tailler en pièces; (*el corazón, su vida*) briser; ~**se** *vr* se briser; **estar destrozado(a)** être épuisé(e) *ou* éreinté(e).
destrozo *nm* (*acción*) destruction *f*; (*desastre*) désastre *m*; ~**s** *nmpl* (*pedazos*) débris *mpl*; (*daños*) dégâts *mpl*.
destrucción *nf* destruction *f*.
destruir *vt* détruire, anéantir; (*esperanzas*) démolir, réduire à néant; (*argumento*) démolir; ~**se** *vr* s'annuler.
desuello *nm* (*acción*) écorchement *m*, écorchure *f*; (*fig*) impudence *f*, effronterie *f*.
desunión *nf* (*separación*) désunion *f*; (*TEC*) action *f* de déconnecter.
desunir *vt* séparer; déconnecter; diviser.
desusado, a *a* (*anticuado*) désuet(ète); (*pasado de moda*) vieilli(e), désuet; (*inusual*) inhabituel(le).
desvainar *vt* écosser.
desvalido, a *a* (*desprotegido*) déshérité(e); (*sin fuerzas*) sans force, affaibli(e).
desván *nm* grenier *m*.
desvanecer *vt* (*disipar*) dissiper; (*palidar, borrar*) pâlir, effacer; (*error*) dissiper; ~**se** *vr* (*humo*) s'évanouir, se dissiper; (*color*) pâlir, s'effacer; (*alcohol*) s'éventer; (*MED*) s'évanouir, avoir un malaise; (*recuerdo*) s'effacer; (*envanecerse*) s'enorgueillir.
desvanecimiento *nm* (*desaparición*) évanouissement *m*, disparition *f*; (*pérdida de colores*) effacement *m*; (*evaporación*) dissipation *f*; (*MED*) syncope *f*; (*fig*) vanité *f*; prétention *f*; arrogance *f*.
desvariar *vi* (*enfermo*) délirer; (*loco*) déraisonner; (*fig: desatinar*) divaguer.
desvarío *nm* délire *m*; absurdité *f*, extravagance *f*.
desvelar *vt* empêcher de dormir; ~**se** *vr* se réveiller; (*fig*) se donner du mal.
desvelo *nm* insomnie *f*; souci *m*, inquiétude *f*.
desvencijado, a *a* (*coche*) déglingué(e), branlant(e); (*sillón*) détraqué(e), délabré(e).
desventaja *nf* désavantage *m*.
desventajoso, a *a* désavantageux(euse).
desventura *nf* malheur *m*, mésaventure *f*.
desventurado, a *a* malheureux(euse).
desvergonzado, a *a* effronté(e),

dévergondé(e) // *nm/f* effronté/e, dévergondé/e.
desvergüenza *nf* (*descaro*) effronterie *f*; (*insolencia*) insolence *f*, grossièreté *f*; (*mala conducta*) dévergondage *m*.
desviación *nf* déviation *f*.
desviar *vt* dévier, détourner; (*río*) dévier; (*navío*) dérouter; (*conversación*) détourner; **~se** *vr* (*apartarse del camino*) se perdre; (: *barco*) faire fausse route; (*alejarse del tema*) s'éloigner du sujet.
desvío *nm* (*desviación*) déviation *f*; (*fig*) détachement *m*, désaffection *f*.
desvirtuar *vt* (*hacer perder la calidad*) abîmer; (*alterar*) fausser; (*desnaturalizar*) dénaturer; **~se** *vr* se dénaturer.
desvivirse *vr*: **~ por** désirer vivement; **~ por un amigo** se mettre en quatre pour un ami.
detallar *vt* détailler; (COM) vendre au détail.
detalle *nm* détail *m*; **al ~** au détail; **con todos los ~s** en détail, avec des détails.
detallista *nm/f* détaillant/e.
detener *vt* (*tren, persona*) arrêter; (JUR) arrêter, mettre en prison; (*objeto*) garder, conserver; **~se** *vr* s'arrêter; (*demorarse*): **~se en** s'attarder à.
detenido, a *a* (*preso*) détenu(e); (*minucioso*) minutieux(euse); (*tímido*) indécis(e), irrésolu(e) // *nm/f* détenu/e.
deteriorar *vt* abîmer, détériorer; (*fig*) détériorer; **~se** *vr* se détériorer; (*relaciones*) se dégrader.
deterioro *nm* détérioration *f*.
determinación *nf* décision *f*; détermination *f*.
determinar *vt* (*plazo*) déterminer; (*precio*) fixer, déterminer; **~se** *vr* se déterminer, se décider.
detestable *a* détestable, abominable, exécrable.
detestar *vt* détester, avoir horreur de.
detracción *nf* (*descrédito*) médisance *f*, dénigrement *m*; (*desviación*) déviation *f*.
detractar *vt* détracter, dénigrer.
detrás *ad* derrière; **~ de** derrière.
detrimento *nm* détriment *m*; **en ~ de** au détriment de.
deudo, a *nm/f* parent/e // *nf* dette *f*; (REL) offense *f*.
deudor, a *a*: **saldo ~** solde dû // *nm/f* débiteur/trice.
devanar *vt* (*lana*) dévider; (*hilo*) bobiner, enrouler.
devaneo *nm* (MED) divagation *f*; (*fig*) élucubrations *fpl*; (*capricho*) caprice *m*, frivolité *f*.
devastar *vt* (*destruir*) dévaster; (*asolar*) ravager.
devengar *vt* gagner; toucher.
devoción *nf* dévotion *f*.
devolución *nf* dévolution *f*, restitution *f*; (*reenvío*) retour *m*; (*reembolso*) remboursement *m*.
devolver *vt* rendre, restituer; (*carta al correo*) retourner, réexpédier; (COM) rembourser; (*visita, la palabra*) retourner, rendre; (*fam*) vomir; **~se** *vr* (AM) revenir.
devorar *vt* dévorer.
devoto, a *a* dévot(e) // *nm/f* dévot/e.
di *vb ver* **dar**; **decir**.
día *nm* jour *m*; **¿qué ~ es?** quel jour sommes-nous?; **estar/poner al ~** être/mettre à jour; **el ~ de hoy/de mañana** aujourd'hui/demain; **al ~ siguiente** le lendemain; **vivir al ~** vivre au jour le jour; **de ~** de jour; **en pleno ~** en plein jour; **~ de asueto/ laborable/festivo** jour de congé/ férié/de fête; **~ de año nuevo** jour de l'an; **~ del Corpus** fête-Dieu *f*; **~ de vigilia** jour d'abstinence.
diablo *nm* diable *m*.
diablura *nf* diablerie *f*.
diabólico, a *a* diabolique; (*fig*) embrouillé(e), compliqué(e).
diadema *nf* diadème *m*.
diagnóstico *nm* diagnostic *m*.

dialecto *nm* dialecte *m.*
diálogo *nm* dialogue *m.*
diamante *nm* diamant *m.*
diámetro *nm* diamètre *m*; (AUTO: *de cilindro*) alésage *m.*
diana *nf* réveil *m.*
diario, a *a* journalier(ière), quotidien(ne) // *nm* journal *m*; ~ **hablado** journal parlé.
dibujar *vt* dessiner; (*fig*) décrire, tracer; ~**se** *vr* se préciser; se dessiner; ~ **a lapiz/a la aguada** dessiner au crayon/au lavis.
dibujo *nm* dessin *m*; ~**s animados** dessins animés.
dicción *nf* diction *f*, style *m*; (*palabra*) mot *m*, expression *f.*
diccionario *nm* dictionnaire *m.*
dice *etc vb ver* **decir**.
diciembre *nm* décembre *m.*
dictado *nm* dictée *f*; (*dignidad, título, honorario*) titre *m*; ~**s** *mpl* préceptes *mpl*; **escribir al** ~ écrire sous dictée.
dictador *nm* dictateur *m.*
dictamen *nm* opinion *f*; rapport *m*; avis *m.*
dictaminar *vt* conseiller, prescrire; (JUR) rapporter // *vi* se prononcer; opiner, estimer.
dictar *vt* dicter; (AM): ~ **clases** faire (des) cours.
dicho, a *pp de* **decir** // *a*: **en** ~**s países** en ces pays // *nm* pensée *f*; sentence *f* // *nf* bonheur *m*, chance *f.*
dichoso, a *a* heureux(euse); (*fam*) ennuyeux(euse), assommant(e).
diente *nm* (ANAT, TEC) dent *f*; (ZOOL) dent, croc *m*; **dar** ~ **con** ~ claquer des dents; **hablar entre** ~**s** marmotter, parler entre ses dents; ~ **de ajo** gousse *f* d'ail; ~ **de león** pissenlit *m.*
dieron *vb ver* **dar**.
diestro, a *a* adroit(e), habile // *nm* matador *m*, torero *m*; (*cabestro*) licou *m*, longe *f* // *nf* droite *f.*
dieta *nf* (MED) diète *f*; (POL) assemblée *f*, diète; ~**s** *fpl* honoraires *mpl*, indemnité *f.*
diez *num* dix.
diezmar *vt* (*matar*) décimer; (*asolar*) décimer, dévaster.
diezmo *nm* dîme *f.*
difamar *vt* diffamer.
diferencia *nf* différence *f*; (*controversia*) différend *m.*
diferenciar *vt* différencier // *vi* différer, diverger; ~**se** *vr* différer, n'être pas du même avis; se distinguer.
diferente *a* différent(e).
diferir *vt* différer // *vi* différer.
difícil *a* difficile.
dificultad *nf* difficulté *f*; (*problema*) ennui *m*, difficulté.
dificultar *vt* (*complicar*) rendre difficile, compliquer; (*estorbar*) gêner; (*impedir, interferir*) empêcher, interférer.
difundir *vt* (*esparcir, derramar*) répandre; (*divulgar, propagar*) propager, divulguer; ~**se** *vr* se propager.
difunto, a *a* défunt(e) // *nm/f* défunt/e, disparu/e.
difuso, a *pp de* **difundir** // *a* diffus(e).
digerir *vt* digérer; (*fig*) assimiler.
digestión *nf* digestion *f.*
dignarse *vr* daigner.
dignidad *nf* dignité *f*, respect *m*; (*rango*) rang *m.*
digno, a *a* digne.
digo *etc vb ver* **decir**.
digresión *nf* digression *f.*
dije *vb ver* **decir** // *nm* pendeloque *f*, breloque *f*; (*persona*) perle *f.*
dilación *nf* (*retraso*) retard *m*; (*demora*) délai *m.*
dilatación *nf* (*expansión*) dilatation *f*; (*fig*) soulagement *m.*
dilatado, a *a* dilaté(e); (*ancho*) vaste; (*largo*) long(ue); (*extenso*) élargi(e), large.
dilatar *vt* (*cuerpo*) dilater; (*prolongar*) différer, retarder, prolonger; ~**se** *vr* se dilater; s'étendre; (AM) s'attarder, retarder.
dilema *nm* dilemme *m.*
diligencia *nf* diligence *f*;

(*ocupación*) diligence, démarche *f*; (*JUR*) enquête *f*.
diligente *a* diligent(e).
dilucidar *vt* élucider.
dilución *nf* dilution *f*.
diluir *vt* diluer, délayer.
diluvio *nm* déluge *m*, inondation *f*; (*de improperios*) torrent *m*.
dimanar *vi* (*agua*) couler; (*fig*): ~ **de** émaner de.
dimensión *nf* dimension *f*.
diminución *nf* = **disminución.**
diminuto, a *a* très petit(e).
dimisión *nf* démission *f*.
dimitir *vi* se démettre, démissionner, donner sa démission.
dimos *vb ver* **dar**.
Dinamarca *nf* Danemark *m*.
dinamarqués, esa *a* danois(e) // *nm/f* Danois/e.
dinamita *nf* dynamite *f*.
dínamo *nf* dynamo *f*.
dinastía *nf* dynastie *f*.
dinástico, a *a* dynastique.
dineral *nm* grosse somme, fortune *f*.
dinero *nm* argent *m*; ~ **contante y sonante** argent comptant; ~ **efectivo** espèces *fpl*.
dintel *nm* linteau *m*, dessus-de-porte *m*.
dio *vb ver* **dar**.
dios *nm* dieu *m*; **¡D~ mío!** mon Dieu!
diosa *nf* déesse *f*.
diploma *nm* diplôme *m*.
diplomacia *nf* diplomatie *f*; (*fig*) habileté *f*, astuce *f*.
diplomático, a *a* diplomatique; (*hábil*) diplomate, habile // *nm/f* diplomate *m*.
diputado, a *nm/f* député *m*.
dique *nm* (*muro*) digue *f*; (*escollera*) brise-lames *m*; (*freno*) frein *m*; ~ **de contención** digue de retenue; ~ **seco** cale sèche.
diré *etc vb ver* **decir**.
dirección *nf* direction *f*; (*señas*) adresse *f*; ~ **única/obligatoria/prohibida** sens unique/obligatoire/interdit; ~ **de producción** régie *f*; ~ **escénica** mise en scène *f*.
directo, a *a* direct(e) // *nm* direct *m*; **transmitir en** ~ retransmettre en direct.
director, a *a* directeur(trice) // *nm/f* directeur/trice; ~ **de cine/de escena** metteur en scène *m*; ~ **de empresa** directeur d'entreprise; ~ **de orquesta** chef *m* d'orchestre.
dirigir *vt* diriger; (*carta*) adresser; (*palabra, mirada*) adresser, diriger; (*obra de teatro, film*) diriger, réaliser; (*por radio*) radioguider; (*misil*) téléguider; (*coche, avión, barco*) conduire; ~**se** *vr*: ~**se a** se rendre à, se diriger vers; (*fig*) s'adresser à.
dirijo *etc vb ver* **dirigir**.
dirimir *vt* faire cesser, régler; annuler.
discernimiento *nm* discernement *m*.
discernir *vt* (*distinguir, discriminar*) discerner; (*JUR*) nommer à une tutelle *ou* charge; (*cargo*) conférer une charge à.
disciplina *nf* discipline *f*.
disciplinar *vt* discipliner; (*azotar*) flageller; (*ejército*) appliquer la discipline à; ~**se** *vr* se discipliner.
discípulo, a *nm/f* disciple *m*.
disco *nm* disque *m*; (*TELEC*) cadran *m*; (*AUTO*) feu *m* rouge; (*fam*) histoire ennuyeuse; ~ **de larga duración** disque longue durée *ou* trente-trois tours; ~ **de freno** disque de frein; ~ **(de) duración extendida** disque double (durée).
díscolo, a *a* indocile, turbulent(e).
discordancia *nf* (*desacuerdo*) discordance *f*, désaccord *m*; (*divergencia*) divergence *f*.
discordia *nf* discorde *f*.
discreción *nf* discrétion *f*; (*reserva, secreto*) réserve *f*, retenue *f*; **comer a** ~ manger à volonté.
discrecional *a* (*facultativo*) facultatif(ive); (*arbitrario*) discrétionnaire, arbitraire.

discrepancia *nf* divergence *f*; discordance *f*.
discreto, a *a* discret(ète); prudent(e); sage, sensé(e); (*color*) sombre; harmonieux(euse); en demi-teintes; discret(ète); (*razonable*) raisonnable.
disculpa *nf* excuse *f*.
disculpable *a* excusable, pardonnable.
disculpar *vt* disculper, excuser; **~se** *vr* se disculper, s'excuser.
discurrir *vt* imaginer, inventer // *vi* (*pensar, reflexionar*) penser, réfléchir; (*recorrer*) parcourir, aller; (*el tiempo*) passer.
discurso *nm* discours *m*; (*razonamiento*) raisonnement *m*.
discusión *nf* discussion *f*, débat *m*, controverse *f*, polémique *f*.
discutir *vt* discuter, débattre // *vi* discuter.
disecar *vt* (*cadáver, planta, fig*) disséquer; (*animal*) empailler.
diseminar *vt* disséminer.
diseño *nm* (*dibujo*) dessin *m*; (*descripción*) description *f*.
disertar *vi* disserter.
disfavor *nm* défaveur *f*.
disforme *a* difforme.
disfraz *nm* déguisement *m*, travestissement *m*, dissimulation *f*; prétexte *m*.
disfrazar *vt* déguiser, dissimuler; (*la verdad*) déguiser, cacher; **~se** *vr*: **~se de** se déguiser en.
disfrutar *vt* profiter *ou* jouir de // *vi* s'amuser; **~ de** jouir de.
disfrute *nm* (*gozo*) jouissance *f*; (*posesión, uso*) usufruit *m*, usage *m*.
disgregación *nf* désagrégation *f*.
disgustar *vt* (*no gustar*) déplaire à; (*contrariar, enojar*) contrarier, désoler, fâcher; **~se** *vr* se fâcher.
disgusto *nm* (*repugnancia*) dégoût *m*; (*contrariedad*) contrariété *f*; (*pesadumbre*) ennui *m*; (*desavenencia*) brouille *f*.
disimulación *nf* dissimulation *f*.
disimular *vt* dissimuler; excuser, pardonner; (*ocultar*) cacher.
disipación *nf* dissipation *f*; immoralité *f*, dissipation; indiscipline *f*, dissipation.
disipar *vt* dissiper; (*fortuna*) dilapider; **~se** *vr* (*nubes*) se dissiper, s'évaporer; (*indisciplinarse*) se dissiper; (*arruinarse*) se ruiner.
dislocar *vt* (*descoyuntar, desarticular*) désarticuler; (*desencajar*) déboîter, désemboîter.
disminución *nf* diminution *f*.
disminuir *vt* (*acortar*) diminuer, raccourcir; (*achicar*) diminuer; (*estrechar*) rétrécir; (*empequeñecer*) amoindrir, rapetisser.
disociar *vt* dissocier, séparer; **~se** *vr* se séparer.
disolución *nf* dissolution *f*; solution *f*; liquidation *f*; dissipation *f*.
disoluto, a *a* dissolu(e).
disolver *vt* dissoudre; (*matrimonio*) dissoudre, briser; **~se** *vr* se dissoudre.
disparar *vt* tirer // *vi* tirer, faire feu; (*disparatar*) dire (*ou* faire) des absurdités; **~se** *vr* (*tiro*) se décharger, partir; (*persona*) s'enfuir; (*caballo*) s'emballer, partir au galop; (*motor*) s'emballer.
disparatado, a *a* absurde, extravagant(e).
disparatar *vi* dire (*ou* faire) des absurdités.
disparate *nm* absurdité *f*, sottise *f*, idiotie *f*.
dispensar *vt* dispenser; excuser, pardonner.
dispersar *vt* disperser; **~se** *vr* se disperser.
dispersión *nf* dispersion *f*.
displicencia *nf* froideur *f*; découragement *m*; manque *m* d'enthousiasme; sécheresse *f*.
disponer *vt* (*arreglar*) disposer; (*ordenar*) ordonner; (*preparar*) préparer // *vi*: **~ de** disposer de; **~se** *vr*: **~se para** se disposer à.
disponible *a* disponible.
disposición *nf* disposition *f*; (*aptitud*) dispositions *fpl*; **disposiciones** *nfpl* dispositions.

disputa *nf* dispute *f*, altercation *f*, querelle *f*.
dispuesto, a *pp de* **disponer** // *a* (*arreglado*) disposé(e); prêt(e); **bien/mal ~** bien/mal disposé.
disputar *vt* (*discutir*) discuter; (*contender*) disputer; **~se** *vr* se disputer.
distanciar *vt* éloigner, distancer, écarter; **~se** *vr* se séparer.
distante *a* distant(e).
distar *vi*: **~ de** être éloigné(e) de; **~ 2 horas de camino** être à 2 heures de route.
diste, disteis *vb ver* **dar**.
distinción *nf* distinction *f*, différence *f*; distinction, clarté *f*; élégance *f*, distinction; (*honor*) distinction.
distinguir *vt* distinguer; rendre hommage à; **~se** *vr* se distinguer.
distintivo, a *a* distinctif(ive) // *nm* (*insignia*) signe distinctif, insigne *m*; (*calidad*) qualité *f*.
distinto, a *a* différent(e); (*claro*) distinct(e).
distracción *nf* (*pasatiempo*) distraction *f*; (*inadvertencia, descuido, olvido*) dissipation *f*, dérèglement *m*.
distraer *vt* (*entretener*) distraire, amuser; (*desviar*) distraire, détourner; (*fondos*) détourner; **~se** *vr* (*entretenerse*) se distraire, s'amuser; (*perder la concentración*) se déconcentrer.
distraído, a *a* (*que alegra, entretiene*) distrayant(e); (*desatendido*) distrait(e) // *nm/f* distrait/e.
distribuidor *nm* delco *m* ®, distributeur *m*.
distribuir *vt* distribuer.
distrito *nm* (*sector, territorio*) district *m*, secteur *m*, territoire *m*; (*barrio*) arrondissement *m*; **D~ Federal** (*AM*) Mexico.
distrofia *nf*: **~ muscular** dystrophie *f* musculaire.
disturbio *nm* trouble *m*.
disuadir *vt* dissuader.
disuelto *pp de* **disolver**.
diurético, a *a* diurétique // *nm* diurétique *m*.
divagar *vi* divaguer.
divergencia *nf* divergence *f*.
divergente *a* divergent(e); contraire; opposé(e).
diversidad *nf* diversité *f*.
diversión *nf* distraction *f*.
diverso, a *a* divers(e); **~s** plusieurs; **~s** *mpl* articles divers.
divertir *vt* (*entretener, recrear*) divertir, amuser; (*apartar, distraer*) éloigner, détourner; **~se** *vr* se distraire, s'amuser.
dividir *vt* (*separar*) diviser; (*distribuir*) partager, distribuer.
divino, a *a* divin(e).
divisa *nf* (*emblema, moneda*) devise *f*; (*TAUR*) cocarde *f*.
divisar *vt* distinguer, apercevoir.
división *nf* (*MAT, MIL*) division *f*; (*LING*) trait d'union *m*; (*divergencia*) divergence *f*; (*discordia*) discorde *f*.
divorciar *vt* séparer, prononcer le divorce de; **~se** *vr* divorcer.
divorcio *nm* divorce *m*.
divulgar *vt* divulguer; **~se** *vr* se divulguer.
dls *abr de* **dólares**.
D.N.A. *abrev* A.D.N.
do. *abr de* **descuento**.
dobladura *nf* pli *m*.
doblar *vt* (*dinero*) doubler; (*papel*) plier; (*caño*) tordre; (*rodilla*) fléchir, courber; (*la esquina*) tourner; (*actor*) doubler // *vi* tourner; (*campana*) sonner; **~se** *vr* (*plegarse*) se plier; (*encorvarse*) se courber; **~se de risa/dolor** se tordre de rire/douleur.
doble *a* double; faux(fausse), fourbe; hypocrite // *nm* double *m*; (*NAIPES*) contre *m* // *nm/f* (*CINE*) doublure *f*; **con ~ sentido** à double sens.
doblez *nm* (*pliegue*) pli *m*; (*fig*) fausseté *f*.
doc *abr de* **docena**.
doce *num* douze.
docena *nf* douzaine *f*.
dócil *a* docile; obéissant(e).
docilidad *nf* (*obediencia*) obéissan-

ce *f*; (*mansedumbre*) docilité *f*.
docto, a *a* érudit(e), cultivé(e); (*sabio*) savant(e), docte.
doctor, a *nm/f* docteur/ doctoresse.
doctrinar *vt* (*instruir*) instruire; (*fig*) endoctriner.
documento *nm* (*certificado*) document *m*; ~ **de identidad** carte *f* d'identité, papiers *mpl*; ~**s del coche** papiers de la voiture.
dogal *nm* licou *m*.
doler *vt* faire mal à // *vi* faire mal; ~**se** *vr* (*de su situación*) se plaindre; regretter; (*de las desgracias ajenas*) s'affliger; **me duele el brazo** mon bras me fait mal, j'ai mal au bras.
doliente *a* (*dolorido*) douloureux (euse) // *nm/f* malade *m/f*.
dolo *nm* dol *m*.
dolor *nm* mal *m*, douleur *f*; (*fig*) peine *f*.
dolorido, a *a* endolori(e); (*fig*) affligé(e), désolé(e), brisé(e) de douleur.
domar *vt* (*fieras*) dompter; (*adiestrar*) dresser; (*fig*) dompter, maîtriser.
domicilio *nm* domicile *m*; ~ **particular** domicile particulier; ~ **social** siège social.
dominación *nf* domination *f*; (*MIL*) position dominante.
dominante *a* dominant(e), dominateur(trice) // *nf* (*rasgo*) caractère dominant, trait *m* caractéristique; (*MUS*) dominante *f*.
dominar *vt* dominer; (*nervios*) contrôler; (*varios idiomas*) posséder // *vi* dominer; ~**se** *vr* se maîtriser, se dominer.
domingo *nm* dimanche *m*.
dominio *nm* (*tierras*) domaine *m*; (*autoridad*) autorité *f*; (*de las pasiones*) maîtrise *f*; (*de varios idiomas*) connaissance parfaite.
don *nm* don *m*; (*titre*: *avant prénom*) Monsieur (*se antepone al apellido*).
donaire *nm* grâce *f*, élégance *f*.
doncella *nf* (*jovencita*) jeune fille *f*; (*criada de la Reina*) femme *f* de chambre (de la reine); suivante *f*; (*virgen*) pucelle *f*.
donde *ad* où // *prep*: **el coche está allí** ~ **el farol** la voiture est là où est le réverbère; (*AM*): **te veré** ~ **mi tía** je te verrai chez ma tante; **por** ~ par où; **en** ~ où.
dónde *ad interrogativo* où; **¿a** ~ **vas?** où vas-tu?; **¿de** ~ **vienes?** d'où viens-tu?; **¿por** ~**?** par où?
dondequiera *ad* n'importe où; **por** ~ partout // *conj*: ~ **que** où que; partout où.
doña *nf* (*titre*: *avant prénom*) Madame (*se antepone al apellido*).
dorado, a *a* (*TEC*) doré(e); (*CULIN*) rissolé(e) // *nm* coryphène *m*.
dorar *vt* (*TEC*) dorer; (*CULIN*) rissoler, dorer.
dormir *vt*: ~ **la siesta** faire la sieste; (*niño*) endormir // *vi* dormir; ~**se** *vr* s'endormir.
dormitar *vi* sommeiller, somnoler.
dormitorio *nm* chambre à coucher *f*; ~ **común** dortoir *m*.
dos *num* deux.
dosis *nf inv* dose *f*.
dotado, a *a* doué(e); ~ **de** pourvu de.
dotar *vt* doter; (*proveer*) pourvoir; (*equipar*) équiper.
dote *nf* dot *f*; ~**s** *nfpl* dons *mpl*, aptitudes *fpl*.
doy *vb ver* **dar**.
dragón *nm* (*MITOLOGÍA, MIL*) dragon *m*; (*BOT*) muflier *m*, gueule-de-loup *f*.
drama *nm* drame *m*.
dramaturgo *nm* dramaturge *m*.
drenaje *nm* drainage *m*.
droga *nf* drogue *f*; (*fam*: *molestia*) barbe *f*; (*AM*: *deuda*) dette *f*.
droguería *nf* droguerie *f*, marchand *m* de couleurs.
dromedario *nm* dromadaire *m*.
ducado *nm* (*territorio*) duché *m*; (*moneda*) ducat *m*.
ducha *nf* douche *f*.
ducho, a *a* expert(e), fort(e), ferré(e).
duda *nf* doute *m*.
dudoso, a *a* (*incierto*) hésitant(e),

incertain(e); (*sospechoso*) douteux (euse).
duelo *nm* (*combate*) duel *m*; (*luto*) deuil *m*.
duende *nm* lutin *m*, esprit follet *m*; **tener** ~ avoir du charme.
dueño, a *nm/f* maître/sse, propriétaire *m/f*.
duermo *etc vb ver* **dormir**.
Duero *nm*: **el** ~ le Douro.
dulce *a* doux(douce) // *nm* bonbon *m*; sucrerie *f*.
dulzaina *nf* flageolet *m*.
dulzura *nf* douceur *f*.
duna *nf* dune *f*.
duplicar *vt* (*hacer el doble de*) doubler, multiplier par deux; (*reproducir*) reproduire; ~**se** *vr* doubler.
duplicidad *nf* duplicité *f*.
duque, duquesa *nm/f* duc/duchesse.
duración *nf* durée *f*.
duradero, a *a* durable, constant(e), permanent(e).
durante *ad* pendant, durant.
durar *vi* (*continuar, permanecer, quedar*) durer, continuer, rester, demeurer; (*tiempo, objeto, sonido, recuerdo*) demeurer, subsister, durer.
dureza *nf* (*calidad*) dureté *f*; (*callosidad*) durillon *m*.
durmí *etc vb ver* **dormir**.
durmiente *nm* traverse *f*.
duro, a *a* dur(e) // *ad* (*pegar*) fort; (*trabajar*) dur // *nm pièce de cinq pesetas*.

E

e *conj* et.
E *abr de* **este**.
ea *excl* allons!
ebanista *nm* ébéniste *m*.
ébano *nm* (*madera*) ébène *f*; (*árbol*) ébénier *m*.
ebrio, a *a* ivre.
Ebro *nm*: **el** ~ l'Èbre *m*.
ebullición *nf* ébullition *f*; (*fig*) effervescence *f*.
eclesiástico, a *a* ecclésiastique // *nm* (*clérigo*) ecclésiastique *m*.
eclipse *nm* éclipse *f*.
eclisa *nf* (TEC) éclisse *f*.
eco *nm* écho *m*.
economía *nf* économie *f*.
económico, a *a* (*barato*) économique; (*persona*) économe; (COM: *plan*) financier (ière); (: *situación*) économique.
economista *nm/f* économiste *m/f*.
ecuador *nm* équateur *m*; **el E**~ Equateur *m*.
ecuatoriano, a *a* équatorien(ne) // *nm/f* Equatorien/ne.
ecuestre *a* équestre.
echar *vt* jeter; (*agua, vino*: *escanciar*) verser; (*empleado*: *despedir*) renvoyer, expulser; (*bigotes*) laisser pousser; (*raíces, hojas*) pousser, produire; (*gallina*) accoupler; *vi*: ~ **a correr/llorar** se mettre à courir/pleurer; ~ **llave a** fermer à clé; ~ **dos horas para llegar** mettre deux heures pour arriver; ~ **de comer** donner à manger; ~ **abajo** (*gobierno*) renverser; (*edificio*) abattre; ~ **mano a** se servir de, faire appel à.
edad *nf* âge *m*; **¿qué ~ tienes?** quel âge as-tu?; **tiene ocho años de** ~ il a huit ans; **de ~ mediana/avanzada** d'âge moyen/avancé; **la ~ Media** le Moyen Âge.
edecán *nm* aide de camp *m*.
edición *nf* édition *f*.
edicto *nm* édit *m*.
edificación *nf* construction *f*; (*fig*) édification *f*.
edificar *vt* bâtir, construire; (*fig*) édifier, élever.
edificio *nm* édifice *m*; (*fig*) édifice, structure *f*.
editar *vt* éditer.
editor, a *a* d'édition // *nm/f* éditeur/trice // *nm* maison *f* d'édition;

casa ~a maison d'édition.
editorial *a* de l'édition // *nm* article *m* de fond // *nf* maison *f* d'édition.
educación *nf* éducation *f*.
educar *vt* (*niño*) élever; (*voz*) éduquer; **~se** *vr* s'éduquer.
EE. UU. *nmpl abr ver* **estado**.
efectivamente *ad* effectivement; exactement; justement.
efectivo, a *a* effectif(ive); (*real*) véritable // *nm*: **pagar en ~** payer en espèces; **~s** *nmpl* effectif *m*; **hacer ~ un cheque** toucher un chèque.
efecto *nm* effet *m*; **~s a cobrar** (*COM*) effets bancaires *ou* de commerce; **en ~** en effet.
efectuar *vt* effectuer; (*viaje*) faire.
efervescente *a* effervescent(e); (*fig*) agité(e).
eficacia *nf* (*de persona*) efficacité *f*, efficience *f*; (*de medicamento*) efficacité.
eficaz *a* efficace; efficient(e); effectif(ive).
efímero, a *a* éphémère.
efusión *nf* effusion *f*.
égida *nf*: **bajo la ~ de** sous l'égide de.
egipcio, a *a* égyptien(ne) // *nm/f* Egyptien/ne,
Egipto *nm* Egypte *f*.
egoísmo *nm* égoïsme *m*.
egoísta *a* égoïste // *nm/f* égoïste *m/f*.
egregio, a *a* illustre.
Eire *nm* République *f* d'Irlande, Irlande *f* du Sud.
ej. *abr de* **ejemplo**.
eje *nm* axe *m*, essieu *m*; **la idea ~** l'idée force.
ejecución *nf* exécution *f*; (*JUR*: *embargo de deudor*) exécution; saisie *f*, saisie-exécution *f*.
ejecutar *vt* (*obra de arte*) exécuter, jouer; (*orden*) exécuter; (*JUR*: *sentencia*) exécuter; (: *embargar*) saisir.
ejecutivo, a *a* expéditif(ive); **el poder ~** le pouvoir exécutif.
ejecutoria *nf* (*título de nobleza*) lettres *fpl* de noblesse; (*JUR*) exécutoire *m*.
ejemplar *a* exemplaire // *nm* (*ZOOL*) spécimen *m*; (*de libro*) exemplaire *m*.
ejemplo *nm* exemple *m*; **por ~** par exemple.
ejercer *vt, vi* exercer.
ejercicio *nm* exercice *m*; (*deber*) devoir *m*; **~ comercial** exercice financier.
ejercitar *vt* (*ejercer*) exercer; (*enseñar con la práctica*) entraîner; **~se** *vr* s'exercer.
ejército *nm* armée *f*; **entrar en el ~** s'engager; **E~ de Salvación** Armée du Salut.
el *det* le.
él *pron* il; (*después de prep*) lui.
elaborar *vt* élaborer; (*trabajar*) mettre en forme.
elasticidad *nf* élasticité *f*.
elástico, a *a* élastique // *nm* élastique *m*.
elección *nf* élection *f*; (*selección*) choix *m*.
electorado *nm* électorat *m*.
electricidad *nf* électricité *f*.
electricista *nm/f* électricien/ne.
eléctrico, a *a* électrique.
electrificación *nf* électrification *f*.
electrificar *vt* électrifier.
electrizante *a* électrisant(e).
electrizar *vt* électriser; **~se** *vr* s'électrocuter; (*fig*) s'enthousiasmer.
electro... *pref* électro...; **~cardiógrafo** *nm* électrocardiographe *m*; **~cución** *nf* électrocution *f*; **~cutar** *vt* électrocuter; **~chapado, a** *a* plaqué par galvanoplastie; **~choque** *nm* électrochoc *m*; **~dinámica** *nf* électrodynamique *f*; **~dinámico, a** *a* électrodynamique; **electrodo** *nm* électrode *f*; **~doméstico, a** *a* électroménager(ère) // *nm* électroménager *m*; **~encefalograma** *nm* électro-encéphalo-

gramme *m*; ~**imán** *nm* électroaimant *m*; ~**magnético, a** *a* électromagnétique; ~**mecánico, a** *a* électromécanique // *nf* électromécanique *f*; ~**motor** *nm* électromoteur *m*.
electrón *nm* électron *m*; ~**ico, a** *a* électronique // *nf* électronique *f*.
electrotecnia *nf* électrotechnique *f*; **electrotécnico, a** *a* électrotechnique // *nm/f* ingénieur *m* électricien.
electrotermo *nm* chauffe-eau *m inv* électrique.
elefante *nm* éléphant *m*; ~ **marino** éléphant de mer, morse *m*.
elegancia *nf* (*gracia*) élégance *f*, grâce *f*; (*estilo*) distinction *f*.
elegante *a* élégant(e); distingué(e) // *nm/f* élégant/e.
elegía *nf* élégie *f*.
elegible *a* éligible.
elegir *vt* (*escoger*) choisir; (*optar*) voter pour, élire; (*presidente*) élire.
elemental *a* fondamental(e); primordial(e).
elemento *nm* élément *m*; (*fig*) individu *m*; ~**s** *nmpl* éléments, matériel *m*.
elevación *nf* hauteur *f*; montée *f*; élévation *f*; (*fig*) noblesse *f*.
elevado, a *a* élevé(e); (*estilo*) soutenu(e).
elevar *vt* élever; ~**se** *vr* (*edificio*) s'élever; (*precios*) monter, s'élever; (*transportarse, enajenarse*) être transporté(e); (*engreírse*) s'enorgueillir.
eliminar *vt* éliminer.
elocución *nf* élocution *f*; (*estilo*) style *m*, expression *f*.
elocuencia *nf* éloquence *f*.
elogiar *vt* louer, faire l'éloge de.
elogio *nm* éloge *m*.
eludir *vt* (*evitar*) éluder; (*escapar*) échapper.
ella *pron* elle.
ellas *pron* elles.
ello *pron* cela, ça, c'.
ellos *pron* ils; (*después de prep*) eux.
emanar *vi*: ~ **de** émaner de; (*desprenderse de*) se détacher de; (*derivar de*) découler de.
emancipar *vt* émanciper; ~**se** *vr* s'émanciper; s'affranchir.
embadurnar *vt* barbouiller; badigeonner; enduire.
embajada *nf* ambassade *f*; (*mensaje*) commission *f*.
embajador, a *nm/f* ambassadeur/drice.
embalaje *nm* emballage *m*.
embalar *vt* (*envolver*) emballer; (*envasar*) conditionner.
embalsar *vt* endiguer; retenir.
embarazada *a* enceinte // *nf* femme enceinte.
embarazar *vt* embarrasser; ~**se** *vr* (*aturdirse*) être embarrassé(e); (*confundirse*) s'embrouiller.
embarazo *nm* (*de mujer*) grossesse *f*; (*impedimento*) embarras *m*; (*timidez*) gaucherie *f*.
embarcación *nf* (*barco*) embarcation *f*; (*acto*) embarquement *m*.
embarcadero *nm* embarcadère *m*.
embarcador *nm* chargeur *m*.
embarcar *vt* embarquer; (*persona*) entraîner; ~**se** *vr* s'embarquer.
embargar *vt* (*impedir*) gêner; (*restringir*) restreindre; (*confundir*) embarrasser; (*emocionar*) saisir; (JUR) sequestrer, saisir.
embarque *nm* embarquement *m*.
embate *nm* coup *m* de mer; assaut *m*.
embaular *vt* mettre dans une malle; (*fig*) s'empiffrer de.
embebecerse *vr* (*extasiarse*) être ébahi(e), s'extasier; (*fascinarse*) s'extasier; être fasciné(e).
embeber *vt* (*absorber*) absorber; (*empapar*) imbiber // *vi* rétrécir; ~**se** *vr*: ~**se de alcohol** s'imbiber d'alcool; ~**se en la lectura** s'absorber dans la lecture.
embelesar *vt* (*cautivar*) charmer, ravir; (*maravillar*) éblouir; ~**se** *vr* être transporté(e) par.

embellecer *vi, vt* embellir; **~se** *vr* s'embellir.
embestida *nf* attaque *f*; assaut *m*.
embestir *vt* assaillir, attaquer; (DEPORTE) attaquer; (*atacar, cargar*) attaquer, charger // *vi* attaquer; **~ con** foncer sur.
emblema *nm* emblème *m*.
embobado, a *a* (*atontado*) ébahi(e); (*extasiado*) hébété(e).
embocadura *nf* embouchure *f*; (*de vino*) bouquet *m*.
embolsar *vt* empocher.
emborrachar *vt* enivrer; **~se** *vr* s'enivrer.
emboscada *nf* (*celada*) embuscade *f*, guet-apens *m*; (*trampa*) piège *m*, trappe *f*.
emboscar *vt* embusquer; **~se** *vr* s'embusquer.
embotar *vt* engourdir; **~se** *vr* (*adormecerse*) s'émousser; (*estar aturdido de cansancio*) être engourdi(e) (de fatigue).
embotellar *vt* embouteiller; (*fig*) encombrer; **~se** *vr* s'embouteiller.
embozo *nm* (*de capa*) pan *m*; (*de sábana*) revers *m*; (*fig*) dissimulation *f*.
embragar *vt* embrayer.
embrague *nm* **(pedal** *m* **de) ~** (pédal *m* d') embrayage *m*.
embravecer *vt* irriter; rendre furieux; **~se** *vr* s'irriter; (*el mar*) être démonté(e); (*tormenta*) se déchaîner.
embriagado, a *a* (*emborrachado*) ivre; (*enajenado*) enivré(e), transporté(e).
embriagar *vt* (*emborrachar*) enivrer; (*enajenar*) enivrer, griser; **~se** *vr* (*emborracharse*) s'enivrer; (*extasiarse*) s'extasier.
embriaguez *nf* ivresse *f*; griserie *f*.
embrión *nm* embryon *m*.
embrollar *vt* embrouiller; confondre; compliquer; **~se** *vr* (*confundirse*) s'embrouiller; **~se con uno** se brouiller avec qn.
embrollo *nm* embrouillement *m*; confusion *f*; (*pey*) imbroglio *m*, histoire *f*.
embromar *vt* (*engañar*) mystifier, berner; (*burlarse de*) se moquer de; (*fastidiar*) ennnuyer; **~se** *vr* (AM) s'ennuyer; **estar embromado** (*fam*) ne pas être dans son assiette.
embrujar *vt* ensorceler, envoûter.
embrutecer *vt* (*atontar*) abrutir; (*atolondrar*) étourdir; (*volver necio*) rendre idiot; **~se** *vr* s'abrutir.
embrutecimiento *nm* abrutissement *m*.
embudo *nm* entonnoir *m*; (*fig*) tromperie *f*.
embuste *nm* mensonge *m*; imposture *f*.
embustero, a *a* menteur(euse); imposteur // *nm/f* imposteur *m*.
embutido *nm* (CULIN) charcuterie *f*; (TEC) marqueterie *f*.
embutir *vt* (TEC) marqueter; (*llenar*) bourrer.
emergencia *nf* circonstance *f*, cas *m*; (*surgimiento*) émergence *f*.
emético, a *a* émétique // *nm* émétique *m*.
emigración *nf* (*éxodo*) exode *m*; (*destierro*) émigration *f*.
emigrar *vi* (*pájaros*) migrer; (*personas*) émigrer; **~ a** *o* **hacia** émigrer en.
eminencia *nf* éminence *f*; **~ gris** éminence grise.
eminente *a* éminent(e).
emisario *nm* émissaire *m*.
emisión *nf* émission *f*.
emisora *nf* station émettrice.
emitir *vt* émettre.
emoción *nf* agitation *f*, émotion *f*; excitation *f*; (*turbación*) trouble *m*.
emocionante *a* émouvant(e); excitant(e); impressionnant(e).
empacar *vt* emballer; **~se** *vr* s'entêter, se buter.
empacho *nm* (MED) embarras *m* gastrique; (*fig*) obstacle *m*.
empalagar *vi* (*alimentos*) écœurer; (*fastidiar*) ennuyer, assommer; **~se** *vr* s'écœurer.
empalizada *nf* palissade *f*.

empalmar *vt* assembler // *vi* (*dos caminos*) s'embrancher; (*tren*: *con ómnibus*) correspondre.
empalme *nm* (*conexión*) embranchement *m*, liaison *f*; (*unión*) assemblage *m*; (*de trenes etc*) correspondance *f*.
empanada *nf* pâté *m* en croûte, friand *m*; ~ **de carne** pâté de viande en croûte; ~ **de queso** fromage *m* en croûte.
empanar *vt* (*trigo*) étouffer; (*envolver con pasta*) paner; enrober de pâte.
empañar *vt* (*niño*) langer; (*nublar*) embuer; **~se** *vr* (*nublarse*) s'embuer; (*fig*) s'attrister.
empapar *vt* (*mojar*) tremper; (*absorber*) boire, absorber; **~se** *vr*: **~se de** s'imbiber de; être trempé(e) de; (*fig*) se pénétrer de.
empapelar *vt* (*paredes*) tapisser; (*envolver con papel*) empaqueter.
empaque *nm* empaquetage *m*; (*fam*) allure *f*; (AM) effronterie *f*.
empaquetar *vt* empaqueter.
emparedado, a *a* emmuré(e) // *nm* sandwich *m*.
emparejar *vt* (*alinear*) assortir; (*igualar*) uniformiser; (*nivelar*) niveler.
empastar *vt* (*embadurnar*) empâter; (*libro*) cartonner; (*diente*) plomber.
empatar *vi* égaliser.
empate *nm* (*en elección*) ballottage *m*; (DEPORTE) match nul.
empedernidamente *ad* de façon insensible *ou* endurcie.
empedernido, a *a* endurci(e); (*fijado*) invétéré(e); insensible, dur(e).
empedernir *vt* endurcir.
empedrado, a *a* pavé(e); (*fig*) constellé(e) // *nm* pavage *m*.
empedrar *vt* (*adoquinar*) paver; (*fig*) semer, truffer.
empellón *nm* poussée *f*.
empeñar *vt* mettre en gage; engager; **~se** *vr* s'efforcer; insister; s'obstiner; (*endeudarse*) s'endetter.
empeño *nm* (*cosa prendada*) engagement *m*; (*determinación, insistencia*) acharnement *m*, opiniâtreté *f*; **banco de ~s** mont-de-piété *m*.
empeorar *vt* aggraver; détériorer // *vi*, **~se** *vr* s'aggraver, se détériorer.
empequeñecer *vt* rapetisser; (*fig*) amoindrir.
emperador *nm* empereur *m*.
empero *conj* cependant, néanmoins.
empezar *vt*, *vi* commencer; ~ **por** commencer par.
empiezo *etc vb ver* **empezar**.
empinado, a *a* raide, en pente; (*persona*) sur la pointe des pieds; (*fig*) suffisant(e), hautain(e).
empinar *vt* dresser, mettre debout; (*botella*) incliner // *vi* (*fam*) boire; **~se** *vr* se dresser sur la pointe des pieds; (*animal*) se cabrer; (*camino*) s'élever, monter; ~ **el codo** (*fam*) lever le coude.
empingorotado, a *a* huppé(e).
empírico, a *a* empirique.
emplasto, emplaste *nm* (MED) emplâtre *m*; (*componenda*) emplâtre; (*fam*: *parche*) pièce *f*, rustine *f*.
emplazamiento *nm* emplacement *m*; (JUR) assignation *f*, mise en demeure *f*.
emplazar *vt* (*gen*) placer; (JUR) assigner, convoquer.
empleado, a *a* employé(e) // *nm*/*f* employé/e.
emplear *vt* (*usar*) employer, se servir de; (*dar trabajo a*) employer; **~se** *vr* (*conseguir trabajo*) être employé(e), s'employer; (*ocuparse*) s'employer.
empleo *nm* (*puesto*) emploi *m*; (*uso*) usage *m*.
empobrecer *vt* appauvrir; **~se** *vr* s'appauvrir.
empobrecimiento *nm* appauvrissement *m*.
empollar *vt* couver; (*fig*) ruminer // *vi* pondre le couvain.
emponzoñar *vt* empoisonner; corrompre.

emporio *nm* centre commercial; (*gran almacén*) grand magasin; ~ **de las artes** haut lieu des arts.
empotrar *vt* sceller; encastrer.
emprender *vt* attaquer; commencer, entreprendre; ~ **viaje** se mettre en route.
empreñar *vt* féconder; ~**se** *vr* être fécondé(e).
empresa *nf* entreprise *f*; ~ **comercial** société commerciale.
empréstito *nm* emprunt *m*.
empujar *vt* pousser.
empuje *nm* coup *m*, poussée *f*; (*fig*) énergie *f*, allant *m*.
empujón *nm* bourrade *f*, poussée brutale.
empuñadura *nf* poignée *f*.
empuñar *vt* (*asir*) empoigner; (*fig*) décrocher, obtenir.
emulación *nf* émulation *f*.
emular *vt* rivaliser avec.
émulo, a *nm/f* émule *m/f*, rival/e.
en *prep* dans; en; à; (*lugar*): **vivir ~ Toledo** vivre à Tolède; **leer ~ un libro** lire dans un livre; **sentarse ~ el suelo** s'asseoir sur le sol; (*tiempo*): **lo terminó ~ 6 días** il l'a fini en 6 jours; ~ **el mes de enero** au mois de janvier; ~ **la Edad Media** au Moyen Âge; ~ **nuestro tiempo** à notre époque; **¿~ qué momento?** à quel moment?; (*modo*): ~ **voz baja** à voix basse; **llorar ~ silencio** pleurer en silence; **tener el coche ~ reparación** avoir sa voiture en réparation; **andar ~ bicicleta** aller à bicyclette; **doctor ~ letras** docteur ès lettres; **reconocer a uno ~ el andar** reconnaître qn à la démarche; **decir ~ broma** dire pour rire; **hablar ~ serio** parler sérieusement.
enaguas *nfpl* jupon *m*.
enajenación *nf*, **enajenamiento** *nm* aliénation *f*; transfert *m*; (*extrañamiento*) ravissement *m*, étonnement *m*.
enajenar *vt* aliéner; (*fig*) mettre hors de soi, rendre fou(folle); ~**se** *vr* (*de un bien*) perdre, s'aliéner; (*turbarse*) perdre tout contrôle.
enamorado, a *a* amoureux(euse).
enamorar *vt* rendre amoureux(euse); ~**se** *vr* s'éprendre, tomber amoureux(euse).
enano, a *a* nain(e) // *nm/f* nain/e.
enarbolar *vt* arborer; ~**se** *vr* (*animal*) se cabrer; (*persona*) se fâcher.
enardecer *vt* échauffer, exciter; (*fuego*) exciter, attiser; ~**se** *vr* s'échauffer, s'enflammer.
enardecimiento *nm* échauffement *m*.
encabestrar *vt* (*caballo*) enchevêtrer; (*tropa*) habituer à suivre le sonnailler; (*fig*) enjôler.
encabezamiento *nm* (*de carta*) en-tête *f*; (*preámbulo*) introduction *f*; (*registro*) recensement *m*.
encabezar *vt* (*manifestación*) être à la tête de; (*lista*) être le premier/la première sur; (*carta, libro*) placer une en-tête sur; (*empadronar*) recenser; (*vino*) alcooliser.
encabritarse *vr* (*caballo*) se cabrer; (*fig*) se fâcher.
encadenamiento *nm* enchaînement *m*.
encadenar *vt* enchaîner.
encajar *vt* (*ajustar, encastrar*) emboîter, encastrer; (*hueso*) remettre; (*golpe*) donner; ~**se** *vr* s'enchâsser, s'enclaver, s'emboîter; ~**se en un sillón** se fourrer dans un fauteuil.
encaje *nm* (*labor*) dentelle *f*; (*encastre*) encaisse *f*.
encajonar *vt* encaisser, mettre dans des caisses; (*arrinconar*) acculer, coincer; (ARQ) coffrer; ~**se** *vr* s'encaisser.
encalar *vt* blanchir à la chaux.
encallar *vi* échouer.
encallecer *vi*, ~**se** *vr* devenir calleux(euse); durcir; (*fig*) s'endurcir.
encaminar *vt* (*guiar*) diriger, montrer le chemin à; (*mercaderías, vehículo*) acheminer; (*encauzar, orientar*) diriger, orienter; ~**se** *vr*: ~**se a** se diriger vers; (*fig*) tendre à.

encandilar *vt* éblouir; (*fuego*) aviver.
encantador, a *a* enchanteur(eresse), ravissant(e) // *nm/f* enchanteur/eresse.
encantar *vt* (*seducir*) enchanter; (*cautivar*) ravir; **encantada de conocerle** enchantée de faire votre connaissance.
encanto *nm* enchantement *m*; (*seducción*) charme *m*.
encapotar *vt* couvrir d'un manteau; **~se** *vr* se couvrir; (*fig*) froncer les sourcils.
encapricharse *vr* s'entêter.
encaramar *vt* (*alzar, elevar*) jucher, hisser; (*elogiar, alabar*) louer, faire l'éloge de; **~se** *vr* (*subirse*) grimper; (*ascender*) grimper, s'élever.
encarar *vt* affronter; (*AM*) envisager; **~se** *vr*: **~se con** affronter.
encarcelar *vt* emprisonner.
encarecer *vt* élever *ou* faire monter le prix de; (*pedir*) recommander // *vi*, **~se** *vr* augmenter.
encarecimiento *nm* enchérissement *m*, hausse *f*; (*pedido insistente*) recommandation *f*.
encargado, a *a* chargé(e) // *nm/f* agent/e; (*responsable*) responsable *m/f*; el **~ de negocios** le chargé d'affaires.
encargar *vt* (*pedir*) commander; (*recomendar*) recommander; **~se** *vr*: **~se de** se charger de; **~ algo a uno** charger qn de qch; **~se un vestido** se faire faire une robe.
encargo *nm* (*pedido*) commission *f*; (*recomendación*) recommandation *f*; (*COM*) commande *f*.
encarnación *nf* incarnation *f*.
encarnado, a *a* incarné(e) // *nm* incarnat *m*.
encarnar *vt* incarner, personnifier // *vi* (*REL*) s'incarner; (*MED*) se cicatriser.
encarnizado, a *a* rouge de colère; acharné(e).
encarnizarse *vr* s'acharner.
encarrilar *vt* diriger; (*tren*) aiguiller; (*fig*) mettre sur la voie, orienter; **~se** *vr* prendre le bon chemin, s'orienter.
encasillado, a *a* classifié(e); limité(e); (*fig*) enfermé(e) // *nm* (*encerrado en casillas*) quadrillage *m*; (*crucigrama*) mots-croisés *mpl*, grille *f*.
encastillar *vt* fortifier; **~se** *vr* (*fig*) s'enfermer, se retrancher.
encausar *vt* mettre en accusation.
encauzar *vt* diriger, endiguer; acheminer, diriger, orienter.
encenagarse *vr* s'embourber; (*fig*) se vautrer, croupir.
encender *vt* (*luz, fuego, gas, radio*) allumer; (*fig*) enflammer; **~se** *vr* (*fuego, luz etc*) s'allumer; (*excitarse*) s'enflammer; (*el rostro*) rougir.
encendido *nm* allumage *m*.
encerado, a *a* (*piso, mueble*) ciré(e); (*rostro*) cireux(euse) // *nm* (*de piso*) encaustiquage *m*; (*pizarrón*) tableau noir; (*tela*) toile cirée.
encerar *vt* (*piso, mueble*) cirer; (*dar brillo a*) faire briller, dorer.
encerrar *vt* (*confinar*) enfermer; (*comprender, incluir*) renfermer; contenir; **~se** *vr* s'enfermer.
encía *nf* gencive *f*.
enciclopedia *nf* encyclopédie *f*.
encierro *nm* réclusion *f*, retraite *f*; (*calabozo*) cachot *m*; (*TAUR*) toril *m*; emprisonnement *m* des taureaux dans le toril; (*AGR*) parcage *m*.
encima *ad* (*sobre*) dessus; (*además*) en plus; **~ de** (*en*) sur; (*sobre*) au-dessus de; (*además de*) en plus de; **~ de la mesa** sur la table; **por ~ de** par-dessus; **¿llevas dinero ~?** tu as de l'argent sur toi?; **por ~ de todo** par dessus tout, en plus de tout cela; **se me vino ~** il m'est tombé dessus.
encina *nf* chêne *m*.
encinta *a* enceinte // *nf* enceinte *f*.
enclavar *vt* (*clavar*) clouer; (*atravesar*) transpercer; (*sitio*) enclaver; (*fig: fam*) escroquer.

enclenque *a* (*débil*) chétif (ive), malingre; (*enfermizo*) souffreteux (euse).
encoger *vt* (*gen*) rétrécir; (*músculo*) contracter; (*fig*) troubler, intimider; **~se** *vr* (*tela*) rétrécir; (*contraerse*) se contracter; (*estrecharse*) se rétrécir; (*fig*) se démonter, être intimidé(e); **~se de hombros** hausser les épaules.
encogido, a *a* (*estrechado*) serré(e), rétréci(e); (*contraído*) contracté(e), noué(e).
encogimiento *nm* (*contracción*) rétrécissement *m*, pincement *m*; (*timidez*) timidité *f*.
encolar *vt* (*engomar*) encoller; (*pegar*) coller.
encolerizar *vt* irriter; **~se** *vr* se mettre en colère, s'irriter.
encomendar *vt* (*encargar*) charger; (*confiar*) confier; (*recomendar*) recommander; **~se** *vr*: **~se a** s'en remettre à, se confier à.
encomiar *vt* louer, vanter.
encomienda *nf* (*encargo*) affaire confiée à qn, commission *f*; (*precio, tributo*) prix *m*, tribut *m*; (*dignidad*) commanderie *f*; (*AM*: *donación real de tierras e indios*) encomienda *f*; **~ postal** (*AM*) colis postal.
encomio *nm* louange *f*, éloge *m*.
enconado, a *a* (*MED*) enflammé(e); (*fig*) irrité(e), furieux(euse).
enconar *vt* (*MED*) enflammer; (*fig*) envenimer; **~se** *vr* (*MED*) s'enflammer; (*fig*) se fâcher, être exaspéré(e).
encono *nm* (*rencor*) rancune *f*; (*odio*) hostilité *f*, animosité *f*.
encontrado, a *a* (*contrario*) opposé(e), contraire; (*hostil*) hostile.
encontrar *vt* (*hallar*) trouver; rencontrer; **~se** *vr* se rencontrer; (*situarse*) se trouver; (*entrar en conflicto*) se heurter; **~se con problemas** devoir affronter des problèmes; **~se bien de salud** être en bonne santé.
encontronazo *nm* choc *m*, collision *f*.
encopetado, a *a* élevé(e); huppé(e).
encorralar *vt* parquer.
encrespar *vt* (*cabellos*) friser; (*agua*) onduler; (*fig*) irriter; **~se** *vr* (*el mar*) moutonner, être agité(e); (*fig*) s'échauffer, s'envenimer.
encrucijada *nf* carrefour *m*.
encuadernación *nf* reliure *f*.
encuadernador, a *nm/f* relieur/euse.
encuadernar *vt* relier.
encubiertamente *ad* en secret, secrètement.
encubrir *vt* (*disimular*) cacher, dissimuler; (*ocultar*) occulter; (*criminal*) cacher, donner refuge à.
encuentro *vb ver* **encontrar** // *nm* (*de personas*) rencontre *f*; (*de trenes*) collision *f*; (*DEPORTE*) rencontre; (*MIL*) accrochage *m*.
encuesta *nf* enquête *f*; **~ judicial** autopsie *f*.
encumbrado, a *a* élevé(e); éminent(e).
encumbrar *vt* élever; faire l'éloge de; **~se** *vr* s'élever; (*fig*) progresser, monter en flèche.
enchapar *vt* plaquer.
encharcado, a *a* stagnant(e), dormant(e).
enchufar *vt* (*ELEC, TEC*) brancher; (*fig*: *fam*) trouver un emploi pour.
enchufe *nm* (*ELEC*) prise *f*; (*de dos tubos*) embranchement *m*, raccord *m*; (*fam*: *influencia*) piston *m*; (: *puesto*) emploi *m*.
ende *ad*: **por ~** par là, par suite, par conséquent.
endeble *a* (*débil*) faible; (*enclenque*) chétif(ive).
endecha *nf* complainte *f*; (*composición métrica*) quatrain *m*.
endémico, a *a* (*MED*) endémique; (*fig*) persistant(e).
endemoniado, a *a* diabolique, démoniaque; possédé(e); (*fig*) pervers(e).
endentar *vt* engrener // *vi* s'engager.
enderezar *vt* (*poner derecho*) re-

dresser; (*carta*) adresser, dédier; (*fig*) rectifier // *vi*: ~ **a** se diriger vers; ~**se** *vr* (*persona sentado*) se relever; (*fig*) se remettre dans le droit chemin.

endeudarse *vr* s'endetter.

endiablado, a *a* diabolique; endiablé(e); possédé(e); (*fig*) pervers(e), incompréhensible.

endilgar *vt* (*fam*) acheminer, expédier; **me endilgó otro trabajo** il m'a refilé un autre travail.

endiosar *vt* diviniser; (*fig*) aduler; ~**se** *vr* (*engreírse*) s'enorgueillir; (*extasiarse*) s'absorber, se plonger.

endomingarse *vr* s'endimancher.

endosar *vt* endosser; (*fam*): ~ **algo a uno** refiler qch à qn.

endulzar *vt* sucrer; (*fig*) adoucir.

endurecer *vt* durcir; ~**se** *vr* durcir, se durcir; (*fig*) s'endurcir.

endurecido, a *a* (*duro*) dur(e); (*fig*) dur, endurci(e); **estar ~ a algo** être accoutumé *ou* fait à qch.

endurecimiento *nm* obstination *f*; (*tenacidad*) entêtement *m*; (*crueldad*) durcissement *m*.

enemigo, a *a* antagoniste, contraire; ennemi(e) // *nm/f* ennemi/e // *nf* inimitié *f*; antipathie *f*.

enemistad *nf* inimitié *f*; hostilité *f*.

enemistar *vt* brouiller, fâcher; ~**se** *vr* se brouiller.

energía *nf* énergie *f*; fermeté *f*, résolution *f*; **tener ~s** avoir du nerf.

enérgico, a *a* énergique.

enero *nm* janvier *m*.

enfadar *vt* agacer, mettre en colère; ~**se** *vr* être agacé(e); se fâcher.

enfado *nm* (*enojo*) colère *f*; (*disgusto*) brouille *f*; (*irritación*) irritation *f*.

enfadoso, a *a* (*molesto*) ennuyeux(euse), fâcheux(euse); (*desagradable*) déplaisant(e).

enfardelar, enfardar *vt* (*pasto*) faire des bottes avec; (*empaquetar*) empaqueter.

énfasis *nm* emphase *f*.

enfático, a *a* emphatique; (*afectado*) affecté(e).

enfermar *vt* rendre malade // *vi* tomber malade; ~**se** *vr* tomber malade; (*fig*): ~**se por** se rendre malade pour.

enfermedad *nf* maladie *f*.

enfermería *nf* infirmerie *f*.

enfermero, a *nm/f* infirmier/ière; ~ **ambulante** infirmier à domicile; ~ **nocturno** garde *m* de nuit.

enfermizo, a *a* (*persona*) maladif (ive); (*lugar*) insalubre, malsain(e).

enfermo, a *a* malade // *nm/f* malade *m/f*.

enflaquecer *vt* (*adelgazar*) amaigrir; (*debilitar*) affaiblir; ~**se** *vr* maigrir; faiblir.

enfrascar *vt* mettre en flacon; ~**se** *vr*: ~**se en** s'absorber dans, se plonger dans.

enfrenar *vt* (*caballo*) brider; (*fig*) refréner, contenir.

enfrentar *vt* (*peligro*) affronter; (*a uno*) confronter; (*oponer, carear*) opposer, dresser; ~**se** *vr* (*dos personas*) s'affronter; (*dos equipos*) rencontrer; ~**se a** *o* **con** faire face à, affronter.

enfrente *ad* en face; **la vereda de ~** le trottoir d'en face.

enfriamiento *nm* réfrigération *f*; (*MED*) refroidissement *m*.

enfriar *vt* (*alimentos*) refroidir; (*algo caliente*) rafraîchir; (*habitación*) aérer; (*AM*) tuer; ~**se** *vr* (*resfriarse*) prendre froid; (*amistad*) s'éteindre.

enfurecer *vt* mettre en colère; ~**se** *vr* entrer en fureur; (*mar*) se déchaîner.

engalanar *vt* (*adornar*) parer; (*ciudad*) pavoiser; ~**se** *vr* se parer, se pomponner.

enganchar *vt* (*caballo*) atteler; (*dos vagones*) accrocher; (*TEC*) enclencher; (*MIL*) recruter; (*fig: fam: persona*) entortiller, embobiner; ~**se** *vr* (*la ropa*) s'accrocher; (*MIL*) s'engager.

enganche *nm* crochet *m*; accroc *m*; recrutement *m*; attelage *m*; accrochage *m*.
engañar *vt* tromper; (*trampear*) duper; (*traicionar*) trahir; **~se** *vr* se tromper.
engaño *nm* erreur *f*; mystification *f*; fraude *f*; trahison *f*.
engañoso, a *a* (*tramposo*) tricheur(euse), trompeur(euse); (*mentiroso*) menteur(euse); (*irreal*) trompeur(euse).
engarce *nm* (*de anillo*) sertissage *m*, enchâssement *m*; (*fig*) enchaînement *m*.
engarzar *vt* (*joya*) enchâsser; (*fig*) enchaîner.
engastar *vt* enchâsser, sertir, monter.
engaste *nm* sertissage *m*, enchâssement *m*.
engatusar *vt* (*fam*) embobiner, entortiller.
engendrar *vt* engendrer; (*fig*) causer, occasionner.
engolosinar *vt* allécher; **~se** *vr*: **~se con** prendre goût à, s'habituer à.
engomar *vt* encoller; engommer; (*tejido*) apprêter, gommer.
engordar *vt* engraisser // *vi* grossir.
engorroso, a *a* ennuyeux (euse); délicat(e); compliqué(e).
engranaje *nm* engrenage *m*; **~ de transmisión** engrenage d'entraînement.
engranar *vt* engrener // *vi* s'engager.
engrandecer *vt* augmenter; agrandir; (*alabar*) louer, vanter; (*exagerar*) grandir, exagérer.
engrasar *vt* graisser; lubrifier; (*animal*) engraisser.
engreído, a *a* bouffi(e) d'orgueil, orgueilleux(euse); suffisant(e); infatué(e).
engreírse *vr* s'enorgueillir; **~ a** (*AM*) s'attacher à.
engrosar *vt* (*ensanchar*) agrandir, élargir; (*aumentar*) augmenter // *vi* grossir; **~se** *vr* (*cuerpo*) s'élargir; (*dinero*) augmenter; (*problema*) se grossir, se compliquer.
engullir *vt* engloutir.
enhebrar *vt* enfiler.
enhiesto, a *a* (*derecho*) droit(e); (*alzado*) dressé(e); (*tieso*) raide.
enhorabuena *nf* félicitations *fpl*; congratulations *fpl* // *ad* heureusement.
enigma *nm* mystère *m*, énigme *f*; secret *m*; charade *f*.
enjabonar *vt* savonner; (*fam*) passer un savon à; passer de la pommade à.
enjaezar *vt* harnacher.
enjalbegar *vt* (*muro*) badigeonner, chauler; (*rostro*) se plâtrer.
enjambre *nm* essaim *m*.
enjaular *vt* mettre en cage; (*fam*) coffrer.
enjertar *vt* greffer.
enjuagadientes *nm* rince-bouche *m*.
enjuagar *vt* (*ropa*) rincer; (*dientes*) se rincer.
enjuague *nm* rinçage *m*; (*fig*) intrigue *f*.
enjugar *vt* sécher; (*lágrimas*) essuyer; (*déficit*) éponger, résorber; **~se** *vr* se sécher.
enjuiciar *vt* (*JUR*: *juzgar*) (: *procesar*) mettre en accusation; instruire; (*fig*) juger.
enjuto, a *a* sec(sèche); desséché(e); (*fig*) maigre.
enlace *nm* enchaînement *m*; (*relación*) rapport *m*; (*casamiento*) union *f*; (*de carretera, trenes*) correspondance *f*; **agente de ~** agent *m* de liaison; **~ sindical** délégué/e syndical(e).
enladrillar *vt* carreler.
enlazar *vt* (*atar*) lier, attacher; (*conectar*) rattacher, relier; (*AM*) prendre au lasso; **~se** *vr*: (*novios*) s'unir, se marier; (*dos familias*) s'unir; (*conectarse*) être lié(e).
enlodar, enlodazar *vt* souiller, maculer; (*fig*) déshonorer.
enloquecer *vt* rendre fou (folle);

(*fig*) affoler // *vi*, ~**se** *vr* devenir fou(folle).

enlosar *vt* carreler.

enlutar *vt* endeuiller; ~**se** *vr* prendre le deuil.

enmarañar *vt* (*enredar*) emmêler; (*fig*) embrouiller; ~**se** *vr* (*enredarse*) s'emmêler; (*confundirse*) s'embrouiller; (*cielo*) se couvrir.

enmascarar *vt* (*rostro*) masquer; (*fig*) dissimuler; ~**se** *vr* se masquer; (*disfrazarse*) se déguiser; (*fig*) se camoufler.

enmendar *vt* corriger; réparer; (*compensar, recompensar*) dédommager; (*conducta, comportamiento*) corriger; ~**se** *vr* s'amender.

enmienda *nf* correction *f*; amendement *m*; dédommagement *m*.

enmohecerse *vr* (*metal*) rouiller; (*muro, plantas*) moisir.

enmudecer *vt* faire taire // *vi* (*perder el habla*) devenir muet(te); (*guardar silencio*) se taire, rester muet.

ennegrecer *vt* noircir; ~**se** *vr* se noircir.

ennoblecer *vt* anoblir; (*fig*) ennoblir.

enojadizo, a *a* irritable.

enojar *vt* irriter; (*molestar*) ennuyer; (*ofender*) offenser; ~**se** *vr* s'irriter, se fâcher; s'offenser; (*viento, mar*) se déchaîner.

enojo *nm* (*ira*) colère *f*; (*ofensa*) offense *f*; (*molestia*) ennui *m*; (*trabajo*) peine *f*.

enojoso, a *a* (*desagradable*) déplaisant(e), irritant(e); (*tedioso*) ennuyeux(euse).

enorgullecerse *vr* s'enorgueillir; ~ **de** se vanter de, tirer vanité de.

enorme *a* énorme; monstrueux (euse); important(e); **enormidad** *nf* énormité *f*; (*despropósito*) sottise *f*, absurdité *f*; (*perversidad*) monstruosité *f*.

enramada *nf* (*de árbol*) ramure *f*; (*techo*) ramée *f*, berceau *m* de verdure.

enrarecer *vt* raréfier; ~**se** *vr* (*aire*) se raréfier; (*producto*) devenir rare.

enredadera *nf* grimpante *f*.

enredar *vt* (*ovillo*) emmêler; (*peces*) prendre dans un filet; (*situación*) compliquer, embrouiller; (*meter cizaña*) brouiller, semer la discorde parmi; (*implicar*) engager, embarquer; ~**se** *vr* s'emmêler; se compliquer; s'embourber; (AM: *fam*) tomber amoureux(euse).

enredo *nm* (*maraña*) enchevêtrement *m*; (*confusión*) confusion *f*; (*intriga*) manigances *fpl*, intrigue *f*.

enrejado *nm* (*de jaula*) grilles *fpl*; (*de habitación, pérgola*) grillage *m*.

enrejar *vt* grillager.

enrevesado, a *a* compliqué(e); (*enredado*) embrouillé(e).

enriquecer *vt* (*tierra*) enrichir, amender; (*mejorar*) améliorer; ~**se** *vr* s'enrichir.

enrojecer *vt* rougir; (*persona*) faire rougir // *vi*, ~**se** *vr* (*metal, persona*) rougir; (*cielo*) s'empourprer.

enrollar *vt* enrouler.

enroscar *vt* (*torcer, doblar*) enrouler; (*tornillo, rosca*) visser; ~**se** *vr* s'enrouler.

ensaimada *nf* gâteau.

ensalada *nf* salade *f*.

ensaladilla *nf* macédoine *f*.

ensalmar *vt* (*hueso*) remettre; (*curar*) guérir.

ensalmo *nm* (*remedio*) remède *m* empirique.

ensalzar *vt* (*alabar*) louer; (*celebrar*) célébrer les louanges de; (*exaltar*) exalter.

ensambladura *nf*, **ensamblaje** *nm* assemblage *m*.

ensamblar *vt* assembler.

ensanchamiento *nm* (*de calle*) élargissement *m*; (*de vaso*) évasement *m*.

ensanchar *vt* (*hacer más ancho*) élargir; (*agrandar*) agrandir; ~**se** *vr* agrandir; (*pey*) se gonfler;

ensanche *nm* (*de vestido, calle*)

élargissement *m*; (*de negocio*) expansion *f*.

ensangrentar *vt* ensanglanter; **~se** *vr* baigner dans le sang; (*fig*) s'échauffer, s'irriter.

ensañar *vt* rendre furieux (euse); **~se** *vr*: **~se con** s'acharner sur.

ensartar *vt* (*gen*) enfiler; (*carne*: *en la brocha*) embrocher; **~se** *vr* (AM) tomber dans un piège.

ensayar *vt* essayer; (TEATRO) répéter; **~se** *vr* (*probar*) essayer; (*practicar*) s'exercer.

ensayista *nm/f* essayiste *m*.

ensayo *nm* essai *m*; (QUÍMICA) essai, expérience *f*; (TEATRO) répétition *f*.

ensenada *nf* anse *f*, crique *f*.

enseña *nf* enseigne *f*.

enseñanza *nf* enseignement *m*; (*doctrina*) doctrine *f*.

enseñar *vt* (*educar*) enseigner; (*instruir*) instruire; (*mostrar, señalar*) montrer.

enseres *nmpl* ustensiles *mpl*; (*herramientas*) outils *mpl*; (*artículos de limpieza*) articles *mpl* d'entretien; **~ domésticos** effets *mpl* domestiques.

ensillar *vt* seller.

ensimismarse *vr* s'absorber, rentrer en soi-même; se concentrer; (AM) faire l'important.

ensoberbecerse *vr* s'enorgueillir; (*mar*) s'agiter.

ensordecer *vt* assourdir // *vi* devenir sourd(e).

ensortijar *vt* (*cabellos*) friser; (*animal*) mettre un anneau à; **~se** *vr* se friser.

ensuciar *vt* (*manchar*) salir; (*fig*) flétrir // *vi* (*fam*) faire ses besoins; **~se** *vr* (*mancharse*) se salir; (*fig*) se vendre, se laisser acheter.

ensueño *nm* (*fantasía*) rêve *m*, rêverie *f*; (*ilusión*) songe *m*.

entablado *nm* (*piso*) plancher *m*; (*armazón*) armature *f* en planches.

entablar *vt* (*recubrir*) parqueter, planchéier; (AJEDREZ, DAMAS) disposer; (*conversación*) amorcer, engager; (JUR) entamer // *vi* faire partie nulle.

entallar *vt* entailler; sculpter; ciseler; graver; (*traje*) ajuster // *vi*: **el traje entalla bien** ce costume est bien ajusté.

ente *nm* (*ser vivo*) être *m*, créature *f*; (*sociedad*) firme *f*, société *f*; (*fam*) phénomène *m*.

enteco, a, entecado, a *a* chétif(ive), maladif(ive); délicat(e).

entender *vt* (*comprender*) comprendre; (*creer, pensar*) croire, penser; (*querer decir*) entendre // *vi*: **~ de** s'y entendre; **~ en** s'occuper de; **~se** *vr* (*comprenderse*) se comprendre; (*ponerse de acuerdo*) s'entendre, se mettre d'accord; (*aliarse*) se mettre en rapport; (*fam*) avoir une liaison; **me entiendo con la mecánica** je m'entends en mécanique; **entendido, a** *a* (*comprendido*) entendu(e); (*inteligente, hábil*) entendu; compétent(e) // *nm/f* connaisseur/euse // *excl* entendu!, d'accord!, compris!; **entendimiento** *nm* (*comprensión*) entente *f*; (*facultad intelectual*) entendement *m*; (*juicio*) jugement *m*.

enterado, a *a* (*al corriente*) au courant; (*fam*: *entendido*) calé(e) // *nm/f* connaisseur/euse.

enteramente *ad* entièrement.

enterar *vt* (*informar*) informer; (AM: *dinero*: *dar*) verser; **~se** *vr* s'informer; **¿se enteró de lo ocurrido?** il a su ce qui s'était passé?

entereza *nf* intégrité *f*; énergie *f*; fermeté *f*; honnêteté *f*.

enternecer *vt* (*ablandar*) ramollir; (*apiadar*) apitoyer; (*conmover*) attendrir; **~se** *vr* (*apiadarse*) s'apitoyer; (*conmoverse*) s'attendrir.

entero, a *a* entier(ière); robuste, vigoureux(euse); intègre, droit(e) // *nm* (COM: *punto*) point *m*; (AM: *pago*) versement *m*, solde *m*.

enterrador *nm* (*de cementerio*) fossoyeur *m*; (ZOOL) nécrophore *m*, enfouisseur *m*.

enterrar *vt* (*muerto*) ensevelir; (*objeto*) enterrer, enfouir; (*olvidar*) enterrer; (*planta*) planter, mettre en terre; **~se** *vr* s'enterrer.
entibiar *vt* attiédir, tiédir; (*fig*) modérer, tempérer.
entidad *nf* (*empresa*) entreprise *f*, société *f*; (*organismo*) organisme *m*; (*sociedad*) société *f*; (FILOSOFÍA) entité *f*.
entiendo *etc vb ver* **entender**.
entierro *nm* enterrement *m*.
entonación *nf* (LING) intonation *f*; (*fig*) arrogance *f*.
entonado, a *a* (MUS) juste; (*fig*) arrogant(e).
entonar *vt* (*canción*) entonner; (*colores*) harmoniser; (MED) ragaillardir, fortifier // *vi* chanter juste; **~se** *vr* (*engreírse*) parader, poser; (*fortalecerse*) se remonter.
entonces *ad* alors; **desde ~ hasta ahora** depuis lors; **en aquel ~** à cette époque.
entornar *vt* (*puerta, ventana*) entrebâiller; (*los ojos*) entrouvrir.
entorpecer *vt* (*adormecer los sentidos*) engourdir; (*molestar, impedir*) gêner, paralyser.
entorpecimiento *nm* (*de los sentidos*) engourdissement *m*; (*del tránsito*) embarras *m*, obstacle *m*.
entrado, a *a*: **~ en años** d'un âge avancé; **una vez ~ el verano** une fois l'été commencé // *nf* (*acceso*) entrée *f*; (COM) recette *f*; (CULIN) entrée; (DEPORTE) début *m*; (TEATRO) réplique *f*; (*para el cine etc*) billet *m*; **tener entradas en la frente** avoir le front dégarni; (COM): **entradas y salidas** recettes et dépenses; (TEC): **entrada de aire** bouche *f* d'aération.
entrante *a* qui commence // *nm/f* entrant *m/f* // *nm* golf *m*, fjord *m*.
entraña *nf* (*fig*: *centro*) cœur *m*; (*de problema*) nœud *m*; **~s** *nfpl* (ANAT) viscères *mpl*.
entrañable *a* intime; cher (chère); profond(e).
entrar *vt* faire entrer // *vi* entrer; (*comenzar*): **~ diciendo** commencer par dire; **~ en calor** se réchauffer; **~ en razón** entendre raison; **~ a atacar** s'apprêter à attaquer; **no me entra** je n'arrive pas à comprendre; **el año que entra** l'année qui commence.
entre *prep* entre; **pensaba ~ mí** je pensais en moi-même.
entreabrir *vt* (*ojos*) entrouvrir; (*puerta*) entrebâiller; **~se** *vr* s'entrouvrir.
entrecejo *nm*: **fruncir el ~** froncer les sourcils.
entredicho *nm* défense *f*.
entrega *nf* remise *f*; (*de mercancías*) livraison *f*; (*rendición*) reddition *f*; **novela por ~s** roman-feuilleton *m*.
entregar *vt* (*dar*) remettre; (*librar*) livrer; **~se** *vr* (*abandonarse*) se livrer, se confier; (*rendirse*) se rendre; (*dedicarse*) s'adonner, se livrer.
entrelazar *vt* (*mezclar*) mêler; (*entretejer*) entrelacer; **~se** *vr* s'emmêler.
entremés *nm* intermède *m*; (CULIN) hors-d'œuvre *m*.
entremeter *vt* insérer; **~se** *vr* se mêler; **entremetido, a** *a* indiscret(ète) // *nm/f* fureteur/euse; fouineur/euse.
entremezclar *vt* entremêler; **~se** *vr* se mêler.
entrenador *nm* entraîneur *m*.
entrenarse *vr* s'entraîner.
entreoír *vt* entendre vaguement.
entresacar *vt* (*elegir*) trier, choisir; (*seleccionar*) sélectionner; (*conclusión*) tirer.
entresuelo *nm* (*sótano*) entresol *m*; (TEATRO) premier balcon.
entretanto *ad* pendant ce temps.
entretejer *vt* entrelacer, mêler.
entretener *vt* (*divertir*) distraire, amuser; (*cuidar*) entretenir; **~se** *vr* s'amuser, se distraire; perdre son temps; (*retrasarse*) s'attarder; **entretenido, a** *a* amusant(e), distrayant(e); **entretenimiento** *nm*

amusement *m*, occupation *f*; passe-temps *m*; (*cuidado*) entretien *m*.
entrever *vt* entrevoir.
entreverar *vt* entremêler; **~se** *vr*: **~se a** se mêler à.
entrevista *nf* entrevue *f*, entretien *m*.
entristecer *vt* attrister; **~se** *vr*: **~se con** *o* **de** *o* **por** s'attrister de.
entrometer *etc* = **entremeter** *etc*.
entronizar *vt* introniser; (*fig*) exalter.
entuerto *nm* dommage *m*.
entumecer *vt* engourdir; **~se** *vr* (*por el frío*) s'engourdir; (*el mar*) s'agiter.
entumecido, a *a* (*entorpecido*) gêné(e), alourdi(e); (*adormecido*) gourd(e).
enturbiar *vt* (*el agua*) troubler; (*fig*) embrouiller; **~se** *vr* (*oscurecerse*) s'obscurcir; (*fig*) se confondre, se tromper.
entusiasmar *vt* enthousiasmer; (*gustar mucho*) ravir; **~se** *vr*: **~se con** *o* **por** s'enthousiasmer pour.
entusiasmo *nm* admiration *f*; (*deleite*) plaisir *m*, ravissement *m*; (*excitación*) enthousiasme *m*; (*fervor*) ferveur *f*.
entusiasta *a* passionné(e), enthousiaste; fervent(e); partisan(e) // *nm/f* enthousiaste *m/f*.
enumerar *vt* énumérer.
enunciación *nf*, **enunciado** *nm* énumération *f*, énoncé *m*; explication *f*; exposition *f*.
enunciar *vt* dire, énoncer; déclarer; exposer; formuler.
envainar *vt* (*cuchillo*) engainer; (*espada*) rengainer.
envalentonar *vt* enhardir; encourager, stimuler; **~se** *vr* s'enhardir; (*pey*: *envanecerse*) s'enorgueillir; (: *jactarse*) se vanter.
envanecer *vt* enorgueillir; **~se** *vr* s'enorgueillir; (*jactarse*) se vanter.
envasar *vt* (*empaquetar*) empaqueter, emballer; (*enfrascar*) mettre en bouteille; (*enlatar*) mettre en boîte; (*embolsar*) mettre en sac // *vi* (*fig*: *vino*) boire avec excès; **~ un puñal a alguien** (AM) blesser *ou* tuer qn.
envase *nm* récipient *m*; emballage *m*.
envejecer *vt* vieillir // *vi*, **~se** *vr* (*volverse viejo*) devenir vieux (vieille); (*fig*) se vieillir.
envenenar *vt* empoisonner; (*fig*) envenimer.
envergadura *nf* envergure *f*.
envés *nm* (*de página*) verso *m*; (BOT: *de hoja*) envers *m*; (*fam*: *espalda*) dos *m*.
enviado, a *a* envoyé(e) // *nm/f* délégué/e, envoyé/e; représentant/e; émissaire *m*.
enviar *vt* (*dirigir*) adresser; (*expedir*) expédier; (*despachar*) dépêcher; (*carta, embajador*) envoyer; (*mercancias solicitadas*) expédier; **~ a paseo** envoyer promener.
envidia *nf* (*deseo ferviente*) envie *f*; (*celos*) jalousie *f*; **envidiar** *vt* (*desear*) désirer; (*tener celos*) envier, jalouser.
envilecer *vt* (*degradar*) avilir; (*rebajar*) rabaisser; **~se** *vr* s'avilir; se déshonorer.
envío *nm* envoi *m*.
enviudar *vi* devenir veuf/ veuve.
envoltura *nf* (*cobertura*) enveloppe *f*, couverture *f*; (*embalaje*) emballage *m*; (*funda*) housse *f*.
envolver *vt* empaqueter; (*lana*) enrouler; (*enemigo*) envelopper, tourner; (*implicar*) mêler, impliquer; **~se** *vr* (*cubrirse*) s'envelopper; (*enrollarse*) s'enrouler.
envuelto *pp de* **envolver**.
enyugar, enyuntar *vt* atteler.
enzarzar *vt* couvrir de ronces; (*gusanos de seda*) encabaner; (*enemistar*) brouiller; **~se** *vr* se prendre dans les ronces; se brouiller; (*implicarse*) se fourrer, s'embarquer.
épico, a *a* épique // *nf* poésie *f* épique.
epidemia *nf* épidémie *f*.

epidémico, a *a* épidémique.
epidérmico, a *a* épidermique; (*fig*) superficiel(le).
epifanía *nf* épiphanie *f.*
epígrafe *nm* épigraphe *f.*
epigrama *nf* épigramme *f.*
epilepsia *nf* épilepsie *f.*
epílogo *nm* épilogue *m.*
episcopado *nm* épiscopat *m.*
episodio *nm* (*incidente*) incident *m*; (*parte*) épisode *m.*
epístola *nf* épître *f*; (*fam*) épître, lettre *f*; **epistolar** *a* épistolaire.
epitafio *nm* épitaphe *f.*
epíteto *nm* épithète *f.*
epítome *nm* abrégé *m*, épitomé *m.*
época *nf* temps *m*, époque *f*; **hacer ~** faire date.
epopeya *nf* épopée *f.*
equidad *nf* équité *f.*
equilibrar *vt* équilibrer, contrebalancer; niveler; compenser; **equilibrio** *nm* aplomb *m*, équilibre *m*; égalité *f*; harmonie *f*; proportion *f*; stabilité *f*; **equilibrista** *nm/f* équilibriste *m/f.*
equinoccio *nm* équinoxe *m.*
equipaje *nm* bagages *mpl*; (*NAUT*: *tripulación*) équipage *m*; **~ de mano** bagages à main.
equipar *vt* (*proveer*) équiper; (*NAUT*) armer.
equipo *nm* (*materiales*) équipement *m*; (*grupo*) équipe *f*; **~ quirúrgico** instruments *mpl* de chirurgie.
equis *nf* X *m.*
equitación *nf* équitation *f.*
equitativo, a *a* équitable; raisonnable; impartial(e).
equivalente *a* équivalent(e) // *nm* équivalent *m*; **equivaler** *vi* équivaloir.
equivocación *nf* erreur *f*, méprise *f*; **equivocarse** *vr* se tromper; **equivocarse de fecha** se tromper de date; **equívoco, a** *a* (*dudoso*) douteux(euse); (*ambiguo*) ambigu(ë) // *nm* équivoque *f*; malentendu *m*; ambiguïté *f.*

era *vb ver* **ser** // *nf* (*de tiempo*) ère *f*; (*AGR*) aire *f.*
erais *vb ver* **ser**.
éramos *vb ver* **ser**.
eran *vb ver* **ser**.
erario *nm* trésor *m* (public).
eras *vb ver* **ser**.
eremita *nm* ermite *m.*
eres *vb ver* **ser**.
erguir *vt* lever; (*poner derecho*) dresser, redresser; **~se** *vr* se dresser; (*fig*) se rengorger.
erial *a* en friche, inculte // *nm* friche *f.*
erigir *vt* ériger; **~se** *vr* s'ériger, se poser; **~se en árbitro** s'ériger en arbitre.
erizar *vt* hérisser, dresser; (*fig*) entraver; **~se** *vr* se hérisser; (*fig*) s'effrayer.
erizo *nm* hérisson *m*; (*erizo de mar*) oursin *m*; (*de castaña*) bogue *f*; (*mata espinosa*) touffe épineuse.
ermita *nf* ermitage *m.*
ermitaño *nm* ermite *m*; (*ZOOL*) bernard-l'ermite *m.*
errado, a *a* faux(fausse).
errante *a* ambulant(e), errant(e); itinérant(e); nomade.
errar *vi* (*vagar*) errer; (*equivocarse*) se tromper // *vt*: **~ el camino** se tromper de chemin; **~ el tiro** manquer le but.
erróneo, a *a* erroné(e); faux (fausse).
error *nm* erreur *f*; **~ de imprenta** coquille *f*; **~ de máquina** faute *f* de frappe.
erudición *nf* érudition *f.*
erudito, a *a* érudit(e) // *nm/f* érudit/e.
erupción *nf* éruption *f.*
es *vb ver* **ser**.
esa *det ver* **ese**.
ésa *pron ver* **ése**.
esas *det ver* **ese**.
ésas *pron ver* **ése**.
esbeltez *nf* (*elegancia*) sveltesse *f*; (*gracia*) grâce *f.*
esbelto, a *a* svelte.
esbirro *nm* sbire *m.*

esbozo *nm* ébauche *f*.
escabeche *nm* marinade *f*; **pescado en ~** poisson *m* en marinade.
escabel *nm* (*asiento*) escabeau *m*, tabouret *m*; (*para los pies*) tabouret.
escabroso, a *a* (*accidentado*) accidenté(e); (*fig*) scabreux(euse).
escabullirse *vr* (*escurrirse*) échapper, glisser des mains; (*escaparse*) s'échapper, s'esquiver; (*irse*) s'en aller.
escala *nf* (*proporción*) échelle *f*; (AVIAT) escale *f*; (MUS) gamme *f*; **~ de colores** dégradé *m* de couleurs; **en pequeña ~** sur une petite échelle.
escalafón *nm* (*escala de salarios*) échelle *f* de salaires; (*lista, registro, cuadro*) tableau *m*.
escaldado, a *a* (*fig*: *fam*) échaudé(e).
escalera *nf* escalier *m*; (NAIPES) suite *f*, quinte *f*; **~ mecánica** escalier mécanique.
escalinata *nf* perron *m*.
escalofrío *nm* frisson *m*.
escalón *nm* échelon *m*; (*de escalera*) marche *f*, degré *m*.
escalonar *vt* (*seriar, ordenar*) étaler; (*distribuir en el tiempo*) échelonner.
escalpelo *nm* scalpel *m*.
escama *nf* (*de pez, serpiente*) écaille *f*; (*de la piel*) squame *f*; (*de jabón*) paillette *f*; (*fig*) méfiance *f*, soupçon *m*.
escamado, a *a* méfiant(e); (AM) dégoûté(e), écœuré(e).
escamotar, escamotear *vt* (*quitar*) enlever; (*hacer desaparecer*) escamoter; (*suprimir*) supprimer.
escamoteo *nm* escamotage *m*; jeux *mpl* de mains, illusionnisme *m*; (*fam*) fauche *f*; barbotage *m*.
escampar *vb impersonal* cesser de pleuvoir.
escanciar *vt* verser à boire // *vi* boire.
escandalizar *vt* scandaliser; **~se** *vr* se scandaliser; s'indigner.
escándalo *nm* scandale *m*; outrage *m*; (*alboroto, tumulto*) esclandre *m*, tapage *m*.
escandaloso, a *a* scandaleux(euse).
escandinavo, a *a* scandinave // *nm/f* Scandinave *m/f*.
escaño *nm* banc *m* (à dossier); siège *m* (au parlement).
escapar *vi* (*gen*) échapper; (DEPORTE) s'échapper; (*de la cárcel*) s'évader; (*de un incendio*) réchapper; **~se** *vr* s'échapper; s'éclipser, s'esquiver; **~se de las manos** glisser des mains.
escaparate *nm* vitrine *f*; (AM) armoire *f*.
escape *nm* (*de gas*) fuite *f*; (*de motor*) échappement *m*.
escarabajo *nm* scarabée *m*.
escaramuza *nf* (MIL) accrochage *m*; (*fig*) escarmouche *f*.
escarapela *nf* cocarde *f*; (*fam*) chamaillerie *f*.
escarbar *vt* gratter; fouiller; (*dientes, orejas*) curer; (*fig*) fouiller dans // *vi* faire des recherches sur.
escarcela *nf* (*bolsa*) escarcelle *f*; (*de cazador*) carnassière *f*; (*cofia*) résille *f*.
escarcha *nf* (*rocío*) gelée blanche; (*niebla*) givre *m*.
escarlata *nf* écarlate *f*; (MED) scarlatine *f*.
escarlatina *nf* scarlatine *f*.
escarmentar *vt* corriger, donner une leçon à // *vi* se corriger; **escarmiento** *nm* leçon *f*; punition *f*.
escarnecer *vt* railler; bafouer; **escarnio, escarnecimiento** *nm* moquerie *f*; outrage *m*.
escarola *nf* scarole *f*.
escarpado, a *a* (*abrupto*) escarpé(e); (*inclinado*) penché(e); (*accidentado*) accidenté(e).
escasear *vt* (*escatimar*) lésiner; (*economizar*) épargner, économiser // *vi* se faire rare, manquer.
escasez *nf* manque *m*; pénurie *f*; pauvreté *f*.
escaso, a *a* (*poco*) peu abon-

dant(e); (*raro*) rare; (*ralo*) clairsemé(e); (*limitado*) limité(e).
escatimar *vt* (*limitar*) lésiner sur; (*reducir*) réduire; (*fig: ahorrar*) ménager.
escena *nf* scène *f*.
escenario *nm* (TEATRO) scène *f*; (CINE) plateau *m*; (*fig*) cadre *m*, décor *m*.
escepticismo *nm* scepticisme *m*; **escéptico, a** *a* sceptique // *nm/f* sceptique *m/f*.
escisión *nf* scission *f*, fission *f*.
esclarecer *vt* (*iluminar*) éclairer, illuminer; (*misterio, problema*) éclaircir; (*ennoblecer*) rendre illustre.
esclavitud *nf* esclavage *m*.
esclavizar *vt* réduire en esclavage.
esclavo, a *nm/f* esclave *m/f*.
esclusa *nf* écluse *f*.
escoba *nf* balai *m*; (BOT) genêt *m* à balais.
escocer *vt* brûler // *vi* enflammer; (*fig*) chagriner; **~se** *vr* s'enflammer; (*fig*) se froisser.
escocés, esa *a* écossais(e) // *nm/f* Ecossais/e // *nm* écossais *m*.
Escocia *nf* Ecosse *f*.
escoger *vt* (*elegir*) choisir; (*seleccionar*) trier; (*optar*) opter; **escogido, a** *a* choisi(e); préféré(e); sélectionné(e); **escogimiento** *nm* choix *m*.
escolar *a* scolaire // *nm/f* élève *m/f*.
escolástico, a *a* scolastique // *nm* scolastique *m* // *nf* scolastique *f*.
escolta *nf* (*acompañante*) escorte *f*; (*custodia*) garde *f*.
escoltar *vt* (*acompañar*) escorter; (*custodiar*) encadrer, garder; (*proteger*) protéger.
escollo *nm* (*peñasco*) écueil *m*; (*encalladero, banco*) banc *m*, récif *m*; (*fig*) écueil.
escombro *nm* décombres *mpl*, déblais *mpl*.
esconder *vt* cacher; (*disfrazar, disimular*) dissimuler; **~se** *vr* se cacher; (*retraerse*) se retirer.
escondite *nm* (*escondrijo*) cachette *f*; (*juego*) cache-cache *m*.
escondrijo *nm* (*escondite*) cachette *f*; (*fig*) recoin *m*.
escopeta *nf* fusil *m* de chasse.
escoplo *nm* ciseau *m* à bois/pierre.
escoria *nf* scorie *f*; (*minerales*) laitier *m*.
Escorpio *nm* le Scorpion; **ser (de)** ~ être (du) Scorpion.
escorpión *nm* scorpion *m*; (*pez*) scorpène *f*.
escote *nm* (*de vestido*) décolleté *m*; (*parte*) écot *m*; **pagar a** ~ payer son écot.
escotilla *nf* écoutille *f*.
escotillón *nm* trappe *f*.
escozor *nm* (*dolor*) cuisson *f*, brûlure *f*; (*fig*) remords cuisant, pincement *m*.
escribano, a *nm/f* notaire *m*.
escribiente *nm/f* (*empleado*) employé/e de bureau; (*copista*) copiste *m/f*; (*amanuense*) employé/e aux écritures.
escribir *vt, vi* écrire; ~ **a máquina** taper à la machine.
escrito, a *pp de* **escribir** // *a* écrit(e) // *nm* écrit *m*; **poner por** ~ mettre par écrit.
escritor, a *nm/f* écrivain *m*.
escritorio *nm* bureau *m*.
escritura *nf* écriture *f*, graphie *f*; (*caligrafía*) calligraphie *f*; (JUR: *documento*) acte *m*, titre *m*.
escrúpulo *nm* (*duda*) scrupule *m*; (*recelo*) méfiance *f*; (*minuciosidad*) minutie *f*; **tener** ~ avoir des scrupules; **escrupuloso, a** *a* scrupuleux (euse).
escrutar *vt* scruter; ~ **los votos** dépouiller un scrutin.
escrutinio *nm* (*examen atento*) examen *m*; (*recuento de votos*) scrutin *m*; (*resultado de elección*) scrutin.
escuadra *nf* (TEC) équerre *f*; (MIL) escouade *f*; (NAUT) escadre *f*; équipe *f*; (*de obreros*) équipe.

escuadrilla *nf* (*de aviones*) escadrille *f*; (*AM: de obreros*) équipe *f*.
escuadrón *nm* escadron *m*.
escuálido, a *a* (*flaco, macilento*) maigre, émacié(e); (*sucio*) sale, malpropre.
escuchar *vt, vi* écouter.
escudero *nm* (*HISTORIA: paje*) écuyer *m*; (*: lacayo*) laquais *m*.
escudilla *nf* écuelle *f*.
escudo *nm* (*arma, fig*) bouclier *m*; (*moneda*) écu *m*; (*insignia*) armes *fpl*, blason *m*.
escudriñar *vt* (*examinar*) fouiller du regard, examiner en détail; (*mirar de lejos*) scruter.
escuela *nf* école *f*.
escueto, a *a* (*conciso, sucinto*) concis(e); (*sobrio*) sobre, dépouillé(e).
esculpir *vt* sculpter; **escultor, a** *nm/f* sculpteur *m*; **escultura** *nf* sculpture *f*.
escupidora, escupidera *nf* crachoir *m*; (*orinal*) vase *m* de nuit.
escupir *vt, vi* cracher.
escurridizo, a *a* (*resbaladizo*) glissant(e); (*huidizo*) leste *ou* rapide à fuir; fuyant(e).
escurrir *vt* (*ropa*) tordre; (*verduras*) égoutter; (*platos*) laisser égoutter // *vi* (*los líquidos*) tomber goutte à goutte; (*resbalarse*) glisser; **~se** *vr* (*gotear*) tomber goutte à goutte; (*secarse*) se sécher; (*resbalarse*) glisser; (*escaparse*) s'esquiver.
ese, esa, esos, esas *det* (*m*) ce ...-là; (*f*) cette ...-là; (*pl*) ces ...-là; **~ hombre** cet homme-là; **esa mujer** cette femme-là.
ése, ésa, ésos, ésas *pron* (*m*) celui- là; (*f*) celle-là; (*mpl*) ceux-là; (*fpl*) celles-là; **~ te lo dirá** lui te le dira; **ésos no vinieron** eux ne sont pas venus; **¡no me vengas con ésas!** ne me raconte pas d'histoires!
esencia *nf* essence *f*; nature *f*; parfum *m*; **esencial** *a* essentiel(le); important(e).
esfera *nf* sphère *f*; (*de reloj*) cadran *m*; (*círculo de relaciones*) milieu *m*, sphère; **esférico, a** *a* sphérique.
esfinge *nf* sphinx *m*.
esforzado, a *a* énergique; vaillant(e); courageux(euse); (*animoso, concienzudo*) ardent(e).
esforzar *vt* encourager; **~se** *vr* s'efforcer.
esfuerzo *nm* effort *m*; vigueur *f*; (*valor*) courage *m*.
esfumar *vt* estomper; **~se** *vr* disparaître.
esgrima *nf* escrime *f*.
esgrimir *vt* (*espada, arma*) manier, se servir de; (*argumento*) faire valoir.
esguince *nm* (*MED*) foulure *f*; (*ademán*) écart *m*.
eslabón *nm* (*de cadena*) maillon *m*; (*BIO, TEC, fig*) chaînon *m*, maillon; **eslabonar** *vt* (*enlazar*) enchaîner; (*unir*) unir; (*relacionar*) mettre en contact.
eslingar *vt* élinguer.
esmaltar *vt* émailler; (*fig*) embellir, parer.
esmalte *nm* émail *m*; (*fig*) lustre *m*, parure *f*; **~ de uñas** vernis *m* à ongles.
esmerado, a *a* soigné(e); (*persona*) soigné, élégant(e).
esmeralda *nf* émeraude *f*.
esmerarse *vr* (*aplicarse*) s'appliquer; (*esforzarse*) faire de son mieux.
esmero *nm* soin *m*.
esnob *a inv* snob (*inv*) // *nm/f* snob *m/f*; **esnobismo** *nm* snobisme *m*.
eso *pron* cela, ça; **a ~ de las cinco** vers cinq heures; **en ~ llegó** là, il est arrivé; **¡~ es!** c'est ça!, tout juste!; **¡~ sí que es vida!** ça oui c'est la vie!; **por ~ te lo dije** c'est pour cela que je te l'ai dit; **¿qué es ~?** qu'est-ce que c'est que ça?
esos *det ver* **ese**.
ésos *pron ver* **ése**.
esotérico, a *a* ésotérique.
espabilar *vt* (*vela*) moucher; (*despertar*) éveiller; **~se** *vr* (*despertar-*

se) s'éveiller; (*animarse*) se secouer, se remuer.

espaciar *vt* (*escritura*) espacer; (*visitas, pagos*) échelonner; **~se** *vr* se distraire; **~se en un tema** s'étendre sur un sujet.

espacio *nm* espace *m*; laps *m* de temps; espacement *m*, interstice *m*; distance *f*; extension *f*; (IMPRENTA) espace *m*; (MUS) interligne *m*, espace *m*; (*emisión*) émission *f*; **el ~** l'espace; **~ radial** programme radio; **espacioso, a** *a* spacieux(euse); (*lento*) lent(e), posé(e).

espada *nf* (*arma*) épée *f*; (*pey: matón*) dur *m*; **~s** *nfpl* (NAIPES) piques *fpl*.

espadachín *nm* fine lame.

espadín *nm* épée *f* de cérémonie.

espalda *nf* (*de cuerpo, traje*) dos *m*; (*parte de atrás*) derrière *m*; **a ~s de** par derrière, à l'insu de; **cargado de ~s** le dos voûté; **tenderse de ~s** se coucher sur le dos; **volver la ~ a alguien** tourner le dos à qn.

espaldar *nm* (*de asiento*) dossier *m*; (AGR) espalier *m*.

espantable *a* épouvantable.

espantadizo, a *a* ombrageux(euse).

espantajo *nm* épouvantail *m*.

espantapájaros *nmpl* épouvantail *m*.

espantar *vt* (*asustar*) effrayer; (*ahuyentar*) mettre en fuite; (*asombrar*) étonner; **~se** *vr* (*asustarse*) s'effrayer; (*asombrarse*) s'étonner.

espanto *nm* frayeur *f*, épouvante *f*; **espantoso, a** *a* effrayant(e).

España *nf* Espagne *f*.

español, a *a* espagnol(e) // *nm/f* Espagnol/e.

esparadrapo *nm* sparadrap *m*.

esparcido, a *a* (*diseminado*) parsemé(e), répandu(e); (*sembrado*) semé(e), éparpillé(e); (*fig*) détendu(e), gai(e).

esparcimiento *nm* (*de líquido*) épanchement *m*; (*dispersión*) éparpillement *m*; (AGR) épandage *m*; (*fig*) distraction *f*.

esparcir *vt* (*extender*) étendre, répandre; (*desparramar*) éparpiller; (*divulgar*) répandre, divulguer; **~se** *vr* (*desparramarse*) se répandre, s'éparpiller; (*descansar*) se détendre; (*distraerse*) se distraire.

espárrago *nm* asperge *f*.

esparto *nm* alfa *m*, sparte *m*.

espasmo *nm* spasme *m*.

especia *nf* épice *f*.

especial *a* (*singular*) spécial(e); (*particular*) particulier(ière).

especie *nf* espèce *f*; (*asunto*) affaire *f*; (*comentario*) bruit *m*, nouvelle *f*; **en ~** en nature.

especiería *nf* (*negocio*) boutique *f* d'épices; (*conjunto de especias*) épicerie *f*.

especiero, a *nm/f* marchand/e d'épices // *nm* armoire *f* à épices.

especificar *vt* spécifier, préciser.

espécimen *nm* (*pl* **especímenes**) spécimen *m*.

especioso, a *a* (*perfecto*) parfait(e); (*fig*) spécieux(euse).

espectáculo *nm* (*gen*) spectacle *f*; (TEATRO *etc*) représentation *f*, spectacle.

espectador, a *nm/f* spectateur/trice.

espectro *nm* spectre *m*; (*fig*) spectre, fantôme *m*.

especular *vt* spéculer, méditer // *vi* spéculer; **especulativo, a** *a* spéculatif(ive).

espejismo *nm* mirage *m*.

espejo *nm* miroir *m*, glace *f*; (*fig*) modèle *m*, exemple *m*; **~ de retrovisión** rétroviseur *m*.

espeluznante *a* effrayant(e); à faire dresser les cheveux sur la tête.

espera *nf* (*pausa, intervalo*) attente *f*; (JUR: *plazo*) délai *m*; **en ~ de** dans l'attente de.

esperanza *nf* (*confianza*) espoir *m*, espérance *f*; (*perspectiva*) perspective *f*; **esperanzar** *vt* donner de l'espoir à; promettre; donner des illusions à.

esperar *vt* (*aguardar*) attendre;

(*desear*) espérer // *vi* attendre; espérer.
espesar *vt* (*líquido*) épaissir, lier; (*TEC*) presser; **~se** *vr* s'épaissir.
espeso, a *a* (*denso*) épais(se); (*bosque*) touffu(e); (*fig*) touffu, compliqué(e); **espesor** *nm* (*grosor*) épaisseur *m*; (*densidad*) densité *f*; **espesura** *nf* épaisseur *m*; (*matorral*) fourré *m*.
espetar *vt* (*atravesar, traspasar*) embrocher; (*pregunta*) décocher; (*dar*: *reto, sermón*) sortir, débiter.
espetón *nm* (*asador*) broche *f*; (*aguja*) longue épingle; (*empujón*) bourrade *f*.
espía *nm/f* espion/ne; (*fam*) mouchard/e.
espiar *vt* (*observar*) épier; (*acechar*) espionner; (*informar*) informer en secret.
espiga *nf* (*BOT*) épi *m*; (*de espada*) soie *f*, fusée *f*; (*de herramienta*) tenon *m*; (*clavija*) cheville *f*.
espigado, a *a* monté(e) en graine; grand(e); élancé(e).
espigar *vt* (*AGR*) glaner; (*TEC*) faire un tenon sur; **~se** *vr* (*planta*) pousser, grandir beaucoup; (*persona*) grandir, pousser.
espigón *nm* (*malecón*) jetée *f*, brise-lames *m inv*; (*dique*) épi *m*; (*punta*) pointe *f*; (*mazorca*) épi de maïs.
espina *nf* épine *f*; (*de madera, astilla*) écharde *f*; (*de pez*) arête *f*; **~ blanca** chardon *m*; **~ dorsal** épine dorsale.
espinaca *nf* épinard *m*.
espinar *nm* buisson *m* de ronces // *vt* (*herir*: *fig*) piquer; (*AGR*) armer, épiner.
espinazo *nm* échine *f*.
espino *nm* aubépine *f*; **~ blanco** aubépine; **~ negro** prunellier *m*.
espinoso, a *a* épineux (euse).
espionaje *nm* espionnage *m*.
espiral *a*: **escalera en ~** escalier *m* en colimaçon // *nm* spiral *m* // *nf* spirale *f*.
espirar *vt* expirer // *vi* (*expeler*) souffler; (*exhalar*) exhaler.
espiritista *a* spiritiste // *nm/f* spirite *m/f*.
espíritu *nm* esprit *m*.
espiritual *a* spirituel(le).
espirituoso, a *a* (*licor*) spiritueux(euse); (*ingenioso*) spirituel(le).
espita *nf* cannette *f*; (*fig*: *fam*) pochard *m*.
esplendente *a* resplendissant(e).
esplendidez *nf* (*abundancia*) largesse *f*, libéralité *f*; (*magnificencia*) splendeur *f*, magnificence *f*.
esplendor *nm* splendeur *f*; éclat *m*.
espliego *nm* lavande *f*.
espolear *vt* éperonner; (*fig*) aiguillonner, stimuler.
espolón *nm* (*de ave*) ergot *m*; (*de barco, montaña*) éperon *m*; (*malecón*) môle *m*, jetée *f*; (*AM*) contrefort *m*; (*fam*: *sabañón*) engelure *f* au talon.
espolvorear *vt* saupoudrer.
esponja *nf* éponge *f*.
esponjarse *vr* (*fam*) se rengorger; (*fam*) prendre des couleurs.
esponjoso, a *a* spongieux (euse); (*liviano*) léger(ère).
esponsales *nmpl* fiançailles *fpl*; accordailles *fpl*.
espontaneidad *nf* acte spontané; spontanéité *f*.
espontáneo, a *a* spontané(e); naturel(le), franc(franche); volontaire.
esportillo *nm* cabas *m*.
esposa *nf* épouse *f*; **~s** *nfpl* menottes *fpl*.
esposo *nm* époux *m*.
espuela *nf* éperon *m*; (*AM*: *de gallo*) ergot *m*; (*fig*) stimulant *m*; **~ de caballero** pied-d'alouette *m*.
espuma *nf* écume *f*; (*de champán, jabón*) mousse *f*; **~ de goma** caoutchouc mousse; **espumar** *vt* (*cerveza*) écumer; (*caldo*) dégraisser, écumer // *vi* (*el vino*) éclaircir, clarifier; **espumoso, a** *a* écumeux (euse); mousseux(euse).

espurio, a *a* bâtard(e); adultéré(e), frelaté(e).
esquela *nf* (*carta*) billet *m*; (*invitación*) carte *f*; faire-part *m*.
esqueleto *nm* squelette *m*; (*fig*) plan *m*, canevas *m*.
esquema *nm* schéma *m*; (FILOSOFÍA) schème *m*.
esquí *nm* (*pl* **esquís**) ski *m*.
esquife *nm* skiff *m*.
esquila *nf* tonte *f*.
esquilar *vt* tondre.
esquilmar *vt* (*cosechar*) récolter; (*empobrecer*: *suelo*) épuiser; (*fig*) appauvrir, dépouiller.
esquimal *a* esquimau(de) // *nm/f* Esquimau/de // *nm* esquimau *m*.
esquina *nf* coin *m*; (DEPORTE) corner *m*.
esquirol *nm* (*fam*) briseur *m* de grève.
esquivar *vt* (*evitar*) esquiver; (*rehuir*) éviter, fuir; **~se** *vr* s'esquiver.
esquivez *nf* (*altanería*) froideur *f*; (*desdeño*) dédain *m*; **esquivo, a** *a* dédaigneux(euse); revêche.
esta *det ver* **este**.
ésta *pron ver* **éste**.
está *vb ver* **estar**.
estabilidad *nf* stabilité *f*; **estable** *a* stable; durable; ferme.
establecer *vt* établir, fonder; (*poner, instalar*) implanter; **~se** *vr* s'établir; **~se por su cuenta** se mettre à son compte.
establecimiento *nm* (*casa*) maison *f*; (*almacén, comercio, firma*) magasin *m*, commerce *m*; (*institución*) établissement *m*; **~ comercial** entreprise commerciale.
establo *nm* étable *f*.
estaca *nf* (*palo*) pieu *m*; (AGR) bouture *f*.
estacada *nf* (*cerca*) palissade *f*; (*palenque*) enceinte *f*; (AM) coup *m* de couteau.
estación *nf* (FERROCARRIL) gare *f*; (*establecimiento científico*) station *f*; (*del año*) saison *f*; (REL) station, reposoir *m*; **~ balnearia** station balnéaire; **~ de autobuses** gare routière.
estacionamiento *nm* parking *m*.
estacionar *vt* garer, parquer.
estacionario, a *a* stationnaire; (COM: *mercado*) calme.
estada *nf* séjour *m*.
estadio *nm* stade *m*.
estadista *nm* (POL) homme d'état *m*; (ESTADÍSTICA) statisticien *m*.
estadística *nf* statistique *f*.
estado *nm* état *m*; **~ civil** état civil; **~ de guerra/de emergencia/de sitio** état de guerre/d'urgence/de siège; **~ de las cuentas** état des comptes; **~ mayor** état-major *m*; **E~s Unidos, EE.UU.** Etats-Unis *mpl*.
estafa *nf* escroquerie *f*.
estafar *vt* escroquer.
estafeta *nf* (*correo*) estafette *f*; (*oficina de correos*) bureau *m* de poste; **~ diplomática** valise *f* diplomatique.
estallar *vi* (*explotar*) exploser; (*reventar*) crever; (*bomba*) déflagrer, exploser; (*neumático*) éclater; (*conspiración*) éclater; **~ en llanto** éclater en pleurs; **estallido** *nm* explosion *f*, éclatement *m*.
estameña *nf* étamine *f*.
estampa *nf* (*imagen*) image *f*; (*impresión, imprenta*) estampe *f*; (*imagen, figura*: *de persona*) apparence *f*, allure *f*; (*fig*: *huella*) marque *f*; **tener buena/mala ~** avoir bonne/mauvaise apparence.
estampado, a *a* (*impreso*) estampé(e); (*tela*) imprimé(e) // *nm* imprimé *m*.
estampar *vt* (*imprimir*) estamper, imprimer; (*metal*) étamper; (*poner sello en*) mettre le cachet sur, cacheter; (*fig*) imprimer.
estampida *nf* fuite précipitée; (*estampido*) détonation *f*.
estampido *nm* détonation *f*.
estampilla *nf* (*sello*) estampille *f*, timbre *m*; (*sello con firma*) griffe *f*; (AM): **~ de correos/fiscal** timbre

postal/fiscal; ~ **de impuesto** vignette *f.*
están *vb ver* **estar**.
estancar *vt* (*aguas*) étancher, retenir; (COM) monopoliser; (*fig*) laisser en suspens; ~**se** *vr* (*líquidos*) stagner; (*fig*) s'enliser, piétiner, être suspendu(e).
estancia *nf* (*permanencia*) séjour *m*; (*sala*) chambre *f*; (*estrofa*) stance *f*; (AM) ferme très grande.
estanciero *nm* (AM) fermier *m.*
estanco, a *a* étanche; (*fig*) compartimenté(e) // *nm* (*monopolio*) monopole *m*, régie *f*; (*negocio*) bureau *m* de tabac; (*taberna*) bistrot *m.*
estandarte *nm* étendard *m.*
estanque *nm* (*lago*) étang *m*; (AGR) bassin *m*; ~ **de jardín** bassin dans un jardin.
estanquero, a, estanquillero, a *nm/f* buraliste *m/f.*
estante *nm* (*armario*) rayonnage *m*; (*biblioteca*) bibliothèque *f*; (*anaquel*) rayon *m*, étagère *f*; (AM) étai *m*; **estantería** *nf* rayonnage *m.*
estantigua *nf* (*fantasma*) fantôme *m*; (*fam*: *persona alta y flaca*) grand escogriffe; (: *persona fea*) épouvantail *m.*
estaño *nm* étain *m.*
estar *vi* (*posición en espacio y tiempo*) être; ~ **en la ciudad** être dans la ville; ~ **en clase** être en classe; ~ **solo** être seul; **estamos a 2 de mayo** nous sommes le 2 mai; **¿como está Ud?** comment allez-vous?; ~ **mal de salud** être malade; ~ **enfermo/cansado** être malade/fatigué; **está más viejo** il a vieilli; **está que arde** il bout de colère; (*seguido de una preposición*): **¿a cuánto estamos de Madrid?** à combien sommes-nous de Madrid?; ~ **de fiesta/ vacaciones** être en fête/vacances; **las uvas están a 5 pesetas** les raisins sont à 5 pesetas; ~ **de frente a** être face à; ~ **para** être sur le point de; ~ **por** être pour; **no** ~ **para bromas** ne pas avoir envie de plaisanter; **está por hacer** cela reste à faire; (*acción durativa*): ~ **pensando/esperando** être en train de penser/d'attendre; **¿estamos?** entendu?, d'accord?; ~**se** *vr*: ~**se tranquilo** rester tranquille.
estas *det ver* **este**.
éstas *pron ver* **éste**.
estás *vb ver* **estar**.
estático, a *a* statique // *nf* statique *f.*
estatua *nf* statue *f.*
estatuir *vt* (*establecer*) statuer; (*determinar*) déterminer.
estatura *nf* stature *f.*
estatuto *nm* statut *m.*
este *nm* est *m*; (*oriente*) orient *m.*
este, esta, estos, estas *det* (*m*) ce; ce...-ci; (*f*) cette; cette...-ci; (*pl*) ces; ces...-ci.
éste, ésta, éstos, éstas *pron* (*m*) celui-ci; (*f*) celle-ci; (*mpl*) ceux-ci; (*fpl*) celles-ci.
esté *etc vb ver* **estar**.
estela *nf* sillage *m*; (*monumento*) stèle *f*; (*fig*) trace *f*, vestige *m.*
estenografía *nf* sténographie *f.*
estepa *nf* (GEO) steppe *f*; (BOT) ciste *m.*
estera *nf* natte *f.*
estercolar *vt* fumer.
estereotipia *nf* (*arte*) stéréotypie *f*; (*máquina*) stéréotype *m*; (MED) stéréotypie.
estéril *a* stérile.
esterlina *a*: **libra** ~ livre *f* sterling.
estético, a *a* esthétique // *nf* esthétique *f.*
estibador *nm* arrimeur *m.*
estiércol *nm* fumier *m.*
estigma *nm* stigmate *f.*
estigmatizar *vt* (*marcar*) stigmatiser; marquer au fer rouge; (*fig*) stigmatiser.
estilar *vi*, ~**se** *vr* s'employer, être en usage.
estilo *nm* style *m*; (TEC) stylet *m*; **algo por el** ~ quelque chose dans ce genre.
estima *nf* estime *f.*

estimación *nf* (*evaluación*) estimation *f*; (*aprecio, afecto*) appréciation *f*.
estimar *vt* (*evaluar*) évaluer, estimer; (*valorar*) évaluer; (*apreciar*) apprécier; (*pensar, considerar*) penser, considérer; **~se** *vr* s'estimer; **¡se estima!** je vous en suis reconnaissant(e).
estimulante *a* (*excitante*) stimulant(e) // *nm* stimulant *m*; **estimular** *vt* stimuler; (*excitar*) exciter; (*animar*) encourager; **estímulo** *nm* stimulation *f*, encouragement *m*.
estío *nm* été *m*.
estipendio *nm* rémunération *f*.
estipulación *nf* (*convenio*) accord *m*; (*cláusula*) stipulation *f*.
estipular *vt* stipuler.
estirado, a *a* tiré(e); (*tenso*) tendu(e); (*fig*) poseur(euse), guindé(e).
estirar *vt* (*alargar*) allonger; (*extender*) étendre; (*conversación, presupuesto*) faire durer; (*fam*: *las piernas*) étirer; **~se** *vr* (*desperezarse*) s'étirer; (*prenda*) s'élargir, se détendre.
estirón *nm* secousse *f*; (*crecimiento*) poussée *f*; **dar un ~** pousser comme une asperge.
estirpe *nf* souche *f*, lignée *f*.
estival *a* estival(e).
esto *pron* ceci, cela, ça, c'.
estofa *nf* (*tela*) étoffe brochée; (*calidad, clase*) qualité *f*, classe *f*; **persona de baja ~** personne de bas aloi.
estofar *vt* (*bordar*) broder en application; (CULIN) étuver, cuire à l'étouffée.
estoico, a *a* (FILOSOFÍA) stoïcien(ne); (*fig*) stoïque // *nm/f* stoïcien/ne.
estólido, a *a* stupide.
estómago *nm* estomac *m*; **tiene ~** c'est un dur, rien ne le touche.
estopa *nf* étoupe *f*.
estoque *nm* (*espada*) estoc *m*; (BOT) glaïeul *m*.
estorbar *vt* (*dificultar*) gêner, rendre difficile; (*impedir*) empêcher; (*obstaculizar*) entraver; **estorbo** *nm* (*molestia*) gêne *f*; (*obstáculo*) obstacle *m*, entrave *f*.
estornudar *vi* éternuer.
estos *det ver* **este**.
éstos *pron ver* **éste**.
estoy *vb ver* **estar**.
estrafalario, a *a* bizarre, extravagant(e) // *nm/f* extravagant/e.
estragar *vt* corrompre; (*deteriorar*) abîmer, gâter.
estrago *nm* mine *f*, destruction *f*, ravage *m*.
estrangul *nm* anche *f*.
estrangulación *nf* étranglement *m*, strangulation *f*.
estrangulador, a *nm/f* étrangleur/euse // *nm* (TEC) papillon *m* des gaz; (AUTO) starter *m*.
estrangulamiento *nm* étranglement *m*; (AUTO) goulet *m* ou goulot *m* d'étranglement.
estrangular *vt* étrangler.
estraperlista *nm/f* (*fam*) trafiquant/e.
estraperlo *nm* marché noir.
estratagema *nf* (MIL) stratagème *m*; (*astucia*) ruse *f*.
estrategia *nf* (*arte*) stratégie *f*; (*plan*) plan *m*, tactique *f*.
estrechar *vt* (*reducir*) rétrécir; (*persona*) serrer; **~se** *vr* (*reducirse*) se rétrécir; (*apretarse*) se serrer; (*reducir los gastos*) se restreindre; **~ la mano** serrer la main; **~ amistad con alguien** lier amitié avec qn.
estrechez *nf* étroitesse *f*; intimité *f*; **vivir con ~** vivre petitement; **~ de conciencia** mesquinerie *f*; **~ de miras** étroitesse d'esprit.
estrecho, a *a* étroit(e); (*apretado*) serré(e); (*miserable*) radin(e), ladre // *nm* détroit *m*.
estregar *vt* frotter; **~se** *vr* se frotter.
estrella *nf* (ASTRO) étoile *f*; (IMPRENTA) étoile, astérisque *m*; (CINE, TEATRO) star *f*, vedette *f*; **~ fugaz/polar** étoile filante/polaire; **~ de mar** étoile de mer.

estrellar *vt* (*destruir, hacer añicos*) briser, mettre en pièces; (*huevos*) cuire sur le plat; **~se** *vr* se briser; (*fracasar*) échouer.
estremecer *vt* (*sacudir*) ébranler; (*conmover*) émouvoir; (*fig*) faire sursauter; **~se** *vr* tressaillir, frissonner; **estremecimiento** *nm* (*conmoción*) frémissement *m*; (*sobresalto*) sursaut *m*; (*temblor*) tremblement *m*.
estrenar *vt* (*vestido*) étrenner; (*casa*) emménager; (*película*) passer en exclusivité; (*obra de teatro*) donner la première de; **~se** *vr* (*obra de teatro*) être représenté(e) pour la première fois; (*película*) sortir; (*persona*) débuter; **estreno** *nm* (*primer uso*) étrenne *f*; (*en un empleo*) débuts *mpl*; première *f*.
estreñir *vt* constiper; **~se** *vr* être constipé(e).
estrépito *nm* fracas *m*; (*fig*) pompe *f*, éclat *m*.
estrepitoso, a *a* (*ruidoso*) bruyant(e); (*fiesta*) animé(e).
estría *nf* (ARQ) cannelure *f*; (*fig*) strie *f*.
estribar *vi*: **~ en** s'appuyer sur; (*fig*) se fonder *ou* s'appuyer sur.
estribo *nm* (*de jinete*) étrier *m*; (*de coche, tren*) marchepied *m*; (*del oído*) étrier; (*de puente*) culée *f*, butée *f*; (*fig*) base *f*, appui *m*; (GEO) contrefort *m*.
estribor *nm* tribord *m*.
estricto, a *a* (*estrecho*) étroit(e); (*riguroso*) strict(e); (*severo*) sévère.
estridente *a* strident(e).
estro *nm* souffle *m*, inspiration *f*.
estropajo *nm* lavette *f*.
estropear *vt* (*maltratar*) gâter; (*deteriorar*) abîmer; (*lisiar*) estropier; **~se** *vr* (*objeto*) s'abîmer; (*persona*) s'estropier.
estructura *nf* structure *f*.
estruendo *nm* fracas *m*; tumulte *m*; éclat *m*, pompe *f*.
estrujar *vt* presser; tordre; serrer; épuiser; **~se** *vr* se presser, se serrer.
estuario *nm* estuaire *m*.
estuco *nm* stuc *m*, staff *m*.
estuche *nm* étui *m*.
estudiante *nm/f* étudiant/e; **~ de medicina** étudiant en médecine; **~ secundario** élève *m* de secondaire.
estudiantina *nf* troupe *f* d'étudiants pour la mascarade; orchestre *m* d'étudiants.
estudiar *vt* étudier.
estudio *nm* étude *m*; (CINE, ARTE, RADIO) studio *m*; (*de abogado*) cabinet *m*; (*en casa*) bureau *m*.
estudioso, a *a* studieux (euse) // *nm* (*especialista*) spécialiste *m/f*; (*investigador*) chercheur/euse.
estufa *nf* poêle *m*.
estupefacto, a *a* (*atónito*) stupéfait(e); (*sorprendido*) surpris(e).
estupendo, a *a* admirable; excellent(e); formidable; extraordinaire.
estupidez *nf* stupidité *f*.
estúpido, a *a* (*torpe*) stupide; (*idiota*) idiot(e); (*incapaz*) incapable; (*tonto*) inepte // *nm/f* imbécile *m/f*.
estupro *nm* stupre *m*.
estuve *etc vb ver* **estar**.
etapa *nf* étape *f*; (*alto*) halte *f*; (*escala*) escale *f*; (*parada*) arrêt *m*.
éter *nm* éther *m*.
eternidad *nf* éternité *f*.
eterno, a *a* immortel(le), éternel(le); perpétuel(le); interminable.
etimología *nf* étymologie *f*.
etíope *a* éthiopien(ne) // *nm/f* Ethiopien/ne.
Etiopía *nf* Éthiopie *f*.
etiqueta *nf* étiquette *f*.
eucalipto *nm* eucalyptus *m*.
Eucaristía *nf* Eucharistie *f*.
eufemismo *nm* euphémisme *m*.
eufonía *nf* euphonie *f*.
euforia *nf* euphorie *f*.
eugenesia *nf*, **eugenismo** *nm* eugénisme *m*.
eunuco *nm* eunuque *m*.

eurasiano, a *a* eurasien(ne) // *nm/f* Eurasien/ne.
Europa *nf* Europe *f*.
europeo, a *a* européen(ne) // *nm/f* Européen/ne.
éuscaro, a *a* basque // *nm* basque *m*.
Euskadi *nm* le Pays basque.
eutanasia *nf* euthanasie *f*.
evacuación *nf* évacuation *f*.
evacuar *vt* vider; évacuer; effectuer.
evadir *vt* (*evitar*) éviter; (*eludir*) éluder; **~se** *vr* s'évader; (*escaparse*) s'échapper.
evaluar *vt* évaluer.
evangélico, a *a* évangélique.
evangelio *nm* évangile *m*.
evaporación *nf* (*de agua*) évaporation *f*; (*de bruma*) dissipation *f*, évaporation.
evaporar *vt* (*líquido*) évaporer; (*disipar*) dissiper; (*desvanecer*) volatiliser; **~se** *vr* s'évaporer; (*fig*) se volatiliser.
evasión *nf* évasion *f*.
evasivo, a *a* (*ambiguo*) évasif(ive); (*nada concreto*) vague.
evento *nm* événement *m*; éventualité *f*.
eventual *a* eventuel(le); conditionnel(le); fortuit(e).
evidencia *nf* (*certidumbre*) évidence *f*, certitude *f*; (*convicción*) conviction *f*; (*seguridad*) assurance *f*.
evidenciar *vt* rendre évident(e); faire ressortir; **~se** *vr* être manifeste.
evidente *a* évident(e).
evitar *vt* (*huir*) fuir, éviter; (*esquivar*) esquiver; (*eludir*) éluder; (*soslayar*) éviter.
evocar *vt* évoquer.
evolución *nf* (*desarrollo*) développement *m*, déroulement *m*; (*cambio*) évolution *f*, changement *m*; (*MIL*) manœuvre *f*.
ex *a* ex-; **el ~ ministro** l'ex-ministre.
exacerbar *vt* irriter, exacerber; **~se** *vr* s'aggraver; s'irriter.
exactitud *nf* précision *f*, exactitude *f*; ponctualité *f*; rigueur *f*.
exacto, a *a* exact(e); précis(e); ponctuel(le); juste.
exageración *nf* exagération *f*.
exagerar *vt*, *vi* exagérer; augmenter; gonfler.
exaltado, a *a* (*apasionado*) passionné(e); (*exagerado*) exagéré(e); (*excitado*) exalté(e).
exaltar *vt* (*elevar*) élever; (*enaltecer, realzar*) exalter; **~se** *vr* (*excitarse*) s'exciter; (*arrebatarse*) s'emporter.
examen *nm* (*indagación*) enquête *f*, examen *m*; (*prueba*) épreuve *f*; (*concurso*) concours *m*.
examinar *vt* examiner; (*ESCOL*) faire passer un examen; (*escrutar, escudriñar*) examiner, scruter; **~se** *vr* s'examiner; (*ESCOL*) passer un examen; **~se en historia** passer un examen d'histoire.
exangüe *a* (*desangrado*) exsangue; (*sin fuerzas*) épuisé(e).
exasperar *vt* (*irritar*) irriter, exaspérer; (*exacerbar*) exacerber; **~se** *vr* s'énerver, s'irriter.
Exca. *abr de* **Excelencia**.
exceder *vt* dépasser, excéder // *vi*: **~ en los gastos** avoir un excédent dans les dépenses; **~se** *vr* (*extralimitarse*) dépasser les bornes; (*sobrepasarse*) se surpasser.
excelencia *nf* supériorité *f*; **E~** Excellence *f*.
excelente *a* excellent(e).
excelso, a *a* éminent(e); supérieur(e).
excentricidad *nf* excentricité *f*; extravagance *f*.
excéntrico, a *a* excentrique // *nm/f* excentrique *m/f*; extravagant/e.
excepción *nf* exception *f*;
excepcional *a* unique; exceptionnel(le); singulier(ière); extraordinaire; insolite.
excepto *ad* excepté; (*aparte de*) à part; (*fuera de*) en dehors de; (*menos*) moins.

exceptuar *vt* excepter; **~se** *vr* être excepté(e).
excesivo, a *a* excessif(ive), trop; démesuré(e); exagéré(e).
exceso *nm* (*abuso*) abus *m*, excès *m*; (*delito*) abus, délit *m*; (*desmesura*) démesure *f*; (*exageración*) exagération *f*.
excitación *nf* excitation *f*, enthousiasme *m*.
excitado, a *a* stimulé(e), enthousiasmé(e).
excitar *vt* stimuler; provoquer; **~se** *vr* s'enthousiasmer; (*enojarse*) se mettre en colère.
exclamación *nf* exclamation *f*.
exclamar *vi* (*clamar*) clamer, s'exclamer; (*prorrumpir*) éclater; (*gritar*) crier.
exclaustrado, a *nm/f* sécularisé/e.
excluir *vt* exclure; (*descartar*) écarter; **exclusión** *nf* exclusion *f*; (*descarte*) rejet *m*; **con exclusión de** à l'exclusion de.
exclusiva, exclusividad *nf* exclusivité *f*, exclusive *f*.
exclusivo, a *a* exclusif(ive).
Excmo. *abr de excelentísmo.*
excomulgar *vt* (REL) excommunier; (*banir*) bannir, chasser.
excomunión *nf* excommunication *f*.
excoriar *vt* excorier, écorcher; **~se** *vr* s'écorcher.
excursión *nf* excursion *f*; **ir de ~** aller en excursion.
excusa *nf* prétexte *m*; (*razón*) excuse *f*.
excusado, a *a* superflu(e); (*disculpado*) excusé(e) // *nm* cabinets *mpl*.
excusar *vt* excuser; **~se** *vr* (*rehusarse*) décliner une invitation; (*disculparse*) s'excuser.
execrable *a* exécrable.
execrar *vt* abominer; excécrer; maudire.
exención *nf* exemption *f*; exonération *f*.
exento, a *pp de* **eximir** // *a* exempt(e), libre.
exequias *nfpl* funérailles *fpl*.
exhalación *nf* (*del aire*) exhalation *f*; (*emanación*) exhalaison *f*; (*rayo*) foudre *f*.
exhalar *vt* exhaler.
exhausto, a *a* épuisé(e).
exhibir *vt* (*presentar*) présenter; (*mostrar en público*) exhiber; (*película*) projeter; (*cuadros*) exposer; **~se** *vr* s'exhiber.
exhortación *nf* exhortation *f*.
exhortar *vt*: **~ a** pousser à, conduire à; inciter à; exhorter à.
exigencia *nf* exigence *f*.
exigente *a* pointilleux(euse), exigent(e); scrupuleux(euse); rigide; sévère.
exigir *vt* exiger.
exiguo, a *a* exigu(ë).
eximio, a *a* (*excelente*) illustre; (*eminente*) insigne.
eximir *vt* dispenser; libérer, exempter; décharger; exempter; exonérer.
existencia *nf* existence *f*; **~s** *nfpl* stock *m*.
existir *vi* (*vivir*) vivre; (*ser*) exister.
éxito *nm* (*victoria*) réussite *f*; (*triunfo*) succès *m*; **tener ~** avoir du succès.
exonerar *vt* exonérer; **~ de una obligación** délivrer d'une obligation.
exorbitante *a* démesuré(e), exorbitant(e); énorme.
exorcizar *vt* exorciser.
exótico, a *a* exotique; extravagant(e).
expatriar *vt* expatrier.
expectativa *nf* expectative *f*; perspective *f*.
expedición *nf* (*excursión*) expédition *f*; (*envío*) envoi *m*; (*ejecución*) exécution *f* rapide; (MIL) incursion *f*, raid *m*.
expediente *nm* affaire *f*, démarche *f*; (JUR) dossier *m*.
expedir *vt* (*despachar*) envoyer;

(*libreta cívica, pasaporte*) délivrer; (*fig*) expédier.
expedito, a *a* (*libre*) libre, dégagé(e); (*pronto*) prompt(e).
expendedor, a *nm/f* (*vendedor*) débitant/e; (*aparato*) distributeur *m*; ~ **de cigarrillos** distributeur de cigarettes.
expensas *nfpl* dépens *mpl*.
experiencia *nf* (*práctica*) expérience *f*, pratique *f*; (*conocimiento*) connaissance *f*; (*pericia*) expérience.
experimentado, a *a* expérimenté(e); connaisseur(euse), spécialiste.
experimentar *vt* (*en laboratorio*) expérimenter; (*probar*) faire l'expérience de; (*sentir, sufrir*) souffrir.
experimento *nm* expérience *f*, expérimentation *f*.
experto, a *a* (*práctico*) expert(e); (*diestro*) adroit(e) // *nm/f* expert/e, spécialiste *m/f*.
expiación *nf* expiation *f*.
expiar *vt* (*purgar*) purger; (*pagar: culpa*) expier.
expirar *vi* expirer.
explanar *vt* (*terreno*) aplanir; (*fig*) expliquer, éclaircir.
explayar *vt* étendre; ~**se** *vr* s'étendre; ~**se con uno** s'épancher auprès de qn.
explicación *nf* explication *f*; (*exposición*) exposé *m*; (*exégesis*) exégèse *f*; (*interpretación*) interprétation *f*.
explicar *vt* (*comentar*) expliquer; (*aclarar*) éclairer; (*exponer*) exposer; ~**se** *vr* s'expliquer.
explícito, a *a* explicite.
explorador, a *nm/f* (*pionero*) explorateur/trice; (MIL) éclaireur/euse // *nm* (MED) sonde *f*; (TEC) radar *m*; **los E~es** les Scouts *mpl*.
explorar *vt* (*buscar*) explorer; (*reconocer*) reconnaître.
explosión *nf* explosion *f*; **explosivo, a** *a* (*detonante*) explosif(ive); (*ruidoso*) bruyant(e).
explotación *nf* exploitation *f*.
explotar *vt* exploiter // *vi* exploser.
expoliación *nf* spoliation *f*.
exponer *vt* exposer; (*explicar*) expliquer; ~**se** *vr* s'exposer.
exportación *nf* exportation *f*.
exportar *vt* exporter.
exposición *nf* (*artística*) exposition *f*; (*de material técnico, moda etc*) salon *m*; (*explicación*) explication *f*; (*narración*) exposé *m*; (*de testigo*) déposition *f*; **tiempo de** ~ temps *m* de pose.
expósito, a *a* trouvé(e); **niño** ~ enfant trouvé.
exprés *nm* (AM) express *m*.
expresar *vt* (*manifestar*) exprimer; (*exteriorizar*) extérioriser; ~**se** *vr* s'exprimer.
expresión *nf* expression *f*.
expreso, a *pp de* **expresar** // *a* exprès(esse) // *nm* express *m*; **mandar por** ~ envoyer en express.
exprimir *vt* (*fruta*) presser; (*ropa*) tordre; (*fig*) pressurer.
expuesto, a *a* exposé(e).
expugnar *vt* prendre d'assaut.
expulsar *vt* (*echar*) chasser; (*expeler*) expulser, rejeter; (*desalojar*) déloger; (*despedir*) renvoyer; **expulsión** *nf* expulsion *f*; (*de alumno, deportista, empleado*) renvoi *m*; (*de inquilino*) expulsion.
expurgar *vt* expurger.
exquisito, a *a* exquis(e) // *nm/f* précieux/euse.
éxtasis *nm* extase *f*.
extender *vt* (*los brazos*) étendre, tendre, étirer; (*camino*) développer; (*mapa*) dérouler; (*certificado, recibo*) rédiger; (*cheque*) libeller, rédiger; (*influencia, poder*) étendre; ~**se** *vr* (*en el suelo*) s'allonger; (*epidemia*) se développer, gagner; (*en un tema*) s'étendre; **extendido, a** *a* (*abierto*) étendu(e); étalé(e); ouvert(e); (*brazos*) étendu, écarté(e); (*prevaleciente*) répandu(e); **extensión** *nf* (*de país*) étendue *f*; (*de libro*) longueur *f*; (AM) extension *f*; **en toda la extensión de**

la **palabra** dans toute l'acceptation du mot; **extenso, a** *a* étendu(e); long(ue).
extenuar *vi* (*agotar*) exténuer; (*debilitar*) affaiblir.
exterior *a* extérieur(e) // *nm* extérieur *m*; (*DEPORTE*) ailier *m*; (*CINE*): **los ~es** les extérieurs.
exterminar *vt* exterminer; dévaster, ravager; **exterminio** *nm* destruction *f*; extermination *f*.
externo, a *a* (*exterior*) externe; (*superficial*) superficiel(le) // *nm/f* externe *m/f*.
extinguir *vt* éteindre; (*raza, población*) exterminer; **~se** *vr* s'éteindre.
extirpación *nf* extirpation *f*; (*MED*) ablation *f*.
extirpar *vt* extirper; détruire, supprimer; (*MED*) abaisser; extirper.
extra *ad* extra // *nm* (*gasto, comida*) extra *m*; (*gratificación*) à-côté *m* // *nm/f* figurant/e; **horas ~s** heures *fpl* supplémentaires.
extracción *nf* extraction *f*; (*MED*) extraction; ablation *f*.
extracto *nm* extrait *m*.
extraer *vt* extraire.
extralimitarse *vr* dépasser les bornes; se surpasser.
extranjero, a *a* étranger(ère); (*exótico*) exotique // *nm/f* étranger/ère // *nm* étranger *m*.
extrañar *vt* (*desterrar*) bannir, exiler; (*sorprender*) surprendre; (*AM*) avoir la nostalgie de; **~se** *vr* (*sorprenderse*) s'étonner; (*distanciarse*) se détacher l'un de l'autre.
extrañeza *nf* (*rareza*) étrangeté *f*; (*asombro*) étonnement *m*.
extraño, a *a* (*extranjero*) étranger(ère); (*raro*) étrange; (*sorprendente*) étonnant(e) // *nm/f* étranger/ère.
extraordinario, a *a* extraordinaire // *nm* (*correo*) courrier *m* extraordinaire; (*plato*) extra *m*; (*de periódico*) numéro spécial; **horas extraordinarias** heures *fpl* supplémentaires.
extravagancia *nf* extravagance *f*; **extravagante** *a* extravagant(e); insolite; excentrique.
extraviado, a *a* perdu(e), égaré(e).
extraviar *vt* (*desviar*) égarer; (*perder*) perdre; **~se** *vr* se fourvoyer.
extravío *nm* perte *f*; égarement *m*; fourvoiement *m*.
extremar *vt* pousser à l'extrême; **~se** *vr* s'appliquer.
extremaunción *nf* extrême-onction *f*.
extremeño, a *a* d'Estramadure // *nm/f* natif/ive d'Estramadure.
extremidad *nf* extrémité *f*.
extremo, a *a* extrême // *nm* extrémité *f*; **en último ~** en dernier recours; **~ derecho/izquierdo** ailier droit/gauche.
extrínseco, a *a* extrinsèque.
exuberancia *nf* exubérance *f*; **exuberante** *a* exubérant(e); (*fig*) luxuriant(e).
exvoto *nm* ex-voto *m*.
eyacular *vt, vi* éjaculer.

F

f.a.b. (*abr de franco a bordo*) f. à b. (franco à bord).
fábrica *nf* usine *f*; (*de muebles, zapatos, camiones*) fabrique *f*; **marca de ~** marque *f* de fabrique; **precio de ~** prix *m* d'usine; **~ de azúcar** sucrerie *f*; **~ de cerveza** brasserie *f*; **~ de papel** papeterie *f*; **~ de tabacos** manufacture *f* de tabacs.
fabricación *nf* (*manufactura*) fabrication *f*; (*producción*) production *f*; **de ~ casera** ménager(ère); **~ en serie** fabrication *ou* production en série.
fabricante *nm* fabricant *m*.
fabricar *vt* (*hacer*) fabriquer; (*construir*) construire; (*elaborar*)

élaborer; (*inventar*) forger, inventer.
fábula *nf* apologue *m*; fable *f*; mensonge *m*; légende *f*.
faca *nf* couteau recourbé; coutelas *m*.
facción *nf* (POL) faction *f*; (*del rostro*) trait *m*.
faccioso, a *a* factieux(euse) // *nm/f* rebelle *m/f*.
fácil *a* (*simple*) facile; (*probable*) probable; ~ **de digerir** facile à digérer; ~**mente** *ad* facilement.
facilidad *nf* (*disposición*) facilité *f*, disposition *f*; (*simplicidad*) simplicité *f*; ~**es de pago** facilités de paiement.
facilitar *vt* (*proporcionar*) procurer; (*entregar*) remettre; (*hacer posible*) faciliter.
factible *a* faisable.
factoría *nf* (*establecimiento comercial*) comptoir *m*; (*agencia*) factorerie *f*; (AM) fonderie *f*, aciérie *f*.
factura *nf* facture *f*.
facturar *vt* (COM) facturer; (FERROCARRIL) enregistrer.
facultad *nf* (*aptitud*) moyen *m*, faculté *f*; (*derecho, poder*) faculté; (ESCOL) faculté.
facultativo, a *a* facultatif(ive); à option // *nm* médecin *m*.
facha *nf* (*fam*) allure *f*; (NAUT): **estar en** ~ être en panne.
fachada *nf* (ARQ) façade *f*; (*de libro*) frontispice *m*.
faena *nf* (*trabajo*) travail *m*; (*quehacer*) occupation *f*, besogne *f*; ~**s domésticas** tâches *fpl* domestiques.
faisán *nm* faisan *m*.
faja *nf* (*para la cintura*) ceinture (de flanelle) *f*, bande *f*; (*corsé*) gaine *f*; (MED) bandage *m*; (*de terreno*) bande; ~ **panty** gaine-culotte *f*; ~ **postal** bande postale; **fajar** *vt* (*ceñir*) mettre une ceinture sur; (*vendar*) bander; **fajarse** *vr* (*periódico*) mettre sous bande; (*ceñirse*) mettre une ceinture; (*vendarse*) se bander.
falange *nf* phalange *f*.
falaz *a* (*engañoso*) fallacieux(euse); (*mentiroso*) menteur(euse).
falda *nf* (*prenda de vestir*) jupe *f*; (*de una montaña*) flanc *m*; (*regazo*) giron *m*.
faldero, a *a*: **perro** ~ chien *m* de manchon.
faldillas *nfpl* basques *fpl*.
falibilidad *nf* faillibilité *f*.
falsario, a *nm/f* (*falsificador*) faussaire *m/f*; (*embustero*) menteur(euse).
falseador, a *nm/f* falsificateur/trice.
falsear *vt* (*la verdad*) fausser; (*desnaturalizar*) dénaturer; (ARQ) faire perdre l'aplomb; ~**se** *vr* (MUS) sonner faux.
falsedad *nf* (*hipocresía*) fausseté *f*; (*mentira*) mensonge *m*.
falsificación *nf* (*alteración*) falsification *f*, contrefaçon *f*; (*adulteración*) adultération *f*.
falsificar *vt* falsifier, contrefaire; adultérer; (*documento, firma*) falsifier; (*moneda*) contrefaire; (*cuadro*) imiter.
falso, a *a* (*apócrifo*) apocryphe; (*inexacto*) faux(fausse); (*supuesto*) supposé(e); **jurar en** ~ faire un faux serment; **dar un paso en** ~ faire un faux pas.
falta *nf* (*defecto*) défaut *m*; (*privación*) manque *m*; (*ausencia*) absence *f*; (*equivocación*) faute *f*, erreur *f*; **a** ~ **de** faute de; **por** ~ **de medios** par manque de moyens; **me hace falta...** j'ai besoin de ..., il me faut...; **¡**~ **nos hacía!** il ne nous manquait plus que cela!
faltar *vi* (*escasear*) manquer; (*ausentarse*) manquer, être absent(e); (*fallar*: *mecanismo*) tomber en panne; ~ **a** manquer à; **faltan 2 horas para llegar** il reste deux heures avant d'arriver; **falta dinero** il manque de l'argent; **le falta osadía** il manque d'audace; ~ **el respeto a alguien** manquer de respect à qn.

falto, a *a* (*desposeído*) privé(e); (*necesitado*) dépourvu(e); **estar ~ de** être à court de; **~ de dinero** dépourvu d'argent.
faltriquera *nf* poche *f.*
falla *nf* (*defecto*) faute *f*, défaut *m*; (*fracaso*) échec *m*; (GEO) faille *f*; (TEC) défaut.
fallar *vt* (JUR) prononcer // *vi* (*memoria*) manquer, faillir; (*proyecto*) échouer, rater; (*frenos*) céder; (*cerradura*) lâcher, céder; **me falló mi amigo** mon ami n'a pas tenu parole.
fallecer *vi* décéder, mourir; **fallecimiento** *nm* décès *m*, mort *f.*
fallo *nm* arrêt *m*, sentence *f.*
fama *nf* réputation *f*; renommée *f*; renom *m.*
famélico, a *a* famélique.
familia *nf* famille *f.*
familiar *a* (*relativo a la familia*) familial(e); (*llano, sencillo, coloquial, parecido*) familier(ière) // *nm* (*pariente*) familier *m*; (*amigo íntimo*) intime *m*; **familiaridad** *nf* (*sencillez*) simplicité *f*; (*confianza*) confiance *f*; (*informalidad*) familiarité *f*; **familiarizar** *vt* familiariser; **familiarizarse** *vr* se familiariser.
famoso, a *a* renommé(e); célèbre, fameux(euse).
fanal *nm* (*farol*) fanal *m*; (*campana de vidrio*) globe *m*, cloche *f.*
fanático, a *a* passionné(e); enthousiaste; intolérant(e); intransigeant(e); sectaire, fanatique.
fanatismo *nm* fanatisme *m*; intransigeance *f.*
fanega *nf* fanègue *f.*
fanfarrón, ona *a* fanfaron(ne), crâneur(euse) // *nm/f* fanfaron/ne, crâneur/euse.
fango *nm* boue *f*, fange *f*; **fangoso, a** *a* boueux(euse).
fantasía *nf* fantaisie *f*; (*fam*) prétention *f*; **joyas de ~** faux bijoux.
fantasma *nm* (*aparición, espectro*) fantôme *m*; (*quimera*) chimère *f*; (*alucinación*) fantasme *m* // *nf* épouvantail *m.*
fantástico, a *a* fantastique; (AM: *sensacional*) sensationnel(le).
fantoche *nm* (*títere*) fantoche *m*; (*fam*) pantin *m.*
farándula *nf* (TEATRO) profession *f* de bateleurs; (*fam: baile*) farandole *f*; (: *embustes, disparates*) boniment *m.*
fardo *nm* ballot *m.*
farfullar *vt* (*balbucear*) bredouiller; (*decir atropelladamente*) bafouiller.
fariseo *nm* pharisien *m.*
farmacéutico, a *a* pharmaceutique // *nm/f* pharmacien/ne.
farmacia *nf* pharmacie *f*; **~ de turno** pharmacie de garde.
faro *nm* (NAUT: *torre*) phare *m*; (AUTO) **~s laterales** phares latéraux; **~s traseros** feux arrière.
farol *nm* (*luz*) lanterne *f*; (*de coche*) feu *m*, phare *m*; **~ de alumbrado público** réverbère *m*, lampadaire *m.*
farolillo, farolito *nm* (*luz*) lampion *m*, lanterne *f*; (BOT) campanule *f*; **~ chino** lampion chinois.
fárrago *nm* (*desorden*) fatras *m*; (*mescolanza*) bric-à-brac *m*, mélange *m.*
farsa *nf* (TEATRO) farce *f*; (*fig*) tromperie *f.*
farsante *nm/f* comédien/ne.
fas: **por ~ o por nefas** *ad* à tort ou à raison.
fascinación *nf* fascination *f.*
fascinador, a *a* fascinateur(trice).
fascinar *vt* (*deslumbrar*) fasciner; (*hechizar*) charmer.
fascismo *nm* fascisme *m.*
fascista *a* fasciste // *nm/f* fasciste *m/f.*
fase *nf* phase *f*; (*estado*) stade *m*; (*período*) période *f*; **estar fuera de ~** être déphasé(e).
fastidiar *vt* (*disgustar, molestar*) fatiguer, dégoûter; (*aburrir*) ennuyer; **~se** *vr* (*molestarse*) se lasser; (*disgustarse*) se dégoûter.
fastidio *nm* dégoût *m*; fatigue *f*,

ennui *m*; **fastidioso, a** *a* fastidieux (euse); fatigant(e); ennuyeux(euse), fâcheux(euse).
fasto, a *a* (*memorable*) faste; (*feliz*) heureux(euse) // *nm* faste *m*, pompe *f*; **~s** *nmpl* fastes.
fastuoso, a *a* fastueux(euse); pompeux(euse); somptueux(euse); splendide.
fatal *a* (*inevitable*) fatal(e); (*desgraciado*) malheureux(euse); (*siniestro*) sinistre; (*fam*: *malo, pésimo*) mauvais(e), lamentable; **fatalidad** *nf* malheur *m*; fatalité *f*.
fatiga *nf* (*cansancio*) fatigue *f*; (*sofocación de la respiración*) essoufflement *m*; **~s** *nfpl* ennuis *mpl*, fracas *m*; **fatigar** *vt* fatiguer; (*caballo*) fouler, forcer; **fatigarse** *vr* se fatiguer; **fatigoso, a** *a* (*cansador*) fatigant(e); (*aburrido*) pénible; (*laborioso, dificultoso*) laborieux (euse).
fatuidad *nf* (*vanidad*) fatuité *f*; (*acto*) inanité *f*.
fatuo, a *a* (*vano*) fat; (*presuntuoso*) présomptueux(euse).
fauno *nm* faune *m*.
fausto, a *a* heureux(euse) // *nm* (*suntuosidad*) faste *m*; (*pompa*) pompe *f*.
favor *nm* (*ayuda*) faveur *f*; (*servicio*) service *m*; (*beneficio*) bienfait *m*; **entrada de ~** billet *m* de faveur; **haga el ~ de** faites-moi l'amitié de; **por ~** s'il vous plaît, s'il te plaît; **1.000 dólares a su ~** 1.000 dollars à son actif.
favorable *a* propice, favorable; avantageux(euse).
favorecer *vt* (*servir*) servir; (*ayudar*) favoriser, aider; (*proteger*) protéger, abriter; **este peinado le favorece** cette coiffure l'avantage.
favorito, a *a* favori(te) // *nm/f* favori/te.
faz *nf* face *f*.
F.C., f.c. *abr de* **ferrocarril**.
fe *nf* (REL) foi *f*; (*confianza*) confiance *f*; (*documento*) acte *m*, certificat *m*; (*lealtad*) fidélité *f*; **prestar ~** a prêter foi à; **actuar con buena/mala ~** agir de bonne/mauvaise foi; **dar ~ de** attester; témoigner de; **~ de bautismo** acte de baptême; **~ de erratas** errata *m*.
fealdad *nf* laideur *f*.
febrero *nm* février *m*.
febril *a* (*afiebrado*) fébrile, fiévreux(euse); (*ardiente*) ardent(e); (*desasosegado*) agité(e).
fecundar *vt* (*generar*) féconder; (*multiplicar*) multiplier.
fecundidad *nf* fécondité *f*, fertilité *f*; (*fig*) productivité *f*.
fecundizar *vt* fertiliser.
fecundo, a *a* fécond(e); prolifique; copieux(euse); abondant(e); productif(ive).
fecha *nf* date *f*; **en ~ próxima** un jour prochain; **hasta la ~** jusqu'à présent; **poner ~** mettre la date.
fechar *vt* dater.
federación *nf* fédération *f*.
federal *a* fédéral(e).
fehaciente *a* digne de foi; qui fait foi, authentique.
felicidad *nf* (*satisfacción, contento*) bonheur *m*; (*suerte feliz*) chance *f*, sort heureux; **¡~es!** félicitations!
felicitación *nf* félicitation *f*.
felicitar *vt* féliciter; congratuler.
feligrés, esa *nm/f* paroissien/ne.
feliz *a* (*contento, dichoso*) heureux (euse); (*afortunado*) fortuné(e); (*oportuno, acertado*) opportun(e), pertinent(e).
felón, ona *a* félon(ne).
felonía *nf* félonie *f*.
felpa *nf* (*tejido*) peluche *f*; (*para toallas*) tissu-éponge *m*; (*fam*: *reprimenda*) savon *m*.
felpilla *nf* chenille *f*.
felpo *nm* paillasson *m*.
felpudo, a *a* pelucheux(euse) // *nm* paillasson *m*.
femenino, a *a* féminin(e) // *nm* féminin *m*.
fementido, a *a* (*engañoso, falso*) félon(ne), faux(ausse); (*desleal*) déloyal(e).

fenecer *vi* (*morir*) mourir; (*terminarse*) finir; **fenecimiento** *nm* (*muerte*) mort *f*; (*acabamiento*) fin *f*.
fenicio, a *a* phénicien(ne) // *nm/f* Phénicien/ne.
fénix *nm* (*ave*) phénix *m*; (BOT) phœnix *m*; (*fig*) phénix.
fenómeno *nm* prodige *m*, phénomène *m*; monstre *m* // *a inv* sensationnel(le) // *excl* formidable!
feo, a *a* (*sin belleza*) laid(e); (*desagradable*) désagréable // *nm* affront *m*; grossièreté *f* // *ad* (AM): **oler** ~ sentir mauvais; **saber** ~ avoir mauvais goût.
feracidad *nf* fertilité *f*.
feraz *a* fécond(e), fertile.
féretro *nm* (*ataúd*) cercueil *m*; (*sarcófago*) sarcophage *m*.
feria *nf* foire *f*; (AM) marché *m* de rue; (*día de asueto*) jour *m* de congé; ~ **ganadera** foire aux bestiaux; **feriado, a** *a* férié(e).
fermentación *nf* fermentation *f*.
fermentar *vi* fermenter.
fermento *nm* ferment *m*.
ferocidad *nf* férocité *f*.
feroz *a* (*cruel*) féroce; (*salvaje*) farouche.
férreo, a *a* de fer; (*tenaz*) tenace.
ferretería, ferrería *nf* quincaillerie *f*.
ferrocarril *nm* chemin de fer *m*; ~ **de cremallera** chemin de fer à crémaillère.
ferroviario, a *a* ferroviaire // *nm* cheminot *m*; **plano** ~ plan de chemin de fer.
fértil *a* (*productivo*) fertile; (*rico*) riche; **fertilidad** *nf* fertilité *f*; richesse *f*; **fertilizar** *vt* fertiliser.
férula *nf* férule *f*.
férvido, a *a* bouillant(e); fervent(e).
fervor *nm* ferveur *f*; enthousiasme *m*; **fervoroso, a** *a* fervent(e); bouillant(e).
festejar *vt* (*agasajar, obsequiar*) fêter, faire fête à; (*galantear*) courtiser; (*su cumpleaños*) fêter; (AM: *fam*) fouetter, battre.
festejo *nm* (*fiesta*) festoiement *m*; (*galanteo*) galanterie *f*; **~s** *nmpl* festivités *fpl*, réjouissances *fpl*.
festín *nm* festin *m*, banquet *m*.
festividad *nf* fête *f*, festivité *f*.
festivo, a *a* (*de fiesta*) de fête; (*fig*) enjoué(e), joyeux(euse); (CINE, LITERATURA) humoristique.
fétido, a *a* (*hediondo*) fétide; (*rancio, podrido*) rance, pourri(e).
feudo *nm* (*dominio*) fief *m*; (*vasallaje*) vasselage *m*.
fiado *nm*: **comprar al** ~ acheter à crédit.
fiador, a *nm/f* caution *f*, garantie *f*, répondant/e // *nm* (*de arma*) cliquet *m* d'arrêt; (*cerrojo*) verrou *m* de sûreté; **salir** ~ **por alguien** se porter garant de qn.
fiambre *a* froid(e) // *nm* (CULIN) plat froid; (*fam*) macchabée *m*.
fianza *nf* garantie *f*, caution *f*; (JUR): **libertad bajo** ~ liberté sous caution.
fiar *vt* (*salir garante de*) se porter garant de, cautionner; (*vender a crédito*) vendre à crédit // *vi* avoir confiance; **~se** *vr* se fier, avoir confiance; **~se de uno** se fier à qn; **~se en** se fier à.
fiasco *nm* fiasco *m*.
fibra *nf* fibre *f*; (*fig*) vigueur *f*, nerf *m*.
ficción *nf* fiction *f*.
ficticio, a *a* (*artificial*) fictif (ive); (*postizo*) postiche; (*inventado*) inventé(e).
ficha *nf* (*en juegos*) jeton *m*; (*tarjeta*) fiche *f*; (ELEC) prise *f*; ~ **policial** fiche de police; ~ **sanitaria** dossier *m* sanitaire; **fichero** *nm* fichier *m*.
fidedigno, a *a* digne de foi.
fideicomiso *nm* fidéicommis *m*.
fidelidad *nf* (*lealtad*) fidélité *f*, loyauté *f*; (*devoción, apego*) attachement *m*; **alta** ~ haute fidélité.
fideos *nmpl* vermicelle *f*.
fiebre *nf* (MED) fièvre *f*; (*fig*) ardeur *f*, excitation *f*; ~ **amarilla** fièvre jaune; ~ **del heno** rhume *m*

des foins; ~ **entérica** (fièvre) typhoïde *f*; ~ **glandular** mononucléose infectieuse; ~ **palúdica** malaria *f*.
fiel *a* (*leal*) fidèle, loyal(e); (*devoto, constante*) attaché(e); (*exacto*) exact(e), juste // *nm* fléau *m*, aiguille *f*; contrôleur *m* des poids et mesures; **los ~es** les fidèles *mpl*.
fieltro *nm* feutre *m*.
fiereza *nf* cruauté *f*; férocité *f*.
fiero, a *a* (*cruel*) cruel(le); (*feroz*) féroce; (*espantoso*) épouvantable; (*duro*) dur(e) // *nf* (*animal feroz*) fauve *m*; (*fig*: *arpía*) harpie *f*; (: *valiente, conocedor*) lion *m*; **echar ~s** faire le bravache.
fierro *nm* (AM) fer *m*.
fiesta *nf* fête *f*; **~s** *fpl* (*caricias*) caresses *fpl*; (*broma*) cajoleries *fpl*, plaisanterie *f*; (REL): ~ **de guardar** fête carillonnée, férie *f*.
figura *nf* (*forma, imagen*) forme *f*, figure *f*; (*persona*) personnage *m*; (*cara*) visage *m*; (GEOMETRÍA) figure; (NAIPES) figure; **la ~ principal del ballet** la vedette (principale) du ballet; **tener mala ~** avoir mauvaise figure; (LING): ~ **retórica** figure de rhétorique.
figurar *vt* (*representar*) représenter; (*fingir*) feindre, simuler // *vi* figurer; **~se** *vr* (*imaginarse*) s'imaginer; (*suponer*) se figurer, supposer.
figurín *nm* figurine *f* de mode; **revista de figurines** journal *m* de modes.
fijar *vt* fixer; (*estampilla*) mettre; ~ **con hilos** coudre, ficeler; **~se** *vr*: **~se en** remarquer, observer; **se prohibe ~ carteles** défense d'afficher; ~ **domicilio** élire domicile.
fijo, a *a* (*firme, seguro*) sûr(e); (*permanente*) fixe // *ad*: **mirar ~** regarder fixement.
fila *nf* rang *m*, ligne *f*; (*cola, columna*) file *f*, queue *f*; (*cadena*) chaîne *f*; **ponerse en ~** se mettre à la file.
filatelia *nf* philatélie *f*.
filete *nm* filet *m*; (*de vaca*) bifteck *m*; (*de ternera*) escalope *f*.
filial *a* filial(e) // *nf* filiale *f*.
filigrana *nf* filigrane *m*; **hacer ~s** filigraner.
Filipinas *nfpl*: **las ~** les Philippines *fpl*.
filo *nm* fil *m*; (BIO) phylum *m*; **sacar ~** a affûter; **al ~ del mediodía** sur le coup de midi.
filología *nf* philologie *f*.
filón *nm* (*veta*) filon *m*, veine *f*; (*mina*) mine *f*; (*fig*) filon.
filosofía *nf* philosophie *f*.
filósofo *nm* philosophe *m*.
filoxera *nf* phylloxéra *m*.
filtrar *vt*, *vi* filtrer; **~se** *vr* s'infiltrer.
filtro *nm* (TEC, *utensilio*) filtre *m*; (*poción*) philtre *m*.
fin *nm* fin *f*; (*objetivo*) fin, but *m*; **'~ de la cita'** 'fin de citation'; **un sin ~ de preguntas** une foule de questions; **al ~ y al cabo** en définitive, après tout; **a ~ de** afin de; **~ de semana** fin de semaine, weekend *m*; **final** *a* final(e) // *nm* final *m*, fin *f* // *nf* finale *f*; **finalizar** *vt* finir, mettre fin à // *vi*, **finalizarse** *vr* prendre fin, cesser.
finca *nf* propriété *f* à la campagne, ferme *f*.
fineza *nf* finesse *f*; délicatesse *f*, raffinement *m*; subtilité *f*; (*regalo*) cadeau *m*, présent *m*.
fingir *vt* (*simular*) simuler, feindre; (*pretextar*) prétexter // *vi* (*aparentar*) faire semblant de; **~se** *vr* feindre d'être, se faire passer pour.
Finlandia *nf* Finlande *f*.
fino, a *a* fin(e); (*delgado*) mince; (*de buenas maneras*) bien élevé(e); (*inteligente*) fin.
firma *nf* signature *f*; (COM) firme *f*.
firme *a* (*estable*) ferme; (*sólido*) solide; (*constante*) constant(e); (*decidido*) décidé(e) // *nm*: **edificar en ~** bâtir sur un terrain ferme // *ad* ferme; **¡~s!** *excl* garde-à-vous!, fixe!; **firmeza** *nf* fermeté *f*; solidité *f*; résolution *f*.
fiscal *a* fiscal(e) // *nm* ≈

procureur *m* (de la République).
fisco *nm* fisc *m*.
fisgar *vt* épier, guetter; (*pescar*) pêcher à la foëne // *vi* (*burlarse*) railler, se moquer.
físico, a *a* physique // *nm* physique *m* // *nm/f* physicien/ne // *nf* physique *f*.
fisonomía *nf* physionomie *f*.
flaco, a *a* (*muy delgado*) maigre; (*débil*) faible; (*memoria*) mauvais(e) // *nm* point *m* faible.
flagelar *vt* flageller; (*fig*) fustiger.
flagrante *a* flagrant(e); **en ~ delito** en flagrant délit.
flamante *a* flambant(e), brillant(e); (*nuevo*) flambant (*inv*) neuf.
flamenco, a *a* (*de Flandes*) flamand(e); (*agitanado*) flamenco (*inv*) // *nm* (*canto y baile*) flamenco *m*; (ZOOL) flamant *m*.
flanco *nm* flanc *m*.
flaquear *vi* faiblir.
flaqueza *nf* (*delgadez*) maigreur *f*; (*fig*) faiblesse *f*.
flauta *nf* flûte *f*.
fleco *nm* frange *f*.
flecha *nf* flèche *f*; **flechar** *vt* (*cuerda*) bander; (*herir*) percer de flèches; (*fig: fam*): **flechar a alguien** faire une touche; **flechero** *nm* archer *m*.
flema *nm* flegme *m*.
fletamento, fletamiento *nm* affrètement *m*.
fletar *vt* fréter; **~se** *vr* (AM: *fam*) s'en aller, se barrer.
flete *nm* (*alquiler de navío*) fret *m*; (AM: *transporte de cargas*) charge *f*.
flexible *a* flexible; (*fig*) souple, maniable.
flojo, a *a* (*nudo, vestido*) lâche; (*sin firmeza, sin fuerza*) mou(molle), flasque; (*débil*) faible; (*negligente*) négligent(e); (*perezoso*) nonchalant(e); (AM: *cobarde*) lâche.
flor *nf* fleur *f*; (*cumplido*) compliment *m*; (*superficie*): **a ~ de** à fleur de; **florecer** *vi* (BOT) fleurir; (*fig*) être florissant(e); **floreciente** *a* (BOT) fleurissant(e); (*fig*) florissant(e); **florería** *nf* magasin *m* de fleurs; **florero, a** *nm/f* fleuriste *m/f* // *nm* vase *m* (à fleurs).
floresta *nf* (*bosque*) bocage *m*, bosquet *m*; (*lugar campestre, ameno*) site *m* champêtre; (*antología*) florilège *m*, anthologie *f*.
florido, a *a* fleuri(e).
flota *nf* flotte *f*; (AM): **una ~ de** une quantité importante de.
flotación *nf* flottement *m*.
flotar *vi* flotter; (*ondear, flamear*) ondoyer.
flote *nm* (*flotación*) flottage *m*; **sacar a ~** (*fig*) remettre à flot, renflouer; **salir a ~** se tirer d'affaire.
fluctuación *nf* fluctuation *f*; (*fig*) flottement *m*, hésitation *f*.
fluctuar *vi* (*oscilar*) osciller; (*vacilar*) hésiter; (*balancear*) balancer.
fluidez *nf* fluidité *f*.
flúido, a *a* fluide; (*fig*) coulant(e).
fluir *vi* couler, s'écouler.
flujo *nm* flux *m*.
fluvial *a* fluvial(e).
F.M.I. *nm* (*abr de Fondo Monetario Internacional*) FMI *m* (Fonds monétaire international).
foca *nf* phoque *m*.
foco *nm* foyer *m*; (ELEC) lumière *f*; (AM) lampe *f* électrique, ampoule *f*; (FOTO): **fuera de ~** hors du champ.
fogón *nm* (*de cocina*) fourneau *m*; (*de caldera de vapor*) foyer *m*.
fogonero *nm* chauffeur *m*.
fogosidad *nf* fougue *f*.
fogoso, a *a* fougueux(euse), ardent(e), impulsif(ive).
follaje *nm* feuillage *m*; (ARQ) rinceau *m*; (*fig*) falbala *m*.
folleto *nm* brochure *f*, notice *f*.
fomentar *vt* (MED) fomenter; (*fig*) fomenter, favoriser.
fomento *nm* (MED) enveloppement *m*, fomentation *f*; (*fig*) aide *f*, encouragement *m*.
fonda *nf* pension *f*, hôtel *m* modeste; (*restaurante*) buffet *m*.
fondeadero *nm* mouillage *m*.

fondear *vt* (*el agua*) sonder; (*registrar*) visiter, fouiller // *vi* mouiller l'ancre; **~se** *vr* (*AM*) s'enrichir.
fondo *nm* fond *m*; (*reserva*) fonds *m*; **~s** *nmpl* (*COM*) fonds *mpl*; **investigación a ~** enquête poussée; **en el ~** au fond; **~s disponibles** disponibilités *fpl*.
fontanería *nf* plomberie *f*.
fontanero *nm* plombier *m*.
forajido, a *nm/f* hors-la-loi *m inv*.
forastero, a *a* (*extraño*) étranger(ère); (*exótico*) exotique // *nm/f* étranger/ère.
forcejear *vi* faire de grands efforts; résister; lutter; **forcejo, forcejeo** *nm* effort *m*; lutte *f*.
forja *nf* forge *f*; (*acción*) forgeage *m*.
forjar *vt* (*metal*) forger; (*fig*) inventer, imaginer; **~se** *vr* s'imaginer.
forma *nf* forme *f*; forme, moule *m*; format *m*; modèle *m*; (*método*) mode *m*, moyen *m*; **las ~s** les formes; **en debida ~** en bonne et due forme.
formación *nf* formation *f*.
formal *a* (*relativo a la forma*) formel(le); (*fig: serio, preciso*) sérieux(euse), comme il faut.
formalidad *nf* (*requisito*) formalité *f*; (*fig: seriedad*) sérieux *m*.
formalizar *vt* concrétiser; achever, terminer; régulariser.
formar *vt* (*componer*) composer; (*constituir*) constituer; (*ESCOL*) former, préparer; (*MIL*) rassembler; (*idea*) façonner; **~se** *vr* se faire, se former; se constituer; s'éduquer; se modeler.
formidable *a* (*temible*) terrible, formidable; (*asombroso*) étonnant(e); (*enorme*) énorme, monstrueux (euse); (*fam*) splendide, magnifique.
fórmula *nf* formule *f*; **por pura ~** pour la pure forme.
fornido, a *a* robuste.
foro *nm* tribunal *m*; barreau *m*; (toile *f* de) fond *m*.
forraje *nm* fourrage *m*.
forrajear *vt* fourrager.
forrar *vt* (*abrigo*) doubler; (*libro*) couvrir; (*cable*) gainer.
forro *nm* (*de cuaderno*) couverture *f*, protège-cahier *m*; (*de sillón*) garniture *f*, housse *f*; (*NAUT*) bordé *m* de pont; vaigrage *m*.
fortalecer *vt* fortifier; **~se** *vr* se fortifier.
fortaleza *nf* force *f*; énergie *f*; (*MIL*) forteresse *f*.
fortín *nm* fortin *m*.
fortuito, a *a* fortuit(e).
fortuna *nf* (*suerte*) fortune *f*, chance *f*; (*riqueza, caudal*) fortune; (*NAUT*): **correr ~** essuyer une bourrasque.
forzar *vt* (*puerta*) forcer; (*violentar*) violer; (*compeler*) contraindre.
forzoso, a *a* inévitable, forcé(e).
forzudo, a *a* fort(e), vigoureux(euse) // *nm/f* costaud *m*.
fosa *nf* (*sepultura*) sépulture *f*, fosse *f*; (*MED*) fosse; **~ marina** fosse marine; **~ séptica** fosse septique.
fosforescencia *nf* phosphorescence *f*.
fósforo *nm* (*metaloide*) phosphore *m*; (*AM*) allumette *f*.
fósil *a* fossile // *nm* fossile *m*.
foso *nm* fosse *f*; (*TEATRO*) dessous *m*.
foto *nf* photo *f*; **~copia** *nf* photocopie *f*; **~copiador** *nm* photocopieur *m*; **~copiar** *vt* photocopier; **~eléctrico, a** *a* photo-électrique; **~génico, a** *a* photogénique.
fotograbado *nm* photogravure *f*.
fotografía *nf* photographie *f*.
fotografiar *vt* photographier.
fotógrafo, a *nm/f* photographe *m/f*.
Fr. *abr de* **fray**.
frac *nm* frac *m*.
fracaso *nm* (*desgracia, revés*) malheur *m*, revers *m*; (*malogro*) échec *m*; (*decepción*) déception *f*.
fracción *nf* fraction *f*; (*POL*) scis-

sion *f*; **fraccionar** *vt* fractionner.
fractura *nf* fracture *f*.
fragancia *nf* parfum *m*; fragrance *f*.
fragata *nf* frégate *f*.
frágil *a* (*débil*) faible; (*quebradizo*) cassant(e), fragile; **fragilidad** *nf* faiblesse *f*; fragilité *f*.
fragmento *nm* (*pedazo, trozo*) fragment *m*; (*porción, parte*) morceau *m*, bribes *fpl*.
fragor *nm* (*ruido intenso*) grand bruit; (*estruendo*) fracas *m*.
fragoso, a *a* (*áspero*) accidenté(e); (*intrincado*) embrouillé(e), confus(e); (*ruidoso*) bruyant(e).
fragua *nf* forge *f*.
fraguar *vt* forger; (*fig*) fabriquer, tramer, manigancer // *vi* prendre.
fraile *nm* (REL) moine *m*, religieux *m*, frère *m*; (IMPRENTA) moine, feinte *f*.
frambuesa *nf* framboise *f*.
francés, esa *a* français(e) // *nm/f* français/e // *nm* français *m*.
Francia *nf* France *f*.
franco, a *a* (*leal, abierto*) ouvert(e), franc(he); (*generoso, liberal*) libéral(e), ouvert(e); (COM: *exento*) exempt(e) // *nm* franc *m*; (AM): **tener un día** ~ avoir un jour de libre; ~**italiano** franco-italien.
franela *nf* flanelle *f*.
franja *nf* frange *f*.
franquear *vt* (*camino*) dégager; (*carta, paquete postal*) affranchir; (*obstáculo*) franchir; ~**se** *vr* (*ceder*) céder; (*confiarse a alguien*) parler à cœur ouvert.
franqueo *nm* affranchissement *m*.
franqueza *nf* franchise *f*, sincérité *f*.
frasco *nm* flacon *m*.
frase *nf* phrase *f*.
fraseología *nf* phraséologie *f*.
fraternal *a* fraternel(le).
fraude *nm* fraude *f*; **fraudulento, a** *a* frauduleux(euse).
fray *nm* frère *m*.
frazada *nf* couverture *f* de lit.
frecuencia *nf* fréquence *f*; **con** ~ fréquemment.
fregar *vt* (*frotar, restregar*) frotter, récurer, laver; **fregona** *nf* laveuse *f* de vaisselle, plongeuse *f*; (*pey*) domestique *f*.
freír *vt* frire, faire frire; (*fig*) gêner.
frejol *nm* = **frijol**.
frenesí *nm* frénésie *f*; exaltation *f*; **frenético, a** *a* frénétique, furieux(euse).
freno *nm* (*de cabalgadura*) mors *m*; (TEC, *fig*) frein *m*; ~ **a discos/de mano** frein à disque/à main; ~ **delantero/trasero** frein avant/arrière.
frente *nm* (ARQ) façade *f*, front *m*; (*de objeto*) face *f*; (POL) front // *nf* front *m*; **en** ~ **de** en face de; **mirarse** ~ **a** ~ se regarder en face; **al** ~ **de un comercio** à la tête d'un commerce; **chocar de** ~ se heurter de plein fouet; (MIL): ¡**de** ~! en avant!; **el** ~ **de ataque** le front.
fresa *nf* fraise *f*.
fresco, a *a* frais(fraîche); (*sereno, impávido*) impassible // *nm* (*aire*) frais *m*; (ARTE) fresque *f*; (*fam*) dévergondé *m* // *nf* frais *m*; **pintar al** ~ peindre à fresque *ou* à tempera; **tomar el** ~ prendre le frais; **frescura** *nf* fraîcheur *f*; (*descaro*) toupet *m*, culot *m*; (*calma*) calme *m*, impassibilité *f*.
fresno *nm* frêne *m*.
friable *a* friable.
frialdad *nf* froideur *f*; indifférence *f*.
fricción *nf* (*frote*) frottement *m*; (MED, TEC, *fig*) friction *f*.
frigidez *nf* frigidité *f*.
frigorífico, a *a* frigorifique // *nm* (AM) établissement *m* frigorifique.
frijol *nm* haricot *m*.
frío, a *a* froid(e); (*fig*) indifférent(e), froid // *nm* froid *m*; ~**s** *nmpl* (AM) malaria *f*.
friolera *nf* bagatelle *f*.
frisar *vt* (*cabellos*) friser; (*tejido*) ratiner // *vi*: ~ **(en) la cincuentena** friser la cinquantaine.

friso *nm* (*AM*) frise *f*.
frito, a *pp de* **freír** // *a* frit(e); (*AM: fig*): **estar ~** être perdu *ou* grillé.
frívolo, a *a* velléitaire; superficiel(le); frivole.
frondoso, a *a* touffu(e).
frontera *nf* frontière *f*, limite *f*, confin *m*.
frontispicio *nm* frontispice *m*.
frontón *nm* fronton *m*.
frotar *vt* (*friccionar*) frictionner; (*mueble, mancha*) frotter; **~se** *vr*: **~se las manos** se frotter les mains.
frote *nm* frottement *m*.
fructífero, a *a* fructifère; **fructificar** *vi* fructifier; **fructuoso, a** *a* fructueux(euse).
frugal *a* frugal(e).
fruición *nf* délectation *f*, plaisir *m*.
fruncir *vt* froncer.
frustrar *vt* (*defraudar*) décevoir, frustrer; (*malograr: intento*) manquer; **~se** *vr* échouer.
fruta *nf* fruit *m*.
frutería *nf* fruiterie *f*.
fruto *nm* fruit *m*.
fue *vb ver* **ser, ir**.
fuego *nm* (*hogar*) feu *m*, foyer *m*; (*lumbre, incendio, MIL*) feu; (*fig*) feu, ardeur *f* // *excl* au feu!; (*MIL*) feu!; **a ~ lento** à feu doux; **¿tienes ~?** as-tu du feu?; **~ fatuo** feu follet; **~s artificiales** feu d'artifice.
fuente *nf* (*de una plaza*) fontaine *f*; (*manantial, fig*) source *f*; (*bautismal*) fonts *mpl* (baptismaux); (*plato*) plat *m*.
fuer *nm*: **a ~ de** en qualité de, à titre de.
fuera *vb ver* **ser, ir** // *ad* dehors; (*en otra parte*) au-dehors, ailleurs; (*excepto, salvo*) sauf, à part; **~ de** hors de; **~ de sí** hors de soi; **mirar algo por ~** regarder qch en apparence; **~ de serie** hors série.
fuero *nm* juridiction *f*, for *m*; privilège *m*.
fuerte *a* fort(e), robuste; (*duro*) dur(e), résistant(e); (*considerable*) fort, considérable; (*versado, conocedor*) fort // *ad* fort // *nm* (*MIL*) fort *m*; (*MUS*) forte *m*; **ser ~ en** être fort en.
fuerza *nf* force *f*, vigueur *f*; **a ~ de** à force de; **cobrar ~s** reprendre des forces; **tener ~s para** avoir la force de, être capable de; **hacer a la ~** faire de force; **~ centrífuga/centripeta/ hidráulica** force centrifuge/centripète/hydraulique; (*MIL*): **las ~s armadas/de disuasión** les forces armées/de dissuasion.
fuga *nf* (*huida, escape*) fuite *f*; (*MUS*) fugue *f*; (*ardor, ímpetu*) fougue *f*; **~ de capitales** évasion *f* des capitaux; **fugarse** *vr* s'enfuir; **fugaz** *a* fugace; **fugitivo, a** *a* fugitif(ive) // *nm/f* fugitif/ive.
fui *vb ver* **ser, ir**.
fulano, a *nm/f* un tel/une telle; **F~ de tal** Monsieur Un tel; **~, mengano y zutano** Un tel, Un tel et Un tel.
fulgor *nm* éclat *m*, lueur *f*.
fulminante *a* foudroyant(e); (*fam*) terrible // *nm* (*AM*) détonateur *m*.
fulminar *vt* foudroyer // *vi* fulminer; **~ con la mirada** fusiller du regard.
fullero, a *nm/f* tricheur/ euse.
fumador, a *nm/f* fumeur/euse.
fumar *vt, vi* fumer; **~se** *vr* (*disipar*) manger; **~ en pipa** fumer la pipe.
fumigar *vt* désinfecter (par fumigation).
función *nf* fonction *f*; (*de puesto*) fonctions *fpl*; (*espectáculo*) représentation *f*; **entrar en funciones** entrer en fonctions; **no hay ~** relâche; **~ de gala** soirée *f* de gala; **~ infantil** fête enfantine, spectacle *m* pour enfants; **funcionar** *vi* fonctionner, marcher.
funcionario, a *nm/f* fonctionnaire *m/f*.
funda *nf* housse *f*; (*de almohada*) taie *f*; (*de pistola*) étui *m*, gaine *f*; (*de paraguas*) fourreau *m*.
fundación *nf* fondation *f*.
fundamental *a* fondamental(e).
fundamentar *vt* jeter les fonde-

ments de; fonder; (*fig*) baser, fonder; **fundamento** *nm* (*base, cimiento*) fondement *m*, base *f*; (*fig*) fondement.

fundar *vt* fonder; (*dotar de fondos*) doter; **~se** *vr*: **~se en** s'appuyer sur.

fundición *nf* fonte *f*; (*fábrica*) fonderie *f*.

fundir *vt* (*metal*) fondre; (*estatua*) couler; **~se** *vr* (*sólido*) fondre; (*unirse, agruparse*) se fondre; (AM) faire faillite.

fúnebre *a* funèbre.

funesto, a *a* malheureux (euse), malencontreux(euse); funeste, désastreux(euse).

furgón *nm* fourgon *m*.

furia *nf* (*ira, violencia*) furie *f*; (*impetuosidad*) impétuosité *f*, fougue *f*; **furibundo, a** *a* furibond(e); **furioso, a** *a* furieux(euse); violent(e); **furor** *nm* (*cólera*) fureur *f*, colère *f*; (*rabia*) rage *f*; **hacer furor** (*fig*) faire fureur.

furtivo, a *a* furtif(ive).

fusil *nm* fusil *m*; (*rifle*) rifle *m*; **fusilar** *vt* fusiller.

fusión *nf* (*fundición, licuefacción*) fusion *f*; (*mezcla*) mélange *m*; (*de partidos, intereses etc*) fusionnement *m*.

fuste *nm* (*de lanza*) hampe *f*; (*de silla de montar*) arçon *m*; (ARQ) fût *m*; (*fig*) poids *m*; importance *f*; envergure *f*; **gente de ~** gens *mpl* bien.

fustigar *vt* fustiger.

fútbol *nm* football *m*; **futbolista** *nm* footballeur *m*.

fútil *a* futile; **futilidad, futileza** *nf* futilité *f*.

futuro, a *a* futur(e) // *nm* avenir *m*; (LING) futur *m*.

G

g/ *abr de* **giro**.

gabacho, a *a* gavache; (*fam*) français(e) // *nm/f* Pyrénéenne; (AM) étranger/ère // *nm* (*fam*) espagnol francisé.

gabán *nm* pardessus *m*.

gabinete *nm* cabinet *m*.

gaceta *nf* (*periódico*) gazette *f*; (*diario oficial*) journal officiel.

gacetilla *nf* (*en periódico*) nouvelles brèves; échos *mpl*; (*fam*) cancanière *f*.

gacha *nf* bouillie *f*.

gafas *nfpl* lunettes *fpl*.

gaita *nf* cornemuse *f* // *nm* (AM) galicien *m*.

gajes *nmpl* (*salario*) salaire *m*, paye *f*; **los ~ del oficio** les aléas *mpl* du métier.

gajo *nm* (*de árbol*) branche *f*; (*de naranja*) quartier *m*; (*gen*) partie *f*, morceau *m*.

gala *nf* habit *m* de fête; (*fig*) grâce *f*, élégance *f*; **uniforme de ~** costume *m* de cérémonie *m*; **ponerse las ~s** se mettre sur son trente et un; **hacer ~ de** se vanter de.

galán *nm* (*galante*) galant(e); (*hombre atractivo*) beau garçon; (TEATRO): **primer ~** jeune premier.

galano, a *a* élégant(e); (*fig*) brillant(e), élégant.

galante *a* galant(e); **galantear** *vt* (*obsequiar*) courtiser; (*enamorar*) faire la cour à, rendre amoureux(euse); (*hacer la corte*) faire sa cour à; **galanteo** *nm* cour *f*; **galantería** *nf* (*caballerosidad*) galanterie *f*; (*cumplido*) compliment *m*, politesse *f*.

galardón *nm* récompense *f*; prix *m*; **galardonar** *vt* couronner, primer; récompenser.

galeote *nm* galérien *m*.

galeoto *nm* entremetteur *m*.

galera *nf* (*nave*) galère *f*; (*carro*) chariot *m* à quatre roues; (MED)

rangée *f* de lits (dans une salle d'hôpital); (*IMPRENTA*) placard *m*; (*AM*: *sombrero*) haut-de-forme *m*.
galería *nf* galerie *f*; (*TEATRO*) paradis *m*.
Gales *nm* le pays de Galles.
galés, esa *a* gallois(e) // *nm/f* Gallois/e.
galgo, a *nm/f* lévrier/levrette.
galimatías *nmpl* (*lenguaje*) galimatias *m*; (*confusión*) charabia *m*, confusion *f*.
galón *nm* (*cinta*) galon *m*; (*medida*) gallon *m*.
galopar *vi* galoper.
galope *nm* galop *m*.
galvanizar *vt* galvaniser.
gallardete *nm* flamme *f*.
gallardía *nf* élégance *f*, prestance *f*; (*valor*) hardiesse *f*, cran *m*.
gallardo, a *a* qui a de l'allure; hardi(e), vaillant(e); excellent(e).
gallego, a *a* galicien(ne) // *nm/f* Galicien/ne; (*AM*: *pey*) Espagnol/e.
galleta *nf* (*bizcocho*) biscuit sec; gâteau sec; (*fam*) tarte *f*; (*pan*) pain bis *m*.
gallina *nf* poule *f* // *nm* (*AM*) poule mouillée, mauviette *f*; ~ **ciega** colin-maillard *m*.
gallinaza *nf* fumier *m* de poule.
gallo *nm* (*ave*) coq *m*; (*fig*) couac *m*, canard *m*; despote *m*.
gamba *nf* crevette *f* rose, bouquet *m*.
gamo, a *nm/f* daim/daine // *nf* gamme *f*, échelle *f*; (*fig*) gamme.
gamuza *nf* (*animal*) chamois *m*; (*piel*) peau *f* de chamois; (*tejido*) chamoisine *f*.
gana *nf* (*deseo*) envie *f*; (*apetito*) appétit *m*; (*voluntad*) volonté *f*; **de buena** ~ de bon gré; **de mala** ~ à contrecœur; **hacer lo que le da la** ~ n'en faire qu'à sa tête; **tener ~s de** avoir envie de; **hacer sin ~s** faire à contrecœur; **comer sin ~s** manger sans appétit; **tenerle ~s a alguien** avoir une dent contre qn.
ganadería *nf* (*ganado*) bétail *m*, troupeau *m*; (*cría, comercio*) élevage *m*.
ganado *nm* bétail *m*; ~ **lanar** ovins *mpl*; ~ **vacuno** bovins *mpl*; ~ **porcino** porcins *mpl*.
ganancia *nf* (*acción*) gain *m*; (*beneficio, ingreso*) bénéfice *m*; profit *m*; revenu *m*.
ganapán *nm* portefaix *m*; (*individuo tosco*) malotru *m*.
ganar *vt* gagner.
gancho *nm* crochet *m*; **tener** ~ (*AM*) avoir des appuis; ~ **de carnicero** (*AM*) crochet de boucher, allonge *f*.
gandul, a *a*, *nm/f* fainéant/e, feignant/e.
ganga *nf* (*ZOOL*) gélinotte *f*, poule *f* des bois; (*cosa buena y barata*) aubaine *f*, occasion *f*, bonne affaire; (*buena ocasión*) filon *m*.
gangrena *nf* gangrène *f*.
gansada *nf* (*fam*) bêtise *f*, sottise *f*.
ganso, a *nm/f* (*ZOOL*) jars *m*/oie *f*; (*fam*) oie.
ganzúa *nf* crochet *m* // *nm/f* voleur/euse.
gañán *nm* (*obrero campesino*) valet *m* de ferme; (*labrador*) paysan *m*, laboureur *m*.
garabato *nm* (*gancho, garfio*) croc *m*, crochet *m*; (*escritura*) griffonnage *m*, pattes *fpl* de mouche; (*dibujo*) gribouillage *m*; (*gracia femenina*) charme *m*, chien *m*.
garante *a* responsable // *nm/f* garant/e.
garantizar, garantir *vt* (*hacerse responsable*) garantir; (*asegurar*) assurer.
garapiñado, a *a* praliné(e); **almendra garapiñada** praline *f*, amande pralinée.
garbanzo *nm* pois chiche *m*.
garbo *nm* prestance *f*; élégance *f*, grâce *f*; **garboso, a** *a* élégant(e), gracieux(euse).
garfa *nf* (*uña*) ongle crochu; (*garra*) griffe *f*.
garfio *nm* croc *m*, crochet *m*.

garganta *nf* (*ANAT*) gorge *f*; (: *faringe*) pharynx *m*; (*GEO, ARQ*) gorge.
gargantilla *nf* collier *m*.
gárgara *nf* gargarisme *m*.
gárgola *nf* gargouille *f*.
garita *nf* cabine *f*; guérite *f*.
garlopa *nf* varlope *f*.
garra *nf* (*de gato*) griffe *f*; (*de ave*) serre *f*; (*fam*) main *f*; (*vigor*) ressort *m*, nerf *m*.
garrafa *nf* carafe *f*; dame-jeanne *f*; **garrafón** *nm* grande carafe; dame-jeanne *f*.
garrido, a *a* qui a belle allure; élégant(e).
garrote *nm* (*palo*) gourdin *m*, bâton *m*; (*suplicio*) garrotte *f*; (*MED*) garrot *m*.
garrulería *nf* bavardage *m*, papotage *m*.
gárrulo, a *a* (*charlatán*) bavard(e); (*ave*) gazouillant(e); (*arroyo*) murmurant(e); (*viento*) gémissant(e).
garzo, a *a* pers(e) // *nf* héron *m*.
gas *nm* gaz *m*.
gasa *nf* gaze *f*.
gaseoso, a *a* (*gaseiforme*) gazéiforme; (*que contiene gases*) gazeux(euse).
gasolina *nf* essence *f*; ~ **corriente** essence ordinaire.
gasómetro *nm* gazomètre *m*.
gastado, a *a* usé(e); (*raído*) râpé(e) usé, ruineé(e).
gastador, a *a* dépensier(ère).
gastar *vt* (*dinero*) dépenser; (*tiempo, fuerzas*) user; **~se** *vr* s'user; ~ **bromas** faire une farce.
gasto *nm* (*desembolso*) dépense *f*; (*consumo, uso*) usure *f*; **~s** *nmpl* frais *mpl*; budget *m*.
gata *nf ver* **gato**.
gatear *vi* (*andar a gatas*) marcher à quatre pattes; (*trepar*) grimper // *vt* griffer; (*fam*) chaparder, chiper.
gatillo *nm* (*de arma de fuego*) détente *f*; (*de dentista*) davier *m*; (*ZOOL*) collier *m*; (*fam*) chapardeur *m*.
gato, a *nm/f* chat/te // *nm* (*TEC*) (*manual*) cric *m*; (*hidráulico*) vérin *m*; ~ **montés/de angora/callejero** chat sauvage/angora/de gouttière; **andar a gatas** marcher à quatre pattes.
gatuno, a *a* félin(e).
gaucho *nm* gaucho *m*.
gaveta *nf* tiroir *m*.
gavilán *nm* (*ZOOL*) épervier *m*; (*AM*) ongle incarné.
gavilla *nf* (*de cereales*) gerbe *f*; (*de sarmientos*) fagot *m*; (*fig*) bande *f*.
gaviota *nf* mouette *f*.
gayo, a *a* gai(e).
gazapera *nf* (*conejera*) terrier *m*; (*gente*) bande *f* de gens peu recommandables; (*fam*: *riña*) dispute *f*, chamaillerie *f*.
gazapo *nm* lapereau *m*; (*fam*) renard *m*, fin matois; (*IMPRENTA*) coquille *f*.
gazmoño, a, gazmoñero, a *nm/f* tartufe *m*; faux dévot/fausse dévote.
gaznate *nm* gosier *m*, gorge *f*.
gelatinoso, a *a* gélatineux(euse).
gélido, a *a* glacé(e), gelé(e).
gema *nf* gemme *f*.
gemelo, a *a* jumeau(elle) // *nm/f* jumeau/elle; **~s** *nmpl* (*de teatro*) jumelles *f*; (*de camisa*) boutons de manchettes *mpl*; (*ASTRO*): **G~s** = Géminis.
gemido *nm* gémissement *m*.
Géminis *nm* les Gémeaux *mpl*; **ser (de)** ~ être (des) Gémeaux.
gemir *vi* gémir, geindre.
genealogía *nf* généalogie *f*; (*de animal*) pedigree *m*.
generación *nf* génération *f*; (*coetáneos*) contemporains *mpl*.
generador *nm* génératrice *f*.
general *a* général(e) // *nm* général *m*; **por lo** *o* **en** ~ en général; **generalidad** *nf* généralité *f*; **generalización** *nf* généralisation *f*; **generalizar** *vt* généraliser; **generalizarse** *vr* se généraliser; **generalmente** *ad* généralement.

generar *vt* engendrer; (*fig*) entraîner.
genérico, a *a* générique; (LING): **nombre** ~ nom commun.
género *nm* (*clase, especie, tipo*) genre *m*, espèce *f*, sorte *f*; (LING) genre; (ARTE, LITERATURA) genre; (COM) tissu *m*; ~**s** *nmpl*: ~**s de punto** tricots *mpl*, articles *mpl* en tricot.
generosidad *nf* libéralité *f*, générosité *f*; magnanimité *f*.
generoso, a *a* (*noble*) noble; (*dadivoso*) généreux(euse); (*excelente*) excellent(e), distingué(e).
génesis *nf* genèse *f*.
genial *a* génial(e); brillant(e), remarquable, notable.
genio *nm* (*carácter*) caractère *m*; (*humor*) humeur *f*; (*facultad creadora*) génie *m*; (*ser sobrenatural*) génie.
gente *nf* monde *m*, gens *mpl*.
gentil *a* gentil(le), gracieux(euse) // *nm/f* (REL) gentil *m*; **gentileza** *nf* (*amabilidad*) grâce *f*, élégance *f*, gentillesse *f*; (*cortesía*) politesse *f*; **gentilhombre** *nm* (*pl* **gentileshombres**) (*buen mozo*) beau garçon; (*cortés*, HISTORIA) gentilhomme *m*.
gentío *nm* foule *f*; **¡qué** ~**!** que de monde!
genuflexión *nf* génuflexion *f*.
genuino, a *a* authentique, vrai(e).
geógrafo, a *nm/f* géographe *m/f*.
geología *nf* géologie *f*.
geometría *nf* géométrie *f*.
gerencia *nf* direction *f*.
gerente *nm* gérant *m*.
germanía *nf* jar(s) *m*.
germen *nm* germe *m*.
germinar *vi* germer.
gesticulación *nf* (*del rostro*) grimace *f*; (*con las manos*) gesticulation *f*.
gestión *nf* gestion *f*; (*diligencia, acción*) démarche *f*; **gestionar** *vt* faire des démarches pour; traiter, négocier; administrer.
gesto *nm* (*mueca*) grimace *f*; (*ademán*) geste *m*.
giboso, a *a* bossu(e).
Gibraltar *nm* Gibraltar *m*.
gigante *a* géant(e), gigantesque, énorme // *nm/f* géant/e.
gimnasio *nm* gymnase *m*; **gimnástico, a** *a* (de) gymnastique.
ginebra *nf* gin *m*; genièvre *m*; (*fam*) confusion *f*.
gira *nf* (MUS, TEATRO) tournée *f*; (*viaje, excursión*) excursion *f*, voyage *m*.
girador, a *nm/f* tireur/euse.
giralda *nf* girouette *f*.
girar *vt* tourner; (COM: *cheque*) tirer; (*comerciar*: *letra de cambio*) virer // *vi* tourner.
girasol *nm* tournesol *m*, soleil *m*.
giratorio, a *a* tournant(e), pivotant(e).
giro *nm* (*movimiento*) tour *m*; (*fig*) tournure *f*, tour; (LING) tournure; (COM) virement *m*; ~ **bancario/postal** virement bancaire/postal; ~ **telegráfico** mandat *m* télégraphique.
gitano, a *a* gitan(e) // *nm/f* gitan/e.
glacial *a* glacial(e).
glándula *nf* glande *f*.
glauco, a *a* glauque.
glicerina *nf* glycérine *f*, glycérol *m*.
globo *nm* (*esfera*) globe *m*; (*aerostato, juguete*) ballon *m*; (*fam*) canard *m*, fausse nouvelle.
gloria *nf* (*honor*) gloire *f*; (*fama*) renommée *f*; **gloriarse** *vr* se glorifier.
glorieta *nf* (*de jardín*) tonnelle *f*, cabinet *m* de verdure; (*plazoleta*) rond-point *m*.
glorificación *nf* glorification *f*.
glorificar *vt* glorifier; louer; diviniser; exalter; ~**se** *vr* se glorifier, se vanter.
glorioso, a *a* (*loable*) glorieux(euse); (*divino*) divin(e); (*pey*) vantard(e).
glosa *nf* glose *f*, note *f*, remarque *f*.
glosar *vt* (*comentar*) gloser, anno-

ter, commenter; (*fig*) trouver à redire, critiquer.
glosario *nm* glossaire *m*.
glotón, ona *a* glouton(ne); **glotonería** *nf* gloutonnerie *f*.
glutinoso, a *a* glutineux(euse).
gobernación *nf* gouvernement *m*.
gobernador, a *a* gouvernant(e) // *nm* gouverneur *m*.
gobernalle *nm* gouvernail *m*.
gobernante *a* gouvernant(e) // *nm/f* gouvernant/e, dirigeant/e.
gobernar *vt* (*dirigir*) gouverner; (*regir*) conduire, mener // *vi* gouverner.
gobierno *nm* (POL) gouvernement *m*; (NAUT) gouvernail *m*; (*información*): **para su ~** pour votre gouverne.
goce *nm* (*disfrute*) jouissance *f*; (*placer*) plaisir *m*.
gol *nm* but *m*.
gola *nf* gosier *m*, gorge *f*.
goleta *nf* goélette *f*.
golf *nm* golf *m*.
golfa *nf* (*fam*) putain *f*.
golfo *nm* (GEO) golfe *m*; (*fam*) voyou *m*.
golondrina *nf* hirondelle *f*.
golosina *nf* friandise *f*, gourmandise *f*; sucrerie *f*.
goloso, a *a* gourmand(e).
golpe *nm* coup *m*; **dar el ~** épater, étonner; **darse un ~** tomber, se donner un coup; **no dar ~** ne rien faire du tout; **de un ~** d'un (seul) coup; **de ~** soudain; **~ de castigo** penalty *m*; **~ de estado** coup d'état; **~ de vista** coup d'œil; **~ franco** coup franc; **golpear** *vt*, *vi* frapper; (*asestar*) assener; (*golpetear*) tapoter, tambouriner.
gollete *nm* (*cuello*) cou *m*; (*de botella*) goulot *m*.
goma *nf* (*caucho*) gomme *f*, caoutchouc *m*; (*elástico*) élastique *m*; (AUTO) **~s** *fpl* pneus *mpl*; **~ espuma** caoutchouc mousse; (AM): **~ de borrar** gomme (à effacer); **~ de pegar** colle *f*.
gonce *nm* = **gozne.**
góndola *nf* gondole *f*.
gordo, a *a* (*grueso*) gros(se); (*entrada en carnes*) gras(se); (*fam*) énorme, considérable // *nm*: **sacarse el ~** gagner le gros lot // *nf* (*fam*): **armarse la gorda** faire les quatre cents coups.
gorgojo *nm* (*insecto*) charançon *m*; (*fam*) nabot *m*, bout *m* d'homme.
gorila *nm* gorille *m*.
gorjear *vi* gazouiller.
gorjeo *nm* (*de pájaros*) gazouillement *m*; (*canto*) roulade *f*.
gorra *nf* (*casquete*) casquette *f*; (*de niño*) bonnet *m*; (*militar*) bonnet à poil, calot *m* // *nm* pique-assiette *m/f inv*.
gorrión *nm* moineau *m*.
gorro *nm* bonnet *m*.
gorrón *nm* (*guijarro*) galet *m*; (TEC) pivot *m*, fusée *f* d'essieu.
gota *nf* goutte *f*; **gotear** *vi* (*ropa*) s'égoutter; (*grifo*) couler; (*lloviznar*) pleuviner; **gotera** *nf* (*agujero*) gouttière *f*; (*agua*) fuite *f* d'eau; **~s** *fpl* (MED) infirmités *fpl*; (AM) faubourgs *mpl*, environs *mpl*.
gótico, a *a* gothique.
gotoso, a *a* goutteux(euse).
gozar *vi* jouir; **~ de** jouir de.
gozne *nm* (*de puerta, ventana*) gond *m*; (*bisagra*) charnière *f*.
gozo *nm* (*alegría*) joie *f*; (*placer*) plaisir *m*; **gozoso, a** *a* joyeux(euse); agréable; délicieux(euse).
g.p. *abr de* **giro postal**.
gr. *abr de* **gramo**.
grabado *nm* gravure *f*.
grabador *nm* graveur *m*.
grabadora *nf* magnétophone *m*.
grabar *vt* graver; (*discos, cintas*) enregistrer.
gracejo *nm* badinage *m*; esprit *m*.
gracia *nf* (*encanto, atractivo*) grâce *f*, charme *m*; (*chiste*) plaisanterie *f*; (REL) grâce; **¡~s!** merci!; **¡muchas ~s!** merci beaucoup!; **~s a** grâce à; **tiene ~ lo que dice** ce qu'il dit est amusant; **hacer ~ a uno de algo** faire don à qn de qch; **hacer ~ a uno** amuser qn; **caer en ~ a**

uno plaire à qn; **gracioso, a** *a* (*cómico*) drôle, comique; (*divertido*) amusant(e), spirituel(le); (*encantador*) charmant(e), gracieux(euse); (*simpático*) gentil(le) // *nm* (TEATRO) gracioso *m*, pitre *m*.
grada *nf* (*de escalera*) degré *m*, marche *f*; (*de anfiteatro*) gradin *m*; (AGR) herse *f*; (NAUT): ~ **de construcción** cale *f ou* chantier *m* de construction.
gradación *nf* gradation *f*.
gradería *nf* degrés *mpl*, gradins *mpl*.
grado *nm* degré *m*; (*de aceite, vino*) grade *m*, teneur *f*; (ESCOL) année *f*; (MIL) grade; **de buen** ~ de bon gré.
graduación *nf* (*del alcohol*) degré *m*, titre *m*; (*jerarquía*) grade *m*; (ESCOL) remise *f* des diplômes.
gradual *a* graduel(le).
graduar *vt* (*termómetro*) graduer; (*escalonar*) échelonner; (MIL) élever au grade de; ~**se** *vr* recevoir le titre de.
gráfico, a *a* graphique, imagé(e); (*fig*) clair(e) // *nm* graphique *m*, diagramme *m*.
grajo *nm* crave *m*.
Gral *abr de* **General**.
gramática *nf* grammaire *f*.
gramo *nm* gramme *m*.
gramola *nf* phonographe *m*.
gran *a ver* **grande.**
grana *nf* (BOT) grenaison *f*, graine *f*; (ZOOL) cochenille *f*; (*quermés*) kermès *m*; (*color, tela*) écarlate *f*.
Granada *n* Grenade *f*.
granada *nf* grenade *f*; **granadino, a** *a* grenadin(e) // *nm/f* grenadin/e // *nf* grenadine *f*.
granado, a *a* (AGR) grenu(e); remarquable, illustre; mûr(e); expert(e) // *nm* grenadier *m*.
granar *vi* grener, monter en graine.
granate *a* grenat // *nm* (*piedra*) almandine *f*.
Gran Bretaña *nf* la Grande-Bretagne.
grande, gran *a* grand(e) // *nm* grand *m*; **grandeza** *nf* grandeur *f*.
grandioso, a *a* grandiose.
grandor *nm* grandeur *m*.
granel: a ~ *ad* à foison, en quantité.
granero *nm* grange *f*, grenier *m*.
granito *nm* (AGR) petit grain; (*roca*) granite *m*; (MED) petit bouton.
granizada *nf* grêle *f*, chute *f* de grêle; (*fig*) torrent *m*; (*bebida*) boisson glacée.
granizado *nm* boisson glacée.
granizar *vi* grêler.
granizo *nm* grêle *f*, grêlon *m*.
granja *nf* ferme *f*.
granjear *vt* (AM) voler // *vi* commercer, trafiquer; ~**se** *vr* gagner, acquérir.
granjería *nf* (COM) profit *m*; (AGR) ferme *f*.
grano *nm* (*semilla, partículo*) grain *m*; (*baya*) baie *f*; (MED) bouton *m*; ~**s** *nmpl* grain(s) *m(pl)*, céréale(s) *f(pl)*; **de** ~ **fino** au grain fin; **de** ~ **gordo** à gros grain.
granoso, a *a* grenu(e).
granuja *nf* raisin *m* // *nm* galopin *m*, canaille *f*, dévoyé *m*.
grao *nm* plage *f*.
grapa *nf* agrafe *f*; (AM) boisson *f* alcoolique.
grasa *nf* (*sebo*) graisse *f*; (*mugre, suciedad*) crasse *f*; (*escoria*) scories *fpl*, crasses *fpl*; **echar** ~ (*fam*) prendre du ventre; **grasiento, a** *a* graisseux(euse).
gratificación *nf* gratification *f*.
gratificar *vt* gratifier.
gratis *ad* gratis.
gratitud *nf* gratitude *f*.
grato, a *a* agréable, plaisant(e).
gratuito, a *a* gratuit(e).
gravamen *nm* (*carga*) charge *f*; (*impuesto*) taxe *f*.
gravar *vt* grever, taxer.
grave *a* grave; **gravedad** *nf* gravité *f*.
grávido, a *a* (*preñada*) enceinte; (*lleno, cargado*) gravide, chargé(e).
gravitación *nf* gravitation *f*, attraction *f*.

gravitar *vi* graviter; ~ **sobre** peser sur.
gravoso, a *a* (*pesado*) lourd(e), pesant(e); (*costoso*) onéreux(euse), coûteux(euse).
graznar *vi* (*cuervo*) croasser; (*ave*) criailler; (*búho*) huer; (*ganso*) cacarder, jargonner; **graznido** *nm* croassement *m*; cacardement *m*.
Grecia *nf* Grèce *f*.
greda *nf* glaise *f*, terre *f* glaise; **gredoso, a** *a* glaiseux(euse).
gregario, a *a* grégaire.
greguería *nf* brouhaha *m*.
gremio *nm* corporation *f*.
greña *nf* (*cabellos*) tignasse *f*; (*maraña*) enchevêtrement *m*; **greñudo, a** *a* ébouriffé(e).
gresca *nf* (*ruido*) vacarme *m*; (*riña*) bagarre *f*, querelle *f*.
grey *nf* ouailles *fpl*, congrégation *f*.
grial *nm* graal *m*.
griego, a *a* grec(que) // *nm/f* Grec/que.
grieta *nf* (*del terreno*) crevasse *f*; (*de muro*) lézarde *f*; (*MED*) crevasse, gerçure *f*.
grietarse *vr* = **agrietarse.**
grifo, a *a* (*crespo*) crépu(e); (*enmarañado*) ébouriffé(e) // *nm* robinet *m*; (*AM*) poste *m* à essence; (*MITOLOGÍA*) griffon *m*.
grillo *nm* (*ZOOL*) grillon *m*; (*BOT*) tige *f*; ~**s** *nmpl* fers *mpl*; (*fig*) entraves *fpl*; obstacles *mpl*.
gripe *nf* grippe *f*.
gris *a* (*color*) gris(e); (*triste*) triste, gris; (*apagado*) terne // *nm* gris *m*.
grita *nf* criaillerie *f*.
gritar *vt*, *vi* crier.
gritería *nf*, **griterío** *nm* cris *mpl*, criaillerie *f*.
grito *nm* cri *m*, exclamation *f*; **a ~ pelado** à tue-tête, à grands cris; **estar en un ~** n'en plus pouvoir (de douleur).
grosella *nf* groseille *f*.
grosería *nf* grossièreté *f*.
grosero, a *a* rustre; grossier(ière); vulgaire.
grosor *nm* grosseur *f*.
grotesco, a *a* grotesque.
grúa *nf* grue *f*.
grueso, a *a* gros(se); (*voluminoso*) volumineux(euse) // *nm* grosseur *f* // *nf* grosse *f*; **el ~ de** le gros de; (*COM*): **en ~** en gros.
grulla *nf* grue *f*.
grumete *nm* mousse *f*.
grumo *nm* grumeau *m*, caillot *m*.
gruñido *nm* grognement *m*.
gruñir *vi* (*animal*) grogner; (*fam*) ronchonner.
grupa *nf* croupe *f*; **llevar a ~s** porter en croupe.
grupo *nm* groupe *m*.
gruta *nf* grotte *f*.
gte *abr de* **gerente**.
Guadalquivir *nm*: **el ~** le Guadalquivir.
guadamecí, guadamecil *nm* maroquin *m*.
guadaña *nf* faux *f*.
guadañar *vt* faucher.
gualdrapa *nf* housse *f*; (*fam*) loque *f*, haillon *m*.
guano *nm* guano *m*.
guante *nm* gant *m*.
guapo, a *a* beau (belle); (*valiente*) brave, vaillant(e) // *nm* (*pey*: *pendenciero*) bagarreur *m*; (: *fanfarrón*) crâneur *m*.
guarda *nm* garde *m*, gardien *m* // *nf* garde *f*; ~**bosque** *nm* garde *m* (forestier); ~**costas** *nm inv* gardecôte *m inv*; ~**dor, a** *a* (*protector*) gardeur(euse); (*observante*) observateur(trice) // *nm/f* (*protector*) protecteur/trice; (*tacaño*) avare *m/f*; ~**espaldas** *nm/f inv* garde *m* du corps; ~**polvo** *nm* cache-poussière *m inv*; (*de niño*) tablier *m*, blouse *f*; (*para el trabajo*) blouse; (*funda de muebles*) housse *f*; (*de reloj*) calotte *f*; **guardar** *vt* (*secreto*) garder; (*animales*) garder; (*ordenar*) ranger, mettre à sa place; (*dinero*: *ahorrar*) mettre de côté; **guardarse** *vr* (*preservarse*) se garder; (*evitar*) éviter; **guardar cama** garder le lit; **guardar distancia** garder ses distances; ~**rropa**

nm (*armario*) armoire *f*; (*vestimentas*) garde-robe *f*; (*en establecimiento público*) vestiaire *m*; (TEATRO) costumes *mpl* et accessoires *mpl*; **~vía** *nm* garde-voie *m*.

guardia *nf* garde *f* // *nm* garde *m*; **estar de ~** être de garde; **montar ~** monter la garde; **ponerse en ~** se mettre en garde; **~ civil** gendarme *m*; **G~ Civil** Gendarmerie *f*; **~ de asalto** forces *fpl* d'intervention (de police); **~ de tráfico** agent *m* (de la circulation).

guardián, ana *nm/f* gardien/ne.

guardilla *nf* (*buhardilla*) mansarde *f*; (*costura*) point *m*.

guarecer *vt* (*proteger*) protéger; (*abrigar*) abriter, mettre à l'abri; **~se** *vr* se protéger, s'abriter.

guarida *nf* (*de animal*) repaire *m*; (*refugio*) retraite *f*.

guarismo *nm* (*cifra*) chiffre *m*; (*número*) nombre *m*.

guarnecer *vt* (*equipar*) garnir, équiper; (*adornar*) garnir; (TEC) protéger, renforcer; (MIL) tenir garnison; **guarnición** *nf* (*de vestimenta*) garniture *f*; (*de piedra*) chaton *m*, sertissure *f*; (*de espada*) garde *f*; (CULIN) garniture; (*arneses*) harnais *mpl*; (MIL) garnison *f*, campement *m*.

guarro, a *nm/f* (ZOOL) cochon *m*/truie *f*; (*fam*) cochon/ne.

guasa *nf* balourdise *f*, sottise *f*; **guasón, ona** *a* blagueur(euse); farceur(euse) // *nm/f* blaguer/euse; farceur/euse.

Guatemala *nf* Guatemala *m*.

gubernativo, a *a* gouvernemental(e).

guedeja *nf* longue chevelure; (*de león*) crinière *f*.

guerra *nf* guerre *f*; **~ fría** guerre froide; **~ de nervios** guerre des nerfs; **guerrear** *vi* guerroyer; **guerrero, a** *a* guerrier(ère); belliqueux(euse), combattant(e) // *nm/f* guerrier/ère; belliqueux/euse, combattant/e.

guerrilla *nf* (MIL) guérilla *f*; (NAIPES) bataille *f*.

guía *nm/f* guide *m* // *nf* (*libro*) guide *m*; (TEC) guidon *m*; **~s** *nfpl* guides *fpl*; **~ de ferrocarriles** indicateur *m* de chemin de fer; **~ de teléfonos** annuaire *m*; **~ turística** guide touristique.

guiar *vt* guider; **~se** *vr* s'orienter.

guija *nf*, **guijarro** *nm* caillou *m*.

guijo *nm* gravier *m*; (AM) axe *m*.

guillotina *nf* guillotine *f*.

guinda *nf* (*cereza*) guigne *f*, griotte *f*; (NAUT) guindant *m*.

guindar *vt* guinder, hisser; (*fam*) pendre; **~ un empleo a otro** (*fam*) souffler un emploi à quelqu'un d'autre.

guindilla *nf* piment *m* rouge // *nm* (*fam*) flic *m*.

guindo *nm* guignier *m*, griottier *m*.

guinea *nf* guinée *f*.

guiñapo *nm* (*harapo*) haillon *m*, guenille *f*; (*persona*) personne dégingandée.

guiñar *vi* (*persona*) cligner de l'œil; (*luz*) clignoter.

guión *nm* (*conductor*) guide *m*; (LING) trait d'union *m*; (*en diálogos, como paréntesis etc*) tiret *m*; (CINE) scénario *m*; (REL) croix *f* de procession.

guirnalda *nf* guirlande *f*.

guisa *nf* guise *f*; **a ~ de advertencia** en guise d'avertissement.

guisado *nm* ragoût *m*; (*fam*) histoire *f*, affaire *f*.

guisante *nm* (*planta*) pois *m*; (*legumbre*) petit pois; **~ de olor** pois de senteur.

guisar *vi* cuisiner.

guiso *nm* ragoût *m*.

guita *nf* (*cuerda*) ficelle *f*; (*fam*) galette *f*.

guitarra *nf* (MUS) guitare *f*; (TEC) batte *f*.

gula *nf* gourmandise *f*.

gusano *nm* ver *m*; (*lombriz*) ver de terre; (*larva*) asticot *m*; (*oruga*) chenille *f*; **~ de luz** ver luisant; **~ de seda** ver à soie.

gustar *vt* goûter // *vi* plaire; ~ **de algo** aimer qch; **me gusta marchar bajo la lluvia** j'aime marcher sous la pluie; **me gustan las uvas** j'aime les raisins; **venga cuando guste** venez quand vous voudrez.

gusto *nm* (*sentido, sabor*) goût *m*; (*placer*) plaisir *m*; **tiene ~ a menta** cela a le goût de la menthe; **tener buen ~** avoir bon goût; **sentirse a ~** se sentir à l'aise *ou* bien; **lo haré con ~** je le ferai avec plaisir; **mucho ~ en conocerle** enchanté de faire votre connaissance; **el ~ es mío** enchanté; **tomar ~ a** prendre goût à; **gustoso, a** *a* (*sabroso*) savoureux(euse); (*agradable*) plaisant(e); (*con placer*) avec plaisir.

gutural *a* guttural(e).

H

h *abr de* **hora(s)** *y de* **habitantes**.

ha *vb ver* **haber**.

haba *nf* fève *f*; (*de cacao*) graine *f*; (*de café*) grain *m*.

Habana *nf*: **la ~** la Havane.

habano, a *nm* havane *m* // *a* havanais(e).

haber *vb auxiliar* avoir; **de ~lo sabido** si je l'avais su; ~ **de** devoir; **han de ser las siete** il doit être sept heures // *vb impersonal*: **hay** il y a; **hay que** il faut; **habérselas con uno** avoir affaire à qn; **¿qué hay?** comment ça va?; **no hay de qué** il n'y a pas de quoi; **tres años ha** cela fait trois ans; **¿cuánto hay de aquí a Madrid?** combien y a-t-il d'ici à Madrid? // *nm* (*ingreso*) avoir *m*, recette *f*; (*COM: crédito*) crédit *m*; **~es** *nmpl* avoir *m*.

habichuela *nf* haricot *m*; **ganarse las ~s** gagner sa vie.

hábil *a* (*listo*) habile; (*capaz, eficiente*) capable, efficace; (*pey*) astucieux(euse); ~ **para trabajar** apte à travailler; **día ~** jour *m* ouvrable; **habilidad** *nf* habileté *f*, adresse *f*; talent *m*; (*pey*) astuce *f*; (*preparación para algo*) disposition *f*; **habilidoso, a** *a* habile, adroit(e).

habilitación *nf* (*calificación*) qualification *f*; (*colocación de muebles*) aménagement *m*; (*financiamiento*) financement *m*; (*AM*) prêt *m*, crédit *m*; (*oficina*) comptabilité *f*.

habilitado *nm* officier comptable *ou* payeur *m*.

habilitar *vt* qualifier; habiliter; autoriser; aménager, meubler; commanditer; (*AM*) faire un prêt à.

hábilmente *ad* habilement; astucieusement.

habitación *nf* (*residencia*) habitation *f*; (*casa*) maison *f*; (*departamento*) appartement *m*; (*cuarto*) pièce *f*, chambre *f*; (*BIO: morada*) habitat *m*; ~ **sencilla/particular** chambre simple/particulière; ~ **doble** *o* **matrimonial** chambre double.

habitante *nm/f* habitant/e // *nm* (*fam*) puce *f*.

habitar *vt* (*residir en*) habiter; (*ocupar*) occuper // *vi* vivre.

hábito *nm* habitude *f*; (*REL*) habit *m*; **habitual** *a* habituel(le) // *nm/f* habitué/e.

habituar *vt* habituer; **~se** *vr* s'habituer.

habla *nf* (*capacidad de hablar*) parole *f*; (*lengua, idioma, dialecto*) langue *f*; (*forma de hablar*) parler *m*, langage *m*; (*acto de hablar*) parole; (*NAUT*): **al ~** à portée de la voix; **perder el ~** perdre la voix; **de ~ francesa** de langue française; **estar al ~** être en relation, être en pourparlers; **¡González al ~!** González à l'appareil!

hablador, a *a* bavard(e); cancanier(ière) // *nm/f* bavard/e; cancanier/ière.

habladuría *nf* cancan *m*, racontar *m*; commérage *m*; **~s** *nfpl* cancans *mpl*.

hablar *vt* (*gen*) parler; (*decir*) dire // *vi* (*gen*) parler; **~se** *vr* se parler; (*fig*) se fréquenter; **~ con** parler à; **~ de** parler de; **~ a solas** parler tout seul; **¡ni ~!** pas question!; **¿quién habla?** qui est là?, qui parle?

hablilla *nf* (*cuento*) conte *m*, histoire *f*; (*chisme*) potin *m*, ragot *m*.

habré *etc vb ver* **haber**.

hacedero, a *a* faisable.

hacedor, a *nm/f* auteur *m*, créateur/trice.

hacendado *nm* propriétaire foncier.

hacendoso, a *a* actif(ive), travailleur(euse).

hacer *vt* faire; (*fabricar, crear*) faire, créer; (*TEC*) construire; (*obra de arte*) composer, créer; (*vestido*) coudre; (*preparar*) préparer; (*cocinar*) cuisiner; (*ejecutar*) exécuter; (*pensar, tomar por*) croire, penser; (*acostumbrar*) accoutumer; (*obligar*) obliger; (*sumar*) faire, contenir; (*volver, convertir en*) faire devenir, rendre // *vi* (*comportarse*) se comporter comme; (*disimular*) faire comme si; (*tener importancia*) faire l'important; (*convenir, ser apto*) convenir, servir pour; **~se** *vr* (*fabricarse*) se faire; (*volverse*) devenir; (*disfrazarse de*) faire; (*acostumbrarse a*) se faire à; **~ dinero** s'enrichir, faire de l'argent; **~ la guerra** faire la guerre; **~ la maleta** faire sa valise; **~ una pregunta** poser une question; **~ una visita** rendre visite; **~ una apuesta** parier; **~ sombra** faire de l'ombre; **~ bien/mal** faire bien/mal; **hace frío/calor** il fait froid/chaud; **hace dos años** cela fait deux ans; **está durmiendo desde hace 3 días** il dort depuis 3 jours; **hace poco** il y a peu de temps, cela fait peu de temps; **2 y 2 hacen 4** 2 et 2 font 4; **~ cine/teatro** faire du cinéma/du théâtre; **~ el malo** (*TEATRO*) jouer le rôle du méchant; **¿qué ~?** quoi faire?; **¡qué le vamos a ~!** on n'y peut rien; **hice construir una casa** j'ai fait construire une maison; **~ como que** *o* **como si** faire semblant de *ou* comme si; **~ de** faire fonction de; **~ para** *o* **por llegar** faire tout son possible pour arriver; **me hice un traje** je me suis fait un costume; **se hicieron amigos** ils devinrent amis; **~se el sordo** faire la sourde oreille, faire le sourd; **~se viejo** se faire vieux; **~se a** s'habituer à; **~se con algo** s'approprier *ou* se procurer qch; **~se a un lado** s'écarter; (*AM*): **se me hace que** il me semble que.

hacia *prep* (*en dirección de*) vers; (*cerca de*) près de; **~ arriba/abajo** vers le haut/le bas; **~ mediodía** vers midi.

hacienda *nf* (*propiedad*) ferme *f*, propriété rurale; (*estancia*) ferme; (*AM*) plantation *f*; **~s** *nfpl* tâches *fpl* domestiques; **~ pública** trésor public; **(Ministerio de) H~** ministère *m* des Finances.

hacina *nf* (*montón*) tas *m*; (*AGR*) meule *f*, gerbier *m*.

hacha *nf* hache *f*; (*fig*) as *m*, génie *m*; (*antorcha*) torche *f*; flambeau *m*.

hada *nf* fée *f*; **cuentos de ~s** contes *mpl* de fées.

hago *etc vb ver* **hacer**.

Haití *nm* Haïti *f*.

halagar *vt* (*mostrar afecto*) flatter, aduler; (*agradar*) plaire, agréer; (*adular*) aduler.

halago *nm* (*placer, gusto*) plaisir *m*; (*atractivo*) attrait *m*, charme *m*; (*adulación*) flatterie *f*, adulation *f*; **halagüeño, a** *a* plaisant(e); attirant(e); charmant(e); optimiste.

halcón *nm* (*pájaro*) faucon *m*; (*POL*) aigle *m*.

hálito *nm* haleine *f*.

halitosis *nf* mauvaise haleine.

hallar *vt* trouver, rencontrer; (*descubrir*) découvrir; (*toparse con*) rencontrer; **~se** *vr* se trouver, être; **no se halla con los oficiales** il n'est pas à son aise avec les militaires;

hallazgo *nm* (*descubrimiento*) découverte *f*; (*cosa*) trouvaille *f*.
hamaca *nf* hamac *m*; ~ **plegable** chaise longue pliante.
hambre *nf* faim *f*; (*carencia*) famine *f*; (*fig*) désir *m*, soif *f*, faim; **tener** ~ avoir faim; **hambrear** *vi* avoir faim // *vt* affamer; **hambriento, a** *a* (*con hambre*) affamé(e); (*deseoso*) désireux (euse) // *nm/f* affamé/e.
hamburguesa *nf* hamburger *m*.
hampa *nf* pègre *f*, milieu *m*.
hampón *nm* bravache *m*.
han *vb ver* **haber**.
haragán, ana *a* fainéant(e) // *nm/f* fainéant/e; **haraganear** *vi* fainéanter.
harapiento, a *a* en haillons, déguenillé(e).
harapo *nm* haillon *m*, guenille *f*; **estar hecho un** ~ être déguenillé(e); **poner a uno como un** ~ injurier qn; **haraposo, a** *a* = **harapiento**.
haré *etc vb ver* **hacer**.
harina *nf* farine *f*; (*polvo*) poudre fine; ~ **de avena/de trigo/de maíz/leudante** farine d'avoine/de blé/de maïs/à levure; ~ **de huesos** poudre d'os; ~ **lacteada** farine lactée; **harinero, a** *nm/f* farinier/ière, minotier/ière // *nm* farinière *f*; **harinoso, a** *a* farineux(euse).
hartar *vt* (*saciar*) rassasier; (*sobrellenar*) trop remplir; (*fig*) fatiguer, lasser; ~**se** *vr* (*llenarse de comida*) se gaver; se rassasier; se lasser, s'ennuyer; ~**se de reír** rire tout son soûl; **hartazgo** *nm* indigestion *f*; rassasiement *m*; **harto, a** *a* (*lleno*) rassasié(e); (*sobrellenado*) dégoûté(e), gavé(e) // *ad* assez, trop; **estar harto de** en avoir assez de; **hartura** *nf* indigestion *f*; abondance *f*; satisfaction *f*.
has *vb ver* **haber**.
hasta *ad* même // *prep* (*alcanzando a*) jusqu'à; (*de tiempo*: *a tal hora*) avant; (: *tan tarde como*) jusqu'à // *conj*: ~ **que** jusqu'à ce que; ~ **luego/la vista** à bientôt/au revoir.
hastiar *vt* (*aburrir, cansar*) ennuyer, excéder; (*repugnar, asquear*) dégoûter, écœurer; ~**se** *vr*: ~**se de** se dégoûter de.
hastío *nm* lassitude *f*, fatigue *f*; ennui *m*; (*asco*) dégoût *m*.
hato, hatillo *nm* baluchon *m*; (*rebaño*) troupeau *m*; (*víveres*) provisions *fpl*; (*banda*) bande *f*, ramassis *m*; (*montón*) tas *m*, paquet *m*, botte *f*.
hay *vb ver* **haber**.
Haya *nf*: **la** ~ la Haye.
haya *vb ver* **haber** // *nf* hêtre *m*; **hayal, hayedo** *nm* hêtraie *f*.
haz *vb ver* **hacer** // *nm* (*manojo*) botte *f*; (*rayo*: *de luz*) faisceau *m*; (*fig*) surface *f*, face *f*.
hazaña *nf* exploit *m*.
hazmerreír *nm* risée *f*.
he *vb ver* **haber** // *ad*: ~ **aquí** voici; **heme** *o* **héteme aquí** me voici.
hebdomadario, a *a* hebdomadaire // *nm* hebdomadaire *m*.
hebilla *nf* boucle *f*.
hebra *nf* (*hilo, pedazo de hilo*) brin *m*; (*BOT*: *fibra*) fibre *f*; (*de madera*) fil *m*; (*veta*) veine *f*, filon *m*; (*filamento*) filament *m*; (*fig*) fil; **tabaco de** ~ tabac en vrac.
hebreo, a *a* hébreu (juive) // *nm/f* Juif/Juive; (*pey*) juif/juive // *nm* hébreu *m*.
hect *abr de* **hectárea**.
hectárea *nf* hectare *m*.
hechicero, a *nm/f* sorcier/ière; **hechicería** *nf* sorcellerie *f*; (*fig*) envoûtement *m*, charme *m*.
hechizar *vt* jeter un sort à, ensorceler; (*fig*) envoûter, charmer; (: *pey*) nuire, faire du tort à.
hechizo, a *a* (*falso, artificial*) artificiel(le), faux(ausse); (*removible*) séparable, détachable; (*TEC*) manufacturé(e); (*AM*) de ménage, fait(e) à la maison // *nm* (*magía, brujería*) sortilège *m*, sort *m*; (*acto de magía*) charme *m*, envoûtement *m*; (*fig*) ensorcellement *m*, fascination *f*.
hecho, a *pp de* **hacer** // *a*

(*completo, maduro*) fait(e); mûr(e); (*costura*) de confection // *nm* (*acto*) fait *m*; (*dato, cuestión, suceso*) événement *m*, fait // *excl* d'accord!; **bien** ~ (*persona*) bien fait, bien de sa personne; **estar** ~ être devenu; ~ **y derecho** accompli, parfait; **de** ~ en fait.

hechura *nf* (*manufactura*) fabrication *f*; (*producto*) produit *m*, création f; (*forma*) forme *f*, consistance *f*; (*TEC*) œuvre *f*, ouvrage *m*; (*fig*) pantin *m*, homme de paille *m*; **~s** *nfpl* (*COSTURA*) coutures *fpl*; **a** ~ **de** à l'image de; **tener ~s de algo** avoir des aptitudes pour.

heder *vi* puer; (*fig*) empoisonner, irriter; **hediondez** *nf* (*olor*) puanteur *f*; (*cosa*) infection *f*, pestilence *f*; **hediondo, a** *a* puant(e), infect(e); répugnant(e); empoisonnant(e); **hedor** *nm* puanteur *f*, fétidité *f*.

helado, a *a* (*congelado*) gelé(e), glacé(e); (*fig*) froid(e), glacial(e) // *nm* glace *f* // *nf* gelée *f*; **helada blanca** gelée blanche.

helar *vt* (*METEOROLÓGICA*) geler; (*congelar: líquido*) geler, congeler, figer; (*enfriar: bebida*) frapper; (*dejar atónito*) glacer, abasourdir; (*desalentar*) décourager // *vi* geler, congeler; **~se** *vr* se glacer.

helecho *nm* fougère *f*.

hélice *nf* hélice *f*; (*ANAT*) hélix *m*; (*ZOOL*) escargot *m*.

helicóptero *nm* hélicoptère *m*.

hembra *nf* (*BOT, ZOOL*) femelle *f*; (*mujer*) femme *f*; fille *f*; (*COSTURA*) chas *m*; (*TEC*): ~ **de terraja** femelle, matrice *f*.

hemisferio *nm* hémisphère *m*.

hemofilia *nf* hémophilie *f*.

hemorragia *nf* hémorragie *f*.

hemorroides *nfpl* hémorroïdes *fpl*.

hemos *vb ver* **haber**.

henchir *vt* emplir, remplir; **~se** *vr* (*llenarse de comida*) se bourrer; (*inflarse*) se gonfler.

hendedura *nf* = **hendidura**.

hender *vt* fendre.

hendidura *nf* fente *f*, fêlure *f*; (*GEO*) crevasse *f*.

heno *nm* foin *m*.

heráldico, a *a* héraldique.

heraldo *nm* hérault *m*.

herbáceo, a *a* herbacé(e).

herbicida *nm* herbicide *m*.

herbívoro, a *a* herbivore // *nm* herbivore *m*.

heredad *nf* (*propiedad*) propriété *f*; (*granja*) exploitation *f*, domaine *m*.

heredar *vt* hériter // *vi*: ~ **de** hériter de; **heredero, a** *nm/f* héritier/ière; **hereditario, a** *a* héréditaire.

hereje *a* incrédule, sceptique // *nm/f* hérétique *m/f*; **herejía** *nf* hérésie *f*.

herencia *nf* héritage *m*; (*BIO*) hérédité *f*.

herido, a *a* (*que padece*) blessé(e); (*MIL*) touché(e) // *nm/f* blessé/e // *nf* (*llaga*) blessure *f*, plaie *f*; (*fig*) blessure, insulte *f*.

herir *vt* blesser; (*MIL*) toucher; (*MUS*) jouer, pincer; (*el sol*) frapper; (*fig*) toucher; froisser, offenser; **~se** *vr* se blesser.

hermanar *vt* (*unir*) réunir; (*armonizar*) assortir.

hermandad *nf* fraternité *f*; (*grupo*) confrérie *f*, amicale *f*, association *f*.

hermano, a *nm/f* frère/sœur; (*REL*) frère/sœur; (*parecido, correspondiente*) semblable *m/f*, pareil/le; **medio(a)** ~**/hermana** demi-frère/-sœur; **primo(a)** ~**/a** cousin/e germain(e); ~**/a gemelo(a)** frère/sœur jumeau(melle); ~**/a lego(a)** frère/sœur lai(e); ~**/a político(a)** beau-frère/belle-sœur.

hermético, a *a* hermétique, étanche; (*fig*) impénétrable.

hermosear *vt* embellir.

hermoso, a *a* (*bonito*) beau (belle); (*estupendo*) formidable, extraordinaire; (*guapo*) joli(e); **hermosura** *nf* beauté *f*; splendeur *f*.

hernia *nf* hernie *f*.

héroe *nm* héros *m*; **heroico, a** *a* héroïque.
heroína *nf* (*mujer, droga*) héroïne *f*.
heroísmo *nm* héroïsme *m*.
herpes *nmpl o nfpl* herpès *m*.
herrador *nm* maréchal-ferrant *m*, ferreur *m*.
herradura *nf* fer à cheval *m*; **curva en ~** virage *m* en épingle à cheveux.
herramienta *nf* outil *m*; (*conjunto*) outillage *m*; (*fam*) cornes *fpl*; denture *f*, dents *fpl*; **~ de mano** outil *m*; **~ mecánica** machine *f*.
herrar *vt* (*caballo*) ferrer; (*ganado*) marquer au fer; (*TEC*) ferrer.
herrería *nf* (*taller*) forge *f*, atelier *m* de forgeron; (*arte*) maréchalerie *f*, ferronnerie *f*; (*fig*) tapage *m*.
herrero *nm* forgeron *m*, maréchal-ferrant *m*.
herrumbre *nf* rouille *f*.
hervidero *nm* (*burbujeo*) bouillonnement *m*; (*fuente*) source *f* d'eau chaude; (*fig*) grouillement *m*, fourmillière *f*.
hervir *vi* (*cocer*) bouillir, cuire; (*burbujear*) bouillonner; (*fig*): **~ de** être rempli(e) de; **~ en** abonder en; **~ a fuego lento** cuire à feu doux; **hervor** *nm* ébullition *f*; (*fig*) ardeur *f*; **alzar el ~** commencer à bouillir.
hetero... *pref* hétéro... .
hez *nf*: **las heces** la lie, les selles *fpl*.
hice *etc vb ver* **hacer**.
hidalgo, a *a* noble // *nm/f* gentilhomme/aristocrate.
hidalguía *nf* noblesse *f*; générosité *f*.
hidráulico, a *a* hydraulique // *nf* hydraulique *f*.
hidro... *pref* hydro...; **~avión** *nm* hydravion *m*; **~carburo** *nm* hydrocarbure *m*; **~eléctrico, a** *a* hydro-électrique; **~fobia** *nf* hydrophobie *f*; **hidrófugo, a** *a* hydrofuge; **hidrógeno** *nm* hydrogène *m*; **~pesía** *nf* hydropisie *f*; **~plano** *nm* hydroglisseur *m*; **~velero** *nm* planche à voile *f*.
hiedra *nf* lierre *m*.
hiel *nf* (*ANAT*) fiel *m*; (*fig*) amertume *f*; **~es** *nfpl* peines *fpl*, chagrins *mpl*.
hiela *etc vb ver* **helar**.
hielo *nm* glace *f*; (*fig*) froideur *f*; **~ flotante** *o* **movedizo** *o* **a la deriva** iceberg *m*.
hiena *nf* hyène *f*.
hierba *nf* (*BOT*) herbe *f*; (*: MED*) plante médicinale; **~s** *nfpl* (*pasto*) fourrage *m*, pâture *f*; **mala ~** (*fig*) mauvaise herbe; **~ mate** maté *m*.
hierbabuena *nf* menthe *f*.
hierra *nf* (*AM*) ferrade *f*.
hierro *nm* (*metal*) fer *m*; (*objeto, herramienta*) objet *m* de métal *ou* de fer; (*de flecha*) fer; (*AGR*) marque *f*; (*GOLF*) fer; **~ batido/crudo/forjado** fer usiné/brut/forgé; **~ acanalado** tôle ondulée; **~ colado** *o* **fundido** fonte *f*; **~ viejo** ferraille *f*.
hígado *nm* (*ANAT*) foie *m*; (*fig*) courage *m*.
higiene *nf* hygiène *f*; **higiénico, a** *a* hygiénique.
higo *nm* figue *f*; **~ paso** *o* **seco** figue sèche; **higuera** *nf* figuier *m*.
hijastro, a *nm/f* beau-fils/belle-fille.
hijo, a *nm/f* fils/fille; **~s** *nmpl* enfants *mpl*; **~ de leche** nourrisson *m*; **~ de papá** fils à papa; **~/a político(a)** gendre/bru.
hijuelo *nm* rejeton *m*.
hilacha *nf* effilure *f*.
hilado, a *a* filé(e) // *nm* filage *m*, filé *m*.
hilandero, a *nm/f* fileur/euse.
hilar *vt* filer; (*fig*) réfléchir, raisonner.
hilera *nf* (*fila*) file *f*, rangée *f*; (*MIL*) file; (*ARQ*) faîtage *m*; (*AGR*) rang *m*.
hilo *nm* fil *m*; (*BOT*) fil, fibre *f*; (*filamento*) filament *m*; (*de luz, agua*) filet *m*; **coser al ~** coudre en droit fil.
hilvanar *vt* bâtir; (*fig*) bâcler, faire à la hâte.

Himalayas *nfpl*: **las ~** l'Himalaya *m.*

himno *nm* hymne *m*; **~ nacional** hymne national.

hincapié *nm*: **hacer ~ en** souligner, mettre l'accent sur.

hincar *vt* fixer, ficher, planter; **~se** *vr*: **~se de rodillas** s'agenouiller.

hinchado, a *a* gonflé(e); (*persona*) arrogant(e); (*estilo*) boursouflé(e).

hinchar *vt* (*inflar*) gonfler; (*agrandar*) enfler; (*fig*) exagérer, enfler; **~se** *vr* (*inflarse*) s'enfler, se gonfler; (*fam*: *llenarse*) se bourrer, s'empiffrer; (*fig*: *exagerarse*) se gonfler, faire la roue; **hinchazón** *nf* gonflement *m*, boursouflure *f*, bouffissure *f*; arrogance *f*, orgueil *m*; enflure *f*, affectation *f*.

hinojo *nm* fenouil *m*.

hipar *vi* avoir le hoquet; (*perro*) haleter; (*gimotear*) pleurnicher, geindre; **~ por** brûler de.

hiper... *pref* hyper... .

hípico, a *a* hippique.

hipnotismo *nm* hypnotisme *m*; **hipnotizar** *vt* hypnotiser.

hipo *nm* hoquet *m*; (*fig*) envie très forte; antipathie *f*, réprobation *f*.

hipocondría *nf* hypocondrie *f*.

hipocresía *nf* hypocrisie *f*; **hipócrita** *a* hypocrite // *nm/f* hypocrite *m/f*.

hipódromo *nm* hippodrome *m*.

hipoteca *nf* hypothèque *f*.

hipotecar *vt* hypothéquer.

hipótesis *nf* hypothèse *f*; **hipotético, a** *a* hypothétique.

hiriente *a* blessant(e); (*fig*) choquant(e); marqué(e).

hirsuto, a *a* (*peludo*) hirsute; (*fig*) brusque.

hirviente *a* bouillant(e).

hispánico, a *a* hispanique; **hispanismo** *nm* hispanisme *m*; **hispanista** *nm/f* hispaniste *m/f*.

hispano, a *a* espagnol(e); **H~américa** *nf* Amérique espagnole; **~americano, a** *a* hispano-américain(e) // *nm/f* Hispano-Américain/e; **hispanófilo, a** *nm/f* hispanophile *m/f*.

histeria *nf* hystérie *f*.

histérico, a *a* hystérique.

historia *nf* histoire *f*; **~s** *fpl* (*chismes*) cancans *mpl*, ragots *mpl*; (AM) excuses *fpl*; **dejarse de ~s** aller au fait; **picar en ~** être plus grave *ou* plus profond qu'il n'y paraissait; **pasar a la ~** entrer dans l'histoire; **historiador, a** *nm/f* historien/ne; **historiar** *vt* (*contar la historia de*) raconter l'histoire de; (ARTE) peindre, représenter; **histórico, a** *a* historique.

historieta *nf* historiette *f*; anecdote *f*; **~ cómica** bande dessinée.

histrión, ona *nm/f* histrion *m*; **histriónico, a** *a* histrionique.

hita *nf* cheville *f*, broche *f*.

hito *nm* (*que marca límites*) borne *f*, jalon *m*; (*que indica distancias*) borne; (*objetivo*) mille *m*, but *m*; (*momento importante*) moment *m* qui fait date; **~s** *nmpl* (*juego*) *sorte de jeu de palet*.

hizo *vb ver* **hacer**.

Hnos *abr de* **hermanos**.

hocico *nm* (ZOOL) museau *m*, groin *m*; (*fam*: *cara*) margoulette *f*, binette *f*, bouille *f*; (*cara de furia*) lippe *f*, moue *f*; **caer** *o* **dar de ~s** se casser la figure.

hockey *nm* hockey *m*; **~ sobre patines** *o* **hielo** hockey sur patins *ou* glace.

hogar *nm* (*chimenea*) foyer *m*, âtre *m*; (*casa, vida familiar*) foyer; (*horno*) four *m*; (*de locomotora*) chaudière *f*; **hogareño, a** *a* familial(e); casanier(ière).

hoguera *nf* bûcher *m*.

hoja *nf* (BOT) feuille *f*; (*de papel, vidrio*) feuille; (*página*) page *f*; (*documento oficial*) dossier *m*, feuille, papiers *mpl*; (*de metal*) feuille, lame *f*; (*de puerta*) battant *m*, vantail *m*; (*de espada*) lame; **~ de afeitar** lame de rasoir.

hojalata *nf* fer-blanc *m*.

hojarasca *nf* feuilles mortes; (*fig*)

détritus *mpl*; verbiage *m*.
hojear *vt* feuilleter; parcourir.
hola *excl* (*saludo*) bonjour!, salut!; (*sorpresa*) oh!
Holanda *nf* Hollande *f*.
holandés, esa *a* hollandais(e) // *nm/f* Hollandais/e // *nm* hollandais *m*.
holgado, a *a* (*suelto*: *vestido*) ample, large; (*que hace bolsa*) qui godaille *ou* fait des poches; (*libre, desempleado*) libre, désœuvré(e); (*ocioso*) oisif(ive); (*rico*) aisé(e), à l'aise.
holganza *nf* liberté *f*, désœuvrement *m*; oisiveté *f*; repos *m*; amusement *m*, plaisir *m*.
holgar *vi* se reposer; être au chômage, chômer, ne pas travailler; être inutile *ou* de trop; **~se** *vr* s'amuser, se divertir; **huelga decir que** il est inutile de dire que; **~se con algo** se réjouir de qch.
holgazán, ana *a* paresseux(euse) // *nm/f* fainéant/e.
holgura *nf* largeur *f*, ampleur *f*; (*TEC*) jeu *m*; oisiveté *f*, liberté *f*; amusement *m*, plaisir *m*; aisance *f*, bien-être *m*.
hollar *vt* fouler, marcher sur; (*fig*) fouler aux pieds.
hollín *nm* suie *f*.
hombradía *nf* virilité *f*, courage *m*.
hombre *nm* homme *m* // *excl* (*para énfasis*) diable!; (*sorpresa*) bon sang!, quoi!, tiens!; (*compasión*) mon vieux!; (*protesta*) voyons!, allons donc!; (*fam*): **su** ~ (*marido*) son homme; **de ~ a ~** d'homme à homme; **ser muy ~** être un homme cent pour cent; **~ de negocios** homme d'affaires; **~ de pro** *o* **de provecho** homme de bien; **~-anuncio** *nm* homme-sandwich *m*.
hombrera *nf* (*de vestido*) épaulette *f*; (*MIL*) épaulière *f*.
hombro *nm* épaule *f*.
hombruno, a *a* hommasse; d'homme.
homenaje *nm* (*lealtad*) hommage *m*; (*fig*) respect *m*; (*AM*: *acto*) acte *m* en l'honneur de qn; (: *regalo*) cadeau *m*.
homeopatía *nf* homéopathie *f*.
homicida *a* homicide // *nm/f* homicide *m/f*; **homicidio** *nm* homicide *m*.
homogéneo, a *a* homogène.
homosexual *a* homosexuel(le) // *nm/f* homosexuel/le.
hondo, a *a* profond(e), bas(se); (*fig*) profond // *nm* fond *m* // *nf* fronde *f*; (*AM*) catapulte *f*; **hondonada** *nf* (*depresión*) creux *m*, dépression *f*; (*cañon*) ravin *m*; (*GEO*) cuvette *f*; **hondura** *nf* profondeur *f*.
Honduras *nf* Honduras *m*.
hondureño, a *a* hondurien(ne) // *nm/f* Hondurien/ne.
honestidad *nf* (*decencia*) décence *f*; (*pureza, castidad*) modestie *f*, pudeur *f*, vertu *f*; (*justicia*) justice *f*; (*honor*) honneur *m*, vertu.
honesto, a *a* décent(e); modeste, pur(e), chaste; juste; vertueux(euse).
hongo *nm* (*BOT*) champignon *m*; (: *comestible*) champignon comestible; (: *venenoso*) champignon vénéneux; (*sombrero*) melon *m*.
honor *nm* honneur *m*; (*gloria*) gloire *f*; **honorable** *a* honorable.
honorario, a *a* honoraire; **~s** *nmpl* honoraires *mpl*.
honra *nf* honneur *m*; **~s fúnebres** honneurs funèbres.
honradamente *ad* honnêtement; honorablement.
honradez *nf* honnêteté *f*; probité *f*, intégrité *f*.
honrado, a *a* (*honesto*) honnête; (*recto*) probe, droit(e).
honrar *vt* (*respetar*) respecter; (*colmar de honores*) honorer; (*deuda*) honorer; **~se** *vr*: **~se con algo/de hacer algo** être fier(ière) de qch/de faire qch.
honroso, a *a* (*honrado*) honorable; (*respetado*) respecté(e).
hopo *nm* queue touffue.
hora *nf* heure *f*; **~s** *fpl* (*REL*) heures

fpl; **¿qué ~ es?** quelle heure est-il?; **¿a qué ~?** à quelle heure?; **media ~** demi-heure *f*; **a la ~** à l'heure; **a primera ~** à la première heure; **a última ~** en dernière heure, au dernier moment; **¡a buena ~!** à la bonne heure!; **en buena/mala ~** à la bonne heure/au mauvais moment; **dar la ~** sonner *ou* donner l'heure; **~s de oficina/de visita/de trabajo** heures de bureau/de visite/de travail; **~s extras** *o* **extraordinarias** heures supplémentaires; **~s punta** heures de pointe.

horadar *vt* forer; percer.

horario, a *a* horaire // *nm* horaire *m*; **~ escolar** emploi du temps *m*.

horca *nf* potence *f*, gibet *m*; (AGR) fourche *f*.

horcajadas : a ~ *ad* à califourchon.

horchata *nf* orgeat *m*.

horda *nf* horde *f*.

horizonte *nm* horizon *m*.

horma *nf* (TEC) forme *f*, embauchoir *m*; (*muro*) mur *m* en pierres sèches.

hormiga *nf* fourmi *f*; **~s** *nfpl* (MED) démangeaison *f*, fourmis *fpl*.

hormigón *nm* béton *m*; **~ armado/pretensado** béton armé/précontraint.

hormigueo *nm* (*comezón*) fourmillement *m*; (*fig*) anxiété *f*; (*amontonamiento*) grouillement *m*.

hormiguero *nm* fourmilière *f*; **oso ~** tamanoir *m*.

hornillo *nm* fourneau *m*; (*cocina*) réchaud *m*.

horno *nm* four *m*; **alto ~** haut fourneau.

horóscopo *nm* horoscope *m*.

horquilla *nf* épingle *f* à cheveux; (AGR, *de bicicleta*) fourche *f*; (TEC) fourchette *f*.

horrendo, a *a* horrible, affreux (euse); (*temible*) redoutable.

horrible *a* horrible; (*fig*) redoutable, effrayant(e).

horripilante *a* horripilant(e); effrayant(e).

horripilar *vt*: **~ a uno** donner la chair de poule à qn; **~se** *vr* s'effrayer.

horror *nm* (*espanto*) frayeur *f*; (*repugnancia*) horreur *f*; (*atrocidad*) atrocité *f*; **¡qué ~!** (*fam*) quelle horreur! // *ad* (*fam*): **me gusta un ~** j'aime terriblement; **se divirtieron ~es** ils se sont follement amusés; **horrorizar** *vt* terroriser, effrayer; épouvanter; **horrorizarse** *vr* s'effrayer; **horroroso, a** *a* effrayant(e); épouvantable; (*fam*: *mucho*) énorme; (: *feo*) affreux (euse).

hortaliza *nf* légume *m*; **~s** *nfpl* légumes *mpl*, plantes potagères.

hortelano, a *nm/f* jardinier/ière; maraîcher/ère.

hortensia *nf* hortensia *m*.

horticultura *nf* horticulture *f*.

hosco, a *a* (*oscuro, sombrío*) très brun(e); (*triste, ceñudo*) renfrogné(e); rébarbatif(ive).

hospedar *vt* loger, héberger; recevoir; **~se** *vr* se loger, prendre pension.

hospedería *nf* (*albergue*) hôtellerie *f*; (*cuarto de huéspedes*) pension *f*; (REL) hospice *m*.

hospedero, a *nm/f* hôte/sse; hôtelier/ière.

hospicio *nm* hospice *m*; logement *m* pour les pélerins; orphelinat *m*.

hospital *nm* hôpital *m*.

hospitalidad *nf* hospitalité *f*.

hosquedad *nf* rudesse *f*, hargne *f*.

hostelero, a *nm/f* hôtelier/ière, aubergiste *m/f*.

hostería *nf* auberge *f*.

hostia *nf* hostie *f*.

hostigar *vt* fustiger, fouetter; (*fig*) harceler, persécuter; ennuyer.

hostil *a* hostile; **hostilidad** *nf* hostilité *f*; hostilités *fpl*.

hotel *nm* (*para huéspedes*) hôtel *m*; (*casa de campo*) pavillon *m*, villa *f*; **hotelero, a** *a* hôtelier(ière) // *nm/f* hôtelier/ière.

hoy *ad* (*este día*) aujourd'hui; (*el ahora*) de nos jours // *nm* actualité *f*, présent *m*; ~ **(en) día** de nos jours, à l'heure actuelle; ~ **por** ~ actuellement.

hoya *nf* creux *m*, cuvette *f*; (*sepulcro*) tombe *f*, fosse *f*; (GEO) vallée *f*; (AM: *de río*) lit *m*; (AGR) auget *m*; **hoyada** *nf* dépression *f*.

hoyo *nm* (*agujero*, GOLF) trou *m*; (*fosa*) fosse *f*; **hoyuelo** *nm* fossette *f*.

hoz *nf* (AGR) faucille *f*; (GEO) gorge *f*.

hube *etc vb ver* **haber**.

hucha *nf* (*alcancía*) tirelire *f*; (*arca*) huche *f*; (*fig*) économies *fpl*, magot *m*.

hueco, a *a* (*vacío*) vide, creux (euse); (*blanco*: *papel*) vierge, blanc(he); (*blando*) mou (molle), spongieux(euse); (*resonante*) creux; (*presumido*) vaniteux(euse) // *nm* vide *m*, creux *m*; trou *m*; embrasure *f*, baie *f*; cage *f*.

huelga *vb ver* **holgar** // *nf* (*paro*) grève *f*; (*descanso*) repos *m*; (*ocio*) oisiveté *f*; (*pereza*) paresse *f*; (TEC) jeu *m*; **declarar la** ~ se mettre en grève; ~ **de brazos caídos/de hambre** grève sur le tas/de la faim.

huelgo *vb ver* **holgar** // *nm* (*aliento*) haleine *f*; (*espacio*) ampleur *f*, espace *m*; (TEC: *movimiento*) jeu *m*.

huelguista *nm/f* gréviste *m/f*.

huelo *etc vb ver* **oler**.

huella *nf* (*acto de pisar, pisada*) empreinte *f*; (*marca del paso*) trace *f*, marque *f*; (*impresión*: *de animal, máquina*) empreinte; (: *de neumático*) marque; ~ **digital** empreinte digitale.

huérfano, a *a* orphelin(e); (*fig*) sans protection; abandonné(e) // *nm/f* orphelin/e.

huerta *nf* (*jardín*) grand jardin; (*de hortalizas*) potager *m*; (: *de frutas*) verger *m*; (*área de regadío*) plaine irriguée.

huerto *nm* (*jardín*: *de hortalizas*) verger *m*, potager *m*; (: *de casa*) jardin potager *m*; (*de frutas*) verger.

hueso *nm* (ANAT) os *m*; (*de fruta*) noyau *m*; (*fig*) travail *m* difficile; (AM) poste *m* clé.

huésped, a *nm/f* (*invitado*) invité/e, hôte/sse; (*en una casa*) hôte/sse payant(e); (*de hotel, pensión*) client/e; (*anfitrión*) hôte/sse.

huesudo, a *a* osseux(euse).

hueva *nf* frai *m*.

huevo *nm* œuf *m*; ~ **en cáscara/escalfado/estrellado** *o* **frito/pasado por agua** œuf à la coque/poché/sur le plat/à la coque; ~**s revueltos** œufs brouillés.

huida *nf* (*acto de huir*) fuite *f*; (*de caballo*) dérobade *f*.

huidizo, a *a* (*tímido*) fuyant(e); (*pasajero*) fugace.

huir *vt* (*escapar, eludir*) échapper, fuir, éluder; (*evadir*) fuir; ~**se** *vr* (*escaparse*) s'échapper; (*el tiempo*) s'envoler.

hule *nm* (*goma*) gomme *f*; (*encerado*) toile cirée.

hulla *nf* houille *f*; **hullero, a** *a* houiller(ère) // *nf* houillère *f*.

humanidad *nf* (*los hombres*) humanité *f*; (*cualidad*) sensibilité *f*, compassion *f*; (*fig*: *fam*) embonpoint *m*; **las** ~**es** les sciences humaines.

humanismo *nm* humanisme *m*; **humanista** *nm/f* humaniste *m/f*.

humanizar *vt* humaniser; ~**se** *vr* s'humaniser.

humano, a *a* (*del hombre*) humain(e); (*humanitario*) compatissant(e), humain // *nm* humain *m*; **ser** ~ être humain.

humareda *nf* grande fumée.

humeante *a* fumant(e).

humear *vi* fumer.

humedad *nf* humidité *f*; **a prueba de** ~ contre l'humidité.

humedecer *vt* (*mojar*) humecter; (*echar humedad*) humidifier; ~**se** *vr* s'humecter.

húmedo, a *a* (*con humedad*) humide; (*mojado*) légèrement mouillé(e); (*sin secar*) moite, humide.

humildad *nf* (*timidez*) timidité *f*; (*carácter de pobre*) humilité *f*; (*falta de arrogancia*) réserve *f*, humilité, modestie *f*.
humilde *a* humble, timide, effacé(e); (*pequeño*: *voz*) petit(e); (*de clase baja*) humble; (*modesto*) modeste, réservé(e).
humillación *nf* humiliation *f*.
humillante *a* (*que humilla*) humiliant(e); (*que degrada*) mortifiant(e), dégradant(e).
humillar *vt* humilier.
humo *nm* (*de fuego*) fumée *f*; (*gas nocivo*) émanation *f*; (*vapor*) vapeur *f*; **~s** *nmpl* (*hogares*) feux *mpl*, foyers *mpl*; (*fig*) prétention *f*, suffisance *f*.
humor *nm* (*actitud, disposición*) humeur *f*; (*carácter*) caractère *m*, naturel *m*; (*lo que divierte*) humour *m*; **de buen/mal ~** de bonne/mauvaise humeur; **humorada** *nf* bon mot, blague *f*; caprice *m*; **humorado**: **bien/mal humorado** *ad* de bonne/mauvaise humeur; **humorismo** *nm* humour *m*; **humorista** *nm/f* humoriste *m/f*; **humorístico, a** *a* humoristique, spirituel(le); sarcastique.
hundido, a *a* (*de ojos, mejillas*) cave, enfoncé(e).
hundimiento *nm* enfoncement *m*; écroulement *m*; fondis *m*, fontis *m*; effondrement *m*.
hundir *vt* enfoncer; ruiner, détruire; confondre; aplatir; accabler; **~se** *vr* s'effondrer; s'enfoncer; s'aplatir; s'absorber, s'abîmer.
húngaro, a *a* hongrois(e) // *nm/f* Hongrois/e.
Hungría *nf* Hongrie *f*.
huracán *nm* ouragan *m*.
huraño, a *a* (*tímido*) sauvage, farouche; (*antisocial*) insociable; (*animal*) sauvage.
hurgar *vt* (*picar*) toucher; (*remover*) remuer; (*mover*: *cenizas*) tisonner; (*fig*) taquiner, exciter; **~se** *vr* se mettre les doigts dans le nez.
hurgonear *vt* (*el fuego*) tisonner; (*picar*) toucher.
hurón, ona *a* sauvage, farouche // *nm* (ZOOL) furet *m*; (*persona*) sauvage *m/f*; (*pey*) fureteur/euse; **huronera** *nf* (ZOOL) terrier *m*; (*fig*) tanière *f*, gîte *m*.
hurtadillas : **a ~** *ad* en tapinois, en cachette.
hurtar *vt* voler, dérober; emporter; **~se** *vr* se dérober; s'esquiver.
hurto *nm* larcin *m*, vol *m*; **a ~** de façon dissimulée.
husillo *nm* vis *f* de pression; (*conducto*) égout *m*, conduit *m*; (TEC) fuseau *m*.
husmear *vt* (*oler*) flairer; (*fam*) fouiner *ou* fureter dans // *vi* (*oler mal*) sentir, être faisandé(e); (*curiosear*) fouiner.
husmo *nm* faisandage *m*.
huso *nm* fuseau *m*.
huyo *etc vb ver* **huir**.

I

iba *etc vb ver* **ir**.
ibérico, a *a* ibérique.
ibero, a *a* ibère, ibérien(ne) // *nm/f* Ibère *m/f*.
iberoamericano, a *a* latinoaméricain(e) // *nm/f* Latinoaméricain/e.
íbice *nm* ibex *m*, bouquetin *m*.
ibicenco, a *a* d'Ibiza.
ibis *nf* ibis *m*.
Ibiza *nf* Ibiza *f*.
ibón *nm* lac *m* de montagne.
iceberg *nm* iceberg *m*.
ícono *nm* icône *f*.
iconoclasta *a* iconoclaste // *nm/f* iconoclaste *m*.
ictericia *nf* ictère *m*, jaunisse *f*.
ida *nf* aller *m*; **~ y vuelta** aller et retour.
idea *nf* idée *f*; **~ de conjunto** idée générale.

ideal *a* idéal(e) // *nm* idéal *m.*
idealizar *vt* idéaliser.
idear *vt* imaginer; (*aparato*) concevoir; (*viaje*) envisager.
ídem *pron* idem.
identidad *nf* identité *f.*
identificación *nf* identification *f.*
identificar *vt* identifier; **~se** *vr*: **~se con** s'identifier à.
ideología *nf* idéologie *f.*
ideológico, a *a* idéologique.
idioma *nm* langue *f.*
idiota *a* idiot(e) // *nm/f* idiot/e.
idiotez *nf* idiotie *f*, imbécillité *f.*
idiotismo *nm* (*ignorancia*) stupidité *f*, ignorance *f*; (*expresión*) idiotisme *m.*
ido, a *a* distrait(e).
idólatra *a* idolâtre.
idolatría *nf* (*culto*) idolâtrie *f*; (*fig*) adoration *f.*
idoneidad *nf* aptitude *f*, idonéité *f.*
idóneo, a *a* (*apto*) apte; (*conveniente*) idoine, propre.
iglesia *nf* église *f.*
ignición *nf* ignition *f.*
ignominia *nf* ignominie *f.*
ignominioso, a *a* ignominieux(euse).
ignorado, a *a* inconnu(e), ignoré(e).
ignorancia *nf* ignorance *f.*
ignorante *a* ignorant(e), inculte // *nm/f* ignorant/e, inculte *m/f.*
ignorar *vt* ignorer.
ignoto, a *a* ignoré(e).
igual *a* (*similar*) égal(e); (*constante*) constant(e), uniforme // *nm/f* égal/e; **al ~ que** à l'égal de; **2 y 2 ~ a 4** 2 et 2 font 4.
igualada *nf* égalisation *f.*
igualar *vt* (*convertir en igual*) égaler; (*allanar, nivelar*) aplanir, niveler // *vi* (DEPORTE) égaliser; **~se** *vr* (*platos de balanza*) s'équilibrer, se valoir; (*equivaler*) équivaloir.
igualdad *nf* égalité *f*; (*identidad*) identité *f*; (*uniformidad*) uniformité *f.*
igualmente *ad* (*de la misma manera*) de la même manière // *excl* et moi de même!
ijar *nm*, **ijada** *nf* flanc *m.*
ilegal *a* illégal(e).
ilegalmente *ad* illégalement.
ilegítimo, a *a* illégitime.
ileso, a *a* sauf(ve).
ilimitado, a *a* illimité(e).
ilógico, a *a* illogique; (*disparatado*) absurde.
iluminación *nf* illumination *f*, éclairage *m*; (ARTE) enluminure *f.*
iluminar *vt* (*alumbrar*) illuminer, éclairer; (*pintura*) enluminer; (*fig*) éclairer.
ilusión *nf* (*imaginación*) imagination *f*; (*quimera, sueño*) illusion *f*, chimère *f*, rêve *m*; (*esperanza*) espoir *m.*
ilusionado, a *a* plein(e) d'espoir.
ilusionista *nm/f* illusionniste *m/f.*
iluso, a *a* (*soñador*) utopiste, rêveur(euse); (*ingenuo*) naïf(ive).
ilusorio, a *a* illusoire.
ilustración *nf* illustration *f*; (*saber*) instruction *f*, connaissance *f.*
ilustrado, a *a* illustré(e); (*cultivado*) cultivé(e), instruit(e).
ilustrar *vt* (*instruir*) instruire; (*dar fama*) rendre célèbre; (*libro*) illustrer; (*explicar*) éclairer; **~se** *vr* s'instruire.
ilustre *a* illustre, célèbre.
imagen *nf* image *f.*
imaginación *nf* imagination *f*; (*suposición*) idée *f*, supposition *f.*
imaginar *vt* (*idear*) imaginer, concevoir; (*suponer*) supposer; **~se** *vr* s'imaginer.
imaginario, a *a* imaginaire, fictif(ive); chimérique, utopique.
imaginativo, a *a* (*inventivo*) imaginatif(ive); (*soñador*) rêveur (euse).
imán *nm* aimant *m*; (*fig*) attrait *m.*
imbécil *nm/f* (*idiota*) imbécile *m/f*; (MED) idiot/e, imbécile.
imbecilidad *nf* imbécillité *f.*
imberbe *a* imberbe.
imbuir *vi* s'inculquer.
imitación *nf* imitation *f*;

(*semejanza*) ressemblance *f*; **joyas de ~** bijoux *mpl* en imitation *ou* fantaisie; **~ cuero** imitation cuir *m*, similicuir *m*.
imitar *vt* imiter; (*parodiar, remedar*) pasticher.
impaciencia *nf* impatience *f*; irritation *f*.
impaciente *a* impatient(e); anxieux(euse); exaspéré(e).
impalpable *a* impalpable.
impar *a* impair(e).
imparcial *a* impartial(e).
imparcialidad *nf* impartialité *f*; équité *f*.
impartir *vt* impartir.
impasible *a* impassible.
impavidez *nf* intrépidité *f*; (AM) insolence *f*, effronterie *f*.
impávido, a *a* intrépide; (AM) insolent(e), effronté(e); (*indiferente*) indifférent(e).
impecable *a* impeccable.
impedimento *nm* obstacle *m*; empêchement *m*.
impedir *vt* empêcher.
impeler *vt* pousser; (*fig*) exciter.
impenetrabilidad *nf* impénétrabilité *f*.
impenetrable *a* impénétrable.
impenitente *a* impénitent(e).
impensado, a *a* inopiné(e), inattendu(e).
imperar *vi* (*reinar, gobernar*) régner; (*fig*) dominer; prévaloir.
imperativo, a *a* impérieux(euse), nécessaire; (*urgente*, LING) impératif(ive).
imperceptible *a* imperceptible.
imperdible *a* imperdable // *nm* épingle *f* de nourrice.
imperdonable *a* impardonnable.
imperecedero, a *a* impérissable.
imperfección *nf* imperfection *f*.
imperfecto, a *a* imparfait(e).
imperial *a* impérial(e) // *nf* impériale *f*.
impericia *nf* (*torpeza*) impéritie *f*; (*inexperiencia*) inexpérience *f*.
imperio *nm* empire *m*; (*reino, dominación*) domination *f*, pouvoir *m*; (*fig*) orgueil *m*, fierté *f*.
imperioso, a *a* impérieux(euse); catégorique; impératif (ive).
imperito, a *a* incompétent(e), malhabile.
impermeable *a* imperméable // *nm* imperméable *m*.
impermutable *a* impermutable.
impersonalidad *nf* impersonnalité *f*.
impertérrito, a *a* imperturbable, impassible.
impertinencia *nf* (*inoportunidad*) inopportunité *f*; (*insolencia*) impertinence *f*.
impertinente *a* inopportun(e); impertinent(e); **~s** *nmpl* face-à-main *m*.
imperturbable *a* imperturbable.
ímpetu *nm* (*impulso*) élan *m*; (*impetuosidad*) impétuosité *f*; (*violencia*) violence *f*.
impetuosidad *nf* impétuosité *f*; violence *f*.
impetuoso, a *a* impétueux(euse); précipité(e); violent(e).
impiedad *nf* (*crueldad*) méchanceté *f*; (*irreligiosidad*) impiété *f*.
impío, a *a* méchant(e); impie.
implacable *a* implacable.
implicar *vt* impliquer // *vi* empêcher.
implícito, a *a* (*tácito*) tacite; (*sobreentendido*) implicite.
implorar *vt* implorer.
impolítico, a *a* impoli(e), manquant de tact; discourtois(e).
imponente *a* (*impresionante*) imposant(e); (*enorme*) énorme; (*solemne*) solennel(le) // *nm/f* investisseur *m*; déposant/e.
imponer *vt* imposer; (*establecer*) établir; (*informar, instruir*) mettre au courant de, renseigner sur; (COM) placer, déposer; **~se** *vr* s'imposer; (*dominar, prevalecer*) dominer, prévaloir.
importación *nf* importation *f*.
importancia *nf* importance *f*.
importante *a* important(e).
importar *vt* (*del extranjero*)

importer; (*sumar, valer*) valoir, coûter // *vi* importer; **me importa el resultado** le résultat m'intéresse; **no importa** peu importe.
importe *nm* (*total*) montant *m*; (*valor*) prix *m*, valeur *f*.
importunar *vt* importuner.
importuno, a *a* (*inoportuno, molesto*) importun(e); (*indiscreto*) indiscret(ète).
imposibilidad *nf* impossibilité *f*.
imposibilitar *vt* empêcher, rendre impossible; **~se** *vr* devenir impotent(e).
imposible *a* impossible; (AM) répugnant(e), dégoûtant(e).
imposición *nf* imposition *f*; (COM) dépôt *m*; (*de condecoraciones, grados*) remise *f*.
impostor, a *nm/f* imposteur *m*.
impostura *nf* imposture *f*.
impotencia *nf* (*imposibilidad*) impossibilité *f*; (*incapacidad*) impuissance *f*, incapacité *f*; (*inutilidad*) inutilité *f*.
impotente *a* (*sin fuerza*) impotent(e), impuissant(e); (*impedido*) empêché(e); (*incapaz*) incapable.
impracticable *a* (*irrealizable*) irréalisable; (*intransitable*) impraticable.
imprecar *vi* proférer des imprécations.
impregnar *vt* imprégner; **~se** *vr* s'imprégner.
imprenta *nf* imprimerie *f*.
imprescindible *a* indispensable.
impresión *nf* impression *f*; (*marca*) empreinte *f*; **~ digital** empreinte digitale.
impresionable *a* (*sensible*) impressionnable; (*excitable*) excitable.
impresionar *vt* (*conmover*) toucher; (*afectar*) impressionner; (*los sonidos*) enregistrer; (*película fotográfica*) impressionner; **~se** *vr* être impressionné(e).
impreso, a *pp de* **imprimir** // *a* imprimé(e) // *nm* imprimé *m*.
impresor *nm* imprimeur *m*.
imprevisión *nf* (*del tiempo*) imprévision *f*; (*de una persona*) imprévoyance *f*.
imprevisor, a *a* (*imprudente*) imprévoyant(e); (*distraído, irreflexivo*) irréfléchi(e).
imprevisto, a *a* (*accidental*) imprévu(e); (*casual*) inespéré(e), inopiné(e); (*inesperado*) subit(e), inattendu(e).
imprimir *vt* imprimer.
improbabilidad *nf* (*sin seguridad*) improbabilité *f*; (*inverosimilitud*) invraisemblance *f*.
improbable *a* improbable; invraisemblable, improbable.
ímprobo, a *a* (*deshonesto*) malhonnête; (*ingrato, penoso*) ingrat(e), pénible.
improcedente *a* (*inconveniente*) inconvenant(e); (*inadecuado*) inadéquat(e).
improductivo, a *a* improductif (ive).
improperio *nm* injure *f*, insulte *f*.
impropiedad *nf* impropriété *f*.
impropio, a *a* impropre.
improvidencia *nf* imprévoyance *f*; oubli *m*, négligence *f*.
impróvido, a *a* imprévoyant(e).
improvisación *nf* improvisation *f*.
improvisado, a *a* improvisé(e).
improvisar *vt* improviser.
improviso, a *a* imprévu(e); **de ~** à l'improviste.
improvisto, a *a* imprévu(e); **de ~** à l'impromptu, tout d'un coup.
imprudencia *nf* imprudence *f*; légèreté *f*, irréflexion *f*; précipitation *f*.
imprudente *a* irréfléchi(e); imprudent(e); léger(ère).
impúdico, a *a* dévergondé(e); impudique; indécent(e).
impudor *nm* dévergondage *m*; indécence *f*; impudeur *f*.
impuesto, a *a* imposé(e) // *nm* impôt *m*.
impugnar *vt* (*atacar, combatir*) attaquer, combattre; (*refutar*) contester, réfuter.
impulsar *vt* = **impeler**.

impulsión *nf* (TEC) propulsion *f*; (*fig*) impulsion *f*.
impulso *nm* impulsion *f*; (*fuerza, empuje*) élan *m*; (*rapto*) transport *m*, élan, accès *m*.
impune *a* impuni(e).
impunidad *nf* impunité *f*.
impureza *nf* impureté *f*; (*fig*) souillure *f*.
impuro, a *a* impur(e); (*fig*) souillé(e), taché(e).
imputable *a* imputable.
imputación *nf* imputation *f*.
imputar *vt* (*atribuir*) attribuer; (*cargar*) imputer; (*reprochar*) reprocher.
inacabable *a* (*infinito*) infini(e); (*interminable*) interminable.
inaccesible *a* inabordable; inacessible.
inacción *nf* (*inercia*) inactivité *f*, inertie *f*; (*desocupación*) inaction *f*, désœuvrement *m*; (*ocio*) oisiveté *f*, loisir *m*.
inaceptable *a* inacceptable.
inactividad *nf* inactivité *f*, inertie *f*; désœuvrement *m*; oisiveté *f*, loisir *m*.
inactivo, a *a* inerte; désœuvré(e); oisif(ive).
inadecuado, a *a* inadéquat(e).
inadmisible *a* inadmissible.
inadvertencia *nf* inadvertance *f*.
inadvertido, a *a* (*desatento*) inattentif(ive); (*distraído*) distrait(e); (*persona*) inaperçu(e).
inagotable *a* (*interminable*) interminable; (*inacabable*) inépuisable, intarissable.
inaguantable *a* insupportable, intolérable.
inajenable *a* inaliénable.
inalterable *a* (*inmutable*) inaltérable; (*firme*) constant(e); (*permanente*) permanent(e).
inanición *nf* inanition *f*.
inanimado, a *a* inanimé(e).
inapreciable *a* inappréciable, inestimable.
inasequible *a* (*inalcanzable*) inaccessible; (*inabordable*) inabordable.
inaudito, a *a* inouï(e).
inauguración *nf* inauguration *f*.
inaugurar *vt* (*abrir*) inaugurer; (*dar principio*) entreprendre; (*comenzar*) commencer.
incalculable *a* incalculable.
incandescente *a* incandescent(e).
incansable *a* (*inagotable*) inépuisable; (*infatigable*) infatigable.
incapacidad *nf* (*ineptitud*) incapacité *f*, inaptitude *f*; (*incompetencia*) incompétence *f*; (*fig*) stupidité *f*, bêtise *f*; ~ **física/mental** incapacité physique/ mentale.
incapacitar *vt* (*inhabilitar*) inhabiliter, déclarer incapable; (*descalificar*) rendre inapte, disqualifier; (JUR) interdire.
incapaz *a* incapable.
incautación *nf* saisie *f*.
incautarse *vr* saisir, confisquer; ~ **de** s'emparer de.
incauto, a *a* (*imprudente*) imprudent(e); (*inocente*) naïf(ïve), crédule.
incendiar *vt* incendier; (*fig*) enflammer; ~**se** *vr* prendre feu, brûler.
incendiario, a *a* incendiaire // *nm/f* incendiaire *m/f*, pyromane *m/f*.
incendio *nm* incendie *m*.
incensario *nm* encensoir *m*.
incentivo *nm* aiguillon *m*, stimulant *m*.
incertidumbre *nf* (*inseguridad*) incertitude *f*; (*duda*) doute *m*.
incesante, incesable *a* sans cesse, incessant(e).
incidencia *nf* (*accidente*) incident *m*; (*contingencia*) contingence *f*.
incidental *a* incident(e).
incidente *a* incident(e) // *nm* incident *m*.
incidir *vi* (*influir*) influer; (*afectar*) affecter; ~ **en un error** tomber dans l'erreur.
incienso *nm* encens *m*.
incierto, a *a* incertain(e).
incineración *nf* incinération *f*.

incinerar *vt* (*cremar*) incinérer; (*quemar*) brûler.
incipiente *a* (*naciente*) naissant(e); (*reciente*) débutant(e).
incisión *nf* incision *f.*
incisivo, a *a* incisif(ive); (*fig*) mordant(e), cuisant(e) // *nm* incisive *f.*
incitación *nf* incitation *f,* encouragement *m.*
incitante *a* (*estimulante*) incitant(e); (*provocativo*) provocant(e).
incitar *vt* inciter, pousser.
incivil *a* incivil(e).
incivilidad *nf* (*falta de educación*) incivilité *f;* (*grosería, tosquedad*) grossièreté *f,* rusticité *f.*
inclemencia *nf* (*severidad*) inclémence *f;* (*del tiempo*) intempérie *f.*
inclemente *a* inclément(e); rigoureux(euse).
inclinación *nf* (*posición*) inclinaison *f;* (*movimiento*) inclination *f;* (*fig*) tendance *f,* inclination.
inclinar *vt* incliner, pencher; (*persuadir*) incliner, persuader; **~se** *vr*: **~se hacia adelante** se pencher en avant; **~se ante** s'incliner devant; **me inclino a pensar que** je tends à penser que.
ínclito, a *a* illustre.
incluir *vt* (*poner, contener*) renfermer; (*incorporar*) inclure.
inclusa *nf* hospice *m* des enfants trouvés.
inclusión *nf* inclusion *f.*
inclusive *ad* inclusivement; **cerrado hasta el domingo ~** fermé jusqu'au dimanche inclus.
incluso, a *a* inclus(e) // *ad* même, ci-inclus // *prep* même, y compris.
incógnito, a *a* inconnu(e) // *nm*: **de ~** incognito.
incoherente *a* incohérent(e).
incoloro, a *a* (*descolorido*) incolore; (*anodino*) anodin(e), effacé(e); (*apagado*) terne.
incólume *a* (*sano, sin lesión*) sain(e) et sauf(ve); (*indemne*) indemne.
incomodar *vt* (*abrumar*) incommoder; (*molestar*) gêner; (*fastidiar*) ennuyer, agacer; **~se** *vr* se fâcher, se vexer.
incomodidad *nf* (*molestia*) gêne *f,* dérangement *m;* (*fastidio, enojo*) ennui *m;* (*de vivienda*) manque *m* de confort.
incómodo, a *a* (*inconfortable*) incommode; (*molesto*) incommodant(e) // *nm* (AM) incommodité *f,* gêne *f.*
incomparable *a* (*sin comparación*) incomparable; (*inigualable*) inégalable.
incompatible *a* incompatible.
incompetencia *nf* incompétence *f.*
incompetente *a* incompétent(e).
incompleto, a *a* (*parcial, mutilado*) incomplet(ète), inachevé(e); (*deficiente*) déficient(e); (*insuficiente*) insuffisant(e).
incomprensible *a* incompréhensible; indéchiffrable; énigmatique.
incomunicado, a *a* (*aislado*) isolé(e), privé(e) de communications; (*confinado*) exilé(e).
inconcebible *a* inconcevable.
inconcluso, a *a* (*inacabado*) inachevé(e); (*incompleto*) incomplet(ète).
inconcuso, a *a* (*indiscutible*) incontestable, indubitable; (*seguro*) sûr(e).
incondicional *a* inconditionnel(le); (AM) servil(e) // *nm* (AM) homme *m* de confiance.
inconexo, a *a* (*incongruente*) sans rapport; (*deshilvanado*) décousu(e).
incongruente *a* incongru(e).
inconmensurable *a* incommensurable, immense, infini(e).
inconsciente *a* inconscient(e) (*atolondrado*) inconséquent(e), écervelé(e) // *nm* inconscient *m.*
inconsecuencia *nf* inconsé

quence *f*, irréflexion *f*, inconstance *f*.

inconsecuente *a* inconséquent(e); peu sérieux(euse).

inconsiderado, a *a* (*inconsciente*) irréfléchi(e); (*desconsiderado*) inconsidéré(e).

inconsistente *a* (*débil*) inconsistant(e); (*impreciso*) imprécis(e).

inconstancia *nf* (*inconsecuencia, veleidad*) inconséquence *f*; (*inestabilidad*) inconstance *f*.

inconstante *a* inconséquent(e), incertain(e), inconstant(e).

incontestable *a* incontestable.

incontinencia *nf* incontinence *f*.

incontinente *a* (*liviano*) incontinent(e); (*desenfrenado*) effréné(e).

incontrastable *a* invincible, incontestable, irréfutable.

inconveniencia *nf* (*disconformidad*) désaccord *m*, discordance *f*; (*incorrección*) impertinence *f*, inconvenance *f*; (*grosería*) grossièreté *f*.

inconveniente *a* inconvenant(e), malséant(e), inapproprié(e), inadéquat(e) // *nm* inconvénient *m*.

incorporación *nf* incorporation *f*; (*del cuerpo*) redressement *m*; (*agregado*) ajout *m*.

incorporar *vt* incorporer; **~se** *vr* se redresser, se mettre sur son séant.

incorrección *nf* (*incongruencia*) incongruité *f*; (*inconveniencia*) inconvenance *f*; (*descortesía*) impolitesse *f*, incorrection *f*.

incorrecto, a *a* (*falso*) incorrect(e), faux(ausse); (*defectuoso*) défectueux(euse); (*descortés*) grossier(ière), impoli(e).

incorregible *a* (*fam*) incorrigible, obstiné(e).

incorruptible *a* (*puro*) incorruptible, pur(e); (*intacto*) intact(e); **~ a la intemperie** inoxydable.

incredulidad *nf* (*descreimiento*) incrédulité *f*; (*escepticismo*) scepticisme *m*.

incrédulo, a *a* incrédule; sceptique; méfiant(e).

increíble *a* incroyable, inconcevable, absurde.

incremento *nm* (*aumento*) accroissement *m*; (*desarrollo*) développement *m*.

increpar *vt* (*reprender*) réprimander; (*insultar*) apostropher.

incruento, a *a* non sanglant(e).

incrustar *vt* incruster; (*piedras: en joya*) sertir.

incubar *vt* couver.

inculcar *vt* inculquer.

inculpar *vt* (*acusar*) inculper; (*achacar, atribuir*) imputer, attribuer.

inculto, a *a* (*persona*) inculte; (*terreno*) incultivé(e) // *nm/f* ignorant/e.

incuria *nf* incurie *f*.

incurrir *vi*: **~ en** encourir, commettre; (*contravenir*) contrevenir; **~ en un error** tomber dans l'erreur.

indagación *nf* investigation *f*; (*búsqueda*) recherche *f*; (JUR) enquête *f*.

indagar *vt* (*investigar, averiguar*) rechercher, s'enquérir de; (*buscar*) chercher.

indecente *a* grossier(ière), insolent(e); (*lascivo*) malhonnête, indécent(e).

indecible *a* indescriptible, indicible; inexprimable; prodigieux(euse), merveilleux(euse).

indeciso, a *a* hésitant(e), indécis(e); irrésolu(e); incertain(e), indéterminé(e).

indefectible *a* indéfectible.

indefenso, a *a* (*inerme*) sans défense; (*desvalido*) deshérité(e); (*abandonado*) abandonné(e).

indefinido, a *a* indéfini(e), indéterminé(e); confus(e); incertain(e); ambigu(üe).

indeleble *a* indélébile.

indemne *a* (*sano, salvo*) sain(e) et sauf(ve); (*ileso*) indemne.

indemnizar *vt* indemniser; dédommager.
independencia *nf* indépendence *f.*
independiente *a* (*libre*) indépendant(e); (*autónomo*) autonome.
indeterminado, a *a* (*indefinido*) indéfini(e); (*desconocido*) inconnu(e); (*impreciso*) imprécis(e).
India *nf*: **la ~** (l')Inde *f.*
indiano, a *a* indien(ne) // *nm se dit de celui qui revient d'Amérique après avoir fait fortune.*
indicación *nf* (*denotación*) indication *f*; (*señal*) repère *m.*
indicar *vt* montrer, indiquer; signaler; dénoter.
índice *nm* indice *m*; (*catálogo*) catalogue *m*, index *m*; (ANAT) index; (*de cuadrante*) aiguille *f*; (REL): **el I~** l'Index.
indicio *nm* (*señal*) trace *f*; (*sospecha*) indice *m*; (*síntoma*) symptôme *m.*
indiferencia *nf* indifférence *f.*
indiferente *a* indifférent(e), désintéressé(e).
indígena *a* indigène, naturel(le); (*aborigen*) aborigène; (*autóctono*) autochtone // *nm/f* indigène *m/f*, naturel/le; aborigène *m/f*; autochtone *m/f.*
indigencia *nf* indigence *f*, dénuement *m.*
indigestión *nf* indigestion *f.*
indigesto, a *a* indigeste; (*fig*) insupportable.
indignación *nf* indignation *f.*
indignado, a *a* indigné(e).
indignar *vt* indigner; **~se** *vr*: **~se de** *o* **por** s'indigner de.
indignidad *nf* (*insulto*) indignité *f*; (*ruindad*) bassesse *f.*
indigno, a *a* (*ruin, despreciable*) bas(se), méprisable; (*inmerecido*) indigne.
indio, a *a* (*de América*) indien(ne); (*de la India*) hindou(e) // *nm/f* Indien/ne; Hindou/e.
indirecta *nf* allusion *f*, insinuation *f.*
indirecto, a *a* indirect(e).
indiscreción *nf* (*imprudencia*) indiscrétion *f*; (*irreflexión*) irréflexion *f.*
indiscreto, a *a* indiscret(ète) // *nm/f* curieux(euse), indiscret/ète.
indiscutible *a* incontestable; indiscutable.
indispensable *a* indispensable, essentiel(le).
indisponer *vt* indisposer; **~se** *vr* être indisposé(e); **~se con uno** se fâcher avec qn.
indisposición *nf* indisposition *f.*
indistinto, a *a* indistinct(e); indéterminé(e).
individual *a* individuel(le) // *nm* (TENIS): **un ~ de damas** un simple dames.
individuo, a *a* individuel(le) // *nm* individu *m*; (*miembro, socio*) membre *m.*
indiviso, a *a* indivis(e).
indócil *a* indiscipliné(e); indocile; indomptable; rebelle, réfractaire.
indocto, a *a* ignorant(e).
índole *nf* (*naturaleza*) nature *f*, caractère *m*; (*idiosincrasia*) naturel *m*; (*calidad*) genre *m*, sorte *f.*
indolencia *nf* indolence *f*, paresse *f.*
indomable *a* indomptable; sauvage; désobéissant(e).
indómito, a *a* indompté(e), indomptable.
indubitable *a* indubitable; indéniable; évident(e), manifeste.
inducir *vt* induire.
indudable *a* indubitable; clair(e), logique.
indulgencia *nf* indulgence *f.*
indultar *vt* gracier.
indulto *nm* grâce *f*, remise *f* de peine.
industria *nf* industrie *f*; (*habilidad*) habileté *f.*
industrial *a* industriel(le) // *nm* industriel *m.*
industrioso, a *a* industrieux(euse).

inédito, a *a* (*libro*) inédit(e); (*nuevo*) nouveau(elle).
inefable *a* ineffable; (*fig*) sublime.
ineficaz *a* (*inservible*) inefficace; (*inútil*) inutile; (*deficiente*) déficient(e).
ineludible *a* inévitable, inéluctable; (*necesario*) indispensable.
ineptitud *nf* incapacité *f*; incompétence *f*, inaptitude *f*.
inepto, a *a* incapable; inepte; incompétent(e).
inequívoco, a *a* indubitable; évident(e).
inercia *nf* inertie *f*; (*negligencia*) négligence *f*.
inerme *a* sans défense; désarmé(e).
inerte *a* inerte.
inesperado, a *a* inespéré(e); inattendu(e).
inevitable *a* inéluctable, inévitable.
inexactitud *nf* inexactitude *f*, erreur *f*.
inexpugnable *a* inexpugnable.
infamar *vt* rendre infâme; discréditer, décrier.
infame *a* infâme // *nm/f* infâme *m/f*.
infamia *nf* infâmie *f*; discrédit *m*.
infancia *nf* enfance *f*.
infante *nm* (*niño*) enfant *m*; (*hijo del rey*) infant *m*; (MIL) fantassin *m*.
infantería *nf* infanterie *f*.
infantil *a* (*pueril, aniñado*) puéril(e), infantile; (*ingenuo, cándido*) enfantin(e), candide; (*literatura*) enfantin.
infatigable *a* (*incansable*) infatigable; (*obstinado*) obstiné(e).
infausto, a *a* malheureux(euse).
infección *nf* infection *f*.
infeccioso, a *a* infectueux(euse).
infectar *vt* infecter; ~**se** *vr* s'infecter.
infelicidad *nf* malheur *m*, infortune *f*.
infeliz *a* malheureux(euse) // *nm/f* malheureux/euse.
inferior *a* inférieur(e) // *nm/f* subalterne *m/f*, dépendant/e.
inferir *vt* (*deducir*) déduire, inférer; (*causar, ocasionar*) causer, occasionner.
infestar *vt* (*infectar, inocular*) infester; (*apestar, viciar*) empester; (*fig*) poursuivre, harceler; ~**se** *vr* être infesté(e).
inficionar *vt* infecter; (*fig*) corrompre, pervertir.
infidelidad *nf* (*deslealtad*) manque *m* de loyauté; (*traición*) trahison *f*, infidélité *f*.
infiel *a* (*desleal, traidor*) traître (esse), infidèle; (*falso, ilegítimo*) faux(ausse), illégitime // *nm/f* (*traidor*) traître/esse; (REL) infidèle *m/f*.
infierno *nm* enfer *m*.
ínfimo, a *a* infime.
infinidad *nf* infinité *f*; (*montón, abundancia*) foule *f*.
infinito, a *a* infini(e) // *nm* infini *m*.
inflación *nf* (*hinchazón*) gonflement *m*; (*monetaria*) inflation *f*; (*fig*) vanité *f*, orgueil *m*.
inflamar *vt* enflammer; ~**se** *vr* s'enflammer; (*fig*) s'échauffer.
inflar *vt* (*hinchar*) enfler, gonfler; (*fig*) enfler, grossir, exagérer; ~**se** *vr* se gonfler, s'enfler; (*fig*) se rengorger, se gonfler.
inflexible *a* (*inquebrantable*) incassable; (*irrompible*) inflexible.
infligir *vt* infliger.
influencia *nf* (*poder*) influence *f*; (*prestigio*) prestige *m*; (*dominio, autoridad*) autorité *f*.
influir *vt* influer sur; influencer.
influjo *nm* (*poder, influencia*) influence *f*; (*magnetismo*) magnétisme *m*.
influyente *a* (*prestigioso*) prestigieux(euse); (*poderoso*) influent(e); (*importante*) important(e).
información *nf* information *f*; nouvelle *f*, renseignement *m*; (JUR) enquête *f*.
informal *a* (*persona*: *impuntual*) qui manque d'exactitude; (*poco*

serio) peu sérieux(euse); (*trabajo*) informel(le), incorrect(e).
informalidad *nf* (*impuntualidad*) manque *m* de ponctualité; (*incorrección*) incorrection *f*; (*ligereza*) manque de sérieux.
informante *a* informant(e) // *nm/f* (*participante*) participant/e, informateur/trice; (*denunciador*) rapporteur/euse, dénonciateur/trice.
informar *vt* (*instruir, orientar*) instruire, informer; (*revelar*) faire savoir; (*denunciar*) rapporter, dénoncer // *vi* (*JUR*) informer de *ou* sur; instruire; plaider; **~se** *vr* s'informer; se renseigner.
informe *a* (*deforme*) informe; (*confuso*) confus(e), vague // *nm* information *f*, rapport *m*.
infortunio *nm* infortune *f*.
infracción *nf* infraction *f*.
infranqueable *a* (*insuperable*) infranchissable; (*impracticable*) impraticable.
infringir *vt* transgresser; enfreindre; commettre, attenter à.
infructuoso, a *a* (*improductivo*) infructueux(euse); (*inútil*) inutile.
ínfulas *nfpl* prétention *f*, vanité *f*.
infundado, a *a* sans fondement.
infundir *vt* inspirer, communiquer, inculquer.
ingeniar *vt* inventer; **~se** *vr*: **~se para** s'ingénier à.
ingeniería *nf* génie *m* civil.
ingeniero, a *nm/f* (*profesional*) ingénieur *m*; **~ agrónomo/de sonido** ingénieur agronome/du son.
ingenio *nm* (*talento, agudeza*) génie *m*; (*habilidad, viveza*) esprit *m*, habileté *f*; (*ocurrencia*) à-propos *m*; (*TEC*): **~ azucarero** raffinerie *f* de sucre.
ingenioso, a *a* (*hábil*) ingénieux (euse); (*divertido*) spirituel(le).
ingénito, a *a* inné(e).
ingente *a* très grand(e); énorme.
ingenuidad *nf* (*sinceridad*) ingénuité *f*; (*candor*) naïveté *f*.
ingenuo, a *a* ingénu(e); naïf(ïve).
ingerencia *nf* ingérence *f*.
ingerir *vt* (*introducir*) ingérer; (*tragar*) avaler; (*consumir*) consommer; **~se** *vr* s'ingérer.
ingle *nf* aine *f*.
inglés, esa *a* anglais(e) // *nm/f* Anglais/e // *nm* anglais *m*.
ingratitud *nf* ingratitude *f*.
ingrato, a *a* ingrat(e).
ingrediente *nm* ingrédient *m*.
ingresar *vi* (*dinero*) rentrer; **~ en** entrer dans // *vt* (*COM*) déposer, porter, verser.
ingreso *nm* (*entrada*) entrée *f*; (*a una escuela, hospital, etc*) admission *f*; (*de dinero*) rentrée *f*, versement *m*.
inhábil *a* inhabile; **día ~** jour chômé *ou* ferié.
inhabilitación *nf* incapacité *f*, impossibilité *f*; (*JUR*) incapacité.
inhabitable *a* inhabitable.
inherente *a* inhérent(e).
inhospitalario, a *a* inhospitalier (ière).
inhumano, a *a* inhumain(e), insensible.
I. N. I. *nm* (*abr de Instituto Nacional de Industria*) ministère *m* de l'Industrie.
inicial *a* initial(e) // *nf* initiale *f*.
iniciar *vt* (*persona*) initier; (*estudios*) entamer; (*conversación*) amorcer.
inicuo, a *a* inique.
injertar *vt* greffer.
injerto *nm* greffe *f*.
injuria *nf* (*agravio, ofensa*) offense *f*, affront *m*; (*insulto, afrenta*) injure *f*.
injuriar *vt* injurier; (*dañar*) endommager.
injurioso, a *a* injurieux(euse).
injusticia *nf* injustice *f*; (*ofensa, maldad*) offense *f*.
injusto, a *a* injuste.
inmarcesible, inmarchitable *a* immarcescible.
inmediación *nf* contiguïté *f*.
inmediaciones *nfpl* environs *mpl*, alentours *mpl*, abords *mpl*.

nmediato, a *a* contigu(ë); immédiat(e), voisin(e); (*rápido*) immédiat; (*próximo*) proche; **de ~** immédiatement.
nmejorable *a* (*incomparable*) incomparable; (*perfecto, excelente*) parfait(e), execellent(e).
nmenso, a *a* immense, infini(e); grand(e), démesuré(e).
nmerecido, a *a* immérité(e).
nmigración *nf* immigration *f.*
nmiscuirse *vr* (*interferir*) s'immiscer, s'ingérer; (*meterse, entremeterse*) se mêler.
nmobiliario, a *a* immobilier(ière).
nmoderado, a *a* (*destemplado, descompuesto*) irrité(e), peu harmonieux(euse); (*desconsiderado, excesivo*) immodéré(e).
nmolar *vt* immoler; **~se** *vr* s'immoler.
nmoral *a* immoral(e).
nmortalizar *vt* immortaliser.
nmotivado, a *a* immotivé(e); non fondé(e).
nmóvil *a* immobile; (*inamovible*) inamovible; (*invariable*) invariable.
nmundicia *nf* immondice *f.*
nmunidad *nf* immunité *f.*
nmutar *vt* altérer; **~se** *vr* s'altérer, se troubler.
nnato, a *a* inné(e).
nnecesario, a *a* superflu(e).
nnoble *a* ignoble.
nnocuo, a *a* inoffensif(ive).
nnovación *nf* innovation *f.*
nnovar *vt* innover.
nobediente *a* désobéissant(e).
nocencia *nf* (*candor, ingenuidad*) innocence *f,* candeur *f;* (*inculpabilidad*) innocence.
nocente *a* (*cándido, ingenuo*) innocent(e), candide; (*inculpable*) innocent; (*anodino*) anodin(e).
nocular *vt* inoculer; **~se** *vr* s'inoculer.
nofensivo, a *a* inoffensif(ive).
nolvidable *a* inoubliable.
nopia *nf* indigence *f.*
nopinado, a *a* inopiné(e).
inoportuno, a *a* inopportun(e); choquant(e).
inquebrantable *a* inébranlable, incassable.
inquietar *vt* inquiéter; **~se** *vr* s'inquiéter.
inquieto, a *a* (*intranquilo*) inquiet(ète); (*bullicioso*) turbulent(e); (*nervioso*) agité(e).
inquietud *nf* (*tenor*) inquiétude *f;* (*desasosiego*) agitation *f.*
inquilino, a *nm/f* locataire *m/f.*
inquina *nf* aversion *f,* haine *f.*
inquirir *vt* s'enquérir de; s'informer de.
insaciable *a* insatiable.
insalubre *a* insalubre.
inscribir *vt* inscrire; **~se** *vr* s'inscrire, s'engager.
inscripción *nf* inscription *f.*
insecto *nm* insecte *m.*
inseguridad *nf* insécurité *f.*
inseguro, a *a* (*inestable*) incertain(e), chancelant(e); (*inconstante*) inconstant(e).
insensatez *nf* manque *m* de bon sens; (*fig*) bêtise *f.*
insensato, a *a* (*necio, torpe*) insensé(e); (*fig*) bête, nigaud(e).
insensibilidad *nf* (*impasibilidad*) impassibilité *f;* (*dureza de corazón*) insensibilité *f.*
insensible *a* impassible, imperturbable, insensible.
insepulto, a *a* non enseveli(e); sans sépulture.
insertar *vt* insérer.
insidioso, a *a* insidieux (euse).
insigne *a* insigne.
insignia *nf* (*señal distintivo*) insigne *m;* (*estandarte*) enseigne *f;* (*pendón*) bannière *f;* (*condecoración*) décoration *f.*
insignificante *a* insignifiant(e).
insinuar *vt* insinuer, suggérer, laisser entendre; **~se** *vr* s'insinuer, faire des avances.
insípido, a *a* insipide; (*fig*) fade.
insistencia *nf* (*obstinación*) insistance *f,* obstination *f;* (*porfía, impertinencia*) entêtement *m.*

insistir *vi* insister; ~ **en** *o* **por** insister sur *ou* pour.
insolación *nf* insolation *f.*
insolencia *nf* insolence *f.*
insolente *a* insolent(e).
insólito, a *a* insolite.
insoluble *a* insoluble.
insolvencia *nf* insolvabilité *f.*
insomnio *nm* insomnie *f.*
insondable *a* insondable.
insoportable *a* insupportable.
inspección *nf* inspection *f.*
inspeccionar *vt* (*examinar*) inspecter; (*controlar*) contrôler.
inspector, a *nm/f* inspecteur/trice; ~ **de tren** contrôleur *m* (des chemins de fer).
inspiración *nf* inspiration *f.*
inspirar *vt* inspirer; ~**se** *vr*: ~**se en** s'inspirer de.
instalar *vt* installer; ~**se** *vr* s'installer.
instancia *nf* (JUR) instance *f*; (*insistencia, urgencia*) insistance *f*; **de primera** ~ tout d'abord; **en última** ~ en dernier ressort.
instantáneo, a *a* instantané(e) // *nf* instantané *m.*
instante *nm* instant *m.*
instar *vt* insister; ~ **a hacer** insister pour faire // *vi* presser, être urgent(e).
instigar *vt* inciter.
instinto *nm* instinct *m.*
institución *nf* institution *f.*
instituir *vt* instituer.
instituto *nm* institut *m*; ~ (**de segunda enseñanza**) lycée *m* (d'enseignement secondaire).
instrucción *nf* instruction *f.*
instructivo, a *a* instructif(ive).
instruir *vt* instruire, informer; ~**se** *vr* s'instruire, s'informer.
instrumento *nm* instrument *m*; (*utensilio, herramienta*) outil *m*, instrument.
insubordinarse *vr* se soulever, se révolter.
insuficiencia *nf* insuffisance *f.*
insuficiente *a* (*escaso, incompleto*) insuffisant(e); (*incompetente*) incompétent(e).
insufrible *a* insupportable.
insular *a* insulaire.
insulsez *nf* (*insipidez*) fadeur *f* insipidité *f*; (*fig*) fadaise *f.*
insultar *vt* insulter.
insulto *nm* insulte *f*, offense *f*, humiliation *f.*
insuperable *a* (*excelente*) insurpassable, imbattable; (*arduo*) insurmontable.
insurgente *a* insurgé(e), soulevé(e) // *nm/f* insurgé/e.
insurrección *nf* insurrection *f.*
intacto, a *a* intact(e).
intachable *a* irréprochable.
integrar *vt* composer, constituer, former; (COM) payer, remettre; (MAT) intégrer.
integridad *nf* intégrité *f.*
íntegro, a *a* (*entero*) intégral(e), complet(ète); (*honrado*) intègre.
intelecto *nm* intellect *m.*
intelectual *a* intellectuel(le) // *nm/f* intellectuel/le.
inteligencia *nf* intelligence *f*; (*ingenio*) habileté *f.*
inteligente *a* intelligent(e).
intemperancia *nf* intempérance *f.*
intemperie *nf* intempérie *f*; **a l**~ en plein air.
intempestivo, a *a* intempestif(ive).
intención *nf* intention *f*, volonté *f*, dessein *m*; **con segundas intenciones** avec arrière-pensée; **de primera** ~ avec franchise, tout d'abord; **con** ~ à dessein, exprès.
intencionado, a *a* (*deliberado*) intentionné(e); **bien/mal** ~ bien/mal intentionné.
intendencia *nf* intendance *f.*
intenso, a *a* intense; aigu(uë), véhément(e); violent(e).
intentar *vt* tenter, essayer; ~ **cruzar** essayer de traverser.
intento *nm* (*intención*) projet *m*, dessein *m*; (*tentativa*) tentative *f.*
intercalar *vt* intercaler.
intercambio *nm* échange *m.*

interceder *vi* intercéder.
intercesión *nf* intercession *f*.
interdicto *nm* interdit *m*.
interés *nm* intérêt *m*.
interesado, a *a* intéressé(e).
interesar *vt, vi* intéresser; **~se** *vr*: **~se en** *o* **por** s'intéresser à.
interferir *vt* interférer avec; (*TELEC*) brouiller // *vi* interférer.
interino, a *a* provisoire; intérimaire.
interior *a* intérieur(e) // *nm* intérieur *m*.
interjección *nf* interjection *f*.
intermediario, a *a* intermédiaire // *nm/f* intermédiaire *m/f* // *nm* intermédiaire *m*.
intermedio, a *a* intermédiaire; (*estatura*) moyen(ne) // *nm* (*intervalo*) intermède *m*, entracte *m*, intercession *f*; (*AM*) intermédiaire *m*.
intermitente *a* intermittant(e) // *nm* feu clignotant.
internar *vt* interner; **~se** *vr* (*en un hospital*) se faire interner *ou* hospitaliser; (*en la selva*) s'enfoncer; (*en un edificio*) pénétrer; (*en sus pensamientos*) s'enfoncer.
interno, a *a* interne; intérieur(e) // *nm/f* (*alumno*) interne *m/f*, pensionnaire *m/f*; (*de hospital*) interne *m/f*.
interpelar *vt* interpeller, interroger.
interponer *vt* interposer; **~se** *vr* s'interposer; intervenir.
interposición *nf* (*intercalación*) interposition *f*; (*JUR*) interjection *f*.
interpretación *nf* interprétation *f*.
interpretar *vt* interpréter.
intérprete *nm/f* (*traductor*) interprète *m/f*, traducteur/trice; (*músico, TEATRO*) interprète.
interrogación *nf* interrogation *f*; (*LING*) point *m* d'interrogation.
interrogar *vt* interroger, questionner, interpeller.
interrumpir *vt* interrompre, suspendre, différer.
interrupción *nf* interruption *f*, arrêt *m*.
interruptor *nm* interrupteur *m*.
intersección *nf* intersection *f*; (*de caminos*) croisée *f*, intersection.
intersticio *nm* (*grieta*) interstice *m*; (*intervalo*) intervalle *m*.
intervalo *nm* intervalle *m*; (*musical*) intermède *m*; **a ~s** par intervalles.
intervenir *vt* (*controlar, verificar*) contrôler, vérifier; (*MED*) opérer, faire une intervention // *vi* (*participar*) intervenir, participer; (*mediar*) s'interposer, intercéder.
interventor, a *a* intervenant(e) // *nm/f* contrôleur/euse vérificateur/trice.
intestino, a *a* intestin(e) // *nm* intestin *m*.
intimar *vt* intimer, sommer // *vi* nouer une amitié, se lier d'amitié.
intimidad *nf* (*amistad*) intimité *f*; (*confianza, familiaridad*) confiance *f*, familiarité *f*; (*lugar privado, vida privada*) intimité.
íntimo, a *a* intime // *nm/f* intime *m/f*.
intitular *vt* intituler.
intolerable *a* intolérable, insupportable.
intransitable *a* impraticable.
intratable *a* intraitable, sauvage, insociable.
intrepidez *nf* intrépidité *f*, hardiesse *f*.
intrépido, a *a* intrépide.
intriga *nf* intrigue *f*.
intrigar *vt, vi* intriguer.
intrincado, a *a* (*confuso, oscuro*) confus(e), embrouillé(e); (*enmarañado, laberíntico*) touffu(e), inextricable.
intrínseco, a *a* intrinsèque.
introducción *nf* introduction *f*.
introducir *vt* introduire; (*importar*) importer; (*hacer penetrar*) enfoncer.
intruso, a *a* intrus(e) // *nm/f* indiscret/ète.
intuición *nf* intuition *f*.

inundación *nf* inondation *f.*
inundar *vt* noyer; (*fig*) inonder, déborder.
inusitado, a *a* inusité(e), insolite.
inútil *a* inutile, vain(e); superflu(e).
inutilidad *nf* inutilité *f.*
inutilizar *vt* inutiliser; mettre hors d'état; **~se** *vr* se gaspiller.
invadir *vt* envahir.
inválido, a *a* invalide // *nm/f* invalide *m/f.*
invariable *a* invariable.
invasión *nf* invasion *f.*
invasor, a *a* envahisseur(euse), envahissant(e) // *nm/f* envahisseur/euse.
invención *nf* invention *f.*
inventar *vt* inventer.
inventariar *vt* inventorier, faire l'inventaire de.
inventiva *nf* esprit inventif, faculté inventive, imagination *f.*
inventor, a *nm/f* inventeur/trice.
invernadero *nm* serre *f.*
inverosímil *a* (*increíble*) invraisemblable, incroyable; (*sorprendente*) surprenant(e), étonnant(e).
inversión *nf* inversion *f*; (COM) placement *m*, investissement *m.*
inverso, a *a* inversé(e), renversé(e); **en el orden ~** dans l'ordre inverse; **a la inversa** à l'envers.
invertir *vt* (*cambiar*) intervertir; (*volcar, tumbar*) renverser; (COM) investir; **~ 2 horas para llegar** mettre deux heures pour arriver.
investigación *nf* enquête *f*, investigation *f*; (*estudio*) recherche *f*, étude *f.*
investigar *vt* enquêter sur; (*estudiar*) étudier.
inveterado, a *a* invétéré(e).
invicto, a *a* invaincu(e).
invierno *nm* hiver *m.*
invitar *vt* inviter; (*incitar*) engager.
invocar *vt* invoquer, implorer, demander.
inyección *nf* injection *f*; (MED) piqûre *f*, injection.
inyectar *vt* injecter.
iodo *nm* iode *m.*
ir *vi* aller; aller, marcher, rouler; **~ caminando** marcher; **voy con cuidado** j'agis prudemment; **~ de viaje** aller en voyage; **~ del brazo** se donner le bras; **voy para viejo** je vieillis; **voy por leña** je vais chercher du bois; **¿cómo le va?** comment ça va?; **no me va ni me viene** ça ne me regarde pas; **¡qué va!** allons donc!; **vaya susto que me has dado** tu m'as fait une de ces peurs; **~se** *vr* s'en aller; partir; (*fig*) mourir.
ira *nf* colère *f*, fureur *f.*
iracundo, a *a* irascible; coléreux (euse).
Irán *nm* Iran *m.*
iris *nm* (*arco iris*) arc-en-ciel *m*; (ANAT) iris *m.*
Irlanda *nf* Irlande *f.*
irlandés, esa *a* irlandais(e) // *nm/f* Irlandais/e.
ironía *nf* ironie *f.*
irónico, a *a* ironique, sarcastique.
irreflexión *nf* irréflexion *f.*
irrefragable *a* irréfragable.
irremediable *a* irrémédiable.
irresoluto, a *a* irrésolu(e).
irrespetuoso, a *a* irrespectueux(euse), irrévérencieux(euse).
irresponsable *a* irresponsable.
irrigar *vt* irriguer.
irrisorio, a *a* dérisoire.
irrupción *nf* irruption *f.*
isla *nf* île *f.*
islandés, esa *a* islandais(e) // *nm/f* Islandais/e.
Islandia *nf* Islande *f.*
isleño, a *a* insulaire // *nm/f* insulaire *m/f.*
islote *nm* îlot *m.*
Israel *nm* Israël *f.*
israelita *a* israélite // *nm/f* Israélite *m/f.*
istmo *nm* isthme *m.*
Italia *nf* Italie *f.*
itinerario *nm* itinéraire *m.*
izar *vt* hisser.
izq *abr de* **izquierdo, a.**
izquierdista *nm/f* gauchiste *m/f.*

izquierdo, a *a* gauche // *nf* gauche *f*; **a la izquierda** à gauche.

J

jabalí *nm* sanglier *m*.
jabón *nm* savon *m*; (AM) frousse *f*.
jabonar *vt* savonner; (*fam*) passer un savon à.
jaca *nf* bidet *m*, petit cheval.
jacarandoso, a *a* guilleret(te), joyeux(euse).
jacinto *nm* hyacinthe *f*.
jactancia *nf* vantardise *f*.
jactarse *vr* se vanter, se targuer.
jadeante *a* haletant(e), essoufflé(e), pantelant(e).
jadear *vi* haleter.
jadeo *nm* halètement *m*, essoufflement *m*.
jaez *nm* (*de caballerías*) harnais *m*; (*clase*) caractère *m*, nature *f*.
jaguar *nm* jaguar *m*.
jalbegue *nm* (*pintura*) crépi *m*, badigeonnage *m*, lait *m* de chaux; (*fig*) fard *m*.
jalear *vt* exciter de la voix; acclamer, encourager; **jaleo** *nm* cris *mpl* pour exciter les chiens; (*baile*) *danse populaire andalouse*; (*jarana*) tapage *m*, chambard *m*.
Jamaica *nf* Jamaïque *f*.
jamás *ad* jamais; ~ **te lo diré** je ne te le dirai jamais.
jamelgo *nm* rosse *f*, haridelle *f*.
jamón *nm* jambon *m*; ~ **serrano** jambon de montagne *ou* de Bayonne.
Japón *nm*: **el** ~ (le) Japon.
jaque *nm* échec *m*; (*fam*) matamore *m*, fanfaron *m*.
jaqueca *nf* migraine *f*.
jarabe *nm* sirop *m*.
jarcia *nf* (NAUT) cordage *m*, agrès *mpl*; (*para pescar*) attirail *m* de pêche; (*confusión, revoltijo*) fouillis *m*, méli-mélo *m*.
jardín *nm* jardin *m*; **jardinería** *nf* jardinage *m*; **jardinero, a** *nm/f* jardinier/ière.
jarra *nf* jarre *f*.
jarro *nm* pot *m*, pichet *m*, broc *m*.
jaspe *nm* jaspe *m*.
jaspear *vt* jasper, veiner, marbrer.
jaula *nf* cage *f*.
jauría *nf* meute *f*.
jazmín *nm* jasmin *m*.
J. C. *abr de* **Jesucristo**.
jefe *nm* supérieur *m*, chef *m*, commandant *m*, directeur *m*, patron *m*; ~ **de correos** receveur *m* des postes; ~ **de estación/redacción** chef de gare/ rédaction.
jengibre *nm* gingembre *m*.
jeque *nm* cheik *m*.
jerarquía *nf* (*orden*) hiérarchie *f*; (*rango*) rang *m*, échelle *f*; **jerárquico, a** *a* hiérarchique.
jerga *nf* (*tela*) grosse toile; (*lenguaje*) jargon *m*, argot *m*.
jerigonza *nf* (*jerga*) jargon *m*, argot *m*; (*galimatías*) charabia *m*, baragouin *m*.
jeringa *nf* seringue *f*; (AM) ennui *m*, embêtement *m*; **jeringar** *vt* injecter avec une seringue; (AM) raser.
jeroglífico *nm* hiéroglyphe *m*.
Jerusalén *n* Jérusalem.
Jesucristo *n* Jésus Christ.
jesuita *a* jésuite // *nm* Jésuite *m*.
jícara *nf* tasse *f*.
jifero, a *a* de l'abattoir; (*fam*) sale, dégoûtant(e) // *nm* couperet *m*, couteau *m* de boucher; (*matarife*) tueur *m*, boucher *m*.
jilguero *nm* chardonneret *m*.
jinete *nm* cavalier *m*.
jipijapa *nm* (AM) panama *m*.
jira *nf* (*de tela*) morceau *m ou* pièce *f* d'étoffe; (*excursión*) partie *f* de campagne, pique-nique *m*.
jirafa *nf* girafe *f*.
jirón *nm* lambeau *m*.
jocoserio, a *a* tragi-comique.
jocosidad *nf* drôlerie *f*, plaisanterie *f*.
jocoso, a *a* amusant(e), comique, drôle.

jofaina *nf* cuvette *f*.
jornada *nf* journée *f*.
jornal *nm* journée *f*, salaire *m*; **jornalero, a** *a* journalier(ière).
joroba *nf* bosse *f*; (*fam*) corvée *f*, embêtement *m*; **jorobado, a** *a* bossu(e) // *nm/f* bossu/e.
jota *nf* (*danza*) *danse aragonaise*; (*NAIPES*) valet *m*; (*fam*) iota *m*, brin *m*, rien *m*.
joven *a* jeune // *nm/f* jeune *m/f*.
jovial *a* jovial(e); **jovialidad** *nf* jovialité *f*, enjouement *m*.
joya *nf* bijou *m*; **joyel** *nm* petit bijou; **joyería** *nf* bijouterie *f*, joaillerie *f*; **joyero** *nm* (*persona*) bijoutier *m*, joaillier *m*; (*caja*) écrin *m*, coffret *m*.
juanete *nm* oignon *m*.
jubilación *nf* (*retiro*) retraite *f*, jubilation *f*; (*alegría*) joie *f*.
jubilar *vt* mettre à la retraite; (*fam*) mettre au rancart // *vi* se réjouir; ~**se** *vr* prendre sa retraite.
jubileo *nm* (*indulgencia*) jubilé *m*; (*fam*) va-et-vient *m*, remue-ménage *m*.
júbilo *nm* allégresse *f*, jubilation *f*.
jubón *nm* pourpoint *m*, justaucorps *m*.
judaísmo *nm* judaïsme *m*.
judía *nf ver* **judío**.
judicatura *nf* (*cargo de juez*) judicature *f*; (*magistratura*) magistrature *f*.
judicial *a* judiciaire.
judío, a *a* juif(ive) // *nm/f* Juif/ive // *nf* haricot *m*; **judía blanca/escarlata** haricot blanc/rouge.
juego *vb ver* **jugar** // *nm* jeu *m*; **fuera de** ~ hors jeu; ~ **de sábanas** paire *f* de draps; ~ **de té** service *m* à thé.
jueves *nm inv* jeudi *m*.
juez *nm* juge *m*; ~ **de línea** juge de touche; ~ **de salida** starter *m*.
jugada *nf* coup *m*; **buena** ~ beau coup, heureux coup; (*fam*): **hacer una buena/mal** ~ jouer un bon/mauvais tour.
jugador, a *nm/f* joueur/euse.
jugar *vt, vi*, ~**se** *vr* jouer.
juglar *nm* jongleur *m*.
jugo *nm* (*BOT*) jus *m*; (*fig*) essentiel *m*; ~ **de naranja** jus d'orange; ~ **gástrico** suc *m* gastrique; **jugoso, a** *a* juteux(euse); (*fig*) substantiel(le); savoureux(euse); lucratif(ive).
juguete *nm* jouet *m*; (*TEATRO*) divertissement *m*; **juguetear** *vi* jouer, s'amuser, folâtrer.
juguetón, ona *a* joueur(euse); folâtre.
juicio *nm* jugement *m*; **sacar de** ~ mettre hors de soi; **juicioso, a** *a* judicieux(euse), sensé(e), sage.
julio *nm* juillet *m*.
jumento, a *nm/f* âne/sse.
junco *nm* jonc *m*; ~ **de Indias** jonc d'Inde, rotin *m*.
junio *nm* juin *m*.
junquillo *nm* jonquille *f*.
junta *nf ver* **junto**.
juntamente *ad* (*conjuntamente*) ensemble, conjointement; (*al mismo tiempo*) à la fois, ensemble.
juntar *vt* joindre; rassembler; (*dinero*) amasser; (*puerta*) fermer à demi; ~**se** *vr* se joindre; se réunir; se rassembler; (*arrimarse*) s'approcher, se rapprocher; (*vivir juntos*) avoir une liaison, vivre ensemble.
junto, a *a* (*unido*) joint(e); (*anexo*) à côté, proche; (*continuo, próximo*) contigu(ë), proche // *ad*: **todo** ~ tout à la fois // *nf* (*asamblea*) conseil *m*; (*militar*) junte *f*; (*articulación*) jointure *f*, articulation *f*; ~ **a** près de; ~**s** ensemble; **junta universal** joint *m* de cardan.
juntura *nf* (*punto de unión*) jointure *f*, joint *m*; (*articulación*) articulation *f*.
jurado *nm* (*tribunal*) jury *m*; (*de concurso*) membre *m* du jury.
juramentar *vt* assermenter; ~**se** *vr* recevoir le serment; prêter serment; se faire le serment.
juramento *nm* serment *m*, jurement *m*; (*maldición*) juron *m*, blasphème *m*; **prestar** ~ prêter

serment; **tomar** ~ **a** recevoir le serment de.
jurar *vt, vi* jurer; ~ **en falso** faire *ou* prêter un faux serment; **jurárselas a uno** promettre de se venger de qn.
jurídico, a *a* juridique.
jurisconsulto *nm* jurisconsulte *m.*
jurisdicción *nf* juridiction *f,* compétence *f,* autorité *f;* district *m,* aire administrative.
jurisprudencia *nf* jurisprudence *f.*
jurista *nm/f* juriste *m/f.*
justa *nf ver* **justo.**
justamente *ad* justement.
justicia *nf* (*equidad*) justice *f,* droit *m;* rectitude *f,* impartialité *f;* **justiciero, a** *a* juste; droit(e); impartial(e); justicier(ière).
justificación *nf* justification *f.*
justificar *vt* justifier, excuser, disculper; ~**se** *vr* se justifier, se disculper.
justo, a *a* juste // *ad* (*precisamente*) exactement, précisément; (*ajustadamente*) correctement // *nf* joute *f.*
juvenil *a* juvénile.
juventud *nf* (*adolescencia*) adolescence *f,* jeunesse *f,* nubilité *f;* (*jóvenes*) jeunesse; (*inexperiencia*) inexpérience *f.*
juzgado *nm* tribunal *m.*
juzgar *vt* juger; **a** ~ **por...** à en juger d'après....

K

kepis *nm* képi *m.*
kg *abr ver* **kilo.**
kilo *nm* kilo *m* // *pref:* ~**gramo** *nm* (**kg**) kilogramme *m (kg);* ~**litro** *nm* kilolitre *m;* ~**metraje** *nm* kilométrage *m;* **kilómetro** *nm* (**km**) kilomètre *m* (*km*); ~**vatio** *nm* (**kv**) kilowatt *m (kw).*
kiosco *nm* = **quiosco.**
km *abr ver* **kilo.**
kv *abr ver* **kilo.**

L

l *abr de* **litro.**
la *det* la // *pron* la // *nm* (MUS) la *m;* ~ **del sombrero rojo** celle au chapeau rouge.
laberinto *nm* labyrinthe *m.*
labial *a* labial(e).
labio *nm* lèvre *f.*
labor *nf* travail *m;* (AGR) labour *m;* (*costura*) ouvrage *m (de dame);* **laborable** *a* ouvrable; **laborar** *vi* travailler; **laboreo** *nm* (AGR) labourage *m;* (*de minas*) exploitation *f;* **laborioso, a** *a* laborieux(euse), travailleur(euse); difficile.
labrado, a *a* travaillé(e); (*cincelado*) ciselé(e); (*metal*) repoussé(e) // *nm* (AGR) labours *mpl;* (*de piedras, metales*) taille *f.*
labrador, a *a* paysan(ne) // *nm/f* paysan/ne.
labrantío *nm* terrain *m* cultivable.
labranza *nf* labourage *m;* (*trabajo*) ouvrage *m,* travail *m.*
labrar *vt* labourer; travailler; (*fig*) travailler à.
labriego, a *nm/f* paysan/ne.
laca *nf* laque *f.*
lacayo *nm* laquais *m.*
lacerar *vt* blesser, lacérer, meurtrir.
lacio, a *a* fané(e); faible; abattu(e); raide.
lacónico, a *a* laconique.
lacrar *vt* cacheter (à la cire); rendre malade, contaminer; nuire, faire du tort à; ~**se** *vr* ruiner sa santé.
lacre *nm* cire *f* (à cacheter).
lacrimoso, a *a* larmoyant(e); pleurnichard(e).

lácteo, a *a* (*de leche*) lacté(e); (*fig*) laiteux(euse).
ladear *vt* pencher, incliner; (*ciudad, colina*) contourner // *vi* incliner; ~**se** *vr* changer d'avis.
ladera *nf* versant *m*.
ladino, a *a* malin(igne), rusé(e).
lado *nm* côté *m*; (*fig*) appuis *mpl*; **del ~ de** du côté de; **por todos los ~s** de tous côtés.
ladrar *vi* aboyer; (*fam*) brailler; **ladrido** *nm* aboiement *m*.
ladrillo *nm* brique *f*; (*color*) rouge brique *m*.
ladrón, ona *nm/f* voleur/euse.
lagar *nm* pressoir *m*.
lagarto *nm* (ZOOL) lézard *m*; (*fig: fam*) fine mouche, fin matois; ~ **de Indias** caïman *m*.
lago *nm* lac *m*.
lágrima *nf* larme *f*; **lagrimar** *vi* pleurer.
laguna *nf* (*lago*) lagune *f*, lagon *m*; (*hueco*) lacune *f*.
laico, a *a* laïque.
lama *nf* vase *f*, boue *f*; (BOT) ulve *f* // *nm* lama *m*.
lamentable *a* lamentable, triste.
lamentación *nf* lamentation *f*.
lamentar *vt, vi* (*sentir piedad*) regretter; (*deplorar*) déplorer; ~**se** *vr* se lamenter, se désoler; **lamento** *nm* lamentation *f*.
lamer *vt* lécher.
lámina *nf* (*plancha delgada*) lame *f*; (*para estampar, estampa*) planche *f*; **laminar** *vt* laminer.
lámpara *nf* lampe *f*; ~ **de alcohol/gas** lampe à alcool/gas; ~ **de pie** lampadaire *m*.
lampiño *a* imberbe, glabre.
lana *nf* laine *f*.
lance *nm* événement *m*, incident *m*; conjoncture *f*; (*riña*) dispute *f*; coup *m*; **libros de ~** livres d'occasion.
lancero *nm* lancier *m*.
lancha *nf* barque *f*, canot *m*; ~ **automóvil** vedette *f*; ~ **de pesca** barque de pêche; ~ **salvavidas/torpedera** vedette de sauvetage/lance-torpilles; **lanchero** *nm* patron *m* d'une barque.
landó *nm* landau *m*.
lanero, a *a* lainier(ière) // *nm* lainier *m*.
langosta *nf* (*insecto*) sauterelle *f*; (*crustáceo*) langouste *f*; (*fig*) plaie *f*, fléau *m*; **langostín, langostino** *nm* gros bouquet, grosse crevette.
languidecer *vi* languir; **languidez** *nf* langueur *f*, apathie *f*; **lánguido, a lánguido, a** *a* languissant(e), fatigué(e); apathique.
lanilla *nf* duvet *m*, poil *m* (d'un lainage).
lanudo, a *a* laineux(euse).
lanza *nf* (*arma*) lance *f*; (*de vagón*) timon *m*.
lanzadera *nf* navette *f*.
lanzamiento *nm* lancement *m*, jet *m*.
lanzar *vt* (*gen*) lancer; jeter; projeter; (*barco*) larguer; (JUR) dépouiller, déposséder; (MED) vomir; ~**se** *vr* se lancer.
laña *nf* agrafe *f*, bride *f*.
lapa *nf* patelle *f*, bernique *f*.
lapicero *nm* porte-crayon *m*; crayon *m*.
lápida *nf* pierre *f* qui porte une inscription; ~ **mortuoria** pierre tombale; ~ **conmemorativa** plaque commémorative; **lapidar** *vt* lapider; (AM) tailler; **lapidario, a** *a* lapidaire // *nm* lapidaire *m*.
lápiz *nm* crayon *m*; ~ **de color** crayon de couleur; ~ **de labios** rouge *m* à lèvres.
lapón, ona *a* lapon(ne).
lapso *nm* (*de tiempo*) laps *m*; (*error*) lapsus *m*.
largar *vt* (*soltar*) lâcher; (*aflojar*) relâcher; (*lanzar*) lancer; (*fam*) administrer; (*pelota*) jeter; (*velas*) déployer, larguer; (AM) vendre, se débarrasser de; abandonner; ~**se** *vr* (*fam*, NAUT) prendre le large; ~**se a** (AM) se mettre à.
largo, a *a* (*longitud*) long(ue), grand(e); (*tiempo*) long; (*persona: alta*) grand(e); (*fig*) astucieux(euse)

// *nm* longueur *f*; (*MUS*) largo *m* // *ad* largement; **dos años ~s** deux bonnes années; (*NAUT*): **tomar el ~** courir largue.
largueza *nf* largesse *f*.
lárice *nm* mélèze *m*.
laringe *nf* larynx *m*.
larva *nf* larve *f*.
las *det* les // *pron* les; **~ que cantan** celles qui chantent.
lascivo, a *a* lascif(ive).
láser *nm* laser *m*.
lasitud *nf* lassitude *f*.
lástima *nf* (*pena*) pitié *f*, peine *f*; (*queja*) lamentation *f*, plainte *f*; **dar ~** faire pitié *ou* de la peine; **es ~ que** c'est dommage que.
lastimar *vt* (*herir*) blesser, faire mal à; (*ofender*) offenser; (*compadecer*) plaindre, avoir pitié de; **~se** *vr* se faire mal; **~se de** compatir à, plaindre; **lastimero, a, lastimoso, a** *a* plaintif(ive); pitoyable; navrant(e); déplorable.
lastrar *vt* lester.
lastre *nm* lest *m*, ballast *m*; poids mort; jugement *m*, bon sens.
lata *nf ver* **lato**.
latente *a* latent(e).
lateral *a* latéral(e) // *nm* côté *m*.
latido *nm* (*del corazón*) battement *m*; (*del perro*) jappement *m*.
latifundio *nm* latifundium *m* (*pl* latifundia); **latifundista** *nm/f* propriétaire *m/f* d'un latifundium.
latigazo *nm* coup *m* de fouet; claquement *m* de fouet; sermon *m*, semonce *f*; coup.
látigo *nm* fouet *m*.
latín *nm* latin *m*; **latinidad** *nf* latinité *f*.
latino, a *a* latin(e); **~americano** latino-américain(e).
latir *vi* (*corazón, pulso*) battre; (*perro*) japper, glappir.
latitud *nf* (*GEO*) latitude *f*; (*fig*) largeur *f*, étendue *f*, distance *f*.
lato, a *a* large, étendu(e) // *nf* (*metal*) fer-blanc *m*; (*envase*) boîte *f* (de conserve); (*fam*) ennui *m*; **tomates en lata** tomates en conserve; **¡qué lata!** quelle barbe!; **dar la lata** a assommer.
latón *nm* laiton *m*.
latrocinio *nm* larcin *m*, vol *m*.
laúd *nm* luth *m*.
laudable *a* louable.
laudo *nm* arbitrage *m*, jugement arbitral.
laureado, a *a* couronné(e) // *nm* lauréat *m*.
laurel *nm* (*BOT*) laurier *m*; (*fig*) lauriers *mpl*.
lava *nf* lave *f*.
lavabo *nm* lavabo *m*.
lavadero *nm* lavoir *m*; (*de casa*) buanderie *f*.
lavado *nm* lavage *m*; (*ARTE*) lavis *m*.
lavadora *nf* machine *f* à laver.
lavamanos *nm* lavabo *m*.
lavandero, a *nm/f* blanchisseur/euse.
lavaplatos *nm/f inv* plongeur/euse.
lavar *vt* laver; (*borrar*) effacer; **~se** *vr* se laver.
lavavajillas *nm inv* lave-vaisselle *m inv*.
laxante *nm* laxatif *m*.
laxitud *nf* laxité *f*; relâchement *m*.
laya *nf* bêche *f*, fourche *f*.
lazada *nf* nœud *m*.
lazarillo *nm* guide *m* d'aveugle.
lazo *nm* nœud *m*; (*lazada*) laçage *m*; (*para animales*) lasso *m*; (*trampa*) piège *m*; (*de camino*) lacet *m*; (*vínculo*) lien *m*.
lb(s) *abr de* **libra(s)**.
le *pron* (*indirecto*) lui; (: *usted*) vous; (*directo*) le, l'; (: *usted*) vous.
leal *a* loyal, fidèle.
lealtad *nf* loyauté *f*, fidélité *f*.
lebrel *nm* lévrier *m*.
lección *nf* leçon *f*.
lector, a *nm/f* lecteur/trice.
lectura *nf* lecture *f*.
leche *nf* lait *m*; (*BOT*) latex *m*; **tener mala ~** être de mauvais poil; **~ condensada/en polvo** lait condensé/en poudre; **lechera** *nf* (*vendedora*) crémière *f*, laitière *f*;

(*para hervir*) laitière; (*para servir*) pot *m* à lait; (AM) vache laitière; **lechería** *nf* laiterie *f*; débit *m* de lait.
lechigada *nf* portée *f*; (*fig*) bande *f* de voyous.
lecho *nm* (*cama*) lit *m*, couche *f*; (*de río*) lit; (GEO) strate *f*.
lechón *nm* cochon *m* de lait.
lechoso, a *a* laiteux(euse).
lechuga *nf* laitue *f*; (*fig*) toupet *m*, culot *m*.
lechuguino *nm* jeune gommeux *m*, petit-maître *m*.
lechuza *nf* chouette *f*.
leer *vt* lire.
legación *nf* légation *f*.
legado *nm* (*don*) legs *m*; (*herencia*) héritage *m*; (*enviado*) légat *m*.
legajo *nm* liasse *f* de papiers, dossier *m*.
legal *a* légal(e); autorisé(e); **legalidad** *nf* légalité *f*; **legalizar** *vt* légaliser, certifier; autoriser, promulguer.
légamo *nm* (*cieno*) vase *f*; (*limo*) limon *m*.
legar *vt* léguer; **legatario, a** *nm/f* légataire *m/f*.
legión *nf* légion *f*; **legionario, a** *a* de la Légion // *nm* légionnaire *m*.
legislación *nf* législation *f*.
legislar *vt* légiférer.
legitimar *vt* légitimer.
legítimo, a *a* (*genuino*) authentique, véritable; (*legal*) légitime.
lego, a *a* laïque; ignorant(e); profane.
legua *nf* lieue *f*.
leguleyo *nm* avocaillon *m*.
legumbre *nf* légume *m*.
leído, a *a* très cultivé(e).
lejanía *nf* éloignement *m*, lointain *m*.
lejano, a *a* éloigné(e), lointain(e); (*en el tiempo*) lointain; (*fig*) inaccessible.
lejía *nf* lessive *f*; eau de javel *f*.
lejos *ad* loin; **a lo** ~ au loin; **de** *o* **desde** ~ de loin; ~ **de** loin de.
lelo, a *a* sot(te); (*fig*) bouche bée // *nm/f* niais/e.
lema *nm* devise *f*.
lencería *nf* lingerie *f*.
lengua *nf* langue *f*; ~ **moderna** langue vivante.
lenguado *nm* sole *f*.
lenguaje *nm* langage *m*.
lenguaraz *a* polyglotte; (*pey*) médisant(e).
lengüeta *nf* (ANAT) épiglotte *f*; (*de balanza, zapatos*, MUS) languette *f*; (*herramienta*) fraise *f* à bois.
lenidad *nf* indulgence *f*.
lenitivo, a *a* lénitif(ive).
lente *nm o f* lentille *f*; (*lupa*) loupe *f*; ~**s** *pl* lunettes *fpl*; ~**s de contacto** verres de contact.
lenteja *nf* lentille *f*.
lentitud *nf* lenteur *f*; (*calma*) calme *m*.
lento, a *a* lent(e).
leña *nf* bois *m*; **leñador, a, leñatero, a** *nm/f* bûcheron/ne.
leño *nm* (*trozo de árbol*) bûche *f*; (*madera*) bois *m*; (*fig*) souche *f*, bûche.
Leo *nm* le Lion; **ser (de)** ~ être (du) Lion.
león *nm* lion *m*; (AM) puma *m*; ~ **marino** lion de mer; **leonino, a** *a* léonin(e).
leopardo *nm* léopard *m*.
lepra *nf* lèpre *f*; **leproso, a** *nm/f* lépreux/euse.
lerdo, a *a* gauche; lourd(e).
les *pron* (*directo*) les; (: *ustedes*) vous; (*indirecto*) leur; (: *ustedes*) vous.
lesión *nf* (*daño*) dommage *m*, lésion *f*; (*fig*) lésion.
letal *a* létal(e).
letanía *nf* litanie *f*.
letargo *nm* (MED) léthargie *f*; (*fig*) torpeur *f*.
letra *nf* lettre *f*; (*escritura*) écriture *f*; (MUS) paroles *fpl*; ~ **de cambio** lettre de change; ~ **de imprenta** caractère *m* d'imprimerie; **letrado, a** *a* lettré(e); (*fam*) poseur(euse), pédant(e) // *nm* avocat *m*; **letrero**

nm (*cartel*) écriteau *m*, panonceau *m*; (*etiqueta*) étiquette *f*.
leva *nf* (NAUT) partance *f*; (MIL) levée *f* de soldats; (TEC) came *f*.
levadizo *a*: **puente ~** pont-levis *m*.
levadura *nf* (*para el pan*) levain *m*; (*de la cerveza*) levure *f*.
levantamiento *nm* levée *f*; haussement *m*; soulèvement *m*.
levantar *vt* lever; ériger, construire; fonder, instituer; fortifier; (*causar*) soulever, susciter, provoquer; (*voz*) élever; **~se** *vr* se lever; (*enderezarse*) se redresser; (*rebelarse*) se dresser; **~ la mesa** débarrasser la table; **~ el ánimo** remonter le moral; **~ un pueblo** soulever un peuple.
levante *nm* levant *m*, orient *m*; (*viento*) vent *m* de l'est.
levar *vt* lever; **~se** *vr* mettre à la voile.
leve *a* léger(ère); (*fig*) anodin(e); **levedad** *nf* légèreté *f*.
levita *nf* redingote *f*.
léxico *nm* lexique *m*.
ley *nf* loi *f*; (*peso*) titre *m*, aloi *m*.
leyenda *nf* légende *f*.
leyó *etc vb ver* **leer**.
liar *vt* lier, attacher; (*unir*) raccorder, relier; (*enredar*) embobiner, rouler; (*cigarrillo*) rouler; **~se** *vr* (*fam*) plier bagage; **~se a palos** en venir aux coups.
Líbano *nm*: **el ~** (le) Liban.
libar *vt* sucer; butiner; déguster.
libelo *nm* libelle *m*, pamphlet *m*.
libélula *nf* libellule *f*.
liberal *a* libéral(e) // *nm/f* libéral/e; **liberalidad** *nf* libéralité *f*; (*de costumbres*) liberté *f*.
libertad *nf* liberté *f*; (*soltura*) aisance *f*; **~ de culto/de prensa/de comercio** liberté du culte/de presse/du commerce; **~ condicional** liberté conditionnelle.
libertar *vt* (*preso*) délivrer; (*de una obligación*) libérer; (*eximir*) exempter.
libertino, a *a* libertin(e) // *nm/f* libertin/e.
libra, (lb) *nf* livre *f*; (ASTRO): **L~** la balance; **ser (de) L~** être (de la) Balance; **~ esterlina** livre sterling.
librador, a *nm/f* tireur/euse.
libramiento *nm* délivrance *f*; (COM) ordre *m* de paiement.
libranza *nf* (COM) ordre *m* de paiement; (*de letra de cambio*) tirage *m*.
librar *vt* (*de peligro*) sauver; (*batalla*) livrer; (*de impuestos*) exonérer, décharger, exempter; (*secreto*) livrer, divulguer; (*mercancías*) livrer; (*cheque*) tirer; (JUR) prononcer // *vi* accoucher; **~se** *vr*: **~se de** échapper à, éviter.
libre *a* (*persona*) libre; (*lugar*) peu encombré(e); (*asiento*) libre; (*de impuestos*) exonéré(e), exempt(e); (*de deudas*) quitte; (*pey*) osé(e); **tiro ~** coup franc; **los 100 metros ~** les 100 mètres nage libre; **al aire ~** à l'air libre.
librea *nf* livrée *f*.
librería *nf* (*biblioteca*) bibliothèque *f*; (*comercio*) librairie *f*.
librero, a *nm/f* libraire *m/f*.
libreta *nf* livret *m*, carnet *m*; **~ de ahorros** livret de caisse d'épargne; **~ de banco** carnet de chèques.
libro *nm* livre *m*; **~ en rústica/en pasta** *o* **encuadernado** livre broché/relié; **~ de caja** livre de caisse; **~ de inventario** registre *m* d'inventaire; **~ de pedidos** carnet *m* de commandes; **~ de texto** manuel *m* (scolaire), livre au programme.
Lic. *abr de* **licenciado, a**.
licencia *nf* licence *f*; (*permiso*) permission *f*, autorisation *f*; **~ por enfermedad/con goce de sueldo** congé *m* de maladie/payé; **~ de caza/de conductor** permis *m* de chasse/de conduire; **~ de derecho/de letras** licence en droit/ès lettres; **licenciado, a** *a* congédié(e), licencié(e) // *nm/f* licencié/e; **licenciar** *vt* (*empleado*) congédier, licencier; (*permitir*) autoriser; (*soldado*) libérer;

(*estudiante*) conférer le grade de licencié à; ~**se** *vr*: ~**se en letras** passer sa licence de lettres.
licencioso, a *a* licencieux(euse).
liceo *nm* société *f* littéraire.
licitador *nm* enchérisseur *m*, offrant *m*; (AM) commissaire priseur *m*.
licitar *vt* enchérir; acheter aux enchères.
lícito, a *a* licite, permis(e).
licor *nm* liqueur *f*.
licuefacer *vt* liquéfier.
lid *nf* lutte *f*, combat *m*; (*fig*) discussion *f*.
líder *nm/f* leader *m*, chef *m*.
lidia *nf* combat *m*; **toros de** ~ taureaux de combat; **lidiar** *vt* combattre // *vi*: **lidiar con** *o* **contra** batailler avec, avoir affaire à.
liebre *nf* lièvre *m*.
lienzo *nm* tissu *m*, étoffe *f*, toile *f*; (ARTE) toile; (ARQ) pan *m* (de mur); (AM) morceau *m* de clôture.
liga *nf* (*de medias*) jarretelle *f*; (*venda*) bandage *m*; (*confederación*) ligue *f*; (*aleación*) alliage *m*; (BOT) gui *m*.
ligadura *nf* ligature *f*; (MUS) liaison *f*.
ligamento *nm* (ANAT) ligament *m*; (*atadura*) attache *f*, lien *m*; (*unión*) lien.
ligar *vt* (*atar*) lier, attacher; (*relacionar, encadenar*) relier, rattacher; (*metales*) allier // *vi* (MED) ligaturer; (MUS) lier; (*tocar*) correspondre; (*fam*) draguer; (*entenderse*) s'entendre; ~**se** *vr* s'allier.
ligereza *nf* légèreté *f*; (*superficialidad*) superficialité *f*.
ligero, a *a* léger(ère); leste; momentané(e); (*leve*) peu grave; (*informal*) à la légère; (*liviano*) léger, digeste // *ad* (AM) vite, rapidement.
lija *nf* papier *m* de verre.
lila *nf* lilas *m* // *nm* lilas; (*fam*) gourde *f*, sot/te, niais/e.
Lima *n* Lima.
lima *nf* lime *f*; (BOT) lime, limette *f*; ~ **de carpintero** rape *f* à bois; ~ **de uñas** lime à ongles; **limar** *vt* limer.
limitación *nf* limitation *f*.
limitar *vt* limiter // *vi*: ~ **con** jouxter; ~**se** *vr*: ~**se a** se borner à.
límite *nm* limite *f*.
limítrofe *a*: ~ **con** limitrophe de.
limón *nm* citron *m* // *a*: **amarillo** ~ jaune citron.
limosna *nf* aumône *f*.
limpiabotas *nm* cireur *m* (de chaussures).
limpiaparabrisas *nm inv* essuie-glace *m inv*.
limpiar *vt* nettoyer; (*árbol*) élaguer; (*el intestino*) dégager.
limpieza *nf* (*estado*) propreté *f*; (*acto*) nettoyage *m*; (: *de las calles*) nettoiement *m*; (*habilidad*) habileté *f*; (MIL): **operación de** ~ ratissage *m*; ~ **en seco** nettoyage à sec.
limpio, a *a* propre; (*moralmente*) pur(e); (COM) net(te); (*fam*) sans un sou // *ad*: **jugar** ~ jouer franc jeu // *nm*: **pasar una lección en** ~ mettre un cours au propre.
linaje *nm* lignée *f*; **linajudo, a** *a* de haute lignée.
linaza *nf* linette *f*; **aceite de** ~ huile *f* de lin.
lince *nm* lynx *m*.
lindante *a* contigu(ë); ~ **con** contigu à.
lindar *vi* toucher, être attenant(e); **linde** *nm o f* limite *f*, borne *f*; **lindero, a** *a* contigu(ë), limitrophe // *nm* limite *f*.
lindo, a *a* joli(e), beau (belle), mignon(ne) // *ad* (AM): **nos divertimos de lo** ~ nous nous sommes terriblement amusés; **canta muy** ~ il chante joliment.
línea *nf* ligne *f*; (*parentesco*) lignée *f*; ~ **de ataque** front *m* (de bataille); ~ **delantera** (DEPORTE) ligne avant.
lingüista *nm/f* linguiste *m/f*.
linimento *nm* liniment *m*.
lino *nm* lin *m*.
lintel *nm* linteau *m*.
linterna *nf* lanterne *f*; ~

eléctrica/a pilas lampe électrique/de poche.
lío *nm* paquet *m*; (*fam*) confusion *f*, imbroglio *m*; histoires *fpl*; (*desorden*) pagaille *f*.
liquidación *nf* liquéfaction *f*; (COM, JUR) liquidation *f*; **artículos en ~** articles en solde.
liquidar *vt* (*licuar*) liquéfier; (*mercaderías*) liquider, solder; (*pagar*) régler; (*terminar*) résoudre; (AM) liquider; **~se** *vr* se liquéfier; (AM) se suicider.
líquido, a *a* liquide; (*ganancia*) net(te); (AM) exact(e) // *nm* liquide *m*; **~ imponible** somme imposable.
lira *nf* (MUS) lyre *f*; (*moneda*) lire *f*.
lirio *nm* (BOT) iris *m*.
Lisboa *n* Lisbonne.
lisiado, a *a* estropié(e) // *nm/f* estropié/e.
lisiar *vt* blesser, estropier; **~se** *vr* se blesser.
liso, a *a* (*terreno*) plat(e); (*cabello*) raide, lisse; (*superficie*) plat, lisse; (*tela*) uni(e).
lisonja *nf* flatterie *f*; **lisonjear** *vt* flatter, aduler; (*fig*) charmer; **lisonjearse** *vr* prendre plaisir, se délecter; **lisonjero, a** *a* agréable; charmant(e); flatteur(euse) // *nm/f* flatteur/euse.
lista *nf ver* **listo.**
listado, a *a* rayé(e).
listo, a *a* (*perspicaz*) vif(vive); (*preparado*) prêt(e) // *nf* (*de alumnos*) liste *f*, feuille d'appel *f*; (*de libros*) catalogue *m*; (*de correos*) poste restante *f*; (*de platos*) menu *m*; (*de precios*) tarif *m*; **comida lista** plat cuisiné; **pasar lista** faire l'appel; **tela a listas** tissu à rayures.
listón *nm* baguette *f*; ruban de soie étroit; listel *m*, liston *m*.
litera *nf* (*en barco, tren*) couchette *f*; (*en dormitorio*) lit superposé.
literato, a *a* cultivé(e) // *nm/f* homme/femme de lettres, écrivain *m*.
literatura *nf* littérature *f*.
litigar *vt* plaider // *vi* (JUR) être en litige; (*fig*) se disputer, discuter.
litigio *nm* (JUR) litige *m*, procès *m*; (*fig*): **en ~ con** en litige avec.
litografía *nf* lithographie *f*.
litoral *a* littoral(e) // *nm* littoral *m*.
litro, (l) *nm* litre *m*, (l).
liviano, a *a* (*persona*) superficiel(le), léger(ère); (*cosa, objeto*) léger.
lívido, a *a* violacé(e); (AM) livide.
ll... *voir sous la lettre* **LL**, *après* **L**.
lo *det* le, ce qui est; **~ bueno** ce qui est bon // *pron* le, l'.
loa *nf* louange *m*; **loable** *a* louable; **loar** *vt* louer, faire l'éloge de.
lobato *nm* louveteau *m*.
lobo *nm* loup *m*; (AM: *zorro*) renard *m*; (: *coyote*) coyote *m* // *nm/f* (AM) métis/se; **~ de mar** loutre *m*.
lóbrego, a *a* obscur(e), ténébreux (euse); (*fig*) triste.
lóbulo *nm* lobe *m*.
locación *nf* location *f*.
local *a* local(e); (*transporte*) citadin(e) // *nm* local *m*; **localidad** *nf* localité *f*; village *m*; (*para espectáculo*) place *f*; **localizar** *vt* joindre; localiser; circonscrire.
loco, a *a* fou(folle) // *nm/f* fou/folle.
locomoción *nf* locomotion *f*.
locomotora *nf* locomotive *f*.
locuaz *a* loquace.
locución *nf* locution *f*.
locura *nf* folie *f*.
lodo *nm* boue *f*.
lógico, a *a* logique // *nm/f* logicien/ne // *nf* logique *f*.
logogrifo *nm* logogriphe *m*.
lograr *vt* obtenir; (*victoria*) remporter; **~ hacer** réussir à faire; **~ que venga** obtenir qu'il vienne.
logro *nm* obtention *f*, succès *m*; **prestar a ~** prêter avec usure.
loma *nf* colline *f*.
lombriz *nf* ver *m* de terre; **~ solitaria** ver solitaire.
lomo *nm* (*de animal*) échine *f*, dos *m*; (*de cerdo*) filet *m*; (: *vaca*) entrecôte *m*; (*de libro*) dos.
lona *nf* toile *f* à voile.

Londres *n* Londres.
longaniza *nf* saucisse *f*.
longitud *nf* longueur *f*; **tener 3 metros de** ~ faire 3 mètres de long; ~ **de onda** longueur d'onde.
lonja *nf* tranche *f*; ~ **de pescado** halle *f* au poisson.
lontananza *nf* lointain *m*.
loor *nm* louange *f*.
loro *nm* perroquet *m*.
los *det* les // *pron* les; (*ustedes*) vous; ~ **de la cosecha anterior** ceux de la récolte précédente.
losa *nf* dalle *f*; ~ **sepulcral** pierre tombale.
lote *nm* lot *m*.
lotería *nf* loterie *f*; (*juego*) loto *m*.
loza *nf* faïence *f*; **lavar la** ~ faire la vaisselle.
lozanía *nf* vigueur *f*; fraîcheur *f*.
lozano, a *a* luxuriant(e); exubérant(e); frais(fraîche).
lubricar *vt* lubrifier.
lucero *nm* étoile brillante.
lucidez *nf* lucidité *f*.
lúcido, a *a* lucide.
luciente *a* brillant(e).
luciérnaga *nf* ver *m* luisant, luciole *f*.
lucimiento *nm* éclat *m*, lustre *m*.
lucir *vt* éclairer, illuminer; (*fig*) arborer; exhiber // *vi* briller, luire; ~**se** *vr* se faire valoir.
lucrarse *vr* profiter, s'enrichir.
lucro *nm* gain *m*, lucre *m*; profit *m*, intérêt *m*.
luctuoso, a *a* triste, affligeant(e).
lucha *nf* lutte *f*; ~ **de clases** lutte des classes; ~ **libre** lutte libre; **luchar** *vi* lutter.
ludibrio *nm* raillerie *f*, risée *f*.
luego *ad* puis; plus tard; donc; **desde** ~ évidemment; **tan** ~ **como** dès que.
lugar *nm* lieu *m*; (*sitio*) place *f*; **en** ~ **de** au lieu de; **hacer** ~ faire de la place; **fuera de** ~ hors de propos; **tener** ~ avoir lieu.
lugareño, a *a* villageois(e), paysan(ne) // *nm/f* campagnard/e, paysan/ne.
lúgubre *a* lugubre.
lujo *nm* luxe *m*; **casamiento de** ~ mariage en grande pompe; **lujoso, a** *a* luxueux(euse).
lujuria *nf* luxure *f*; (*fig*) excès *m*, profusion *f*.
lumbre *nf* feu *m*.
lumbrera *nf* lumière *f*; (*en techo*) lucarne *f*; (*de barco*) claire-voie *f*.
luminoso, a *a* lumineux(euse).
luna *nf* lune *f*; (*de un espejo*) miroir *m*; (*de gafas*) verre *m*; (*fig*) caprice *m*, extravagance *f*; ~ **llena/nueva** pleine/nouvelle lune; **estar con** ~ être de mauvaise humeur.
lunar *a* lunaire // *nm* grain *m* de beauté; **tela a** ~**es** tissu à pois.
lunes *nm inv* lundi *m*.
luneta *nf* verre *m* de lunettes.
lusitano, a *a* lusitanien(ne).
lustrar *vt* (*mueble*) astiquer; (*zapatos*) cirer; **lustre** *nm* lustre *m*, brillant *m*; (*fig*) éclat *m*, gloire *f*; **dar lustre a** faire briller; **lustroso, a** *a* brillant(e).
luterano, a *a* luthérien(ne).
luto *nm* deuil *m*; ~**s** *nmpl* tentures *fpl* de deuil; **llevar el/vestirse de** ~ porter le/être en deuil.
Luxemburgo *nm* Luxembourg *m*.
luz *nf* (*pl* **luces**) lumière *f*; **dar a** ~ **un niño** donner le jour à un enfant; **sacar a** ~ publier, faire paraître; (*ELEC*): **dar** ~ éclairer; **prender/apagar la** ~ allumer/éteindre la lumière; **a todas luces** de toute évidence; **hacer la** ~ **sobre** faire la lumière sur; **tener pocas luces** ne pas être très intelligent(e); ~ **roja/verde** feu rouge/vert; (*AUTO*): ~ **de costado** clignotant *m*; ~ **de freno** indicateur *m* de freinage; ~ **del relámpago** flash *m*; **luces del tránsito** feux de signalisation.

LL

llaga *nf* plaie *f.*
llama *nf* flamme *f*; (*ZOOL*) lama *m.*
llamada *nf* appel *m*; ~ **al orden** rappel *m* à l'ordre; **toque de** ~ (*MIL*) appel *m*; ~ **a pie de página** renvoi *m* en bas de page.
llamamiento *nm* appel *m.*
llamar *vt* appeler; (*atención*) attirer // *vi* (*por teléfono*) téléphoner; (*en una casa*) sonner, frapper (à la porte); (*por señas*) faire des signes; (*MIL*) appeler (sous les drapeaux); ~**se** *vr* s'appeler.
llamarada *nf* flambée *f*; rougeur vive, bouffée *f* de sang; emportement *m.*
llamativo, a *a* qui attire l'attention, voyant(e).
llamear *vi* flamber.
llaneza *nf* simplicité *f*, laisser-aller *m.*
llano, a *a* (*superficie*) plat(e); (*persona*) simple, affable; (*estilo*) simple, clair(e) // *nm* plaine *f.*
llanta *nf* jante *f*; (*AM*): ~ **de goma** pneu *m.*
llanto *nm* pleurs *mpl*, larmes *fpl.*
llanura *nf* plaine *f.*
llave *nf* clef *f*, clé *f*; (*inglesa*) clef à molette; (*del agua*) robinet *m*; (*de la luz*) interrupteur *m*; (*MUS*) clef; (*corchete*) accolade *f*; **llavín** *nm* petite clef.
llegada *nf* arrivée *f.*
llegar *vi* arriver; ~**se** *vr*: ~**se a** s'approcher de; ~ **a las manos** en venir aux mains.
llenar *vt* remplir; (*tiempo*) occuper; (*fig*) combler *ou* couvrir de.
lleno, a *a* plein(e); rempli(e) // *nm* (*abundancia*) abondance *f*; (*ASTRO*) pleine lune *f*; (*TEATRO*) salle comble *f*; **dar de** ~ **contra un muro** frapper *ou* cogner en plein contre un mur.
llevadero, a *a* supportable, tolérable; portable.
llevar *vt* (*cargar*) porter; (*quitar*) emporter; (*conducir a alguien*) emmener; (*cargar hacia*) apporter; (*traer*: *dinero*) avoir sur soi; (*conducir*) conduire; (*MAT*) retenir; ~**se** *vr* emporter; ~ **consigo** emporter; **llevamos dos días aquí** cela fait deux jours que nous sommes ici; (*COM*): ~ **los libros** tenir les comptes *ou* les livres; ~**se bien** s'entendre bien.
llorar *vt, vi* pleurer; ~ **de risa** rire aux larmes; **lloro** *nm* pleurs *mpl*, larmes *fpl*; **llorón, ona** *a* pleurnicheur(euse) // *nm/f* pleureur/euse; **lloroso, a** *a* éploré(e); en pleurs; triste; affligeant(e).
llover *vi* pleuvoir; ~**se** *vr* laisser passer l'eau.
llovizna *nf* bruine *f*, crachin *m*; **lloviznar** *vi* bruiner.
llueve *etc vb ver* **llover.**
lluvia *nf* pluie *f*; ~ **radioactiva** retombées radioactives; **lluvioso, a** *a* pluvieux(euse).

M

m *abr de* **metro**; *abr de* **minuto**.
macarrones *nmpl* macaronis *mpl.*
macerar *vt* macérer; (*fig*) mortifier; ~**se** *vr* se mortifier.
maceta *nf* (*de flores*) pot *m* de fleurs; (*para plantas*) jardinière *f*; (*mazo pequeño*) petit maillet.
macilento, a *a* émacié(e).
macizo, a *a* massif(ive); solide // *nm* bloc *m*; massif *m.*
mácula *nf* tache *f.*
machacar *vt* piler; (*carne*) broyer // *vi* être assommant(e).
machamartillo: **a** ~ *ad* solidement.
machete *nm* (*AM*) coutelas *m.*
macho *a* mâle; (*fig*) viril(e) // *nm* mâle *m.*

machucar *vt* écraser.
madeja *nf* écheveau *m.*
madera *nf* bois *m*; (ZOOL) corne *f.*
madero *nm* madrier *m*; (*fig*) navire *m.*
madrastra *nf* belle-mère *f.*
madre *a* mère // *nf* mère *f*; (ANAT) matrice *f*; (AGR) canal *m* d'irrigation; (*de vino etc*) lie *f*; (*de río*) lit *m*; ~ **política/soltera** belle-/fille-mère.
madreselva *nf* chèvrefeuille *m.*
Madrid *n* Madrid.
madriguera *nf* terrier *m.*
madrina *nf* (*protectora*) marraine *f*; (ARQ) poteau *m*; (TEC) bride *f*; (AM) *animal qui conduit le troupeau*; ~ **de boda** témoin *m.*
madrugada *nf* aube *f.*
madrugar *vi* se lever de bonne heure; (*fig*) supplanter.
madurar *vt, vi* mûrir.
madurez *nf* maturité *f.*
maduro, a *a* mûr(e) // *nm* (AM) banane *f.*
maestra *nf ver* **maestro**.
maestría *nf* maîtrise *f.*
maestro, a *a* maître(sse); (*animal*) dressé(e) // *nm/f* maître/sse; instituteur/trice // *nm* (*autoridad*) maître *m*; (MUS) maestro *m*; (AM) maître maçon // *nf* institutrice *f.*
magia *nf* magie *f*; **mágico, a** *a* magique // *nm/f* magicien/ne.
magistrado *nm* magistrat *m.*
magistral *a* magistral(e).
magistratura *nf* magistrature *f.*
magnánimo, a *a* magnanime.
magnate *nm* magnat *m.*
magnético, a *a* magnétique; **magnetizar** *vt* magnétiser.
magnetofón, magnetófono *nm* magnétophone *m*; **magnetofónico, a** *a*: **cinta magnetofónica** bande magétique.
magnífico, a *a* magnifique.
magnitud *nf* grandeur *f*; (*fig*) importance *f*; (ASTRO) magnitude *f.*
mago, a *nm/f* magicien/ne.
magro, a *a* maigre.
magullar *vt* meurtrir.
mahometano, a *a* mahométan(e).
maitines *nmpl* matines *fpl.*
maíz *nm* maïz *m.*
majada *nf* (*abrigo*) bergerie *f*, parc *m*; (*abono*) fumier *m.*
majadero, a *a* sot(te) // *nm* pilon *m.*
majar *vt* piler; (*fig*) embêter.
majestad *nf* majesté *f*; **majestuoso, a** *a* majestueux(euse).
majo, a *a* (*guapo*) joli(e), beau(belle); (*lujoso*) chic *inv.*
mal *ad* mal; (*con dificultad*) difficilement // *a* = **malo** // *nm* mal *m*; (*desgracia*) mal, malheur *m*; (MED) maladie *f*; **salir** ~ échouer; **¡menos ~!** heureusement!
malabarista *nm/f* jongleur/euse.
malaconsejado, a *a* mal élevé(e).
malagueño, a *a* de Malaga.
malbaratar *vt* (*malgastar*) gaspiller; (*malvender*) mévendre.
malcontento, a *a* mécontent(e).
malcriado, a *a* (*grosero*) mal élevé(e); (*consentido*) gâté(e).
maldad *nf* (*injusticia*) méchanceté *f*; (*daño*) tort *m.*
maldecir *vt* maudire // *vi*: ~ **de** médire.
maldición *nf* malédiction *f.*
maldito, a *pp de* **maldecir** // *a* (*execrable*) malheureux(euse); (*perverso*) satané(e); (*condenado*) damné(e) // *nf* langue *f.*
maleante *a* scélérat(e); pervers(e) // *nm/f* malfaiteur/trice; suspect/e.
malear *vt* corrompre.
malecón *nm* jetée *f.*
maledicencia *nf* médisance *f.*
maleficiar *vt* faire du mal; (*hechizar*) ensorceler; **maleficio** *nm* maléfice *m.*
malestar *nm* malaise *m.*
maleta *nf* valise *f*; (AUTO) coffre *f.*
malevolencia *nf* malveillance *f*; **malévolo, a** *a* malveillant(e).
maleza *nf* (*hierbas malas*) mauvaises herbes; (*arbustos*) fourré *m.*

malgastar *vt* (*tiempo, dinero*) gaspiller; (*salud*) user.
malhechor, a *a* malfaisant(e).
malicia *nf* (*maldad*) méchanceté *f*; (*astucia*) malice *f*; (*mala intención*) malignité *f*; (*carácter travieso*) espièglerie *f*; ~**s** *nfpl* soupçons *mpl*; **malicioso, a** *a* méchant(e); malicieux(euse); espiègle; malin (igne).
malignidad *nf* malignité *f*.
maligno, a *a* (*perverso*) pervers(e); (*pernicioso*) pernicieux (euse); (*malo*) méchant(e); (*malsano*) malsain(e); (MED) malin (igne).
malo, a *a* mauvais(e); (*pobre*) misérable; (*desagradable*) désagréable; (*desobediente*) méchant(e); (*falso*) faux(ausse); (MED) malade // *nm/f* vilain/e // *nf* pouasse *f*.
malograr *vt* (*desaprovechar*) laisser passer; (*frustrar*) rater; (*malgastar*) gaspiller; (*perder*) perdre; ~**se** *vr* (*plan*) tourner court; (*naufragarse*) faire naufrage; (*morir*) avoir une mort prématurée; **malogro** *nm* échec *m*; perte *f*; mort prématurée.
malparado, a *a*: **salir** ~ s'en tirer mal.
malparir *vt* faire une fausse couche.
malsano, a *a* malsain(e).
Malta *nf* Malte *f*.
maltratar *vt* maltraiter; **maltrato** *nm* (*descortesía*) affront *m*; (*ofensa*) offense *f*; (*daño*) mauvais traitement.
malva *nf* mauve *f*.
malvado, a *a* méchant(e).
malversar *vt* détourner des fonds.
malla *nf* maille *f*; (*de baño*) maillot *m* de bain; (*de baile*) maillot; ~ **de alambre** grille *f*; **hacer** ~ tricoter.
Mallorca *nf* Majorque *f*.
mallorquín, ina *a* majorquin(e).
mama *nf* (*de animal*) mamelle *f*; (*de persona*) sein *m*.
mamá *nf* (*pl* ~**s**) maman *f*.
mamar *vt* téter, donner à téter // *vi* téter, sucer.
mamarracho *nm* (*objeto*) croûte *f*, navet *m*; (*persona*) épouvantail *m*.
mamotreto *nm* (*libraco*) gros bouquin; (*bulto*) paquet encombrant.
mampara *nf* paravent *m*; cloison *f* mobile; cloison.
mamparo *nm* cloison *f*.
mampostería *nf* maçonnerie *f*.
mampuesto *nm* (*piedra*) bloc *m*; (*muro*) parapet *m*; (AM) appui *m*; **de** ~ de réserve; d'urgence.
mamut *nm* mammouth *m*.
manada *nf* (*rebaño*) troupeau *m*; (*bandada*) meute *f*.
manantial *nm* source *f*.
manar *vt* couler // *vi* jaillir; (*abundar*) abonder.
mancebo *nm* (*joven*) jeune homme; (*soltero*) célibataire *m*; (*dependiente*) préparateur *m* (en pharmacie).
mancilla *nf* souillure *f*.
manco, a *a* manchot(e); (*fig*) boiteux(euse).
mancomún: **de** ~ *ad* de concert; **mancomunar** *vt* réunir, associer; (JUR) rendre solidaires; **mancomunarse** *vr* s'unir, s'associer; **mancomunidad** *nf* union *f*, association *f*; (POL) fédération *f*; (JUR) copropriété *f*.
mancha *nf* tache *f*; (*fig*) souillure *f*; (*boceto*) ébauche *f*, esquisse *f*; **manchar** *vt* tacher; (*fig*) salir, souiller.
manchego, a *a* de la Manche.
mandadero *nm* commissionnaire *m/f*.
mandado *nm* commission *f*, course *f*.
mandamiento *nm* (*orden*) ordre *m*; (REL) commandement *m*; ~ **judicial** mandat *m*.
mandar *vt* (*ordenar*) ordonner; (*dirigir*) commander; (*enviar*) envoyer; (*pedir*) demander // *vi* commander; (*pey*) dominer; ~**se** *vr* (MED) ne plus avoir besoin d'aide;

(ARQ) communiquer; ~ **hacer un trabajo** faire faire un travail.
mandatario, a *a, nm/f* (*representante*) mandataire *m/f*; (AM) dirigeant/e.
mandato *nm* mandat *m*; (*orden*) ordre *m*; ~ **judicial** exploit *m*.
mandíbula *nf* (ANAT) mâchoire *f*; (ZOOL) mandibule *f*.
mandil *nm* (*delantal*) tablier *m*; (*vestido*) blouse *f*.
mando *nm* (MIL) commandement *m*; (*de país*) cadre *m*; (*el primer lugar*) commandes *fpl*; (POL) gouvernement *m*; (TEC) commande *f*; ~ **remoto** commande à distance; télécommande *f*.
mandón, ona *a* autoritaire.
manea *nf* entrave *f*.
manejable *a* maniable.
manejar *vt, vi* manier; (*negocios*) mener; (*dinero*) gérer; (*casa*) diriger; (AM) conduire; ~**se** *vr* (*comportarse*) se conduire; (*arreglárselas*) se débrouiller; (MED) se déplacer tout seul; **manejo** *nm* maniement *m*; conduite *f*; (*facilidad de trato*) maniabilité *f*; **manejos** *nmpl* manigances *fpl*.
manera *nf* (*modo*) façon *f*; (*procedimiento*) manière *f*; ~**s** *nfpl* manières *fpl*; **de otra** ~ autrement; **de todas** ~**s** de toute façon; **no hay** ~ **de que** il n'y a pas moyen de.
manga *nf* (*de camisa*) manche *f*; (*de riego*) tuyau *m*; (*tromba*) trombe *f*; (*filtro*) filtre *m*; (NAUT) manche à air; ~**s** *nfpl* bénéfices *mpl*, profits *mpl*.
mangana *nf* corde *f*.
mango *nm* manche *m*; (*de sartén*) queue *f*; (*árbol*) manguier *m*; (*fruto*) mangue *f*.
mangonear *vt* commander; ~**se** *vr* (*meterse*) se mêler; (*ser mandón*) s'occuper de tout.
manguera *nf* (*de riego*) tuyau *m* d'arrosage; (*de bomba*) manche *f* de pompe; (*ventilador*) manche à air; (*tromba*) trombe *f*; (AM) enclos *m* pour le bétail; ~ **de incendios** bouche *f* d'incendie.
manguito *nm* (*de piel*) manchon *m*; (*para las mangas*) manchette *f*; ~ **de acoplamiento** douille *f* d'accouplement.
maní *nm* arachide *f*, cacahuète *f*.
manía *nf* (*capricho*) manie *f*; (*locura*) folie *f*; (*pey*) malice *f*; **maníaco, a** *a* maniaque.
maniatar *vt* lier les mains.
manicomio *nm* asile *m* d'aliénés.
manifestación *nf* (*declaración*) déclaration *f*; (*demostración*) manifestation *f*.
manifestar *vt* manifester; (*declarar*) déclarer; (*aclarar*) éclaircir; **manifiesto, a** *a* manifeste // *nm* manifeste *m*, déclaration *f*.
manija *nf* poignée *f*.
manilla *nf*: ~**s de hierro** manilles *fpl*.
maniobra *nf* manœuvre *f*; (*estratagema*) stratagème *m*; ~**s** *nfpl* manœuvres *fpl*; **maniobrar** *vt* manœuvrer.
manipulación *nf* manipulation *f*.
manipulador, a *nm/f* manipulateur/trice.
manipular *vt* manipuler.
maniquí *nm/f* mannequin *m*.
manirroto, a *a* prodigue.
manivela *nf* manivelle *f*.
manjar *nm* mets *m*, plat *m*; ~ **blanco** blanc-manger *m*.
mano *nf* main *f*; (ZOOL) patte *f*; (*de reloj*) aiguille *f*; (*de pintura*) couche *f*; (*serie*) série *f*; (NAIPES) manche *f*; (AUTO) priorité *f*; **a** ~ **derecha/izquierda** à droite/gauche; **de primera** ~ de première main; **de segunda** ~ d'occasion; **robo a** ~ **armada** vol à main armée; ~ **de obra** main-d'œuvre *f*.
manojo *nm* botte *f*; ~ **de llaves** trousseau *m* de clefs.
manoseado, a *a* manipulé(e), rebattu(e).
manosear *vt* (*tocar*) tripoter; (*desordenar*) déranger; (*fig*) rebattre, répéter; (AM) caresser,

toucher; (*humillar*) humilier.
manotazo *nm* tape *f*.
mansalva: **a** ~ *ad* sans risque; sans danger.
mansedumbre *nf* mansuétude *f*.
mansión *nf* demeure *f*; (AM) manoir *m*.
manso, a *a* doux(ouce), paisible; (*animal*) domestique.
manta *nf* couverture *f*; (*abrigo*) cape *f*, manteau *m*; (ZOOL) raie cornue.
mantear *vt* berner.
manteca *nf* graisse *f*; ~ **de cacahuete/cacao** beurre *m* de cacahouète/de cacao; ~ **de cerdo** saindoux *m*.
mantecado *nm* glace *f* à la vanille.
mantel *nm* nappe *f*.
mantener *vt* (*alimentar*) nourrir; (*preservar*) préserver; (TEC) entretenir; (*dar apoyo a*) maintenir; (*sostener*) soutenir; (*conservar*) conserver; ~**se** *vr* (*seguir de pie*) se tenir; (*subsistir*) vivre; **mantenimiento** *nm* subsistance *f*; maintien *m*; entretien *m*.
mantequera *nf* (*para hacer*) beurrière *f*; (*para servir*) beurrier *m*.
mantequilla *nf* beurre *m*.
mantilla *nf* mantille *f*; ~**s** *nfpl* langes *mpl*.
manto *nm* (*capa*) cape *f*, mante *f*; (*chal*) châle *m*; (*de ceremonia*, ZOOL, ARQ) manteau *m*; (*filón*) filon *m*.
mantón *nm* châle *m*.
manual *a* manuel(le); (*manejable*) maniable // *nm* manuel *m*.
manubrio *nm* (*manivela*) manivelle *f*; (*abrazadera*) poignée *f*; (AM) volant *m*.
manufactura *nf* (*fábrica*) manufacture *f*; (*fabricación*) fabrication *f*; (*producto*) produit manufacturé.
manuscrito, a *a* manuscrit(e) // *nm* manuscrit *m*.
manutención *nf* entretien *m*; (*sustento*) subsistance *f*.
manzana *nf* pomme *f*; (AM) pâté *m* de maisons.
manzanilla *nf* (*planta, infusión*) camomille *f*; (*vino*) manzanilla *m*.
manzano *nm* pommier *m*.
maña *nf* adresse *f*, habileté *f*; astuce *f*, ruse *f*; savoir-faire *m*, tact *m*; habitude *f*; stratagème *m*.
mañana *ad* demain // *nm* futur *m*, avenir *m* // *nf* matin *m*, matinée *f*; **¡hasta ~!** à demain!
mañoso, a *a* (*hábil*) adroit(e); (*astuto*) malin(igne).
mapa *nm* carte *f*.
maqueta *nf* maquette *f*.
maquillaje *nm* maquillage *m*.
maquillar *vt* maquiller; ~**se** *vr* se maquiller.
máquina *nf* (*aparato*) machine *f*; (*de tren*) locomotive *f*; (*cámara*) appareil *m*; (*fig*) machinerie *f*, machine; (: *proyecto*) idée *f*, projet *m*; **escrito a** ~ tapé à la machine; ~ **de afeitar** rasoir *m*; ~ **de escribir** machine à écrire; ~ **de coser/lavar** machine à coudre/à laver; ~ **fotográfica** appareil photographique.
maquinación *nf* machination *f*.
maquinal *a* machinal(e).
maquinaria *nf* (*máquinas*) machines *fpl*, machinerie *f*; (*material de trabajo*) appareil *m*; (*mecanismo*) mécanique *f*.
maquinista *nm* (*de tren*) mécanicien *m*; (*de teatro*) machiniste *m*.
mar *nm o f* mer *f*; ~ **adentro** au large; **en alta** ~ en haute mer; **la** ~ **de** (*fam*) beaucoup de; ~ **de fondo** lame de fond *f*; **el M~ Negro/Báltico** la mer Noire/Baltique.
maraña *nf* (*maleza*) broussaille *f*; (*confusión*) enchevêtrement *m*.
maravilla *nf* merveille *f*; (BOT) souci *m*; volubilis *m*; **maravillar** *vt* (*sorprender*) surprendre; (*admirar*) émerveiller; **maravillarse** *vr* s'étonner; s'émerveiller; **mara-**

villoso, a *a* merveilleux(euse); étonnant(e).

marca *nf* (*señal*) marque *f*, repère *m*; (*sello*) étiquette *f*, marque; (*huella*) trace *f*; **producto de ~** produit de marque.

marcado, a *a* notoire.

marcar *vt* marquer; (*número de teléfono*) composer; (*el pelo*) faire une mise en plis // *vi* marquer; (*el teléfono*) composer (un numéro du téléphone); **~se** *vr* prendre des amers; (*fig*) se démarquer.

marcial *a* martial(e).

marco *nm* cadre *m*; (*de puerta, ventana*) encadrement *m*; (DEPORTE) but *m*; (*moneda*) mark *m*; (*fig*) cadre.

marcha *nf* marche *f*; (TEC) fonctionnement *m*; (*velocidad*) allure *f*; **poner en ~** mettre en marche; **dar ~ atrás** faire marche arrière; **sobre la ~** en même temps.

marchante, a *nm/f* marchand/e; (AM) client *m*; marchand ambulant.

marchar *vi* (*ir*) marcher; (*funcionar*) fonctionner; (*fig*) progresser; **~se** *vr* s'en aller.

marchitar *vt* faner; flétrir; **~se** *vr* s'étioler, se faner; **marchito, a** *a* fané(e), flétri(e); (*fig*) décadent(e).

marea *nf* marée *f*; (*llovizna*) bruine *f*; **~ alta/baja** marée haute/basse.

marear *vt* écœurer; (*fig*) assommer; (NAUT) diriger, gouverner; **~se** *vr* (*tener náuseas*) avoir mal au cœur; (*desvanecerse*) s'évanouir; (*aturdirse*) être étourdi(e); (AM) perdre ses couleurs, pâlir.

marejada *nf* houle *f*.

maremoto *nm* raz-de-marée *m inv*.

mareo *nm* (*náusea*) mal *m* au cœur, nausée *f*; (*aturdimiento*) étourdissement *m*, vertige *m*.

marfil *nm* ivoire *m*.

margarina *nf* margarine *f*.

margarita *nf* (BOT) marguerite *f*; (*perla*) perle *f*; (*molusco*) petit coquillage.

margen *nm* marge *f*; (*borde*) bord *m* // *nf* rive *f*, bord; (*fig*) occasion *f*; **~ de ganancias** marge bénéficiaire.

marica *nm* pie *f*; (*fam*) pédale *f*, tapette *f*.

maricón *nm* (*fam*) pédale *f*, pédé *m*.

marido *nm* mari *m*.

marijuana *nf* marijuana *f*, marihuana *f*.

marina *nf* marine *f*; **~ mercante** marine marchande.

marinero, a *a* marin(e); (*barco*) marinier(ière) // *nm* matelot *m*, marin *m* // *nf* marinière *f*.

marino, a *a* marin(e) // *nm* marin *m*.

marioneta *nf* marionnette *f*.

mariposa *nf* papillon *m*; (TEC) écrou *m* à oreilles.

marisco *nm* coquillage *m*; **~s** *nmpl* fruits de mer *mpl*.

marisma *nf* marais *m* en bordure de mer.

marítimo, a *a* maritime.

marmita *nf* marmite *f*.

mármol *nm* marbre *m*; **marmóreo, a** *a* marmoréen(ne).

maroma *nf* (*cuerda*) grosse corde, câble *m*; (AM) voltige *f*; **maromear** *vi* faire de l'équilibre.

marqués, esa *nm/f* marquis/e.

marquetería *nf* marqueterie *f*.

marrano, a *a* cochon(ne) // *nm* cochon *m*.

marrar *vi* manquer, rater.

marrón, ona *a* marron *inv* // *nm* marron *m*.

marroquí *a* marocain(e) // *nm* maroquin *m*.

Marruecos *nm* Maroc *m*.

Marsellas *n* Marseille.

martes *nm inv* mardi *m*.

martillar *vt* marteler.

martillo *nm* marteau *m*; (*subasta*) salle *f* des ventes; **~ neumático/pilón/de orejas** marteau-piqueur/-pilon/fendu.

martinete *nm* (*penacho*) aigrette *f*; (MUS) marteau *m*.
mártir *nm/f* martyr/e.
martirio *nm* martyre *m*.
marxismo *nm* marxisme *m*.
marzo *nm* mars *m*.
más *a* plus de // *ad* plus // *conj* plus // *nm* plus *m*; **es ~ de medianoche** il est plus de minuit; **el libro ~ leído del año** le livre le plus lu de l'année; **¡estaba ~ triste!** (*fam*) il était tellement triste!; **~ bien** plutôt; **~ o menos** plus ou moins; **el ~ allá** l'au-delà.
mas *conj* mais.
masa *nf* (*mezcla*) pâte *f*; (*volumen*, ELEC) masse *f*; (*aglomeración*) totalité *f*; (AM) dessert *m*.
masaje *nm* massage *m*.
mascar *vt* mâcher; (*fig*) mâchonner.
máscara *nf* masque *m*; (*fig*) loup *m* // *nm/f* travesti *m*; **~ de oxígeno** masque à oxygène; **mascarada** *nf* mascarade *f*.
masculino, a *a* masculin(e).
mascullar *vt* marmotter.
masivo, a *a* (*enorme*) massif(ive); (*en masa*) en masse.
masón *nm* franc-maçon *m*; **masonería** *nf* franc-maçonnerie *f*.
masoquista *nm/f* masochiste *m/f*.
masticar *vt* mâcher, mastiquer; (*fig*) ruminer.
mástil *nm* (*de navío*) mât *m*; (*de guitarra*) manche *m*; (*sostén*) pied *m*.
mastín *nm* mâtin *m*.
mastique *nm* mastic *m*.
mastuerzo *nm* nasitort *m*, passerage *m*.
masturbación *nf* masturbation *f*.
mata *nf* (*de planta*) pied *m*; (*de hierbas*) touffe *f*; (*campo*) plantation *f*; (AM) massif *m*.
matadero *nm* abattoir *m*.
matador, a *a* tueur(euse), assommant(e) // *nm/f* assassin *m* // *nm* matador *m*, torero *m*.
matamoscas *nm inv* papier *m* tue- mouches; tapette *f*.
matanza *nf* (*de personas*) meurtre *m*; (*de animales*) abattage *m*; (*de cerdos*) *époque où se fait l'abattage des porcs*.
matar *vt* (*persona*) tuer; (*animales*) abattre; (*fig*) éteindre // *vi* faire mat; **~se** *vr* se tuer.
matarife *nm* tueur *m*.
matasellos *nm inv* oblitérateur *m*, tampon *m*.
mate *a* (*sin brillo*: *color*) mat(e) // *nm* (*en ajedrez*) mat *m*; (*en tenis*) smash *m*; (AM) calebasse *f*; (: *bebida*) maté *m*.
matemáticas *nfpl* mathématiques *fpl*; **matemático, a** *a* mathématique // *nm/f* mathématicien/ne.
materia *nf* (*elemento*) matière *f*; (*asunto*, *causa*) affaire *f*; (*ocasión*) occasion *f*, sujet *m*; **en ~ de** en matière de; **~ prima** matière première; **material** *a* matériel(le) // *nm* matériel *m*; (TEC) matériaux *mpl*; **materialismo** *nm* matérialisme *m*; **materialista** *a* matérialiste; **materialmente** *ad* matériellement; (*fig*) absolument.
maternal *a* maternel(le).
maternidad *nf* maternité *f*.
materno, a *a* maternel(le).
matinal *a* matinal(e).
matiz *nm* nuance *f*; **matizar** *vt* (*dar tonos de*) nuancer, teinter; (*variar*) moduler; (ARTE) harmoniser.
matón *nm* dur *m*.
matorral *nm* buisson *m*.
matraca *nf* crécelle *f*; (*fam*) scie *f* // *nm/f* scie *f*.
matrero, a *a* rusé(e).
matriarcado *nm* matriarcat *m*.
matrícula *nf* (*registro*) matricule *f*; (AUTO) immatriculation *f*; (ESCOL) inscription *f*; **matricular** *vt* inscrire, immatriculer; enregistrer, recenser.
matrimonial *a* matrimonial(e).
matrimonio *nm* (*boda*) mariage *m*, noce *f*; (*unión*) union *f*.
matriz *nf* matrice *f*; (JUR) souche *f*,

talon *m*; (*de cheque*) talon *m*.
matrona *nf* (*persona de edad*) matrone *f*; (*partera*) sage-femme *f*.
matute *nm* contrebande *f*.
matutino, a *a* matinal(e).
maullar *vi* miauler.
mausoleo *nm* mausolée *m*.
maxilar *nm* maxillaire *m*.
máxima *ver* **máximo.**
máxime *ad* surtout, principalement.
máximo, a *a* le plus grand, la plus grande; maximum // *nm* maximum *m* // *nf* maxime *f*.
maya *nf* pâquerette *f*.
mayo *nm* mai *m*.
mayonesa *nf* mayonnaise *f*.
mayor *a* plus grand(e); (*adulto*) grand, majeur(e); (*de edad avanzada*) âgé(e); (MUS) majeur; (*de niños*) aîné(e) // *nm* major *m*; **al por ~** en gros; **~ de edad** majeure; adulte *m/f*; **~es** *nmpl* grands-parents *mpl*; ancêtres *mpl*.
mayoral *nm* contremaître *m*; (AGR) maître-valet *m*.
mayorazgo *nm* majorat *m*; (*el primogénito*) fils aîné.
mayordomo *nm* (*criado*) majordome *m*; (*de hotel*) maître d'hôtel *m*; (AM) maître-valet *m*.
mayoría *nf* majorité *f*.
mayorista *nm/f* marchand/e en gros, grossiste *m/f*.
mayoritario, a *a* majoritaire.
mayormente *ad* surtout; principalement.
mayúsculo, a *a* monumental(e), énorme // *nf* majuscule *f*.
maza *nf* fléau *m*, maillet *m*; (TEC) mouton *m*; (DEPORTE) mil *m*; (MUS) mailloche *f*; (*fam*) raseur/euse; (AM) moyeu *m*.
mazapán *nm* massepain *m*.
mazmorra *nf* cachot *m*.
mazo *nm* (*martillo*) maillet *m*; (*de flores*) paquet *m*; (*fig*) raseur *m*; (DEPORTE) mil *m*; (MUS) mailloche *f*.
me *pron* me, m'; **¡démelo!** donnez-le-moi!
meandro *nm* méandre *m*.
mecánico, a *a* mécanique // *nm/f* mécanicien/ne // *nf* (*estudio*) mécanique *f*; (*mecanismo*) mécanisme *m*.
mecanografía *nf* dactylographie *f*.
mecanógrafo, a *nm/f* dactylographe *f*.
mecedor, a *a* berceur(euse) // *nm* (*columpio*) escarpolette *f*, balançoire *f*; (*paleta*) palette *f* // *nf* rocking-chair *m*.
mecer *vt* (*niño*) bercer; (*líquido*) remuer; **~se** *vr* se balancer.
mecha *nf* mèche *f*.
mechero *nm* (*encendedor*) briquet *m*; (*de lámpara*) bec *m*; (*de gas*) brûleur *m*.
mechón *nm* (*pelo*) houppe *f*; grosse mèche; (*de cabello*) mèche *f*; (*de fibras*) touffe *f*.
medalla *nf* médaille *f*.
media *nf ver* **medio.**
mediación *nf* médiation *f*.
mediado *a* à moitié; **a ~s de** vers le milieu de.
medialuna *nf* croissant *m*.
mediano, a *a* (*regular*) moyen(ne); (*mediocre*) médiocre.
medianoche *nf* minuit *m*.
mediante *ad* grâce à; moyennant.
mediar *vi* (*llegar a la mitad*) arriver à la moitié; (*interceder*) intervenir; (*venir entre medio*) s'interposer.
medicación *nf* médication *f*.
medicamento *nm* médicament *m*.
medicina *nf* (*medicamento*) médicament *m*; médecine *f*; (*práctica*) médecine.
medicinar *vt* administrer des médicaments; **~se** *vr* prendre des médicaments.
medición *nf* mesure *f*, mesurage *m*.
médico, a *a* médical(e) // *nm/f* médecin *m*; **~ consultor/forense** médecin consultant/légiste.
medida *nf* mesure *f*; (*prudencia*) retenue *f*, prudence *f*; **en**

cierta/gran ~ dans une certaine mesure/grande mesure; **un traje a la** ~ un costume sur mesure; ~ **de cuello** encolure *f*; ~ **de talle** hauteur *f* de buste.

medio, a *a* demi(e); (*promedio*) moyen(ne) // *ad* à demi, demi- // *nm* (*centro*) milieu *m*; (*promedio*) moyens *mpl*; (DEPORTE) demi *m*; (*método*) moyen *m*; (*ambiente*) milieu // *nf* (*prenda de vestir*) bas *m*; (DEPORTE) mi-temps *f inv*; (*proporción*) moyenne *f*; ~**s** *nmpl* moyens; ~ **litro** demi-litre; **tres horas y media** trois heures et demie; **media hora** demi-heure *f*; **a** ~ **terminar** à moitié terminé; **pagar a medias** payer à moitié; ~ **tonto** à moitié fou; **hacer media** tricoter; **medias cortas** mi-bas *mpl*.

mediocridad *nf* médiocrité *f*.

mediodía *nm* midi *m*.

medir *vt, vi* mesurer; ~**se** *vr* (*fig*) se contenir; (AM) se mesurer, se rencontrer.

meditar *vt* méditer.

mediterráneo, a *a* méditerranéen(ne); **el M**~ la Méditerranée.

medrar *vi* (*crecer*) pousser, se développer; (*fig*) prospérer.

medro *nm* progrès *m*; développement *m*.

medroso, a *a* (*miedoso*) peureux (euse); (*horrible*) effrayant(e).

médula, medula *nf* moelle *f*.

medusa *nf* méduse *f*.

megáfono *nm* porte-voix *m inv*.

megalómano, a *nm/f* mégalomane *m/f*.

mejilla *nf* joue *f*.

mejor *a* (*comparativo*) meilleur(e); (*superlativo*) le meilleur, la meilleure // *ad* mieux; le mieux, la mieux; **a lo** ~ peut-être; ~ **dicho** ou plutôt.

mejora *nf* (*mejoramiento*) amélioration *f*; (*adelanto*) progrès *m*; (*ventaja*) avantage *m*; (*reforma*) réforme *f*; **mejorar** *vt* améliorer; (*privilegiar*) avantager; (*abonar*) bonifier; *vi*, **mejorarse** *vr* aller mieux.

melancolía *nf* mélancolie *f*.

melancólico, a *a* (*triste*) mélancolique, triste; (*soñador*) songeur(euse).

melena *nf* (*de persona*) chevelure *f*, cheveux *mpl*; (*del león*) crinière *f*; **melenudo, a** *a* chevelu(e).

melindroso, a *a* minaudier(ière); capricieux(euse).

melocotón *nm* (*árbol*) pêcher *m*; (*fruto*) pêche *f*.

melocotonero *nm* pêcher *m*.

melodía *nf* mélodie *f*.

melodrama *nm* mélodrame *m*.

melón *nm* melon *m*; ~ **de agua** melon d'eau.

meloso, a *a* mielleux(euse); (*almibarado*) doucereux(euse).

mella *nf* brèche *f*; (*fig*) dommage *m*; **mellar** *vt* ébrécher; (*fig*) entamer.

mellizo, a *a* jumeau(elle) // *nm/f* jumeau/elle.

membrillo *nm* (*árbol*) cognassier *m*; (*fruto*) coing *m*.

memorable *a* mémorable.

memorándum *nm* (*libro*) agenda *m*; (*comunicación*) mémorandum *m*.

memoria *nf* (*facultad, documento*) mémoire *f*; (*recuerdo*) souvenir *m*; (*informe*) rapport *m*.

memorial *nm* (*libro*) mémorial *m*; (*petición*) requête *f*; (*boletín*) bulletin *m*.

menaje *nm* ménage *m*; (*muebles*) éléments *mpl* (de cuisine).

mencionar *vt* mentionner.

mendigar *vt* mendier.

mendigo, a *nm/f* mendiant/e.

mendrugo *nm* croûton *m*.

menear *vt* remuer; (*fig*) diriger; ~**se** *vr* s'agiter; bouger, remuer.

menester *nm* (*necesidad*) besoin *m*, nécessité *f*; (*ocupación*) occupation *f*; ~**es** *nmpl* outils *mpl*; **es** ~ il faut.

menestra *nf* ragoût *m*; ~**s** *nfpl* légumes secs.

menestral *nm* ouvrier *m*, artisan *m*.
mengano, a *nm/f* un tel/une telle.
mengua *nf* (*disminución*) diminution *f*; (*falta*) manque *m*; (*pobreza*) pauvreté *f*; (*fig*) discrédit *m*.
menguado, a *a* limité/e.
menguante *a* décroissant(e) // *nf* (NAUT) marée descendante; (*de la luna*) dernier quartier.
menguar *vt* diminuer, tomber, décroître; (*fig*) baisser, décliner // *vi* (*calor*) diminuer; (*luna*) décroître; (*fig*) diminuer, décliner.
menopausia *nf* ménopause *f*, retour d'âge *m*.
menor *a* (*más pequeño*) plus petit(e); (*más joven*) plus jeune; (*el más pequeño*) le plus petit, la plus petite; (*el más joven*) le plus jeune, la plus jeune; (MUS) mineur(e) // *nm/f* (*joven*) mineur/e; cadet/te; **el ~ daño** le moindre mal; **no tengo la ~ idea** je n'en ai pas la moindre idée; **al por ~** au détail; **con el ~ detalle** dans le moindre détail; **~ de edad** mineur.
menos *ad* (*comparativo*) moins; (*superlativo*) le moins // *conj* sauf, excepté; **es lo ~ que puedo hacer** c'est le moins que je puisse faire; **a ~ que** à moins que; **cada vez ~** de moins en moins; **te echo de ~** tu me manques; **nada ~ que** rien (de) moins que; **al** *o* **por lo ~** au moins.
menoscabar *vt* (*estropear*) entamer; (*acortar*) amoindrir; (*fig*) porter atteinte à, discréditer.
menoscabo *nm* (*mengua*) amoindrissement *m*, diminution *f*; (*daño*) dommage *m*, dégât *m*; (*fig*) discrédit *m*; **con ~ de** au détriment de; **en ~ de** au mépris de; **sin ~** sans préjudice.
menospreciar *vt* (*despreciar*) mépriser; (*desdeñar*) dédaigner.
menosprecio *nm* (*desdén*) mépris *m*; (*desconsideración*) déconsidération *f*.
mensaje *nm* message *m*;
mensajero, a *a* messager(ère) // *nm/f* messager/ère.
menstruar *vi* avoir ses règles.
mensual *a* mensuel(le).
menta *nf* menthe *f*.
mental *a* mental(e).
mentar *vt* mentionner, nommer.
mente *nf* esprit *m*; (*intención*) intention *f*.
mentecato, a *a* sot(te); stupide, imbécile; (*mañoso*) fourbe // *nm/f* sot/te; niais/e.
mentir *vi* mentir; falsifier; simuler;
mentira *nf* mensonge *m*; imposture *f*; (*invención*) histoire *f*, farce *f*;
mentiroso, a *a* menteur(euse) // *nm/f* menteur/euse.
menudear *vt* répéter, recommencer; (*contar*) raconter par le menu; (AM) vendre au détail // *vi* abonder, arriver souvent; se multiplier, pleuvoir.
menudencia *nf* petitesse *f*; bagatelle *f*, bricole *f*; minutie *f*.
menudo, a *a* petit(e), menu(e); minutieux(euse); scrupuleux(euse); sans importance; **~s** *nmpl* abats *mpl*, abattis *mpl*; **a ~** souvent; **al por ~** au détail.
meñique *nm* petit doigt.
meollo *nm* moelle *f*; (*de pan*) mie *f*; (*fig*) cervelle *f*.
mercadería *nf* article *m*, marchandise *f*; **~s** *nfpl* marchandises *fpl*.
mercado *nm* marché *m*; **M~ Común** Marché Commun; **~ negro/callejero/de valores** marché noir/à ciel ouvert/des valeurs.
mercadotecnia *nf* marketing *m*.
mercancía *nf* article *m*; produit *m*; marchandise *f*.
mercantil *a* mercantile, commercial(e).
mercar *vt* faire le commerce; acheter.
merced *nf* grâce *f*, faveur *f*; **~ a** grâce à; **a la ~ de** à la merci de.
mercenario, a *a* mercenaire // *nm* mercenaire *m*.
mercería *nf* mercerie *f*.

mercurio *nm* mercure *m*.
merecer *vt, vi* mériter, valoir; **~se** *vr* mériter; **merece la pena** ça vaut la peine; **merecimiento** *nm* mérite *m*.
merendar *vt, vi* goûter, prendre son goûter; (*en el campo*) piqueniquer; **merendero** *nm* guinguette *f*, buvette *f*.
merengue *nm* meringue *f*.
meridiano, a *a* de midi, méridien(ne) // *nm* méridien *m*; **meridional** *a* méridional(e).
merienda *nf* goûter *m*; (*de campo*) pique-nique *m*.
mérito *nm* mérite *m*.
merluza *nf* colin *m*; merluche *f*, merlu *m*.
merma *nf* diminution *f*; perte *f*; **mermar** *vt* diminuer, amenuiser // *vi*, **mermarse** *vr* se diminuer; s'abîmer, se perdre.
mermelada *nf* confiture *f*.
mero, a *a* simple, pur(e).
merodear *vi* marauder.
mes *nm* mois *m*; (*salario*) mois; mensualité *f*; **en el ~ de mayo** au mois de mai.
mesa *nf* table *f*; (*de trabajo*) bureau *m*; (GEO) plateau *m*; (ARQ) palier *m*; **~ directiva** conseil *m*, bureau.
meseta *nf* (GEO) plateau *m*; (ARQ) palier *m*.
mesilla *nf* petite table; (ARQ) palier *m*; appui *m*; tablette *f*.
mesón *nm* auberge *f*; hôtellerie *f*; **mesonero, a** *a, nm/f* hôtelier/ière, aubergiste *m/f*.
mestizo, a *a* métis(se); (ZOOL) hybride // *nm/f* métis/se.
mesura *nf* (*moderación*) modération *f*; (*dignidad*) dignité *f*; (*cortesía*) respect *m*.
meta *nf* but *m*, objectif *m*; (DEPORTE) buts *mpl*.
metafísico, a *a* métaphysique // *nm/f* métaphysicien/ne // *nf* métaphysique *f*.
metáfora *nf* métaphore *f*.
metal *nm* (*materia*) métal *m*; (MUS) cuivres *mpl*; (*de voz*) timbre *m*; (*fig*) genre *m*; **metálico, a** *a* métallique // *nm* espèces *fpl*.
metalurgia *nf* métallurgie *f*.
meteoro *nm* météore *m*.
meter *vt* mettre; (*añadir*) ajouter; (*involucrar*) fourrer; **~se** *vr* se mettre; (*fig*) se fourrer; (GEO) s'enfoncer; **~se a comerciante** se faire commerçant; **~se con alguien** taquiner qn.
meticuloso, a *a* méticuleux(euse).
metódico, a *a* méthodique.
método *nm* méthode *f*.
metralleta *nf* mitraillette *f*.
métrico, a *a* métrique.
metro, (m) *nm* mètre *m*, (m); (*tren*) métro *m*.
metrópoli *nf* métropole *f*, capitale *f*.
México *nm* Mexique *m*.
mezcla *nf* mélange *m*; (*combinación*) combinaison *f*; (*masa*) masse *f*; (*emulsión*) émulsion *f*; (CINE) mixage *m*; **mezclar** *vt* mêler; mélanger; (*naipes*) battre; **mezclarse** *vr* se mélanger, se mêler; (*fig*) se mêler; **mezclarse en un negocio** se mettre dans une affaire.
mezquino, a *a* mesquin(e).
mezquita *nf* mosquée *f*.
M. F. (*abr de modulación de frecuencia*) M F (modulation de fréquence).
mi *det* (*m*) mon; (*f*) ma; (*pl*) mes // *nm* mi *m*.
mí *pron* moi.
mía *pron ver* **mío**.
miaja *nf* miette *f*.
mías *pron ver* **mío**.
mico, a *nm/f* singe/guenon; (*fam*) crâneur/euse; **dar** *o* **hacer ~** poser un lapin; **dar el ~** faire perdre les illusions.
microbio *nm* microbe *m*.
microbús *nm* minibus *m*.
micrófono *nm* microphone *m*, micro *m*.
microscopio *nm* microscope *m*.
miedo *nm* peur *f*; (*nerviosismo*) nervosité *f*; **tener ~** avoir peur; **de**

~ formidable; **un frío de** ~ (*fam*) un froid de canard; **miedoso, a** *a* craintif(ive); peureux(euse).
miel *nf* miel *m*; (*de caña*) mélasse *f*.
miembro *nm* membre *m*; ~ **viril** membre viril.
mientes *nfpl*: **no parar** ~ **en** ne pas faire attention à; **traer a las** ~ rappeler.
mientras *conj* pendant que // *ad* tandis que; ~ **tanto** pendant ce temps, entre temps; ~ **más tiene, más quiere** plus il en a, plus il en veut.
miércoles *nm inv* mercredi *m*.
mies *nf* moisson *f*.
miga *nf* miette *f*; (*fig*) substance *f*, moelle *f*; **hacer buenas** ~**s** (*fam*) faire bon ménage.
migajas *nfpl* miettes *fpl*.
migración *nf* migration *f*.
mil *num* mille.
milagro *nm* miracle *m*; **milagroso, a** *a* miraculeux(euse).
milano *nm* milan *m*.
milésimo, a *a* millième.
mili *nf*: **hacer la** ~ (*fam*) faire son service.
milicia *nf* (MIL) milice *f*; (: *arte*) art *m* de la guerre; (*servicio militar*) service *m* militaire.
milímetro *nm* millimètre *m*.
militante *a* militant(e).
militar *a* (*del ejército*) militaire; (*guerrero*) guerrier(ière) // *nm/f* soldat *m* // *vi* servir dans l'armée; (*fig*) militer.
milla *nf* mille *m*.
millar *nm* millier *m*.
millón *num* million *m*; **millonario, a** *nm/f* millionnaire *m/f*.
mimar *vt* (*niño*) gâter; (*persona*) dorloter, cajoler.
mimbre *nm o f* osier *m*; **sillón de** ~ fauteuil en osier.
mímica *nf* mimique *f*.
mimo *nm* câlinerie *f*, cajolerie *f*, caresse *f*; (TEATRO) mime *m*.
mina *nf* mine *f*; (*pasaje*) galerie *f*; **minar** *vt* miner.
mineral *a* minéral(e) // *nm* minérai *m*.
minería *nf* travail *m* des mines.
minero, a *a* minier(ière) // *nm/f* mineur *m*.
miniatura *a inv* miniature // *nf* miniature *f*.
minifalda *nf* mini-jupe *f*.
mínimo, a *a* minime, très petit(e); minutieux(euse); (*temperatura*) minimal(e) // *nm* minime *m*.
ministerio *nm* ministère *m*; **M~ de Hacienda/del Exterior** ministère des Finances/des Affaires étrangères.
ministro *nm* ministre *m*.
minorar *vt* diminuer, amoindrir.
Minorca *nf* Minorque *f*.
minoría *nf* minorité *f*.
minucioso, a *a* minitieux(euse); (*prolijo*) prolixe.
minúsculo, a *a* minuscule.
minuta *nf* (*de comida*) menu *m*; (*borrador*) minute *f*, note *f*; (*factura*) bordereau *m*; (*de abogado*) note des honoraires.
minutero *nm* aiguille *f* des minutes, minuterie *f*.
minuto *nm* minute *f*.
mío, a *pron*: **el** ~ le mien, **la mía** la mienne, **los** ~**s** les miens, **las mías** les miennes.
miope *a* myope // *nm/f* myope *m/f*.
míos *pron ver* **mío**.
mira *nf* (*de arma*) mire *f*; (*de vigilancia*) poste *m* de guet; (*fig*) intention *f*, visée *f*.
mirado, a *a* circonspect(e), réservé(e) // *nf* regard *m*; **bien/mal** ~ bien/mal vu.
mirador *nm* mirador *m*.
miramiento *nm* (*atención*) regard *m*; (*reflexión*) prudence *f*; (*aprensión*) égards *mpl*.
mirar *vt* regarder; (*considerar*) penser à, réfléchir à; (*vigilar*) surveiller, regarder, veiller; (*respetar*) respecter; (AM) voir // *vi* regarder; (ARQ) donner sur; ~**se** *vr* se regarder.

mirlo *nm* merle *m*; (*fig*) gravité affectée; pose *f*.
mirra *nf* myrrhe *f*.
mirto *nm* myrte *m*.
mis *det ver* **mi**.
misa *nf* messe *f*.
misántropo *nm* misanthrope *m*.
miscelánea *nf* miscellanées *fpl*.
miserable *a* (*avaro*) avare; misérable; (*nimio*) insignifiant(e), dérisoire; (*fam*) méprisable // *nm/f* (*desgraciado*) misérable *m/f*, malheureux/euse; (*indigente*) pauvre *m/f*; (*perverso*) misérable.
miseria *nf* misère *f*; (*tacañería*) avarice *f*, mesquinerie *f*.
misericordia *nf* miséricorde *f*.
misión *nf* mission *f*; **misionero, a** *nm/f* missionnaire *m/f*.
mismo, a *a* même; **el ~ traje** le même costume; **en el ~ momento** au même moment; **vino el ~ Ministro** le Ministre est venu en personne; **yo ~ lo vi** je l'ai vu moi-même; **lo ~** la même chose; **quedamos en las mismas** nous en sommes au même point // *ad*: **aquí/hoy ~** ici/aujourd'hui même; **ahora ~** à l'instant même, tout de suite // *conj*: **lo ~ que** de même que; **por lo ~** pour la même raison; **por sí ~** de soi-même, de lui-même.
misterio *nm* mystère *m*.
mística *nf*, **misticismo** *nm* mystique *f*.
mitad *nf* moitié *f*; **a ~ de precio** à moitié prix; **en** *o* **a ~ del camino** au milieu du chemin.
mitigar *vt* mitiger; calmer; freiner, enrayer.
mitin *nm* meeting *m*.
mito *nm* mythe *m*.
mitra *nf* mitre *m*.
mixto, a *a* mixte.
m/n (*abr de moneda nacional*) devise nationale.
mobiliario *nm* mobilier *m*.
mocedad *nf* jeunesse *f*.
moción *nf* (*proposición*) motion *f*; (*movimiento*) mouvement *m*.
moco *nm* (*de las mucosas*) morve *f*; mucosité *f*; (*de pavo*) caroncule *f*; (*de candil*) écoulement *m*; **mocoso, a** *a* morveux(euse); (*fig*) insolent(e) // *nm/f* (*fam*) morveux/euse.
mochila *nf* (*de soldado*) havresac *m*; (*de excursionista*) sac à dos *m*.
mocho, a *a* émoussé(e), écorné(e) // *nm* manche *m*.
mochuelo *nm* hibou *m*; (*fam*) corvée *f*.
moda *nf* mode *f*; (*novedad*) nouveauté *f*; **de** *o* **a la ~** à la mode; **pasado** *o* **fuera de ~** démodé(e), passé(e) de mode.
modales *nmpl* manières *fpl*, formes *fpl*.
modelo *a inv* modèle *inv* // *nm/f* modèle *m*; mannequin *m* // *nm* modèle *m*.
moderado, a *a* modéré(e).
moderar *vt* modérer; mitiger; contrôler; **~se** *vr* se modérer.
moderno, a *a* moderne.
modestia *nf* modestie *f*; **modesto, a** *a* modeste.
módico, a *a* modique; raisonnable.
modificar *vt* modifier.
modista *nm/f* couturier/ière.
modo *nm* (*manera, forma*) manière *f*, façon *f*; (MUS) mode *m*; **~s** *nmpl* manières *fpl*; **de cualquier/de ningún ~** de toute/en aucune façon; **de todos ~s** de toute façon, de toute manière; **~ de empleo** mode d'emploi.
modorra *nf* (*sueño*) sommeil profond *ou* pesant; (*sopor*) engourdissement *m*, assoupissement *m*.
modular *vt* moduler.
mofa *nf* raillerie *f*, moquerie *f*; **hacer ~ de** railler, se moquer de; **mofar** *vi* railler; **mofarse** *vr*: **mofarse de** se moquer de.
mofletudo, a *a* joufflu(e).
mohino, a *a* (*triste*) triste, mélancolique; (*enojado*) boudeur (euse).
moho *nm* (BOT) moisi *m*; (*oxidación*) moisissure *f*, rouille *f*; (*fig*) flemme *f*; **mohoso, a** *a* moisi(e); (*oxidado*) rouillé(e).

mojar *vt* mouiller; tremper; imbiber; (*humedecer*) humecter, humidifier; (*rociar*) humecter // *vi*: ~ **en** tremper dans.
mojigato, a *a* (*hipócrita*) hypocrite; (*beato*) bigot(e) // *nm/f* hypocrite *m/f*, tartufe *m*.
mojón *nm* (*en un camino*) borne *f*; (*montón*) tas *m*.
molde *nm* moule *m*; (*de costura*) patron *m*; (*fig*) modèle *m*; **venir de** ~ tomber à pic; **moldear** *vt* (*amoldar*) mouler; (*moldurar*) moulurer; (*fig*) modeler.
mole *nf* masse *f*, objet volumineux.
moledora *nf* broyeur *m*.
moler *vt* (*triturar*) triturer; (*machacar*) broyer; (*rendir*) éreinter, fatiguer; (*irritar*) irriter.
molestar *vt* (*incomodar*) gêner, déranger; (*fastidiar*) ennuyer; (*ofender*) offenser, blesser // *vi* mortifier; ~**se** *vr* se déranger, se gêner.
molestia *nf* (*fatiga*) ennui *m*, tracas *m*; (*aflicción*) peine *f*, chagrin *m*; (*daño*) dérangement *m*; (*incomodidad*) gêne *f*; (*contrariedad*) contrariété *f*; **molesto, a** *a* désagréable; ennuyeux(euse); embarrassant(e), impertinent(e).
molinero, a *nm/f* meunier/ière.
molinillo *nm* moulin *m*; ~ **de café/carne** moulin à café/viande.
molino *nm* moulin *m*; ~ **de viento/agua** moulin à vent/à eau.
mollejas *nfpl* ris *m*.
mollera *nf* sommet de la tête *m*, fontanelle *f*; (*fig*) cervelle *f*.
mollete *nm* (CULIN) crêpe *f*; (ANAT) gras *m*, chair *f*.
momentáneo, a *a* momentané(e); transitoire.
momento *nm* moment *m*; (*fig*) importance *f*; **del** ~ actuel(le).
momia *nf* momie *f*.
monacato *nm* monachisme *m*, état *m* monastique.
monacillo, monaguillo *nm* enfant *m* de chœur; acolyte *m*.
Mónaco *nm* Monaco *m*.
monarca *nm/f* monarque *m*; **monarquía** *nf* monarchie *f*; **monarquista** *nm/f* monarchiste *m/f*.
mondar *vt* (*limpiar*) nettoyer; (*podar*) tailler, émonder, élaguer; (*pelar*) peler, éplucher; (*fam*) plumer; ~**se** *vr*: ~**se los dientes** se curer les dents; ~ **a palos** rouer de coups.
mondongo *nm* tripes *fpl*.
moneda *nf* (*tipo de dinero*) monnaie *f*; (*pieza*) pièce *f* de monnaie; ~ **corriente** monnaie courante; **monedero** *nm* porte-monnaie *m inv*; **monedero falso** faux-monnayeur *m*; **monetario, a** *a* monétaire.
monigote *nm* (*muñeco*) polichinelle *m*, pantin *m*; (*fig*) pantin; (ARTE) caricature *f*.
monja *nf* religieuse *f*, bonne sœur.
monje *nm* moine *m*.
mono, a *a* (*bonito*) joli(e); (*gracioso*) mignon(ne) // *nm/f* singe/guenon; (*fig*) singe; (*fam*) petit gommeux // *nm* (*overoles*) salopette *f*; (*de niño*) esquimau *m*, combinaison *f*.
monocultivo *nm* monoculture *f*.
monolingüe *a* monolingue.
monopolio *nm* monopole *m*; **monopolizar** *vt* monopoliser.
monótono, a *a* monotone; (*fig*) ennuyeux(euse).
monstruo *nm* monstre *m* // *a* monstre; **monstruoso, a** *a* monstrueux(euse).
monta *nf* somme *f*, montant *m*; **de poca** ~ sans importance.
montacargas *nm inv* monte-charge *m inv*.
montaje *nm* montage *m*; (ARQ) érection *f*; (TEATRO) mise en scène *f*.
montante *nm* (TEC) montant *m*; (ARQ) meneau *m*; (*pleamar*) marée montante, flux *m*; (AM) montant.
montaña *nf* montagne *f*; pic *m*; coteau *m*; (AM) mont *m*; ~ **rusa** montagne russe; **montañés, esa** *a*

montagnard(e) // *nm/f* montagnard/e; habitant/e de la région de Santander.
montar *vt* monter; (*arma*) armer // *vi* monter; (*sobresalir*) saillir, monter; **~se** *vr*: **~se a un árbol** monter à un arbre; **~ a** s'élever à; **~ en cólera** se mettre en colère.
montaraz *a* montagnard(e); (*salvaje*) sauvage; (*pey*) grossier (ière).
monte *nm* (*montaña*) montagne *f*; (*bosque*) bois *m*; **~ de Piedad** mont-de-piété *m*; **~ alto** forêt *f*, futaie *f*; **~ bajo** taillis *m*, maquis *m*.
montepío *nm* caisse *f* de secours mutuel; (AM) mont-de-piété *m*.
montera *nf* bonnet *m*; (*de torero*) toque *f*; (*de cristales*) verrière *f*, toiture vitrée.
monto *nm* montant *m*, total *m*.
montón *nm* tas *m*.
montura *nf* monture *f*.
monumento *nm* monument *m*.
moña *nf* ruban *m*.
moño *nm* (*de pelo*) chignon *m*; (*cintas*) nœud *m* de rubans; (*de ave*) huppe *f*; (AM) orgueil *m*.
mora *nf* (BOT) mûre *f*; (JUR) retard *m*.
morado, a *a* violet(te) // *nm* (*color*) violette *f*; (*moretón*) bleu *m* // *nf* (*casa*) maison *f*, demeure *f*; (*período*) séjour *m*.
morador, a *nm/f* habitant/e; locataire *m/f*.
moral *a* moral(e) // *nf* (*ética*) morale *f*; (*moralidad*) moralité *f*; (*ánimo*) moral *m* // *nm* mûrier *m*.
moraleja *nf* moralité *f*, morale *f*.
moralizar *vt* moraliser.
morar *vi* habiter, demeurer.
morboso, a *a* malade; morbide.
morcilla *nf* boudin *m*; (TEATRO) improvisation *f*.
mordaz *a* (*corrosivo*) mordant(e); (*hiriente*) blessant(e), piquant(e).
mordaza *nf* (*para la boca*) bâillon *m*; (TEC) mâchoire *f*, mordache *f*; (*de carriles*) éclisse *f*.
morder *vt* mordre; (*serpiente*) piquer, mordre; **mordisco** *nm* (*dentellada*) morsure *f*; (*parte comida*) bouchée *f*.
moreno, a *a* (*de tez*) brun(e); (*negro*) nègre(négresse); (AM) mulâtre(sse) // *nm/f* brun/e // *nf* (*mujer*) brune *f*; (ZOOL) murène *f*.
morera *nf* mûrier blanc.
morería *nf* médina *f*, quartier *m* maure.
morfina *nf* morphine *f*.
moribundo, a *a* moribond(e).
morigerar *vt* modérer, régler.
morir *vi* mourir; **~se** *vr* décéder; (*fig*) expirer; (*pierna etc*) mourir; **fue muerto en un accidente** il est mort dans un accident; **~se por algo** aimer follement qch.
moro, a *a* maure; (AM) balzan(e) // *nm/f* maure *m/f*.
moroso, a *a* lent(e); paresseux(euse); en retard.
morral *nm* musette *f*; gibecière *f*.
morriña *nf* mal *m* du pays; tristesse *f*.
morsa *nf* morse *m*.
mortaja *nf* linceul *m*; mortaise *f*; (AM) papier *m* à cigarettes.
mortal *a* mortel(le); **~idad, mortandad** *nf* mortalité *f*.
mortecino, a *a* blafard(e); moribond(e); mourant(e).
mortero *nm* mortier *m*.
mortífero, a *a* meurtrier(ière).
mortificar *vt* blesser; ennuyer; mortifier; **~se** *vr* se mortifier.
mosaico *nm* mosaïque *f*.
mosca *nf* mouche *f*.
moscardón *nm* œstre *m* du bœuf; mouche bleue; frelon *m*; (*fam*) raseur *m*.
Moscú *n* Moscou.
mosquete *nm* mousquet *m*.
mosquitero *nm* moustiquaire *f*.
mosquito *nm* moustique *m*.
mostaza *nf* moutarde *f*.
mosto *nm* moût *m*.
mostrador, a *a* montreur(euse) // *nm* comptoir *m*.
mostrar *vt* (*gen*) montrer; exposer; exhiber; étaler; présenter;

~**se** *vr*: ~**se amable** se montrer aimable.
mostrenco, a *a* (JUR) vacant(e); (*perro*) abandonné(e); (*fam*) ignorant(e) // *nm/f* lourdaud/e.
mota *nf* motte *f*, petit morceau; pois *m*.
mote *nm* (*apodo*) sobriquet *m*, surnom *m*; (*sentencia*) devise *f*.
motín *nm* (*del pueblo*) émeute *f*; (*del ejército*) mutinerie *f*.
motivar *vt* donner lieu à; motiver.
motivo, a *a* moteur(trice) // *nm* motif *m*.
moto *nf*, **motocicleta** *nf* moto *m*; **motociclista** *nm/f* motocycliste *m/f*.
motoniveladora *nf* niveleuse *f*, bulldozer *m*.
motor *a* moteur(trice) // *nm* moteur *m*; ~ **a chorro** *o* **de reacción/de explosión** moteur à réaction/à explosion.
motora *nf*, **motorbote** *nm* canot *m ou* vedette *f* à moteur.
motorizar *vt* motoriser.
motosierra *nf* scie *f* électrique.
motosilla *nf* scooter *m*, vélomoteur *m*.
movedizo, a *a* mouvant(e); inconstant(e).
mover *vt* (*los pies*) remuer; (*la tierra*) retourner; (*accionar*) actionner, faire marcher; (*fig*) provoquer, susciter; (*en ajedrez, damas*) déplacer; (*ocuparse de*) faire agir; ~**se** *vr* bouger.
móvil *a* mobile // *nm* mobile *m*; **movilidad** *nf* mobilité *f*; **movilizar** *vt* remuer, bouger; mobiliser.
movimiento *nm* (*gen*) mouvement *m*; (*actividad*) activité *f*; (COM) rotation *f*; (*social*) soulèvement *m*; ~ **escénico** jeu de scène *m*.
mozo, a *a* jeune // *nm/f* (*joven*) jeune homme/fille; (*soltero*) célibataire *m/f*; (*criado*) domestique *m/f* // *nm* (*camarero*) garçon *m*.
muchacho, a *nm/f* (*niño*) enfant *m/f*, jeune garçon/fille; (*criado*) domestique *m/f*.
muchedumbre *nf* foule *f*.
mucho, a *a* beaucoup de // *ad* (*en cantidad*) beaucoup; (*del tiempo*) longtemps; (*muy*) très // *pron* beaucoup; **ni** ~ **menos** loin de là.
mudanza *nf* (*cambio*) changement *m*; (*de casa*) déménagement *m*, emménagement *m*; ~**s** *nfpl* (*fig*) versatilité *f*.
mudar *vt* changer; transformer; (ZOOL) muer // *vi* changer; ~**se** *vr* (*la ropa*) se changer; (*de casa*) déménager.
mudéjar *nm/f* mudéjar *m/f*.
mudo, a *a* muet(te) // *nm/f* muet/te.
mueble *nm* meuble *m* // *a*: **bienes** ~**s** biens meubles; ~**s** *nmpl* mobilier *m*; **mueblería** *nf* fabrique *f* de meubles; magasin *m* de meubles.
mueca *nf* grimace *f*.
muela *nf* (ANAT) molaire *f*; (*piedra*) meule *f*.
muelle *a* doux(douce); mou(molle), voluptueux(euse) // *nm* quai *m*; môle *m*; ressort *m*.
muero *etc vb ver* **morir**.
muerte *nf* mort *f*; (*homicidio*) homicide *m*; (*suicidio*) suicide *m*; (*destrucción*) destruction *f*.
muerto, a *pp de* **morir** // *a* mort(e); (*apagado*) éteint(e); (*inactivo*) inactif(ive) // *nm/f* mort/e.
muestra *nf* (*señal*) enseigne *f*, signe *m*; (*estadística*) échantillonnage *m*; (*modelo*) modèle *m*; (*testimonio*) témoignage *m*; **muestrario** *nm* échantillonnage *m*.
muestro *etc vb ver* **mostrar**.
muevo *etc vb ver* **mover**.
mugido *nm* mugissement *m*, beuglement *m*.
mugir *vi* mugir, beugler; (*persona*) gémir.
mugre *nf* crasse *f*, saleté *f*.
muguete *nm* muguet *m*.
mujer *nf* (*de sexo femenino*) femme

f; (*esposa*) épouse *f*; **mujeriego** *a* coureur (de jupons).
mula *nf* mule *f*.
muladar *nm* dépotoir *m*.
muleta *nf* (*para andar*) béquille *f*; (TAUR) muleta *f*; (*fig*) appui *m*.
muletilla *nf* canne *f* servant de béquille; refrain *m*; cheville *f*; tic *m*; muleta *f*.
multa *nf* amende *f*; **multar** *vt* condamner à une amende.
multicopista *nm* machine *f* à polycopier.
multiforme *a* multiforme.
múltiple *a* multiple; **~s** *pl* nombreux(euses).
multiplicar *vt* (MAT) multiplier; (*fig*) reproduire; **~se** *vr* (BIO) se reproduire; (*fig*) se mettre en quatre.
multitud *nf* (*gentío, muchedumbre*) multitude *f*, foule *f*; (*cantidad*) masse *f*.
mullido, a *a* moelleux(euse), douillet(te) // *nm* bourre *f*.
mundial *a* mondial(e); universel(le).
mundo *nm* monde *m*; **tener ~** avoir de l'aisance.
munición *nf* (MIL) munition *f*; (*perdigones*) plomb *m* de chasse; (*de arma*) charge *f*.
municipal *a* municipal(e) // *nm* agent *m*.
municipio *nm* (*municipalidad*) municipalité *f*; (*comuna*) commune *f*.
muñeca *nf* (ANAT) poignet *m*; (*juguete*) poupée *f*; (*maniquí*) mannequin *m*; (*para barnizar*) tampon *m*.
muñeco *nm* (*figura*) bonhomme *m*; (*marioneta*) marionnette *f*; (*maniquí*) mannequin *m*; (*fig*) pantin *m*.
muñequera *nf* poignet *m* de force; bracelet *m*.
muralla *nf* muraille *f*.
murciélago *nm* chauve-souris *f*.
murmullo *nm* murmure *m*; (*zumbido*) bourdonnement *m*; (*fig*) bruit *m*.
murmuración *nf* médisance *f*.
murmurar *vi* murmurer; (*criticar*) médire.
muro *nm* mur *m*.
muscular *a* musculaire.
músculo *nm* muscle *m*.
museo *nm* musée *m*; (*colección*) collection *f*.
musgo *nm* mousse *f*.
músico, a *a* musical(e) // *nm/f* musicien(ne) // *nf* musique *f*.
muslo *nm* cuisse *f*.
mustio, a *a* (*persona*) triste, abattu(e); (*planta*) flétri(e).
musulmán, ana *nm/f* musulman/e.
mutación *nf* (BIO) mutation *f*; (*cambio*) changement *m*.
mutilar *vt* mutiler.
mutuamente *ad* mutuellement.
mutuo, a *a* mutuel(le); réciproque.
muy *ad* très; **M~ Señor mío** (cher) Monsieur; **por ~ rápido que vayas** tu as beau aller vite; **eso es ~ de él** c'est bien de lui.

N

n *abr de* **nacido**.
N *abr de* **norte**.
n/ *abr de* **nuestro, a**.
nabo *nm* (BOT) navet *m*; (*raíz*) racine *f*; (ARQ) arbre *m*, axe *m*, noyau *m*.
nácar *nm* nacre *f*.
nacer *vi* naître; (*vegetal*) pousser, naître; (*astro, el diá*) se lever; (*río*) prendre sa source; **nacido, a** *a* né(e); **naciente** *a* naissant(e); **nacimiento** *nm* naissance *f*; source *f*.
nación *nf* nation *f*; **nacional** *a* national(e); **nacionalizar** *vt* nationaliser; **nacionalizarse** *vr* se faire naturaliser.

nada *nf* neánt *m* // *pron* rien // *ad* pas du tout.
nadaderas *nfpl* ceinture *f* natatoire.
nadador, a *nm/f* nageur/euse.
nadar *vi* nager.
nadie *pron* personne; ~ **puede decirlo** personne ne peut le dire; **no había** ~ il n'y avait personne.
nádir *nm* nadir *m*.
nado: **a** ~ *ad* à la nage.
naguas *nfpl* = **enaguas**.
naipe *nm* carte *f*.
nalga *nf* fesse *f*.
nana *nf* (*fam*: *abuela*) mémé *f*; (: *canción*) berceuse *f*; (AM) bobo *m*; nourrice *f*.
naranja *nf* orange *f* // *a* orange // *nm* orange *m*; **naranjado, a** *a* orange, orangé(e) // *nf* orangeade *f*; **naranjo** *nm* oranger *m*.
narciso *nm* narcisse *m*.
narcótico, a *a* narcotique // *nm* narcotique *m*; **narcotizar** *vt* narcotiser.
nardo *nm* nard *m*.
narigón, ona, narigudo, a *a* qui a un grand *ou* long nez.
nariz *nf* nez *m*.
narración *nf* narration *f*, récit *m*.
narrador, a *nm/f* narrateur/trice.
narrar *vt* raconter, narrer; **narrativa** *nf* narration *f*, récit *m*.
Nª Sra *abr de Nuestra Señora*.
nata *nf ver* **nato**.
natación *nf* (DEPORTE) natation *f*; (*acción*) nage *f*.
natal *a* natal(e); ~**icio** *nm* naissance *f*; anniversaire *m*.
natillas *nfpl* crème renversée.
nativo, a *a* natif(ive); naturel(le); inné(e) // *nm/f* originaire *m/f*.
nato, a *a* né(e) // *nf* crème fraîche; (*fig*) crème.
natural *a* naturel(le) // *nm/f* originaire *m/f*, natif/ive // *nm* naturel *m*; ~**eza** *nf* nature *f*; (*temperamento*) naturel *m*; (*origen*) nationalité *f*; ~**eza muerta** nature morte; ~**idad** *nf* naturel *m*; simplicité *f*; ~**ización** *nf* naturalisation *f*; ~**izar** *vt* naturaliser; ~**izarse** *vr* se faire naturaliser, se naturaliser; ~**mente** *ad* naturellement.
naufragar *vi* naufrager, faire naufrage; (*fig*) échouer; **naufragio** *nm* naufrage *m*; **náufrago, a** *a* naufragé(e) // *nm/f* naufragé/e.
náusea *nf* nausée *f*; **nauseabundo, a** *a* nauséabond(e).
náutico, a *a* nautique; maritime.
nava *nf* cuvette *f*, dépression *f*.
navaja *nf* (*cortaplumas*) canif *m*; (*de barbero, peluquero*) rasoir *m*; (ZOOL) couteau *m*; aiguillon *m*; défense *f*.
navarro, a *a* navarrais(e).
nave *nf* (*barco*) vaisseau *m*; (ARQ) nef *f*; corps *m* de bâtiment; ~ **espacial** vaisseau spatial; **navegación** *nf* navigation *f*; **navegante** *a* navigant(e) // *nm/f* navigateur/trice; **navegar** *vi* (*barco*) naviguer; (*avión*) voler; (AM) être dans la lune.
navidad *nf* nativité *f*; Noël *m*; **navideño, a** *a* de Noël.
navío *nm* navire *m*, vaisseau *m*.
nazi *a* nazi(e); **nazismo** *nm* nazisme *m*.
neblina *nf* brouillard *m*.
nebuloso, a *a* nébuleux(euse).
necedad *nf* sottise *f*, niaiserie *f*.
necesario, a *a* nécessaire.
neceser *nm* nécessaire *m*.
necesidad *nf* (*falta*) besoin *m*, dénuement *m*; (*lo inevitable*) nécessité *f*; **hacer sus** ~**es** faire ses besoins.
necesitado, a *a* nécessiteux(euse).
necesitar *vt* nécessiter, requérir // *vi*: ~ **de** avoir besoin de.
necio, a *a* sot(te), niais(e).
necrología *nf* oraison *f* funèbre; éloge *m* funèbre; nécrologie *f*.
necrópolis *nf* nécropole *f*.
néctar *nm* nectar *m*.
nectarina *nf* nectarine *f*, brugnon *m*.
nefando, a *a* abominable.
nefasto, a *a* néfaste.

negable *a* niable.
negación *nf* négation *f*, refus *m*.
negar *vt* nier; (*desmentir*) démentir; (*prohibir*) défendre, interdire; **~se** *vr*: **~se a** se refuser à, refuser de.
negativo, a *a* négatif(ive) // *nm* négatif *m* // *nf* refus *m*, négation *f*; rejet *m*.
negligencia *nf* (*descuido*) laisser-aller *m*; (*omisión*) négligence *f*, oubli *m*; **negligente** *a* négligent(e).
negociable *a* négociable; **un giro ~** un effet commerciable.
negociado *nm* bureau *m*, service *m*; (AM) transaction illégale.
negociante *nm/f* négociant/e, homme/femme d'affaires.
negociar *vt* commercer, négocier, faire du commerce; (*cheque*) endosser // *vi* négocier; traiter.
negocio *nm* affaire *f*; (AM) fonds de commerce *m*, magasin *m*.
negro, a *a* noir(e); (*fig*) triste, sombre; (*fam*) furieux(euse) // *nm* noir *m* // *nm/f* noir/e // *nf* noire *f*; **negrura** *nf* noirceur *f*, obscurité *f*.
nene, a *nm/f* bébé *m*; (*fam*) mon petit/ma petite.
nenúfar *nm* nénuphar *m*.
neófito, a *nm/f* néophyte *m/f*.
neologismo *nm* néologisme *m*.
neoyorquino, a *a* new-yorkais(e).
nepotismo *nm* népotisme *m*.
nervadura *nf* (ARQ) nervure *f*, nerf *m*; (BOT, ZOOL) nervation *f*.
nervio *nm* nerf *m*; (BOT) nervure *f*; (MUS) corde *f*; **nerviosidad** *nf* énervement *m*; force *f*; vigueur *f*; nervosité *f*; **nervioso, a, nervudo, a** *a* nerveux(euse); (*excitable*) énervé(e).
neto, a *a* net(te).
neumático, a *a* pneumatique // *nm* pneu *m*, pneumatique *m*.
neumonía *nf* pneumonie *f*.
neurálgico, a *a* nevralgique.
neurastenia *nf* neurasthénie *f*; **neurasténico, a** *a* neurasthénique.
neuritis *nf* névrite *f*.
neurólogo, a *nm/f* neurologue *m/f*, neurologiste *m/f*.
neurosis *nf inv* névrose *f*.
neutralizar *vt* neutraliser.
neutro, a *a* neutre.
nevada *nf* chute *f* de neige.
nevar *vt* couvrir de neige // *vi* neiger; **nevasca** *nf* chute *f* de neige, tempête *f* de neige.
nevera *nf* glacière *f*, réfrigérateur *m*.
neviscar *vi* neiger légèrement.
nevoso, a *a* neigeux(euse).
nexo *nm* lien *m*, trait d'union *m*.
ni *conj* ni; (*siquiera*) même pas; **~ que** même si, quand bien même; **~ blanco ~ negro** ni blanc ni noir; **~ siquiera** même pas.
Nicaragua *nf* Nicaragua *m*.
nicaragüense *a* nicaraguayen (ne).
nicotina *nf* nicotine *f*.
nicho *nm* niche *f*.
nido *nm* nid *m*; (*morada*) domicile *m*.
niebla *nf* brouillard *m*.
niego *etc vb ver* **negar**.
nieto, a *nm/f* petit-fils/petite-fille.
nieva *etc vb ver* **nevar**.
nieve *nf* neige *f*.
nigromancia *nf* nécromancie *f*; **nigromante** *nm/f* nécromant/e; nécromancien/ne.
nihilismo *nm* nihilisme *m*.
Nilo *nm*: **el ~** le Nil.
nimbo *nm* (*aureola*) nimbe *m*; (*nube*) nimbus *m*.
nimiedad *nf* petitesse *f*, mesquinerie *f*; prolixité *f*; bagatelle *f*.
nimio, a *a* insignifiant(e), dérisoire; (*persona*) méticuleux(euse).
ninfa *nf* nymphe *f*.
ninfómana *nf* nymphomane *f*.
ninguno, ningún, ninguna *a* aucun(e) // *pron* aucun/e; personne; **de ninguna manera** pas du tout.
niña *nf ver* **niño**.
niñera *nf* nourrice *f*; **niñería** *nf* (*chiquillada*) enfantillage *m*; (*nadería*) bagatelle *f*, vétille *f*.

niñez *nf* enfance *f*.
niño, a *a* jeune, petit(e) // *nm/f* petit garçon/petite fille, enfant *m/f*; gosse *m/f* // *nf* pupille *f*; ~ **de pecho** nourrisson *m*.
nipón, ona *a* nippon(ne).
niquelar *vt* nickeler.
nitidez *nf* éclat *m*; pureté *f*; netteté *f*.
nítido, a *a* net(te), clair(e).
nitrato *nm* nitrate *f*; ~ **de soda** nitrate de soude.
nitroglicerina *nf* nitroglycérine *f*.
nivel *nm* niveau *m*; (*fig*) échelon *m*; **nivelar** *vt* (*terreno*) niveler, terrasser, égaliser; (*mueble*, FINANZAS) équilibrer.
níveo, a *a* nivéen(ne).
NN. UU. *nfpl* (*abr de Naciones Unidas*) ONU *f* (Nations Unies).
no *ad* non; (*delante de verbo*) ne ... pas; **ahora** ~ pas maintenant; **¿~ lo sabes?** tu ne le sais pas?; **¡a que ~ lo sabes!** je parie que tu ne le sais pas; ~ **mucho** pas beaucoup; ~ **más de 3 kilos** pas plus de 3 kilos; ~ **bien termine, lo entregaré** à peine terminé je le remettrai; **el** ~ **conformismo** le non- conformisme; **la** ~ **intervención** la non-intervention.
NO *abr de* **noroeste**.
no. *abr de* **número**.
noble *a* noble // *nm/f* noble *m/f*; **nobleza** *nf* noblesse *f*.
noción *nf* notion *f*.
nocivo, a *a* nocif(ive), nuisible.
noctámbulo, a *nm/f* noctambule *m/f*.
nocturno, a *a* nocturne // *nm* nocturne *m*.
noche *nf* nuit *f*; (*la tarde*) nuit; soirée *f*.
nochebuena *nf* nuit *f* de Noël.
nodriza *nf* nourrice *f*.
nogal *nm* noyer *m*; **nogueral** *nm* noiseraie *f*, endroit planté de noyers.
nómada *a* nomade // *nm/f* nomade *m/f*.
nombradía *nf* renom *m*, réputation *f*.
nombramiento *nm* (*designación*) nomination *f*; (*comisión*) commission *f*, nomination.
nombrar *vt* nommer.
nombre *nm* nom *m*; ~ **común/propio** nom commun/ propre; ~ **de pila** prénom *m*; ~ **de soltera** nom de jeune fille.
nomenclatura *nf* nomenclature *f*.
nomeolvides *nm inv* myosotis *m*.
nómina *nf* (*lista*) liste *f*; (COM) paie *f*.
nominal *a* nominal(e).
nominativo, a *a* nominatif(ive).
non *a* impair(e) // *nm* impair *m*; **estar de** ~ être de trop.
nonada *nf* bagatelle *f*, vétille *f*.
nono, a *a* neuf; neuvième.
nordeste *a* nord-est // *nm* nord- est *m*.
nórdico, a *a* nordique.
noria *nf* (AGR) noria *f*; (*de carnaval*) grande roue.
norma *nf* règle *f*, norme *f*, principe *m*.
normal *a* normal(e); (*habitual*) habituel(le), naturel(le), normal; (**gasolina**) ~ essence *f* ordinaire; ~**idad** *nf* (*lo común*) normalité *f*; (*calma*) calme *m*; ~**izar** *vt* régulariser; (TEC) normaliser, standardiser; ~**izarse** *vr* se rétablir.
normando, a *a* normand(e).
noroeste *a* nord-ouest // *nm* nord-ouest *m*.
norte *nm* nord *m*; (*fig*) objectif *m*; guide *m*.
norteamericano, a *a* des États-Unis, américain(e) // *nm/f* Américain/e.
Noruega *nf* Norvège *f*.
noruego, a *a* norvégien(ne).
nos *pron* nous.
nosotros *pron* nous.
nostalgia *nf* nostalgie *f*.
nota *nf* note *f*, annotation *f*; (*apunte, informe*) annotation, commentaire *m*; (*fama*) réputation *f*, renommée *f*; (ESCOL, MUS) note.

notabilidad *nf* notabilité *f*.
notable *a* remarquable; important(e) // *nm/f* notable *m/f*.
notación *nf* (*nota*) annotation *f*; (MAT, MUS) notation *f*.
notar *vt* noter; (*anotar*) remarquer, relever; (*asentar*) noter, enregistrer; (*censurar*) censurer; (*advertir*) observer, trouver.
notarial *a* notarial(e).
notario *nm* notaire *m*.
noticia *nf* (*información*) nouvelle *f*, nouveauté *f*, information *f*; (*noción*) idée *f*, notion *f*; **noticiar** *vt* informer de, faire savoir; **noticiario** *nm* journal parlé *ou* d'informations; **noticioso, a** *a* informé(e), renseigné(e).
notificación *nf* notification *f*.
notificar *vt* notifier; faire savoir; informer; prononcer.
notoriedad *nf* notoriété *f*.
notorio, a *a* notoire; connu(e).
novato, a *a* nouveau(elle) // *nm/f* novice *m/f*.
novedad *nf* nouveau *m*, neuf *m*, nouveauté *f*; nouvelle *f*; changement *m*.
novel *a* nouveau(elle), débutant(e), novice // *nm/f* débutant/e.
novela *nf* roman *m*.
novelero, a *a* curieux(euse) de tout // *nm/f* inconstant/e.
novelesco, a *a* romanesque.
noveno, a *a* neuvième.
noventa *num* quatre-vingt-dix.
novia *nf* (*querida*) petite amie; (*prometida*) fiancée *f*; **noviazgo** *nm* fiançailles *fpl*.
novicio, a *a* novice // *nm/f* novice *m/f*.
noviembre *nm* novembre *m*.
novilla *nf* génisse *f*; **novillada** *nf* (TAUR) course *f* de jeunes taureaux; **novillero** *nm* torero combattant de jeunes taureaux; **novillo** *nm* jeune taureau *m*; **hacer novillos** (*fam*) faire l'école buissonnière.
novio *nm* (*querido*) petit ami; (*prometido*) fiancé *m*; (*recién casado*) jeune marié.
N. S. *abr de Nuestro Señor*.
nubarrón *nm* gros nuage.
nube *nf* nuage *m*; (MED) taie *f*; (*fig*) nueé *f*; **nublado, a** *a* nuageux(euse); **nublar** *vt* assombrir; (*fig*) brouiller.
nuca *nf* nuque *f*.
núcleo *nm* noyau *m*.
nudillo *nm* nœud *m*, jointure *f*.
nudo *nm* nœud *m*; (*de costura*) point noué; **nudoso, a** *a* noueux(euse).
nuera *nf* bru *f*, belle-fille *f*.
nuestro, a *det* notre; (*pl*) nos // *pron*: **el** ~ le nôtre; **la nuestra** la nôtre; **los** ~**s/las nuestras** les nôtres.
nueva *nf ver* **nuevo**.
nuevamente *ad* (*de nuevo*) à nouveau, de nouveau; (*recientemente*) nouvellement.
nueve *num* neuf.
nuevo, a *a* (*original*) neuf(euve); (*reciente, moderno*) nouveau(elle); (*flamante*) flambant neuf; (*inesperado*) inespéré(e), inattendu(e) // *nf* nouvelle *f*; **Nueva York** *n* New York; **Neuva Zelandia** *nf* Nouvelle Zélande *f*.
nuez *nf* (*pl* **nueces**) noix *f*; ~ **moscada** noix muscade; ~ **de Adán** pomme d'Adam *f*.
nulidad *nf* nullité *f*, incapacité *f*; ignorance *f*; dérogation *f*.
nulo, a *a* (*inepto*) nul(le); (*inválido*) invalide.
núm. *abr de* **número**.
numen *nm* inspiration *f*.
numeración *nf* numération *f*; ~ **arábiga/romana** chiffres arabes/romains.
numeral *a* numéral(e).
numerar *vt* (*contar*) dénombrer, nombrer; (*poner un número*) numéroter.
numerario, a *a* numéraire // *nm* numéraire *m*.
numérico, a *a* numérique.
número *nm* (*cifra*) chiffre *m*; (*de zapato*) pointure *f*; (TEATRO, *ejemplar*) numéro *m*; (*cantidad*) nombre *m*; ~ **de matrícula** numéro

d'immatriculation; ~ **telefónico** numéro de téléphone.
numeroso, a *a* nombreux(euse), abondant(e).
nunca *ad* jamais.
nuncio *nm* nonce *m.*
nupcias *nfpl* noces *fpl*, mariage *m.*
nutria *nf* loutre *f.*
nutrido, a *a* dense, épais(se); nourri(e).
nutrir *vt* nourrir; **~se con** se nourrir de; **nutritivo, a** *a* nourrissant(e); nutritif(ive).

Ñ

ñame *nm* igname *f.*
ñandú *nm* (AM) nandou *m.*
ñaña *nf* (AM) grande sœur, sœur aînée; bonne d'enfants *f.*
ñato, a *a* (AM) camus(e).
ñeque *a* (AM) vigoureux(euse) // *nm* (AM) vigueur *f.*
ñoñería, ñoñez *nf* (*insipidez*) insipidité *f*; (*estupidez*) niaiserie *f*, stupidité *f.*
ñoño, a *a* (*apocado*) niais(e), imbécile; (*soso*) insubstantiel(le), insipide // *nm/f* sot/te.

O

o *conj* ou.
O *abr de* **oeste.**
o/ *abr de* **orden.**
oasis *nm* oasis *f.*
obcecar *vt* éblouir, aveugler.
obedecer *vt* obéir à; **obediencia** *nf* obéissance *f*, soumission *f*; **obediente** *a* obéissant(e).
obertura *nf* ouverture *f.*
obesidad *nf* obésité *f.*
obeso, a *a* obèse.
obispo *nm* évêque *m.*
objeción *nf* objection *f*, contestation *f.*
objetar *vt, vi* objecter.
objetivo, a *a* objectif(ive) // *nm* objectif *m.*
objeto *nm* (*cosa*) objet *m*; (*fin*) but *m*, fin *f.*
oblicuo, a *a* oblique; (*fig*) du coin de l'œil; de travers.
obligación *nf* obligation *f*, devoir *m*; (COM) obligation.
obligar *vt* obliger; **~se** *vr* s'engager; **obligatorio, a** *a* obligatoire.
oboe *nm* hautbois *m.*
obra *nf* œuvre *f*; (*hechura*) ouvrage *m*, travail *m*; (ARQ) construction *f*; **estar en ~** être à l'œuvre; **por ~ de** par l'action de; **obrar** *vt* travailler; (*tener efecto*) agir // *vi* œuvrer; (*tener efecto*) opérer, agir; **la carta obra en su poder** la lettre est en sa possession; **obrero, a** *a* ouvrier(ière) // *nm/f* ouvrier/ière.
obscenidad *nf* obscénité *f.*
obsceno, a *a* obscène.
obscu... = oscu... .
obsequiar *vt* (*ofrecer*) offrir; (*agasajar*) traiter avec empressement; **obsequio** *nm* (*regalo*) cadeau *m*; (*cortesía*) prévenance *f*, attention *f*; **obsequioso, a** *a* obligeant(e).
observación *nf* observation *f*; (*reflexión*) remarque *f.*
observancia *nf* observance *f.*
observar *vt* observer; (*anotar*) remarquer; **~se** *vr* se surveiller.
observatorio *nm* observatoire *m.*
obsesión *nf* obsession *f*; **obsesionar** *vt* obséder.
obstaculizar *vt* entraver.
obstáculo *nm* (*impedimento*) obstacle *m*; (*dificultad*) difficulté *f.*
obstante: **no ~** *ad* cependant, néanmoins // *prep* malgré.
obstar *vi*: **~ a** empêcher.
obstetricia *nf* obstétrique *f*; **obstétrico, a** *a* obstétrique, obstétrical(e) // *nm/f* obstétricien/ne.

obstinado, a *a* têtu(e); obstiné(e).
obstinarse *vr* s'entêter; ~ **en** s'obstiner dans *ou* à.
obstrucción *nf* obstruction *f*.
obstruir *vt* obstruer, boucher.
obtener *vt* (*conseguir*) obtenir; (*ganar*) gagner.
obturar *vt* obturer.
obtuso, a *a* obtus(e).
obviar *vt* pallier // *vi* s'opposer.
obvio, a *a* évident(e).
ocasión *nf* (*oportunidad*) occasion *f*; (*circunstancia*) occasion, circonstance *f*; (*causa*) cause *f*; **de** ~ d'occasion; **ocasionar** *vt* occasionner.
ocaso *nm* (*oeste*) couchant *m*; (*fig*) déclin *m*.
occidente *nm* occident *m*.
océano *nm* océan *m*; **el** ~ **Índico** l'océan Indien; **oceanografía** *nf* océanographie *f*.
O.C.E.D. *nf* (*abr de Organización de Cooperación Económica y Desarrollo*) OCDE *f* (*Organisation de coopération et de développement économique*).
ocio *nm* (*pey*) oisiveté *f*; (*tiempo*) loisir *m*; ~**s** *nmpl* distractions *fpl*; **ociosidad** *nf* oisiveté *f*; **ocioso, a** *a* (*inactivo*) oisif(ive); (*inútil*) oiseux(euse).
octágono *nm* octogone *m*.
octano *nm* octane *m*.
octavo, a *a* huitième.
octogenario, a *a* octogénaire.
octubre *nm* octobre *m*.
ocular *a* oculaire // *nm* lentille *f*, verre *m*.
oculista *nm/f* oculiste *m/f*.
ocultar *vt* (*esconder*) cacher; (*callar*) taire; **oculto, a** *a* caché(e).
ocupación *nf* occupation *f*.
ocupado, a *a* occupé(e).
ocupar *vt* occuper; ~**se** *vr*: ~**se con** *o* **de** *o* **en** s'occuper de.
ocurrencia *nf* (*ocasión*) circonstance *f*; (*agudeza*) boutade *f*, mot d'esprit *m*.
ocurrir *vi* arriver; ~**se** *vr* venir à l'esprit.
ochenta *num* quatre-vingts.
ocho *num* huit.
odiar *vt* détester, haïr.
odio *nm* haine *f*; aversion *f*; **odioso, a** *a* odieux(euse); détestable.
O.E.A. *nf* (*abr de Organización de Estados Americanos*) OEA *f* (*Organisation des Etats Américains*).
oeste *nm* ouest *m*; **una película del** ~ un western.
ofender *vt* (*agraviar*) offenser; (*ser ofensivo a*) outrager; ~**se** *vr* se fâcher; **ofensa** *nf* offense *f*; **ofensivo, a** *a* (*insultante*) offensant(e); (*MIL*) offensif(ive) // *nf* offensive *f*.
oferta *nf* offre *f*; (*propuesta*) proposition *f*, offre; **la** ~ **y la demanda** l'offre et la demande; **artículos en** ~ articles *mpl* en promotion.
oficial *a* officiel(le) // *nm* ouvrier *m*; (*MIL*) officier *m*.
oficina *nf* bureau *m*; **oficinista** *nm/f* employé/e de bureau.
oficio *nm* (*profesión*) métier *m*; (*puesto*) fonction *f*, charge *f*; (*REL*) office *m*; **ser del** ~ être du métier; **tener mucho** ~ avoir du métier; ~ **de difuntos** office des morts; **de** ~ d'office.
oficiosidad *nf* diligence *f*, zèle *m*.
oficioso, a *a* (*diligente*) diligent(e); (*pey*) indiscret(ète); (*no oficial*) officieux(euse).
ofrecer *vt* (*dar*) offrir; (*proponer*) présenter; ~**se** *vr* (*persona*) se proposer, s'offrir; (*situación*) se présenter, s'offrir; **¿qué se le ofrece?, ¿se le ofrece algo?** que désirez-vous?
ofrecimiento *nm* offre *f*, proposition *f*.
ofrendar *vt* offrir.
oftálmico, a *a* ophtalmique.
ofuscación *nf* aveuglement *m*.
ofuscamiento *nm* aveuglement *m*.
ofuscar *vt* troubler, égarer; ~**se** *vr* être troublé(e).
oída *nf* audition *f*; **de** ~**s** par ouï-dire.

oído *nm* oreille *f*; (*sentido*) ouïe *f*, oreille.
oigo *etc vb ver* **oír**.
oír *vt* (*percibir*) entendre; (*atender a*) écouter; **¡oiga!** écoutez!
O.I.T. *nf* (*abr de Organización Internacional del Trabajo*) BIT *m* (*Bureau International du travail*).
ojal *nm* boutonnière *f*.
ojalá *excl* plaise à Dieu!, Dieu veuille que // *conj* pourvu que, si seulement.
ojeada *nf* coup d'œil *m*.
ojear *vt* regarder, examiner; (*mal de ojos*) jeter le mauvais œil.
ojera *nf* cerne *m*.
ojeriza *nf* rancune *f*, haine *f*.
ojeroso, a *a* battu(e), cerné(e).
ojo *nm* œil *m*; (*de aguja*) chas *m*; (*de puente*) arche *f*; (*de cerradura*) trou *m* // *excl* attention!, gare!; ~ **de buey** hublot *m*.
ola *nf* vague *f*.
olé *excl* bravo!, olé!
oleada *nf* grande vague *ou* lame; (*fig*) marée *f*.
oleaje *nm* houle *f*.
óleo *nm* huile *f*.
oleoducto *nm* pipe-line *m*, oléoduc *m*.
oler *vt* sentir; (*fig*) flairer; renifler // *vi*: ~ **a** sentir.
olfatear *vt* flairer.
olfato *nm* odorat *m*.
oliente *a* qui sent, odorant(e); **bien** ~ qui sent bon; **mal** ~ malodorant(e).
oligarquía *nf* oligarchie *f*.
olimpíada *nf*: **las O~s** les Jeux *mpl* Olympiques.
oliscar *vt* flairer, renifler // *vi* sentir mauvais.
oliva *nf* (*aceituna*) olive *f*; (*árbol*) olivier *m*.
olivo *nm* olivier *m*.
olmo *nm* orme *m*.
olor *nm* odeur *f*.
oloroso, a *a* parfumé(e), odorant(e).
olvidadizo, a *a* (*desmemoriado*) oublieux(euse), ingrat(e); (*distraído*) distrait(e).
olvidar *vt* oublier; (*omitir*) omettre; **~se** *vr* s'oublier.
olvido *nm* oubli *m*.
olla *nf* marmite *f*; (*comida*) ragoût *m*; ~ **a presión** *o* **autopresión** cocotte minute *f*, auto-cuiseur *m*; ~ **podrida** pot-pourri *m*.
ombligo *nm* nombril *m*, ombilic *m*.
ominoso, a *a* de mauvais augure.
omisión *nf* (*abstención*) omission *f*; (*descuido*) négligence *f*.
omiso, a *a* (*omitido*) omis(e); (*descuidado*) négligent(e).
omitir *vt* omettre.
omnipotente *a* omnipotent(e).
omóplato *nm* omoplate *f*.
O.M.S. *nf* (*abr de Organización Mundial de la Salud*) OMS *f* (Organisation mondiale de la santé).
once *num* onze.
onda *nf* (*en el agua*) onde *f*; (*en el pelo*) cran *m*, ondulation *f*; **~s cortas/largas/medias** ondes courtes/longues/moyennes; **~s acústicas/hertzianas** ondes sonores/hertziennes; **ondear** *vt* ondoyer // *vi* flotter; **ondearse** *vr* se balancer.
ondulación *nf* ondulation *f*, cran *m*.
ondulado, a *a* ondulé(e) // *nm* frisure *f*, cran *m*.
ondulante *a* ondulant(e); (*cartón, chapa*) ondulé(e).
ondular *vt, vi*, **~se** *vr* onduler.
oneroso, a *a* onéreux(euse).
ONU *nf* (*abr de Organización de las Naciones Unidas*) ONU *f* (Organisation des nations unies).
O.P. *nfpl* (*abr de Obras Públicas*) ≈ Ponts et Chaussées.
opaco, a *a* opaque; (*fig*) mélancolique.
opalescente *a* opalescent(e).
ópalo *nm* opale *f*.
opción *nf* option *f*.
ópera *nf* opéra *m*; ~ **bufa/cómica** opéra bouffe/comique.

operación *nf* opération *f.*
operador, a *nm/f* opérateur/trice.
operante *a* agissant(e), opérant(e).
operar *vt* opérer // *vi* (COM) faire des affaires; **~se** *vr* arriver; (MED) se faire opérer.
opereta *nf* opérette *f.*
opinar *vt* (*estimar*) penser, estimer; (*enjuiciar*) juger.
opinión *nf* (*creencia*) opinion *f*; (*criterio*) jugement *m*, avis *m.*
oponer *vt* (*contraponer*) opposer; (*enfrentar*) mettre face à face; **~se** *vr* (*objetar*) s'opposer; (*estar frente a frente*) être vis à vis; **me opongo a pensar que ...** je me refuse à penser que ... .
oportunidad *nf* (*ocasión*) occasion *f*; (*posibilidad*) chance *f.*
oportunismo *nm* opportunisme *m.*
oportuno, a *a* (*adecuado*) opportun(e); (*conveniente*) convenable, bon(ne).
oposición *nf* opposition *f*; (*impugnación*) contestation *f*; (*discordia*) discorde *f*; (*antagonismo*) antagonisme *m.*
opositor, a *nm/f* (*adversario*) adversaire *m/f*; (*concurrente*) concurrent/e.
opresión *nf* oppression *f.*
opresivo, a *a* oppressif(ive).
opresor, a *nm/f* oppresseur *m.*
oprimir *vt* presser; (*fig*) opprimer.
oprobio *nm* (*infamia*) infamie *f*, opprobre *m*; (*descrédito*) discrédit *m.*
optar *vi* (*elegir*) choisir; (*decidir*) opter; **~ a** *o* **por** opter pour.
óptico, a *a* optique // *nm/f* opticien/ne.
optimismo *nm* optimisme *m*; **optimista** *nm/f* optimiste *m/f.*
óptimo, a *a* excellent(e).
opuesto, a *a* (*contrario*) contraire, opposé(e); (*antagónico*) antagonique.
opugnar *vt* assaillir.
opulencia *nf* opulence *f.*
oquedad *nf* (*fig*) vide *m.*
oración *nf* (*discurso*) discours *m*; (REL) prière *f*; (LING) phrase *f.*
oráculo *nm* oracle *m.*
orador, a *nm/f* (*predicador*) prédicateur *m*; (*conferenciante*) orateur/trice.
oral *a* oral(e).
orar *vi* prier; parler en public.
oratoria *nf* éloquence *f.*
órbita *nf* orbite *f*; (*fig*) cercle *m*, enceinte *f*, cadre *m.*
orden *nm* (*disposición*) rangement *m*, ordre *m*; (JUR, BOT, ZOOL) ordre; (*dominio*) domaine *m* // *nf* (JUR) mandat *m*; (REL, COM, ARQ) ordre *m*; **en ~ de prioridad** par ordre de priorité.
ordenado, a *a* (*metódico*) ordonné(e); (*arreglado*) arrangé(e), réglé(e).
ordenador *nm* ordinateur *m.*
ordenanza *nf* disposition *f.*
ordenar *vt* (*mandar*) ordonner; (*poner orden*) mettre en ordre, ordonner; **~se** *vr* se faire ordonner.
ordeñadora *nf* trayeuse *f.*
ordeñar *vt* traire.
ordinario, a *a* (*común*) ordinaire; (*bajo*) vulgaire.
orear *vt* aérer; **~se** *vr* prendre l'air.
orégano *nm* orégan *m*, marjolaine *f.*
oreja *nf* oreille *f*; (*de zapatos*) languette *f.*
orfandad *nf* orphelinage *m.*
orfebrería *nf* orfèverie *f.*
organillo *nm* orgue de barbarie *m.*
organismo *nm* (BIO) organisme *m*; (POL) institution *f.*
organista *nm/f* organiste *m/f.*
organización *nf* organisation *f*; (*estructura*) structure *f.*
organizar *vt* organiser.
órgano *nm* organe *m*; (MUS) orgue *m.*
orgasmo *nm* orgasme *m.*
orgía *nf* orgie *f.*
orgullo *nm* (*altanería*) orgueil *m*, fierté *f*; (*autorespeto*) orgueil;

orgulloso, a *a* fier(ère); orgueilleux(euse).
orientación *nf* (*posición*) position *f*; (*dirección*) orientation *f*; (*entrenamiento*) orientation, guide *m*.
orientar *vt* (*situar*) exposer; (*dirigir*) orienter; (*informar*) guider, orienter; **~se** *vr* s'orienter; (*decidirse*) se diriger, s'orienter.
oriente *nm* orient *m*; **Cercano/Medio/Lejano O~** Proche/Moyen/Extrême-Orient.
origen *nm* (*germen*) origine *f*; (*nacimiento*) lignée *f*, naissance *f*.
original *a* (*nuevo*) neuf(euve), original(e); (*único*) unique; (*extraño*) original; **originalidad** *nf* originalité *f*.
originar *vt* causer, provoquer; **~se** *vr* prendre naissance; **originario, a** *a* (*nativo*) originaire; (*primordial*) primordial(e).
orilla *nf* (*borde*) bord *m*; (*de bosque, tela*) lisière *f*; (*de calle*) trottoir *m*; **orillar** *vt* (*bordear*) border; (*resolver*) régler; (*tocar: asunto*) arranger.
orín *nm* rouille *f*.
orina *nf* urine *f*; **orinal** *nm* urinal *m*, vase de nuit *m*; **orinar** *vt* uriner; **orinarse** *vr* se compisser; **orines** *nmpl* urines *fpl*.
oriundo, a *a*: **~ de** originaire de.
orlar *vt* (*adornar*) orner; border; (*encuadrar*) encadrer.
ornamentar *vt* (*adornar, ataviar*) ornementer; (*revestir*) revêtir, recouvrir.
ornamento *nm* ornement *m*.
ornar *vt* orner.
oro *nm* or *m*; **~s** *nmpl* (NAIPES) carreau *m*.
oropel *nm* oripeau *m*.
orquesta *nf* orchestre *m*; **~ de cámara/sinfónica** orchestre de chambre/symphonique.
orquídea *nf* orchidée *f*.
ortiga *nf* ortie *f*.
ortodoxo, a *a* orthodoxe.
ortopedia *nf* orthopédie *f*.
oruga *nf* cheville *f*; (BOT) roquette *f*.
orzuelo *nm* (*trampa*) piège *m*; (MED) orgelet *m*.
os *pron* vous.
osa *nf* ourse *f*; **O~ Mayor/Menor** Grande/Petite Ourse.
osadía *nf* hardiesse *f*.
osar *vi* oser.
oscilación *nf* (*movimiento*) oscillation *f*; (*fluctuación*) fluctuation *f*; (*vacilación*) hésitation *f*.
oscilar *vi* osciller; (*fig*) fluctuer, varier; hésiter.
ósculo *nm* baiser *m*.
oscurecer *vt* obscurcir // *vi* commencer à faire sombre; **~se** *vr* s'assombrir, s'obscurcir.
oscuridad *nf* obscurité *f*; (*tinieblas*) ombre *f*.
oscuro, a *a* obscur(e); (*de color*) foncé(e); **a oscuras** dans l'obscurité.
óseo, a *a* osseux(euse).
osificar *vt* ossifier.
oso *nm* ours *m*; **~ de peluche** ours en peluche; **~ hormiguero** tamanoir *m*.
ostensible *a* ostensible.
ostentación *nf* ostentation *f*, étalage *m*.
ostentar *vt* montrer; faire étalage de, exhiber.
ostentoso, a *a* magnifique; démesuré(e).
osteópata *nm/f* osthéopathe *m/f*.
ostión *nm* grande huître.
ostra *nf* huître *f*.
ostracismo *nm* ostracisme *m*.
OTAN *nf* (*abr de Organización del Tratado del Atlántico Norte*) OTAN *f* (Organisation du traité de l'Atlantique Nord).
otear *vt* observer; scruter.
otitis *nf* otite *f*.
otoñal *a* automnal(e).
otoño *nm* automne *m*.
otorgamiento *nm* concession *f*, octroi *m*.
otorgar *vt* (*conceder*) octroyer, concéder; (*dar*) attribuer, décerner.
otro, a *a* (un/une) autre // *pron* un/e autre; **~s** autres; **de otra**

manera autrement; **en ~ tiempo** en d'autres temps; **ni uno ni ~** ni l'un ni l'autre; **~ tanto** tout autant.
ovación *nf* ovation *f*.
oval, ovalado, a *a* ovale.
óvalo *nm* ovale *m*.
oveja *nf* brebis *f*; **ovejuno, a** *a* de brebis, ovin(e).
overol *nm* bleu de travail *m*, salopette *f*.
ovillar *vt* mettre en pelote.
OVNI *nm* (*abr de objeto volante no identificado*) OVNI *m* (objet volant non identifié).
ovulación *nf* ovulation *f*.
oxidación *nf* oxydation *f*.
oxidar *vt* oxyder; **~se** *vr* s'oxyder, se rouiller.
óxido *nm* oxyde *m*.
oxigenado, a *a* oxygéné(e) // *nm* eau oxygénée.
oxígeno *nm* oxygène *m*.
oyente *nm/f* auditeur/trice.
oyes, oyó *etc vb ver* **oír**.

P

P *abr de* **padre**.
pabellón *nm* tente *f* de campagne; (ARQ) immeuble *m*; (*de jardín*) pavillon *m*; (*bandera*) drapeau *m*; **~ de la oreja** pavillon de l'oreille.
pabilo *nm* mèche *f*.
pábulo *nm* aliment *m*.
pacato, a *a* paisible, calme.
pacense *a* de Badajoz.
pacer *vi* paître // *vt* faire paître, nourrir.
paciencia *nf* patience *f*.
paciente *a* patient(e) // *nm/f* patient/e.
pacienzudo, a *a* très patient(e).
pacificación *nf* pacification *f*.
pacificar *vt* (*tranquilizar*) pacifier, apaiser; (*reconciliar*) réconcilier.
pacífico, a *a* pacifique; **el (océano) P~** l'océan *m* Pacifique, le Pacifique.
pacifismo *nm* pacifisme *m*; **pacifista** *nm/f* pacifiste *m/f*.
pacotilla *nf* pacotille *f*.
pactar *vt* pactiser, convenir de // *vi*: **~ con** faire un pacte avec.
pacto *nm* pacte *m*, accord *m*.
pachorra *nf* (*fam*) mollesse *f*; **pachorrudo, a** *a* (*fam*) lymphatique, lent(e); flegmatique.
pachucho, a *a* blet(te); (*fig*) patraque.
padecer *vt* (*sufrir*) souffrir de, souffrir; (*soportar*) supporter; (*ser víctima de*) subir; **padecimiento** *nm* souffrance *f*.
padrastro *nm* beau-père *m*; (*en la uña*) envie *f*.
padre *nm* père *m*; (ZOOL) reproducteur *m*; (REL) père, prêtre *m*, curé *m* // *a* (*fam*): **un susto ~** une peur bleue.
padrinazgo *nm* parrainage *m*.
padrino *nm* (REL) parrain *m*; (*fig*) protecteur *m*, appui *m*; **~ de boda** témoin *m* de mariage.
padrón *nm* (*censo*) cens *m*, recensement *m*, rôle *m*; (TEC) modèle *m*, patron *m*.
paella *nf* paëlla *f*, riz *m* à la valencienne.
pág(s) *abr de* **página(s)**.
paga *nf* (*dinero pagado*) paiement *m*; (*sueldo*) paye *f*, paie *f*.
pagadero, a *a* payable; **~ a la entrega/a plazos** payable à la livraison/à crédit.
pagador, a *nm/f* (*quien paga*) payeur/euse; (*cajero*) caissier/ière.
pagaduría *nf* trésorerie *f*, paierie *f*.
pagano, a *a* païen(ne) // *nm/f* païen/ne; mécréant/e.
pagar *vt* payer; (*devolver*) rendre // *vi* payer; **~ al contado/a plazos** payer au comptant/par mensualités; **~se con algo** se payer de qch; **~se de sí mismo** être imbu(e) de soi-même.
pagaré *nm* billet *m* à ordre.
página *nf* page *f*.

pago *nm* (*dinero*) paiement *m*; (*fig*) rendement *m*; (*barrio*) quartier *m*; (AM) pays *m*; **estar** ~ être à égalité; ~ **anticipado/a cuenta/a la entrega/en especie** paiement anticipé/en acompte/à la livraison/en espèces.

paila *nf* poêle *f*.

país *nm* pays *m*; **los Países Bajos** les Pays Bas *mpl*; **el P~ Vasco** le Pays basque.

paisaje *nm* paysage *m*.

paisano, a *a* pays(e) // *nm/f* compatriote *m/f*; **vestir de** ~ être en civil.

paja *nf* paille *f*; (*fig*) résidu *m*, vétille *f*; ~ **brava** herbe des pampas *f*.

pajar *nm* grenier *m* à foin.

pájara *nf* oiseau *m*; (*cometa*) cerf-volant *m*; (*mujer*) voleuse *f*.

pajarero, a *a* des oiseaux; (*fig*) gai(e), joyeux(euse) // *nm* oiselier *m*, oiseleur *m* // *nf* volière *f*.

pajarilla *nf* cerf-volant *m*.

pajarito *nm* petit oiseau; (*fig*) oisillon *m*.

pájaro *nm* oiseau *m*.

paje *nm* page *m*.

pajita *nf* paille *f*.

pajizo, a *a* de paille; (*color*) jaune paille.

pala *nf* (*instrumento*) pelle *f*; (*contenido*) pelletée *f*; (*raqueta etc*) raquette *f*; batte *f*; (CULIN) palette *f*; (*de remo*) pale *f*; ~ **matamoscas** tapette *f*.

palabra *nf* parole *f*; **palabreja** *nf* gros mot; **palabrero, a** *a* bavard(e) // *nm/f* bavard/e; **palabrota** *nf* grossièreté *f*.

palaciego, a *a* du palais, de cour.

palacio *nm* palais *m*; (*mansión*) palais, château *m*; ~ **de justicia** palais de justice; ~ **municipal** hôtel *m* de ville.

palada *nf* pelletée *f*.

paladar *nm* (ANAT) palais *m*; (*fig*) goût *m*, saveur *f*.

paladear *vt* savourer, déguster; (*fig*) faire prendre goût à.

palafrén *nm* palefroi *m*.

palanca *nf* levier *m*; (*fig*) piston *m*.

palangana *nf* cuvette *f*.

palco *nm* tribune *f*, loge *f*.

palenque *nm* enceinte *f*; palissade *f*.

paleolítico, a *a* paléolithique.

Palestina *nf* Palestine *f*.

palestra *nf* arène *f*.

paleto, a *nm/f* (ZOOL) daim/daine; (*fam*) rustre *m*, pedzouille *m*, paysan/ne // *nf* (*pala chica*) petite pelle; (ARTE) palette *f*; (TEC) pale *f*, palette.

paliar *vt* (*apaciguar*) pallier; (*acallar*: *dolor*) apaiser, faire taire.

palidecer *vi* pâlir.

palidez *nf* pâleur *f*.

pálido, a *a* pâle.

palillo *nm* bâtonnet *m*, petit bâton; (*para dientes*) cure-dent *m*; ~**s** *nmpl* castagnettes *fpl*.

palinodia *nf* palinodie *f*.

palio *nm* pallium *m*.

paliza *nf* volée *f* (de coups); bastonnade *f*.

palizada *nf* palissade *f*; (*lugar cercado*) enceinte *f*.

palma *nf* (ANAT) paume *f*; (*árbol*) palmier *m*; (*hoja*) palme *f*; (*datilera*) dattier *m*; **batir** *o* **dar** ~**s** battre des mains.

palmada *nf* claque *f*, tape *f*.

palmar *nm* (BOT) palmeraie *f* // *vi* (*fam*) passer l'arme à gauche.

palmario, a, palmar *a* évident(e), manifeste.

palmear *vi* applaudir; ~ **la espalda** (AM) donner une tape sur l'épaule.

palmito *nm* (AM) cœur *m* de palmier.

palmo *nm* (*medida*) empan *m*, pan *m*, paume *f*; (*fig*) petit peu.

palmotear *vi* applaudir; **palmoteo** *nm* (*aplauso*) applaudissement *m*; (*palmada*) tape *f*, claque *f*.

palo *nm* bâton *m*, bout *m* de bois; (*poste*) poteau *m*, piquet *m*; (*vara*) perche *f*; (*mango*) manche *m*; (*de golf*) club *m*; (*de béisbol*) batte *f*;

(*NAUT*) mât *m*; (*NAIPES*) couleur *f*; ~ **de tienda** piquet de tente.
paloma *nf* pigeon *m*, colombe *f*; (*fig*) agneau *m*; **~s** (*NAUT*) *nfpl* moutons *mpl*; **palomar** *nm* pigeonnier *m*, colombier *m*.
palomilla *nf* teigne *f*, mite *f*; écrou *m*; console *f*.
palomitas *nfpl* pop-corn *m*, maïs grillé.
palpable *a* palpable; (*fig*) tangible.
palpar *vt* palper, tâter; (*acariciar*) caresser; (*caminar a tientas*) tâtonner; (*fig*) apprécier; ~ **a uno** fouiller qn.
palpitación *nf* palpitation *f*.
palpitante *a* palpitant(e).
palpitar *vi* (*temblar*) palpiter; (*latir*) battre.
palúdico, a *a* paludéen(ne).
paludismo *nm* paludisme *m*.
palurdo, a *a* rustre, grossier(ière) // *nm/f* croquant/e, pedzouille *m*.
palustre *nm* truelle *f*.
pamema *nf* histoire *f*; simagrées *fpl*.
pampa *nf* (*AM*) pampa *f*, plaine *f*.
pan *nm* (*en general*) pain *m*; (*una barra*) pain; (*trigo*) blé *m*; ~ **de centeno/integral** pain de seigle/complet.
pana *nf* velours côtelé.
panacea *nf* panacée *f*.
panadería *nf* boulangerie *f*.
panadero, a *nm/f* boulanger/ère.
panal *nm* rayon *m*; pâte sucrée et parfumée.
Panamá *nm* Panama *m*.
panameño, a *a* panaméen(ne).
pandereta *nf*, **pandero** *nm* tambourin *m*, tambour *m* de basque.
pandilla *nf* équipe *f*, groupe *m*; bande *f*.
pando, a *a* bombé(e); plat(e); lent(e).
panegírico *nm* panégyrique *m*.
panel *nm* panneau *m*.
pánico *nm* panique *f*.
panoplia *nf* panoplie *f*.
panorama *nm* panorama *m*; (*fig*) perspective *f*; tour d'horizon *m*.
pantalones *nmpl* pantalon *m*.
pantalla *nf* (*de cine*) écran *m*; (*cubre-luz*) abat-jour *m*; (*fig*) paravent *m*.
pantano *nm* (*ciénaga*) marécage *m*, marais *m*; (*depósito*: *de agua*) barrage *m*; (*fig*) difficulté *f*, problème *m*.
panteón *nm* panthéon *m*, sépulture *f*.
pantera *nf* panthère *f*.
pantimedias *nfpl* collant *m*.
pantomima *nf* pantomime *f*.
pantorrilla *nf* mollet *m*.
pantufla *nf* pantoufle *f*.
panza *nf* panse *f*, bedaine *f*.
panzudo, a, panzón, ona *a* ventru(e), ventripotent(e).
pañal *nm* lange *m*, couche *f*.
pañería *nf* draperie *f*.
pañero, a *nm/f* drapier/ière.
paño *nm* (*tela*) drap *m*, tissu *m*, étoffe *f*; (*pedazo de tela*) drap; (*trapo*) torchon *m*; ~ **higiénico** serviette *f* hygiénique; **~s menores** sous-vêtements *mpl*.
pañuelo *nm* mouchoir *m*; (*para la cabeza*) foulard *m*.
papa *nf* (*AM*) pomme de terre *f* // *nm*: **el P~** le Pape.
papá *nm* (*pl* **~s**) (*fam*) papa *m*.
papada *nf* double menton *m*.
papagayo *nm* perroquet *m*.
papalina *nf* bonnet *m* à oreilles.
papamoscas *nm inv* gobe-mouches *m inv*.
papanatas *nm inv* (*fam*) nigaud/e.
papar *vt* avaler.
paparrucha *nf* bagatelle *f*; blague *f*, bateau *m*.
papaya *nf* papaye *f*.
papel *nm* (*en general*) papier *m*; (*hoja de papel*) feuille *f*, morceau *m*; (*TEATRO*) rôle *m*; ~ **de calcar/carbón/de cartas** papier calque/carbone/à lettres; ~ **de envolver/de empapelar** papier d'emballage/mural; ~ **engomado/de estaño/higiénico** papier gommé/d'étain/hygiénique; ~ **de filtro/ de fumar/de lija** papier

filtre/à cigarettes/de verre.
papeleo *nm* paperasserie *f.*
papelera *nf* (*cesto*) corbeille *f* à papier; (*fábrica*) papeterie *f*; (*escritorio*) cartonnier *m*, classeur *m*.
papelería *nf* (*papeles*) paperasse *f*; (*tienda*) papeterie *f.*
papeleta *nf* (*pedazo de papel*) billet *m*; (*tarjeta de archivo*) fiche *f*; (POL, ESCOL) bulletin *m*.
papera *nf* goitre *m*; **~s** *nfpl* oreillons *mpl.*
papo *nm* jabot *m*; fanon *m*; double menton *m*; goitre *m*.
paquebote *nm* paquebot *m*.
paquete *nm* (*caja*) paquet *m*; (*bulto*) paquet, colis *m*, ballot *m*; (NAUT) paquebot *m*; (*fam*) snob *m*.
par *a* (*igual*) pareil(le); (MAT) pair(e) // *nm* (*pareja*) paire *f*; (*dignidad*) pair *m*; **abrir de ~ en ~** ouvrir tout grand; **a la ~ que** en même temps que; **~ de fuerzas/de torsión** couple *m* de forces/de torsion.
para *prep* pour; **no es ~ comer** ce n'est pas à manger; **decir ~ sí** dire en soi-même; **¿~ qué lo quieres?** tu le veux pour quoi faire?; **se casaron ~ separarse otra vez** ils se sont mariés pour de nouveau se séparer; **lo tendré ~ mañana** je l'aurai pour demain; **voy ~ la escuela** je vais à l'école; **~ profesor es muy ignorante** pour un professeur, il est bien ignorant; **¿quién es usted ~ gritar así?** qui êtes-vous pour crier ainsi?; **no está ~ correr** il n'est pas en état de courir.
parabién *nm* félicitation *f.*
parábola *nf* parabole *f.*
parabrisas *nm inv* pare-brise *m inv.*
paracaídas *nm inv* parachute *m*.
paracaidista *nm/f* parachutiste *m/f.*
parachoques *nm inv* pare-chocs *m inv.*
parada *nf ver* **parado.**
paradero *nm* endroit *m*; destination *f*; (*fin*) fin *f*, terme *m*.
parado, a *a* arrêté(e); (AM) debout; (*sin empleo*) en chômage; (*confuso*) confus(e) // *nf* (*acto*) arrêt *m*; (*lugar*) arrêt, station *f*; (*apuesta*) mise *f*; **parada de autobús** arrêt d'autobus; **parada de taxis** station de taxis; **parada discrecional** arrêt facultatif.
paradoja *nf* paradoxe *m*.
parador *nm* auberge *f*, hostellerie *f*, hôtel *m* (luxueux).
parafina *nf* paraffine *f.*
paragolpes *nm inv* pare-chocs *m inv.*
paraguas *nm inv* parapluie *m*.
Paraguay *nm*: **el ~** (le) Paraguay.
paraíso *nm* paradis *m*.
paraje *nm* endroit *m*.
paralelo, a *a* parallèle.
parálisis *nf* paralysie *f*; **paralítico, a** *a* paralytique // *nm/f* paralytique *m/f*; **paralizar** *vt* paralyser; **paralizarse** *vr* se paralyser.
paramento *nm* ornement *m*; caparaçon *m*.
páramo *nm* (*meseta*) plateau *m*; (*tierra baldía*) étendue *f* désertique.
parangón *nm* modèle *m*, parangon *m*.
paranoico, a *nm/f* paranoïaque *m/f.*
parapetarse *vr* s'abriter, se protéger.
parapeto *nm* (*barandilla*) parapet *m*; (*terraplén*) remblai *m*.
parapléjico, a *a* paraplégique // *nm/f* paraplégique *m/f.*
parar *vt* (*poner fin a*) arrêter, cesser; (*detener*) arrêter; (*desviar: golpe*) parer // *vi* arrêter, s'arrêter; (*hospedarse*) loger, descendre; **~se** *vr* s'arrêter; (AM) se lever; **~ de** arrêter de; **~se a pensar** réfléchir.
pararrayos *nm inv* paratonnerre *m*.
parasitario, a, parasítico, a *a* parasitaire.
parásito, a *a* parasite // *nm/f* parasite *m/f.*
parasol *nm* parasol *m*.

parcela *nf* parcelle *f*; **parcelar** *vt* (*dividir en parcelas*) parceller; (*hacienda*) morceler.
parcial *a* (*de una parte*) partiel(le); (*injusto*) partial(e) // *nm/f* partisan/e; **parcialidad** *nf* (*prejuicio*) partialité *f*; (*partido, facción*) parti *m*, clan *m*, faction *f*.
parco, a *a* (*frugal*) sobre; (*mezquino*) chiche, mesquin(e); (*moderado*) modéré(e).
parche *nm* (MED) emplâtre *m*; (AUTO) pièce *f*, rustine *f*; **pegar un ~** (*fam*) refaire qn.
pardal *nm* (*ave*) moineau *m*; bouvreuil *m*; (BOT) aconit *m*.
pardillo *nm* toile grise.
pardo, a *a* (*color café*) brun(e); (*gris, oscuro*) gris(e), sombre.
parear *vt* (*juntar, hacer par*) apparier, assortir; (BIO) appareiller.
parecer *nm* (*opinión*) opinion *f*, avis *m*; (*aspecto*) physique *m*, air *m* // *vi* (*tener apariencia*) avoir l'air, paraître; (*asemejarse*) sembler; (*aparecer, llegar*) apparaître; **~se** *vr* se ressembler; **~se a** ressembler à; **según** *o* **a lo que parece** à ce qu'il semble; **me parece que** il me semble que; **parecido, a** *a* pareil(le) // *nm* ressemblance *f*; **bien parecido** pas mal; **mal parecido** moche.
pared *nf* mur *m*; **~ por medio** séparé par un mur; **subirse por las ~es** (*fam*) se donner des airs.
paredón *nm* gros mur.
parejo, a *a* (*igual*) pareil(le); (*liso*) régulier(ière) // *nf* (*dos*) paire *f*; (*el otro: de un par*) partenaire *m/f*; **ir ~ con** aller de pair avec; **correr parejas** aller de pair.
parentela *nf* parenté *f*.
parentesco *nm* parenté *f*.
paréntesis *nm inv* parenthèse *f*; (*digresión*) digression *f*.
parezco *etc vb ver* **parecer**.
paria *nm/f* paria *m*.
paridad *nf* parité *f*.
pariente, ta *nm/f* parent/e.
parihuela *nf* civière *f*, brancard *m*.
parir *vt* enfanter // *vi* (*mujer*) mettre au monde; mettre bas.
París *n* Paris.
parla *nf* bavardage *m*.
parlamentar *vi* (*hablar*) bavarder; (*negociar*) parlementer.
parlamentario, a *a* parlementaire // *nm/f* parlementaire *m/f*.
parlamento *nm* (POL) parlement *m*; (*conversación*) pourparlers *mpl*.
parlanchín, ina *a* bavard(e) // *nm/f* bavard/e.
parlar *vi* bavarder; **parlero, a** *a* bavard(e), cancanier(ière); (*pájaro*) chanteur(euse).
parloteo *nm* (*fam*) papotage *m*, bavardage *m*.
paro *nm* (*huelga*) débrayage *m*, grève *f*; (*desempleo*) chômage *m*; **subsidio de ~** allocation *f* de chômage; **en ~** au chômage.
parodia *nf* parodie *f*; **parodiar** *vt* parodier.
paroxismo *nm* paroxysme *m*.
parpadear *vi* (*los ojos*) ciller, papilloter; (*luz*) vaciller, trembloter.
parpadeo *nm* cillement *m*; (*de luz*) tremblotement *m*.
párpado *nm* paupière *f*.
parque *nm* (*lugar verde*) parc *m*; (*depósito*) dépôt *m*; **~ de atracciones/de estacionamiento/ zoológico/de juegos** parc d'attractions/de stationnement/ zoologique/de jeux.
parquedad *nf* (*frugalidad*) modération *f*, parcimonie *f*; (*avaricia*) avarice *f*.
parquímetro *nm* parcmètre *m*.
parra *nf* treille *f*.
párrafo *nm* paragraphe *m*; **echar un ~** (*fam*) tailler une bavette.
parral *nm* treille *f*.
parranda *nf* (*fam*) noce *f*, fête *f*, foire *f*.
parricida *nm/f* parricide *m/f*.
parricidio *nm* parricide *m*.
parrilla *nf* (CULIN) grill *m*; (*de coche*) calandre *f*.
parrillada *nf* barbecue *m*.
párroco *nm* curé *m*.
parroquia *nf* paroisse *f*;

parroquiano, a *nm/f* (*REL*) paroissien/ne; (*cliente*) habitué/e.
parsimonia *nf* (*cautela*) parcimonie *f*; (*tranquilidad*) modération *f*.
parte *nm* rapport *m*, communiqué *m* // *nf* (*porción*) partie *f*; (*lado, cara*) côté *m*; (*MUS, TEATRO*) rôle *m*, partie; (*de reparto*) part *f*; (*lugar*) endroit *m*; **dar ~** avertir; **de algún tiempo a esta ~** depuis quelque temps; **de ~ de alguien** de la part de qn; **por ~ de** du côté de; **por otra ~** par ailleurs.
partera *nf* sage-femme *f*.
partición *nf* division *f*, partage *m*.
participación *nf* (*acto*) participation *f*; (*parte*) part *f*; (*COM*) action *f*; (*de lotería*) petit prix; (*aviso*) faire-part *m*.
participante *nm/f* participant/e.
participar *vt* annoncer // *vi* prendre part, participer; **~ de** *o* **en** partager.
partícipe *nm/f* participant/e; **hacer ~ a uno de algo** faire part de qch à qn.
particular *a* (*especial*) particulier(ière); (*propio*) propre, particulier; (*individual, personal*) personnel(le) // *nm* (*punto, asunto*) sujet *m*, question *f*, point *m*; (*individuo*) particulier *m*; **particularizar** *vt* distinguer, caractériser; (*especificar*) spécifier, préciser; (*detallar*) particulariser.
partida *nf* (*salida*) départ *m*; (*COM*) poste *m*, chapitre *m*, article *m*; (*juego*) partie *f*; (*grupo, bando*) bande *f*; **mala ~** mauvais tour; **~ de bautismo/matrimonio/defunción** acte *m* de baptême/mariage/décès; **~ de nacimiento** extrait *m* de naissance.
partidario, a *a* partisan(e) // *nm/f* adepte *m/f*, supporter *m*, partisan/e.
partido *nm* (*POL*) parti *m*; (*encuentro*) partie *f*, match *m*, rencontre *f*; (*apoyo*) appui *m*; **sacar ~ de** tirer parti de; **tomar ~ en** *o* **por** prendre parti pour.
partir *vt* (*dividir*) diviser; (*compartir, distribuir*) partager, distribuer; (*romper*) casser; (*cortar*) fendre, casser // *vi* (*tomar camino*) partir; (*comenzar*) commencer; **~se** *vr* se casser; **a ~ de** à partir de.
partitura *nf* partition *f*.
parto *nm* (*de animal*) parturition *f*; (*de niño*) accouchement *m*; (*fig*) enfantement *m*, création *f*; **estar de ~** être en couches.
parturienta *nf* femme qui accouche, femme en couches.
parva *nf* airée *f*.
parvedad *nf* petitesse *f*.
parvulario *nm* jardin *m* d'enfants, école maternelle.
pasa *nf* raisin sec; **~ de Corinto/de Esmirna** raisin de Corinthe/de Smyrne.
pasable *ad* passable.
pasada *nf ver* **pasado**.
pasadero, a *a* passable, tolérable // *nf pierre permettant de passer la rivière à gué.*
pasadizo *nm* (*pasillo*) corridor *m*; (*callejuela*) passage *m* (d'une ruelle).
pasado, a *a* passé(e), vieilli(e); (*malo: comida, fruta*) passé(e), faisandé(e); (*muy cocido*) trop cuit(e); (*anticuado*) vieilli; démodé(e) // *nm* passé *m* // *nf* passage *m*; (*acción de pulir*) polissage *m*; **~s** *nmpl* ancêtres *mpl*, anciens *mpl*; **~ mañana** après-demain; **dicho sea de pasada** soit dit en passant; **hacer una mala pasada** jouer un tour pendable.
pasaje *nm* (*acción*) passage *m*; (*estrecho*) chenal *m*, passe *f*; (*pago de viaje*) passage, billet *m*; (*los pasajeros*) passagers *mpl*; (*pasillo*) corridor *m*.
pasajero, a *a* passager(ère) // *nm/f* passager/ère.
pasamanos *nm* rampe *f*, main courante.
pasante *nm/f* auxiliaire *m/f*, répétiteur/trice, assistant/e.
pasaporte *nm* passeport *m*.

pasar *vt* passer; (*transmitir, heredar, transferir*) transmettre; (*atravesar*) franchir, traverser; (*penetrar*) franchir, pénétrer; (*examen*) passer avec succès, être reçu à; (*tolerar*) laisser passer; (*superar*) dépasser, surpasser; (*coche*) doubler; (*enfermedad*) se guérir; (*durezas*) endurer, souffrir // *vi* passer; (*en examen*) être reçu; (*terminarse*) se terminer; (*ocurrir*) se passer, arriver; **~se** *vr* (*frutas, flores*) se gâter, se faner; (CULIN) être trop cuit; (*fig*) dépasser (les bornes); **~ la mano/el cepillo por el pelo** se passer la main/la brosse dans les cheveux; **¡pase!** entrez!; **~ adelante** passer devant; **él pasa por buen escritor** il passe pour un bon écrivain; **~se al enemigo** passer à l'ennemi; **se me pasó** j'ai oublié; **no se le pasa nada** rien ne lui échappe.

pasarela *nf* passerelle *f*.

pasatiempo *nm* passe-temps *m inv*.

Pascua *nf*: **~ (de Resurrección)** Pâques *fpl ou m*; **~ de Navidad** Noël *m*; **~ de Pentecostés** Pentecôte *f*; **~s** *nfpl* vacances *fpl* de Noël; **¡felices ~s!** joyeux Noël!; **hacer las ~s a uno** (*fam*) tromper qn.

pase *nm* permis *m*, laissez-passer *m*.

paseante *nm/f* promeneur/euse; (*pey*) oisif/ive, fainéant/e.

pasear *vt* promener // *vi*, **~se** *vr* se promener; (*holgazanear*) fainéanter.

paseo *nm* (*avenida*) promenade *f*; (*de torero*) défilé *m*; **dar un ~** faire une promenade.

pasillo *nm* (*pasaje*) couloir *m*, corridor *m*; (TEATRO) promenoir *m*.

pasión *nf* passion *f*; **tener ~ por** avoir la passion de.

pasito *ad* doucement; **~ a paso** tout doucement, pas à pas.

pasividad *nf* passivité *f*.

pasivo, a *a* (*inactivo*) passif(ive); (*sumiso*) soumis(e) // *nm* passif *m*.

pasmado, a *a* (*atónito*) stupéfait(e); **estar** *o* **quedar ~** (*fam*) avoir l'air malin.

pasmar *vt* (*asombrar*) ébahir, stupéfier; (*enfriar*) geler, glacer; **pasmo** *nm* (*asombro*) étonnement *m*, stupéfaction *f*; (*fig*) sujet *m* d'étonnement, prodige *m*; (*tétano*) tétanos *m*; (*enfriamiento*) refroidissement *m*; **pasmoso, a** *a* étonnant(e), stupéfiant(e).

paso, a *a* sec(sèche) // *nm* (*de pie*) pas *m*; (*modo de andar*) allure *f*, pas; (*huella*) pas; (*distancia*) pas, distance *f*; (*rapidez*) allure; (*de baile*) pas, figure *f*; (*cruce*) passage à niveau *m*; (*pasaje*) passage; (GEO) pas // *ad* doucement, lentement; **a ese ~** (*fig*) à ce train- là; **salir al ~ de** *o* **a** aller au-devant de; **estar de ~** être de passage; **~ elevado/inferior** passage aérien/ sous pont; **~ a desnivel** dénivelation *f*.

pasta *nf* (CULIN: *masa*) pâte *f*; (: *masa cocida*) petits gâteaux; (*de dientes*) pâte dentifrice; (*fam*) galette *f*, fric *m*; **~s** *nfpl* pâtes alimentaires; **~ de carne** pâté *m* de viande; **~ de dientes** *o* **dentífrica** pâte dentifrice; **~ de madera** pâte de bois.

pastar, pastear *vt, vi* paître.

pastel *nm* (*dulce*) gâteau *m*; (*de carne*) pâté *m*; (ARTE) pastel *m*; **pastelería** *nf* pâtisserie *f*; **pastelero, a** *nm/f* pâtissier/ière.

pasteurizado, a *a* pasteurisé(e).

pastilla *nf* (*de jabón*) savonnette *f*; (*de chocolate*) carré *m*, morceau *m*; (*píldora*) pastille *f*, cachet *m*.

pasto *nm* (*hierba*) fourrage *m*, pâture *f*; (*lugar*) pâturage *m*, pacage *m*.

pastor, a *nm/f* berger/ère // *nm* pasteur *m*.

pastorear *vt* mener paître // *vi* paître, pâturer.

pastoso, a *a* pâteux(euse); (*voz*) riche, épais(se).

pat *abr de* **patente**.

pata *nf* (ZOOL: *pie*) patte *f*; (*de*

muebles) pied *m*; (*ZOOL*: *pato hembra*) cane *f*; **enseñar** *o* **sacar la ~** montrer le bout de l'oreille; (*TEC*): **~ de cabra** guinche *f*; **~ de gallo** pied de coq *ou* de poule, patte d'oie; **patada** *nf* coup *m* de pied.
patalear *vi* trépigner; **pataleo** *nm* trépignement *m*.
patán *nm* paysan *m*, rustre *m*; (*pey*) rustaud *m*, balourd *m*.
patata *nf* pomme de terre *f*, patate *f*; **~s al vapor** pommes vapeur; **~s fritas** *o* **a la española** pommes de terre frites; **~s inglesas** chips *mpl*.
patatús *nm* malaise *m*, évanouissement *m*.
patear *vt* (*pisar*) piétiner; (*pegar con el pie*) donner des coups de pied à; (*fig*) piétiner, mépriser // *vi* trépigner.
patente *a* évident(e); (*COM*) exclusif(ive) // *nf* patente *f*; **patentizar** *vt* mettre en évidence.
paternal *a* paternel(le).
paternidad *nf* paternité *f*.
paterno, a *a* paternel(le).
patético, a *a* pathétique.
patíbulo *nm* échafaud *m*.
patidifuso, a *a* (*fam*) épaté(e), bouche bée.
patillas *nfpl* pattes *fpl*, favoris *mpl*.
patín *nm* patin *m*.
patinaje *nm* patinage *m*.
patinar *vi* patiner; (*resbalarse*) déraper, riper; (*fam*) se gourer // *vt* patiner.
patineta *nf* patinette *f*.
patio *nm* (*de casa*) cour *f*; (*TEATRO*) orchestre *m*.
pato *nm* canard *m*; **pagar el ~** (*fam*) payer les pots cassés.
patológico, a *a* pathologique.
patoso, a *a* assommant(e) // *nm/f* raseur/euse; (*fam*) malin/igne.
patraña *nf* bobard *m*.
patria *nf* patrie *f*; **~ chica** ville natale.
patriarca *nm* patriarche *m*.
patrimonio *nm* patrimoine *m*.
patriota *nm/f* patriote *m/f*; **patriotero, a** *a* chauvin(e); **patriotismo** *nm* patriotisme *m*.
patrocinar *vt* patronner, protéger; **patrocinio** *nm* (*respaldo*) appui *m*, patronage *m*; (*mecenazgo*) protection *f*.
patrón, ona *nm/f* patron/ne; (*dueño*) maître/sse; (*propietario*) propriétaire *m/f* // *nm* patron *m*; **patronal** *a* patronal(e); **patronato** *nm* patronage *m*; (*COM*) patronat *m*.
patrulla *nf* patrouille *f*; **patrullero** *nm* patrouilleur *m*.
paulatinamente *ad* lentement, en douceur.
paupérrimo, a *a* très pauvre.
pausa *nf* (*intervalo*) intervalle *m*; (*interrupción*) pause *f*.
pausado, a *a* lent(e).
pauta *nf* (*línea, guía*) ligne *f*, guide *m*; (*regla*) règle *f*; (*modelo, norma*) modèle *m*, norme *f*.
pava *nf* dinde *f*; **pelar la ~** (*fam*) faire la cour.
pavimentar *vt* paver, daller, carreler.
pavimento *nm* pavé *m*, carrelage *m*, dallage *m*.
pavo *nm* dindon *m*; (*fam*) âne *m*, cloche *f*; **comer ~** faire tapisserie.
pavón *nm* paon *m*; (*TEC*) brunissage *m*, bleuissage *m*.
pavonearse *vr* se pavaner.
pavor *nm* frayeur *f*; **pavoroso, a** *a* effrayant(e).
payasada *nf* (*truco*) clownerie *f*; (*estupidez, tontería*) pitrerie *f*; **~s** *nfpl* clowneries *fpl*.
payaso, a *nm/f* clown *m*.
paz *nf* (*pl* **paces**) paix *f*; (*tranquilidad*) tranquillité *f*.
p.c. (*abr de por ciento*) pour cent.
P.C.E. *abr de Partido Comunista Español*.
P.D. (*abr de posdata*) P.S.
peaje *nm* péage *m*.
peatón *nm* piéton *m*.
pebete *nm* (*incienso*) encens *m*, parfum *m* à brûler; (*MIL*) mèche *f*, amorce *f*; (*AM*) gosse *m*.
peca *nf* tache *f* de rousseur.
pecado *nm* péché *m*.

pecador, a *a* pécheur (cheresse) // *nm/f* pécheur/cheresse.
pecaminoso, a *a* coupable.
pecar *vi* (*REL*) pécher; ~ **de** (*fig*) pécher par.
pecera *nf* aquarium *m*.
pecoso, a *a* criblé(e) de taches de rousseur.
pecuario, a *a* de l'élevage.
peculiar *a* particulier(ière), spécial(e); **peculiaridad** *nf* particularité *f*; (*característica*) caractéristique *f*.
pecunia *nf* (*fam*) galette *f*, fric *m*.
pecuniario, a *a* pécuniaire.
pechar *vt* payer; ~ **a uno** taper qn.
pechera *nf* (*de camisa*) plastron *m*; (*MIL*) devant *m* de protection, plastron.
pecho *nm* (*ANAT*) poitrine *f*; (*fig*) cœur *m*; **a** ~ **descubierto** (*fig*) à découvert; **dar el** ~ **a** donner le sein à; **tomar algo a** ~ prendre qch à cœur.
pechuga *nf* blanc *m* (de volaille).
pedagogía *nf* pédagogie *f*.
pedal *nm* pédale *f*; ~ **de acelerador/de embrague/de freno** pédale d'accélérateur/d'embrayage/de frein; **pedalear** *vi* pédaler.
pedante *a* pédant(e), prétentieux(euse) // *nm/f* pédant/e; **pedantería** *nf* pédantisme *m*.
pedazo *nm* morceau *m*.
pederasta *nm* pédéraste *m*.
pedernal *nm* silex *m*.
pedestrismo *nm* course *f* à pied.
pediatría *nf* pédiatrie *f*.
pedicuro, a *nm/f* pédicure *m/f*.
pedido *nm* (*COM*: *mandado*) commande *f*; (*petición*) demande *f*.
pedigueño, a *a* quémandeur (euse).
pedimento *nm* demande *f*.
pedir *vt* demander; (*comida*) commander; (*COM*: *mandar*) commander; (*exigir*: *precio*) demander; (*necesitar*) requérir // *vi* demander; ~ **que ...** demander de ...; **¿cuánto piden por el coche?** combien demandent-ils pour la voiture?; ~ **en casamiento** demander en mariage; **a** ~ **de boca** au bon moment.
pedrada *nf* coup *m* de pierre.
pedrea *nf* (*pelea*) combat *m* à coups de pierres; (*METEOROLOGÍA*) grêle *f*.
pedregal *nm* terrain pierreux.
pedregoso, a *a* rocailleux(euse).
pedrera *nf ver* **pedrero**.
pedrería *nf* pierreries *fpl*, pierres précieuses.
pedrero, a *nm/f* carrier *m*, tailleur *m* de pierres // *nf* carrière *f*.
pedrisco *nm* (*lluvia*) grêle *f* de pierres; (*montón*) rocaille *f*.
pedrusco *nm* grosse pierre.
pega *nf* (*acción de pegar*) collage *m*; (*golpeo*) volée *f*, raclée *f*; (*trampa*) blague *f*, attrape *f*; (*problema*) difficulté *f*.
pegadizo, a *a* collant(e); contagieux(euse) // *nm/f* parasite *m/f*.
pegajoso, a *a* collant(e); contagieux(euse); (*dulzón*) mielleux(euse), sucré(e).
pegamento *nm* colle *f*.
pegar *vt* (*con goma*) coller; (*poner en la pared*: *affiche*) afficher; (*coser*) coudre; (*unir*: *partes*) unir; (*MED*) passer, donner; (*dar*: *golpe*) coller, flanquer // *vi* (*adherirse*) adhérer; (*BOT*) prendre; (*funcionar*) coller, fonctionner; (*ir juntos*: *colores*) aller (ensemble); (*golpear*) heurter; (*quemar*: *el sol*) taper; **~se** *vr* se coller; (*CULIN*) attacher; (*fam*): ~ **un grito** pousser des cris; ~ **un salto** faire un bond; ~ **en** se joindre à; ~ **con uno** rencontrer qn; **~se a uno** se coller à qn; **~se un tiro** se tirer un coup de pistolet.
peina *nf* grand peigne.
peinado, a *a* peigné(e) // *nm* coiffure *f* // *nf* coup *m* de peigne.
peinador, a *nm/f* coiffeur/euse // *nm* peignoir *m*.
peinar *vt* peigner; **~se** *vr* se coiffer.
peine *nm* peigne *m*.

peineta *nf* = **peina**.
p. ej. (*abr de por ejemplo*) p. ex.
Pekín *n* Pékin.
pelado, a *a* pelé(e) // *nm* pelade *ou* calvitie partielle; (*fig*) sans- le-sou *m*.
peladura *nf* (*acto*) épluchage *m*; (*parte sin pelo, sin piel*) écorchure *f*, pelade *f*; **~s** *nfpl* écorchures *fpl* (dues aux coups de soleil).
pelagatos *nm inv* pauvre diable *m*.
pelaje *nm* (*ZOOL*) pelage *m*, robe *f*; (*fig*) allure *f*.
pelambre *nm* (*pelo largo*) poil *m*, pelage *m*, tignasse *f*; (*piel de animal cortado*) peaux *fpl*; (*parte sin piel*) pelade *f*.
pelar *vt* (*cortar el pelo a*) couper les cheveux de *ou* à; (*quitar la piel*: *animal, verduras, fruta*) éplucher; peler; (*fam*) éreinter; **~se** *vr* (*la piel*) peler; (*persona, animal*) se déplumer.
peldaño *nm* marche *f*.
pelea *nf* (*lucha*) lutte *f*; (*discusión*) discussion *f*; **peleador, a** *a* combattant(e); batailleur(euse); combatif(ive).
pelear *vi* (*luchar*) combattre, lutter; (*fig*) se battre; (: *competir*) concourir, rivaliser; **~se** *vr* se battre; (*reñirse*) se disputer.
pelele *nm* pantin *m*.
peleón, ona *a* combatif(ive); agressif(ive).
peletería *nf* magasin *m* de fourrures.
peliagudo, a *a* ardu(e), épineux(euse).
pelicano, a *a* aux cheveux gris.
pelicano, pelícano *nm* pélican *m*.
pelicorto, a *a* à poil ras; à cheveux courts.
película *nf* (*CINE*) film *m*; (*cobertura ligera*) pellicule *f*; (*FOTO*: *rollo*) pellicule.
peligrar *vi* être en danger.
peligro *nm* (*riesgo*) péril *m*, danger *m*; (*amenaza*) risque *m*; **peligroso, a** *a* (*arriesgado*) dangereux(euse), risqué(e); (*amenazante*) menaçant(e).
pelillo *nm* vétilles *fpl*.
pelirrojo, a *a* roux(rousse).
pelo *nm* (*cabellos*) cheveux *mpl*; (*de barba, bigote*) poil *m*; (*de animal*: *pellejo*) pelage *m*, robe *f*; (*de la piel de la fruta, de los pájaros*) duvet *m*; (*TEC*: *fibra, filamento*) filament *m*, brin *m*; (: *de reloj*: *resorte*) ressort *m*; (: *grieta*) paille *f*; **al ~** au quart de poil; **venir al ~** tomber à pic; **de medio ~** quelconque, ordinaire; **un hombre de ~ en pecho** un brave homme; **por los ~s** de justesse; **no tener ~s en la lengua** ne pas avoir sa langue dans sa poche, ne pas mâcher ses mots; **tomar el ~ a uno** faire marcher qn.
pelón, ona *a* tondu(e), chauve; (*fig*) fauché(e).
pelota *nf* (*balón*) balle *f*, ballon *m*; (*de fútbol*) ballon de football; (*fam*: *cabeza*) bille *f*; **~ vasca** pelote *f* basque.
pelotear *vt* vérifier // *vi* (*jugar*) faire des balles; (*discutir*) se disputer; **pelotera** *nf* (*fam*) dispute *f*, chamaillerie *f*.
pelotón *nm* (*pelota*) gros ballon; (*muchedumbre*) foule *f*; (*MIL*) peloton, piquet *m*.
peltre *nm* étain *m*.
peluca *nf* perruque *f*.
peluche *nm* peluche *f*.
peludo, a *a* velu(e), poilu(e).
peluquería *nf* salon *m* de coiffure.
peluquero, a *nm/f* coiffeur/euse.
pelleja *nf* peau *f*; (*fam*) maigrichon *m*.
pellejo *nm* (*de animal*) peau *f*; (*de fruta*) peau, pelure *f*.
pellizcar *vt* pincer.
pena *nf* (*congoja*) peine *f*; (*ansia*) angoisse *f*; (*remordimiento*) remords *m*; (*dolor*) douleur *f*, souffrance *f*; **merecer** *o* **valer la ~** valoir la peine; **a duras ~s** à grand-peine; **~ de muerte/pecuniaria** peine de mort/pécuniaire.
penacho *nm* aigrette *f*.

penal *a* pénal(e) // *nm* (*cárcel*) prison *f*; (*fútbol*) penalty *m*.
penalidad *nf* (*problema, dificultad*) peine *f*, souffrance *f*, difficulté *f*; (*JUR*) pénalité *f*.
penar *vt* condamner à une peine, punir // *vi* souffrir, peiner; **~se** *vr* se plaindre, se lamenter.
pendencia *nf* dispute *f*; **pendenciero, a** *a* querelleur(euse), batailleur (euse) // *nm* voyou *m*.
pender *vi* (*colgar*) pendre; (*JUR*) être en suspens.
pendiente *a* (*colgante*) suspendu(e); (*por resolver*) en suspens, en cours // *nm* boucle d'oreille *f* // *nf* côte *f*.
péndola *nf* plume *f*.
pendón *nm* bannière *f*; (*fam*) personne *f* en guenilles.
péndulo *nm* pendule *m*, balancier *m*.
pene *nm* pénis *m*.
penetración *nf* (*acto*) pénétration *f*; (*agudeza*) finesse *f*.
penetrante *a* pénétrant(e); (*persona*) fin(e); (*sonido, viento, mirada, ironía*) perçant(e).
penetrar *vt* (*abrir camino*) pénétrer; (*permear*) passer au travers de, traverser // *vi* pénétrer; (*emoción*) affecter; **~se** *vr*: **~se de** (*imbuirse*) s'inspirer de; (*entender a fondo*) se pénétrer.
penicilina *nf* pénicilline *f*.
península *nf* péninsule *f*; **peninsular** *a* péninsulaire.
penitencia *nf* (*remordimiento*) remords *m*; (*castigo*) pénitence *f*; **penitencial** *a* pénitentiel(le); **penitenciaría** *nf* pénitencier *m*.
penitente *nm/f* (*REL*) pénitent/e.
penoso, a *a* pénible; douloureux(euse).
pensador, a *nm/f* penseur/euse.
pensamiento *nm* (*capacidad de pensar*) pensée *f*; (*mente*) esprit *m*; (*idea*) idée *f*, pensée; (*intento*) tentative *f*; (*BOT*) pensée.
pensante *a* pensant(e).
pensar *vt* (*reflexionar*) penser; (*proponerse*) se dire; (*imaginarse*) s'imaginer; (*creer, opinar*) croire // *vi* penser; ~ **en** penser à; **pensativo, a** *a* pensif(ive).
pensión *nf* (*casa*) pension *f*; (*dinero*) pension, retraite *f*; (*cama y comida*) pension; (*beca*) bourse *f*; **pensionista** *nm/f* (*jubilado*) pensionné/e, retraité/e; (*quien vive en pensión*) pensionnaire *m/f*.
Pentecostés *nm o f* Pentecôte *f*.
penúltimo, a *a* avant-dernier (ière).
penumbra *nf* pénombre *f*.
penuria *nf* pénurie *f*.
peña *nf* (*roca, cuesta*) rocher *m*; (*círculo, grupo*) cercle *m*, groupe *m*.
peñascal *nm* terrain couvert de rochers.
peñasco *nm* rocher *m*.
peñón *nm* rocher *m*; **el P~** le rocher de Gibraltar.
peón *nm* manœuvre *m*; (*AM*) ouvrier *m* agricole, péon *m*; (*MIL*) fantassin *m*; (*TEC*) arbre *m*; **peonaje** *nm* équipe *f* de manœuvres; infanterie *f*.
peonía *nf* pivoine *f*.
peonza *nf* (*trompa*) toupie *f*; (*fam*) personne affairée.
peor *a* pire // *ad* pis.
pepinillo *nm* cornichon *m*.
pepino *nm* concombre *m*.
pepita *nf* (*BOT*) pépin *m*; (*MINERÍA*) pépite *f*.
pepitoria *nf* méli-mélo *m*, embrouillamini *m*.
pequeñez *nf* petitesse *f*; (*infancia*) enfance *f*; (*trivialidad*) bagatelle *f*, rien *m*.
pequeño, a *a* petit(e).
pera *nf* (*BOT*) poire *f*; (*ELEC*) poire, interrupteur *m*; (*barbilla*) barbiche *f*; **peral** *nm* poirier *m*.
perca *nf* perche *f*.
percance *nm* contretemps *m*.
percatarse *vr*: ~ **de** se rendre compte de, s'informer de.
percebe *nm* pouce-pied *m*, anatife *m*.
percepción *nf* (*vista*) perception

f; (*idea*) idée f; (*colecta de fondos*) perception.
perceptible a perceptible, percevable.
perceptor, a *nm/f* percepteur/trice; ~ **de impuestos** (*AM*) percepteur des contributions.
percibir *vt* percevoir; (*COM*) toucher, percevoir.
percusión *nf* percussion *f*.
percha *nf* (*poste*) perche *f*, poteau *m*; (*ganchos*) crochet *m*, cintre *m*; (*colgador*) patère *f*, porte-manteau *m*; (*de ave*) perchoir *m*.
perchero *nm* porte-manteau *m*.
perdedor, a *a* (*que pierde*) perdant(e); (*olvidadizo*) oublieux(euse) // *nm/f* perdant/e.
perder *vt* perdre; (*tiempo, palabras*) perdre; (*oportunidad*) rater, manquer; (*tren*) rater, manquer // *vi* s'abîmer, s'endommager; ~**se** *vr* (*extraviarse*) s'égarer, se fourvoyer; (*desaparecer*) se perdre; (*desgastarse*) s'user; (*arruinarse*) se ruiner; (*hundirse*) se perdre, couler, sombrer.
perdición *nf* perte *f*.
pérdida *nf* perte *f*.
perdido, a *a* perdu(e); (*vicioso*) invétéré(e) // *nm* vaurien *m*.
perdidoso, a *a* (*que pierde*) perdant(e); (*fácilmente perdido*) perdable, qui peut être perdu(e).
perdigón *nm* perdreau *m*; **perdigones** *nmpl* chevrotine *f*, petit plomb.
perdiz *nf* perdrix *f*.
perdón *nm* (*disculpa*) pardon *m*, excuse *f*; (*clemencia*) pardon, clémence *f*; **hablando con** ~ soit dit sans vous offenser.
perdonar *vt, vi* pardonner.
perdurable a éternel(le).
perdurar *vi* (*resistir*) durer longtemps, résister; (*seguir existiendo*) subsister.
perecedero, a *a* périssable; transitoire; mortel(le).
perecer *vi* (*morir*) mourir; (*objeto*) se briser.
peregrinación *nf* pérégrination *f*.
peregrinar *vi* (*ir y venir*) aller et venir, se déplacer; (*viajar*) voyager; (*REL*) aller en pèlerinage.
peregrino, a *a* (*que viaja*) voyageur(euse); (*nuevo*) nouveau(elle); (: *exótico, extraordinario*) exotique // *nm/f* pèlerin/e.
perejil *nm* persil *m*; ~**es** *nmpl* (*fam*) babioles *fpl*.
perenne *a* permanent(e), perpétuel(le).
perentorio, a *a* (*urgente*) urgent(e), pressant(e), péremptoire; (*fijo*) fixe.
pereza *nf* (*flojera*) paresse *f*, flemme *f*; (*lentitud*) lenteur *f*, indolence *f*; **perezoso, a** *a* (*flojo*) paresseux(euse); (*lento*) indolent(e).
perfección *nf* perfection *f*; **perfeccionar** *vt* perfectionner; (*acabar*) parfaire.
perfecto, a *a* parfait(e); (*terminado*) parfait, terminé(e).
perfidia *nf* perfidie *f*.
perfil *nm* (*parte lateral*) profil *m*; (*silueta*) silhouette *f*; (*ARQ*) coupe *f*; (*fig*) portrait *m*, esquisse *f*; **perfilado, a** *a* (*bien formado*) bien fait(e), régulier(ière); (*largo*: *cara*) profilé(e), effilé(e); **perfilar** *vt* (*trazar*) profiler, esquisser; (*dar carácter*) caractériser; **perfilarse** *vr* se profiler; (*fig*) se définir.
perforación *nf* perforation *f*; (*con taladro*) poinçonnement *m*, poinçonnage *m*.
perforadora *nf* (*taladro*) perforatrice *f*, perceuse *f*; poinçonneuse *f*.
perforar *vt* (*agujerear*) perforer; (*fuente, túnel*) percer // *vi* forer.
perfumado, a *a* parfumé(e).
perfumar *vt* parfumer.
perfume *nm* parfum *m*; **perfumería** *nf* parfumerie *f*.
pergamino *nm* parchemin *m*.
pergeñar *vt* ébaucher.
pergeño *nm* allure *f*.
pericia *nf* (*arte, capacidad*) habileté *f*, adresse *f*; (*hecho de ser experto*) compétence *f*.

perico *nm* perruche *f.*
periferia *nf* périphérie *f.*
perilla *nf* (*barbilla*) barbiche *f*; (*ELEC*) poire *f*; (*de la oreja*) lobe *m*; **venir de ~s** tomber à pic.
periódico, a *a* périodique // *nm* journal *m*, périodique *m*; **periodismo** *nm* journalisme *m*; **periodista** *nm/f* journaliste *m/f*; **periodístico, a** *a* journalistique.
periodo, período *nm* (*lapso de tiempo*) période *f*; (*MED*) règles *fpl.*
peripecia *nf* péripétie *f.*
perito, a *a* (*experto*) compétent(e); (*con arte*) expert(e) // *nm/f* (*experto*) expert *m*; (*técnico*) ingénieur *m.*
perjudicar *vt* (*dañar*) nuire à; (*poner en riesgo*) risquer; **~se** *vr* se faire du tort; **perjudicial** *a* (*dañino*) nuisible; (*en detrimento de*) préjudiciable; **perjuicio** *nm* (*daño*) préjudice *m*; (*pérdidas*) pertes *fpl.*
perjurar *vi* (*mentir*) se parjurer; (*jurar*) jurer souvent; **perjuro, a** *a* parjure // *nm/f* parjure *m/f.*
perla *nf* perle *f.*
perlesía *nf* paralysie *f.*
permanecer *vi* (*quedarse*) rester; (*seguir*) continuer de.
permanencia *nf* (*duración*) permanence *f*; (*estancia*) séjour *m.*
permanente *a* (*que queda*) permanent(e); (*constante*) constant(e) // *nf* permanente *f.*
permisible *a* autorisable.
permiso *nm* permission *f*; (*licencia*) licence *f*; **con ~ (de)** avec la permission de; **estar de ~** (*MIL*) être en permission; **~ de conducir o conductor** permis *m* de conduire.
permitir *vt* (*dejar*) permettre, laisser; (*aceptar*) accepter.
permuta *nf* (*intercambio*) échange *m*; (*regateo*) marchandage *m*; **permutar** *vt* permuter, échanger.
pernear *vi* gigoter.
pernicioso, a *a* (*maligno*) pernicieux(euse); (*MED*) malin(igne); (*persona*) mauvais(e), méchant(e).
pernil *nm* (*ZOOL*) hanche *f* et cuisse *f*; (*CULIN*) jambon *m*, cuissot *m*; (*de pantalón*) jambe *f.*
perno *nm* boulon *m.*
pernoctar *vi* découcher, passer la nuit.
pero *conj* mais; (*aún*) cependant // *nm* (*defecto*) défaut *m*; (*reparo*) objection *f.*
perogrullada *nf* lapalissade *f.*
perol *nm* bassine *f.*
peroración *nf* péroraison *f.*
perorar *vi* prononcer un discours; (*fam*) pérorer.
perpendicular *a* perpendiculaire // *nf* perpendiculaire *f.*
perpetración *nf* perpétration *f.*
perpetrar *vt* perpétrer.
perpetuamente *ad* perpétuellement.
perpetuar *vt* perpétuer.
perpetuidad *nf* perpétuité *f.*
perpetuo, a *a* perpétuel(le); (*duradero*) durable; (*sin cesar*) constant(e).
perplejidad *nf* perplexité *f.*
perplejo, a *a* perplexe.
perra *nf* chienne *f*; **~ chica/gorda** *monnaie de 5/10 centimes.*
perrada *nf* meute *f.*
perrera *nf* chenil *m.*
perrería *nf* (*perrada*) meute *f*; (*fig*) bande *f* (de coquins).
perrillo *nm* (*perro*) petit chien; (*MIL*) chien *m.*
perro *nm* chien *m*; **~ caliente** hot dog *m.*
persa *a* persan(e) // *nm/f* Persan/e // *nm* perse *m.*
persecución *nf* persécution *f*, poursuite *f.*
perseguidor, a *nm/f* (*cazador*) poursuivant/e; (*que persigue*) persécuteur/trice.
perseguir *vt* poursuivre; (*cortejar*) briguer, prétendre à; (*molestar*) persécuter.
perseverante *a* persévérant(e).
perseverar *vi* persévérer; **~ en** persister à, continuer à.
persiana *nf* persienne *f.*
persistente *a* persistant(e).

persistir *vi* persister; ~ **en** persister à *ou* dans.
persona *nf* personne *f*.
personaje *nm* personnage *m*; (TEATRO) rôle *m*.
personal *a* (*particular*) particulier(ière); (*para una persona*) personnel(le) // *nm* personnel *m*; **personalidad** *nf* personnalité *f*; **personalismo** *nm* (*referencias personales*) personnalisme *m*; (*egoísmo*) égoisme *m*; **personalizar** *vt* personnaliser, symboliser // *vi* personnaliser.
personarse *vr* se présenter.
personificar *vt* (*ejemplificar*) personnifier; (*hacer mención especial*) personnaliser.
perspectiva *nf* (*vista, panorama*) perspective *f*, point de vue *m*; (*posibilidad futura*) perspective.
perspicacia *nf* perspicacité *f*.
perspicaz *a* (*agudo: de la vista*) pénétrant(e); (*fig*) perspicace.
perspicuidad *nf* perspicacité *f*.
persuadir *vt* persuader; ~**se** *vr* se persuader, croire; **persuasión** *nf* (*acto*) persuasion *f*; (*estado de mente*) conviction *f*; **persuasivo, a** *a* persuasif(ive).
pertenecer *vi* appartenir; (*fig*) concerner, incomber; **pertenencia** *nf* possession *f*; **pertenencias** *nfpl* propriétés *fpl*.
pertinacia *nf* persistance *f*; (*terquedad*) obstination *f*.
pertinaz *a* (*persistente*) persistant(e); (*terco*) tenace, obstiné(e).
pertinente *a* pertinent(e); ~ **a** concernant, à propos de, au sujet de.
pertrechar *vt* (*abastecer*) munir, équiper; (MIL) approvisionner; ~**se de** se munir de.
pertrechos *nmpl* (*instrumental*) équipement *m*, outils *mpl*; (MIL) munitions *fpl*.
perturbación *nf* (POL) perturbation *f*, trouble *m*; (MED) trouble.
perturbado, a *a* dérangé(e) (mentalement) // *nm/f* malade mental/e.
perturbador, a *a* (*que perturba*) perturbateur(trice); (*subversivo*) embarrassant(e) // *nm/f* perturbateur/trice.
perturbar *vt* (*el orden*) perturber, troubler; (*mentalmente*) troubler, déranger.
Perú *nm*: **el** ~ (le) Pérou.
peruano, a *a* péruvien(ne) // *nm/f* Péruvien/ne.
perversidad *nf* (*maldad*) perversité *f*; (*depravación*) perversité, dépravation *f*.
perversión *nf* perversion *f*.
perverso, a *a* pervers(e); (*depravado*) dépravé(e).
pervertido, a *a* corrompu(e), perverti(e) // *nm/f* pervertisseur/euse.
pervertir *vt* (*corromper*) pervertir; (*distorsionar*) dénaturer.
pesa *nf* poids *m*.
pesadez *nf* (*peso*) lourdeur *f*; (*lentitud*) lenteur *f*; (*aburrimiento*) ennui *m*.
pesadilla *nf* cauchemar *m*.
pesado, a *a* (*que pesa*) lourd(e), pesant(e); (*lento*) lent(e); (*difícil, duro*) pénible, dur(e); (*aburrido*) ennuyeux(euse), assommant(e); (*bochornoso*) lourd.
pesadumbre *nf* chagrin *m*, tracas *m*.
pésame *nm* condoléances *fpl*.
pesantez *nf* pesanteur *f*.
pesar *vt* peser // *vi* peser; (*ser pesado*) être lourd(e) // *nm* chagrin *m*, peine *f*; **a** ~ **de** *o* **pese a (que)** en dépit de, malgré.
pesaroso, a *a* peiné(e), désolé(e).
pesca *nf* (*acto*) pêche *f*; (*cantidad de pescado*) poisson *m*, pêche.
pescadería *nf* poissonnerie *f*.
pescado *nm* poisson *m*.
pescador, a *nm/f* pêcheur/euse.
pescante *nm* support *m*, siège *m* du cocher.
pescar *vt* pêcher; (*conseguir: trabajo*) attraper, décrocher; (*desenterrar: datos*) pêcher, exhumer.

pescuezo *nm* cou *m*.
pesebre *nm* râtelier *m*, mangeoire *f*.
peseta *nf* peseta *f*.
pesetero, a *a* mercenaire.
pesimista *a* pessimiste // *nm/f* pessimiste *m/f*.
pésimo, a *a* très mauvais(e).
peso *nm* poids *m*; (*carga*) charge *f*; (*de boxeo*) pesage *m*; (*balanza*) balance *f*; (*moneda*) peso *m*; **vender al ~** vendre au poids.
pesquería *nf* pêcherie *f*.
pesquisa *nf* recherche *f*, enquête *f*.
pestaña *nf* (ANAT) cil *m*; (*borde*) bord *m*, rentré *m*; **pestañear, pestañar** *vi* cligner des yeux, ciller.
peste *nf* (MED) peste *f*; (*plaga, molestia*) fléau *m*; (*mal olor*) puanteur *f*, infection *f*.
pesticida *nm* pesticide *m*.
pestífero, a *a* (*maloliente*) pestilentiel(le); (*dañino*) pestiféré(e).
pestilencia *nf* (*plaga*) fléau *m*; (*mal olor*) pestilence *f*.
pestillo *nm* targette *f*, verrou *m*.
petaca *nf* grand sac; porte-cigarettes *m inv*; (AM) malle *f* // *a* paresseux(euse).
pétalo *nm* pétale *m*.
petardista *nm/f* (*tramposo*) escroc *m*; (*rompehuelgas*) jaune *m*.
petardo *nm* (*cohete*) pétard *m*; (MIL) explosif *m*; (*fam*) escroquerie *f*.
petate *nm* (*tapete*) natte *f*; (*equipaje*) sac *m* de marin, bagage *m*.
petición *nf* (*pedido*) demande *f*; (JUR) requête *f*; **peticionario, a** *nm/f* pétitionnaire *m/f*.
peto *nm* plastron *m*.
pétreo, a *a* (*rocoso*) rocheux(euse); (*pedregoso*) rocailleux (euse).
petrificar *vt* pétrifier.
petróleo *nm* pétrole *m*; **petrolero, a** *a* pétrolifère // *nm/f* (COM) pétrolier *m*; (*extremista*) extrémiste *m/f*.
petulancia *nf* arrogance *f*, fierté *f*.
petulante *a* fier(ière), arrogant(e).
peyorativo, a *a* péjoratif(ive).
pez *nm* poisson *m*.
pezón *nm* (ANAT) mamelon *m*; (BOT) queue *f*.
piadoso, a *a* (*devoto*) pieux(euse); (*misericordioso*) miséricordieux(euse).
pianista *nm/f* pianiste *m/f*.
piano *nm* piano *m*.
piar *vi* piailler, piauler.
piara *nf* troupeau *m* (de porcs).
pica *nf* pique *f*.
picacho *nm* pic *m*.
picadillo *nm* hachis *m*.
picado, a *a* piqué(e); (*mar*) houleux(euse); (*diente*) gâté(e); (*enfadado*) froissé(e), vexé(e) // *nm* (*carne*) hachis *m*; (*tabaco*) tabac *m* à fumer // *nf* piqûre *f*; (AM) piste *f*; sentier *m*; **bajar en ~** descendre en piqué.
picador *nm* (TAUR) picador *m*; (*entrenador de caballos*) dresseur *m* de chevaux; (*minero*) mineur *m*.
picadura *nf* (*diente*) dent gâtée; (*de viruela*) trou *m*, marque *f*; (*pinchazo*) piqûre *f*; (*mordedura*) morsure *f*; (*tabaco picado*) tabac *m* à fumer.
picante *a* piquant(e) // *nm* saveur piquante.
picapedrero *nm* tailleur *m* de pierre.
picaporte *nm* poignée *f*.
picar *vt* (*agujerear, perforar*) poinçonner, perforer; (*morder*) mordre, piquer; (*incitar*) provoquer, exciter; (*dañar, irritar*) gratter, démanger; (*cortar: piedra*) tailler; (*quemar: lengua*) démanger // *vi* (*quemar, morder*) piquer; (*de pez*) mordre; (MED) démanger; (*el sol*) brûler; **~se** *vr* (*decaer*) se miter; (*agriarse*) se piquer, se gâter; **~ en** (*fig*) avoir une teinture de; **~se con** devenir fana de.
picardear *vt* corrompre // *vi* s'amuser.
picardía *nf* malice *f*; astuce *f*; ruse *f*, fourberie *f*.

picaresco, a *a* picaresque.
pícaro, a *a* (*malicioso*) malicieux(euse); (*travieso*) espiègle; (*fam*) voyou // *nm* (*ladrón*) filou *m*, voleur *m*; (*astuto*) malin *m*; (*sinvergüenza*) canaille *f*.
picatoste *nm* rôtie *f*, croûton *m*.
picazón *nf* démangeaison *f*; mécontentement *m*.
pick-up *nm inv* pick-up *m inv*, lecteur *m*.
pico *nm* (*de ave*) bec *m*; (*punto agudo*) pointe *f*, saillie *f*; (*TEC*, *GEO*) pic *m*; **sesenta y ~** soixante et quelques.
picota *nf* pilori *m*.
picotear *vt* picoter, picorer // *vi* mordiller; (*fam*) baratiner; **~se** *vr* se chamailler.
pictórico, a *a* pictural(e).
picudo, a *a* au museau pointu.
pichón *nm* pigeon *m*.
pido, pidió *etc vb ver* **pedir**.
pie *nm* (*pl* **~s**) pied *m*; (*tronco, base*) base *f*; (*tallo*) tige *f*; (*parte de abajo*) bas *m*; (*fig*: *fundamento*) base; **ir a ~** aller à pied; **estar/ponerse de ~** être/se mettre debout; **al ~ de la letra** au pied de la lettre; **en ~ de guerra** sur le pied de guerre; **dar ~ a** donner l'occasion de.
piedad *nf* (*misericordia*) pitié *f*; (*devoción*) piété *f*.
piedra *nf* pierre *f*; (*roca*) roche *f*; (*MED*) calcul *m*; (*METEOROLOGÍA*) grêle *f*; **~ de toque** pierre de touche.
piel *nf* (*ANAT*) peau *f*; (*ZOOL*) cuir *m*, fourrure *f*; (*BOT*) peau, pelure *f*; **~ de ante** *o* **de Suecia** suède *m*.
piélago *nm* haute mer, océan *m*.
pienso *vb ver* **pensar** // *nm* aliment *m* (pour animaux).
pierdo *etc vb ver* **perder**.
pierna *nf* jambe *f*; **~ de carnero** gigot *m* de mouton.
pieza *nf* pièce *f*; **~ de recambio** *o* **repuesto** pièce de rechange *ou* détachée.
pigmentación *nf* pigmentation *f*.
pigmeo, a *a* pygmée // *nm/f* pygmée *m/f*.
pijama *nm* pyjama *m*.
pila *nf* (*ELEC*) pile *f*; (*montón*) tas *m*, pile; (*fuente*) évier *m*, vasque *f*.
pilar *nm* pilier *m*; (*pileta*) petit bénitier.
píldora *nf* pilule *f*.
pileta *nf* petit bénitier; (*AM*) piscine *f*.
pilón *nm* (*ELEC*) pylône *m*; (*de fuente*) bassin *m*, vasque *f*.
pilongo, a *a* maigre.
piloto *nm* pilote *m*; (*de aparato*) lampe-témoin *f*, veilleuse *f*; (*AUTO*) feu *m* arrière, stop *m*.
pillaje *nm* pillage *m*.
pillar *vt* (*saquear*) piller; (*fam*: *atrapar*) attraper, coincer; (: *entender*) comprendre.
pillería *nf* (*trampa*) friponnerie *f*; (*rufianes*) bande *f* de canailles.
pillo, a *a* malicieux(euse); astucieux(euse), malin(igne) // *nm/f* scélérat/e.
pilluelo, a *nm/f* garnement *m*, galopin *m*.
pimentón *nm* gros poivron, paprika doux.
pimienta *nf* poivre *m*.
pimiento *nm* (*verdura*) poivron *m*, piment *m*; (*planta*) poivrier *m*.
pimpollo *nm* (*BOT*) rejeton *m*, rejet *m*; (*fam*) chérubin *m*, petit ange.
pinacoteca *nf* pinacothèque *f*.
pináculo *nm* pinacle *m*.
pinar *nm* pinède *f*.
pincel *nm* pinceau *m*; **pincelada** *nf* coup *m* de pinceau.
pinciano, a *a* de Valladolid.
pinchar *vt* (*perforar*) piquer; (*neumático*) crever; (*incitar*) pousser, inciter; (*herir*) blesser; **~se** *vr* se piquer.
pinchazo *nm* (*perforación*) piqûre *f*; (*de llanta*) crevaison *f*; (*fig*) incitation *f*.
pinchitos *nmpl* amuse-gueules *mpl*.
pingo *nm* (*harapo*) loque *f*; (*AM*) cheval *m*.

pingüe *a* gras(se); (*fig*) abondant(e).
pingüino *nm* pingouin *m*.
pininos, pinitos *nmpl* premiers pas.
pino *nm* pin *m*; **en ~** vertical(e), raide.
pinocha *nf* aiguille *f* de pin.
pinta *nf* (*punto*) tache *f*, point *m*; (: *de piel de animal*) moucheture *f*; (*medida*) pinte *f*; (*aspecto*) allure *f*, aspect *m*.
pintado, a *a* (*de puntos*) tacheté(e), moucheté(e); (*de muchos colores*) peint(e); **viene que ni ~** ça tombe juste.
pintar *vt, vi* peindre; **~se** *vr* se farder, se maquiller.
pintiparado, a *a* tout(e) pareil(le).
pintor, a *nm/f* peintre *m/f*; **~ de brocha gorda** peintre en bâtiment.
pintoresco, a *a* pittoresque.
pintura *nf* peinture *f*; **~ a la acuarela** aquarelle *f*; **~ al óleo** peinture à l'huile.
pinza *nf* (ZOOL) pince *f*; (*para colgar ropa*) pince à linge; **~s** *nfpl* (*para depilar*) pince à épiler; (TEC) pince.
pinzón *nm* pinson *m*.
piña *nf* (*fruto del pino*) pomme de pin *f*; (*fruta*) ananas *m*; (*fig*) groupe uni.
piñata *nf* panier *m* de friandises.
piñon *nm* pignon *m* d'Inde.
pío, a *a* (*devoto*) pieux(euse); (*misericordioso*) charitable // *nm* pépiement *m*.
piojo *nm* pou *m*.
pionero, a *nm/f* pionnier/ière.
pipa *nf* pipe *f*; (BOT) graine *f* de tournesol.
pipí *nm* (*fam*): **hacer ~** faire pipi.
pique *nm* (*resentimiento*) brouille *f*; (*rivalidad*) point *m* d'honneur; **irse a ~** couler à pic.
piquera *nf* trou *m*.
piqueta *nf* pic *m*, pioche *f*.
piquete *nm* (*herida*) piqûre *f*; (*agujerito*) petit trou; (MIL) peloton *m*; (*de obreros*) piquet *m* (de grève).
piragua *nf* pirogue *f*.
pirámide *nf* pyramide *f*.
pirata *nm* pirate *m* // *a* pirate; **piratear** *vi* pirater; (*robar*) voler; **piratería** *nf* piraterie *f*; (*robo*) vol *m*.
pirenaico, a *a* pyrénéen(ne).
Pirineo(s) *nm(pl)* Pyrénées *fpl*.
piropo *nm* galanterie *f*, compliment *m*.
pirotecnia *nf* pyrotechnie *f*.
pirueta *nf* pirouette *f*.
pisada *nf* (*paso*) pas *m*; (*huella*) trace *f*.
pisar *vt* (*caminar sobre*) marcher sur; (*apretar con el pie*) fouler // *vi* marcher.
piscina *nf* (*alberca*) bassin *m*, piscine *f*; (*para peces*) bassin *m*.
Piscis *nm* les Poissons *mpl*; **ser (de) ~** être (des) Poissons.
piso *nm* (*suelo*) sol *m*; (*de edificio*) étage *m*; (*apartamento*) appartement *m*.
pisotear *vt* piétiner; aplatir (avec les pieds); (*fig*) fouler.
pista *nf* piste *f*; **~ de aterrizaje/de baile/de hielo/de patinaje** piste d'atterrissage/de danse/de glace/de patinage.
pisto *nm* (CULIN) jus *m* de viande; ratatouille *f*; (*fig*) ratatouille, méli-mélo *m*.
pistola *nf* pistolet *m*; **pistolero, a** *nm/f* bandit *m*, gangster *m* // *nf* étui *m* à pistolet.
pistón *nm* (TEC) piston *m*; (MUS) clef *f*, piston.
pitada *nf* (*silbido*) coup *m* de sifflet; (AM) bouffée *f*.
pitanza *nf* pitance *f*, ration *f*.
pitar *vt* siffler // *vi* siffler; (AUTO) klaxonner; (AM) fumer.
pitillo *nm* cigarette *f*.
pito *nm* (*para silbar*) sifflet *m*; (*de coche, tren*) klaxon *m*; **~ real** pic *m*.
pitón *nm* (ZOOL) python *m*; (*protuberancia*) grosseur *f*, enflure *f*; (BOT) bourgeon *m*; (*de jarro*) bec *m*.

pitonisa *nf* pythonisse *f.*
pizarra *nf* (*piedra*) ardoise *f*; (*encerado*) tableau noir.
pizca *nf* petit morceau; miette *f.*
placa *nf* plaque *f*; (*dental*) plaque (dentaire); ~ **de matrícula** plaque d'immatriculation.
pláceme *nm* félicitation *f.*
placentero, a *a* joyeux(euse), agréable.
placer *nm* (*gusto, deleite*) plaisir *m*; (*entretenimiento*) amusement *m* // *vt* plaire.
placidez *nf* placidité *f.*
plácido, a *a* placide.
plaga *nf* fléau *m*; (MED) plaie *f*; (*abundancia*) foison *f*, abondance *f.*
plagar *vt* couvrir.
plagiar *vt* plagier.
plagio *nm* plagiat *m.*
plan *nm* (*esquema, proyecto*) projet *m*, plan *m*; (*idea, intento*) plan, idée *f*; (MED) régime *m*; **tener un** ~ avoir un rendez-vous.
plana *nf ver* **plano**.
plancha *nf* (*para planchar*) fer *m* à repasser; (*rótulo*) planche *f*, forme *f*; (NAUT) radeau *m*; **planchado** *nm* repassage *m*; **planchar** *vt* repasser.
planeador *nm* planeur *m.*
planeadora *nf* bulldozer *m.*
planear *vt* planifier // *vi* planer.
planeta *nm* planète *f.*
planicie *nf* (*llano*) plaine *f*; (*meseta*) plateau *m.*
planificación *nf* planification *f.*
plano, a *a* plat(e) // *nm* plan *m* // *nf* page *f*; (TEC) plane *f*; **primer** ~ premier plan; **caer de** ~ tomber raide; **estar en primera plana** avoir le premier plan/la vedette; **plana mayor** état major *m.*
planta *nf* (ANAT) plante *f*; (BOT) plante; (TEC) usine *f*; ~ **baja** rez-de-chaussée *m.*
plantación *nf* (AGR) plantation *f*; (*acto*) plantage *m.*
plantado, a *a*: **dejar a uno** ~ laisser qn en plan.
plantar *vt* (BOT) planter; (*levantar*) ériger; (*sentar*) envoyer; ~**se** *vr* se planter.
planteamiento *nm* proposition *f*; façon *f* de poser un problème.
plantear *vt* exposer; signaler; (*planificar*) projeter, organiser; ~**se** *vr* se poser.
plantel *nm* plant *m*; pépinière *f.*
plantilla *nf* semelle *f* (intérieure); personnel *m*, effectif *m*; plan *m*, esquisse *f.*
plantío *nm* plantation *f.*
plantón *nm* (BOT) plan *m*; (MIL) planton *m*, sentinelle *f.*
plañidero, a *a* plaintif(ive) // *nf* pleureuse *f.*
plañir *vi* gémir, se plaindre.
plasma *nm* plasma *m.*
plasmar *vt* (*dar forma*) former, façonner; (*representar*) façonner // *vi*: ~ **en** prendre la forme de.
plasta *nf* pâte molle.
plasticina *nf* plasticine *f.*
plástico, a *a* plastique // *nf* plastique *f*, sculpture *f* // *nm* plastique *m.*
plata *nf* (*metal*) argent *m*; (*cosas hechas de plata*) argenterie *f*; **hablar en** ~ parler clair.
plataforma *nf* plate-forme *f.*
plátano *nm* (*fruta*) banane *f*; (*árbol*) bananier *m.*
platea *nf* orchestre *m.*
plateado, a *a* argenté(e).
platería *nf* (*arte*) orfèvrerie *f*; (*tienda*) bijouterie *f.*
platero, a *nm/f* orfèvre *m.*
plática *nf* conversation *f*; **platicar** *vi* parler, converser.
platillo *nm* soucoupe *f*; ~**s** *nmpl* cymbales *fpl*; ~ **volador** *o* **volante** soucoupe volante.
platino *nm* platine *m.*
plato *nm* assiette *f*; (*parte de comida*) plat *m.*
plausible *a* plausible.
playa *nf* plage *f*; (*arena*) sable *m*; (*lugar veraniego*) plage, mer *f*; ~ **de estacionamiento** (AM) parking *m.*
playera *nf* chemisette *f.*

plaza *nf* place *f*; (*mercado*) marché *m*; ~ **de toros** arène *f*.
plazco *etc vb ver* **placer**.
plazo *nm* (*lapso de tiempo*) délai *m*; (*fecha de vencimiento*) échéance *f*; (*pago parcial*) terme *m*; **a corto/largo** ~ à courte/longue échéance; **comprar a** ~**s** acheter à tempérament.
plazoleta, **plazuela** *nf* petite place.
pleamar *nf* marée haute, pleine mer.
plebe *nf* plèbe *f*; **plebeyo, a** *a* plébéien(ne); **plebiscito** *nm* plébiscite *m*.
plectro *nm* plectre *m*.
plegable, **plegadizo**, **a** *a* pliant(e).
plegado *nm*, **plegadura** *nf* (*acto*) plissage *m*, pliage *m*; (*pliegue*) pli *m*, plissé *m*.
plegar *vt* (*doblar*) plier; (COSTURA) plisser; ~**se** *vr* se plier.
plegaria *nf* prière *f*.
pleitear *vi* plaider; **pleitista** *a* plaidant(e); chicaneur(euse) // *nm/f* procédurier/ière; **pleito** *nm* (JUR) procès *m*; (*fig*) querelle *f*, dispute *f*.
plenilunio *nm* pleine lune.
plenipotenciario *nm* plénipotentiaire *m*.
plenitud *nf* (*abundancia*) plénitude *f*; (*fig*) épanouissement *m*.
pleno, a *a* plein(e) // *nm* séance plénière; **en** ~ **día/verano** en plein jour/été; **en plena cara** en pleine figure.
plétora *nf* pléthore *f*.
pleuresía *nf* pleurésie *f*.
plexiglás *nm* plexiglas *m*.
pliego *nm* feuille *f* de papier; pli *m*; ~ **de condiciones** cahier *m* des charges.
pliegue *nm* pli *m*.
plinto *nm* plinthe *f*.
plomada *nf* (*de pesca*) plombs *mpl*; (*de albañil*) fil *m* à plomb.
plomería *nf* plomberie *f*.
plomizo, a *a* plombé(e).
plomo *nm* (*metal*) plomb *m*; (ELEC) fusible *m*, plomb; **a** ~ à plomb.
pluma *nf* plume *f*; **plumaje** *nm* plumage *m*; (*adorno*) plumet *m*; **plumazo** *nm* trait *m* de plume; (*colchón*) matelas *m ou* coussin *m* de plume.
plúmbeo, a *a* de plomb.
plumero *nm* (*quitapolvos*) plumeau *m*; (*adorno*) plumet *m*; **se le ve el** ~ on lui voit la ficelle.
plumilla *nf*, **plumín** *nm* petite plume.
plumón *nm* (*de ave*) duvet *m*; (*edredón*) édredon *m*.
plural *a* pluriel(le).
pluralidad *nf* pluralité *f*; ~ **de votos** majorité *f* des voix.
plurivalente *a* polyvalent(e).
plus *nm* prime *f*, gratification *f*.
plutocracia *nf* ploutocratie *f*.
plutonio *nm* plutonium *m*.
pmo *abr de* **próximo**.
P.N.B. *nm* (*abr de Producto Nacional Bruto*) P.N.B. *m* (Produit national brut).
Po *abr de* **Paseo**.
población *nf* population *f*; (*pueblo, ciudad*) ville *f*, village *m*.
poblacho *nm* trou *m*, bled *m*.
poblado, a *a* peuplé(e), habité(e) // *nm* localité *f*, agglomération *f*.
poblador, a *nm/f* fondateur/trice, colonisateur/trice.
poblar *vt* (*colonizar*) peupler; (*fundar*) fonder; (*habitar*) habiter // *vi* se remplir, se peupler.
pobre *a* pauvre // *nm/f* pauvre *m/f*; (*fig*) malheureux/euse; **pobreza** *nf* pauvreté *f*; (*penuria*) manque *m*, pénurie *f*.
pocilga *nf* porcherie *f*.
poción, **pócima** *nf* potion *f*.
poco, a *a* peu de // *ad* (*no mucho*) peu; (*apenas*) bien peu, à peine // *nm*: **un** ~ un peu; **tener a uno en** ~ estimer peu qn; **por** ~ un peu plus ...; **dentro de/hace** ~ dans/il y a peu de temps.
pocho, a *a* terne; pâle; blet(te); patraque, déprimé(e).

podadera *nf* serpe *f*, sécateur *m*.
podar *vt* tailler.
podenco *nm* épagneul *m*.
poder *vt* pouvoir // *nm* (*potencia*) pouvoir *m*, puissance *f*; (*autoridad*) autorité *f*; (TEC: *capacidad*) puissance *f*; (POL: JUR) pouvoir; **puede que sea así** il se peut qu'il en soit ainsi; **¿se puede?** puis-je?; **¿puedes con eso?** tu peux en venir à bout?; **a más no ~** extrêmement, au possible; **no ~ menos de** ne pas pouvoir s'empêcher de; **~ de compra** *o* **adquisitivo** pouvoir d'achat; **poderío** *nm* puissance *f*; autorité *f*; **poderoso, a** *a* puissant(e).
podio *nm* podium *m*.
podré *etc vb ver* **poder**.
podredumbre *nf* (*pus*) pus *m*; (*parte podrida*) pourriture *f*, putréfaction *f*; (*fig*) corruption *f*.
podrido, a *a* pourri(e); (*fig*) corrompu(e).
podrir = **pudrir**.
poema *nm* poème *m*.
poesía *nf* poésie *f*.
poeta *nm* poète *m*.
poético, a *a* poétique.
póker *nm* poker *m*.
polaco, a *a* polonais(e).
polaina *nf* guêtre *f*.
polar *a* polaire; **polaridad** *nf* polarité *f*; **polarizar** *vt* polariser.
polea *nf* poulie *f*.
polémica *nf* polémique *f*; **polemizar** *vi* polémiquer, polémiser.
polen *nm* pollen *m*.
policía *nm/f* policier/femme-agent // *nf* police *f*; **policíaco, a** *a* policier(ière).
policromo, a *a* polychrome.
polichinela *nm* polichinelle *m*.
poligamia *nf* polygamie *f*.
polígloto, a *nm/f* polyglotte *m/f*.
polilla *nf* mite *f*.
polio *nf* poliomyélite *f*.
politécnico *nf* école polytechnique *f*.
politene, politeno *nm* polythène *m*, polyéthylène *m*.
político, a *a* (POL) politique; (*cortés, discreto*) courtois(e); réservé(e) // *nm/f* politicien/ne // *nf* politique *f*; **politiquear** *vi* faire de la politique; **politiqueo** *nm*, **politiquería** *nf* politicaillerie *f*.
póliza *nf* police *f*.
polizón, ona *nm/f* badaud/e; passager/ère clandestin(e).
polizonte *nm* (*fam*) flic *m*.
polo *nm* (GEO) pôle *m*; (*helado*) esquimau *m*; (ELEC) pôle; (*suéter*) polo *m*; **~ Norte/Sur** pôle Nord/Sud.
Polonia *nf* Pologne *f*.
poltrón, ona *a* paresseux(euse) // *nf* bergère *f*.
polución *nf* pollution *f*.
polvareda *nf* nuage *m* de poussière.
polvera *nf* poudrier *m*.
polvo *nm* poussière *f*; **~s** *nmpl* poudre *f*; **~ dentífrico** *o* **para dientes** poudre dentifrice; **~ de talco** talc *m*.
pólvora *nf* poudre *f*; (*fuegos artificiales*) feux *mpl* d'artifice.
polvoriento, a *a* poussiéreux(euse); poudreux(euse).
polvorín *nm* poudre très fine; (MIL) poudrière *f*.
polla *nf* poulette *f*; (*fam*) jouvencelle *f*, jeune fille *f*.
pollada *nf* couvée *f*.
pollera *nf* poulailler *m*; (AM) jupe *f*.
pollería *nf* marchand *m* de volailles.
pollino, a *nm/f* ânon *m*; petite ânesse.
pollo *nm* poulet *m*; poussin *m*; **~ asado** poulet rôti.
poma *nf* pomme *f*.
pomada *nf* pommade *f*.
pomar *nm* verger *m*, pommeraie *f*.
pomelo *nm* pamplemousse *m*.
pomo *nm* (BOT) fruit *m* à pépins; (*botella*) flacon *m* de parfum.
pompa *nf* (*burbuja*) bulle *f*; (*bomba*) pompe *f* à eau; (*esplendor*) pompe *f*; **pomposo, a** *a* pompeux(euse).
pómulo *nm* pommette *f*.

pon *vb ver* **poner**.
ponche *nm* punch *m*.
poncho, a *a* mou (molle), flasque; calme // *nm* (AM) poncho *m*.
ponderación *nf* mesure *f*, considération *f*; (*acción de pesar*) pondération *f*, équilibre *m*.
ponderado, a *a* équilibré(e), pondéré(e).
ponderar *vt* (*considerar*) peser, examiner; (*elogiar*) vanter.
pondré *etc vb ver* **poner**.
ponencia *nf* rapport *m*, exposé *m*.
poner *vt* (*colocar*) mettre, poser; (*ropa*) mettre; (*la mesa*) mettre, dresser; (*telegrama*) envoyer; (*radio*, TV) allumer; (*problema*) exposer; (*casa, tienda*) établir; (*tiempo*) mettre; (*nombre*) donner; (*añadir*) ajouter; (TEATRO) présenter, donner, jouer; (*suponer*) supposer // *vi* (*ave*) pondre; **~se** *vr* se poser; (*el sol*) se coucher; **póngame con el Señor X** je voudrais parler à Monsieur X; **~se de zapatero** se mettre cordonnier; **~se a bien con uno** se réconcilier avec qn; **~se con uno** discuter avec quelqu'un; **~se a** se mettre à.
pongo *etc vb ver* **poner**.
poniente *nm* couchant *m*, ouest *m*; vent *m* d'ouest.
p°n° (*abr de peso neto*) poids net.
pontificado *nm* pontificat *m*.
pontífice *nm* pontife *m*.
pontón *nm* ponton *m*.
ponzoña *nf* venin *m*; **ponzoñoso, a** *a* empoisonné(e).
popa *nf* poupe *f*.
popelín *nm*, **popelina** *nf* popeline *f*.
populachero, a *a* populacier (ière).
populacho *nm* bas peuple *m*, populace *f*.
popular *a* populaire; (*del pueblo*) du peuple; **~idad** *nf* popularité *f*; **~izarse** *vr* se populariser.
poquedad *nf* rareté *f*, insuffisance *f*; petitesse *f*; petite quantité.
poquísimo, a *a* très peu; **~s** *pl* quelques.
poquito *nm*: **un ~** un petit peu.
por *prep* (*con el fin de*) pour; (*a favor de, hacia*) pour; (*a causa de*) par; (*según*) selon, d'après; (*por agencia de*) par; (*a razón de*) par; (*a cambio de*) en échange de, pour; (*en lugar de*) à la place de, pour; **~ correo/avión** par courrier/avion; **~ centenares** par centaines; **(el) 10 ~ ciento** 10 pour cent; **~ orden/tamaño** par ordre/taille; **camina ~ la izquierda** marche à *ou* sur la gauche; **entra ~ delante/detrás** entrez par devant/derrière; **~ la calle** dans la rue; **~ la mañana/la noche** le matin/le soir; **3 francos ~ hora** 3 francs de l'heure; **~ allí** par là; **está ~ el norte** c'est vers le nord; **~ mucho que quisiera, no puedo** j'ai beau le vouloir, je ne peux pas; **~que** parce que; **¿~ qué?** pourquoi?; **~ cuanto** parce que; du fait que; **~ (lo) tanto** par conséquent; donc; **~ cierto** (*seguro*) certainement; (*a propósito*) à propos; **~ ejemplo** par exemple; **~ favor** s'il vous plaît, s'il te plaît; **~ fuera/dentro** dehors/dedans; **~ si (acaso)** pour le cas où; **~ sí mismo** *o* **sólo** par lui-même *ou* tout seul.
porcelana *nf* porcelaine *f*.
porcentaje *nm* pourcentage *m*.
porción *nf* (*parte*) part *f*; (*cantidad*) portion *f*, quantité *f*.
pordiosear *vi* mendier; **pordiosero, a** *nm/f* mendiant/e.
porfía *nf* obstination *f*; entêtement *m*; **porfiado, a** *a* obstiné(e); **porfiar** *vi* s'entêter; **porfiar en** s'acharner à, s'obstiner à.
pormenor *nm* détail *m*.
pornografía *nf* pornographie *f*.
poro *nm* pore *m*; **poroso, a** *a* poreux(euse).
porque *conj* (*a causa de*) parce que; (*ya que*) puisque, du moment que; (*con el fin de*) pour que.
porqué *nm* pourquoi *m inv*, cause *f*, motif *m*.

uería *nf* cochonnerie *f*; saleté

porra *nf ver* **porro**.
porrazo *nm* coup *m*.
porro, a *a* (*fam*) gourde // *nf* (*arma*) massue *f*; (*TEC*) marteau *m*; (*fam*) vanité *f*.
porrón, ona *a* gourde // *nm* gargoulette *f*.
portada *nf* (*fachada*) façade *f*; (*entrada*) portail *m*; (*de libro*) page de titre *f*.
portador, a *nm/f* porteur/euse.
portaequipajes *nm inv* porte-bagages *m inv*.
portal *nm* (*entrada*) vestibule *m*; (*puerta de entrada*) porche *m*; (*de ciudad*) porte *f*; (*DEPORTE*) but *m*.
portaligas *nm inv* porte-jarretelles *m inv*.
portalón *nm* coupée *f*.
portamaletas *nm inv* coffre *m*.
portamonedas *nm inv* porte-monnaie *m inv*.
portarretratos *nm inv* porte-photo *m*.
portarse *vr* se conduire, se comporter; (*fam*): ~ **garante** se porter garant.
portátil *a* portatif(ive).
portavoz *nm* (*megáfono*) porte-voix *m inv*, haut-parleur *m*; (*vocero*) porte-parole *m inv*.
portazo *nm*: **dar un** ~ claquer la porte.
porte *nm* (*COM*) port *m*, transport *m*; (*comportamiento*) conduite *f*.
portear *vt* porter.
portento *nm* prodige *m*; **portentoso, a** *a* prodigieux(euse).
porteño, a *a* de Buenos Aires.
portería *nf* (*oficina*) loge *f* de concierge; (*gol*) but *m*.
portero, a *nm/f* concierge *m/f* // *nm* gardien de but *m*.
portezuela *nf* petite porte, portière *f*.
pórtico *nm* (*patio*) portique *m*; (*fig*) porche *m*, portail *m*; (*arcada*) arcade *f*.
portilla *nf* hublot *m*.
portillo *nm* brèche *f*; portillon privé; col *m*.
portón *nm* grande porte *f*, portail *m*.
portorriqueño, a *a* portoricain(e).
portuario, a *a* portuaire.
Portugal *nm* Portugal *m*.
portugués, esa *a* portugais(e).
porvenir *nm* avenir *m*.
pos *prep*: **en** ~ **de** après; en quête de; à la recherche de.
posada *nf* (*refugio*) demeure *f*, domicile *m*; (*mesón*) auberge *f*, pension *f*.
posaderas *nfpl* derrière *m*, postérieur *m*, fesses *fpl*.
posadero, a *nm/f* hôtelier/ière, aubergiste *m/f*.
posar *vt* (*en el suelo*) poser, déposer; (*la mano*) poser // *vi* poser; ~**se** *vr* se poser, s'arrêter; (*avión*) se poser; (*líquido, polvo*) déposer, retomber.
posdata *nf* post-scriptum *m inv*.
pose *nf* pose *f*.
poseedor, a *nm/f* possesseur *m*.
poseer *vt* posséder; (*gozar*) jouir de; **poseído, a** *a* possédé(e) // *nm/f* possédé/e; **posesión** *nf* possession *f*; (*propiedad*) propriété *f*; **posesionarse** *vr*: **posesionarse de** prendre possession de, s'emparer de; **posesivo, a** *a* possessif(ive).
posguerra *nf*: **en (los años de) la** ~ dans l'après-guerre.
posibilidad *nf* possibilité *f*; (*oportunidad*) occasion *f*.
posibilitar *vt* faciliter; rendre possible, permettre.
posible *a* possible; (*factible*) faisable; **de ser** ~ si cela était possible; **en lo** ~ autant que possible.
posición *nf* position *f*; (*rango social*) situation *f*.
positivo, a *a* affirmatif(ive); positif(ive) // *nf* positif *m*, épreuve positive.
poso *nm* lie *f*, fond *m*.

posponer *vt* subordonner; (*AM*) retarder.
posta *nf* (*de caballos*) poste *f*, relais *m*; (*pedazo*) morceau *m* // *nm* messager *m*, courrier *m*.
postal *a* postal(e) // *nf* carte postale.
poste *nm* (*de telégrafos*) poteau *m*; (*columna*) pilier *m*; **dar ~ a uno** (*fam*) faire poireauter qn.
postergación *nf* ajournement *m*.
postergar *vt* ajourner; négliger, laisser de côté; léser.
posteridad *nf* postérité *f*.
posterior *a* postérieur(e); (*siguiente*) suivant(e).
posterioridad *nf* postériorité *f*; **con ~** plus tard, avec postériorité.
postguerra *nf* = **posguerra**.
postigo *nm* volet *m*; porte *f* de jardin, portillon *m*.
postín *nm* (*fam*) élégance *f*, chic *m*.
postizo, a *a* postiche, faux(ausse) // *nm* postiche *m*.
postor, a *nm/f* enchérisseur/euse, offrant *m*.
postrado, a *a* prostré(e).
postrar *vt* abattre; abaisser; affaiblir.
postre *nm* dessert *m* // *nf*: **a la ~** à la fin, finalement.
postremo, a, postrer, ero, a *a* ultime; dernier(ière).
postrimerías *nfpl* fin *f* (de la vie).
postulado *nm* postulat *m*; **postular** *vt* postuler; préconiser, proposer.
póstumo, a *a* posthume.
postura *nf* (*del cuerpo*) posture *f*, position *f*; (*fig*) attitude *f*; (*de huevos*) ponte *f*; pondaison *f*.
post-venta *a* après-vente.
potable *a* potable.
potaje *nm* plat de légumes secs; **~s** *nmpl* légumes *mpl*.
pote *nm* pot *m*.
potencia *nf* (*poder*) puissance *f*, pouvoir *m*; (*TEC*) puissance; (*POL*): **las (grandes) ~** les (grandes) puissances.
potencial *a* potentiel(le) // *nm* potentiel *m*.
potentado *nm* potentat *m*.
potente *a* puissant(e).
potestad *nf* pouvoir *m*, puissance *f*.
potestativo, a *a* potestatif(ive).
potro, a *nm/f* poulain/pouliche // *nf* hernie *f*.
poyo *nm* banc *m* de pierre.
pozo *nm* puits *m*; (*de río*) trou *m*.
p.p. (*abr de por poder*) pour pouvoir.
P.P. (*abr de porte pagado*) port payé.
p.pdo (*abr de próximo pasado*) récent(e).
P.R. *abr de* **Puerto Rico**.
práctica *nf ver* **práctico**.
practicable *a* praticable.
practicante *nm/f* (*MED*: *ayudante de doctor*) aide-soignant/e; (: *enfermero*) infirmier/ière; (*quien practica algo*) pratiquant/e.
practicar *vt* (*ejercer*) pratiquer; (*realizar*) réaliser.
práctico, a *a* pratique; (*conveniente*) satisfaisant(e); (*instruído*: *persona*) expérimenté(e) // *nm* (*MED*) praticien *m*; (*NAUT*) pilote *m* // *nf* pratique *f*; (*método*) méthode *f*; (*arte, capacidad*) expérience *f*.
pradera *nf* prairie *f*.
prado *nm* (*campo*) pré *m*; (*pastizal*) pâturage *m*; (*paseo*) promenade *f*.
Praga *n* Prague.
pragmático, a *a* pragmatique.
pral *abr de* **principal**.
preámbulo *nm* préambule *m*.
prebenda *nf* prébende *f*, sinécure *f*.
precario, a *a* précaire.
precaución *nf* (*medida preventiva*) précaution *f*; (*prudencia*) prudence *f*.
precaver *vt* prévoir; **~se** *vr*: **~se de** *o* **contra algo** se prémunir contre qch; **precavido, a** *a* prévoyant(e).
precedencia *nf* antériorité *f*, préséance *f*.
precedente *a* précédent(e) // *nm* précédent *m*.
preceder *vt, vi* précéder.
preceptivo, a *a* obligatoire.
precepto *nm* précepte *m*.

preceptor, a *nm/f* précepteur/trice.
preciado, a *a* estimé(e); prétentieux(euse).
preciar *vt* apprécier; **~se** *vr* être content de soi; **~se de** se flatter de.
precio *nm* (*de mercado*) prix *m*; (*costo*) coût *m*; (*valor*) prix, valeur *f*; **~ al contado/de coste/de oportunidad** prix au comptant/de revient/promotionnel; **~ tope** prix plafond.
preciosidad *nf* (*valor*) grande valeur; (*encanto*) charme *m*; (*cosa bonita*) chose ravissante; (*pey*) préciosité *f*.
precioso, a *a* précieux(euse); (*fam*) ravissant(e).
precipicio *nm* précipice *m*; (*fig*) abîme *m*.
precipitación *nf* précipitation *f*.
precipitado, a *a* précipité(e).
precipitar *vt* précipiter; **~se** *vr* se précipiter.
precipitoso, a *a* (*escarpado*) abrupt(e), escarpé(e); (*a la carrera, imprudente*) précipité(e).
precisamente *ad* précisément; (*justo*) justement.
precisar *vt* (*necesitar*) avoir besoin de; (*fijar*) préciser, indiquer; (*especificar*) spécifier // *vi* falloir.
precisión *nf* (*exactitud*) précision *f*; (*necesidad*) besoin *m*.
preciso, a *a* (*exacto*) précis(e); (*necesario*) nécessaire.
precocidad *nf* précocité *f*.
precolombino, a *a* précolombien(ne).
preconcebido, a *a* préconçu(e).
preconizar *vt* préconiser; prévoir.
precoz *a* (*persona*) précoce; (*calvicie*) prématuré(e).
precursor, a *a* précurseur // *nm/f* précurseur *m*.
predecesor, a *nm/f* prédécesseur *m*.
predecir *vt* prédire.
predestinado, a *a* prédestiné(e).
predeterminar *vt* prédéterminer.
prédica *nf* prêche *m*.
predicador, a *nm/f* prédicateur *m*.
predicamento *nm* prédicament *m*; (*fig*) influence *f*, poids *m*.
predicar *vt* prêcher // *vi* sermonner.
predicción *nf* prédiction *f*.
predilección *nf* prédilection *f*.
predilecto, a *a* préféré(e).
predio *nm* propriété *f*.
predisponer *vt* prédisposer; (*pey*) nuire à, porter atteinte à; **predisposición** *nf* prédisposition *f*; (*pey*) préjudice *m*; **predispuesto, a** *a* prédisposé(e).
predominante *a* prédominant(e).
predominar *vt* dominer // *vi* prédominer; **predominio** *nm* (*dominación*) domination *f*; (*prevalecencia*) prédominance *f*.
preeminencia *nf* prééminence *f*, primauté *f*; **preeminente** *a* prééminent(e).
prefabricado, a *a* préfabriqué(e).
prefecto *nm* préfet *m*; **prefectura** *nf* préfecture *f*.
preferencia *nf* préférence *f*.
preferible *a* préférable.
preferir *vt* préférer.
prefiero *etc vb ver* **preferir**.
prefigurar *vt* préfigurer.
prefijar *vt* préfixer, fixer d'avance.
pregón *nm* annonce *f* publique; **pregonar** *vt* (*anunciar*) annoncer publiquement; (*revelar: secreto*) révéler, publier; (*proclamar, alabar*) claironner; prôner, vanter; **pregonero** *nm* crieur public.
pregunta *nf* question *f*; **hacer una ~** poser une question.
preguntar *vt* demander // *vi* questionner; **~se** *vr* se demander; **~ por alguien** demander (à voir *ou* à parler à) qn; **preguntón, ona** *a* questionneur(euse).
prehistórico, a *a* préhistorique.
prejuicio *nm* préjugé *m*; (*preconcepción*) parti-pris *m*.
prejuzgar *vt* préjuger.
prelación *nf* préséance *f*.

prelado *nm* prélat *m*.
preliminar *a* préliminaire.
preludio *nm* prélude *m*.
preludir *vt* préluder à.
prematuro, a *a* prématuré(e).
premeditación *nf* préméditation *f*.
premeditar *vt* préméditer.
premiar *vt* décerner un prix à; récompenser; **premio** *nm* (*recompensa*) récompense *f*; (*en un concurso*) prix *m*; **premioso, a** *a* (*estrecho*) étroit(e), serré(e); (*urgente*) urgent(e), pressant(e); (*molesto*) ennuyeux(euse), désagréable.
premonición *nf* prémonition *f*.
premura *nf* instance *f*; urgence *f*.
prenatal *a* prénatal(e).
prenda *nf* (*garantía*) gage *m*; (*ropa*) vêtement *m*; **~s** *nfpl* qualités *fpl*.
prendar *vt* charmer; **~se de uno** s'éprendre de qn.
prendedor, prendedero *nm* broche *f*, agrafe *f*.
prender *vt* (*captar*) saisir, prendre, arrêter; (*coser, sujetar*) attacher, fixer // *vi* (*arraigar*) s'enraciner; (*fuego, injerto, vacuna*) prendre; **~se** *vr* (*encenderse*) s'allumer; (*engalanarse*) se parer, s'orner.
prendería *nf* friperie *f*.
prendero, a *nm/f* fripier/ière.
prendimiento *nm* capture *f*.
prendido, a *a* captif(ive); (*fig*) charmé(e).
prensa *nf* presse *f*; **la P~** la Presse.
prensado *nm* (*de los tejidos*) calandrage *m*; (*acción de prensar*) pressurage *m*.
prensar *vt* presser.
preñado, a *a* bombé(e); (*mujer*) enceinte // *nf* grossesse *f*; **~ de** chargé *ou* plein de; **preñar** *vt* féconder, couvrir; **preñez** *nf* gestation *f*.
preocupación *nf* préoccupation *f*, souci *m*.
preocupado, a *a* préoccupé(e).
preocupar *vt* préoccuper; **~se** *vr* se préoccuper, se soucier; **~se de algo** (*hacerse cargo*) se charger de qch.
preparación *nf* préparation *f*; (*entrenamiento*) entraînement *m*.
preparado, a *a* (*dispuesto*) préparé(e); (CULIN) prêt(e) // *nm* préparation *f*.
preparador, a *nm/f* entraîneur/euse.
preparar *vt* (*disponer*) préparer; (TEC: *tratar*) traiter; (*entrenar*) entraîner; **~se** *vr*: **~se a** *o* **para** se préparer à; **preparativo, a** *a* préparatoire; **preparatorio, a** *a* préparatoire.
preponderancia *nf* prépondérance *f*.
prerrogativa *nf* prérogative *f*.
presa *nf* (*captura*) prise *f*, arrestation *f*; (*cosa apresada*) prise; (*víctima*) proie *f*; (*de agua*) prise d'eau, barrage *m*; (*canal*) canal *m*.
presagiar *vt* présager; **presagio** *nm* présage *m*.
presbítero *nm* prêtre *m*.
presciencia *nf* prescience *f*.
prescindible *a* dont on peut se passer.
prescindir *vi*: **~ de** faire abstraction de; se passer de.
prescribir *vt* prescrire.
prescripción *nf* prescription *f*; (MED): **~ facultativa** ordonnance *f*.
presea *nf* bijou *m*, joyau *m*.
presencia *nf* présence *f*.
presencial *a*: **testigo ~** témoin *m* oculaire.
presenciar *vt* assister à, être présent(e) à.
presentación *nf* présentation *f*; introduction *f*.
presentador, a *nm/f* présentateur/trice.
presentar *vt* présenter; (*ofrecer*) offrir; (*mostrar*) montrer; **~se** *vr* (*llegar inesperadamente*) se présenter; (*estar*) être; (*ofrecerse: como candidato*) se proposer; (*aparecer*) apparaître; (*solicitar empleo*) se présenter.

...nte *a* présent(e) // *nm* ...sent *m*; **hacer ~** porter à la ...onnaissance; **tener ~** se souvenir de, se rappeler; **la ~** (*COM*) la présente.

presentimiento *nm* pressentiment *m*.

presentir *vt* pressentir.

preservación *nf* préservation *f*.

preservar *vt* préserver; **preservativo, a** *a* préservatif(ive) // *nm* préservatif *m*.

presidencia *nf* présidence *f*.

presidente *nm/f* président/e.

presidiario *nm* forçat *m*, bagnard *m*.

presidio *nm* bagne *m*; travaux forcés.

presidir *vt* (*dirigir*) présider, diriger; (*dominar*) présider à // *vi* présider.

presilla *nf* patte *f*; tirette *f*.

presión *nf* pression *f*; **presionar** *vt* appuyer sur, presser; (*fig*) faire pression sur // *vi*: **presionar para** *o* **por** faire pression pour.

preso, a *a* pris(e), emprisonné(e) // *nm/f* prisonnier/ière.

prestación *nf* prestation *f*.

prestado, a *a* prêté(e); **pedir ~** emprunter.

prestamista *nm/f* prêteur/euse (sur gages).

préstamo *nm* (*lo prestado*) prêt *m*; (*lo pedido prestado*) emprunt *m*.

prestancia *nf* prestance *f*.

prestar *vt* prêter // *vi* s'étirer; **~se** *vr*: **~se a** se proposer pour; **~se para** se prêter à.

prestatario, a *nm/f* emprunteur/euse.

presteza *nf* agilité *f*, promptitude *f*.

prestidigitador, a *nm/f* prestidigitateur *m*.

prestigiar *vt* rehausser le prestige de.

prestigio *nm* prestige *m*; **prestigioso, a** *a* (*honorable*) estimable; (*famoso, renombrado*) prestigieux(euse).

presto, a *a* (*rápido*) preste; (*dispuesto*) prêt(e), préparé(e) // *ad* rapidement, prestement.

presumible *a* présumable.

presumir *vt* présumer // *vi* (*suponerse*) se croire, être prétentieux(euse); (*tener aires*) se donner de grands airs; **presunción** *nf* (*suposición*) présomption *f*; (*vanidad*) prétention *f*; **presunto, a** *a* (*supuesto*) présumé(e); (*así llamado*) prétendu(e); **presuntuoso, a** *a* vaniteux(euse); prétentieux(euse), présomptueux (euse).

presuponer *vt* présupposer.

presupuestar *vt* établir le coût de, établir le budget de.

presupuesto *nm* (*FINANZAS*) budget *m*; (*estimación*: *de costo*) devis *m*.

presuroso, a *a* (*rápido*) preste; (*que tiene prisa*) pressé(e).

prentencioso, a *a* prétentieux(euse).

pretender *vt* (*intentar*) essayer de, chercher à; (*reivindicar*) prétendre; (*buscar*) chercher à; (*cortejar*) courtiser; **pretendiente** *nm/f* (*quien corteja*) prétendant/e; (*candidato*) aspirant/e, candidat/e; **pretensión** *nf* (*aspiración*) prétention *f*; (*reivindicación*) revendication *f*.

pretérito, a *a* passé(e).

pretextar *vt* prétexter.

pretexto *nm* prétexte *m*.

pretil *nm* garde-fou *m*, parapet *m*.

pretina *nf* ceinture *f*.

prevalecer *vi* prévaloir; triompher; l'emporter; **prevaleciente** *a* qui prévaut.

prevalerse *vr*: **~ de** tirer avantage de.

prevaricar *vi* prévariquer, forfaire.

prevención *nf* prévention *f*; (*cautela*) disposition *f*; (*precaución*) précaution *f*; **en ~ de** en prévention de.

prevenido, a *a* préparé(e), disposé(e); (*cauteloso*) prudent(e).

prevenir *vt* (*preparar*) préparer;

(*impedir*) prévenir, empêcher; (*prever*) prévoir; (*predisponer*) prédisposer, influencer; (*avisar*) prévenir; ~**se** *vr* se prémunir, se préparer; **preventivo, a** *a* préventif(ive).
prever *vt* prévoir; (*visualizar*) envisager.
previamente *ad* au préalable, préalablement.
previo, a *a* (*anterior*) préalable; (*preliminar*) préliminaire // *prep*: ~ **acuerdo de los otros** après accord des autres.
previsión *nf* prévision *f*; prévoyance *f*; ~ **social** sécurité sociale.
prez *nf* gloire *f*.
prieto, a *a* (*oscuro*) très foncé(e); (*fig*) mesquin(e); (*comprimido*) serré(e).
prima *nf ver* **primo**.
primacía *nf* primauté *f*.
primar *vi* primer; ~ **sobre** primer sur.
primario, a *a* primaire.
primavera *nf* printemps *m*; **primaveral** *a* printanier(ière).
primer, primero, a *a* premier(ière) // *ad* d'abord // *nf* première *f*; **de primera** (*fam*) de première.
primerizo, a *a* débutant(e) // *nm/f* novice *m/f*.
primicias *nfpl* prémices *fpl*.
primitivo, a *a* primitif(ive); (*original*) originel(le).
primo, a *a* premier(ière) // *nm/f* cousin/e; (*fam*) idiot/e, dupe *f* // *nf* prime *f*; **materia prima** matière première.
primogénito, a *a* aîné(e), premier- né(ière-née).
primor *nm* splendeur *f*; élégance *f*; délicatesse *f*; merveille *f*.
primordial *a* primordial(e).
primoroso, a *a* exquis(e); délicat(e), soigné(e).
princesa *nf* princesse *f*.
principado *nm* (*territorio*) principauté *f*; (*título*) principat *m*.
principal *a* principal(e) // *nm* (*jefe*) patron *m*; (*capital*) capital *m*.
príncipe *nm* prince *m*.
principiante *a* débutant(e) // *nm/f* débutant/e.
principiar *vt* commencer.
principio *nm* (*comienzo*) commencement *m*; (*origen*) origine *f*; (*primera etapa*) début *m*; (*moral*) principe *m*; **a ~s de** au début de; **tener** *o* **tomar en ~** commencer par.
pringar *vt* (*remojar*) graisser; (*manchar*) tacher de graisse; (*fam*) noircir, salir; blesser; **pringue** *nm* (*grasa*) graisse *f*; (*mancha*) saleté *f*, tache *f* de graisse.
prioridad *nf* priorité *f*.
prioritario, a *a* prioritaire.
prisa *nf* (*apresuramiento*) hâte *f*; (*rapidez*) rapidité *f*; (*urgencia*) urgence *f*; **a** *o* **de ~** en hâte, vite; **estar de** *o* **tener ~** être pressé(e).
prisión *nf* (*cárcel*) prison *f*; (*período de cárcel*) emprisonnement *m*; **prisionero, a** *nm/f* prisonnier/ière.
prisma *nm* prisme *m*.
prismático, a *a* prismatique; ~**s** *nmpl* jumelles *fpl*.
prístino, a *a* originel(le), pur(e).
privación *nf* privation *f*; (*falta*) besoin *m*.
privado, a *a* privé(e) // *nm/f* favori/te.
privanza *nf* faveur *f*.
privar *vt* priver; (*prohibir*) interdire // *vi* (*gozar de favor*) être en faveur; (*prevalecer*) prévaloir; ~**se** *vr*: ~**se de** se priver de; **privativo, a** *a* privatif(ive).
privilegiado, a *a* privilégié(e) // *nm/f* privilégié/e.
privilegiar *vt* accorder un privilège à.
privilegio *nm* privilège *m*; (*concesión*) concession *f*; ~ **fiscal** avantage fiscal; ~ **de invención** exclusivité *f*.
pro *nm o f* profit *m* // *prep*: **asociación ~ ciegos** association *f*

en faveur des aveugles // *pref*: ~ **soviético/americano** pro-soviétique/américain; **en ~ de** en faveur de, au profit de.
proa *nf* proue *f*.
probabilidad *nf* probabilité *f*; (*oportunidad, posibilidad*) chance *f*.
probable *a* probable.
probador *nm* salon *m* d'essayage.
probanza *nf* preuve *f*.
probar *vt* (*demostrar*) prouver; (*someter a prueba*) éprouver, mettre à l'épreuve; (*ropa*) essayer; (*comida*) goûter // *vi* essayer, tenter; **~se** *vr* essayer.
probatorio, a *a* probatoire; **documentos ~s del crimen** pièces *fpl* à conviction.
probidad *nf* probité *f*.
problema *nm* problème *m*.
probo, a *a* probe.
procaz *a* insolent(e), effronté(e).
procedencia *nf* origine *f*; provenance *f*.
procedente *a* originaire; pertinent(e), sensé(e).
proceder *vi* (*avanzar*) venir; (*originar*) provenir, procéder; (*actuar*) agir, se comporter; (*ser correcto*) convenir // *nm* (*acción*) procédé *m*; (*comportamiento*) conduite *f*; (JUR): **~ contra** entamer des poursuites contre; **procedimiento** *nm* méthode *f*; procédé *m*; cours *m*, processus *m*.
procesado, a *nm/f* accusé/e, inculpé/e, prévenu/e.
procesar *vt* inculper, accuser.
procesión *nf* procession *f*.
proceso *nm* processus *m*; (*lapso de tiempo*) cours *m*; (JUR) procès *m*.
proclama *nf* (*acto*) proclamation *f*; (*affiche*) bans *mpl*; **proclamar** *vt* proclamer.
proclividad *nf* penchant *m*.
procreación *nf* procréation *f*.
procrear *vt, vi* procréer.
procurador, a *nm/f* avoué *m*.
procurar *vt* (*intentar*) essayer de; (*conseguir*) procurer; (*asegurar*) assurer; (*producir*) produire.
prodigalidad *nf* prodigalité *f*; (*generosidad*) générosité *f*; (*pey*) profusion *f*, extravagance *f*; **prodigar** *vt* prodiguer; (*pey*) dilapider.
prodigio *nm* prodige *m*; (*milagro*) miracle *m*; **prodigioso, a** *a* prodigieux(euse).
pródigo, a *a* prodigue; (*pey*) dépensier(ière) // *nm/f* dépensier/ière.
producción *nf* production *f*; (*producto*) produit *m*; **~ en serie** production en série.
producir *vt* produire; (*generar*) engendrer; **~se** *vr* se produire.
productividad *nf* productivité *f*.
productivo, a *a* productif(ive); (*provechoso*) profitable.
producto *nm* produit *m*; (*producción*) production *f*; (*beneficio*) fruit *m*.
productor, a *a* producteur(trice) // *nm/f* producteur/trice; travailleur/euse.
proemio *nm* préface *f*.
proeza *nf* prouesse *f*.
profanar *vt* profaner; outrager; violer.
profano, a *a* profane; irrévérencieux(euse); profane, ignorant(e); incorrect(e).
profecía *nf* prophétie *f*.
proferir *vt* prononcer; proférer.
profesar *vt* (*declarar*) déclarer, professer; (*practicar*) professer.
profesión *nf* profession *f*; **profesional** *a* professionnel(le).
profesor, a *nm/f* professeur *m*.
profesorado *nm* professorat *m*; (*actividad docente*) enseignement *m*.
profeta *nm/f* prophète/prophétesse; **profetizar** *vt, vi* prophétiser.
profiláctico *nm* prophylactique *m*.
prófugo, a *nm/f* fugitif/ive.
profundidad *nf* profondeur *f*.
profundizar *vt* approfondir; (*fig*) approfondir, creuser // *vi*: **~ en** pénétrer.

profundo, a *a* profond(e); (*voz, sonido*) bas(se); (*impresión*) fort(e); (*misterio, oscuridad*) profond, sombre.
profusión *nf* profusion *f*, abondance *f*; **profuso, a** *a* abondant(e).
progenie *nf* progéniture *f*, descendance *f*; race *f*, lignage *m*.
progenitor *nm* progéniteur *m*; **los ~es** (*fam*) les ancêtres *mpl*; les parents *mpl*.
programa *nm* programme *m*; **programación** *nf* programmation *f*; planification *f*; **programador, a** *nm/f* programmeur/euse; **programar** *vt* programmer.
progresar *vi* progresser; **progresista** *a, nm/f* progressiste *m/f*; **progresivo, a** *a* (*gradual*) progressif(ive); (*continuo*) continu(e).
progreso *nm* progrès *m*.
prohibición *nf* défense *f*, interdiction *f*.
prohibido, a *a* défendu(e); **dirección prohibida** sens interdit; **~ el paso** passage interdit.
prohibir *vt* défendre, interdire; **se prohibe fumar** défense de fumer.
prohijar *vt* adopter.
prójimo, a *nm/f* prochain *m*.
prole *nf* progéniture *f*.
proletariado *nm* prolétariat *m*; **proletario, a** *a* prolétarien(ne) // *nm/f* prolétaire *m*.
proliferación *nf* prolifération *f*; **proliferar** *vi* proliférer; **prolífico, a** *a* prolifique.
prolijidad *nf* prolixité *f*; **prolijo, a** *a* prolixe.
prólogo *nm* préface *f*.
prolongación *nf* (*acto de prolongar*) prolongation *f*; (*extensión*) extension *f*.
prolongado, a *a* (*largo*) étendu(e), grand(e); (*alargado*) prolongé(e), allongé(e).
prolongar *vt* prolonger; allonger.
promedio *nm* milieu *m*; moyenne *f*.
promesa *nf* promesse *f*.
prometedor, a *a* prometteur (euse).
prometer *vt* promettre; **~se** *vr* se fiancer; **prometido, a** *a* promis(e); fiancé(e).
prominencia *nf* proéminence *f*.
prominente *a* proéminent(e).
promiscuo, a *a* confus(e); ambigu(ë).
promisión *nf*: **tierra de ~** terre promise.
promoción *nf* promotion *f*; **~ de ventas** promotion des ventes.
promontorio *nm* promontoire *m*.
promotor *nm* promoteur/trice.
promover *vt* promouvoir; (*causar*) occasionner.
promulgar *vt* divulguer; promulguer, publier.
pronosticar *vt* pronostiquer.
pronóstico *nm* pronostic *m*.
prontitud *nf* promptitude *f*; astuce *f*.
pronto, a *a* (*preparado*) prêt(e); (*rápido*) prompt(e); (*astuto*) astucieux(euse) // *ad* (*rápidamente*) rapidement, vite; (*en seguida*) tout de suite; (*dentro de poco*) bientôt; (*temprano*) tôt // *nm*: **tener ~s de enojo** avoir des coups de colère; **al ~** tout d'abord, au début; **de ~** brusquement, soudain; **por lo ~** pour le moment.
prontuario *nm* abrégé *m*, manuel *m*, résumé *m*.
pronunciación *nf* prononciation *f*.
pronunciamiento *nm* soulèvement *m*, putsch *m*.
pronunciar *vt* prononcer; **~se** *vr* se prononcer; (POL) se soulever.
propagación *nf* propagation *f*.
propaganda *nf* (*política*) propagande *f*; (*comercial*) publicité *f*; **propagandístico, a** *a* de propagande; publicitaire.
propagar *vt* propager, répandre.
propalar *vt* ébruiter, divulguer.
propasarse *vr* dépasser les bornes.

propensión *nf* penchant *m*.
propenso, a *a*: ~ **a** enclin(e) à; porté(e) à.
propiamente *ad* proprement; réellement; ~ **dicho** proprement dit.
propiciar *vt* favoriser; patronner.
propicio, a *a* propice; favorable.
propiedad *nf* propriété *f*; ~ **industrial/literaria** propriété industrielle/littéraire.
propietario, a *nm/f* propriétaire *m/f*.
propina *nf* pourboire *m*.
propinar *vt* donner à boire; (*fam*) flanquer.
propincuo, a *a* proche.
propio, a *a* propre; (*mismo*) lui-même, elle-même *etc* // *nm* messager *m*, courrier *m*.
proponente *nm/f* celui/celle qui propose.
proponer *vt* proposer; ~**se** *vr* se proposer.
proporción *nf* proportion *f*; (*oportunidad*) possibilité *f*; **proporciones** *nfpl* proportions *fpl*; **proporcionado, a** *a* proportionné(e); **proporcionar** *vt* (*dar*) fournir, procurer; (*adaptar*) proportionner.
proposición *nf* proposition *f*.
propósito *nm* intention *f*, dessein *m*; (*intento*) but *m*, propos *m* // *a*: **a** ~ à propos // *ad*: **a** ~ à dessein, exprès; **a** ~ **de** à propos de; **no viene a** ~ cela ne vient pas à propos.
propuesta *nf* proposition *f*.
propulsar *vt* propulser; (*fig*) promouvoir; **propulsión** *nf* propulsion *f*.
prorratear *vt* partager au prorata.
prórroga *nf* (*demora*) prolongation *f*; (COM) prorogation *f*; (JUR) sursis *m*; **prorrogable** *a* qui peut être prorogé(e); **prorrogar** *vt* prolonger; (JUR) proroger; (*posponer*) subordonner.
prorrumpir *vi* éclater, fuser.
prosa *nf* prose *f*; **prosaico, a** *a* prosaïque, terre à terre.
prosapia *nf* lignée *f*, lignage *m*.
proscribir *vt* proscrire, interdire; **proscripción** *nf* proscription *f*, interdiction *f*; **proscrito, a** *a* proscrit(e), interdit(e) // *nm/f* proscrit/e.
prosecución *nf* poursuite *f*.
proseguir *vt* poursuivre // *vi* suivre; ~ **en** *o* **con una actitud** poursuivre dans une attitude.
proselitismo *nm* prosélytisme *m*.
prospección *nf* prospection *f*.
prospecto *nm* prospectus *m*.
prosperar *vi* prospérer; **prosperidad** *nf* prospérité *f*; (*éxito*) succès *m*; **próspero, a** *a* prospère; qui a du succès.
próstata *nf* prostate *f*.
prosternarse *vr* s'agenouiller; se prosterner.
prostíbulo *nm* maison *f* de tolérance.
prostitución *nf* prostitution *f*.
prostituir *vt* prostituer; ~**se** *vr* se prostituer.
prostituta *nf* prostituée *f*.
protagonista *nm/f* protagoniste *m*; **protagonizar** *vt* jouer.
protección *nf* protection *f*; **proteccionismo** *nm* protectionnisme *m*.
protector, a *a* protecteur(trice) // *nm/f* protecteur/trice.
proteger *vt* protéger; défendre; (*patrocinar*) patronner; **protegido, a** *nm/f* protégé/e; favori/te.
proteína *nf* protéine *f*.
protesta *nf* protestation *f*; (*declaración*) déclaration *f* (contre).
protestante *a* protestant(e).
protestar *vt* déclarer // *vi* protester; (*reclamar*) réclamer.
protocolo *nm* protocole *m*.
prototipo *nm* prototype *m*.
protuberancia *nf* protubérance *f*.
provecho *nm* profit *m*; (FINANZAS) bénéfice *m*; **¡buen** ~**!** bon appétit!; **en** ~ **de** au profit de.
proveedor, a *nm/f* fournisseur/euse.
proveer *vt* pourvoir; (*preparar*)

préparer; (*vacante*) pourvoir à, combler; (*negocio*) réaliser // *vi*: ~ a pourvoir à.
provenir *vi*: ~ **de** provenir de, venir de.
proverbio *nm* proverbe *m*.
providencia *nf* perspicacité *f*; (*fig*) providence *f*; ~**s** *nfpl* mesures *fpl*, dispositions *fpl*.
provincia *nf* province *f*; **provinciano, a** *a* provincial(e) // *nm/f* provincial/e.
provisión *nf* provision *f*; (*abastecimiento*) approvisionnement *m*, ravitaillement *m*; (*medida*) mesure *f*.
provisional *a* provisoire.
provisto, a *pp de* **proveer** // *a* approvisionné(e).
provocación *nf* provocation *f*.
provocar *vt* provoquer; (*alentar*) encourager; (*promover*) susciter; (*estimular*) stimuler; **provocativo, a** *a* provocant(e).
próximamente *ad* prochainement.
proximidad *nf* proximité *f*.
próximo, a *a* (*cercano*) proche; (*vecino*) voisin(e); (*el que viene*) prochain(e).
proyección *nf* projection *f*.
proyectar *vt* projeter.
proyectil *nm* projectile *m*; (MIL) projectile, engin *m*.
proyecto *nm* (TEC) projet *m*; (*fig*) projet, ébauche *f*, esquisse *f*; (*estimación de costo*) devis *m*.
proyector *nm* (CINE) projecteur *m*; (*reflector*) réflecteur *m*.
prudencia *nf* (*sabiduría*) sagesse *f*; (*cautela*) prudence *f*.
prudente *a* raisonnable; sage; prudent(e).
prueba *nf* preuve *f*; (*ensayo*) essai *m*; (*saboreo*) dégustation *f*; ~**s** *nfpl* épreuves *fpl*; **a ~ de** à l'épreuve de; **sala de ~s** salon *m* d'essayage.
prurito *nm* (MED) prurit *m*, démangeaison *f*; (*fig*) envie *f*, désir *m*.
psico... *pref* psych(o); ~**análisis** *nm* psychanalyse *f*; ~**analista** *nm/f* psychanalyste *m/f*; ~**logía** *nf* psychologie *f*; ~**lógico, a** *a* psychologique; **psicólogo, a** *nm/f* psychologue *m/f*; **psicópata** *nm/f* psychopathe *m/f*; ~**sis** *nf inv* psychose *f*.
psiquiatra *nm/f* psychiatre *m/f*; **psiquiátrico, a** *a* psychiatrique.
psíquico, a *a* psychique.
PSOE *abr de Partido Socialista Obrero Español*.
púa *nf* pointe *f*; (BOT, ZOOL) piquant *m*, épine *f*.
pubertad *nf* puberté *f*.
pubis *nm* pubis *m*.
publicación *nf* publication *f*.
publicar *vt* (*editar*) publier; (*hacer público*) rendre publique; (*vulgarizar*) vulgariser.
publicidad *nf* publicité *f*; **publicitario, a** *a* publicitaire.
público, a *a* public(ique) // *nm* public *m*; (*clientela*) clientèle *f*; **en ~** en public.
puchera *nf* marmite *f*.
puchero *nm* marmite *f*; potée *f*; pitance *f*, croûte *f*.
puches *nmpl* bouillie *f*.
pude *etc vb ver* **poder**.
pudendo, a *a*: **partes pudendas** parties honteuses // *nm* pénis *m*.
pudibundo, a *a* pudibond(e).
púdico, a *a* pudique, modeste; chaste.
pudiente *a* (*rico*) riche; (*poderoso*) puissant(e).
pudiera *etc vb ver* **poder**.
pudor *nm* (*modestia*) pudeur *f*, modestie *f*; (*vergüenza*) honte *f*.
pudoroso, a *a* pudique, pudibond(e).
pudrición *nf* putréfaction *f*.
pudrir *vt* pourrir; (*fam*) ennuyer, gêner.
pueblo *nm* peuple *m*; (*aldea*) village *m*.
puedo *etc vb ver* **poder**.
puente *nm* pont *m*; (*fig*) pause *f*; **hacer el ~** (*fam*) faire le pont.
puerco, a *nm/f* porc/truie // *a*

(*sucio*) sale, cochon(ne); (*obsceno*) cochon; ~ **espín/jabalí** *o* **salvaje** porc-épic *m*/sanglier *m*; ~ **de mar** cochon *m* de mer; ~ **marino** dauphin *m*.

pueril *a* puéril(e); (*pey*) banal(e); **puerilidad** *nf* puérilité *f*.

puerro *nm* poireau *m*.

puerta *nf* porte *f*; (*de coche*) portière *f*; (*fig*) entrée *f*, seuil *m*; (*gol*) buts *mpl*; **a ~ cerrada** à huis clos; ~ **giratoria** tambour *m*.

puertaventana *nf* volet *m*.

puerto *nm* port *m*; (*paso*) défilé *m*; (*fig*) refuge *m*; ~ **aéreo** aéroport *m*.

Puerto Rico *nm* Porto Rico *f*, Puerto Rico *f*.

pues *ad* (*entonces*) donc; (*¡entonces!*) alors!; (*así que*) si bien que, par conséquent // *conj* (*ya que*) puisque; **¡~!** (*sí*) oui!

puesto, a *pp de* **poner** // *a* mis(e), habillé(e) // *nm* (*lugar, posición*) poste *m*, situation *f*; (*trabajo*) poste; (*COM*) petite boutique, étal *m* (au marché) // *conj*: ~ **que** puisque, étant donné que // *nf* ponte *f*; ~ **de policía/socorro** poste de police/de secours; **puesta en marcha/escena** mise *f* en marche/en scène; **puesta del sol** coucher du soleil *m*.

púgil *nm* pugiliste *m*, boxeur *m*.

pugna *nf* lutte *f*, opposition *f*; **pugnacidad** *nf* combativité *f*; **pugnar** *vi* (*luchar*) lutter; (*pelear*) combattre.

pujante *a* fort(e), vigoureux(euse); puissant(e).

pujanza *nf* force *f*, vigueur *f*.

pujar *vt* enchérir // *vi* (*en subasta*) surenchérir, monter; (*luchar*) lutter; (*vacilar*) hésiter.

pujo *nm* (*MED*) épreinte *f*; (*fam*) envie *f*, désir *m*.

pulcritud *nf* soin *m*, propreté *f*; soin, délicatesse *f*.

pulcro, a *a* soigné(e), propre; délicat(e).

pulga *nf* puce *f*.

pulgada *nf* pouce *m*.

pulgar *nm* pouce *m*.

pulido, a *a* poli(e); (*ordenado*) soigné(e), raffiné(e); (*cauteloso*) fin(e), rusé(e).

pulir, pulimentar *vt* polir.

pulmón *nm* poumon *m*.

pulmonía *nf* pneumonie *f*.

pulpa *nf* (*masa*) pâte *f*; (*de fruta*) pulpe *f*.

púlpito *nm* chaire *f*.

pulpo *nm* poulpe *m*.

pulsación *nf* battement *m*; pulsation *f*.

pulsador *nm* bouton *m*, poussoir *m*.

pulsar *vt* (*tecla*) jouer de; (*botón*) appuyer sur // *vi* battre; (*MED*): ~ **a uno** prendre le pouls à qn.

pulsera *nf* bracelet *m*.

pulso *nm* (*ANAT*) pouls *m*; (: *muñeca*) poignet *m*; (*fuerza*) force *f* dans les poignets; (*firmeza*) fermeté *f*; (*tacto*) tact *m*.

pulular *vi* pulluler.

pulverizar *vt* pulvériser; (*líquido*) vaporiser.

pulla *nf* pique *f*; grossièreté *f*.

punción *nf* ponction *f*.

pundonor *nm* point d'honneur *m*, amour-propre *m*.

pungir *vt* piquer; élancer, lanciner.

punición *nf* punition *f*.

punitivo, a *a* punitif(ive).

punta *nf* pointe *f*; (*fig*) grain *m*, brin *m*; **horas ~s** heures *fpl* de pointe; **sacar ~ a** aiguiser; (*lápiz*) tailler; **estar de ~** en avoir par-dessus la tête.

puntada *nf* (*COSTURA*) point *m*; (*fam*) pique *f*; **no ha dado ~** il se l'est coulée douce.

puntal *nm* (*ARQ*) étai *m*, pilier *m*; (*fig*) appui *m*.

puntapié *nm* coup de pied *m*.

puntear *vt* (*marcar*) pointer; (*coser*) coudre; (*MUS*) jouer; pincer.

puntería *nf* (*de arma*) visée *f*; (*destreza*) adresse *f*, précision *f*.

puntiagudo, a *a* pointu(e).

puntilla *nf* petite pointe; dentelle fine; pointe à tracer; **(andar) de ~s** (marcher) sur la pointe des pieds.

punto *nm* point *m*; (*lugar*) endroit

m; (*momento*) point, moment *m*; **a ~** à point, à temps; **en ~** juste, tapant(e); **bajar/subir de ~** minimiser/exagérer; **~ de apoyo/de arranque** point d'appui/de départ; **~ muerto** point mort; **~ y coma** point-virgule *m*; **~s suspensivos** points de suspension; **dos ~s** deux-points *m*.

puntuación *nf* nombre *m* de points; ponctuation *f*.

puntual *a* (*persona*) ponctuel(le); (*informe*) exact(e), juste; **puntualidad** *nf* ponctualité *f*; exactitude *f*, justesse *f*; **puntualizar** *vt* préciser; déterminer.

punzada *nf* piqûre *f*; (*MED*) élancement *m*.

punzante *a* (*dolor*) lancinant(e); (*herramienta*) piquant(e).

punzar *vt* (*pinchar*) piquer; (*perforar*) perforer; (*doler*) élancer // *vi* lanciner.

punzón *nm* pointeau *m*; burin *m*; poinçon *m*.

puñado *nm* poignée *f*.

puñal *nm* poignard *m*; **~ada** *nf* coup *m* de poignard; (*fig*) peine *f*, coup *m*; **~ada de misericordia** coup de grâce.

puñetazo *nm* coup de poing *m*.

puño *nm* (*ANAT*) poing *m*; (*cantidad*) poignée *f*; (*COSTURA*) poignet *m*, manchette *f*; (*de herramienta*) poignée; **~s** *nmpl* poigne *f*.

pupa *nf* bouton *m* de fièvre, éruption *f*.

pupila *nf* pupille *f*.

pupilo *nm* pupille *m*, pensionnaire *m*.

pupitre *nm* pupitre *m*.

puré *nm* soupe passée; **~ de patatas** purée *f* de pommes de terre.

pureza *nf* pureté *f*.

purga *nf* (*MED, POL*) purge *f*; (*TEC*) vidange *f*; **purgante** *nm* purge *f*, purgatif *m*; **purgar** *vt* nettoyer, purger; (*POL*) purger.

purgatorio *nm* purgatoire *m*.

purificar *vt* nettoyer, purifier; (*TEC*) raffiner.

puritano, a *a* puritain(e) // *nm/f* puritain/e.

puro, a *a* pur(e); (*cielo*) limpide; (*casto*) pur, chaste // *ad*: **de ~ cansado/sucio** tellement fatigué/sale // *nm* cigare *m*.

púrpura *nf* pourpre *m*; **purpúreo, a** *a* pourpre, pourpré(e).

purrela *nf* vétille *f*.

pus *nm* pus *m*.

puse, pusiera *etc vb ver* **poner**.

pusilánime *a* pusillanime.

pústula *nf* (*MED*) pustule *f*.

puta *nf* putain *f*.

putativo, a *a* putatif(ive).

putrefacción *nf* putréfaction *f*; pourriture *f*.

pútrido, a *a* pourri(e), putride.

P.V.P. (*abr de precio de venta al público*) PVP *m* (prix de vente au public).

Q

q.e.p.d. *abr de que en paz descanse.*

q.e.s.m. *abr de que estrecha su mano.*

que *pron* (*sujeto*) qui; (*complemento*) que, qu' // *conj* que, qu'; **el momento en ~ llegó** le moment où il est arrivé; **lo ~ digo** ce que je dis; **dar ~ hablar** donner à parler; **le ruego ~ se calle** je vous prie de vous taire; **te digo ~ sí** je te dis que si; **yo ~ tú** à ta place.

qué *a* (*m*) quel; (*f*) quelle; (*mpl*) quels; (*fpl*) quelles // *pron* que, qu', qu'est-ce que, qu'est-ce qu'; **¡~ divertido!** comme c'est amusant!; **¿de ~ me hablas?** de quoi me parles-tu?; **¿~ tal?** comment allez-vous?, comment vas-tu?, comment ça va?; **¿~ hay de nuevo?** quoi de neuf?

quebrada *nf ver* **quebrado**.

quebradizo, a *a* cassant(e), fragile; (*persona*) fragile.

quebrado, a *a* (*roto*) cassé(e), brisé(e); (*pálido*) éteint(e); (COM) failli(e) // *nm/f* failli/e // *nf* ravin *m*, vallée encaissée.

quebradura *nf* (*fisura*) fissure *f*, cassure *f*; (GEO) découpure *f*; (MED) cassure.

quebrantadura *nf*, **quebrantamiento** *nm* (*acto*) cassement *m*; (*estado*) affaiblissement *m*.

quebrantar *vt* (*romper*) casser, briser; (*infringir*) violer, enfreindre, transgresser; **~se** *vr* (*persona*) ébranler, s'affaiblir; (*deshacerse*) se détériorer, se casser.

quebranto *nm* abattement *m*; (*decaimiento*) affaiblissement *m*, délabrement *m*; (*dolor*) affliction *f*, brisement de cœur *m*.

quebrar *vt* casser; briser; rompre // *vi* faire faillite; **~se** *vr* se briser, se rompre, se casser; (MED) se casser.

quedar *vi* (*permanecer*) rester, demeurer; (*seguir siendo*) rester; (*encontrarse*) se trouver; (*estar*) être; **~se** *vr*: **~se con** garder; **~ en** convenir de; décider que; **~ por hacer** rester à faire; **~ ciego/mudo** devenir aveugle/sourd; **no te queda bien ese vestido** ce vêtement ne te va pas; **~ en nada** ne pas se mettre d'accord.

quedo, a *a* calme, tranquille.

quehacer *nm* travail *m*, labeur *m*, besogne *f*.

queja *nf* plainte *f*; **quejarse** *vr* (*enfermo*) se plaindre, gémir; geindre; (*protestar*) se plaindre; protester; **quejido** *nm* gémissement *m*, plainte *f*; **quejoso, a** *a* mécontent(e).

quemado, a *a* brûlé(e); (*fig*) échaudé(e).

quemadura *nf* brûlure *f*.

quemar *vt* brûler; (*fig*) perdre, user // *vi* brûler; (*piel*) bronzer; **~se** *vr* se brûler; (*fig*) se faire du mauvais sang.

quemarropa: **a ~** *ad* à brûle-pourpoint, à bout portant.

quemazón *nf* brûlure *f*; (*calor*) canicule *f*; (*sensación*) démangeaison *f*.

quepo *etc vb ver* **caber**.

querella *nf* (JUR) plainte *f*; (*disputa*) querelle *f*.

querencia *nf* attachement *m*; instinct *m*.

querer *vt* (*desear*) vouloir; (*amar a*) aimer; **~se** *vr* s'aimer // *nm* affection *f*, amour *m*; **~ hacer algo** vouloir faire qch; **querido, a** *a* aimé(e) // *nm/f* ami/e, petit(e) ami/e.

quesería *nf* fromagerie *f*.

queso *nm* fromage *m*; **~ crema/de bola** fromage mou *ou* fondu/de Hollande; **~ de cerdo** fromage de tête.

quicio *nm* gond *m*.

quiebra *nf* (*rotura*) cassure *f*, brisure *f*; (*grieta*) crevasse *f*; (COM) faillite *f*.

quiebro *nm* (*del cuerpo*) inflexion *f* du corps, écart *m*.

quien *pron* qui; **hay ~ piensa que** il y a des gens qui pensent que; **no hay ~ lo haga** il n'y a personne pour le faire.

quién *pron* qui.

quienquiera (*pl* **quienesquiera**) *pron* quiconque, n'importe qui.

quiero *etc vb ver* **querer**.

quieto, a *a* tranquille; immobile; **quietud** *nf* quiétude *f*, tranquillité *f*.

quijada *nf* mâchoire *f*.

quilate *nm* carat *m*.

quimera *nf* chimère *f*; **quimérico, a** *a* chimérique.

químico, a *a* chimique // *nm/f* chimiste *m/f* // *nf* chimie *f*.

quincalla *nf* quincaillerie *f*.

quince *num* quinze; **quincena** *nf* quinzaine *f*; **quincenal** *a* bimensuel(le).

quinientos *num* cinq cents.

quinina *nf* quinine *f*.

quinqué *nm* quinquet *m*.

quinta *nf ver* **quinto**.

quintal *nm* quintal *m*.
quinto, a *a* cinquième // *nf* villa *f*, maison *f* de campagne; (*MIL*) conscription *f*.
quiosco *nm* (*de música*) kiosque *m* à musique; (*de periódicos*) kiosque à journaux.
quirúrgico, a *a* chirurgical(e).
quise, quisiera *etc vb ver* **querer**.
quisquilloso, a *a* pointilleux (euse); chatouilleux(euse).
quiste *nm* kyste *m*.
quisto, a *a*: **bien/mal** ~ bien/mal vu.
quita *nf* remise *f* d'une dette; **de** ~ **y pon** amovible.
quitaesmalte *nm* dissolvant *m*.
quitamanchas *nm inv* détachant *m*.
quitar *vt* enlever, ôter; (*tomar*) prendre; (*despojar*) dépouiller; **¡quita de ahí!** hors d'ici!; **~se** *vr* s'enlever, s'ôter.
quitasol *nm* parasol *m*.
quite *nm* (*esgrima*) parade *f*; (*evasión*) évasion *f*; (*TAUR*): **dar el** ~ écarter le taureau de son adversaire.
quizá(s) *ad* peut-être.

R

rabadilla *nf* (*ANAT*) croupion *m*; (*ZOOL*) râble *m*.
rábano *nm* radis *m*.
rabia *nf* (*MED*) rage *f*; (*fig*) rage, colère *f*; **rabiar** *vi* (*MED*) avoir la rage; (*fig*) enrager, rager; **está rabiando de dolor** il meurt de douleur.
rabillo *nm* (*ANAT*) petite queue; (*parte delgada*) queue.
rabino *nm* rabbin *m*.
rabioso, a *a* enragé(e); (*fig*) furieux(euse).
rabo *nm* queue *f*.
rabón, ona *a* à queue très courte.
R.A.C.E. *nm* (*abr de Real Automóvil Club de España*) ≈ TCF *m*.
racimo *nm* grappe *f*.
raciocinio *nm* raisonnement *m*.
ración *nf* ration *f*.
racional *a* (*razonable*) raisonnable; (*lógico*) rationnel(le); **racionalizar** *vt* rationaliser.
racionamiento *nm* rationnement *m*.
racionar *vt* distribuer la ration; rationner.
racismo *nm* racisme *m*; **racista** *nm/f* raciste *m/f*.
racha *nf* rafale *f*.
radar *nm* radar *m*.
radiador *nm* radiateur *m*.
radiante *a* rayonnant(e).
radical *a* (*sustancial*) essentiel(le); (*arraigado*) radical(e) // *nm* radical *m*.
radicar *vi* résider; ~ **en** résider dans, tenir à; **~se** *vr* se domicilier; s'enraciner.
radio *nm* rayon *m*; (*ANAT*) radius *m* // *nf* radio *f*, poste *m*; **hablar por** ~ passer à la radio // *pref* radio; **~activo, a** *a* radioactif(ive); **~difusión** *nf* radiodiffusion *f*; **~emisora** *nf* station *f* de radiodiffusion, poste *m* émetteur; **~grafía** *nf* radiographie *f*; **~grafiar** *vt* radiographier; **~teléfono** *nm* radiotéléphone *m*; **~telegrafía** *nf* radiotélégraphie *f*; **~terapia** *nf* radiothérapie *f*; **radioyente** *nm/f* auditeur/trice.
raer *vt* racler.
ráfaga *nf* rafale *f*; (*de luz*) jet *m*.
raído, a *a* (*ropa*) râpé(e); (*persona*) en haillons.
raigambre *nf* racines *fpl*.
raíz *nf* (*pl* **raíces**) racine *f*; ~ **cuadrada** racine carrée; **a** ~ **de** à la suite de, aussitôt après.
raja *nf* (*de melon etc*) tranche *f*; (*grieta*) coupure *f*, fissure *f*; **rajar** *vt* couper en tranches; fendre, fissurer; **rajarse** *vr* se fendre.

rajatabla: **a** ~ *ad* point par point, rigoureusement.
ralea *nf* espèce *f*, race *f*.
ralo, a *a* (*escaso*) rare; (*espaciado*) clairsemé(e).
rallado, a *a* râpé(e); **rallador** *nm* râpe *f*; **ralladura** *nf* râpure *f*; **rallar** *vt* râper.
rama *nf* branche *f*; **ramada** *nf*, **ramaje** *nm* branchage *m*, ramure *f*; **ramal** *nm* embranchement *m*; (*de cordillera*) ramification *f*.
rambla *nf* (*de agua*) ravin *m*; (*avenida*) promenade *f*, avenue *f*.
ramificación *nf* (*empalme*) ramification *f*; (*fig*) conséquence *f*.
ramillete *nm* bouquet *m*; (*fig*) recueil *m*, collection *f*.
ramo *nm* rameau *m*, bouquet *m*, gerbe *f*; (*fig*) branche *f*; (*COM*) département *m*, branche.
rampa *nf* (*MED*) crampe *f*; (*plano*) rampe *f*.
ramplón, ona *a* vulgaire.
rana *nf* grenouille *f*.
rancio, a *a* rance; (*vino*) moelleux // *nm* (*suciedad*) graisse *f*.
rancho *nm* (*comida*) rata *m*; (*AM*) chaumière *f*.
rango *nm* rang *m*.
ranura *nf* (*de alcancía*) rainure *f*; (*de teléfono*) fente *f*.
rapacidad *nf* rapacité *f*.
rapar *vt* raser; (*los cabellos*) tondre; (*fam*) faucher, chiper; **~se** *vr* se faire tondre.
rapaz *a* (*ladrón*) rapace, voleur(euse); (*ZOOL*) rapace.
rapaz, a *nm/f* gamin/e, gosse *m/f*.
rape *nm* baudroie *f*; **al** ~ à ras.
rapé *nm* rapé *m*.
rapidez *nf* rapidité *f*.
rápido, a *a* rapide; vertigineux (euse); pressé(e) // *ad* rapidement // *nm* (*tren*) rapide *m*; **~s** *nmpl* rapides *mpl*.
rapiña *nm* rapine *f*.
rapsodia *nf* rapsodie *f*, rhapsodie *f*.
raptar *vt* enlever.
rapto *nm* (*secuestro*) enlèvement *m*, rapt *m*; (*impulso*) impulsion *f*, transport *m*.
raqueta *nf* raquette *f*.
raquítico, a *a* rachitique; (*fig*) mesquin(e).
raquitismo *nm* rachitisme *m*.
rareza *nf* rareté *f*; bizarrerie *f*.
raro, a *a* (*poco común*) rare; (*extraño*) bizarre, drôle; (*excepcional*) étrange, exceptionnel(le).
ras *nm* ras *m*; **a** ~ **de** au ras de.
rasar *vt* (*igualar*) égaliser; (*frotar*) raser.
rascacielos *nm inv* gratte-ciel *m*.
rascar *vt* (*con las uñas*) gratter; (*raspar*) racler; **~se** *vr* se gratter.
rasgadura *nf* déchirure *f*.
rasgar *vt* (*romper*) déchirer; (*despedazar*) dépecer.
rasgo *nm* trait *m*; **~s** *nmpl* traits *mpl*; **a grandes ~s** à grands traits.
rasguñar *vt* égratigner.
rasguño *nm* égratignure *f*; (*superficial*) éraflure *f*.
raso, a *a* (*liso*) plat(e), ras(e); (*a baja altura*) à basse altitude, bas(se) // *nm* satin *m*; **soldado** ~ simple soldat.
raspador *nm* racloir *m*, raclette *f*.
raspadura *nf* raclage *m*, grattage *m*; (*marca*) raturage *m*.
raspar *vt* (*frotar*) gratter; (*rallar*) racler; (*arañar*) griffer, égratigner; (*limar*) limer, râper.
rastra *nf* (*huella*) trace *f*; (*carro*) fardier *m*; **a ~s** en traînant, à contrecœur; **pescar a la** ~ pêcher à la traîne, raligner.
rastrear *vt* (*seguir*) suivre à la trace, suivre la piste de; (*laguna, río*) traîner au fond de l'eau.
rastrero, a *a* rampant(e); (*fig*) terre à terre, vil(e).
rastrillar *vt* (*AGR*) ratisser; (*TEC*) peigner.
rastrillo *nm* peigne *m*; râteau *m*.
rastro *nm* (*AGR*) râteau *m*; (*vestigio*) trace *f*, piste *f*; (*matadero*) abattoir *m*; **el R~** le marché aux Puces à Madrid.
rastrojo *nm* chaume *m*.

rasurador *nm*, **rasuradora** *nf* rasoir *m* électrique.
rasurarse *vr* se raser.
rata *nf* rat *m*.
ratear *vt* (*robar*) chaparder, voler; (*distribuir*) distribuer au prorata.
ratería *nf* filouterie *f*, filoutage *m*.
ratero, a *a* bas(se), vil(e) // *nm/f* voleur/euse.
ratificar *vt* ratifier.
rato *nm* moment *m*, instant *m*; **a ~s** par moments; **hay para ~** il y en a pour un bon moment; **pasar el ~** passer le temps.
ratón *nm* souris *f*; **ratonera** *nf* souricière *f*.
R.A.U. *nf abr ver* **república**.
raudal *nm* torrent *m*.
raya *nf* raie *f*; (*límite*) limite *f*; **tener a ~** tenir à distance; **tela a ~s** tissu à rayures; **rayar** *vt* rayer; (*subrayar*) souligner // *vi* se distinguer, briller; **rayarse** *vr* se rayer; **rayar con** toucher.
rayo *nm* (*del sol*) rayon *m*; (*de luz*) rai *m*; (*en una tormenta*) foudre *f*; **~s X** rayons X.
rayón *nm* rayonne *f*.
raza *nf* race *f*; **~ humana** race humaine.
razón *nf* (*raciocinio*) raison *f*; (*razonamiento*) raisonnement *m*; (*motivo*) cause *f*, motif *m*; **'razón ...'** 'pour tous renseignements s'adresser à ...'; **en ~ de** en raison de; **dar ~ a uno** donner raison à qn; **tener ~** avoir raison; **~ directa/inversa** rapport direct/inverse; **~ de Estado** raison d'Etat; **~ de ser** raison d'être; **razonable** *a* raisonnable; (*justo, moderado*) honnête, raisonnable; **razonamiento** *nm* (*juicio*) raisonnement *m*, jugement *m*; (*argumento*) raisonnement; **razonar** *vt* raisonner; (*cuenta*) justifier // *vi* argumenter; réfléchir.
Rdo *abr de* **reverendo**.
re *nm* ré *m*.
re... *pref*: **~bueno** très bon; **~salado** plein d'esprit; **~dulce** très doux (douce).
reabastecer *vt* ravitailler, réapprovisionner.
reabrir *vt* rouvrir.
reacción *nf* réaction *f*; **avión a ~** avion *m* à réaction; **~ en cadena** réaction en chaîne; **reaccionar** *vi* réagir; **reaccionario, a** *a* réactionnaire.
reacio, a *a* rétif(ive); (*refractario*) réfractaire; (*rebelde*) récalcitrant(e).
reactor *nm* réacteur *m*.
readaptación *nf*: **~ profesional** réadaptation professionnelle.
reafirmar *vt* réaffirmer.
reagrupar *vt* regrouper.
reajuste *nm* réajustement *m*; (*fig*) remaniement *m*.
real *a* (*efectivo*) réel(le); (*del rey, fig*) royal(e) // *nm* réal *m*.
realce *nm* (*adorno*) relief *m*; (*lustre, fig*) éclat *m*; **poner de ~** mettre en relief.
realidad *nf* réalité *f*; vérité *f*; présence *f*.
realista *nm/f* réaliste *m/f*.
realización *nf* réalisation *f*.
realizador, a *nm/f* (TV) réalisateur/trice; (CINE) producteur/trice.
realizar *vt* réaliser; (*viaje*) faire, effectuer; **~se** *vr* se réaliser.
realmente *ad* réellement.
realzar *vt* (TEC) rehausser, relever; (*honrar*) relever, rehausser; (*embellecer*) embellir; (*exaltar*) exalter; (*acentuar*) rehausser, accentuer.
reanimar *vt* (*vigorizar*) remonter; (*alentar*) ranimer, rallumer; **~se** *vr* se ranimer, se raviver.
reanudar *vt* renouer; reprendre.
reaparición *nf* réapparition *f*; rentrée *f*.
reata *nf* harnais *m*, trait *m*; **de ~** en file.
rebaja *nf* (*descuento*) ristourne *f*, réduction *f*, rabais *m*; (*menoscabo*) diminution *f*; **rebajar** *vt* (*bajar*)

baisser; (*reducir*) rabattre, faire une réduction sur; (*disminuir*) diminuer; (*fig*) rabaisser.
rebanada *nf* tranche *f*.
rebaño *nm* troupeau *m*.
rebasar *vt* (*aussi* ~ **de**) dépasser; (*AUTO*) doubler.
rebatir *vt* (*rechazar*) refuter; (*descontar*) déduire, enlever.
rebato *nm* alarme *f*, tocsin *m*; attaque *f* par surprise.
rebelarse *vr* se rebeller.
rebelde *a* (*revoltoso*) rebelle; (*indócil*) difficile, à problèmes // *nm/f* rebelle *m/f*; **rebeldía** *nf* rébellion *f*; (*desobediencia*) désobéissance *f*, indiscipline *f*; **rebelión** *nf* rébellion *f*, révolte *f*.
reblandecer *vt* ramollir.
rebosante *a* débordant(e).
rebosar *vi* déborder; (*abundar*) regorger.
rebotar *vt* rebondir; (*rechazar*) repousser; ~**se** *vr* rebondir.
rebote *nm* rebond *m*; **de** ~ par ricochet.
rebozado, a *a* enrobé(e).
rebozar *vt* couvrir; (*CULIN*) enrober.
rebozo *nm* *façon de porter son manteau en se dissimulant le visage*; **decir algo sin** ~ dire qch franchement.
rebusca *nf* recherche *f*.
rebuscado, a *a* recherché(e); démodé(e).
rebuscar *vt* rechercher.
rebuznar *vi* braire.
recabar *vt* obtenir; demander, solliciter.
recado *nm* (*comisión*) commission *f*; (*mensaje*) message *m*; (*accesorios*) accessoires *mpl*.
recaer *vi* retomber; ~ **en** échoir à, tomber sur; **recaída** *nf* rechute *f*.
recalcar *vt* serrer, presser; (*fig*) souligner, appuyer.
recalcitrante *a* récalcitrant(e).
recalcitrar *vi* reculer.
recalentar *vt* (*volver a calentar*) réchauffer; (*demasiado*) surchauffer; ~**se** *vr* se réchauffer.
recámara *nf* garde-robe *f*; (*fig*) réserve *f*.
recambio *nm* rechange *m*.
recapacitar *vt* remémorer; réfléchir à *ou* sur // *vi* réfléchir.
recargado, a *a* alourdi(e); surchargé(e).
recargar *vt* recharger; alourdir; surcharger; ~ **los precios** majorer les prix.
recargo *nm* majoration *f*; excès *m*.
recatado, a *a* honnête, réservé(e); prudent(e), circonspect(e).
recatar *vt* cacher; ~**se** *vr* se défier.
recato *nm* réserve *f*; prudence *f*; pudeur *f*.
recaudador *nm* percepteur *m*, receveur *m*.
recelar *vt*: ~ **que** (*sospechar*) soupçonner que; (*temer*) craindre *ou* avoir peur que // *vi*, ~**se** *vr*: ~**(se) de** se méfier de; **recelo** *nm* méfiance *f*; **receloso, a** *a* méfiant(e), soupçonneux(euse); craintif(ive).
recepción *nf* réception *f*; **recepcionista** *nm/f* réceptionniste *m/f*.
receptáculo *nm* réceptacle *m*.
receptivo, a *a* réceptif(ive).
receptor, a *nm/f* receveur/euse // *nm* récepteur *m*.
recesión *nf* récession *f*.
receta *nf* (*CULIN*) recette *f*; (*MED*) ordonnance *f*.
recibidor, a *nm/f* celui/celle qui reçoit.
recibimiento *nm* (*recepción*) réception *f*; (*acogida*) accueil *m*.
recibir *vt* (*gen*) recevoir; (*dar la bienvenida*) accueillir; ~**se** *vr* obtenir un diplôme.
recibo *nm* reçu *m*, récépissé *m*, quittance *f*.
reciedumbre *nf* force *f*, vigueur *f*; sévérité *f*.
recién *ad* récemment, nouvellement; **el** ~ **nacido** le nouveau-né.

reciente *a* (*actual*) récent(e); (*fresco*) frais (fraîche).
recinto *nm* enceinte *f*.
recio, a *a* robuste, vigoureux(euse); corpulent(e); rigoureux (euse); fort(e) // *ad* fort; haut.
recipiente *nm* (*receptáculo*) récipient *m*.
reciprocidad *nf* réciprocité *f*.
recíproco, a *a* réciproque.
recital *nm* récital *m*.
recitar *vt* réciter, dire.
reclamación *nf* réclamation *f*.
reclamar *vt* réclamer // *vi*: ~ **contra** réclamer contre; ~ **en justicia** réclamer en justice.
reclamo *nm* (*anuncio*) réclame *f*; (*tentación*) attrait *m*, appel *m*.
reclinar *vt* incliner, pencher; ~**se** *vr* s'appuyer.
recluir *vt* incarcérer.
reclusión *nf* (*prisión*) réclusion *f*; (*refugio*) retraite *f*.
recluta *nm/f* recrue *f*, conscrit *m* // *nf* recrutement *m*, conscription *f*.
reclutamiento *nm* = **recluta** *nf*.
recobrar *vt* (*recuperar*) recouvrer, retrouver; (*rescatar*) reprendre; ~**se** *vr* revenir à soi.
recodo *nm* (*de río, camino*) coude *m*, tournant *m*; (*de casa*) recoin *m*.
recogedor, a *nm/f* (*quien recoge*) celui/celle qui recueille // *nm* ramasseuse *f*.
recoger *vt* (*juntar*) recueillir; (*dinero*) collecter; (AGR) ramasser; (*guardar*) ranger, garder; (*pasar a buscar*) (passer) prendre; (*dar asilo*) recueillir; ~**se** *vr* (*retirarse*) se retirer; (*replegarse*) se recueillir; (*el pelo*) relever; **recogido, a** *a* (*quieto*) calme; (*retenido*) retiré(e), reclus(e); (*pequeño*) trapu(e), court(e) // *nm* pli *m* // *nf* (*del correo*) ramassage *m*, levée *f*; (AGR) récolte *f*; **recogimiento** *nm* recueillement *m*; (*del ganado*) rentrée *f*.
recolección *nf* (*de las mieses*) récolte *f*; (*colecta*) collecte *f*.
recomendación *nf* (*sugerencia*) recommandation *f*; (*elogio*) appui *m*.
recomendar *vt* (*aconsejar*) recommander; (*elogiar*) louer, appuyer.
recompensa *nf* (*premio*) récompense *f*, prix *m*; (*regalo*) cadeau *m*; (*gratificación*) rétribution *f*.
recompensar *vt* (*gratificar*) récompenser; (*premiar*) primer.
recomponer *vt* recomposer, réparer; ~**se** *vr* (*fam*) se remettre.
reconciliación *nf* réconciliation *f*; **reconciliar** *vt* réconcilier.
recóndito, a *a* secret(ète).
reconfortar *vt* réconforter; ~**se** *vr*: ~**se con** se réconforter avec.
reconocer *vt* reconnaître; (*registrar*) fouiller; (MED) examiner, faire subir un examen médical; **reconocido, a** *a* reconnaissant(e); **reconocimiento** *nm* reconnaissance *f*; (*confesión*) aveu *m*; (MED) examen médical; (*registro*) fouille *f*; (*gratitud*) gratitude *f*.
reconquista *nf* reconquête *f*.
reconstituyente *nm* reconstituant *m*, tonique *m*.
reconstruir *vt* reconstruire.
recopilación *nf* (*compendio*) résumé *m*, abrégé *m*.
recopilar *vt* compiler.
récord *a inv* record *inv* // *nm* record *m*.
recordar *vt* rappeler // *vi* se rappeler; ~**se** *vr*: ~**se que** se souvenir que.
recorrer *vt* parcourir; **recorrido** *nm* parcours *m*; (*fam*) volée *f*; (*de émbolo*) course *f*.
recortado, a *a* découpé(e).
recortar *vt* découper; **recorte** *nm* (*acción*) découpage *m*; (*de prensa*) coupure *f*; (*de telas, chapas*) recoupe *f*; **recortes** *nmpl* rognures *fpl*, chutes *fpl*.
recostado, a *a* appuyé(e).
recostar *vt* (*apoyar*) appuyer; (*inclinar*) pencher.

recoveco *nm* détour *m*; (*ángulo*) repli *m*, recoin *m*.
recreación *nf* récréation *f*; (*TEATRO, CINE*) entracte *m*.
recrear *vt* (*entretener*) récréer, distraire; (*volver a crear*) recréer; **recreativo, a** *a* distrayant(e); récréatif(ive); **recreo** *nm* récréation *f*; passe-temps *m inv*; distraction *f*.
recriminar *vt, vi* récriminer; **~se** *vr* s'accuser, s'incriminer.
recrudecer *vt* empirer // *vi*, **~se** *vr* être en recrudescence.
recrudecimiento *nm*, **recrudescencia** *nf* recrudescence *f*.
recta *nf ver* **recto**.
rectángulo, a *a* rectangle // *nm* rectangle *m*.
rectificar *vt* rectifier; (*volverse recto*) redresser // *vi* se corriger.
rectitud *nf* (*exactitud*) exactitude *f*, rectitude *f*; (*fig*) droiture *f*, rectitude.
recto, a *a* droit(e) // *nm* rectum *m* // *nf* droite *f*.
rector, a *a* recteur(trice); directeur(trice).
recua *nf* troupeau *m*.
recuento *nm* vérification *f*, dénombrement *m*.
recuerdo *nm* souvenir *m*; **~s** *nmpl* souvenir *m*, salutations *fpl*.
recular *vi* reculer; (*fig*) regresser.
recuperable *a* récupérable.
recuperación *nf* récupération *f*; recouvrement *m*.
recuperar *vt* récupérer; retrouver; **~se** *vr* se remettre, se relever; récupérer; reprendre.
recurrir *vi* (*JUR*) faire appel, se pourvoir; ~ **a** recourir à, avoir recours à, faire appel à; se servir de; **recurso** *nm* (*medio*) recours *m*, moyen *m*; (*medios*) ressource *f*; (*JUR*) recours, pourvoi *m*.
recusar *vt* récuser, rejeter.
rechazar *vt* repousser; nier; décliner.
rechazo *nm* (*retroceso*) refoulement *m*; (*rebote*) contrecoup *m*, ricochet *m*; (*negación*) refus *m*, rejet *m*.
rechifla *nf* sifflement prolongé; (*fig*) moquerie *f*, persiflage *m*; **rechiflar** *vt* siffler longuement; **rechiflarse** *vr* se moquer.
rechinar *vi* grincer; (*gruñir*) rechigner.
rechoncho, a *a* (*fam*) trapu(e), ramassé(e); (: *inflado*) gonflé(e).
red *nf* filet *m*; (*de ferrocarriles etc*) réseau *m*; (*trampa*) piège *m*.
redacción *nf* rédaction *f*.
redactar *vt* rédiger.
redada *nf* coup *m* de filet.
rededor *nm*: **al** *o* **en** ~ autour.
redención *nf* rédemption *f*; (*de hipoteca*) levée *f*.
redentor, a *a* rédempteur(trice).
redescubrir *vt* redécouvrir.
redicho, a *a* rebattu(e).
redil *nm* bercail *m*.
redimir *vt* racheter; (*hipoteca*) lever.
rédito *nm* intérêt *m*.
redoblar *vt* redoubler // *vi* (*tambor*) battre; (*campanas*) sonner.
redoble *nm*: **al ~ del tambor** tambour battant.
redomado, a *a* fieffé(e).
redonda *nf ver* **redondo**.
redondear *vt* arrondir; **~se** *vr* s'arrondir.
redondel *nm* (*círculo*) rond *m*, cercle *m*; (*TAUR*) arène *f*.
redondo, a *a* (*circular*) rond(e); (*claro*) clair(e); (*directo*) catégorique, tout(e) net(te); (*completo*) complet(ète), total(e) // *nf* ronde *f*; **a la redonda** à la ronde.
reducción *nf* (*disminución*) réduction *f*; (*MED*) remboîtage *m*, remboîtement *m*.
reducido, a *a* réduit(e); limité(e).
reducir *vt* réduire; limiter; (*MED*) remboîter; **~se** *vr* se réduire.
reducto *nm* réduit *m*.
redundancia *nf* (*abundancia*) abondance *f*; (*cosa innecesaria*) redondance *f*.

redundar *vi*: ~ **en** aboutir à.
reembolsar *vt* rembourser; **reembolso** *nm* remboursement *m*.
reemplazar *vt* remplacer; **reemplazo** *nm* remplacement *m*; **de reemplazo** (*MIL*) en disponibilité, en non-activité.
refacción *nf* (*compostura*) réparation *f*, réfection *f*; (*reedificación*) réfection, relèvement *m*.
refajo *nm* (*enagua*) jupon *m*; (*falda*) jupe *f*.
referencia *nf* (*narración*) récit *m*; (*informe*) compte-rendu *m*; (*alusión*) référence *f*; **con** ~ **a** en ce qui concerne.
referente *a*: ~ **a** se référant à, qui se rapporte à.
referir *vt* (*contar*) raconter; (*relacionar*) rapporter; ~**se** *vr* se rapporter, avoir trait, se référer; ~**se a** faire allusion à, parler de.
refinado, a *a* raffiné(e) // *nm* raffinage *m*, affinage *m*.
refinamiento *nm* (*esmero*) raffinement *m*, recherche *f*; (*distinción*) distinction *f*.
refinar *vt* raffiner; (*fig*) polir; ~**se** *vr* apprendre les bonnes manières.
reflejar *vt* réfléchir, refléter; (*manifestar*) traduire, refléter.
reflejo, a *a* réfléchi(e); (*movimiento*) réflexe // *nm* reflet *m*.
reflexión *nf* réflexion *f*.
reflexionar *vi* réfléchir.
reflexivo, a *a* réfléchissant(e), réfléchi(e); (*LING, fig*) réfléchi(e).
reflujo *nm* reflux *m*.
refocilar *vt* réjouir, combler d'aise.
reforma *nf* réforme *f*, modification *f*, transformation *f*; ~ **agraria** réforme agraire.
reformar *vt* (*modificar*) réformer, transformer, modifier; (*formar de nuevo*) reformer; (*ARQ*) transformer; ~**se** *vr* se modifier.
reformatorio *nm* maison *f* de correction *ou* de redressement.
reforzar *vt* renforcer; (*ARQ*) consolider; (*fig*) réconforter.
refractario, a *a* réfractaire.
refrán *nm* proverbe *m*.
refregar *vt* frotter.
refrenar *vt* serrer la bride à.
refrendar *vt* (*firma*) contresigner, légaliser; (*pasaporte*) viser; (*ley*) ratifier, approuver.
refrescar *vt* rafraîchir; (*recuerdos*) raviver // *vi* se rafraîchir; ~**se** *vr* se rafraîchir; (*tomar aire fresco*) prendre l'air.
refresco *nm* rafraîchissement *m*.
refriega *nf* rencontre *f*, engagement *m*.
refrigeración *nf* réfrigération *f*.
refrigerador *nm* réfrigérateur *m*.
refrigerar *vt* (*habitación*) réfrigérer; (*alimentos*) congeler.
refuerzo *nm* renfort *m*; (*TEC*) renforçage *m*, renforcement *m*; ~**s** *nmpl* renforts *mpl*.
refugiado, a *nm/f* réfugié/e.
refugiarse *vr* se réfugier.
refugio *nm* refuge *m*; (*protección*) protection *f*.
refulgencia *nf* resplendissement *m*.
refulgir *vi* resplendir, briller.
refundición *nf* refonte *f*.
refundir *vt* refondre, recouler.
refunfuñar *vi* grogner, bougonner, grommeler.
refutación *nf* réfutation *f*.
refutar *vt* réfuter; contredire.
regadera *nf* arrosoir *m*.
regadío *nm* terrain *m* d'irrigation.
regalado, a *a* donné(e) en cadeau, offert(e); doux(ouce), délicat(e), délicieux(euse); confortable, agréable.
regalar *vt* offrir, faire cadeau de; bien traiter.
regalía *nf* (*fig*) privilège *m*, prérogative *f*; (*abono*) prime *f*.
regaliz *nm*, **regaliza** *nf* réglisse *f*.
regalo *nm* (*obsequio*) cadeau *m*, présent *m*; (*gusto*) régal *m*; (*comodidad*) aisance *f*, confort *m*.
regañar *vi* se fâcher // *vt* gronder, disputer.
regaño *nm* (*reprimenda*) gronderie

f, semonce *f*; (*queja*) reproche *m*, grief *m*.
regañón, ona *a* ronchonneur(euse), bougon(ne).
regar *vt* arroser; (*fig*) répandre, semer.
regatear *vt* marchander // *vi* chipoter.
regateo *nm* (COM) marchandage *m*; (*al por menor*) vente *f* au détail; (*de pelota*) dribbling *m*; (*del cuerpo*) feinte *f*.
regazo *nm* giron *m*.
regencia *nf* palais gouvernemental.
regeneración *nf* régénération *f*.
regenerar *vt* régénérer.
regentar *vt* diriger, tenir, gérer.
regente *nm* (POL) régent *m*; (IND) gérant *m*.
régimen *nm* (*pl* **regímenes**) régime *m*; (*sistema de vida*) règle *f*.
regimiento *nm* régiment *m*.
regio, a *a* royal(e); (*fig*: *suntuoso*) somptueux(euse).
región *nf* région *f*; **regionalista** *nm/f* régionaliste *m/f*.
regir *vt* (*gobernar*) régir, gouverner; (*guiar*) guider; (*dirigir*) diriger // *vi* être en vigueur.
registrador *nm* contrôleur *m*.
registrar *vt* (*buscar en cajón*) fouiller; (*inspeccionar*) contrôler; (*anotar*) enregistrer; **~se** *vr* s'inscrire.
registro *nm* enregistrement *m*; (MUS, *libro*) registre *m*; (*inspección*) contrôle *m*; ~ **civil** état civil.
regla *nf* règle *f*.
reglamentación *nf* réglementation *f*.
reglamentar *vt* réglementer; **reglamentario, a** *a* réglementaire.
reglamento *nm* règlement *m*.
reglar *vt* régler.
regocijado, a *a* (*divertido*) amusant(e); (*alegre*) joyeux(euse), gai(e).
regocijar *vt* réjouir; amuser.
regocijo *nm* joie *f*, allégresse *f*.
regodearse *vr* se délecter, se régaler.
regodeo *nm* satisfaction *f*; délectation *f*, plaisir *m*.
regresar *vi* revenir, rentrer.
regresivo, a *a* régressif(ive).
regreso *nm* retour *m*.
reguero *nm* (*canal*) rigole *f*; (*señal*) traînée *f*.
regulador *nm* régulateur *m*.
regular *a* (*normal*) normal(e), habituel(le); (*organizado*) régulier(ière); (*fam*) médiocre, moyen(ne) // *ad* comme ci, comme ça // *vt* (*controlar*) régler, réglementer; (TEC) régler; **por lo ~** en général; **~idad** *nf* régularité *f*; **~izar** *vt* régulariser.
regusto *nm* arrière-goût *m*.
rehabilitación *nf* réhabilitation *f*.
rehabilitar *vt* (ARQ) réhabiliter; (*reintegrar*) réintégrer; (MED) rééduquer; (JUR) restituer.
rehacer *vt* (*reparar*) réparer; (*volver a hacer*) refaire; **~se** *vr* (*fortalecerse*) se refaire, se remettre; (*dominarse*) se ressaisir.
rehén *nm* otage *m*.
rehilete *nm* (*dardo*) fléchette *f*; (DEPORTE) volant *m*.
rehuir *vt* fuir, refuser.
rehusar *vt* refuser // *vi* refuser de, se refuser à.
reina *nf* reine *f*; **reinado** *nm* règne *m*; **reinar** *vi* régner.
reincidir *vi* récidiver.
reincorporarse *vr*: ~ **a** rejoindre.
reino *nm* royaume *m*; **el R~ Unido** le Royaume-Uni.
reintegrar *vt* (*reconstituir*) reconstituer; (*restituir*) rendre, restituer; (*dinero*) rembourser; **~se** *vr*: **~se a** être réintégré(e) à.
reír *vi* rire; **~se** *vr*: **~se de** se moquer de.
reiterar *vt* réitérer.
reivindicación *nf* demande *f*, exigence *f*; revendication *f*.
reivindicar *vt* (*reclamar*) revendiquer; (*restaurar*) rétablir.

reja *nf* (*de ventana*) grille *f*; (*del arado*) soc *m*.
rejilla *nf* (*de ventana*) grillage *m*; (*de silla*) cannage *m*; (*de ventilación*) bouche d'air *f*; (*de coche*) calandre *m*.
rejoneador *nm toréador à cheval.*
rejuvenecer *vt, vi* rajeunir; **~se** *vr* (se) rajeunir.
relación *nf* relation *f*; **relaciones públicas** relations publiques; **con ~ a** par rapport à; **en ~ con** en rapport avec; **relacionar** *vt* rattacher, relier; **relacionarse** *vr* se mettre en rapport, être lié(e); se rapporter.
relajación *nf* relâchement *m*; (*de músculos*) relaxation *f*.
relajado, a *a* (*disoluto*) relâché(e); (MED) décontracté(e).
relajar *vt* relâcher, décontracter; **~se** *vr* se relâcher, se décontracter.
relamer *vt* pourlécher.
relamido, a *a* (*pulcro*) recherché(e); (*afectado*) affecté(e).
relámpago *nm* éclair *m*; **visita ~** visite *f* éclair; **relampaguear** *vi* faire des éclairs.
relatar *vt* raconter, narrer, relater.
relativo, a *a* relatif(ive); **en lo ~ a** relativement à, en ce qui concerne.
relato *nm* (*narración*) récit *m*; (*informe*) compte rendu *m*, rapport *m*.
relegar *vt* reléguer.
relevante *a* éminent(e), remarquable, hors ligne.
relevar *vt* (*sustituir*) relever, substituer; **~se** *vr* se relayer; **~ de un cargo** relever d'une charge.
relevo *nm* relève *f*; **carrera de ~s** course *f* de relais.
relieve *nm* (ARTE, TEC) relief *m*; (*fig*) importance *f*; **~s** *nmpl* reliefs *mpl*; **alto/bajo ~** haut-/bas-relief.
religión *nf* religion *f*; **religiosidad** *nf* religiosité *f*; (*fig*) scrupule *m*, exactitude *f*; **religioso, a** *a* religieux(euse); scrupuleux(euse); consciencieux(euse) // *nm/f* religieux/euse // *nm* clerc *m*.
relinchar *vi* hennir.
reliquia *nf* relique *f*; vestige *m*.
reloj *nm* horloge *f*, montre *f*; **~ de pulsera** montre-bracelet *f*; **~ despertador** réveille-matin *m inv*; **~ero, a** *nm/f* horloger/ère.
reluciente *a* reluisant(e).
relucir *vi* briller, luire; (*fig*) briller.
relumbrante *a* éblouissant(e); brillant(e); étincelant(e).
relumbrar *vi* briller; étinceler.
rellano *nm* palier *m*.
rellenar *vt* (*llenar*) remplir; (CULIN) farcir; (COSTURA) rembourrer, bourrer.
relleno, a *a* rempli(e), plein(e); (CULIN) farci(e) // *nm* (CULIN) farce *f*; (*de tapicería*) rembourrage *m*; garnissage *m*.
remachar *vt* river, riveter; rabattre; (*fig*) mettre dans la tête; marteler.
remanente *a* rémanent(e).
remanso *nm* nappe *f* d'eau dormante; (*fig*) refuge *m*, havre *m*.
remar *vi* ramer.
rematado, a *a* fini(e), achevé(e).
rematar *vt* achever; (*fig*) parachever; (COM) brader; vendre aux enchères // *vi* mettre fin; se terminer.
remate *nm* fin *f*, terme *m*; (*punta*) pointe *f*; (ARQ, *fig*) couronnement *m*; (COM) adjudication *f*; **de ~** complètement; **para ~** pour finir.
remedar *vt* contrefaire, imiter.
remediar *vt* (*subsanar*) remédier à, porter remède à; (*ayudar*) aider, suppléer; (*evitar*) éviter, empêcher.
remedio *nm* (*ayuda*) remède *m*; (*alivio*) remède, arrangement *m*; (JUR) recours *m*; **poner ~ a** mettre fin à; **no tener más ~** ne pas pouvoir faire autrement; **sin ~** sans remède, sans rémission.
remedo *nm* imitation *f*, copie *f*; (*pey*) pastiche *m*, contrefaçon *f*.
remendar *vt* raccommoder.
remesa *nf* remise *f*, envoi *m*, expédition *f*.

remesar *vt* envoyer.
remiendo *nm* raccommodage *m*; (*chapucería*) rafistolage *m*.
remilgado, a *a* (*delicado*) minaudier(ière), délicat(e); (*afectado*) maniéré(e), affecté(e).
remilgo *nm* minauderie *f*, simagrée *f*; sensiblerie *f*.
reminiscencia *nf* réminiscence *f*.
remisión *nf* remise *f*.
remiso, a *a* (*reticente*) réticent(e), peu enthousiaste; (*indeciso*) indécis(e).
remitir *vt* (*mandar, posponer*) remettre; (*perdonar*) pardonner // *vi* faiblir, diminuer, se calmer; (*en carta*): **remite: X** expéditeur: X; **remitente** *nm/f* expéditeur/trice.
remo *nm* (*de barco*) rame *m*; (*deporte*) aviron *m*.
remoción *nf* remuement *m*.
remojar *vt* (faire) tremper; (*fam*) arroser.
remojo *nm*: **dejar la ropa a ~** laisser le linge à tremper.
remolacha *nf* betterave *f*.
remolcador *nm* (NAUT) remorqueur *m*; (AUTO) remorque *f*, dépanneuse *f*.
remolinar *vi* tourbillonner.
remolino *nm* (*de agua, polvo*) remous *m*, tourbillon *m*; (*de gente*) remous.
remolque *nm* remorque *f*; **llevar a ~** mettre en remorque.
remontar *vt* ressemeler complètement; **~se** *vr* remonter; **~ el vuelo** prendre son vol.
rémora *nf* rémora *m*.
remorder *vt* remordre; **~se** *vr* ronger; **~se la conciencia** se ronger la conscience.
remordimiento *nm* remords *m*.
remoto, a *a* lointain(e), éloigné(e); (*poco probable*) peu probable.
remover *vt* remuer; **~se** *vr* s'agiter, remuer.
remozar *vt* rajeunir, rafraîchir; **~se** *vr* (se) rajeunir.
remuneración *nf* rémunération *f*; (*premio*) prix *m*.
remunerar *vt* rémunérer; (*premiar*) primer.
renacer *vi* renaître.
renacimiento *nm* renaissance *f*.
renal *a* rénal(e).
rencilla *nf* querelle *f*.
rencor *nm* rancune *f*; **~oso, a** *a* rancunier(ière).
rendición *nf* reddition *f*; **~ de cuentas** reddition de comptes.
rendido, a *a* (*sumiso*) rendu(e), soumis(e); (*cansado*) épuisé(e), rendu(e), rompu(e).
rendimiento *nm* (MIL) soumission *f*, respect *m*; (*sumisión*) soumission; (*producción*) rendement *m*, production *f*; (*agotamiento*) épuisement *m*; (TEC, COM) rendement.
rendir *vt* (*vencer*) vaincre, soumettre; (*producir*) rendre; (*dar beneficio*) rapporter; (*agotar*) épuiser; (*dominar*) dominer // *vi* produire; **~se** *vr* (*someterse*) se soumettre; (*cansarse*) s'épuiser, se fatiguer; (*en el juego*) donner sa langue au chat; **~ homenaje/culto a** rendre hommage/un culte à.
renegado, a *a* rénégat(e) // *nm/f* rénégat/e.
renegar *vi* (*renunciar*) renier; (*blasfemar*) blasphémer, renier; (*fam*) jurer; (*quejarse*) se plaindre.
RENFE *nf* (*abr de Red Nacional de los Ferrocarriles Españoles*) ≈ SNCF *f*.
renglón *nm* (*línea*) ligne *f*; (COM) rayon *m*; **a ~ seguido** tout de suite.
reniego *nm* juron *m*.
renombrado, a *a* renommé(e).
renombre *nm* renom *m*.
renovación *nf* (*de contrato*) renouvellement *m*; (ARQ) rénovation *f*.
renovar *vt* (*gen*) renouveler; (ARQ) rénover, remettre à neuf.
renta *nf* (*ingresos*) rente *f*; revenu *m*; (*alquiler*) loyer *m*; **~ vitalicia** rente viagère.
rentable *a* rentable.
rentar *vt* rapporter.

rentero, a *nm/f* tributaire *m/f.*
rentista *nm/f* rentier/ière.
renuencia *nf* renonciation *f,* abandon *m.*
renuevo *nm* rejeton *m.*
renuncia *nf* renonciation *f,* abandon *m.*
renunciar *vt* renoncer, abandonner; ~ **a hacer** renoncer à faire.
reñido, a *a* brouillé(e), fâché(e); (*duro*) acharné(e); **estar ~ con uno** être fâché avec qn.
reñir *vt* (*regañar*) gronder, réprimander // *vi* (*estar peleado*) se disputer, se quereller; (*combatir*) disputer.
reo *nm/f* inculpé/e, accusé/e.
reojo: **de** ~ *ad* du coin de l'œil; (*fig*) de travers.
reorganizar *vt* réorganiser, remanier.
reorientar *vt* réorienter; (*reajustar*) réajuster.
reparación *nf* réparation *f.*
reparar *vt* réparer, remettre en état; (*agravio*) réparer; (*suerte*) rattraper; (*observar*) remarquer // *vi*: ~ **en** (*darse cuenta de*) s'apercevoir de, remarquer; (*poner atención en*) s'attacher à, s'arrêter à.
reparo *nm* (*reparación*) réparation *f;* (*advertencia*) remarque *f,* observation *f;* (*duda*) réserve *f,* réticence *f;* (*dificultad*) objection *f;* (*resguardo*) défense *f;* garantie *f.*
reparón, ona *a* critiqueur(euse); pointilleux(euse), tatillon(ne).
repartición *nf* (*distribución*) livraison *f;* (*división*) partage *m,* répartition *f.*
repartidor, a *nm/f* livreur/euse, distributeur/trice.
repartir *vt* (*herencia*) répartir, partager; (*correo, naipes*) distribuer; (*deuda*) partager; ~ **leña** administrer une volée.
reparto *nm* répartition *f;* (*de correo*) distribution *f;* (TEATRO, CINE) distribution.
repasar *vt* repasser.
repaso *nm* (*de lección*) repassage *m,* révision *f;* (*de ropa*) raccommodage *m,* reprisage *m.*
repatriar *vt* rapatrier.
repecho *nm* côte *f;* **a** ~ en remontant.
repelente *a* qui repousse, rebutant(e).
repeler *vt* repousser, rejeter; (*fig*) rebuter, répugner, dégoûter.
repensar *vt* repenser.
repente *nm* (*sobresalto*) sursaut *m,* mouvement subit; (*impulso*) accès *m;* **de** ~ tout à coup.
repentino, a *a* subit(e), soudain(e); inespéré(e).
repercusión *nf* répercussion *f.*
repercutir *vi* se répercuter; ~**se** *vr* retentir; ~ **en** se répercuter sur.
repertorio *nm* répertoire *m.*
repetición *nf* répétition *f;* (*fam*) rengaine *f.*
repetir *vt* répéter; (*plato*) reprendre // *vi* revenir; ~**se** *vr* (*volver sobre tema*) se répéter; (*sabor*) revenir.
repicar *vt* (*desmenuzar*) hacher menu; (*campanas*) sonner; ~**se** *vr* se vanter.
repique *nm* carillonnement *m,* volée *f.*
repiqueteo *nm* (*de campanas*) carillonnement *m;* (*de tambor*) tambourinage *m.*
repisa *nf* console *f.*
repito *etc vb ver* **repetir**.
replegar *vt* replier; (AVIAT) escamoter; ~**se** *vr* se replier.
repleto, a *a* plein(e), rempli(e).
réplica *nf* (*respuesta*) réplique *f,* répartie *f,* riposte *f;* (JUR) objection *f;* (ARTE) réplique.
replicar *vt, vi* répliquer, répartir, riposter; (*objetar*) objecter.
repliegue *nm* (MIL) repli *m,* repliement *m;* (*doblez*) pli *m;* (*recodo*) détour *m.*
repoblación *nf* repeuplement *m;* (*de río*) rempoissonnement *m,* alevinage *m.*

repoblar *vt* repeupler; (*de árboles*) reboiser.
repollo *nm* chou pommé.
reponer *vt* remettre, replacer; (*TEATRO*) reprendre; **~se** *vr* se remettre; ~ **que** répondre que.
reportaje *nm* reportage *m*.
reposacabezas *nm inv* appui-tête *m inv*.
reposado, a *a* (*descansado*) reposé(e); (*calmo*) calme, posé(e), tranquille.
reposar *vi* reposer.
reposición *nf* reposition *f*, remise *f* en place; (*CINE*) reprise *f*.
repositorio *nm* dépôt *m*, entrepôt *m*.
reposo *nm* (*descanso*) repos *m*.
repostar *vt* s'approvisionner; (*AUTO*) se ravitailler.
repostería *nf* pâtisserie *f*; (*depósito*) office *m*.
repostero, a *nm/f* pâtissier/ière.
reprender *vt* reprendre, réprimander; **reprensión** *nf* réprimande *f*, répréhension *f*.
represa *nf* barrage *m*, retenue *f* d'eau.
represalia *nf* représaille *f*.
representación *nf* représentation *f*.
representante *nm/f* représentant/e.
representar *vt* représenter; (*edad*) paraître; **~se** *vr* se représenter.
representativo, a *a* représentatif(ive).
represión *nf* répression *f*.
reprimir *vt* réprimer; **~se** *vr* se retenir.
reprobar *vt* reprocher.
réprobo, a *nm/f* réprouvé/e.
reprochar *vt* reprocher.
reproche *nm* reproche *m*.
reproducción *nf* reproduction *f*.
reproducir *vt* reproduire; **~se** *vr* se reproduire.
reptil *nm* reptile *m*.
república *nf* république *f*; **la R~ Arabe Unida (R.A.U.)** la République arabe unie (RAU); **republicano, a** *a* républicain(e) // *nm/f* républicain/e.
repudiar *vt* répudier; récuser; désavouer, renier; **repudio** *nm* répudiation *f*.
repuesto *nm* (*pieza de recambio*) pièce *f* de rechange; (*abastecimiento*) provisions *fpl*.
repugnancia *nf* répugnance *f*.
repugnante *a* repoussant(e); répugnant(e).
repugnar *vt* répugner, dégoûter; *vi*, **~se** *vr* (*contradecirse*) se contredire; (*asquearse*) se dégoûter.
repujar *vt* repousser.
repulgar *vt* ourler.
repulido, a *a* mis(e) avec recherche.
repulsa *nf* rejet *m*, refus *m*; réprimande *f*.
repulsión *nf* répulsion *f*; **repulsivo, a** *a* répulsif(ive).
repuntarse *vr* se mettre en colère; se brouiller.
reputación *nf* (*notoriedad*) réputation *f*; (*popularidad*) popularité *f*.
reputar *vt* réputer.
requebrar *vt* faire sa cour *ou* conter fleurette à.
requemado, a *a* (*quemado*) brûlé(e); (*bronceado*) hâlé(e).
requerimiento *nm* assignation *f*, sommation *f*, mise en demeure *f*.
requerir *vt* (*rogar*) requérir, prier; (*exigir*) requérir, exiger; (*llamar*) appeler, réclamer.
requesón *nm* fromage blanc.
requete... *pref* très.
requiebro *nm* (*galanteo*) propos galant; (*adulación*) galanterie *f*.
requisa *nf* (*inspección*) réquisition *f*; (*MIL*) revue *f*, inspection *f*.
requisito *nm* condition requise.
res *nf* bête *f*, animal *m*; ~ **vacuna** bête à cornes.
resabio *nm* (*maña*) vice *m*, mauvaise habitude; (*dejo*) arrière-goût *m*; (*achaque*) vice.
resaca *nf* (*NAUT*) ressac *m*; (*COM*)

retraite *f*; (*fam*): **comer la ~** finir les restes.
resalado, a *a* (*fam*) vif(ive).
resaltar *vi* ressortir; (*persona*) se distinguer.
resarcimiento *nm* dédommagement *m*, indemnisation *f*.
resarcir *vt* dédommager, indemniser; **~se** *vr* se dédommager.
resbaladizo, a *a* glissant(e).
resbalar *vi*, **~se** *vr* glisser; (*fig*) faire un faux pas.
resbaloso, a *a* (*AM*) glissant(e).
rescatar *vt* (*cautivos*) racheter; (*heridos*) recueillir; (*objeto*) repêcher; (*idea*) reprendre.
rescate *nm* rachat *m*; **pagar un ~** payer une rançon.
rescindir *vt* résilier.
rescisión *nf* résiliation *f*.
rescoldo *nm* braises *fpl*; (*fig*) reste *m*, lueur *f*.
resecar *vt* dessécher; (*MED*) réséquer; **~se** *vr* se dessécher.
reseco, a *a* desséché(e); (*fig*) sec (sèche).
resentido, a *a* fâché(e), plein(e) de ressentiment, rancunier(ière).
resentimiento *nm* ressentiment *m*, rancœur *f*; hostilité *f*.
resentirse *vr* (*debilitarse*: *persona*) s'affaiblir; (: *edificio*) s'ébranler; **~ con** en vouloir à; **~ de** (*consecuencias*) se ressentir de.
reseña *nf* (*cuenta*) signalement *m*; (*informe*) notice *f*; (*juicio*) compte rendu *m*; **reseñar** *vt* signaler, relater; faire le compte rendu de.
reserva *nf* réserve *f*; (*reservación*) réservation *f*; (*COM*) garantie *f* // *nm/f* remplaçant/e; **a ~ de** sous réserve de; **tener en ~** tenir en réserve.
reservado, a *a* réservé(e); (*retraído*) renfermé(e) // *nm* cabinet particulier.
reservar *vt* (*guardar*) réserver, mettre de côté; (*habitación, entrada*) réserver; (*callar*) dissimuler; **~se** *vr* (*prevenirse*) se réserver; (*resguardarse*) se ménager.
resfriado *nm* refroidissement *m*, rhume *m*.
resfriarse *vr* se refroidir; (*MED*) s'enrhumer.
resguardar *vt* protéger; (*fig*) défendre; **~se** *vr* prendre des précautions.
resguardo *nm* (*defensa*) défense *f*; (*custodia*) vigilance *f*; (*garantía*) garantie *f*; (*vale*) reçu *m*, reconnaissance *f*.
residencia *nf* résidence *f*, siège *m*.
residente *a* résidant(e) // *nm/f* résidant/e.
residir *vi* résider; **~ en** résider dans.
residuo *nm* résidu *m*; reste *m*.
resignación *nf* conformité *f*; résignation *f*.
resignar *vt* résigner; **~se** *vr* se résigner; **~se a** *o* **con** se résigner à.
resistencia *nf* (*dureza*) endurance *f*; (*oposición, eléctrica*) résistance *f*.
resistente *a* (*duro, robusto*) robuste, endurant(e); (*que resiste*) résistant(e).
resistir *vt* (*soportar*) résister à, supporter; (*oponerse a*) résister à; (*aguantar*) supporter, endurer // *vi* résister; **~se** *vr*: **~se a** se refuser à; se défendre contre.
resma *nf* rame *f*.
resol *nm* réverbération *f* du soleil.
resolución *nf* (*decisión*) décision *f*; (*moción*) résolution *f*; (*determinación*) détermination *f*.
resoluto, a *a* résolu(e).
resolver *vt* résoudre; (*decidir*) décider de; **~se** *vr* se résoudre.
resollar *vi* respirer bruyamment.
resonancia *nf* (*del sonido*) résonance *f*; (*repercusión*) retentissement *m*.
resonante *a* résonnant(e).
resonar *vi* retentir.
resoplar *vi* s'ébrouer, souffler; **resoplido** *nm* ébrouement *m*.
resorte *nm* (*pieza*) ressort *m*;

(*elasticidad*) élasticité *f*; (*fig*) ficelle *f*, corde *f*.
respaldar *vt* écrire au verso; (*fig*) protéger, garantir; appuyer; **~se** *vr* s'adosser; **~se con** *o* **en** s'appuyer sur.
respaldo *nm* (*de cama*) tête *f* (de lit); (*de sillón*) dossier *m*; (*fig*) appui *m*; garantie *f*.
respectivo, a *a* respectif(ive); **en lo ~ a** en ce qui concerne.
respecto *nm*: **al ~** à ce sujet, à cet égard; **con ~ a** quant à, en ce qui concerne; **~ de** par rapport à.
respetable *a* (*venerable*) respectable; (*considerable*) considérable; (*serio*) important(e).
respetar *vt* respecter; (*honrar*) honorer; **~se** *vr* se respecter.
respeto *nm* respect *m*, égard *m*; (*acatamiento*) déférence *f*; (*observación*) respect; **~s** *nmpl* hommages *mpl*; **respetuoso, a** *a* (*cortés*) respectueux (euse); (*tolerante*) tolérant(e); (*sumiso*) soumis(e).
respingar *vi* regimber; **~se** *vr* s'offenser; **respingo** *nm* regimbement *m*; (*fig*) sursaut *m*.
respiración *nf* respiration *f*; (*ventilación*) aération *f*.
respirar *vi* (*aspirar*) aspirer; (*expirar*) expirer; **respiratorio, a** *a* respiratoire; **respiro** *nm* respiration *f*; (*fig*) repos *m*, pause *f*.
resplandecer *vi* resplendir; **resplandeciente** *a* resplendissant(e); brillant(e); **resplandor** *nm* éclat *m*; (*del fuego*) flamboiement *m*.
responder *vt* répondre // *vi* répondre; objecter; correspondre; **~ a/de/por** répondre à/de/pour.
responsabilidad *nf* responsabilité *f*.
responsable *a* responsable.
responso *nm* répons *m*.
respuesta *nf* réponse *f*.
resquebrajar *vt* fendiller; **~se** *vr* se fendiller; (*pintura*) se craqueler; **resquebrajo** *nm* fente *f*, fêlure *f*.
resquemor *nm* remords cuisant; tourment *m*; rancœur *f*, ressentiment *m*.
resquicio *nm* (*de puerta*) fente *f*, jour *m*; (*hendedura*) fente *f*.
restablecer *vt* rétablir; **~se** *vr* se rétablir, se remettre.
restallar *vi* claquer.
restante *a* restant(e); **lo ~** ce qui reste; **los ~s** ceux qui restent.
restañar *vt* rétamer; (*sangre*) étancher.
restar *vt* (MAT) soustraire; (*fig*) enlever // *vi* rester.
restauración *nf* restauration *f*.
restaurán, restaurante *nm* restaurant *m*.
restaurar *vt* restaurer; (*recuperar*) récupérer.
restitución *nf* (*devolución*) restitution *f*; (*restablecimiento*) rétablissement *m*.
restituir *vt* (*devolver*) restituer, rendre; (*rehabilitar*) réhabiliter; **~se** *vr* se réintégrer.
resto *nm* (*residuo*) reste *m*, restant *m*; (*apuesta*) pari *m*, va-tout *m*.
restregar *vt* frotter énergiquement.
restricción *nf* restriction *f*.
restrictivo, a *a* restrictif(ive).
restringir *vt* (*limitar*) restreindre; (*reducir*) réduire; (*coartar*) limiter.
resucitar *vt, vi* ressusciter.
resuelto, a *pp de* **resolver** // *a* décidé(e); résolu(e).
resuello *nm* souffle *m*.
resultado *nm* (*conclusión*) issue *f*; (*desenlace*) aboutissement *m*, dénouement *m*; (*consecuencia*) conséquence *f*, résultat *m*.
resultante *a* résultant(e).
resultar *vi* (*llegar a ser*) résulter; (*salir bien*) aller, satisfaire; (COM) faire; (*fam*) être d'accord; **~ de** s'ensuivre de; **me resulta difícil hacer** je trouve difficile de faire.
resumen *nm* (*compendio*) résumé *m*; (*comentario*) sommaire *m*, exposé *m*.
resumido, a *a* résumé(e).

resumir *vt* résumer; synthétiser.
retablo *nm* retable *m.*
retaguardia *nf* arrière-garde *f*, arrière *m.*
retahíla *nf* ribambelle *f*, kyrielle *f.*
retal *nm* coupon *m.*
retama *nf* genêt *m.*
retar *vt* provoquer; (*desafiar*) défier; (*fam*) reprocher, gronder.
retardar *vt* (*demorar*) retarder; (*hacer más lento*) ralentir.
retardo *nm* retard *m.*
retazo *nm* morceau *m.*
rete... *pref* très.
retén *nm* (TEC) bague *f*, renfort *m*; (*reserva*) réserve *f.*
retener *vt* (*guardar*) retenir, garder; (*intereses*) déduire; (*conservar*) conserver; **~se** *vr* se retenir.
retina *nf* rétine *f.*
retintín *nm* tintement *m.*
retirada *nf* (MIL) retraite *f*; (*de dinero*) retrait *m*; (*de embajador*) rappel *m*; (*refugio*) retraite, refuge *m*; **retirado, a** *a* (*distante*) distant(e), écarté(e); (*tranquilo*) retiré(e); (*jubilado*) retraité(e).
retirar *vt* retirer; (*jubilar*) mettre à la retraite; **~se** *vr* se retirer; (*acostarse*) aller se coucher, se retirer; **no se retire del teléfono** ne raccrochez pas.
retiro *nm* retraite *f.*
reto *nm* défi *m*, provocation *f.*
retocar *vt* (*fotografía*) retoucher; (*peinado*) donner un coup de peigne à; (*maquillaje*) raccorder, faire un raccord à.
retoño *nm* rejeton *m.*
retoque *nm* retouche *f*; (MED) symptôme *m.*
retorcer *vt* tordre; (*fig*) altérer; **~se** *vr* se tordre; (*mover el cuerpo*) se tortiller.
retorcimiento *nm* torsion *f*; (MED) entorse *f*; (*fig*) entortillement *m.*
retórica *nf* rhétorique *f*; (*fig*) affectation *f*; **~s** *nfpl* balivernes *fpl.*
retornar *vt* renvoyer // *vi* retourner, revenir; **retorno** *nm* retour *m*; **aviso de retorno** accusé *m* de réception.
retortijón *nm* tiraillement *m.*
retozar *vi* (*juguetear*) folâtrer; (*saltar*) bondir, gambader.
retozón, ona *a* folâtre.
retracción *nf* rétraction *f.*
retractación *nf* rétractation *f*, dédit *m.*
retractar *vt* rétracter; **~se** *vr* se rétracter, se reprendre.
retraer *vt* dissuader de, détourner de; **~se** *vr* se retirer; **retraído, a** *a* renfermé(e), timide; **retraimiento** *nm* retraite *f*; (*fig*) réserve *f*, timidité *f.*
retransmisión *nf* retransmission *f.*
retransmitir *vt* retransmettre.
retrasado, a *a* (*atrasado*) retardataire; (MED) retardé(e).
retrasar *vt* (*diferir*) ralentir; (*retardar*) retarder // *vi*, **~se** *vr* (*atrasarse*) arriver en retard; (*producción*) prendre du retard; (*quedarse atrás*) s'attarder.
retraso *nm* (*tardanza*) lenteur *f*; (*atraso*) retard *m*; **llegar con ~** arriver en retard; **~ mental** retard mental.
retratar *vt* faire le portrait de, portraiturer; (*fotografiar*) photographier; (*fig*) dépeindre; (*fam*): **~se contra un muro** s'écraser contre un mur.
retrato *nm* (*pintura*) portrait *m*; (*fotografía*) photographie *f.*
retrato-robot *nm* portrait-robot *m.*
retreta *nf* retraite *f.*
retrete *nm* cabinets *mpl*, toilettes *fpl.*
retribución *nf* (*recompensa*) rétribution *f*; (*pago*) paiement *m.*
retribuir *vt* (*pagar*) rétribuer; (*recompensar*) récompenser.
retro... *pref* rétro... .
retroactivo, a *a* rétroactif(ive).
retroceder *vi* (*recular*) reculer; (AUTO) rétrogader; (*tropas*) se

replier; (*arma de fuego*) avoir du recul.
retroceso *nm* recul *m*; (*MED*) aggravation *f*; (*fig*) retour *m* en arrière, recul.
retrógrado, a *a* (*atrasado*) rétrograde; (*POL*) réactionnaire.
retropropulsión *nf* rétropopulsion *f*.
retrospectivo, a *a* rétrospectif (ive).
retrovisor *nm* rétroviseur *m*.
retumbante *a* résonnant(e), retentissant(e).
retumbar *vi* résonner, retentir.
reuma *nm* rhumatisme *m*.
reumático, a *a* (*dolor*) rhumatismal(e); (*persona*) rhumatisant(e).
reumatismo *nm* rhumatisme *m*.
reunificar *vt* réunifier.
reunión *nf* (*asamblea*) réunion *f*; (*fiesta*) fête *f*; (*reencuentro*) rencontre *f*, retrouvailles *fpl*.
reunir *vt* (*juntar*) rassembler; (*recoger*) recueillir; (*personas, cualidades*) réunir; **~se** *vr* se réunir; se rassembler.
revalidación *nf* revalidation *f*.
revalidar *vt* revalider.
revalorar *vt* revaloriser.
revancha *nf* revanche *f*.
revelación *nf* révélation *f*.
revelado *nm* développement *m*.
revelar *vt* révéler; (*FOTO*) développer.
revendedor, a *nm/f* revendeur/euse; (*pey*) spéculateur/trice.
reventar *vt* crever; (*fam: plan*) faire échouer // *vi*, **~se** *vr* (*estallar*) éclater; (*fam: morirse*) claquer.
reventón *nm* éclatement *m*.
reverberación *nf* réverbération *f*.
reverberar *vi* réverbérer.
reverbero *nm* réverbération *f*.
reverdecer *vi* reverdir.
reverencia *nf* révérence *f*.
reverenciar *vt* révérer, honorer.
reverendo, a *a* révérend(e).
reverente *a* révérencieux (euse).
reversión *nf* (*devolución*) réversion *f*; (*anulación*) annulation *f*.
reverso *nm* revers *m*, envers *m*.
revertir *vi* revenir, retourner.
revés *nm* revers *m*, envers *m*; (*fig*) revers *m*; (*fam*) mornifle *f*; **hacer al ~** faire à l'envers; **volver algo al ~** retourner.
revestir *vt* revêtir; (*cubrir de*) recouvrir; **~ con** *o* **de** revêtir de.
revisar *vt* (*examinar*) réviser; (*rever*) revoir.
revisor, a *nm/f* réviseur *m*, contrôleur *m*.
revista *nf* revue *f*, magazine *f*; (*TEATRO*) revue; (*inspección*) inspection *f*; **pasar ~ a** passer en revue.
revivir *vi* ressusciter; renaître; réapparaître.
revocación *nf* révocation *f*.
revocar *vt* révoquer.
revolcar *vt* renverser; (*fig*) terrasser; **~se** *vr* se rouler, se vautrer; **~se de dolor** se tordre de douleur.
revolotear *vi* voltiger; tourner.
revoloteo *nm* voltige *f*, voltigement *m*.
revoltijo *nm* fouillis *m*, salmigondis *m*; **~ de huevos** œufs brouillés.
revoltoso, a *a* (*travieso*) turbulant(e), remuant(e); (*rebelde*) séditieux(euse).
revolución *nf* révolution *f*; **revolucionar** *vt* révolutionner; **revolucionario, a** *a* révolutionnaire // *nm/f* révolutionnaire *m/f*.
revólver *nm* revolver *m*.
revolver *vt* (*desordenar*) bouleverser, mettre sens dessus dessous; (*mover*) troubler, remuer; (*tantear en*) évaluer; (*investigar*) fouiller; (*POL*) troubler; (*hacer paquete*) empaqueter // *vi*: **~ en** fouiller dans; **~se** *vr* se retourner, se rouler; (*por dolor*) s'agiter; (*volver contra*) faire volte-face.
revuelco *nm* renversement *m*, chute *f*.

revuelo *nm* second vol, battement *m* d'ailes; (*fig*) trouble *m*, confusion *f*.
revuelto, a *pp de* **revolver** // *a* (*mezclado*) embrouillé(e), confus(e); (*descontento*) mécontent(e); (*travieso*) turbulent(e) // *nf* (*motín*) révolte *f*, sédition *f*; (*conmoción*) trouble *m*, confusion *f*; **dar vueltas y revueltas a un problema** tourner et retourner un problème.
revulsivo *nm* révulsif *m*.
rey *nm* roi *m*.
reyerta *nf* dispute *f*, querelle *f*, rixe *f*.
rezagado, a *nm/f* retardataire *m/f*.
rezagar *vt* (*dejar atrás*) laisser en arrière; (*retrasar*) retarder.
rezar *vi* prier // *vt* dire; ~ **con** (*fam*) concerner, regarder.
rezo *nm* prière *f*.
rezongar *vi* grogner, ronchonner.
rezumar *vt* transpirer, laisser passer // *vi* suinter; ~**se** *vr* suinter; (*fig*) se faire connaître.
ría *nf* embouchure *f*, estuaire *m*.
riada *nf* (*crecida*) crue *f*; (*inundación*) inondation *f*.
ribera *nf* (*de río*) rive *f*, berge *f*; (*del mar*) rivage *m*.
ribete *nm* (*de vestido*) bordure *f*, liseré *m*; (*fig*) traces *fpl*, côtés *mpl*.
ribetear *vt* border, passepoiler.
ricino *nm* ricin *m*.
rico, a *a* riche; (*exquisito*) exquis(e); (*niño*) adorable; (*fam*): ¡**oye**, ~! dis, mon vieux!
rictus *nm* rictus *m*.
ridiculez *nf* extravagance *f*.
ridiculizar *vt* ridiculiser, couvrir de ridicule.
ridículo, a *a* ridicule // *nm* ridicule *m*.
riego *nm* (*aspersión*) aspersion *f*; (*irrigación*) arrosage *m*.
riel *nm* (*del tren*) rail *m*; (*para cortinas*) tringle *f*, chemin de fer *m*.
rienda *nf* rêne *f*, guide *f*; **dar ~ suelta** lâcher la bride.
riente *a* riant(e).
riesgo *nm* risque *m*; **correr el ~ de** courir le risque de.
rifa *nf* (*lotería*) tombola *f*, loterie *f*; (*disputa*) dispute *f*; **rifar** *vt* tirer au sort // *vi* se disputer; **rifarse algo** s'arracher *ou* se disputer qch.
rifle *nm* rifle *m*.
rigidez *nf* rigidité *f*, rigueur *f*; (*fig*) inflexibilité *f*; sévérité *f*.
rígido, a *a* rigide, raide; (*fig*) inflexible; sévère.
rigor *nm* rigueur *f*; (*inclemencia*) inclémence *f*; **de** ~ de rigueur; **riguroso, a** *a* (*áspero*) âpre; (*severo*) sévère, rigoureux(euse); (*inclemente*) inclément(e).
rimar *vi* rimer.
rimbombante *a* retentissant(e), ronflant(e); (*fig*) tapageur(euse), voyant(e).
rimel *nm* rimmel *m*.
rincón *nm* coin *m*.
rinoceronte *nm* rhinocéros *m*.
riña *nf* (*disputa*) dispute *f*; (*pelea*) rixe *f*, bagarre *f*.
riñón *nm* (*ANAT*) rein *m*; (*CULIN*) rognon *m*; (*fig*) cœur *m*, centre *m*; **tener riñones** avoir de l'estomac.
río *vb ver* **reír** // *nm* rivière *f*; (*fig*) fleuve *m*; ~ **abajo/arriba** en aval/amont.
rioplatense *a* du Rio de la Plata.
ripio *nm* (*residuo*) résidu *m*; (*cascotes*) granats *mpl*, décombres *mpl*.
riqueza *nf* richesse *f*.
risa *nf* rire *m*.
risco *nm* roc *m*, rocher escarpé.
risible *a* (*ridículo*) ridicule; (*jocoso*) risible, drôle.
risotada *nf* éclat *m* de rire.
ristra *nf* chapelet *m*.
risueño, a *a* (*sonriente*) souriant(e); (*contento*) gai(e), joyeux (euse).
ritmo *nm* rythme *m*; **a ~ lento** lentement.
rito *nm* (*costumbre*) rite *m*; (*reglas*) rituel *m*.
ritual *a* rituel(le).
rival *a* rival(e); ~**idad** *nf* rivalité *f*;

~izar *vi*: ~**izar con** rivaliser avec.
rizado, a *a* frisé(e) // *nm* frisure *f*.
rizar *vt* friser; ~**se** *vr* (*el pelo*) friser; (*el mar*) se rider.
rizo *nm* (*de cabellos*) boucle *f*, frisette *f*; (*en el agua*) ris *m*; **hacer** *o* **rizar el** ~ faire un looping, boucler la boucle.
RNE *nf* (*abr de Radio Nacional de España*) ≈ O.R.T.F. *m*.
roano, a *a* rouan(ne).
robar *vt* voler, dérober; (NAIPES) piocher.
roble *nm* chêne *m*, rouvre *m*.
robledo, robledal *nm* chênaie *f*, rouvraie *f*.
roblón *nm* rivet *m*.
robo *nm* (*estafa*) escroquerie *f*; (*hurto*) vol *m*.
robot *nm* robot *m*.
robustecer *vt* fortifier, rendre robuste.
robustez *nf* robustesse *f*.
robusto, a *a* robuste; vigoureux(euse).
roca *nf* (*mineral*) roche *f*; (*peñasco*) roc *m*, rocher *m*.
rocalla *nf* rocaille *f*.
roce *nm* (*caricia*) frôlement *m*, effleurement *m*; (*frote*) frottement *m*; **tener** ~ avoir des contacts.
rociada *nf* (*aspersión*) aspersion *f*; (*fig*) pluie *f*.
rociar *vt* (*ropa*) asperger; (*flores*) arroser.
rocín *nm* rosse *f*, roussin *m*.
rocío *nm* rosée *f*; bruine *f*.
rocoso, a *a* rocheux(euse).
rodaballo *nm* turbot *m*.
rodado, a *a* (*con ruedas*) roulé(e); (*redondo*) arrondi(e).
rodaja *nf* (*rajada*) rondelle *f*; (*rueda*) roulette *f*.
rodaje *nm* (TEC) rouages *mpl*; (CINE) tournage *m*; (AUTO): **en** ~ en rodage.
rodar *vt* (*vehículo*) roder; (*escalera*) dégringoler, dévaler; (*viajar por*) parcourir // *vi* rouler; (CINE) tourner.
rodear *vt* entourer, enclore // *vi* contourner; ~**se** *vr*: ~**se de amigos** s'entourer d'amis.
rodeo *nm* (*acción*) tour *m*; (*ruta indirecta*) détour *m*, crochet *m*; (*evasión*) subterfuge *m*.
rodezno *nm* (*hidráulica*) roue *f* hydraulique; (*dentada*) roue dentée.
rodilla *nf* genou *m*; **de** ~**s** à genoux.
rodillera *nf* genouillère *f*.
rodillo *nm* rouleau *m*; ~ **apisonador** rouleau compresseur.
rododendro *nm* rhododendron *m*.
roedor, a *a* rongeur(euse) // *nm* rongeur *m*.
roer *vt* (*masticar*) grignoter; (*corroer, fig*) ronger.
rogar *vt, vi* (*pedir*) demander; (*suplicar*) supplier; **se ruega no fumar** prière de ne pas fumer.
rogativa *nf* prière publique.
rojete *nm* rouge *m*, fard *m*.
rojizo, a *a* rougeâtre.
rojo, a *a* rouge // *nm* rouge *m*; **al** ~ **vivo** chauffé(e) au rouge; (*fig*) ardent(e).
rol *nm* rôle *m*.
roldana *nf* rouet *m*, réa *m*.
rollizo, a *a* potelé(e); dodu(e); cylindrique; rond(e).
rollo *nm* (*de papel*) rouleau *m*; (*madera*) bille *f*; (*de película*) rouleau, film *m*.
Roma *n* Rome.
romance *a* roman(e) // *nm* composition *f* poétique; (*relación amorosa*) idylle *f*, liaison *f*; **hablar en** ~ parler clairement.
romancero *nm* recueil *m* de 'romances' espagnols.
romántico, a *a* romantique.
romería *nf* (REL) pèlerinage *m*; (*fiesta*) fête patronale.
romero, a *nm/f* pèlerin *m* // *nm* romarin *m*.
romo, a *a* émoussé(e); (*fig*) abattu(e), affaibli(e).
rompecabezas *nm inv* casse-tête *m inv*; (*juego*) puzzle *m*.
rompehuelgas *nm inv* briseur *m* de grève, jaune *m/f*.

rompeolas *nm inv* brise-lames *m inv*.
romper *vt* (*hacer pedazos*) casser, briser; (*fracturar*) fracturer, rompre; (*cascar*) fêler, casser // *vi* (*olas*) déferler, briser; (*sol, diente*) percer; **~se** *vr* (*mecanismo, coche*) se casser, se briser, se rompre; (*reloj*) s'arrêter, être en panne; **~ un contrato** rompre un contrat; **~ a** se mettre à; **~ en llanto** éclater en sanglots; **~ con uno** briser avec qn.
rompiente *nm* brisant *m*.
rompimiento *nm* rupture *f*; (*quiebra*) fente *f*.
ron *nm* rhum *m*.
roncar *vi* ronfler; (*el viento*) mugir; (*amenazar*) menacer.
ronco, a *a* (*sin voz*) enroué(e); (*áspero*) rauque.
roncha *nf* éruption cutanée.
ronda *nf* ronde *f*; (*patrulla*) ronde, guet *m*; (*fam*) tournée *f*.
rondalla *nf* (*MUS*) petite société philarmonique; (*cuento*) conte *m*.
rondar *vt* (*dar vueltas*) tourner autour de; (*patrullar*) faire une ronde dans // *vi* faire une ronde, inspecter; (*fig*) marauder, rôder.
rondón: **de ~** *ad* sans crier gare.
ronquear *vi* être enroué(e).
ronquedad *nf* dureté *f*.
ronquido *nm* ronflement *m*.
ronzal *nm* licou *m*, licol *m*, longe *f*.
roña *nf* (*mugre*) crasse *f*; (*astucia*) ruse *f*.
roñoso, a *a* (*mugriento*) crasseux(euse); (*inútil*) inutil(e); (*tacaño*) ladre, avare.
ropa *nf* vêtements *mpl*; **~ blanca** linge *m* de maison, blanc *m*; **~ de cama** literie *f*; **~ interior** linge (de corps).
ropaje *nm* (*ropa ceremoniosa*) vêtements *mpl*; (*fig*) couverture *f*, manteau *m*, voile *m*.
ropavejero, a *nm/f* fripier/ière.
ropero *nm* armoire *f* à linge; (*guardarropa*) penderie *f*, garde-robe *f* // *nm/f* linger/ère.
roque *nm* tour *f*.
roquedal *nm* terrain rocailleux.
rosa *a inv* rose // *nf* rose *f*; (*ANAT*) tache de vin *f*, envie *f*; **~s** *nfpl* pop-corn *m*; **~ de los vientos** rose des vents.
rosado, a, **rosáceo, a** *a* rose // *nm* rosé *m*.
rosal *nm* rosier *m*.
rosario *nm* (*REL*) chapelet *m*; (*fig*) chapelet *m*, série *f*.
rosca *nf* (*de tornillo*) filet *m*; (*de humo*) rond *m*; (*pan, postre*) couronne *f*.
rosetón *nm* rosace *f*; (*AUTO*) (croisement *m* en) trèfle *m*.
rostro *nm* (*cara*) visage *m*, figure *f*; (*semblante*) visage, mine *f*, aspect *m*.
rotación *nf* rotation *f*; **~ de cultivos** assolement *m*.
rotativo, a *a* rotatif(ive).
roto, a *pp de* **romper** // *a* cassé(e), brisé(e); (*disipado*) dissipé(e).
rótula *nf* rotule *f*.
rotular *vt* (*titular, encabezar*) mettre un en-tête à; (*etiquetar*) étiqueter.
rótulo *nm* (*letreto, título*) écriteau *m*; (*etiqueta*) enseigne *f*, panonceau *m*, nomenclature *f*.
rotundo, a *a* sonore, bien frappé(e).
rotura *nf* (*rompimiento*) rupture *f*; (*quiebra*) cassure *f*, brisure *f*; (*MED*) fracture *f*.
roturar *vt* défricher, défoncer.
rozado, a *a* usé(e).
rozadura *nf* éraflure *f*, écorchure *f*.
rozagante *a* fringant(e), pimpant(e), splendide.
rozar *vt* (*frotar*) frôler, effleurer; (*arañar*) griffer, égratigner; (*arrugar*) froisser, rider; (*AGR*) essarter; **~se** *vr* se frôler, s'effleurer; (*trabarse*) s'entretailler; **~ con** (*fam*) se frotter à.
roznar *vi* braire.
rte (*abr de remite, remitente*) expéditeur.
rúa *nf* rue *f*.

rubí *nm* rubis *m.*
rubicundo, a *a* rubicond(e); (*de salud*) éclatant(e) de santé.
rubio, a *a* blond(e) // *nm/f* blond/e.
rubor *nm* (*timidez*) honte *f*; (*sonrojo*) rougeur *f*; **~izarse** *vr* (*avergonzarse*) rougir, avoir honte; (*sonrojarse*) rougir; **~oso, a** *a* rougissant(e).
rúbrica *nf* rubrique *f*; (*de la firma*) paraphe *m*, parafe *m*; **rubricar** *vt* (*firmar*) parapher, parafer; (*fig*) signer; (*concluir*) terminer, couronner.
rucio, a *a* gris(e).
rudeza *nf* (*tosquedad*) rudesse *f*; (*sencillez*) simplicité *f*, rusticité *f.*
rudimento *nm* (*principio*) principe *m*; (*noción*) notion *f.*
rudo, a *a* (*sin pulir*) rude; (*tosco*) grossier(ière), rustique; (*violento*) violent(e); (*vulgar*) vulgaire, ordinaire; (*estúpido*) stupide.
rueca *nf* quenouille *f.*
rueda *nf* (*de vehículo*) roue *f*; (*de molino*) meule *f*; (*rodaja*) darne *f*; (*corro*) ronde *f*; **~ delantera/trasera** roue avant/arrière; **~ de prensa** conférence *f* de presse.
ruedo *nm* (*contorno*) contour *m*, limite *f*; (*de vestido*) ourlet *m*; (*círculo*) cercle *m*, circonférence *f*; (TAUR) arène *f.*
ruego *vb ver* **rogar** // *nm* prière *f.*
rufián *nm* ruf(f)ian *m.*
rugby *nm* rugby *m.*
rugido *nm* (*de león*) rugissement *m*; (*fig*) hurlement *m.*
rugir *vi* rugir, hurler.
rugoso, a *a* (*arrugado*) ridé(e); (*áspero*) rugueux(euse); (*desigual*) inégal(e).
ruibarbo *nm* rhubarbe *f.*
ruido *nm* bruit *m*; (*alboroto*) vacarme *m*, tapage *m*; (*escándalo*) chambard *m*, bruit; **ruidoso, a** *a* (*estrepitoso*) retentissant(e); (*escandaloso*) tapageur(euse); (*fig*) important(e).
ruin *a* (*despreciable*) méprisable; (*miserable*) misérable, minable; (*mezquino*) mesquin(e), pingre.
ruina *nf* (ARQ) ruine *f*; (*fig*) délabrement *m*, décadence *f*, effondrement *m.*
ruindad *nf* bassesse *f*, vilenie *f.*
ruinoso, a *a* (*desolado*) en ruine, délabré(e); (*decadente*) décadent(e); (COM) ruineux(euse), désastreux(euse).
ruiseñor *nm* rossignol *m.*
rula, ruleta *nf* roulette *f.*
Rumania *nf* Roumanie *f.*
rumba *nf* rumba *f.*
rumbo *nm* (*ruta*) cap *m*, route *f*; (*ángulo de dirección*) direction *f*; (*fig*) cours *m.*
rumboso, a *a* pompeux(euse), fastueux(euse).
rumiante *nm* ruminant *m.*
rumiar *vt* ruminer, mâcher; (*fig*) ruminer, remâcher // *vi* ruminer.
rumor *nm* (*ruido sordo*) bruit sourd; (*murmuración*) bruit, rumeur *f*; **~earse** *vr*: **se ~ea que** le bruit court que.
rupestre *a* rupestre.
ruptura *nf* (MED) fracture *f*; (*fig*) rupture *f.*
rural *a* rural(e).
Rusia *nf* Russie *f.*
ruso, a *a* russe.
rústico, a *a* (*descortés*) rustique, discourtois(e); (*ordinario*) rustaud(e), grossier(ière) // *nm/f* campagnard/e, paysan/ne.
ruta *nf* route *f*, itinéraire *m.*
rutina *nf* routine *f*; **rutinario, a** *a* (*cotidiano*) routinier(ière); (*inculto*) sans imagination, ignorant(e).

S

S *abr de* **santo, a**; *abr de* **sur.**
s. *abr de* **siglo**; *abr de* **siguiente.**
S/ *abr de* **su, sus.**
S.A. *abr ver* **sociedad.**

sábado *nm* samedi *m*.
sábana *nf* drap *m*; **se le pegan la ~s** il fait la grasse matinée.
sabandija *nf* bestiole *f*; chapardeur *m*; polisson *m*.
sabañón *nm* engelure *f*.
sabelotodo *nm/f* je-sais-tout *m/f inv*.
saber *vt* savoir; (*llegar a conocer*) apprendre; (*tener capacidad de*) connaître // *vi*: **~ a** avoir le goût de // *nm* savoir *m*; **a ~** à savoir, c'est à dire; **¡vete a ~!** sait-on jamais!, va donc savoir!; **¿sabes conducir?** sais-tu conduire?
sabiamente *ad* savamment; sagement.
sabiduría *nf* savoir *m*, science *f*; sagesse *f*.
sabiendas: **a ~** *ad* sciemment.
sabihondo, a *a* pédant(e).
sabio, a *a* savant(e); (*prudente*) sage // *nm/f* connaisseur/euse, savant/e.
sable *nm* sabre *m*.
sabor *nm* goût *m*, saveur *f*; **~ear** *vt* savourer; **~earse** *vr* se délecter, se régaler.
sabotaje *nm* sabotage *m*; **sabotear** *vt* saboter.
sabré *etc vb ver* **saber.**
sabroso, a *a* délicieux(euse); (*fig*) osé(e), audacieux(euse).
sacaclavos *nm inv* arrache-clou *m*.
sacacorchos *nm inv* tire-bouchon *m*.
sacapuntas *nm inv* taille-crayon *m*.
sacar *vt* (*hacer salir*) sortir; (*quitar*) enlever, retirer; (*mostrar*) montrer, faire voir; (*citar*) citer, nommer; (*conseguir*) obtenir; (*inferir*) en tirer; (*producir*) produire; (FOTO) prendre; (*recibir*) recevoir; (*entradas*) retirer, acheter; **~ a bailar** inviter à danser; **~ a flote** renflouer, remettre à flot; **~ a luz** publier, faire paraître; **~ apuntes** prendre des notes; **~ en claro** tirer au clair; **~ la cara por alguien** prendre la défense de qn; **~ la cuenta** faire le(s) compte(s); **~ punta a** aiguiser; (*lápiz*) tailler; **~ ventaja** prendre de l'avance; **~ adelante** (*niño*) élever; (*proyecto*) faire avancer.
sacerdote *nm* prêtre *m*.
saciar *vt* rassasier; satisfaire, assouvir; **saciedad** *nf* satiété *f*; satisfaction *f*, assouvissement *m*.
saco *nm* (*gen*) sac *m*; (*gabán*) veste *f*; (*saqueo*) pillage *m*; **~ (de) dormir** sac de couchage.
sacramento *nm* sacrement *m*.
sacrificar *vt* sacrifier; (*ofrecer*) offrir; **sacrificio** *nm* sacrifice *m*.
sacrilegio *nm* sacrilège *m*; **sacrílego, a** *a* sacrilège.
sacristán *nm* sacristain *m*.
sacro, a *a* sacré(e).
sacudida *nf* (*zarandeada*) agitation *f*; (*sacudimiento*) secousse *f*.
sacudir *vt* secouer; (*asestar*) asséner.
sádico, a *a* sadique; **sadismo** *nm* sadisme *m*.
saeta *nf* (*flecha*) flèche *f*; (*de reloj*) aiguille *f*; (*brújula*) boussole *f*.
sagacidad *nf* sagacité *f*.
sagaz *a* sagace; (*astuto*) astucieux(euse).
sagrado, a *a* sacré(e) // *nm* asile *m*, lieu *m* de refuge.
sagú *nm* sagou *m*.
Sáhara *nm*: **el ~** le Sahara.
sahumar *vt* désinfecter; parfumer.
sal *vb ver* **salir** // *nf* sel *m*.
sala *nf* (*cuarto grande*) salle *f*; (*sala de estar*) salle de séjour; (*muebles*) salon *m*; **~ de apelación/de justicia** cour *f* d'appel/de justice; **~ de espera** salle d'attente.
salado, a *a* salé(e); (*fig*) gracieux(euse), spirituel(le).
salar *vt* (*echar en sal*) saler; (*sazonar*) assaisonner.
salario *nm* salaire *m*.
salaz *a* salace.
salchicha *nf* saucisse *f*; **salchichería** *nf* charcuterie *f*.

salchichón *nm* saucisson *m.*
saldar *vt* solder; (*fig*) s'acquitter de, régler.
saldo *nm* solde *f.*
saldré *etc vb ver* **salir**.
saledizo, a *a* en saillie, saillant(e) // *nm* encorbellement *m*, saillie *f.*
salero *nm* salière *f*; (*fig*) charme *m*, piquant *m.*
salgo *etc vb ver* **salir**.
salida *nf* sortie *f*; (*acto*) départ *m*, sortie; (*TEC*) production *f*; (*fig*) issue *f*; (*COM*) écoulement *m*; (*tiraje*) tirage *m*; **calle sin ~** rue sans issue; **~ de emergencia** sortie *f* de secours.
saliente *a* (*ARQ*) saillant(e); (*que se retira*) sortant(e); (*fig*) prééminent(e) // *nm* Orient *m*, Levant *m.*
salino, a *a* salin(e).
salir *vi* (*gen*) sortir; (*resultar*) se révéler, résulter, marcher; (*partir*) partir; (*aparecer*) lever, pousser; (*sobresalir*) ressortir; **~se** *vr* fuir, s'échapper; **~ al encuentro de uno** aller au devant de qn; **~ a la superficie** faire surface; **~ caro/barato** être cher/bon marché; **~ de dudas** tenter d'y voir clair.
saliva *nf* salive *f*; **salivar** *vi* saliver.
salmantino, a *a* de Salamanque.
salmo *nm* psaume *m*; **~diar** *vi* psalmodier.
salmón *nm* saumon *m.*
salmuera *nf* saumure *f.*
salobre *a* saumâtre.
salón *nm* salon *m*, salle *f*; **~ de belleza/pintura** salon de beauté/peinture; **~ de baile** salle de bal.
salpicadero *nm* tableau *m* de bord.
salpicar *vt* (*rociar*) éclabousser; (*esparcir*) parsemer, répartir; (*fig*) parsemer, émailler.
salpullido *nm* éruption cutanée.
salsa *nf* sauce *f*; (*fig*) charme *m*, piquant *m.*
saltamontes *nm inv* sauterelle verte.
saltar *vt* bondir; (*dejar de lado*) partir, sauter // *vi* bondir, rebondir; (*al aire*) s'élancer; (*quebrarse*) se briser, se rompre; (*fig*) exploser, éclater; **~se** *vr* sauter.
saltear *vt* (*robar*) voler (à main armée); (*asaltar*) assaillir; (*espaciar*) espacer; (*CULIN*) faire revenir, faire sauter.
saltimbanqui *nm/f* saltimbanque *m/f*, baladin *m.*
salto *nm* saut *m*; (*fig*) vide *m*; (*DEPORTE*) plongeon *m.*
saltón, ona *a* globuleux (euse), protubérant(e).
salubre *a* salubre.
salud *nf* santé *f*; (*fig*) bien-être *m*; **¡(a su) ~!** (à votre) santé!; **saludable** *a* (*de buena salud*) salubre; (*provechoso*) salutaire.
saludar *vt* saluer.
saludo *nm* salut *m.*
salvación *nf* salut *m.*
Salvador: **El ~** *nm* Salvador *m.*
salvadoreño, a *a* du Salvador.
salvaguardia *nf* sauvegarde *f*, garantie *f.*
salvajada *nf* action *f* propre aux sauvages; atrocité *f.*
salvaje *a* sauvage; (*necia*) sauvageon(ne), sauvage; **salvajismo** *nm*, **salvajez** *nf* sauvagerie *f*; atrocité *f.*
salvar *vt* (*rescatar*) sauver; (*resolver*) résoudre; (*cubrir distancias*) franchir; (*hacer excepción*) exclure, écarter; **~se** *vr* se sauver.
salvavidas *nm inv* bouée *f* de sauvetage // *a*: **bote/chaleco/cinturón ~** canot *m*/gilet *m*/bouée de sauvetage.
salvedad *nf* (*calificación*) réserve *f*, exception *f*; (*de documento*) certification *f.*
salvia *nf* sauge *f*, salvia *m.*
salvo, a *a* sauf (sauve) // *ad* sauf, excepté, hormis; **a ~** sain et sauf.
salvoconducto *nm* sauf-conduit *m.*
samba *nf* (*AM*) samba *f.*
san *a* saint *m*; **S~ Sebastián** Saint-Sébastien.

sanable *a* guérissable, curable.
sanar *vt, vi* guérir.
sanatorio *nm* sanatorium *m*, clinique *f*, hôpital *m*.
sanción *nf* sanction *f*; **sancionar** *vt* (*aprobar*) approuver; (*imponer pena*) infliger, sanctionner.
sancochar *vt* blanchir, cuire légèrement, faire revenir.
sandalia *nf* sandale *f*.
sándalo *nm* santal *m*.
sandez *nf* sottise *f*.
sandía *nf* pastèque *m*, melon *m*.
sandwich *nm* sandwich *m*.
saneamiento *nm* assainissement *m*; récompense *f*; (*fig*) remède *m*.
sanear *vt* assainir; compenser.
sangrante *a* saignant(e).
sangrar *vt, vi* saigner.
sangre *nf* sang *m*; **perder la ~ fría** perdre son sang-froid; **tener mala ~** être méchant(e).
sangría *nf* (ANAT) saignée *f*; (*bebida*) sangria *f*.
sangriento, a *a* sanglant(e).
sanguijuela *nf* sangsue *f*.
sanguinario, a *a* sanguinaire.
sanguíneo, a *a* sanguin(e).
sanidad *nf* santé *f*.
sanitario, a *a* sanitaire.
sano, a *a* (*saludable*) sain(e); (*sin daños*) en bon état, intact(e); (*higiénico*) hygiénique.
Santiago *n*: **~ (de Chile)** Santiago.
santiamén *nm*: **en un ~** en un clin d'œil.
santidad *nf* sainteté *f*.
santificar *vt* sanctifier.
santiguar *vt* (*fig*) gifler; **~se** *vr* se signer.
santo, a *a* saint(e); (*fig*) miraculeux(euse) // *nm/f* saint/e // *nm* (jour *m* de) fête *f*; **~ y seña** mot de passe *m*.
santón *nm* santon *m*.
santuario *nm* sanctuaire *m*.
saña *nf* fureur *f*, rage *f*.
sapiencia *nf* sagesse *f*.
sapo *nm* crapaud *m*.
saque *nm* (TENIS) service *m*; (FÚTBOL) coup *m* d'envoi.
saquear *vt* piller, mettre à sac; **saqueo** *nm* pillage *m*, sac *m*.
sarampión *nm* rougeole *f*.
sarcasmo *nm* sarcasme *m*.
sardina *nf* sardine *f*.
sardónico, a *a* sardonique.
sargento *nm* sergent *m*.
sarna *nf* gale *f*; **sarniento, a, sarnoso, a** *a* galeux(euse).
sartén *nf* poêle *f*.
sastre *nm* tailleur *m*; **sastrería** *nf* (*arte*) métier *m* de tailleur; (*tienda*) boutique *f ou* atelier *m* du tailleur.
satélite *nm* satellite *m* // *a*: **país ~** pays *m* satellite.
sátira *nf* satire *f*; (*crítica*) critique *f*.
satisfacción *nf* (*contento*) satisfaction *f*; (*cumplimiento*) compliment *m*, récompense *f*; (*de deseo*) satisfaction, assouvissement *m*; **satisfacer** *vt* satisfaire; (*indemnizar*) réparer, indemniser; **satisfacerse** *vr* se faire plaisir, se satisfaire; (*vengarse*) se venger; **satisfecho, a** *pp de* **satisfacer** // *a* (*contento*) satisfait(e), content(e); (*vanidoso*) satisfait de sa personne, content de soi.
saturar *vt* (*saciar*) saturer; (*impregnar*) imprégner.
saturnino, a *a* saturnin(e).
sauce *nm* saule *m*.
sauna *nf* sauna *m*.
savia *nf* sève *f*.
saxofón, saxófono *nm* saxophone *m*.
saya *nf* jupe *f*.
sayo *nm* casaque *f*.
sazón *nf* (*madurez*) maturité *f*; (*fig*) occasion *f*; (*sabor*) goût *m*, saveur *f*; **sazonado, a** *a* assaisonné(e); **sazonar** *vt* assaisonner; (*fig*) mûrir.
se *pron* se; **~ mira en el espejo** il se regarde dans la glace; (*acusativo con acción no reflexiva*) on; **~ habla francés** on parle français; (*indefinido*): **~ acostumbra hacerlo** on prend l'habitude de le faire; (*dativo*) **~ lo daré** je le lui donnerai; (*a usted*) je vous le

donnerai; (*pronominal*) **acaba de bañarse** il vient de se baigner.
SE *abr de* **sudeste**.
S.E. *abr de* **Su Excelencia**.
sé *vb ver* **saber**, **ser**.
sea *etc vb ver* **ser**.
sebo *nm* (*de animal*) suif *m*, graisse *f*; (ANAT) sébum *m*.
seca *nf ver* **seco**.
secador *nm* séchoir *m*; ~ **de cabello** *o* **para el pelo** sèche-cheveux *m inv*.
secadora *nf* sécheresse *f*, essoreuse *f*.
secante *nm* buvard *m*.
secar *vt* (*ropa*) sécher; (*platos*) essuyer; ~**se** *vr* sécher, se désécher.
sección *nf* section *f*; (*en negocio*) rayon *m*; (*en diario*) page *f*, chronique *f*.
seco, a *a* sec(sèche) // *nf* sécheresse *f*; **a secas** tout court.
secretaría *nf* secrétariat *m*.
secretario, a *nm/f* secrétaire *m/f*.
secreto, a *a* secret(ète) // *nm* secret *m*.
secta *nf* secte *f*; **sectario, a** *a* sectateur(trice); sectaire.
sector *nm* secteur *m*.
secuaz *nm* partisan *m*.
secuela *nf* séquelle *f*, suite *f*.
secuestrar *vt* séquestrer; **secuestro** *nm* (*de bienes*) séquestre *m*, saisie *f*; (*de persona*) séquestration *f*, enlèvement *m*.
secular *a* séculier(ière).
secundar *vt* seconder.
secundario, a *a* secondaire.
sed *nf* soif *f*.
seda *nf* soie *f*.
sedante, sedativo *nm* calmant *m*, sédatif *m*.
sede *nf* siège *m*.
sedentario, a *a* sédentaire.
sedición *nf* sédition *f*; **sedicioso, a** *a* séditieux(euse) // *nm/f* rebelle *m/f*.
sediento, a *a* (*con sed*) assoiffé(e); (*ávido*) avide, assoiffé.
sedimentar *vt* déposer; ~**se** *vr* (*fig*) se calmer, s'apaiser.
sedimento *nm* sédiment *m*, dépôt *m*; (*residuo*) résidu *m*.
seducción *nf* séduction *f*.
seducir *vt* séduire; **seductor, a** *a* séduisant(e); (*engañoso*) trompeur(euse) // *nm/f* séducteur/trice.
segador, a *nm/f* faucheur/euse // *nf* faucheuse *f*; **segadora-trilladora** *nf* moissonneuse-batteuse *f*.
segar *vt* faucher.
seglar *a* (*laico*) laïque; (*lego*) séculier(ière).
segregación *nf* ségrégation *f*.
segregar *vt* séparer.
seguido, a *a* suivi(e) // *ad* (*directo*) tout droit; (*después*) après // *nf* suite *f*; **acto** ~ sur-le-champ.
seguimiento *nm* suite *f*, succession *f*.
seguir *vt* (*gen*) suivre; (*perseguir*) poursuivre; (*proseguir*) continuer, poursuivre; (*acompañar*) accompagner, suivre // *vi* (*gen*) suivre; (*continuar*) continuer à *ou* de; ~**se** *vr* se suivre; (*deducirse*) s'ensuivre; (*derivarse*) découler.
según *prep* selon // *ad* ça dépend, c'est selon.
segundo, a *a* deuxième, second(e) // *nm* seconde *f* // *nf* double-tour *m*; **de segunda mano** de seconde main, d'occasion.
segundón *nm* cadet *m*, puîné *m*.
segur *nf* (*hacha*) hache *f*; (*hoz*) faucille *f*.
seguramente *ad* (*con certeza*) sûrement; (*por supuesto*) certainement, sûrement.
seguridad *nf* (*tranquilidad*) sécurité *f*, sûreté *f*; (*certidumbre*) assurance *f*, certitude *f*; (*estabilidad*) sûreté.
seguro, a *a* (*cierto*) sûr(e), certain(e); (*fiel*) fidèle; (*firme*) ferme, sûr // *ad* certainement, à coup sûr // *nm* (*cierre*) sécurité *f*, sûreté *f*, cran *m* d'arrêt; (COM) assurance *f*; **dar por** ~ assurer, affirmer; ~ **contra terceros/a todo**

riesgo assurance au tiers/tous risques; ~**s sociales** sécurité sociale.
seis *num* six.
seiscientos, as *num* six cents.
seismo *nm* séisme *m*.
selección *nf* sélection *f*; **seleccionar** *vt* sélectionner, choisir.
selecto, a *a* choisi(e).
selva *nf* forêt *f*; **selvático, a** *a* forestier(ière); (*salvaje*) sauvage.
sellar *vt* sceller; timbrer; (*monedas*) frapper.
sello *nm* timbre *m*; (*de goma*) tampon *m*; (*medicinal*) cachet *m*; (*fig*) cachet.
semáforo *nm* (AUTO) feux *mpl* de signalisation; (FERROCARRIL) sémaphore *m*.
semana *nf* semaine *f*; **semanal** *a* hebdomadaire; **semanario, a** *a* hebdomadaire.
semblante *nm* aspect *m*.
semblanza *nf* notice *f* biographique; (*retrato*) portrait *m*.
sembrado, a *a* cultivé(e) // *nm* champ ensemencé.
sembrador, a *nm/f* semeur/euse // *nf* semoir *m*.
sembrar *vt* semer.
semejante *a* (*parecido*) semblable; (*igual*) pareil(le) // *nm* semblable *m*; **semejanza** *nf* (*parecido*) ressemblance *f*; (*analogiá*) analogie *f*, similitude *f*.
semejar *vi* ressembler; ~**se** *vr* se ressembler.
semen *nm* semence *f*.
sementera *nf* semailles *fpl*, terrain ensemencé, semis *m*.
semestral *a* semestriel(le).
semicírculo *nm* demi-cercle *m*.
semiconsciente *a* semi- *ou* demi-conscient(e).
semilla *nf* graine *f*, semence *f*.
seminario *nm* (REL) séminaire *m*; (AGR) pépinière *f*.
sémola *nf* semoule *f*.
sempiterna *nf* immortelle *f*.
sena *nf* séné *m*.
Sena *nm*: el ~ la Seine.
senado *nm* sénat *m*; **senador, a** *nm/f* sénateur.
sencillez *nf* (*naturalidad*) simplicité *f*; (*franqueza*) franchise *f*.
sencillo, a *a* simple; (*candoroso*) simple, naïf(ïve).
senda *nf* sentier *m*.
sendero *nm* sentier *m*, sente *f*.
sendos, as *a pl* un(e) chacun(e); **les dio ~ golpes** il leur donna un coup à chacun.
senil *a* sénile.
seno *nm* (ANAT, *fig*) sein *m*; (*vacío*) cavité *f*.
sensación *nf* sensation *f*; sentiment *m*.
sensatez *nf* bon sens; **sensato, a** *a* sensé(e).
sensible *a* sensible; (*apreciable*) appréciable.
sensitivo, a, sensorio, a, sensorial *a* sensitif(ive), sensoriel(le).
sensual *a* sensuel(le).
sentada *nf ver* **sentado**.
sentadillas: a ~ *ad* en amazone.
sentadero *nm* siège *m*.
sentado, a *a* assis(e); (*fig*) sensé(e), sage // *nf* séance *f*; **dar por ~** considérer comme bien établi.
sentar *vt* asseoir; (*fig*) jeter // *vi* convenir, aller bien; ~**se** *vr* (*persona*) s'asseoir; (*el tiempo*) se stabiliser; (*los depósitos*) se déposer; ~ **bien** (*comida*) réussir; ~ **bien/mal** aller bien/mal.
sentencia *nf* (*máxima*) sentence *f*; (JUR) sentence, jugement *m*, arrêt *m*; **sentenciar** *vt, vi* juger.
sentencioso, a *a* sentencieux (euse).
sentido, a *a* susceptible // *nm* sens *m*; (*conocimiento*) connaissance *f*; **mi ~ pésame** mes sincères condoléances; ~ **del humor** sens de l'humour.
sentimental *a* sentimental(e).
sentimiento *nm* (*emoción*) sentiment *m*; (*sentido*) peine *f*, tristesse *f*; (*pesar*) regret *m*.
sentir *vt* (*percibir*) sentir; (*sufrir*)

sentir, souffrir; (*lamentar*) regretter, être désolé(e) de // *vi* (*tener la sensación*) sentir; (*lamentarse*) se désoler // *nm* sens *m*; **~se bien/mal** se sentir bien/mal.

seña *nf* signe *m*; (MIL) contre-mot *m*; (COM) acompte *m*; **~s** *nfpl* adresse *f*, coordonnées *fpl*.

señal *nf* (*marca*) marque *f*; (*signo*) marque, signe *m*, indice *m*; (REL, COM) signe *m*; **en ~ de** en signe de, comme preuve de; **~ de tráfico** panneau *m* de signalisation; **~ telefónica** tonalité *f*; **señalar** *vt* (*marcar*) marquer; (*indicar*) montrer; (*fijar*) fixer; **señalarse** *vr* (*distinguirse*) se distinguer; (*perfilarse*) se dessiner.

señero, a *a* seul(e), sans égal.

señor *nm* monsieur *m*; (*dueño*) maître *m*; (*forma de tratamiento*) monsieur *m*; **muy ~ mío** cher monsieur.

señora *nf* (*dama*) dame *f*; (*tratamiento de cortesía*) madame *f*; (*fam*) femme *f*; **Nuestra ~** Notre-Dame.

señorear *vt* dominer, commander.

señoría *nf* seigneurie *f*.

señorío *nm* pouvoir *m*, autorité *f*; (*fig*) dignité *f*, gravité *f*.

señorita *nf* (*tratamiento*) mademoiselle *f*; (*mujer joven*) jeune fille *f*, demoiselle *f*.

señorito *nm* monsieur *m*; (*hijo de ricos*) fils *m* de famille, fils à papa.

señuelo *nm* leurre *m*.

sepa *etc vb ver* **saber**.

separación *nf* séparation *f*; (*distancia*) écartement *m*.

separar *vt* séparer; (*dividir*) diviser; **~se** *vr* se séparer; (*dividirse*) se diviser, se démembrer; (*aislarse*) s'éloigner, s'écarter, s'isoler; (*deshacerse: de algo*) se défaire; **separatismo** *nm* séparatisme *m*.

sepelio *nm* inhumation *f*, enterrement *m*.

sepia *nf* sépia *f*.

séptico, a *a* septique.

septiembre *nm* septembre *m*.

séptimo, a *a* septième.

sepultar *vt* ensevelir, enterrer; **sepultura** *nf* (*acto*) sépulture *f*; (*tumba*) tombe *f*, tombeau *m*; **sepulturero, a** *nm/f* fossoyeur *m*.

sequedad *nf* sécheresse *f*.

sequía *nf* sécheresse *f*.

séquito *nm* suite *f*; cortège *m*.

ser *vi* (*gen*) être; (*devenir*) devenir // *nm* être *m*; **~ de** (*origen*) être de; (*hecho de*) être en; (*pertenecer a*) être à; **es la una** il est une heure; **es de esperar que** il faut espérer que; **era de ver** il fallait voir; **a no ~ que** si ce n'est que; **de no ~ así** sinon, autrement.

serenarse *vr* se calmer.

serenidad *nf* sérénité *f*, calme *m*.

sereno, a *a* (*claro, tranquilo*) serein(e), tranquille; (*calmado*) calme // *nm* (*humedad*) serein *m*; (*vigilante*) veilleur *m* de nuit, sereno *m*.

serie *nf* (*fila, lista*) série *f*; (*cadena*) chaîne *f*, suite *f*; **fuera de ~** hors série, hors pair.

seriedad *nf* sérieux *m*.

serio, a *a* sérieux(euse); **en ~** *ad* sérieusement.

sermón *nm* (REL) sermon *m*.

serpentear *vi* serpenter.

serpentina *nf* serpentin *m*.

serpiente *nf* serpent *m*; **~ boa** boa *m*; **~ pitón** python *m*; **~ de cascabel** serpent à sonnettes.

serranía *nf* montagne *f*, région montagneuse.

serrano, a *a* montagnard(e) // *nm/f* montagnard/e.

serrar *vt* = **aserrar**.

serrín *nm* = **aserrín**.

serrucho *nm* égoïne *f*.

servicial *a* (*atento*) serviable; (*pey*) servile.

servicio *nm* service *m*; **al ~ de** au service de.

servidor, a *nm/f* domestique *m/f*; **su seguro ~, (s.s.s.)** votre très humble serviteur; **servidumbre** *nf*

(*sujeción*) servitude *f*; (*criados*) domesticité *f*.
servil *a* servile.
servilleta *nf* serviette *f*.
servir *vt* servir; (*hacer favor*) rendre service *ou* être utile à // *vi* servir; (*tener utilidad*) être utile, servir; **~se** *vr* se servir.
sesenta *num* soixante.
sesgar *vt* couper en biais.
sesgo *nm* biais *m*; (*fig*) tournure *f*, biais.
sesión *nf* séance *f*.
seso *nm* (ANAT) cervelle *f*; (*fig*) cervelle, bon sens, jugeotte *f*; **~s** *nmpl* (CULIN) cervelle; **sesudo, a** *a* sensé(e), sage, prudent(e).
seta *nf* champignon *m*.
setecientos, as *num* sept cents.
seudo... *pref* pseudo-.
seudónimo *nm* pseudonyme *m*.
severidad *nf* (*rigor*) sévérité *f*; (*exactitud*) exactitude *f*, ponctualité *f*.
severo, a *a* (*serio*) sévère; (*austero*) austère.
Sevilla *n* Seville.
sexo *nm* sexe *m*; **sexual** *a* sexuel(le).
s.f. *abr de sin fecha*.
si *conj* si.
sí *ad* oui; (*después de frase negativa*) si // *nm* oui *m* // *pron* (*m*) lui, (*f*) elle, (*mpl*) eux, (*fpl*) elles; **claro que ~** mais oui; mais si; **creo que ~** je crois que oui; **entre ~** en lui-même, à part soi.
sibarita *nm/f* sybarite *m/f*.
siderurgia *nf* sidérurgie *f*.
sidra *nf* cidre *m*.
siembra *nf* (*acción, tiempo*) semailles *fpl*; (*sembradío*) champ ensemencé.
siempre *ad* toujours // **~ que** *conj* (*cada vez*) pourvu que, du moment que; (*dado que*) étant donné que; **~ piensa que** il pense toujours que.
siempreviva *nf* immortelle *f*.
sien *nf* tempe *f*.
siento *etc vb ver* **sentar**, **sentir**.
sierra *nf* (TEC) scie *f*; (*cadena de montañas*) chaîne *f* de montagnes; (*montaña*) montagne *f*.
siervo, a *a* serf(erve).
siesta *nf* sieste *f*.
siete *num* sept.
sífilis *nf* syphilis *f*.
sifón *nm* (*botella*) siphon *m*; (*agua*) eau gazeuse.
sigiloso, a *a* secret(ète); discret(ète).
sigla *nf* sigle *m*.
siglo *nm* siècle *m*.
significación *nf* (*sentido*) signification *f*, sens *m*; (*fig*) importance *f*.
significado *nm* (*sentido*) sens *m*, signification *f*; (*acepción*) acception *f*.
significar *vt* (*denotar*) signifier, avoir le sens de; (*notificar*) désigner, signifier; (*representar*) représenter; **~se** *vr* se distinguer; **significativo, a** *a* significatif(ive).
signo *nm* signe *m*; **~ de admiración** *o* **exclamación** point *m* d'exclamation; **~ de interrogación** point d'interrogation.
sigo *etc vb ver* **seguir**.
siguiente *a* suivant(e).
siguió *etc vb ver* **seguir**.
sílaba *nf* syllabe *f*.
silbar *vt, vi* siffler; **silbato** *nm* sifflet *m*; **silbido** *nm* sifflement *m*.
silenciador *nm* silencieux *m*.
silenciar *vt* étouffer.
silencio *nm* silence *m*; **silencioso, a** *a* (*callado*) silencieux(euse); (*calmo*) calme, tranquille.
silicio *nm* silicium *m*.
silo *nm* silo *m*.
silueta *nf* silhouette *f*; aspect *m*; (*perfil*) profil *m*.
silvestre *a* sylvestre, forestier (ière); (*salvaje*) sauvage.
silvicultura *nf* sylviculture *f*.
silla *nf* (*asiento*) chaise *f*; (*de jinete*) selle *f*.
sillar *nm* (*piedra*) pierre *f* de taille; (*lomo*) dos *m* du cheval.
sillería *nf* sièges *mpl*.
sillón *nm* fauteuil *m*.

sima *nf* (*precipicio*) précipice *m*, gouffre *m*; (*abismo*) abîme *m*.
simbólico, a *a* (*alegórico*) symbolique; métaphorique; (*típico*) typique.
símbolo *nm* (*imagen*) symbole *m*; (*divisa*) emblème *m*.
simetría *nf* symétrie *f*.
simiente *nf* semence *f*.
simil *a*: ~ **piel** similicuir *m*, imitation *f* cuir.
similar *a* similaire.
simio *nm* singe *m*.
simpatía *nf* sympathie *f*; (*amabilidad*) gentillesse *f*; (*solidaridad*) solidarité *f*; **simpático, a** *a* sympathique; **simpatizar** *vi* sympathiser.
simple *a* (*sencillo*) simple; (*elemental*) élémentaire; (*mero*) simple, pur(e), seul(e) // *nm/f* simple d'esprit *m/f*; **simpleza** *nf* (*ingenuidad*) naïveté *f*; (*necedad*) sottise *f*, simplicité *f*; **simplicidad** *nf* simplicité *f*; **simplificar** *vt* simplifier.
simulación *nf* simulation *f*.
simulacro *nm* imitation *f*.
simular *vt* simuler.
simultáneo, a *a* simultané(e).
sin *prep* sans; ~ **que** *conj* sans que; ~ **embargo** cependant.
sinagoga *nf* synagogue *f*.
sincerarse *vt* (*justificarse*) se justifier; (*hablar con franqueza*) s'ouvrir, ouvrir son cœur.
sinceridad *nf* (*verdad*) vérité *f*, sincérité *f*; (*ingenuidad*) ingénuité *f*, naïveté *f*.
sincero, a *a* (*verdadero*) sincère; (*ingenuo*) ingénu(e), naïf(ïve).
síncope *nm* syncope *f*.
sincrónico, a *a* synchronique.
sindicado, a *a* syndiqué(e).
sindical *a* syndical(e); ~**ista** *nm/f* syndicaliste *m/f*.
sindicar *vt* syndiquer; **sindicato** *nm* syndicat *m*.
sinfín *nm* infinité *f*.
sinfonía *nf* symphonie *f*.
singular *a* (*único*) unique; (*particular*) particulier(ière); ~**idad** *nf* singularité *f*; ~**izar** *vt* singulariser; ~**izarse** *vr* se singulariser, se caractériser; (*sobresalir*) se détacher.
siniestro, a *a* gauche; (*fig*) sinistre; **a diestra y a siniestra** à tort et à travers.
sinnúmero *nm* infinité *f*.
sino *nm* sort *m*, destin *m* // *conj* (*pero*) mais; (*salvo*) sauf.
sinónimo *nm* synonyme *m*.
sinrazón *nf* injustice *f*.
sinsabor *nm* (*pena*) peine *f*; (*molestia*) ennui *m*.
síntesis *nf* (*compendio*) synthèse *f*; (*suma*) somme *f*; **sintético, a** *a* synthétique; **sintetizar** *vt* synthétiser.
sintió *vb ver* **sentir**.
síntoma *nm* symptôme *m*.
sinvergüenza *nm/f* fripon/ne.
sionismo *nm* sionisme *m*.
siquiera *conj* même si // *ad* au moins; **ni** ~ même pas.
sirena *nf* sirène *f*.
sirte *nf* banc *m* de sable.
sirviente, a *nm/f* domestique *m/f*, serviteur *m*.
sirvo *etc vb ver* **servir**.
sisar *vt* (*cometer hurto*) carotter, chaparder; (*vestido*) échancrer.
sisear *vt, vi* siffler, huer.
sismógrafo *nm* sismographe *m*, séismographe *m*.
sistema *nm* système *m*; **sistemático, a** *a* systématique.
sitiar *vt* assiéger.
sitio *nm* (*lugar*) endroit *m*, lieu *m*; (*espacio*) place *f*; (MIL) siège *m*.
situación *nf* situation *f*; (*estatus*) statut *m*.
situar *vt* situer; (*asignar fondos*) assigner, affecter; ~**se** *vr* se situer, se placer; (*orientarse*) relever sa situation.
slip *nm* slip *m*.
s/n *abr de sin número*.
so *prep*: ~ **pretexto/pena de** sous prétexte/peine de.
SO *abr de* **sudoeste**.

sobaco *nm* aisselle *f*.
sobar *vt* pétrir; (*castigar*) rosser; (*manosear*) peloter, tripoter; (*molestar*) gêner.
soberanía *nf* souveraineté *f*.
soberano, a *a* souverain(e); (*fig*) magistral(e) // *nm/f* souverain/e.
soberbio, a *a* (*altivo*) coléreux (euse); (*fig*) magnifique, superbe // *nf* (*orgullo*) orgueil *m*, superbe *f*; (*fig*) magnificence *f*.
sobornar *vt* suborner, soudoyer; **soborno** *nm* subornation *f*, corruption *f*.
sobra *nf* (*resto*) reste *m*; (*exceso*) surplus *m*; **~s** *nfpl* résidus *mpl*, déchets *mpl*; **de ~** de trop, en trop; **sobrado, a** *a* (*de sobra*) de trop; (*abundante*) abondant(e) // *ad* largement, de trop; **sobrante** *a* restant, en trop // *nm* reste *m*, restant *m*; **sobrar** *vt* excéder, dépasser // *vi* (*tener de más*) avoir en trop; (*quedar*) rester.
sobre *prep* (*encima*) sur; (*por encima de, arriba de*) au-dessus de; (*más que*) plus que; (*además*) en plus de; (*alrededor de*) environ, à peu près; (*tratando de*) sur // *nm* enveloppe *f*.
sobrecama *nf* dessus-de-lit *m*.
sobrecargar *vt* surcharger.
sobrecejo *nm* (*ceño*) froncement *m* de sourcils; (ARQ) linteau *m*.
sobrecoger *vt* (*de miedo, de frío*) saisir; (*tomar por sorpresa*) surprendre.
sobreexcitar *vt* surexciter.
sobrehumano, a *a* surhumain(e).
sobrellevar *vt* supporter; endurer.
sobremanera *ad* à l'excès, excessivement.
sobremesa *nf* (*tapete*) tapis *m* de table; (*charla*) dessert *m*.
sobrenatural *a* surnaturel(le).
sobrentender *vt* sous-entendre.
sobreponer *vt* (*poner encima*) superposer; (*añadir*) rajouter; **~se** *vr*: **~se a** surmonter, l'emporter sur.
sobreprecio *nm* augmentation *f*.
sobreproducción *nf* surproduction *f*.
sobrepujar *vt* (*sobrepasar*) surpasser; (*dejar atrás*) dépasser.
sobresaliente *a* qui dépasse, en saillie.
sobresalir *vi* (*exceder*) dépasser; (*resaltar*) ressortir.
sobresaltar *vt* (*asustar*) effrayer; (*sobrecoger*) faire sursauter // *vi* se détacher; **sobresalto** *nm* (*movimiento*) sursaut *m*; (*susto*) soubresaut *m*; (*turbación*) émotion *f*, trouble *m*.
sobrescrito *nm* adresse *f*.
sobretodo *nm* pardessus *m*.
sobrevalorar *vt* surévaluer.
sobrevenir *vi* survenir.
sobreviviente *a* survivant(e) // *nm/f* survivant/e.
sobriedad *nf* frugalité *f*.
sobrino, a *nm/f* neveu/nièce.
sobrio, a *a* (*frugal*) frugal(e); (*moderado*) modéré(e); (*severo*) sévère.
socaire *nm* côté *m* sous le vent; **al ~ de** à l'abri de.
socaliña *nf* astuce *f*, ruse *f*.
socarrón, ona *a* narquois(e); sournois(e).
socavar *vt* creuser; **socavón** *nm* galerie *f*; excavation *f*.
sociable *a* sociable.
social *a* social(e).
socialdemócrata *a* social-démocrate.
socialista *a* socialiste // *nm/f* socialiste *m/f*.
socializar *vt* socialiser.
sociedad *nf* (*gen*) société *f*; (COM) compagnie *f*; **~ anónima (SA)** société anonyme (SA).
socio, a *nm/f* (*miembro*) sociétaire *m/f*, membre *m*; (COM) associé/e.
sociología *nf* sociologie *f*.
socorrer *vt* secourir; **socorro** *nm* (*ayuda*) secours *m*; (MIL) renfort *m*, secours.
soda *nf* (*sosa*) soude *f*; (*bebida*) soda *m*.
soez *a* grossier(ière).

sofá *nm* (*pl* ~**s**) sofa *m*, canapé *m*; **sofá-cama** *nm* canapé-lit *m*.
sofisticación *nf* sophistication *f*.
soflamar *vt* duper.
sofocar *vt* suffoquer; (*apagar*) étouffer; ~**se** *vr* étouffer; (*fig*) rougir; **sofoco** *nm* étouffement *m*, suffocation *f*; (*fig*) gros ennui.
sofrenar *vt* saccader.
soga *nf* corde *f*.
sois *vb ver* **ser**.
sojuzgar *vt* subjuguer, dominer.
sol *nm* soleil *m*.
solamente *ad* seulement.
solana *nf* endroit ensoleillé.
solapa *nf* (*de chaqueta*) revers *m*; (*de libro*) rabat *m*; (*fig*) prétexte *m*; **solapado, a** *a* sournois(e), dissimulé(e); malicieux(euse).
solar *a* solaire // *nm* terrain *m* vague.
solariega *a*: **casa** ~ manoir *m*, gentilhommière *f*; résidence *f* secondaire.
solaz *nm* distraction *f*, loisir *m*; (*alivio*) consolation *f*, soulagement *m*; **solazar** *vt* (*divertir*) récréer, distraire; (*aliviar*) soulager.
soldada *nf* salaire *m*.
soldado *nm* soldat *m*.
soldador *nm* fer *m* à souder.
soldadura *nf* soudure *f*, soudage *m*; (*fig*) remède *m*.
soldar *vt* souder.
soledad *nf* solitude *f*; (*nostalgia*) regret *m*, nostalgie *f*.
solemne *a* majestueux(euse), solennel(le); **solemnidad** *nf* solennité *f*; **solemnizar** *vt* célébrer.
soler *vi* avoir l'habitude de.
solevantar *vt* soulever.
solfa *nf*, **solfeo** *nm* solfège *m*.
solicitación *nf* sollicitation *f*; appel *m*; **solicitar** *vt* solliciter; demander.
solícito, a *a* (*diligente*) empressé(e); (*cuidadoso*) attentionné(e), plein(e) d'attentions; **solicitud** *nf* sollicitude *f*, empressement *m*; demande *f*, requête *f*.
solidaridad *nf* solidarité *f*.
solidario, a *a* solidaire; **solidarizarse** *vr*: **solidarizarse con** se solidariser avec.
solidez *nf* solidité *f*, cohésion *f*; dureté *f*; stabilité *f*.
sólido, a *a* (*compacto*) consistant(e); (*firme*) ferme; (*resistente*) résistant(e), solide.
soliloquio *nm* soliloque *m*, monologue *m*.
solista *nm/f* soliste *m/f*.
solitario, a *a* solitaire // *nm/f* solitaire *m/f* // *nm* solitaire *m*.
soliviantar *vt* exciter à la rébellion; irriter, monter contre; provoquer de faux espoirs pour.
soliviar *vt* soulever; ~**se** *vr* se dresser.
solo, a *a* seul(e); **a solas** seul, tout(e) seul(e).
sólo *ad* seulement.
solomillo *nm* aloyau *m*.
soltar *vt* (*dejar*) lâcher; (*desprender*) défaire, détacher; (*desarticular*) désarticuler; (*largar*) larguer.
soltero, a *a* célibataire // *nm/f* célibataire *m/f*; **solterón, ona** *nm/f* vieux garçon/vieille fille.
soltura *nf* action *f* de lâcher; (*gracia*) aisance *f*, facilité *f*; (*desenvoltura*) désinvolture *f*; (MED) relâchement *m*.
soluble *a* soluble.
solución *nf* solution *f*; (*arreglo*) dénouement *m*; **solucionar** *vt* résoudre, solutionner.
solvencia *nf* solvabilité *f*.
solventar *vt* (*pagar*) acquitter, payer; (*resolver*) résoudre.
sollamar *vt* flamber, griller.
sollo *nm* esturgeon *m*.
sollozo *nm* sanglot *m*.
sombra *nf* ombre *f*; (*fig*) signe *m*; ~**s** *nfpl* obscurité *f*; **tener buena/mala** ~ être sympathique/antipathique; porter bonheur/malheur.
sombreador *nm*: ~ **de ojos** nuance *f* des yeux.
sombrerería *nf* chapellerie *f*; (*negocio*) magasin *m* de chapeaux.

sombrerero, a *nm/f* chapelier/ière.
sombrero *nm* chapeau *m*.
sombrilla *nf* ombrelle *f*.
sombrío, a *a (oscuro)* obscur(e), sombre; (*sombreado*) ombragé(e); (*fig*) sombre, morne.
somero, a *a* sommaire.
someter *vt* soumettre; **~se** *vr* céder.
somnambulismo *nm* somnambulisme *m*; **somnámbulo, a** *nm/f* somnambule *m/f*.
somnífero, a *a* somnifère // *nm* somnifère *m*.
somnolencia *nf* somnolence *f*.
somos *vb ver* **ser**.
son *vb ver* **ser** // *nm* son *m*.
sonado, a *a* (*famoso*) fameux (euse); (*escandaloso*) qui fait du bruit, scandaleux(euse).
sonaja *nf* hochet *f*; **~s** *nfpl* tambourin *m*.
sonante *a* (*sonoro*) sonore; (*que tintinea*) sonnant(e).
sonar *vt* sonner // *vi* sonner; tinter; (*pronunciarse*) se prononcer; (*ser conocido*) être familier(ière) *ou* connu(e); **~se** *vr* se moucher.
sonda *nf* sonde *f*; **sondaje** *nm* sondage *m*; **sondear** *vt* sonder; **sondeo** *nm* (*gen*) sondage *m*; (TEC) forage *m*; (*fig*) investigation *f*.
sónico, a *a* sonique.
sonido *nm* son *m*, bruit *m*, rumeur *f*.
sonoro, a *a* sonore.
sonreír *vi*, **~se** *vr* sourire; **sonriente** *a* souriant(e); **sonrisa** *nf* sourire *m*.
sonrojar *vt* faire rougir; **~se** *vr* rougir.
sonrojo *nm* honte *f*.
sonsacar *vt* (*sacar*) soutirer; (*engatusar*) enjôler; (*hacer hablar*) tirer les vers du nez.
sonsonete *nm* (*son monótono*) tambourinage *m*, tambourinement *m*; (*rezongo*) ton ironique *ou* railleur.
soñado, a *a* rêvé(e).
soñador, a *nm/f* rêveur/euse.
soñar *vt*, *vi* rêver, songer; **~ con** rêver de.
soñoliento, a *a* endormi(e).
sopa *nf* soupe *f*, potage *m*; (*pan mojado*) trempette *f*, morceau *m* de pain; **sopera** *nf* soupière *f*; **sopero** *nm* assiette creuse.
sopesar *vt* soupeser.
sopetón *nm* taloche *f*.
soplador *nm* souffleur *m*; (*ventilador*) soufflet *m*.
soplar *vt* souffler // *vi* souffler; (*fam*) moucharder; **~se** *vr* (*fam: ufanarse*) rouler des mécaniques; **soplo** *nm* souffle *m*; (*fig*) mouchardage *m*, cafardage *m*; **soplo al corazón** souffle au cœur; **soplón, ona** *nm/f* mouchard/e.
sopor *nm* (MED) sopor *m*; (*fig*) assoupissement *m*, somnolence *f*; **soporífero, a** *a* soporifique // *nm* soporifique *m*, somnifère *m*.
soportable *a* supportable.
soportar *vt* supporter.
soporte *nm* support *m*.
soprano *nf* soprano *f*.
sorber *vt* (*chupar*) gober; (*inhalar*) inhaler; (*tragar*) avaler, engloutir; (*beber*) boire.
sorbete *nm* sorbet *m*.
sorbo *nm* (*trago*) trait *m*; (*chupada*) gorgée *f*.
sordera *nf* surdité *f*.
sórdido, a *a* sordide; (*fig*) mesquin(e).
sordina *nf* sourdine *f*.
sordo, a *a* sourd(e) // *nm/f* sourd/e; **a sordas** en sourdine; **sordomudo, a** *a* sourd(e)-muet(te).
sorna *nf* goguenardise *f*.
sorprendente *a* surprenant(e), étonnant(e).
sorprender *vt* (*asombrar*) surprendre, étonner; (*asustar*, MIL) surprendre; **sorpresa** *nf* surprise *f*.
sortear *vt* (*número*) tirer au sort; (*dificultad*) éviter, esquiver.
sorteo *nm* (*lotería, tómbola*) tirage *m* au sort; (*certamen*) tirage.
sortija *nf* (*anillo*) bague *f*, (*bucle de pelo*) bouche *f*.

sortilegio *nm* sortilège *m*.
sosegado, a *a* calme, paisible.
sosegar *vt* calmer, apaiser; tranquilliser // *vi* reposer; **sosiego** *nm* calme *m*.
soslayar *vt* mettre en travers; (*fig*) éviter, esquiver; **soslayo: al** *o* **de soslayo** *ad* de côté, en travers, de travers.
soso, a *a* fade.
sospecha *nf* (*duda*) soupçon *m*, doute *m*; (*suposición*) supposition *f*; (*recelo*) suspicion *f*; **sospechar** *vt* (*dudar*) soupçonner; (*suponer*) supposer; (*recelar*) suspecter, avoir des doutes sur; **sospechoso, a** *a* suspect(e) // *nm/f* suspect/e.
sostén *nm* (*apoyo*) soutien *m*, appui *m*; (*prenda femenina*) bustier *m*, soutien-gorge *m*; (*alimentación*) nourriture *f*, en-cas *m inv*.
sostener *vt* (*fig*: *apoyar*) soutenir, appuyer; (: *soportar*) soutenir; (*alimentar*) nourrir; (*alentar*) entretenir; **~se** *vr* se soutenir; (*abastecerse*) s'approvisionner; (*seguir*) continuer, suivre; **sostenido, a** *a* (*mantenido*) soutenu(e); (*prolongado*) prolongé(e); **valores sostenidos** valeurs soutenues.
sotana *nf* soutane *f*.
sótano *nm* sous-sol *m*.
sotavento *nm* côté *m* sous le vent; **a** *o* **de ~** sous le vent.
soterrar *vt* enfouir.
soto *nm* (*bosque*) bois *m*; (*matorral*) buisson *m*.
soviético, a *a* soviétique.
soy *vb ver* **ser**.
sport *nm*: **vestido de ~** vêtement *m* de sport.
Sr *abr de* **Señor**.
Sra(s) *abr de* **Señora(s)**.
Sres *abr de* **Señores**.
S.R.C. (*abr de se ruega contestación*) RSVP.
Sría *abr de* **secretaría**.
s.s.s. *abr ver* **servidor**.
Sta *abr de* **Santa**.
Sta(s) *abr de* **Señorita(s)**.
status *nm inv* statut *m*.
Sto *abr de* **Santo**.
su *pron* (*m*) son, (*f*) sa, (*pl*) ses; (*de usted*) votre, (*pl*) vos.
suave *a* (*delicado*) doux(douce), suave; (*agradable*) agréable; (*liso*) lisse; **suavidad** *nf* douceur *f*, suavité *f*; délicatesse *f*; **suavizar** *vt* adoucir; apaiser, calmer; **suavizarse** *vr* s'adoucir; se calmer.
subalterno, a *a* inférieur(e); subalterne // *nm* subalterne *m*.
subarrendar *vt* sous-louer, sous-bailler.
subasta *nf* vente *f* aux enchères, adjudication *f*; **subastar** *vt* mettre *ou* vendre aux enchères.
subconsciencia *nf* subconscience *f*; **subconsciente** *a* subconscient(e).
subcutáneo, a *a* sous-cutané(e).
subdesarrollado, a *a* sous-développé(e).
súbdito, a *nm/f* sujet/te.
subdividir *vt* (*desdoblar*) dédoubler; (*partir*) subdiviser.
subestimar *vt* sous-estimer.
subexpuesto, a *a* sous-exposé(e).
subido, a *a* (*color*) vif(vive); (*precio*) élevé(e) // *nf* montée *f*; (*de cuesta*) côte *f*, montée.
subir *vt* monter; (*levantar*) lever, relever; (*aumentar*) augmenter // *vi* monter; (*aumentarse*) se monter, s'élever; **~se** *vr* monter; **~ por la escalera** monter par l'escalier.
súbito, a *a* (*imprevisto*) subit(e), soudain(e); (*precipitado*) violent(e), impétueux(euse) // *ad*: **(de) ~** soudain.
sublevación *nf* soulèvement *m*.
sublevar *vt* soulever.
sublimar *vt* sublimer.
sublime *a* sublime.
submarino, a *a* sous-marin(e) // *nm* sous-marin *m*.
suboficial *nm* sous-officier *m*.
subordinar *vt* subordonner, soumettre.
subrayar *vt* souligner.
subrepticio, a *a* subreptice.

subsanar *vt* réparer; excuser; corriger.
subscribir *vt* (*firmar*) souscrire; (*respaldar*) approuver; **~se** *vr* (*a una publicación*) s'abonner; (*obligarse*) souscrire; **subscripción** *nf* souscription *f*.
subsidiario, a *a* subsidiaire.
subsidio *nm* (*ayuda*) subside *m*; (*subvención*) subvention *f*; (*de enfermedad, huelga, paro etc*) indemnité *f*, allocation *f*.
subsistencia *nf* subsistance *f*.
subsistir *vi* subsister.
subterfugio *nm* subterfuge *m*.
subterráneo, a *a* souterrain(e) // *nm* sous-sol *m*, cave *f*, tunnel *m*.
suburbano, a *a* suburbain(e).
suburbio *nm* (*barrio*) faubourg *m*; (*afueras*) environs *mpl*, alentours *mpl*, périphérie *f*.
subvención *nf* subvention *f*; **subvencionar** *vt* subventionner.
subversión *nf* subversion *f*; **subversivo, a** *a* subversif(ive); **subvertir** *vi* saper, miner.
subyacente *a* sous-jacent(e), subjacent(e).
subyugar *vt* subjuguer.
suceder *vt, vi* succéder; **sucesión** *nf* succession *f*.
sucesivamente *ad*: **y así ~** et aussi de suite.
sucesivo, a *a* successif(ive); **en lo ~** à l'avenir, désormais.
suceso *nm* événement *m*; (*hecho*) fait *m*; (*incidente*) incident *m*.
suciedad *nf* saleté *f*; immondice *f*, impureté *f*; grossièreté *f*.
sucinto, a *a* succinct(e).
sucio, a *a* sale; (*sórdido*) sordide // *ad* malhonnêtement.
suculento, a *a* succulent(e); nutritif(ive).
sucumbir *vi* succomber.
sucursal *nf* succursale *f*.
sudamericano, a *a* sud-américain(e).
sudar *vt* (*transpirar*) transpirer, suer; (*mojar*) suer // *vi* transpirer.
sudario *nm* suaire *m*; linceul *m*.
sudeste *nm* sud-est *m*; **sudoeste** *nm* sud-ouest *m*.
sudor *nm* transpiration *f*, sueur *f*; **~es** *nmpl* efforts *mpl*; **~oso, a, sudoso, a, ~iento, a** *a* qui sue beaucoup, en sueur.
Suecia *nf* Suède *f*.
sueco, a *a* suédois(e).
suegro, a *nm/f* beau-père/belle-mère.
suela *nf* semelle *f*.
sueldo *nm* salaire *m*.
suele *etc vb ver* **soler**.
suelo *vb ver* **soler** // *nm* (*tierra*) sol *m*; (*de casa*) sol, plancher *m*.
suelto, a *a* (*libre*) libre, en liberté; (*ágil*) souple; (*cómodo*) commode, ample // *nm* monnaie *f*.
sueño *vb ver* **soñar** // *nm* sommeil *m*; (*somnolencia*) somnolence *f*; (*lo soñado, fig*) rêve *m*, songe *m*.
suero *nm* (MED) sérum *m*; (*de manteca*) petit-lait *m*.
suerte *nf* (*destino*) sort *m*, destin *m*; (*azar*) hasard *m*; (*fortuna*) chance *f*; (*condición*) sort; (*género*) sorte *f*, genre *m*; **de otra ~** autrement; **de ~ que** en sorte que.
suéter *nm* sweater *m*, chandail *m*.
suficiencia *nf* capacité *f*, aptitude *f*; suffisant *m*; **suficiente** *a* suffisant(e); (*capaz*) capable.
sufragar *vt* aider; payer, supporter; financer.
sufragio *nm* (*voto*) suffrage *m*; (*derecho de voto*) suffrage, droit *m* de vote; (*ayuda*) aide *f*.
sufrido, a *a* (*paciente*) patient(e), endurant(e); (*resignado*) résigné(e).
sufrimiento *nm* (*dolor*) souffrance *f*, douleur *f*; (*resignación*) résignation *f*, patience *f*.
sufrir *vt* (*padecer*) souffrir de; (*soportar*) subir, supporter; (*apoyar*) supporter // *vi* souffrir.
sugerencia *nf* suggestion *f*.
sugerir *vt* (*insinuar*) suggérer; (*motivar*) motiver.
sugestión *nf* suggestion *f*; impression *f*; **sugestionar** *vt*

suggestionner, impressionner; dominer, suggestionner.
sugestivo, a *a* stimulant(e); suggestif(ive).
suicida *nm/f* suicidé/e.
suicidio *nm* suicide *m*.
Suiza *nf* Suisse *f*.
suizo, a *a* suisse, de la Suisse // *nm/f* Suisse/sse.
sujeción *nf* assujettissement *m*; obligation *f*.
sujetar *vt* (*fijar*) fixer; (*detener*) tenir, retenir; (*fig*) assujettir, soumettre; **~se** *vr* s'assujettir, s'astreindre; (*asirse*) s'accrocher.
sujeto, a *a* (*propenso*) sujet(te); (*sin libertad*) soumis(e) // *nm* sujet *m*; ~ **a** exposé à, soumis à.
suma *nf* somme *f*; **en ~** en somme, somme toute; **sumadora** *nf* additionneuse *f*.
sumamente *ad* extrêmement, au plus haut point.
sumar *vt* (*adicionar*) additionner; (*añadir*) ajouter; (*totalizar*) totaliser, réunir; (*abreviar*) abréger, résumer // *vi*, **~se** *vr* se joindre.
sumario, a *a* sommaire // *nm* instruction *f* judiciaire.
sumergible *a* submersible, sous-marin(e).
sumergir *vt* submerger; **~se** *vr* plonger; **sumersión** *nf* submersion *f*; (*fig*) absorption *f*.
sumidero *nm* (*cloaca*) bouche d'égout *f*; (TEC) puisard *m*.
suministrador, a *nm/f* fournisseur *m*.
suministrar *vt* (*proveer*) fournir; (*abastecer*) approvisionner, fournir; **suministro** *nm* fourniture *f*; approvisionnement *m*; vivres *mpl*; distribution *f*.
sumir *vt* (*hundir*) enfoncer; (*sumergir*) submerger; **~se** *vr* s'enfoncer; (*enflaquecerse*) se creuser.
sumisión *nf* soumission *f*.
sumiso, a *a* soumis(e).
sumo, a *a* énorme, suprême; extrême, suprême.
suntuoso, a *a* somptueux(euse).
supe *etc vb ver* **saber**.
supeditar *vt* (*sujetar*) opprimer, assujettir; (*fig*) subordonner.
super *nm* super *m* // *a* super.
superabundar *vi* surabonder.
superar *vt* surpasser; (*sobreponerse a*) surmonter, l'emporter sur; **~se** *vr* se dépasser, se surpasser.
superávit *nm* excédent *m*.
supercarburante *nm* supercarburant *m*.
superchería *nf* supercherie *f*.
superestructura *nf* superstructure *f*.
superficial *a* superficiel(le).
superficie *nf* surface *f*.
superfluo, a *a* superflu(e).
superintendente *nm/f* surintendant/e.
superior *a* supérieur(e) // *nm/f* supérieur/e; **superioridad** *nf* supériorité *f*.
supermercado *nm* supermarché *m*.
supernumerario, a *a* surnuméraire.
superponer *vt* superposer.
supersónico, a *a* supersonique.
superstición *nf* superstition *f*; **supersticioso, a** *a* supersticieux(euse).
supervisor, a *nm/f* réviseur/euse; inspecteur/trice.
supervivencia *nf* survie *f*.
supiera *etc vb ver* **saber**.
suplantar *vt* supplanter; falsifier.
suplefaltas *nm/f inv* tête de Turc *f*; prête-nom *m*; suppléant *m*.
suplementario, a *a* supplémentaire.
suplemento *nm* supplément *m*; annexe *m*.
suplente *a* suppléant(e) // *nm/f* remplaçant/e.
súplica *nf* supplication *f*.
suplicante *nm/f* suppliant/e.
suplicar *vt* (*rogar*) supplier; (*demandar*) prier, solliciter.
suplicio *nm* supplice *m*.
suplir *vt* (*compensar*) suppléer;

(*reemplazar*) suppléer, remplacer // *vi*: ~ **a** *o* **por** suppléer à.
suponer *vt* supposer // *vi* avoir de l'autorité; **suposición** *nf* supposition *f*; hypothèse *f*.
supremacía *nf* suprématie *f*.
supremo, a *a* suprême.
supresión *nf* suppression *f*.
supresor *nm* dispositif *m* antiparasite.
suprimir *vt* supprimer.
supuesto, a *a* (*hipotético*) supposé(e); (*fingido*) imaginaire // *nm* hypothèse *f*, supposition *f*; ~ **que** *conj* vu que, étant donné que; **por** ~ naturellement, évidemment.
sur *nm* sud *m*.
surcar *vt* (*la tierra*) sillonner, tracer un sillon dans; (*agua*) fendre; (*frente*) sillonner; **surco** *nm* (AGR) sillon *m*; (*arruga*) ride *f*.
surgir *vi* surgir; apparaître, faire son apparition.
surtido, a *a* assorti(e); approvisionné(e) // *nm* assortiment *m*.
surtidor, a *a* qui fournit, fournisseur(euse) // *nm* jet *m*, pompe *f*.
surtir *vt* fournir, pourvoir // *vi* jaillir; ~**se** *vr* s'approvisionner, se pourvoir.
susceptible *a* susceptible; capable.
suscitar *vt* susciter.
suscribir *etc vt* = **subscribir** *etc*.
susodicho, a *a* susdit(e), susnommé(e).
suspender *vt* suspendre; **suspensión** *nf* suspension *f*.
suspenso, a *a* suspendu(e) // *nm*: **quedar** *o* **estar en** ~ rester *ou* être en suspens.
suspicacia *nf* méfiance *f*, défiance *f*.
suspicaz *a* méfiant(e).
suspirado, a *a* désiré(e) ardemment.
suspirar *vi* (*quejarse*) soupirer; (*anhelar*) soupirer, désirer.
suspiro *nm* soupir *m*; (BOT) pensée *f*.
sustancia *nf* substance *f*.
sustanciar *vt* abréger.
sustentar *vt* (*alimentar*) nourrir, sustenter; (*apoyar, afirmar, fig*) soutenir; **sustento** *nm* nourriture *f*; subsistance *f*; soutien *m*.
sustituir *vt* (*reemplazar*) remplacer; (*relevar*) substituer, remplacer; **sustituto, a** *nm/f* (*reemplazado*) substitut *m*, remplaçante/e; (*ayudante*) suppléant/e.
susto *nm* peur *f*.
sustraer *vt* soustraire; subtiliser; ~**se** *vr* se soustraire; se distraire, se détourner.
susurrar *vi* chuchoter, susurrer; (*rumorear*) murmurer, chuchoter; **susurro** *nm* murmure *m*.
sutil *a* (*agudo, fino*) subtil(e), mince; (*delicado*) subtil; (*tenue*) ténu(e); **sutileza** *nf* subtilité *f*.
suyo, a *a* (*de él, de ella*) à lui, à elle, un de ses; (*de ellos, ellas*) à eux, à elles, un des leurs; (*de Ud, de Uds*) à vous, un de vos; (*en las cartas*) bien à vous // *pron*: **el** ~ le sien; **la suya** la sienne.
svástica *nf* svastika *f*.

T

t *abr de* **tonelada.**
taba *nf* (ANAT) astragale *m*; (*juego*) osselets *mpl*.
tabaco *nm* tabac *m*.
taberna *nf* bar *m*, bistrot *m*, café *m*; **tabernero, a** *nm/f* (*encargado*) patron/ne de café; (*camarero*) garçon *m* (de café).
tabique *nm* cloison *f*.
tabla *nf* planche *f*; (ARTE) peinture *f* sur bois, panneau *m* de bois peint; (*estante*) tablette *f*, étagère *f*; (*de anuncios*) panneau d'affichage; (*lista, catálogo*) table *f*, tableau *m*;

(*mostrador*) étal *m*; (*de vestido*) pli plat; **hacer ~s** égaliser; **tablado** *nm* plancher *m*; scène *f*.
tablero *nm* planche *f*; (*pizarra*) tableau noir; (*de ajedrez, damas*) échiquier *m*; (AUTO) tableau de bord.
tablilla *nf* planchette *f*; (MED) éclisse *f*.
tablón *nm* grosse planche *f*; panneau *m*, tableau *m* d'affichage; plongeoir *m*.
tabú *nm* tabou *m*.
tabular *vt* disposer en tables, dresser une liste de // *a* tabulaire.
taburete *nm* tabouret *m*.
tacaño, a *a* (*avaro*) ladre, avare, pingre; (*astuto*) astucieux(euse), rusé(e).
tácito, a *a* tacite.
taciturno, a *a* taciturne; triste.
taco *nm* (*tarugo*) cheville *f*, tampon *m*, taquet *m*; (BILLAR) queue *f* de billard; (*libro de billetes*) carnet *m* de tickets; (*manojo de billetes*) liasse *f* de billets; (AM) talon *m*; (*fam: bocado*) morceau *m*, carré *m*; (*: trago de vino*) coup *m* de vin.
tacón *nm* talon *m*.
táctico, a *a* tactique // *nm* tacticien *m* // *nf* tactique *f*.
tacto *nm* tact *m*; (*acción*) toucher *m*.
tacha *nf* tache *f*, défaut *m*; **poner ~ a** blâmer.
tachar *vt* rayer, biffer, barrer; corriger; critiquer; **~ de** reprocher, accuser.
tachonar *vt* clouter; galonner, enrubanner.
tafetán *nm* taffetas *m*; **tafetanes** *nmpl* drapeaux *mpl*; **~ adhesivo o inglés** pansement *m*.
tafilete *nm* maroquin *m*.
tahona *nf* boulangerie *f*; moulin *m*.
tahur *nm* joueur invétéré; tricheur *m*.
taimado, a *a* rusé(e), sournois(e); de mauvaise humeur.
taja *nf* (*corte*) entaille *f*, coupure *f*; (*repartición*) tranche *f*; **tajada** *nf* tranche *f*; **tajadura** *nf* coupure *f*; entaille *f*.
tajante *a* tranchant(e); (*fig*) catégorique.
tajar *vt* trancher, couper.
tajo *nm* (*corte*) coupure *f*; (*filo*) estafilade *f*; (GEO) brèche *f*, ravin taillé à pic.
tal *a* tel(le); **~ vez** peut-être // *pron* (*persona*) quelqu'un/e; (*cosa*) ceci, cela; **una ~** (*fam*) une prostituée; **~ como** tel(le) que; **es su padre y como ~ ...** c'est son père et en tant que tel ...; **~ para cual** l'un vaut l'autre // *ad*: **~ como** (*igual*) tel que; **~ cual** (*como es*) tel que; **~ el padre, cual el hijo** tel père, tel fils; **¿qué ~?** comment ça va?, comment vas-tu?, comment allez-vous?; **¿qué ~ te gusta?** cela te plaît-il?, qu'en penses-tu? // *conj*: **con ~ de que** à condition que.
tala *nf* coupe *f*, taille *f*; (*fig*) dévastation *f*.
talabartero *nm* bourrelier *m*, sellier *m*.
taladrar *vt* percer.
taladro *nm* foret *m*, tarière *f*; trou percé avec le foret; **~ neumático** perçeuse *f*.
talante *nm* (*humor*) humeur *f*; (*voluntad*) gré *m*.
talar *vt* couper, abattre; tailler, émonder; (*fig*) détruire.
talco *nm* talc *m*.
talego *nm*, **talega** *nf* sac *m*.
talento *nm* talent *m*; (*capacidad*) capacité *f*; (*don*) don *m*.
talidomida *nm* thalidomide *f*.
talismán *nm* talisman *m*.
talmente *ad* de telle manière, tellement, si; à un tel degré; exactement.
talón *nm* talon *m*.
talonario *nm* registre *m* à souche; **~ de cheques** carnet *m* de chèques, chéquier *m*.
talud *nm* talus *m*.
talla *nf* (*estatura, fig,* MED) taille *f*; (*palo*) toise *f*; (ARTE) sculpture *f*.

tallado, a *a* taillé(e) // *nm* sculpture *f*.
tallar *vt* tailler; graver; (*medir*) toiser; (*repartir*) évaluer, apprécier // *vi* tailler.
tallarín *nm* nouille *f*.
talle *nm* (ANAT) taille *f*; (*medida*) mesure *f*, taille *f*; (*física*) silhouette *f*; (*fig*) forme *f*.
taller *nm* atelier *m*.
tallo *nm* (*de planta*) tige *f*; (*de hierba*) thalle *m*, brin *m*; (*brote*) pousse *f*, rejeton *m*; (*col*) chou *m*; (CULIN) fruit confit.
tamaño *a* si gros(se), si grand(e) // *nm* taille *f*, grandeur *f*; **de ~ natural** grandeur nature.
tamarindo *nm* (*árbol*) tamarinier *m*; (*fruta*) tamarin *m*.
tambalearse *vr* être branlant, chanceler.
también *ad* (*igualmente*) aussi; (*además*) en plus, de plus.
tambor *nm* tambour *m*.
tamiz *nm* tamis *m*; **tamizar** *vt* tamiser.
tamo *nm* duvet *m*, mouton *m*.
tampoco *ad* non plus; **yo ~ lo compré** je ne l'ai pas acheté non plus.
tampón *nm* tampon *m*.
tan *ad* si, tellement; **~ es así que** tant il est vrai que.
tanda *nf* équipe *f*; couche *f*; série *f*, volée *f* (de coups); partie *f*; tour *m*.
tangente *nf* tangente *f*.
Tánger *n* Tanger.
tangible *a* tangible.
tango *nm* tango *m*.
tanque *nm* (*depósito*) réservoir *m*; (MIL) char d'assaut *m*, tank *m*; (AUTO) camion-citerne *m*; (NAUT) tanker *m*.
tantear *vt* (*calcular*) compter, calculer; (*medir*) mesurer; (*probar*) tâter, sonder, reconnaître; (*tomar la medida*: *persona*) tâter, sonder; (*considerar*) étudier, examiner // *vi* compter les points au jeu; **tanteo** *nm* calcul approximatif; tâtonnement *m*; sondage *m*; examen *m*, réflexion *f*; essai *m*; **al tanteo** à vue d'œil.
tanto, a *a* (*cantidad*) tant de; **a las 9 y ~s** à 9 heures et quelques// *ad* (*cantidad*) tant, autant; (*tiempo*) si longtemps; **~ tú como yo** aussi bien toi que moi; **~ como eso** autant que cela; **~ más ... cuanto que** d'autant plus ... que; **~ mejor/peor** tant mieux/ pis; **~ si viene como si va** ça m'est égal; **~ es así que** tant et si bien que; **por** *o* **por lo ~** par conséquent; **me he vuelto ronco de** *o* **con ~ hablar** je me suis enroué à force de tant parler // *conj*: **con ~ que** tellement que; **en ~ que** tant que; **hasta ~ (que)** jusqu'à ce que // *nm* (*suma*) somme *f*; (*proporción*) part *f*, pourcentage *m*; (*punto, gol*) but *m*; **al ~** au courant; **un ~ perezoso** un peu paresseux; **al ~ de que** sous prétexte de // *pron*: **cado uno paga ~** chacun paie tant; **a ~s de agosto** le tant du mois d'août.
tapar *vt* (*cubrir*) fermer; (*envolver*) recouvrir; (*la vista*) boucher; (*persona*) cacher; (*falta*) cacher; (AM) boucher, plomber; **~ se** *vr* se couvrir, se boucher.
taparrabo *nm* pagne *m*; (*bañador*) slip *m*, cache-sexe *m inv*.
tapete *nm* tapis *m*.
tapia *nf* mur *m* en pisé; **tapiar** *vt* élever un mur de clôture autour de.
tapicería *nf* tapisserie *f*; (*para muebles*) tissu *m* d'ameublement; (*tienda*) magasin *m* du tapissier.
tapiz *nm* (*alfombra*) tapis *m*; (*tela tejida*) tapisserie *f*; **tapizar** *vt* (*pared, suelo*) tapisser; (*muebles*) couvrir, recouvrir.
tapón *nm* (*corcho*) bouchon *m*; (TEC) bonde *f*; (MED) tampon *m*; **~ de rosca** *o* **de tuerca** couvercle *m* à vis.
taquígrafo, a *nm/f* sténographe *m/f*.
taquilla *nf* (*donde se compra*) guichet *m*; (*suma recogida*) recette *f*; **taquillero, a** *a* à succès, qui fait recette // *nm/f* guichetier/ière;

employé/e d'un guichet.
taquímetro *nm* tachéomètre *m.*
tara *nf* (*defecto,* COM) tare *f*; (*tarja*) taille *f.*
tarántula *nf* tarentule *f.*
tararear *vi* fredonner.
tardanza *nf* lenteur *f*; retard *m.*
tardar *vi* (*tomar tiempo*) mettre longtemps; être long(ue); (*llegar tarde*) tarder, arriver en retard; (*demorar*) retarder; **¿tarda mucho el tren?** le train met longtemps?; **a más ~** au plus tard; **no tardes en venir** ne tarde pas à venir.
tarde *ad* (*hora*) tard; (*después de tiempo*) tard, trop tard // *nf* après-midi *m ou f inv*; soir *m*; **de ~ en ~** de temps en temps; **¡buenas ~s!** bonjour; bonsoir; **a** *o* **por la ~** l'après-midi.
tardío *a* (*retrasado*) tardif(ive); (*lento*) lent(e).
tardo, a *a* lent(e); tardif(ive).
tarea *nf* tâche *f*, travail *m*; (ESCOL) devoir *m*; **~ de ocasión** travail occasionnel.
tarifa *nf* tarif *m*; **~ completa** plein tarif.
tarima *nf* plate-forme *f*; escabeau *m*, petit banc; estrade *f.*
tarjeta *nf* carte *f*; **~ postal** carte postale.
tarraconense *a* tarragonais(e).
tarro *nm* pot *m*; bidon *m*, boîte *f* de ferblanc.
tarta *nf* (*pastel*) tarte *f*; (*torta*) galette *f.*
tartamudear *vi* bégayer; **tartamudo, a** *a* bègue // *nm/f* bègue *m/f.*
tartana *nf* (*barco*) tartane *f*; (*carro*) carriole *f.*
tartárico, a *a*: **ácido ~** acide tartrique.
tártaro *nm* tartre *m* // *a* tartare.
tasa *nf* taxe *f*; (*valoración*) évaluation *f*, taxation *f*; (*medida, norma*) mesure *f*, règle *f*; **~ de interés** taux *m* d'intérêt; **tasación** *nf* taxation *f*; évaluation *f.*
tasador *nm* commissaire-priseur.
tasajo *nm* viande séchée *ou* boucanée; morceau *m* de viande.
tasar *vt* taxer; (*valorar*) évaluer, estimer; (*limitar*) limiter, restreindre, rationner.
tasca *nf* bistrot *m.*
tatarabuelo *nm* trisaïeul *m*, arrière- arrière-grand-père *m.*
tatuaje *nm* tatouage *m.*
tatuar *vt* tatouer.
taumaturgo *nm* thaumaturge *m.*
taurino, a *a* taurin(e).
Tauro *nm* le Taureau; **ser (de) ~** être (du) Taureau.
tauromaquia *nf* tauromachie *f.*
tautología *nf* tautologie *f.*
taxi *nm* taxi *m.*
taxidermia *nf* taxidermie *f.*
taxista *nm/f* chauffeur *m* de taxi.
taza *nf* tasse *f*; (*de retrete*) cuvette *f*; **~ para café** tasse à café; **tazón** *nm* bol *m*; pot *m.*
te *pron* (*complemento de objeto*) te, t'; (*complemento indirecto*) toi; (*reflexivo*) te, t'; **¿~ duele mucho el brazo?** tu as très mal au bras?; **~ equivocas** tu te trompes; **¡calma~!** calme-toi!
té *nm* thé *m* // *nf* té *m.*
tea *nf* torche *f.*
teatral *a* théâtral(e).
teatro *nm* théâtre *m.*
tecla *nf* touche *f.*
teclado *nm* clavier *m.*
teclear *vi* frapper, tapoter; (*fam*) chanceler.
tecleo *nm* (MUS) frappe *f*, jeu *m*, doigté *m*; tapotement *m.*
técnico, a *a* technique // *nm* technicien/ne // *nf* (*procedimientos*) technique *f*, méthode *f*; (*arte, oficio*) technique, procédé *m.*
tecnócrata *nm/f* technocrate *m/f.*
tecnología *nf* technologie *f*; **tecnológico, a** *a* technologique; **tecnólogo** *nm* technologue *m/f.*
techado *nm* toit *m*, toiture *f.*
techo *nm* (*externo*) toit *m*, toiture *f*; (*interno*) plafond *m*; **techumbre** *nf* toiture *f.*
tedio *nm* (*aburrimiento*) ennui *m*;

(*apatía*) apathie *f*, dégoût *m*, répugnance *f*; (*fastidio*) nausée *f*, aversion *f*; **tedioso, a** *a* répugnant(e); ennuyeux(euse).
teja *nf* (*azulejo*) tuile *f*; (*BOT*) limettier *m*; **pagar a toca ~** payer comptant.
tejado *nm* toit *m*.
tejanos *nmpl* (blue-)jean *m*.
tejemaneje *nm* adresse *f*; habileté *f*, manigances *fpl*; manipulation *f*; intrigue *f*.
tejer *vt* tisser; (*AM*) tricoter; (*fig*) ourdir; **tejido** *nm* tissu *m*; (*telaraña*) toile d'araignée *f*; (*estofa, tela*) étoffe *f*; (*textura*) tissure *f*.
tel, teléf *abr de* **teléfono**.
tela *nf* (*material*) tissu *m*; (*telaraña*) toile d'araignée *f*; (*de fruta*) membrane *f*; (*en líquido*) peau *f*; (*del ojo*) taie *f*; **telar** *nm* (*máquina*) métier *m* à tisser; (*de teatro*) cintre *m*; **telares** *nmpl* usine *f* textile.
telaraña *nf* toile d'araignée *f*.
tele... *pref* télé...; **~comunicación** *nf* télécommunication *f*; **~control** *nm* télécontrôle *m*; **~diario** *nm* journal télévisé; **~difusión** *nf* télédiffusion *f*; **~dirigido, a** *a* téléguidé(e); **~férico** *nm* téléphérique *m*; **~fonear** *vi* téléphoner; **~fónico, a** *a* téléphonique; **~fonista** *nm/f* standardiste *m/f*; **teléfono** *nm* téléphone *m*; **~foto** *nf* téléphoto *f*; **~grafía** *nf* télégraphie *f*; **telégrafo** *nm* télégraphe *m*; **~grama** *nm* télégramme *m*; **~impresor** *nm* téléimprimeur *m*, téléscripteur *m*; **telémetro** *nm* télémètre *m*; **~objetivo** *nm* téléobjectif *m*; **~pático, a** *a* télépathique; **~scópico, a** *a* télescopique; **~scopio** *nm* télescope *m*; **~silla** *nf* télésiège *m*; **~spectador, a** *nm/f* téléspectateur/trice; **~squí** *nm* téléski *m*; **~tipista** *nm/f* télétypiste *m/f*; **~tipo** *nm* télétype *m*; **~vidente** *nm/f* téléspectateur/trice; **~visar** *vt* téléviser; **~visión** *nf* télévision *f*; **~visión en colores** télévision-couleur; **~visor** *nm* téléviseur *m*.
telex *nm* télex *m*.
telón *nm* rideau *m*; **~ de boca/seguridad** rideau de scène/fer; **~ de acero** (*POL*) rideau de fer; **~ de foro** toile *f* de fond; **telonero, a** *nm/f* artiste *m/f* qui passe en lever de rideau.
tema *nm* (*asunto*) sujet *m*; (*MUS*) thème *m* // *nf* (*obsesión*) marotte *f*, idée *f* fixe; (*manía, hostilidad*) manie *f*, hostilité *f*; **tener ~ a uno** faire la conversation à qn; **temático, a** *a* thématique // *nf* thématique *f*.
tembladera *nf* tremblement *m*; (*AM*) bourbier *m*.
temblar *vi* trembler; **tembleque** *a* tremblotant(e) // *nm* = **tembladera; temblón, ona** *a* trembleur(euse); **temblor** *nm* tremblement *m*; (*AM*) tremblement de terre; **tembloroso, a** *a* tremblant(e).
temer *vt* craindre, avoir peur de // *vi* craindre, avoir peur; **temo que llegue tarde** je crains qu'il n'arrive tard.
temerario, a *a* (*descuidado*) téméraire; (*arbitrario*) arbitraire; **temeridad** *nf* témérité *f*; acte *m* arbitraire.
temeroso, a *a* (*miedoso*) peureux(euse), craintif(ive); (*que inspira temor*) redoutable.
temible *a* redoutable.
temor *nm* (*miedo*) crainte *f*, peur *f*; (*duda*) soupçon *m*, doute *m*.
témpano *nm* (*MUS*) cymbale *f*; **~ de hielo** glaçon *m*; **~ de tocino** flèche *f* de lard.
temperamento *nm* tempérament *m*.
temperar *vt* tempérer, adoucir.
temperatura *nf* température *f*.
temperie *nf* température *f*.
tempestad *nf* tempête *f*; **tempestuoso, a** *a* tempétueux(euse).
templado, a *a* (*moderado*) tempéré(e); (*abstemio*) abstème, sobre; (*agua*) tiède; (*clima*) tempéré, doux(ouce); (*MUS*) accordé(e).

templanza *nf* modération *f*, tempérance *f*; abstention *f*; douceur *f*.
templar *vt* (*moderar*) tempérer, modérer; (*furia*) contrôler, calmer, apaiser; (*clima*) adoucir; (*calor*) tiédir, tempérer; (*diluir*) diluer; (*afinar*) accorder; (*acero*) tremper; (*tuerca*) serrer, ajuster // *vi* s'adoucir; **~se** *vr* se tempérer, se modérer.
templario *nm* templier *m*.
temple *nm* (*humor*) humeur *f*; (*ajuste*) ajustage *m*; (*afinación*) accord *m*; (*clima*) température *f*; (*pintura*) détrempe *f*.
templete *nm* pavillon *m*, kiosque *m*.
templo *nm* (*iglesia*) église *f*; (*pagano etc*) temple *m*.
temporada *nf* saison *f*.
temporal *a* (*no permanente*) temporaire; (REL) temporel(le) // *nm* tempête *f*.
tempranero, a *a* précoce; hâtif(ive).
temprano, a *a* précoce // *ad* tôt, de bonne heure; (*demasiado pronto*) trop tôt.
ten *vb ver* **tener**.
tenacidad *nf* ténacité *f*, résistance *f*, endurance *f*; persévérance *f*; obstination *f*.
tenacillas *nfpl* pincettes *fpl*; pinces *fpl* à épiler; mouchettes *fpl*.
tenaz *a* (*material*) résistant(e); (*persona*) tenace; (*mancha*) persistant(e); (*pegajoso*) collant(e); (*terco*) obstiné(e), têtu(e).
tenaza(s) *nf(pl)* tenailles *fpl*; (MED) pinces *fpl*; (TEC) mors *m*; (ZOOL) pinces.
tendal *nm* bâche *f*, toile *f*.
tendedero *nm* séchoir *m*.
tendencia *nf* orientation *f*; inclination *f*, tendance *f*; (POL) tendance.
tendencioso, a *a* tendencieux (euse).
tender *vt* tendre; (*ropa lavada*) étendre; (*via férrea, cable*) poser; (*cuerda*) laisser filer, dérouler // *vi* tendre, viser; **~se** *vr* s'étendre, s'allonger; (*fig*) se rendre, s'abandonner; **~ la cama** faire le lit; **~ la mesa** mettre la table.
ténder *nm* tender *m*.
tenderete *nm* séchoir *m*; échoppe *f*; éventaire *m*; étalage *m*; désordre *m*.
tendero, a *nm/f* commerçant/e.
tendido, a *a* (*acostado*) allongé(e), étendu(e); (*colgado*) accroché(e), pendu(e) // *nm* (*ropa*) étendage *m*; (TAUR) gradin *m* (exposé au soleil, à l'ombre); (*colocación*) pose *f*; (*parte del tejado*) égout *m*, pente *f*; **a galope ~** au triple galop.
tendón *nm* tendon *m*.
tendré *etc vb ver* **tener**.
tenducho *nm* échoppe *f*, petite boutique.
tenebroso, a *a* ténébreux(euse); difficile; sinistre.
tenedor *nm* (CULIN) fourchette *f*; (*poseedor*) possesseur *m*, détenteur *m*; **~ de libros** comptable *m*.
teneduría *nf* tenue *f*; comptabilité *f*.
tenencia *nf* occupation *f*; possession *f*; lieutenance *f*; charge *f*.
tener *vt* (*poseer*) avoir; (*sostener: en la mano*) tenir; (*contener*) contenir, tenir; (*sentir*) sentir; (*ocuparse de*) s'occuper de; (*considerar*) considérer, juger; **~ suerte** avoir de la chance; **~ permiso** avoir l'autorisation; (*edad*): **~ 10 años** avoir 10 ans; **¿cuántos años tienes?** quel âge as-tu?; **~ sed/hambre/frío/calor** avoir soif/faim/froid/chaud; **~ ganas** avoir envie; **~ celos** être jaloux(ouse); **~ cuidado** faire attention; **~ razón** avoir raison; (*medir*): **~ un metro de ancho/de largo** mesurer un mètre de large/de long; **~ a bien** juger bon; **~ en cuenta** tenir compte de, considérer; **~ a menos** trouver indigne de soi; **~ a uno en más (estima)** tenir qn en estime; **~ a uno por...** prendre qn pour...; ~

por seguro être sûr(e); ~ **presente** se rappeler, ne pas oublier; (*dar a luz*) accoucher; ~ **que** (*obligación*) devoir, falloir; **tiene que ser así** cela doit être ainsi; **nos tiene preparada una sorpresa** il nous a préparé une surprise; **¿qué tiene?** qu'a-t-il?; **¿ésas tenemos?** ah, c'est comme ça!; **tiene un mes de muerto** cela fait un mois qu'il est mort; ~**se** *vr* (*erguirse*) se tenir debout; (*apoyarse*) s'appuyer; (*fig*) se tenir, se contrôler; (*considerarse*) s'estimer, se croire.

tenería *nf* tannerie *f*.

tengo *etc vb ver* **tener**.

tenia *nf* ténia *m*, taenia *m*.

teniente *nm* (*rango*) lieutenant *m*; (*ayudante*) adjoint *m*.

tenis *nm* tennis *m*; **tenista** *nm/f* joueur/euse de tennis.

tenor *nm* (*tono*) ton *m*; (*sentido*) teneur *f*; (*MUS*) ténor *m*; **a ~ de** d'après.

tensar *vt* tendre.

tensión *nf* tension *f*.

tenso, a *a* tendu(e).

tentación *nf* tentation *f*.

tentáculo *nm* tentacule *m*.

tentador, a *a* tentant(e), alléchant(e) // *nm/f* tentateur/trice.

tentar *vt* (*tocar*) tâter; (*seducir*) tenter, séduire; (*atraer*) attirer; (*probar*) tenter; (*lanzarse a*) se lancer à; (*MED*) sonder, tâter; **tentativa** *nf* tentative *f*.

tentempié *nm* (*fam*) collation *f*, en-cas *m inv*.

tenue *a* (*delgado*) mince; (*alambre*) fin(e); (*insustancial*) futile; (*sonido*) faible, ténu(e); (*neblina*) léger(ère); (*lazo, vínculo*) fragile; **tenuidad** *nf* finesse *f*; futilité *f*; légèreté *f*; fragilité *f*; simplicité *f*.

teñir *vt* teindre, teinter, colorer; (*fig*) marquer; ~**se** *vr* se teindre.

teocracia *nf* théocratie *f*.

teología *nf* théologie *f*; **teólogo, a** *nm/f* théologien/ne.

teorema *nm* théorème *m*.

teoría *nf* théorie *f*; **en ~** en théorie; **teóricamente** *ad* théoriquement; **teórico, a** *a* théorique // *nm/f* théoricien/ne; **teorizar** *vi* théoriser.

terapéutico, a *a* thérapeutique // *nf* thérapeutique *f*, thérapie *f*.

terapia *nf* thérapie *f*, thérapeutique *f*; ~ **laboral** thérapie par le travail.

tercer *num ver* **tercero**.

tercería *nf* médiation *f*, entremise *f*; intermédiaire *m*, entremise.

tercero, tercer, a *a* troisième // *nm* (*árbitro*) tiers *m*, tierce personne *f*; (*JUR*) tiers arbitre.

terceto *nm* trio *m*.

terciado, a *a* en bandoulière; **azúcar ~** sucre doux, cassonade *f*.

terciar *vt* diviser en trois; (*poner*) mettre en travers; (*llevar*) porter en bandoulière // *vi* (*participar*) intervenir; (*hacer de árbitro*) s'interposer; ~**se** *vr* se présenter.

terciario, a *a* tertiaire, troisième.

tercio *nm* tiers *m*.

terciopelo *nm* velours *m*.

terco, a *a* têtu(e), entêté(e); (*material*) résistant(e).

tergiversación *nf* interprétation fausse *ou* tendancieuse; vacillation *f*; **tergiversar** *vt* fausser, déformer, interpréter tendancieusement // *vi* vaciller, hésiter.

termas *nfpl* thermes *mpl*.

terminación *nf* (*final*) terminaison *f*, achèvement *m*; (*conclusión*) finition *f*, conclusion *f*.

terminal *a* (*final*) terminal(e) // *nm* plot *m*, borne *f* // *nf* terminus *m*.

terminante *a* formel(le); concluant(e), final(e); catégorique.

terminar *vt* (*completar*) finir; (*concluir*) conclure // *vi* (*llegar a su fin*) se terminer, finir; (*parar*) arrêter, cesser; (*acabar*) finir, terminer; ~**se** *vr* se terminer; ~ **de/por hacer algo** finir de/par faire qch.

término *nm* terme *m*; (*parada*) terminus *m*; (*límite*) limite *f*; **en último ~** finalement; **en ~s de** en termes de.

terminología *nf* terminologie *f*.

termodinámico, a *a* thermodynamique.
termómetro *nm* thermomètre *m.*
termonuclear *a* thermonucléaire.
termo(s) *nm* (bouteille) thermos *f* ®.
termostático, a *a* thermostatique.
ternera *nf* (*animal*) génisse *f*; (*carne*) veau *m.*
ternero *nm* veau *m.*
terneza *nf* tendresse *f.*
terno *nm* (*traje*) complet *m*; (*conjunto*) trio *m.*
ternura *nf* (*trato*) tendresse *f*; (*palabra*) parole affectueuse; (*blandura*) tendreté *f.*
terquedad *nf* obstination *f*, entêtement *m*; (*dureza*) dureté *f.*
terrado *nm* terrasse *f.*
terraplén *nm* remblai *m*; terrasse *f*; terre-plein *m*; côte *f.*
terrateniente *nm* propriétaire foncier.
terraza *nf* terrasse *f.*
terremoto *nm* tremblement *m* de terre.
terrenal *a* terrestre.
terreno *nm* (*tierra*) champ *m*; (*parcela*) terrain *m*; (*suelo*) sol *m*; (*fig*) domaine *m.*
terrero, a *a* terreux(euse); (*de la tierra*) de terre; (*vuelo*) bas(se), à ras de terre; (*fig*) bas.
terrestre *a* terrestre; (*ruta*) de terre.
terrible *a* terrible; (*fig*) violent(e); impressionnant(e).
territorio *nm* territoire *m.*
terrón *nm* motte *f*; (*de azúcar*) morceau *m*; **terrones** *nmpl* terres *fpl.*
terror *nm* terreur *f*; **terrorífico, a** *a* terrifiant(e), terrible; **terrorista** *nm/f* terroriste *m/f* // *a* terroriste.
terroso, a *a* terreux(euse).
terruño *nm* motte *f* de terre; (*fig*) pays natal, terroir *m.*
terso, a *a* clair(e); poli(e); pur(e); **tersura** *nf* pureté *f*; poli *m*, brillant *m*, éclat *m.*
tertulia *nf* réunion *f* entre amis; cercle *m*, groupe *m*; (*sala*) arrière-salle *f.*
tesar *vt* raidir.
tesis *nf inv* thèse *f.*
tesón *nm* ténacité *f*; fermeté *f*, opiniâtreté *f.*
tesorería *nf* (*cargo*) charge *f* du trésorier; (*oficina*) trésorerie *f.*
tesorero, a *nm/f* trésorier/ière.
tesoro *nm* butin *m*, trésor *m*; (*presupuesto público*) trésor (public); (*fig*) trésor.
testa *nf* (*cabeza*) tête *f*; (*frente*) front *m.*
testaferro *nm* homme *m* de paille.
testamentaría *nf* exécution *f* testamentaire.
testamentario, a *a* testamentaire // *nm/f* exécuteur/trice testamentaire.
testamento *nm* testament *m.*
testar *vi* tester.
testarudo, a *a* têtu(e), entêté(e).
testera *nf* façade *f.*
testero *nm* façade *f*; pan *m* de mur.
testes *nmpl* testicules *mpl.*
testículo *nm* testicule *m.*
testificar *vt* attester, témoigner de; (*fig*) démontrer // *vi* témoigner.
testigo *nm/f* témoin *m*; ~ **de cargo/descargo** témoin à charge/décharge.
testimoniar *vt* témoigner de; (*fig*) prouver.
testimonio *nm* témoignage *m*, preuve *f.*
teta *nf* mamelon *m*; (*fam*) mamelle *f*, tétine *f.*
tétanos *nm* tétanos *m.*
tetera *nf* théière *f.*
tetilla *nf* mamelle *f.*
textil *a* textile // ~**es** *nmpl* textiles *mpl.*
texto *nm* texte *m*; **textual** *a* textuel(le).
textura *nf* (*de tejido*) texture *f*, tissage *m*; (*de mineral*) structure *f.*
tez *nf* (*cutis*) peau *f* (du visage); (*color*) teint *m.*
ti *pron* toi.

tía *nf* (*pariente*) tante *f*; (*mujer cualquiera*) bonne femme; (*fam*: *pej*: *vieja*) mère *f*, vieille *f*; (: *prostituta*) poule *f*, fille de joie *f*.
tibia *nf ver* **tibio**.
tibieza *nf* tiédeur *f*.
tibio, a *a* tiède // *nf* tibia *m*.
tiburón *nm* requin *m*.
tic *nm* tic *m*.
tictac *nm* tic-tac *m*.
tiempo *nm* temps *m*; (*época, período*) temps, époque *f*; (*temporada*) saison *f*; (*edad*) âge *m*; (*de juego*) période *f*, temps; **a** ~ tandis que, en même temps que; **a un** *o* **al mismo** ~ en même temps, à la fois; **al poco** ~ au bout d'un moment; **de** ~ **en** ~ de temps en temps; **hace buen/mal** ~ il fait beau/mauvais temps; **estar a** ~ être à temps; **hacer** ~ gagner du temps.
tienda *nf* (COM) boutique *f*, magasin *m*; épicerie *f*; (NAUT) vélum *m*, toile *f*; ~ **de campaña** tente *f*.
tienes *etc vb ver* **tener**.
tienta *nf* (MED) sonde *f*; (*fig*) sagacité *f*.
tiento *nm* (*tacto*) toucher *m*; (*precaución*) tact *m*, prudence *f*; (*pulso*) adresse *f*, sûreté *f* de main; (ZOOL) tentacule *m*; (*de ciego*) bâton *m* d'aveugle.
tierno, a *a* (*blando, dulce*) tendre, mou (molle); (*fresco*) frais (fraîche).
tierra *nf* terre *f*; (*suelo*) sol *m*; (*país*) pays *m*; ~ **adentro** à l'intérieur des terres.
tieso, a *a* raide; vif(vive); (*fam*) guindé(e); ferme, inflexible // *ad* fortement, fermement.
tiesto *nm* pot *m* à fleurs; (*pedazo*) tesson *m*.
tiesura *nf* raideur *f*; (*fig*) rigidité *f*, raideur; obstination *f*, entêtement *m*.
tifo *nm* typhus *m*.
tifón *nm* (*huracán*) typhon *m*; (*de mar*) raz-de-marée *m inv*, typhon.
tifus *nm* typhus *m*.
tigre *nm* tigre *m*.
tijera *nf* (AM) ciseaux *mpl*; (ZOOL) pinces *fpl*; (*persona*) mauvaise langue; **de** ~ pliant(e); ~**s** *nfpl* ciseaux *mpl*; (*para plantas*) sécateur *m*; **tijeretear** *vt* taillader // *vi* bavarder.
tildar *vt* accuser.
tilde *nf* (*defecto*) marque *f*; (*trivialidad*) vétille *f*.
tilín *nm* drelin *m*.
tilo *nm* tilleul *m*.
timar *vt* carotter; rouler; ~**se** *vr* (*fam*) se faire de l'œil.
timbal *nm* timbale *f*.
timbrar *vt* timbrer.
timbre *nm* (*sello*) cachet *m*; (*impuesto*) timbre *m*; (*campanilla*) sonnette *f*; (*tono*) timbre.
timidez *nf* timidité *f*.
tímido, a *a* timide.
timo *nm* escroquerie *f*.
timón *nm* gouvernail *m*; **timonel** *nm* timonier *m*.
tímpano *nm* (ANAT) tympan *m*; (MUS) tympanon *m*.
tina *nf* jarre *f*, cuve *f*; (*baño*) baignoire *f*; **tinaja** *nf* jarre *f*.
tinglado *nm* hangar *m*; tente *f*, auvent *m*, remise *f*; ruse *f*.
tinieblas *nfpl* ténèbres *fpl*.
tino *nm* adresse *f*; (MIL) adresse au tir; (*juicio*) bon sens; (*moderación*) sagesse *f*.
tinta *nf ver* **tinto**.
tinte *nm* teinture *f*; (*tienda*) teinturerie *f*; (*carácter*) tendance *f*; (*barniz*) vernis *m*.
tinterillo *nm* rond-de-cuir *m*.
tintero *nm* encrier *m*.
tintinear *vt* tintinnabuler.
tinto, a *a* teint(e) // *nm* rouge *m* // *nf* encre *f*; (TEC) teinte *f*; (ARTE) couleurs *fpl*.
tintorera *nf* requin *m*.
tintorería *nf* teinturerie *f*.
tintura *nf* teinture *f*.
tío *nm* (*pariente*) oncle *m*; (*fam*: *viejo*) père *m*; (: *individuo*) type *m*.
tiovivo *nm* chevaux *mpl* de bois, manège *m*.

típico, a *a* typique.
tiple *nm* soprano *m* // *nf* soprano *f*.
tipo *nm* (*norma*) type *m*; (*patrón*) modèle *m*; (*clase*) genre *m*, sorte *f*; (*hombre*) type; (ANAT) variété *f*, embranchement *m*; (IMPRENTA) caractère *m*; ~ **bancario/de descuento/de interés/de cambio** taux bancaire/d'escompte/d'intérêt/de change.
tipografía *nf* (*tipo*) typographie *f*; (*lugar*) imprimerie *f*; **tipográfico, a** *a* typographique.
tipógrafo, a *nm/f* typographe *m/f*.
tiquismiquis *nmpl* scrupules *mpl* ridicules; chichis *mpl*.
tira *nf* bande *f*; (*fig*) va-et-vient *m*; ~ **y afloja** tiraillements *mpl*.
tirabuzón *nm* tire-bouchon *m*.
tirado, a *a* (*barato*) courant(e), donné(e), bon marché; (*fácil*) facile // *nf* tirage *m*; (*distancia*) traite *f*; (*serie*) série *f*; **de una tirada** d'une seule traite.
tirador, a *nm/f* tireur/euse // *nm* poignée *f*; bouton *m*.
tiranía *nf* tyrannie *f*; **tirano, a** *a* tyrannique // *nm/f* tyran *m*.
tirante *a* tendu(e) // *nm* entretoise *f*; bride *f*, épaulette *f*; (*correa*) trait *m*; ~**s** *nmpl* bretelles *fpl*; **tirantez** *nf* tension *f*.
tirar *vt* (*aventar*) lancer, disperser; (*dejar caer*) jeter; (*volcar*) renverser; (*derribar*) abattre; (*jalar*) tirer; (*desechar*) chasser, jeter; (*disipar*) dissiper; (*imprimir*) tirer; (*dar: golpe*) flanquer // *vi* (*disparar*) tirer; (*jalar*) haler, tirer; (*fig*) attirer; (*fam: andar*) tourner; (*tender a, buscar realizar*) tendre à; (DEPORTE) tirer; ~**se** *vr* se jeter; (*fig*) se rabaisser; ~ **abajo** enfoncer; **tira más a su padre** il ressemble plus à son père; **ir tirando** aller comme ci comme ça; **a todo** ~ tout au plus.
tirita *nf* pansement adhésif.
tiritar *vi* grelotter.
tiro *nm* (*lanzamiento*) lancement *m*, jet *m*; (*disparo*) coup *m* de feu; (*disparar*) tir *m*; (DEPORTE) shoot *m*; (*alcance*) portée *f*; (*de escalera*) étage *m*, volée *f*; (*golpe*) coup *m*; (*engaño*) escroquerie *f*; ~ **al blanco** tir à la cible; **caballo de** ~ cheval *m* d'attelage; **andar de** ~**s largos** être sur son trente et un; **al** ~ (AM) tout de suite.
tirón *nm* (*sacudida*) secousse *f*; (*de estómago*) tiraillement *m*; **de un** ~ d'un seul coup.
tirotear *vt* tirer sur; ~**se** *vr* échanger des coups de feu; **tiroteo** *nm* fusillade *f*.
tísico, a *a* phtisique.
títere *nm* marionnette *f*; (*fam*) pantin *m*.
titilar *vi* trembloter; scintiller.
titiritero, a *nm/f* montreur *m* de marionnettes.
titubeante *a* titubant(e); (*farfullante*) bredouillant(e); (*dudoso*) hésitant(e); **titubear** *vi* tituber; (*fig*) hésiter; **titubeo** *nm* titubation *f*, chancellement *m*; hésitation *f*; bredouillage *m*.
titulado, a *a* diplômé(e); qualifié(e).
titular *a* titulaire // *nm/f* titulaire *m/f* // *nm* gros titre, manchette *f* // *vt* intituler; ~**se** *vr* s'appeler; (*tener derecho*) se qualifier, obtenir un diplôme.
título *nm* titre *m*; (JUR) article *m*; (*persona*) noble *m*, personne titrée; (*certificado*) diplôme *m*, titre; **a** ~ **de** à titre de.
tiza *nf* craie *f*.
tizna *nf* suie *f*; **tiznar** *vt* tacher de noir; (*fig*) noircir.
tizón, tizo *nm* tison *m*; (*fig*) tache *f*.
toalla *nf* serviette *f*.
tobillo *nm* cheville *f*.
tobogán *nm* luge *f*; (*montaña rusa*) toboggan *m*.
toca *nf* coiffe *f*.
tocadiscos *nm inv* tourne-disque *m*.
tocado, a *a* coiffé(e); (*fam*) toqué(e) // *nm* coiffure *f*.

tocador *nm* (*mueble*) coiffeuse *f*; (*cuarto*) cabinet *m* de toilette; (*neceser*) nécessaire *m*; (*fam*) toilettes *fpl* pour dames.
tocante *a* touchant(e).
tocar *vt* toucher; (MUS) jouer; (*topar con*) se heurter, toucher; (*referirse a*) toucher à; (*padecer*) souffrir; (*el pelo*) coiffer // *vi* (*a la puerta*) frapper; (*ser de turno*) être le tour de; (*ser hora*) être le moment; (*barco, avión*) faire escale, atteindre; (*atañer*) concerner, regarder; **~se** *vr* toucher, joindre; se couvrir (la tête); **por lo que a mí me toca** en ce qui me concerne; **esto toca en la locura** cela frôle la folie.
tocayo, a *nm/f* homonyme *m*.
tocino *nm* lard *m*.
todavía *ad* (*aun*) encore; (*aún*) toujours; ~ **más** encore plus; ~ **no** pas encore.
todo, a *a* tout(e); (*cada*) chaque; (*sentido negativo*): **en ~ el día lo he visto** je ne l'ai pas vu de toute la journée // *ad* tout, entièrement // *nm* tout *m* // *pron*: **~s/todas** tous/toutes; **a toda velocidad** à toute vitesse; **estaba ~ ojos** il était tout yeux; **puede ser ~ lo honesto que quiera** il peut être aussi honnête que vous voulez; **en un ~** en un tout; **corriendo y ~, no llegaron a tiempo** même en courant, ils ne sont pas arrivés à temps; **con ~** malgré tout, néanmoins; **del ~** tout à fait, absolument.
todopoderoso, a *a* tout(e)-puissant(e).
toga *nf* toge *f*, robe *f*.
Tokio *n* Tokyo.
toldo *nm* banne *f*; bâche *f*; parasol *m*.
tole *nm* tollé *m*.
toledano, a *a* tolédan(e).
tolerable *a* tolérable.
tolerancia *nf* tolérance *f*.
tolerar *vt* tolérer; (*resistir*) supporter.
toma *nf* prise *f*; (MED) dose *f*.
tomar *vt* prendre; (*alquilar*) louer // *vi* prendre; **~se** *vr* prendre; **~se por** se prendre pour; **~ a bien/a mal** prendre du bon côté/du mauvais côté; **~ en serio** prendre au sérieux; **~ el pelo a alguien** se payer la figure de qn; **~la con uno** prendre qn en grippe.
tomate *nm* tomate *f*; **tomatera** *nf* tomate *f*.
tomillo *nm* thym *m*.
tomo *nm* tome *m*; importance *f*; taille *f*.
ton *abr de* **tonelada** // *nm*: **sin ~ ni son** sans rime ni raison.
tonada *nf* chanson *f*.
tonalidad *nf* tonalité *f*.
tonel *nm* tonneau *m*.
tonelada *nf* tonne *f*; **tonelaje** *nm* tonnage *m*.
tonelero *nm* tonnelier *m*.
tónico, a *a* tonique // *nm* (MED) remontant *m*; (*fig*) tendance *f*.
tonificar *vt* fortifier, tonifier.
tonillo *nm* ton *m* monotone.
tono *nm* ton *m*; **fuera de ~** en disharmonie; **darse ~** faire l'important.
tontería *nf* sottise *f*, bêtise *f*; bricole *f*.
tonto, a *a* sot(te); (*sentimental*) fleur bleue // *nm/f* idiot/e; (*payaso*) clown *m*.
topacio *nm* topaze *m*.
topar *vt* (ZOOL) se heurter, se doguer; (*tropezar*) se heurter; (*encontrar*) rencontrer; (*dar con*) trouver // *vi* affronter; **el problema topa en eso** le problème consiste en cela.
tope *a* limite // *nm* butoir *m*, butée *f*; coup *m* (de tête); (*riña*) bagarre *f*; (FERROCARRIL) tampon *m*; (AUTO) frein *m*; **al ~** emboîté(e).
tópico, a *a* topique // *nm* lieu commun, cliché *m*.
topo *nm* (ZOOL) taupe *f*; (*fig*) maladroit/e.
topografía *nf* topographie *f*; **topógrafo, a** *nm/f* topographe *m*.
toque *nm* attouchement *m*; (MUS)

sonnerie *f*; (*fig*) pierre de touche *f*; **dar un ~** a mettre à l'épreuve; **~ de queda** couvre-feu *m*; **toquetear** *vt* tripoter, toucher.
toquilla *nf* fichu *m*; châle *m*.
torbellino *nm* nuée *f* (de poussière); (*fig*) tourbillon *m*.
torcedura *nf* torsion *f*.
torcer *vt* tordre; (*curso*) dévier; (*la esquina*) tourner; (MED) se fouler, se luxer; (*cuerda*) tresser; (*persona*) disposer en sa faveur // *vi* (*desviar*) obliquer; (*pelota*) dévier; **~se** *vr* (*ladearse*) gauchir; (*desviarse*) tourner mal; (MED) se tordre; (*fracasar*) échouer; **torcido, a** *a* tordu(e); (*fig*) retors(e) // *nm* boucle *f*.
tordo, a *a* gris(e) // *nm* étourneau *m*.
torear *vt* (*fig*) fuir; distraire, amuser // *vi* toréer; **toreo** *nm* tauromachie *f*; **torero, a** *nm/f* torero *m*.
tormenta *nf* tempête *f*; (*fig*) orage *m*, discussion *f*; tourmente *f*, nuage *m*.
tormento *nm* torture *f*; (*fig*) tourment *m*.
tornada *nf* retour *m*.
tornar *vt* (*devolver*) rendre; (*transformar*) transformer // *vi* retourner; **~se** *vr* (*ponerse*) devenir; (*volverse*) se transformer, se changer.
tornasol *nm* tournesol *m*.
tornasolado, a *a* brillant(e), changeant(e); chatoyant(e).
torneo *nm* tournoi *m*.
tornero, a *nm/f* tourneur/euse.
tornillo *nm* vis *f*.
torniquete *nm* (*puerta*) tourniquet *m*; (MED) garrot *m*.
torno *nm* tour *m*; (*tambor*) treuil *m*; **en ~ (a)** autour (de).
toro *nm* taureau *m*; (*fam*) bœuf *m*, taureau.
toronja *nf* pamplemousse *m*.
torpe *a* (*poco hábil*) maladroit(e); (*necio*) bête; (*lento*) lent(e); (*indecente*) incorrect(e); (*no honrado*) bas(se).
torpedo *nm* torpille *f*.
torpeza *nf* maladresse *f*; manque *m* de grâce; lenteur *f*; lourdeur *f*; obscénité *f*; incorrection *f*.
torre *nf* tour *f*; (*de petróleo*) derrik *m*.
torrente *nm* torrent *m*.
tórrido, a *a* torride.
torsión *nf* torsion *f*.
torso *nm* torse *m*.
torta *nf* galette *f*; (*fam*) gifle *f*.
tortícolis *nm* torticolis *m*.
tortilla *nf* omelette *f*; (AM) *crêpe de maïs*.
tórtola *nf* tourterelle *f*.
tortuga *nf* tortue *f*.
tortuoso, a *a* tortueux(euse).
tortura *nf* torture *f*; **torturar** *vt* torturer.
tos *nf* toux *f*; **~ ferina** coqueluche *f*.
tosco, a *a* grossier(ière).
toser *vt* endurer // *vi* tousser.
tostado, a *a* grillé(e); (*color*) foncé(e); (*fig*) hâlé(e) // *nf* tranche *f* de pain grillé.
tostar *vt* griller, rôtir; (*café*) torréfier, griller; (*al sol*) hâler, bronzer; **~se** *vr* se hâler.
total *a* total(e) // *ad* bref; (*al fin y al cabo*) finalement // *nm* total *m*; **~ que** somme toute.
totalidad *nf* totalité *f*.
totalitario, a *a* totalitaire.
tóxico, a *a* toxique // *nm* toxique *m*.
tozudo, a *a* têtu(e).
traba *nf* lien *m*; (*cadena*) chaîne *f*, entrave *f*.
trabajador, a *nm/f* travailleur/euse // *a* travailleur(euse).
trabajar *vt* travailler; (*arar*) labourer; (*tomar cuidado*) prendre soin de; (*esforzar*: *persona*) s'efforcer de; (*convencer*) travailler à // *vi* travailler; (*actuar*) jouer; (*esforzarse*) s'efforcer.
trabajo *nm* travail *m*; (*tarea*) tâche *f*, besogne *f*; (POL) classe ouvrière;

(*fig*) effort *m*, acharnement *m*; **tomarse el ~ de** se donner le mal de; **~ por turno/a destajo** travail par roulement/au forfait; **trabajoso, a** *a* pénible; (MED) pâle.
trabalenguas *nm* calembour *m*.
trabar *vt* lier; attraper; entraver, immobiliser; (*amistad*) nouer; **~se** *vr* s'emmêler; (*reñir*) se brouiller; **trabazón** *nf* (TEC) assemblage *m*; (*fig*) liaison *f*, enchaînement *m*.
trabucar *vt* confondre; mettre sens dessus dessous.
tracción *nf* traction *f*; **~ delantera/trasera/a las 4 ruedas** traction avant/arrière/4 roues motrices.
tractor *nm* tracteur *m*.
tradición *nf* tradition *f*; **tradicional** *a* traditionnel(le).
traducción *nf* traduction *f*.
traducir *vt* traduire; **traductor, a** *nm/f* traducteur/trice.
traer *vt* (*llevar*) apporter; (*ropa*) porter; (*imán*) attirer; (*incluir*) contenir; (*fig*) causer, amener; **~se** *vr* manigancer; se comporter.
traficar *vi* trafiquer.
tráfico *nm* (COM) trafic *m*; (AUTO) circulation *f*, trafic.
tragaluz *nm* lucarne *f*; vasistas *m*.
tragar *vi* avaler // *vt* avaler; (*devorar*) engloutir; **~se** *vr* engloutir; (*fig*) avaler.
tragedia *nf* tragédie *f*; **trágico, a** *a* tragique.
trago *nm* (*líquido*) gorgée *f*; (*comido de golpe*) trait *m*; (*fam*) boisson *f*, bouteille *f*; coup dur.
traición *nf* trahison *f*; **traicionar** *vt* trahir; **traidor, a, traicionero, a** *nm/f* traître/esse.
traigo *etc vb ver* **traer**.
traje *vb ver* **traer** // *nm* (*gen*) vêtement *m*; (*de hombre*) costume *m*; (*vestimenta típica*) costume; (*fig*) aspect *m*; **~ de baño** maillot de bain *m*.
trajera *etc vb ver* **traer**.
trajín *nm* transport *m*; (*fam*) allées et venues *fpl*; besogne *f*; **trajinar** *vt* transporter; tromper // *vi* s'affairer; trimer.
trama *nf* (*de tejido*) trame *f*; (*fig*) lien *m*; (: *intriga*) intrigue *f*; **tramar** *vt* tramer.
tramitar *vt* (*asunto*) faire suivre son cours à; (*negociar*) s'occuper de, faire les démarches pour; **trámite** *nm* (*paso*) démarche *f*; (JUR) cours *m*; (*requisito*) formalité *f*; **trámites** *nmpl* méthode *f*.
tramo *nm* (*de tierra*) lot *m*; (*de escalera*) étage *m*, marche *f*; (*de vía*) tronçon *m*.
tramoya *nf* machine *f*, machinerie *f*; (*fig*) machination *f*; **tramoyista** *nm/f* machiniste *m*; (*fig*) intrigant/e.
trampa *nf* (*en el suelo*) trappe *f*; (*en la caza*) piège *m*; (*prestidigitación*) truc *m*; (*engaño*) traquenard *m*; (*fam*) escroquerie *f*; (*de pantalón*) braguette *f*; **trampear** *vt* tricher // *vi* vivre d'expédients, escroquer; **trampista** *nm/f* = **tramposo**.
trampolín *nm* tremplin *m*.
tramposo, a *a* tricheur(euse) // *nm/f* menteur/euse.
tranca *nf* trique *f*; poutre *f*; barre *f*; **trancar** *vt* barrer, barricader // *vi* marcher à grands pas.
trance *nm* moment *m* difficile; moment critique; (*estado hipnotizado*) transe *f*.
tranco *nm* enjambée *f*.
tranquilidad *nf* tranquillité *f*; paix *f*; **tranquilizar** *vt* tranquilliser; apaiser; **tranquilo, a** *a* tranquille; pacifique; serein(e); paisible.
transacción *nf* transaction *f*.
transbordador *nm* transbordeur *m*, bac *m*.
transbordar *vt* transborder; **~se** *vr* changer; **transbordo** *nm* transbordement *m*, changement *m*.
transcurrir *vi* s'écouler; se passer.
transcurso *nm* période *f*.
transeúnte *a* passant(e), passager(ère) // *nm/f* passant/e.

transferencia *nf* transfert *m*; (*COM*) virement *m*.
transferir *vt* transférer; (*aplazar*) ajourner.
transfigurar *vt* transfigurer.
transformador *nm* transformateur *m*.
transformar *vt* transformer; convertir.
tránsfuga *nm/f* (*MIL*) déserteur *m*; (*POL*) transfuge *m/f*.
transgresión *nf* transgression *f*.
transición *nf* transition *f*.
transido, a *a* mourant(e), transi(e).
transigir *vi* transiger.
transistor *nm* transistor *m*.
transitar *vi* passer; **tránsito** *nm* passage *m*; (*AUTO*) circulation *f*; (*parada*) escale *f*; **transitorio, a** *a* transitoire.
transmisión *nf* (*TEC*) transmission *f*; (*transferencia*) transfert *m*; ~ **en directo/en circuito** transmission directe/en circuit.
transmitir *vt* transmettre; (*RADIO, TV*) retransmettre.
transparencia *nf* transparence *f*; clarté *f*; (*foto*) diapositive *f*; **transparentar** *vt* transparaître // *vi* être transparent(e); **transparente** *a* transparent(e); visible; diaphane // *nm* rideau *m*.
transpirar *vi* transpirer.
transponer *vt* transposer; traverser // *vi* dépasser; disparaître; **~se** *vr* disparaître; s'assoupir.
transportación *nf* transport *m*.
transportar *vt* transporter; transférer; **transporte** *nm* transport *m*; (*COM*) affrètement *m*; (*NAUT*) bateau *m* de transport.
tranvía *nm* tramway *m*.
trapecio *nm* trapèze *m*.
trapero, a *nm/f* chiffonnier/ière.
trapiche *nm* moulin *m*.
trapicheos *nmpl* (*fam*) trafic *m*, cuisine *f*, manigance *f*.
trapisonda *nf* (*jaleo*) chahut *m*; (*estafa*) escroquerie *f*.
trapo *nm* (*tela*) chiffon *m*; (*de cocina*) torchon *m*, chiffon.
traqueteo *nm* pétarade *f*; cahot *m*.
tras *prep* (*detrás*) derrière; (*después*) après; ~ **de** non seulement.
trascendencia *nf* importance *f*; transcendance *f*; **trascendental** *a* important(e), grave; **trascender** *vi* (*oler*) embaumer; (*saber a*) sentir; (*noticias*) commencer à être connu; ~ **a** (*evocar*) évoquer; (*suceso*) s'étendre à, toucher.
trasegar *vt* transvaser; déranger, mettre en désordre.
trasero, a *a* postérieur(e) // *nm* (*ANAT*) derrière *m*, postérieur *m*; **~s** *nmpl* parents *mpl*, aïeux *mpl*.
trasfondo *nm* fond *m*.
trasgredir *vt* transgresser.
trashumante *a* transhumant(e).
trasladar *vt* déplacer; transporter; différer, reporter; copier; traduire; **traslado** *nm* transfert *m*; déplacement *m*, déménagement *m*.
traslucir *vt* révéler; **~se** *vr* être translucide; (*fig*) se manifester, apparaître.
trasluz *nm* lumière tamisée.
trasnochar *vi* veiller; souffrir d'insomnie; passer une nuit blanche.
traspasar *vt* (*bala*) transpercer; (*piso*) céder; (*calle*) traverser; (*límites*) enfreindre, dépasser; (*ley*) transgresser.
traspaso *nm* cession *f*; (*fig*) tourment *m*.
traspié *nm* faux pas; croc-en-jambe *m*; (*fig*) indiscrétion *f*.
trasplantar *vt* transplanter.
traste *nm* touchette *f*, touche *f*; **dar al ~ con algo** détruire qch.
trastienda *nf* arrière-boutique *f*; (*fig*) savoir-faire *m*.
trasto *nm* vieux meuble; engin *m*, attirail *m*; (*pey*) vieillerie *f*, saleté *f*; propre à rien *m/f*.
trastornado, a *a* (*loco*) détraqué(e); (*agitado*) turbulent(e).
trastornar *vt* déranger; (*fig*) détraquer; troubler, perturber; faire tourner la tête; **~se** *vr* se ruiner;

trastorno *nm* bouleversement *m*; dérangement.
rasunto *nm* copie *f.*
ratable *a* traitable, agréable.
ratado *nm* traité *m.*
ratamiento *nm* traitement *m*; (*título*) titre *m.*
ratar *vt* (*ocuparse de*) s'occuper de; (*manejar*, TEC) traiter; (MED) traiter, soigner // *vi*: ~ **de** (*hablar sobre*) traiter de, porter sur; (COM) négocier en, faire le commerce de; (*negociar*) négocier; (*intentar*) essayer de; tenter de; ~**se** *vr* se fréquenter; **trato** *nm* traitement *m*; (*relaciones*) commerce *m*, fréquentation *f*; (*comportamiento*) façons *fpl*, manières *fpl*; (COM) marché *m*; (*título*) titre *m.*
rauma *nm* trauma *m.*
ravés *nm* (*fig*) revers *m*, malheur *m*; **al** ~ *ad* au travers; **a** ~ **de** *prep* au travers de, à travers; **de** ~ en travers.
ravesaño *nm* traverse *f*, entretoise *f*; traversin *m.*
ravesía *nf* passage *m*; traversée *f.*
ravesura *nf* diablerie *f*, niche *f*; espièglerie *f.*
ravieso, a *a* espiègle, polisson(ne); méchant(e); astucieux(euse), malin(igne) // *nf* traverse *f*; (ARQ) mur *m.*
rayecto *nm* (*ruta*) parcours *m*, chemin *m*; (*viaje*) trajet *m*; (*curso*) cours *m*; **trayectoria** *nf* trajectoire *f*, course *f*; (*fig*) cours *m.*
raza *nf* (ARQ) plan *m*; (*aspecto*) air *m*, allure *f*; (*señal*) trace *f*; (*pey*) stratagème *m*; (*habilidad*) débrouillardise *f.*
razado, a *a* fait(e) // *nm* tracé *m*; (*fig*) forme *f.*
razar *vt* tracer; délimiter; indiquer; (*plan*) tirer; **trazo** *nm* (*línea*) trait *m*; (*bosquejo*) ébauche *f*, esquisse *f.*
rébol *nm* trèfle *m.*
rece *num* treize.
recho *nm* tronçon *m*, passage *m*; distance *f*, intervalle *m*; moment *m*; de ~ en ~ de loin en loin.
tregua *nf* (MIL) trêve *f*; (*fig*) répit *m.*
treinta *num* trente.
tremendo, a *a* terrible; énorme, impressionnant(e); (*fam*) grand(e), terrible; formidable.
trémulo, a *a* tremblant(e).
tren *nm* train *m*; ~ **de aterrizaje** train d'atterrissage.
trenza *nf* tresse *f.*
trenzar *vt* tresser // *vi* faire des entrechats; ~**se** *vr* se mêler, se mélanger.
trepadora *nf* plante grimpante.
trepar *vt*, *vi* grimper, monter; (TEC) percer.
trepidación *nf* trépidation *f.*
trepidar *vi* trembler.
tres *num* trois.
tresillo *nm* ensemble *m* d'un canapé et de deux fauteuils; (MUS) triolet *m.*
treta *nf* feinte *f*; artifice *m.*
triángulo *nm* triangle *m.*
tribu *nf* tribu *f.*
tribuna *nf* tribune *f.*
tribunal *nm* (*juicio*) jugement *m*; (*comisión*, *fig*) tribunal *m.*
tributar *vt* payer; témoigner; remercier; témoigner de; **tributo** *nm* tribut *m*, impôt *m.*
trigal *nm* champ *m* de blé.
trigo *nm* blé *m*; ~**s** *nmpl* champs *mpl* de blé.
trigueño, a *a* châtain clair; basané(e).
trillado, a *a* rebattu(e).
trilladora *nf* batteuse *f.*
trillar *vt* (*fig*) user; (AGR) battre, dépiquer.
trimestral *a* trimestriel(le).
trimestre *nm* trimestre *m.*
trincar *vt* attacher; rompre; immobiliser.
trinchar *vt* découper, trancher.
trinchera *nf* (*fosa*) tranchée *f*; (*para vía*) percée *f*; (*impermeable*) trench-coat *m.*
trineo *nm* traineau *m.*
trinidad *nf* trinité *f.*

trino *nm* trille *m*.
trinquete *nm* (TEC) encliquetage *m*; (NAUT) mât *m* de misaine.
tripa *nf* (ANAT) boyau *m*, tripe *f*; (*fam*) ventre *m*, tripe.
triple *num* triple.
triplicado *a*: **por ~** en triple exemplaire.
tripulación *nf* équipage *m*; **tripular** *vt* (*barco*) former l'équipage de; (AUTO) piloter.
triquiñuela *nf* subterfuge *m*.
tris *nm* explosion *f*; **en un ~** en un instant.
triste *a* (*afligido*) triste; (*sombrío*) mélancolique; (*desolado*) désolé(e); (*lamentable*) pauvre; (*viejo*) étiolé(e), flétri(e); **tristeza** *nf* tristesse *f*; désolation *f*.
triturar *vt* (*moler*) broyer, moudre; (*mascar*) mâcher.
triunfar *vi* triompher; réussir; **triunfo** *nm* victoire *f*, triomphe *m*.
trivial *a* banal(e).
triza *nf* miette *f*; **trizar** *vt* mettre en morceaux.
trocar *vt* (COM) troquer; (*dinero, de lugar*) changer; (*palabras*) échanger; (*confundir*) mélanger; (*vomitar*) vomir, rendre.
trocha *nf* (*sendero*) sentier *m*; (*atajo*) raccourci *m*.
troche: **a ~ y moche** *ad* à tort et à travers.
trofeo *nm* (*premio*) trophée *m*; (*éxito*) succès *m*.
troj(e) *nf* grenier *m*.
tromba *nf* trombe *f*.
trombón *nm* trombone *m*.
trombosis *nf* thrombose *f*.
trompa *nf* trompe *f*; (*trompo*) toupie *f*; (*hocico*) museau *m*; (*fam*) coup de poing *m*; cuite *f*.
trompeta *nf* trompette *f*; (*clarín*) clairon *m*.
trompo *nm* toupie *f*.
trompón *nm* coup fort.
tronado, a *a* usé(e), fichu(e).
tronar *vt* tonner // *vi* tonner; (*fig*) fulminer; (*fam*) faire banqueroute, échouer.
tronco *nm* tronc *m*; (*de planta*) tige *f*.
tronchar *vt* scier, abattre; briser vaincre; décevoir; **~se** *vr* tomber.
tronera *nf* hublot *m*.
trono *nm* trône *m*.
tropa *nf* troupe *f*; (*gentío*) foule *f*.
tropel *nm* (*muchedumbre*) cohue *f*; (*prisa*) hâte *f*; (*montón*) tas *m*.
tropelía *nm* violence *f*, sauvagerie *f*.
tropezar *vi* trébucher; (*fig*) se tromper; **~ con** (*encontrar*) rencontrer, buter, tomber sur; (*topar con*) se heurter à; (*reñir*) se battre avec; **tropezón** *nm* faux pas erreur *f*, maladresse *f*.
tropical *a* tropical(e).
tropiezo *nm* faux pas; encombre *m*; difficulté *f*; discussion *f*, histoire *f*.
trotamundos *nm inv* globe-trotter *m*.
trotar *vi* trotter; **trote** *nm* trot *m* (*fam*) activité *f*, boulot *m*; **de mucho trote** résistant(e), à toutes épreuves
trotskista *a* trotskiste.
trovador *nm* troubadour *m*.
trozo *nm* morceau *m*.
truco *nm* (*habilidad*) adresse *f* talent *m*; (*engaño*) truquage *m* trucage *m*; **~s** *nmpl* truc *m*.
truculento, a *a* effrayant(e) truculent(e).
trucha *nf* (*pez*) truite *f*; (TEC) chèvre *f*.
trueno *nm* tonnerre *m*; (*estampido*) explosion *f*; (*de arma*) détonation *f*.
trueque *nm* troc *m*, échange *m*.
trufa *nf* truffe *f*; (*fig*) blague *f*, piège *m*.
truhán, ana *nm/f* truand/e.
truncado, a *a* tronqué(e).
truncar *vt* tronquer; interrompre nuire à.
tu *a* (*m*) ton; (*f*) ta; (*pl*) tes.
tú *pron* tu.
tubérculo *nm* tubercule *m*.
tuberculosis *nf* tuberculose *f*.
tubería *nf* tuyauterie *f*; (*conducto*) conduite *f*.

ubo *nm* tube *m*; ~ **de ensayo** tube à essai, éprouvette *f*; ~ **de escape** pot d'échappement *m*.
uerca *nf* écrou *m*.
uerto, a *a* borgne // *nm* offense *f*, tort *m*, injustice *f*; **a tuertas** à l'envers.
uétano *nm* (ANAT) moelle *f*; (BOT) sève *f*; (*fig*) essence *f*.
ufo *nm* émanation *f*; (*fig*: *pey*) relent *m*.
ul *nm* tulle *m*.
ulipán *nm* tulipe *f*.
ullido, a *a* impotent(e), estropié(e); (*cansado*) rompu(e).
umba *nf* (*sepultura*) tombe *f*; (*sacudida*) sursaut *m*; (*voltereta*) cabriole *f*, culbute *f*.
umbar *vt* renverser, faire tomber; (*doblar*) courber, fléchir; (*fam*) coucher avec, tomber // *vi* s'incliner; ~**se** *vr* s'étendre; se vautrer.
umbo *nm* chute *f*; cahot *m*; moment *m* critique.
umido, a *a* enflé(e).
umor *nm* tumeur *f*.
umulto *nm* tumulte *m*.
una *nf ver* **tuno**.
unante *a* coquin(e).
unda *nf* tonte *f*, tonsure *f*; raclée *f*; **tundir** *vt* tondre, raser; rosser, frapper; vaincre.
únel *nm* tunnel *m*.
Túnez *nm* Tunisie *f*; (*ciudad*) Tunis.
única *nf* tunique *f*.
uno, a *nm/f* (*fam*) coquin/e // *nf* (BOT) nopal *m*; (MUS) orchestre *m* d'étudiants.
untún: **al** ~ *ad* au petit bonheur, au jugé.
upido, a *a* serré(e); épais(se); lourd(e), gauche.
urba *nf* foule *f*.
urbación *nf* trouble *m*; désordre *m*.
urbado, a *a* trouble, confus(e); troublé(e).
urbar *vt* troubler; (*incomodar*) gêner; ~**se** *vr* se décontenancer.
urbina *nf* turbine *f*.
turbio, a *a* trouble; (*lenguaje*) confus(e), obscur(e) // *ad* trouble.
turbión *nf* (*fig*) grosse giboulée.
turbohélice *nm* turbohélice *m*.
turbulencia *nf* turbulence *f*; (*fig*) trouble *m*; **turbulento, a** *a* trouble; (*fig*) turbulent(e); troublé(e).
turco, a *a* turc(turque).
turismo *nm* tourisme *m*; (*coche*) voiture *f* de tourisme; **turista** *nm/f* touriste *m/f*; **turístico, a** *a* touristique.
turnar *vi* alterner, se succéder; **turno** *nm* (INDUSTRIA) service *m*, équipe *f*; (*oportunidad, orden de prioridad*) tour *m*.
turquesa *nf* turquoise *f*.
Turquía *nf* Turquie *f*.
turrón *nm* touron *m*; *sorte de nougat*; (*fam*) sinécure *f*.
tutear *vt* tutoyer.
tutela *nf* tutelle *f*; **tutelar** *a* tutelaire // *vt* protéger.
tutor, a *nm/f* tuteur/trice.
tuve, tuviera *etc vb ver* **tener**.
tuyo, a *a* (*m*) ton; (*f*) ta; (*pl*) tes // *pron* tien(ne); **los** ~**s** (*fam*) les tiens.
TVE *nf* (*abr de Televisión Española*) ≈ ORTF *m*.

U

u *conj* ou.
ubérrimo, a *a* très fertile.
ubicar *vt* nommer; placer, établir; ~**se** *vr* se trouver, être situé.
ubicuo, a *a* ubiquiste, qui a le don d'ubiquité.
ubre *nf* mamelle *f*, pis *m*.
U.C.D. *abr de Unión del Centro Democrático*.
Ud(s) *abr de* **usted(es)**.
ufanarse *vr* être fier(ière); se vanter.
ufano, a *a* fier(ière), orgueilleux(euse).

U.G.T. *abr de Unión General de Trabajadores.*
úlcera *nf* ulcère *m.*
ulcerar *vt* ulcérer; **~se** *vr* être exaspéré(e).
ulterior *a* (*más allá*) prochain(e); (*subsecuente, siguiente*) ultérieur(e); **~mente** *ad* ultérieurement.
últimamente *ad* (*recientemente*) dernièrement; (*finalmente*) enfin; (*como último recurso*) en dernier recours.
ultimar *vt* conclure; (*finalizar*) mettre la dernière main à.
último, a *a* dernier(ière); ultime; final(e) // *nm/f* dernier/ière; **en las últimas** à l'article de la mort.
ultra *a* ultra.
ultrajar *vt* outrager.
ultraje *nm* outrage *m.*
ultramar *nm* outre-mer *m.*
ultramarino, a *a* d'outre-mer; **~s** *nmpl* produits *mpl* d'outre-mer; **tienda de ~s** épicerie *f.*
ultranza: a ~ *ad* à outrance.
ultrasónico, a *a* supersonique.
ultratumba: de ~ *ad* d'outre-tombe.
ulular *vi* ululer.
umbral *nm* seuil *m*; (*fig*) premier pas; (*: borde*) bord *m*, seuil.
umbroso, a, umbrío, a *a* ombreux(euse).
un *det, num ver* **uno.**
unánime *a* unanime; **unanimidad** *nf* unanimité *f.*
unción *nf* onction *f*; **extrema ~** extrême-onction.
uncir *vt* atteler.
undular *vi ver* **ondular.**
ungir *vt* oindre.
ungüento *nm* onguent *m*; (*fig*) adoucissant *m*, pommade *f.*
únicamente *ad* seulement.
único, a *a* unique; (*solo*) unique, seul(e).
unidad *nf* unité *f.*
unido, a *a* uni(e).
unificar *vt* unifier.
uniformar *vt* (*poner uniforme*) donner un uniforme à; (*normalizar*) uniformiser.
uniforme *a* uniforme; égal(e); (*co-lor*) monotone; (*superficie*) uni(e) // *nm* uniforme *m*; **uniformidad** *n* égalité *f*, uniformité *f*; (*llaneza*) pla *m.*
unilateral *a* unilatéral(e).
unión *nf* (*hacer unidad*) union *f*; (*reunión*) réunion *f*; (*armonía*) accord *m*, concorde *f*; **la U~ Soviética** l'Union Soviétique.
unir *vt* (*juntar*) unir; (*atar*) rattacher, relier; (*combinar*) lier combiner // *vi* lier; **~se** *v* s'associer, s'unir; (*compañías*) fair la jonction, se joindre; (*ingredien-tes*) se mélanger.
unísono *nm* unisson *m.*
universal *a* universel(le).
universidad *nf* université *f.*
universo *nm* univers *m.*
uno, un, una *num, det* un(e) // *pron* un/e; quelqu'un/e; **~s** des quelques; **~ a ~, ~ por ~** un pa un, un à un; **estar en ~** êtr entièrement d'accord; **una de do** de deux choses l'une; **~ que otr** quelques, quelques rares; **~s y otros** les uns et les autres; **~ y otr** l'un et l'autre.
untar *vt* (*manchar*) tacher; (*remo-jar*) imbiber; (MED) enduire; (*con aceite*) graisser; (*fig*) suborner; **~se** *vr* s'enduire.
unto *nm* graisse *f*; (MED) onguent *m*
uña *nf* (ANAT) ongle *m*; (*garra*) gri fe *f*; (*casco*) sabot *m*; (*arrancacla-vos*) arrache-clou *m.*
uranio *nm* uranium *m.*
urbanidad *nf* courtoisie *f*, politess *f.*
urbanismo *nm* urbanisme *m.*
urbanización *nf* ensemble urbair urbanisation *f.*
urbano, a *a* (*de ciudad*) urbain(e) (*cortés*) poli(e).
urbe *nf* cité *f*, ville importante.
urdimbre *nf* (*de tejido*) chaîne (*intriga*) machination *f.*

urdir *vt* ourdir; (*fig*) manigancer, ourdir.
urea *nf* urée *f.*
uretra *nf* urètre *m.*
urgencia *nf* urgence *f*; (*prisa*) presse *f.*
urgente *a* (*de prisa*) urgent(e); (*insistente*) péremptoire.
urgir *vi* être urgent, presser.
urinario, a *a* urinaire // *nm* urinoir *m.*
urna *nf* urne *f.*
urología *nf* urologie *f.*
urraca *nf* pie *f.*
URSS *nf*: **la** ~ l'URSS *f.*
Uruguay *nm*: **el** ~ (l')Uruguay *m.*
uruguayo, a *a* urugayen(ne).
usado, a *a* usé(e).
usanza *nf* usage *m.*
usar *vt* utiliser; (*ropa*) porter; (*tener costumbre*) avoir l'habitude de; **~se** *vr* être à la mode, se porter.
uso *nm* (*empleo*) usage *m*; (TEC) usure *f*; (*costumbre*) usage, coutume *f*; (*moda*) port *m*, mode *f*; **al** ~ en usage, en vogue; **al** ~ **de** à la manière de.
usted *pron* vous.
usual *a* (*acostumbrado*) courant(e); (*normal*) usuel(le).
usuario, a *nm/f* usager/ère.
usufructo *nm* usufruit *m.*
usura *nf* usure *f*; **usurero, a** *nm/f* usurier/ière.
usurpar *vt* usurper.
utensilio *nm* ustensile *m.*
útero *nm* utérus *m.*
útil *a* (*empleable*) utile; (*apto*) qui convient // *nm* outil *m*; **utilidad** *nf* utilité *f*; (COM) revenu *m*; **utilizar** *vt* utiliser; (*adueñarse*) s'emparer de.
utopía *nf* utopie *f*; **utópico, a** *a* utopique.
uva *nf* raisin *m.*

V

v *abr de* **voltio**.
V *abr de* **usted**.
va *vb ver* **ir**.
vaca *nf* (*animal*) vache *f*; (*carne*) bœuf *m*; (*cuero*) vache, vachette *f.*
vacaciones *nfpl* vacances *fpl.*
vacante *a* vacant(e) // *nf* vacance *f.*
vacar *vi* être vacant(e); ~ **a/en** vaquer à.
vaciado, a *a* (*hecho en molde*) moulé(e); (*hueco*) évidé(e) // *nm* moule *m.*
vaciar *vt* vider; (*verter, arrojar*) vider, jeter; (*ahuecar*) évider; (*moldear*) mouler // *vi* (*río*) se jeter; **~se** *vr* se vider; (*fig*) s'épancher, s'ouvrir.
vaciedad *nf* niaiserie *f*, fadaise *f.*
vacilación *nf* vacillation *f*, hésitation *f*; **vacilante** *a* vacillant(e), chancelant(e); (*habla*) hésitant(e); (*luz*) vacillant; (*fig*) indécis(e).
vacilar *vi* chanceler; (*memoria, fig*) hésiter; (*luz*) vaciller.
vacío, a *a* vide; (*desocupado*) vide, vacant(e); (*vano*) creux(euse), vain(e) // *nm* creux *m*; vide *m.*
vacuna *nf ver* **vacuno**.
vacunar *vt* vacciner.
vacuno, a *a* bovin(e) // *nf* vaccin *m.*
vacuo, a *a* vide.
vadear *vt* (*río*) passer à gué; (*problema*) vaincre, surmonter; (*persona*) sonder, tâter; **vado** *nm* (*de río*) gué *m*; (*solución*) solution *f*; (*descanso*) creux *m*, pose *f.*
vagabundo, a *a* errant(e); (*pey*) vagabond(e) // *nm* vagabond *m.*
vagamente *ad* vaguement.
vagancia *nf* vagabondage *m*; fainéantise *f*; paresse *f.*
vagar *vi* errer, vaguer, vagabonder; (*ocioso*) flâner // *nm* oisiveté *f*, loisir *m.*
vagido *nm* vagissement *m.*

vagina *nf* vagin *m*.
vago, a *a* errant(e); (*flojo*) fainéant(e); (*sin uso*) inutile; (*vacío*) vide; (*fig*: *indefinido*) vague, flou(e), indéfini(e) // *nm/f* (*perezoso*) fainéant/e; (*vagabundo*) vagabond/e.
vagón *nm* wagon *m*.
vaguedad *nf* vague *m*.
vaho *nm* (*vapor*) vapeur *f*; (*olor*) exhalaison *f*; (*respiración*) souffle *m*.
vaina *nf* fourreau *m*.
vainilla *nf* vanille *f*.
vais *vb ver* **ir**.
vaivén *nm* va-et-vient *m*.
vajilla *nf* vaisselle *f*.
val, valdré *etc vb ver* **valer**.
vale *nm* bon *m*; (*recibo*) reçu *m*; (*pagaré*) billet à ordre *m*.
valedero, a *a* valable.
valenciano, a *a* valencien(ne).
valentía *nf* (*coraje*) courage *m*; (*valor*) vaillance *f*; (*pey*) forfanterie *f*, fanfaronnade *f*; (*acción*) action courageuse; **valentón, ona** *a* fanfaron(ne).
valer *vt* valoir; (*significar*) vouloir dire, aller // *vi* être utile; être valable; être capable; **~se** *vr* se valoir, se servir; **~se de** profiter de // *nm* valeur *f*; **~ la pena** valoir la peine; **~ por** compter pour; **~se por sí mismo** se débrouiller tout seul; **¿vale?** ça va?
valeroso, a *a* vaillant(e), courageux(euse).
valgo *etc vb ver* **valer**.
valía *nf* valeur *f*.
validar *vt* valider.
validez *nf* validité *f*.
valido, a *a* estimé(e), apprécié(e), favori(te).
válido, a *a* valide.
valiente *a* valide; (*pey*) fanfaron(ne) // *nm* brave *m*, héros *m*.
valija *nf* (*maleta*) valise *f*; (*mochila*) sacoche *f*; (*fig*) courrier *m*, valise diplomatique.
valimiento *nm* crédit *m*, faveur *f*.
valioso, a *a* précieux(euse).
valor *nm* valeur *f*; importance courage *m*; (*fig*) renom *m*; **~e** *nmpl* valeurs *fpl*, titres *mpl*; **~ació** *nf* évaluation *f*; **~ar** *vt* évalue surévaluer; estimer.
vals *nm* valse *f*.
válvula *nf* valvule *f*.
valla *nf* clôture *f*; (DEPORTE) haie (*fig*) obstacle *m*.
valladar, vallado *nm* (*cerca* palissade *f*; (*de defensa*) barrière obstacle *m*.
vallar *vt* palissader, clôturer.
valle *nm* vallée *f*.
vallisoletano, a *a* de Valladolid.
vamos *vb ver* **ir**.
vampiro, iresa *nm/f* vampire *m*.
van *vb ver* **ir**.
vanagloriarse *vr* se glorifier.
vándalo, a *a* vandale.
vanguardia *nf* avant-garde *f*.
vanidad *nf* vanité *f*; superficialité
vanidoso, a *a* présomptueu(euse); vaniteux(euse), suffisant(e).
vano, a *a* (*irreal*) vain(e), irréel(le (*irracional*) irrationnel(le); (*inúti* vain; (*persona*) vide; creux(euse (*frívolo*) frivole.
vapor *nm* (*gas*) gaz *m*; (*vaho* vapeur *f*; (*barco*) bateau *m* vapeur, vapeur *m*; (*neblina*) vapeu *f*, brouillard *m*; **~es** *nmpl* (MEI vapeurs *fpl*; **al ~** (CULIN) à vapeur; **a todo ~** à toute vapeu rapidement; **~izar** *vt* vaporise **~oso, a** *a* vaporeux(euse); (*vahoso* embué(e).
vapulear *vt* (*persona*) fouette rosser; (*alfombra*) battre; (*fig* éreinter, esquinter.
vaquero, a *a* des vaches, de vachers // *nm* vacher *m*.
vara *nf* perche *f*; (TEC) brancard *m*
varada *nf* échouement *m*.
varar *vt* (*lanzar*) lancer; (*encallar* échouer; **~se** *vr* mouiller; échouer.
varear *vt* battre; (*fruta*) gauler.
variable *a* variable, changeant(e // *nf* variable *f*.
variación *nf* variation *f*.
variar *vt* varier; (*modificar*

modifier; (*cambiar de posición*) changer de position, bouger // *vi* varier; **variedad** *nf* variété *f.*
varilla *nf* baguette *f*; (BOT) brin *m*; (TEC) tringle *f*; (*de rueda*) rayon *m.*
vario, a *a* (*variado*) divers(e), différent(e); (*multicolor*) multicolore; (*cambiable*) variable, changeant(e).
varón *nm* homme *m*; **varonil** *a* viril(e).
Varsovia *n* Varsovie.
vas *vb ver* **ir**.
vascongado, a, vascuence, vasco, a *a* basque.
vasija *nf* pot *m.*
vaso *nm* verre *m*; (ANAT) vaisseau *m.*
vástago *nm* (BOT) rejeton *m*, rejet *m*; (TEC) tige *f*, tringle *f*; (*fig*) rejeton.
vasto, a *a* vaste.
Vaticano *nm*: **el** ~ le Vatican.
vaticinio *nm* vaticination *f*, prédiction *f.*
vaya *etc vb ver* **ir**.
Vd *abr de* **usted**.
Vda de *abr de viuda de.*
Vds *abr de* **ustedes**.
ve *vb ver* **ir, ver**.
vecinal *a* vicinal(e).
vecindad *nf* (*localidad*) voisinage *m*; (*comunidad*) population *f*, habitants *mpl*, voisins *mpl.*
vecindario *nm* voisinage *m*; population *f*, habitants *mpl.*
vecino, a *a* voisin(e) // *nm/f* voisin/e; habitant/e.
veda *nf* défense *f*, interdiction *f.*
vedado *nm* chasse gardée.
vedar *vt* (*prohibir*) défendre, interdire; (*impedir*) empêcher.
vega *nf* (*llanura*) plaine cultivée; (*valle*) vallée *f* fertile.
vegetal *a* végétal(e) // *nm* végétal *m.*
vehemencia *nf* (*pasión*) passion *f*, impétuosité *f*; (*fervor*) ferveur *f*; (*deseo febril*) ardeur *f*, véhémence *f*; (*violencia*) violence *f*; **vehemente** *a* passionné(e), impétueux(euse); fervent(e); violent(e); fort(e), véhément(e).
vehículo *nm* véhicule *m.*
veía *etc vb ver* **ver**.
veinte *num* vingt.
vejación *nf* vexation *f*, brimade *f.*
vejar *vt* (*irritar*) irriter; (*humillar*) humilier; (*molestar*) brimer, vexer.
vejez *nf* vieillesse *f.*
vela *nf* (*insomnio*) nuit blanche, insomnie *f*; (*vigilia, trabajo*) veille *f*; (*de cera*) bougie *f*, chandelle *f*; (NAUT) voile *f.*
velado, a *a* voilé(e); (*sonido*) voilé, étouffé(e); (*fig*) obscur(e) // *nf* veillée *f*, soirée *f.*
velador *nm* veilleur *m*; bougeoir *m*; guéridon *m*, table de nuit *f.*
velar *vt* (*hacer guardia*) veiller; (*cubrir*) voiler; (*fig*) voiler, dissimuler // *vi* veiller.
veleidad *nf* (*ligereza*) inconstance *f*, légèreté *f*; (*capricho*) velléité *f.*
velero *nm* (NAUT) voilier *m*, bateau *m* à voiles; (AVIAT) planeur *m.*
veleta *nf* (*para el viento*) girouette *f*; (PESCA) flotteur *m*, bouchon *m.*
velo *nm* voile *f*; (FOTO) filtre *m*; (*fig*) prétexte *m.*
velocidad *nf* vitesse *f*, vélocité *f*; (TEC, AUTO) vitesse.
velocímetro *nm* compteur *m* de vitesse.
velódromo *nm* vélodrome *m.*
veloz *a* rapide, véloce.
vello *nm* duvet *m.*
vellocino *nm* toison *f.*
vellón *nm* toison *f*; flocon *m* de laine.
velloso, a *a* duveté(e).
velludo, a *a* velu(e) // *nm* velours *m*, peluche *f.*
ven *vb ver* **venir**.
vena *nf* veine *f*; (*fig*) crise *f*, impulsion *f*; **tiene ~ de pintor** il est peintre né.
venablo *nm* javelot *m.*
venado *nm* cerf *m.*
venal *a* (ANAT) veineux(euse); (*pey*) vénal(e); **~idad** *nf* vénalité *f.*
vencedor, a *a* victorieux(euse).

vencer *vt* (*dominar*) vaincre, battre, dominer; (*derrotar*) vaincre; (*superar, controlar*) dominer; (*imponerse*) l'emporter sur, battre;(*romper*) briser; (*hacer ceder*) renverser, vaincre; (*llegar a la cima*) gravir // *vi* (*triunfar*) triompher; (*plazo*) échoir, arriver à échéance; ~**se** *vr* (*doblarse*) ployer, se tordre, se gauchir; **vencido, a** *a* (*derrotado*) vaincu(e); (*COM*) échu(e), venu(e) à échéance // *ad*: **pagar vencido** payer après échéance; **vencimiento** *nm* ploiement *m*, torsion *f*; échéance *f*, terme *m*, expiration *f*.
venda *nf* bande *f*.
vendaje *nm* bandage *m*.
vendar *vt* bander.
vendaval *nm* vent *m* de tempête, tourmente *f*.
vendedor, a *nm/f* vendeur/euse.
vender *vt* vendre; ~ **al contado/al por mayor/al por menor** vendre comptant/en gros/au détail.
vendimia *nf* vendange *f*; **vendimiar** *vt* vendanger; (*fig*) récolter.
vendré *etc vb ver* **venir**.
veneno *nm* poison *m*; **venenoso, a** *a* vénéneux(euse).
venera *nf* coquille Saint-Jacques *f*.
venerable *a* vénérable.
veneración *nf* vénération *f*.
venerar *vt* (*reconocer*) vénérer; (*adorar*) adorer.
venéreo, a *a* vénérien(ne).
venero *nm* (*veta*) gisement *m*; (*fuente*) source *f*.
venezolano, a *a* vénézuélien(ne).
Venezuela *nf* Venezuela *m*.
venganza *nf* vengeance *f*; **vengar** *vt* venger; **vengarse** *vr* se venger, tirer vengeance; **vengativo, a** *a* vindicatif(ive).
vengo *etc vb ver* **venir**.
venia *nf* pardon *m*; permission *f*, autorisation *f*.
venial *a* véniel(le).
venida *nf* (*llegada*) venue *f*, arrivée *f*; (*regreso*) retour *m*; (*fig*) impétuosité *f*.
venidero, a *a* futur(e), à venir.
venir *vi* venir; (*llegar*) arriver; (*fig*) provenir; (*ocurrir*) arriver; (*se apto*) se trouver, être; (*BOT*) croître pousser; ~ **bien/mal** aller bien/mal; **el año que viene** l'an prochain; ~**se abajo** s'effondrer s'écrouler.
venta *nf* (*COM*) vente *f*; (*posada*) auberge *f*; ~ **al contado/al por mayor/al por menor o al detalle** vente au comptant/en gros/au détail; ~ **de liquidación** soldes *fpl*.
ventaja *nf* avantage *m*; **ventajoso, a** *a* avantageux(euse).
ventana *nf* fenêtre *f*; ~ **de guillotina/salediza** fenêtre à guillotine/à encorbellement; ~ **de la nariz** narine *f*; **ventanilla** *nf* (*de taquilla*) guichet *m*; (*de auto*) glace *f*.
ventear *vt* (*ropa*) exposer à l'air (*oler*) flairer // *vi* (*investigar*) quêter; (*soplar*) venter, faire du vent; ~**se** *vr* (*romperse*) se briser (*ampollarse*) se faire des ampoules se boursoufler; (*secarse*) s'assécher (*ANAT*) vesser.
ventilación *nf* ventilation *f*, aération *f*.
ventilar *vt* ventiler, aérer; (*secar*) mettre à sécher; (*fig*) éclaircir; faire savoir.
ventisca *nf* bourrasque *f* de neige
ventisquero *nm* bourrasque *f* de neige; glacier *m*.
ventosear *vi* lâcher des vents.
ventoso, a *a* venteux(euse).
ventrílocuo, a *nm/f* ventriloque *m/f*; **ventriloquia** *nf* ventriloquie *f*.
ventura *nf* (*felicidad*) bonheur *m*; (*buena suerte*) chance *f*; (*destino*) destin *m*, hasard *m*; **a la (buena)** ~ à l'aventure, au hasard; **venturoso, a** *a* heureux(euse); chanceux(euse).
veo *etc vb ver* **ver**.
ver *vt, vi* voir; (*investigar*) regarder ~**se** *vr* (*encontrarse*) se rencontrer se retrouver; (*dejarse ver*

apparaître, être visible; (*hallarse*: *en un apuro*) se trouver // *nm* aspect *m*, allure *f*; **a** ~ voyons; **no tener nada que** ~ **con** n'avoir rien à voir avec; **a mi modo de** ~ selon moi; **de buen/mal** ~ d'un bon/mauvais œil; **a mi** ~ d'après moi; **a más/hasta más** ~ au revoir.
vera *nf* bord *m*.
veracidad *nf* véracité *f*.
veranear *vi* passer ses vacances d'été.
veraneo *nm* vacances *fpl*.
veraniego, a *a* estival(e), d'été.
verano *nm* été *m*.
veras *nfpl* vérités *fpl*; **de** ~ vraiment.
veraz *a* véridique.
verbal *a* verbal(e).
verbena *nf* fête *f*, kermesse *f*.
verbigracia *ad* par exemple.
verbo *nm* verbe *m*; ~**rragia** *nf* verbosité *f*, logorrhée *f*; **verboso, a** *a* verbeux(euse).
verdad *nf* (*lo verídico*) vérité *f*, vrai *m*; (*fiabilidad*) vérité // *ad* sérieusement, vraiment // **de** ~ *a* vrai, pour de bon; **a decir** ~ à vrai dire, à la vérité; **verdadero, a** *a* (*veraz*) véridique; (*fiable*) vrai(e), véritable; (*persona*) qui dit la vérité, sincère; (*fig*) authentique.
verde *a* vert(e); (*sucio*) paillard(e), égrillard(e), licencieux(euse) // *nm* vert *m*; (BOT) verdure *f*, vert; **viejo/viuda** ~ un vieux beau/une vieille coquette; ~**ar,** ~**cer** *vi* verdir; **verdor** *nm* (*lo verde*) couleur verte; (BOT) verdure *f*; (*fig*) verdeur *f*.
verdugo *nm* (*fig*) bourreau *m*; (*látigo*) fouet *m*; (BOT) rejeton *m*; (*cardenal*) bleu *m*.
verdulero, a *nm/f* marchand/e de légumes.
verdura *nf* vert *m*, couleur *f* verte, verdure *f*; ~**s** *nfpl* légumes verts.
vereda *nf* sentier *m*.
veredicto *nm* verdict *m*.
vergonzoso, a *a* honteux(euse); (*tímido*) timide.
vergüenza *nf* honte *f*; (*timidez*) timidité *f*; (*pudor*) pudeur *f*.
verídico, a *a* véridique.
verificar *vt* vérifier; (*llevar a cabo*) réaliser, effectuer; ~**se** *vr* avoir lieu.
verja *nf* grille *f*.
vermut *nm* vermouth *m*.
verosímil *a* probable; vraisemblable.
verruga *nf* verrue *f*.
versado, a *a*: ~ **en** versé(e) dans.
versar *vi* tourner autour.
versátil *a* versatile.
versión *nf* (*interpretación*) version *f*, interprétation *f*; (*traducción*) traduction *f*.
verso *nm* vers *m*.
vértebra *nf* vertèbre *f*.
verter *vt* (*vaciar*) verser, renverser; (*tirar*) jeter, renverser // *vi* couler.
vertical *a* vertical(e).
vértice *nm* sommet *m*.
vertiente *nf* versant *m*, pente *f*.
vertiginoso, a *a* vertigineux (euse).
vértigo *nm* vertige *m*; (*mareo*) étourdissement *m*.
vesícula *nf* vésicule *f*.
vespertino, a *a* vespéral(e), du soir.
vestíbulo *nm* (*entrada*) vestibule *m*, entrée *f*; (*de teatro*) hall *m*.
vestido *nm* (*ropa*) habillement *m*, vêtement *m*; (*de mujer*) robe *f*.
vestigio *nm* (*trazo*) vestige *m*; (*señal*) trace *f*; ~**s** *nmpl* restes *mpl*.
vestimenta *nf* vêtement *m*, vêtements *mpl*.
vestir *vt* (*poner*: *ropa*) habiller, vêtir; (*llevar*: *ropa*) habiller, porter; (*cubrir*) couvrir, habiller; (*pagar*: *la ropa*) habiller; (*hacer*: *ropa*: *sastre*) tailler // *vi* (*ponerse*: *ropa*) s'habiller; (*verse bien*) classer, poser, faire bien; ~**se** *vr* (*cubrirse*) s'habiller; se couvrir; (MED) se lever.
vestuario *nm* (*conjunto de ropa*) garde-robe *f*; (TEATRO) vestiaire *m*.
veta *nf* (*vena*) veine *f*, filon *m*;

(*raya*) rayure *f*; (*de madera*) veine.
vetar *vt* opposer, mettre son veto à.
veteranía *nf* ancienneté *f*.
veterano, a *a* de longue expérience; vieux(vieille); (*fig*) qui a vécu.
veterinario, a *a* vétérinaire // *nm/f* vétérinaire *m/f* // *nf* médecine *f* vétérinaire.
veto *nm* veto *m*.
vetusto, a *a* vétuste.
vez *nf* fois *f*; (*turno*) tour *m*; **a la ~ que** en même temps que; **a su ~** à son tour; **cada ~ más/menos/peor/mejor** de plus en plus/moins en moins/pire en pire/mieux en mieux; **de una ~** une fois pour toutes; **de una (sola) ~** d'un seul coup; **en ~ de** au lieu de; **una que otra ~** de temps à autre, rarement; **una y otra ~** maintes et maintes fois; **érase una ~** il était une fois; **7 veces 9** 7 fois 9; **hacer las veces de** tenir lieu de, faire fonction de.
v.g., v.gr. *abr de* **verbigracia**.
vía *nf* voie *f* // *prep* via; **por ~ judicial** par voie de justice; **por ~ oficial** officiellement; **por ~ de** sous forme de; **en ~s de** en voie de; **~ aérea** par avion; **~ férrea** voie ferrée.
viaducto *nm* viaduc *m*.
viajante *a* voyageur(euse).
viajar *vi* voyager; **viaje** *nm* voyage *m*; (*gira*) tournée *f*; (NAUT) croisière *f*; **estar de viaje** être en voyage; **viaje de ida (y vuelta)** voyage aller (et retour); **viaje de novios** voyage de noces; **viajero, a** *a* voyageur(euse); (ZOOL) migrateur // *nm/f* (*quien viaja*) voyageur/ euse; (*pasajero*) passager/ère.
vianda *nf* nourriture *f*.
viandante *nm/f* (*viajero*) voyageur/euse; (*transeúnte*) personne *f* qui est de passage, vagabond/e.
viático *nm* viatique *m*.
víbora *nf* vipère *f*.
vibración *nf* vibration *f*.
vibrante *a* vibrant(e).
vibrar *vt, vi* vibrer.
vicario *nm* vicaire *m*.
vicepresidente *nm/f* vice-président/e.
viciado, a *a* (*corrompido*) corrompu(e), vicié(e); (*contaminado*) contaminé(e).
viciar *vt* (*pervertir*) vicier, pervertir; (*adulterar*) falsifier; (*falsificar*) corrompre, pervertir; (JUR) rendre nul, vicier; (*estropear*) gâter, gâcher; (*sentido*) fausser; **~se** *vr* se vicier, se gauchir.
vicio *nm* (*libertinaje*) vice *m*; (*mala costumbre*) mauvaise habitude; (*mimo*) gâterie *f*; (*alabeo*) gauchissement *m*; **vicioso, a** *a* (*muy malo*) vicieux(euse); (*corrompido*) corrompu(e); (*mimado*) gâté(e) // *nm/f* libertin/e; dépravé/e; pervers/e.
vicisitud *nf* vicissitude *f*.
víctima *nf* victime *f*.
victoria *nf* victoire *f*; **victorioso, a** *a* victorieux(euse).
vicuña *nf* vigogne *f*.
vid *nf* vigne *f*.
vida *nf* vie *f*; **de por ~** pour toujours, pour la vie; **en la/mi ~** jamais de la vie; **estar con ~** être en vie.
vidente *nm/f* voyant/e.
vidriarse *vr* devenir vitreux.
vidriero, a *nm/f* verrier *m* // *nf* (*ventana*) vitrage *m*; (*puerta*) porte vitrée; (*vitral*) vitrail *m*.
vidrio *nm* verre *m*; **vidrioso, a** *a* vitreux(euse); fragile, délicat(e); transparent(e); glissant(e).
viejo, a *a* vieux(vieille) // *nm/f* vieux/vieille.
vienes *etc vb ver* **venir**.
vienés, esa *a* viennois(e).
viento *nm* vent *m*; (*olfato*) flair *m*.
vientre *nm* ventre *m*; (*matriz*) entrailles *fpl*; **~s** *nmpl* intestins *mpl*.
viernes *nm inv* vendredi *m*.
Vietnam *nm*: **el ~** le Viet-Nam.
vietnamita *a* vietnamien(ne).
viga *nf* poutre *f*.

vigencia *nf* vigueur *f*; **vigente** *a* en vigueur; qui prévaut.
vigésimo, a *a* vingtième.
vigía *nm* vigie *f* // *nf* (*atalaya*) poste *m* de guet; (*acción*) guet *m*.
vigilancia *nf* surveillance *f*; (*cuidado*) vigilance *f*; **vigilar** *vt* surveiller // *vi* surveiller; veiller, être vigilant(e).
vigilia *nf* veille *f*; **comer de ~** faire maigre.
vigor *nm* vigueur *f*; **~oso, a** *a* vigoureux(euse).
vil *a* vil(e), bas(se); **~eza** *nf* bassesse *f*; vilenie *f*.
vilipendiar *vt* vilipender.
vilo: **en ~** *ad* en l'air.
villa *nf* (*pueblo*) (petite) ville *f*; (*municipalidad*) ville, municipalité *f*.
villano, a *a* roturier(ière); (*fig*) rustre, grossier(ière).
villorrio *nm* petit village, trou *m*.
vinagre *nm* vinaigre *m*.
vinculación *nf* (*lazo*) lien *m*; (*acción*) action *f* de lier.
vincular *vt* lier; attacher; rattacher, relier; fonder; **vínculo** *nm* lien *m*.
vindicar *vt* venger; défendre; (JUR) revendiquer.
vine *etc vb ver* **venir.**
vinicultura *nf* viniculture *f*.
viniera *etc vb ver* **venir.**
vino *nm* vin *m*.
viña *nf* vigne *f*.
violar *vt* violer.
violencia *nf* (*fuerza*) violence *f*; (*embarazo*) gêne *f*, contrainte *f*; (*acto injusto*) viol *m*, injustice *f*; **violentar** *vt* violenter; faire violence à; violer; forcer; **violento, a** *a* violent(e), sauvage; furieux (euse); forcé(e); gêné(e), mal à l'aise; gênant(e); falsifié(e).
violeta *nf* violette *f*.
violín *nm* violon *m*.
violón *nm* contrebasse *f*.
viraje *nm* virage *m*; (*fig*) revirement *m*, tournant *m*.
virar *vt, vi* virer.
virgen *a* vierge // *nf* vierge *f*.
Virgo *nm* la Vierge; **ser (de) ~** être (de la) Vierge.
viril *a* viril(e); **~idad** *nf* virilité *f*.
virote *nm* vireton *m*.
virtualmente *ad* (*en potencia*) virtuellement; (*en realidad*) en réalité.
virtud *nf* vertu *f*; **virtuoso, a** *a* vertueux(euse) // *nm/f* virtuose *m/f*.
viruela *nf* variole *f*, petite vérole; **~s** *nfpl* boutons *mpl* de variole.
virulento, a *a* virulent(e).
virus *nm* virus *m*.
visado, a *a* visé(e), marqué(e) d'un visa // *nm* visa *m*.
visar *vt* viser.
viscoso, a *a* visqueux(euse).
visera *nf* visière *f*.
visibilidad *nf* visibilité *f*.
visible *a* visible; (*fig*) évident(e), clair(e).
visión *nf* (ANAT) vision *f*; (*fantasía*) fiction *f*, illusion *f*; (*panorama*) vue *f*; **visionario, a** *a* (*que preve*) visionnaire; (*alucinado*) halluciné(e) // *nm/f* visionnaire *m/f*; halluciné/e.
visita *nf* visite *f*; **~s** *nfpl* invités *mpl*; **visitar** *vt* visiter; rendre visite à; (*inspeccionar*) faire une visite de.
vislumbrar *vt* apercevoir; (*fig*) entrevoir; **vislumbre** *nf* lueur *f*; (*centelleo*) reflet *m*, lueur; (*idea vaga*) soupçon *m*, indice *m*.
viso *nm* (*del metal*) moirure *f*; chatoiement *m*; (*de tela*) moirage *m*, moire *f*; (*aspecto*) apparence *f*.
víspera *nf* veille *f*.
vista *nf* vue *f*; (*mirada*) coup d'œil *m* // *nm* douanier *m*; **hacer la ~ gorda** fermer les yeux; **volver la ~** jeter un coup d'œil en arrière; **está a la ~ que** il est incontestable que; **conocer de ~** connaître de vue; **en ~ de** vu, étant donné; **¡hasta la ~!** à bientôt!; **con ~s a** en prévision de; **vistazo** *nm* coup d'œil *m*.
visto, a *pp de* **ver**; *vb ver* **vestir** // *a* vu(e) // *nm*: **~ bueno** approbation *f*; **~ bueno** vu et approuvé; **por lo**

~ apparemment; **está** ~ **que** il est évident que; ~ **que** *conj* vu que, attendu que.
vistoso, a *a* voyant(e); (*alegre*) joyeux(euse); (*pey*) gueulard(e).
vital *a* vital(e); (*fig*) fondamental(e); (*persona*) vivace, plein(e) de vie; **~icio, a** *a* à vie.
vitamina *nf* vitamine *f.*
vitorear *vt* acclamer.
vítreo, a *a* vitré(e).
vitrina *nf* vitrine *f.*
vituperar *vt* blâmer, reprocher; **vituperio** *nm* (*condena*) blâme *m*, reproche *m*; (*censura*) blâme; (*insulto*) insulte *f*, honte *f.*
viudo, a *nm/f* veuf/veuve.
vivacidad *nf* (*vigor*) vivacité *f*; (*vida*) vie *f*, vigueur *f*; (*alegría*) joie *f.*
vivaracho, a *a* vif(ive), pétulant(e); superficiel(le), attirant(e); brillant(e), étincelant(e).
vivaz *a* (*que dura*) vivace; (*vigoroso*) vigoureux(euse); (*vivo*) vif(ive), intelligent(e).
víveres *nmpl* vivres *mpl.*
vivero *nm* pépinière *f*; vivier *m.*
viveza *nf* vivacité *f*; (*agudeza*) saillie *f.*
vivienda *nf* (*alojamiento*) hébergement *m*; (*morada*) demeure *f*, logis *m*, logement *m.*
viviente *a* vivant(e).
vivificar *vt* vivifier.
vivir *vt, vi* vivre.
vivo, a *a* vivant(e); (*fig*) vif (ive); (*astuto*) malin(igne), débrouillard(e); **llegar a lo** ~ arriver au point délicat.
vizcaíno, a *a* biscaïen(ne).
Vizcaya *nf* Biscaye *f.*
vocablo *nm* mot *m*, vocable *m.*
vocabulario *nm* vocabulaire *m.*
vocación *nf* vocation *f.*
vocal *a* vocal(e); **~izar** *vt* vocaliser.
vocear *vt* (*para vender*) crier (à tue- tête); (*aclamar*) acclamer; (*fig*) proclamer // *vi* crier; **vocerío** *nm*, **vocería** *nf* cris *mpl*, clameur *f.*
vocero *nm* porte-parole *m inv.*
vociferar *vt* vociférer; proclamer // *vi* crier.
vocinglero, a *a* criailleur(euse); loquace, bavard(e); évident(e), clair(e).
vol *abr de* **volumen.**
volante *a* volant(e) // *nm* (*de máquina, coche*) volant *m*; (*de reloj*) balancier *m*; (*nota*) note *f*, circulaire *f.*
volar *vt* (*demolir*) faire sauter // *vi* voler; (*el tiempo*) passer.
volátil *a* volatil(e); (*fig*) inconstant(e), changeant(e).
volcán *nm* volcan *m*; **~ico, a** *a* volcanique.
volcar *vt* (*tirar*) renverser; (*tumbar, derribar*) verser, renverser; (*vaciar*) vider, renverser; (*voltear*) retourner; (*caer*) renverser, capoter; agacer; impatienter; faire changer d'avis // *vi* se renverser; **~se** *vr* faire des efforts.
volición *nf* volition *f.*
volteador, a *nm/f* voltigeur/euse.
voltear *vt* faire tourner, voltiger; retourner; sonner à toute volée; faire voltiger // *vi* voltiger, exécuter.
voltio *nm* volt *m.*
voluble *a* instable, versatile.
volumen *nm* volume *m*; **voluminoso, a** *a* volumineux(euse); encombrant(e).
voluntad *nf* volonté *f*; (*deseo*) envie *f*, désir *m*; (*afecto*) inclination *f*, tendresse *f.*
voluntario, a *a* volontaire // *nm/f* volontaire *m/f.*
voluntarioso, a *a* plein(e) de bonne volonté.
voluptuoso, a *a* voluptueux(euse), sensuel(le).
volver *vt* (*dar vuelta*) tourner; (*voltear*) retourner; (*poner al revés*) retourner; (*mover*) bouger, tourner; (*página*) tourner; (*abrir*) ouvrir; (*cerrar*) fermer; (*devolver*) retourner; (*visita*) rendre; (*transformar*) transformer, changer // *vi* revenir,

retourner; ~**se** *vr* devenir; ~ **la espalda** tourner le dos; ~ **bien por mal** rendre le bien pour le mal; ~ **triste/furioso** rendre triste/furieux; ~ **a hacer** refaire, faire de nouveau, recommencer à faire; ~ **en sí** revenir à soi; ~**se atrás** revenir en arrière.

vomitar *vt* vomir; (*revelar*) avouer // *vi* rendre; **vómito** *nm* (*acto*) vomissement *m*; (*resultado*) vomisserie *f*, vomi *m*.

voraz *a* vorace; (*fig*) destructeur (trice).

vórtice *nm* tourbillon *m*.

vosotros *pron* vous.

votación *nf* (*acto*) vote *m*; (*voto*) scrutin *m*, vote.

votar *vt* voter.

voto *nm* (*al votar*) vote *m*; (*promesa*) vœu *m*; (*deseo*) vœu, souhait *m*; (*conjunto de votos*) voix *f*, suffrage *m*; (*maldición*) juron *m*, blasphème *m*.

voy *vb ver* **ir.**

voz *nf* voix *f*; (*tono*) ton *m*; (*grito*) cri *m*; (*chisme*) ragot *m*; (LING) mot *m*; **dar voces** pousser des cris; **a media** ~ à mi-voix; **a** ~ **en cuello** *o* **en grito** à tue-tête; **de viva** ~ de vive voix; **en alta** ~ à haute voix; ~ **de mando** ordre *m*.

vuelco *nm* chute *f*, culbute *f*; (*fig*) bouleversement *m*.

vuelo *vb ver* **voler** // *nm* vol *m*; (*encaje*) dentelle *f*; (*de vestido*) ampleur *f*; (*fig*) envolée *f*, envergure *f*; **coger al** ~ comprendre à demi-mot; **tirar al** ~ tirer au vol.

vuelta *nf* (*turno*) tour *m*; (*cambio de dirección*) demi-tour *m*; (*curva*) courbe *f*; (*regreso*) retour *m*; (*revolución*) révolution *f*, tour complet sur soi-même; (*paseo, circuito*) tour; (*de papel, tela*) verso *m*; (*cambio*) monnaie *f*; ~ **cerrada** virage *m* en épingle à cheveux; **a la** ~ à la page suivante, au verso; **a la** ~ au retour; **a** ~ **de correo** par retour du courrier; **buscar las** ~**s a uno** chercher à prendre qn en défaut; **dar** ~**s** tourner en rond, retourner; **dar** ~**s a una idea** retourner une idée dans sa tête; **estar de** ~ (*fam*) être revenu de tout, être désabusé; **dar una** ~ faire un tour.

vuelto *pp de* **volver.**

vuelvo *etc vb ver* **volver.**

vuestro, a *a* votre; (*pl*) vos // *pron*: **el** ~ le vôtre; **la vuestra** la vôtre; **los** ~**s/las vuestras** les vôtres.

vulcanizar *vt* vulcaniser.

vulgar *a* ordinaire; commun(e), banal(e); ~**idad** *nf* vulgarité *f*, banalité *f*; trivialité *f*; ~**idades** *nfpl* stupidités *fpl*; ~**izar** *vt* vulgariser.

vulnerable *a* vulnérable.

vulnerar *vt* (*dañar*) blesser; (*perjudicar*) causer préjudice à.

vulpino, a *a* relatif(ive) au renard; (*fig*) rusé(e).

W

Washington *n* Washington.

wáter *nm* toilettes *fpl*.

whisky *nm* whisky *m*.

X

xenofobia *nf* xénophobie *f*; **xenófobo, a** *nm/f* xénophobe *m/f*.

xilófono *nm* xylophone *m*.

Y

y *conj* et.

ya *ad* déjà; (*antes*) avant, autrefois; (*ahora*) maintenant; (*en seguida*) tout de suite; (*pronto*) à l'instant *excl* d'accord // *conj* (*ahora* (*que*)) puisque, du moment que; ~ **lo sé** je le sais; ~ **dice que sí,** ~ **dice que no** tantôt c'est oui, tantôt c'est non; ~ **que** puisque, du moment que.

yacer *vi* gésir.

yacimiento *nm* gisement *m*.

yanqui *a* yankee.

yate *nm* yacht *m*.

yazco *etc vb ver* **yacer**.

yegua *nf* jument *f*.

yema *nf* (*del huevo*) jaune d'œuf *m*; (*BOT*) bourgeon *m*; (*fig*) meilleur *m*, crème *f*; ~ **del dedo** bout *m* du doigt.

yerba *nf* herbe *f*.

yergo *etc vb ver* **erguir**.

yermo, a *a* désert(e) // *nm* désert *m*.

yerno *nm* gendre *m*, beau-fils *m*.

yerro *etc vb ver* **errar**.

yerto, a *a* raide, rigide.

yesca *nf* amadou *m*; (*fig*) aiguillon *m*.

yeso *nm* (*GEO*) gypse *m*; (*ARQ*) plâtre *m*.

yodo *nm* iode *m*.

yugo *nm* joug *m*.

Yugoslavia *nf* Yugoslavie *f*.

yunque *nm* enclume *f*.

yunta *nf* attelage *m*.

yuntero *nm* laboureur *m*.

yute *nm* jute *m*.

yuxtaponer *vt* juxtaposer; **yuxtaposición** *nf* juxtaposition *f*.

Z

zafar *vt* défaire, affranchir; (*superficie*) dégager; **~se** *vr* se sauver, s'esquiver; se dérober, se cacher; (*TEC*) se démettre, se [illegible]boîter.

[illegible] **a** *a* grossier(ière), fruste.

[illegible] *nm* saphir *m*.

[illegible] arrière *m*, derrière *m*.

zagal, a *nm/f* garçon *m*, jeune homme/fille.

zaguán *nm* vestibule *m*.

zahareño, a *a* sauvage, hagard(e); timide.

zaherir *vt* critiquer, blâmer; blesser, mortifier.

zahorí *nm* devin *m*.

zaino, a *a* zain; traître(sse); sauvage.

zalagarda *nf* tapage *m*.

zalameria *nf* cajolerie *f*, flatterie *f*; **zalamero, a** *a* flatteur(euse), cajoleur(euse); huileux(euse).

zamarra *nf* (*piel*) peau *f* de mouton; (*saco*) pelisse *f*.

zambo, a *a* cagneux(euse).

zambra *nf* fête *f*, tapage *m*.

zambullirse *vr* se baigner, plonger; (*ocultarse*) se cacher.

zampar *vt* (*esconder*) fourrer; (*comer*) avaler, engloutir; (*arrojar*) flanquer // *vi* dévorer; **~se** *vr* s'engouffrer; se fourrer.

zanahoria *nf* carotte *f*.

zancada *nf* enjambée *f*.

zancadilla *nf* croc-en-jambe *m*; (*fig*) piège *m*.

zancajo *nm* (*ANAT*) (os *m* du) talon *m*; (*fig*) avorton *m*.

zanco *nm* échasse *f*.

zancudo, a *a* qui a de longues jambes.

zángano *nm* faux bourdon; (*fig*) fainéant *m*, paresseux *m*; idiot *m*.

zanja *nf* (*fosa*) fossé *m*, tranchée *f*; (*tumba*) fosse *f*, tombe *f*; **zanjar** *vt* (*fosa*) creuser; (*problema*) régler; (*conflicto*) résoudre.

zapa *nf* (*piel*) peau *f* de squale; (*pala*) pelle *f* (de sapeur).

zapapico *nm* pioche *f*.

zapar *vt, vi* saper.

zapata *nf* chaussure montante.

zapatear *vt* (*tocar*) frapper du pied; (*patear*) donner des coups de pied; (*fam*) fouler aux pieds // *vi* frapper le sol en cadence.

zapatería *nf* (*oficio*) cordonnerie *f*; (*tienda*) boutique *f* de savetier; (*fábrica*) fabrique *f* de chaussures.

zapatero, a *a* dur(e), coriace // *nm/f* cordonnier/ière.
zapatilla *nf* chausson *m.*
zapato *nm* chaussure *f.*
zaquizami *nm* galetas *m.*
zarabanda *nf* sarabande *f.*
zaranda *nf* passoire *f.*
zarandear *vt* cribler; (*fam*) secouer.
zaraza *nf* indienne *f* de coton.
zarcillo *nm* boucle d'oreille *f.*
zarco, a *a* bleu clair.
zarpa *nf* (*garra*) griffe *f*; (*mancha*) tache *f.*
zarpar *vi* lever l'ancre.
zarrapastroso, a *a* débraillé(e), mal ficelé(e).
zarza *nf* (BOT) ronce *f*; **zarzal** *nm* (*matorral*) buisson *m.*
zarzamora *nf* mûre *f* sauvage.
zarzuela *nf sorte d'opérette.*
zigzag *a* zigzag; **zigzaguear** *vi* zigzaguer.
zinc *nm* zinc *m.*
zócalo *nm* soubassement *m.*
zoco, a *a* gaucher(ère).
zona *nf* zone *f*, région *f.*
zoología *nf* zoologie *f*; **zoológico, a** *a* zoologique // *nm* zoo *m*; **zoólogo, a** *nm/f* zoologue *m/f.*
zopenco, a *a* (*fam*) abruti(e).
zoquete *nm* (*madera*) morceau *m* de bois; (*pan*) quignon *m*; (*fam*) cruche *f.*
zorro, a *a* rusé(e) // *nm/f* renard/e.
zote *a* (*fam*) sot(te).
zozobra *nf* (*fig*) inquiétude *f*, angoisse *f.*
zozobrar *vi* chavirer; (*hundirse*) sombrer, couler; (*fig*) sombrer, échouer.
zueco *nm* sabot *m.*
zumbar *vt* (*burlar*) railler; (*golpear*) flanquer une raclée // *vi* bourdonner; (*fam*) frôler; **~se de** se moquer de; **zumbido** *nm* bourdonnement *m*; (*fam*) claque *f.*
zumbón, ona *a* moqueur(euse) // *nm/f* moqueur/euse.
zumo *nm* jus *m*; (*fig*) suc *m.*
zurcir *vt* (*coser*) raccommoder, repriser; (*fig*) rassembler.
zurdo, a *a* gaucher(ère).
zurra *nf* (TEC) corroyage *m*; (*fam*) drayage *m*, raclée *f*, volée *f.*
zurrar *vt* (TEC) corroyer; (*fam*) rosser; malmener, éreinter; critiquer.
zurriago *nm* fouet *m.*
zurrón *nm* gibecière *f.*
zutano, a *nm/f* un Tel/une Telle.

LISTA DE VERBOS

1 Participe présent *2* Participe passé *3* Présent *4* Imparfait *5* Futur *6* Conditionnel *7* Subjonctif présent

acquérir *1* acquérant *2* acquis *3* acquiers, acquérons, acquièrent *4* acquérais *5* acquerrai *7* acquière
ALLER *1* allant *2* allé *3* vais, vas, va, allons, allez, vont *4* allais *5* irai *6* irais *7* aille
asseoir *1* asseyant *2* assis *3* assieds, asseyons, asseyez, asseyent *4* asseyais *5* assiérai *7* asseye
atteindre *1* atteignant *2* atteint *3* atteins, atteignons *4* atteignais *7* atteigne
AVOIR *1* ayant *2* eu *3* ai, as, a, avons, avez, ont *4* avais *5* aurai *6* aurais *7* aie, aies, ait, ayons, ayez, aient
battre *1* battant *2* battu *3* bats, bat, battons *4* battais *7* batte
boire *1* buvant *2* bu *3* bois, buvons, boivent *4* buvais *7* boive
bouillir *1* bouillant *2* bouilli *3* bous, bouillons *4* bouillais *7* bouille
conclure *1* concluant *2* conclu *3* conclus, concluons *4* concluais *7* conclue
conduire *1* conduisant *2* conduit *3* conduis, conduisons *4* conduisais *7* conduise
connaître *1* connaissant *2* connu *3* connais, connaît, connaissons *4* connaissais *7* connaisse
coudre *1* cousant *2* cousu *3* couds, cousons, cousez, cousent *4* cousais *7* couse
courir *1* courant *2* couru *3* cours, courons *4* courais *5* courrai *7* coure
couvrir *1* couvrant *2* couvert *3* couvre, couvrons *4* couvrais *7* couvre
craindre *1* craignant *2* craint *3* crains, craignons *4* craignais *7* craigne
croire *1* croyant *2* cru *3* crois, croyons, croient *4* croyais *7* croie
croître *1* croissant *2* crû, crue, crus, crues *3* croîs, croissons *4* croissais *7* croisse
cueillir *1* cueillant *2* cueilli *3* cueille, cueillons *4* cueillais *5* cueillerai *7* cueille
devoir *1* devant *2* dû, due, dus, dues *3* dois, devons, doivent *4* devais *5* devrai *7* doive
dire *1* disant *2* dit *3* dis, disons, dites, disent *4* disais *7* dise
dormir *1* dormant *2* dormi *3* dors, dormons *4* dormais *7* dorme
écrire *1* écrivant *2* écrit *3* écris, écrivons *4* écrivais *7* écrive
ÊTRE *1* étant *2* été *3* suis, es, est, sommes, êtes, sont *4* étais *5* serai *6* serais *7* sois, sois, soit, soyons, soyez, soient
FAIRE *1* faisant *2* fait *3* fais, fais, fait, faisons, faites, font *4* faisais *5* ferai *6* ferais *7* fasse
falloir *2* fallu *3* faut *4* fallait *5* faudra *7* faille
FINIR *1* finissant *2* fini *3* finis, finis, finit, finissons, finissez, finissent *4* finissais *5* finirai *6* finirais *7* finisse
fuir *1* fuyant *2* fui *3* fuis, fuyons, fuient *4* fuyais *7* fuie
joindre *1* joignant *2* joint *3* joins, joignons *4* joignais *7* joigne
lire *1* lisant *2* lu *3* lis, lisons *4* lisais *7* lise
luire *1* luisant *2* lui *3* luis, luisons *4* luisais *7* luise
maudire *1* maudissant *2* maudit *3*

maudis, maudissons *4* maudissait *7* maudisse
mentir *1* mentant *2* menti *3* mens, mentons *4* mentais *7* mente
mettre *1* mettant *2* mis *3* mets, mettons *4* mettais *7* mette
mourir *1* mourant *2* mort *3* meurs, mourons, meurent *4* mourais *5* mourrai *7* meure
naître *1* naissant *2* né *3* nais, naît, naissons *4* naissais *7* naisse
offrir *1* offrant *2* offert *3* offre, offrons *4* offrais *7* offre
PARLER *1* **parlant** *2* **parlé** *3* **parle, parles, parle, parlons, parlez, parlent** *4* **parlais, parlais, parlait, parlions, parliez, parlaient** *5* **parlerai, parleras, parlera, parlerons, parlerez, parleront** *6* **parlerais, parlerais, parlerait, parlerions, parleriez, parleraient** *7* **parle, parles, parle, parlions, parliez, parlent** *impératif* **parle!, parlez!**
partir *1* partant *2* parti *3* pars, partons *4* partais *7* parte
plaire *1* plaisant *2* plu *3* plais, plaît, plaisons *4* plaisais *7* plaise
pleuvoir *1* pleuvant *2* plu *3* pleut, pleuvent *4* pleuvait *5* pleuvra *7* pleuve
pourvoir *1* pourvoyant *2* pourvu *3* pourvois, pourvoyons, pourvoient *4* pourvoyais *7* pourvoie
pouvoir *1* pouvant *2* pu *3* peux, peut, pouvons, peuvent *4* pouvais *5* pourrai *7* puisse
prendre *1* prenant *2* pris *3* prends, prenons, prennent *4* prenais *7* prenne
prévoir *like voir* *5* prévoirai
RECEVOIR *1* recevant *2* reçu *3* reçois, reçois, reçoit, recevons, recevez, reçoivent *4* recevais *5* recevrai *6* recevrais *7* reçoive
RENDRE *1* rendant *2* rendu *3* rends, rends, rend, rendons, rendez, rendent *4* rendais *5* rendrai *6* rendrais *7* rende
résoudre *1* résolvant *2* résolu *3* résous, résolvons *4* résolvais *7* résolve
rire *1* riant *2* ri *3* ris, rions *4* riais *7* rie
savoir *1* sachant *2* su *3* sais, savons, savent *4* savais *5* saurai *7* sache *impératif* sache, sachons, sachez
servir *1* servant *2* servi *3* sers, servons *4* servais *7* serve
sortir *1* sortant *2* sorti *3* sors, sortons *4* sortais *7* sorte
souffrir *1* souffrant *2* souffert *3* souffre, souffrons *4* souffrais *7* souffre
suffire *1* suffisant *2* suffi *3* suffis, suffisons *4* suffisais *7* suffise
suivre *1* suivant *2* suivi *3* suis, suivons *4* suivais *7* suive
taire *1* taisant *2* tu *3* tais, taisons *4* taisais *7* taise
tenir *1* tenant *2* tenu *3* tiens, tenons, tiennent *4* tenais *5* tiendrai *7* tienne
vaincre *1* vainquant *2* vaincu *3* vaincs, vainc, vainquons *4* vainquais *7* vainque
valoir *1* valant *2* valu *3* vaux, vaut, valons *4* valais *5* vaudrai *7* vaille
venir *1* venant *2* venu *3* viens, venons, viennent *4* venais *5* viendrai *7* vienne
vivre *1* vivant *2* vécu *3* vis, vivons *4* vivais *7* vive
voir *1* voyant *2* vu *3* vois, voyons, voient *4* voyais *5* verrai *7* voie
vouloir *1* voulant *2* voulu *3* veux, veut, voulons, veulent *4* voulais *5* voudrai *7* veuille *impératif* veuillez.

TABLEAU DE CONJUGAISONS

1 Gerundio *2* Imperativo *3* Presente *4* Pretérito *5* Futuro *6* Presente del subjuntivo *7* Imperfecto del subjuntivo *8* Participio de pasado *9* Imperfecto

Un etc signifie que le radical irrégulier se retrouve à toutes les personnes - ex: **oír** *6* oiga, oigas, oiga, oigamos, oigáis, oigan.

acertar *2* acierta *3* acierto, aciertas, acierta, aciertan *6* acierte, aciertes, acierte, acierten

acordar *2* acuerda *3* acuerdo, acuerdas, acuerda, acuerdan *6* acuerde, acuerdes, acuerde, acuerden

advertir *1* advirtiendo *2* advierte *3* advierto, adviertes, advierte, advierten *4* advirtió, advirtieron *6* advierta, adviertas, advierta, advirtamos, advirtáis, adviertan *7* advirtiera *etc*

agradecer *3* agradezco *6* agradezca *etc*

aparecer *3* aparezco *6* aparezca *etc*

aprobar *2* aprueba *3* apruebo, apruebas, aprueba, aprueban *6* apruebe, apruebes, apruebe, aprueben

atravesar *2* atraviesa *3* atravieso, atraviesas, atraviesa, atraviesan *6* atraviese, atravieses, atraviese, atraviesen

caber *3* quepo *4* cupe, cupiste, cupo, cupimos, cupisteis, cupieron *5* cabré *etc* *6* quepa *etc* *7* cupiera *etc*

caer *1* cayendo *3* caigo *4* cayó, cayeron *6* caiga *etc* *7* cayera *etc*

calentar *2* calienta *3* caliento, calientas, calienta, calientan *6* caliente, calientes, caliente, calienten

cerrar *2* cierra *3* cierro, cierras, cierra, cierran *6* cierre , cierres, cierre, cierren

COMER *1* comiendo *2* come, comed *3* como, comes, come, comemos, coméis, comen *4* comí, comiste, comió, comimos, comisteis comieron *5* comeré, comerás, comerá, comeremos, comeréis, comerán *6* coma, comas, coma, comamos, comáis, coman *7* comiera, comieras, comiera, comiéramos, comierais, comieran *8* comido *9* comía, comías, comía, comíamos, comíais, comían

conocer *3* conozco *6* conozca *etc*

contar *2* cuenta *3* cuento, cuentas, cuenta, cuentan *6* cuente, cuentes, cuente, cuenten

costar *2* cuesta *3* cuesto, cuestas, cuesta, cuestan *6* cueste, cuestes, cueste, cuesten

dar *3* doy *4* di, diste, dio, dimos, disteis, dieron *7* diera *etc*

decir *2* di *3* digo *4* dije, dijiste, dijo, dijimos, dijisteis , dijeron *5* diré *etc* *6* diga *etc* *7* dijera *etc* *8* dicho

despertar *2* despierta *3* despierto, despiertas, despierta, despiertan *6* despierte, despiertes, despierte, despierten

divertir *1* divirtiendo *2* divierte *3* divierto, diviertes, divierte, divierten *4* divirtió, divirtieron *6* divierta, diviertas, divierta, divirtamos, divirtáis, diviertan *7* divirtiera *etc*

dormir *1* durmiendo *2* duerme *3* duermo, duermes, duerme, duermen *4* durmió, durmieron *6* duerma, duermas, duerma, durmamos, durmáis, duerman *7* durmiera *etc*

empezar *2* empieza *3* empiezo, empiezas, empieza, empiezan *4* empecé *6* empiece, empieces, empiece, empecemos, empecéis, empiecen

encontrar *2* encuentra *3* encuentro, encuentras, encuentra, encuentran *6* encuentre, encuentres, encuentre, encuentren

entender *2* entiende *3* entiendo, entiendes, entiende, entienden *6* entienda, entiendas, entienda, entiendan

ESTAR *2* está *3* estoy, estás, está, están *4* estuve, estuviste, estuvo, estuvimos, estuvisteis, estuvieron *6* esté, estés, esté, estén *7* estuviera *etc*

HABER *3* he, has, ha, hemos, han *4* hube, hubiste, hubo, hubimos, hubisteis, hubieron *5* habré *etc 6* haya *etc 7* hubiera *etc*

HABLAR *1* hablando *2* habla, hablad *3* hablo, hablas, habla, hablamos, habláis, hablan *4* hablé, hablaste, habló, hablamos, hablasteis, hablaron *5* hablaré, hablarás, hablará, hablaremos, hablaréis, hablarán *6* hable, hables, hable, hablemos, habléis, hablen *7* hablara, hablaras, hablara, habláramos, hablarais, hablaran *8* hablado *9* hablaba, hablabas, hablaba, hablábamos, hablabais, hablaban

hacer *2* haz *3* hago *4* hice, hiciste, hizo, hicimos, hicisteis, hicieron *5* haré *etc 6* haga *etc 7* hiciera *etc 8* hecho

instruir *1* instruyendo *2* instruye *3* instruyo, instruyes, instruye, instruyen *4* instruyó, instruyeron *6* instruya *etc 7* instruyera *etc*

ir *1* yendo *2* ve *3* voy, vas, va, vamos, vais, van *4* fui, fuiste, fue, fuimos, fuisteis, fueron *6* vaya, vayas, vaya, vayamos, vayáis, vayan *7* fuera *etc 8* iba, ibas, iba, íbamos, ibais, iban

jugar *2* juega *3* juego, juegas, juega, juegan *4* jugué *6* juegue *etc*

leer *1* leyendo *4* leyó, leyeron *7* leyera *etc*

morir *1* muriendo *2* muere *3* muero, mueres, muere, mueren *4* murió, murieron *6* muera, mueras, muera, muramos, muráis, mueran *7* muriera *etc 8* muerto

mostrar *2* muestra *3* muestro, muestras, muestra, muestran *6* muestre, muestres, muestre, muestren

mover *2* mueve *3* muevo, mueves, mueve, mueven *6* mueva, muevas, mueva, muevan

negar *2* niega *3* niego, niegas, niega, niegan *4* negué *6* niegue, niegues, niegue, neguemos, neguéis, nieguen

ofrecer *3* ofrezco *6* ofrezca *etc*

oír *1* oyendo *2* oye *3* oigo, oyes, oye, oyen *4* oyó, oyeron *6* oiga *etc 7* oyera *etc*

oler *2* huele *3* huelo, hueles, huele, huelen *6* huela, huelas, huela, huelan

parecer *3* parezco *6* parezca *etc*

pedir *1* pidiendo *2* pide *3* pido, pides, pide, piden *4* pidió, pidieron *6* pida *etc 7* pidiera *etc*

pensar *2* piensa *3* pienso, piensas, piensa, piensan *6* piense, pienses, piense, piensen

perder *2* pierde *3* pierdo, pierdes, pierde, pierden *6* pierda, pierdas, pierda, pierdan

poder *1* pudiendo *2* puede *3* puedo, puedes, puede, pueden *4* pude, pudiste, pudo, pudimos, pudisteis, pudieron *5* podré *etc 6* pueda, puedas, pueda, puedan *7* pudiera *etc*

poner *2* pon *3* pongo *4* puse, pusiste, puso, pusimos, pusisteis, pusieron *5* pondré *etc* *6* ponga *etc* *7* pusiera *etc* *8* puesto

preferir *1* prefiriendo *2* prefiere *3* prefiero, prefieres, prefiere, prefieren *4* prefirió, prefirieron *6* prefiera, prefieras, prefiera, prefiramos, prefiráis, prefieran *7* prefiriera *etc*

querer *2* quiere *3* quiero, quieres, quiere, quieren *4* quise, quisiste, quiso, quisimos, quisisteis, quisieron *5* querré *etc* *6* quiera, quieras, quiera, quieran *7* quisiera *etc*

reír *2* ríe *3* río, ríes, ríe, ríen *4* rio, rieron *6* ría, rías, ría, riamos, riáis, rían *7* riera *etc*

repetir *1* repitiendo *2* repite *3* repito, repites, repite, repiten *4* repitió, repitieron *6* repita *etc* *7* repitiera *etc*

rogar *2* ruega *3* ruego, ruegas, ruega, ruegan *4* rogué *6* ruegue, ruegues, ruegue, roguemos, roguéis, rueguen

saber *3* sé *4* supe, supiste, supo, supimos, supisteis, supieron *5* sabré *etc* *6* sepa *etc* *7* supiera *etc*

salir *2* sal *3* salgo *5* saldré *etc* *6* salga *etc*

seguir *1* siguiendo *2* sigue *3* sigo, sigues, sigue, siguen *4* siguió, siguieron *6* siga *etc* *7* siguiera *etc*

sentar *2* sienta *3* siento, sientas, sienta, sientan *6* siente, sientes, siente, sienten

sentir *1* sintiendo *2* siente *3* siento, sientes, siente, sienten *4* sintió, sintieron *6* sienta, sientas, sienta, sintamos, sintáis, sientan *7* sintiera *etc*

SER *2* sé *3* soy, eres, es, somos, sois, son *4* fui, fuiste, fue, fuimos, fuisteis, fueron *6* sea *etc* *7* fuera *etc* *9* era, eras, era, éramos, erais, eran

servir *1* sirviendo *2* sirve *3* sirvo, sirves, sirve, sirven *4* sirvió, sirvieron *6* sirva *etc* *7* sirviera *etc*

soñar *2* sueña *3* sueño, sueñas, sueña, sueñan *6* sueñe, sueñes, sueñe, sueñen

tener *2* ten *3* tengo, tienes, tiene, tienen *4* tuve, tuviste, tuvo, tuvimos, tuvisteis, tuvieron *5* tendré *etc* *6* tenga *etc* *7* tuviera *etc*

traer *1* trayendo *3* traigo *4* traje, trajiste, trajo, trajimos, trajisteis, trajeron *6* traiga *etc* *7* trajera *etc*

valer *2* val *3* valgo *5* valdré *etc* *6* valga *etc*

venir *2* ven *3* vengo, vienes, viene, vienen *4* vine, viniste, vino, vinimos, vinisteis, vinieron *5* vendré *etc* *6* venga *etc* *7* viniera *etc*

ver *3* veo *6* vea *etc* *8* visto *9* veía *etc*

vestir *1* vistiendo *2* viste *3* visto, vistes, viste, visten *4* vistió, vistieron *6* vista *etc* *7* vistiera *etc*

VIVIR *1* viviendo *2* vive, vivid *3* vivo, vives, vive, vivimos, vivís, viven *4* viví, viviste, vivió, vivimos, vivisteis, vivieron *5* viviré, vivirás, vivirá, viviremos, viviréis, vivirán *6* viva, vivas, viva, vivamos, viváis, vivan *7* viviera, vivieras, viviera, viviéramos, vivierais, vivieran *8* vivido *9* vivía, vivías, vivía, vivíamos, vivíais, vivían

volver *2* vuelve *3* vuelvo, vuelves, vuelve, vuelven *6* vuelva, vuelvas, vuelva, vuelvan *8* vuelto

LES NOMBRES		LOS NÚMEROS
un (une)/premier(ère)	1	un, uno(a)/primer, primero(a)
deux/deuxième	2	dos/segundo(a)
trois/troisième	3	tres/tercer, tercero(a)
quatre/quatrième	4	cuatro/cuarto(a)
cinq/cinquième	5	cinco/quinto(a)
six/sixième	6	seis/sexto(a)
sept/septième	7	siete/séptimo(a)
huit/huitième	8	ocho/octavo(a)
neuf/neuvième	9	nueve/noveno(a), nono(a)
dix/dixième	10	diez/décimo(a)
onze/onzième	11	once/undécimo(a)
douze/douzième	12	doce/duodécimo(a)
treize/treizième	13	trece/decimotercio(a), decimotercero(a)
quatorze	14	catorce/decimocuarto(a)
quinze	15	quince/decimoquinto(a)
seize	16	dieciséis/decimosexto(a)
dix-sept	17	diecisiete/decimoséptimo(a)
dix-huit	18	dieciocho/decimooctavo(a)
dix-neuf	19	diecinueve/decimonoveno(a), decimonono(a)
vingt/vingtième	20	veinte/vigésimo(a)
vingt et un/vingt-et-unième	21	veintiuno
vingt-deux/vingt-deuxième	22	veintidós
trente/trentième	30	treinta
trente et un	31	treinta y uno(a)
trente deux	32	treinta y dos
quarante	40	cuarenta
quarante et un	41	cuarenta y uno(a)
cinquante	50	cincuenta
soixante	60	sesenta
soixante-dix	70	setenta
soixante-et-onze	71	setenta y uno(a)
soixante douze	72	setenta y dos
quatre-vingts	80	ochenta
quatre-vingt-un	81	ochenta y uno(a)
quatre-vingt-dix	90	noventa
quatre-vingt-onze	91	noventa y uno(a)
cent/centième	100	cien, ciento
cent un/cent-unième	101	ciento uno(a)
deux cents	200	doscientos(as)
trois cents	300	trescientos(as)
trois cent un	301	trescientos(as) uno(a)
quatre cents	400	quatrocientos(as)
cinq cents	500	quinientos(as)
six cents	600	seiscientos(as)
sept cents	700	setecientos(as)
huit cents	800	ochocientos(as)
neuf cents	900	novecientos(as)
mille/millième	1000	mil/milésimo(a)
mille deux	1002	mil dos
cinq mille	5000	cinco mil
un million/millionième	1,000,000	un millón

EMPLES	EJEMPLOS
rive le 7 (mai)	va a llegar el 7 (de mayo)
abite au 7	vive en el número 7
hapitre/la page 7	el capítulo/la página 7
abite au 7ème étage	vive al 7° piso
st arrivé le 7ème	llegó el 7°
part d'un septième	una parte de un séptimo
2ème, 3ème, 4ème, 5ème	1°(1ª), 2°(2ª), 3°(3ª), 4°(4ª), 5°(5ª)

N.B. - Usage des nombres ordinaux:
Dans l'espagnol courant on n'emploie que les douze premiers nombres ordinaux, les autres étant remplacés par les nombres cardinaux correspondants.

EURE		LA HORA
lle heure est-il? c'est ou *il* *t*		*¿qué hora es? es/son*
uelle heure? à		*¿a qué hora? a*
uit	00.00	medianoche, las doce (de la noche)
heure (du matin)	01.00	la una (de la madrugada)
heure dix	01.10	la una y diez
heure et quart, heure quinze	01.15	la una y cuarto o quince
heure et demie, heure trente	01.30	la una y media o treinta
x heures moins le quart, heure quarante-cinq	01.45	las dos menos cuarto, la una cuarenta y cinco
x heures moins dix, heure cinquante	01.50	las dos menos diez, la una cincuenta
di	12.00	mediodía, las doce (de la tarde)
heure (de l'après-midi), ze heures	13.00	la una (de la tarde), las trece
t heures (du soir), neuf heures	19.00	las siete (de la tarde), las diecinueve (horas)
f heures et demie (du), vingt et une heures trente	21.30	las nueve y media (de la noche), las veintiuna (horas) y media.